DER NEUE PAULY

Rezeptions- und Wissenschaftsgeschichte   Band 15/1 La–Ot

DER NEUE PAULY

(DNP)

DER NEUE PAULY

Enzyklopädie der Antike

In Verbindung mit
Hubert Cancik und
Helmuth Schneider
herausgegeben
von Manfred Landfester

Rezeptions- und
Wissenschafts-
geschichte

Band 15/1 La–Ot

Verlag J. B. Metzler
Stuttgart · Weimar

Die Deutsche Bibliothek – CIP-Einheitsaufnahme

Der neue Pauly : Enzyklopädie der Antike/in
Verbindung mit Hubert Cancik und
Helmuth Schneider hrsg. von Manfred Landfester. –
Stuttgart ; Weimar : Metzler, 2001
   Teilw. hrsg. von Hubert Cancik und
   Helmuth Schneider
   ISBN 3-476-01470-3

Bd. 15/1. Rezeptions- und Wissenschaftsgeschichte. La–Ot – 2001
   ISBN 3-476-01485-1

Inhaltsverzeichnis

Gedruckt auf chlorfrei gebleichtem,
säurefreiem und alterungsbeständigem
Papier

ISBN 3-476-01470-3 (Gesamtwerk)
ISBN 3-476-01485-1 (Band 15/1 La-Ot)

© 2001 J. B. Metzlersche Verlags-
buchhandlung und Carl Ernst Poeschel
Verlag GmbH in Stuttgart

Typographie und Ausstattung:
Brigitte und Hans Peter Willberg
Grafik und Typographie der Karten:
Richard Szydlak
Satz: pagina GmbH, Tübingen
Gesamtfertigung: Franz Spiegel Buch
GmbH, Ulm
Printed in Germany

September 2001
Verlag J. B. Metzler Stuttgart · Weimar
www.metzlerverlag.de
info@metzlerverlag.de

Redaktion

Dr. Christa Frateantonio
Tina Jerke
Kerstin Lepper
Matthias Werner
mit:
Annemarie Haas
Klaus Kokoschinsky
Gaby Kosa
Marlies Schmidt

Hinweise für die Benutzung

Anordnung der Stichwörter
Die Stichwörter sind in der Reihenfolge des deutschen Alphabetes angeordnet. I und J werden gleich behandelt; ä ist wie ae, ö wie oe, ü wie ue einsortiert. Wenn es zu einem Stichwort (Lemma) Varianten gibt, wird von der alternativen Schreibweise auf den gewählten Eintrag verwiesen. Bei zweigliedrigen Stichwörtern muß daher unter beiden Bestandteilen gesucht werden.

Informationen, die nicht als Lemma gefaßt worden sind, können mit Hilfe des Registerbandes aufgefunden werden.

Gleichlautende Stichworte sind durch Numerierung unterschieden.

Transkriptionen
Zu den im NEUEN PAULY verwendeten Transkriptionen vgl. S. VIf. und AWI Bd. 3, S. VIIIf.

Anmerkungen
Die Anmerkungen enthalten lediglich bibliographische Angaben. Im Text der Artikel wird auf sie unter Verwendung eckiger Klammern verwiesen (Beispiel: die Angabe [1. 5[23]] bezieht sich auf den ersten numerierten Titel der Bibliographie, Seite 5, Anmerkung 23). Zur Unterscheidung von Quellen und Sekundärliteratur enthalten Bibliographien entsprechende Überschriften: QU und LIT.

Verweise
Die Verbindung der Artikel untereinander wird durch Querverweise hergestellt. Dies geschieht im Text eines Artikels durch einen Pfeil (→) vor dem Wort / Lemma, auf das verwiesen wird; wird auf homonyme Lemmata verwiesen, ist meist auch die laufende Nummer beigefügt.

Querverweise auf verwandte Lemmata sind am Schluß eines Artikels, ggf. vor den bibliographischen Anmerkungen, angegeben.

Verweisen auf Stichworte des ersten, altertumswissenschaftlichen Teiles des NEUEN PAULY ist ein AWI und Pfeil vorangestellt (AWI → Elegie).

Karten und Abbildungen
Texte, Abbildungen und Karten stehen in der Regel in engem Konnex, erläutern sich gegenseitig. In einigen Fällen ergänzen Karten und Abbildungen die Texte durch die Behandlung von Fragestellungen, die im Text nicht angesprochen werden können.

Transkriptionen

Transkriptionstabelle Altgriechisch

α	a	Alpha
αι	ai	
αυ	au	
β	b	Beta
γ	g	Gamma; γ vor γ, κ, ξ, χ: n
δ	d	Delta
ε	e	Epsilon
ει	ei	
ευ	eu	
ζ	z	Zeta
η	ē	Eta
ηυ	ēu	
θ	th	Theta
ι	i	Iota
κ	k	Kappa
λ	l	Lambda
μ	m	My
ν	n	Ny
ξ	x	Xi
ο	o	Omikron
οι	oi	
ου	ou oder u	
π	p	Pi
ρ	r	Rho
σ, ς	s	Sigma
τ	t	Tau
υ	y	Ypsilon
φ	ph	Phi
χ	ch	Chi
ψ	ps	Psi
ω	ō	Omega
ʽ	h	
ᾳ	ai	Iota subscriptum (analog ῃ, ῳ)

Die verschiedenen griechischen Akzente werden in der Umschrift einheitlich durch Akut (´) angegeben.

Transkription und Aussprache Neugriechisch

Verzeichnet werden nur Laute und Lautkombinationen, die vom Altgriechischen abweichen.

Konsonanten

β	v	
γ	gh	vor dunklen Vokalen, wie norddt. ›Tage‹
	j	vor hellen Vokalen
δ	dh	wie engl. ›the‹
ζ	z	wie frz. ›zèle‹
θ	th	wie engl. ›thing‹

Konsonantenverbindungen

γκ	ng	
	g	am Wortanfang
μπ	mb	
	b	am Wortanfang
ντ	nd	
	d	am Wortanfang

Vokale

η	i	
υ	i	

Diphthonge

αι	e	
αυ	av	
	af	vor harten Konsonanten
ει	i	
ευ	ev	
	ef	vor harten Konsonanten
οι	i	
υι	ii	

Spiritus Asper wird nicht gesprochen. Der altgriechische Akzent bleibt im allg. an der angestammten Stelle stehen. Doch ist die Distinktion zwischen ´, ` und ˜ verschwunden.

Transkriptionstabelle
Hebräisch Konsonanten

א	a	Alef
ב	b	Bet
ג	g	Gimel
ד	d	Dalet
ה	h	He
ו	w	Waw
ז	z	Zajin
ח	ḥ	Chet
ט	ṭ	Tet
י	y	Jud
כ	k	Kaf
ל	l	Lamed
מ	m	Mem
נ	n	Nun
ס	s	Samech
ע	ʿ	Ajin
פ	p/f	Pe
צ	ṣ	Zade
ק	q	Kuf
ר	r	Resch
ש	ś	Sin
ש	š	Schin
ת	t	Taw

Aussprache
Türkisch

Das Türkische verwendet seit 1928 die lateinische Schrift. Grundsätzlich gelten in ihr Laut-/Schriftentsprechungen wie in den europäischen Sprachen, v.a. wie im Deutschen. Im folgenden sind daher nur Abweichungen vom Deutschen aufgeführt.

C	c	wie italienisch ›giorno‹
Ç	ç	wie italienisch ›cento‹
Ğ	ğ	wie norddeutsch g in ›Tage‹, heute manchmal unhörbar
H	h	stets aussprechen, nie dt. Dehnungs-h wie in ›fehlen‹
İ	i	wie deutsch i in ›Stift‹
Ĭ, I	ĭ, ı	für das Türkische typischer, sehr offener i-Laut, nicht wie deutsches i
J	j	wie frz. ›jour‹
Ş	ş	wie dt. sch in ›Schule‹
Y	y	wie deutsches j in ›Jahr‹
Z	z	wie frz. ›zèle‹, also stets weich

Transkriptionstabelle
Arabisch, Persisch, Osmanisch

ا, ء	ʾ, ā	ʾ	ʾ	Hamza, Alif
ب	b	b	b	Bāʾ
پ	–	p	p	Pe
ت	t	t	t	Tāʾ
ث	ṯ	s̱	s̱	Ṯāʾ
ج	ǧ	ǧ	ǧ	Ǧīm
چ	–	č	č	Čim
ح	ḥ	ḥ	ḥ	Ḥāʾ
خ	ḫ	ḫ	ḫ	Ḫāʾ
د	d	d	d	Dāl
ذ	ḏ	z̲	z̲	Ḏāl
ر	r	r	r	Rāʾ
ز	z	z	z	Zāy
ژ	–	ž	ž	Že
س	s	s	s	Sīn
ش	š	š	š	Šīn
ص	ṣ	ṣ	ṣ	Ṣād
ض	ḍ	ḍ	ḍ	Ḍād
ط	ṭ	ṭ	ṭ	Ṭāʾ
ظ	ẓ	ẓ	ẓ	Ẓāʾ
ع	ʿ	ʿ	ʿ	ʿAin
غ	ġ	ġ	ġ	Ġain
ف	f	f	f	Fāʾ
ق	q	q	q, k	Qāf
ك	k	k	k, g, ñ	Kāf
گ	–	g	g, ñ	Gāf
ل	l	l	l	Lām
م	m	m	m	Mīm
ن	n	n	n	Nūn
ه	h	h	h	Hāʾ
و	w, ū	v	v	Wāw
ي	y, ī	y	y	Yāʾ

Transkription anderer Sprachen

Akkadisch (Assyrisch-Babylonisch), Hethitisch und Sumerisch werden nach den Regeln des RLA bzw. des TAVO transkribiert. Für Ägyptisch werden die Regeln des Lexikons der Ägyptologie angewandt.

Die Transkription des Urindogermanischen erfolgt nach Rix, HGG, die der indischen Schriften nach M. Mayrhofer, Etymologisches Wörterbuch des Altindoarischen, 1992ff. Avestisch wird nach K. Hoffmann, B. Forssman, Avestische Laut- und Flexionslehre, 1996, Altpersisch nach R.G. Kent, Old Persian, ²1953 (Ergänzungen bei K. Hoffmann, Aufsätze zur Indoiranistik Bd. 2, 1976, 622ff.) transkribiert, die übrigen iranischen Sprachen nach R. Schmitt, Compendium linguarum Iranicarum, 1989, bzw. nach D.N. MacKenzie, A Concise Pahlavi Dictionary, ³1990. Bei Armenisch gelten die Richtlinien bei R. Schmitt, Grammatik des Klassisch-Armenischen, 1981, bzw. der Revue des études arméniennes. Für die Transkription kleinasiatischer Sprachen vgl. das HbdOr, für Mykenisch, Kyprisch vgl. Heubeck bzw. Masson; für italische Schriften und Etruskisch vgl. Vetter bzw. ET.

L

Landvermessung. Die Schriften der röm. Feldmesser (Agrimensoren) behandeln deren verschiedene Wirkungsbereiche: Vermessung von Gebieten; Limitation, d. h. Einteilung durch sich rechtwinklig schneidende Grenzlinien; Anlage von Katastern und Flurkarten; Tätigkeit als Richter oder Sachverständige im Bodenrecht, insbes. bei Grenzstreitigkeiten; Mitwirkung bei rel. Akten; Längen- und Flächenmaße, Gewichte und die Inhaltsbestimmung von Flächen und Körpern. Mit mathematischen Fragen beschäftigen sich v. a. Balbus' Schrift *Expositio et ratio omnium formarum* (ca. 100), der anon. *Liber podismi* und ein Werk, das Epaphroditus und Vitruvius Rufus zugeschrieben wird. Balbus behandelt Längen-, Flächen- und Raummaße, die Formen der Begrenzungslinien und ebene Figuren (Dreiecke, Vierecke, Kreis). Das Werk des Epaphroditus und Vitruvius Rufus lehrt anhand von Zahlenbeispielen in Rezeptform die Berechnung der verschiedenen Dreiecke, Vierecke, Polygone und des Kreises. Ähnliche Flächenbestimmungen findet man auch im *Liber podismi* [4].

Die Geom. in den Schriften der Agrimensoren steht in einer langen Trad.: Die recht ungenaue Formel für die Bestimmung der Fläche des allg. Vierecks (F = [a+c]/2 × [b+d]/2) und die daraus abgeleitete Dreiecksformel, bei der eine Seite gleich Null gesetzt wird, finden sich schon in ägypt. und babylonischen Texten. Viele geom. Verfahren in den Schriften der Agrimensoren lassen sich auch bei Heron (um 65 n. Chr.) nachweisen.

Die mathematischen Texte der Agrimensoren enthalten auch Informationen, die für die praktische Arbeit des Vermessers unwichtig waren. Hierzu gehören: Definitionen, die entfernt an Euklid erinnern; Symbole für die Potenzen, die Anklänge an Diophant zeigen; Abschnitte über figurierte Zahlen, die den zahlentheoretischen Ausführungen des Boethius ähneln.

Die Schriften der Agrimensoren wurden schon um 450 zu einem Corpus zusammengefaßt. Die älteste Abschrift davon ist der *Codex Arcerianus* aus dem 6. Jh. (h. in Wolfenbüttel) [2; 5]. Das *Corpus agrimensorum* wurde im frühen MA in verschiedenen Stufen umgeordnet und erweitert [6]. Im Kloster Corbie wurden im 8. Jh. Schriften der Agrimensoren und andere geom. Texte gesammelt und hieraus neue Kompendien zusammengestellt, u. a. eine Geom., die man Boëthius zuschrieb [8]. Diese »Geom. I« war während der Karolingerzeit und auch noch später recht verbreitet und war vor den Übers. aus dem Arab. eine der wichtigsten Schriften, aus denen man geom. Wissen erwerben konnte. Die Kompendien, die seit dem 8. Jh. entstanden, dienten nicht der Unterrichtung der Feldmesser, sondern dem geom. Unterricht im Quadrivium.

In der Trad. der Agrimensoren steht auch Gerberts *Geom.* (ed. [1. 46–97]) und eine in den Hss. mit ihr verbundene anon. Fortsetzung (ed. [1. 310–365]). Gerbert hat für seine Schrift eine (oder mehrere) Agrimensoren-Hss. benutzt, die er vermutlich um 981 in Bobbio kennengelernt hat. In seiner *Geom.* erläutert er die Grundbegriffe der Geom., geht auf die verschiedenen Maße und ihre Umrechnungen ein, behandelt die Arten der Winkel und legt dar, wie man Dreiecke, Vierecke und die figurierten Zahlen berechnet. In der anon. Fortsetzung werden – außer der Berechnung von ebenen Figuren und einfachen Körpern – auch Verfahren geschildert, um mit Hilfe verschiedener Instrumente oder auch ohne Hilfsmittel Flußbreiten, Berg- oder Turmhöhen und die Tiefe von Brunnen zu bestimmen. Die meisten dieser Verfahren beruhen auf Ähnlichkeitsbetrachtungen. Einige geom. Aufgaben in dieser anon. Schrift findet man in fast derselben Form auch in den *Propositiones ad acuendos iuvenes*, die vermutlich von Alkuin stammen.

Angeregt durch Gerberts Schrift und verwandte Texte, beschäftigten sich lothringische Gelehrte im 11. Jh. mit elementaren geom. Fragen (z. B. mit der Dreiecksfläche und mit den verschiedenen Arten der Winkel). Dort entstand auch die *Geom. II* des Pseudo-Boëthius, die umfangreiches Material aus den Agrimensoren enthält [3]. In den meisten Hss., die diesen Text überliefern, findet man zusätzliche Exzerpte aus den Schriften der Agrimensoren und oft auch Auszüge aus Columella und Censorinus [6; 7. Bd. 3]. Etwas älter als die *Geom. II* sind weitere Kompendien mit agrimensorischen Exzerpten, die in Süddeutschland bzw. in Spanien entstanden [6. 44–68; 7. Bd. 3. 963–1012].

Es ist erstaunlich, daß geom. und metrologisches Wissen aus dem *Corpus agrimensorum* in Westeuropa auch noch trad. wurde, als durch die Übers. aus dem Arab. umfangreiches neues Material zur Verfügung stand. In Schriften der praktischen Geom. (z. B. von Hugo von St. Victor, 12. Jh. oder Dominicus de Clavasio, 14. Jh.) wird dieses europ. Wissen weiter überliefert, und auch viele Rechenbücher von it. und dt. Rechenmeistern aus dem 14.–16. Jh. enthalten Formeln und Methoden, die letztlich auf die röm. Agrimensoren zurückgehen. Erst seit dem 17. Jh. gerieten diese Verfahren allmählich in Vergessenheit.

→ AWI Balbus; Censorinus; Columella; Heron

1 N. BUBNOV (Hrsg.), Gerberti postea Silvestri II. papae opera mathematica, Berlin 1899 2 H. BUTZMANN (Hrsg.), Corpus Agrimensorum Romanorum. Codex Arcerianus A der Herzog-August-Bibl. zu Wolfenbüttel (Cod. Guelf. 36.23 A), 1970 3 M. FOLKERTS, »Boëthius« Geometrie II. Ein mathematisches Lehrbuch des MA, 1970 4 Ders., Mathematische Probleme im Corpus agrimensorum, in: O. BEHRENDS, L. CAPOGROSSI COLOGNESI (Hrsg.), Die röm. Feldmeßkunst. Interdisziplinäre Beitr. zu ihrer Bed. für die

Zivilisationsgesch. Roms, 1992, 311–334 **5** C. THULIN, Die Hss. des Corpus agrimensorum Romanorum, in: Abhandlungen der Königlich Preußischen Akad. d. Wiss. 1911, 10–39 **6** Ders., Zur Überlieferungsgesch. des Corpus agrimensorum. Exzerpten-Hss. und Kompendien, in: Göteborgs Kungl. Vetenskaps- och Vitterhets-Samhälles Handlingar, Ser. IV, 14, 1911 **7** L. TONEATTO, Codices artis mensoriae. I manoscritti degli antichi opuscoli Latini d'agrimensura (V-XIX sec.), 3 Teile, 1994–1995 **8** B. L. ULLMAN, Geometry in the Mediaeval Quadrivium, in: Studi di bibliografia e di storia in onore di Tammaro de Marinis, Bd. 4, 1964, 263–285.   MENSO FOLKERTS

Landwirtschaft

A. EINLEITUNG B. NACHWIRKUNGEN LANDSCHAFTSVERÄNDERNDER MASSNAHMEN C. WEITERGABE AGRARISCHER KENNTNISSE D. ANTIKE GESETZGEBUNG E. FACHLITERATUR

A. EINLEITUNG

Obwohl Kontinuitätsfragen in der geistesgeschichtlichen Trad. gesehen werden, kann behauptet werden, daß es kaum einen Bereich der ant. Kultur gibt, der sich auf die europ. Geschichte so nachhaltig auswirkte wie die Agrikultur. Dabei sind mehrere Ebenen zu unterscheiden: 1) Nachwirken landschaftsverändernder Maßnahmen der Ant. selbst; 2) Weitergabe agrarischer Kenntnisse an Nachfolge-Kulturen; 3) Nachwirkungen und Vorbildcharakter ant. Gesetzgebung und Sozialstrukturen; 4) mittelbare Wirkung durch die agrarische Fachlit. und Kalender.

Selbstverständlich differieren die Auswirkungen im Mittelmeerraum von jenen in den Provinzen und etwaigen Übernahmen außerhalb des ehemaligen Reichsgebietes. Vielfach handelt es sich auch um die Kontinuität von noch in der Spätant. entwickelten Sonderentwicklungen, die keineswegs typisch für die ant. Mittelmeerwelt waren. Der Schwerpunkt der folgenden Zusammenstellung liegt auf dem lat. Westen, während die langfristige Kontinuität im griech.-byz. Raum und die enorme Vermittlungsleistung der islam. Kulturen nur angedeutet werden können. Übernahmen zur Zeit der Kreuzzüge im agrarischen Sektor sind verhältnismäßig gering, die griech.-lat. Kontaktzonen im Süden It. und am Balkan haben eher regionale Auswirkungen. Von nicht zu unterschätzender Bed. ist das soziale Prestige, das die Tätigkeit in der L. für den *cives Romanus* genoß, und das auch in lit. Werken durchscheint (z. B. Vergil, Horaz). Schon in der augusteischen Zeit romantisiert, galt der republikanische Ackerbauer und Krieger als sittliches Vorbild, mit dem sich einzelne Mitglieder der Oberschicht, für die auch die Fachlit. gedacht war, identifizieren konnten. Diese Haltung traf zwar in der abendländischen Kriegerkultur nicht unmittelbar auf Verständnis, wirkte sich aber dort aus, wo lat. Schriftwerke bes. rezipiert wurden: In ma. Klöstern, für die auch das Vorbild röm. Großbetriebe von Nutzen sein konnte, in der Ren. und nicht zuletzt bei der Neukonstitution barocker Gutswirtschaften.

B. NACHWIRKUNGEN LANDSCHAFTS-VERÄNDERNDER MASSNAHMEN

Einige Charakteristika der ant. L. haben die europ. Landschaft in bes. Maße geprägt: Kleinräumige, intensive Kulturen finden sich z. B. im unteren Rhonetal oder im ehemaligen Rätien. Ob die künstliche Bewässerung im heutigen Südtirol durch »Waale« (von *aquale*) auf ant. Wurzeln zurückgeht, ist nicht belegbar, aber wahrscheinlich. Die ant. Spezialisierung auf bestimmte Kulturen (die jeweils günstigsten Gebiete wurden vorrangig für Öl- und Weinbau, Getreidebau oder Viehzucht genutzt) hat sich auf ganze Landstriche nachhaltig ausgewirkt. Die Ausbeutung der Wälder für den Schiffbau und für mil. Zwecke hat ganze Regionen veröden und verkarsten lassen; aber auch Viehzucht (bes. Ziegen) wird dafür verantwortlich gemacht. In manchen Gegenden (z. B. Salzburg, Bayern) ist die röm. Quadraflur h. noch erkennbar.

C. WEITERGABE AGRARISCHER KENNTNISSE
1. KONTINUITÄTEN UND BRÜCHE

Die direkte Kontinuität im byz. Reich und in der islamischen Welt kann hier nicht genauer verfolgt werden. Künstliche Bewässerung und intensiver Anbau bis zur Gartenwirtschaft finden sich zwar auch im europ. Mittelmeerraum, doch verloren sie mit dem Niedergang des Reiches ihre Märkte.

Trotz polit. Zersplitterung dürfte die Notwendigkeit des großräumigen Austausches von Agrarprodukten aufgrund des Nachwirkens der Spezialisierung einen Rest ital. Identität genährt haben: Bis ins späte 5. Jh. (*Vita Severini*) war man auch nördl. der Alpen den Import von Olivenöl noch gewohnt.

2. EINZELNE KULTUREN

Prominentestes Beispiel röm. Kontinuität ist die Almwirtschaft. Auch in der dt. Sprache sind zahlreiche Ausdrücke aus diesem Bereich (*alpes* > Alm, *butyrus* > Butter, *caseus* > Käse, *senior* > Senn usw.) lat. Lehnwörter. Auch bei Ortsnamen kann Kontinuität belegt werden. Bei der Almwirtschaft handelt es sich um eine Sonderkultur, die typisch für die keltisch-röm. Mischkultur in den Alpen war. Der demographische Wechsel hielt sich in diesen Gebieten in Grenzen.

Die Viehzucht hingegen erwies sich als im größten Maße kulturabhängig. Besonders die Rinder gehörten zum Prestige röm., keltischer und german. Oberschichten. Dies hatte wohl auch zur Folge, daß röm. Zuchten nicht weitergeführt wurden: Die Größe früh-ma. Rinder ist ganz deutlich geringer. Die Schafzucht ist älter als die röm. Kultur und von dieser nicht wesentlich beeinflußt. Die Kontinuität von Hirtenkulturen ist mangels schriftlicher Quellen schwer einzuschätzen. Als universelles Fleischtier wird das Schaf in Teilen Europas vom Schwein abgelöst. Mit der L. wenig zu tun hat die Pferdezucht; als landwirtschaftliche Zugtiere fanden Pferde erst im späteren MA Verwendung.

Ähnlich wie bei anderen Kulturen dürften schon zur Römerzeit im Weinbau nördl. der Alpen die klimatisch nötigen Anpassungen erfolgt sein. Dabei ist der Anteil der Kontinuität von jenem der Wiederaneignung aufgrund der schriftlichen Trad. schwer zu unterscheiden. Wohl kaum eine Sparte des Obstbaues ist ohne ant. Einfluß denkbar. In diesem Bereich muß zw. Verbesserung heimischer Sorten (Äpfel, weniger Birnen) und Einführung neuer Sorten (Pfirsiche, Kirschen, Kastanien usw.), die ein umso höheres Prestige hatten, je schwieriger sie zu züchten waren, differenziert werden. Kontinuität im Kräuter- und Gemüsebau ist fallweise anzunehmen, aber aus Quellenmangel nur schwer nachweisbar. Einzelne Sorten (Erbsen, Bohnen, Gewürze) stammen aus dem Mittelmeerraum; allerdings ist Vorsicht geboten, weil die europ. Gartenkultur stark von der lat. Welt der Klöster geformt wurde: Früh-ma. Mönche können ihre Gelehrsamkeit genauso aus Büchern wie aus der Trad. beziehen. Aus den Büchern bekannte Gewürzsorten wurden entweder aufgegeben (*garum*) oder substituiert (Narde > Lavendel). Pfeffer und Gewürznelken erreichten Europa das ganze MA hindurch.

Im Getreidebau ist von röm. Kontinuität nur wenig zu bemerken. In einigen Gebieten mit bes. starker romanischer Kontinuität muß die röm. Pflugtechnik noch bis ins frühe MA vorherrschend gewesen sein: Das kreuzweise Aufreißen des Bodens mit dem Hakenpflug führte zu eher quadratischen Fluren, während der nachröm. Wendepflug am besten auf langgestreckten Fluren eingesetzt werden konnte. Beim Weizen ist Kontinuität möglich (Getreide), auch bei Hirse, die allerdings aus den Quellen fast verschwindet, ob wegen ihres geringen Prestiges oder wegen geringeren Gebrauchs, ist schwer zu entscheiden. Bei den anderen Getreidesorten sollte man an unabhängige Entwicklungen denken.

3. Landwirtschaftliche Geräte

Ohne hier auf Details eingehen zu können, die in den Bereich der Archäologie gehören, seien zwei wesentliche Entwicklungslinien einander gegenübergestellt: Einzelne Geräte wurden in der Ant. derart optimiert, daß bis h. keine prinzipielle Innovation nötig war. Als Beispiel könnte man Messer für den Wein- und Obstbaumschnitt nennen, geradezu ein Standeszeichen des Landherren.

Andere Geräte mußten aufgrund des Wandels der Sozialstruktur, v. a. des Wegfalls der Sklaverei, verändert werden. Folgenreiches Beispiel ist der Pflug: Die breite Pflugschar erforderte mehrere Ochsen als Zugtiere, und das ganze Gespann mußte von mehreren Personen geführt werden. Ab dem 5. Jh. wurden die Pflugscharen kleiner und schräg gestellt: Sie erforderten weniger Zugkraft und warfen die Erdschollen um.

Getreide wurde noch bis ins späte MA mit der Sichel geschnitten. Die Notwendigkeit für einen größeren Heuvorrat ergab sich im Mittelmeergebiet nicht. Wohl daher genügten auch für den Grasschnitt größere Sicheln. Die spätant. Innovation bestand darin, einen Knick zw. dem Sichelblatt und dem Stil einzuführen, so daß eine stehende Person die Schneide parallel zum Boden führen konnte; die Sense war erfunden.

D. Antike Gesetzgebung

Von spezieller Bed. für die europ. L. wurden Maßnahmen der Ant., die ursprünglich zur Sicherung schwierig zu bebauender Gebiete an den Rändern der Wüste und zum Gebirge hin entwickelt wurden. Eine *Lex Hadriana de rudibus agris* und eine *Lex Manciana*, beide inschriftlich erwähnt (z. B. CIL VIII 25902, 25943, 26416), sichern den Colonen in solchen Gebieten bes. Rechte zu. Die sog. *Tablettes Albertini* aus Nordafrika illustrieren die Verhältnisse innerhalb eines Großgrundbesitzes, innerhalb dessen die Colonen fast völlig frei wirtschaften und handeln konnten. Auch ein ital. Pap. (P. Ital. 3) belegt die spätant. Wurzeln der »zweigeteilten L.«, die für das MA charakteristisch werden sollte: Der Großgrundbesitzer bzw. später der Feudalherr bewirtschaftet nur einen Teil seines Besitzes zentral, vergibt einen größeren aber an mehr oder weniger Abhängige, die gegen entsprechende Abgaben weitgehend selbständig auf ihrem Haus und Hof arbeiten.

E. Fachliteratur

1. Quellen

Das nach dem Fall von Karthago 146 v. Chr. ins Lat. übersetzte Werk des Puniers Mago ist verloren, wird aber von röm. Agronomen mit großem Respekt zitiert. Im Griech. erhielten sich gekürzte Fassungen (Diophanes). Die *Geoponika*, nur in Fragmenten erhalten, wurden im 6. Jh. n. Chr. zusammengestellt und um 950 unter Konstantin VII. Porphyrogennetos neu ediert. Das älteste röm. Werk über L. ist M. Porcius Catos (234–149 v. Chr.) *De agri cultura*. Die vermutlich für den Privatgebrauch gedachte und aus Notizen entstandene Schrift ist zu seinen Lebzeiten nicht veröffentlicht worden, hat aber spätere Autoren beeinflußt. M. Terentius Varros (116–27 v. Chr.) Werk *De re rustica* versteht sich von vornherein als Anleitung und folgt einer bewußten Systematik. Die *Georgica* des P. Vergilius Maro (70–19 v. Chr.) waren erheblich einflußreicher, obwohl bzw. weil sie sich v. a. als Dichtung verstehen. Der Autor selbst besaß wenig praktische Kenntnisse; dennoch reiht ihn Isidor von Sevilla unter die Fachschriftsteller (Orig. 17,1,1). Die *historia Naturalis* des C. Plinius Secundus (23–79 n. Chr.) enthält in den Büchern 17 und 18 eine Zusammenstellung von landwirtschaftlichem Wissen inklusive kalendarischer Aufstellung. Inhaltlich h. noch beachtenswert ist das Werk des L. Iunius Moderatus Columella, *De re rustica*, aus dem 1. Jh. n. Chr. Das von einem unbekannten Autor stammende Buch *De arboribus* wurde schon in der Spätant. dem Columella-Text hinzugefügt.

Der wichtigste Vermittler ant. Agrarwissens ist Rutilius Taurus Aemilianus Palladius mit seinem *Opus Agriculturae* geworden, das er wahrscheinlich in der 1. H. des 5. Jh. schrieb. Sein Werk organisiert die ländlichen Arbeiten zum ersten Mal fast vollständig über den Kalender und erreichte dadurch bes. Beliebtheit.

Wie in vielen anderen Bereichen hatte Isidor von Sevilla eine entscheidende Bed. für die Tradierung des ant. Wissens über die L.; das einschlägige Kapitel 17 beginnt mit der Nennung der wichtigsten Fachautoren und sichert damit, immer wieder Vergil zitierend, die Kenntnis der wichtigsten Begriffe.

2. ÜBERLIEFERUNG

Die Überlieferung der Werke von Vergil und Plinius war größtenteils unabhängig von ihrem agrarischen Inhalt; von beiden Autoren existieren zahlreiche Handschriften. Alle mod. Ausgaben von Cato und Varro beruhen auf einer h. verlorenen Hs. aus Florenz (Marcianus). Die jüngeren Fachautoren sind in der Regel in Sammel-Hss. überliefert, die in der Karolingerzeit, im 12. Jh. und am E. des MA ihre »Ren.« erlebten. Von Palladius gibt es auch Einzel-Handschriften. Dazu kommen noch zahlreiche Exzerpte und Teilsammlungen.

Einen Sonderfall der Weitergabe ant. Agrarwissens stellten die Kalender dar. Der röm. Festkalender war eng mit dem Agrarjahr verbunden. Die *Menologia rustica* stehen in Zusammenhang mit der julianischen Kalenderreform und listen die den jeweiligen Monaten zugeordneten Tätigkeiten in der L. auf. Die Bildmotive der Kalender-Hss., die meist eine für die Jahreszeit typische Tätigkeit zeigen, blieben erstaunlich konstant, nur heidnisch-rel. Inhalte wurden uminterpretiert, so daß z.B. aus einem Priester vor dem Opferaltar ein sich an der Flamme wärmender alter Mann wird. Die den Monat begleitenden Gedichte über Monatsnamen, astronomische Details und agrarische Tätigkeiten wurden nach und nach ausgebaut. Eines der ausführlichsten ist jenes von Wandalbert von Prüm (813ca. 870), der sich vielleicht noch direkt auf einen Kalender in der Trad. des Filocalus (4. Jh.) bezog.

3. WIRKUNGEN

Das ant. Agrarwissen stand also an Höfen und Klöstern ständig zur Verfügung und wurde in den Zeiten einschneidender Agrarreformen regelmäßig mit Gewinn herangezogen, zuletzt von Fachleuten für biologische Landwirtschaft. Die Größe des röm. Reiches machte es von vornherein nötig, je nach Region zeitliche Umrechnungen und klimatische Anpassungen vorzunehmen. Jede Epoche hat aus den Vorbildern verschiedene Lehren gezogen. Was man lernen konnte und kann, betrifft jedoch nicht nur die Anwendung einzelner Techniken und Maßnahmen, sondern grundsätzlich – ähnlich wie im gelehrten Recht – eine wissenschaftlich-systematische Umgangsweise mit der Agrikultur: Der Begriff *experimentum*, der aus der Astronomie kam und dort zunächst die systematische Beobachtung der Himmelsereignisse meinte, wurde von Columella in die Agrarwiss. übertragen und durch das Element der experimentellen Versuchsreihe ergänzt. Auch eine marktbezogene erwerbsorientierte Denkweise konnte man sich aneignen, was dann v. a. in der Neuzeit geschah.

Autoren des MA verwendeten für ihre agronomischen Werke auch die ant. Fachlit.; so waren Palladius und Varro wichtige Quellen für Petrus de Crescentiis, dessen *Opus ruralium commodorum* zu den einflußreichsten Werken des MA auf diesem Gebiet gehörte. Die meisten agronomischen Werke des MA enthalten auch Bücher über Tiermedizin, doch ist die Überlieferung dieser Teile deutlich weniger dicht: Teilweise galt die Tiermedizin wohl als eigenes Fachgebiet (Pferdezucht fällt meist in den mil. Zusammenhang); vielleicht waren auch die magischen Praktiken obsolet, vermutlich aber hatten die Nachfolgevölker eigene Methoden der Tierzucht und der entsprechenden Heilkunde entwickelt.

1 W. ABEL, Gesch. der dt. L. vom frühen MA bis zum 19. Jh. ²1967 2 C. BAUFELD, Antikenrezeption im deutschsprachigen Raum durch eine L.-Lehre. Columellas Werk »De re rustica« in der Übers. des Heinrich Österreicher, in: C. TUCZKAY et al. (Hrsg.), Ir sult sprechen willekommen, 1998, 521–538 3 W. BERGMANN, Der röm. Kalender: Zur sozialen Konstruktion der Zeitrechnung, in: Saeculum 35, 1984, 10–12 4 S. BÖKÖNYI, The Development of Stockbreeding and Herding in Medieval Europe, in: D. SWEENEY (Hrsg.), Agriculture in the Middle Ages, 1995, 41–61 5 P. BRIMBLECOMBE, Climate Conditions and Population Developments in the Middle Ages, in: Saeculum 39, 1988, 141–148 6 K. BRUNNER, Continuity and Discontinuity of Roman Agricultural Knowledge in the Early Middle Ages, in: D. SWEENEY (Hrsg.), Agriculture in the Middle Ages, 1995, 21–40 7 O. BRUNNER, Adeliges Landleben und europ. Geist. Leben und Werk W. Helmhards von Hohberg, 1979 8 K. W. BUTZER, The Classical Trad. of Agronomic Science, in: K. W. BUTZER, D. LOHMANN (Hrsg.), Science in Western and Eastern Civilisation in Carolingian Times 1993, 540–596 9 C. COUTOIS (Hrsg.), Tablettes Albertini, actes privées de l'epoque vandale, 1952 10 D. HERLIHY, Three Patterns of Social Mobility in Medieval Society, in: Journal of Interdisciplinary History 3, 1973, 623–647, Ndr. in: Collected Studies, 1978 11 J. KODER, Gemüse in Byzanz. Die Versorgung Konstantinopels mit Frischgemüse im Lichte der Geoponika, 1993 12 U. MEYER, Soziales Handeln im Zeichen des »Hauses«: Zur Ökonomik in der Spätant. und im frühen MA, 1998 13 A. RIEGL, Die ma. Kalenderillustration, in: Mitt. des Instit. für österreichische Geschichtsforsch. 10, 1889, 1–74 14 F. STAAB, Agrarwissenschaft und Grundherrschaft. Zum Weinbau der Klöster im Früh-MA, in: A. GERLICHEL (Hrsg.), Weinbau, Weinhandel und Weinkultur 1993, 1–47 15 J. O. TJÄDER, Die nichtlit. Lat. Pap. It. aus der Zeit 445–700, 1955, 184–189 16 A. M. WATSON, Arab and European Agriculture in the Middle Ages: A Case of Restricted Diffusion, in: D. SWEENEY (Hrsg.), Agriculture in the Middle Ages, 1995, 62–75 17 L. WHITE (Hrsg.), The Transformation of the Roman World, 1966 18 V. WINIWARTER, Zur Rezeption ant. Agrarlit. im frühen MA, 1991 19 Dies., Landwirtschaftliche Kalender im frühen MA, in: Medium Aevum Quotidianum 27, 1992, 33–55 20 Dies., Böden in Agrargesellschaften. Wahrnehmung, Behandlung und Theorie von Cato bis Palladius, in: R. P. SIEFERLE, H. BREUNINGER (Hrsg.), Natur-Bilder, 1999, 181–221.

KARL BRUNNER

Laokoongruppe

A. Fund und Aufstellung
B. Thema, Datierung, Zustand
C. Kopien   D. Rekonstruktionen
E. Künstlerische Rezeption
F. »Exemplum doloris«
G. Ästhetische Theorie   H. Karikatur

A. Fund und Aufstellung

Wie kaum ein anderes Kunstwerk hat die L. un-
übersehbare Spuren in der Kunst- und Geistesgeschichte der europ. Neuzeit hinterlassen.

Gefunden wurde sie am 14.1.1506 in Rom bei S.
Pietro in Vincoli in einer verschütteten Gewölbekam-
mer (anon. Brief an G. S. L'Arienti vom 31.1.1506,
[28. 26f.]). An näheren Informationen interessiert,
sandte Papst Julius II. seinen Baumeister Giuliano da
Sangallo an die Fundstelle, der (in Begleitung Michelangelos) die Gruppe auf Anhieb mit einer von Plinius
(nat. 36, 37) genannten Skulptur (im Hause von Kaiser
Titus) zu identifizieren wußte (1567 mitgeteilt von Giu-
lianos Sohn Francesco, der als Neunjähriger zugegen
war). Die geglückte Identifikation und das bes. Lob von
Plinius (›opus omnibus et picturae et statuariae artis
praeferendum‹), die Attraktivität des Gruppenmotivs
sowie die Popularität der vermeintlichen Quelle (Verg.
Aen. 2,201ff.) machten das vergleichsweise gut erhaltene Werk schlagartig zum berühmtesten Denkmal des
Altertums. Von Julius II. sogleich (23.3.1506) erworben,
wurde das Stück zur Attraktion seines von Bramante
gebauten Statuenhofes im vatikanischen Belvedere
(Aufstellung am 1.6.1506). Es heißt, der Papst wollte
ständig an die dargestellte Begebenheit erinnert werden:
die prophetische Ankündigung der weltgeschichtlichen
Sendung Roms [11. 12].

B. Thema, Datierung, Zustand

Wiedergegeben ist eine nachhomerische Episode des
Trojanischen Kriegs: die Tötung des Apollonpriesters
Laokoon (sowie eines oder zweier seiner Söhne) durch
zwei von Poseidon geschickte Seeschlangen, allerdings
nicht nach Vergils *Aeneis*, denn die Szene weicht von
deren Handlung ab (vermutlich nach der *Iliupersis* des
Arktinos oder einem verlorenen Drama *Laokoon* des Sophokles [23. 196]). Datierung und Bestimmung sind
strittig; neu und heftig diskutiert werden sie nach dem
Fund der *Skylla-Gruppe* von Sperlonga. Die Hauptposi-
tionen: röm. Marmor-Kopie einer spätpergameni-
schen Bronze (2. Jh. v. Chr.) [2; 31: ANDREAE] oder röm.
Marmor-Original (im Pergamonstil) aus frühaugustei-
scher bis flavischer Zeit [11; 31: SETTIS]. Plinius nennt
die rhodischen Bildhauer Agesandros, Polydoros, Athanadoros, deren Namen auch in Sperlonga auftauchen.
Ant. Kopien oder Varianten sind nicht bekannt.

Den Figuren des Fundstücks, das nicht, wie Plinius
schreibt, monolith, sondern aus sieben Stücken zusammengesetzt ist, fehlten sämtliche rechten Arme (bzw.
Hände). Von diesem Zustand – vor der Aufstellung im
Vatikan – existiert eine erste Zeichnung (Abb. 1)

Abb. 1: Anon. Italiener, Laokoongruppe (Zwischen
Ausgrabung und Aufstellung im Vatikan).
Zeichnung, wohl 1506. Düsseldorf, Kunstmuseum

[31. 126]; unrestauriert wiedergegeben ist die Gruppe
auch in den Stichen von Giov. Ant. da Brescia [11.
Abb. 7] und Marco Dente [4. Nr. 235], sowie in einer J.
Sansovino zugeschriebenen Kleinbronze [4. Nr. 236].

C. Kopien

Von Anf. an wurde die Gruppe kopiert. Einen von
Bramante und Raffael zu diesem Zweck geleiteten
Wettbewerb gewann J. Sansovino (das entstandene
Wachsduplikat ist verloren). Im Auftrag Papst Leos X.
schuf Bandinelli eine (ergänzende) Marmorkopie
(1520/25, Florenz Uffizien [31. 121]), urspr. bestimmt
für Franz I. von Frankreich, der die Übereignung des
Originals gefordert hatte: die erste Kopie einer großen
Skulptur seit der Antike. Franz I. verschaffte sich später
Bronzeabformungen der prominentesten päpstlichen
Antiken für Fontainebleau (1540, durch F. Primaticcio),
darunter die (unergänzte) L. [31. 130]. Etliche weitere
Kopien entstanden in späterer Zeit, so eine in Marmor
von Jean-Baptiste Tuby für Versailles und eine in Bronze
von François Girardon, erworben von Horace Walpole
(Houghton Hall, Norfolk [16. 244]).

D. Rekonstruktionen

Die Vervollständigung der Gruppe beschäftigte lebhaft zunächst die Künstler, später die Archäologen. Es
setzte sich G. A. Montorsoli mit dem triumphal durch-
gestreckten Arm des Laokoon durch, realisiert unter
Papst Clemens VII. (1532). Diese (falsche) Rekonstruktion sollte fortan die zum ästhetischen Bildungspro-

Abb. 2: Federico Zuccari, Taddeo Zuccari, die Laokoongruppe zeichnend.
Zeichnung, um/nach 1560. Florenz, Uffizien

gramm gewordene Rezeption der L. bestimmen. Zwischen 1797 und 1815 wurde die L. ins Musée Napoléon nach Paris entführt [31: JENKINS], beim Rücktransport beschädigt, sodann restauriert. Erneute Wiederherstellung erfolgte nach Fund des originalen rechten Arms (durch L. Pollak, 1905 [31: LASCHKE]), der, eingeknickt, im Gegensatz zu Montorsolis Fassung den bereits verlorenen Kampf Laokoons signalisiert, 1957/1960 durch Filippo Magi [11. Abb. 2].

E. KÜNSTLERISCHE REZEPTION

Das Aufsehen, das die L. erregte, spiegelt sich nicht nur in zahlreichen graphischen Wiedergaben, sondern auch vielfältig in der Kleinkunst: Statuetten, Gemmen, Plaketten, Fayencen nehmen das Motiv auf [22; 27]. Der junge Fed. Gonzaga wünscht sich 1512 die L. auf einer am Barett zu tragenden Goldplakette des Caradosso [27. 142]. Bereits aus dem J. der Entdeckung datiert das umfangreiche Gedicht *De Laocoontis statua* von Jacopo Spadoleto, eine Ekphrasis mit extrem naturalistischer Tendenz, und eröffnete einen Reigen von mehr als 50 Bildgedichten (bis ins 20. Jh.), die indes mehr von geistesgeschichtlichem denn lit. Interesse sind [20. 100–129]. Im gleichen J. folgten die Verse von Pietro Bembo, Angelo Colocci, Filipe Beraldo, sodann (1507) Ercole Strozzi und mehrfach Faustus Capiferreus (Capodiferro), der Hofpoet Leos X. Der Laokoonrummel nahm derart überhand, daß Tizian ihn als »Affentheater« karikierte (Holzschnitt von Boldrini [27. Taf. 39a.] →Karikatur, Abb. 2).

Wichtiger und nachhaltiger ist indes die künstlerische Wirkung der L. Ihr Studium wurde zum Pflichtprogramm der Künstler und Kunstschüler; symptomatisch hierfür ist die Federzeichnung Fed. Zuccaris (des Gründers der röm. Lukasakademie), die den Bruder Taddeo beim Zeichnen der L. wiedergibt (Abb. 2); schon in den 20er J. betrieb Bandinelli im Belvedere-Hof, also im Angesicht der L., eine Akademie. Kaum

ein Kunsttraktat und Proportionsbuch fortan, das sich nicht der L. eingehend widmete (bis ins 19. Jh.). In Form von Gipsabgüssen war und ist die L. allgegenwärtiges Studienmaterial an europ. Kunsthochschulen; menschliche Skelette in der Pose der beteiligten Figuren finden sich bis h. in der anatomischen Studiensammlung der *Dresdner Kunstakademie*.

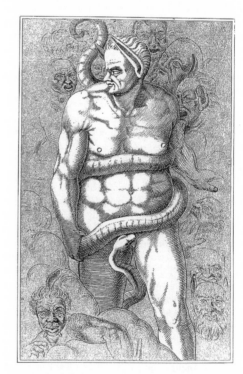

Abb. 3: Michelangelo, Totenrichter Minos aus dem *Jüngsten Gericht* (Umriß-Nachstich). 1535. Rom, Vatikan, Sixtinische Kapelle

Vor allem wurde die L. (zusammen mit dem → Torso vom Belvedere) durch die Beteiligung Michelangelos an ihrem Fund und ihrer Untersuchung zum Katalysator eines fundamentalen Stilwechsels, wie er etwa zw. dem *Florentiner David* des Meisters und den *Sklaven* des Juliusgrabes zu erkennen ist: Die aktiven, jugendfrischen, eher mageren Körper der Früh-Ren. weichen pathosgeladenen Leibern, in denen neben äußerem Leiden auch das Ringen von Charakteren zum Ausdruck kommt. Das gesamte spätere Werk Michelangelos – Plastik, Malerei und Zeichnung – ist davon geprägt, ohne die L. direkt nachzuahmen (z.B. *Totenrichter Minos* im *Jüngsten Gericht*, Abb. 3), jedoch eigenhändige(?) Wandzeichnung des Laokoon-Kopfs unter der Medicikapelle, Florenz [10. Abb. 10]. Der Maler Stauffer (Bern): ›Er (Laokoon), nicht Michelangelo, sei der eigentliche Vater der Barockkunst gewesen‹ [27. 153].

Kaum einer der folgenden Künstler kam daran vorbei, zumal die an Passionen und Martyrien so reiche christl. Kunst genügend Anlaß bot und zur Zeit der Gegenreformation nach neuen Energien suchte (P. Aretino parallelisiert 1545 in einem Brief an Michelangelo die Leiden Christi und Laokoons [21. 5]. Insbesondere war auch (der kritische) Tizian dabei: Vgl. den in der Pose Laokoons *Auferstehenden Christus* (ab 1520, Brescia, SS. Nazaro e Celso [27. Taf. 40]) oder die *Laurentiusmarter* (nach 1550, Venedig, Gesuiti). Daß im Barock die Affinität zur L., sowohl implizit wie explizit, weiter zu-

nahm, liegt auf der Hand. Die namhaftesten Künstler waren: Rubens, der die L. intensiv studiert hatte (18 eigenhändige Zeichnungen nach der L.; Bilder: z.B. *Adonis' Abschied von Venus*, um 1610, Düsseldorf; *Christophorus* vom Antwerpener *Kreuzabnahmealtar*, um 1614; *Eherne Schlange*, um 1635/1638, London NG), Luca Giordano (*Hl. Michael*, um 1684, Berlin, Staatl. Museen), Bernini (z.B. *Raub der Proserpina*, um 1622, Rom, Villa Borghese), Pierre Puget (*Milon von Kroton*, ca. 1680, für Versailles); danach wiederum, allerdings mit Blick auf die originale L., Joh. Fr. Dannecker (*Milon von Kroton*, 1777, Stuttgart, Mus. [22. Nr. 123]) und Andreas Schlüter (Sklave am Denkmal des Gr. Kurfürsten, ca. 1698, Berlin [22. Abb. 122]).

Die myth. Thematik der L. selbst blieb indes, außer wo man die gesamte Gruppe reproduzierte, eine Randerscheinung. Bedeutendes Beispiel ist die Bronze von Adrian de Vries (1623, Drottningholm [22. Abb. 117]), bei der die auf eine Hauptansicht angelegte L. in eine pyramidale Rundum-Plastik verwandelt ist. Im Bild der L. von El Greco (1610/1614, Washington NG [31. 131]) ist die Szene narrativ auseinandergefaltet, Laokoon und seine Söhne erscheinen martyrisiert und ihre Niederlage bereits vollzogen. Gelegentlich tritt das Thema noch in der Moderne auf: Etwa bei O. Zadkine (Bronzeplasik *Laokoon*, 1930 [17. Abb. 43]), übertragen in das bekannte Mahnmal für Rotterdam: »Die zerstörte Stadt« (1953).

Der Kampf mit der todbringenden Kreatur konnte im Verlauf der Rezeptionsgeschichte der L. auch in einen Sieg umgedeutet werden; so öfters in der motivisch verwandten Ikonographie des jungen Herakles, der die von Hera geschickten Schlangen erdrosselt (vgl. Benvenuti, Palazzo Pitti, Florenz, 1828). Als siegreicher Kämpfer erscheint der Protagonist bei Frederic Lord Leighton *Athlet, mit einer Python ringend* (Bronzeskulptur, 1873/77, London, Tate Gallery); analog – surreal – bei Max Ernst (um 1920) [5. Nr. 17] oder – allegorisch – in A. Brekers Relief *Der Rächer* (um 1940) für ein Gebäude der Berliner Nord-Südachse (Abb. 4): ein Beispiel für die nationalsozialistische Interpretation der dt. Geschichte ab 1918. Vice versa, gegen den »Klassenfeind«: Walter Womacka *Wenn Kommunisten träumen* (1975, für den Palast der Republik, ehem. Ostberlin), vielleicht angeregt durch ein Sonett auf die L. von Johannes R. Becher [20. 127].

F. »EXEMPLUM DOLORIS«

Eine eigene künstlerische Rezeption erfuhr der Kopf des Priesters als *exemplum doloris* [12]: ein schmerzhafter, expressiver, bärtiger (Alt-)Männerkopf, oft ohne bestimmte Ikonographie. Beispiele: *Kopf Arenberg* [22. Abb. 118], *Laokoonkopf* (ehemalige Sammlung Lanckoronski, Wien [22. Abb. 119]), Bronze-Kopf in Augsburg (21. Abb. 14), sterbender Chronos(-kopf) vom Breidbach-Bürresheim-Grabdenkmal im Mainzer Dom (Abb. 5) oder, gemalt, Kopf des hl. Andreas von Rubens (Wien, K.M.). Der Pariser Arzt G.B. Duchenne de Boulogne überprüfte und falsifizierte 1856 die Affekt-

Abb. 4: Arno Breker, Der Rächer. Um 1940. Relief (Modell) für ein Gebäude der Berliner Nord-Süd-Achse

Abb. 5: Joh. Peter Melchior, Chronos-Kopf vom Grabdenkmal
des K. E. Fr. von Breidbach-Bürresheim. Marmor, 1775. Mainz, Dom

mechanik des Laokoonkopfes (Laokoon-Braue) an
Versuchspersonen, deren Gesichtsmuskeln er unterschiedlich starken Stromimpulsen aussetzte (Abb. 6); die
betreffende Bilderserie gilt als Meilenstein der wiss. Fotografie [17. 42 ff.].

G. ÄSTHETISCHE THEORIE

Während der künstlerische Einfluß der L. im Spätbarock und Klassizismus nachließ, bemächtigte sich ihrer die zeitgenössische ästhetische Theorie. So spielten
die Köpfe der L. eine Rolle in der Debatte zu *l'expression
des passions* in der frz. Kunst des 17. und 18. Jh. [18].
Zahlreiche Beitr. in der Reiseliteratur des 17. und
18. Jh. (u. a. Joseph Addison, Joh. Georg Keyßler, Blain-
ville, Tobias Smollet, Volkmann, Charles de Brosse,
Nic. Tessin) und das antiquarisch-arch. Schrifttum (u. a.

Bernard de Montfaucon, Comte de Caylus, Jonathan
Richardson) bereiteten den Wechsel zur Theorie vor
[26]. Hierzu zählt auch Winckelmanns berühmte Beschreibung in der *Geschichte der Kunst des Alterthums*
(Dresden 1764), die damit ringt, sein Ideal von der ›edlen Einfalt und stillen Größe‹ mit dem Pathos und der
Physiognomie des Schmerzes in Einklang zu bringen:
›Laocoon ist eine Natur im höchsten Schmerze, nach
dem Bilde eines Mannes gemacht, der die bewußte Stärke des Geistes gegen denselben zu sammeln suchet.‹

Gegen diese ethische Deutung wendet sich Lessing
(*Laokoon oder über die Grenzen der Malerei und Poesie*, Berlin 1766), der für die Unterdrückung des (von Vergil
geschilderten) Schreiens beim Bildwerk nicht stoischen
Heroismus, sondern ein medientheoretisches Konzept

Abb. 6: G. B. Duchenne de Boulogne, Versuch neurophysikalischer Aktivierung der Laokoon-Braue. 1856, Fotografie

Abb. 7:
Joh. Heinrich
Füssli, Dame
vor Laokoon.
Zeichnung,
1801/1805.
Zürich,
Kunsthaus

verantwortlich macht. Die Künstler hätten die Weisheit besessen, das in der Dichtkunst (weil zeitlich nacheinander) zulässige Schreien bei der Skulptur (weil räumlich andauernd) zum Seufzen zu mildern. So werde beim Betrachter anstatt Abscheues Mitleid erweckt. Lessing ging es um Widerlegung des alten *ut pictura poesis*-Axioms, zugleich um eine zeichentheoretische Grundlegung der einzelnen Künste. Damit wurde eine bis h. andauernde Debatte auf dem Feld der ästhetischen Theorie eröffnet, die nur noch nominell mit der L. verbunden ist; spöttisch kommentiert von Schopenhauer: Laokoon habe nicht schreien können, weil er aus Marmor sei (*Die Welt als Wille und Vorstellung* I, 3, 46). 1959 erschien in der DDR ein Buch: *Lessings »Laokoon«. Eine Kampfschrift für eine realistische Kunst und Poesie* [29], und noch 1989 titelte man: *Laokoon und kein Ende: Der Wettstreit der Künste* [19].

Gegen die rein theoretische Sicht betont Goethe den Naturalismus des erstickten Schreies und der Schmerzgebärde und beschreibt die L. wie ein *Tableau vivant* (›ein fixierter Blitz ... versteinert‹): ›Der Künstler hat uns eine sinnliche Wirkung dargestellt, er zeigt uns auch die sinnliche Ursache‹ (1798, Hamburger Ausgabe 12, 60/61). Für W. Heinse bleibt die L. ein ›Naturtrauerspiel, und die Kreatur seufzt dabei im Innern über die notwendigen Leiden‹ (*Ardinghello*, 1787; Ausgabe W. BORNGRÄBER, Berlin/Leipzig 256 ff.). Zum Fanal gegen empörende Schicksalswillkür wird die L. für Schiller (*Das Ideal und das Leben*, 1795). Die sinnliche Wirkung des gequälten Männerkörpers auf eine ent-

sprechend disponierte Dame interessierte Goethes Zeitgenossen J. H. Füssli: Zeichnung, ca. 1801/1805 (Abb. 7). Und Füsslis Freund William Blake interpretierte die L. als griech. Umdeutung eines hebräischen Prototyps, der Jehovah ›& his two Sons Satan & Adam‹, ringend im Antagonismus von ›Good‹ und ›Evil‹, zum Thema gehabt habe: Kupferstich der L., umwuchert von exegetischen Inschriften, ca. 1820 [13. Nr. XIX]. In Hubert Roberts Bild *Die Auffindung der L.* (1773, Richmond, Virginia Mus. of Fine Arts) wird die Gruppe zum Nucleus einer phantastischen piranesesken Rückschau in die Ant. [6. Nr. 17].

H. KARIKATUR

In der Gegenwart beschränkt sich die Rezeption der L., neben den arch. und ästhetischen Diskursen, v. a. auf die polit. und sonstige Karikatur (seit Daumier [31. 154]): zumeist als ironisches Synonym für aussichtsloses Verheddertsein in divergierende Interessen, Kampf gegen fahrlässig heraufbeschworene Geister oder hoffnungslose Abwehr unbeherrschbarer Mächte [3] (Abb. 8).

→ Karikatur

→ AWI Agesandros; Athanadoros; Polydoros

1 H. ALTHAUS, Laokoon, Stoff und Form, 1968
2 B. ANDREAE, Laokoon und die Kunst von Pergamon, 1991
3 Ausstellungs-Kat.: Antike(n) – auf die Schippe genommen. Bilder und Motive aus der Alten Welt in der Karikatur, 1998 4 Ausstellungs-Kat.: Hoch-Ren. im Vatikan, 1998 5 Ausstellungs.-Kat.: Max Ernst. Retrospektive, 1999 6 Ausstellungs-Kat.: Mehr Licht.

OLLIS MARKTPLATZ

LAOKOON-GRUPPE 2000

Abb. 8:
Karikatur
zum Thema
»Deutsche
Bahn«:
Laokoon-
Gruppe 2000.
FAZ
v. 13.5. 2000

Europa um 1770. Die bildende Kunst der Aufklärung, 1999 **7** I. BABBITT, The New Laokoon, 1910 **8** M. BIEBER, Laocoon. The Influence of the Group since its Discovery, 1942 **9** PH. P. BOBER, R. RUBINSTEIN, Renaissance Artists & Antique Sculpture, 1986 **10** H. H. BRUMMER, The Statue Court in the Vatican Belvedere, 1970 **11** G. DALTROP, Die L. im Vatikan (Xenia, H.5), 1982 **12** L. D. ETTLINGER, »Exemplum Doloris«. Reflexions of the L., in: Essays in Honour of Erwin Panofsky, 1961, 121–126 **13** R. N. ESSICK, The Separate Plates of William Blake, 1983 **14** R. FÖRSTER, Laokoon im MA und in der Ren., in: Jb. d. preussischen Kunstslgg., 27, 1906, 146–178 **15** E. H. GOMBRICH, Laokoon, in: Proc. of the British Academy, 43, 1957, 133–156, **16** FR. HASKELL, N. PENNY, Taste and the Antique, ⁴1994 **17** M. U. R. HERTL, Laokoon. Ausdruck des Schmerzes durch zwei Jahrtausende, 1968 **18** TH. KIRCHER, L'expression des passions, 1991 **19** TH. KOEBNER (Hrsg.), Laokoon und kein Ende: Der Wettstreit der Künste, 1989 **20** G. KRANZ, Meisterwerke in Bildgedichten, 1986 **21** H. W. KRUFT, Metamorphosen des Laokoon, in: Pantheon, 42, 1984, 3–11 **22** H. LADENDORF, Antikenstudium und Antikenkopie, 1958, **23** Laokoon, in: LIMC VI **24** M. PASCHKE, Bedeutung und Gesch. der L., in: Weltkunst, 57, 1987 **25** O. R. PINELLI, Il restauro o della soggettività: Viaggio attraverso il »Laocoonte«, in: Memoria dell'antico nell'arte italiana, 3, 181–191 **26** B. PREISS, Die wiss. Beschäftigung mit der L., 1992 **27** A. v. SALIS, Ant. und Ren., 1947 **28** H. SICHTERMANN, Laokoon, 1964 **29** E. M. SZAROTA, Lessings »Laokoon«. Eine Kampfschrift für eine realistische Kunst und Poesie, 1959 **30** M. WINNER, Zum Nachleben des Laokoon in der Ren., in: Jb. d. Berliner Museen, 16, 1974, 83–121 **31** Ders. et al. (Hrsg.), Il Cortile delle Statue, 1998 (darin Beitr. von B. Andreae, A. Giuliano, I. Jenkins, B. Laschke, A. Nesselrath, S. Settis, M. Winner).
BERTHOLD HINZ

Lateinamerika A. BEGRIFF UND POLITISCHE GLIEDERUNG B. DIE »CONQUISTA« C. DIE ZEIT DER UNABHÄNGIGKEITSBEWEGUNGEN D. DAS 20. JAHRHUNDERT

A. BEGRIFF UND POLITISCHE GLIEDERUNG

Die geogr. Begrenzung der Region, die man L. nennt, ist im Norden der Río Bravo bzw. Río Grande, die Grenze zw. den Vereinigten Staaten und Mexiko, im Osten der Atlantische Ozean, im Süden das Kap Horn und im Westen der Pazifische Ozean. Die Notwendigkeit, den histor. gewachsenen Raum L. abzugrenzen, geht mit der Suche nach Bezeichnungen einher, die diesem Raum am besten entsprechen: Simón Bolívar sprach 1824 von ›repúblicas americanas‹ (amerikanische Republiken); José Martí zog 1884 die Bezeichnung ›nuestra América‹ (unser Amerika) vor, und José Vascóncelos sprach von ›raza iberoamericana‹ (iberoamerikanische Rasse) und ›cultura iberoamericana‹ (iberoamerikanische Kultur). In der zweiten H. des 20. Jh. verbreitete sich eine Bezeichnung, die die alten span. Kolonien sowie Brasilien und Haiti einschloß: »América Latina« (Lateinamerika). Man nennt es auch Hispanoamerika in Anspielung auf die durch Spanien kolonisierten Länder oder Südamerika wegen der geogr. Lage. Es ist h. communis opinio, daß »Latinoamérica« die aus dem Frz. übers. Bezeichnung für *Amérique Latine* ist, die von den Franzosen zur Zeit von Kaiser Maximilian verwendet wurde, der auf Betreiben Napoleons III. die mexikanische Kaiserkrone angenommen hatte (1864–67). Offensichtlich sollte der Name die lat.-romanisch geprägte Welt der angelsächsischen gegenüberstellen. Die in der Region geborenen Menschen verwenden allerdings andere Namen: »Indoamerika«, »Iberoamerika«, »América Hispanica« (Hispanoamerika), je nach ihren histor., gesellschaftlichen, kulturellen und sprachlichen Beweggründen. In jüngster Zeit zieht man die umfassende Bezeichnung »Lateinamerika und Karibik« vor, um auch die Gebiete mit einzuschließen, die unter dem kulturellen Einfluß anderer Länder stehen. Die Bezeichnung L. dagegen soll die kulturelle Beziehung der südamerikanischen Länder zu Westeuropa, insbes. zu Spanien, herausstreichen.

Insgesamt beherbergt die Region 27 unabhängige Staaten, einen mit den Vereinigten Staaten verbundenen Staat, elf Inseln, die zum *Commonwealth* gehören, zwei frz. Départements sowie frz. und niederländische Kolonien. Wenn man nur die offizielle Sprache des jeweiligen Landes berücksichtigt, sind 18 der unabhängigen Staaten spanischsprachig: Argentinien, Uruguay, Paraguay, Bolivien, Chile, Peru, Ecuador, Kolumbien, Venezuela, Panama, Costa Rica, Nicaragua, Honduras, El Salvador, Guatemala, Mexiko, Kuba und die Dominikanische Republik. Die offizielle Sprache Brasiliens ist Portugiesisch, Haitis Frz., Surinams Holländisch, und in Guyana, Belize, Bahamas, Barbados, Jamaika, Trinidad und Tobago wird Engl. gesprochen. Puerto Rico, das an die Vereinigten Staaten angeschlossen ist, hat mit der span. Sprache die span. Kultur beibehalten. Die Inselgruppe der engl. Antillen – Mitglieder des *Commonwealth* – sind englischsprachig. In den frz. Départements Guadeloupe und Martinique, in Frz. Guyana und auf der Insel Marie Galante, die den Kolonienstatus beibehalten haben, wird frz. gesprochen. Auf den holländischen Antillen schließlich wird holländisch gesprochen.

Zwar ist es äußerst schwierig, bei der Vielgestaltigkeit von L., zumal bei den unterschiedlich verlaufenden histor. Entwicklungen, die die einzelnen Länder durchlaufen haben, in einer histor. Epochen folgenden Darstellung die Rolle der Rezeption der Ant. in L. zu behandeln; es scheint jedoch in dem vorgegebenen Rahmen die einzige Möglichkeit zu sein, das Thema einigermaßen befriedigend darzustellen. Die Zeitabschnitte, an denen sich die vorliegende Darstellung orientiert, entsprechen jeweils wechselnden Situationen der Anbindung und Loslösung der lateinamerikanischen Gebiete an ihren bzw. von ihrem europ. Ursprung.

B. DIE »CONQUISTA«

Die »Conquista« (Eroberung) umfaßt die Zeit von der Entdeckung Amerikas bis zu den Anf. der Unabhängigkeitskämpfe am E. des 18. Jh. Sie zeichnet sich durch eine andere polit. Aufteilung von L. als h. aus, wobei anfangs eher eine kulturelle Einheitlichkeit bestand, die durch einige wenige Zentren geprägt war. Die klass. Ant. übte ihren Einfluß hauptsächlich über die Kirche und die jeweiligen Regierungen bzw. Verwaltungen aus, die im Bildungswesen eng zusammenarbeiteten. Die Vertreibung der Jesuiten um 1767 bedeutete eine starke kulturelle Erschütterung, die ihre Folgen im Bildungswesen und damit auch in der Verbreitung und Aufnahme der klass.-ant. Kultur zeitigte.

1. DOMINIKANISCHE REPUBLIK (SANTO DOMINGO)

Santo Domingo ist das erste Gebiet von L., in dem die europ. Kultur ihren Einzug hielt und das erste, dem man das Recht zugestand, Univ. einzurichten. Schon sehr früh schrieb man dort ebenso auf Lat. wie auf Spanisch. Es waren noch keine 50 J. seit der Entdeckung vergangen, als die Dominikaner von Papst Paul II. die Bulle *In apostolatus culmine* erhielten, die 1538 den Lehrbetrieb, der in ihrem Kloster stattfand, in den Rang einer Univ. erhob. Dies kann als Beginn der Übertragung des span. Univ.-Systems auf die Neue Welt angesehen werden. Man wollte eine Institution der höheren Bildung im Stil von Alcalá de Henares (der alten Univ. von Madrid) einrichten. Anfangs wies die neue Univ. die traditionellen Fakultäten auf: Theologie, Recht, Medizin und Artes (→ Artes liberales). Außer in Medizin war die Unterrichtssprache Latein. Die kulturellen Wurzeln, die man in der europ. und bes. in der ant. Kultur suchte, finden ihren Ausdruck in der Bezeichnung »Athen der neuen Welt«, die nach einer lokalen Trad. die Hauptstadt der Insel für sich beanspruchte. Der erzbischöfliche Palast war ein weiterer Hort des Wissens und der Bildung. Einer der ersten Bischöfe war der it. Humanist Alessandro Geraldini (1455–1524), ein äußerst produktiver nlat. Schriftsteller – sowohl in Prosa als auch in Versen. Über seine Ankunft auf Santo Domingo berichtet er in seinen *Viaje a las regiones subequinocciales* (»Reise in die Gegenden unter dem Äquator«). In Sapphischen Versen und Adoneen, den ersten auf Lat. verfaßten Versen der Neuen Welt, beschreibt er seine Reiseerlebnisse und den Bau der Kathedrale.

Im 16. Jh. ist Nicolás de Raos einer Erwähnung wert, der im Streit um die Bibelübers. in Spanien vermittelte und die lat. *Vulgata* verteidigte. Die große Zahl berühmter Männer, die in Santo Domingo lebten, bereitete den Boden für die ersten einheimischen Autoren wie Alonso de Espinosa und Cristóbal de Llerena. Ersterer schrieb einen eleganten Komm. zum Psalm 44; letzterer hatte einen Lehrstuhl für lat. Gramm. an der Univ. von Gorjón inne. Im 17. Jh. begann zwar der Niedergang Santo Domingos, ohne daß jedoch die ant. Kultur und Trad. ganz verschwanden: Doña Tomasina de Leiva y Mosquera, der Erzdekan der Kathedrale, Baltasar Fernández de Castro und der Dominikaner Diego Martínez schrieben weiterhin auf Latein.

2. MEXIKO

Mexiko und Lima waren in den ersten Jh. der »Conquista« Brennpunkte der klass. Kultur in L. In den beiden Zentren trafen die Spanier einheimische Kulturen an, die einen hohen Entwicklungsstand erreicht hatten. Die Teile der katholischen Kirche, die die eingeborene Bevölkerung zu integrieren versuchten, fungierten als Brücke zw. den beiden Welten und übernahmen eine grundlegende Rolle bei der Einführung und Vermittlung der klass.-ant. Kultur. Unter denen, die in Mexiko mit dem größten Einsatz daran arbeiteten, die Indios zu integrieren, sticht der Franziskaner Juan de Zumárraga

(1548) hervor. Den Anstrengungen, die er als Bischof von Mexiko zusammen mit dem Vizekönig Don Antonio de Mendoza unternahm, ist die Einführung des Buchdrucks in Mexiko (1536) und die Gründung der Univ. zu verdanken, die 1553 nach dem Vorbild von Salamanca eingeweiht wurde. Die Jesuiten nahmen eine äußerst wichtige Rolle in der Geschichte der mexikanischen Kultur ein und bestimmten maßgeblich das Bildungssystem in den Kolonien. Sie stützten ihre didaktischen Methoden auf die Nachahmung der lat. Klassiker, v. a. von Cicero und Vergil, auf Theateraufführungen von Kom. und auf lat. und span. Kolloquien. In dieser Zeit setzte eine Tätigkeit ein, die später eine herausragende Bed. in der Kultur Mexikos einnehmen sollte: die Übers. der griech. und lat. Klassiker. Diego Mexía de Fernangil (1565–1620) übertrug am E. des 16. Jh. Ovids *Heroides*. Die Werke der Chronisten sind voll klass. Reminiszenzen, insbes. von Mythen und Beispielen (*exempla*) röm. Helden. So kann man die *Cartas de relación* (»Briefberichte«) von Hernán Cortés mit den *Commentarii de bello Gallico* Caesars in Verbindung bringen. Francisco de Terrazas, der als erster bekannter Dichter Mexikos gilt, schrieb Gedichte auf Span., Lat. und Italienisch.

Das starke Interesse an der klass.-ant. Trad. blieb auch im 17. Jh. lebendig. Ein beträchtlicher Anteil der gelehrten und wiss. Schriften der Zeit des Barock ist auf Lat. verfaßt: Abhandlungen über Philos., Dogmatik sowie Moraltheologie und über Recht. Aus der klass. Ant. zog man zu diesem Zeitpunkt schon nicht mehr Horaz und Vergil, sondern den dem Zeitgeschmack eher entsprechenden Ovid vor. In diesem Sinne erinnert die Ekloge III aus *El siglo de oro en las selvas de Erifile* (»Das goldene Zeitalter in den Wäldern von Eriphyle«) von Bernardo de Balbuena (ca. 1562–1627) an die *Remedia amoris*; die Geschichte von Pyramus und Thisbe (Ovid, met. 4,55–166) inspirierte ein Sonett von Juana Inés de la Cruz (1651–1695). Dennoch fehlt es nicht an Einflüssen der anderen lat. Dichter: Balbuenas *Bernardo* (4, 108) nimmt die *Oden* des Horaz wieder auf (1,22,17–24). In der Forsch. herrscht Übereinstimmung, daß die Wurzeln der Kom. von Juan Ruiz de Alarcón (ca. 1580–1639) bei Plautus und Terenz zu suchen sind. *El semejante a sí mismo* (»Der sich selbst Gleichende«) ist durch Plautus' *Menaechmi* inspiriert, aus den *Adelphoe* des Terenz leitet sich *La verdad sospechosa* (»Die verdächtige Wahrheit«) her.

Der außerordentliche Wissensdrang, durch den sich der Gelehrte Carlos de Sigüenza y Góngora (1645–1700) und Juana Inés de la Cruz auszeichnen, kündigt schon einen Aspekt des folgenden Jh. an: den Enzyklopädismus. Auf die eher konservative Grundstimmung des 17. Jh. folgte im 18. Jh. eine Phase tiefgreifender Wandlungen in Mexiko, die man als ein Echo der europ. Unruhen und des intellektuellen Einflusses verstehen kann, der von England, Frankreich und dem bourbonischen Spanien ausging. Es herrschte ein Interesse an gesellschaftlichen Fragen vor, die Kritik an den alten Kultur-

werten konzentrierte sich auf Erziehung und Wirtschaft. Das auffälligste kulturelle Merkmal der Epoche ist zweifelsohne die große Geltung, die der lat. Sprache zufiel. Im 18. Jh. wurde Lat. nicht mehr als »tote Sprache«, als eine reine Schuldisziplin angesehen, die höchstens im Wettstreit der Dichter eine Rolle spielte, sondern als vollgültige Lit.-Sprache. Die brillanteste Leistung vollbrachten selbst nach ihrer Vertreibung im Jahre 1767 die Jesuiten. Ihre Opposition gegen die span. Monarchie spiegelte sich in einem mod. rel. Denken wider, das darum bemüht war, sich mit den polit. und sozialen Problemen der Epoche auseinanderzusetzen. In ihrem it. Exil schrieben sie über verschiedene Themen, die das Interesse für Mexiko verbindet. Das bedeutendste Werk stammt von dem guatemaltekischen Jesuiten Rafael Landívar (1731–1793): *Rusticatio mexicana* (»Mexikanisches Landleben«), das 1781 in Modena und im darauffolgenden J. in einer erweiterten Fassung in Bologna veröffentlicht wurde. Die lat., span. und amerikanische Welt werden in diesem hexametrischen lat. Gedicht zu einer Einheit verschmolzen. Der ant. Mythos ist stets präsent: Die Mexikaner finden sich, wenn sie ihre Saaten durchqueren, in den unübersichtlichen Kanälen der Seen des mexikanischen Hochtals so zurecht, wie Theseus auf Kreta die verwirrenden Wege des Labyrinths überwand. Die Geschichte Mexikos, die mexikanische Architektur und Biographien im Stile eines Nepos oder Plutarch sind die Themen, die das nationale Interesse dieser größtenteils jesuitischen Humanisten zeigen. Francisco Javier Alegre (1729–1788) übersetzte die *Ilias* und den *Froschmäusekrieg* ins Lat. Die Rolle der ant. Klassiker gewann im Mexiko dieser Zeit zunehmend an Bed., die sich im 19. und 20. Jh. weiterentwickeln sollte.

3. PERU

Das span. Vizekönigreich Peru siedelte sich auf dem Gebiet des Inkareiches an, dessen Herrschaftsbereich sich nicht nur auf die heutige Republik Peru, sondern auch auf die Republiken Ecuador, Bolivien und Teile von Kolumbien, Argentinien und Chile erstreckte. Das erste Zentrum einer noch elementaren Schulbildung war Cuzco, die alte Hauptstadt des Inkareichs. Eine Gruppe von sechs Dominikanern unter der Leitung von Reinaldo de Pedrazas stand an der Spitze der schulischen Ausbildung, die sich außerdem auch auf Siedlungen wie Cajamarca, Lima und San Miguel de Piura ausdehnte. Der Vizekönig Esquilache weihte 1618 in Lima das Colegio de San Francisco de Borja ein. Einige noch h. erhaltene Dokumente beweisen, daß es für die Erziehung im Einzel- oder Gruppenunterricht Privatlehrer gab: den Kleriker Alcobaza, Erzieher des Inka Garcilaso und anderer Mestizen, und den hervorragenden Latinisten Juan Cuéllar. Um die Mitte des 16. Jh. war Peru in der außergewöhnlichen Situation, daß eine Univ. gegründet wurde, die akad. Grade verleihen sollte, ohne daß zuvor vorbereitende Schulen eingerichtet worden waren. Gemäß dem Zeugnis des Chronisten Antonio de Calancha, eines Augustiners, hatte Pizarro selbst bei der

Gründung Limas, der »Stadt der Könige«, einen Standort für die Univ. eingeplant und sie den für die Landvermessung zuständigen Dominikanern in Auftrag gegeben. Es gab auch ein Domkapitel, das in der Zeit der ersten Berufungen von Bürgermeistern durch Pizarro entstanden war. Die enge Verknüpfung der Univ. mit dem Kathedralkloster und dem Domkapitel findet sich auch bei der span. Univ. von Salamanca, dem Vorbild für Lima. Die königliche Gründungsurkunde, durch die die Univ. von Lima und der Lehrbetrieb unter königlichem Patronat offiziell eingerichtet wurden, wurde 1551 in Valladolid verliehen, die Einweihung fand 1553 im Kloster der Dominikaner statt. Durch königl. Entscheidung genoß die neue Univ. alle Privilegien, die auch Salamanca zuteil geworden waren. Bis 1574 wurde sie Universidad Real y Pontificia de la Ciudad de las Reyes (Königliche und päpstliche Univ. der Stadt der Könige) genannt. Die Jesuiten kamen 1568 nach Lima, wo sie unverzüglich eine Schule eröffneten und begannen, die Kinder Lat. und einheimische Sprachen zu lehren. Weitere Schulen richteten sie in Lima, Cuzco, Trujillo und Arequipa ein. Nachdem Lima zur Hauptstadt des 1543 errichteten Vizekönigreichs erhoben worden war, bildete die Stadt im Süden – so wie Mexiko im Norden – ein kulturelles Zentrum, das auch auf die umliegenden Gebiete ausstrahlte.

Die mil. Unternehmungen der Epoche regten zur Abfassung von Epen an, in denen sich die Dichter von klass. Reminiszenzen leiten ließen. 1596 wurde in Lima das Werk eines Chilenen, Pedro de Oña (1570–1643), veröffentlicht, dessen *Arauco Domado* (»Der gezähmte Araukaner«) Kenntnisse der klass. Epik verrät. In der höheren Bildung waren die Grunddisziplinen lat. Gramm., Rhet., Philos. (Ethik, Metaphysik und Logik des Aristoteles) und Mathematik, die euklidische Geometrie miteingeschlossen. Zuweilen kam noch die aristotelische Physik hinzu. Die Hauptfächer waren entsprechend der kirchlichen und weltlichen Macht Theologie und Recht. Im 17. Jh. setzten sich Schulgründungen außerhalb Limas fort. 1619 gründeten die Jesuiten das Kolleg San Bernardo de Cuzco, an das sich 1622 die Gründung der Universidad de San Ignacio anschloß. Im selben Jh. kam noch die Universidad de San Cristóbal de Humanga in Ayacucho hinzu, die 1677 errichtet wurde und eine der wichtigsten Univ. im Vizekönigreich war. Nach einer ersten dynamischen Phase in der Epoche der »Conquista« ließ der ursprüngl. Höhenflug nach, den die Epik zunächst genommen hatte. Die Veränderungen, die in L. stattfanden, waren nicht ohne Zusammenhang mit den Vorgängen auf der iberischen Halbinsel. In den Kolonien folgten dem Eroberer die Gelehrte und Funktionär. Die Missionare wurden durch Mönche ersetzt, die um Bistümer und Einfluß an den Univ. stritten. Reichtum sammelte sich am Sitz des Vizekönigs. Der Luxus nahm zu, es bildeten sich scharf getrennte soziale Schichten heraus. Das 17. Jh. war die Epoche des Mäzenatentums der Vizekönige, die ihr *otium* genossen. Drei der Vizekönige von Peru waren selbst Dichter: der

Fürst Esquilache, der Marquis von Castell-dos-Rius und der Graf von Santisteban del Puerto, ein Autor lat. Gedichte, die er 1664 unter dem Titel *Horae Succisivae* (»Freie Stunden«) veröffentlichte. Prunkvolle Feste und feierliche Begräbnisse waren die Gelegenheiten, bei denen man myth. Gelehrsamkeit in Allegorien, Reden und Gedichten, die teils auf Span., teils auf Lat. verfaßt waren, zur Schau stellte. Eine interessante Persönlichkeit in dieser Zeit ist der aus Cuzco stammende Mestize Juan de Espinosa Madrano (ca.1640–ca.1682), der vor allem durch seine Abhandlung *Apologética a favor de Don Luís de Góngora, principe de los poetas líricos de España* (»Verteidigungsrede für Don Luís de Góngora, den Fürsten der lyr. Dichter Spaniens«) bekannt wurde. Pedro de Peralta y Barnuevo (1663–1743) ist im Peru des 17. und 18. Jh. ein typischer Vertreter der barocken Kultur, die keine klaren Grenzen zw. den einzelnen Wiss. zog. In seiner *Historia de España vindicada* (»Geschichte des gerächten Spaniens«) nähert er sich der Geschichtsphilos. an und vergleicht die Vorherrschaft Roms mit derjenigen Spaniens. Das 18. Jh. begann mit dem Herrschaftsantritt der Bourbonen in Spanien, der auch in L. seine Folgen zeitigte: Bevor Philipp V. am 14.4. 1700 den span. Thron bestieg, hatte Peru ein Schattendasein geführt. Die Ausweisung der Jesuiten brachte eine Bildungskrise mit sich, die Neuanfänge im Bildungswesen erforderlich machte. Drei Reformatoren ragen hervor: Rodriguez de Mendoza in Lima, Ignacio de Castro in Cuzco und Chávez de la Rosa in Arequipa.

4. BOLIVIEN

Das heutige Gebiet Boliviens hatte einen Teil des Inkareiches gebildet und wurde Alto Perú (Hochperu) genannt; unter der »Conquista« bildete es zuerst einen Teil des Vizekönigtums Peru und später, E. des 18. Jh., des Vizekönigtums Río de la Plata. 1539 gründete Pedro de Anzúrez als Abgesandter Pizarros La Plata, das in der Folgezeit Chuquisaca und Charcas, und schließlich Sucre genannt wurde. Die elementare Schulbildung wurde zu dieser Zeit von der Kirche geleistet. Von Beginn des 17. Jh. an drangen der Erzbischof, die Real Audiencia (Gerichtshof) und der Jesuitenorden bei der Krone darauf, eine Univ. zu gründen, um der Jugend von Alto Perú die lange Reise nach Lima zu ersparen. Die Univ. hatte ihren Ursprung in dem den Jesuiten erteilten Privileg, akad. Grade zu verleihen. Die 1624 gegr. Universidad de San Francisco Xavier orientierte sich an der Univ. von Lima, San Marcos. Die lat. Einweihungsrede von Pater Tornabona enthielt eine Lobrede auf Vergil und seine Werke. Der Lehrbetrieb begann mit zwei Lehrstühlen für scholastische Theologie, einem für Moraltheologie, einem für die Artes liberales sowie zwei Professuren für Lat. und einer für die Sprache Aymará, die 1791 durch einen Lehrstuhl für Medizin ersetzt wurde. Nach der Vertreibung der Jesuiten setzte zunächst eine scholastische Ausrichtung der Univ. ein, die später durch enzyklopädische, wissenschaftlich-liberale Tendenzen verdrängt wurde.

Ende des 18. Jh. wurde in Chuquisaca die Academia Carolina gegründet, die für die Ausbildung von Juristen bestimmt war. Sie wurde von jungen Leuten aus dem ganzen Süden besucht, v. a. aus Argentinien, dessen Kolonial-Univ. in Córdoba keinen juristischen Studiengang besaß. Hier wurden die künftigen Anführer der amerikanischen Unabhängigkeitsbewegung ausgebildet: Mariano Moreno, der in Alto Perú geborene Cornelio Saavedra, Juan José Castelli, Juan José Paso und Bernardo de Monteagudo. In der Pflege der lat. Lit. während der span. Kolonialzeit stechen zwei in Chuquisaca gebürtige Männer hervor: Antonio de Calancha und Gaspar de Escalona y Agüero. Der Augustiner Antonio de Calancha (geb. 1584), ein berühmter Historiker, Doktor der Theologie an der Univ. San Marcos, ist Autor eines 1629 in Lima erschienenen lat. Werks mit dem Titel *De Inmaculatae Virginis Mariae Conceptionis certitudine* (»Über die Gewißheit der unbefleckten Empfängnis Mariae«). Gaspar de Escalona y Agüero schrieb halb span., halb lat. eine Abhandlung mit dem Titel *Gazophilacium Regium Peruvicum* (»Königliche peruanische Schatzkammer«, 1677).

5. CHILE

In Chile mußten lange Zeit diejenigen, die sich eine Elementarbildung aneignen wollten, die lange und schwierige Reise nach Lima unternehmen. Gabriel de Moya und der Priester Juan Blas, ein chilenischer Mestize, waren die ersten, die seit 1578 lat. Gramm. lehrten. Ab 1582 wurden in jedem Bistum Seminare gegründet. Am E. des 16. Jh. boten die Kathedrale und die Klöster eine v. a. von Jesuiten und Dominikanern betriebene systematische Ausbildung an. Die Kämpfe mit den Araukanern inspirierten den span. Kapitän Alonso de Ercilla (1533–1594) zu einem Gedicht, das zum Modell für epische, amerikanische Themen behandelnde Dichtung werden sollte. Die *Araucana* enthält homer. und vergilische Elemente, sie imitiert Lucan und Ariost. Der Einfluß der klass. Bildung zeigt sich in den Werken der Chilenen Pedro de Oña (1570–1643), des Autors von *El Arauco domado* (»Der gezähmte Araukaner«) in 19 B., und Francisco Nuñez de Pineda y Bascuñán (1607–1682), der in seinem *El cautiverio feliz y razón de las guerras dilatadas de Chile* (»Die glückliche Gefangenschaft und der Grund für die ausgedehnten Kriege in Chile«) Vergil, Ovid und Silius Italicus einarbeitet. Alonso Briceño war in Amerika der erste, der philos. Lit. verfaßte. Briceño wurde um 1587 in Santiago de Chile geboren und veröffentlichte 1638 in Madrid den ersten der drei Bände seiner *Prima pars celebriorum controversiarum in Primum Sententiarum Joannis Scoti* (»Erster Teil berühmter Kontroversen über das erste Buch der Sentenzen des Johannes Scotus«). 1709 veröffentlichte ein anderer Jesuit, der Katalane Miguel de Viñas, in Genf seine dreibändige *Philosophia Scholastica* (»Scholastische Philosophie«). Nach der Vertreibung der Jesuiten publizierte Bernardo Havestadt 1777 in München ein interessantes lat.-araukanisches Werk, *Chilidugu o Cosas Chilenas* (»Chilidugu oder chilen. Geschichten«), das ein Wörterbuch Indio-Latein, Latein-Indio enthielt. Interessante Zeugnisse für die kulturelle Situation in Chile sind hsl. Kopien von Abhandlungen und Unterrichtsmitschriften aus dem 17. und 18. Jh. in der chilenischen Nationalbibliothek. Die Archive des Jesuitenordens enthalten von Studenten verfaßte lat. Gedichte, Reden und Predigten.

In das 18. Jh. fallen drei für die Entwicklung der Bildung wichtige Ereignisse: 1758 wurde die Universidad Real de San Felipe gegründet, an der auf ausdrückliche königliche Anweisung der gesamte Lehrbetrieb auf Lat. stattfand. Die Vertreibung des Jesuitenordens rief eine große Bildungskrise hervor, denn immerhin zählte das Inventar der Bibl. des Ordens 11837 Bände. Und schließlich wurde mit der Academia de San Luis, dem Werk von Don Manuel de Salas, die erste Einrichtung für eine mittlere Bildung in Chile gegründet.

In den J. vor der Unabhängigkeit stechen zwei Schriftsteller hervor: Juan Engaña, ein origineller lat. schreibender Autor von scholastischer Bildung, der sich für Griechenland und seine Einrichtungen begeisterte, ein Kenner Rousseaus und der Enzyklopädisten, und Camilo Henríquez, der die erste Zeitschrift des Landes, *La Aurora de Chile* (»Die Morgenröte Chiles«), herausgab. Die Vermittlung der klass.-ant. Kultur ist eng verknüpft mit der Gründung der ersten Univ. in den übrigen Regionen während des 16. Jh. Der Vizekönig Esquilache gestattete den Jesuiten, in Chuquisaca ein Colegio Real de San Juan Bautista zu gründen, das dieselben Privilegien genoß wie San Felipe und San Martín in Lima und San Bernardo in Cuzco. Es nahm den Lehrbetrieb offiziell 1623 auf und war die Grundlage der künftigen Univ. Bolívars. 1603 weihten die Augustiner die Universidad de San Fulgencio in Quito ein. Im 17. Jh. dehnten die rel. Orden die Schulbildung auf die ganze Region aus. Franziskaner, Dominikaner, Jesuiten und Mercedarier lehrten Grammatik. Die Sammlungen lat. Manuskripte in Quito lassen den Unterrichtsplan des 17. und 18. Jh. nachvollziehen. Die Einführung des Buchdrucks und die Vertreibung der Jesuiten führten zu grundlegenden Veränderungen im Quito des 18. Jh. (Die erste Druckpresse kam 1754 nach Guayaquil).

6. KOLUMBIEN

Um die Mitte des J. 1538 erreichte eine Expedition die Hochebene von Cundinamarca. An ihrer Spitze stand der Humanist und Jurist Gonzalo Jiménez de Quesada (1499–1579), der auf dem Gebiet von Nueva Granada die Stadt Santa Fé de Bogotá gründete. In Amerika verfaßte er seine *Apuntamientos* (»Anmerkungen«), in denen er das Spanien gegenüber negative Töne anschlagende Geschichtswerk des Italieners Paolo Giovio widerlegen wollte. Jiménez de Quesada steht Juan de Castellanos (1522–1607) gegenüber, der als »Conquistador« kam und zum Gelehrten wurde. 1589 wurde in Madrid der erste Teil seiner *Elegías de varones ilustres de Indias* (»Elegien über berühmte Männer Westindiens«) veröffentlicht. Der zweite und dritte Teil blieben bis in die Mitte des 19. Jh. hinein unveröffentlicht. Die *Elegías* weisen eine eigenartige Kompositionstechnik auf: In den span. Text werden lat. Sätze eingefügt, Versreihen in verschiedenen Maßen, abwechselnd auf lat. und span. verfaßt, wechseln sich ab. Im 17. Jh. verstärkte sich bei den rel. Orden der Dominikaner, Jesuiten und Barfüßer der Wunsch nach einer eigenen Univ.: 1639 wurde die Real y Pontificia Universidad de Santo Tomás in Santa Fé eingeweiht, 1623 die Academia Javeriana oder Universidad de San Francisco Javier, 1694 schließlich die Universidad de San Nicolás. Die Sammlungen röm. Klassiker nahmen in jeder Bibl. einen Ehrenplatz ein. Besonders Cicero, Vergil, Ovid, Horaz und Seneca wurden gelesen, aber auch Lucan, Plinius, Tacitus, Livius, Quintilian, Juvenal, Martial, Plautus, Terenz; und schließlich die »Modernen« wie Petrarca, Poliziano, Sannazaro und Erasmus. Die erste Studie über lat. Gramm., der *Thesaurus Linguae Latinae*, wurde im heutigen Kolumbien 1628/29 von dem jungen Fernando Fernández de Valenzuela (1616 – letztes Viertel des Jh.) verfaßt. Er und Andrés de San Nicolás waren die herausragenden lat. schreibenden Schriftsteller in den Kolonien. Ihre in Europa veröffentlichten Hauptwerke waren allerdings in ihrer Heimat kaum bekannt. Im 17. und 18. Jh. zeigt sich die klass. Bildung der Autoren in der Erwähnung griech. und röm. Personen, in Anspielungen und in lat. Zitaten, die in span. Texten wiederholt auftreten. Die bevorzugten lat. Autoren waren Vergil, Horaz und Ovid, gefolgt von Seneca.

Die Veränderungen, die in Spanien die Thronbesteigung Karls III. verursachte, hatten in der zweiten H. des Jh. ihren Widerhall in zwei Ereignissen, die das kulturelle Leben in Kolumbien tiefgreifend veränderten: 1760 kam der span. Gelehrte Celestino Mutis (1732–1808) in Kolumbien an, und wenig später wurden die Jesuiten vertrieben. Mutis, der sich in seinen Abhandlungen und in seiner Korrespondenz der lat. Sprache bediente, gründete eine Gruppe von Forschern, unter denen Francisco José de Caldas (1768–1816) hervorsticht, der mit A. v. Humboldt und Bonpland zusammenarbeitete. Die Vertreibung der Jesuiten führte wie im übrigen L. zu einer kulturellen Verarmung vieler Zentren. Im letzten Viertel des 18. Jh. kann man einen deutlichen Rückgang human. Studien in Kolumbien feststellen.

7. Guatemala

Obwohl im heutigen Guatemala der erste wirkliche Bischof des Ortes, Francisco Marroquín, zu Beginn des 16. Jh. die Gründung einer Univ. vorschlug, wurde erst 1676 das Colegio de Santo Tomás durch königl. Erlaß zur Real Universidad de San Carlos. Der König richtete folgende Lehrstühle ein: Scholastische Theologie, Moraltheologie, Kanonisches Recht, Recht, Medizin und zwei Lehrstühle für die einheimische Sprache. 1680 kamen Lehrstühle für Philos. und röm. Recht hinzu. Obwohl Gramm. und Rhet. nicht eigens im Unterrichtsplan vertreten waren, war die Beherrschung der lat. Sprache eine Eingangsvoraussetzung für ein Studium an der Universität. In der Kolonialzeit war das umfangreichste und eigenartigste poet. Werk, das in Guatemala

erschien, die *Thomasiada*, ein Gedicht zum Lobpreis des Hl. Thomas von Aquin von dem Basken Fray Diego Sáenz Ovecuri (1667). Programmatisch verkündet der Autor, Vergil, Ovid und Martial nachahmen zu wollen. Ende des 18. Jh. verfaßte der Jesuit Antonio Portilla lat. Elegien und Oden. Aber die eigentliche Dichtung Guatemalas beginnt erst mit Rafael Landívar (1731–1793) und Matías de Córdoba. Die Dichter dieser Zeit waren gleichzeitig auch human. Gelehrte, die in fremden Sprachen zu denken und zu schreiben gewohnt waren. Sie fanden in der Sprache Vergils eine angemessenere Form für ihre Poesie als in ihrer eigenen, da sie das Vokabular und die Metrik vollkommen beherrschten und der Geist der Ant. so sehr zu einem Teil ihrer selbst geworden war, daß sie sich eher als Bürger Roms denn als solche ihrer eigenen Heimat fühlten. Rafael Landívar, der Autor der *Rusticatio Mexicana* (»Mexikanisches Landleben«), ist einer der herausragenden nlat. Autoren. Er versetzt Vergils *Georgica* in die tropische Umgebung Amerikas und entwirft ein Gemälde der Natur und des Landlebens in Zentralamerika in 15 Büchern.

8. Kuba

Die öffentliche Schulbildung im heutigen Kuba wurde wie beinahe im ganzen übrigen span. Amerika zunächst häufig in privaten Initiativen und hauptsächlich rel. Motivation getragen. In der zweiten H. des 17. Jh. unternahmen die Dominikaner erste Schritte, um die Gründung der Universidad de San Jerónimo zu erreichen. Am 12.9.1721 wurde diese Institution durch ein Schreiben von Papst Innozenz III. mit denselben Privilegien wie die Univ. von Santo Domingo eingerichtet. Die königliche Zustimmung wurde am 27.4.1722 erteilt. Die Univ. von Havanna hatte die Schulbildung als Grundlage, die der dominikanische Orden in seinem Convento de San Juan de Letrán vermittelte und die schon vor der Univ.-Gründung öffentlich zugänglich war. In einem Erlaß von 1728 bestätigte der König die Einrichtung der Lehrstühle für Kanonisches Recht, Recht, Medizin und Mathematik und außerdem für Gramm., Theologie und Philos., die schon im Kloster gelehrt worden waren. Um einen Abschluß und Titel zu erlangen, mußte man unter anderem ein Zertifikat über Gramm.- oder Lateinkenntnisse vorweisen. 1842 wurde diese Einrichtung zur Real Universidad de Habana. Während der Einnahme und Besetzung Havannas durch die Engländer (Juni 1762 – Juli 1763) mußte die Hochschule ihre Tore schließen.

9. Venezuela

Während sich in einigen Gegenden Amerikas wie z.B. Santo Domingo, Santa Fé und Mexiko schon einige Stätten der Lehre und kulturelle Institutionen etabliert hatten, fand dies in Venezuela erst beinahe 200 J. nach der Entdeckung statt. 1673 wurde dank der Bemühungen der Bischöfe Diego de Baños y Sotomayor und Juan José de Escalona y Calatayud durch ein Edikt Philipps II. ein Seminarkolleg mit Santa Rosa de Lima als Namenspatronin gegründet. Bei der Einweihung gab es Lehrstühle für Theologie, Gramm. und Philosophie.

Durch die Gramm. wurde das Studium der lat. Sprache in das Bildungssystem des Landes eingeführt. Während vieler J. war die venezolanische Schulbildung ausschließlich in den franziskanischen, dominikanischen und jesuitischen Klöstern angesiedelt. Im J. 1752 gründete der Jesuitenorden in Caracas zwei Lehrstühle für Lat. und 1775 das Jesuitenkolleg in Maracaibo mit einem Lehrstuhl für Latein. In Mérida wurde das Colegio Seminario Conciliar de San Buenaventura gegründet und mit den Lehrstühlen für Gramm., Lat., Philos. und Moraltheologie ausgestattet. Grundlagentexte waren die Dichtungen Ovids, Vergils und Martials, daneben die Briefe und Reden Ciceros. Solange die Jesuiten mit der Erziehung der Jugend betraut waren, waren sehr gute Lateinkenntnisse, verbunden mit einer gründlichen rhetor. Ausbildung, die Regel.

10. PANAMA

1715 gründeten die Jesuiten in der Provinz Quito (Panama) ein Kolleg, das der Ursprung der Universidad de San Francisco Javier wurde. 1749 wurde dem Kolleg das Recht verliehen, Titel zu vergeben. Es wurde mit drei Lehrstühlen für Philos., scholastische Theologie und Moraltheologie gegründet. Mit der Vertreibung des Jesuitenordens verfiel das Studium der klass. Ant. und erlosch 1781 gänzlich.

11. NICARAGUA

In Nicaragua wurde das Seminario Conciliar de San Ramón oder Colegio Tridentino zum Vorgänger der Universität. Es wurde am 15.12.1670 in der alten Hauptstadt Nicaraguas, León, gegründet.

12. HONDURAS

Während der drei Jh. der span. Herrschaft lag die human. Bildung der Bevölkerung von Honduras in den Händen von Priestern, die in der Hl. Schrift und den Schriften der Kirchenväter bewandert waren.

13. ARGENTINIEN

Im südl. Teil des Kontinents, den das Vizekönigreich Peru umfaßte, befand sich auch das Gebiet der heutigen Republik Argentinien. Wie an den anderen Orten war die Schulbildung in den Händen des Klerus. Man studierte Gramm. und Latein. Zentrale Autoren des Lehrplans waren Nepos, Caesar, Cicero, Quintilian, Vergil, Horaz und Ovid. Es war üblich, die Klassiker in eigenen lit. Werken nachzuahmen. Das im Unterricht meistverwendete Lehrwerk war E. A. de Nebrijas (1441–1522) *Grammatica Castellana* (auch *Arte de lengua castellana*, 1492). Religiöse Zentren breiteten sich in diesem Gebiet von Norden nach Süden aus: 1586 von Potosí aus nach Santiago del Estero, bis sich das Zentrum der Provinz Tucumán endgültig in Córdoba etablierte, das dadurch zum wichtigsten kulturellen Zentrum des Südens wurde. Dort gründete Bischof Fernando de Trejo y Sanabria das Convictorio de San Francisco Javier und vertraute die Leitung dem Jesuitenorden an. Auf der Grundlage des Convictorio und des Colegio Maximo, das später in Monserrat umbenannt wurde, entstand die Universität. Die Verfassung dieser ersten Univ. nahm die von Charcas zum Vorbild, die sich wiederum an San Marcos, der Univ. von Lima, orientierte. Die herausragende lit. Persönlichkeit dieser Epoche, Luis de Tejeda y Guzmán, wurde 1604 in Córdoba geboren und brachte es bei den Jesuiten zum Baccalaureus und Magister Artium. Nach dem Militärdienst zog er sich 1662 ins Kloster von Santo Domingo zurück, wo er *A las soledades de María* (»An die Einsamkeit Mariae«) schrieb, ein Werk rel. Liebeslyrik voller klass. Bildung.

In Buenos Aires waren die Jesuiten die ersten Lateinlehrer. Sie gründeten ihr erstes Kolleg, San Ignacio, im Jahre 1617, das für ein Jh. die einzige Bildungsstätte blieb. Im 18. Jh. wurden weitere höhere Bildungseinrichtungen in den Klöstern Santo Domingo, La Merced und San Francisco eingerichtet. Die Vertreibung der Jesuiten bedeutete die schwerwiegendste kulturelle Erschütterung vor der Unabhängigkeit. Trotz der Bemühungen anderer Orden gelang es lange Zeit nicht, sie in der Schulbildung zu ersetzen.

Die pol. Gliederung der Region änderte sich 1776 grundlegend durch die Gründung des Vizekönigtums Río de La Plata, das als Abspaltung des Vizekönigtums Peru die Provinzen Tucumán, Río de la Plata, Paraguay und Cuyo umfaßte. In Buenos Aires wurde 1772 eine kostenlose Bildungseinrichtung gegründet, die Reales Estudios de San Carlos, in der zw. 1782 und 1805 Pedro Fernández eine wichtige Rolle spielte, ein Humanist, der einen prägenden Einfluß auf die jungen Leute ausübte; zu seinen Schülern zählten z. B. Vicente López y Planes, Bernardino Rivadavia, Esteban de Luca, Manuel Tomás de Anchorena. Das Verdienst von Pedro Fernández lag vor allem darin, seinen Schülern seinen lit. Geschmack, seine Bewunderung der Schönheit der lat. Autoren vermittelt und dadurch den Zeitgeschmack entscheidend geändert zu haben, indem er die scholastische Sprache und die pedantische Erziehung durch eine Ausbildung ersetzte, die mit der nahen Revolution in Einklang stand. Im April 1801 begann in Buenos Aires der *Telégrafo Mercantil, Rural, Político e Historiográfico* (»Blatt für Handel, Landwirtschaft, Politik und Geschichte«) zu erscheinen. Das in der Vorrede erklärte Ziel war, eine philos. Schule zu gründen, die Kultur und Bildung von den »barbarischen«, überholten scholastischen Denkformen befreien sollte. Am 22.11.1801 setzte sich die Zeitschrift für die Meinungsfreiheit ein, indem sie neben den Titel das Tacitus-Zitat (Historien 1,1) stellte: ›Rara temporum felicitate ubi sentire quae velis et quae sentias dicere licet‹ (›In einem seltenen Glück der Zeitumstände, wo es möglich ist, zu denken, was man will, und zu sagen, was man denkt‹). In dieser Zeitschrift fand eine Dichterbewegung mit neoklassizistischer Tendenz eine Heimstatt, angeführt von Manuel José de Lavardén (1754–1809/10), der in seinem poet. Manifest *Oda al majestuoso río Paraná* (»Ode auf den majestätischen Fluß Parana«) persönliche mit lokalen und neoklassizistischen Zügen verband. Das Werk ist für die Lit. von L. von bes. Bed., da Lavardén zum erstenmal die eigene amerikanische Heimat zum Gegenstand einer Dichtung machte und damit das E. der Vorherrschaft der span. Lit. und Kultur in L. einleitete. Der Erbe Lavardéns unter den Dichtern war Vicente López y Planes, der die Wiedereroberung von Buenos Aires aus engl. Händen mit seinem *Triunfo Argentino* (»Argentinischer Triumph«) feierte, dem er als Epilog die Verse 305–307 aus dem 9. B. der *Aeneis* anfügte, die schon im Gedicht selbst verarbeitet sind.

14. PARAGUAY

Die polit.-kulturelle Situation Paraguays war stark dadurch geprägt, daß es ringsum durch andere Länder umgeben war, so daß es beinahe den Kontakt zu den anderen städtischen kulturellen Zentren verlor, die sich im span. Herrschaftsbereich ausgebildet hatten. Mitte des 16. Jh. wurden die ersten Schulen in Paraguay auf Initiative von Domingo Martínez de Irala gegründet. Später gründeten die Jesuiten ein Kolleg mit einem Lehrstuhl für Gramm. und Artes. Als die Jesuiten am Fluß Paraguay ihre erste große Mission einrichteten, die Gebiete des heutigen Argentinien und Paraguays einschloß, wurde damit die »Vision im Urwald«, der Jesuitenstaat von Paraguay, Wirklichkeit. Ab 1607 entstanden »Indianer-Reduktionen«, Kollektivsiedlungen ohne Privatbesitz, die sich bis zur Ausweisung der Jesuiten (1767) hielten. Die Reden, mit denen der Jesuitenorden 1634 sein hundertjähriges Bestehen in Paraguay feierte, wurden auf Lat. und auf Guaraní gehalten. Um die Mitte des 17. Jh. schrieb Pater Nicolás Techo auf Lat. seine Geschichte der Provinz Paraguay; 1779 übersetzte ein anderer Jesuit, Domingo Muriel, die 1756 in Paris gedruckte *Histoire du Paraguay* von Charlevoix ins Lat. Als im 18. Jh. der Regierungschef Lázaro Ribera seiner Regierung die Notwendigkeit von Bildungsreformen vor Augen stellte, wies er darauf hin, daß die Indios Paraguays nicht die entferntesten Kenntnisse der span., geschweige denn der lat. Sprache besaßen.

15. URUGUAY

Die erste Elementarschule, die auch Lateinkenntnisse vermittelte, wurde 1745 in Uruguay durch die Jesuiten eingerichtet und 20 J. lang geführt. Nach der Vertreibung der Jesuiten übernahmen die Franziskaner die Schule. 1787 brachte Mariano Chambo die höhere Bildung nach Uruguay, indem er im Colegio San Bernardino einen Lehrstuhl für Philos. einrichtete – während der Kolonialzeit der einzige Ort der geistigen Entfaltung. Hier erhielten Dámaso de Larrañaga und José Gervasio Artigas ihre Ausbildung.

16. BRASILIEN

Die Wurzeln der brasilianischen Geschichte sind zwar in Europa zu suchen; die asiatischen und afrikan. Anteile dürfen jedoch keinesfalls übersehen werden. Die Schulbildung lag hauptsächlich in den Händen der Jesuiten, die gleich zu Beginn der Kolonisation 1533 die ersten Kollegien in Brasilien gründeten. Portugal richtete in Brasilien keine Univ. ein, wie es Spanien in seinen Kolonien tat. Der Jesuitenorden lehrte die Artes, Philos. und Theologie. Grundlage der Ausbildung war das Erbe der Scholastik und der klass. Kultur, wobei der Schwerpunkt auf Lat., Gramm. und Rhet. lag. Die er-

sten lit. Texte bestanden, den Bedürfnissen der Zeit entsprechend, aus Chroniken und Beschreibungen der Natur und der Bewohner des Landes. José de Anchieta (1530–1597) verfaßte Geschichtswerke, Predigten, Gedichte sowie Mysterienspiele auf Portugiesisch, Span., Tupí-Guaraní und Lat., u. a. das umfangreiche Gedicht *De beata Virgine* (»Über die selige Jungfrau«). Um den Sieg des Gouverneurs Mem de Sá in Rio über die Franzosen zu feiern, verfaßte er *De gestis Mendi de Sa* (»Über die Taten des Mem de Sá«). Die *Cartas jesuíticas* (»Jesuitenbriefe«) von Manoel da Nóbrega wurden ins Span., It. und Lat. übersetzt. In der zweiten H. des 18. Jh. nahm die Dichtung eine Vorrangstellung ein. Vergil und Horaz sind fortwährende Inspirationsquellen, Vergil insbes. durch seine Hirtendichtung (*Eklogen*), wobei die Gattung aus der Ant. nach Brasilien versetzt wird. So wünscht sich Silva Alvarenga (1749–1814), nicht etwa mit einem Lorbeerkranz, sondern mit Mangoblättern bekränzt, sein Lied anzustimmen. Am deutlichsten vertritt diese Strömung, die Verbindung von Ant. und mod. brasilianischer Thematik, Claudio Manuel da Costa (1729–1789). Seine Hirtendichtung führt in die trockene Landschaft in der Gegend der Goldminen; wie in Vergils 1. *Ekloge* verdeutlicht der Wechselgesang den Gegensatz zweier zeitgenössischer Lebensformen, den Gegensatz zw. dem Leben auf dem Land und im Dorf. Äußerst populär wurde Tomás Antonio Gonzaga (1744–1810) durch sein bukolisches Gedicht *Marilia de Dirceu*. Einige der Schriftsteller, die in der Provinz Minas Gerais lebten, die »escola mineira« (die »Minas Gerais-Schule«), waren herausragende Figuren der Verschwörung von Tiradentes. Sie träumten von der Republik und setzten sich für die Abschaffung der Sklaverei ein. Ihr Abzeichen trug als Aufschrift die Worte Vergils (Ekloge 1, 27): ›Libertas quae sera tamen‹ (›Zwar zu spät, aber trotzdem: Freiheit‹).

17. ZUSAMMENFASSUNG

Mexiko und Lima waren die ersten Zentren der klass. Kultur auf dem Kontinent, obwohl Santo Domingo das erste amerikanische Land war, in dem die klass. europ. Kultur eingeführt wurde und das als erstes das Recht erhielt, eine Univ. zu gründen. Die grundlegenden Fächer an den Univ. waren Theologie, lat. Gramm. und Rhetorik. Die Philos. orientierte sich an *Ethik, Metaphysik* und *Logik* des Aristoteles. Die aristotelische *Physik* wurde im ma. Lat. unterrichtet. Lat. war durch Theologie, röm. und kanonisches Recht überall präsent. Bis zum Beginn des 19. Jh. dominierten die lat. Autoren den Lektürekanon: Vergil ersetzte Homer, Cicero Demosthenes und Platon, während es für die griech. Tragiker keinen Ersatz gab. Für Vergil wirkten als Vermittler Garcilaso, Balbuena und Bello, für Horaz Luís de León, Rodrigo Caro und Argensola; Cicero wurde durch Cervantes weitergegeben, Lucan durch Herrera, und das Nachleben von Plautus und Terenz war durch Calderón und Alarcón gewährleistet. Architektur und Kunst der Zeit der »Conquista« zeigen eine enge Verknüpfung mit den klass.-ant. Schwerpunkten der schulischen Erziehung. Nur in den Gegenden, in denen die einheimischen Kulturen sehr verwurzelt und hoch entwickelt waren, lassen sich Kunstwerke als Ausdruck dieser Kulturen aufweisen. Die Präsenz der klass. Bildung in L. wurde in der Zeit der »Conquista« durch die Vertreibung der Jesuiten im Jahre 1767 stark gefährdet; ein zweiter tiefgehender Einschnitt waren die Reformen um 1867.

C. Die Zeit der Unabhängigkeitsbewegungen

Bis ins 19. Jh. orientierten sich die lateinamerikanischen Unabhängigkeitsbewegungen an bekannten Beispielen aus ant. Texten (Plutarch, Cicero und Tacitus). Die Bezeichnungen der neuen unabhängigen polit. Einrichtungen waren lat.; man sprach von Triumviraten, Volksversammlungen und Konsuln. Die bürgerliche Plastik nahm die Freiheitssymbole auf, die Griechenland und Rom der frz. Revolution gegeben hatten. Freiheitsmützen und Statuen überschwemmten L. und erweckten die klass.-ant. Welt zu neuem Leben. Die Unabhängigkeitsbestrebungen der lateinamerikanischen Völker fanden ihren lit. Ausdruck im Rückbezug auf lat. Autoren und in einem Wiederaufleben polit. Konzepte des republikanischen Rom.

1. Mexiko

1808 bildete sich auf Initiative von José Mariano Rodríguez del Castillo die »Arcadia de México«, zu der die führenden Intellektuellen der Zeit wie Navarrete, Ochoa, Lacunza und Barazábal gehörten. Diese Einrichtung war die natürliche Folge des neuen polit. und kulturellen Geistes, und es ist interessant zu beobachten, daß ähnliche Institutionen sich in anderen Städten in L. etablierten. Daneben entstanden Zusammenschlüsse zur Förderung der Landwirtschaft, der Viehzucht, des Handels usw.

In den Bereich der Rezeption der ant. Lit. gehört v. a. die Übers. von Ovids *Heroides* von Anastasio de Ochoa y Acuña (1783–1833). *El Diario de México* (»Mexikanisches Tagblatt«) veröffentlichte zw. 1805 und 1817 viele Übers. aus den Werken von Horaz, Ovid, Catull und Martial. Ein einzigartiges Beispiel der Bed. der Klassik in diesen J. ist der Roman *Periquillo Sarmiento* von José Joaquín Fernández Lizardo (1776–1827). Der Autor stützt seine moralisch-ethischen Ausführungen v. a. auf lat. Autoren und erörtert dabei die alte Streitfrage, ob man Heiden oder Christen im Glauben unterweisen solle. Der Roman ist voller lat. Zit., die verschiedene Funktionen erfüllen; bisweilen werden sie dazu eingesetzt, hohle Gelehrsamkeit zu parodieren, zumeist sind sie jedoch Ausdruck der klassizistischen Einstellung des Autors. Die Unabhängigkeitskämpfe veranlassen den Autor am E. des Romans zu einer bitteren Reflexion über den Krieg. Er stützt seine Haltung mit einem Hinweis auf die röm. Geschichte und Lit. (Horaz und Lucan) und zitiert zum Abschluß des Werkes wörtlich Vergil (Aeneis 11,362): ›Nulla salus bello, pacem te poscimus omnes‹ (›Kein Heil ist im Krieg, Frieden – dich verlangen wir alle!‹).

Gab es während der Kolonialzeit noch eine einheitliche Linie in den Zielen des Lateinunterrichts, die durch die Führungsrolle der Kirche in der Erziehung auch nach der Vertreibung der Jesuiten noch gegeben war, stießen nun in Mexiko zwei verschiedene Erziehungskonzepte und zwei rivalisierende polit. Tendenzen aufeinander. Um die Mitte des 19. Jh. verstärkten die rel. Erziehungseinrichtungen das Studium der lat. und griech. Sprache, um dadurch der für verderblich gehaltenen romantischen Lit. Widerstand zu leisten. Doch einige J. später setzte sich in einigen kirchlichen Kreisen die Überzeugung durch, daß die klass. ant. Autoren eher als Träger der Ideen der frz. Revolution anzusehen seien. Die Polemik verschärfte sich. Es war eine Zeit der Neuordnung. Nach der Hinrichtung von Kaiser Maximilian von Österreich (1867) gewann die liberale Partei die Oberhand. Der Präsident der Republik, Benito Juárez, beauftragte Dr. Gabino Barreda (1818–1881) mit der Neustrukturierung des Bildungswesens. Dem Lateinunterricht fiel eine neue Funktion zu: er wurde zum Propädeutikum für Studium und Praxis der Jurisprudenz und Medizin. José María Vigil (1829–1909), Dichter und Latinist, Übersetzer der *Satiren* des Persius, gehörte zu den herausragenden Vertretern eines human. Erziehungsideals. Gegen E. des 19. Jh. nehmen Horaz-Übers. zu. Daneben setzt eine Übers.-Tätigkeit aus dem Griech. ein (z. B. Ignacio Montes de Oca, 1840–1920). Auf dem Höhepunkt des »Modernismo« schrieb Manuel Gutiérrez Nájera (1859–1895) in direktem Bezug auf Horaz (Carmina 3, 30) ›Non omnis moriar‹ – eine mod. Darstellung der Opposition Mensch – Dichter.

2. Dominikanische Republik (Santo Domingo)

Von 1822 an schotteten die Haitianer während 22 J. die Insel Santo Domingo von der europ. Zivilisation ab und versuchten, alle Spuren ihrer Vergangenheit so gründlich zu löschen, daß sie sogar den offiziellen Gebrauch der span. Sprache verboten. Nach dieser Phase der Gewaltherrschaft gründete Juan Pablo Duarte 1844 die Dominikanische Republik. Die ersten 17 J. der Republik waren äußerst mühsame und harte Lehrjahre, die die Entwicklung der Kultur kaum begünstigten. Unter den lit. Persönlichkeiten ist Don Félix Mota zu nennen, ein Dichter, der zur Klassik neigte. Seine Ode *La Virgen de Ozama* (»Die Jungfrau von Ozama«) ist in Sapphischen Versen und Adoneen geschrieben; auch seine Dichtung *La vida* (»Das Leben«) endet in Sapphischen Versen. Trotz der Wechselfälle der Geschichte verstummte die zur Klassik neigende Dichtung dank Autoren wie José Joaquín Pérez (1845–1900) und Salomé Ureña de Henríquez (1850–1897) nicht, die in den Mittelpunkt ihrer patriotischen Dichtung das Lob der Kultur und Zivilisation stellte und dadurch maßgeblich die Erziehung ihres Sohnes Pedro Henríquez Ureña prägte, der die herausragende Persönlichkeit in der ersten H. des 20. Jh. war.

3. PERU

Peru war während der Unabhängigkeitskämpfe in zwei Zonen unterteilt: Lima war das Zentrum der Emanzipation, Cuzco das der monarchischen Macht. Nach der Erklärung der Unabhängigkeit gründete Simón Bolívar 1825 die Univ. Arequipa und in Trujillo die Universidad de la Libertad. Die Erfolge der mod. Naturwiss. führten zu einer Abwendung von dem Studium der klass. Ant. und zu einer stärkeren Betonung der sog. praktischen Wissenschaften.

4. BOLIVIEN

In Bolivien wird der Übergang von der span. zur republikanischen Zeit durch Pazos Kanki (1799? – 1855?) repräsentiert, einen »indio latino«, der seine Ausbildung an der Univ. von Chuquisaca erhalten hatte und sich aktiv im Befreiungskampf engagierte. In 16 Kriegsjahren verschaffte sich General Antonio José Sucre Zugang zum Hochland und entließ auf Wunsch Simón Bolívars Alto Perú in die Unabhängigkeit. Als Hommage an den Befreier nannte sich der neue Staat »Bolivien«. Eines der Hauptanliegen Bolívars war die Erziehung der nun unabhängigen Völker. Lehrer Bolívars waren Miguel José Sanz, ein harter Kritiker der scholastischen Erziehung, außerdem Andrés Bello und vor allem Simón Rodríguez, ein engagierter Anhänger Rousseaus und radikaler Feind jeglicher Tyrannei.

5. CHILE

In Chile nahm nach der Unabhängigkeit die Zahl der Schulen kontinuierlich zu. Das Land wurde zum Ziel berühmter Reisender. Unter diesen sticht der Venezolaner Andrés Bello (1781–1865) hervor, der eine herausragende Stellung in der Geschichte der lateinamerikanischen Lit. und Kultur einnimmt. Bello vertritt zwei Denkströmungen: in der Philos. den enzyklopädischen Human. der Aufklärung und den engl. Empirismus, in der Ästhetik den lit. Klassizismus, dessen Grundlage er im Studium der lat. Sprache sieht. Nach beinahe 20 Jahren seines Exils in London, wo er mit James Mill freundschaftlich verbunden war, kam er 1829, auf Einladung der Regierung, nach Chile und organisierte und reformierte das Bildungssystem des Landes. Er lehrte am Colegio de Santiago und in seinem eigenen Hause und nahm durch die Artikel in *El Araucano* maßgeblichen Einfluß auf die öffentliche Meinung. Grundlagen seiner pädagogischen Leitlinien sind die Beherrschung der Muttersprache und des Lat., das er als Basis jeder Wiss. verteidigt. Neben seinen in klassizistischem Stil gehaltenen poetischen Werken, darunter auch Übers. lat. Dichter, schrieb Bello Bücher mit didaktischem Ziel, die in den Schulen und Univ. als Lehrbücher dienen sollten, insbes. *Principios de Derecho de las Gentes* (»Prinzipien des Völkerrechts«), *Instituciones de Derecho Romano* (»Unterweisungen im röm. Recht«), *Compendio de Historia de la Literatura* (»Kompendium der Lit.-Geschichte«) und die ausgezeichnete *Gramática de la lengua castellana* (»Gramm. der kastilischen Sprache«).

6. ECUADOR

Als Ecuador 1822 die Unabhängigkeit von Spanien erlangte, bildete es zunächst acht J. lang einen Teil des großen Kolumbiens, bis es zum selbständigen Staat wurde. In dieser Zeit folgte eine Bildungsreform der anderen. Man unterrichtete weiterhin in den Gymnasien und Univ. Lat. und ant. Literatur. Allerdings ließ die polit. Instabilität kein ausgebildetes Bildungssystem aufkommen. In den ersten J. der Republik taten sich zwei Männer mit klass. Bildung hervor: José Joaquín de Olmedo (1780–1847) und Vicente Rocafuerte (1783–1847). Beide trugen zur Verbreitung der klass., vor allem lat. Texte bei.

7. KOLUMBIEN

Zwischen 1810 und 1830 setzten sich in Kolumbien die Kämpfe um die Unabhängigkeit und die Bemühungen um eine nationale Identität fort. Die Verschlechterung der Bildungsmöglichkeiten war alarmierend und dauerte bis zur Gründung der Univ. der Vereinigten Staaten von Kolumbien im J. 1867. Für das Lit.- und Philosophiestudium mußte man zwei J. Lat. studieren. Der erste Inhaber des lat. Lehrstuhls war Miguel Antonio Caro, der eine lat. Gramm. für span. sprechende Schüler einführte, die er zusammen mit Rufino José Cuervo ausgearbeitet und 1867 veröffentlicht hatte. Die beiden können als Begründer einer human. Trad. in Kolumbien gelten. Rufino José Cuervo (1844–1911) war ein hervorragend ausgebildeter klass. Philologe. Von seinen auf lat. geschriebenen Briefen ist v. a. jener bekannt, den er an Gustav Roethe sandte, um sich für die Verleihung der Ehrendoktorwürde durch die Univ. Berlin zu bedanken. Miguel Antonio Caro (1843–1909) übte seinen Einfluß vom Katheder, in der Presse und auf der polit. Bühne aus. Er entstammte einer Familie, die das klass. Erbe pflegte. Sein Vater war der Dichter José Eusebio Caro; sein Großvater mütterlicherseits der Rechtsgelehrte Miguel Tovar, bei dem er Lat. lernte und mit der röm. Gedankenwelt in Berührung kam. Sein engl. Hauslehrer Thomas Jones Stevens beherrschte Lat. und Griechisch. Caro veröffentlichte Übers. von Vergil und Horaz und äußerte sich über die Kunst, die klass. Autoren angemessen zu übersetzen, in verschiedenen Abhandlungen: in *Obras de Virgilio* (»Werke Vergils«), *Del metro y la dicción en que debe traducirse la epopeya romana* (»Über Versmaß und Sprache, die bei der Übers. röm. Epen zu verwenden sind«), *Traducciones poéticas* (»Dichterische Übers.«) und im Vorwort seiner *Latinae interpretationes* (»Lat. Interpretationen«).

8. GUATEMALA

Juan Gualberto González ist einer der span. Humanisten, die in Guatemala im 19. Jh. hervorstechen. Er übersetzte die lat. Bukoliker und die *Ars poetica* des Horaz. Die Horaz-Übers. erschien 1822 mit einer Widmung an die Kinder Joaquín Bernardo Campuzanos, des Regenten der Audiencia de Puerto Príncipe (Kuba). Aus der Mitte des 19. Jh. ist Juan José Micheo (1847–1869) zu nennen, ein junger Dichter, der mit 22 Jahren umkam. Er hatte eine klass. Schulbildung in einem

Jesuitenkolleg erhalten und hinterließ Übers. einiger Horaz-Oden und ein sapphisches Lied auf die Jungfrau von Guadeloupe.

9. KUBA

José María Hérédia (1803–1839) ist einer der berühmten Namen in der kubanischen Lit. des 19. Jh. Er studierte an der Universität de Santo Tomás auf Santo Domingo Lat. und versetzte Francisco Javier Caro durch sein Wissen und seine Bildung in Staunen. Obwohl sein unstetes Leben ihn daran hinderte, eine gründliche human. Bildung zu erwerben, wie z. B. Andrés Bello, so enthält doch eines seiner Meisterwerke, die Sonettsammlung und Verserzählungen *Les Trophées* (»Trophäen«) zahlreiche Reminiszenzen an die ant. Kultur und Literatur. Bemerkenswert ist sein Versuch, die Form des Epigramms in ihrer urspr. Funktion als Grabinschrift wiederzubeleben. Voraussetzung, um zum zweiten Zyklus des kubanischen Bildungssystems zugelassen zu werden, war im 19. Jh. eine Lateinprüfung: Gründliche Kenntnis von Cicero, Sallust, Livius, Ovid, Horaz und Vergil wurde verlangt. José Martí (1853–1895) war die wichtigste Persönlichkeit dieser Zeit; sein Einfluß strahlte von Kuba auf ganz L. aus. Er studierte in Madrid und Zaragoza. Nach seiner Rückkehr aus Europa lebte er in Mexiko, Guatemala, Kuba und New York. Er widmete sein Werk einem einzigen polit. Ziel: der Befreiung Kubas. Seine Artikel weisen ein außergewöhnliches lit. Niveau auf. Er war ein glänzender Redner und besaß eine enorme Kenntnis der span. Klassiker. Durch seinen Sprachstil, in dem er Latinismen neben einfache indianische Wörter stellte, entwickelte er einen neuen lit. Stil in L. Martí hatte keineswegs die Absicht, eine lit. Revolution auszulösen, dennoch pflegt man seinen *Ismaelillo* (Verkleinerungsform von Ismael, dem Sohn Abrahams) aus dem J. 1882 als Ausgangspunkt des »Modernismo« anzusehen.

10. VENEZUELA

Erst 1806 kommt die Drucktechnik nach Venezuela, und erst 1808 wird das erste im Land gedruckte Werk veröffentlicht: *La guía universal de forasteros* (»Allgemeiner Führer für Ausländer«). Zu den ersten Druckerzeugnissen zählt auch die von Andrés Bello geleitete *La Gaceta de Caracas*. Die besten Bibl. befanden sich weiterhin in den Klöstern, die deshalb regelmäßig von den gebildeten Männern Venezuelas besucht wurden wie z. B. von Bello, Vargas, González, Alvarado, Rojas, Acosta, Bolet Peraza und anderen. Die Universidad Conciliar de San Buenaventura (h. Universidad de los Andes) wurde durch die patriotische Junta von 1810 bestätigt und in ihrer Existenz erneut sichergestellt, als der Befreier Simón Bolívar 1813 auf seiner *Campaña Admirable*, seinem »bewundernswerten mil. Unternehmen«, durch die Stadt Mérida kam. Hier gründete Bischof Lasso de la Vega im September 1816 ein »Haus der Lateinstudien«. Im 19. Jh. war Juan Vicente González ein herausragender Übersetzer und Vorkämpfer der lat. Kultur. 1838 wurde er durch eine Entscheidung der Dirección General de Instrucción Pública von der Uni-

versidad Central mit der Abfassung einer lat. Gramm. beauftragt. Später übersetzte er die *Ars Poetica* des Horaz (1851) und die *Grammatica Latina* von Burnouf (1855). Erwähnenswert ist auch die verdienstvolle Arbeit von Lisandro Alvarado, der *De rerum natura* von Lukrez übersetzte. Seit ca. 1850 trat eine Verschlechterung im Lateinunterricht und ein daraus erwachsendes Desinteresse an der lat. Lit. und der ant. Kultur überhaupt ein. Die 1879 erlassene Legislación Docente Universitaria versuchte erfolglos, die Situation zu ändern, indem sie das Studium der griech. und lat. Sprache für die höheren Abschlüsse aller Fakultäten verpflichtend machte.

11. NICARAGUA

Als 1821 die Unabhängigkeit von Zentralamerika erklärt wurde, gab es in Nicaragua eine kurze Unterbrechung des universitären Lebens; 1869 wurde die Univ. durch die Regierung geschlossen und ihr Besitz beschlagnahmt. Der Lehrbetrieb wurde 1888 unter der Präsidentschaft Evaristo Carazos wiederaufgenommen. Der lit. »Modernismo« hatte in dem Nicaraguaner Rubén Darío (1867–1916) seinen größten Vertreter. Er löste eine sprachliche und poetische Revolution aus, die auf ganz L. und Europa übergriff. In seinen Schriften verteidigte Darío immer wieder den Wert der ant. griech.-röm. Kultur und Literatur. Durch den enormen Einfluß von Dichtern wie Martí und Darío wurde die Ant. zu einem Bezugspunkt auch in den Werken anderer Vertreter des »Modernismo« um die Wende vom 19. zum 20. Jh.

12. COSTA RICA

Obwohl es Hinweise darauf gibt, daß schon 1782 Bischof Esteban Lorenzo Tristán Geld für die Einrichtung eines lat. Lehrstuhls anbot, bekam das Studium der klass. Ant. in Costa Rica erst um 1860 einen neuen Impuls, als die Professoren Valeriano und Juan Fernández Ferraz ins Land kamen. Ersterer organisierte systematisch den Unterricht der lat. und griech. Sprache für die Sekundarstufe auf der Basis des Bildungsplans von 1869. 1843 wurde die Univ. Santo Tomás gegründet, deren Studiengänge zu Beginn Lat.- und später Griechischunterricht einschlossen. Doch der Unterricht in beiden Sprachen verfiel mit der Schließung der Univ. und der Aufhebung des universitären Studiums nach der Erziehungsreform, die Mauro Fernández 1887 unternahm.

13. HONDURAS, EL SALVADOR, PANAMA

In der ersten H. des 19. Jh. ragt in Honduras als lit. interessierte Persönlichkeit der Priester José Trinidad Reyes heraus. In El Salvador war die Kenntnis der klass. Sprachen, insbes. des Lat., den Priesteranwärtern vorbehalten, die für ihr Studium an die Univ. von Guatemala gehen mußten. Diese Situation änderte sich im 19. Jh. nicht. Die Salesianer, die 1897 nach Santa Tecla kamen, führten zwar den Lateinunterricht ein, aber er war weiterhin nur für die Priesterausbildung bestimmt. Panama besaß nur kurzfristig (1841–1852) eine eigene Universität.

14. ARGENTINIEN

Seit dem E. des 18. Jh. begannen aufklärerische Gedanken aus dem Ausland in Buenos Aires sich ihren Weg zu bahnen. Die »hombres de mayo« – so nannte sich die neue Bewegung – widmeten sich in Buenos Aires vorwiegend polit. Fragen. Ihr Hauptanliegen war die polit. Unabhängigkeit; Fragen der Bildung standen nicht im Mittelpunkt ihres Interesses. 1821, unter dem ersten Ministeramt und dann unter der Präsidentschaft Bernardino Rivadavias, gab es eine kurze kulturelle Blüte. Am 12.8.1821, zwei Jh. nach der Univ.-Gründung in Córdoba, wurde die Universidad de Buenos Aires eingeweiht. Die Lit. jener Zeit wies zwar einen klassizistischen Charakter auf, aber die Themen wandelten sich. Die Dichter behandelten aktuelle Ereignisse. Die wichtigste Gattung war die Lyrik. In den Werken machte sich der Einfluß der Römer Vergil, Horaz und Ovid bemerkbar. Von Juan Cruz Varela stammt ein Gedicht mit deutlichem klass. Einfluß: die *Batalla de Maipú* (»Schlacht von Maipú«) und *La Profecía de la grandeza de Buenos Aires* (»Prophezeiung der Größe von Buenos Aires«). Deutlich durch Vergils *Aeneis* inspiriert ist seine Verstragödie *Dido* (1823). Juan Cruz Varela übersetzte außerdem während seines Exils in Montevideo horazische *Oden* und widmete sich in seinen letzten Lebensjahren einer *Aeneis*-Übers., starb aber vor deren Vollendung. Im Laufe des 19. Jh. lösten in Buenos Aires verschiedene polit. und lit. Bewegungen einander ab. Entscheidend ist jedoch, daß der Versuch einer nationalen Neuordnung auf der Basis des 1869 von Dalmácio Vélez Sársfield erlassenen *Código civil*, den man als das am stärksten vom röm. Recht beeinflußte mod. Gesetzbuch ansieht, deutlich durch die röm. Trad. geprägt ist. Dies fand seinen Niederschlag auch in einer intensiven Beschäftigung mit der röm. Lit.: Bartolomé Mitre veröffentlichte 1895 seine Übers. von 52 *Oden* und dem *Carmen saeculare* des Horaz. Die 88 übrigen *Oden* erschienen 1896; im J. 1900 wurden alle gemeinsam unter dem Titel *Horacianas* veröffentlicht. Leopoldo Lugones trug zur Dichtung L. nicht weniger Wichtiges bei als Darío und war wie jener ein außerordentlicher Meister der Sprache. Als man den 100. Jahrestag der Mai-Revolution, den Anf. der Unabhängigkeit, feierte, schrieb Lugones als Hommage an Argentinien mit Bezug auf Horaz seine *Odas seculares*.

15. PARAGUAY

Mit der Revolution von 1811 begann Paraguays Geschichte als unabhängiger Staat. Die kriegerischen Auseinandersetzungen, an denen das Land beteiligt war, waren jedoch einem kulturellen Austausch mit anderen Staaten L. hinderlich. Ende des 19. Jh. begann Paraguay, argentinische Erzieher einzustellen und das Bildungssystem zu stabilisieren. Allerdings mußte weiterhin in Argentinien, an der Escuela Normal de Profesores de Paraná, studiert werden. In Asunción gab es nur eine außeruniversitäre höhere Bildungsanstalt, bis 1889 die Universidad Nacional de Asunción gegründet wurde.

16. URUGUAY

In Uruguay wurde auf Anregung Larrañagas 1849 die Universidad de Montevideo gegründet, die den Lateinunterricht förderte. Das Colegio Oriental de las Humanidades, das Instituto de Instrucción Pública und das Gimnasio nacional waren die Grundlagen der Universidad Mayor de la República. Im Bildungskampf zw. der klass. und modernistischen Strömung setzten sich 1885 an der Univ. die Vertreter der Moderne durch. Als Vertreter einer an der human. Trad. sich orientierenden Bildung sind zu nennen José Enrique Rodó (1871–1918), der Verfasser des *Ariel*, und Carlos Vaz Ferreira (1872–1956). In Uruguay kam wie in Chile und Argentinien zum Einfluß Bellos noch derjenige des Argentiniers Domingo Faustino Sarmiento und des Chilenen José Victorino Lastarria hinzu. Bello und Sarmiento unterstützten einander entgegengesetzte Positionen, aber jeder trug in seinem eigenen Wirkungskreis – Bello in der Univ., Sarmiento in der Primarschule – dazu bei, die Grundlagen des Unterrichts zu legen. Lastarria bemühte sich, die divergierenden liberalen Ideen zu vereinen.

17. BRASILIEN

Als die portugiesische königliche Familie 1808 wegen der napoleonischen Invasion nach Brasilien kam, begann eine Zeit großer Fortschritte. Die Regierung König Juans VI. begünstigte wiss. und lit. Tätigkeiten. 1821 mußte er nach Portugal zurückkehren und ließ seinen Sohn Pedro als Regenten Brasiliens zurück. Die Idee der Unabhängigkeit wuchs schon heran, bevor der portugiesische Hof in der Hauptstadt und die lokalen selbständigen Verwaltungen der brasilianischen Provinzen in Konflikt gerieten. Der Anführer der Unabhängigkeitsbewegung war José Bonifacio de Andrada e Silva (1763–1838), Dichter, Vergilübersetzer und Professor an der Universidad de Coimbra und nach weitverbreiteter Ansicht der größte aller Staatsmänner, die das portugiesische Amerika hervorgebracht hat. Nach der Unabhängigkeit konzentrierte sich das Hauptinteresse der höheren Bildung auf das Jurastudium. 1826 wurden zwei Jurastudiengänge eingeführt, einer in Olinda, der andere in São Paulo. Die Studiengänge sollten nicht nur angehende Juristen ausbilden, sondern waren auch für Politiker, Journalisten, Lehrer und künftige Inhaber öffentl. Ämter gedacht. Sie vermittelten ein allg., human. und philos. Wissen und waren gleichsam die Wiege, aus der sich später alle weiteren Schulen und Fakultäten des Landes entwickeln sollten. Seit dem E. des 18. Jh. verbreiteten sich in Brasilien die Gedanken der frz. Philos. der Zeit der Restauration. Pedro II. bestieg 1840 den brasilianischen Thron. Er unterstützte Lit., Wiss. und Künste. Als begeisterter Anhänger des Thukydides interessierte er sich bes. für histor. Werke. Vor allem zog ihn das Studium der Fremdsprachen an. Er konnte aus dem Stand lat. und engl. Texte übersetzen und sprach beide Sprachen fließend. Auch aus dem Griech. und Dt. übersetzte er ohne Probleme, sprach die Sprachen aber schlecht. Die Bed. der klass. Ant. im brasilianischen Leben jener Zeit wird durch den Brauch widergespiegelt, den Kindern Namen aus der griech. Lit. und röm. Geschichte zu geben. Die human. Bildung war seit der Unabhängigkeit Vorbereitung und Zugangsvoraussetzung für die juristische und medizinische Fakultät.

18. ARCHITEKTUR UND SKULPTUR

Die hauptsächlich durch frz. Vorbilder beeinflußte Architektur L. stand während des 19. Jh. vorwiegend im Dienste der polit. Repräsentation. Griech. und röm. Elemente, vermittelt durch den frz. Neoklassizismus, finden sich in der Architektur und bes. in allegorischen Statuen. In den Skulpturen gehen bisweilen die einheimische Symbolik mit klass.-ant. Myth. eine Symbiose ein.

D. DAS 20. JAHRHUNDERT

Der Einfluß der klass. Ant. in L. weist im 20. Jh. deutliche Unterschiede zu den vorherigen Epochen auf. Man kann von einer »Rückkehr nach Griechenland« sprechen, die sich schon im 19. Jh. andeutete und bis zu einem gewissen Punkt die Dominanz der röm.-lat. Kultur aufhob. Die Präsenz der Ant. in L. im 20. Jh. ist v. a. durch zwei Faktoren bestimmt: Zum einen durch die Kulturübermittlung durch span. Exilierte und dt. Intellektuelle und Philologen, die nach L. kamen und einen großen Einfluß auf die Univ. ausübten; zum anderen durch die Wirkung human. geprägter Persönlichkeiten, die die Suche nach einer eigenen nationalen Identität der Staaten L. mit klass.-ant. Vorbildern anregten. Von großer Bed. für die Rezeption der klass. Ant. war im 20. Jh. der Zuzug span. Republikaner, die nach Mexiko ins Exil gingen: Agustín Millares Carlo, José Gaos, Juan David García Bacca, José M. Gallegos Rocafull, Pedro Urbano González de la Calle. Die Casa de España in Mexiko war die Vorgängerin von El Colegio de México, dessen Sammlung klass. philos. Texte eine wichtige kulturelle Leistung darstellt. Persönlichkeiten wie A. Millares Carlo in Maracaibo, Ángel Rosenblat in Caracas und in neuerer Zeit M. Marcovich, M. Marciales und G. Thiele in Mérida legten eine solide Basis für eine klass. Bildung in Venezuela. Rodolfo Oroz in Chile ist ein Beweis dafür, daß die dt. Philologen Hansen und Lenz ihre wiss. Spuren in diesem Land hinterließen. Besonders ist auf die 1932 in Santiago veröffentlichte *Gramática latina* hinzuweisen.

Auch in Argentinien wurde die klass. ant. Trad. und das Studium des Griech. und Lat. durch einzelne Persönlichkeiten angeregt: E. Schlesinger an den Univ. von Tucumán, La Plata und Buenos Aires, G. Thiele an den Univ. im Süden, Rosario, Buenos Aires und La Plata, C. Disandro in Argentinien und auch in Chile und die Latinisten Tulio Halperín Donghi und Rodolfo Mondolfo in Buenos Aires. Ihr Werk wurde fortgesetzt durch Aída Barbagelata, die um die Mitte des Jh. als Latinistin in Buenos Aires großen Erfolg hatte, sowie von Atilio Gamerro und Carmen Verde, die Griech. an der Universidad de La Plata unterrichteten. In Montevideo schuf Vicente Cicalese eine Schule von Latinisten. In Brasilien förderte und organisierte Ernesto de Faria die brasilianische klass. Philol. unter dem Einfluß von Carcopino,

Marouzeau, Perret, Piganiol und Durry. In Mexiko fand sich eine Gruppe von Leuten, die im Positivismus groß geworden waren, sich aber durch die ihnen vermittelte Philos. eingeengt fühlten und neue Horizonte suchten. Die Gruppe wurde als *Ateneo de la Juventud o del Centenario* bezeichnet; zu ihr zählten Alfonso Reyes, Pedro Henríquez Ureña, Antonio Caso, José Vascóncelos. Unter Einfluß der dt. Kultur wandten sie sich der klass. Philol. zu, insbes. der griech. Lit., Philos. und Kultur. Kultur war für junge Leute des Ateneo daher gleichbedeutend mit griech. Antike. Die röm. Welt besaß für sie keine bes. Anziehung, weil man in ihr v. a. den juristischen und polit. Geist verwirklicht sah, der sich in einer undemokratischen Machtausübung äußert.

1910 wurde in Mexiko die Univ. wiedereröffnet. Es handelte sich um eine neue, für eine neue Zeit konzipierte Institution. Die Gruppe des Ateneo organisierte sich in der Folgezeit als Zentrum der Kulturverbreitung, genannt Universidad Popular de México. José Vascóncelos (1881–1959) hatte als Verantwortlicher der Secretaría de Educación Pública den größten direkten Einfluß durch sein kulturpolit. Projekt: Mit dem Ziel, klass. Bildung zusammen mit Grundzügen des mod. Denkens in der Öffentlichkeit zu verbreiten, initiierte er eine Ausgabe großer ant. und mod. Autoren, deren Bände in der ganzen Republik kostenlos verteilt wurden. 1931 wurde die Zweitausendjahrfeier für Vergil begangen, und Alfonso Reyes begann die Ehrung mit seinem berühmten *Discurso por Virgilio* (»Rede für Vergil«), in dem er die Ansicht vertritt, daß die Lektüre des röm. Klassikers eines der vitalsten Interessen Mexikos sei. Vergil vermittle eine patriotische Vorstellung vom Vaterland, er beschreibe Städte und Felder, den Krieg und die Landwirtschaft, die Annehmlichkeiten des Privatlebens und entwerfe großartige Bilder des öffentlichen Lebens, so daß er demjenigen, der mit dieser Dichtung erzogen worden sei, eine starke innere Struktur verleihe. 1944 begann die Univ. in der Bibliotheca scriptorum Graecorum et Romanorum Mexicana mit der zweisprachigen Ed. der griech. und lat. Klassiker. Das an ant. Themen reiche Werk von Alfonso Reyes (1889–1959) beweist, daß sein bemerkenswerter Wissensdrang weder die Grundprobleme seines eigenen Landes noch der lateinamerikanischen Kultur im allg. außer acht ließ. Reyes war Lit.-Kritiker und Dichter. Die griech. Trag. fesselte ihn – anfangs unter dem Einfluß der Thesen Nietzsches und Murrays. Während seines Aufenthalts in Spanien eignete er sich die philol. Methoden zusammen mit Menéndez Pidal an; er interessierte sich für die neuesten arch. Entdeckungen und für alle Äußerungen europ. Kultur, in denen er ein ant. Element verwirklicht sah. *La Ifigenia cruel* (»Die grausame Iphigenie«, 1924) ist der poetische Ausdruck seiner Bewunderung der griech. Tragödie. Seine Tätigkeit als mexikan. Diplomat führte zu einer großen Verbreitung der ant. Kultur in L. Aus dieser Zeit stammen *El Discurso por Virgilio* (1930), *Atenea política* (»Politisches Athen«, 1932) und *Apéndice sobre Virgilio y América* (»Anmerkungen über Vergil und

Amerika«, 1937). Nach seiner Rückkehr nach Mexiko veröffentlichte Reyes seine klass.-philol. Studien: *La crítica en la edad ateniense* (»Die Kritik im klass. Athen«) und *La antigua retórica* (»Die ant. Rhet.«). Werner Jaegers *Paideia* war ein Basistext für seine *Junta de Sombras* (»Versammlung der Schatten«), eine griech. Geistesgeschichte, die großen Einfluß ausübte. Während der letzten zehn J. seines Lebens beschäftigte sich Alfonso Reyes mit dem ant. Griechenland. Er wandte sich der *Ilías* als dem Buch des Ursprungs zu. Er übersetzte die ersten neun Gesänge und veröffentlichte 30 Sonette über *Homero en Cuernavaca* (»Homer in Cuernavaca«). Im Zentrum seiner Forschungsinteressen stand nun die Verbindung des griech. Mythos mit der griech. Religion. In seinem Bestreben, die Ant. weiten Kreisen näher zu bringen, war Reyes durch die Absicht geleitet, Mexiko zu einer eigenen Kultur zu verhelfen, die unabhängig und einzigartig sein und ihre Wurzeln in der Ant. haben sollte. Ohne zu übertreiben, kann man sagen, daß Reyes in entscheidendem Maß das Denken und die Kultur L. im 20. Jh. bestimmte.

Pedro Henríquez Ureña (1884–1946) aus Santo Domingo war neben Alfonso Reyes die herausragende Persönlichkeit in der ersten H. des 20. Jh. Henríquez Ureñas Hauptinteressen waren die klass. Lit. und die Beschäftigung mit seiner Muttersprache. Der Autor der 1916 in New York veröffentlichten Tragödie *El nacimiento de Dionisos* (»Die Geburt des Dionysos«) setzte sich in zahllosen Forsch.-Arbeiten für ein Wiederaufblühen der klass. ant. Kultur in L. ein. In seiner Auseinandersetzung mit den sich stark an der europ. Lit. und Kultur orientierenden Autoren, gegen die er eine eigene, amerikanische Identität vertrat, führte er das Beispiel Roms an, das, ohne dies bereut zu haben, seine eigene Trad. der griech. Kultur geopfert habe. Das Werk von Henríquez Ureñas ist weitgestreut: Philol. Unt. stehen neben lit.-geschichtlichen Arbeiten, Detailanalysen neben synthetischen Gesamtdarstellungen, Anthologien neben Bibliographien. Seine Prosa zeichnet sich durch ihre Prägnanz und Genauigkeit aus.

In der zweiten H. des 20. Jh. fand der sog. »boom de la narrativa iberoamericana« (Boom der iberoamerikanischen Erzählung) statt. Ihre Hauptvertreter, Cortázar, Sábato, Fuentes, Vargas Llosa und García Márquez, kehren wie Borges, Marechal oder Lezama Lima zur griech. Lit. zurück, indem sie insbes. die griech. Mythen einer neuen lit. Behandlung unterwerfen. In ihrer *nueva épica*, ihrer neuen Erzählkunst, nähern sie sich auf verschiedenen Wegen einer neuen lateinamerikanischen Identität an, die ihre Wurzeln in der klass. Ant. hat und durch das Christentum geprägt ist, für die aber die einheimischen lateinamerikanischen Mythen genauso wichtig sind. Die von den klass. Autoren ausgehende Remythifizierung dient der Sinngebung, der Deutung der Gegenwart L. Zwar wird der kulturelle Zusammenhang betont, der L. mit Europa verbindet, gleichzeitig werden jedoch die unterschiedlichen einheimischen, asiatischen und afrikan. Einflüsse als wesentlich für eine lateinamerikanische Identität herausgestellt. Diese zwei Wurzeln der lateinamerikanischen Kultur werden in zwei Werken des mexikan. Künstlers José Clemente Orozco deutlich. In einem Gemälde im Pomona College in Kalifornien symbolisiert die Figur des Prometheus den klass. ant. Ursprung, auf einem anderen großen Wandbild Orozcos, das sich in der Baker-Bibl. im Dartmouth College (New Hampshire) befindet, ist die Darstellung der gefiederten Schlange Quetzalcóatl als das lateinamerikanische Gegenbild zum europ. Prometheusmythos konzipiert. In einem dritten Kunstwerk, in der Kuppel des Hospicio Cabañas in Guadalajara in Mexiko, vereint Orozco beide Figuren, den europ. und den indoamerikanischen Helden, Prometheus und Quetzalcóatl, in einem einzigen Bild. In diesem Gemälde läßt Orozco als Sinnbild der lateinamerikanischen Kultur zwei Welten, die alte und die neue, die ant., europ. und die amerikanische, zusammenwachsen und ein harmonisches neues Ganzes bilden.

1 M. A. ALONSO DE QUESADA, Hacia una política cultural de Honduras, 1977 2 E. ANDERSON IMBERT, Historia de la literatura hispanoamericana, 1954 3 Ders., Misión de los intelectuales en Hispanoamérica, 1963 4 A. BARBAGELATA u. a., Historia de los estudios de Lengua, Literatura y Cultura latinas en Latinoamérica, 1981 5 P. BARCIA, Pedro Henríquez Ureña y la Argentina, 1994 6 M. BAPTISTA GUMUCIO, La política cultural en Bolivia, 1977 7 G. BELLINI, Historia de la literatura hispanoamericana, 1985 8 R. CALDERA, Andrés Bello, 1978 9 E. CARILLA, La literatura de la independencia hispanoamericana, 1964 10 A. CARPENTIER, La novela latinoamericana en vísperas de un nuevo siglo y otros ensayos, 1981 11 J. CRUZ COSTA, Esbozo de una historia de las ideas en el Brasil, 1957 12 J. DESCOLA, La vida cotidiana en el Perú en tiempos de los españoles, 1974 13 G. DIAZ-PLAJA (Hrsg.), Historia general de las literaturas hispánicas, 1968 14 J. ELIÉCER RUIZ, La política cultural en Colombia, Vendôme, 1976 15 E. FINOT, Historia de la literatura boliviana, 1975 16 G. FREYRE, Interpretación del Brasil, 1964 17 N. J. GONZÁLEZ, Proceso y formación de la cultura paraguaya, 1948 18 J. M. GUTIÉRREZ, Escritores coloniales americanos, 1957 19 T. HALPERÍN DONGHI, Historia contemporánea de América Latina, 1969 20 P. HENRÍQUEZ UREÑA, Las corrientes literarias en la América Hispánica, 1949 21 Ders., Historia de la cultura en la América Hispánica, 1959 22 F. LARROYO, La filosofía iberoamericana, 1978 23 E. MARTÍNEZ, La política cultural de México, 1977 24 J. T. MEDINA, Historia de la literatura colonial en Chile, 1878 25 O. MÉNDEZ PEREIRA, Historia de la instrucción pública en Panamá, 1916 26 M. MENÉNDEZ Y PELAYO, Historia de la poesía hispanoamericana, 1911 27 A. MIJARES, Hombres e ideas en América, 1970 28 D. MOREIRA, La política cultural en Ecuador, 1977 29 G. PICÓN FEBRES, Nacimiento de la Venezuela intelectual, 1968 30 M. PICÓN SALAS, De la Conquista a la Independencia, 1944 31 V. QUESADA, La vida intelectual en la América española durante los siglos XVI, XVII y XVIII, 1910 32 J. M. RIVAS SACONNI, El latín en Colombia. Bosquejo histórico del humanismo colombiano, 1977 33 J. SALAZAR, Informe sobre la enseñanza del latín en la Universidad de Puerto Rico, 1979 34 J. VASCONCELOS, Breve historia de México, 1956 35 A. VILLEGAS,

Panorama de la filosofía Iberoamericana actual, 1963 (1978) **36** S. Zavala, El contacto de culturas en la historia de México, 1949 **37** Ders., La utopía de América en el siglo XVI, 1965 **38** L. Zea, América latina y el mundo, 1965 **39** Ders., La cultura de las dos Américas, 1971 **40** Ders. (Hrsg.), Fuentes de la cultura Latinoamericana, 1993. **41** A. Zum Felde, Índice crítico de la literatura Hispanoamericana, 1954.

ANA MARIA GONZALES DE TOBIA /
Ü: JOHANNA BÜCHNER UND
BERNHARD ZIMMERMANN

Lateinisch, Aussprache s. Aussprache

Lateinische Inschriften I. Fundgeschichte
II. Wissenschaftsgeschichte

I. Fundgeschichte
A. Historischer Überblick
B. Bedeutende Einzelfunde

A. Historischer Überblick

Das Schicksal der l. I. ist ganz wesentlich von ihrem jeweiligen Inschriftträger bestimmt. Von Großbauten, ihrer schieren Größe wegen nicht wirklich untergegangen, deren Inschr. von der Ant. bis in die Neuzeit immer präsent waren (z. B. das Mausoleum Augusti in Rom, dokumentiert durch Suet. Aug. 101, 4, die *Mirabilia urbis Romae* im 12. Jh. und die Zeichnungen Baldassare Peruzzis aus dem 16. Jh. [10; 9. 67]), spannt sich der Bogen bis hin zum Instrumentum, den sog. Kleininschriften – etwa wertvolle Gemmen oder Ringe mit Inschr., deren Herkunft nach einer Odyssee durch verschiedene neuzeitliche Sammlungen meist nicht mehr geklärt werden kann. Schleuderbleie und Waffen mit Besitzerinschrift, Wasserleitungsrohre, Militärdiplome, Siegel und Gewichte, einzelne Bronzebuchstaben von verdübelten oder eingelegten Inschr. – kurz: All jene Inschr., die in Metall gegossen, geschlagen oder geritzt waren, wurden oftmals des bloßen Materialwerts wegen eingeschmolzen oder sind ohne Angaben zu den Fundumständen in den Kunsthandel gelangt, so daß z. B. die Herkunft des nach 1980 aufgetauchten sog. Jagdtellers des Seuso-Schatzes bis h. ungeklärt geblieben ist [28]; und auch die Fundorte der verschiedenen Kopien des *SC de Cn. Pisone patre* (s. u.) ließen sich nur für einen Teil derselben ermitteln [5. 1 ff.].

Größe und Material des Trägers wiesen auch anderen Inschr. den weiteren Weg: Freistehende Grabsteine, Statuenbasen oder Altäre geeigneter oder erst passend zugearbeiteter Form wurden zu allen Zeiten verschleppt und fanden als Spolien Wiederverwendung. Sie sind so in späteren Bauten erhalten geblieben – wie in jener byz. Festung, die auf dem Stadtgebiet des ant. Madauros (Algerien) im J. 535 errichtet worden war (ILAlg I 2114), oder in der ma. Stadtmauer von Ávila (Spanien), die mit ihren ungezählten röm. Grabsteinen auf ein *municipium* schließen läßt [11]. Ein anderer Teil fand seinen Weg in die Öfen von Kalkbrennereien, wie sie z. B. im 15. und

16. Jh. auf dem Forum Romanum standen [23. 168 f.]. So konnten im J. 1546 die berühmten Konsular- und Triumphalfasten vom *arcus Augusti* nur durch Intervention des Kardinals Alexander Farnese (der spätere Papst Paul III.) vor diesem Schicksal bewahrt werden (InscrIt XIII 1, p. 1 ff.).

Die Fundgeschichte der l. I., sofern nicht bei einer arch. Grabung zutage gekommen, ist mithin v. a. die Fundgeschichte des Einzelstücks; und nur wenige große Linien lassen sich – den Spuren ihrer frühen Sammler folgend – für die Gesamtheit ziehen, zumal das Herkunftsgebiet der l. I. den weiteren Mittelmeerraum mit seinen Inseln, West- und Mitteleuropa sowie den Nahen Osten umfaßt und die jeweilige *provincia epigraphica* zu verschiedenen Zeiten und auf unterschiedlichen Wegen erschlossen wurde. Lediglich in Rom und den Metropolen Norditaliens läßt schon frühzeitig eine rege Sammel- und Grabungstätigkeit, ergänzt durch erste Bemühungen in der Denkmalpflege, Kontinuität in den antiquarischen Forsch. erkennen (minuziöses Referat der röm. Ausgrabungen von 1000 bis 1879 bei [27]; zur Dokumentation der Funde in den Lapidarien und epigraphischen Museen Europas, den »Gypso«- und den »Chalcotheken« vgl. die Übersicht bei [30. 206 ff.]) – maßgeblich unterstützt von weltlichen und geistlichen Würdenträgern, etwa der Päpste Alexander VI. (1492–1503) und Paul III. (1534–1549), oder Kaiser Karl VI. (1685–1740). Damit steht die Fundgeschichte der l. I. auf der Apenninenhalbinsel am Beginn der Forsch., gefolgt von epigraphischen Unternehmungen im hispanischen, gallischen, german., endlich auch im britannischen Raum (seit E. des 16. Jh., vgl. CIL VII p. 5). So erstaunt es nicht, wenn die Liste berühmter Epigraphiker und Sammler des 14. bis 18. Jh. von Italienern angeführt und behauptet wird [24. 519–530]. Es schließen sich die Humanisten aus dem Norden an (z. B. Konrad Peutinger, Martin Sieder), die ihre Sammlungen auch auf andere Gebiete des *orbis Romanus* ausdehnten – etwa die Iberische Halbinsel. Spanische und frz. Gelehrte machen sich wiederum um die epigraphische Hinterlassenschaft Nordafrikas verdient. Seit E. des 17. Jh. und in nennenswertem Umfang vom 18. Jh. an liegen epigraphische Berichte aus Tunesien und Algerien von Botschaftern, ins Land geholten Ärzten und Naturwissenschaftlern verschiedenster europ. Länder vor (vgl. die Beitr. in [19]). Sie sind aber zunächst nur Beigaben zu landes- oder naturkundlichen Studien und eher zufällig entstandene Sammlungen fachfremder Gelehrter (vgl. auch zur Genese ähnlicher epigraphischer Aufzeichnungen aus dem griech. Osten → Inschr. Griech., Fundgeschichte). Erst mit der mil. Einflußnahme Frankreichs im Maghreb wird die Kenntnis der l. I. Nordafrikas bedeutend erweitert (seit 1830) – namentlich durch den Artillerieoffizier A. Delamare, der auf seinen Expeditionen nach Art mod. Surveys nicht nur eine beachtliche Schedensammlung zusammenträgt, sondern dem neuen Musée Algérien du Louvre auch zahlreiche Antiken zukommen läßt. Die frz. Bemühungen finden eine erste Zusammenfassung im Werk Léon Reniers *Inscriptions romaines de l'Algérie* (1855–1858), der sich in gleicher Weise um die epigraphische Hinterlassenschaft Galliens verdient gemacht hat.

Nationale Einrichtungen wie Akad. und arch. Institute (im J. 1829 gründet ein Kreis aus Gelehrten, Künstlern und Diplomaten in Rom das Instituto di corrispondenza archeologica, das spätere Deutsche Archäologische Institut) unterstützen wiss. betreute Grabungen in den Fundländern (Überblick über weitere Zentren epigraphischer Forsch. wie das Centre Pierre Paris in Bordeaux oder die Unione Accademica Nazionale in Rom bei [30. 210 ff.]; zum *Corpus Inscriptionum Latinarum* → Lat. Inschriften II.D.). Um eine genaue Dokumentation des Grabungsbefundes bemüht (Stratigraphie), begründen Archäologen im 19. Jh. eine neue, methodisch fundierte Phase der Fundgeschichte. Als ein Beispiel sei das hoffnungslos scheinende Unternehmen des Monte Testaccio genannt: Die histor. gewachsenen Strata dieser »Leerguthalde« des ant. Rom, schon im 18. Jh. das Objekt von Raubgrabungen, konnte Heinrich Dressel im Amphorenschutt des Berges bestimmen. Die Grabungen werden dort bis in unsere Tage fortgeführt (ältere Grabungsgeschichte bei [29. 121 ff.]; die Kampagnen der J. 1989 und 1990 bei [22]).

B. BEDEUTENDE EINZELFUNDE

Leges, S(enatus) C(onsulta), Edikte, Reskripte usw., zu denen auch die oben erwähnte *Lex de imperio Vespasiani* zählt, sind nicht nur ihres Textumfangs wegen, sondern aufgrund der weitreichenden sozial-, wirtschafts- oder religionsgeschichtlichen Bed. an erster Stelle zu nennen. Ein solches Zeugnis ist das älteste lat. *SC de Bacchanalibus* (CIL I² 581 cf. p. 907), das im J. 1640 in Südit. zufällig bei der Aushebung eines Fundaments zutage kam und als Geschenk an Kaiser Karl VI. noch h. in der von diesem begründeten Wiener Antikensammlung aufbewahrt wird. Ebenso als Zufallsfund ist die Entdeckung der beiden großen Lyoner Bronze-Frg. im J. 1528 zu bezeichnen, die Kaiser Claudius' Rede über die Aufnahme der Gallier in den Senat dokumentiert und – wie das *SC de Bacchanalibus* (vgl. Liv. 39,8–19) – einen Vergleich mit der historiographischen Trad. ermöglicht (CIL XIII 1668 und Tac. ann. 11,23 ff.).

Daß gerade in jüngster Zeit sich die Zahl der aus Spanien bekannten »Bronces« [2] deutlich vermehrt hat, ist v. a. durch den Einsatz von Metalldetektoren privater Schatzsucher zu erklären. Waren schon im 19. Jh. die *Lex Ursonensis* sowie die sog. *Leges Malacitana* und *Salpensana* bekannt geworden, so ist nun mit dem Fund des Stadtgesetzes von Irni eine entscheidende Lücke in der flavischen Munizipalgesetzgebung geschlossen ([8]; vgl. [12]). Ein weiterer span. Fund, die verschiedenen Kopien des *SC de Cn. Pisone patre*, nimmt nicht nur im Hinblick auf die vergleichende Beurteilung der lit. Parallelüberlieferung einen ersten Rang ein, sondern vermag auch die Publikationspraxis von SC zu erhellen ([5]; vgl. CIL II²/5, 900), ebenso wie die jüngst gefundene, frg. erhaltene *Tabula Siarensis* aus gleichem histor. Ho-

rizont (editio princeps [9]; vgl. jetzt [16]). Sie hält den Beschluß staatlicher Ehrungen für den verstorbenen Prinzen Germanicus fest und wird ergänzt durch die in It. gefundene *Tabula Hebana* gleichen Inhalts, deren beide Frg. 1947 und 1951 in der Provinz Grosseto nahe dem ant. Heba zutage traten [15]. Nur die epigraphischen Zeugnisse von Gesetzestexten verzahnen sich so zu einem immer detaillierteren Bild und verklammern die Forschungsgeschichte früherer Jh. mit der jüngster Zeit. Dies gilt im besonderen für das Höchstpreisedikt Diokletians [13]: Seit Auffindung des ersten Frg. im J. 1709 ist bis zur Publikation des Exemplars vom Rundbau von Aezani in Kleinasien [14] unsere Kenntnis dieser kaiserlichen Verordnung umfassenden Geltungsbereichs kontinuierlich erweitert worden (zuletzt [4]). – Zur »Königin der Inschr.« (Th. Mommsen), dem bilinguen *Monumentum Ancyranum*, augusteischer Sonderfall einer »Staatsurkunde« zw. kaiserlicher Selbstdarstellung und Rechenschaftsbericht: → Inschr. Griech., Fundgeschichte.

Die Arvalakten mögen als herausragendes Beispiel für *commentarii* eines Priesterkollegiums hoher gesellschaftlicher Reputation stehen: Schon im J. 1570 und in der Folgezeit unweit von Rom in La Magliana ausgegraben, wo der Kultort zu lokalisieren ist, sind die zum Teil verstreut aufbewahrten Reste dieser in Marmor gemeißelten Jahresberichte der *fratres Arvales* für die Zeit von 21 v. Chr. bis 304 n. Chr. erhalten [18].

Seit 1871 wurden auf dem Forum Romanum immer wieder Grabungen unternommen, denen wir die Entdeckung vieler bedeutender Inschr., u. a. des berühmten *Lapis Niger* (1899), verdanken. Sie sind für die Epigraphik bis in die späteste Zeit fruchtbar gewesen. Als typisches und zugleich histor. bedeutendes Zeugnis einer spätant. Ehreninschrift, wie die meisten ihrer Zeit in die eradierte Fläche einer bereits vorhandenen, älteren Statuenbasis geschrieben, ist der 1937 gefundene *titulus honorarius* des Heermeisters Flavius Aetius (CIL VI 41389, etwa 437–442 n. Chr.) zu nennen, des späteren Siegers über die Hunnen auf den Katalaunischen Feldern (im J. 451).

Von den in jüngster Zeit bekannt gewordenen *tituli sacri* ist der Fund von Osterburken (Baden-Württemberg) bemerkenswert: Im J. 1982 stieß man bei Bauarbeiten auf 30 Altäre (neben insgesamt 60 Basissteinen) eines Beneficiarier-Weihebezirks in originaler Fundsituation, deren Ensemble erstmals eine Vorstellung von der Aufstellungspraxis der Altäre in einem *sanctuarium* vermittelt [17. n. 145–175].

Der im Theater von Caesarea in Wiederverwendung gefundene Kalksteinblock von einem »Tiberieum«, dessen Inschr. Pontius Pilatus als Bauherrn nennt, den berühmten Präfekten Judäas, ist seit seiner Auffindung im J. 1961 Gegenstand kontroverser Diskussionen über das genannte Bauwerk und die richtige Ergänzung des Textes geworden. Exemplarische Behandlung als Bauinschrift und Lösungsvorschlag jetzt bei [20].

Unter den Grabinschriften fällt die sog. *Laudatio Turiae* auf ([7]; vgl. jetzt CIL VI 41062): Die teils nur noch hsl. trad., teils verstreut aufbewahrten Bruchstücke (Villa Albani) zweier Marmortafeln, deren erste Frg. im 17. Jh. beschrieben wurden, und zu denen ein bisher letztes im J. 1950 hinzutrat, haben die Grabrede eines trauernden Witwers bewahrt, die nicht nur sozialgeschichtliches Interesse beanspruchen darf, sondern auch ein Schlaglicht auf die polit. Situation während der Bürgerkriege und Proskriptionen wirft. Diese singuläre Form einer Grabinschrift findet allenfalls ein spätant. Gegenstück im Wechselgespräch des Vettius Agorius Praetextatus mit seiner Frau Anicia Paulina, das Rückseite und Wangen des gemeinsamen Grabaltars ziert (CIL VI 1779 cf. p. 4757sq.).

Beim Bau des Sarno-Kanals E. des 16. Jh. und später bei arch. Grabungen in den J. 1860ff. sind in Pompeji, Stabiae und Herculaneum neben vielem anderen Graffiti und *tituli picti* auf Häuserwänden entdeckt worden (CIL IV). Durch den plötzlichen Untergang der Städte beim Vesuvausbruch im J. 79 n. Chr. haben wir hier gewissermaßen eine Momentaufnahme auch der inschr. Hinterlassenschaft vor Augen, die nicht nur für die Erforsch. des Alltags (Spottverse, Werbeinschriften) oder der munizipalen Strukturen (Wahlinschriften) einschlägig ist: Die 1959 gefundenen *tabulae ceratae* aus dem Archiv der Sulpicii erhellen das Wirtschaftsleben in Pompeji [3] ebenso wie jene im J. 1931 gefundenen des Bankiers Iucundus die finanziellen Transaktionen in der Nachbarstadt [21].

Unter den Instrumenta nimmt die *Fibula Praenestina* (CIL I² 3 cf. p. 855) wegen ihres geschätzten Alters (7. Jh. v. Chr.) eine hervorragende Stellung ein – und weist zugleich auf ein Problem der Fundgeschichte hin: Die bei einer autorisierten Grabung bei Palestrina vor dem J. 1871 zutage gekommene Fibel wurde unter der Hand weitergegeben und kam u. a. wegen der nicht ganz geklärten Fundumstände in den Verdacht, eine mod. Fälschung zu sein [26. 419ff.], – auch aus sprachwiss. Gründen eine mittlerweile zurückgewiesene Behauptung [31. 60f.]. Zu den Amphoren vom Monte Testaccio s. o. – Ein einzigartiger Fund, der ebenfalls dem Instrumentum hinzuzurechen ist, gelang mit den sog. *Vindolanda Tablets* – dünne Holzblättchen, auf denen mit Tinte Notizen aller Art festgehalten sind – Einladungen, Kurzmitteilungen, Briefe, Rechnungen, mil. Berichte u. ä. Zwischen 1973 und 1993 in Britannien nahe dem Hadrianswall unter glücklichen Konservierungsumständen geborgen, geben die über 400 erhaltenen Schriftstücke Zeugnis vom Alltag in einer kaiserzeitlichen Provinz [1].

Von den christl. Inschr. sei nur die herausragende Gruppe jener *carmina* genannt, die Papst Damasus gegen E. des 4. Jh. gelegentlich der Restaurierung röm. Märtyrergräber zu deren Schmuck auf monumentale Marmorplatten hatte meißeln lassen. Die Inschr. bestechen durch die technische Brillanz ihres Steinmetzen Filocalus, der aus der lit. Überlieferung auch als der Chronograph des J. 354 bekannt ist (Ausgabe: [6]; kurzer Abriß mit neuerer Lit. bei [33]).

QU 1 A. K. BOWMAN, J. D. THOMAS, The Vindolanda Writing Tablets. Tabulae Vindolandenses I-II, 1983/1994 2 Los bronces romanos en España, Palacio de Velázquez, Mayo-Julio 1990, 1990 3 G. CAMODECA, Tabulae Pompeianae Sulpiciorum. Edizione critica dell'archivio puteolano dei Sulpicii, 1999 4 A. CHANIOTIS, G. PREUSS, Neue Frg. des Preisedikts von Diokletian und weitere lat. Inschr. aus Kreta, in: ZPE 80, 1990, 189–194 5 W. ECK, A. CABALLOS, F. FERNÁNDEZ, Das senatus consultum de Cn. Pisone patre, 1996 6 A. FERRUA, Epigrammata Damasiana, 1942 7 D. FLACH, Die sog. Laudatio Turiae. Einl., Text, Übers. und Komm., 1991 8 J. GONZÁLEZ, The Lex Irnitana: A New Copy of the Flavian Municipal Law, in: JRS 76, 1986, 147–243 9 Ders., Tabula Siarensis, Fortunales Siarenses et municipia civium Romanorum, in: ZPE 55, 1984, 55–100 10 H. VON HESBERG, S. PANCIERA, Das Mausoleum des Augustus. Der Bau und seine Inschr., 1994 11 R. KNAPP, Latin Inscriptions from Central Spain, 1994 12 F. LAMBERTI, Tabulae Irnitanae, 1993 13 S. LAUFFER, Diokletians Preisedikt, 1970 14 R. NAUMANN, F. NAUMANN, Der Rundbau von Aezani mit dem Preisedikt des Diokletian und das Gebäude mit dem Edikt in Stratonikeia, 1973 15 J. H. OLIVER, R. E. PALMER, The Text of the Tabula Hebana, in: AJPh 75, 1954, 225–249 16 A. SÁNCHEZ-OSTIZ GUTIÉRREZ, Tabula Siarensis. Edición, traducción y comentario, 1999 17 E. SCHALLMAYER et al., Der röm. Weihebezirk von Osterburken I. Corpus der griech. und lat. Beneficiarier-Inschr. des Röm. Reiches, 1990 18 J. SCHEID, Commentarii fratrum Arvalium quae supersunt. Les copies épigraphiques des protocoles annuels de la confrérie Arvale (21 av.–304 ap. J.-C.), 1998

LIT 19 M. KHANOUSSI, R. RUGGERI, C. VISMARA (Hrsg.), L'Africa romana. XIII convegno internazionale di studi. Geografi, viaggiatori, militari nel Maghreb: Alle origini dell' archeologia nel nord Africa, I-II, 2000 20 G. ALFÖLDY, Pontius Pilatus und das Tiberieum von Caesarea Maritima, in: Scripta class. Israel. 18, 1999, 85–108 21 J. ANDREAU, Les affaires de Monsieur Jucundus, 1974 22 J. M. BLÁZQUEZ MARTÍNEZ, J. REMESAL RODRÍGUEZ, Estudios sobre el Monte Testaccio (Roma) I, 1999 23 J. BURCKHARDT, Die Kultur der Ren. in It. Ein Versuch, ¹⁰1976 24 I. CALABI LIMENTANI, Epigrafia Latina, ⁴1991 25 A. E. GORDON, The Inscribed Fibula Praenestina. Problems of Authenticity, 1975 26 M. GUARDUCCI, La cosidetta fibula Prenestina. Antiquari, eruditi e falsari nella Roma dell' Ottocento, in: Memorie della Classe di Scienze morali, storiche e filologiche dell'Accad. dei Lincei, serie 8, 24, 1980, 411–574; ebda. 28, 1984, 127–177 27 R. LANCIANI, Storia degli scavi di Roma e notizie intorno le collezioni romane di antichità I-VII, 1989ff. 28 M. MANGO, The Sevso Treasure. Part one, 1994 29 E. RODRÍGUEZ ALMEIDA, Il Monte Testaccio. Ambiente, storia, materiali, 1984 30 G. C. SUSINI, Epigrafia romana, 1982 31 R. WACHTER, Altlat. Inschr. Sprachliche und epigraphische Unt. zu den Dokumenten bis etwa 150 v. Chr., 1987 32 R. WEISS, The Renaissance Discovery of Classical Antiquity, 1969 33 G. WESCH-KLEIN, Damasus I., der Vater der päpstlichen Epigraphik, in: Quellen, Kritik, Interpretation (FS H. Mordek), 1999, 1–30

MANFRED GERHARD SCHMIDT

II. Wissenschaftsgeschichte
A. Einleitung
B. Aufgaben und Leistungen
C. Geschichte D. Bestandsaufnahme

A. Einleitung

L. I. gehören als unmittelbare ant. Zeugnisse zu den wichtigsten Quellen für die allseitige Erforschung röm. Lebenswelt und Geschichte. Von frühester Zeit an (zur Fibula Praenestina des ausgehenden 7. Jh. v. Chr., CIL I² 3 cf. p. 717. 831. 855, vgl. [83. 55 ff.; 45. 311 n. 102]), in bedeutender Zahl aber erst seit Augustus [36], und in der Folge die ganze Kaiserzeit hindurch bis ins 6. Jh. n. Chr., begleiten lat. Inschr. die tausendjährige Geschichte Roms, ihrer Provinzen, ihrer Menschen und spiegeln als omnipräsentes Medium alle Facetten gesellschaftlicher Kommunikationssituationen wider. Ob gemeißelte Grabinschrift oder gemalte Maßangabe auf Amphoren, eherne Sklavenmarke oder Senatsbeschluß auf Bronzetafeln, Graffito an Häuserwänden oder gebrannter Ziegelstempel – so vielfältig wie Form und Material des Inschriftträgers sind auch die Texte selbst. Ausgeschlossen sind lediglich die Münzlegenden und die papyrologischen Zeugnisse, während selbst Inschr. auf Gemmen und Ringen, *tabulae ceratae* (Herculaneum) oder Holztäfelchen (Vindolanda) Gegenstand der Epigraphik sind (ausführliche Diskussion bei [58. 1 ff.]; vgl. zuletzt [45. 16 ff.]).

B. Aufgaben und Leistungen

Die lat. Inschr.-kunde, die sich das Sammeln, Lesen, Klassifizieren und Deuten der Inschr., schließlich die Ed. dieser und ihre Kommentierung zur Aufgabe gemacht hat und diese Textsammlungen durch Fasten, Indizes und Konkordanzen erschließt, ist angesichts des disparaten Quellenmaterials immer darauf angewiesen, ihre Techniken im Dienste der jeweiligen altertumswiss. oder rezeptionsgeschichtlichen Fragestellung und unter Berücksichtigung der Methoden jener Disziplinen zur Anwendung zu bringen. Da sie also nur im Zusammenwirken verschiedener Disziplinen sinnvoll betrieben werden kann, stellt sie ein altertumswiss. Forschungsanliegen im umfassenden Sinne dar. Denn in jedem Falle bedarf sie der Arch. und der histor. Topographie zur Beurteilung des Inschriftträgers und seines Grabungszusammenhangs, der Paläographie zur Einordnung der Schrift und ihrer Datierung, der Geschichtswiss. und Philol. zur Erhellung des histor. und lit. Zusammenhangs, je nach besonderer Problematik fast immer der Onomastik, auch der Sprachwiss., Religionswiss. usw. (vgl. z. B. [79. 18 f.]).

Von anderer Warte aus betrachtet sind ganze Zweige der Altertumswiss. – wie etwa die histor. Forsch. zu Sozial-, Wirtschafts-, Verwaltungs- und Militärgeschichte – ohne Kenntnis der inschr. Zeugnisse undenkbar und daher in besonderer Weise auf die lat. Inschr.-kunde angewiesen. Die Arch. in ihrem urspr. Anliegen, dem Sammeln und Erklären der Altertümer, von je her mit Numismatik und Epigraphik eng verbunden, verdankt den Inschr. ihrer Untersuchungsobjekte oftmals den einzig sicheren Hinweis für eine exakte Datierung. Und auch philol. Disziplinen wie Lexikographie oder Sprachwiss., die zu allererst ihren Ausgang von der hsl. trad. »Literatur« nehmen, begreifen die epigraphischen Zeugnisse als jener zur Seite zu stellen und oftmals nur durch den Zufall der Überlieferung unterschieden.

Die handwerklichen Techniken der lat. Inschr.-kunde dienen der Sicherung des epigraphischen Befundes als der Grundlage einer gewissenhaften Textkonstituierung: die Zeichnung als seit alters gebrauchtes und immer noch nützliches, freilich subjektiv verfremdendes Mittel, die Vermessung des Inschriftträgers und der Inschr. selbst, v. a. aber der Abklatsch (Papierabklatsch, Latex, Frottage, Gipsabguß) und die Streiflicht-Fotografie (allgemein [52]).

Sofern Inschr. h. verloren sind und ihre Texte ausschließlich hsl. Trad. verdankt werden, ist bei der Bewertung der einzelnen Textzeugen und ihrer Abhängigkeit untereinander die philol. Textkritik gefordert. Ziel ist in jedem Falle die Erfassung der Inschr. mit Hilfe eines diakritischen Zeichensystems, dessen Standardisierung in Weiterentwicklung des sog. Leidener Klammersystems als abgeschlossen betrachtet werden kann ([57] und zuletzt CIL VI 8, 3 p. XXXI f.): Die Präsentation eines Textes, so weit wie möglich um Verlorenes ergänzt und von Fehlern bereinigt, mit Auflösung der häufig anzutreffenden und bisweilen regionaltypischen Abkürzungen (ein allgemeines Verzeichnis bei [50]; eine Auswahl bei [10] und in allen Einführungen) und unter Berücksichtigung des paläographischen [21; 53; 59; 60] und epigraphischen Gesamtbefundes (Schriftart, Ligaturen, Worttrenner, Apices, Sonderzeichen usw.; Rasur und Wiederbeschriftung, Tilgung und Einfügung, Verschreibung, Auslassung usw.).

Für die kritische Ed. ist verbindlich geblieben, was bereits im 19. Jh. zur Grundlage epigraphischer Forsch. gemacht wurde: Sie setzt – sofern noch möglich – die Autopsie der Denkmäler voraus. Die Forderung an ein multidisziplinäres Inschriftwerk geht h. freilich über eine bloße textkritische Ed. hinaus: Mit Hilfe der oben beschriebenen Techniken, der Ermittlung des größeren arch. Zusammenhangs und der Berücksichtigung des epigraphischen Environments in den Grenzen städtischer und provinzialer Kultur ist eine umfassende Dokumentation zu erstellen, auf deren Grundlage erst eine Textsammlung erarbeitet werden kann [38; 72].

C. Geschichte

Das Interesse an l. I. als philol. oder histor. Quelle ist bereits in ant. Zeit manifest – als Beispiele mögen die bei Livius (z. B. Liv. 40,52) zitierten kapitolinischen Weihinschriften republikanischer Triumphatoren genügen (weiteres bei [78]). Eine systematische Sammlung inschr. Zeugnisse ist aus dieser Zeit freilich nicht bekannt und auch nicht zu erwarten; war doch die Inschr. gängige Publikationsform. Natürlich hat es private und öffentliche Archive gegeben [63], v. a. juristisch relevanter Dokumente. So führt etwa der regelmäßige Hin-

Abb. 1: Lex de Imperio
Vespasiani (CIL VI 930 cf. 31207)
nach: O. Gradewitz, Simulacra,
1912, tab. XVI:
Die erhaltene Bronzetafel der
Bestallungsurkunde des röm.
Volkes für Kaiser Vespasian,
heute in Rom in den Musei
Capitolini aufbewahrt, vgl.
Supplementa Italica - Imagines.
Supplementi fotografici ai volumi
del CIL. Roma (CIL, VI)
1. Musei Capitolini ed.
G. L. Gregori, M. Mattei, 1999,
n. 2227; eine dt. Übersetzung des
Textes in: Historische Inschriften
zur römischen Kaiserzeit
von Augustus bis Konstantin,
ed. H. Freis, 1984, n. 49

weis der Militärdiplome ›ex tabula aenea quae fixa est
Romae . . .‹ auf eine – wiederum inschr. – Sammelpu-
blikation (vgl. auch die Aufbewahrung der auf Bronzetafeln publizierten Texte der *Senatus consulta* im Sen-
atsarchiv [80. 303 ff.]). Der epigraphische Charakter als
solcher hatte hier jedoch keine Signifikanz.

Erst mit dem erwachenden Interesse des Abendlands
an seiner klass. Trad. wird das epigraphische Zeugnis
auch Gegenstand wiss. Erforschung. Und gerade in Zeiten bewußter Rezeption der Ant. wurden daher nicht
nur die lit. Trad. gepflegt, sondern auch epigraphische
Zeugnisse gesammelt und ediert:

Aus karolingischer Zeit ist eine Abschrift der ersten
uns bekannten Kompilation lat. und griech. Inschr. im
Cod. Einsidlensis n. 326 (9. Jh.) erhalten, freilich noch
nicht in systematischer Ordnung, sondern an der geo-
graphisch-topographischen Abfolge orientiert, wie sie
der Reisebericht eines Rom-Pilgers bot [35]; zur frühen
Trad. christl. Itinerare, die Inschr. aus Basiliken und

Märtyrergrüften zitieren, vgl. [29. II 1, LXIV-LXVI]; die
ältesten Inschriftsammlungen [74. 181–239] und zusammenfassend [32. I XVII-XXVIII]; zu den Damasus-Epi-
grammen [16. 14 ff.]. Das Interesse an ant. l. I. bleibt in
der Folgezeit aber gering – von wenigen Ausnahmen
abgesehen wie jene um 1140 verfaßte Schrift über die
Mirabilia urbis Romae ([55]; zum Verfasser [40]). Nur die
christl. Inschr. erfreuen sich auch im frühen MA eigener
Trad. – etwa in der *Sylloge Centulensis* oder dem *Corpus
Lauresshamense veterum syllogarum* [29. II 1, 193 ff.; 32. I
XXVIII f.]; aber später werden nicht einmal diese mehr
verstanden: Die got. Schrift hatte im 13. Jh. ihren Siegeszug angetreten und den ma. Leser dem ant. Schriftbild entwöhnt. So soll z. B. einem gelehrten Manne wie
dem Juristen Odofredus Bononiensis (gest. 1265) die
Lex de imperio Vespasiani (CIL VI 930 cf. 31207 et p. 4307)
(Abb. 1) zwar bekannt, aber trotz ihrer hervorragenden
Ausführung in Darstellung und Schrift unverständlich
geblieben sein [29. II 1, 299 ff.]. Siehe auch den an-

onymen Bericht über die Auffindung der Tafel durch
Cola di Rienzo (s.u.), wieder abgedruckt bei [7. I 551]: ›
(…) la quale (scil. la tavola) nullo sapeva leiere né inter-
pretare‹. Erst in der Zeit des Human. und der Ren. bemühte sich die gelehrte Welt um ein neues Verständnis
der inschr. Trad. und um deren Bewahrung in umfassenden Corpora, zunächst im Rahmen antiquarischer
Arbeiten von der Numismatik methodisch noch nicht
geschieden und daher bisweilen mit Münzen und Medaillen der röm. Ant. in einer Sammlung vereinigt [69];
vgl. [56].

Das Interesse an den Inschr. wurde zunächst vom
Wunsch geleitet, diesen »sprechenden« Zeugnissen eine
Orientierung im ant. Trümmerfeld abzuringen. Erst
später wurde ein inhaltlicher Bezug zur eigenen Geschichte, dann auch aus dem Ideal einer ›Wiederbelebung des classischen Alterthums‹ [82] heraus der Bezug
zur Gegenwart gesucht (die Bedeutung ant. Inschr. für
die Humanisten exemplarisch gedeutet am Beispiel des
Fontius bei [70]). So wurden ant. Zeugnisse nicht erst in
Mussolinis *Mostra Augustea* (→ Faschismus) polit. instrumentalisiert, vielmehr gleich zu Beginn ihrer Rezeption: Cola di Rienzo (1313–1354), Roms »Volks-
tribun« der Früh-Ren., hatte nicht zuletzt das Studium
der stadtröm. Inschr. wesentlich in seinem polit. Handeln motiviert. Ihm galt die wiedergefundene Bronzetafel der *Lex de imperio Vespasiani* als Dokument für das
Selbstbestimmungsrecht des röm. Volkes, weniger als
Objekt wiss. Studien.

Erste epigraphische Kompendien verdanken wir berühmten Männern wie etwa Gianfranco Poggio Bracciolini (1380–1457), Sekretär der päpstlichen Kurie, der
im J. 1429 eine systematisch geordnete, hsl. Sylloge vorlegt; er hatte sich eine Kopie der Einsiedler Sammlung
angefertigt und die dort verzeichneten Inschr. mit seiner
Sammlung von Inschr., die er selbst gesehen hatte, verbunden (grundlegend, wenn auch z. B. in der Beurteilung der *Sylloge Signoriliana* überholt [69]; vgl. auch CIL
VI 1, p. XXVIIIf.). Freilich blieb das epigraphische Interesse Poggios hinter seinem Engagement und Interesse
an der lit. Trad. der Ant. weit zurück (den Einfluß der l.
I. auf sein human. Werk beleuchtet [56]).

Ernsthafte epigraphische Studien und umfassende
Sammlertätigkeit verbinden sich in dieser Zeit mit dem
Namen Ciriaco von Ancona (ca. 1391–1455), der, einer
Kaufmannsfamilie entstammend, als erster auf ausgedehnten Reisen in Italien, Griechenland und der Levante griech. und lat. Inschr. aufnahm. Die von ihm
geübte Praxis, eine Beschreibung des Monuments zu
geben, den Text der Inschr. sorgfältig zu kopieren und
den jeweiligen Fundort gewissenhaft zu verzeichnen,
nimmt bereits wesentliche Elemente der erst in der Folgezeit entwickelten epigraphischen Methode vorweg
und trug ihm den Titel eines »Begründers der Inschriftenforschung« ein [84; 85. 188–213, 250–287]; vgl. neuerdings die Beiträge in [68]. Ein sympathisches Bild dieses in der Wiss. seiner Zeit nicht unangefochtenen und
zumal von Poggio verachteten Mannes findet sich bei
[82. I 269–286].

In Rom wurde wenig später Raffael (1483–1520)
von Papst Leo X. beauftragt, die ant. Ruinen Roms
zeichnerisch aufzunehmen und eine Rekonstruktion
der Stadt im Alt. vorzulegen. Als grundlegend für jedes
Antikenverständnis hebt Raffael hierbei vier Punkte
besonders hervor, die auch für die Epigraphik von
grundlegender Bed. sind: Das Aufsuchen der Werke,
deren gründliches Vermessen, das Studium der ant.
Quellen und der Vergleich der Werke mit eben diesen
Schriften [66].

Dem Neapolitaner Pirro Ligorio (1513–1583) blieb
es schließlich vorbehalten, ant. Monumente, Münzen
und Inschr. erstmals in einer umfassenden, freilich noch
hsl. Enzyklopädie zu beschreiben. In mehr als 40 Bänden, die sich größtenteils in den Archiven von Turin
und Neapel befinden, suchte Ligorio in einer großen
Kraftanstrengung – ›a labour of love‹ [42] –, die röm.
Welt zu erfassen. Während man h. in der Kunstgeschichte bemüht, die Bed. seiner antiquarischen Leistung zu betonen (weitgehender Rehabilitationsversuch
bei [73]; vgl. das Ligorio-Projekt [5]), ist sein Name in
der Epigraphik zum Synonym für den Fälscher
schlechthin geworden; zur epigraphischen Arbeit Ligorios vgl. u. a. [81]. Komplette Neuerfindungen und
Interpolationen ant. Inschr. stehen neben Echtem und
haben auch den Wert der späteren, auf Ligorio aufbauenden Sammlungen gemindert. Erst Mommsen und
Henzen konnten einen – wenn auch nicht immer ganz
sicheren – Weg durch das Gestrüpp der Ligorischen Fälschungen finden ([54. 627–643]; korrigierend [75], mit
Vindizierung einer Reihe echter Inschr. aus der Fülle
Ligorischer Fälschungen, vgl. CIL VI 5, p. 19*–213*).

Zu den vielfachen Bemühungen um die l.I. im 15.
und 16. Jh. – etwa die eines Giacomo Giocondo [76],
vgl. den Überblick bei [45. 40ff.]. Auf der reichen hsl.
Ernte dieser Zeit, wozu die Indices auctorum des *C(or-
pus) I(nscriptionum) L(atinarum)*, und hier namentlich die
der Bände VI und IX, zu vergleichen sind (konziser
Überblick und neueste Lit. bei [41. bes. 22ff.]; zu Süditalien vgl. auch [77. 85ff.]), basieren jedenfalls die jetzt
entstehenden Druckwerke wie eines Mariangelo
Accursio [49] oder die eines Martinus Smetius (neuere
Lit. [77. 91 Anm. 54]; ›Recueils imprimés‹ [39. 198f.]),
dessen umfassende Sammlung erst nach seinem Tode
von Justus Lipsius im J. 1588 herausgegeben wurde.

Eine systematische Beschreibung der epigraphischen
Methode dieser Zeit verdanken wir Antonio Agustín
(1517–1586), dessen postum erschienene *Dialogos de me-
dallas, inscripciones y otras antigüedades* (1587) in mehrere
Sprachen übersetzt wurden und als ein erstes »altertumswiss. Handbuch« gelten dürfen [47; 51]. Wenig später
findet die epigraphische Forsch. zu Beginn des 17. Jh.
mit Jan Gruters Heidelberger Sammlung einen Höhepunkt: Kein geringerer als Joseph Scaliger hatte dieses
1603 erschienene *Corpus absolutissimum* angeregt und
mitgestaltet (A. T. Grafton, Lias 2, 1975, 109ff.), das
eine Summe aller Inschr. des Imperium Romanum seiner Zeit bieten wollte; Scaliger selbst hat sich dann der

Abb. 2: Jan Gruter oder Jean Gruytère (1560–1627),
Herausgeber des *Inscriptionum Romanarum corpus
absolutissimum* (Heidelberg 1603), auf einem Stich aus:
J.-J. Boissard, Bibliotheca chalcographica, 1652–1669,
mit fehlerhaftem Epigramm
(Z. 4: obbis statt orbis)

Mühe unterzogen, die hier vereinigten 12 000 Inschr.
durch ausführliche Indizes zu erschließen und wurde so
zum Wegbereiter des mod. Inschriftenwerks. Bis zum
Erscheinen des CIL blieb der »Gruter« zitierwürdiges
epigraphisches Standardwerk (vgl. Abb. 2).

Nach den Querelen zw. Vertretern mod. und ant.
Epigraphik im 17. Jh. war es dann das von Scipione
Maffei (1675–1755) begonnene, aber nicht zu Ende geführte Werk, das eine eigenständige *Ars critica lapidaria*
(1765 postum gedruckt) begründete und den weiteren
methodischen Weg vorbereitete [67]. War doch die Zeit
einer Vertiefung dieser altertumswiss. Diszplin günstig:
Die Skepsis des 18. Jh. gegenüber der lit. Trad. und –
damit einhergehend – die Betonung des Quellenwerts
unmittelbarer Zeugnisse wie der Münzen und Inschr.
[64. 92 ff.; 46], brachten einen erneuten Aufschwung in
der epigraphischen Forschung. Die methodische
Grundlegung der lat. Inschr.-kunde durch Gruter und
Scaliger, von bedeutendem Einfluß auf die unmittelbar
dem CIL vorausgehenden Ausgaben, genügte mit der
Zeit freilich nicht mehr den strengen Kriterien einer
mod. textkritischen Ed., wie sie später Theodor
Mommsen forderte. Zudem waren die Corpora des
18. Jh., das von den Ausgaben eines Pietro Burman
(1668–1741) oder Lodovico Antonio Muratori (1672–
1750) geprägt wurde, angesichts der stetig wachsenden
Fülle des epigraphischen Materials bald überholt, so daß

die Königlich Preussische Akad. der Wiss. schon 1815
den Plan faßte, zunächst die griech., dann auch die l. I.
in umfassenden Sammlungen zu veröffentlichen.

In einer Denkschrift der Akad. [65] legte Theodor
Mommsen in Abgrenzung zu den früheren Ed. seine
Auffassung zum Plan eines umfassenden lat. Inschriftenwerks nieder. Während das Inschriftenprojekt eines
frz. *Recueil général des inscriptions latines* etwa zur gleichen
Zeit scheiterte [71], wurde noch im J. 1853 das CIL trotz
aller Widerstände innerhalb der Berliner Akad. (A. Bo-
eckh) ins Leben gerufen – ein Jahr nach Erscheinen von
Mommsens Sammlung der *Inscriptiones regni Neapolitani*,
die gewissermaßen der »Pilotband« der angestrebten Ed.
sein sollte, und in deren Widmung an Bartolomeo
Borghesi deutlich wird, wie viel das Mommsensche
Vorhaben diesem ›disciplinae epigraphicae Latinae aetate sua princeps‹ verdankte [44; 48]. Ein erster Band
dieses in Umfang und Methode neu konzipierten Corpus erschien zehn Jahre später.

D. BESTANDSAUFNAHME

Vom CIL, dem »Referenzwerk« der l.I., liegen 17
Bände in mehr als 70 Teilen in Folioformat mit ca.
180000 Inschr. vor. Es wird durch Tafelbände, paläographische und onomastische Studien sowie durch Indizes ergänzt. Dem ersten Band, der den republikanischen Inschr. gewidmet ist, schließen sich 15 weitere in
geographischer Ordnung an. Band XVI ist den Militärdiplomen, Band XVII den Meilensteinen vorbehalten.
Ein Band XVIII soll einmal die *Carmina epigraphica Latina*
aufnehmen [72]. Das im wesentlichen nach dem Ersten
Weltkrieg zu einem vorläufigen Abschluß gekommene
Werk erfährt seit den 90er J. eine grundlegende Revision durch Supplemente und Neu-Ed.; wird doch die
Gesamtzahl der h. bekannten Inschr. mit 300000 bis
400000 veranschlagt [38] – die vieltausendfache Hinterlassenschaft vom Monte Testaccio nicht gerechnet
(→ Lateinische Inschriften, Fundgeschichte).

Neben dem CIL steht das große, nach fast 80 J. nunmehr abgeschlossene Sammelwerk der *Inscriptiones Christianae Urbis Romae*: Auf den Vorarbeiten von G. B. de
Rossi und A. Silvagni bauend haben letzterer und A.
Ferrua, später auch D. Mazzoleni und C. Carletti, Roms
christl. Inschr. in elf Bänden zusammengetragen. Umfassende Indizes sollen noch folgen. Die Aufarbeitung
des Materials aus dem ganzen Raum des Imperium Romanum bleibt freilich ein Desiderat (zu Italien s. u., Spanien: [20. 34]; Gallien: [25]; vgl. zu Carthago [14]).

Parallel zu diesen grundlegenden Ausgaben l. I. wurde, zum Teil durch Mitarbeiter des CIL selbst, dem Bedürfnis nach Auswahlsammlungen schon früh Rechnung getragen: So durch Hermann Dessaus *Inscriptiones
Latinae selectae* [10], durch die von Franz Bücheler besorgte und später von Ernst Lommatzsch ergänzte
Sammlung der *Carmina Latina epigraphica* [4], der christl.
Inschr. durch Ernst Diehls *Inscriptiones Latinae Christianae veteres* [11], – er edierte später auch die Sammlung
der altlat. Inschr. [12] –, der juristischen Texte durch
Riccobono [26], vgl. jetzt [7], der republikanischen

durch Attilio Degrassi [9] usw. Auch hier sind zum Teil Neuausgaben und überarbeitete Auflagen bereits erschienen oder geplant. Daneben stehen Bildbände – u. a. [27; 18]; vgl. jetzt [33] – und Edd. singulärer Monumente, die eine monographische Darstellung rechtfertigen – wie etwa die Arvalakten [31], die Konsularfasten [8], bedeutende Grabmäler (Les Flavii de Cillium, 1993) oder Bauinschriften [1a].

Eine Vielzahl von Lokal- oder Provinzcorpora, die zum Teil als Vorarbeiten zu weiterer CIL-Bänden entstanden sind, sucht die im Laufe des 20. Jh. entstandenen Lücken im CIL zu schließen (zu den afrikan. Provinzen vgl. nur [22; 19.; 15]), – allen voran die stadtröm. Sammlungen (beispielsweise [23; 24, dazu vgl. 37; 2]), sodann die Reihe der *Inscriptiones Italiae* (1931 ff.), der *Supplementa Italica* (1981 ff.) und der *Inscriptiones Christianae Italiae saec. VII antiquiores* (1985 ff.) – nach den ital. Regiones geordnet –, die Provinzcorpora aus Südspanien (*Corpus de inscripciones latinas de Andalucía*, 1989 ff.), die *Inscriptions latines de Narbonnaise* (1985 ff.), die *Inscriptiones Daciae et Scythiae minoris antiquae* (1975 ff.), die *Römischen Inschriften Ungarns* (1972 ff.) und viele mehr. Daneben sind selbständige Sammlungen entstanden wie jene der Inschr. Tarracos [1] oder Aquileias [3]. Und für lange Zeit werden die britannischen Inschr. [28] und die Militärdiplome [30] auch in Publikationen außerhalb des CIL zu suchen sein. Vielzahl und Nebeneinander epigraphischer Sammlungen ganz unterschiedlichen Umfangs und wechselnder Qualität – von Einzelstudien ganz zu schweigen – unterstreichen das Desiderat einer Zusammenfassung des Materials, der grundlegenden Revision des CIL in internationalem Bemühen.

Neben den traditionellen Corpora gewinnen epigraphische Datenbanken für die schnelle Recherche in großen Datenbeständen an Bedeutung. Die divergierenden Standards hinsichtlich der Textpräsentation (auf CD oder im Internet) und das Nebeneinander verschiedener Systeme haben den Plan der AIEGL (Association internationale d'épigraphie grecque et latine) befördert, ein internationales Projekt, orientiert am Vorbild der »Epigraphischen Datenbank Heidelberg«[13], ins Leben zu rufen (vgl. Epigraphica 61, 1999, 311 ff.).

Die Notwendigkeit, über epigraphische Neufunde, Interpretationen, Neulesungen und Korrekturen zu bereits publizierten Inschr. regelmäßig zu unterrichten, wurde schon frühzeitig erkannt: Noch in der ersten Phase des CIL begründete René Cagnat 1888 mit der *Année épigraphique* ein Unternehmen, das bis h. jahrweise über epigraphische Neuerscheinungen berichtet. Vgl. auch die Forschungsberichte zu den Inschr. Britanniens im *Journal of Roman Studies* und die *Hispania epigraphica* (1990 ff.) als analoges Instrumentarium für die reiche Epigraphik der Iberischen Halbinsel.

QU 1 G. ALFÖLDY, Die röm. Inschr. von Tarraco I-II, 1975 1a Ders., Die Bauinschr. des Aquädukts von Segovia und des Amphitheaters von Tarraco, 1997 2 M. BUONOCORE, Musei della Biblioteca Apostolica Vaticana. Le iscrizione latine e greche I-II, 1987–1990 3 J. B. BRUSIN, Inscriptiones Aquileiae I-III, 1991–1993 4 F. BÜCHELER, E. LOMMATZSCH, Carmina Latina epigraphica I-II.2, 1895–1926 5 Census of Antique Works of Art and Architecture Known in the Renaissance: http://www.arthistory.hu-berlin.de/census/ 6 Corpus Inscriptionum Latinarum, Berlin 1863 ff 7 M. H. CRAWFORD, Roman Statutes I-II, 1996 8 A. DEGRASSI, I fasti cosolari dell'impero romano, dal 30 avanti Cristo al 613 dopo Cristo, 1952 9 Ders., Inscriptiones Latinae liberae rei publicae, ²1965 10 H. DESSAU, Inscriptiones Latinae selectae I-III, 1892–1916 11 E. DIEHL, Inscriptiones Latinae Christianae veteres I-III, ²1961 (dazu das Supplentum von J. MOREAU, H. I. MARROU, 1967 und A. FERRUA, Nuove correzioni alla Silloge del Diehl, Inscriptiones Latinae Christianae veteres, 1981) 12 Ders., Altlat. Inschr., ⁴1959 13 Epigraphische Datenbank Heidelberg, www.uni-heidelberg.de//institute/fak8/sag/edh 14 L. ENNABLI, Les inscriptions funéraires chrétiennes de Carthage I-III, 1975–1995 15 M. EUZENNAT, J. MARION, J. GASCOU, Inscriptions latines du Maroc 2. Inscriptions latines, 1982 16 A. FERRUA, Epigrammata Damasiana, 1942 17 A. E. GORDON, Album of Dated Latin Inscriptions. Rome and the Neighborhood I-IV, 1958–1965 18 O. GRADENWITZ, Fontes iuris Romani antiqui. Additamentum II. Simulacra, 1912 19 S. GSELL, H.-G. PFLAUM, Inscriptions latines de l'Algérie, 1922–1976 20 E. HÜBNER, Inscriptiones Hispaniae Christianae, 1871 und Ders., Inscriptionum Hispaniae Christianarum supplementum, 1900 21 Ders., Exempla scripturae epigraphicae Latinae a Caesaris dictatoris morte ad aetatem Iustiniani, Berlin 1885 22 A. MERLIN, Inscriptions latines de la Tunisie, 1944 23 S. PANCIERA, La collezione epigrafica dei Musei Capitolini. Inediti, revisioni, contributi al riordino, 1987 24 Ders., Iscrizioni greche e latine del Foro Romano e del Palatino. Inventario generale, inediti, revisioni, 1996 25 Recueil des inscriptions chrétiennes de la Gaule antérieures à la Renaissance carolingienne, par N. GAUTHIER, 1975, F. DESCOMBES, 1985 26 S. RICCOBONO, Fontes Iuris Romani Antejustiniani I. Leges, ²1941 27 F. RITSCHL, Priscae Latinitatis monumenta epigraphica, 1862 (= 1968) 28 The Roman Inscriptions of Britain I, by R. G. COLLINGWOOD, R. P. WRIGHT, R. S. O. TOMLIN ²1995; II, by S. S. FRERE, R. S. O. TOMLIN, 1990–1995 29 I. B. DE ROSSI, I. GRATHI, Inscriptiones Christianae Urbis Romae I-II, 1861–1915 30 M. M. ROXAN, Roman Military Diplomas, 1978 ff. 31 J. SCHEID, Recherches archéologiques a la Magliana. Commentarii fratrum Arvalium qui supersunt. Les copies épigraphiques des protocoles annuels de la confrérie arvale (21 av. – 304 ap. J.-C.), 1998 32 A. SILVAGNI, A. FERRUA et al., Inscriptiones Christianae Urbis Romae, Nova series I-X et Ind., 1922–1997 33 Supplementa Italica. Imagines. Supplementi fotografici ai volumi italiani del CIL, 1999 ff. 34 J. VIVES, Inscripciones cristianas de la España romana y visigoda, ²1969 35 G. WALSER, Die Einsiedler Inschr.-Slg. und der Pilgerführer durch Rom (Cod. Einsidlensis 326). Facsimile, Umschrift, Übers. und Komm., 1987

LIT 36 G. ALFÖLDY, Augustus und die Inschr.: Trad. und Innovation. Die Geburt der imperialen Epigraphik, in: Gymnasium 98, 1991, 289–324 37 Ders., Studi sull'epigrafia augustea e tiberiana di Roma, 1992 38 Ders., Il futuro dell'epigrafia, in: XI Congresso Internazionale di Epigrafia Greca e Latina. Roma, 18–24 settembre 1997, Atti I, 1999, 87–102 39 F. BÉRARD, D. FEISSEL, P. PETITMENGIN, D. ROUSSET, M. SÈVE, Guide de l'épigraphiste. Bibliographie

choisie des épigraphies antiques et médiévales, ³2000
40 H. BLOCH, Der Autor der Graphia aureae urbis Romae,
in: Dt. Archiv f. Erforsch. des MA 40, 1984, 55–175
41 M. BUONOCORE, Prime esplorazioni sulla tradizione
manoscritta delle iscrizioni greche pagane di Roma antica
attraverso i codici della Biblioteca Apostolica Vaticana, in:
Miscellanea Bibliothecae Apostolicae Vaticanae 6, 1998,
19–91 **42** H. BURNS, Pirro Ligorio's Reconstruction of
Ancient Rome, in: R. W. GASTON, Pirro Ligorio. Artist and
Antiquarian, 1988, 19–92 **43** R. CAGNAT, Cours
d'épigraphie latine, ⁴1914 **44** I. CALABI LIMENTANI,
Bartolomeo Borghesi ›disciplinae epigraphicae Latinae
aetate sua princeps‹, in: Bartolomeo Borghesi. Scienza e
libertà. Colloquio internazionale AIEGL, 1982, 81–101
45 Dies., Epigrafia latina, ⁴1991 **46** Dies., Spanheim,
Burman, Maffei: L'origine della equivoca rivalità tra
numismatica ed epigrafia, in: Studi secenteschi 32, 1991,
191–212 **47** Dies., Linee per una storia del manuale di
epigrafia latina (dall' Agustín al Cagnat), in: Epigraphica 58,
1996, 9–34 **48** A. CAMPANA, Duecento anni di fama del
Borghesi, in: Bartolomeo Borghesi. Scienza e libertà.
Colloquio internazionale AIEGL, 1982, 8–46 **49** Ders.,
Mariangelo Accursio, in: Diz. biogr. Ital. 1, 1960, 126–132
50 A. CAPPELLI, Lexicon Abbreviaturarum, ²1928, 429–527
51 M. H. CRAWFORD, Antonio Agustín between
Renaissance and Counter-Reform, 1993 **52** I. DI STEFANO
MANZELLA, Mestiere di epigrafista. Guida alla schedatura del
materiale epigrafico lapideo, 1987 **53** J. S. GORDON, A. E.
GORDON, Contributions to the Palaeography of Latin
Inscriptions, 1957 **54** W. HENZEN, Zu den Fälschungen des
Pirro Ligorio, in: Commentationes philologae in honorem
Theodori Mommseni, Berlin 1877, 627–643 **55** H. JORDAN,
Topographie der Stadt Rom im Alterthum 2, Berlin 1871,
605–613 **56** I. KAJANTO, Poggio Bracciolini and Classical
Epigraphy, in: Arctos 19, 1985, 19–40 **57** H. KRUMMREY,
S. PANCIERA, Criteri di edizione e segni diacritici, in:
Miscellanea, 1980, 205–215 **58** W. LARFELD, Griech.
Epigraphik, ³1914 **59** J. MALLON, Paléographie romaine,
1952 **60** Ders., De l'écriture. Recueil d'études publiées de
1937 à 1981, 1982 **61** E. MANDOWSKY, CH. MITCHELL, Pirro
Ligorio's Roman Antiquities. The Drawings in MS XIII. B. 7
in the National Library in Naples, 1963 **62** O. MARUCCHI,
Christian Epigraphy. An Elementary Treatise with a
Collection of Ancient Christian Inscriptions Mainly of
Roman Origin, transl. J. A. WILLIS, 1911 (= 1974) **63** La
mémoire perdue. À la recherche des archives oubliées,
publiques et privées, de la Roma antique, 1994; La mémoire
perdue. Recherches sur l'administration romaine, 1998
64 A. MOMIGLIANO, Alte Gesch. und antiquarische Forsch.,
in: K. CHRIST, Arnaldo Momigliano. Wege in die Alte Welt,
1991, 79–107 (urspr. in: JWCI 13, 1950, 285–315) **65** TH.
MOMMSEN, Über Plan und Ausführung eines Corpus
Inscriptionum Latinarum (1847), in: A. HARNACK, Gesch.
der Königlich Preussischen Akad. der Wiss. zu Berlin II.
Urkunden und Actenstücke, 1900, 522–540 n. 216
66 A. NESSELRATH, Raphaels Archeological Method, in:
C. L. FROMMEL, Raffaello a Roma. Il convegno del 1983,
1986, 357 ff. **67** Nuovi studi Maffeiani. Atti del convegno
Scipione Maffei e il Museo Maffeiano 18–19 novembre
1983, 1985 **68** G. PACI, S. SCONOCCHIA, Ciriaco di Ancona e
la cultura antiquaria dell'Umanesimo. Atti del convegno
internazionale di studio (Ancona 6–9 febbraio 1992), 1998
69 G. B. DE ROSSI, Le prime raccolte d'antiche iscrizioni
compilate in Roma tra il finire del secolo XIV ed il

cominciare del XV, in: Giornale arcadico 127/128, 1852,
4–173 **70** F. SAXL, The Classical Inscription in Renaissance
Art and Politics, in: JWCI 4, 1941, 19–46 **71** J. SCHEID, Le
projet français d'un recueil général des inscriptions latines,
in: Bartolomeo Borghesi. Scienza e libertà. Colloquio
internazionale AIEGL, 1982, 337–353 **72** M. G. SCHMIDT,
Zum Plan einer neuen Slg. der Carmina Latina epigraphica,
in: Chiron 28, 1998, 163–177 **73** A. SCHREURS, Antikenbild
und Kunstanschauungen des neapolitanischen Malers,
Architekten und Antiquars Pirro Ligorio (1513–1583), 2000
74 A. SILVAGNI, Intorno alle più antiche raccolti di iscrizioni
classiche e medievali I. Nuovo ordinamento delle sillogi
epigrafiche di Roma anteriori al sec. XI, in: Dissert. della
Pontificia Acad. Romana di Archeologia 15, 1921, 179–239
75 H. SOLIN, Ligoriana und Verwandtes, in: R. GÜNTHER,
ST. REBENICH, E fontibus haurire, FS H. Chantraine 1994,
335–351 **76** Ders., De renatarum litterarum syllogis
epigraphicis, in: De studiis classicis inde a Petrarca usque ad
Melachtonem in multis partibus Europae florentibus etc.,
1997, 127–135 **77** Ders., Corpus Inscriptionum Latinarum
X. Passato, presente, futuro, in: Epigrafi e studi epigrafici in
Finlandia, 1998, 81–117 **78** A. STEIN, Röm. Inschr. in der
ant. Lit., 1931 **79** G. SUSINI, Il lapicida romano.
Introduzione all'epigrafia latina, 1966 **80** R. J. A. TALBERT,
The Senate of Imperial Rome, 1984 **81** G. VAGENHEIM, Les
inscriptions ligoriennes. Notes sur la tradition manuscrite,
in: IMU 30, 1987, 199–309 **82** G. VOIGT, Die
Wiederbelebung des classischen Alterthums oder das erste
Jh. des Human., ⁴1960 **83** R. WACHTER, Altlat. Inschr.
Sprachliche und epigraphische Unt. zu den Dokumenten
bis etwa 150 v. Chr., 1987 **84** E. ZIEBARTH, Cyriacus von
Ancona als Begründer der Inschriftenforschung, Neue Jbb.
für das Klass. Alt. 9, 1902, 214–226 **85** Ders., De
antiquissimis inscriptionum syllogis, in: Ephemeris
epigraphica 9, 1913, 187–332.

MANFRED GERHARD SCHMIDT

Lateinische Komödie

A. KAISERZEIT BIS SPÄTANTIKE
B. MITTELALTER   C. RENAISSANCE
D. THEATERBAUTEN DER RENAISSANCE
E. 17.–20. JAHRHUNDERT

A. KAISERZEIT BIS ZUR SPÄTANTIKE

[13; 43] Nach der knapp ein Jh. dauernden Blüte der
röm. K. (*comoedia palliata*) hörte die Neuproduktion um
die Mitte des 2. Jh. auf. Ihre Stelle nahm für einige Jahrzehnte die derbere Atellana, dann der noch realistischere
Mimus ein, der nach einer kurzen lit. Phase in der Zeit
Caesars als sublit. Unterhaltungsgenre bis in die Spätant.
die Theater und improvisierten Spielstätten füllte. Aufführungen der K. des Plautus und Terenz sind zwar
noch bis ins 1. Jh., vereinzelt bis ins 3./4. Jh. [29] bezeugt, und der Kalender des Filocalus vom J. 354 verzeichnete pro Jahr 53 Tage mit *ludi scaenici*. Aber die K.
wurden häufiger gelesen als gespielt. Terenz war seit der
späten Republik und bis in christl. Zeit wegen der Kunst
der Charakterdarstellung und seines urbanen Stils im
Lektürekanon von Schule und Rhetorenausbildung
verankert [13], während die altertümlichere Sprache des
Plautus die Archaisten des 2. Jh., die Grammatiker und
Lexikographen bis zur Spätant. interessierte. Plinius der

Jüngere bezeugt einige Versuche, griech. K. ins Lat. zu übersetzen und im gleichen Stil eigene Stücke zu verfassen, doch diese erreichten weder die Bühne noch die lit. Überlieferung. Isoliert blieb auch der Versuch eines im 4. Jh. in Gallien wirkenden Verwaltungsbeamten, angeblich nach dem Vorbild des Plautus eine satirisch gefärbte Prosa-K. zu verfassen: der *Querolus sive Aulularia*, eine plumpe Intrigenkomödie, war nur für die Rezitation bestimmt. Noch Augustin las und verfaßte Dramen während seiner rednerischen Ausbildung (Aug. conf. 1,26. 30; 3,2). Obwohl die Christen das Theaterspiel, insbes. die Obszönität des Mimus, aus theologischen (*idolatria*) und moralischen Gründen (*impudicitia*) ablehnten und mit der Taufe das Verbot des Theaterbesuchs verbanden – die pagane Seite antwortete mit Christenspott im Mimus –, konnten sie sich der lit. Kunst nicht ganz verschließen und zitierten gern aus Terenz. Augustins heftige Polemik gegen das Theater (conf. 1,16; civ. 2,8) erklärt sich daraus, daß sich auch Christen der staatlich geförderten Massenunterhaltung hingaben [12]; [54]. Salvian von Massilia (gub. 6,37) beobachtete empört, daß Christen aus dem Gottesdienst ins Theater eilten und davon auch nicht abließen, wenn ihre Stadt von Feinden belagert wurde [12; 37; 54; 57; 58; 65].

B. MITTELALTER

[20; 11. 125–140] Obwohl auch im MA die lat. K., häufiger die des Terenz als die des Plautus, von dem seit dem Hoch-MA nur die ersten acht K. allg. bekannt waren, gelesen wurden, hatte sich infolge des spätant. christl. Verbots jeder Art von Schauspielerei die Vorstellung der szenischen Natur der Dramen und der Funktion der erhaltenen ant. Theater weitgehend verloren. Isidor (etym. 18,44–46) wußte noch von der szenischen Aufführung, aber die aus einer spätant. Hs. übernommenen Illustrationen einiger Terenz-Hss. (cod. Vaticanus, Parisinus und Ambrosianus, 9. bzw. 10. Jh.) zeigen zwar agierende Personen und gelegentlich Requisiten, aber keine Bühne; gelegentliche Darstellungen hinterszenischer Ereignisse beweisen, daß die Illustrationen nicht auf tatsächliche Aufführungen zurückgehen. Symptomatisch sind die ins Früh-MA zu datierende zweckfremde Verwendung oder Zerstörung von Theaterbauten (das Theater von Pollenza/Mallorca z.B. wurde zum Friedhof), und der sog. Calliopius-Irrtum, der seit dem Terenz-Komm. des Eugraphius (6. Jh.), in den ma. Poetiken wie der *Poetria nova* des Galfridus de Vino Salvo (Vinsauf) und in Terenz-Hss. bis ins 15. Jh. verbreitet ist: der spätant. Terenz-Editor Calliopius wurde – vermutlich aufgrund einer falschen Auflösung der Abkürzung *rec(ensui)* zu *recitavit* – zum Rezitator, der auf einer Bühne am Katheder sitzend den Zuhörern die K. vorliest; die Handlung wurde gelegentlich als von stumm agierenden Mimen dargestellt gedacht; so in der Hs. *Térence des Ducs* [41]. Die auf 1309 datierte, doch schon vom Architrenius des Joh. de Hauvilla (1184/5) abhängige *Visio Thurcilli* eines engl. Verfassers stellt das Theater als ein riesiges, finsteres, von

Höhlen durchzogenes Gebäude vor, in dem die Sünder den Teufeln noch einmal ihre Laster »vorspielen«, bevor sie von ihnen gefoltert und zerrissen werden [30]. Ungewöhnlich für das Hoch-MA sind die als Ersatz für die sechs K. des Terenz gedachten sechs lehrhaften K. der Nonne Hrotsvith von Gandersheim (verfaßt zw. 960 und 970, in einer Hs. von St. Emmeran von Conrad Celtis wiederentdeckt und 1501 veröffentlicht), in denen Heiligen- und Märtyrerlegenden mit teilweise burlesken Szenen der Verspottung der Widersacher gestaltet sind. Da sie nur für Lektüre oder Rezitation bestimmt waren, konnten die dramatischen Konventionen mißachtet werden; da ferner die Kenntnis der Metrik verloren gegangen war, konnte die Verf. glauben, mit der Prosaform Terenz genau zu folgen.

Symptomatisch für die Auflösung der ant. Gattungsbegriffe ist die Bedeutungsverschiebung: nach Donats Definition konnte jede Handlung mit gutem Ausgang *comoedia* heißen. Seit dem *Fernandus Servatus* (1493/4) des C. Verardi (1440–1500) war eine *tragicomoedia* ein ernstes Spiel mit gutem Ausgang [33]. So nannte Dante Alighieri sein Lehrepos wegen des Purgatorio eine Commedia [63]. Auch die dramatischen Erzählungen im elegischen Maß des endenden 11. Jh. und des 12. Jh. heißen Comediae [2; 3; 10; 31]. Vitalis Blesensis (von Blois) schrieb in Anlehnung an ant. Stoffe zwei dramatische Erzählungen: *Amphitryon sive Geta* und *Aulularia*; anon. ist die obszöne Geschichte *Baucis et Thraso*. Aus oriental. Novellenstoffen speisen sich die *Alda* des Wilhelm von Blois, die *Comoedia de Milone Constantinopolitano* des Matthaeus Vindocinensis (von Vendôme) und eine anon. *Lydia*. Unter weiteren Burlesken ist nur eine, *Babio*, rein dialogisch gehalten.; die anderen zeigen durch erzählerische oder regieähnliche Zwischenstücke, daß sie nicht für die Bühne, allenfalls für das Lesen mit verteilten Rollen bestimmt sind [20. 1, 68–138; 23. 1, 20–42].

C. RENAISSANCE

[8; 11. 143–219; 19; 23; 25; 34; 35; 47; 50; 56; 61] Die Wiedergeburt der K. [16; 20.; 51] begann erheblich später als die der → Tragödie. Petrarca vernichtete seine um 1330 verfaßte *Philologia* (von Boccaccio als *Philostratus* zitiert), als ihm die K. des Terenz bekannt wurden. Er verfaßte eine Biographie und Anmerkungen zu den K.; Boccaccio fertigte eine Abschrift aller sechs Stücke an. Aber die intensiven Terenzstudien und die wegen der Anstößigkeit etwas geringere Beschäftigung mit Plautus führten erst am Ende des 14. Jh. zu neuer K.-Produktion und noch später zur Aufführung der Originalstücke.

Die erste neue lat. K. [62] ist der *Paulus* des Vergerius (Pier Paolo Vergerio, 1370–1445) von 1390, nach dem Stil des Terenz verfaßt in rhythmischer Prosa. Das vom Untertitel *Comoedia ad iuvenum mores corrigendos* genannte moralische Ziel sollte durch zeitgenössisches Ambiente und novellistischen Stoff erreicht werden. Ein moralisches Ziel verfolgt auch der Maler, Architekt und Schriftsteller Leon Battista Alberti (1404–1472) in der in plautinischem Stil verfaßten, aber wie alle frühen K. noch nicht für die Aufführung bestimmten Prosa-K. *Philodoxus* (um 1426). In die gleiche Zeit gehört die ebenfalls in lat. Prosa gehaltene und einzelne Motive des Plautus und Terenz verarbeitende, ansonsten aber sich aus dem it. Schwank speisende *Poliscena* des Leonardo (L. della Serrata, nicht L. Bruni), ein Erfolgsstück, in dem zum ersten Male das Liebesthema zentral ist und mehr als in der röm. K. Frauen individuell charakterisiert und aktiv sind [45]. Antonius Barzizza setzte 1425 einen aktuellen Ehebruchsskandal und novellistische Elemente in eine fünfaktige Prosa-K. *Cauteriaria* um. Als Trost-, Verteidigungs- und Bittschrift sollte die aus 17 Prosa-Szenen bestehende *Michaelida* dienen, die Ziliolus 1439 nach mehrjähriger Haft im Kerker in Ferrara schrieb. Noch stärker der ma. Trad. verhaftet ist Ugolino Pisanis K. *Philogenia*, die 1474 von Albrecht von Eyb in seinem *Spiegel der Sitten* zusammen mit zwei K. des Plautus ins Dt. übers. wurde [1]. – Neue Impulse gingen von der Auffindung eines Plautuscodex mit den zweiten zwölf K. durch Nicolaus Cusanus 1427 aus, die ab 1432 bekannt, aber von dem neuen Besitzer Kardinal Orsini (daher cod. Ursinianus) erst 1444 vollständig veröffentlicht wurden, und der Entdeckung des Terenzkomm. des Donat durch J. Aurispa in Mainz 1433. Der erste Reflex der erweiterten Plautuskenntnis findet sich bei Titus Livius de'Frulovisi, der seine von abenteuerlichen Liebesgeschichten erfüllten und leicht satirisch gefärbten K. (1432–1435) sogar aufführte [44], und in der im kirchlichen Milieu spielenden, stark satirischen und völlig unmoralischen *Chrysis*, die Enea Silvio Piccolomini (der spätere Papst Pius II.) 1444 in Nürnberg kurz vor seiner Bekehrung zum Priestertum verfaßte. Mit ihren rhythmischen, am Versende metrischen Versen erreichte er eine neue Annäherung an das ant. Original.

Die Wiegendrucke des Terenz, Straßburg 1470 (noch ohne Versabteilung), und die des Plautus, Venedig 1472 durch G. Merula, denen bald weitere Ausgaben folgten, regten zu Studien (Lückenergänzungen, sprachlichen und metrischen Komm., Realienforsch.), zu Aufführungen und lat. und neusprachlichen Nachahmungen an. Zwischen 1470 und 1600 erschienen in ganz Europa 461 Gesamtausgaben des Terenz [42]. Cristoforo Landino wagte es, das Drama, v. a. das griech., lit. aufzuwerten, Angelo Ambrogini, genannt Il Poliziano, verfaßte 1484/5 einen Komm. zu der *Andria* des Terenz mit einer Einleitung über die ant. K., offenbar gedacht als Ergänzung zur Poetik des Aristoteles. Antonius Urceus, genannt Codrus (1446–1500), und Hermolaus Barbarus (1454–1494) ergänzten den Aulularia-Schluß, ein Unbekannter die große Lücke im *Amphitruo* [4]. Diese und andere »Supplemente« hielten sich von 1495 teilweise bis ins 19. Jh. in den Ausgaben und mußten trotz Fehlern in Sprache und Metrum eigens für unecht erklärt werden; sie beeinflußten sogar Molière und Kleist. – Erst die Ren. überwand das erwähnte Schauspielverbot. G. A. Vespucci ließ 1476 in Florenz

die *Andria* des Terenz durch Studenten aufführen; die Aufführungen wurden von Klerikern fortgeführt. Die epochemachenden Aufführungen in Rom und Ferrara wuchsen aus verschiedenen Trad. hervor. Pomponius Laetus (1428–1497), Philologe und Gründer der »Accademia Pomponiana« (1465), studierte in Rom ab 1473 privat mit seinen Studenten K. in lat. Sprache ein, 1484 die *Asinaria*. Ab 1485 gab er auch Aufführungen in den Palästen seiner röm. Gönner: so im J. 1486 den *Epidicus*, 1492 den *Amphitruo*, 1497 die *Aulularia*. Er ließ nicht nur mit verteilten Rollen rezitieren, sondern schauspielerisch aufführen. Nach dem Tode des Pomponius Laetus wurde 1499 die *Mostellaria*, sodann 1502 im Vatikan vor weiterem Publikum die *Menaechmi* aufgeführt. Diese K. gehören noch heute zu den wirkungsvollsten des Plautus [11. 31–94, 143–204]. Bernardo Dovizi da Bibbiena, der die Wahl Leos X. zum Papst betrieb und 1513 die Inthronisationsfeierlichkeiten in Rom gestaltete, inszenierte auf dem Kapitol unter der Regie des Thomas Inghirami den *Poenulus* des Plautus in lat. Sprache.

Mit dieser Aufführung wurde der in Ferrara entwickelte Typ des Fest- und Hoftheaters übernommen. Dort bildeten seit 1486 die K.-Aufführungen den regelmäßigen Bestandteil der veranstalteten Prunkfeierlichkeiten des ferraresischen Hofes, die sich des Apparats der »Sacre rappresentazioni« und »Trionfi« bedienten: in einer Prozession wurden allegorische und myth. Gestalten in Prachtkostümen, die eigens ausgestellt wurden, auf Wagen unter Musik- und Ballettbegleitung vorgeführt. Die für 1486 bezeugte Aufführung der *Menaechmi* des Plautus in it. Übers. fand auf einem im Kastellhof errichteten Holzpodest vor einer Kulisse von fünf zinnengekrönten Häusern statt und wurde durch Ballett-Intermezzi unterbrochen. Im letzten Akt wurde ein mit zehn Ruderern bemanntes Segelschiff quer über den Hof geführt, um die abreisenden Brüder aufzunehmen [23. 2, 201–209; 62. 187–202; 48]. Im J. 1487 verschönerte der mit prunkvollen Kulissen ausgestattete *Amphitruo* eine Hochzeit am ferraresischen Hof, und anläßlich der Hochzeit der Lucrezia Borgia mit Alfonso d'Este 1502 wurden in Ferrara fünf K. des Plautus, *Epidicus*, *Bacchides*, *Miles gloriosus*, *Asinaria* und *Casina*, aufgeführt und nach ferraresischer Trad. mit Musik, Tanz und Pantomime belebt.

Neue K. in lat. Sprache [62] suchten in dramatischer Form und Ambiente eine enge Anlehnung an die ant. Vorbilder, wegen der drastischeren Handlung v. a. an Plautus, verzichteten aber immer noch weitgehend auf das Metrum oder beschränkten sich auf den jambischen Senar; erst seit der Mitte des 16. Jh. waren die Baugesetze der röm. K.-Metrik wieder bekannt. – Der später auch in Deutschland erfolgreiche *Epirota* des Venezianers Thomas Medius (1481/3) ist eine Prosaimitation der plautinischen K. ohne eigene Zutaten. Wegen vollendeter Plautusnachahmung wurde die K. *Stephanium* des Harmonius Marsus (1502) begrüßt, in der nach Vorbild der Plautusausgabe des G. B. Pio (1500, oder schon früher: [49]) die Einteilung in fünf Akte eingeführt ist;

ähnlich die *Dolotechne* (1504, nach Plautus, *Persa, Poenulus* und *Cistellaria*) des Bartolomeus Zambertus, geb. 1473), und die anon. *Aetheria* in terenzischem Stil. Petrus Domitius benutzte die K.-Form sogar zur Dramatisierung dreier Heiligenviten. Um 1527 wurde das lat. Theater in It. fast ganz von K. in it. Sprache verdrängt (Paulus Iovius, *Dialogus de viris litteris illustribus,* 1527; [50. 47–63]); schon 1514 führte Bibbiena im Theater auf dem Kapitol seine *Calandria* auf. Den Stücken wurden gewöhnlich ein plautinischer, d. h. exponierender, und ein terenzischer, d. h. literarpolemischer Prolog vorangestellt. Die auf Liebesgeschichten, Intrigen, Verwechslungen und Wiedererkennung einst entführter Kinder aufbauende Handlung wird durch die – weiterhin von Männern gespielten – Frauenrollen und einige mod. Novellenmotive erweitert. Die Handlung spielt gewöhnlich in Rom oder Athen oder einer in der Ant. gegr. it. Stadt. Die dramatischen Einheiten werden kaum beachtet. Aktuelle Anspielungen sind rar, Auseinandersetzungen mit den Ideen der Zeit fehlen [62. 145–186].

Anders verhält es sich mit den von der lat. K.-Produktion angeregten it. K. (*commedia erudita*) [62]. Sie übernahmen einige Handlungen und dramatische Strukturen wie Liebesgeschichte, Intrige, Wiedererkennung, aber nur wenige auch das ant. Ambiente, wie Lodovico Ariosto (1474–1533) in *Cassaria* (1508, nach Plautus, *Pseudolus*) und *I suppositi* (1509 in Ferrara, 1519 in Rom, nach Plautus, *Menaechmi*) und Lodovico Dolce (1508–1568) in seinen fünf (mit Ausnahme von *Il ragazzo,* 1504) wenig originellen K., darunter *Il marito* (nach Plautus, *Amphitruo*), *Il capitano* (nach Plautus, *Miles gloriosus*) und *Il ruffiano* (nach Plautus, *Rudens*) zwischen 1540 und 1550 [11. 205–219]. Dagegen N. Machiavellis (1469–1527) *Clizia* (1525, nach Plautus, *Casina* [15]) und seine ganz selbständige *Mandragola,* Pietro Aretinos (1492–1556) derbe K. wie *La Talanta* (1542, nach Terenz, *Eunuchus,* und Plautus, *Menaechmi* und *Miles Gloriosus*), die des Schauspielers und Dichters Angelo Beolco, genannt Ruzzante (1502–1542), *La Piovana* und *La Vaccaria,* in deren Prologen er sich ausdrücklich auf Plautus beruft [64], und G. M. Cecchis (1518–1587) *La dote* (1542/4, nach Plautus, *Trinummus*), verbanden die röm. Vorlagen mit den Stoffen der it. Novellistik und wählten nicht nur das zeitgenössische Ambiente, sondern vermehrten die Rollen nach Zahl und Art. Bes. beliebt waren Verwechslungsgeschichten und Motive der gestörten Identität aus Plautus' *Amphitruo* und *Menaechmi*: letztere liegen außer Ariostos *Suppositi,* Bibbienas *Calandria* (1513), Trissinos *Simillimi* (1548) und schließlich Shakespeares *The comedy of errors* zugrunde [14]. Die it. Stücke wurden von Berufsschauspielern aufgeführt, aber auf den gleichen Bühnen wie die lat. Stücke.

Auch die Literaturtheorie [63] verband eine Annäherung an ant. Vorbilder mit typischen Zielen der Renaissancepoetik, wie Iodocus Badius in der Einleitung seines Terenzkomm. 1505, G. Giraldi Cintio (1504–

1573) in seinem *Discorso intorno al comporre delle commedie e delle tragedie* (1545), der die Versform, die Beachtung der dramatischen Einheiten, ein gutes Ende, bes. durch Wiedererkennung, und schließlich ein moralisches Ziel forderte. Francesco Robortello in *De comoedia* (1548) definierte die dramatischen Einheiten noch strenger. In J. C. Scaligers *Poetices libri septem* (Lyon 1561) ist das gesamte Wissen über die ant. Dramen und ihre Aufführungsformen wieder präsent (1,5–22). Im dritten Buch, wo er praktische Anweisungen für die Dramendichtung gibt, empfiehlt er aus stilistischen Gründen eher Terenz als Plautus. Für bessere Schulung der Redner und Darsteller sorgte Jodocus Willichs, der im *Liber de pronuntiatione rhetorica* (Basel 1540) auch die Bühnenaussprache und die Gestik behandelte.

Im deutschsprachigen Gebiet [9; 22.; 53] gab offenbar Enea Silvio Piccolomini während seines Wiener Aufenthalts den Anstoß zu neuer Beschäftigung mit Terenz; eine *Eunuchus*-Übers. des Hanns Nythart erschien 1486 in Ulm; Friedrich III. der Weise von Sachsen richtete 1502 an der neu gegr. Akademie in Wittenberg eine Terenzprofessur ein. Melanchthon veröffentlichte 1516 in Tübingen eine kommentierte Ausgabe und ließ in seiner Schule ab 1524 Terenz aufführen. Das Interesse an Plautus zeigte sich an der Übers. der *Menaechmi* und *Bacchides* durch Albrecht von Eyb 1474, es blieb aber in Deutschland anders als in It. insgesamt schwächer als dasjenige an Terenz. Die Träger der K.-Renaissance, die im deutschsprachigen Gebiet und in den Niederlanden reichere Frucht trug als in It., wurden die → Schulen und → Universitäten durch die in den Unterrichtsordnungen festgeschriebenen Aufführungen ant. und neulat. Stücke. Martin Luther, Erasmus und Melanchthon empfahlen Bibeldramen, aber zur Bildung von Moral und Beredsamkeit auch die Lektüre und Einstudierung von K., v. a. denen des Terenz; die Komik blieb außer Betracht. Die ersten Plautus- und Terenzaufführungen fanden ab 1500 in Breslau statt. Joachim Greff veröffentlichte 1535 in Magdeburg die erste dt. Plautusübers. in Versen: die für die Aufführung bestimmte *Aulularia* sollte moralisch belehrend wirken. Hans Sachs gab 1548 eine freiere Übers. von Plautus' *Menaechmi.* Der zweite Anstoß ging von Conrad Celtis aus, der mit dem *Ludus Dianae* (1501) ein höfisches Festspiel nach Ferrareser Brauch veranstaltete und nach dem Vorbild seines Lehrers Pomponius Laetus ab 1502 in Wien mit seinen Studenten den *Eunuchus* des Terenz, die *Aulularia* des Plautus (und Senecas *Phaedra*) aufführte. Die Straßburger Münsterschule hatte seit 1538 ein eigenes Schultheater. Daraus wurde 1583 eine → Akademie, deren prunkvolle Aufführungen vom Stadtrat bezahlt wurden; der Neubau des Theatrum Argentoratense wurde mit einer Plautusaufführung eröffnet; doch von nun an wurden mehr neulat. als ant. Dramen aufgeführt [60].

Solche neulat. Stücke wurden schon seit Ende des 15. Jh. verfaßt. Die Imitation erstreckte sich nur auf Sprache und Stil der ant. K., nicht auf Inhalt und Form.

Das Ziel war sowohl rhet. wie moralisch, aber auch satirisch und polemisch. Im 16. Jh. griffen die K.-Dichter auch in den Konfessionsstreit ein. Schon aus diesem Grunde waren szenische Aufführungen zunächst nur selten möglich. Erst in der Ausbildung der Jesuiten hatten seit 1570 auch K.-Aufführungen ihren festen Platz.

Als erster würzte Jacob Wimpheling (1450–1528) als Dekan der Heidelberger Artistenfakultät eine akademische Feier mit der Rezitation der Prosa-K. *Stylpho* (1480, veröffentlicht 1494), in der er über das kirchliche Pfründenwesen spottete und zum Erwerb rechten Wissens mahnte. Das Studentenleben und altmodische Lehrer verspottete J. Kerckmeister in seinem derbkomischen *Codrus* (1485). J. Reuchlin (1455–1522) begann 1496 in Heidelberg mit *Sergius sive caput capitis*, einer Satire auf die Reliquienverehrung, die er jedoch nicht aufführen und erst 1504 veröffentlichen konnte. 1497 verarbeitete er die derbe Juristenfarce *Maître Pathelin* des Pierre Blanchet (1459–1519), die er während seiner Studienzeit in Frankreich kennengelernt hatte, zu der K. *Scenica progymnasmata sive Henno* mit Prolog und fünf Akten, in der er den jambischen Senar schon recht gut meisterte. Die Aufführung durch Studenten fand als Dank- und Huldigungsspiel im Haus des Kanzlers und Bischofs J. Dalberg statt; es blieb seit der Erstveröffentlichung 1498 bis ins 17. Jh. ein in vielen lat. Ausgabe und dt. Übers. verbreitetes Erfolgsstück. Beide K. sind durch Chorlieder aufgelockert. J. Locher Philomusus heizte um 1500 mit dem als Nachspiel zur *Asinaria* gedachten *Ludicrum drama Plautino more fictum de sene amatore, filio corrupto et dotata muliere* seinen Streit mit der Freiburger theologischen Fakultät an. Aus der Trad. der Schülerdialoge, die ebenfalls *comedia* genannt wurden, erwuchs die *Prosa-Comoedia de optimo studio iuvenum* des friedlicheren Heinrich Bebel (1472–1518), die 1501 durch Studenten in Tübingen aufgeführt wurde (veröffentlicht 1504); darin predigte er das human. Bildungsideal und polemisierte gegen das Lat. und die Bildungs-

inhalte des MA – mehrere Neuauflagen erweisen es als ein Erfolgsstück. Antikisierend waren die K. *De duobus adulescentibus* (1520) und *Comoedia nova de sene amatore* (1521) des Christ. Hegendorf (1500–1540).

In den Konfessionsstreit griffen Wilibald Birkheimer (1470–1530) mit seiner derben Verspottung des Reformationsgegners J. Eck in seinem *Eckius Dedolatus* (1520), Thomas Naogeorgus (1511–1563) mit seinen satirischen K. *Pammachius* (1538), einer Kritik der Kirche aus reformatorischer Sicht, und dem aristophanisch gefärbten *Mercator sive iudicium* (Jedermann-Thema in der Sicht der reformatorischen Rechtfertigungslehre, 1540) und Simon Lemnius mit dem obszönen Angriff auf Luther in *Monachopornomachia* (1538) ein. Oft gespielt wurden die fünfaktige, durch Chöre belebte K. *Studentes* (1545, veröffentlicht 1549) des Christoph Stymmelius (1525–1588), in der er, beeinflußt von dem *Acolastus* des Gnaphaeus (s.u.), das Leben der »Bummelstudenten« darstellte. Der streitbarste Geist und Schöpfer der effektvollsten Dramen war Nicodemus Frischlin (1547–1590), der im *Priscianus vapulans* (1578), der ersten Literatur-K., die human. Gelehrte verspottete und im *Phasma* (1580, gedruckt 1592) das Sektenunwesen geißelte. In dem patriotischen und satirischen *Iulius Redivivus* ließ er den wiedererstandenen Caesar mit Cicero durch Deutschland wandern und die Errungenschaften der neuen Zeit feiern, aber auch die typisch dt. Laster und die Italiener verspotten. Diese K. führte er 1582/4 in Tübingen, dann 1585 im Stuttgarter Schloß für die Hochzeit des Herzogs auf. Auch bei Frischlin zeigt sich der Einfluß des Aristophanes, den er 1586 in Übers. herausgab.

In den Niederlanden, wo die Themen des Verschwenders und des Verlorenen Sohnes bes. beliebt waren, dichteten Georgius Macropedius (1475–1558) 14 realistische, nicht antikisierende K. (*Asotus*, vor 1520 entstanden und 1537 veröffentlicht, *Aluta* und *Rebelles*, beide 1535, und weitere. Die Bauern- und Schülerfarcen, schließlich das Erfolgsstück *Hecastus* 1539, Jeder-

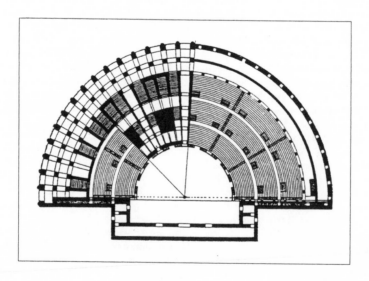

Abb. 1: Die römische Bühne nach Vitruv, aus L. B. Alberti, *De re aedificatoria* 6,8

Abb. 2: Architektonische Ausgestaltung der
»Badezellenbühne«, Holzschnitt, Szene aus Terenz,
Adelphoe Akt III4 (aber Si.=Syrus ist falsch!)
aus der Terenz-Ausgabe, Lyon 1493

Abb. 3: Der Zuschauerraum der »Badezellenbühne«,
Holzschnitt, Szene aus Terenz, Eunuchus,
aus der Terenz-Ausgabe, Lyon 1493

mann-Thema) und Gulielmus Gnapheus (1493–1568)
den *Acolastus sive de filio prodigo* (1529): das Bibelthema
vom verlorenen Sohn im terenzischen Gewande (fünf
Akte, wechselnde iambische und trochäische Metra),
das wegen der dramatischen wie der moralischen Qualitäten und der Propagierung der Ideen der Reformation geradezu ein europ. Buch- und Theatererfolg
wurde. Albertus Wichgrevius schilderte im *Cornelius re-
legatus* (1600) das wüste Studentenleben – eine für Stu-
dentenaufführungen beliebte K.

Der in Frankreich [21] erst spät einsetzende Humanismus stand unter so starkem Einfluß der it. → Renaissance, daß trotz vieler Plautus- und Terenzausgaben, die
v. a. der Schullektüre dienten, kaum noch lat. oder antikisierende K. verfaßt wurden. Remacle d'Ardennes'
antikisierende K. allegorisch-moralischen Gehalts
(1512) und eine antikisierende Richtung des Universi-
tätsdramas, das jedoch stets in Frankreich spielte, bezeichnen schon den höchsten Grad der Annäherung an
die röm. K. Zwar wandte sich Charles Étienne im Vorwort seiner K. *Les abusées* (1543) mit der Forderung, ›à la
manière des anciens‹ zu dichten, gegen die frz. Farce
(Alexandre Connibert hatte 1512 sogar Pierre Blanchets
Farce unter dem Titel *Pathelinus* ins Lat. übers. und um
eine Rolle erweitert). Aber anders als dann im 17. Jh.
lassen sich im einheimischen Drama wie in Jean Grévins
(1538–1570) *La trésorière* (1559), Jean Antoine de Baïfs *Le
brave* (1567, nach Plautus, *Miles gloriosus*), in Remy Bel-
leaus (1528–1577) *La reconnue* und in Jean-François
Regnards (1656–1710) K. (und Bibeldramen) direkte
Plautusnachwirkungen nur selten und in der Regel fast
verdeckt von it. Vorbildern aufspüren. Pierre de Larri-
veys (Pseudonym für Giunti, 1550–1612) ›comédies fa-
cétieuses à l'imitation des anciens Grecs, Latins et modernes Italiens‹ waren fast nur letzteres.

Auch Spanien stand unter dem Einfluß der it. K., so
daß eine direkte Benutzung der röm. K. schwer nachweisbar ist. Doch auch hier gehörte die Aufführung von
K. oder Tragikomödien als Mittel der rhet. Ausbildung
zur Pflicht der Studenten und Schüler [18].

Wieder anders verlief die Entwicklung in England.
Schon Ende des 12. Jh. war Terenz ins Engl. übers. worden. Im 16. Jh. und weiterhin waren lat. Aufführungen
an Schulen und Univ. Pflicht. Aber fast keine neulat. K.
wurden verfaßt – Abraham Fraunce mit *Hymenaeus*
(1579) und *Victoria* (1582), in denen er it. Novellenstoffe
zu lat. K. verarbeitete, steht ziemlich allein –, sondern
die Stoffe der röm. K. wurden unmittelbar im engl.
Drama verwertet. So dichtete Nicholas Udall 1534/41
(oder noch später) *Ralph Roister Doister* nach dem *Miles
Gloriosus*, Shakespeare zwischen 1588 und 1593 nach
Plautus' *Menaechmi* die *Comedy of Errors*; auch Ben Jonson (1574–1637) griff in mehreren Stücken auf den
Motivschatz der röm. K. zurück: *The case is altered* nach
Aulularia und *Captivi*, *The alchimist* (1609, nach *Mostel-
laria*) und *Epicoene* (1610, nach *Casina*).

Bühnenwirksam waren die mit Einflüssen der it. K.
verquickten Plautusadaptationen des Ludvig Holberg

(1684–1754): *Abracadabra oder das Hausgespenst* (nach
Mostellaria), *Dietrich Menschenschreck* (nach *Pseudolus* und
Curculio), *Jacob von Thyboe* (nach *Miles gloriosus*).

D. Rekonstruktionen des antiken Theaterbaues in der Renaissance

[27; 36; 40; 41; 48] Die Angaben des Terenzkomm.
des Donat und die Studien zur Arch. des röm. Theaters
führten zu einem genaueren Verständnis des ant. Thea-
terwesens. Flavio Biondi (1392–1463) stellte 1444 in
Roma instaurata Buch 3 aus Plinius' nat. und Cassiodor
die röm. Theaterbauten und -plätze dar. L. B. Alberti
rekonstruierte in seinem Werk *De re aedificatoria* 1443–
1452 (veröffentlicht erst 1485) aus Vitr. 6,8 die Konstruktion des röm. Theaterbaues (Abb. 1). Der Wandel
der Kenntnis wird in den Holzschnitten der Terenzausgaben deutlich: in der Straßburger Ausgabe von 1496
besteht die flache Bühnenwand aus vier mit Vorhängen
geschlossenen Öffnungen, über denen die Namen der
Bewohner angebracht sind: die sog. Badezellenbühne.
Das Theater erscheint als ein Turmbau, auf dessen zwei
Balustraden die Zuschauer sitzen, während im Erdgeschoß drei gegiebelte Bühnenhäuser angebracht sind.
Offenbar ist die Konstruktion des ant. Theaters nicht
verstanden. Doch schon in der Lyoner Terenzausgabe
des Iodocus Badius von 1493 sind die »Badezellen« er-
kerartig gestaltet und von einem getreppten Halbrund
umgeben, oberhalb dessen die Zuschauer hinter einer
Balustrade sitzen (Abb. 2 und 3). Ausgabe Venedig 1497
kommt der histor. Anlage noch etwas näher, indem sie
ein aus halbrunden Reihen gebildetes und von einer
pilastergetragenen Kuppel überdachtes Theater mit einer Bühne zeigt, die von zwei Risaliten (*mansiones*, den
ant. *versurae*) flankiert ist. Diese Illustrationen geben vermutlich den Bühnentyp der »Accademia Pomponiana«
wieder, der auch im Theater auf dem Kapitol 1513 wiederkehrt: an den drei Innenwänden des prunkvoll ausgestatteten etwa quadratischen, vielleicht von einem
Zeltdach gedeckten Theaters saßen die etwa 3000 Zuschauer (Abb. 4). Die pilasterdekorierte Rückwand der
etwa 2,20 m hohen Bühne zeigt mit ihren drei beschil-
derten Türen noch die Herkunft von der »Badezellenbühne« der Frührenaissance. [40. 2, 74 ff.; 24; 48. 205–
232].

Eine neue Epoche der Rekonstruktion des ant. Theaters und der Übernahme in den eigenen Theaterbau
begann mit den von Papst Julius II. angeforderten Plänen Bramantes für ein Freilichttheater im Cortile del
Belvedere des Vaticans 1504–5, mit der von Baldassarre
Peruzzi als ›scoena pro tragediis vel comediis‹ entworfenen Nordfassade der Farnesina (1505–1511), in der als
Rekonstruktion der ant. *versurae* die vorspringenden
Seitenflügel die von drei bis fünf Türen gegliederte Po-
destbühne rahmten, und mit Raffaels Plänen für ein
Theater im vitruvianischen Stil in der Villa Madama
1518. Erhalten blieben die Bühnenentwürfe des Anto-
nio da Sangallo des Jüngeren für eine Aufführung der
Bacchides des Plautus 1531 [24. 459; 48. 291–301]. Die
Zahl fester Theaterbauten nahm zu: 1524 wurde in der

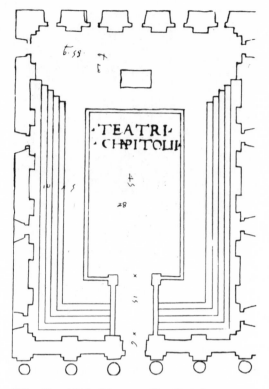

Abb. 4: Grundriß des Theaters auf dem Kapitol
Zeichnung aus Architectura Civilis Codex Coner fol. 16,
Soane Collection, London

Casa Cornaro in Padua eine Hofanlage für Rezitationen
und Theateraufführungen errichtet; 1531 erhielt auch
Ferrara im Kastell einen dauernden Theaterraum. Das
Wissen der Zeit faßte Sebastiano Serlio, der 1539 ein
Theater in Vicenza erbaut hatte, in *I sette libri dell'architettura*, Paris 1545, zusammen; in Buch 2 entwirft er einen Plan für Hoftheater: die noch flache Bühnenwand
zeigt perspektivisch gemalte Häuserfluchten und Straßen; dreiseitige, drehbare Pfeiler, die aus Vitruv rekonstruierten Periakten, erlauben einen partiellen Kulissen-
wechsel für K., Tragödie und Satyrspiel (!). 1549 wurde
ein Theater nach Serlios Schema in Mantua errichtet
[40. 2, 100; 41. 23 f.; 48. 270 f. 306–320]. Um 1560 wurde das erste öffentliche Theater in Venedig eröffnet,
1565 baute Giorgio Vasari ein Saaltheater im Palazzo
Vecchio in Florenz, in dem bes. Bühneneffekte durch
Beleuchtung und Maschinen erzeugt werden konnten.
Das wegen der größten Annäherung an die ant. Bauform berühmteste der Renaissancetheater steht eher am
Ende dieser Entwicklungsreihe: 1580 erhielt Andrea
Palladio, der von seinem Lehrer G. Trissino auf Rom-
reisen zum Antikenstudium angeregt worden war und
schon 1556 zu Daniele Barbaros Vitruvausgabe die Rekonstruktionszeichnungen für das ant. Theater geliefert
hatte, von der Gesellschaft der Olimpici in Vicenza den
Auftrag, ein Theater im röm. Stil zu bauen [7; 26]. Das

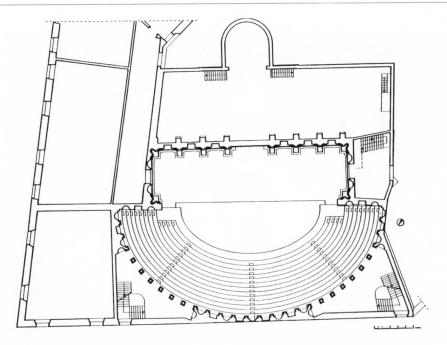

Abb. 5:
Grundriß der Teatro Olimpico in Vicenza, begonnen von Andrea Palladio 1580, vollendet von
Vincenzo Scamozi 1548, Achsen des Zuschauerraumes 66,40 × 7,94m, Bühne 25,05 × 6,60m

erst nach seinem Tode von Vincenzo Scamozzi fertiggestellte Teatro Olimpico hat eine wandellose steinerne Bühnenfassade, die durch dreigeschossige Säulen- und Bogenstellungen mit Statuen in Nischen gegliedert ist. Scamozzi erweiterte sie durch perspektivisch gebaute Kulissen, die den Blick in fünf nur teilweise begehbare Straßen freigeben (Abb. 5 und 6). Für den Zuschauerraum zwang die Enge des Raumes zur Reduktion des Halbrunds zu einem Halboval; der Vorteil ist eine hervorragende Sicht von allen 3000 Sitzplätzen. Scamozzi baute schon kurz darauf, 1588/9, in Sabbioneta ein ähnliches Theater, das jedoch auch einen architektonisch gestalteten Außenbau erhielt [7]. Diese gedeckten Theater wiederholen eher den Typ des ant. Musiksaales (Odeion) als den des dramatischen Theaters. Doch erst das Barocktheater des 17. Jh., wie z.B. das Teatro Farnese in Parma von 1616–1628, bildet mit einer vollständig verwandelbaren Kulissenbühne und der Hufeisenform des Zuschauerraums die Grundform des heutigen Bühnentheaters.

E. 17.–20. JAHRHUNDERT

Im 17. Jh. wandten sich die frz. Dichter der ant. K. noch einmal direkt zu: Jean de Rotrou (1609–1650) schrieb *Les Ménechmes* (1630/1), *Les Sosies* (1637, nach Plautus, *Amphitruo*) und *Les Captifs* (1638, nach Plautus, *Captivi*). Pierre de Corneille (1606–1684) ließ in *L'illusion comique* (1636) den *Miles gloriosus* wiederaufleben, Molière (1622–1673) lehnte sich in *Amphitryon* (1668), *L'avare* (1668, nach *Aulularia*; [6]), *École des Maris* (nach Terenz, *Adelphoe*), *Fourberies de Scapin* (nach Te-

renz, *Phormio*) und *Les femmes savantes* (nach Plautus, *Asinaria, Cistellaria*) teilweise wörtlich an Plautus bzw. Terenz an [55].

Aus dem Jesuitendrama [53. 672–676], das rhet., missionarische und allg. pädagogische Ziele verfolgte, entwickelte sich im 17. Jh. in ganz Europa die außerordentlich fruchtbare und noch längst nicht erforschte Gattung des Ordensdramas, das sich nicht auf rel. Stoffe beschränkte, da das Ziel außer Erbauung auch rhet. und darstellerische Schulung war. Dem Ziel diente auch die reiche Ausstattung und die Anwendung der Bühnentechnik. Jakob Bidermann (1578–1639) verdammte in *Cenodoxus* die Ruhmsucht. Die Nachahmung der ant. K. dehnte sich aber auch auf biblische Dramen aus, die wegen ihres guten Ausganges *comoedia* hießen, wie J. Burmeisters *Mater Virgo* (1621), eine Umsetzung des plautinischen *Amphitruo* in ein Christgeburtsspiel. Cornelius Schonaeus (1540–1611) gab seiner Sammlung von 17 christl. Dramen (darunter auch drei Bauernfarcen) den Titel *Terentius christianus*; postum 1618–1620 veröffentlicht wurde sie zur Schullektüre.

Im deutschsprachigen Gebiet [59. 128ff.] machten sich die neulat. Dramatiker seit dem Ende des 16. Jh. von den ant. Vorbildern frei, aber auch von moralischen Zielen. Dadurch konnte der Rollenbestand erheblich um Alters- und Standestypen erweitert werden. Beispiele sind der *Melancholicus* Christian Bachmanns (1611) und die humorvollen, aber ohne Nachwirkung verbliebenen K. Hermann Flayders (1596–1640). Aber aus der Fortsetzung der schulischen Plautus- und Terenzlektüre

Abb. 6: Die Bühnenwand des Teatro Olimpico in Vicenza

erklärt sich, daß im weiteren Verlauf nicht nur die Dichter wieder auf ihre Stoffe zurückgriffen, sondern auch Aufführungen in Übers. versucht wurden. In England übersetzte George Colman Terenz und schrieb im gleichen Stil *The man of business* (1774). G. E. Lessing (1729–1781) verteidigte anfangs die ant. K. und übersetzte Plautus' *Captivi* (1750) und in Prosa den *Trinummus* (1754), nahm allerdings in seiner eigenen K.-Praxis von ihnen Abstand. J. M. R. Lenz (1750–1792) übersetzte gemäß seiner Auffassung der naturhaften Komik des Plautus dessen derbere Stücke: *Asinaria, Aulularia, Miles gloriosus, Truculentus* und *Curculio* und modernisierte sie in Titel und Ambiente [59]; die zwischen 1772 und 1776 in Straßburg entstandenen Übertragungen wurden von der dortigen Zensur nicht genehmigt und erschienen 1774 anon. in Leipzig. Unter Goethes Leitung wurde 1801 in Weimar Fr. v. Einsiedels Übers. und Bearbeitung von Terenz' *Adelphoe*, 1803 *Die Mohrin* (nach Terenz, *Eunuchus*), 1806 Plautus' *Captivi* in zeitgenössischem Ambiente, aber mit Masken aufgeführt. Mit H. v. Kleists *Amphitryon* setzt die Reihe der immer neuen Deutungen dieses Stoffes ein [5; 52]. Aber die mit Gottsched (1700–1766) begonnene Ablehnung des Plautus aus moralischen und ästhetischen Gründen setzte sich im 19. Jh. mit der Abwertung aller röm. Lit. als vergröberter Nachahmung der originalen griech. Lit. fort [39]. Doch ihre Motive werden noch immer genutzt. Erfolgreich war Adolph von Winterfelds *Winkelschreiber* (1860), eine Umsetzung des terenzischen *Phormio* in das zeitgenössi-

sche Berlin. Aber Inszenierungen röm. K. in Original und Übers. fanden im 19. und 20. Jh. fast ausschließlich in Schulen und Univ. statt, auch hier von philol. Seite wegen der Unmöglichkeit der Reproduktion von Sprache und Metrum angegriffen [39]. Sie erreichten jedoch gelegentlich eine größere Öffentlichkeit, wie in Basel seit 1938 unter G. K. Kachler [38], in Boppard, Syrakus, Wien, Warwick. Das Musical von Melvin Frank *A funny thing happened on the way to the forum* (1966, Buch: Harold S. Prince) wurde 1998 von einem Broadway-Theater in einer rasanten Aufführung mit Whoopy Goldberg in der Hauptrolle als *Pseudolus* geboten: hier hat die Musik die röm. Komödie wieder eingeholt.

Zur Geschichte des europ. Theaters s. [17; 20; 23; 28; 40; 46].

→ Fälschungen (Supplemente); Festkultur/Trionfi; Komödie

→ AWI Aristophanes; Atellana; Augustin; Calliopius; Cassiodor; Donat; Eugraphius; Filocalus; Fronto; Gellius; Isidor; Mimus; Plautus; Plinius; Querolus; Salvian; Terenz

QU 1 P. A. LITWAN (Hrsg.), Titus Maccius Plautus. Die Plautus-Übers. des Albrecht von Eyb, lat.-dt. Textausg., 1984 2 G. COHEN (Hrsg.), La comédie latine en France au XIIe siècle, 1931 3 J. SUCHOMSKI, M. WILLUMAT, Lat. Comoediae des 12. Jh., 1979 4 L. BRAUN, (Einl., Übers., Komm.) Scenae supposticiae oder Der falsche Plautus, Hypomnemata 64, 1980 5 J. SCHONDORFF (Hrsg.), Amphitryon. Plautus, Molière, Dryden, Kleist, Giraudoux, Kaiser, 1964

LIT **6** M.v. ALBRECHT, Plautus' Aulularia und Molières Avare, in: Ders., Rom, Spiegel Europas, 1998, 404–422 **7** S. ALBRECHT (Hrsg.), Teatro. Eine Reise zu den ober-it. Theatern des 16.–19. Jh., 1991 **8** P. BAHLMANN, Die lat. Dramen von Wimphelings Stylpho bis zur Mitte des 16. Jh. 1480–1550. Ein Beitrag zur Literaturgesch., Münster 1893 **9** F. BARON, Plautus und die dt. Frühhumanisten, FS E. Grassi, 1973, 89–101 **10** F. BERTINI, La commedia elegiaca latina in Francia nel secolo XII, 1973 **11** Ders., Plauto e dintorni, 1997 **12** G. BINDER, Pompa diaboli – Das Heidenspektakel und die Christenmoral, in: Ders., B. EFFE (Hrsg.), Das ant. Theater. Aspekte seiner Gesch., Rezeption und Aktualität (Bochumer Altertumswiss. Colloquium 33), 1998, 115–147 **13** J. BLÄNSDORF, Der spätant. Staat und die Schauspiele im Codex Theodosianus, in: Ders. (Hrsg.), Theater und Ges. im Imperium Romanum, 1990, 261–274 **14** H. D. BLUME, Plautus und Shakespeare, A&A 15, 1969, 135–158 **15** G. BOCCUTO, La Casina di Plauto e la Clizia di Machiavelli, 1981 **16** L. BRADNER, The Latin drama of the Ren. (1314–1650), in: Stud. in the Ren. 4, 1957, 31–70 **17** M. BRAUNECK, Die Welt als Bühne. Gesch. des europ. Theaters, 2 Bde., 1993 **18** D. BRIESEMEISTER, Das mittel- und neulat. Theater in Spanien, in: K. PÖRTL (Hrsg.), Das span. Theater, 1985, 1–29 **19** A. BUCK, Die Rezeption der Ant. in den romanischen Literaturen der Ren., 1976 **20** W. CLOETTA, Beiträge zur Literaturgesch. des MA und der Ren., 2 Bde., Halle 1890–1892 **21** G. COHEN, Etudes d'histoire du théâtre en France au Moyen-Age et à la Ren., 1956 **22** C. O. CONRADY, Zu den dt. Plautusübertragungen. Ein Überblick von Albrecht von Eyb bis zu J. M. R. Lenz, in: Euphorion 48, 1954, 373–396 **23** W. CREIZENACH, Gesch. des neueren Dramas, 2 Bde., ²1911/1918 **24** F. CRUCIANI, Teatro nel rinascimento. Roma 1450–1550, 1983 **25** J. DALFEN, Von Menander und Plautus zu Shakespeare und Molière. Ein Kapitel aus der Wirkungsgesch. der griech.-röm. K., in: P. NEUKAM (Hrsg.), Dialog Schule Wissenschaft: Klass. Sprachen und Literaturen 22, 1988, 34–61 **26** I. DEBORRE, Palladios Teatro Olimpico in Vicenza, 1996 **27** F. DOGLIO, Il teatro scomparso. Testi e spettacoli fra il X e il XVIII secolo, 1990 **28** Enciclopedia dello spettacolo, sotto auspici della fondazione Giorgio Cini, 9 Bde., 1954–1962; Aggiornamento 1955–1965, 1966; Indice, Repertorio 1968 **29** J. FUGMANN, Röm. Theater in der Prov., 1988, 31–44 **30** T. C. GARDNER, The theatre of hell. A critical study of some twelfth-century Latin eschatological visions, 1976, 48 **31** A. GIORGI, Dall'Amphitruo plautino al Geta di Vitalis Blesensis, in: Dioniso 35, 1961, 38–55 **32** J. CHR. GOTTSCHED, Versuche einer Critischen Dichtkunst II, ausgewählte Werke VI.2, hrsg. von J. und A. BIRKE, 1973 **33** M. T. HERRICK, Tragicomedy. Its origin and development in Italy, France and England, in: Illinois Stud. in Language and Literature 39, 1955, 1–62 **34** Ders., Italian comedy in the Ren., 1960 **35** J. IJSEWIJN, D. SACRÉ, Companion to Neo-Latin Stud. 2, Suppl. Humanistica Lovaniensia 14, ²1998, 139–164 **36** J. JACQUOT, Le lieu théâtral à la ren., 1986 **37** H. JÜRGENS, Pompa diaboli. Die lat. Kirchenväter und das ant. Theater, 1972 **38** K. G. KACHLER, Inszenierungsprobleme ant. Stücke im röm. Theater von Augst, in: FS R. Laur-Belart, 1968, 110–128 **39** B. R. KES, Die Rezeption der K. des Plautus und Terenz im 19. Jh. Theorie, Bearbeitung, Bühne, 1988 (mit Rückblick auf das 18. Jh.) **40** H. KINDERMANN, Theatergesch. Europas, I. Das Theater der Ant. und des MA,

II. Das Theater der Ren., 1957/59 **41** Ders., Bühne und Zuschauerraum. Ihre Zueinanderordnung seit der griech. Ant., SB Wien 242, 1, 1963, 5–15 **42** H. LAWTON, Térence en France au XVIᵉ s., Éditions et traductions, 1926 **43** E. LEFÈVRE (Hrsg.), Das röm. Drama, 1978 **44** W. LUDWIG, Titus Livius de'Frulovisi, ein human. Dramatiker der Ren., Humanistica Lovaniensia 22, 1973, 39–76 **45** H.-W. NÖRENBERG, Leonardo Brunis Poliscena und ihre Stellung in der Trad. der röm. K., in: Humanistica Lovaniensia 24, 1975, 1–28 **46** V. PANDOLFI, Storia universale del teatro drammatico, 2 Bde., 1964 **47** A. PEROSA, Teatro umanistico, 1965 **48** G. POCHAT, Theater und bildende Kunst im MA und in der Ren. in It., 1990, 205–232 **49** C. Questa, Plauto diviso in atti prima di G. B. Pio, in: Rivista di cultura classica e medioevale 4, 1962, 672 f. **50** D. RADCLIFF-UMSTEAD, The birth of mod. comedy in Ren. Italy, 1969 **51** K. v. REINHARDSTOETTNER, Plautus. Spätere Bearbeitungen plautinischer Lustspiele. Ein Beitrag zur vergleichenden Litteraturgeschichte, Leipzig 1886 **52** V. RIEDEL, M. KUNZE, D. METZLER, Amphitryon. Ein griech. Motiv in der europ. Lit., 1993 **53** H. G. ROLOFF, Neulat. Drama, in: Reallex. der dt. Literaturgesch. 2, 1965, 645–678 **54** K. SALLMANN, Christen vor dem Theater, in: [13. 243–259] **55** W. SALZMANN, Molière und die lat. K. Ein Stil- und Strukturvergleich, 1969 **56** I. SANESI, Storia dei generi letterari italiani: La commedia, 2 Bde., ²1954 **57** A. SCHNEIDER, Le théâtre vu et jugé par les premiers chrétiens, in: [61. 81–101] **58** C. SCHNUSENBERG, Das Verhältnis von Kirche und Theater, 1981 **59** A. SITTEL, Jakob Michael Reinhold Lenz' produktive Rezeption von Plautus' Komödien, 1999 **60** G. SKOPNIK, Das Straßburger Schultheater, sein Spielplan und seine Bühne, 1935 **61** J. SÖRING, Le théâtre antique et sa réception, 1994 **62** A. STÄUBLE, La commedia umanistica del Quattrocento, 1968 **63** R. STILLERS, Drama und Dramentheorie der Ant. in der Poetik des it. Human., in: B. ZIMMERMANN (Hrsg.), Drama 1, 1992, 140–158 **64** F. VITALI, La Piovana di Ruzante e la Rudens di Plauto, in: Boll. del. Museo Civico di Padova 45, 1956 **65** W. WEISMANN, Kirche und Schauspiele, 1972.   JÜRGEN BLÄNSDORF

Lateinische Philologie s. Philologie

Lateinische Tragödie A. KAISERZEIT
B. MITTELALTER   C. RENAISSANCE
D. 17.–20. JAHRHUNDERT

A. KAISERZEIT

[1; 15. 1; 16; 22] Für die Aufführung bestimmte T. wurden in Rom bis Anfang des 1. Jh. v. Chr. verfaßt, doch die alten T. des Pacuvius, Ennius und Accius wurden mit stets wachsendem Ausstattungsluxus bis in die frühe Kaiserzeit hinein immer wieder aufgeführt. Die letzte neue T., deren Aufführung bezeugt ist, der *Thyestes* des P. Varius Rufus (29 v. Chr.), steht schon isoliert. Die Aufführung der nach Quintilian und Tacitus berühmtesten röm. T., der *Medea* Ovids, ist unsicher. Von einer Aufführung der T. Senecas und seiner Nachahmer (anon. *Hercules Oetaeus*, anon. *Octavia*), der einzigen erhaltenen röm. T., ist nichts bekannt. In der frühen Kaiserzeit wurde vielfach für die Rezitation vor größerem Hörerkreis geschrieben, auch als verschlüsselte polit.

Stellungnahme. Die Trad. junger Redner, Übers. griech. T. und eigene Dramen zur rhet. Schulung zu verfassen, erhielt sich von der späten Republik bis in das 2. Jh. n. Chr. Die *Medea* des Hosidius Geta (Ende 2. Jh.), eine Collage aus Hexameterstücken der *Aeneis* Vergils, war ebensowenig für die Bühne bestimmt (anders [26. 37f.]) wie die *Orestis tragoedia* des Blossius Aemilius Dracontius (Ende 5. Jh.), die in Wirklichkeit eine kleine epische Erzählung darstellt.

Die Bühnen der zahlreichen Theater It. und der westl. Prov. nahmen vielmehr seit augusteischer Zeit und bis zum Ende der röm. Kultur die Pantomimen ein, gesungene, getanzte und von reicher Orchestermusik begleitete Versionen älterer griech. und röm. T. und sonstiger mythischer Stoffe. Sie blieben jedoch sublit. und erreichten die Textüberlieferung nicht. Ihrer Wirkung konnten sich auch die Christen nicht entziehen, zumal sie sich sonst bes. Anfeindung aussetzten [25].

B. MITTELALTER

[5. 1; 6. 1; 15. 1; 17; 26] Die Vorstellung von der Gattung T. und ihrer szenischen Aufführung hatte sich genauso wie die der → Komödie schon lange vor Beginn des MA verloren, obwohl aus Senecas T., bes. aus den Chorliedern, direkt oder aus Florilegien moralische Sentenzen zitiert wurden; *Thyestes* und *Octavia* galten als polit. Lehrstücke. Den Elegiekomödien entspricht nur eine kleine Textgruppe von epischen T. wie der *Mathematicus* oder *Patricida* des Bernardus Silvestris, der – mit vielen Anachronismen – in der röm. Welt spielt, die *Versus de Affra et Flavio*, der anon. *Magister Renerus de Bruxella* und die *Orestis tragoedia* [5. 1, 109–127]. Im 12. Jh. ließ das Interesse nach. Die erste eingehende Beschäftigung mit Senecas T. beginnt mit dem zwischen 1308 und 1321 verfaßten Komm. des Mönches Nicolas Treveth (1260–1328), der den Text breit paraphrasierte, ohne die dramatische Handlung zu beachten [6. 1, 492–496].

C. RENAISSANCE

[4; 5. 2; 6. 2; 7; 8; 12; 15. 2; 17; 20; 21] Folgenreich war die Entdeckung des *Senecacodex Etruscus* im Kloster Pomposa durch Lovato de'Lovati (1241–1309). Der von ihm verfaßte Komm. zur Metrik Senecas ermöglichte es Mussato Mussati (1261–1329), die *Ecerinis* (1314), die erste neuzeitliche T., in Versen zu verfassen (in Dialog-Jamben und wechselnden lyr. Metra für die Chöre). Auch Mussato schrieb nur für die Rezitation, aber wie in der frühen röm. Kaiserzeit mit polit. Absicht: mit dem Tyrannen Ezzelino da Romano war der verhaßte Tyrann Can Grande della Scala gemeint. Von Seneca übernahm Mussato nur Sprache und Stil, aber weder Stoff noch Form, da beim Vorwiegen der Erzählung die Einheit von Ort und Zeit nicht eingehalten werden konnte.

Die Charakteristika des senecanischen Dramas: das Geschehen auf rein menschlicher Ebene, extreme Leidenschaften, Tyrannenthema, Greuel- und Rachetat, erhabener Stil und Sentenzhaftigkeit bestimmten weiterhin die starke Nachwirkung, auch als seit 1500 die

griech. T. und die *Poetik* des Aristoteles in Original und Übers. bekannt wurden. Petrarca, Boccaccio und Coluccio Salutati kannten Senecas T. und zitierten oft daraus (von Boccaccio bis ins 16. Jh. wurde Seneca tragicus für einen Sohn oder Bruder des Seneca moralis gehalten). Aber erst 1390 wagte Antonio Loschi (1365–1441) wieder eine Seneca-Nachahmung: der Stoff des ganz im ant. Kolorit gehaltenen *Achilles (prototragoedia)* ist dem Trojaroman des Dares entnommen. Auch die erfolgreiche *Progne* (1429) des Gregorio Corraro/Correr folgte dem Stil und einzelnen Motiven Senecas, aber ihr Stoff stammt aus Ovids *Metamorphosen*, der wiederum die Einhaltung der dramatischen Einheiten unmöglich machte. Die histor. T. führte Leonardo Dati (1408–1472) mit *Hiempsal* (nach Sallust, *Bellum Iugurthinum*) ein; die Moralisierung der Geschichte, bes. im fünften Akt, zeigt jedoch noch die Verbindung zur ma. Literatur. C. (und M.) Verardi führten mit der *Historia Baetica* (1492, über die Eroberung Granadas) und dem *Fernandus Servatus* (1493) die *tragicomoedia* als ernstes Schauspiel mit gutem Ausgang ein [11. 63ff.]. Gleichzeitig begann mit Angelo Polizianos in Reimversen gehaltenem *Orfeo* (1472) die T.-Dichtung in it. Sprache, die sich bald von den ant. Vorbildern löste. Anders als die in große Festlichkeiten integrierten Komödien wurden T.-Aufführungen überwiegend von → Akademien u. ä. getragen und mit nur geringem Aufwand inszeniert.

Grundlage der starken Wirkung Senecas im 16. Jh. [14; 17] waren Übers. ins It. (*Agamemnon* durch Ev. Fossa 1497, Gesamtübers. durch Lodovico Dolce 1560) und ins Französische (der Erstdruck des Andrea Gallicus in Ferrara 1484 und Paris 1491), Komm. (Lyon 1491, Antonio del Rio, Antwerpen 1593) und Aufführungen in lat. Sprache. Kardinal Riario ließ Senecas »Hippolytos« (*Phaedra*) 1492 in Rom und 1509 in Ferrara aufführen. Thomas Inghirami, Schüler des Pomponius Laetus und Regisseur der Aufführungen auf dem Kapitol 1513, erhielt als erster Darsteller der *Phaedra* 1492 seinen Rollennamen als ständigen Beinamen. Die erste it. T. im senecanischen Stil war *Filostrato e Panfila* (1499) von Antonio Cammelli (gen. Il Pistoia, 1436–1502), eine Liebes-T. aus Boccaccios *Decamerone*, in deren Prolog Seneca aus der Unterwelt auftritt. Die Seneca-Nachwirkung in it. Sprache verband sich in Giangiorgio Trissinos (1478–1550) *Sofonisba* (1515) mit der des Euripides; der Stoff stammt aus Liv. 30,12–15. Giambattista Giraldi Cintio, der eine Theorie der *tragicomoedia* entwickelte [11. 67–73] und nach Senecas Vorbild neun T. verfaßte, deren Stoff er allerdings den eigenen Novellen entnahm, übertraf die Grausamkeit der senecanischen Rache-T. Die erfolgreiche T. *Orbecche* (1541, nach Seneca, *Thyestes*) war die erste neoklass. T. der it. Literatur. In seinem *Discorso intorno al comporre delle commedie e delle tragedie* (1543) stellte er Seneca wegen seiner Weisheit und seines würdevollen Stiles über alle griech. Tragiker. Lodovico Dolce (1508–1568) dichtete den *Tyeste* (1543) nach Seneca, die *Troiane* nach Seneca und Euripides, weitere T. nach Sophokles und Euripides. Bezeichnend

Abb. 1: Das Teatro Olimpico in Vicenza, Mittelportal der Bühnenwand

ist seine *Medea* nach Euripides, aber im Stil Senecas. So blieb Seneca tatsächliches Vorbild, obwohl die griech. T. künstlerisch höher bewertet wurden. Aber noch J. C. Scaliger betrachtete in seiner *Poetik* Seneca als gleichwertig mit den griech. Tragikern (Abb. 1).

In → Frankreich begann die Wiederentdeckung der T. erst 1540 und reichte bis in den Anfang des 17. Jh. Der aus England geflohene George Buchanan (1506–1582) führte 1540–1543 in Bordeaux mit Schülern des Collège Guyenne seine lat. Bibeldramen im Stil Senecas auf (*Baptistes, Jephtes*) und übersetzte die *Alkestis* des Euripides in lat. Verse. Sein Nachfolger Marc-Antoine Muret (1526–1585) führte dort 1547 seine 1544 verfaßte lat. T. *Iulius Caesar* auf, das erste Historiendrama der frz. Lit., in der er Seneca nur in Sprache und dramatischer Form folgte, jedoch die Affekte trotz des Tyrannenmordthemas dämpfte und die Bewertung des Tyrannenmords offenließ.

Ab 1548 wurde in Paris das Hôtel de Bourgogne als Theater eingerichtet, jedoch mit dem Verbot der bisher sehr beliebten *mystères*. Mit der Bevorzugung der auf ant. Vorbildern beruhenden T. konnte sich das Publikum lange nicht anfreunden. So blieben die T. in der Trägerschaft der Akademien und wurden wie in → Italien gewöhnlich mit geringem Aufwand inszeniert. Auch die frz. T. aller Sparten – das myth., das Bibel- und das Historiendrama – entwickelten den Stil der senecanischen T. weiter: die Themen von Verbrechen, Rache,

Schicksal und Sturz der Mächtigen wurden mit erhöhtem Aufwand an Rhet. und Betonung von Leidenschaft und Greueltat zum Hauptgegenstand. In der dramatischen Wahrscheinlichkeit und der Einhaltung der Einheiten von Handlung, Ort und Zeit suchte man das röm. Vorbild zu übertreffen; aus diesem Grunde wurden auch nach und nach die Chorlieder in Sprechverse umgewandelt oder ganz fortgelassen. Étienne Jodelle (1532–1573) vollendete in seiner *Cléopâtre captive* (1552, nach Plutarch), der ersten frz. T., und seiner *Didon sacrifiant* (1553, nach Vergil, *Aeneis*) die neue Gattung soweit, daß die lat. T. keine Chancen mehr hatte. Jean de la Péruse (1529–1554) brachte seine *Médée* (1553) auf die doppelte Länge des senecanischen Stückes. Jacques Grévin (1538–1570) gestaltete den *Iulius Caesar* des Muret 1561 in gereimten Alexandrinern und unter Beachtung der dramatischen Einheiten in straffer Abfolge der Handlung und mit eindeutiger Parteinahme für den Titelhelden, wie dann auch Shakespeare. Robert Garnier (1540–1590), der die psychologische Gestaltung der Rollen, bes. der Frauenrollen, entwickelte, suchte in seinen häufiger gelesenen als gespielten Dramen auf das polit. und rel. Denken seiner Zeit einzuwirken. Pierre Mousson (1559–1637) gestaltete Stoffe der ant. Geschichte (*Pompeius Magnus, Croesus Liberatus*) [23; 23a].

In → Deutschland [24] fanden Senecas T. durch die Ausgabe des Conrad Celtis (Leipzig 1487), der in Leipzig Vorlesungen über Seneca hielt, und die Ausgaben des Erasmus bei Aldus Manutius 1508 und in Paris 1514 und 1534 weitere Verbreitung, aber eine noch schwache Nachwirkung, in der einerseits die histor.-polit., andererseits die moralischen Elemente wirkten. Melanchthon bewertete die Seneca-Lektüre als gleichwertig der der griech. Tragiker [10]. Als erster versuchte Jacob Locher Philomusus (1471–1528) nach dem Vorbild von Carlo Verardis *Historia Baetica* zwei Historienschauspiele: die *Historia de rege Franciae* (1495) ist ein dramatisierter Bericht über den Kampf Karls VIII. um Neapel, die *Tragoedia de Turcis et Suldano* (1497) stellt die Bedrohung der Christenheit durch die Türken nach dem Fall → Konstantinopels dar; die fünf Prosa-Akte sind durch Chorlieder gegliedert. Sein 1502 in Ingolstadt aufgeführtes *Spectaculum de Iudicio Paridis* ist ein moralisches Allegorienspiel nach ma. Trad., die auch weiterhin fortlebte. Ebenfalls mit moralisierender Absicht führte 1512 Sebastian Brant in der Münsterschule von Straßburg (gegr. 1508) den antikisierenden *Hercules in bivio* (verloren) auf. H. Schottenius Hessus behandelte in den 28 Szenen des *Ludus Martius sive Bellicus* (1525) den dt. Bauernkrieg, jedoch in antikisierender Form. Doch der stärkere Einfluß Senecas auf das dt. Drama begann erst im → Barock.

In den → Niederlanden, wo Senecas T. durch die Ausgabe des Erasmus und die des Justus Lipsius (Leiden 1536) bekannt waren und durch Schüler und Studenten oft gespielt wurden, waren nach den eigenen Kriegserfahrungen bes. *Troades* und *Phaedra* als die Dramen unschuldig leidender und standhafter Helden beliebt. Das

Theater wurde als moralische Anstalt verstanden und verbreitete die Ideen des → Neustoizismus. 1593 dichtete Adrianus Roulerius im Stile Senecas die erste Maria Stuart-Tragödie, ein Historiendrama mit dem Ziel, die hingerichtete schottische Königin zur Heiligen zu verklären.

Auch in England waren Seneca-Aufführungen an den Univ. üblich; in Cambridge wurde 1551 die *Troas* (sic!) aufgeführt. Übers. begannen wieder ab 1559 zu erscheinen; T. Newton übersetzte 1581 das gesamte Corpus. Die Reihe der T. im senecanischen Stil eröffnete *Gorboduc or Ferrex and Porrex* (1562) von Thomas Sackville (1536–1608) und Thomas Norton (1532–1583), ein Lehrstück über den Thronstreit zweier feindlicher Brüder, das genau der Form der senecanischen T. folgt und stofflich viel dem *Thyestes* verdankt. Die von der gleichen Vorlage geprägte *Spanish tragedy* (1587) von Thomas Kyd (1558–1594) führte die blutige Rachetragödie in die engl. Dramatik ein. Über das it. Drama und Kyd wirkte Seneca auch auf die Dramen Shakespeares.

Im → Spanien des 16. Jh. haben die T. Senecas trotz einer bes. frühen Übers. ins Katalanische (Prosa-Übers. von M. A. Vilaragut, Ende 14. Jh.) infolge des Fehlens einer älteren Schauspieltrad. den geringsten Einfluß ausgeübt. Von It. wurden die Tyrannen- und Horror-Dramen vermittelt.

D. 17.–20. JAHRHUNDERT

Im 17. Jh. kam die klass. frz. T. zu ihrer Vollendung. Der Einfluß Senecas ist noch in den T. Corneilles offensichtlich, während sich Racine bewußt von ihm abkehrte und sich ihm nur in *Phèdre* nicht ganz entziehen konnte. Daniel Heinsius (1580–1655), der mit dem patriotischen Schauspiel *Auriacus sive libertas saucia*, 1602 auch als Dramatiker hervorgetreten war, formulierte das vom Neustoizismus geprägte Tragödienverständnis der niederländischen Dichter in *De tragoediae constitutione* (1617); er beeinflußte auch die dt. Entwicklung. Pieter Cornelszoon Hooft (1581–1647) dichtete ab 1597 in niederländischer Sprache T. in der Manier Senecas mit ant. und patriotischen Stoffen, führte aber das Wirken übernatürlicher Kräfte ein und wählte einen guten statt eines tragischen Ausganges. Weil diese versöhnliche Form der Tragik geringeren Publikumserfolg hatte, kehrte Joost von den Vondel (1587–1679) zur Schauer-T. zurück.

Die spanischen Dramatiker des 17. Jh. folgten wenig selbständig dem verbreiteten Schicksals-, Tyrannen- und Rachedrama. Im ganzen blieb es so, daß die span. Lit. mehr am Philosophen als am Tragiker Seneca interessiert war. In Deutschland bereiteten erst die polit. Zustände des 17. Jh., die Ausbreitung des Neustoizismus und die Entwicklung der Barocklit. den Boden für die Annäherung an Seneca vor. Während zu Sturms Zeiten in Straßburg v. a. Terenz aufgeführt worden war, ging das Theatrum Argentoratense ab 1581 zu neulat. Dramen im Stil Senecas über und suchte Stücke, die nach den Regeln des Aristoteles und des Horaz gebaut waren. Ihr Zweck war nicht mehr Belehrung, sondern Unter-

haltung, weshalb auch großer Ausstattungsaufwand getrieben wurde. Der beste Vertreter war Caspar Brülow (1585–1627), der ant. und biblische Stoffe in detailreichen Szenen gestaltete. Senecas strenge Form und die zeitgemäßen Themen des Kampfes um die Macht, das Pathos von Leid und Tod und die Bewährung der *constantia* veranlaßten Martin Opitz, seinem *Buch von der deutschen Poeterey* (1624) als Muster eine Übers. der *Troades* Senecas folgen zu lassen. In den T. des Andreas Gryphius (1616–1664) ist Seneca nur als eines unter anderen Vorbildern zu nennen. Näher zu Seneca stehen die Schauerdramen Daniel Caspers von Lohenstein (1635–1683), wenn auch mehr im Stil als im Weltbild, das dem blinden Schicksal einen stoischen und christl. Heroismus entgegensetzt. Einige seiner T. beruhen auf ant. Stoffen. Im *Agrippa* und in der *Epicharis* (beide 1665) läßt er nach dem Vorbild der ps.-senecanischen *Octavia* Seneca selbst auftreten. Lohenstein war der letzte Dramatiker, der einen tragischen Chor verwendete.

Das Jesuitendrama (und das Drama anderer Orden wie der Benediktiner), das bes. in Deutschland blühte, behandelte Bibelstoffe und allegorische Themen, teilweise auch in humorvoller Weise. Es zog durch prunkvolle Inszenierungen und reiche Musikbegleitung in Kirchen und an Fürstenhöfen viele Zuschauer an; die Nähe zur → Oper ist offenkundig. Jacob Bidermanns (1578–1639) Stücke wie *Belisar* (1607), *Joseph* (1615, doch erst 1666 veröff.) und Jacob Baldes *Jephtias* (1637) waren in München erfolgreich. Unter den produktiven Wiener Dramatikern ragt Jakob Masen (1606–1681) hervor, der das Ordensdrama den aristotelischen Forderungen unterwarf; in Salzburg und Kremsmünster wirkte Simon Rettenpacher (1634–1706) als Dramatiker und Komponist.

In der dt. Vorklassik begann Senecas Ruhm zu schwinden. G. E. Lessing nahm nach dem vorübergehenden Versuch einer Rettung dieser Dramen in seiner Frühschrift *Von den lateinischen Trauerspielen, welche unter dem Namen des Seneca bekannt sind* (1754), worin er sich auf *Hercules furens* und *Thyestes* bezieht, unter dem Postulat der Natürlichkeit, Menschlichkeit und glaubwürdiger Charakterzeichnung Abstand von ihm. Durch A. W. Schlegel erfuhr Seneca die endgültige Abwertung. Doch fühlte sich F. M. Klinger (1752–1831) vom senecanischen Pathos (*Hercules*) ergriffen, Grillparzer machte in der *Medea* seiner Argonautentrilogie (1822) einige Anleihen, deutete aber Medea anders als Seneca v. a. als Leidende. Im 18. Jh. kehrte Vittorio Alfieri (1749–1803) zu Senecas Dramen zurück, um sich vom Einfluß der frz. T. zu befreien. Doch nach Gabriele D'Annunzio endete der Einfluß.

Im 20. Jh. erhob Antonin Artaud (1896–1948) in einem Manifest (1932) Seneca zum Vorbild eines »Théâtre de la cruauté«, fand aber nicht zu entsprechenden dramatischen Schöpfungen. Jean Anouilh deutete die Gestalt der Medea so grundlegend im Sinne selbstbewußter Weiblichkeit um, daß die Vorlage – Euripides oder Seneca – nicht mehr eindeutig zu bestimmen ist (*Médée*,

1946, aufgeführt 1953). Wiederaufführungen Senecas in Übers. oder Original gehören zu den Raritäten in Theater und Universität. Peter Hacks verfaßte die Tragödie *Senecas Tod* (veröff. 1978) in jambischen Senaren als Umsetzung seiner Ethik und seiner moralischen Bewältigung des Todes.

→ Lateinische Komödie; Theater; Tragödie
→ AWI Accius; Aristoteles; Dares; Dracontius; Ennius; Euripides; Hosidius Geta; Ovid; Pacuvius; Pantomimen; Quintilian; Seneca; Tacitus; Theater; Tragödie; P. Varius Rufus

QU **1** A. KLOTZ, Scaenicorum Romanorum fragmenta I: Tragicorum fragmenta, 1953

LIT **2** G. BINDER, B. EFFE (Hrsg.), Das ant. Theater. Aspekte seiner Gesch., Rezeption und Aktualität, Bochumer Altertumswiss. Colloquium 33, 1998 **3** L. BRADNER, The Latin drama of the Ren. (1314–1650), in: Stud. in the Ren. 4, 1957, 31 ff. **4** A. BUCK, Die Rezeption der Ant. in den romanischen Literaturen der Ren., 1976 **5** W. CLOETTA, Beiträge zur Literaturgesch. des MA und der Ren., 2 Bde., Halle 1890–1892 **6** W. CREIZENACH, Gesch. des neueren Dramas I, 1911 **7** G. COHEN, Études d'histoire du théâtre en France au Moyen-Age et à la Ren., 1956 **8** F. DOGLIO, La rinascita della tragedia nell'Italia dell'Umanesimo, Atti del IV Convegno di Studio, 1980 **9** Enciclopedia dello spettacolo, sotto auspici della fondazione Giorgio Cini, 9 Bde., 1954–1962 (Aggiornamento 1955–1965, 1966; Indice, Repertorio: 1968) **10** D. E. R. GEORGE, Dt. Tragödientheorien vom MA bis zu Lessing, 1972 **11** M. T. HERRICK, Tragicomedy. Its origin and development in Italy, France and England, in: Illinois Stud. in Language and Literature 39, 1955 **12** Ders., Italian tragedy in the Ren., 1965 – **13** J. IJSEWIJN, D. SACRÉ, Companion to Neo-Latin Studies 2, Suppl. Humanistica Lovaniensia 14, ²1998, 139–164 **14** J. JACQUOT, Les tragédies de Sénèque et le théâtre de la Ren., 1964 **15** H. KINDERMANN, Theatergeschichte Europas, I. Das Theater der Ant. und des MA; II. Das Theater der Ren., 1957/59 **16** E. LEFÈVRE (Hrsg.), Das röm. Drama, 1978 **17** Ders. (Hrsg.), Der Einfluß Senecas auf das europ. Drama, 1978 **18** V. PANDOLFI, Storia universale del teatro drammatico, 2 Bde., 1964 **19** M. PASTORE STOCCHI, Un chapitre d'histoire littéraire aux XIVe et XVe siècles: Seneca poeta tragicus, in: [14. 11–36] **20** A. PEROSA, Teatro umanistico, 1965 **21** G. POCHAT, Theater und bildende Kunst im MA und in der Ren. in It., 1990 **22** O. RIBBECK, Die röm. T. (Leipzig 1875), 1968 **23** R. RIEKS, Drei lat. Tragiker des Grand Siècle, SB BAW 1989, 3 **23a** P. MOUSSON, Tragoediae, eingeleitet und hrsg. v. R. RIEKS, 2000 **24** H. G. ROLOFF, s. v. Neulat. Drama, Reallex. der dt. Literaturgesch. 2, 645–678 **25** K. SALLMANN, Christen vor dem Theater, in: J. BLÄNSDORF (Hrsg.), Theater und Ges. im Imperium Romanum 1990, 243–259 **26** P. L. SCHMIDT, Rezeption und Überlieferung der T. Senecas bis zum Ausgang des MA, in: [17. 12–73] **27** W. STROH, B. BREITENBERGER, Inszenierung Senecas, in: A. BIERL et al. (Hrsg.), FS H. Flashar, 1994, 248 ff.

JÜRGEN BLÄNSDORF

Lateinschule   A. BEGRIFF
B. TYPOLOGISCHE CHRONOLOGIE

A. BEGRIFF

Der Begriff L. ist vom Referenzgegenstand aus nicht eindeutig geklärt. Zum einen können damit jene im 12. und 13. Jh. auf Initiative der Städte entstandenen Schulen bezeichnet werden, die im Gegensatz zu den kirchlich fixierten Institutionen der Dom- und Klosterschulen die Vermittlung der lat. Sprache primär um der ökonomischen und polit. Kommunikation willen pflegten. Systematisch betrachtet, kann jedoch zum anderen danach gefragt werden, in welchen institutionellen Ausprägungen von Schule das Latein eine entscheidende Rolle gespielt hat. Dies führt zu sehr unterschiedlichen Bed. des Begriffs L.

B. TYPOLOGISCHE CHRONOLOGIE

Histor. lassen sich zumindest sieben Varianten erkennen, mit denen der lat. Sprache eine leitende Funktion im Kontext schulischen Unterrichtens zugeschrieben wurde, so daß die jeweilige Institution der Sache nach mit Recht als »L.« bezeichnet werden kann.

Der erste und grundlegende Wandlungsprozeß hin zur L. vollzog sich im Zeitraum des Hell., insofern hier Lat. als die leitende, über Unterricht zu vermittelnde Kultursprache erst schrittweise gegen die zuvor herrschende Dominanz des Griech. durchgesetzt werden mußte. Die Tatsache, daß Lat. und nicht mehr das Griech. als sprachlich-kultureller Standard für die Erfassung polit., rel. und philos. Sachverhalte im Rahmen schulischen Lehrens und Lernens Geltung beanspruchen konnte, setzte einen weitreichenden Wandel der Herrschaftssphären im Mittelmeerraum voraus. Die gramm. und rhet. Sprachschulung in Lat., wie sie schließlich exemplarisch von Quintilian zum pädagogischen Programm erhoben wurde, verknüpfte dabei das Ziel der Sprachbeherrschung mit dem ethischen Ideal einer den Sachverhalten gegenüber verantwortlichen Rede.

Zweitens hatte das Lat. seit dem 4. Jh. eine durch rel. Inhalte veränderte Funktion im Lehren und Lernen institutionell durch das Kloster als Schule der Heiligung erfahren. Hier war Lat. als Sprache des weström. Christentums ein Instrument, um die Lektüre der biblischen Überlieferung und v. a. der Klosterregel als fromme Übung durchführen zu können. Das zuvor geltende Ideal der rhet. Sprachbeherrschung wurde abgelöst durch ein weitgehend instrumentelles Verständnis der Sprache, deren äußere Gestalt nun den Inhalten untergeordnet wurde.

Eine reichsintegrierend-polit. Funktion hatte das Unterrichten des Lat. drittens im Prozeß der Verchristlichung des gesellschaftlichen Lebens bereits seit dem 5. Jh. erhalten. Verflochten in die zunehmende Bed. eines theologischen und kirchenleitenden Primatsanspruchs des Bischofs von Rom, hatte das Lat. im Kontext des weström. Reiches als ein nunmehr kirchlich fundiertes Symbol der Einheit von ansonsten verschiedenen gesellschaftlichen und ethnischen Gruppen gedient, ohne daß dies zunächst zu einer Etablierung weiterer neuer pädagogischer Institutionen neben dem Kloster als Schule geführt hätte. Dies änderte sich im 7. und 8. Jh. unter dem Einfluß der irofränkischen Mission und v. a. im Herrschaftszeitraum Karls des Großen. Hier wurden nun in verschiedenen institutionellen Gestalten der L. Formen unterrichtlicher Sprachpflege um der Kulturtradierung willen eingefordert – in spezifischen Dom- und Klosterschulen, aber auch in unmittelbarer Nähe des Herrschers selbst an der sog. Palastschule Karls des Großen. Lat. erhielt hier explizit die Funktion, die kulturelle Vielfalt Westeuropas durch eine gemeinsame Kunst- bzw. Fremdsprache zu integrieren. Dies galt für den Bereich der Glaubenslehre ebenso wie für Rechtssatzungen und polit. Erlasse. Diese Integrationsfunktion des Lat., kanonisiert im Trivium der *septem artes* (→ Artes liberales), dominierte das gesamte MA und die frühe Neuzeit.

Die in städtischen Trägerschaften entstehenden L. des 12. und 13. Jh. modifizierten jedoch viertens ebenso wie die aufkommenden Univ. die inhaltliche Ausrichtung der Integrationsfunktion des Lateinischen. Für die städtischen L. rückten im Horizont weitergehender wirtschaftlicher Möglichkeiten und Verpflichtungen ökonomische und diplomatische Bildungsinteressen in den Vordergrund, die u. a. über den Erwerb lat. Sprachkompetenz in Lesen und Schreiben befriedigt werden sollten. Gleichzeitig etablierte sich das Lat. im Kontext der Univ. v. a. als leitende Wissenschaftssprache der Philosophie. Beide Akzentverschiebungen hinsichtlich der schulischen Funktion des Lat. dokumentierten eine Abwendung von primär theologisch legitimierten Verwendungszusammenhängen.

Eine Neubewertung der schulischen Vermittlung erfuhr Lat. fünftens in der it. → Renaissance des 14. und 15. Jh. Hier ging es um die Pflege des »klass.« Lat., mit der zum einen die Sprachveränderungen des MA als Irrweg abqualifiziert und zum anderen die Blütezeit des ant. Rom als polit. Ideal nationaler Identität etabliert werden sollten. Das unterrichtlich inszenierte Lehren und Lernen des (klass.) Latein hatte demnach v. a. auch eine identitätsstiftende Funktion.

Hiervon unterschieden werden muß sechstens die anders akzentuierte Intention, mit der der europ. Humanismus um Erasmus und Melanchthon die schulische Pflege des Lat. zu begründen suchte. Nicht nationale Identitätsstiftung am Vorbild des »wahren Rom«, sondern die Suche nach dem idealen Maß des Menschen unter der Maßgabe *ad fontes* kennzeichnete hier das gemeinsame Interesse an der lat. Sprache im Kontext der Schule. Lat. blieb selbst im Zusammenhang der reformatorischen Anliegen Luthers die wiss. begründete Gebildetensprache, die trotz Hebräisch und Griech. als Sprachen der Bibel das Zentrum schulischen Unterrichtens bilden sollte. Lat. Sprachkompetenz wurde hier v. a. als Grundlage theologischen Urteilsvermögens verstanden.

Eine siebte Bedeutungsvariante schließlich erhielt die durch Lat. charakterisierte Schule durch eine doppelte Entwicklung der frühen Neuzeit, die schließlich im 19. Jh. zu den Konturen des human. Gymnasiums (→ Humanistisches Gymnasium) führte. V. a. im 18. Jh. wurde zum einen im Hinblick auf die wachsende polit. Bed. der Regional- bzw. Nationalsprachen und zum anderen im Hinblick auf die naturwiss. Realien eine wirklichkeitsanpassende Veränderung des schulischen Lehrplans eingefordert. In diesem Zusammenhang mußte der Sinn und Nutzen des Lat. neu begründet werden. Dies geschah durch den Hinweis auf den pädagogischen Effekt einer »Gymnastik des Geistes«: nicht mehr »nur« das Idealbild des Menschlichen sollte in der lat. (und griech.) Überlieferung gefunden werden, sondern zugleich auch das effektivste Mittel zur sog. formalen Bildung sprachlogischen Denkens. Die Begründung der L. mündete nach 1800 z. B. bei Wilhelm von Humboldt in der These, daß der Pflege des Lat. an sich eine grundlegende Bed. für die allg. menschliche Urteilsfähigkeit zukomme. Trotz des in der Folgezeit in einem Zweig des Gymnasiums bis h. zwar beibehaltenen, jedoch auch immer heftiger umstrittenen Lateinunterrichts hat (spätestens) im Laufe des 20. Jh. das Lat. seine normsetzende Funktion für das Verständnis von Schule verloren. »L.« ist insofern eine histor. Kennzeichnung, bei der jedoch auf dem Hintergrund von Überlegungen, in welcher Form und mit welcher Intention Lat. den Rahmen und Maßstab schulischen Unterrichtens dargestellt hat, die Vielfalt der Bedeutungsgehalte berücksichtigt werden muß.

→ Domschule; Klosterschule

→ AWI Quintilian

1 F. BLÄTTNER, Das Gymnasium, 1960 2 E. R. CURTIUS, Europ. Lit. und lat. MA, ²1954 3 J. DOLCH, Lehrplan des Abendlandes, 1962 4 H. MARROU, Histoire de l'éducation dans l'antiquité, 1948 5 F. PAULSEN, Gesch. des gelehrten Unterrichts, 2 Bde., Berlin ²1896/1897. RALF KOERRENZ

Laudatio funebris s. Leichenrede

Lebendiges Latein

A. BEGRIFF DES LEBENDIGEN LATEIN
B. TRADITIONELLERE FORMEN
C. NEUANSÄTZE D. AUSBLICK

A. BEGRIFF DES LEBENDIGEN LATEIN

Latein, seit etwa 2000 J. in linguistischer Hinsicht gestorben, d. h. ohne eigentliche Entwicklung jedenfalls in Morphologie und Syntax, hört dennoch erst gegen E. des 17. Jh. auf, führende Sprache der europ. Lit. zu sein [19 Bd. I.471 f., 607]; seit dieser Zeit wird es, wenn auch nicht unwidersprochen, gelegentlich als »tot« bezeichnet [30. 199; 28. 272]. Obwohl es im Laufe des 18. Jh. auch seinen Status als internationale Sprache der Diplomatie, des Tourismus [3] und weithin auch der Wiss. [15. Bd. II. 258 f.; 16. 51–53; 30. 110 ff.] einbüßt – eine Folge des neuzeitlichen Nationalismus – wird es im Lateinunterricht des neuhuman. Gymnasiums, den man damals erst durch die bis h. herrschende Theorie der »formalen Bildung« [19 Bd. II. 84ff., 210ff.], d.h. als »gymnastique mentale« [30. 223ff.], rechtfertigt, zunächst weiterhin aktiv gesprochen und geschrieben [17. 94ff., 173ff.], bis hin zu Versübungen [6. 335–353]. In Preußen wird etwa erst mit der Schulreform von 1890/92 der lat. Aufsatz abgeschafft [17. 199] (vgl. für Frankreich [30. 167]). Seitdem geht auch im Sprachunterricht das Übersetzen ins Lat. sukzessive zurück; selbst die Stilübungen an der dt. Univ. behaupten sich (seit etwa 1970) nicht unangefochten. Die Fähigkeit des *Latine loqui et scribere* gilt seit dem Ersten Weltkrieg wohl nirgendwo mehr als um ihrer selbst willen angestrebtes Lernziel [9. 56ff.]. Schließlich fällt in jüngster Zeit auch in der katholischen Kirche das praktizierte Lat. einem »aggiornamento« zum Opfer; bekanntlich verdrängen seit der entsprechenden *Constitutio* des 2. Vaticanum (1963) die Nationalsprachen in der Messe das Lat. [15 Bd. I.43f.; 30. 89–96; 9. 66]. Wo nun, gegen diesen Zug der allg. Entwicklung, seit E. des 19. Jh., auch durch Lateiner außerhalb von Schule, Univ. und Kirche, die Sprache Ciceros und Vergils praktisch geübt und kultiviert, ja als (oft internationales) Kommunikationsmittel genutzt und dabei bes. auch gesprochen wird, bezeichnet man dies (mit einer vielleicht zuerst 1924 von dem Lateinsprechen fordernden Pädagogen Georg Rosenthal [21; 9. 53ff.] gebrauchten Fügung) gerne als »L. L.« (seit dem Kongreß von Avignon 1956 häufig auch als »latin vivant«, daneben »living Latin« und bes. *Latinitas viva*). Grundsätzlich kann dabei zwar zw. traditionell überkommenen Erscheinungsformen, wie etwa lat. Ehrenurkunden, und reformerischen Neuansätzen, wie lat. Rundfunknachrichten, unterschieden werden (danach ist im folgenden versuchsweise gegliedert), doch entziehen sich die einzelnen Phänomene und Personen naturgemäß oft der eindeutigen Zuordnung. Gemeinsam ist allen Bestrebungen die Faszination durch eine, eben weil sie tot ist, unsterbliche Sprache: Sie ermöglicht es, wie global über die Räume, so bes. auch diachron über die Zeiten hinweg zu kommunizieren. Je deutlicher diese Absicht gefühlt wird, um so stärker muß auch der sprachlich-stilistische Anspruch sein.

B. TRADITIONELLERE FORMEN

1. KIRCHE

Leo XIII. (1878–1903), auch als Dichter hervorgetreten, war wohl der letzte voll sprachmächtige Lateiner unter den Päpsten (Proben bei [1. 7–25]). Die stets in Lat., dem *imperialis sermo* (Pius XII.), abgefaßten Papst-Enzykliken, ein Teil der *Acta Apostolicae Sedis*, bieten aber noch fast bis zum Tod des Vatikanlateiners und päpstlichen »Ghostwriters« Kardinal Antonio Bacci (1971) eine stilistisch genußreiche Lektüre; seitdem verflacht das sich den Fügungen der mod. Sprachen anpassende Lat., obwohl Paul VI. 1964 ein *Institutum Altioris Latinitatis* eingerichtet hat [30. 97, 156]. Baccis Nachfolger, Abt Carl Egger, als Didaktiker weniger glücklich, machte sich als Hrsg. der Zeitschrift *Latinitas* und

verschiedener Lexika (vgl. unten) verdient. Die Proteste gegen den Verlust der lat. Messe, nicht nur bei dem bekannten Schismatiker Lefebvre (vgl. etwa [14. 55ff.]), blieben ohne große Resonanz; doch sind zwei der einflußreichsten praktizierenden Neulateiner, Eichenseer und Foster (s.u.) [26], Ordensmitglieder.

2. WISSENSCHAFT – UNIVERSITÄT

Lat. als Wiss.-Sprache ist auch im 19. Jh. noch nicht völlig ausgestorben [16. 53f.]: So schreibt etwa der Mathematiker Gauß Lat. und noch ein Pionier der mod. Soziologie, E. Durkheim, in seiner Dissertation von 1892 [15 Bd. II. 313]; noch im J. 1979 erscheinen zwei fachwiss. Aufsätze zur Mathematik in Lat. [15 Bd. II. 327]. Bis in die Zeit nach dem Zweiten Weltkrieg werden im Bereich der Theologie, immerhin bis zum E. des Ersten Weltkriegs in dem der Klass. Philol., lat. Dissertationen verfaßt (mit Ausläufern bis in neuere Zeit, etwa einer Dissertation des bekannten Gräzisten Rudolf Kassel, Würzburg 1954; vgl. [15 Bd. II. 268]); bes. osteurop. philol. Zeitschriften publizieren gerne lateinsprachige Artikel. International gebräuchlich bleiben lat. Ehrendoktordiplome, oft nicht ohne stilistischen Anspruch [8]; die Universitäten Oxford und Cambridge würdigen ihre Ehrendoktoren alljährlich in brillant witzigen, vom jeweiligen lat. Orator vorgetragenen Ansprachen (die veröffentlicht und auch in Buchform gesammelt werden). Die *praefationes* zu griech. und lat. Textausgaben und Fragmentsammlungen wiss. Anspruchs sind in der Regel auch h. lat. abgefaßt (Ausnahme jetzt: der Oxford-Sophokles von H. Lloyd-Jones und N. G. Wilson, 1990; gegen Lat. in epigraphischen Publikationen: R. Merkelbach, ZPE 122, 1998, 294f.), gelegentlich auch Kommentare (wie, bes. adrett stilisiert, W. Bühler, *Zenobii Athoi proverbia*, 1987ff.), v. a. in den Niederlanden; mehrsprachig sind die *Praemonenda* (1990) zum ThlL (1900ff.), der sonst Lat. nur durch Lat. erklärt. (Wünschenswert wären einfache schulpraktische Lexika dieser Art.) Als Unterrichtssprache diente Latein an österreichischen Univ. noch bis in die 60er J. für philol. Seminare; h. sind auch lat. Vorlesungen im akad. Bereich (wie etwa an der Univ. Szeged seit 1993 durch dt. Gastdozenten) eine Rarität (zu *Colloquia Latina* s.u.); selbst auf Kongressen neulat. Philologen dominieren die Nationalsprachen fast völlig. Immerhin erschien 1999 wieder eine wiss. seriöse lat. Festschrift (*Vivida loquela*, für K. Sallmann). Und möglich bleibt, daß sich zumindest die internationale Klass. Philol. in Zukunft wieder auf ihr natürliches Verständigungsmittel besinnt, um ohne lächerlichen Nationalismus der bes. für die Geisteswiss. bedenklichen Vorherrschaft des Englischen zu wehren.

3. ROMANE – MUSIK

Die bedeutenden Leistungen origineller lat. Sprachkunst auch noch im 19. und 20. Jh. [4; 15.; 5] müssen hier übergangen werden, da sie üblicherweise zur Neulat. Lit. gerechnet werden. Geringeren Rangs sind die seit dem merkwürdigen Welterfolg von *Winnie ille Pu* (*Winnie the Pooh*, übers. von A. Lenard, 1960) vielfach gedeihenden, mehr oder minder gelungenen Lateinübers. nationalsprachiger Romane, Märchen, Novellen usw., die immerhin an den Erfolg des lat. Robinson (von Ph.J. Lieberkühn) im 18. Jh. anschließen können. Durchaus witzig sind die lat. Asterix-Versionen des Rubricastellanus seit 1976 (vgl. im übrigen zu der überreichen Produktion auf diesem Gebiet den Art. → Comics); überragend die *Kalevala Latina* von T. Pekkanen (zuerst 1986), die, wie auch die meisten Lateinübers. des 15.–18. Jh., dazu bestimmt ist, das Originalwerk international zu verbreiten. Nicht ohne lit. Anspruch sind auch die originallat. Textvorlagen zu Strawinskys Oper *Oedipus Rex* (1927) von J. Cocteau/J. Daniélou (Textproben bei [2. 22–26], vgl. [24. 401 f.]) und zur sensationell erfolgreichen Kantate *Flamma flamma* von N. Lens (1994) nach Textvorlage von H. Portocarero (*Ignis perennis*, gedr. 1995). C. Orff versuchte sich im Vorspiel seiner *Catulli carmina* (1943) selbst als lat. Poet [2. 27–30]. Jan Novák (1921–1984), fruchtbarster Lateinkomponist seit der Ren. überhaupt [29], hat neben vielen eigenen Gedichten auch solche von Neulateinern wie J. Eberle, H.C. Schnur u.a. wirkungsvoll vertont.

C. Neuansätze

1. Schule: Sprechmethode

Auch wenn *Latine loqui* nicht mehr Lernziel ist, setzt sich – nach der Pioniertat Rosenthals (s.o.) – seit den 60er J. bes. in Deutschland zunehmend wieder die Einsicht durch, daß es töricht wäre, um einer einseitigen grammatikalischen Geistesschulung willen auf das bis ins 19. Jh. gepflegte, sprachdidaktisch so förderliche Sprechen im Lateinunterricht zu verzichten (einflußreich war neben dem Kongress von Avignon (s.u.) bes. ein Appell H. v. Hentigs [13. 306]; vgl. zum Grundsätzlichen W. Stroh in [27. 8–14] und bes. [9]; einschränkend und wohl überkritisch H.-J. Glücklich in [27. 16 ff.]; Lit. bei [18. 127–129], [12. 144–146]): Ein Lateinunterricht, in dem man nicht mehr Lat., sondern nur noch *am* Lat. verschiedenes Andere lernt, hätte sicherlich seinen Sinn verfehlt. So sind h. in Deutschland viele lat. Fachdidaktiker nicht nur wegen der Motivation Anhänger des Lateinsprechens in der Schule; in It. verfolgt dieselben Ziele bes. L. Miraglia (etwa mit seinem didaktischen Kongress *Docere*, Neapel 1998); zu Großbritannien vgl. Art. → Altsprachlicher Unterricht. Schulpraktische Hilfen geben bes. A. Fritsch und U. Wagner, die z. Zt. die von K. Sallmann (1990) mitbegründete *Officina Latina* auf den Kongressen des Dt. Altphilologenverbands betreuen [10]; weniger an klass. Sprache orientiert sind die einschlägigen Handreichungen von S. Albert (wie *Cottidianum Vocabularium Scholare*, 1992). Eine ideale Grundlage für einen auf dem Sprechen basierenden Sprachunterricht bietet der Däne H.H. Ørberg in dem sorgfältig durchdachten, nur in Lat. abgefassten Lehrwerk *Lingua Latina per se illustrata* (Kopenhagen 1980 ff.), das leider noch allzu wenig erprobt wurde (vgl. [27. 84 f.]).

2. Colloquia Latina, lateinische Sprechzirkel und Lateinvereine

V. a. der Befähigung zu einem natürlichen Sprachunterricht am Gymnasium, daneben der Reaktivierung des Lat. als Gelehrtensprache (gelegentlich sogar der poetischen Stilübung, wie z.B. bei M. v. Albrecht, *Scripta Latina*, 1989, 227 ff.), dienen die h. bes. an manchen Univ. veranstalteten *Colloquia Latina*, die in den 50er J. offenbar zuerst vom Tübinger Gräzisten H. Hommel eingerichtet wurden. (Überblick auf dem Stand von 1994 in [27. 97], vgl. Stroh in: [27. 53–55]). Vielfach bilden sich an Univ. auch aus studentischer Initiative lat. Sprechzirkel (zuletzt etwa in Oxford und Warschau); andere lat. Stammtische und dgl. (wie neuerdings in Wien) entstehen unabhängig von den Bildungsinstitutionen. Getragen werden vergleichbare Unternehmungen, wie bes. auch förmliche Lateinsprechkurse in Europa (*Seminaria Latinitatis vivae*, vgl. [7]) und den USA, oft von »Lateinvereinen« wie der (mit einer universitären Arbeitsstelle für Neulat. verbundenen) *Societas Latina* in Saarbrücken (unter Führung des für das Lateinsprechen als Lexikograph, Buch- und Tonkasseteneditor bes. tätigen Pater C. Eichenseer, vgl. [9. 68 f.]) und der ebenfalls sehr aktiven *L. V. P. A.* (Latinitati Vivae Provehendae Associatio e.V.) in Werne (*http://www.pagina.de/lvpa*). In Spanien hat sich neuerdings ein *Circulus Latinus Matritensis* gebildet (*http://www.servicom.es/latine/circulus.htm*), in Amerika ein *Septentrionale Americanum Latinitatis Vivae Institutum* (*SALVI*; *http://www.latin.org*); in Deutschland ist bes. bekannt der Verein *Europ. Lateinwochen e.V.*, der sich auch um röm. Kochkunst bemüht (R. Maier in [27. 60–64]). Das Internet ermöglicht nun bequemen Gedankenaustausch, auch in den entstehenden *Latin Chat-Clubs*.

3. Lateinzeitschriften

Die erste europ. Lateinzeitschrift im Sinne des lebendigen Lat. hieß mit beschwingtem Namen *Alaudae* (1889–1895), in Gänze verfaßt von dem Juristen und Dichter K.H. Ulrichs, der als Vorkämpfer der mod. »Schwulen«-Bewegung bekannter geworden ist. Ihr folgten, neben vielen anderen (detaillierter Überblick über das ganze Gebiet bei [22], vgl. die Ergänzungen von Sacré in [27. 72–75]), die span. *Palaestra Latina* (1930–1976) und die vom gleichnamigen Verein getragene Münchner *Societas Latina* (1932–1955), deren Nachfolgerin seit 1965, *Vox Latina* (seit 1975 herausgegeben von C. Eichenseer), die z.Zt. verbreitetste, an Gegenständen und aktuellen Informationen reichste Zeitschrift ihrer Art ist. Wie bei ihr ist der stilistische Anspruch eher bescheiden bei der vom Brüsseler Radiologen G. Licoppe seit 1984 herausgegebenen *Melissa* (die regelmäßig durch gewichtige neolatinistische Beiträge D. Sacrés bereichert wird); sprachlich gehobener und stärker philol. ausgerichtet ist die Vatikanzeitschrift *Latinitas* (seit 1953), zu deren Vorgängerinnen die von Leo XIII. inspirierte *Vox Urbis* (1898–1913) gehört. Nur im Internet zugänglich ist der von T. Tunberg gestaltete gehaltvolle *Retiarius* (*http://www.uky.edu/ArtsSciences/ Classics/retiarius/*). Dazu kommen kleinere für Schüler bestimmte Blätter wie *Tiro* und *Rumor varius* sowie der über ein Mitteilungsblatt hinausgehende *L. V. P. A. e nuntius* des erwähnten Vereins (s. o.). Es fehlt die graphisch wie lit. wirklich ansprechende Lateinillustrierte.

4. KONVERSATIONSHANDBÜCHER, LEXIKA

Als unübertroffene Konversationshilfe wurde zu Recht immer wieder aufgelegt und z. T. bearbeitet das Büchlein von G. Capellanus, *Sprechen Sie lateinisch?* (zuerst 1890), dessen Witz und sprachliche Qualität von keinem Nachfolgewerk erreicht wurde (vgl. [9. 49–51; 27. 83 f.]). Weniger inspiriert, aber verdienstvoll ist jetzt etwa das systematischer angelegte Hilfsbuch von J. C. Traupman, *Conversational Latin for Oral Proficiency*, 1996; der Erfolg von horriblen Beiträgen, wie etwa eines H. Beard, *Latin for all Occasions – Latina Lingua Occasionibus Omnibus*(!), 1990 usw., zeigt, daß hier, auch im angelsächsischen Sprachbereich, ein Markt vorhanden ist, den Kenner und Könner erobern sollten. Nicht völlig befriedigend scheinen auch die mod., zum lebendigen Lateingebrauch bestimmten Lexika (vgl. [27. 76–81]), unter denen jetzt das vom Vatikanlateiner C. Egger (s. o.) herausgegebene *Lexicon recentis Latinitatis*, 1992/97 (dt.: *Neues Lateinlexikon*, 1998) hervorragt (vgl. auch sein nützliches *Lexicon nominum locorum*, 1977 u. a. m.); hier wie etwa in dem auch das Wiss.-Lat. der vergangenen Jh. aufarbeitenden *Lexicon auxiliare* ([3]1991) von dem Saarbrückener Ch. Helfer wird oft, v. a. im Bereich abstrakteren Denkens, bequemen Neubildungen vor echt lat. konzipierten Wendungen der Vorzug gegeben.

5. LATEINKONGRESSE UND –FESTIVALS

Der 1956 von J. Capelle inspirierte und einberufene 1. Internationale Kongreß für L. L. in Avignon [20] brachte dank Zeitungsberichten das Vorhandensein zeitgenössischer lat. Eloquenz – rund die Hälfte der Kongressbeiträge war lat. – auch einem breiteren Publikum zum Bewußtsein; er endete mit gemeinsamen Empfehlungen zur Vereinheitlichung der Aussprache (die sich auf Grundlage der sog. *pronuntiatio restituta* mittlerweile weltweit durchgesetzt hat) und Erneuerung des Sprachunterrichts. Die nachfolgenden vier Kongresse (von Lyon 1959 bis Pau 1975) ließen, v. a. nach der französischen Bildungsreform von 1968, den ursprünglichen Schwung allmählich etwas erlahmen. Er wurde erneuert durch die mittlerweile neun wahrhaft internationalen und lat. *Conventus* der röm. (nicht vatikanischen) *Academia Latinitati fovendae* (von Rom 1966 bis Jyväskylä 1997, letztere ausführlich dokumentiert in einem lateinsprachigen, auch als Videokassette verbreiteten Film der Finnish Broadcasting Company: *Vinculum amicitiae*), die auch unregelmäßig lat. *Commentarii* herausgibt (Sacré in [27. 74]). Etwas andere Wege ging der erwähnte tschechische Humanist und Komponist J. Novák mit seinen 1972 in Rovereto veranstalteten, lat. Poesie, Musik und Drama gewidmeten *Feriae Latinae*; sie wurden fortgesetzt durch die von Novák mitbegründeten internationalen Musik- und Lateinfestspiele *LVDI*

LATINI, die von 1983 (Ellwangen) bis 1993 (München) viermal in südtt. Städten stattgefunden haben, und die davon abgeleiteten *Scholae Frisingenses* (von 1988–1990 auf dem Freisinger Domberg), die stärker wiss. Zuschnitt hatten (vgl. [9. 70–72; 28. 278 ff.; 25]). Davon mitangeregt fanden an dt. Gymnasien in den vergangenen J. verschiedentlich *Ludi* bzw. *Dies Latini* oder Römerfeste statt, die auch mit gesprochenem und gesungenem Latein für das umkämpfte Schulfach warben. Bereichert wurden solche Festivitäten (wie ähnliche Veranstaltungen in Mus., arch. Parks usw.) oft von dem die lat. Sprache vielfach einbeziehenden Militärhistoriker M. Junkelmann, dessen publikumswirksame Unternehmungen zur »experimentellen Arch.« im röm. Bereich (vgl. etwa [11]) eine gewisse Analogie zu denen der *Latinitas viva* haben, so daß sie auch ihrerseits bes. vom Münchner Lateinverein *Sodalitas LVDIS LATINIS faciundis e. V.* [28] gefördert werden (*http://www.klassphil.uni-muenchen.de/~stroh/sodalitas.html*).

D. AUSBLICK

Wenn der finnische Rundfunk seit gut zehn J. allwöchentlich in recht unciceronischem, modernistischem Latein aktuelle Nachrichten ausstrahlt (T. Pekkanen/R. Pitkäranta: Nuntii Latini, 5 Bde., 1992–1999), die auch im Internet gelesen und gehört werden können (*http://www.yle.fi./fbc/latini/*), ist die Öffentlichkeit mit Wohlwollen interessiert, amüsiert oder gar entzückt; dagegen ist der durch die Schule lat. Stilübungen gegangene philol. Fachmann oft eher betreten angesichts einer Sache, die ihm teils dilettantisch, teils marktschreierisch scheint – und dies gilt für viele Unternehmungen des »lebendigen Latein«. Sie sollten ihm aber eher Ansporn sein, noch Besseres, Sinnvolleres zu leisten, die eigene sprachliche Kompetenz nicht verkümmern zu lassen, sondern sie wie die Humanisten früherer Jh. im Sinne einer *Latinitas perennis* zur Kommunikation mit Mit- und Nachwelt zu verwenden. So kann er, falls er das überhaupt will, am wirkungsvollsten der Ansicht widersprechen, die jetzt F. Waquet in ihrer am E. geradezu nachrufartigen Geschichte des neuzeitlichen Lat. [30], darzulegen versucht hat: daß die schon so oft gestorbene Sprache für die Welt längst ihre Schuldigkeit getan habe und endgültig ins Reservat der Spezialwiss. abtreten solle. *Viderint grammatici!*

→ Neulatein

1 F. ANDERS (Hrsg.), Lebendiges Neulat., 1933, [2]1955
2 J. BORUCKI (Hrsg.), Lat. im 20. Jh., 1974 3 P. BURKE, Heu domine, adsunt Turcae! Abriß einer Sozialgeschichte des post-ma. Lat., in: Ders., Küchenlatein (zuerst engl. 1987), 1989, 31–59 4 G. CESBRON, L. RICHER (Hrsg.), La réception du latin du XIXe siècle à nos jours, 1996 5 I. EBERLE (Hrsg.), Viva Camena. Latina huius aetatis carmina, 1961
6 F. A. ECKSTEIN, Lat. und griech. Unterricht, 1887
7 C. EICHENSEER, Lateinsprechkurse. Werden und Wirkung, Gymnasium 86, 1979, 383–394 8 A. FITZEK (Hrsg.), Lat. in unserer Zeit. Europ. Kulturgesch. im Spiegel von Ehrenurkunden, 1990 9 A. FRITSCH, Lateinsprechen im Unterricht, 1990 10 Ders., U. WAGNER, Lat. auch sprechen! Impulse aus der Officina Latina, in: F. MAIER (Hrsg.), Lat.

auf neuen Wegen, 1999, 87–105 **11** J. GARBSCH, Vorwort
zu: M. Junkelmann, Die Reiter Roms, Teil II, 1991, 9f.
12 D. GERSTMANN, Bibliogr.: Lateinunterricht, Bd. 2, 1997
13 H. V. HENTIG, Platonisches Lehren, Bd. 1, 1966
14 W. HOERES, Der Aufstand gegen die Ewigkeit, 1984
15 J. IJSEWIJN, Companion to Neo-Latin Studies (zuerst
1977), Part I, ²1990; Part II (with D. Sacré), ²1998 **16** Ders.,
D. SACRÉ, The Ultimate Efforts to Save Latin as the Means
of International Communication, in: History of European
Ideas 16, 1993, 51–66 **17** M. LANDFESTER, Human. und Ges.
im 19. Jh., 1988 **18** A. MÜLLER, M. SCHAUER, Clavis
Didactica Latina, 1994 **19** F. PAULSEN, Gesch. des gelehrten
Unterrichts…, Bd. I., ³1919, Bd. II, ³1921 **20** Premier
Congrès International pour le Latin Vivant, Avignon 1956
(Sammelband mit Kongreß-Beiträgen) **21** G. ROSENTHAL,
L. L.!, 1924 **22** D. SACRÉ, Le Latin vivant: les périodiques
latins, in: Les Études Classiques 56, 1988, 91–104 **23** Ders. et
al., Instrumentum Bibliographicum, mit Rubrik Latinitas
novissima, in: Humanistica Lovaniensia, seit 1981
24 W. SCHUBERT, Die lat. Sprache in der Musik des 20. Jh.
am Beispiel von Luigi Dallapiccolas Canti di Prigionia, in:
International Journal of Musicology 2, 1993, 397–423
25 J. SKOW, Call this a Dead Language?, in: Time
20.5.1985,16 **26** A. STILLE, Latin Fanatic. A Profile of Father
Reginald Foster, in: The American Scholar, Autumn 1994,
497–526 **27** W. STROH (Hrsg.), Lat. sprechen, in: AU 37,
H.5, 1994 (mit kommentierter Bibliogr.) **28** Ders., O
Latinitas! Erfahrungen mit L. L. und ein Rückblick auf zehn
J. Sodalitas, in: Gymnasium 104, 1997, 271–290 **29** Ders.,
Jan Novák. Mod. Komponist ant. Texte (mit
Werkverzeichnis), in: Atti dell Accademia Roveretana degli
Agiati, a. 249 (1999), ser. VII, vol. IX, A, S. 33–61; ständig
aktualisiert in:
http://www.klassphil.uni-muenchen.de/~stroh/j_novak.htm
30 F. WAQUET, Le latin ou l'empire d'un signe: XVIe-XXe
siècle, 1998.   WILFRIED STROH

Lehnsrecht A. BEGRIFFE B. FRÜH-MITTELALTER
C. HOCH-MITTELALTER D. QUELLEN
E. SPÄT-MITTELALTER/FRÜHE NEUZEIT

A. BEGRIFFE

Mit L. (*ius feodale*) werden Rechtsnormen bezeichnet, welche das ma. Lehnswesen im allg. und das Lehnsverhältnis zw. Lehnsherrn und Lehnsmann (Vasall) im
bes. betreffen. Das dt. Wort »Lehen« geht auf ahd. *lehan*
(»leihen, verleihen«) zurück und bezeichnet die Überlassung eines wirtschaftlich nutzbaren Gutes (Grundbesitz, Recht, Amt u. a.) gegen die Leistung von Diensten. Seit dem späten 9. Jh. erscheint dafür auch mlat.
feodum/feudum. In lat. Texten wird *lehan, lehen, len* regelmäßig mit *beneficium* wiedergegeben. Beide Begriffe
stehen mit nicht exakt abgrenzbarer Bed. jahrhundertelang nebeneinander. Die Rechtsfigur des Lehnsverhältnisses ist aus ant. röm.-rechtlichen und german. Elementen entstanden. Mit *beneficium* stand im röm. Recht
ein t.t. zur Verfügung (z. B. für die Überlassung von
öffentlichem Land zur Nutzung durch eine Kommu-
ne). Ferner gab es die *commendatio*, welche unter anderem die Übertragung der Angelegenheiten eines Kli-
enten zur Erledigung an einen Patron gegen eine Dan-
kesleistung beinhaltet. Eine weitere Wurzel wird in der

»Vasallität« (von mlat. *vassus, vasallus*; keltisch *gwas* –
»Knecht«) gesehen. Für das ma. Lehnsverhältnis ist jedoch kennzeichnend, daß der Vasall seinen Freienstatus
behält. Aus spätant. Zeit war eine bes. Form der Land-
leihe (*precaria*) bekannt. In dieser Rechtsform erfolgte
eine Vergabe von Kirchengut gegen Zahlung eines Zin-
ses an die Kirche. Schließlich wird als Wurzel german.
Provenienz die Gefolgschaft angenommen, wie sie sich
im gallo-röm. Raum ausgeprägt hatte (*Antrustionen*).
Der damit verbundene (Treu-)Eid sollte für die enge
persönliche Bindung zw. Lehnsherrn und Vasallen im
MA typisch werden.

B. FRÜH-MITTELALTER

Aus der engen Verknüpfung der obengenannten Elemente ist zw. dem 6. und 8. Jh. im Frankenreich das ma.
Lehnswesen hervorgegangen. Zu den ersten Rechtssät-
zen, die sich parallel dazu ausbildeten, gehörten der
Heimfall des Benefiziums, das Erlöschen der Vasallität
beim Tod des Herrn (*Herrenfall*) und der Entzug des Lehens (*Felonie*) bei Verletzung der Dienstpflicht. In karolingischer Zeit sind die Anfänge der Erblichkeit der
Lehen, der mehrfachen Lehnsbindungen sowie der
Verknüpfung des Lehens mit hoheitlichen Ämtern auszumachen. Vom Frankenreich breitete sich das Lehnswesen in dessen Nachfolgestaaten und darüber hinaus in
ganz Europa aus.

C. HOCH-MITTELALTER

Im Laufe des MA bildete sich eine Vielzahl regional
wie lokal sehr unterschiedlicher L.normen heraus. Im
12. Jh. erlebten Lehnswesen und L. eine Blütezeit. Von
entscheidender Bed. war die Einbindung der Kirche
und der Stammesherzogtümer in den Reichslehnver-
band. Der Abschluß des Reichsfürstenstandes und die
Heerschildordnung sind weitere Ergebnisse staufischer
L.politik. Ein Leihezwang (die Pflicht des Königs, ein
Fürstenlehen nach Jahr und Tag nach Heimfall herauszugeben) wird von der jüngeren Forsch. zugunsten einer erbrechtlichen bzw. vertraglichen Herausgabe-
pflicht bestritten [5]. Die Tendenz zu einem vollkommenen Lehnsstaat ist unter Kaiser Friedrich I. Barbarossa
unverkennbar, doch konnte sie sich nur unvollkommen
durchsetzen. Dagegen gelang in Frankreich und England die vollständige Feudalisierung mit dem König als
Oberlehnsherrn an der Spitze (›Nulle terre sans seig-
neur‹; *homo ligius*). Während im Dt. Reich zunächst die
personelle Bindung im Vordergrund stand, verschob
sich während des hohen MA das Schwergewicht auf den
dinglichen Aspekt des Lehnsverhältnisses. Der Vasall
diente fortan nicht mehr wegen des Lehens, sondern für
das oder von dem Lehen. Verweigerung der Dienstpflicht konnte zum Entzug des Lehens führen, nicht
aber zu einer gesonderten Bestrafung (wie etwa in
Frankreich).

D. QUELLEN

L. existierte zunächst in Form ungeschriebenen Ge-
wohnheitsrechts. Wohl noch im 11. Jh. werden im
Langobardenreich, das seit 774 dem *Regnum Francorum*
angehörte, die *consuetudines feudorum* schriftlich fixiert.

Dabei handelt es sich um private Rechtsaufzeichnungen von Rechtsgelehrten, die als Bestandteil des langobardischen Rechts mit dem wiss. Methoden- und Begriffsapparat des röm. Rechts bearbeitet wurden. Unter der Bezeichnung *Libri feudorum* wurden sie zur wichtigsten Quelle des L. im MA. Ihre Textentwicklung fand über mehrere Redaktionen und Ergänzungen um 1250 ihren Abschluß als *Recensio vulgata* bzw. *Accursische Rezension*. Schon vorher (Anf. 13. Jh.) waren die *Libri feudorum* als zehnte *Collatio* des *Authenticum* in das *Corpus Iuris* eingefügt worden. Die Rechtsschulen von Pavia und (seit dem 12. Jh.) Bologna profilierten sich zu frühen europ. Zentren des verwissenschaftlichten L. Den dortigen Juristen gelang es auch, das der Ant. unbekannte Konstrukt des Lehens in das röm. Sachenrecht einzubinden, obwohl letzteres wegen der Vorstellung vom ungeteilten → Eigentum (*dominium*) keine Parallele bot. Vergleichbar schien das Rechtsinstitut der Erbpacht (*emphyteusis*). Bezogen auf das Lehen sahen die ma. Juristen darin (Dig. 6, 3, 1, 1) zwei verschiedene Arten von Eigentum: ein *dominium utile* des Vasallen und ein *dominium directum* des Lehnsherrn. Im Verlauf der Rezeption der fremden Rechte gelangten das langobardische L. sowie die Lehre vom geteilten Eigentum in die ma. Rechtsordnungen Europas und wurden Gegenstand von Lehre und weiterer wiss. Bearbeitung an den Universitäten. Die früheste Fassung der *Libri feudorum* knüpfte bereits an ein Lehnsgesetz Kaiser Konrads II. von 1037 (MGH DD Ko. II., 244) an, das für Oberit. erlassen wurde, aber bald allg. Beachtung finden sollte. Es stärkte die Stellung der Vasallen, indem es den Entzug des Lehens von einem Pflichtenverstoß und einem Gerichtsurteil, gegen das eine Appellation an den Kaiser möglich war, abhängig machte. Ferner wurde die Erblichkeit der Lehen zugunsten des Sohnes, Enkels bzw. Bruders des Vasallen festgeschrieben. Weitere kaiserliche Lehnsgesetze ergingen 1136 (MGH DD L.III., 105), 1154 und 1158 (MGH Const. I, 148, 177). Mit ihnen wurden die Sicherung des Reichsdienstes, die Unterbindung des Verkaufs von Lehen, ein Teilungsverbot für Herzogtümer und (Mark-) Grafschaften sowie der Ausschluß des Kaisers als Adressat des Treueeides verfolgt. In Deutschland entstanden während des Hoch-MA private Rechtsaufzeichnungen zum L. (L.bücher). Zu den frühesten und bedeutendsten, kaum vom röm. Recht beeinflußten, gehört das L. des *Sachsenspiegels*, welches wahrscheinlich in dem lat. gefaßten *auctor vetus de beneficiis* (1221/1224) seinen Vorgänger hat. Um die Mitte des 14. Jh. wurde das Sachsenspiegel-L. mit einer Glosse versehen, um es mit dem rezipierten röm. und kanonischen Recht in Einklang zu bringen. Besondere, mit Vasallen besetzte Lehnsgerichte entschieden über lehensrechtliche Streitigkeiten. Ihre Sprüche ergänzten den Normenbestand des L. Obwohl das langobardische L. zunächst subsidiär gelten sollte, wurde es mit seinen vasallenfreundlichen Bestimmungen im Dt. Reich dominierend.

E. Spät-Mittelalter / Frühe Neuzeit

Die Wiss. vom L. (Feudistik) gilt als eine Wurzel des öffentlichen Rechts. Bereits im Hoch-MA hatte man begonnen, aus einer Textstelle der *Libri feudorum* die Lehre von den Regalien zu entwickeln [10. 167]. Die im Spät-MA erkennbare Territorialisierung des L. mündete in die Ausbildung von Territorialstaaten. Fortan sind ein Reichsl. und territoriale L. zu unterscheiden. Durch die Verknüpfung des Lehnswesens mit der inneren Verfassung der Territorien kam es zur Herausbildung wichtiger Elemente des frühmod. Staates (Behörden- u. Gerichtsorganisation, landständische Versammlungen). Erst die Profilierung des Obrigkeitsstaates im 17./18. Jh. führte zu einer Verdrängung der lehensrechtlichen Formen. Damit verlor das L. an Bed. für die Territorialstaaten und wurde unter Hervorhebung seiner dinglichen Komponente als Teil des Privatrechts betrachtet. Für das Dt. Reich blieb das L. bis zu dessen Ende 1806 relevant.

→ AWI Beneficium; Cliens, clientes; Commendatio; Corpus iuris; Emphyteusis; Precaria

QU 1 K. Lehmann (Hrsg.), Das langobardische L., 1896 (Neudr. 1971) 2 K. A. Eckhardt (Hrsg.), Sachsenspiegel-L. (MGH Fontes iur. Germanici antiqui N. S. I/2) ³1973 3 K. A. Eckhardt (Hrsg.), Auctor vetus de beneficiis (MGH Fontes iur. Germanici antiqui N. S. II), 1964/1966

LIT 4 F. L. Ganshof, Was ist das Lehnswesen?, ⁴1975 5 W. Goez, Der Leihezwang. Eine Unt. zur Gesch. des dt. L., 1962; 6 K. F. Krieger, Die Lehnshoheit der dt. Könige im Spät-MA (ca. 1200–1437), 1979 7 H. Mitteis, L. und Staatsgewalt, 1933 (Neudr. 1971) 8 Ders., Der Staat des hohen MA, ⁹1974 9 S. Reynolds, Fiefs and Vassals. The Medieval Evidence Reinterpreted, 1994 10 M. Stolleis, Gesch. des öffentlichen Rechts in Deutschland I, 1988 11 P. Weimar, Legistische Lit. der Glossatorenzeit, in: Hdb. der Quellen und Lit. der neueren europ. PrRG I, 1973, 155 ff.   HEINER LÜCK

Lehnwörter s. Baltische Sprachen; Germanische Sprachen; Internationalismen; Keltische Sprachen; Slawische Sprachen

Lehrer   A. Begriff
B. Geschichte   C. Gegenwart

A. Begriff

Als L. bezeichnet man seit dem Beginn des 19. Jh. Personen, die an Schulen angestellt werden, um Kinder und Jugendliche in offiziell erwünschten Lehrgegenständen zu unterrichten. Die Übertragung eines Lehramts setzt den Nachweis der beruflichen Qualifikation durch Prüfungen voraus. Von L. wird erwartet, daß sie ihre Schüler unterrichten und erziehen, sich dabei an die vorgegebenen → Lehrpläne und Dienstpflichten halten sowie die Verordnungen zum Umgang mit Kindern und Jugendlichen respektieren. Der gesellschaftliche Status von L. wird durch die Schulform mitbestimmt, an der sie tätig sind. So werden im öffentlichen → Schulwesen

Volks- (heute: Grund- und Hauptschul-L.) und Real-
schul-L., Gymnasial- und Berufsschul-L. sowie Son-
derschul-L. unterschieden. Die Führung des Lehramts
wird durch eine Fachaufsicht überwacht. L. sind seit
dem 19. Jh. Beamte, die durch die Ausübung des Lehramts zwar die öffentliche Erziehungsgewalt durchsetzen, zugleich aber auch Anwalt des kindlichen Rechts
auf Selbstentfaltung sein sollen. Um diese doppelte Aufgabe erfüllen zu können, muß ihnen im Rahmen der
Richtlinien Freiheit des pädagogischen Handelns zugestanden werden.

B. GESCHICHTE

Der Lehrerberuf entsteht in den dt. Staaten um die
Wende vom 18. zum 19. Jh. In Bayern und Preußen
wird er um 1810 durch die Einführung von → Prü-
fungsordnungen und Ausbildungsregelungen als Profession mit eigener Qualifikation definiert. Der Typus
Gymnasial-L. wird aus der Verbindung mit dem theologischen Amt gelöst. Das Qualifikationsprofil der
Gymnasial-L. wird durch die Verpflichtung auf wiss.
und philos. Studien an der Univ. bestimmt. Auch die
beruflichen Aufgaben der Elementar-(=Volks-)
schul-L. werden festgesetzt und durch eine seminari-
stische Vorbildung geregelt, deren Inhalt durch den Er-
ziehungsauftrag der Volksbildung begrenzt wird. Anders als bei den Gymnasial-L. wird in ihrer Ausbildung
eine allg. Unterweisung mit praktischen Übungen zum
Unterrichten verzahnt. Dieses Grundmuster bleibt bis
zur Aufhebung der Seminare (nach 1918) trotz inhaltlicher Erweiterungen erhalten und wird danach mit
Veränderungen in den Pädagogischen Akad. fortgeführt. Die Bildung der Gymnasial-L. geschieht durch
universitäre Studien und ist als Aneignung wiss. fun-
dierter Kenntnisse angelegt. Pädagogisch-didaktisches
Wissen gehört zwar zu den philos. Studien, ist aber An-
hängsel der Fachstudien. Die Theorie des Unterrichtens
ist nicht Gegenstand der universitären Ausbildung. 1824
richtet Bayern, 1826 Preußen ein sog. Probejahr für die
Kandidaten des höheren Lehramts ein, um die didaktische Eignung, aber auch die polit. Zuverlässigkeit der
Kandidaten zu prüfen.

In solchen Maßnahmen wird das Interesse der Schulaufsicht erkennbar, das ›Eindringen untüchtiger Subjekte in das Erziehungs- und Unterrichtswesen des Staates‹ (Edikt Preußen 1810) zu verhindern und für alle
Bewerber eine Prüfung nach gleichen Vorschriften
durchzuführen, damit die fähigen ermittelt werden. Mit
diesen Regulierungen wurden die Grundlagen dafür
geschaffen, daß sich in den nächsten Jahrzehnten schul-
formtypische L.-Stände entwickelten, die auf verschiedene Art im öffentlichen Bildungswesen eine staatstra-
gende Funktion erfüllen sollten. Die gesellschaftlichen
Verhältnisse verlangten nach einer weiteren Ausdifferenzierung der Schulformen und förderten ab den
1830er J. die Entstehung eines mittleren Lehrstandes für
den Unterricht an Real- bzw. Bürgerschulen, dessen
Repräsentanten sich anfangs zum Teil aus dem Überangebot an Gymnasial-L. rekrutierten.

Seit den 20er J. des 19. Jh. lassen sich auch Qualifi-
zierungen von Lehrerinnen nachweisen. Zwar erfolgte
deren Vorbildung und Prüfung zunächst in informell
arrangierten Kursen der lokalen Schulverwaltung, doch
zeigen Anstellungsverträge (»Berufsbriefe«), daß die
Fachvertreter in der Schulaufsicht über den Beruf der
Lehrerin an Volks- und (höheren) Töchterschulen feste
Vorstellungen hatten. Offiziell setzte die Ausbildung der
Lehrerin erst Mitte des 19. Jh. mit einer seminaristischen
Vorbildung ein. Aus dieser gingen Lehrerinnen für die
Volks- und die höhere Töchterschule hervor. Erst nach
1908 wurden Frauen offiziell zum universitären Studi-
um des höheren Lehramts zugelassen.

Die Entwicklung des Lehrstandes erfolgt immer in
einem speziellen Spannungsfeld gesellschaftlicher
Strukturen und Prozesse. Bevölkerungsentwicklung
und gesellschaftliche Modernisierung durch Industrialisierung, Wandel der Lebensformen und Verwissenschaftlichung beeinflussen den Auf- und Ausbau des
Bildungswesens und damit auch die Nachfrage nach
besser bzw. spezieller qualifizierten Lehrern. Bei den
Volksschul-L. führt dies im Kaiserreich zu einer inhaltlich anspruchsvolleren Grundbildung durch dreijährige
Präparandie und dreijährige Seminarstudien, allerdings
ohne fachliche Spezialisierung. Bei den Gymnasial-L.
war die Entwicklung von einem vielseitig gebildeten
Ober-L. zum Fach-L. nicht aufzuhalten. In Preußen
zeigte das die Prüfungsordnung von 1866, in der erstmals vier fachliche Schwerpunkte zugelassen waren.
Neben den in allen Fächern mehr oder weniger vertieft
gebildeten Gymnasial-L. trat nun der speziell gebildete
Fach-L. Das führte zu Veränderungen: Die Alt- und
Neuphilologen bildeten zukünftig neben den Mathe-
matikern, Naturwissenschaftlern und L. mit anderen
Fachkombinationen sich zusammengehörig fühlende
Gruppen. ›Die Profession begann, sich in Unterprofes-
sionen nach Fachgruppen aufzugliedern, die einander
sachlich und pädagogisch immer fremder wurden, während die alte Schichtung (»Unter-L.« – »Ober-L.«) im
einheitlichen Oberlehrer-, später Studienratsstatus, verschwand‹ [3]. Diese Entwicklung wurde seit den 1860er
J. verstärkt von einer Selbstorganisation der L.-Gruppen
in Vereinen begleitet.

Immer wieder wurden Klagen über eine mangelnde
pädagogische Eignung vieler L. vorgebracht. Sie führten schließlich 1890 in Preußen und kurz darauf in anderen dt. Staaten dazu, die pädagogische Bildung der
Gymnasial-L. durch ein verbindliches Referendariat zu
erweitern. Die Kandidaten mußten nun in je einem Se-
minar- und Probejahr ihre praktische Befähigung als L.
erwerben und nachweisen. Als dann 1907 die gymnasialen Ober-L. den Richtern in der Besoldung gleich-
gestellt wurden, war ein altes Ziel erreicht: Sie waren zu
geachteten Staatsbeamten aufgestiegen [6].

Mit der Niederlage des Kaiserreiches 1918 endete
eine Epoche. In der Weimarer Republik wurde zwar
eine Akademisierung der L.-Bildung vorgesehen, aber
nicht erreicht. Die Volksschullehrerseminare sollten

aufgehoben und durch eine Ausbildung an Univ. oder Pädagogischen Akad. ersetzt werden. Die Neuordnung erfolgte v. a. in den norddt., nicht aber in den süddt. Staaten. Für die universitäre Bildung der Gymnasial-L. änderte sich formal wenig. Eine verbindliche Prüfung in Pädagogik konnte in die universitären Studien nicht eingeführt werden. Modifiziert wurde aber die nachuniversitäre Bildung. Diese zweijährige pädagogisch-praktische Ausbildung konnte nach 1925 im zweiten J. in Bezirksseminaren erfolgen, die von den Ausbildungsschulen getrennt waren.

Nach 1933 griffen die Nationalsozialisten in diese Vorgänge entschieden ein. Inhaltlich wurden Schwerpunkte des NS-Denkens (→ Nationalsozialismus) verpflichtend. Die Ausbildungsstätten für Volksschul-L. wurden in Hochschulen für Lehrerbildung (HfL) umbenannt und ideologisch ausgerichtet. Alle Lehramtskandidaten sollten das erste Ausbildungsjahr gemeinsam an der HfL absolvieren. In der Schule wurde der ideologische Druck auf die L. durch Verordnungen und curriculare Vorschriften erhöht. Mißliebige L. wurden »legal« ausgesondert, andere ideologischen Schulungen unterzogen. Dabei blieben, wie Überwachungsdossiers zeigen, L. für die Partei immer ein Risiko. Viele galten als »unzuverlässig«. 1940 wurde die praktische Ausbildung der Gymnasial-L. wieder auf ein Jahr verkürzt und – zumindest auf dem Papier – straffer ideologisch ausgerichtet.

Nach dem Zusammenbruch des »Dritten Reiches« entstanden zwei Entwicklungslinien in den dt. Staaten. In der Sowjetischen Besatzungszone, später DDR, wurden zunächst pädagogische Fakultäten und Kurse für die Ausbildung dringend benötigter »Neulehrer« eingerichtet. Das Schulsystem und damit die L.-Bildung wurde grundlegend umorganisiert. In den 50er J. legte man seminarähnliche Ausbildungsgänge für Grundschul-L. und universitäre Studien für Stufen-L. an der Oberschule fest. Altsprachen-L. wurden erst wieder wegen dringenden Bedarfs in den 70er J. ausgebildet. In den sog. Westzonen, später BRD, erneuerte man die Weimarer Trad. und institutionalisierte Pädagogische Akad. zur Volksschullehrerbildung neben der universitären Realschullehrer- und Gymnasiallehrerbildung. Seit den 60er J. setzte mit der Reform des Bildungswesens auch eine Neubestimmung des L.-Berufs ein: V. a. die Entwicklung des Gymnasiums zu einer Masseninstitution und die didaktische Konkurrenz durch Gesamtschulen trugen dazu bei, daß sich die beruflichen Ansichten der Gymnasial-L. ändern mußten. Man war gezwungen, stärker als bisher methodische Varianten in den Unterricht aufzunehmen und insgesamt stärker auf Schüler einzugehen. Trotzdem ist die Kritik an der »unpädagogischen« Institution Gymnasium geblieben – zu Unrecht, wie neuere empirische Befunde zur schulischen Sozialisation zeigen.

Die Entwicklung des Lehrstandes hatte mit der Herauslösung des Berufs aus kirchlicher Bevormundung begonnen und dazu geführt, daß Schule und L. unter staatliche Aufsicht gerieten. Das bedeutete einerseits mehr Sicherheit bei der Berufsausübung und die Kontrolle der Lehrertätigkeit durch eine Fachaufsicht, andererseits aber auch Abhängigkeit von polit. Vorgaben und ideologischen Ansprüchen bis hin zu Reglementierung und Amtsenthebung. Polit. Disziplinierung der L. ist im Verlauf der Geschichte immer wieder festzustellen. Mit bes. Schärfe wurde sie während der NS-Diktatur praktiziert.

Bis in die Gegenwart beeinflussen Überangebot und Nachfrage die Ausbildung und Einstellung von Lehrern. Seit dem Ausgang des 18. Jh. lassen sich periodisch wiederkehrende Mangelsituationen und Überfüllungskrisen [6] in den verschiedenen Lehrämtern beobachten. Forschungen haben gezeigt, wie diese Qualifikationskrisen auf die weitere Entwicklung des Berufsstandes auswirken. Sie lassen sich polit. kaum steuern, verhindern über längere Zeit die notwendige Verjüngung der Lehrerschaft und führen zyklisch zu einem erhöhten Ersatzbedarf.

Für die Altphilologen besteht eine bes. Situation. Sie haben seit dem Ausgang des 19. Jh. einen kontinuierlichen Niedergang zu verkraften. Den einst im Gymnasium dominierenden L. für alte Sprachen (›Mathematicus non est collega‹) gelang es bis ins Kaiserreich, die Einführung einer »realistischen« Allgemeinbildung durch angemessene Beteiligung der neuen Sprachen und der Naturwiss. abzuwehren. Das Abiturprivileg des → Humanistischen Gymnasiums sicherte diesen Anspruch. Die 1900 verfügte formale Gleichstellung der Abiturprüfungen an altsprachlichen und anderen Gymnasien war dann das äußere Zeichen dafür, daß die Altphilologen endgültig ihren Kampf gegen die gesellschaftliche Modernisierung verloren hatten. Auch die Bemühungen des sog. → Dritten Humanismus nach 1918 führten nicht zu einer Aufwertung der altsprachlich-human. Allgemeinbildung. Vielmehr setzte sich der Trend zu einer Ablehnung dieses Bildungsansatzes auch nach 1945 konsequent fort. Erst in jüngster Zeit konnte sich der Lateinunterricht auf niedrigem Niveau gegen Neuphilol. und Naturwiss. behaupten; der Griechischunterricht ist jedoch bis zur Bedeutungslosigkeit zurückgegangen.

Schon früh bietet die Amtsführung der Philologen Angriffspunkte für lit. Überzeichnungen, zumal ihnen mit dem Amt des Klassenordinarius auch Erziehungspflichten übertragen wurden. In der Schule hatten sie zu Ordnung, Regelmäßigkeit, Gründlichkeit und Sittlichkeit zu erziehen, außerhalb der Schule sollten sie den Lebenswandel ihrer Schüler kontrollieren. Dabei sollten sie die Ideale des Wahren, Schönen und Guten herausstellen und vorleben. Da sie infolge menschlicher Schwächen diese hohen Ansprüche nur z. T. erfüllen konnten, bildeten sie eine beliebte Zielscheibe des lit. Spotts bis hin zur Satire. Pedanterie, Tyrannei, skurrile Pauker-Allüren, Lebensfremdheit erscheinen häufig als typische Charakteristika gerade der Altphilologen. Gern werden sie als verknöcherte Sadisten geschildert, die eigene wie fremde emotionale Regungen verdrängen, drakonische Strafen verhängen, einzelne Schüler bevorzugen, andere ungerecht beurteilen und so ein schreckliches Regiment führen. Zugleich wird aber auch berichtet, wie dieser autoritäre Herrschaftsanspruch durch die Widersetzlichkeit geschickter Schüler, durch raffinierte Täuschungsmanöver, durch Faulheit und allg. Gelächter oder Geraune täglich neu in Frage gestellt wird. Die lit. Darstellung bei Heinrich und Thomas Mann, bei Brecht, Döblin oder Walser verweist auf einen dialektischen Vorgang: Wer andere zu unterdrükken versucht, ist immer in der Gefahr, selbst zugrunde gerichtet zu werden. Das Paradebeispiel ist Heinrich Manns »Professor Unrat«.

C. Gegenwart

Am Ausgang des 20. Jh. haben sich die Aufgaben der L. in Schule und Unterricht zwar wieder – wie schon so oft – verändert, aber nicht grundlegend gewandelt. Immer noch geht es darum, durch Unterricht zu erziehen. Allerdings soll dies auf vielfältigere Weise geschehen, durch geschlossenere wie offenere Lehr-Lern-Situationen. Erschwerend kommen veränderte familiäre Lebensverhältnisse sowie eine den Tageslauf der Schüler stark beeinflussende Medienlandschaft hinzu. Das ändert nichts an der Aufgabe, zukünftige L. neben ihrer fachlichen Bildung durch wiss. Studien auf die Bedingungen und Möglichkeiten pädagogischen Handelns vorzubereiten und durch praktische Übungen in die Kunst des Unterrichtens einzuführen. Über die Aufgabe besteht Konsens, über die Methode der Vorbildung – wie schon häufiger – nicht.

→ Altsprachlicher Unterricht; Pädagogik

QU 1 H.J. Apel, Die Ausbildung zum Gymnasial-L. im 19. Jh., in: J.G. Prinz v. Hohenzollern, M. Liedtke (Hrsg.), Schreiber, Magister, L., 1989, 291–306 2 Ders., S. Bittner, Human. Schulbildung 1890–1945, 1994 3 K.-E. Jeismann, Zur Professionalisierung der Gymnasial-L. im 19. Jh., in: H.-J. Apel, K.-P. Horn, P. Lundgreen, U. Sandfuchs (Hrsg.): Professionalisierung pädagogischer Berufe im histor. Prozeß, 1999 4 F. Pöggeler, L. Fehlformen, in: H.-H. Groothoff, M. Stallmann (Hrsg.), Pädagogisches Lex., 1961, 548–550 5 A. Reble, Volksschullehrerbildung, in: H.-H. Groothoff, M. Stallmann (Hrsg.), Pädagogisches Lex., 1961, 550–555 6 H. Titze, Zur Professionalisierung des höheren Lehramts in der mod. Ges., in: H.-J. Apel, K.-P. Horn, P. Lundgreen, U. Sandfuchs (Hrsg.), Professionalisierung pädagogischer Berufe im histor. Prozeß, 1999

LIT 7 H. Mandel, Gesch. der Gymnasiallehrerbildung in Preußen-Deutschland 1787–1987, 1989 8 H. Mann, Professor Unrat, 1994 9 S. F. Müller, H.-E. Tenorth, Professionalisierung der L.-Tätigkeit, in: M. Baethge, K. Nevermann (Hrsg.), Enzyklopädie Erziehungswissenschaft 5, 1984, 153–171 10 F. Paulsen, Die Gesch. des gelehrten Unterrichts, II, 1921 11 M. Sauer, Volksschullehrerbildung in Preußen, 1987 12 H. Titze, A. Nath, V. Müller-Benedict, Der L.-Zyklus, in: Zschr.für Pädagogik, 31, 1985, 97–126 13 V. Michels (Hrsg.), Unterbrochene Schulstunde, 1972. HANS JÜRGEN APEL

Lehrgedicht A. Begrifflichkeit
B. Theoretische Problematik
C. Dichtungspraxis

A. Begrifflichkeit

Der Begriff »L.«, im Dt. gebräuchlich seit 1646 und seither, bes. im 18. Jh., immer wieder umstritten [1. 10–29], ist bis h. ungeklärt. Häufig wird er von »Lehrdichtung« und »didaktischer Poesie« nicht unterschieden und auch auf Dichtung mit nur impliziten didaktischen Intentionen ausgedehnt (sog. »indirekte Lehrdichtung« [5. 11]); die gattungsmäßige Definierbarkeit von L. etwa im MA wurde bestritten [3. 9]. Ein so weiter Begriff [Forschungsübersicht: 7. 19–38] zwingt zur Einbeziehung fast des gesamten Spektrums der Lit. einer Epoche wie des MA (einschließlich Fabel, Tierdichtung, Rätsel; vgl. [14]), die prinzipiell vorwiegend didaktisch ausgerichtet ist. Demgegenüber empfiehlt sich ein engerer Begriff: L. sind versifizierte, vorwiegend im Präs. gehaltene Texte mit der primären Intention, ein wie auch immer gefaßtes Wissen zu vermitteln; diese bedingt ein präsupponiertes oder explizites Lehrer-Schüler-Verhältnis zwischen Sprecherinstanz und Adressaten [7. 38]. Stoffliche Innovationsfreude ist dabei eine Gattungskonstante. Diese Texte sind in Epochen bes. stark vertreten, die die Vermittlung von »Wissen« hoch bewerten und seine Vermittelbarkeit im Modus dichterischer Rede weitgehend als unproblematisch einstufen (MA, Aufklärung). Die wichtigsten ant. Vorbildautoren sind Lukrez (*De rerum natura*), Vergil (*Georgica*) und Ovid (*Ars amatoria, Remedia amoris, Medicamina faciei femineae*).

B. Theoretische Problematik

Neben dem Problem der Begriffsdefinition steht die Frage nach der Definierbarkeit einer dichterischen Gattung L. [6]; sie ist bestimmt von der im L. konstitutiven Spannung zw. Didaxis und Poiesis. Aristoteles (poet. 1) grenzt unter dem Zwang des Mimesispostulats als Fundierungskriterium von Dichtung die L. aus dem Bereich der Dichtung aus, führt dadurch freilich gleichzeitig die theoretische Konzeption des L. erst ein. Spätere Theorie umgeht das Aristotelische Verdikt [2; 10]: der *Tractatus Coislinianus* (1. Jh. v. Chr.) differenziert in mimetische und amimetische Dichtung; letztere zerfällt in *historiké* und *paideutiké*, diese wiederum in *hyphegetiké* (anleitende) und *theoretiké*. Damit ist das L. für das Gattungssystem ebenso salviert wie bei dem für die Folgezeit überaus bestimmenden Diomedes (4. Jh. n. Chr.): er unterscheidet drei flexible Hauptarten: *genus activum* (*imitativum, dramaticon, mimeticon*), *genus enarrativum* (*enuntiativum, exegeticon, apangelticon*), *genus commune* (*mixtum, koinon, micton*). Unter das *genus enarrativum*, das sich durch eine uniforme Sprecherinstanz auszeichnet, fällt neben der Sentenzendichtung (*angeltice*) und der erzählend-genealogischen Dichtung (*historice*) auch das L. (*didascalice*).

Das MA führt dieses schon bei Beda (673–735) teils wörtlich repetierte Dreierschema modifizierend weiter, wobei das *didascalicum* in der poetologischen Hierarchie aufsteigt (ohne daß dabei zw. V. und Prosa explizit unterschieden würde) [7. 39–44]: in Eberhard von Béthunes (ca. 1200) *Grecismus* sind die drei Hauptgattungen *dragmaticon*, *hermeneticon*, *didascalicon*, und bei Johannes v. Garlandia (*Poetria*, 1252) heißt das *genus commune*, das bei Diomedes noch das Epos bezeichnen sollte, *didascalicon*, *idest doctrinale*. Die Ren. übernahm unter dem Vorzeichen der horazischen Doppelbestimmung der Dichtung (ars 333: ›aut prodesse volunt aut delectare poetae‹, eine Dichotomie, die das L. mustergültig zur Synthese zu bringen schien) zunächst die ma. Konzepte, doch führte die »Wiederentdeckung« der *Poetik* des Aristoteles ab Mitte des 16. Jh. zur Konfrontation mit dessen oben genanntem Verdikt (→ Gattung/Gattungstheorie). Die daraus resultierende Vielfalt von Lehrmeinungen reichte von Akzeptanz des Verdiktes (z. B. beim Horazkommentator F. Luisinus und bei A. Riccoboni) bis hin zu dessen entschiedener Ablehnung durch J. C. Scaliger, der den L. vor dem Hintergrund einer ausgeprägt didaktischen Dichtungskonzeption und unter Rekurs auf das alte Verskriterium zur Bestimmung von Dichtung das Wort redet [6. 74–81]. Freilich wurde auch der Versuch unternommen, Aristoteles unter Bewahrung von dessen Mimesiskonzept zu transgredieren: so bestimmt G. Fracastoro (*Naugerius*, 1540) als Objekt dichterischer Nachahmung statt des Partikulären das (aristotelisch abgesicherte) Universelle, wobei der Dichter zum Vermittler des eigentlichen Wesens der Dinge wird. Die allmähliche Entfernung von Aristoteles wird bei späteren Theoretikern zu einer Abkehr: F. Bacon (*Advancement of learning*, 1608/23) ordnet der Philos. als Objekt die Erfahrungswirklichkeit, der Dichtung dagegen die imaginäre Welt zu. Im Anschluß daran belehnen die Theorien der engl. Restaurationszeit (1660–1700) die Dichtung mit der Kapazität zur Darstellung psychologisch motivierter, mit der Erfahrungswelt höchstens noch locker verbundener Modelle von *beings in nature*, einschließlich allg. Begriffe und abstrakter Konzepte. Damit ist den L. das aristotelische Stigma ihres amimetischen Charakters genommen und ein theoretisches Substrat für ihr Aufleben im 18. Jh. gegeben [6. 84–88]. Mit Ch. Batteux erreichen wenig später die Bemühungen um die Etablierung einer didaktischen Hauptgattung einen Höhepunkt [13. 26–29]. Danach geht die Rekurrenz des L. im theoretischen ebenso wie im praktischen Bereich stark zurück; im dt. Raum ist das unter anderem bedingt durch Lessings aristotelisch fundierte Abwertung des L. [13. 29 f.].

C. DICHTUNGSPRAXIS

Das MA erbt die prädominant heidnische, aber durch christl. belehrende Lit. (z. B. Commodian, Orientius, Prudentius [14. 20]) flankierte Trad. des ant. L. Die bestimmende Sprache des ma. L. ist Lat., gespeist aus a) Fachsprache, b) vergilisch-horazisch-ovidischer Trad.; volkssprachliche L. [7. 212–216] sind selten. Die überaus zahlreichen (Index: [7. 430–444]) ma. lat. L. stehen zumeist im Dienst praktischer Belehrung, sind stark sachbezogen ausgerichtet und rhetorisch-didaktisch deutlich untergliedert. Sie konzentrieren sich thematisch auf drei Komplexe: Grammatik/Rhetorik/Poetik, Medizin/Botanik, Astronomie/Mathematik/Arithmetik. Beispiele bes. gelungener Aufnahme ant. Muster sind die frühma. Werke von W. Strabo (*De cultura hortorum*) und W. v. Prüm (*De mensium duodecim nominibus*) [9. 173–177]. In der Ren. findet eine Entwicklung statt, die vom ma. Typus des versifizierten Handbuchs zum lit. ausgeformten klass. Typus des L. ant. Prägung verläuft [11. 24]; allerdings ist dies selbst im innovativen It. ein allmählicher und kein unvermittelter Prozeß ([7. 28–31, 373] gegen [11]). Die Persistenz von L.-Schemata des MA bleibt bes. im hum. Bereich [7. 374–397] ebenso stark wie die der lat. Sprache im L.: etwa die Hälfte der L. der it. Ren. sind lat. [11. 8]. Die Thematik der Ren.-L. unterscheidet sich nicht wesentlich von der des MA; »gewichtigere« Stoffe werden gewöhnlich auf lat. behandelt [11. 10]. Unter anderem unter Einfluß der hum. Imitatio-Theorie [11. 91] verlagert sich das Interesse langsam von der Behandlung der *res* (noch altertümlich im Vordergrund z. B. bei Dati, *Sfera*, Anfang 15. Jh. [11. 27–35]) auf die Gestaltung des *carmen* (virtuos: G. Pontano, *Urania*, Ende 15. Jh.; G. Vida, *Scacchia*, *ludus*, ca. 1520; G. Fracastoro, *Syphilis*, 1530), bis hin zur expliziten Leugnung der Möglichkeit von Wissensvermittlung durch L. in B. Baldis *Nautica* (ca. 1590) [11. 236–239]. Nach einem barocken Tief [1. 108–131] nimmt das L. in der Aufklärung einen letzten großen Aufschwung; wirkungsmächtig sind dabei A. Popes von Horaz beeinflußter *Essay on criticism* (1709), sein Fragment *Essay on man* (1733 ff.) sowie J. Thomsons von Vergil und Lukrez inspirierte *Seasons* (1726/30) [15]. Während die L. Frankreichs (L. Racine, *De la grâce*, *La religion*, 1742; A. Chénier, *Hermès*, fragmentarisch, 2. H. 18. Jh.) im aristokratischen Umfeld verhaftet sind, ist das dt. L. des 18. Jh. ein bürgerlich-aufklärerisches Phänomen; thematisch überwiegen moralisch-philos. Probleme, während die fachwiss. L. in der Minderzahl sind und sich bes. mit Poesie befassen [13. 53–68]. Der aufklärerische Begriff der »schönen Wissenschaften« impliziert dabei eine Privilegierung der *res* vor dem *carmen* [13. 12 f.]. Zu den wichtigsten Autoren zählen B. H. Brockes, A. v. Haller, J. J. Bodmer. Die lit. Rückbindung an ant. *auctores*, bes. Lukrez, bleibt bestehen, doch inhaltlich gewinnen Autoritäten der Neuzeit (Newton, Leibniz) stark an Einfluß [13. 142–144]. Das L., verpflichtet der traditionellen rhetorischen Regelpoetik, mußte am Ende des 18. Jh. angesichts der immer stärkeren Betonung dichterischer Subjektivität (symptomatisch der Einfluß von E. Youngs *Night thoughts*, 1742–45) und immanent-ästhetischer Rechtfertigung des Dichtens seine Bedeutung einbüßen [13. 4, 248 f.]; zudem war zu dieser Zeit auch der es stets ein Stück weit mittragende Strom des Lat. versiegt [7. 394–397].

→ Gattung/Gattungstheorie

→ AWI Lehrgedicht

1 L. L. ALBERTSEN, Das L., 1967 2 I. BEHRENS, Die Lehre von der Einteilung der Dichtkunst, 1940 3 B. BOESCH, Lehrhafte Lit., 1977 4 U. BROICH, Das L. als Teil der epischen Trad. des engl. Klassizismus, in: Germanisch-romanische Monatsschrift 13, 1963, 147–163 5 B. EFFE, Dichtung und Lehre, 1977 6 B. FABIAN, Das L. als Problem der Poetik, in: H. R. JAUSS (Hrsg.), Die nicht mehr schönen Künste, 1968, 67–89 7 T. HAYE, Das lat. L. im MA, 1997 8 E. LEIBFRIED, Philos. L. und Fabel, in: NHL 11, 1974, 75–90 9 A. ÖNNERFORS, Die lat. Lit. der Karolingerzeit, in: NHL 6, 1985, 151–187 10 E. PÖHLMANN, Charakteristika des röm. L., in: ANRW 1.3, 813–901 11 G. ROELLENBLECK, Das epische L. Italiens im 15. und 16. Jh., 1975 12 A.-M. SCHMIDT, La poésie scientifique en France au seizième siècle, 1938 13 C. SIEGRIST, Das L. der Aufklärung, 1974 14 B. SOWINSKI, Lehrhafte Dichtung des MA, 1971 15 E. WOLFF, Dichtung und Prosa im Dienste der Philos., in: NHL 12, 1984, 155–204.   BERNHARD HUSS

Lehrplan A. BEGRIFF B. GESCHICHTE C. GEGENWÄRTIGE SITUATION

A. BEGRIFF

Als L. bezeichnet man allg. eine Vorgabe der Unterrichtsverwaltung, in der die Bildungs- und Erziehungsziele sowie die Lerninhalte für eine Schulart nach Jahreskursen in verschiedenen Fächern und in fächerübergreifenden Schwerpunkten zusammengestellt sind. L. sind also die offiziellen Angaben darüber, was, wann, wozu in einer geschichtlich-gesellschaftlichen Situation in der Schule gelehrt und gelernt werden soll. Sie drücken aus, was eine Gesellschaft von ihrem Wissensvorrat für überlieferungswürdig und -notwendig hält. Sie lassen erkennen, welche Kenntnisse und Fertigkeiten, welche Haltungen, Einstellungen und Normen durch Unterricht und Umgang in der Schule gelernt werden sollen. Sie geben vor, welche Fähigkeiten entwickelt, welche Kenntnisse erreicht sein sollen, um schulische Abschlußqualifikationen zu vergeben. L. dienen zugleich der Unterrichtsverwaltung dazu, die unterrichtliche Arbeit der Lehrer zu überprüfen.

L. sind Rahmenvorgaben zur Gestaltung der Schule, in denen drei Determinanten des öffentlichen Unterrichts einander zugeordnet werden: die Kindheit mit ihrem Anspruch auf Anerkennung spezieller Lebens- und Lernformen, die Wiss. mit Systematik und Methode, die zur Schulwiss. werden muß, sowie die Gesellschaft mit ihren Ansprüchen an das Verhalten der jungen Generation. Kindheit, Wiss. und Gesellschaft stehen in einem Spannungsverhältnis zueinander, das durch den L. vorstrukturiert und durch → Lehrer im Unterricht didaktisch verwirklicht werden muß. Neuzeitliche L. sind – so E. Weniger in seiner Theorie des L. – das Ergebnis einer Auseinandersetzung zw. gesellschaftlichen Mächten, die sich darum bemühen, ihre Interessen an der Schulbildung über die Ziele und Inhalte des Schulunterrichts einzubringen. In diesem Kampf um die Einflußnahme auf den L. hat sich der neuzeitliche Staat durchsetzen und eine bes. Funktion sichern können: Er ist ›Träger des L. und regulierender Faktor (…), seit es L. im mod. Sinne gibt‹ [6. 33]. In dieser Sonderrolle hat der Staat ›als parteiischer Interessent und neutraler Sachwalter zugleich den gesellschaftlichen Konsens über das Bildungsideal zu arrangieren und dessen didaktische Umsetzung in L. zu gewährleisten‹ [3. 119]. Weniger setzte darauf, daß pädagogische Kritik den Staat dazu bringen könne, uneigennützig die pädagogischen Interessen gegenüber den Ansprüchen anderer gesellschaftlicher Gruppen zu sichern. Damit nahm er eine ›relative Selbständigkeit des pädagogischen Denkens‹ [1. 129] an, die gegenüber polit. Handeln jedoch nicht besteht, sondern durch diese Befangenheit die Herrschaftsausübung des Staates geradezu erleichtert.

B. GESCHICHTE

Vom L. im oben definierten Sinne kann man frühestens seit den Schulreformen des 18. Jh. sprechen. Die Entstehung des L.-Problems, Ansätze zu einer Theorie des L. und Vorformen des L. lassen sich aber auf die griech. Ant. zurückführen. Hier bildete sich ›im 7. und 6. vorchristl. Jh., als die altgriech. Adelsgesellschaft ihre ausschließlichen Vorrechte verlor‹ [5. 570], neben dem alten erzieherischen Leitbild der *areté* mit dem Bildungsideal der *kalokagathía* eine neue Erziehungsform für die aufstrebenden gesellschaftlichen Stände aus. Im 5. Jh. v. Chr. erweiterten die Sophisten als Repräsentanten einer aufgeklärten Denkungsart die vorhandene Unterweisungspraxis v. a. durch die Vermittlung rhet. Inhalte. Sie ergänzten die traditionellen Lerninhalte durch eine ›philol. und realistische Fächergruppe‹ [2. 24]. Ihr Angebot umfaßte Studien in Gramm., Rhet., Dialektik, in Arithmetik, Musik, Geometrie und Astronomie, ist aber nicht als L. zu bezeichnen. Platon formulierte erstmals in seiner *Politeía* einen L., indem er festlegte, was, wann, zu welchem Zweck, wieviel, wie miteinander verbunden bzw. voneinander unterschieden gelehrt und gelernt werden sollte, damit junge Menschen zu Bürgern eines Staates erzogen und auf die Ausübung polit. Funktionen vorbereitet werden. Aristoteles trat dafür ein, die sprachlichen und die mathematisch-musischen Künste altersentsprechend zu lehren [2. 43]. Bedeutsam wurde die L.-Frage wenig später in den Schulen der hell. Zeit. Hier bildete die Dichtung Homers das Zentrum der Studien. Dazu war freilich Lesen und Schreiben als Grundkenntnis notwendig. Zunehmend entwickelte sich nun die Abfolge: Elementarunterricht (Lesen, Schreiben), freie Wiss. (Gramm., Rhet., Dialektik, Arithmetik, Musik, Geom., Astronomie) und Philos. heraus. Diese Form vertrat auch Cicero, wobei in Rom der Unterricht in der Fremdsprache Griech. für den Gebildeten hinzukam. Der Kanon der sieben Lehrgegenstände wird von Quintilian in seiner *Institutio oratoria* präzisiert und in ein Verhältnis zur geistigen Fähigkeit des Heranwachsenden gesetzt. Das Studium der *septem artes liberales* (→ Artes liberales) bildete von jetzt an die unverzichtbare Grundbildung vor dem Besuch der hohen Schulen des röm. Kaiserreichs.

Bis zum Ausgang des MA blieb dieses Studium die Grundform der höheren Bildung. In der → Renaissance erwachte ein neues Interesse an ant., v. a. ciceronianischem Lat. und an der griech. Sprache. Das bewirkte zunächst im Umkreis der Reformation neue Schulgründungen und Schulordnungen, die zugleich auch Arrangements der Lerninhalte für den gewünschten Unterricht enthielten. So entstehen im 16. und 17. Jh. → Lateinschulen und – in katholischen Regionen – jesuitische Gymnasien mit eigenen Lehrordnungen (→ Jesuitenschulen). Eine grundsätzlich neue Orientierung bieten die Schriften von Ratke und Comenius im 17. Jh. Comenius verwirft den trad. L. der *septem artes* und erweitert den Unterricht durch Muttersprache und Sachunterricht. Die Lehrordnung soll dem natürlichen Prozeß des Lernens entsprechen. Daran knüpfen im 18. Jh. neuere Reformansätze an, die ohne die Einführung von Lehrordnungen und Unterrichtsplänen nicht denkbar sind. Der Begriff »L.« kommt allerdings erst um 1800 in Gebrauch [2. 319] und ersetzt den des Curriculum. Als L. gilt seitdem ›der Plan, nach welchem man lehrt, den Unterricht ordnet und einrichtet‹, wie Dolch unter Bezug auf Campe festhält [2. 319].

Der Ausbau der Bildungsinstitutionen zu einem dreigliedrigen Schulwesen führt im 19. Jh. zur Entwicklung verschiedenster L., die eine begründete Ordnung von Sprachen, Mathematik, Natur- und Gesellschaftswiss., Kunst und Sport sowie Rel. darstellen. Das dahinter stehende Bildungsziel wird in der Verteilung der insgesamt zur Verfügung stehenden Lehrstunden auf die einzelnen Fächer deutlich. Insofern sind L. immer auch der Ausdruck eines polit. Programms. Sie werden benutzt, um schulische Bildungsarbeit einzuschränken oder auszubauen. Dabei wird die Anordnung der Lerninhalte immer wieder nach bildungstheoretischen Absichten vorgenommen. Ziller strukturiert um 1880 die Inhalte des Volksschulunterrichts nach einer sog. Kulturstufentheorie und versucht, ihre Anordnung durch das Prinzip der Konzentration zu optimieren. Die verschiedenen polit. Systeme des 19. und 20. Jh. nutzen den L. zur Vermittlung des ihnen wichtig erscheinenden Wissens und der damit verbundenen Denkungsart. Zeitweise bestimmt Bildungsbegrenzung das Konzept des L.

In den 60er J. des 20. Jh. bewirkt heftige Kritik an den L. und an der Art, wie sie aufgestellt werden, eine Neuorientierung. Das führt zu Experimenten mit lernzielbezogenen, sog. curricularen L. Inzwischen hat sich die Einsicht wieder durchgesetzt, daß der L. nicht eine Ansammlung operationalisierbarer Ziele sein kann, sondern ein Mittel ist, die Ziele und Inhalte einer Schulart zu beschreiben und die bildungspolit. Intentionen einer öffentlichen Erziehung auszudrücken.

Die alten Sprachen dominierten traditionell in den L. der höheren Schulen. Im preußischen Gymnasial-L. von 1816 machten Lat. und Griech. zusammen fast 40% des gesamten Unterrichts aus. Erst im Kaiserreich wurde diese Vorherrschaft zugunsten mod. Sprachen zurückgedrängt. Dieser Trend setzte sich in der Weimarer Republik fort. Wenn auch nach 1945 die human.-altsprachliche Bildung wieder kurzzeitig an Bed. gewann, war ihr Niedergang doch nicht aufzuhalten. Nur das Lat. konnte sich auf niedrigem Niveau behaupten, leidet jedoch gegenwärtig unter der Tatsache, daß es nach der Klasse 11 nicht fortgesetzt werden muß.

C. Gegenwärtige Situation

Nach lernzielorientierten L. mit eindeutigen Vorgaben dominieren seit kurzem wieder solche Formen, die den Lehrern für ihre didaktischen Entscheidungen größeren Freiraum lassen. Die weiteste Form des L. sind relativ offene »Rahmenpläne«. Innerhalb der Diskussion, die derzeit für verschiedene Institutionen über deren Autonomie geführt wird, ist dies konsequent. Moderne L. enthalten eine knappe Theorie der Schulform und unterscheiden dann zunächst zw. schulfachspezifischen und schulfachübergreifenden Fragestellungen. Sie sind z. T. in einer Weise gegliedert, in der sich die von Weniger bereits herausgestellte Grundform des Aufbaus in Schichten deutlich zeigt: 1) Bildungs- und Erziehungsziel der Schulart, 2) Fächer und fächerübergreifende Problemstellungen, 3) Rahmenplan und 4) Fach-Lehrpläne. Dabei steht die Konzentration ähnlicher Inhalte und Lernziele als Mittel der fächerübergreifenden Kooperation im Vordergrund. So erweist sich der L. als Anregung zur Gestaltung von Schule und Unterricht. Das Grundproblem jedes L. ist bis h. die Begründung und Rechtfertigung der getroffenen Auswahl geblieben. Dabei wird verbreitet mit dem Hinweis auf sog. Schlüsselprobleme, Fragen von hoher polit. und gesellschaftlicher Bedeutung, argumentiert. Daneben bleibt aber zu sehen, daß die Frage des Exemplarischen ebenso wie die nach der ›Fruchtbarkeit‹ [4] des Vermittelten für die Entwicklung menschlicher Fähigkeiten wie Denken und ästhetisches sowie moralisches Empfinden von höchster Bed. ist.

→ Altsprachlicher Unterricht; Humanistisches Gymnasium
→ AWI Artes liberales

QU 1 H. Blankertz, Theorien und Modelle der Didaktik, ⁹1975 2 A. Dolch, L. des Abendlandes, ³1971 3 S. Hopmann, L.-Arbeit als Verwaltungshandeln, 1988 4 L. Koch, Logik des Lernens, 1991 5 G. Wehle, s. v. L., Pädagogisches Lexikon, 1961, 570–573 6 E. Weniger, Didaktik als Bildungslehre, Bd. I, ⁹1971

LIT 7 U. Lindgren, s. v. Artes liberales, HWdR Bd. I, 1992, 1080–1109.   Hans Jürgen Apel

Leichenrede A. Definition und Allgemeines B. Genese und Geschichte

A. Definition und Allgemeines

Die L. ist ein Kernstück der histor. und kulturell spezifischen Erinnerungspraktiken alteurop. Führungsschichten. Sie stellt den zentralen Sprechakt während eines Leichenbegängnisses dar. Damit ist sie eingebettet in das stark genormte Vollzugsschema der mit der Bestattung verbundenen zeremonialen Handlungen. Die an den Toten gerichtete Ansprache findet vor dessen Beisetzung statt. Sie würdigt seine Person und seine Verdienste, wobei die exemplarische Erinnerung zugleich auf die Festigung der sozialen Gemeinschaft der Nachlebenden zielt. Polis, gens, Hof, Gemeinde, Familie suchen im Gegenzug durch Ritual und Rede den Toten materiell und spirituell in der Existenz zu halten. Die L. ist Teil einer demonstrativ öffentlichen Kommunikationspraxis, deren Geltung unabhängig vom Grad kunstmäßiger Ausformung gegeben ist. Ihr allmählicher Geltungsverlust, der in der Neuzeit einsetzt und im 18. Jh. manifest wird [35], ist ein Indikator für langfristige mentalitätsgeschichtliche Veränderungen, faßlich im Wandel der für die alteurop. Kultur zentralen Auffassung, daß die Bindung zw. Toten und Nachlebenden fortdauere [27. bes. 437]. Mit ihr verliert eine für traditionale Gemeinschaften elementare Form der Selbstvergewisserung ihre Geltung: Die Gegenwart der Toten, die dem Verstorbenen einen sichtbar hohen gesellschaftlichen und rechtlichen Status zuerkennt, entzieht sich mehr und mehr dem Bereich öffentlichen Handelns; ihre sprachlich-rhet. Bestätigung wird zunehmend ins Belieben subjektiven Angedenkens gestellt [26. 22f.]. Der Verbundenheit mit den Toten folgt deren v. a. in der Lit. bezeugte mod. Dämonisierung.

B. Genese und Geschichte
1. 5. Jahrhundert vor Christus – 4. Jahrhundert nach Christus

Die L. ist eine konventionalisierte Redepraxis, die eine äußerst breite Skala der sprachlich-rhet. Organisation aufweist. Aus dem Alt. sind zwei durch ihren Konzeptionalisierungsgrad deutlich unterschiedene Typen überliefert, die in der Geschichte der L. fortgewirkt haben. Einmal der *epitáphios logos*, eine hochelaborierte und kunstvoll durchformte Rede; dieser Typus ist bei Thuk. 2,40,4ff. erstmals lit. belegt. Die berühmte Leichenrede des Perikles auf die im J. 431/30 für Athen im Peloponnesischen Krieg Gefallenen liefert zugleich ein Beispiel der Staatsberedsamkeit, die auf die Polisgemeinschaft zielt. Seit Marathon wird das jahrhundertealte Zeremonial der Leichenfeiern und des Heldengedenkens zum Instrument polit. Propaganda [21]. Die überlieferten Epitaphien liefern das Material für die rhet. Konzeptionalisierung der L. in der späteren Kaiserzeit im Zusammenhang der Theorie epideikt. Beredsamkeit durch Menander Rhetor und Ps.-Dionysios v. Halikarnaß.

Auch im Rom der Republik wird die Ehrung der Toten seit dem 4. Jh. v. Chr. zum Anlaß einer öffentlichen Inszenierung, deren Ablauf Polybios (6,53,1–54,3) dokumentiert: Die *laudatio funebris* ist Teil der *pompa funebris* und damit Teil eines exklusiven Zeremonials, mit dem die adlige Führungsschicht familiären Status, durch Ämter erworbenes Prestige und polit. Macht eindrucksvoll zur Schau stellt. Die theatralische Wirkung beruht wesentlich auf dem Zusammenspiel sprachlicher und visueller Mittel, insbes. dem der *pompa* vorbehaltenen

Vorzeigen der Ahnenmasken [10]. Auf dem Höhepunkt des Leichenbegängnisses richtet ein Vertreter der Gens als *orator* von der *rostra* aus seine L. an das auf dem Forum versammelte Volk und die Trauergemeinde: Seine *oratio* verbindet Totenlob und Klage; die Formelhaftigkeit der meist kurzen Ansprache, Verfahren wie Addition, Assonanz, Repetition, Rhythmus, mit denen die röm. L. ital. Sprechtraditionen fortsetzt, geben ihr die Physiognomie einer vorlit. Redepraxis. Im Unterschied zum griech. Epitaph kennt sie weder Trostteil noch Protreptik. Sie aktiviert vielmehr in hohem Maße den nichtsprachlichen und situativen Kontext: Das Mitweinen aller Trauernden unterstützt affektisch die Formung eines bewahrenswerten Bildnisses, das die L. im Anblick des Toten in der Aufzählung seiner körperlichen Vorzüge, seiner Abkunft, seiner mil. Taten, seiner polit. Verdienste und seiner in der Lebensführung sichtbaren *virtutes* vollzieht. Die Rede endet mit der Nennung der *tituli* des Verstorbenen und denen der in den Wachsmasken anwesend gedachten Ahnen der Gens. Die L. in Rom ist ein wichtiges Zeugnis über den Charakter der polit. Kultur [13]. Sie behält bis in die späte Republik ihre eminent öffentliche Bedeutung: Caesar nutzt sie zur Eigenpropaganda und um seine hohe Abkunft zu demonstrieren (Plut. Caesar 5). Die Theatralik der L. des Marcus Antonius auf Caesar (App. civ. 2,146,611) hat Shakespeare zu seiner Rede inspiriert (Julius Caesar III,2,57f.; 73ff.).

Mit der Auftrennung von Politik und Redekunst in der Kaiserzeit verliert die L. ihre hochpolit. Funktion [18]. Als kodifizierte Form altröm. Redepraxis wird sie nun für die symbolische Repräsentation des Kaiserhauses bei zeremonialen Akten nutzbar gemacht. Sie erhält gleichzeitig einen neuen Stellenwert im alltäglichen Lebensvollzug breiterer Bevölkerungsschichten: Die noch aus dem Prinzipat stammenden L. auf Frauen (*Thuriae* und *Murdiae*) [9] zeigen stark stilisierende Züge im Einklang mit der Augusteischen Ideologie, die zentrale Werte aus republikanischer Zeit adaptiert.

Der Einfluß der Rhet. auf die Redepraxis läßt sich ab dem 1. Jh. v. Chr. beobachten. Er schlägt sich in einer neuen Disposition der L. nieder [18. 76]. Die chronologische Aufzählung der *honores* macht der abstrakten Gliederung *per species* nach dem Schema *per virtutes* Platz. Dennoch bleibt die L. in Rom ein Grenzfall des lit. Kanons. Ihre Sprechtraditionen werden von der Rhet. konzeptionell nicht erfaßt [34]. Bereits Cicero beurteilt sie abschätzig wegen ihrer geringen Durchformung (ad Brut. 61). Mit einer L. könne ein Redner keinen Ruhm erlangen (Cic. de orat. 2,84,341). Die gelungene Umsetzung der Regeln klassizistischer Kunstprosa werden auch in der vom griech. Modell geprägten Formenlehre Quintilians nicht an der L. demonstriert, die zudem unter das für Rom nicht wichtige Genus der epideiktischen Rede gefaßt ist (inst. 3,7,2).

Eine umfassende rhet. Konzeptionalisierung der L. erfolgt erst in den praxisorientierten Traktaten der griech. Rhet. der Spätantike. In Kap. fünf der τέχνη ῥητωρική des Ps.-Dionysios v. Halikarnaß werden die Teile der Grabrede nach dem Modell des att. Epitaphios definiert. Ps.-Dionysios lehnt die Totenklage ab und konzentriert die Rede auf Lob, Ermahnung und Trost. Die Gliederung folgt klass. Regeln: An das Proömium schließt sich der Hauptteil mit *épainos*; nachgestellt sind *protreptikós* und *paramythikós*, als Schluß steht wahlweise ein Gebet. Menander Rhetor behandelt die L. in der Schrift Περὶ ἐπιδεικτικῶν als Beispiel für die Lobrede [31] und unterscheidet vier Grundformen des *epitáphios*: das Enkomion, die Monodie, die Trostrede und die Grabrede. Er legt zugleich Affektregister und Themen dieser Redetypen fest. Protreptische Züge und konsolarischer Anteil der L. bezeugen einerseits den Ausbau des Genus; als wegweisend für die weitere Entwicklung bes. im oström. Reich erscheint die Angleichung der L. an die Lobrede; dieser Prozeß geht mit der Ausdifferenzierung eigenständiger lit. Formen einher wie einerseits der → Konsolationsliteratur [16], zum zweiten des Stadtlobs [6].

2. 4.–15. JAHRHUNDERT
2.1 OSTRÖMISCHES REICH/BYZANZ

Die Geltung des spätant. griech.-hell. Modells der L. bleibt im oström. Reich in nahezu ungebrochener Kontinuität bis zum Fall von Konstantinopel 1453 praktisch erhalten. Eine Rückwirkung der praxisorientierten Rhetoriktraktate ist zum einen auf die christl. Redekunst der Kirchenväter gegeben [32]. Gregor v. Nazianz' L. auf den 379 gestorbenen Bruder Cäsarius folgt den Vorschriften von Menander Rhetor, wandelt durch biblische Vergleiche dabei die pagane Lobtopik ab. Die christl. Umwertung der Topoi geht bei Gregor v. Nyssa allerdings mit der Rechtfertigung der Lobrede im Dienste der Paränese einher [11]. Die Erinnerung an die Toten, so hält die L. auf Basilios fest, verbessere die Lebenden, deren gebessertes Leben das wahre Totenlob darstelle (PG 46, 816 C-D). Hiermit begeben sich die Kirchenväter in Konkurrenz zur Sophistik und der von ihr vertretenen paganen Lebensphilosophie [15].

Die eminente Geltung der in den spätant. Rhetoriktraktaten erstmals formulierten Anweisungen zur L. spiegelt sich darüber hinaus in den zahlreichen Epitaphien wieder, die im Kontext der rhetorisierten Hofkultur des oström. Reiches entstehen. Die L. entwickelt sich hier zu einer Variante der dominanten Gattung der Prunkrede [14]. Deren Merkmal ist eine ausgefeilte Lobtechnik: Die L. fungiert als Schaustück höfischer Panegyrik. Brillante Belege für die enkomiastische L. am Kaiserhof liefert Libanios, v. a. die Rede auf Kaiser Julian 362/3 (Or. 18). Am Hof von Byzanz blüht die herrscherbezogene Lobrede: Neben Epitaphien auf Mitglieder des Kaiserhauses sind später dann auch L. auf Vertreter der Reichselite (Geistliche und Schriftsteller) erhalten [30]. Zw. dem 11. und 14. Jh. wird die L. in Byzanz aus ihrem urspr. pragmatischen Bezugsfeld mehr und mehr herausgelöst und zum reinen Enkomion ausgefeilt. Sie wird nicht mehr direkt bei der Bestattung vorgetragen, hält aber durch Anrede des Toten fiktiv an dessen Präsenz fest. Beispielhaft hierfür sind die L. des Michael Psellos (1018 – ca. 1078). Zunehmend wird auch das private Leben Gegenstand von Monodien. Die Literarisierung der L. wird im ludistischen Umgang mit dem Formenbestand sichtbar: Monodien auf Haustiere zeigen das ebenso wie deren Travestien. Ein human. Reflex auf die byz. Formvariante der L. ist Leon Battista Albertis ironisches Lob *Canis* (ca. 1438) auf den Verlust seines Hundes [12].

2.2 WESTEUROPA

Die L. nimmt im lat. Westen bereits in der Spätant. eine andere Entwicklung als im griech. Osten. Die Überlieferungssituation ist deutlich komplexer, da im weström. Reich die Kontinuität einer durch Schule und Hof institutionell gesicherten Pflege der Rhet. nicht mehr durchweg gegeben ist. Nach dem Untergang der röm. Verwaltung geht in Westeuropa ab dem 6. Jh. die Trägerschaft der Schriftkultur auf die Klöster über, die sich damit zu den wichtigsten Zentren der ant. Überlieferung heranbilden. Als Mittler der Kultur Roms werden sie dann bes. von Karl d. Gr. ins Translatio-Projekt des fränkischen Reiches eingebunden. Am Karolingerhof wird die (mittel)lat. Lit. gezielt gefördert: Man legt dort bespielsweise Sammlungen provinzialröm. Epitaphien an; das urspr. german. Klagelied auf den gefallenen Waffenbruder wird zum *Planctus* ausgeformt und erhält damit eine rudimentäre rhet. Struktur; Bauform (Totenlob, Klage, Fürbitte) sowie Affektregister (*flete* als Aufforderung) weisen eher auf die röm. Praxis der L. zurück als auf den gedämpften christl. Typ. Diese Referenz wird eindrucksvoll belegt vom *Planctus* auf Karl d. Gr. [2]. Der *Planctus* übernimmt v. a. im dynastischen Kontext Orientierungs- und Erinnerungsfunktion; diese mittellat. Form findet sich zw. dem 9. und 13. Jh. in ganz Europa [33].

Der *Planctus* bildet mit Vers- und Strophenbindung eine Variante der L., die einer volkssprachlichen Trauerdichtung den Weg bereitet. Ab dem 11. Jh. läßt sich deren Entstehung an den Feudalhöfen in Grundzügen beobachten; im engen Austausch mit dem *Planctus* entstehen einmal im okzitanischen Sprachraum der altprovenzalische *Planh* [28]; im Bereich des Französischen *Dit*, *Complainte* und *Déploration* [33. 29ff.]; altfrz. Varianten sind bereits Mitte des 13. Jh. im lit. Kanon fest etabliert. Metrisch-prosodisch durch die Volkssprache bestimmt, orientiert sich die altfrz. Trauerdichtung zugleich an der → Figurenlehre, mit der die zeitgenössischen Poetiken die rhet. Trad. in elokutionärer Perspektive rudimentär fortführen. Geoffroy de Vinsauf bezeugt in *Poetria nova* (um 1210) ausdrücklich Interesse an der Trauerdichtung, und illustriert sie mit einem Klagelied auf Richard Löwenherz [1. 208–210]. Die Trauerdichtung findet Eingang in alle westeurop. Lit.: Sie bildet ergänzend zum Begräbniszeremonial und oft komplementär zur Grabkunst einen elementaren Bestandteil der Memorialkultur der Höfe. Die höfischen Zentren stellen den Rahmen der signifikanten Verschiebungen, die sich ab dem 14. Jh. im Profil der

Trauerdichtung bemerkbar machen: Sie weitet sich zur moralisierend-erbaulichen Dichtung, deren Orientierungsfunktion tendenziell auch die weitere Laienöffentlichkeit erreicht; daneben entwickelt sie sich zunehmend zur historiographischen Erzählung. Diese Transformation ist am Beispiel der burgundischen Hofdichtung zu fassen [24]: Exemplarisch für das Austauschverhältnis mit der Chronik ist Georges Chatelain (1405?–1475); die Didaktisierung in Verbindung mit dem allegorischen Diskurs betreibt meisterhaft Jean Meschinot (ca. 1420–1491).

Neben diesen Zeugnissen entwickelt sich im Rahmen der christl. Beredsamkeit ein in die Predigt integrierter Typus. Häufig imitiertes Muster bilden die L. des Ambrosius v. Mailand, deren Nachwirkung sich bis ins 13. Jh. feststellen läßt [25]: Radberg v. Corbic, *Vita S. Adalhardi* (PL 120, 1507–52), Wilhelm v. St. Denis, *Vita Sugerii* (PL 186, 1194–1208) bis hin zu Vinzenz v. Beauvais' *Consolatio* für Ludwig IX. orientieren sich an dieser Formvariante der L., der Ambrosius die Züge einer Trostschrift verliehen hatte unter bes. Gewichtung des Erlösungsgedankens. Die ambrosianischen L. zielen auf Überwindung der Trauer [8]; anstelle der Steigerung steht die Dämpfung der Affekte [5]. Neben den schriftlich überlieferten *Consolationes* wird die L. in den Klöstern in rudimentärer Form mündlich tradiert. Sie wird als kurze Ansprache an die Mönchsgemeinde in den Rahmen einer Predigt gestellt. Bei dieser Formvariante der L. handelt es sich letztlich um eine Übergangsform zw. situationsgebundenem Gebrauch und rhet. Strukturierung. Die Durchformung der in die Liturgie integrierten L. zur eigenständigen Redeform gerät erst wieder ab dem 12. Jh. mit Hilfe der *artes praedicandi* in den Blick. Die dort empfohlene Redepraxis wird durch die zahlreichen Predigtsammlungen des 13. und 14. Jh. belegt [4. 42–53]. Eine breite Wirkung entfalten die Dominikaner Remigio de' Girolami und Giovanni da San Geminiano [36]. Allerdings steht das von den Predigtorden propagierte Ideal des *sermo humilis* – ›laudes parce, vitupera parcius‹ – einem Ausbau der enkomiastischen Teile der L. deutlich im Wege. Deren erneute Ausfaltung läßt sich im Rahmen der fürstlichen Bestattungszeremonien beobachten: Hier wird dem Totenlob ein eigener Platz außerhalb der Liturgie zugebilligt. Anläßlich des Todes Wilhelms des Eroberers 1087 hält Gilbert v. Evreux nach der Totenmesse angesichts des aufgebahrten Leichnams eine ausführliche Rede, in der er die Leistungen des Herrschers hervorhebt (PL 188, 553 C 14 – 554 A 9). Die Entwicklung dieses Formtypus der L. geht insbes. von Unteritalien aus, wo sich der byz. Einfluß dauerhaft behauptet. Im Zusammenwirken von Hofpredigern und -rednern entstehen ab dem 13. Jh. *sermones pro mortuis*, die aufgrund ihrer ethischen Überformung thematisch die human. L. zu antizipieren scheinen [4. 118].

Im Rahmen dieser Sprechtraditionen sind dem rhet. Ausbau der L. zur repräsentativen Redegattung jedoch Grenzen gesetzt, wie Pier Paolo Vergerio d. Ä. festhält;

seine *oratio in funere Francisci senioris de Carraria Patavii principis* (1393) ist der erste Beleg einer L., die das klass. Schema wieder zur Anwendung zu bringen sucht [22]. Vergerio zeigt ein neu geschärftes Regelbewußtsein. Für die weitere Entwicklung der human. L. spielt das Vorbild griech. Begräbnisredner eine nicht zu unterschätzende Rolle: Bessarions L. auf Manuel II. (1419) wird noch in der 2. Jahrhunderthälfte als mustergültig betrachtet; Georg v. Trapezunt, nachmaliger Sekretär am Papsthof, brilliert in Venedig mit einer lat. L. (1437) vor dem Dogen und dem Senat. Wie schnell sich die human. L. als neue Redegattung etabliert, zeigen die zahllosen Abschriften, die seit Jahrhundertbeginn kursieren, wobei insbes. die Reden von Leonardo Bruni, Gian Francesco Poggio Bracciolini, Giovanni Pontano und Cristoforo Landino kanonischen Rang gewinnen [23. 24]. Die human. L. gewinnt ihr Profil aus einer einzigartigen Symbiose der griech.-byz. und röm. Überlieferung. Die schriftlich elaborierten Reden orientieren sich im Aufbau mit Proömium, Narratio, Peroratio am att. Epitaphios und stilistisch an der klassizistischen Kunstprosa; Poggio Bracciolini, der 1426 eine ideale L. konzipiert [3], hebt insbes. die *claritas* der Narratio hervor und reserviert die starken Affekte für Einleitung und Schluß. Tatsächlich bieten v. a. die Stadtrepubliken kommunikative Rahmenbedingungen, unter denen sich die L. zu einer Leitgattung öffentlicher Rede entwickeln kann. Der zeremoniale Aufwand, mit dem die Kommunen Mitglieder der polit. Führungsschicht durch öffentliche Begräbnisfeiern auszeichnen, beruft sich auf den Leichenpomp der röm. Republik. Beispielhaft belegt das Florenz, wo der spätere Kanzler Leonardo Bruni die L. auf Nanni Strozzi (1428) nutzt, um die polit. Ziele des *umanesimo civile* zu propagieren [37]. Die Medici übernehmen diese Form stadtrepublikanischer Repräsentation und nutzen noch im 16. Jh. die L. zu ihrer Selbstinszenierung als Dynastie [23. 49 ff.].

3. 16.–18. Jahrhundert

Im Europa der frühen Neuzeit lassen sich signifikante Verschiebungen und Umschichtungen beobachten. Beispielhaft läßt sich das an der Entwicklung in Frankreich verdeutlichen: Die L., die seit jeher einen festen Platz in der herrscherlichen Repräsentation einnimmt, findet sich in dem sich etablierenden Königsstaat zunehmend als Medium der Propaganda eingesetzt. Es wird üblich, nach dem Tod des Herrschers *oraisons funèbres* von allen Kanzeln des Reiches vorzutragen [29]. Diese Oratorik, die frz. Sprechtraditionen des 15. Jh. verpflichtet ist, wird dabei allmählich dem formal-stilistischen Regelwerk des klass. Modells adaptiert bis hin zu Jacques Bénigne Bossuets *Oraisons funèbres* (ab 1655), die die brillante Synthese von Kanzelrhetorik und Herrschaftseloquenz im Absolutismus darstellen [37]. In Deutschland setzt mit der Reformation eine beträchtliche Transformation der L. ein, die von Luther wieder strikt in die Liturgie eingebunden wird. Die überaus wirkungsvolle protestantische Formvariante ersetzt die *cura pro mortuis* durch den Zuspruch, dessen die Gemeinde bedarf. Unter Luthers Motto: ›lerne den todten ansehen nicht im Grabe und sarck, sondern in Christo‹ (Weimarer Ausgabe 36, 244) bereitet die protestantische Leichenpredigt den modernen Wandel im Verhältnis zw. Lebenden und Toten vor, der durch einen Verlust von Nähe und Sichtbarkeit sowie zunehmende Abstraktheit gekennzeichnet ist. Gleichwohl erfährt im Zuge der allg. Rhetorisierung der Kultur im 17. Jh. auch dieser Typus eine starke rhet. Schematisierung und kunstvolle Disposition [38. 35 ff.]. Rednerische Kunst und Erbauung gehen hier Hand in Hand. Die L. werden als lit. Produkte für den Druck bearbeitet und oft in Gedenkausgaben zusammen mit Epikedien, Nachrufen, Noten der bei der Bestattung gesungenen Lieder, Speisekarte des Leichenmahls, Porträts des Verstorbenen und seiner Ahnen, Abbildungen des Trauerzuges etc. publiziert. Hiermit gewinnt das Buch komplementär zur zeremonialen Memoria eine bedeutsame Erinnerungsfunktion. Solche für das Barockzeitalter typischen und immens verbreiteten Sammlungen stellen aufgrund ihrer bio- und historiographischen Details wichtige Quellen der Geschichtswiss. dar [19].

Verschiedene Anzeichen deuten im 18. Jh. auf einen grundlegenden Wandel. Die rhet. Form wird durchweg erhalten, jedoch usurpieren weltliche Redner den Bereich geistlicher Erbauung, wie J. Chr. Gottscheds Vorrede zu Fléchiers Lob- und Trauerreden 1748 zeigt. Im Zuge, wie die Bestattung privaten Charakter gewinnt – teilweise sogar als Nachtbestattung, Zeichen einer neuen Unsichtbarkeit der Toten –, ist die L. keine Gemeindeangelegenheit mehr. Wie alle mit der Bestattung zusammenhängenden stark normierten Handlungen verliert sie ihre Formelhaftigkeit und soll spontaner Ausdruck werden: Der Redner sagt, was er am Grab empfindet [17. 90]. Im 19. Jh. werden dann auch die Friedhöfe zu Denkmälern der Betroffenheit. Das Ende der Sprechtradition der L. bezeugt Schillers Begräbnis [17. 110 ff.]: Bei der stillen Beisetzung des Dichters zur Nacht am 11. Mai 1805 ersetzt beredtes Schweigen die Rede.

→ AWI Bestattung; Epitaphios; Laudatio funebris

QU 1 Arts poétiques du XIIᵉ et du XIIIᵉ siècle, hrsg. v. E. Faral, 1923, 208–210 2 MGH Poet. lat. Aevi Caroli Bd. 1, 345 s. v. 3 G. F. Poggio Bracciolini, Opera omnia, hrsg. v. R. Fubini, Bd. 3, 1970, 224–258

LIT 4 D. L. D'Avray, Death and the Prince, 1994 5 M. Biermann, Die L. des Ambrosius von Mailand, 1995 6 C. J. Classen, Die Stadt im Spiegel der *descriptiones* und *laudes urbium* in der ant. und ma. Lit., 1986 7 S. Daub, Leonardo Brunis Rede auf Nanni Strozzi, 1996 8 Y.-M. Duval, Formes profanes et formes bibliques dans les oraisons funèbres de Saint-Ambroise, in: Christianisme et formes littéraires (Entretiens 23), 1997, 235–291 9 D. Flach, Die sog. Laudatio Turiae, 1991 10 E. Flaig, Die *pompa funebris*, in: O. G. Oexle (Hrsg.), Memoria als Kultur, 1995, 115–148 11 U. Gantz, Gregor von Nyssa: Oratio Consolatoria, 1999 12 C. Grayson, Il canis di Leon Battista Alberti, in: Umanesimo e rinascimento a Firenze e Venezia. Miscellanea V. Branca, Bd. 3, 1983, 193–204 13 K.-J. Hölkeskamp, Oratoris maxima scaena, in: M Jehne (Hrsg.), Demokratie in Rom?, 1995, 11–49 14 H. Hunger, Die hochsprachliche, profane Lit. der Byzantiner, Bd. 1, 1978 15 H.-Th. Johann, Trauer und Trost, 1968 16 R. Kassel, Unt. zur griech. und röm. Konsolationslit., 1958 17 M. Kazmeier, Die dt. Grabrede im 19. Jh., 1977 18 W. Kierdorf, Laudatio funebris, 1980 19 R. Lenz, Gedruckte Leichenpredigten (1550–1750), in: Ders., L. als Quelle hist. Wiss., 1975–1984, Bd. 1, 36–51 20 B. Lier, Topica carminum sepulcralium latinorum. I-II, Philologus 62, 1903, 445–477; 563–603; III, Philologus 63, 1904, 54–65 21 N. Loraux, L'invention d'Athènes. Histoire de l'oraison funèbre dans la »cité classique«, 1981 22 J. M. McManamon (S. J.), Innovation in Early Humanist Rhetoric. The Oratory of P. P. Vergerio the Elder, Rinascimento 22, 1982, 3–32 23 Ders., S. J., Funeral Oratory and the Cultural Ideals of Italian Humanism, 1989 24 C. Martineau-Génieys, Le thème de la mort dans la poésie française de 1450 à 1550, 1978 25 P. v. Moos, Consolatio. Stud. zur mittellat. Trostlit., 4 Bde., 1971 26 O. G. Oexle, Die Gegenwart der Toten, in: H. Braet, W. Verbeke (Hrsg.), Death in the Middle Ages, 1983, 19–77 27 Ders., Memoria und Memorialbild, in: K. Schmid, J. Wollasch (Hrsg.), Memoria. Der gesch. Zeugniswert des liturgischen Gedenkens, 1984, 384–440 28 D. Rieger, Klagelied, in: E. Köhler (Hrsg.), Les genres lyriques, GRLMA 2/1, fasc. 4 Bii, 1980, 83–92 29 V. L. Saulnier, L'oraison funèbre au XVIᵉ siècle, Bibliothèque d'Humansime et Renaissance 10, 1948, 124–157 30 A. Sideras, Byz. L., in: R. Lenz (Hrsg.), Leichenpredigten als Quelle histor. Wiss., 1975–1984, Bd. 3, 17–49 31 J. Soffel, Die Regeln Menanders für die L., 1974 32 A. Spira, Rhet. und Theologie in den Grabreden Gregors von Nyssa, Studia Patristica 9, 1966, 106–114 33 C. Thiry, La plainte funèbre, 1978 34 G. Vogt-Spira, Rednergeschichte als Lit.-Gesch., in: W. Raeck (Hrsg.), Bewertung und Darstellung von Rede und Redner in den ant. Kulturen, 2000, 207–226 35 M. Vovelle, La mort et l'occident de 1300 à nos jours, 1983 36 E. Winkler, Scholastische Leichenpredigten: Die *sermones funebres* des Joh. v. S. Geminiano, in: Kirche – Theologie – Frömmigkeit. FS G. Holtz, 1965, 177–186 37 H. Schobel, Die Trauerrede des Grand Siècle, 1949 38 E. Winkler, Die Leichenpredigt im dt. Luthertum bis Spener, 1967.

BETTINA ROMMEL

Lettland I. Klassische Bildung vom 13. Jahrhundert bis zur Gegenwart II. Übersetzungen antiker Autoren ins Lettische

I. Klassische Bildung

vom 13. Jahrhundert bis zur Gegenwart

Die Anf. der klass. Bildung in L. sind im 13. Jh. zu suchen. E. des 12. und Anfang des 13. Jh. wurde L. durch den Schwertritterorden erobert. Die dt. Adligen herrschten in L. bis zum 16. Jh. Infolge des Livonischen Krieges (1558–1583) kam L. teilweise an Polen. 1201 wurde die Stadt Riga gegründet. Beim Domkapitel wurde die Rigaer → Domschule eingerichtet, die die erste und für längere Zeit einzige Bildungsanstalt in ganz Livonien war. Über den Unterrichtsprozeß während der katholischen Periode ist wenig bekannt. Die Reformationszeit brachte radikale Veränderungen für Livonien, die auch die Domschule betrafen. 1528 wurde auf Empfehlung Luthers Jacobus Battus aus Holland zum Rektor berufen. Er strukturierte die Domschule um nach dem Typus des westeurop. klass. Gymnasiums. Der Unterrichtsprozeß basierte auf dem Lesen, Interpretieren und Auswendiglernen der Werke der ant. Autoren und der Humanisten. Es wurde auch das lat. Sprechen geübt. Die Grundlagen des Lat. wurden nach der Gramm. des Donat unterrichtet. Die Schüler wurden in Metrik, Rhet. und Dialektik, den Anfängen der Mathematik, des Griech. und des Hebräischen unterrichtet. Ein Tag in der Woche war dem Religionsunterricht gewidmet. Die in der Domschule erhaltene Bildung ermöglichte den Abiturienten das Studium in Deutschland. Nach dem Tod von Battus (1545) wurde das Rektoramt von Rötger Becker oder Rutgerus Pistorius (1545–1554) bekleidet. Auf Melanchthons Empfehlung kam 1552 Hermann Wilcken aus Westfalen – auch Wilikandus genannt – als Lehrer der lat. Sprache nach Riga; er war Rektor von 1554 bis 1561.

Die Ereignisse des Livonischen Krieges destabilisierten den polit. Status von Riga. Zur Zeit des Rektors Georg Marsow (1565–1578) waren die polit. Wirren auch im Leben der Domschule zu verspüren. 1580–1583 und 1589–1613 wurde das Rektoramt von Stefan Teuthorn bekleidet, der die dramatische Kunst bes. begünstigte. Zur Zeit des Rektors Heinrich Möller (1583–1588) begann die polnische Herrschaft den Kampf gegen die evangelische Kirche in Riga. Die Domschule wurde in die Streitigkeiten hineingezogen, die in die Geschichte als der sog. Kalenderstreit eingegangen sind. Als 1584 auf Verordnung von Stephan Batory in Riga der Gregorianische Kalender eingeführt wurde, sah Möller darin eine Einschränkung des Protestantismus. 1589 war er gezwungen, Riga zu verlassen. 1594 wurde als Inspektor der Domschule der dt. Pastor Johann Rivius berufen. Die Domschule wurde reorganisiert, der Unterrichtsplan dem Ziel der Vorbereitung auf die Univ. unterworfen. Die Blütezeit des Humanismus in Riga schuf eine feste Basis für eine klass. Tradition.

Nach dem sog. Nordischen Krieg (1700–1721) fiel L. an Rußland. Mit Unterbrechungen während der Kriegshandlungen und der Feuersbrünste bestand die Domschule weiter. 1765 begann hier Johann Gottfried Herder seine Tätigkeit als Lehrer. 1804 wurde die Domschule zum Realgymnasium umgewandelt.

Einen bedeutenden Beitrag zur Entwicklung der klass. Bildung leistete auch die 1775 vom kurländischen Herzog Peter Biron gegründete »Academia Petrina« in Mitau (Jelgava). Das akad. Gymnasium hatte zwei Stufen. Der Besuch der zweiten (wiss.) Abteilung war erst nach zwei J. Unterricht in der ersten (lit.) Abteilung möglich, wo die Schüler in den Grundlagen der klass. Sprachen sowie in Lit., Mathematik, Geschichte und Geogr. unterrichtet wurden. 1806 wurde die Academia Petrina in das russische Schulsystem eingegliedert und

unter dem Namen »Gymnasium illustre« zum Gymnasium des Gouvernements Kurland umgewandelt. 1915 nach dem Süden Rußlands evakuiert, wirkte das Gymnasium in Taganrog bis 1918. Nach der Restauration im Jahre 1923 wurde in der Academia Petrina das klass. Gymnasium der Stadt eröffnet.

In der zweiten H. des 19. Jh. wurden in Riga einige klass. Gymnasien eingerichtet. Das populärste war das Alexandergymnasium. 1874 wurde auch die Domschule als klass. Gymnasium wiederhergestellt. Trotz aller Bemühungen hatten die klass. Gymnasien E. des 19. Jh. ihre bes. Bed. im Bildungswesen verloren.

Eine neue Periode in der Entwicklung der klass. Bildung in L. begann nach der Gründung der unabhängigen Republik 1918. In den 20er und 30er J. gab es in L. vier altsprachliche Gymnasien: 1. die Rigaer dt. Mittelschule (funktionierte bis 1939), 2. das 1. Rigaer Staatsgymnasium, 3. das klass. Gymnasium in Jelgava, 4. das Gymnasium der evangelisch-lutherischen Kirche L. (Die drei letzteren bestanden bis 1940.)

Die lat. Sprache gehörte zu den obligatorischen Fächern auch in den neusprachlichen Gymnasien bis zum J. 1940. Nach der Inkorporation L. in die Sowjetunion wurde das Erlernen der klass. Sprachen in den Schulen allmählich unterbunden. Mit der Wiederherstellung der Selbständigkeit L. 1991 wurde die lat. Sprache im Lehrplan mehrerer Schulen wieder aufgenommen.

Große Bed. für die Entwicklung und Erhaltung der klass. Bildung hatte die 1919 gegr. Univ. L. Die Abteilung der klass. Philol. begann ihre Tätigkeit gleich 1919. Im J. 1948 wurde die Abteilung geschlossen. Die lat. Sprache wurde lediglich als Pflichtfach für die Studenten der Philol., Geschichte und Jurisprudenz beibehalten. Seit 1991 wird das Studium der alten Sprachen wieder im Rahmen eines gesonderten Studienganges angeboten, und man ist bemüht, die Abteilung der klass. Philol. Schritt für Schritt auf den Umfang zurückzuführen, den sie vor ihrer Schließung 1948 eingenommen hatte.

1 B. HOLLANDER, Gesch. der Domschule des späteren Stadtgymnasiums zu Riga, 1980 2 G. SCHWEDER, Die alte Domschule und das daraus hervorgegangene Stadtgymnasium zu Riga, Rīga 1910 3 J. STRADIŅŠ, H. STRODS, Jelgavas Pētera akadēmija, Rīga 1975 4 Latvijas Universitāte – 75, Rīga 1994. BRIGITA CĪRULE

II. ÜBERSETZUNGEN ANTIKER AUTOREN INS LETTISCHE
A. EPIK UND LYRIK B. DRAMA C. PROSA

A. EPIK UND LYRIK

Der erste Versuch, ant. Poesie zu übersetzen, wurde von J. Alunāns (1832–1864), dem Begründer der lett. Kunstdichtung, unternommen. Seine *Dziesmiņas* (»Liedchen«, 1856, aus dem Nachlaß erweitert 1867–1869 und in 2 Bdn. hrsg.) enthalten u.a. 6 Oden und eine Satire von Horaz in den Versmaßen des Originals und Ovids *Philemon und Baucis* in Senaren. Das Hauptanliegen des Übersetzers war es, einen Beweis für die Ausdrucksmöglichkeiten der erst im Entwicklungsstadium befindlichen lettischen Literatursprache zu liefern. Charakteristisch für diese Zeit sind die Ersetzung fremder Realien durch der lettischen Umwelt entsprechende Gegebenheiten, sowie die Auswechslung von Eigennamen.

In den 80er–90er J. des 19. Jh. wurden einige mißglückte Versuche unternommen, einen lettischen Hexameter zu erarbeiten (falsche Wortbetonungen, zahlreiche Apostrophierungen, »Flickwörter«): M. Siliņš (1861–1942, das erste Buch der *Aeneis*, 1885), E. Dinsberģis (1816–1902, die *Odyssee*, übers. aus dem Dt., 1894–1903). Einen korrekten, jedoch einförmigen Hexameter hat der bedeutende Sprachwissenschaftler K. Mīlenbahs (1853–1916) in seiner Übers. der Bücher 1–8 der *Odyssee* (1890–1895) entwickelt. Erwähnenswert sind seine maßvolle Verwendung den Mundarten und der Folklore entnommener Wörter und die gelungene Wiedergabe homerischer Epitheta.

Einen wohlklingenden, den strengsten Kriterien entsprechenden Hexameter hat A. Ģiezens (1888–1964), die herausragende Persönlichkeit unter den Übersetzern, geschaffen, der die klass. Epen textgetreu und stilistisch adäquat übersetzt hat: Die *Ilias* erschien 1936, überarbeitet 1961, die *Odyssee* 1943, überarbeitet 1967, Hesiods *Theogonie* und *Erga*, hrsg. von Ā. Feldhūns (geb. 1915), 1995, die *Aeneis* 1970. Als Ms. hinterlassen sind Vergils *Bucolica* und *Georgica*.

Weitere Übers. epischer Dichtungen: *Hymnen* (Auswahl) und die *Batrachomyomachia* (Ā. Feldhūns in: *Aphrodite auf schimmerndem Throne...*, 1994; hier auch eine Auswahl griech. Dichtung von Archilochos bis Pindar); Lukrez, *De rerum natura*, 1995 (J. Eiduss, geb. 1916). K. Straubergs (1890–1962) veröffentlichte 1922 eine Auswahl griech. Dichtung, die hell. und die Anakreonteen inbegriffen, 1924–1936 3 Bändchen Horaz: 1) *Satiren*, 2) *Epoden*, 3) *Oden* (die B. 1–2) .

B. DRAMA

Eine Übersicht über die griech. Tragödie vermitteln zwei von Ā. Feldhūns hrsg. Sammelbände: *Die altgriech. Tragödie* (1975) und *Euripides, Tragödien* (1984). Aischylos ist im o.g. Sammelband durch den *Gefesselten Prometheus* (A. Ģiezens) und die *Oresteia* (Ā. Feldhūns) vertreten, Sophokles durch *Antigone* (A. Ģiezens), *König Oidipus* und *Elektra* (H. Novackis, 1915–1973), Euripides durch *Medeia* (A. Ģiezens), *Ion, Hippolytos* (P. Zicāns, 1912–1986), *Elektra, Iphigeneia bei den Taurern, Alkestis, Helena, Bacchantinnen, Troerinnen* (A. Feldhūns), *Iphigeneia in Aulis* und *Kyklops* (A. Feldhūns und H. Novackis). Vorausgegangen waren bereits die Übers. des *Gefesselten Prometheus* (1919), des *König Oidipus* (1920) und der ersten zwei Dramen der *Oresteia* (1943) von K. Straubergs sowie der *Antigone* (1920, 1932, 1941) von A. Ģiezens. Seneca ist in einer Auswahl (*Medea, Phaedra, Troerinnen, Thyestes, Octavia*) 1993 herausgegeben worden (A. Feldhūns).

Der Sammelband *Die antike Komödie* (1979 hrsg. von Ā. Feldhūns) umfaßt: Aristophanes, *Ritter, Wolken, Lysistrate, Frösche* (A. Ģiezens, in separater Ausgabe 1960); Menandros, *Dyskolos* (P. Zicāns); Plautus, *Miles gloriosus, Menaechmi, Captivi, Aulularia, Pseudolus*; Terentius, *Adelphoe* und *Eunuchus* (Ā. Feldhūns). Zuvor waren schon die Übers. der *Menaechmi* (1928) von K. Straubergs und der *Captivi* (1932) von A. Ģiezens erschienen.

C. PROSA

1920 erschienen Platons *Apologie, Kriton* und *Phaidon* in der Übers. von F. Garais (1865–1936), 1997 eine neue Übers., nebst *Euthyphron*, von Ā. Feldhūns, 1925 *Protagoras* (unvollständig, F. Garais), 1980 *Menon* und *Das Gastmahl*, 1982 (in Auswahl) *Der Staat* (G. Lukstiņš, 1896–1987); 1959 Aristoteles' *Poetik* (A. Ģiezens), 1985 die *Nikomachische Ethik* (I. Ķemere, geb. 1939); 1991 Marcus Aurelius' *Selbstbetrachtungen* (I. Ķemere) nebst Epiktets *Encheiridion* (B. Čirule, geb. 1954); 1995 Theophrasts *Charaktere* (M. Vecvagars, geb. 1953, I. Ķemere). Von den letztgenannten Autoren begonnen ist eine Ausgabe der Vorsokratiker, von der 1994 der erste Band erschienen ist.

1930–32 erschien Thukydides' *Geschichte des Peloponnesischen Krieges* (F. Garais), 1969–70 eine Auswahl aus Herodots *Geschichte* (*Die sagenumwobene Vergangenheit*), 1971 eine aus Xenophons *Anabasis* (*Rückzug der Sieger*, G. Lukstiņš). Weitere Übers. aus dem Griech.: Longus, *Daphnis und Chloe*, 1974; Aisopos, *Fabeln*, 1978, Lukianos, *Götter-, Toten- und Hetärengespräche*, 1980; Lysias, *Gerichtsreden* (Auswahl), 1984 (Ā. Feldhūns). Aus dem Lat.: Livius, *Ab urbe condita*, die B. 21–30 (*Hannibal gegen Rom*), 1973; Caesar, *De bello Gallico*, 1977 (G. Lukstiņš); Apuleius, *Der goldene Esel*, 1974 (A. Ģiezens); Seneca, *Ad Lucilium epistulae morales*, 1996 (Ā. Feldhūns).

Stark erweitert ist der Kreis der ins Lettische übers. griech. und röm. Lit. durch zwei je zweibändige, zu Studienzwecken herausgegebene Anthologien (1951– 52, hrsg. von der Akad. der Wiss., und 1991–1994, hrsg. vom Lehrstuhl für klassische Philol. der Lettischen Univ.), in denen die meisten bed. Vertreter aller Literaturgattungen berücksichtigt sind.

ĀBRAMS FELDHŪNS

Lexikographie

I. GRIECHISCH   II. LATEIN, ALLGEMEIN
III. THESAVRVS LINGVAE LATINAE

I. GRIECHISCH
A. EINLEITUNG   B. MITTELALTER
C. HUMANISMUS   D. NEUZEIT

A. EINLEITUNG

Der Terminus L. ist weder ant. noch byz.; die Wörter λεξικόν (*lexikón*) und λεξικογράφος (*lexikográphos*) sind zuerst im 9. Jh. belegt. Ant. sind die Bezeichnungen λέξεις (*léxeis*, »Wörter«) oder γλῶσσαι (*glóssai*). Die Ursprünge der L. liegen in den Bedürfnissen der Schule (Homerlektüre), der wiss. Dichtererklärung, der Dialektforsch. und der Erl. juristischer und staatsrechtlicher Termini. Solche Vokabelverzeichnisse folgten zunächst dem glossierten Text und wurden erst später alphabetisch geordnet, wobei sich die Ordnung gewöhnlich nur auf die ersten Buchstaben erstreckte. Kombiniert man, was in der Spätant. geschah, mehrere solcher alphabetisierter Spezialglossare (z. B. Hom., Eur. u. a.) zu einer alphabetischen Reihe, entsteht ein Lexikon. Seine Art., die einmal bestimmte Schriftstellerstellen richtig (oft allerdings auch schief oder falsch) erklärt hatten, erhalten nun eine scheinbare Allgemeingültigkeit. Eine Folge dieser mechanischen Entstehungsweise ist, daß es viele (oft sich geradezu widersprechende) Mehrfachglossen innerhalb eines Lex. gibt, die nicht beseitigt wurden. Hierin liegt einerseits ein großer Mangel ant. und byz. Lexika. Andererseits erlaubt es diese Unfertigkeit zusammen mit der Unselbständigkeit der Kompilationen der mod. Forsch., aus den an und für sich eher gleichgültigen Endprodukten durch Quellenanalyse die wertvollen Bestandteile wieder herauszulösen. Die spätant. und früh- bis mittelbyz. Lex. sind die großen Sammelbecken, in die die lexikographischen Leistungen der Ant. eingeflossen sind und aus denen sich jene – jedenfalls teilweise – rekonstruieren lassen. Ein nicht geringer Teil des griech. Wortschatzes ist allein durch diese Lex. erhalten, die zudem sehr zahlreiche Bruchstücke aus verlorenen ant. Literaturwerken gerettet haben.

B. MITTELALTER

Die sprachliche und kulturelle Kontinuität zw. griech. Spätant. und byz. MA erhielt den Byzantinern den Zugang zu den seit dem Hell. und der Kaiserzeit gesammelten lexikographischen Schätzen. So entstanden z. B. um die Mitte des 9. Jh. in Konstantinopel, offenkundig in enger Verbindung mit einer Textrevision der Ilias und dem zugehörigen riesigen Komm., von dem der cod. Venetus A der Ilias eine Abschrift ist, das älteste und wertvollste der byz. Etymologika, das sog. *Etymologicum genuinum* [4], etwa gleichzeitig das Lex. des späteren Patriarchen Photios und um 1000 das Lex. des sog. Suidas (der Suda). Sie waren für ihre Zeit wichtige Hilfsmittel für den wiss. Unterricht, insbes. für die Lektüre und Kommentierung der sprachlich und sachlich schwierigen ant. Dichter, v. a. Homers. Für die mod. Philol. sind sie alle von hervorragendem Quellenwert [6]. Letzteres übte sogar im lat. Westen eine erstaunliche Wirkung aus, da der Bischof von Lincoln Robert Grosseteste (um 1168–1253) Teile daraus übersetzte und seine Hs. als Hilfsmittel für Übers. aus dem Griech. heranzog [8. 295]. Während diese sehr umfangreichen Kompilationen höheren wiss. Zwecken dienen konnten, stand für elementare Bedürfnisse das aus der Spätant. stammende, in byz. Zeit immer wieder umgearbeitete, in zahlreichen, oft sehr korrupten Hss. überlieferte sog. Kyrillglossar (nicht zu verwechseln mit dem griech.-lat. Glossar des Ps. Cyrillus!) gleichsam als Standardlex. zur Verfügung. Die Methode der Überarbeitung ist an einer der ältesten Hss. gut erkennbar [5]. Die hauptsächlichen Quellen sind elementare Worterklä-

rungen v. a. zu Hom., Eur. und einigen Kirchenvätern, gleichwohl hat man es, obwohl eigentlich denkbar ungeeignet, zur Basis eines weitverbreiteten Rechtslex. genommen [9. 116]. Auch sehr späte Lex., wie das des außerordentlich weitverbreiteten Ps. Zonaras (1. H. des 13. Jh., ca. 130 Hss. bekannt) und des Andreas Lopadiotes (sog. *Lex. Vindobonense*), können sonst nicht erhaltene Texte aus der Spätant. überliefern (z. B. jenes Auszüge aus dem attizistischen Lex. des Oros aus dem 5. Jh., dieses Fragmente des Rhetors Himerios aus dem 4. Jh.). Griech. Wortschatz für Nichtgriechen vermittelten außer Gesprächsbüchern (*Hermeneumata*) [11. 12–23] auch zweisprachige Glossare, von denen Reste schon aus der Kaiserzeit bekannt sind (z. B. Oxyrhynchospapyrus 3452, 2. Jh.); die wichtigsten sind die griech.-lat. Glossen des Ps. Cyrill [11. 34–47] und die lat.-griech. des Ps. Philoxenus [11. 23–34]. Während die meisten der ant. und spätant. Lex. zur Texterklärung angelegt waren, dienten die sog. attizistischen WB (vgl. [3. 21–24]) der Sprachnormierung und Textproduktion, wie bes. deutlich an der Widmungsepistel des Phrynichos abzulesen ist. Insgesamt ist die Wirkung der ant. und byz. Lex. auf den Wortschatz der byz. Literaten noch wenig erforscht und schwer nachweisbar. In einzelnen Fällen sehen wir jedoch, daß auch texterklärende Lex. zur Textproduktion verwendet wurden. Der gelehrte Abt Theodorus Studites (759–826) benutzte nachweislich als eine der Quellen seiner zahlreichen echten oder scheinbaren Neologismen eine Hs. des Kyrillglossars, und auch Photios (epist. 156,11–15) suchte mit erlesenen Zitaten ant. Komiker zu glänzen, die er einem Lex. verdankte [5. 36–39].

C. HUMANISMUS

Als nach der Ankunft des Manuel Chrysoloras die systematischen Studien des Griech. in Italien 1400 stark aufblühten, wurden lexikographische Hilfsmittel dringend benötigt. In zahlreichen Hss. seit dem 15. Jh. finden sich sehr karge griech.-lat. Lex., und schon vor 1478 wurde dann in Mailand das *Dictionarium graecum cum interpretatione latina* des Carmelitermönchs Johannes Crastonus gedruckt. Die Entstehungs- und Überlieferungsgesch. dieses ›WB der Humanisten‹ hat P. Thiermann geklärt [14]. Um 1440 in Florenz, wohl von Guarino Veronese kompiliert, hat es mehrere Redaktionsstufen durchlaufen. Das *Dictionarium* des Crastonus ist nichts anderes als eine weitere Redaktionsstufe, der die von K. Laskaris annotierte und aus den griech.-lat. Glossen des Ps. Cyrill erweiterte Hs. Vatic gr. 2355 vorgelegen hat. Basis der Kompilation und der Erweiterungen war nicht eines der spätant.-byz. griech. Lex. (wie z. B. das sog. Kyrillglossar) oder der griech.-lat. Ps. Cyrill, sondern es beruht auf selbständiger Lektüre einiger griech. Autoren (Hom., Hes., Soph., Eur., Plat., Apoll. Rhod., Theokr., Diod., Plut., Ios., Psalmen), aus denen Vokabeln herausgeschrieben und übersetzt wurden, nach Möglichkeit mit Hilfe alter Übers. wie der Vulgata oder des Josephos. Das *Dictionarium* wurde noch vor 1500 mehrfach nachgedruckt (Specimina s. [13. 1–7]), 1497 mit einigen Ergänzungen und Zugaben (darunter neben den Erstausgaben ant. Synonymenlex. des Ammonios und Philoponos ein auch von Crastonus stammender, in Mailand 1480 gedruckter *Vocabulista latino-graecus*) bei Aldus Manutius. Auf diesem Druck basieren bis 1568 nicht weniger als 27 Neuausgaben (Liste bei Cohn [10. 706–708]), die jeweils nur recht geringfügig verbessert und ergänzt waren (vgl. [12. 40–43, 50–52]). Wiss. Ansprüche, denen diese Lex. nicht genügen konnten, wurden befriedigt durch die früh einsetzenden Drucke ant. und byz. griech. Lex. wie des *Etymologicum Magnum* 1499, Suidas (Suda) 1499 (lat. Übers. 1564 [13. 115]), Poll. 1502 (lat. Übers. 1541 [13. 112–114]), Steph. Byz. 1502 (mit lat. Übers. 1568 [13. 437–440]), Harpokr. 1503, Hesych. 1514 (von Musurus), Phryn., Ecloga 1517; Thomas Magister 1517. Eine für die Zeitgenossen sehr praktische Kompilation riesigen Umfangs aus gedruckten, teils auch noch ungedruckten ant. und byz. Lex. (zu den Quellen s. [2. 42–47]) ließ Guarino (ca. 1450–1537) aus Favero bei Camerino (daher latinisiert Varinus Phavorinus Camers) in Rom 1523 drucken (Nachdrucke 1538 in Basel, besorgt von J. Camerarius (vgl. [13. 119–121]), und 1712 in Venedig). Im Nachlaß des Martin Crusius (1526–1607) hat das Ms. seines 1579–1589 verfaßten *Alphabetum vulgaris linguae Graecae* erhalten: die Lemmata wurden aus Hss. und Venezianer Volksdrucken exzerpiert, für die Erklärungen stützte sich Crusius auf griech. Informanten (eine Ed. des Lex. wird von N. Toufexis als Diss. in Hamburg vorbereitet).

D. NEUZEIT
Die wohl bedeutendste Leistung der griech. L. überhaupt steht am Beginn der Neuzeit: der *Thesaurus Graecae Linguae* des Henricus Stephanus (Henri Étienne, geb. wohl 1531, gest. 1598), der in fünf Foliobänden 1572 in Paris erschien (zweite, wenig veränderte Auflage 1580). Das Werk beruhte auf umfassender Durcharbeitung einer großen Zahl griech. Schriftsteller (von denen Stephanus selbst viele herausgegeben hatte), v. a. auch der kurz zuvor edierten griech. Lex., und benutzte die ihm bereits zugänglichen Scholien und Schriften ant. und byz. Grammatiker. Stephanus dokumentierte insbes. die Bed. und syntaktischen Verbindungen der Wörter durch Belegstellen aus den Autoren, die er allerdings nicht genau, sondern nur allg. zitierte. Jedoch wurde die Benutzung dadurch erschwert, daß die Anordnung des Materials nicht streng alphabetisch, sondern nach etym. Prinzipien (nach Wurzeln und Stammformen) durchgeführt war [10. 709]. Der Absatz des *Thesaurus* wurde dadurch erheblich beeinträchtigt, daß Johannes Scapula, der Korrektor des Stephanus, eine heimlich mit Hilfe der Druckfahnen produzierte billigere Epitome unter dem Titel *Lex. graeco-latinum* (mit derselben Anordnung wie der des *Thesaurus*) in einem Quartband 1579 in Basel herausgab, die schon 1580 in Basel, 1583 in Genf und dann bis 1820 (in Oxford) noch zwölfmal nachgedruckt wurde [10. 710]. In den J. 1816–1828 erschien in London in neun Foliobänden eine stark ergänzte und revidierte Neubearbeitung des *Thesaurus* mit Beibehaltung

von Stephanus' Anordnung. Dagegen führte eine zweite Neuausgabe, die in Paris von 1831–1865 ebenfalls in neun Foliobänden v. a. von Karl Benedict Hase und den Brüdern Wilhelm und Ludwig Dindorf herausgegeben wurde, die alphabetische Ordnung durch. Der *Thesaurus* des Stephanus ist bis h. das umfangreichste griech. Lex. geblieben und direkt (oder indirekt durch Scapula) die Grundlage aller griech. Lex. der folgenden Jh. geworden.

Bedeutende Beiträge zur L. wurden in umfangreichen Komm. gesammelt; genannt seien Johannes Piersons Komm. zu Moeris (1756), David Ruhnkens Komm. zum Platonlex. des Timaios (1754), Christian August Lobecks Komm. zu Phrynichos (1820) und zum Ajax des Sophokles (³1866). Große Verbreitung im 18. und 19. Jh. durch zahlreiche Neudrucke in Deutschland, England, Frankreich und Italien erfuhr das von Benjamin Hederich (1675–1748) zuerst 1722 in Leipzig herausgegebene (in späteren Auflagen von J. A. Ernesti besorgte) *Graecum lexicon manuale*, in zwei Bänden 1825–27 zusammen mit Gustav Pinzger von Franz Passow bearbeitet. Das erste Griech.-Dt. Handwörterb. publizierte Johann Christoph Vollbeding, Leipzig 1784. Auf Hederich stützte sich das Griech.-Dt. WB von Johann Gottlob Schneider, zuerst in zwei Bänden 1797–98 in Züllichau erschienen, dessen 3. Auflage ebenfalls Passow bearbeitete, der dann eine vierte Auflage unter eigenem Namen (Leipzig 1831) herausgab. Eine Neubearbeitung als fünfte Auflage des Passowschen Werkes erschien, von mehreren Mitarbeitern unter Leitung von Valentin Christian Friedrich Rost geschaffen, 1841–1857 in Leipzig, das umfangreichste griech.-dt. WB bis auf den heutigen Tag, da Wilhelm Crönerts Neubearbeitung (Göttingen 1912 ff.) nur bis zum Art. ἀνά gelangte; sie hätte, wäre sie abgeschlossen worden, wohl den dreifachen Umfang des *Liddell-Scott-Jones* erreicht. Auf der Grundlage von Passow und später von Passow-Rost entstand das *Greek-English Lexicon* von Henry George Liddell und Robert Scott, zuerst Oxford 1843, dessen spätere Auflagen sich allerdings mehr und mehr verselbständigten. Die neunte, von Henry Stuart Jones redigierte und von 1925 bis 1940 erschienene Auflage (mit Addenda von 1968 und 1996) ist das Standardlex. unserer Zeit, das allerdings mehr und mehr von dem unter Leitung von Francisco R. Adrados seit 1980 in Madrid erscheinenden *Diccionario Griego-Español* abgelöst wird. Wichtige Ergänzungen zum *Liddell-Scott-Jones* für die darin nicht dokumentierte Gräzität der christl. Autoren liefert das *Patristic Greek Lexicon* von G. W. H. Lampe (Oxford 1961), für die byz. Zeit, bes. das 9. bis 12. Jh., das von Erich Trapp erstellte Lex. zur byz. Gräzität (Wien 1994 ff.). An dem von Bruno Snell 1944/45 an der Univ. Hamburg begründeten Unternehmen *Thesaurus Linguae Graecae* [7] ist der *Index Hippocraticus* fertiggestellt worden (erschienen 1989, Suppl. 1999), und seit 1955 erscheint das *Lex. des frühgriech. Epos* (bisher 17 Lieferungen, bis ὁράω). Als *Thesaurus Linguae Graecae* neuer Art erfaßt das gleichnamige Unternehmen in Irvine den gesamten griech. Wortschatz von Homer bis zum Untergang Konstantinopels als elektronische Textdatenbank und gibt eine CD-ROM (im Frühjahr 2000 erschien eine wesentlich erweiterte Version E) heraus, auf der eine Volltextsuche möglich ist.

1 F. R. ADRADOS et al., Introducción a la lexicografia griega, 1977 2 K. ALPERS, Das attizistische Lex. des Oros, 1981 3 Ders., Griech. L. in Ant. und MA, in: H.-A. KOCH, A. KRUP-EBERT (Hrsg.), Welt der Information 1990, 14–38 4 Ders., Eine byz. Enzyklopädie des 9. Jh., in: G. CAVALLO et al. (Hrsg.), Scritture, libri e testi nelle aree provinciali di Bisanzio, 1991, vol. I, 235–269 5 Ders., Ein Handschriftenfund zum Cyrill-Glossar in der Staats- und Universitätsbibl. Bremen, in: W. HÖRANDNER, E. TRAPP (Hrsg.), Lexicographica Byzantina, 1991, 11–52 6 Ders., L., B. I: Griech. A. und II: Byz., in: HWdR 5, 2001, 144–210 7 W. BECK, D. IRMER, Fünfzig J. Thesaurus: 1944–1994, 1996 8 W. BERSCHIN, Griech.-lat. MA, 1980 9 L. BURGMANN, Byz. Rechtslex., in: D. SIMON (Hrsg.), Fontes Minores 2, 1977, 87–146 10 L. COHN, Griech. L., in: K. BRUGMANN, A. THUMB, Griech. Gramm. ⁴1913, 681–730 11 G. GOETZ, De glossariorum Latinorum origine et fatis, in: CGL, Bd. 1, 1923 12 H. GÜNTHER, Schrift als Zahlen und Ordnungssystem. Alphabetisches Sortieren, in: H. GÜNTHER, O. LUDWIG (Hrsg.), Schrift und Schriftlichkeit. Ein interdisziplinäres Hdb. internationaler Forsch., 2. Halbband, 1996, 1568–1583 13 F. Hieronymus, Ἐν Βασιλείᾳ πόλει τῆς Γερμανίας. Griech. Geist aus Basler Pressen, 1992 – 14 P. THIERMANN (†), Das WB der Humanisten. Die griech.-lat. L. des 15. Jh. und das Dictionarium Crastoni (ungedr. Diss. Hamburg 1994) 15 L. ZGUSTA, D. J. GEORGACAS, Lexicography of Ancient Greek and The Lexikography of Byzantine and Modern Greek, in: F. J. HAUSMANN et al. (Hrsg.), WB. Ein internationales Hdb. zur L., 2. Teilband, 1990, 1694–1704 und 1705–1713 16 W. ZAUNMÜLLER, Bibliogr. Hdb. der Sprachwörterb., 1958. KLAUS ALPERS

II. LATEIN, ALLGEMEIN

A. MITTELALTER B. CALEPINUS UND STEPHANUS
C. ZWEISPRACHIGE WÖRTERBÜCHER
DES 16.–18. JAHRHUNDERTS D. FORCELLINI UND
SCHELLER E. SCHELLERS ERBEN F. EIN LEXIKON
NEBEN DEM ›THESAVRVS LINGVAE LATINAE‹
G. ELEKTRONISCHE HILFSMITTEL

A. MITTELALTER

Die lat. L. (dazu ausführlicher [23; 24]), d. h. das Bemühen, den lat. Wortschatz der Ant. bzw. bestimmte Teile davon zu sammeln und diese Sammlungen, insbes. in Verbindung mit Angaben über die Bed. und das Vorkommen der einzelnen Wörter, zu publizieren, wird schon in der Ant. selbst in mannigfacher Weise gepflegt. Von diesen vielfältigen lexikographischen Aktivitäten wirken v. a. die einsprachigen sog. Glossarien im MA weiter. In ihnen ist verschiedenstes Material zusammengeflossen. Urspr. vielfach Hilfsmittel nach Art eines mod. Schülerkomm. zum Verständnis schwieriger (Dichter-)Texte und daher auch nicht unbedingt alphabetisch geordnet (dabei bedeutet alphabetisch bis ins

frühe MA ohnehin häufig nur die Berücksichtigung des ersten oder der ersten beiden Buchstaben eines Wortes), haben sie sich dann von der Bindung an einen Text oder Autor gelöst, sind umgeordnet, verbunden, aus allen möglichen Texten, insbes. den Gramm. (denen sie umgekehrt wieder viel Material geliefert haben) und Fachglossaren ergänzt worden, so daß die uns in ma. Hss. noch vorliegenden Endprodukte dieses Eifers, die h. meist nach dem jeweiligen ersten Lemma benannt werden (z. B. die Glossarien *Aa, Abstrusa, Abolita*), alle irgendwie miteinander verwandt sind, aber in der vorliegenden Form im allg. erst dem frühen MA angehören (Ed. wichtiger Glossarien [5. Bd. 4. 5; 9]). Eine bes. umfassende Sammlung ist der wohl im 8. Jh. entstandene *Liber glossarum (Glossarium Ansileubi)*, der leider bis h. nicht richtig ediert ist [9. Bd. 1].

Diese mehr oder minder anon. einsprachigen Glossarien sind ihrerseits der Ausgangspunkt für die gesamte ma. lat. L. Einerseits nämlich mußten sie dazu reizen, sich die jeweiligen volkssprachlichen Äquivalente dazuzunotieren – damit waren die frühesten lexikographischen Produkte der einzelnen Volkssprachen geboren (der dt. *Abrogans* markiert sogar schlechthin den Beginn der dt. Literaturgeschichte). Auf der anderen Seite konnten auch diejenigen, die an die Stelle der überlieferten Glossarien etwas Neues setzen wollten, gar nicht anders, als auf diese Glossarien zurückzugreifen: teils stärker, wie Papias (1. H. 11. Jh.), dessen *Elementarium* [13] größtenteils aus dem *Liber glossarum* stammt, teils in geringerem Umfang, wie Osbern (Mitte 12. Jh.) für seine *Derivationes* [11], die weniger ein Lex. als eine nach Stammwörtern geordnete Wortkunde darstellen, der – als Wiederholung – nach jedem Buchstaben der entsprechende Lexikonteil angehängt ist. Diese beiden wohl berühmtesten lexikographischen Werke des früheren MA sind ihrerseits wieder maßgebend geworden für die späteren ma. Werke, u. a. das *Catholicon* des Johannes Januensis [6].

B. CALEPINUS UND STEPHANUS

Dem Human. und seiner Rückbesinnung auf die Lit. und Sprache der Ant., insbes. der als verpflichtendes Vorbild empfundenen »klass.« Ant., konnten die im Bann der Spätant. stehenden ma. Lex. natürlich nicht genügen; andererseits mußten gerade für diejenigen, denen die klass. Latinität noch nicht selbstverständlich zu Gebote stand, Hilfsmittel zum Verständnis der neugeliebten Texte und zur Kontrolle der eigenen lat. Äußerungen höchst erwünscht sein. So werden zum einen Papias und Johannes Januensis trotz allem im 15. Jh. mehrfach gedr.; zum anderen gibt es im 15. Jh. eine Reihe eigener lexikographischer Versuche, u. a. einen des jungen Reuchlin (Überblick von germanistischer Seite über Forschungssituation und -lit. zu WB des MA und der frühen Neuzeit [19. 23–40], von seiten der übrigen Philol. [25]). Sie alle aber wurden trotz teilweise großer momentaner Erfolge bald völlig verdrängt durch zwei Werke, die bis ins 18. Jh. weitergewirkt haben: die Lex. des Calepinus (1502) und des Stephanus (1531).

Das *Dictionarium* [1] des Ambrosius Calepinus (ca. 1440–1510/11), Augustinereremit in Bergamo, trägt in vielem noch die Züge seiner ma. Vorgänger: Es ist einsprachig; gerade ganz gängige Wörter fehlen (z. B. *ego*); die alphabetische Anordnung der Lemmata wird gestört durch die Zusammenordnung von Wörtern, die man als herkunftsmäßig (*porta* und *portus* hinter *porto*) oder bedeutungsmäßig (*postulo* hinter *posco*) verwandt ansieht. Wichtiger aber ist das Neue: Die Etym. ist zurückgedrängt, dafür werden fast immer die Bedeutung bzw. die verschiedenen Bedeutungen eines Wortes angegeben; v. a. aber werden regelmäßig Beispiele für den Gebrauch des jeweiligen Wortes geboten, und sehr oft wird mehr oder weniger genau gesagt, woher das jeweilige Beispiel stammt. Damit haben wir, wenn auch ganz rudimentär, den Typ des neuzeitlichen lat. WB vor uns.

Der Erfolg des Unternehmens war entsprechend (bezeichnend: Schon 1503 besitzt das Kloster Tegernsee ein Expl.). Sofort wurde das Werk nachgedr., Calepinus selbst besorgte eine zweite Auflage, und auch nach seinem Tod wurde es immer wieder neu bearb., u. a. von so renommierten Leuten wie Conrad Gesner und P. Manutius – was sicher nicht nur von der urspr. großen Unvollkommenheit des Unternehmens zeugt, auf die immer wieder hingewiesen wird. Schließlich wurde es sogar zur namengebenden Grundlage eines ganzen ungemein beliebten Wörterbuchtyps, der Polyglotte (einzelne Beispiele schon früher): Zunächst wurden den lat. Wörtern die griech. Äquivalente hinzugefügt, bald wurde daraus der *Calepinus pentaglottus*, und über die entsprechenden Zwischenstufen landete man schließlich beim *Calepinus undecim linguarum*. Selbst Forcellini begann seine Karriere als Lexikograph des Lat. mit einem *Septem linguarum Calepinus*.

Auch der gelehrte frz. Drucker Robertus Stephanus (Estienne; 1503–1559) wollte bzw. sollte urspr. den Calepinus neu herausbringen, gab jedoch den Bearbeitungsversuch bald zugunsten eines eigenen neuen Lex. auf, seines *Dictionarium, seu Latinae linguae Thesaurus* [18]. Dieser Titel wirkt auf den mod. Leser etwas zu anspruchsvoll, weil man sofort das Großunternehmen unserer Tage (→ Lexikographie III.) assoziiert; doch diese Assoziation ist zumindest für den Bereich der Materialsammlung durchaus gerechtfertigt, da Stephanus dabei im Prinzip nicht anders verfuhr als die Thesaurusväter kurz vor 1900 – nur in der kleineren Dimension des für einen einzelnen Menschen Möglichen: Auch er verzettelte die ältesten Texte (in seinem Fall Plautus und Terenz) weitgehend komplett, notierte daraus jedes Wort (soweit es ihm für das Lat.-Sprechen und -Schreiben von Bed. schien; zu dieser für die Geschichte der lat. L. so wichtigen Einschränkung s. u.) und ergänzte diesen Grundstock dann durch umfangreiche Exzerpte aus ant. Autoren und zeitgenössischen philol. Werken – ein Verfahren, das dem Lex. eine in vieler Hinsicht noch h. bemerkenswerte Kompetenz verschafft hat (s. z. B. das Lemma *postquam*). Im übrigen verfährt er ähnlich wie

Calepinus, den er natürlich als eine Quelle mitbenutzt, ist aber sehr viel ausführlicher und genauer; außerdem ordnet er innerhalb der von ihm gebildeten großen (nicht bezifferten) Artikelabschnitte die ant. Belege möglichst alphabetisch nach den mit dem Lemma verbundenen Wörtern, wobei er für jedes Beispiel eine eigene Zeile spendiert (auch das eine bewußte Hilfe für denjenigen, der nach Mustern für sein eigenes Lat. sucht); urspr. waren schließlich noch die frz. Äquivalente hinzugefügt, die aber angesichts des lawinenartig anschwellenden Materials schon in der Neufassung von 1536 reduziert und in deren zweiter Auflage völlig getilgt wurden. Damit war das große lat. Lex. geschaffen, das für mehr als zwei Jh. bis zu Forcellini oberste Autorität war und noch im 18. Jh. dreimal bearb. worden ist, zuletzt 1749 von Johann Matthias Gesner für seinen *Novus Thesaurus*.

C. Zweisprachige Wörterbücher des 16.–18. Jahrhunderts

Natürlich gab es in dieser Zeit neben Stephanus auch zahlreiche WB, die nicht nur als zweisprachige WB angetreten waren, sondern auch zweisprachig blieben; einer genaueren Betrachtung seien die lat.-dt. Lex. unterzogen (komplette bibliographische Angaben [24. 3033 f.]). Doch auch sie wenden sich (anders als h.) verständlicherweise an Benutzer (Schüler), für die Lat. weniger Fremdsprache (geschweige denn »tote« Sprache) als zweite Verkehrssprache war. Dementsprechend haben sie fast alle, vom großen Faber (1571) bis zum simplen Elementarbuch des Cellarius (1689), lat. Titel, sind ihre Vorreden fast ausnahmslos lat., und erfolgen auch die sprachlichen und sachlichen Erl. innerhalb der einzelnen Art. vielfach in lat. Sprache. Wichtiger aber als diese Gemeinsamkeit im Äußerlichen ist die ebenfalls aus dieser ganz anderen Rolle des Lat. resultierende Gemeinsamkeit des Ziels: Alle diese Lex. – die früheren mehr, die späteren weniger – sind nicht nur (z. T. nicht einmal in erster Linie) als Hilfsmittel zum besseren Verständnis lat. Texte konzipiert, sondern wollen und sollen auch (bzw. v. a.) die aktive Sprachbeherrschung fördern. Wer meint, so Faber in der Vorrede, dieses Werk sei dazu da, erst dann aufgeschlagen zu werden, wenn man die Bed. eines lat. Wortes nicht wisse, der sei völlig auf dem Holzwege; vielmehr müßten Lehrende wie Lernende, so fordert er (und andere Lexikographen nach ihm), gestützt auf Autoritäten wie Hieronymus Wolf, den Folianten immer wieder vom Anf. bis zum E. mit größter Sorgfalt durchlesen! Diese uns so fremde Zielsetzung beeinflußt die Lexikongestaltung v. a. in folgenden Punkten:

(a) Wenn das Lex. mit Gewinn durchgelesen, ja zum Vokabellernen herangezogen werden soll, ist eine streng alphabetische Anordnung aller berücksichtigten lat. Wörter nicht unbedingt ideal, vielmehr empfiehlt es sich unter diesem Gesichtspunkt, lediglich die nichtzusammengesetzten und nichtabgeleiteten Wörter alphabetisch zu reihen und ihnen dann jeweils Kompos. und Ableitungen unterzuordnen. Dieser *ordo mnemonicus* (so

Dentzler 1666, Praefatio), den v. a. die früheren Lex. favorisiert haben (u. a. Faber, Cellarius, Weismann 1698), bedingt allerdings, soll das Lex. auch noch zum Nachschlagen taugen, zahlreiche Verweise (wer sucht schon *reconditus* sofort unter *dare*), evtl. sogar zusätzlich einen eigenen Index schwer zu findender Wörter (so Dentzler, Cellarius) – kein Wunder also, daß Kirsch (1714), Bayer (1724) und Hederich (1739) ganz auf das Alphabet setzen.

(b) Sprichwörter und dergleichen, womit man sein Lat. wirkungsvoll aufputzen kann, spielen gerade in den älteren Lex. eine schier unglaublich große Rolle. Bei Faber geht das so weit, daß er reihenweise Zit. aus griech. Autoren bringt, die zum Verständnis des lat. Wortes, bei dem sie gebracht werden, überhaupt nichts beitragen (so erscheint unter *color* eine Sentenz aus Stobaeus, Schamröte sei die schönste Farbe). So weit gehen die späteren Lex. nicht, doch erscheinen *adagia, proverbia, usus proverbialis* bei Bayer, Dentzler und Weismann sogar im Titel, und umgekehrt hält es Kirsch für notwendig, in seiner Vorrede ausdrücklich zu begründen, warum er bei den *proverbia* Sparsamkeit habe walten lassen.

(c) Doch welches Lat. soll der Benutzer des Lex. schreiben und reden lernen? Die human. Trad. legt dem Lexikographen die Beschränkung auf die klass. Stilmuster nahe, die Realität dagegen fordert selbst die Einbeziehung des Gegenwartslat., insbes. der Sprache der verschiedenen Wissenschaftsdisziplinen. In der lexikographischen Praxis dominiert der Kompromiß (Puristen: Cellarius, Weismann): Man berücksichtigt zwar auch unklass., insbes. mod. Lat. (so v. a. Kirsch, Bayer und Hederich, der, zumindest was sein Autorenverzeichnis betrifft, auch das MA am ausgiebigsten mit einbezieht), versucht aber, die verschiedenen Sprachstufen auseinanderzuhalten, indem man bei den einzelnen Wörtern und Ausdrücken entweder in großem Umfang die Quellenautoren angibt (so Faber) oder den neueren Sprachgebrauch kennzeichnet (so Dentzler, Bayer; beide Möglichkeiten kombiniert Kirsch). Den Bedürfnissen des um einen guten lat. Stil Bemühten war damit Genüge getan, einer genauen Angabe der Fundstellen bedurfte es dafür nicht – so unterblieb sie in der Regel.

(d) Vor allem aber hat die Ausrichtung auf die aktive Sprachbeherrschung bis gegen E. des 18. Jh. verhindert, daß das Hauptmanko aller frühen Lex. abgestellt wurde: die mangelnde Gliederung der einzelnen Art. nach Bedeutungen. Wohl tauchen in den Vorreden gelegentlich Bemerkungen auf, die zeigen, daß das Problem natürlich nicht völlig übersehen worden ist (so Hederich über die Notwendigkeit, die urspr. Bed. eines Wortes aufzuspüren). In der Praxis aber reihte man doch in erster Linie Ausdrücke, die man sich einprägen konnte; und wenn man tatsächlich Gruppen bildete und diese sogar noch bezifferte, so war das mehr ein Aufsetzen einer äußerlichen Ordnung als das Aufspüren eines in der Sache selbst liegenden Zusammenhangs und Beziehungsgeflechts: Gruppen werden in endloser Reihe präsentiert (bei Hederich ist *a/ab* in 27 durchgezählte Rubriken unterteilt), aber kaum je wird der Versuch gemacht, einzelne dieser Gruppen wieder zu größeren Einheiten zusammenzufassen und so zu einer sachlich gerechtfertigten und zugleich übersichtlichen Anordnung von Bedeutungen und Ausdrucksweisen zu kommen. Muster für die eigene Lateinpraxis zu bieten – dieses Ziel hatte eben einen allzugroßen Einfluß.

D. Forcellini und Scheller

Als 1749 Gesners Stephanus-Bearbeitung erschien, stand bereits ein Werk kurz vor seiner Vollendung, das nach der gängigen Meinung wiederum eine neue Epoche, sozusagen die Jetztzeit der lat. L., begründet hat, in der wir uns, vom bisher unvollendeten *Thesaurus linguae Latinae* abgesehen, immer noch befinden: die monumentalen vier Bände des *Totius latinitatis lexicon* [2] von Egidio Forcellini (1771). Wie später im Fall von Georges (s. [22. 247f.]) ist auch bei diesem it. Priester, der den allergrößten Teil seines Lebens (1688–1768) am Paduaner Priesterseminar verbrachte, die L. zur eigentlichen Lebensaufgabe geworden. Zunächst Mitarbeiter seines Lehrers Facciolati an dessen griech. und it. WB sowie dem bereits erwähnten siebensprachigen Calepinus (1718 erschienen), widmete er sich von da ab mehr oder weniger ausschließlich der Arbeit an seinem großen WB, dessen Ms. im wesentlichen seit Mitte der 50er J. fertig vorlag, aber erst nach Forcellinis Tod zum Druck befördert wurde.

Imman: Joh: Gerh: Scheller
geb: d. 22. März 1735. gest: d. 5. Jul: 1803.

Abb. 1: I. J. G. Scheller, der Stammvater der modernen lat. Lexikographie (aus: J. F. J. Heuser, *Denkmal des Herrn Immanuel Johann Gerhard Schellers*, Brieg, ca. 1805)

In gewisser Hinsicht ist dieses Lex. noch durchaus traditionell. Es kann seine Herkunft aus der Polyglotte weder im Grundsätzlichen (it. und griech. Interpretamente, Anhang nicht zu gebrauchender Wörter) noch in Einzelheiten verleugnen (s. z. B. *postis*, wo eine aus dem Calepinus stammende problematische Bemerkung nicht getilgt, sondern recht und schlecht geradegerückt wird); die Erkl. werden nach wie vor in lat. Sprache gegeben, was gut zum erklärten Ziel paßt (Bd. I, XLV), mit diesem Lex. nicht nur eine Hilfe zum Verständnis der ant. lat. Texte, sondern auch zur aktiven Beherrschung des Lat. zu geben. Zukunftsweisend, wenn auch nicht neu, ist dagegen die intensive Auswertung der Inschriftensammlungen sowie die konsequent alphabetische Anordnung der Lemmata.

Als Forcellinis eigentliche, epochale Leistung aber gilt seit langem, er habe – endlich – Ordnung in die einzelnen Art. gebracht, sauber die verschiedenen Bedeutungen eines Wortes unterschieden und die Entwicklung dieser verschiedenen Bedeutungen aus der Grundbed. zur Grundlage der Disposition des Art. gemacht. Dieses Lob Forcellinis ist allerdings so nicht ganz gerechtfertigt. Zwar vertritt er (Bd. I, XLIV), wie andere Lexikographen vor ihm (s.o.), die Maxime, die Art. des WB müßten zunächst die *proprie*-Bed. anführen und erst danach die *figuratae significationes*; und die einzelnen Art. sind tatsächlich meist stärker gegliedert als z. B. bei Gesner. Doch diese Gliederung beschränkt sich darauf, Abschnitte zu bilden, die alle gleicherweise durch das Zeichen ¶ markiert sind, sonst aber überhaupt nicht klassifiziert werden (bei Gesner dagegen finden sich durchaus schon gezählte Abschnitte), obwohl sie tatsächlich ganz verschiedenen Ranges sind, ja z. T. sogar einander widersprechenden Gliederungsprinzipien folgen. Erst wenn man sich diesen ganz verschiedenen Rang der einzelnen Rubriken klarmacht, zeigt sich, daß die Art. vielfach tatsächlich eine Anordnung ganz neuer Qualität aufweisen.

Ans Licht gehoben bzw. für die L. wirklich nutzbar gemacht hat diese Ordnung erst Immanuel Johann Gerhard Scheller (1735–1803, Abb. 1), Schüler Ernestis und langjähriger Gymnasialrektor im schlesischen Brieg. Er ist die eigentliche, wenn auch vergessene Zentralgestalt der mod. lat. L.; diese seine bes. Rolle verdankt er aber keiner auf einem genialen Einfall beruhenden umstürzenden Neuerung, sondern der konsequenten Fortführung, Verknüpfung und Verwirklichung von Tendenzen, Entwicklungen und Forderungen der vorangegangenen Jahrzehnte, wie sie sein großes WB [17] bietet (Ansätze schon in [15], dem ältesten und kleinsten seiner drei Lex.).

Scheller legt zwar Forcellinis Lex. seiner eigenen Arbeit zugrunde, sowohl hinsichtlich des Materials (meist bringt er nur eine Auswahl aus den von Forcellini gebotenen Stellen) als auch seiner Anordnung (vielfach übernimmt er Rubriken und die Binnenanordnung der Belegstellen); indem er jedoch diese Rubriken durch den Zusatz von Ziffern und Buchstaben klassifizierte, die ganze Gliederung und die Zuordnung der einzelnen Stellen überprüfte, korrigierte, verfeinerte und z. T. neu gestaltete (erhellend die Behandlung von *potiri* und von *postquam*, Abb. 2), schuf er etwas ganz Neues.

Dieses erfolgreiche Bemühen Schellers um die Disposition der einzelnen Art. ist freilich nicht isoliert zu sehen, sondern hängt damit zusammen, daß er auch eine weitere Tendenz in der lat. L. konsequent zu Ende führ-

POSTQUAM, & Poſt quam, adverb. *dopo che*, *poi che*, ἐπειδὴ, poſteaquam, ubi, ut, ſimul ac. *Cæſ. l. 1. B. Gall. c. 27.* Eo poſtquam Cæſar pervenit, obſides, arma popoſcit. *Salluſt. in Catil. c. 6.* Poſtquam res eorum ſatis proſpera videbatur, invidia ex opulentia orta eſt. *Plaut. Merc. prol. v. 12.* Biennium jam factum eſt, poſtquam abii domo. *Id. Capt. 3. 1. 27.* Abeo ab illis, poſtquam video, me ſic ludificarier: pergo ad alios. *Phædr. l. 1. fab. 11. v. 11.* Qui poſtquam cæde eſt feſſus, aſinum evocat. *Terent. Hecyr. 5. 3. 28.* Poſtquam video neſcio quid ſuſpicarier, magis cœpi inſtare, ut dicat. *Cic. Attic. 12. ep. 1.* Undecimo die poſtquam a te diſceſſeram. & *lib. 6. ep. 3.* Quod poſt accidiſſet, quam dediſſem ad te liberto litteras. *Nep. in Dione, in fin.* Quartum poſt annum, quam redierat. *Plaut. Moſtell. 3. 3. 22.* Qui tibi nunquam quicquam, poſtquam tuus ſum, verborum dedi. *da che*, ex quo tempore ſervus ſum tuus. ¶ Sequente *poſt*, *Id. Trin. 2. 4. 15.* Poſtquam comedit rem, poſt rationem putat. Adde 4. 2. 133. & 156. ¶ Pro quoniam, ut videtur, *già che*. *Plaut. Bacch. 3. 6. 1.* Reddidi patri omne aurum. Nunc ego illam me velim convenire, poſtquam inanis ſum, contemptricem meam. *Terent. Adelph. prol. v. 1.* Poſtquam poeta ſenſit, ſcripturam ſuam ab iniquis obſervari, &c. Ubi *Donatus:* poſtquam pro quoniam, cujus reciprocum quoniam pro poſtquam. Plaut. in Aulul. (*prol. v. 9.*) Quoniam is moritur (ita avido ingenio fuit.) nunquam indicare id filio voluit ſuo.

Postquam oder Post quam, 1) nachdem, auch ſeitdem, als, da, z. E. a) wenn es ſich auf nichts vorher beziehet, z. E. Eo poſtquam pervenit, arma popoſcit, Caeſ. B. C. I, 27: Sed poſtquam res eorum — proſpera videbatur, invidia orta eſt, Salluſt. Cat. 6: poſtquam id video, neſcio quid ſuſpicarier magis coepi, Terent. Hec. V, 3, 28: nunc ego illam me velim convenire, poſtquam inanis ſum, Plaut. Bacch. III, 6, 2: auch folgt poſt noch einmal, z. E. poſtquam comedit rem, poſt rationem putat, Plaut. Trin. II, 4, 15: und öfter, z. E. Ibid. IIII, 2, 133 und 136. b) wenn es ſich auf etwas vorher beziehet, da es dann auch getrennt wird, z. E. biennium iam eſt, poſtquam video cet., Plaut. Merc. Prol. 12: abeo ab illis, poſtquam video, me ſic ludificarier, Ibid. Capt. III, 1, 27: Undecimo die poſtquam diſceſſeram, hoc literularum exaravi, Cic. Attic. XII, 1 in.: quod poſt adcidiſſet, quam cet., Ibid. VI, 3: cf. Poſt. 2) da oder weil, z. E. poſtquam ſenſit, Terent. Adelph. Prol. 1: poſtquam inanis ſum, Plaut., ſ. vorher: abeo, poſtquam video, Plaut., ſ. vorher: poſtquam video, Terent., ſ. vorher.

Abb. 2: Abhängigkeit und Fortschritt in der lat. Lexikographie – der Artikel *postquam* bei Forcellini [2] und Scheller [17]

te. Von der Rücksicht auf das Lat. als immer noch praktizierte Sprache ist in seinem großen WB [17], abgesehen von der Formulierung des Titels (›zum Behufe der Erklärung der Alten und Übung in der lateinischen Sprache‹), kaum mehr etwas übriggeblieben: Dt. ist die »Verkehrssprache« des Lex., alphabetisch die Anordnung der Wörter, Sentenzen spielen keine Rolle mehr. Tatsächliches Ziel des WB ist die »Erklärung der Alten«; deswegen beschränkt sich Scheller auf das Lat. der Ant. (das 8. Jh. n.Chr. mit Beda und Paulus Diaconus wird noch mit einbezogen), dieses Lat. aber will er möglichst vollständig dokumentieren, und zwar sowohl was den Wortbestand als auch was die Bedeutungen und den Gebrauch der einzelnen Wörter betrifft. Die einzelnen aus den ant. Autoren angeführten Belegstellen werden so genau bezeichnet, daß sie jeder Benutzer in der entsprechenden Textausgabe nachschlagen und kontrollieren kann; andererseits bemüht sich Scheller durch Anführung von Textvarianten und Erklärungsversuchen der Kommentare, ein solches Nachschlagen überflüssig zu machen (nach [17. V] ist bzw. soll ein Lex. sein ›eine Erklärung aller Autoren‹). Zur Erkl. einer einzelnen Stelle gehört aber auch, daß man die gesamte Entwicklung eines Wortes überblickt; so mußte Scheller schon aus diesem Grunde größtes Gewicht darauf legen, die einzelnen sich aus den ant. Belegstellen ergebenden Bedeutungen eines Wortes in der Ordnung vorzuführen, die diese Entwicklung verständlich bzw. zumindest übersichtlich macht.

E. SCHELLERS ERBEN

Daß Scheller auf diese Weise bei aller Unzulänglichkeit, die natürlich auch seinen Lex. anhaftet, einen neuen Wörterbuchtypus, den Typus des mod. WB, geschaffen hat, haben nicht zuletzt die späteren Bearbeiter Forcellinis anerkannt, indem sie dessen WB zu modernisieren versuchten; die späteren Lex. hängen überhaupt fast alle von ihm ab. Scheller ist nicht nur für andere Sprachen bearb. worden; v.a. führt eine direkte Linie von seinem knapperen *Handlexicon* [16] über die Bearbeitungen von Lünemann [10] und K.E. Georges [4] (Einfluß auf It. durch die Übers. von Calonghi 1891) zu H. Georges, dem h. im dt. Sprachraum meistbenutzten WB. Trotz vernichtender Kritik, die das Werk zu Recht erfahren hat, ist seine dominierende Rolle nicht ganz unbegründet, da es unter den neueren zweisprachigen Lex. insgesamt immer noch das reichhaltigste ist; allerdings ist es, ganz abgesehen von den vielen Fehlern, seit Scheller mit dem von seiner urspr. Bestimmung für Schüler herrührenden schweren Manko behaftet, daß es vielfach nur summarische Autorenangaben statt genauer Stellenangaben bietet.

Auch die lexikographischen Aktivitäten von Freund (1806–1894) sind ohne Schellers Wirken nicht denkbar. Zwar wurden die ersten Teile seines vierbändigen *Wörterbuchs der lat. Sprache* [3] bei ihrem Erscheinen voreilig als epochale Leistung begrüßt, doch letzten Endes und v.a. in den späteren Teilen blieb das ganze Unternehmen wesentlich von Scheller abhängig, ohne jedoch mit

dessen Akribie konkurrieren zu können. Freund seinerseits hat einen bes. großen Einfluß auf den nichtdeutschsprachigen Raum ausgeübt: Sein großes Lex. hat nicht nur in frz. Gewand (s. [22. 251 Anm. 34]) Jahrzehnte weitergewirkt, sondern es ist v.a. 1850 von Andrews ins Engl. übers. worden; diese Übers. ist dann von Lewis/Short (1879) bearb. worden, und in dieser Form ist das Lex. ein Jahrhundert lang ein über den engl. Sprachraum hinaus geschätztes Hilfsmittel geblieben [8] – nicht zuletzt wegen der darin gebotenen genauen Stellenangaben.

Genaue Stellenangaben bietet auch das WB von Klotz [7], das ebenfalls nicht ohne Scheller zu denken ist; insbes. die von Klotz im Laufe der Arbeit herangezogenen Mitarbeiter haben Freund und Georges kräftig benutzt.

Natürlich haben sich auf der Grundlage der genannten großen Werke eine Fülle kleinerer Lex. etabliert (z.T. aus der Feder derselben Autoren, z.B. Freund und Georges), bei denen allerdings der wiss. Anspruch hinter der Sorge für das Elementarverständnis lat. Texte zurücktritt und die daher in einigen Punkten den Vertretern der früheren Epoche wieder näherstehen: Sie verzichten natürlich mehr oder weniger auf genaue Stellenangaben und bringen dafür Wörter und Bedeutungen aus dem Bereich des Mittel- und Neulat. Ein bes. gelungenes Expl. dieser Gattung ist das Langenscheidt-Lex. von Pertsch [14].

F. EIN LEXIKON NEBEN DEM ›THESAVRVS LINGVAE LATINAE‹

Neuere große zweisprachige WB, die – von Scheller unabhängig – das gesamte ant. Lat. berücksichtigen, gibt es nicht. Schon im Lauf des 19. Jh. hatte sich ja die Überzeugung durchgesetzt, für fundierte Aussagen über das ant. Lat. in seiner ganzen Vielfalt bedürfe es einer breiteren Basis, als sie die bisherigen Lex. hatten und sie ein einzelner überhaupt schaffen kann – eine Überzeugung, die schließlich 1893/94 zur Begründung des *Thesaurus linguae Latinae* (→ Lexikographie III.) geführt hat. In Sachen zweisprachiges WB bedeutet dies: entweder warten, bis der (einsprachige) ThlL fertiggestellt ist, oder selber für eine weit umfassendere Materialsammlung sorgen, als sie den früheren Lex. zugrunde lag.

Der letztere Weg ist bisher nur einmal beschritten worden: durch das *Oxford Latin Dictionary* [12]. Allerdings ist man (nur zu verständlich) auf halbem Wege stehengeblieben: Berücksichtigt wurde nur die nichtchristl. Lit. bis etwa zum J. 200 n.Chr. Für diesen eingeschränkten Bereich ist ein durchaus respektables Hilfsmittel entstanden, das die Fortschritte der philol. Wiss. berücksichtigt, z.T. tatsächlich mehr und bessere Belege bietet (insbes. auch aus dem Bereich der Epigraphik) und die Belege insgesamt durch genaue Stellenangabe der Überprüfung zugänglich macht. Ausgesprochen problematisch ist allerdings die Anordnung der Bedeutungen; das Bemühen, verschiedene Bedeutungen und Ausdrucksweisen bei einem Wort zu übergeordneten Gruppen zusammenzufassen, tritt zurück gegenüber dem unübersichtlichen und auch sachlich unbefriedigenden Prinzip der einfachen Reihung von keineswegs gleichrangigen Gruppen – eine Form, die an die Zeit vor Scheller erinnert. – So bleiben daneben Georges, Lewis/Short, Klotz und auch Forcellini (wegen seiner Materialfülle) einstweilen weiterhin unentbehrlich.

G. ELEKTRONISCHE HILFSMITTEL

Die stürmische Entwicklung der elektronischen Datenverarbeitung insbes. in den letzten 15 J. betrifft auch die lat. L. – Lex., Lexikographen und Lexikabenutzer. Schon sind gedr. Lex. im Netz verfügbar (z. B. Lewis/Short [8]), und die elektronische Form des gedr. ThlL, so wie sie geplant ist, wird dieses Werk sehr viel leichter benutzbar und noch ergiebiger machen.

Wichtiger aber sind die Möglichkeiten, die eine komplette Datenbank der aus der Ant. überlieferten lat. Texte (d. h. ein komplettes elektronisch gespeichertes Textcorpus) einmal bieten wird. Dem Lexikographen wird sie die Arbeit erleichtern, weil sie ihm z. B. ermöglicht, seine Sammlungen dort, wo es darauf ankommt, auf Vollständigkeit zu überprüfen. Vor allem aber wird der Lexikonbenutzer davon profitieren: Er muß z. B., wenn ihm die im ThlL angeführten ausgewählten Belege nicht genügen, nicht mehr nach München kommen, um dort selbst das Zettelmaterial des ThlL durchzuschauen; und manche Fragen wird ihm die Datenbank sogar schneller beantworten als das ausgearbeitete Lex., insbes. die nach der Herkunft eines lat. Zit. oder nach dem Vorkommen bzw. Fehlen eines bestimmten Wortes bei einem bestimmten Autor.

Eine solche komplette Datenbank für das ant. Lat. gibt es freilich noch nicht (anders im Griech. mit dem *Thesaurus linguae Graecae* – Version e, 1999 –, wenn man Inschr. und Pap. vernachlässigt), wohl aber eine ganze Reihe von CDs, die zusammen einen sehr großen Teil der Lit. abdecken; die wichtigsten (geordnet nach dem Alter der erfaßten Textbereiche): *Packard Humanities Institute* (PHI), CD-ROM 5.3 (Latin Data Bank), 1991 (in etwa die lit. Texte bis 200 n. Chr.). *Bibliotheca Teubneriana Latina* (BTL–1), 1999 (diese erste Version der als Sammlung aller jemals bei Teubner edierten lat. Texte konzipierten CD umfaßt neben den Texten bis etwa 200 n. Chr. wichtige spätant. Autoren). *Bibliotheca iuris antiqui*, 1994 (die ant. lat. juristischen Texte). *CETEDOC Library of Christian Latin Texts* (CLCLT – 4), 2000 (das Gros der ant. christl. Texte sowie zahlreiche ma. Autoren, ausgehend von den Bänden des CC). *Patrologia Latina Database*, 1995 (die über 200 Bände des lat. Migne).

Dazu kommen noch zahlreiche nur im Netz verfügbare Textcorpora, z. B. alle jemals in den Bänden der *Année Épigraphique* publ. Inschr.

Die Datenbank wird das Lex. also nicht ersetzen, sondern ergänzen: Die eigentliche lexikographische Arbeit wird nach wie vor der Kopf des Lexikographen leisten müssen und leisten; wer sich dessen Ergebnisse zunutze machen und sich nicht mit der *indigesta moles*

des Rohmaterials begnügen will, wird weiterhin das Lex. benutzen. Komplette Datenbank und kompletter ThlL zusammen werden das Lat. der Ant. optimal erschließen.

→ AWI Glossographie II. Lateinisch; Lexikon

LEX 1 A. CALEPINUS, Dictionarium, Rhegii lingobardiae 1502 (zahllose Bearbeitungen bis ins 18. Jh.) 2 A. FORCELLINI, Totius latinitatis lex., 4 Bde., Patavii 1771 (mehrere Aufl. bzw. Bearbeitungen, auch für andere Sprachen, zuletzt v. DE-VIT 1858–1875 und v. CORRADINI/PERIN 1864–1926, Ndr. mit Nachträgen 1940; beide Bearbeitungen mit einem zusätzlichen eigenen Onomasticon) 3 W. FREUND, WB der lat. Sprache, 4 Bde., Leipzig 1834–1845 4 K. E. GEORGES, Ausführliches Lat.-Dt. HWB, 8. Aufl. v. H. Georges, 2 Bde., 1913–1918 (mehrere Ndr.; zuerst 1837/38 als 8. Aufl. von [10]) 5 G. GOETZ et al., (Hrsg.), CGL 6 JOANNES BALBUS (J. Januensis), Catholicon, Mainz 1460 (Ndr. 1971) 7 R. KLOTZ, HWB der lat. Sprache, 2 Bde., Braunschweig 1853–1857 (³1862, mehrfach nachgedr.) 8 CH. T. LEWIS, CH. SHORT, A Latin Dictionary founded on Andrews' Edition of Freund's Latin Dictionary, 1969 (einer der zahlreichen Ndr. des urspr. 1879 unter etwas anderem Titel erschienenen Werks) 9 W. M. LINDSAY et al. (Hrsg.), Glossaria lat., 5 Bde., 1926–1931 10 G. H. LÜNEMANN, Lat.-dt. und dt.-lat. HWB nach Imm. Joh. Gerh. Scheller's Anlage, Lat.-dt. Theil, 2 Bde., Leipzig ⁷1831 (Bearb. von [16]; ¹1807 unter etwas abweichendem Titel, spätere Bearbeitungen s. [4]) 11 OSBERN V. GLOUCESTER, Derivationes, hrsg. v. P. BUSDRAGHI et al., 2 Bde., 1996 12 P. G. W. GLARE, Oxford Latin Dictionary, 1968–1982 13 PAPIAS vocabulista, Venedig 1496 (Ndr. 1966; Neuausgabe des Buchstabens A: Papiae Elementarium, Littera A, recensuit V. DE ANGELIS, 3 Bde., 1977–1980; Neuausgabe des Vorworts: L. W. DALY, B. A. DALY, Some Techniques in Mediaeval Latin Lexicography, in: Speculum 39, 1964, 229–231 14 E. PERTSCH, Langenscheidts HWB Lat.-Dt., 1971 15 I. J. G. SCHELLER, Kleines lat. WB, Leipzig 1780 (mehrfach bearb.) 16 Ders., Lat.-dt. und dt.-lat. Handlexicon, Erster Theil, 2 Bde., Leipzig 1792 (²1796; spätere Bearbeitungen s. [10] und [4]) 17 Ders., Ausführliches und möglichst vollständiges lat.-dt. Lexicon oder WB zum Behufe der Erklärung der Alten und Übung in der lat. Sprache, 5 Bde., Leipzig ³1804 (¹1783 unter etwas anderem Titel) 18 R. STEPHANUS, Dictionarium, seu Latinae linguae Thesaurus, Parisiis 1531 (Neufassung 1536, ²1543; bis ins 18. Jh. mehrfach bearb.) 19 Vocabularius Ex quo, hrsg. v. K. GRUBMÜLLER et al., Bd. 1, 1988

LIT 20 M. CONDE SALAZAR, C. MARTÍN PUENTE, Lexicografía y Lexicología Latinas (1975–1997), Repertorio bibliográfico 21 J. HAMESSE (Hrsg.), Les Mss. des lexiques et glossaires de l'Antiquité Tardive à la fin du Moyen Age, 1996 22 D. KRÖMER, Gramm. contra Lex.: rerum potiri, in: Gymnasium 85, 1978, 239–258 23 Ders., Lat. L., in: F. J. HAUSMANN et al. (Hrsg.), WB, Dictionaries, Dictionnaires, Bd. 2, 1990, 1713–1722 24 Ders., Die zweisprachige lat. L. seit ca. 1700, in: F. J. HAUSMANN et al. (Hrsg.), WB, Dictionaries, Dictionnaires, Bd. 3, 1991, 3030–3034 25 M. LAPIDGE et al., s. v. Glossen, Glossare, LMA 4, 1508–1515.   DIETFRIED KRÖMER

III. Thesavrvs lingvae Latinae
A. Kurzinformation B. Geschichte
C. Materialsammlung D. Artikelarbeit

A. Kurzinformation

Benannt nach dem ersten »mod.« lat. WB (Robertus Stephanus, *Dictionarium, seu Latinae linguae Thesaurus*, 1531), ist der ThlL, das »Schatzhaus der lat. Sprache«, nicht nur das bisher größte Lex. des ant. Lat.; vielmehr stellt er die Erforschung dieser Sprache und der sich darin ausdrückenden Kultur auf eine völlig neue, endlich wirklich tragfähige Grundlage: Erstmals werden darin im Prinzip alle aus der Ant. (bis 600 n. Chr.) in welcher Form auch immer überl. lat. Texte berücksichtigt und können somit für jedes Wort alle Informationen (mit Belegen) präsentiert werden, die sich ohne Kenntnis der für immer verlorenen gesprochenen Sprache noch eruieren lassen – Bed. und Bed.-Nuancen ebenso wie Orthographica, Etymologisches, Prosodie und dergleichen. Seit 1900 erscheinend, reicht das WB 2000 bis zum Buchstaben P (ohne N [1]; von den EN sind nur die Buchstaben A-D bearbeitet und die entsprechenden Art. für A und B im eigentlichen WB veröffentlicht, für C und D dagegen in einem eigenen Onomasticon [2]; insgesamt sind 152 Faszikel publ., dazu noch die sog. Zitierliste [3] und die *Praemonenda* genannte Einführung [4]); gegen 2050 soll es abgeschlossen sein. Inzwischen wird das Unternehmen von 26 Akad. und wiss. Gesellschaften aus 19 Ländern und 3 Kontinenten getragen.

B. Geschichte

Erst E. des 18. Jh. hatte die lat. Lexikographie mit den Werken von A. Forcellini und I. J. G. Scheller endgültig den Schritt zum WB heutiger Prägung vollzogen [7. 1716f.]. Trotzdem wurde schon zu Beginn des 19. Jh. der Wunsch nach einem wirklich vollständigen, d. h. auf der Grundlage aller aus der Ant. überlieferten lat. Texte erarbeiteten Lex. laut (zur äußeren Geschichte des Unternehmens [9], zur inneren Geschichte [6]; die wichtigsten Dokumente abgedruckt im Anhang von [8]; Liste der zw. 1893 und 1995 am ThlL Beteiligten [5. 181–221]). Ein erster ganz konkreter Plan E. der 50er J. zerschlug sich schließlich; erst 1889, nachdem E. Wölfflin durch zahlreiche Veröffentlichungen (insbes. das 1883 mit Hilfe der Bayerischen Akad. gegr. ›Archiv für lat. Lexikographie und Gramm. (...) als Vorarbeit zu einem Thesaurus linguae Latinae‹) den wiss. Boden bereitet hatte, brachte eine Initiative von M. Hertz den Stein endgültig ins Rollen: Preußisches Kultusministerium und Berliner Akad. (insbes. Th. Mommsen) nahmen sich des Anliegens an; der ThlL sollte die erste Frucht des angestrebten Zusammenschlusses der damals im dt.-sprachigen Raum existierenden fünf Akad. (Berlin, Göttingen, Leipzig, München, Wien) werden, für den sich insbes. Mommsen engagierte; als die Berliner Akad. sich diesem 1893 gegr. Kartell verweigerte, wurde das ThlL-Projekt unabhängig davon weiterverfolgt (maßgeblich: F. Althoff, H. Diels, Mommsen, Wölfflin; dazu jetzt [10]) und schließlich am 21./22. Oktober

1893 in Berlin als Unternehmen der fünf genannten Akad. gegr. (Gründerväter: Althoff, F. Bücheler, Diels, W. v. Hartel, F. Leo, O. Ribbeck, F. Schmidt-Ott, U. v. Wilamowitz-Moellendorff, Wölfflin).

Nach Zustimmung aller Akad. wurde im Sommer 1894 mit der Materialsammlung begonnen, und zwar in Göttingen unter Leo (insbes. Poesie) und in München unter Wölfflin (insbes. Prosa); diese war nach den dafür veranschlagten fünf J. so weit gediehen, daß man im Herbst 1899 das Material in München zusammenführen und dort mit etwa 10 Mitarbeitern unter Leitung des als (ursprünglich nicht vorgesehener) Generalredaktor eingesetzten F. Vollmer mit der eigentlichen Artikelarbeit beginnen konnte, für die 15 J. veranschlagt worden waren; der erste Faszikel (*a – absurdus*) erschien Anf. November 1900 im Verlag Teubner (seit November 1999 wird das WB bei K. G. Saur verlegt).

Diese Frist stellte sich allerdings (nicht ganz unerwartet – es gab ja keine vergleichbaren Unternehmungen, die als Maßstab hätten dienen können), schon nach den ersten J. als viel zu knapp kalkuliert heraus, zumal mit der Einsicht in die Möglichkeiten der Arbeit auch die Ansprüche an die Art. wuchsen und mit zunehmender zeitlicher Distanz zur Materialsammlung auch die Materialzettel immer weniger als maßgeblicher Text angesehen werden konnten, der das Aufschlagen einer gedruckten Textausgabe im Normalfall überflüssig machte. Dazu kamen die beiden Weltkriege, denen zahlreiche erfahrene Mitarbeiter zum Opfer fielen, und ihre wirtschaftlichen Folgen – schon 1920/21 konnte der ThlL nur dank massiver finanzieller Hilfe des Auslandes (insbes. aus Schweden und der Schweiz) weitergeführt werden. Das Ausland engagierte sich auch weiterhin (die Förderung durch die Rockefeller-Foundation führte zw. 1933 und 1937 zu einer besonderen Blüte des Unternehmens) und half auch nach dem Zweiten Weltkrieg, den der ThlL ohne Verluste an seinem Arbeitsmaterial in der Benediktinerabtei Scheyern (nördlich von München) überstand, in verschiedener Weise (bes. engagierte die ehemaligen ThlL-Mitarbeiter M. Leumann, E. Fraenkel und H. Haffter), am nachhaltigsten durch die offizielle Internationalisierung des Unternehmens: 1949 traten als Träger zu den fünf Gründungsakad. die Heidelberger Akad., die American Philol. Association, die British Acad., die Schwedische Akad. und der Schweizerische Altphilologenverband; ihnen sind inzwischen 16 weitere wiss. Gesellschaften gefolgt; die Delegierten der 26 Gesellschaften bilden die Internationale Thesaurus-Kommission, das oberste Leitungsgremium des Unternehmens.

Die ausländischen Akad. fördern die Arbeit in der Regel durch jährliche finanzielle Beitr. und/oder die Entsendung von jungen Wiss. für eine zeitlich begrenzte Mitarbeit im Münchner Inst. (die Schweiz und Dänemark entsandten schon seit den 20er J. Stipendiaten); auch zwei Schweizer Stiftungen haben sich die Förderung der Arbeit zum Ziel gesetzt. Die Hauptlast trägt (seit 1980 im Rahmen des sog. Akademienprogramms)

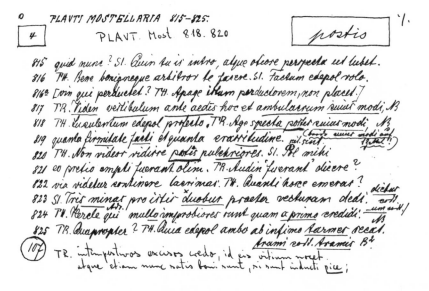

Abb. 1:
Materialzettel
des Thesaurus
(komplette
Verzettelung;
Auswertung
dieses Zettels
s. Abb. 2
Zeile 51 und 76)

immer noch der dt. Steuerzahler (von den 14 festen Stellen sind 5 mit Ausländern besetzt); die vorübergehende Abordnung von Gymnasiallehrern an den ThlL, in den Anfangsjahren des Unternehmens gängige Übung, wird gegenwärtig leider nur vom Freistaat Bayern praktiziert.

C. MATERIALSAMMLUNG

Da der ThlL mit dem Anspruch gegründet worden ist, das ant. Lat. in seiner Gesamtheit zu dokumentieren (soweit es sich in ant. Texten erh. hat), mußten und müssen dafür alle aus der Ant. erh. lat. Texte ausgewertet werden. Der sicherste Weg dafür wäre gewesen, für jedes Vorkommen eines Wortes einen Materialzettel anzulegen; da die auf diese Weise aufgehäuften Materialberge aber von niemandem zu bewältigen gewesen wären, entschieden sich die Gründerväter des ThlL schließlich für ein beinahe geniales Mischverfahren: Nur die lat. Texte der früheren Zeit (bis einschließlich Apuleius, d. h. bis gegen E. des 2. Jh. n. Chr.) wurden komplett mechanisch verzettelt (Abb. 1), d. h. abschnittsweise abgeschrieben und dann entsprechend der Anzahl der in dem Abschnitt enthaltenen Wörter vervielfältigt (eine wichtige Ausnahme stellen die Inschr. dar, bei denen sich die Verzettelung auf die Zeit der Republik beschränkte), und zwar auf der Grundlage der damals jeweils besten Ausgabe, die vorher von Spezialisten für den jeweiligen Autor überprüft, verbessert und mit Anmerkungen versehen, »abkorrigiert« worden war (für einige Autoren, z. B. Tacitus, beschränkte man sich auf die Verzettelung der kompletten Indices bzw. Spezialwörterbücher); die späteren Texte wurden zwar auch alle von Spezialisten durchgearbeitet, Materialzettel (meist ohne viel Kontext) aber wurden im Normalfall nur angelegt, wenn ein Wort bzw. sein Gebrauch an der jeweiligen Textstelle lexikographisch relevant erschien (komplett verzettelt wurde z. B. Augustins *Civitas*). Wie effektiv diese Kombination von Material-

sammlung und erster philol. Bearbeitung war, zeigt ein Beispiel: Von den etwa 35 000 Belegen für *et* bei Gregor d. Gr. sind für den ThlL nur knapp 20 als lexikographisch interessant exzerpiert worden.

Diese Sammeltätigkeit, die auch die Berücksichtigung wichtiger Sekundärlit. einschloß, wurde auch nach Beginn der Artikelarbeit weitergeführt. Das bis Mai 1999 gesammelte Material (ca. 10 Millionen Zettel) ist inzwischen komplett verfilmt und z. T. auch elektronisch erfaßt (nur als Bild); es wird weiter ergänzt (sowohl aus neugefundenen Texten und wichtigen neuen Ed. als auch aus der Sekundärlit.); zur Ergänzung und Kontrolle werden h. bei der Artikelarbeit im Einzelfall immer wieder – soweit vorhanden – maschinenlesbare Textcorpora (elektronische Datenbanken) herangezogen.

D. ARTIKELARBEIT

Bei der Erarbeitung eines ThlL-Art., der als wiss. Leistung des jeweiligen Mitarbeiters von diesem gezeichnet wird, auch wenn er h. zwei institutsinterne Kontrollinstanzen durchläuft und vor der Drucklegung noch an die »Fahnenleser« verschickt wird (etwa 15 Gelehrte in aller Welt mit verschiedenen Schwerpunkten innerhalb der Alt.-Wiss.), geht es nicht nur darum, durch sorgfältige Überprüfung aller für dieses Wort im Zettelmaterial gesammelten Belegstellen die verschiedenen Bed., Konstruktionen und Kombinationsmöglichkeiten des Wortes zu sammeln und samt Belegen aufzulisten; darüber hinaus versucht man auch aufzuspüren und darzustellen, wie die verschiedenen Bed. miteinander zusammenhängen, sich aus einander entwickelt haben, und überhaupt, was dem Wort in den etwa 1000 J., die der ThlL zu überblicken hat, alles widerfahren ist (Wölfflin sprach gerne von der ›Lebensgeschichte‹ eines Wortes, die es darzustellen gelte).

Daher wird zu Beginn des Hauptteils eines Art. zunächst die Grundbed. des Wortes angegeben, falls sich postilläquam *v.* postilla.　　**postinde** *v. p. 163, 46 et vol. VII 1, 1121, 72.*　　*Korteweg.*

30 **ᵡpostis,** -is *m.*　[*si recte postulatur forma prisca* *porstis, conferenda est vox gr.* παραστάς, -άδος *f. 'postis' e* παρ(α) *et radice* ᵡstā-*composita. Sch.*]　*a* post *derivatur* PRISC. gramm. III 475, 7 quod post fores stant -*es* (*sim.* ISID. orig. 15, 7, 9). NOT. TIR. 100, 59 -is (*var. l.* -es). *genus masc. testantur* CAPER gramm. VII 101, 12.

35 CHAR. gramm. p. 452, 21 B. -is φλιά (*inter verba quae apud Latinos masculina, apud Graecos feminina sunt*). *al.; fem. testatur* GLOSS. V 134, 42 -es *genere feminino:* '-esque sub ipso⟨s⟩' (VERG. Aen. 2, 442 *inepte allato; intellexitne* '-es *quae*'? [*cf. var. l. Gramm. suppl. 170, 21*]), *quod trad.* ANTH. 443, 2 (*in epigr. q. d. Senecae*). COMMENT. Lucan. 10, 117. PAVLA

40 Hier. epist. 46, 12, 2 (*var. l. ut* VVLG. exod. 12, 7. *al.*). GREG. TVR. Iul. 5 (*cf. Bonnet, Lat. de Grég. 505*).　*de formis:* nom. sing. -es: VEN. FORT. vita Germ. 61, 164 (*var. l.* -es *tuetur Krusch in ed. a. 1919 coll.* nom. sing. oves, *de quo v. vol. IX 2, 1192, 43 sqq.*). GLOSS. -es: παραστάς. *fortasse huc pertinent etiam* GLOSS. II 396, 25 παραστὰς θύρας :⟨post⟩is

45 -es (*Stephanus; an hic* -es?). GLOSS.ᴸ II Philox. PO 145 -es et postui: παραστάς (-es *id est ostii ed. dubitanter; fuitne* -es *et* -is?). *abl. sing.* -i: Ov. met. 5, 120 (*var. l.* -i *confirmat* PRISC. gramm. II 348, 9. *cf. etiam* Ps. PALAEM. gramm. V 539, 42 pauca -es *masculina ablativum in* i *vel* in e *mittunt, ut* . . . -is). *acc. plur. et* -es *et* -is *esse testatur* PROB. inst.

50 gramm. IV 96, 12 (*affert* VERG. Aen. 2, 490 -es. 2, 442 -is). -is *trad.:* PLAVT. Most. 820 (*deficiente* A; -es 818, *nisi nom.*). LVCR. 4, 1178 (-es 4, 275). Ov. am. 2, 19, 21 (-es *novies*). *al.; de* VERG. *v. Bömer, Emerita 21, 1953, 200.*　*legitur plur. inde a* PLAVTO, ENNIO, CATONE, *sing.* inde a CIC. Att. 3, 15, 6. *al.* (*v. infra p. 232, 59 sqq.*), VERG. Aen. 5, 360,

55 HOR. epist. 1, 1, 5.　[*raet. occ.* piəšt, pœšt; *francog. vet. et med.* post (*deriv. francog.* poteau); *prov. vet.* post '*tabula lignea*', *var. dial. francoprov., prov., vasc.; cat.* post '*tabula lignea*'; *port.* poste. *cf. M.-L. 6693. Wartburg IX 248 sqq. Corominas III 857. Machado² III 1860. St.*] [*confunditur maxime cum* potes, *potest aliisque eiusdem verbi formis et*

60 *cum* positis *sim., e. g.* MANIL. 4, 180 VAL. MAX. 2, 8, 7 (*restit.* PLIN. nat. 2, 196 PRISCILL. tract. 6, 107; depositum *pro de* -e coniciam ITALA IV reg. 21, 13 [*Lucif. reg. apost. 8 p. 57, 1*]).]　**I** *de tignis, pilis sim., quae pertinent ad aditum* (*ad fenestram p. 231, 6?*):　**A** *proprie:*　**1** *strictius respicitur* ianua *more solito*

65 *confecta; significantur illa duo ligna vel saxa erecta, quae una cum liminibus ostium circumdant* (*negat* Page, Class. Rev. 3, 1889, 76, *sed v. e. g. p. 231, 27*); *inde vocem saepe ad valvas vel totam ianuam transferri vix est quod moneamus* (*v. e. g. p. 231, 37. 67. 232, 43. 233, 23. 53 sqq.; vix de aliis ianuae partibus p. 231, 12. 25*). GLOSS. παραστάς. φλιά (*v. et*

70 *l. 35*). θυρώματα. tabulae ostii. GLOSS.ᴸ I Ansil. PO 516 -es: valbas, id est ianuas. *sim. al.*　**a** *in aedificiis profanis* (*fere domibus; in curia p. 231, 44, carcere e. g. p. 231, 26, stabulo e. g. p. 231, 35; intra aedes e. g. p. 231, 46. 232, 34*):　**α** *in univ.:*　① *exempla varia* (*selecta inde a* VERG.):

75 PLAVT. Bacch. 1119 iube . . . aperiri fores, nisi mavoltis fores et -es comminui securibus. Most. 818—820 age specta -es cuius modi, quanta firmitate facti et quanta crassitudine. :: non videor vidisse -is pulchriores (*respicitur pulchritudo etiam* VERG. georg. 2, 463 varios . . . pulchra testudine -es. HOR. carm. 3, 1, 45 Ov. met. 11, 114 sq. LVCAN. 10, 118

80 hebenus . . . vastos non operit -es, sed stat pro robore vili. STAT. silv. 1, 3, 35. ANTH. 443, 2 marmoreo ianua -e nitet. PAVLA Hier. epist. 46, 12, 2 auratos. *al., cf. e. g. infra p. 231, 38. 61*). CATO agr. 14, 1 *in villa aedificanda* faber haec faciat oportet: . . . tigna omnia . . ., limina, -es,

Abb. 2: Informationsfülle kompakt – der Thesaurus-Artikel *postis* (Artikelkopf und Beginn des Hauptteils)

eine solche ermitteln läßt, und zwar (wie der ganze Art.) in Lat. (und ggf. in Griech.); darauf folgen die verschiedenen Bed., Gebrauchsweisen etc., nach denen im speziellen Fall gegliedert wird (ein Einheits-Schema, das jedem Wort mechanisch übergestülpt würde, gibt es nicht), in hierarchischer, d. h. stammbaummäßiger Anordnung (Abb. 2), wobei im Normalfall nach dem Prinzip der Dichotomie vorgegangen wird (d. h. jede übergeordnete Gliederungsebene wird in zwei einander ausschließende Rubriken untergliedert, z. B. *proprie / translate, de animantibus / de rebus,* die dann ihrerseits wieder in gleicher Weise unterteilt werden können); dieses Prinzip ermöglicht es dem Benutzer, rasch zu dem Teil des Art. zu gelangen, wo er die von ihm ge-

suchte Auskunft erwarten kann (bei sehr großen Art. ist diese Gliederung dem Art. im Druck vorangestellt; bei der geplanten elektronischen Version des ThlL soll sie bei jedem Art. abrufbar sein). Dabei wird versucht, die Gliederung so zu gestalten, daß als erster nicht mehr unterteilter Gliederungspunkt die Bed. oder Gebrauchsweise präsentiert werden kann, für die die ältesten Belege existieren; diese Belege aus der ant. Lit. folgen bei allen nicht mehr weiter unterteilten Gliederungspunkten dann jeweils auf die erläuternden Rubriken, und zwar jeweils in chronologischer Reihenfolge (meist mit entsprechendem Kontext; die Abkürzungen für Autoren und Werke entschlüsselt der *Index librorum* [3], der auch die benutzten Ed. verzeichnet und insgesamt das knappste vollständige Kompendium der ant. lat. Literatur darstellt), entweder komplett oder in Auswahl (in diesem Fall wird seit 1906 vor das Lemma das Zeichen ※ gesetzt und innerhalb der Belegreihe aus der komplett verzettelten Lit. durch ›al.‹ oder dgl. genau angegeben, wo Belege weggelassen oder die Belegreihe abgebrochen wurde); Belege für ein- und dieselbe oder ähnliche Formulierungen werden dem ältesten entsprechenden Beleg in Klammern beigefügt (genauer über die Artikeltechnik [4. 8–12 bzw. 18–23]).

Am E. eines ThlL-Art. finden sich regelmäßig Hinweise auf abgeleitete Wörter bzw. Kompos. und den Gebrauch des Wortes als EN (deren Bearbeitung wurde am E. des Buchstabens D einstweilen aufgegeben). Noch wichtiger ist der von den Benutzern oft zu ihrem Schaden nicht zur Kenntnis genommene Artikelkopf (Beispiel s. Abb. 2), der zum einen (in eckigen Klammern und mit Initialen gezeichnet) Angaben zur Etym. des Wortes und seinem Weiterleben in den romanischen Tochtersprachen bietet (beides von Spezialisten außerhalb des Inst. erarbeitet), zum anderen vieles übersichtlich zusammenstellt, was sich der Benutzer sonst mühsam im Art. zusammensuchen müßte, insbes. Angaben zu Orthographie, Prosodie, Flexion, zur Verbreitung des Wortes (ggf. mit Vergleichstabellen für Synonyma) und zur Verschreibung in Handschriften.

Wie jedes Produkt wiss. Arbeit ist der ThlL zwar durchaus nicht unfehlbar; doch sowohl Klass. Philol. als auch Vertreter der verschiedensten Nachbardisziplinen werden ihn fast immer mit Gewinn konsultieren – ganz gleich, ob sie sich um das Verständnis einer Einzelstelle bemühen, ob sie der Geschichte eines Wortes nachgehen oder wortübergreifende sprachlich-grammatische Studien betreiben. Und für den Teil des Alphabets, der noch nicht gedr. vorliegt, steht das Zettelarchiv des ThlL in München jedem Interessierten (nach Voranmeldung) offen.

PUBL 1 ThlL, vol. I – VIII (A–M). IX 2 (O). X 1,1–12 (*p – pestifer*). X 2,1–12 (*porta – pronuntiatus*) 1900 ff. 2 ThlL, Onom., vol. II – III (C – D), 1907–1923 3 ThlL, Index librorum scriptorum inscriptionum, ex quibus exempla afferuntur, ²1990 4 ThlL, Praemonenda de rationibus et usu operis, 1990

LIT 5 TH. BÖGEL, Thesaurus-Geschichten, hrsg. v. D. KRÖMER und M. FLIEGER, 1996 6 P. FLURY, Vom Tintenfaß zum Computer, in: [8. 29–56] 7 D. KRÖMER, Lat. Lexikographie, in: F.J. HAUSMANN et al. (Hrsg.), Wörterbücher, Dictionaries, Dictionnaires, Bd. 2, 1990, 1713–1722 8 Ders. (Hrsg.), Wie die Blätter am Baum, so wechseln die Wörter. 100 J. ThlL, 1995 9 Ders., Ein schwieriges Jh., in: [8. 13–28] 10 Ders., Wilamowitz u. der ThlL, in: W. APPEL (Hrsg.), »Origine Cujavus«. Beitr. zur Tagung anläßlich des 150. Geburtstags U.v. Wilamowitz-Moellendorffs (Xenia Toruniensia IV) 1999, 141–155. DIETFRIED KRÖMER

Limes, Hadrianswall. Von allen Grenzbefestigungen, die röm. Militärarchitekten während der Kaiserzeit als *limites* des Reiches errichteten, bildet das komplexe System des *vallum Hadriani* (Abb. 1) – bestehend aus Graben und Mauer (teils aus Stein, teils aus Grassoden), einer *via militaris*, die Auxiliarstandorte und Meilenkastelle miteinander verband, und dem sog. Vallum als Begrenzung landeinwärts – wohl das augenfälligste Monument dieser Art im gesamten *imperium Romanum*. Mit Recht verweist man in Großbritannien darauf, daß die markanten Überreste dieser Grenzlinie, die auf weite Strecken der hügeligen Landschaft im Norden Englands zw. *Segedunum*/Wallsend im Osten und *Maia*/Bowness am Solway Firth regelrecht aufgeprägt wurde, als ›the best known frontier in the entire Roman empire‹ angesehen werden kann [2]. Dem trägt die Tatsache Rechnung, daß die nördlichste aller röm. Limesstrecken seit 1987 zum Weltkulturerbe der UNESCO zählt.

Ein wesentlicher Grund für die weitgehende Bewahrung dieses Monuments und seine Einpassung in das heutige Landschaftsbild, liegt wohl darin, daß v.a. die eigentliche Hadriansmauer – bes. gut erhalten in ihrem mittleren Streckenteil zw. *Cilurnum*/Chesters und *Banna*/Birdoswald – durch die Jh. hindurch sichtbar blieb und so niemals völlig aus dem Bewußtsein der *per lineam valli* lebenden Bevölkerung verschwand, auch wenn die Deutungen dieses Monuments unterschiedlich ausfielen.

Ein erstes wichtiges Beispiel bildet die Erwähnung der Mauer um die Mitte des 6. Jh. durch Gildas, einen keltischen Britannier röm. Prägung, der die Hadriansmauer zeitlich auf die ca. 20 J. jüngeren Antoninuswall folgen ließ und ihn – nachdem Rom seine damalige Provinz spätestens 410 n. Chr. sich selbst überlassen hatte – als letztes Bollwerk der einheimischen *Brittones* gegen die von Norden her anrennenden *Picti et Scoti* ansah. Ihm folgte der Theologe und frühe Historiker Beda Venerabilis (672/673–735), der die sichtbaren Überreste der Hadriansmauer in seiner *Historia ecclesiastica* sehr detailliert als 2,4 m breites und 3,6 m hohes Monument beschrieb, jedoch – wie sein Vorgänger – an der Deutung als frühma. Befestigungswerk zw. »English« und »Scottish people« festhielt. Allerdings begann damals auch in großem Stil der Abbau der Mauer, deren Steinmaterial vorzugsweise zur Errichtung von Klöstern und Kirchen verwendet wurde, wofür etwa die Krypta der Abteikirche St. Andrew in Hexham – wegen der dort verbauten Inschriftsteine – ein bes. beredtes Beispiel bildet.

In dieser Hinsicht stellten die Bauaktivitäten der Normannen seit dem E. des 11. Jh. einen bes. Einschnitt dar, weil mit ihrer Ankunft nicht nur neue Klöster, sondern v.a. Burgen wie das King's New Castle in Newcastle upon Tyne entstanden. Da man sich im nordöstl. England – wie auch anderswo – jeweils der nächstgelegenen Steinvorräte bediente, ist es kein Wunder, daß sich zw. *Segedunum*/Wallsend und *Cilurnum*/Chesters – von wenigen Ausnahmen wie Heddon-on-the-Wall abgesehen – kaum nennenswerte Strecken der Mauer erhalten haben. Dagegen dürfte sich im weiteren Verlauf der Geschichte – auch über die Vereinigung der

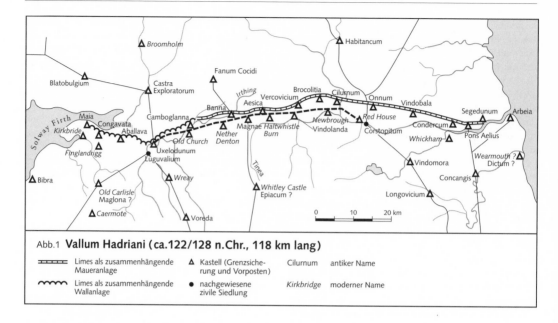

Abb.1 **Vallum Hadriani (ca.122/128 n.Chr., 118 km lang)**

▭▭▭▭	Limes als zusammenhängende Maueranlage	Cilurnum	antiker Name
∿∿∿∿	Limes als zusammenhängende Wallanlage	Kirkbride	moderner Name
▲	Kastell (Grenzsicherung und Vorposten)		
●	nachgewiesene zivile Siedlung		

beiden Königreiche England und Schottland (1603) hinaus – die »Grenzlage« des *vallum Hadriani* zw. den streitenden Parteien eher förderlich auf die Substanzerhaltung dieser Limesstrecke ausgewirkt haben. Namentlich werden im 17. Jh. die Armstrongs genannt, die das Kastell *Vercovicium*/Housesteads zu ihrem Familiensitz machten und als ›notorious thieves and robbers‹ antiquarisch Interessierte am Besuch dieser und anderer Stätten an der Hadriansmauer hinderten [5]. Erst 1698 trat Frieden ein, nachdem Housesteads in den Besitz der Familie Gibson übergegangen war.

Schon ein Jh. zuvor hatte William Camden, ein Zeitgenosse Elisabeths I.(1558–1603), die baulichen Überreste der Mauer – mit Ausnahme des mittleren Abschnitts (Housesteads!) – aufgesucht und mit seiner – zunächst lat. geschriebenen – *Britannia*, die zw. 1586 und 1600 fünf Ed. erfuhr, das Fundament für die weitere Erforsch. der Hadriansmauer gelegt. Wirkliche Verbreitung fand sein Werk jedoch erst, nachdem es zuerst ins Niederländische (1610) und schließlich durch Edmund Gibson auch ins Engl. übersetzt worden war (1695). Nachhaltige Verbreitung erfuhr allerdings erst die Zweitauflage (1722), nachdem Gibson 1708–09 eigene Feldforsch. unternommen und die gesamte Grenzlinie zwischen der Tyne-Mündung und dem Solway Firth kennengelernt hatte.

Einer seiner gelehrigsten Schüler war John Horsley (1685–1732), ein presbyterianischer Geistlicher, der eigentlich Mathematik und Philos. studiert hatte, mit seiner 1732 kurz nach seinem Tod veröffentlichten *Britannia Romana* jedoch auch Zeugnis dafür ablegte, wie sehr er sich der eingehenden und sorgfältigen Erforsch. des röm. Britannien und damit auch des *vallum Hadriani* verbunden fühlte. Horsley war der erste in seiner Zeit, dessen Denk- und Forschungsweise histor. geprägt war.

Grundlage seiner Unt. waren Inschr., die er gesammelt und im zweiten Band seines Werkes zusammengefaßt hatte. Unter Verwendung weiterer schriftlicher Quellen war er auch der erste, der die Kastelle an der Hadriansmauer mit ihren lat. Namen benannte. Trotz seines frühen Todes übte John Horsley mit seinem Schaffen auf die nachfolgenden Generationen eine nachhaltige Wirkung aus.

Das große Interesse, das den Überresten der Hadriansmauer und des sog. Vallum auch in der Folgezeit entgegengebracht wurde, konnte nicht verhindern, daß sich der Abbau des nach wie vor reichlich vorhandenen Steinmaterials zusehends beschleunigte. Ein bes. durchgreifendes Beispiel war der Bau der Straße im Verlauf der heutigen B 6318, die – in den J. nach 1745 angelegt – die Städte Newcastle und Carlisle verbindet und streckenweise »auf der Mauer« verläuft, die sie als breites Fundament für ihre Trasse nutzt. Ein Stich jener Zeit aus der Gegend unweit von Chesters hält die Vorgehensweise von damals fest (Abb. 2). Danach war aufgehendes Mauerwerk – oberflächlich abgearbeitet – teils in die Straße des Generals Wade eingebunden und damit sichtbar, teils wurden die Überreste der Mauer vom Straßenkörper überdeckt, so daß darunter zumindest die Fundamente »überlebten«. Nachdem schon in der Normannenzeit der Raubbau westlich von Newcastle große Lücken in die Mauer geschlagen hatte (s.o.), verschwanden hier damit ihre letzten Überreste weitgehend vollständig im Erdboden.

Bis zu diesem Zeitpunkt hatte es keinerlei größere Ausgrabungen an der Mauer oder in einem der dortigen Kastelle gegeben. Noch ohne arch. tätig zu werden, hatte erstmals Robert Shafto in *Condercum*/Benwell 1751/52 die Überreste eines Kastells und des zugehörigen, außerhalb liegenden Bades in Planzeichnungen

Abb. 2: Walwick Bank bei Chesters. Fundament der Hadriansmauer als sichtbar verwendetes Teilstück der Straße zwischen Newcastle upon Tyne und Carlisle. Stich von 1862 (English Heritage)

Abb. 4: Steinbrücke in Cilurnum/Chesters. Widerlager mit Maueransatz auf dem Südufer des Tyne. Zustand 1999. Blick vom Westen

festgehalten. Doch erst mit dem Beginn des 19. Jh. und der Gründung der Society of Antiquaries of Newcastle upon Tyne (1813) begann eine Zeit methodisch vertretbarer Ausgrabungen. Dazu lieferte J. Hodgson (1779–1845) einen entscheidenden Beitr., denn er erkannte auf der Basis der Inschr., die bis dahin bekannt waren – h. sind es nahezu 1000 [4] – als erster, daß *Hadrianus* (117–138) der Erbauer dieser Limesstrecke gewesen sein mußte.

Zu der nachfolgenden Entwicklung hat wahrscheinlich John Clayton (1792–1890) den entscheidenden Beitr. geleistet, der fast 60 J. lang seine gesamte freie Zeit der Ausgrabung und Bewahrung der immer noch bedeutenden Überreste des *vallum Hadriani* widmete. Als Besitzer des Landes, auf dem das Kastell *Cilurnum*/Chesters liegt, kaufte er in seinem langen Leben große Landflächen an der Hadriansmauer auf, brachte an verschiedenen Plätzen Ausgrabungen in Gang – darunter in *Vercovicium*/Housesteads (1849 ff.), *Brocolitia*/Carrawburgh (1873–76) mit den aufsehenerregenden Funden aus dem

Abb. 3: Hadriansmauer mit Meilenkastell Nr. 42 bei Cawfields. Blick vom Südwesten. In der Senke der »Hadrian's Wall Path«

Brunnen der einheimischen Göttin Coventina, in *Magnae*/Carvoran, den Meilenkastellen von Cawfields (1848) (Abb. 3) und Housesteads (1853) sowie in Chesters selbst, wo er u. a. die Überreste der röm. Steinbrücke freilegte, die unterhalb des Kastells den River Tyne überquerte (Abb. 4). Auf Clayton geht schließlich nicht nur die Einrichtung des Mus. in Chesters zurück, das sein Sohn Nathaniel 1896 vollendete, sondern v. a. auch die Öffnung des Platzes mit seinen konservierten Ruinen für das interessierte Publikum.

Als Konsequenz der rasch zunehmenden Industrialisierung, die vielen Menschen z. B. im Raum Newcastle seit der Mitte des 19. Jh. Arbeit und Auskommen brachte, ergaben sich z. T. massive Bedrohungen einzelner Kastellplätze. So mußte etwa 1858 das nördl. Drittel des Kastells *Condercum*/Benwell der Anlage eines Hochbehälters weichen. Als nach 1874 auf dem Platz des Nachschublagers *Arbeia*/South Shields – oberhalb der Tyne-Mündung in die Nordsee – Wohnbauten entstehen sollten, blieb nach vorhergehenden Ausgrabungen immerhin das Zentrum des ehemaligen Kastells frei von Häusern. Ganz schlimm erging es in den 1880er J. den Überresten von *Segedunum*/Wallsend, dessen Areal damals vollständig überbaut wurde. Auf der anderen Seite sind gerade diese beiden Kastellplätze ausgezeichnete Beispiele für die inzwischen erfolgte Rückbesinnung auf den röm. Ursprung. Beide Plätze wurden in den 1980er J. zu »arch. Reservaten« erklärt und vermitteln heutzutage mit aktuellen Grabungen, Teil- und Vollrekonstruktionen, Museums- und Freizeitaktivitäten lehrreiche Einblicke in das Leben röm. Soldaten am nördlichsten Grenzabschnitt des Röm. Reiches – ›defending the empire from the barbarians of Scotland‹ (Museumsprospekt »Segedunum« 1999).

Die Ausgrabungspraxis des 19. Jh. war noch geprägt von der Unt. ehemaliger Steinbauten, die man – in aller Regel dem jeweiligen Mauerverlauf folgend – freilegte, ohne etwa in hinreichender Weise die unmittelbar angrenzenden Erdschichten einzubeziehen (sog. »wallchasing«). Auf solche Weise entstand z. B. 1898 bei Ausgrabungen in Housesteads der erste vollständige Ruinenplan eines röm. Kastells an der Hadriansmauer, der bis in die Gegenwart in Gebrauch war. Demgegenüber geht eine grundlegende Verfeinerung der Ausgrabungstechnik erst auf F. G. Simpson zurück, der zw. den beiden Weltkriegen das Cumberland Excavation Committee leitete. Gemeinsam mit den Repräsentanten des North of England Excavation Committee und des Durham University Excavation Committee haben in den 1920–30er J. an vielen größeren und kleineren Plätzen an der Hadriansmauer systematische Unt. stattgefunden, deren wiss. Ergebnisse rasche Verbreitung fanden. Die grundlegende Veröffentlichung zum *vallum Hadriani* ist das *Handbook to the Roman Wall* von J. Collingwood Bruce (1805–1892), dessen erste Ausgabe 1851 erschien [3]. Zwei J. zuvor hatte auf Bruce' Initiative die erste »Pilgrimage by the Roman Wall« stattgefunden, ein mit viel Enthusiasmus begonnenes Unternehmen, das allerdings seine Fortsetzung erst 1886 fand und dem sich weitere »Pilgrimages« 1906, 1920 und 1930 anschlossen. Von Beginn an war es die Grundidee, interessierte Laien der Society of Antiquaries of Newcastle upon Tyne und der Cumberland and Westmorland Antiquarian and Archaeological Society mit Professoren und Studenten zusammenzuführen, um das einzigartige Monument des hadrianischen Limes in *Britannia* – größtenteils zu Fuß – zu erkunden, sich vor Ort über den Fortgang der arch. Arbeiten zu informieren und im gegenseitigen Gespräch alte und neue Fragen und Theorien zu erörtern. Seit 1949, als erstmals auch wieder dt. Archäologen teilnahmen, findet die »Pilgrimage of Hadrian's Wall« alle zehn J. statt. Inzwischen ist sie – nach mehr als 150 J. – längst zur festen Institution geworden, ablesbar zum einen an den stetig wachsenden Teilnehmerzahlen (1999 waren es fast 250!), zum andern an der Intensität der wiss. Erforsch. dieser Limesstrecke, wofür die alle zehn J. erscheinenden *Summaries of Recent Excavations and Research* beredtes Zeugnis ablegen (Zuletzt: [1]).

Weitaus die meisten Plätze und Teilstrecken der Hadriansmauer stehen heutzutage unter der Obhut von English Heritage, einer überregionalen Denkmalinstitution, die inzwischen fast 400 histor. Bauten und Monumente im gesamten Königreich betreut und deren Hauptaufgabe es ist, die freigelegten und konservierten Überreste wiss. zu erschließen und für ein allgemeininteressiertes Publikum zu öffnen. Sie wird – speziell an der Hadriansmauer – vom National Trust, regionalen Behörden und Privateignern unterstützt, über deren Land der »Hadrian's Wall Path« führt, auf dem sich große Teile der Mauer und der Kastelle erwandern lassen (Abb. 3).

Im Grunde ist zw. der Mündung des Tyne und dem Solway Firth der bislang größte → Archäologische Park entstanden, der eine hohe Akzeptanz in der britischen Öffentlichkeit besitzt und dessen Besonderheit in der zweifellos gelungenen Synthese von Landschaft, Umwelt und histor. Substanz besteht. Beides mag mit der selbstverständlichen Art und Weise in Zusammenhang stehen, in der man im Vereinigten Königreich zum einen mit mil. Dingen, zum anderen mit der eigenen Geschichte umzugehen pflegt, in deren zeitlichem Ablauf gerade die röm. Zeit des Landes einen bes. Platz einnimmt.

→ AWI Cilurnum; Limes II.

1 P. BIDWELL (Hrsg.), Hadrian's Wall 1989–1999 2 D. J. BREEZE, Hadrian's Wall, 1996 3 J. COLLINGWOOD BRUCE, Handbook to the Roman Wall, 1978 (ed. CH. DANIELS) 4 R. G. COLLINGWOOD, R. P. WRIGHT, The Roman Inscriptions of Britain, 1965 5 S. JOHNSON, Book of Hadrian's Wall, 1989. TILMANN BECHERT

Limes, Limesforschung. Mit beinahe 550 km stellt der obergerman.-raetische-L. eines der bedeutendsten Denkmäler der Vor- und Frühgeschichte dar. Er durchzog beginnend von Rheinbrohl die heutigen Bundesländer Rheinland-Pfalz, Hessen, Baden-Württemberg und Bayern. Der Begriff obergerman.-raetischer-Limes selbst ist eine Schöpfung des 19. Jh. und wurde von den beiden röm. Prov. Obergermanien (Germania superior) und Raetien (Raetia) abgeleitet, deren Ost- bzw. Nordgrenze der Limes mit mehrfachen Veränderungen bis zur Mitte des 2. Jh. erreichte.

Noch heute sind eindrucksvolle Reste dieser röm. Grenze und der an ihr liegenden Bauwerke sichtbar, die seit 1999 durch die Einrichtung der Dt. Limesstraße verstärkt in das Bewußtsein der Öffentlichkeit gerückt werden sollen [51]. Zudem soll der röm. L. im J. 2004, nach den Vorstellungen der Bundesländer Baden-Württemberg, Bayern, Hessen und Rheinland-Pfalz, in die Liste der Weltkulturdenkmäler der UNESCO aufgenommen werden. Zur Zeit werden die Vorbereitungen für die Erstellung eines entsprechenden Antrags bei der UNESCO federführend vom Landesdenkmalamt Baden-Württemberg koordiniert. Von den beteiligten Bundesländern soll im Rahmen einer umfassenden arch. Bestandsaufnahme sowohl der gegenwärtige Zustand der einzelnen Limesabschnitte aufgenommen als auch Vorschläge zu deren denkmalpflegerischer Betreuung ausgearbeitet werden.

Daß heute noch Verlauf, Beschaffenheit und Datierung der einzelnen Anlagen bekannt sind, ist v. a. den grundlegenden, zentralen Forsch. der 1892 unter Vorsitz des Althistorikers und Lit.-Nobelpreisträgers Theodor Mommsen gegr. Reichs-Limeskommission zu verdanken [20]. Doch auch die erfolgreiche Arbeit dieser Institution wäre nicht denkbar, hätte nicht auf beachtliche Vorarbeiten des Königreichs Württemberg, des Großherzogtums Baden, des Großherzogtums Hessen (Darmstadt) und des Königreichs Bayern zurückgegriffen werden können. Der Weg, der bis zum heutigen Forschungsstand zurückgelegt werden mußte, war allerdings lang und mühselig.

In Deutschland erwachte das Interesse an einer ernsthaften Beschäftigung mit dem röm. Erbe im 14./15 Jh., im Zeitalter des Human. [69; 27. 4–23; 13. 6–11; 14. 9–

16]. Das zunehmende Interesse an den lit., numismatischen und epigraphischen Zeugnissen der Ant. führte nach einer Zeit der starken Anlehnung an die Renaissancebewegung It. innerhalb des dt. Human. bald zu einer Hinwendung der Erforsch. der dt. Vorzeit, die jedoch als Bestandteil des Imperium Romanum angesehen wurde. Zeugen der röm. Macht wurden zu Zeugen einer eigenen großen Vergangenheit. Es sind v. a. die erhaltenen röm. Denkmäler, die bei der Betrachtung der Frühzeit in Deutschland im Interesse der human. Geschichtsforsch. stehen. Einen bes. Anteil daran hatte nicht zuletzt die Wiederentdeckung der *Germania* des Tacitus im Kloster Hersfeld 1455 und deren baldige Drucklegung 1473.

Die Suche nach neuen, zuverlässigen Urkunden lenkte das Interesse der dt. Humanisten schon bald auf Inschr., die sie auf ihren weiten Reisen sammelten. Insbes. in den ehemaligen Römerstädten zogen diese schon früh die Aufmerksamkeit der Humanisten auf sich [69. 22–29]. Die erste Sammlung röm. Inschr. veröffentlichte 1505 Konrad Peutinger, der v. a. durch die nach ihm benannte *Tabula Peutingeriana* bekannt wurde. Auf Betreiben Kaiser Maximilians I., einem großen Liebhaber von Altertümern, veröffentlichte Peutinger eine Sammlung Augsburger Inschr., der 1520 eine zweite, erweiterte Ausgabe unter dem Titel *Inscriptiones vetustae Romanorum et eorum fragmenta in Augusta Vindelicorum et eius dioecesi… nunc denuvo revisae castigatae simul et auctae…* folgte und die, wie der Titel sagt, lediglich im Augsburger Stadtgebiet gefundene Inschr. behandelt. Angaben zu möglichen Fundorten finden sich jedoch nicht, das antiquarische Interesse stand für die Sammeltätigkeit im Vordergrund.

Beatus Rhenanus (1485–1547), der schon 1519 einen Komm. zur *Germania* des Tacitus veröffentlicht hatte, berichtet 1531 von röm. Überresten bei Wimpfen, Rottenburg und anderen Örtlichkeiten. So erwähnt er 1531 in seinen *Rerum Germanicarum libri tres* unterirdische Mauern auf weiten Strecken bei Aalen, womit er die Mauern des Kastells Aalen meinte. In seinem Bestreben, zuverlässige Quellen zu finden, zieht er in nicht geringem Umfang neben alten Urkunden auch epigraphisches Material heran, das er auf seinen Reisen an Klostermauern und Kirchen angebracht fand [69. 30–34]. In Augsburg besichtigt er die bedeutenden Altertumssammlungen Konrad Peutingers und Raimund Fuggers und wurde so zu einem der besten Kenner seiner Zeit der röm. Inschr. in Südwestdeutschland. Die oftmals recht phantasievolle Wiedergabe bei der Edition dieser Inschriftensammlung zeigt sich u. a. bei der 1520 in Druck gegangenen Huttichschen Sammlung Mainzer Inschr.; ein auf einem Militärgrabstein dargestellter röm. Legionssoldat wird als Landsknecht des 16. Jh. dargestellt. Die ungenaue Wiedergabe sowohl von Inschr. als auch der Reliefs, die im 16. Jh. kein Einzelfall ist, zeigt, daß es den Herausgebern nicht um eine objektive Darstellung der Denkmäler ging [69. 22 f.]. Das verdeutlicht z. B. die erste bildliche Darstellung der Varusschlacht auf dem Titelblatt zu der 1520 edierten Ausgabe des Velleius Paterculus von Beatus Rhenanus, die Römer und Germanen in typischer Landsknechttracht darstellt [69. Taf. II, Abb. 3]. Eine kritische und histor. Auswertung sah erst die Geschichtsforsch. der nachfolgenden Generationen als ihre Aufgabe an.

Eine umfassende Edition röm. Inschr. aus unterschiedlichen Sammlungen, zu denen auch Zeugnisse aus den Limeskastellen gehörten, wurde 1534 von dem Ingolstädter Mathematikprofessor Peter Apian (1495–1552) und dem Rechtsgelehrten Bartholomäus Amantius (gest. um 1556) herausgegeben [2; 69. 28 f.]. Der Grundstock der größten Sammlung röm. Steindenkmäler in Südwestdeutschland geht auf den Präzeptor an der Lateinschule in Marbach, Simon Studion (1543–1605) zurück, der zufällig in einem Weinkeller in Benningen auf einen vermauerten Weihealtar der Vicani Murrenses aus dem 2. Jh. n. Chr. stieß, in der Folgezeit weitere röm. Steindenkmäler entdeckte, die er dem Herzog Ludwig in Stuttgart schenkte und ihn zur Gründung einer Sammlung von röm. Inschr. und Bildwerken veranlaßte [69. 63; 14. 15 f.]. Zu Recht wird Studion als Vater der röm. Altertumskunde und -pflege in Württemberg bezeichnet [27. 9]. Im J. 1597 konnte er den Herzog sogar für Ausgrabungen im ehemaligen Kastell Benningen gewinnen, die, nach damaligen Maßstäben, vorbildlich durchgeführt wurden [69. 65 und Taf. XI, Abb. 15]. Als erster Humanist überhaupt befaßte sich 1518/19 Aventin (eigentlich Johannes Turmair, 1477–1534) mit dem ehemaligen L. in Deutschland [13. 32–37; 14. 11]. Er hatte die Aufgabe, im Auftrag des bayerischen Herzogs eine Geschichte Bayerns zu verfassen, für die er umfangreiche Studien in Archiven und Bibl. durchführte. In der *Bayrischen Cronick*, die erst nach seinem Tod 1566 herausgegeben wurde, spricht er von einer röm. *landver* mit aufgeschütteten *graben* und *aufgeworfner were*, und in den 1534 veröffentlichten *Annales Ducum Boiariae* teilt er mit, daß die Bevölkerung diese Anlage »Pfal« genannt habe. In der Vorrede seiner Chronik betont er: ›Demnach habe ich mir… allerley handschriften, briefe, chronica… durchlesen und abschriben; heiligtumb, monstranzen, seulen, creuz, alte stein, alte münz, gräber… besucht‹ usw. Ausdrücklich betont er also, daß auch arch. Fundmaterial für seine Unt. als Quelle diente [69. 33]. Allerdings sah er diese Anlage als ein Werk des röm. Kaisers Probus (276–282) an und verwechselte den raetischen L. mit dem Damm einer Römerstraße, die von der Altmühl bis an den Neckar zog. Die volkstümliche Bezeichnung Pfa(h)l läßt noch deutlich seine Wurzeln vom lat. *palus* erkennen, und auch die ältesten mit Pfahl- zusammengesetzten Ortsnamen wie z. B. Pfahlheim bei Ellwangen geben sich durch ihr Lage am L. zu erkennen. Verlauf, Datierung und Beschaffenheit des L. lagen allerdings noch weitgehend im Dunkel. Marcus Welser berichtet in seiner Augsburger Chronik 1595 in einem Exkurs über die röm. Grenzziehung von vorgeschichtlichen Grabhügeln, sieht diese allerdings als röm. Grenzmarkierung an [69. 47–50]. Erst das 18. Jh. sollte neue Ansätze für die Erforschung des röm. L. bringen.

Im J. 1712 gelang dem Pfarrer Christoph Wägemann (1666–1713) im Raum Gunzenhausen am raetischen L. der entscheidende Fortschritt [13. 11 f.]. In Kenntnis der *Historia Augusta* kam er zu der Feststellung, daß die *teufelsmauer* oder *Pfalrayn* bereits unter Hadrian errichtet und unter Probus zur Mauer ausgebaut wurde. Sein Tod verhinderte eine ausführliche schriftliche Darlegung seiner Untersuchungen. Im J. 1748 wurde von der Preußischen Akad. der Wiss. in Berlin die Preisaufgabe gestellt, zu untersuchen, ›Wie weit der Römer Macht, nachdem sie über den Rhein und die Donau gesetzt, in Deutschland eingedrungen, was vor Merkmale davon ehemals gewesen und etwa noch vorhanden seien‹. Zu den Gelehrten, die sich daran beteiligten, gehörte auch Christian Ernst Hanßelmann (1699–1775), gräflich-hohenlohischer Archivar und Regierungsrat in Öhringen, der erkannte, daß die gestellte Frage nur durch Ausgrabungen zu beantworten war [43]. Er sah als erster den Zusammenhang zw. den Limesresten im Taunus und der Teufelsmauer, dem Schuttwall der raetischen Mauer in Bayern und erforschte den L. zwischen Mainhardt und Osterburken. Zu Recht gilt er als der erste Limesforscher. In zwei Bänden, die 1768 und 1773 erschienen, führte er die Ergebnisse eigener arch. Unt. und bereits bekannter Nachrichten zusammen, konnte streckenweise den Verlauf des Odenwaldlimes nachweisen und sprach sich für eine Datierung des L. zwischen dem frühen 1. und dem frühen 3. Jh. aus [28; 29].

Die zweite H. des 18. Jh. ist bezüglich der röm. Denkmäler in Deutschland als eine Zeit anzusprechen, die den Beginn der wiss. Erforsch. wenigstens in Teilbereichen bedeutete. Im J. 1760 veröffentlichte C. P. de Biebourg, Sohn des Fürsten Carl von Nassau-Usingen, eine Schrift, die sich ganz einem Abschnitt des Pfahlgrabens im Taunus vor dem Kastell Zugmantel und dem Kastell selbst widmete [9]. 1777 erschien schließlich die *Nachricht von den Alterthümern in der Gegend und auf dem Gebürge bey Homburg vor der Höhe* des Fürstlich-Hessischen-Homburgischen Regierungsrats Elias Neuhof (1724–1799), der als erster die Saalburg als »Schantze« der Römer erkannt hatte [31. 18; 53. 15]. Das steigende Interesse an röm. Denkmälern führte auch regional zu den ersten Verordnungen, die dem Steinraub und der Ausplünderung röm. Denkmäler ein Ende setzen sollten. So erließ der Homburger Landgraf Friedrich V. 1818 eine Verordnung gegen das unkontrollierte Steinebrechen auf der Saalburg [53. 23].

Begeistert für das klass. Alt. brachte Graf Franz I. zu Erbach-Erbach (1754–1823) von seiner Bildungsreise durch It. 1775 wertvolle Antiken mit und legte damit den Grundstock zu den Erbacher Sammlungen [31. 20ff.; 14. 21 f.]. Angeregt durch die Schriften Hanßelmanns wendete er seine Aufmerksamkeit den röm. Denkmälern des Odenwaldes zu und ließ unweit des Kastells Würzberg mehrere Wachturmhügel untersuchen, die man damals allerdings für Grabbauten hielt.

Ab 1802 begann er, neben seiner Sommerresidenz Eulbach einen engl. Park mit ant. Monumenten anzulegen. Gleichzeitig dehnte er seine Ausgrabungstätigkeiten auf den Abschnitt des Odenwaldlimes von Obernburg bis Schlossau aus und ließ Architekturteile aus röm. Siedlungen und Kastellplätzen, so die aufgemauerten Kastelltore aus Eulberg und Würzberg, nach den Originalbefunden in seinem Park wieder aufmauern. Unterstützt wurden seine Aktivitäten durch den gräflichen Regierungsrat Johann Friedrich Knapp, der die Entdeckungen und Funde des Grafen Franz 1813 in der Schrift *Röm. Denkmale des Odenwaldes, insbes. der Grafschaft Erbach* vorlegte und den Verlauf des Odenwaldlimes weitgehend richtig erfaßte, den er in die Zeit des Kaisers Trajan (98–117 n. Chr.) datierte [31. 22; 14. 22 f.].

Hatte Hanßelmann in seinen Arbeiten den Anschluß an den raetischen L., die Teufelsmauer, noch 20 km zu weit nördl. zwischen Mainhardt und Murrhardt lokalisiert, näherte sich Heinrich Prescher (1749–1827), Pfarrer in Gschwendt im Ostalbkreis, in seinen Veröffentlichungen zwischen 1789 und 1818 einem Limesknick bei Welzheim und Pfahlbronn an, der dem tatsächlichen Verlauf im Süden recht nahe kam [13. 18f.]. In den J. um 1800 hatte der Schloßprediger und Konsistorialrat Johann Michael Redenbacher (1764–1808) aus Pappenheim sowohl den Limesanfang an der Donau als auch den Richtungswechsel nach Osten bei Lorch entdeckt [13. 20f.]. Gleichzeitig erkannte er sogar den Wechsel von Wall und Graben zu der Mauer des raetischen Limes. Da diese Ergebnisse nie publiziert wurden, ging die Forsch. an ihnen vorüber. Erst der Regensburger Geschichtsprofessor Andreas Buchner (1776–1854) konnte, angeregt durch umfangreiche Studien im Gelände, die Frage des Limesknicks endgültig lösen. In seinen Bänden *Reisen auf der Teufelsmauer I-III*, die zw. 1818 und 1831 erschienen, gelang es ihm, beim Kloster Lorch den Richtungswechsel des L. nach Norden aufzuspüren und den Grenzwall bis nach Mainhardt weiter zu verfolgen [14. 24f.]. Aufgrund eines Grabsteins eines Angehörigen der 22. Legion konnte er bei Lorch sogar die Provinzgrenze zw. Obergermanien und Raetien lokalisieren. Seine von ihm selbst angefertigte Limeskarte zeigt jedoch noch zahlreiche Ungenauigkeiten.

Die weiteren Forsch. trugen seit der ersten H. des 19. Jh. v.a. Geschichts- und Altertumsvereine, die in Bayern, Hessen, Baden und Württemberg entstanden und allerorts die lokale Grabungstätigkeit anregten [19. 163–191; 13. 29–34; 14. 34–42]. Diese orts- bzw. landschaftsbezogenen Forsch. hat 1902 Ludwig Lindenschmit in seinem Beitrag zum 50. Gründungsjubiläum des Röm.-German. Centralmuseums treffend beschrieben, indem er betonte, daß man glaube, für jedes Land und Ländchen des dt. Bundesstaates eine eigene Kulturentwicklung nachweisen zu können. Die stark regional geprägte Forsch. dieser Zeit war von der Erkenntnis bestimmt, daß es mit antiquarischem Sammeln nicht getan sei, sondern daß für weitere Erkenntnisse in der Limesforsch. Unt. im Gelände selbst notwendig seien.

Im J. 1801 hatte die Gesellschaft für nützliche Forsch. in Trier ihre Tätigkeit aufgenommen, 1819 wurde auf Anregung des Reichsfreiherrn von Stein in Frankfurt die Gesellschaft für Deutschlands älteste Geschichtskunde gegr., und 1821 konstituierte sich in Wiesbaden der Verein für nassauische Alterthumskunde und Geschichtsforsch., der sich auch die Beschreibung und Erforsch. des Pfahlgrabens zum Ziel gesetzt hatte [70. 98–144; 30. 19 f.]. Von großer Bed. für die Erforsch. des röm. Rheinlandes war 1841 die Gründung des Vereins für Altertumsfreunde in Bonn. Die Vereine haben neben ihrer Grabungsaktivität Museen gegr., bedeutende Fundmaterialbestände systematisch gesammelt und die Ergebnisse ihrer Forschungtätigkeit in Publikationen und Zeitschriften, wie den bis heute erscheinenden *Nassauischen Annalen des Vereins für Nassauische Altertumskunde* oder den seit 1842 erscheinenden *Bonner Jahrbüchern*, veröffentlicht.

Durch die polit. Neuordnung Napoleons wurden die Vielzahl kleiner Herrschaftsbereiche durch Flächenstaaten wie die Königreiche Württemberg und Bayern und die Großherzogtümer Baden und Hessen ersetzt, die bedeutende Anteile am röm. L. besaßen. Damit erwachte auch gleichzeitig das staatliche Interesse an dem röm. Erbe, was sich durch zahlreiche Schutzbestimmungen und Forschungsaufträge an staatliche Organe zeigt. Auch bei der Landesvermessung auf den amtlichen Kartenwerken wurden die noch sichtbaren Spuren des röm. L. in der Gestalt alter Heerstraßen, Schanzen, Denkmale, Altertümer teilweise erfaßt. Herausragend für die arch. Forsch. waren die von Johann Daniel Memminger (1773–1840), dem Gründer des Statistisch-top. Bureaus des Königreichs Württemberg, 1820 in Angriff genommenen Oberamtsbeschreibungen, in denen auch röm. Fundstellen und Bodendenkmäler Erwähnung fanden [21. 17; 14. 30–32]. Nach seinem Tod wurde diese Arbeit von dem Topographen Eduard Paulus dem Älteren (1803–1878) fortgesetzt, dem eine arch. Karte von Württemberg mit der Eintragung keltischer, röm. und alamannischer Fundstellen zu verdanken ist.

Dem Nachweis über den Verlauf des L. und der Aufnahme seiner Bodendenkmäler diente auch die unter dem Vorsitz des Wiesbadener Archivars Friedrich Gustav Habel (1792–1867) gegr. *Commission für die Erforschung des limes imperii romani*, die sich insbes. mit der Unt. der Reste des Pfahlgrabens beschäftigen und die Tätigkeiten der damit befaßten Vereine koordinieren sollte und auch die wiss. Unt. der Saalburg förderte [66. 186 ff., 328 ff.; 53. 22 f.]. Mangelnde Kooperation seitens der Regierungen und der histor. Vereine führte jedoch zwangsläufig zum Scheitern dieses grenzübergreifenden Forschungsprojektes. Dieser Kommission vorangegangen war ein Zusammenschluß aller dt. Geschichts- und Altertumsvereine zu einem Gesamtverein im Jahre 1852. Anläßlich der ersten Versammlung im kurfürstlichen Schloß zu Mainz wurde der bedeutende Entschluß gefaßt, eine Sammlung für die Altertümer der Vor- und Frühzeit ganz Deutschlands in Nachbil-

dungen zu schaffen. Damit war der Grundstein für das Röm.-German. Zentralmuseum in Mainz gelegt, das mit der Betonung des German. neben den provinzial-röm. Anteilen ein deutliches Gewicht auf die vaterländischen Altertümer legte [40. 1 ff.; 65. 53–88; 7. 182–193; 41. 194–200].

Bis zur Gründung der Reichs-Limeskommission 1892 waren es weiterhin einzelne Vereine, die den Fortgang der Arbeiten entscheidend prägten. V. a. Wilhelm Conrady (1829–1903), Ehrenmitglied im 1844 gegr. *Hanauer Geschichtsverein*, widmete sich eingehend der Erforsch. des Limes und der röm. Kastellanlagen [39. 22 f., 265 f.]. Der Histor. Verein für das Großherzogtum Hessen in Darmstadt trug mit seinen Erkundungen entlang des Odenwaldlimes entscheidend dazu bei, daß der Hofrat Friedrich Kofler (1830–1910) 1890 eine Arch. Karte erstellen konnte, die die Lage der Kastelle im Großherzogtum Hessen zutreffend verzeichnete [37; 31. 29; 52. 14 f.]. Zu den Mitgliedern des Histor. Vereins von Oberbayern zählten zwei Männer, die E. des 19. Jh. die wesentlichen Akzente in der Erforsch. des raetischen Limes setzten: der Gymnasiallehrer Friedrich Ohlenschlager (1840–1916) und der pensionierte Generalmajor Karl Popp (1825–1905), später Mitglied in der Reichs-Limeskommission. Popp war mit den Methoden der Landesaufnahme bestens vertraut und begann anhand von Katasterblatt-Auszügen und eigenen Unt. im Gelände, das Straßennetz und den Limesverlauf zu erforschen. Ohlenschlager faßte wenige Jahre vor Gründung der Reichs-Limeskommission diesen Forschungsstand mustergültig zusammen und legte bis dahin an Genauigkeit alles übertreffende Karten des röm. Limes in Raetien unter dem Titel *Die Röm. Grenzmark in Bayern* vor [46. 59–144]. Ergänzend trat seit 1899 die Aufdeckung der röm. Militäranlagen an der Lippe bei Haltern hinzu, die durch die Altertumskommission für Westfalen untersucht wurden. Die Ausgrabungen in Haltern eröffneten für die Grabungstechnik und den arch. Nachweis von Holzkonstruktionen eine neue Epoche [58. 1 ff.; 32. 23].

Trotz beachtlicher Erfolge, die die Vereinstätigkeiten und die Forsch. einzelner Persönlichkeiten der Limesforsch. brachten, blieben eine Reihe von Fragen unbeantwortet. Der Verlauf einzelner Limesabschnitte war noch immer unklar, die Datierung und die zeitliche Abfolge der Bauten am Limes waren ebenso unsicher wie die Anzahl der dort errichteten Militärlager. Grundriß und Innenbebauung der Kastelle waren nirgends erfaßt, und schließlich fehlte eine zusammenfassende Publikation, die die einzelnen Anlagen am Limes, Straßen und rückwärtige Einrichtungen in ihrer Gesamtheit in den histor. Kontext einordnete. Zunehmend setzte sich jedoch die Erkenntnis durch, daß nur eine Zusammenfassung der Limesforsch. in einer einheitlichen Organisation die durch die lokale Forsch. bedingte Zersplitterung überwinden konnte.

Der Hartnäckigkeit des Berliner Althistorikers Theodor Mommsen (1817–1903) ist es schließlich zu verdanken, daß 1892 die Reichs-Limeskommission gegr. wurde, deren Vorsitz Mommsen selbst einnahm [15. 9–32]. Bereits seit der Reichsgründung 1871 hatte Mommsen keine Gelegenheit ausgelassen, auf die Defizite hinzuweisen und die dringliche Notwendigkeit einer systematischen und nationalen Unt. des röm. Limes zu betonen. Ziel Mommsens war die Erfassung aller Anlagen und Straßen zwischen Nordschweiz und Rheinmündung unter Mithilfe ortskundiger Personen und Offiziere. Letztere sollten v. a. bei der militärhistor. Beschreibung und Auswertung einen entscheidenden Beitrag leisten. Die Planungen waren auf fünf Jahre begrenzt, und als Kosten wurden 150000 Mark veranschlagt. Ein erster Vorstoß Mommsen war 1878 noch an dem Mißtrauen Württembergs und Bayerns gegenüber einer zentralen Leitung des Projekts durch den Preußischen Großen Generalstab in Berlin gescheitert. Erst die Berufung mehrerer führender Mitglieder lokaler Geschichtsvereine zu Streckenkommissaren der Reichs-Limeskommission, so Georg Wolff vom Hanauer und Friedrich Kofler vom Darmstädter Geschichtsverein, und ein gleichberechtigtes Nebeneinander aller beteiligten Staaten führten schließlich zu einer allg. Zustimmung aller beteiligten Anrainerstaaten. Am 28. Dezember 1890 fand in Heidelberg eine Limeskonferenz statt, zu der alle fünf Staaten Delegierte entsandten, die sich bereits in der Vergangenheit durch Forsch. am Limes ausgezeichnet hatten. Aus Baden nahmen der Heidelberger Professor und Bibliothekar Karl Zangenmeister (1837–1902), der Konservator Dr. Ernst Wagner (1832–1920) teil, aus Bayern Generalmajor Ernst Popp (1825–1905) und als Vertreter der Bayerischen Akad. der Wiss. Heinrich von Brunn (1822–1894). Hessen entsandte Friedrich Kofler (1830–1910), Preußen den Major Friedrich Wilhelm von Leszcynski (1842–1929), den Bonner Althistoriker Heinrich Nissen (1839–1912) und Mommsen selbst. Aus Württemberg nahmen Ernst Herzog und Professor Eduard Paulus (1837–1907) teil, die Initiatoren der bereits 1877 gegr. Württembergischen Limeskommission. Zusätzlich nahmen als Sachverständige der Kreisrichter a.D. Wilhelm Conrady (1829–1903) und der Baurat und spätere erste Saalburgdirektor Louis Jacobi (1836–1910) teil. Die Konferenz erarbeitete die Grundlagen für eine gemeinsame Erforsch. der Limesanlagen in Deutschland und stellte einen Fünfjahresplan auf.

Nach einer hitzigen Debatte stimmte der Reichstag am 16. Januar 1892 dem Entwurf zu und genehmigte die finanziellen Mittel. Am 6. und 7. Juni 1892 fand in Heidelberg die erste Sitzung der Reichs-Limeskommission statt, auf der Mommsen zum Vorsitzenden und von Brunn zu dessen Vertreter gewählt wurde. Zangemeister, Herzog und der Generalmajor a.D. Popp wurden für den geschäftsführenden Ausschuß benannt, der Trierer Museumsdirektor Felix Hettner (1851–1902) und ab 1902 der Freiburger Universitätsprofessor Ernst Fabricius (1857–1942) zum arch. und der Generalleutnant a.D. Oskar von Sarwey (1837–1912) zum mil. Di-

rigenten berufen. Fabricius' unbeugsamer Energie und Schaffenskraft bis ins hohe Alter ist es zu verdanken, daß dieses gewaltige Vorhaben überhaupt zu einem Abschluß gebracht werden konnte [26. 12ff.; 68. 225ff.]. Mit Ernst Fabricius, der seit 1888 an der Univ. in Freiburg lehrte, fand die Limesforsch. Eingang an die Univ., ein Umstand, der sich auf die Provinzialröm. Arch. befruchtend auswirken sollte [45. 397–406]. Die arch. Arbeit der Reichs-Limeskommission vor Ort sollte von ehrenamtlichen Strecken- und Straßenkommissaren durchgeführt werden. Als Streckenkommissar im Taunus wurde im August 1892 Louis Jacobi ernannt.

Als Reaktion auf die Gründung der Reichs-Limeskommission versammelten sich am 19. April 1900 in Frankfurt am Main Vertreter von Geschichts- und Altertumsvereinen aus dem westl. Deutschland zur Gründung des West- und Süddeutschen Verbandes für Altertumsforsch. mit dem Ziel einer Zusammenfassung der röm.-german. Altertumsforsch. und der damit verbundenen praehistor. und fränkisch-allemannischen Forsch. [1. 13ff.].

Der gewaltige Umfang der Arbeiten und die fortlaufende Publikationsverpflichtung der Reichs-Limeskommission führte dazu, daß der geplante zeitliche Rahmen von fünf Jahren nicht zu halten war. Im J. 1894 erfolgte die erste Lieferung und erst 1937, 45 J. nach Gründung der Reichs-Limeskommission, konnte der letzte Band des vierzehnbändigen Werkes abgeschlossen werden, das in zwei Abteilungen gegliedert ist (Abteilung A: Die Strecken, Abteilung B: Die Kastelle). Als 1937 die 56. und letzte Lieferung des *Obergermanischraetischen Limes* (ORL) erschien, waren über 90 Kastelle und etwa 1000 Wachtürme vom Beginn des Limes bei Rheinbrohl bis nach Eining an der Donau lokalisiert worden. Eine vieldiskutierte Fragestellung bildete von Anfang an das Problem über den Verbleib der zu erwartenden Funde aus den Grabungen. Sollte das Fundmaterial auf die beteiligten Staaten aufgeteilt oder an zentraler Stelle, hierbei dachte man v. a. an das Röm.-German.-Zentralmuseum in Mainz, aufbewahrt werden? Durch die Entscheidung Kaiser Wilhelms II. im November 1897, die Saalburg wiederaufbauen zu lassen, wurde dann allerdings die Diskussion in neue Bahnen gelenkt. In einer endgültige Entscheidung aus dem Jahre 1905 setzte sich jedoch das föderale Prinzip durch: Das Saalburgmuseum erhielt die Originalfunde aus den Taunuskastellen, das Material aus den anderen Limesabschnitten wurde auf zahlreiche regionale Museen verteilt [17. 55–59].

Die 1902 gegr. Röm.-German.-Kommission (RGK) des → Deutschen Archäologischen Instituts (DAI) leistete wie im Falle der Grabungen in Haltern wesentliche Unterstützung in der Erforsch. der röm. Überreste und mehrere ihrer späteren Direktoren waren an der Auswertung und Publikation der umfangreichen Lieferungen entscheidend beteiligt. Die RGK war als Zweiganstalt des Kaiserlichen DAI mit dem Ziel der Teilnahme an der röm.-german. Landesforsch. eingerichtet worden, nachdem Theodor Mommsen darauf hingewirkt hatte, das Arch. Institut aus der Limesforsch. konsequent auszuschließen. Beim 50–jährigen Stiftungsfest der Arch. Gesellschaft zu Berlin hielt Mommsen den Festvortrag unter dem Titel *Die einheitliche Limesforschung*. In diesem Vortrag regte er an, analog zum arch. Reichsinstitut in Rom und Athen, etwas Ähnliches auch in Deutschland für die röm.-german. Altertümer ins Leben zu rufen. Mommsens Forderung wurde zwölf Jahre später erfüllt, allerdings in einer Zuordnung der neuen Institution zum Arch. Institut, der sich Mommsen mit allen Mitteln entgegenstemmte [42. 1 ff.; 38. 5 ff., bes. 9 f.]. Ein wichtiges Publikationsorgan der seitens der Röm.-German. Kommission finanzierten oder auch selbst durchgeführten Grabungen wurde der seit 1904 jährlich erscheinende *Bericht über die Fortschritte der röm.-german. Forsch.* (ab 1908 *Bericht der Röm.-German. Kommission*). Ab 1917 erschien zudem die Zeitschrift *Germania* an Stelle des seit 1908 in Trier herausgegebenen *Röm.-German. Korrespondenzblattes* als Veröffentlichung der Kommission.

In der Zeit der nationalsozialistischen Gewaltherrschaft ruhte die Limesforsch. beinahe völlig, der Forschungsbereich Provinzialröm. Arch. wurde weitgehend totgeschwiegen [11; 44. 115; 48. 49–60]. Erst nach dem Ende des II. Weltkrieges konnten mit der Gründung der Bundesrepublik Deutschland und dem wirtschaftlichen Aufschwung seit den 1950er Jahren neue Impulse in der Limesforsch. gesetzt werden, die inhaltlich stark an die Vorleistungen der Vorkriegszeit anknüpften [10. 9–17; 33. 33–70; 44. 116 ff.; 54].

V. a. dem Engagement der Röm.-German.-Kommission und ihrem zweiten Direktor Wilhelm Schleiermacher ist es zu verdanken, daß man an die Erforsch. offener Fragen und Ziele in der Limesforsch. herangehen [59. 133–184; 60. 94–110]. Im J. 1949 fand in Newcastle der erste Limeskongreß statt und ab 1959 erschien seitens der Röm.-German. Kommission mit der Reihe *Limesforsch. – Studien zur Organisation der Röm. Reichsgrenze an Rhein und Donau* eine fortlaufende Publikation der Forschungsergebnisse [61. 69–134]. Neben den frühen Bauphasen der Limeskastelle, der Erforsch. der hölzernen Innenbauten und der einphasigen Holz-Erde-Kastelle stand zunehmend nicht nur der rein mil. Aspekt im Vordergrund. Offene Fragen ergaben sich u. a. hinsichtlich der zivilen Besiedlung des Limeshinterlandes und des Verhältnisses der röm. Grenzprov. zu ihren Nachbarn. Trotz einer Reihe richtungsweisender Grabungen und Forschungsergebnisse konnte die Arch., bedingt durch den Bauboom der 50er und 60er Jahre nur teilweise mithalten. Nur in den seltensten Fällen konnte eine drohende Überbauung der Kastelle und Zivilsiedlungen abgewendet werden. Einen dieser traurigen Höhepunkte stellte die Zerstörung des Militärstützpunktes und der späteren Zivilstadt Nida dar, über die in den 60er Jahren die Trabantensiedlung Nordweststadt nahe Frankfurt am M. erbaut wurde [22. 7 f.; 34. 5–38; 35. 9 ff.]. Dennoch konnten auch in dieser Zeit, be-

dingt durch die enge Zusammenarbeit des Saalburgmuseums, der Röm.-German. Kommission, der Landesdenkmalämter und der finanziellen Unterstützung der Deutschen Forschungsgemeinschaft, Ergebnisse erzielt werden, die zur weiteren Kenntnis der röm. Militär- und Besiedlungsgeschichte am Limes und dessen Hinterland entscheidend beitrugen [4. 361–371; 62. 372–383; 63; 67. 457–707]. In den neu untersuchten Kastellen wurden hölzerne Vorgängeranlagen nachgewiesen, wie z. B. in dem Numeruskastell Hesselbach am Odenwaldlimes [3], und in Aalen wurde das Kastellgelände vor der drohenden Überbauung gerettet und erhielt mit dem Limesmuseum eine Einrichtung, die Arbeit und Ergebnisse der Limesforsch. seitdem einem breiten Publikum präsentiert [21. 203–212; 50. 247–255].

Stand das augusteische Militärlager von Rödgen in der Wetterau lange Zeit als Vormarsch- und Aufmarschbasis am Mittelabschnitt der Rheinfront alleine [64], so zeichnete sich durch die Entdeckung des Lagers von Marktbreit am Maindreieck [47. 263–324] und v. a. durch die Lager von Dorlar und Waldgirmes im Lahntal [6. 673–692; 8; 56. 193–203; 57. 337–367; 71. 285–297]. ein wesentlich differenzierteres Bild von den Vorgängen in der augusteischen Okkupationsphase ab. Als ebenso notwendig erwies sich in Fragen der Datierung wichtiger Militär- und Siedlungsplätze, des Geldumlaufs und der damit verbundenen wirtschaftlichen und polit. Probleme eine kritische Neuaufnahme des numismatischen Materials. Das 1953 gegr. Forschungsunternehmen *Die Fundmünzen der röm. Zeit in Deutschland* stellt daher eine notwendige Ergänzung der Ergebnisse in der Limesforsch. dar. Seit 1960 erfolgt eine Publikation der Münzfundaufnahme in den Bänden *Fundmünzen der röm. Zeit in Deutschland* (FMRD), denen mit der Reihe *Studien zu Fundmünzen der Antike* (SFMA) wichtige Arbeiten zur Geldgeschichte und zum Münzumlauf an die Seite gestellt sind [25. 7–17; 36. 9–71]. Die Ausgrabungen der letzten Jahrzehnte erbrachten eine Vielzahl zusätzlicher Details über den Verlauf und die aufeinanderfolgenden Ausbauphasen des Limes in den einzelnen Regionen sowie ein schärferes chronologisches Gerüst. Eine Zusammenfassung des derzeitigen Forschungsstandes aller größeren Militärlager bis zum Limesfall findet sich beispielhaft in der 1985 erschienen Studie von Hans Schönberger [63].

Eine aufsehenerregende Entdeckung der 80er J. bildete der Weihebezirk einer Beneficiarierstation mit seinen sehr gut erhaltenen Holzbaubefunden beim Kohortenkastell Osterburken [55]. Zunehmend dienen auch neue Methoden der Erforsch. des röm. Limes: Verstärkt kam die Luftbildarch. zum Einsatz, mit deren Hilfe neue Militärplätze entdeckt wurden, die ein schärferes Bild der einzelnen Okkupationsphasen möglich machten und durch die Lokalisierung zahlreicher *villae rusticae* eine differenziertere Sicht der Besiedlungsgeschichte in röm. Zeit ermöglichten [12. 149–155]. Magnetische Meßmethoden und naturwiss. Unt. wie Dendrochronologie, Archäobotanik, Anthropologie und chemische Analysen trugen nicht unwesentlich zu neuen Forschungsergebnissen bei. So konnte z.B. durch eine dendrochronologische Unt. der Limespalisade von Schwabsberg (Gemeinde Rainau, Ostalbkreis) ein Fällungsdatum von 165 n.Chr. ermittelt werden. [21. 488; 49. 37–40; 5. 132]. Diese interdisziplinäre Zusammenarbeit bildete auf dem dritten Dt. Archäologenkongreß vom 25.–30. Mai 1999 in Heidelberg »Arch. – Naturwiss. – Umwelt« das Schwerpunktthema. In gleicher Weise hat die 1990 gegr. Kommission für arch. Landesforsch. in Hessen interdisziplinär gearbeitet. Besonders im Forschungsschwerpunkt »Germanisierung« wurden seit 1993 auch Fragen der röm.-german. Interaktion unter unterschiedlichen Fragestellungen untersucht [23. 5–11; 24. 161–167]. Zu einer stärkeren Sensibilität der breiten Öffentlichkeit gegenüber den noch erhaltenen Denkmälern des röm. Limes trugen eine Reihe von Standardwerken bei, die sich ganz bewußt auch an den interessierten Laien wandten. H.-J. Kellner machte 1971 mit *Die Römer in Bayern* einen Anfang und wurde damit zum Vorbild für eine Reihe weiterer zusammenfassender Darstellungen, die 1976 mit *Die Römer in Baden-Württemberg* begannen.

→ Antikensammlung

→ AWI Limes

1 H. AMENT, 100 J. West- und Süddeutscher Verband für Altertumsforsch. Seine Gründung und seine frühen J. (1900–1914), in: Arch. Nachrichtenblatt 5, 2000.1, 13 ff. 2 P. APIAN, B. AMANTIUS (Hrsg.), Inscriptiones sacrosanctae vetustatis non illae quidem Romanae, Ingolstadt 1534 3 D. BAATZ, Kastell Hesselbach (= Limesforsch. 12), 1973 4 Ders., Forsch. des Saalburgmus. am obergerman.-raetischen Limes 1949–1974, Ausgrabungen in Deutschland Bd. 1, 1975, 361–371 5 W. BECK, D. PLANCK, Der L. in Südwestdeutschland, 1980, 132 6 A. BECKER, G. RASBACH, Der spätaugusteische Stützpunkt Lahnau-Waldgirmes. Vorber. über die Ausgrabungen 1996–1997, in: Germania 76, 1998, 673–692 7 G. BEHRENS, Das Röm.-German. Zentralmus. von 1927–1952, in: FS des Röm.-German. Zentralmus. in Mainz zur Feier seines 100-jährigen Bestehens 1952, Bd. 3, 182–193 8 Berichte der Röm.-German. Kommission 72, 1991 ff. (laufende Tätigkeitsberichte) 9 C. P. DE BIBOURG, Nachricht von Gelegenheit einiger Röm. Verschantzungen in den ehemaligen Feldzügen in Teutschland aufgeworffen wie sie gegenwärtig noch befindlich und anzusehen sind, nebst einem bestmöglichst verzeichneten Plan auch kurtzen Untersuchung der Zeit und Absicht, Idstein 1760 10 E. BIRLEY, Überlegungen zur Entwicklung der Limesforsch., Akten des 14. Internationalen Limeskongresses 1986 in Carnuntum. Der röm. L. in Österreich 36, 1990, 9–17 11 R. BOLLMUS, Das Amt Rosenberg und seine Gegner. Zum Machtkampf im nationalsozialistischen Herrschaftssystem (= Stud. zur Zeitgesch.), 1970 12 O. BRAASCH, Daten und Gedanken zur Luftbildarch. in Baden-Württemberg, in: Denkmalpflege in Baden-Württemberg 19, 1990, 149–155 13 R. BRAUN, Die Anfänge der Erforsch. des rätischen L. KS zur Kenntnis der röm. Besetzungsgesch. Südwestdeutschlands Nr. 33, 1984 14 R. BRAUN, Frühe Forsch. am obergerman. L. in Baden-Württemberg. Schriften des Limesmus. Aalen

Nr. 45, 1991 15 Ders., Die Gesch. der Reichs-Limeskommission und ihre Forsch., in: Der röm. L. in Deutschland. Arch. in Deutschland, Sonderheft 1992, 9–32 16 Ders., Die Anfänge der bayerischen Limesforsch., in: Der röm. L. in Bayern. 100 J. Limesforsch., 1992, 11–27 17 Ders., Die Saalburg als Reichs-Limesmus.? Die Gründung des Saalburgmus. im Widerspiel von Zentralismus und Föderalismus, in: E. SCHALLMAYER (Hrsg.), 100 J. Saalburg. Vom röm. Grenzposten zum europ. Mus., 1997, 55–59 18 K.-V. DECKER, W. SELZER, Römerforsch. in Rheinland-Pfalz, in: H. CÜPPERS (Hrsg.), Die Römer in Rheinland-Pfalz, 1990, 13–38 19 A. ESCH, Limesforsch. und Geschichtsvereine. Romanismus und Germanismus, Dilettantismus und Facharch., in: H. BROOCKMANN et al. (Hrsg.), Geschichtswiss. und Vereinswesen im 19. Jh., 1972, 163–191 20 E. FABRICIUS, Vorwort, in: Ders., F. HETTNER, O. VON SARWEY, Der Obergerman.-Raetische L. des Roemerreiches, Abt. A, Bd. 1, Strecken 1–2, 1936, I–XIII 21 PH. FILTZINGER, Röm. Arch. in Südwestdeutschland gestern und heute, in: Ders., D. PLANCK, B. CÄMMERER (Hrsg.), Die Römer in Baden-Württemberg, ³1986, 13–22 22 U. FISCHER, P. ESCHBAUMER, P. FASOLD, I. HULD-ZETSCHE et al., Grabungen im röm. Vicus von Nida-Heddernheim 1961–1962, in: Schriften des Frankfurter Mus. für Vor- und Frühgesch. 14, 1998, 7 f. 23 O.-H. FREY, Die frühen Chatten. Zum gegenwärtigen Arbeitsschwerpunkt der Kommission für Arch. Landesforsch. in Hessen, in: Ber. der Kommission für Arch. Landesforsch. in Hessen 3, 1994/95, 5–11 24 Ders., Bericht über das Schwerpunktprogramm für Arch. Landesforsch. Hessen 1994–1997, s. v. »Germanisierung« (vgl. auch 1998/1999, 161–167) 25 Die Fundmünzen der röm. Zeit in Deutschland, Bd. 1, Röm.-German. Komission des DAI Frankfurt a.M., 1960, 7–17 26 P. GOESSLER, Ernst Fabricius (1857–1942). Bad. Fundber. 17, 1941–1947, 12 ff. 27 H. GUMMEL, Forschungsgesch. in Deutschland. Die Urgeschichtsforsch. und ihre histor. Entwicklung in den Kulturstaaten der Erde, Bd. 1, 1938 28 CHR. E. HANSSELMANN, Beweiß wie weit der Römer Macht (...) auch in die nunmehrige Ost-Fränkische, sonderlich Hohenlohische Lande eingedrungen (...), Schwäbisch Hall 1768 29 Ders., Fortsetzung des Beweises, wie weit der Römer Macht (...) eingedrungen (...), Schwäbisch Hall 1773 30 W. HEINEMEYER, Die Entstehung der Geschichtsvereine im Lande Hessen, in: H. ROTH, E. WAMERS (Hrsg.), Hessen im Früh-MA. Arch. und Kunst, 1984, 19 f. 31 F.-R. HERRMANN, D. BAATZ, Die Römer in Hessen, 1982 32 H. G. HORN (Hrsg.), Die Römer in Nordrhein-Westfalen, 1987 33 C.-M. HÜSSEN, Grabungen und Forsch. der letzten 40 J. im obergerman. und rätischen Limesgebiet, in: Der röm. L. in Deutschland. Arch. in Deutschland, Sonderheft 1992, 33–70 34 I. HULD-ZETSCHE, 150 J. Forsch. in Nida-Heddernheim, in: Nassauische Annalen 90, 1979, 5–38 35 Dies., Nida, eine röm. Stadt in Frankfurt am M., Schriften des Limesmus. Aalen 48, 1994, 9 ff. 36 Jb. für Numismatik und Geldgesch. 7, hrsg. von der Bayerischen Numismatischen Ges., 1956, 9–71 37 F. KOFLER, Arch. Karte des Grossherzogtums Hessen. Zwei Kartenblätter in Farbendruck nebst begleitendem Text, Darmstadt 1890. Sonderdruck aus: Archiv für hessische Geschichte und Alterthumskunde, N. F. 1, 1894 38 W. KRÄMER, 75 J. Röm.-German. Kommission, in: FS zum 75-jährigen Bestehen der

Röm.-German. Kommission = Beiheft zu Ber. RGK 58, 1977, 5–25 **39** K. L. KRAUSKOPF, 150 J. Hanauer Geschichtsverein. FS zum 150–jährigen Bestehen des Vereins, in: Hanauer Geschichtsblätter 33, 1994, 22 f., 265 f. **40** L. LINDENSCHMIT, Beiträge zur Gesch. des Röm.-German. Centralmus. in Mainz, in: FS zur Feier des 50–jährigen Bestehens des Röm.-German. Centralmus. zu Mainz, 1902, 1–72 **41** G. VON MERHART, Das Röm.-German. Zentralmus., Rückblick und Ausblick, in: FS des Röm.-German. Zentralmus. in Mainz zur Feier seines 100–jährigen Bestehens 1952, Bd. 3, 194–200 **42** E. MEYER, 25 J. Röm.-German. Kommission. FS zur Erinnerung an die Feier des 9.–11. Dezembers 1927. Hrsg. von der Röm.-German. Kommission des Arch. Inst. des Dt. Reiches, 1930, 1–10 **43** H. NEUMAIER, Christian Ernst Hansselmann. Zu den Anfängen der Limesforsch. in Südwestdeutschland, 1993 **44** H. U. NUBER, Limesforsch. in Baden-Württemberg, in: Denkmalpflege in Baden-Württemberg 12, 1983, 115 **45** Ders., Provinzialröm. Arch. an dt. Univ., in: Provinzialröm. Forsch. FS für Günter Ulbert, 1995, 397–406 **46** F. OHLENSCHLAGER, Die röm. Grenzmark in Bayern, in: Abh. der Königl. Bayer. Akad. der Wiss. 18, 1890, 59–144 **47** M. PIETSCH, D. TIMPE, L. WAMERS, Das augusteische Truppenlager Marktbreit, in: Ber. RGK 72, 1991, 263–324 **48** B. PINSKER, 100 J. West- und Süddeutscher Verband für Altertumskunde. Ferdinand Kutsch und der West- und Süddeutsche Verband für Altertumsforsch. (1931–1962), in: Arch. Nachrichtenblatt 5, 2000.1, 49–60 **49** D. PLANCK, Die Limespalisade von Schwabsberg, Gemeinde Rainau, Ostalbkreis, in: Arch. Ausgrabungen 1976, 37–40 **50** Ders., Unt. im Alenkastell Aalen, Ostalbkreis, in: Stud. zu den Militärgrenzen Roms, Bd. 3 (= 13. Internationaler Limeskongreß Aalen 1983), 1986, 247–255 **51** B. RABOLD, E. SCHALLMAYER, A. THIEL, Der L. Die Dt. L.-Straße vom Rhein bis zur Donau, 2000 **52** E. SCHALLMAYER, Der Odenwaldlimes, 1984 **53** Ders. (Hrsg.), 100 J. Saalburg. Vom röm. Grenzposten zum europ. Mus., 1997 **54** Ders., Zur Römerforsch. in Hessen nach dem II. Weltkrieg, in: U. REULING, W. SPEITKAMP, 50 J. Landesgeschichtsforsch. in Hessen, Hess. Jb. für Landesgesch. 50, 2000, 45 ff. **55** Ders. et al., Der röm. Weihebezirk von Osterburken: I. Corpus der griech. und lat. Beneficiarier-Inschr. des Röm. Reiches (= Forsch. und Ber. zur Vor- und Frühgesch. Baden-Württemberg 40), 1990 **56** S. VON SCHNURBEIN, Die röm. Militäranlagen bei Haltern. Ber. über die Forsch. seit 1899, 1974, 1 ff. **57** Ders., H.-J. KÖHLER, Dorlar. Ein augusteisches Römerlager im Lahntal, in: Germania 72.1, 1994, 193–203 **58** S. VON SCHNURBEIN, A. WIGG, D. G. WIGG, Ein spätaugusteisches Militärlager in Lahnau-Waldgirmes (Hessen), in: Germania 73, 1995, 337–367 **59** W. SCHLEIERMACHER, Der obergerman. L. und spätrömische Wehranlagen am Rhein, in: 33. Bericht der Röm.-German. Kommission 1943–1950, 1951, 133–184 **60** Ders., Röm. Arch. am Rhein 1940–1950, in: Historia II, 1953/54, 94–110 **61** H. SCHÖNBERGER, Neue Grabungen am obergerman. und rätischen L. Limesforsch. 2, Berlin 1962, 69–134 (Forschungen bis 1961) **62** Ders., Das augusteische Römerlager Rödgen und die Kastelle Oberstimm und Künzing, in: Ausgrabungen in Deutschland, Bd. 1, 1975, 372–383 **63** Ders., Die röm. Truppenlager der frühen und mittleren Kaiserzeit zwischen Nordsee und Inn, in: Ber. der RGK 66, 1985, 321–497 **64** H. SCHÖNBERGER, H.-G. SIMON, Römerlager Rödgen

(= Limesforsch. 15), 1976 **65** K. SCHUMACHER, Das Röm.-Germ. Central-Mus. von 1901 bis 1926, in: FS zur Feier des 75–jährigen Bestehens des Röm.-German. Central-Mus. zu Mainz, 1927, 53–88 **66** K. SCHWARTZ, Archivar Habel, in: Nassauische Annalen 11, 1871, 186 ff., 328 ff. **67** C. S. SOMMER, Kastellvicus und Kastell. Unt. zum Zugmantel im Taunus und zu den Kastellvici in Obergermanien und Raetien, in: Fundber. aus Baden-Württemberg 13, 1988, 457–707 **68** K. STADE, Ernst Fabricius zum Gedächtnis. Ber. der RGK 32, 1942 (1950), 225 ff. **69** P. H. STEMMERMANN, Die Anf. der dt. Vorgeschichtsforsch. Deutschlands Bodenaltertümer in den Anschauungen des 16. und 17. Jh., 1934 **70** W.-H. STRUCK, Gründung und Entwicklung des Vereins für Nassauische Altertumskunde und Geschichtsforsch., in: Nassauische Annalen 84, 1973, 98–144 **71** D. WALTER, A. WIGG, Ein Töpferofen im augusteischen Militärlager Lahnau-Waldgirmes, in: Germania 75, 1997, 285–297.

EGON SCHALLMAYER UND WOLFGANG SCHMIDT

Litauen   I. 14. BIS 20. JAHRHUNDERT
II. RENAISSANCE UND HUMANISMUS
III. WISSENSCHAFT

I. 14. BIS 20. JAHRHUNDERT
A. HISTORIOGRAPHIE   B. EPISTOLOGRAPHIE
C. LITURGIK, BIBELKUNDE
D. WISSENSCHAFTEN, BILDUNG
E. WISSENSCHAFTLICHE LITERATUR
F. HISTORISCHE UND ETHNOGRAPHISCHE
ERZÄHLUNGEN   G. ÜBERSETZUNGEN

A. HISTORIOGRAPHIE

Herodot, Plinius d. Ä., Tacitus, Ptolemaios, Cassiodor und andere Autoren des klass. Alt. haben über die Beziehungen des ant. Griechenland und Rom zu den Bewohnern der baltischen Länder geschrieben. Während der arch. Ausgrabungen in L. hat man über 1000 röm. Mz. gefunden (meist aus dem 1.–2. Jh. n. Chr.), auch Gefäße, Schmuckstücke und kultische Gegenstände. Der Name »L.« (*Lituae*) wurde erstmals 1009 in den *Annales Quedlinburgenses* erwähnt. Der im 13. Jh. entstandene litauische Staat suchte mehrmals nach Beispielen aus der Ant., um seine Existenz zu begründen.

Im ostweißrussischen Dialekt, der bis Ende des 17. Jh. Kanzleisprache des Großfürstentums L. war, sind die wichtigsten schriftlichen Denkmäler verfaßt: *Lietuvos Metraščiai* (Litauische Annalen, über die Zeit vom 14. bis zum 16. Jh.), *Lietuvos Metrika* (Litauische Historienbücher, 14.–18. Jh.), *Litauisches Statut* (16. Jh.). Schon im 15. Jh. begann man, Teile der Annalen ins Lat. zu übersetzen. Dazu gehört die Erzählung über die Herkunft der litauischen Großfürsten Jogaila und Vytautas (*Origo regis Jagyelo et Wytholdi ducum Lithuaniae*). Der Gebrauch von Lat. deutet darauf hin, daß der Text für westeurop. Leser bestimmt war, und die ausführliche Darstellung der Genealogie von Großfürsten sollte die Alteingesessenheit und ethnische Eigenart ihres Stammes beweisen. Auf Grund dieser Annalen beginnt im 16. Jh. eine eigene litauische Geschichtsschreibung (s. III. B.).

B. Epistolographie

Lat. war im Großfürstentum L. (*Magnus Ducatus Lithuaniae*) nicht nur ein Zeichen für Ausbildung und Gelehrtheit, sondern auch ein polit. Argument, das die nationale und staatliche Eigenart L. betonte. Die Großfürsten Gediminas (lat. Gediminne, Gediminus, ca. 1275–1345) und Vytautas (lat. Vitholdus, Wytholdus, ca. 1350–1430) pflegten ihre Kontakte mit den westeurop. Herrschern und den Vertretern am Heiligen Stuhl auf Latein. Die Briefsammlung von Vytautas *Codex epistolaris Vitholdi* (hrsg. 1882) ist ein bedeutendes Denkmal für epistolographische und polit. Diplomatie des Großfürstentums L.

Der Brief war eine wichtige Umgangsform auch für die Humanisten der Renaissance. Die Briefe von Abrahamus Culvensis, Martinus Mosvidius, Andreas Volanus und Nicolaus Radivillus zeugen von der human. Bildung der Autoren, von ihrem Beherrschen der ant. Epistolographie und Rhetorik.

C. Liturgik, Bibelkunde

Den Gebrauch der lat. und das Beherrschen der klass. Sprachen förderten insbes. die Christianisierung (1387) und die Reformationsbewegung (ca. 1520–1620). Das älteste Buch L. ist die *Agenda* des Bischofs von Vilnius, Martinus (1499), – eine Aufzeichnung der gottesdienstlichen Ordnungen, hrsg. in Danzig. Auf Lat. wurden die Synodenbeschlüsse (*Decreta, acta, constitutiones synodarum*) verfaßt, auch Briefe der Bischöfe an Priester (*Epistolae pastorales*), Berichte der Missionare (*Annuae litterae*) und Materialien der Kirchenvisitationen.

Die ersten Übers. der Heiligen Schrift ins Litauische stammen von den Protestanten Abrahamus Culvensis (litauisch Kulvietis) und Stanislaus Rapagellanus (litauisch Rapolionis). Die gesamte Bibel hat Johannes Bretke (lat. Bretkius, litauisch Bretkûnas, 1536–1602) zw. 1579 und 1590 übers., indem er sich auf die Bibelübers. Luthers stützte.

D. Wissenschaften, Bildung

Die Schulstiftungen nahmen ihren Anf. E. des 14. Jh. zusammen mit der Christianisierung L. Im 16.–17. Jh. existierten bei den Kirchen etwa 60 Gemeindeschulen, in denen die Grundlage des Unterrichts das ma. Trivium-System bildete, auch die *Disticha Catonis* und die lat. Gramm. des Donat. Bei den Münstern und Klöstern existierten höhere Schulen (→ Domschulen, → Klosterschulen), in denen das Quadrivium-Programm vorherrschend war. An den Höfen der Adligen gab es auch private Schulen, an denen meist die im Ausland human. ausgebildeten Lehrer den Unterricht erteilten. Es wurden viele private und öffentliche → Bibliotheken gegründet, unter denen die größte und reichste im 16.–17. Jh. die Bibl. der Universität Vilnius (*Bibliotheca Collegii et Academiae Vilnensis S. J.*) war. Die nach der Auflösung des Jesuitenordens 1773 durchgeführte Lustration hat 11 000 Bände festgestellt. 90% von ihnen bildeten B. in lat. Sprache.

E. Wissenschaftliche Literatur

Die meisten wiss. Werke auf Lat. haben die Professoren der Univ. Vilnius (*Academia et Universitas Vilnensis*; s. III. C.) geschrieben. Es sind Werke der Philos., Theologie, Logik, Rechtswiss., Mathematik, Astronomie; Lehrbücher der Rhet., Poetik, Musik; Thesen der zu verteidigenden Dissertationen. Die bes. erwähnenswerten Werke sind: *Logik* (1618) von Martinus Smiglecius (dieses Werk wurde in den Schulen Frankreichs, Englands und Deutschlands als Lehrbuch benutzt); *Praxis oratoria et praecepta artis rhetoricae* (1648) von Sigismundus Lauxmin – ein Lehrbuch der Rhet., von dem im Ausland sogar 14 Auflagen erschienen waren (Frankfurt a. M., Köln, Prag) –; *Ars magna artileriae* (1650) von Casimirus Semenowicz – eine Abh. über die Benutzung der Raketentechnik in der Artillerie –; *De politica hominum societate* (1651) von Alexander Olizarovius – eine Analyse der Beziehungen zw. Staat und Gesellschaft von der Ant. bis zu den neuesten Zeiten.

Im 17. Jh. bildete sich die litauische Philol. heraus, die sich mit dem Vergleich des Litauischen, Lat. und Griech., auch mit der Unt. und Regelung des Litauischen selbst befaßte. Als Grundlage dafür dienten: das Wörterbuch der polnischen, litauischen und lat. Sprache *Dictionarium trium linguarum* (1. Aufl. ca. 1620) von Konstantinas Sirvydas (Constantinus Szyrwid, 1579–1631) – von ihm stammt auch die erste litauische Gramm. *Clavis linguae Lituanicae* (ca. 1630, nicht erhalten) –, die erste allgemeinbekannte litauische Gramm. von Daniel Klein *Grammatica Lituanica* (1653) und ihre dt. Zusammenfassung *Compendium Lituanico-Germanicum* (1654).

F. Historische und ethnographische Erzählungen

Als das letzte heidnische Land in Europa zog L. die Aufmerksamkeit vieler Diplomaten, Reisender und Schriftsteller aus verschiedenen Ländern auf sich. Über die alten litauischen Sitten, über Rel. und Lebensweise schrieben u. a. der it. Humanist Aeneas Sylvius Piccolomini (Papst Pius II.), die dt. Geschichtsschreiber Hartmann Schedel und Sebastian Münster sowie die polnischen Geschichtsschreiber Jan Długosz (Dlugosius), Mathias Miechowita (Maciej z Miechowa, Miechowski) und Martin Kromer (Cromerus). Die bekanntesten Weltatlanten (von Georg Braun, Gerhard Mercator und Johann Jansson) druckten die Landkarten des Großfürstentums L. sowie dessen Beschreibungen. Berichte über L. verbreiteten solche Arbeiten wie die in Leiden in der Druckerei der Elseviers herausgegebene *Respublica sive status regni Poloniae, Lithuaniae, Prussiae, Livoniae etc.* (1627, 1642).

Es schrieben nicht nur fremde Autoren über L., sondern auch litauische Autoren beschrieben ihre Reiseeindrücke aus fremden Ländern. Der Fürst von Nesvyžius, Nicolaus Christophorus Radivillus, besuchte 1582–1584 Jerusalem, Syrien und Ägypten und beschrieb diese Reise im B. *Hierosolymitana peregrinatio* (1601), wiederholt hrsg. 1614 in Antwerpen in der Druckerei von Plantin.

G. Übersetzungen

Die Trad. der lat. Lit. wirkte in L. bis zum Ende des 18. Jh. nach. Die Rezeption der ant. Lit. im 19.–20. Jh. fand ihren Niederschlag v. a. in Übers. und Textausgaben der ant. Schriftsteller sowie der Gründung klass. Lateinschulen. Das erste ins Litauische übers. Werk der Ant. waren Fabeln Aesops (Johann Schultz, 1706), darauf folgten die Fabeln von Phaedrus, Biographien von Nepos, Werke von Ovid, Horaz, Cicero, Vergil, Homer, Aischylos und anderen Autoren. Bislang wurden Werke von 56 Autoren der Ant. ins Litauische übersetzt.

→ Artes Liberales; Universität   EUGENIJA ULČINAITĖ

II. Renaissance und Humanismus

Die Ideen der Renaissance, des Humanismus und der Reformation verbreiteten sich in L. praktisch gleichzeitig. Zu einem wichtigen Zentrum der Ren.-Kultur in Vilnius wurde im 16. Jh. der Hof des polnischen Königs und Großfürsten Sigismundus Augustus. In seinem Palast gab es eine → Bibliothek mit etwa 4000 Bänden sowie wertvolle Sammlungen von Gobelins und Gemälden. Hier wurde eine Musikkapelle unterhalten, und es verkehrten ständig Gäste aus Westeuropa. Reiche Bibl. besaßen auch andere litauische Magnaten.

Es ist bemerkenswert, daß in solchen Kulturstätten B. von Autoren verschiedener konfessioneller und polit. Ansichten gesammelt wurden. In der Kanzlei von Albertus Gastoldus entstanden die *Litauischen Annalen* (1519–1525) und das *Erste Litauische Statut* (1529). In der Kanzlei von Sigismundus Augustus wurde das *Zweite Litauische Statut* zusammengestellt (1566) und ins Lat. übersetzt (1576). Der Kanzler des litauischen Großfürstentums Leo Sapieha besorgte die Herausgabe des *Dritten Litauischen Statuts* (1588). Es waren nicht nur Dokumente des litauischen Rechtsdenkens, sondern auch Zeugnisse der human. Kultur der Ren.-Epoche.

Die Ideen der Reformation fanden in L. zunächst einen günstigen Boden, hatten viele einflußreiche Anhänger und existierten friedlich in der offiziellen Tätigkeitssphäre der katholischen Kirche. Die Gegenreformation erstarkte erst nach 1570.

Durch die Christianisierung L. (1387) wurde der Prozeß der Integration in das kulturelle und polit. Leben des westl. Europas gefördert und der Weg für die Ideen der Ren. und der Reformation geöffnet. Bereits 1397 wurde an der → Universität Prag eine eigene Bursa für litauische Studenten gegründet. Im J. 1409 wurde eine solche Bursa auch an der Univ. Krakau eröffnet. Noch mehr litauische Studenten gab es im 16. Jh. an den dt. Univ. (Heidelberg, Wittenberg, Leipzig) oder in It. (Rom, Padua, Bologna). Die Schöpfer des frühesten litauischen Schrifttums (Martinus Mosvidius, Abrahamus Culvensis, Stanislaus Rapagellanus, Mikalojus Daukša) hatten an westeurop. Univ. studiert. Menschen mit solcher Ausbildung gründeten auch in L. die ersten höheren Schulen: der Protestant Abrahamus Culvensis und der Katholik Petrus Royzius.

Als Zentrum der human. Kultur zog Vilnius im 16. Jh. Menschen verschiedener Nationen und Konfessionen an. Ab 1522 betrieb hier der aus Prag kommende Franciscus Skorina (1486–1540) die erste Druckerei. In Vilnius druckte Skorina zwei B. in kyrillischen Lettern (*Malaja podorožnaja knižica* und *Apostol*). In der zweiten H. des 16. Jh. arbeiteten in Vilnius 9 Druckereien. Drukereien entstanden auch in anderen litauischen Städten. In L. wurden die ersten russ. Gramm. (1586, 1596, 1619) sowie das erste B. in lettischer Sprache (1585) herausgegeben.

Das erste litauische B. (*Catechismus* von Martinus Mosvidius) erschien 1547 in Königsberg, wo 1544 die Albertus-Univ. gegründet wurde. Als erste Professoren arbeiteten hier die Litauer Abrahamus Culvensis und Stanislaus Rapagellanus. Hier wurden die ersten litauischen B. gedruckt, die *Bibel* und die Liedertexte ins Litauische übersetzt.

Die Ideen der Ren. formierten eine neue Vision des Menschen, des Volkes, der Gesellschaft, des Staates. Ende des 15. Jh. wurde die Theorie der Abstammung der Litauer aus dem röm. Adel in die litauischen Annalen hineingetragen. Auf diese Weise wollte man das ehrwürdige Alter und die edle Herkunft des litauischen Volkes hervorheben, die histor. Selbständigkeit des litauischen Staates unterstreichen bzw. die Ansprüche anderer Staaten (Polens und Rußlands) auf litauisches Territorium zurückweisen. Viele Publizisten des 16. Jh. analysieren die Fragen der Selbständigkeit des litauischen Staates und der litauischen nationalen Identität. Michalo Lituanus unterstreicht in seinem Werk *De moribus Tartarorum, Lituanorum et Moschorum*, geschrieben um 1550 und hrsg. 1615 in Basel, die Unterschiede der litauischen Sprache und der litauischen Bräuche von den russischen. Ähnliche Argumente führt auch Augustinus Rotundus (um 1520–1582) an. Er stützte sich auf die Theorie der röm. Herkunft der Litauer und verlangte, in dem Litauischen Großfürstentum als Kanzleisprache nicht das Kanzleislawische, sondern Lat. zu gebrauchen, weil Lat. den Litauern gemäß oder gar ihre Muttersprache sei. So wurde Lat. im L. der Ren.-Epoche eines der wichtigsten Argumente bei der Hervorhebung der litauischen nationalen und staatlichen Identität, bei den Bestrebungen, den litauischen Staat in den westl. intellektuellen Raum zu integrieren.

Die human. Ideen der Ren. und das nach dem westeurop. Modell organisierte Bildungssystem (*studia humanitatis*) beeinflußten die Entstehung der lateinsprachigen Lit. in L. Im 16. und 17. Jh. entstanden Werke in lat. Sprache, die die ganze Fülle der ant. Literaturgattungen, Stile und künstlerischen Ausdrucksformen imitierten. Unter den wichtigsten belletristischen Literaturwerken dieser Art sind zu erwähnen: Nicolaus Hussovianus' *Carmen de statura, feritate et venatione bisontis* (Cracoviae 1523, litauische Übers. 1977), Franciscus Gradovius' *Hodoeporicon Moschicum* (Vilnae 1582), Joannes Radvanus' *Radivillias* (Vilnae 1592), Laurentius Boierus' *Carolomachia* (Vilnae 1606, litauische Übers.

1981, 1992). Als der auf Grund seiner künstlerischen Reife, seiner Universalität und seiner philos. Reflexion bekannteste lateinsprachige Dichter gilt der Professor der Univ. Vilnius Matthias Casimirus Sarbievius (Sarbiewski, 1595–1640), auch »sarmatischer Horaz« oder »christl. Horaz« genannt.   HENRIKAS ZABULIS
EUGENIJA ULČINAITĖ

III. WISSENSCHAFT
A. GESCHICHTE DER KLASSISCHEN PHILOLOGIE
B. LITAUISCHE GESCHICHTSSCHREIBUNG
C. ACADEMIA ET UNIVERSITAS VILNENSIS

A. GESCHICHTE DER KLASSISCHEN PHILOLOGIE

Die Entwicklung der klass. Philol. in L. war bedingt durch den praktischen Gebrauch der lat. Sprache, den die Christianisierung L. und später die Reformation, die Errichtung höherer Schulen im Geist der Ren. und des Human. sowie die Gründung des Jesuitenkollegiums in Vilnius (1570) und dessen spätere Umgestaltung in die Univ. (1579) förderten.

Im Kollegium, das die Jesuiten in Vilnius gründeten, war Lat. vorherrschend. Hier gab es drei Klassen für Gramm. (*prima, secunda, postrema classis grammaticae*), eine Klasse für Poetik (*classis poeticae*) und eine Klasse für Rhet. (*classis rhetoricae*). Als das Kollegium die Universitätsrechte erhalten hatte, wurde der Lateinunterricht verstärkt. Der *Index lectionum et exercitationum* von 1583 umfaßte vier Grammatikklassen, eine Klasse für Poetik (*humanitas*) und eine Klasse für Rhetorik.

Als Hauptlehrbuch galt das Lehrbuch der lat. Sprache von Aelius Donatus. Es wurden auch Lehrbücher der neueren Autoren verwendet: Johannes Despauterus (frz. Despautère, ca. 1460–1520), Johannes Murmelius (gest. ca. 1517) und besonders Emmanuel Alvarus (span. Alvarez, 1526–1582). Sein in ganz Europa bekanntes Lehrbuch *De institutione grammatica libri tres* wurde in L. siebzehnmal herausgegeben. Für den Griechischunterricht benutzte man die Lehrbücher von Nicolaus Clenardus (1493–1537), die auch in Vilnius hrsg. wurden: *Institutiones absolutissimae in Graecam linguam* (1600), *Institutionum linguae Graecae libri tres* (1604). Die Buchdruckerei der Akad. in Vilnius gab 1604 das Lehrbuch von Jakob Gretser (1562–1625) *Institutiones linguae Graecae* heraus. Berühmt war auch die Originalausgabe des Lehrbuches *Epitome institutionum linguae Graecae* (1655) des litauischen Universitätsprofessors Sigismundus Lauxmin (1596–1670).

Die klass. Philol. als Wiss. erlebte ihre Blütezeit Anf. des 19. Jh., als an der Univ. Vilnius der aus Preußen gebürtige Gottfried Ernst Groddeck (1762–1825) arbeitete. Sein Lehrgang der philol. Enzyklopädie, den er auf Lat. las, umfaßte Hermeneutik mit Textologie, Numismatik, Epigraphik und Geographie. Auch schrieb er einige Werke über die griech. Lit., unter ihnen *Initia historiae Graecorum litterariae* (2 Bde., 1821–1823).

Nach dem Ersten Weltkrieg war die wiedereröffnete Univ. in Vilnius polnisch, und in Kaunas wurde eine litauische Univ. gegründet. In Vilnius leitete Jan Oko (1875–1946) die lat. Philol., Stefan Srebrny (1890–1962) die griechische. In Kaunas wurde das Studium der lat. Sprache und Lit. von Franz Brender (1894–1938) aus der Schweiz und das der griech. Sprache und Lit. von Vladimiras Šilkarskis (1884–1960), dem Verfasser einiger Werke über die griech. Lit., Homer und Plato, geleitet.

Die Univ. Kaunas bildete Jonas Dumčius (1905–1986) aus, der nach dem Zweiten Weltkrieg den Lehrstuhl für klass. Philol. an der Univ. Vilnius leitete. Hier unterrichtete er die beiden klass. Sprachen, ihre histor. Gramm. sowie ant. Lit. und Kultur. Außerdem hat er ein Lehrbuch des Lat. und des Griech. geschrieben.

Heute leitet den Lehrstuhl für klass. Philol. an der Univ. Vilnius Eugenija Ulčinaitė (seit 1984). Am Lehrstuhl arbeiten auch Henrikas Zabulis (geb. 1927) und andere. Lat. wird noch an der Pädagogischen Univ. Vilnius, an der Vytautas-Magnus-Univ. Kaunas, an der Medizinischen Akad. Kaunas und an Gymnasien unterrichtet.

B. LITAUISCHE GESCHICHTSSCHREIBUNG

Als erster Historiker L. kann der Publizist und Bürgermeister von Vilnius Augustinus Rotundus (ca. 1520–1582) bezeichnet werden. Auf der Grundlage der Annalenschreiber verfaßte er einen kurzen Stammbaum der litauischen Fürsten *Epitome principum Lituaniae* (1576), der als eine Kurzfassung der ausführlicheren Geschichte anzusehen ist.

Maciej Stryjkowski (lat. Mathias Strycovius, 1547 bis ca. 1586), der aus Masuren stammte, aber in L. lebte, schilderte die litauische Geschichte in seinem polnischen Werk *Kronika polska, litewska, żmudzka i wszystkiej Rusi* (1582), das auf den Werken von Herodot, Plutarch, Cicero und Livius beruht und wertvolles Material der litauischen Myth. und Ethnographie enthält.

Der litauische Professor und Rektor der Univ. Vilnius Albertus Wiuk Koialowicz (1609–1677) schrieb im 17. Jh. die erste litauische Geschichte in lat. Sprache: *Historiae Lituaniae pars prior*, Dantisci 1650; *pars altera*, Antverpiae 1669. Er führte die Anf. der litauischen Geschichte auf röm. Ursprünge zurück und versuchte, die Geschichte mit der Myth. zu verknüpfen. In den gelehrten Passagen erinnerte er an Livius, rhet. wiederholte er Caesar, und in der stilistischen Emphase imitierte er Cicero.

Der Göttinger Professor August Ludwig Schlözer (1735–1809) übers. das Werk von Koialowicz ins Dt. (*Geschichte von Litauen, als einem eigenen Großfürstentume, bis zum J. 1569*, Göttingen 1766), wodurch es in die gesamteurop. Historiographie aufgenommen wurde.

Die Werke von Stryjkowski und Koialowicz wurden von den Autoren des 18. Jh. umgearbeitet: Auf diese Schriften stützten sich in ihren B. über die litauische Geschichte Theodorus Narbutt (1784–1864) und Simonas Daukantas (1793–1864); der erste schrieb in polnischer Sprache, der zweite in litauischer.

C. Academia et Universitas Vilnensis

Sie entstand unter den komplizierten Bedingungen der litauischen Geschichte, auf Veranlassung des Bischofs von Vilnius, Valerianus Protasiewicz, und des Königs Sigismundus Augustus, die 1570 das Jesuitenkollegium gründeten, dem der polnische König und litauische Großfürst Stephanus Batory 1579 das Privileg der *Academia et Universitas Vilnensis* verlieh. Im selben Jahr bestätigte Papst Gregor XIII. diese Verleihung.

Der Jesuitenorden, der das Lehrprogramm formierte und Professoren aus Italien, Spanien, England, Deutschland, Frankreich und anderen Ländern einlud, hat viel dazu beigetragen, daß die Univ. Vilnius gebildete Leute aus L. erzog, die mit der Zeit fast alle Hauptdisziplinen der Univ. zu unterrichten begannen. Bis zur Auflösung des Jesuitenordens (1773) war sie das bedeutendste Zentrum des intellektuellen Lebens im Großfürstentum L. und hat zur Rezeption der ant. Lit. und Kultur in L. viel beigetragen.

Von Anf. an gab es hier das Dreistufenstudium. Nach dem Abschluß der Vorbereitung gemäß dem Zyklus der *septem artes liberales* konnte man die Philos. Fakultät besuchen und danach das Studium an der Theologischen Fakultät fortsetzen. 1644 wurde die Fakultät der Jurisprudenz gegründet, 1781 die Medizinische Fakultät eröffnet.

Den Kursus in der Rhet. und Poetik las der Dichter Matthias Casimirus Sarbievius. Der Professor für Griech. und Lat. Sigismundus Lauxmin (1597–1670) hat das Lehrbuch der Rhet. *Praxis oratoria sive praecepta artis rhetoricae* (erstmals Braunsbergae 1648) und das einzigartige Musikwerk *Ars et praxis musicae* (Vilnae 1667) verfaßt. Der Rektor der Akad. Vilnius Albertus Wiuk Koialowicz (1609–1677) war der Verfasser der ersten litauischen Geschichte (s. B.).

1773, als der Papst den Jesuitenorden aufgelöst hatte, hat die neugebildete Edukationskommission der Univ. Vilnius (*Schola Princeps Magni Ducatus Lithuaniae*) die Verwaltung aller Schulen L. anvertraut. Die Unterrichtssprache in der Hauptschule blieb Latein. Erst nach der Einverleibung L. durch Rußland (1795) wurde ein Teil der Disziplinen auf polnisch unterrichtet.

1803 hat Zar Alexander I. die Univ. Vilnius zur kaiserlichen Univ. ernannt (*Imperatoria Universitas Vilnensis*) und ihre Rechte sehr erweitert; aber 1832 hat er sie wegen Aufruhrs geschlossen.

→ Jesuitenschulen

→ AWI Donatus [3]   HENRIKAS ZABULIS

1 J. Jurginis, Renesansas ir humanizmas Lietuvoje, Vilnius 1965 2 M. Jučas, Lietuvos metraščiai, Vilnius 1968 3 J. Jurginis, I. Lukšaitė, Lietuvos kultūros istorijos bruožai, Vilnius 1981 4 Stanislovas Rapolionis. Hrsg. E. Ulčinaitė, J. Tumelis, Vilnius 1986 5 Vilniaus universiteto istorija (1579–1803), Hrsg. A. Benolžius, J. Grigonis, J. Kubilius, Vilnius 1994 6 Metraščiai ir kunigaikščiu laiškai, Hrsg. A. Jovaišas, J. Lukšaitė, E. Ulčinaitė, Vilnius 1996 7 E. Ulčinaitė, Baroque literature in Lithuania, Vilnius 1996 8 Akademijos laurai (Laureae Academicae). Ed. M. Svirskas, I. Balčienė, Vilnius 1997.

Literaturkritik   A. Der Gegenstand
B. Wort- und Begriffsgeschichte
C. Vom alteuropäischen Modell zur modernen Kritik

A. Der Gegenstand

L. ist eine Institution des lit. Lebens, von der Äußerungen kommentierender und urteilender Art zu lit. Texten, Autoren und anderen Phänomenen der Lit. erwartet werden. Es gibt sie nicht erst seit Beginn der Neuzeit, auch in Deutschland nicht erst seit Thomasius, Gottsched oder Lessing, und die jeweilige Sache wurde auch keineswegs zu allen Zeiten mit dem h. üblichen Namen benannt. Gemeint ist jede Art kommentierende, reflektierende und urteilende, auch klassifizierend-orientierende Äußerung, die auf Unterscheidungen und auf Werte, d. h. auf axiologische Vorgaben, referiert, sei es in mündlicher oder in schriftlicher Form, und sich wiederum auf »Literarisches« (aber nicht allein auf Texte) bezieht und an Dritte (den Verfasser und/oder den Hörer bzw. Leser, ein Publikum) gerichtet ist. Der Begriff der Kritik, wie zugleich derjenige der Lit., ist grundsätzlich offen zu halten für alle Erscheinungen literaturkritischer Art in Geschichte und Gegenwart [33; 34. 1–9; 35], weil nur so seine konsequente Historisierung ein und konsequent histor. Verständnis aller Phänomene der lit. Kommunikation gelingen können. Weder die vollzogene Ausdifferenzierung als autonome Kritik noch ihre formelle Institutionalisierung als Einrichtung des lit. Lebens noch die Geltung einer Vermittlerfunktion zw. Werk/Autor und Publikum sind notwendige Bedingungen dafür, daß von Mitteilungen literaturkritischer Art die Rede sein kann. Auch Abgrenzungen der L. von Zensur, Satire und Polemik oder etwa damit verwandten Rechtstatbeständen sind nicht prinzipiell, sondern nur unter Berücksichtigung jeweiliger histor. Bedingungen möglich. L. ist ein Modus und eine Form der Kommunikation über Lit., d. h. dessen, was jeweils als »Lit.« gilt. Sie zählt zur »Lit. über Lit.«, neben (Lit.-)Ästhetik, Literaturgeschichte, Literaturtheorie und Literaturwiss., und unter diesen Disziplinen ist L. bei weitem die älteste. Seit der formellen Etablierung der Ästhetik im 18. Jh. und der weiteren Fächer im 19. und 20. Jh. sind diese die »Umwelt« der Kritik; vor diesem Hintergrund sollten ihre Beziehungen untersucht werden.

B. Wort- und Begriffsgeschichte

Griech. κριτική (τέχνη) und das zugrundeliegende Adjektiv und dann Nomen agentis κριτικός sind abgeleitet vom transitiven Verbum κρίνειν (»scheiden«, »unterscheiden«, »trennen«, »entscheiden«, »urteilen«) und wurden wohl zuerst in der Rechtssphäre gebraucht. κριτικός wird später v. a. im rhet.-philol. Bereich heimisch und ist die älteste der häufig synonymen Tätigkeitsbezeichnungen κριτικός, γραμματικός, φιλόλογος; Dionysios Thrax hat κρίσις ποιημάτων: Urteil über Gedichte [6]. In der lat. Terminologie entspricht der κριτική τέχνη die *ars iudicandi* (Cicero u. a.) bzw. *critica;*

criticus und *iudex* (Hor. ars 51,263), bei Quintilian mit Blick auf das »kritische« Urteil über Verse und Bücher sowie auf die Arbeit am Kanon (das ist *ordo*, *numerus*): *iudicium*, *censoria virgula* [20. I 4,3; 35].

Bis ins frühe 18. Jh. heißt die stil- und sachkritische Arbeit des *grammaticus* oder *philologus* in der lateinsprachigen Gelehrtenkultur *iudicium*, *critica*, κρίσις ([15]: ›κρίσις aliqua‹), *crisis*, auch *anacrisis*, *epicrisis*, *syncrisis* [31; 35], *censura*, *censio*, *examen* (*criticum*) und *sententia* (hier bleibt die Konnotation des »gerichtlichen Urteils« deutlich) mit den dazugehörigen Verben *iudicare*, *censere*, *percensere*, *recensere* und *sentire* sowie den Nomina agentis *criticus*, *censor*, *iudex*, seltener *arbiter*. Späthumanisten des 16. und 17. Jh. wie Joseph Scaliger oder G. J. Vossius bevorzugen die gräzisierende Form *criticē* (analog etwa *poíesis* und *poeticē*) gegenüber *critica*. In dt. Texten findet man noch E. des 17. Jh. meist *critique* ([26. 123]: ›eine sogenannte Critique‹); zum frz. Nomen [40; 41], zum philol. Terminus [47]; für *Critik* (*Kritik*, bald auch *Antikritik*, *Metakritik*) gerne ›Beurtheilungskunst. Der fremde Ausdruck ist in die deutsche Sprache aufgenommen‹ [14], *Critik* setzt sich wie *Rezension* erst in der Lessingzeit durch und ist primär Verdeutschung von *critique*, daneben auch von *critica*; dazu *critisiren* [25], geläufiger erst bei Gottsched: *kritisiren* [8], und Gundling: *Critisirung* [9], hingegen *critisch* im 18. Jh. (schon Gottsched), immer neben der medizinischen Bed. des »kritischen Wendepunkts« (Krise, Entscheidung) einer Krankheit. Um 1800 wird »kritisch« infolge der Durchsetzung der Kantischen Philosophie zum Modewort (Jean Paul 1804: ›in unsern *kritischen* Tagen einer kranken Zeit‹ [17]). Ähnlich das Nomen agentis, für das im 18. Jh. noch meist *criticus* einsteht (Gottsched: *Kriticus* [8], ebenso Lessing [12; 13]), üblich ist aber *Kunstrichter* (Moritz: ›Critiker läßt sich durch Kunstrichter in jedem Falle verdeutschen‹ [14]), auch *Rezensent*, was die Bedeutungserweiterung von *recensio/recensere* voraussetzt: von der textkritischen Musterung von Varianten zum literaturkritischen Text. *Kritiker* ist erst Ende des 18. Jh. geläufig (auch analog zum *Poetiker*, *Stilistiker* und *Ästhetiker*); Klopstock 1774: ›keine der Nazionen hat feinere Kritiker, größre denn die Franzosen‹ [10], F. Schlegel 1797: ›Ein Kritiker ist ein Leser, der wiederkäut‹ [23]. *Kritikaster* (Lessing u. a.): der eingebildete, kleinliche Nörgler (analog *Poetaster*: der Dichterling), markiert spöttisch eine Legitimationsgrenze der Kritikerrolle, ein seit Zoilos oder den analogen Bezeichnungen γραμματιστής, *grammatista* und *grammatici minores* (die »Buchstäbler«) topisches Begrenzungsschema gegenüber marginaler bzw. nicht geschätzter Kritik bzw. der trivialen, rudimentären Grammatiklehre [35. 181–182]. *Literaturkritik*, *Literaturkritiker*, *literaturkritisch* setzt die auf ›Schöne Lit.« verengte Bed. von *Lit(t)eratur* und *lit(t)erarisch* seit ca. Mitte des 19. Jh. voraus. Als Ursprung der Bezeichnung Textkritik gilt Deutschland, wohl aufgrund des Ansehens dieser Disziplin seit Wolf und Lachmann; engl. *textual criticism*, ital. *critica testuale* usw. wären dann Lehnübers. aus dem Deutschen.

Es gibt eine lange Geschichte und breite Vielfalt der Anlässe, Verfahren, Formen und Funktionen einer faktisch literaturkritischen Praxis ohne zusammenfassenden Begriff dafür. Bereits die frühen Erklärungen Homers haben eine literaturkritische Seite und Funktion, etwa im Vorwurf der herabsetzenden Darstellung der Götter oder dessen Abwehr, in hell. Zeit in Verbindung mit dem »Wettkampf Homers und Hesiods«, dem Schema eines agonalen Vergleichs: später *syncrisis*, *comparatio* (kunstvoll bereits in Ciceros Dialog *Brutus*: [31; 35. 122–123]), das als *confronto critico* und *paragone* ein beliebtes Verfahren der L. bleibt und in der frühen Neuzeit häufig genutzt wird [35. 47; 45]. Aristophanes kritisiert in den Komödien Autoren und Werke (u. a. Euripides) im Kontext seiner zeitkritischen Satire. Ebenso ohne einen Titelbegriff wie »Kritik« enthält die Βιβλιοθήκη des Byzantiners Photios im 9. Jh. Stil- und Sachkritik in ca. 270 »Buchbesprechungen« [18; 35. 31–42]. Die professionelle Kritik wird erst in der spätgriech. Philol. auch begrifflich bestimmt. Sie hat ihren primären Ort in der Gramm., der Eingangs- und Grundlagendisziplin aller Schriftgelehrsamkeit, mit den beiden Komponenten des (linguistisch-systematischen) Regelwissens von der Sprache und ihrer konkreten Verwendung (*verba*) und des (histor.-materialen) Sachwissens von Texten (*res*), ihren Inhalten, den Verfassern, ihrer Überlieferung, Interpretation und Bewertung; die Rhet. ist nur in zweiter Linie und gelegentlich bei der Begründung und Applikation von Stilkriterien zuständig. Der *criticus* ist deshalb immer auch *grammaticus*. In diesem Disziplinenverständnis, das bis in die Spätphase der frühen Neuzeit gilt, ist Gramm. der disziplinäre Ort der Kritik, die in ihrer »histor.« Dimension Philol. ist, d. h. Komm., Exegese, Kritik; Dionysios Thrax: κρίσις ποιημάτων als Erklärung der ποιηταὶ καὶ συγγραφεῖς [6]: der Dichter und Prosaschriftsteller [35. 50–53]. Die lat. *ars grammatica*, bei Quintilian [20] auch Grundlage des Wissens- und Bildungsideals der ἐγκύκλιος παιδεία (»Enzyklopädie«), führt diesen Dualismus weiter (Inst. I 4,2: ›recte loquendi scientia‹ vs. ›poetarum enarratio‹ »Wiss. vom korrekten Sprechen vs. Behandlung der Dichter«), präzisiert ihn und verleiht der zweiten Komponente eine Wertsteigerung als »höhere Gramm.«, nach der Definition Ciceros (De orat. 1,187): Unt. der Dichter, Sach- und Beispielwissen, Auslegung der Wortbedeutungen. In einem Sektor dieses ausgedehnten Praxisfeldes, der *enarratio historiarum* (Sachkomm.), lokalisiert Quintilian *iudicium* [20. I 4,3] und bestimmt damit L. wirkungsvoll sowohl als Qualitätsprüfung von Texten wie auch als Kanonkontrolle: ›et mixtum his omnibus iudicium est: quo quidem ita severe sunt usi veteres grammatici, ut non versus modo censoria quadam virgula notare et libros, qui falso viderentur inscripti, tamquam subditos submovere familia permiserint sibi, sed auctores alios in ordinem redigerint, alios omnino exemerint numero‹ (»und mit alledem vermischt ist das kritische Urteil. Gerade damit verfuhren die alten Grammatiker so streng, daß sie sich erlaubten, einzelne Verse kritisch anzustreichen und Bücher, die offenbar falsch eingestuft wurden, wie illegitime Kinder aus der Familie zu entfernen. Hingegen nahmen sie manche Autoren in den Kanon auf, andere schlossen sie völlig davon aus«).

Im Schulbetrieb des MA bleibt Kritik Teil der *grammatica*, aber nicht der Lehrbücher (Donatus, Priscian usw.), vielmehr der *accessus ad auctores* (z. B. Konrad von Hirsau, Anf. 12. Jh.), deren didaktisches Schema zur Analyse von Schulautoren auch Kritik einschließt [35. 77; 46]. Textkritik (διόρθωσις bei Varro u. a.) ist im spätgriech. und lat. Konzept von Kritik und Gramm. und damit auch in dem des MA nicht enthalten. Von Regeln und Anleitungen sind nur verstreute Zeugnisse überliefert [35. 60–61; 42. 28; 45]. Doch schon für die Humanisten sind der kritische Werkkomm. und Stilkritik mit Textkritik und Edition verknüpft, bes. bei L. Valla, programmatisch bei A. Poliziano, der den gelehrten Philologen und (Text-)Kritiker als *grammaticus* zum autonomen Spezialisten für Textbedeutungen erklärt [19]. *Iudicium*, neben *emendatio* Zentralbegriff auch der Textkritik, meint dann das kritische Urteil bei der *recensio* gegenüber Varianten, Lesarten und Konjekturen. Im polyhistor. Enzyklopädismus des Späthuman. wird philol.-histor. Kritik (Bacon 1623: *ars tradendi* [1]) der Textkritik an die Seite gestellt (Wower 1603 [27]). In den Konzepten der *ars critica* bei Schoppe 1597 [24; 32] oder Le Clerc 1696/97 [11] ist Textkritik Hauptgegenstand (sowohl *critica sacra* »Bibelkritik« als auch *critica profana*); Kritik als Exegese tritt zurück und wird zumindest in der *critica sacra* meist als Gegenstand der Hermeneutik behandelt (*Hermeneutica sacra* [5]). Vorbereitet durch profane Philol. und Textkritik (Valla, Poliziano [19], Erasmus), Poetik (bes. J. C. Scaliger 1561, Buch V: *Criticus. De imitatione et iudicio*, und Buch VI: *Hypercriticus. Iudicium de aetatibus poeseos Latinae* [22]), Bibelkritik (Karlstadt, Cappel, La Peyrère, Spinoza, R. Simon) und Historische Kritik (Joseph Scaliger, Bayle [35; 37]), bildet sich seit dem 17. Jh. zunächst für die Logik ein allg. philos. Begriff aus, der die Grundlage für die universellen rationalen Kritikbegriffe in der Aufklärung, der Kritischen Philosophie, aber auch der Politik gelegt hat, Kritik wird Synonym von Vernunft und anthropologische Bestimmung des Menschen (H. Fielding 1752: ›CRITIC. Like homo, a name common to all the human race‹, *A Modern Glossary*, in: Works, 6, 1882, 20; Kant 1781: ›Unser Zeitalter ist das eigentliche Zeitalter der Kritik, der sich alles unterwerfen muß‹, *Kritik der reinen Vernunft*, Vorrede zur ersten Ausgabe 1781, hrsg. von Meiner, 1956). Gleichzeitig gewinnt L. durch die Umstellung von ahistorischer *imitatio*- und Kanonkontrolle auf die Begleitung der je aktuellen Literaturproduktion eine prinzipiell neue Bedeutung. Es tritt eine Differenzierung zw. gelehrter Kritik, Philol., später von Literaturwiss. und Literaturgeschichte, Textkritik und Ästhetik in Kraft.

C. Vom alteuropäischen Modell zur modernen Kritik

Entgegen der Skepsis gegenüber der Möglichkeit einer Kritikgeschichte, weil deren Gegenstand zu heterogen sei (Gumbrecht in [28], dazu [35. 17]), läßt sich die Einheit des Gegenstandes in der Differenz zweier Modelle der Kritik bestimmen: Dem »klassizistischen«, in diesem Sinne alteurop. Modell einer *critica perennis* (Chapelain: ›la critique éternelle‹ [4]), die ihren Ort in der Bildungsinstitution der Gramm. besitzt und in die ant. Kategorien unmittelbar fortwirken, steht ein neues Modell der Kritik sowie eine neue kritische Praxis gegenüber, die im 17. Jh. in Frankreich von der *critique mondaine* ausgeht. Sie wendet sich zunehmend der aktuellen Literaturproduktion zu und nimmt im Laufe des 18. Jh. einen institutionellen Charakter an. Quer zu dieser diachronischen Modellgeschichte werden die Elemente der beiden Modelle im folgenden unter Aspekten des Status der L. (a) als Mitteilungsform, (b) des Kritikers bzw. der Kritikerrolle und (c) der Adressaten bzw. des Publikums der Kritik erläutert.

(a) Unter den Vorgaben des älteren Modells ist die kritische Regulierung der *imitatio* (auch *aemulatio*) klass. Autoren bzw. Gattungsexemplare sowie die Arbeit am Kanon die zentrale Aufgabe. Ihr dient die Sachkritik, mehr oder weniger vermittelt über rel.-moralische Diskurse, wie auch die Stilkritik, beides noch in einer Vielzahl heterogener Textformen integriert und bis zur frühen Neuzeit kaum ausdifferenziert. In der Komm.-Lit. (seit den Homerkomm., den Scholien, oder Landino zu Vergil; Boccaccio: *Vita di Dante/Trattatello in laude di Dante*, ca. 1360) begegnen kritische Urteile nebenher. In den Literaturkursen der Humanisten, den *confronti* (später in Frankreich *comparaisons*, z. B. R. Rapin 1664/93 [21]) und Invektiven ([48], z. B. Petrarca: *Invective contra medicos*, Valla), in Briefen, Vorreden und Traktaten sind kritische Argumentationen häufiger (Galilei: *Considerazioni al Tasso* [7]; verschiedene *querelles* und kritische Arbeiten von Malherbe oder Guez de Balzac bis zu den Satiren Boileaus, auch im staatlichen Auftrag wie Chapelains Expertise über den *Cid* von Corneille [4]).

Auch die L. als Lit. ist ant. Ursprungs: Aristophanes über Euripides und Sokrates, Molière über sein eigenes Stück und dessen Skandal-Rezeption: *La Critique de l'École des Femmes* und *L'Impromptu de Versailles* (1663). Im it. Quattrocento wird die Selbstermächtigung der Kritik zu einer Praxis aus eigenem Recht vorbereitet. Auf dieser Basis etabliert sich im 17. Jh. (zuerst in Frankreich) das neue Modell der Kritik als Begleitung der je aktuellen Literaturproduktion, die im wesentlichen durch das periodisch erscheinende *Journal* organisiert ist. Es enthält Buchkritik (Rezensionen, »Extracte«) und Nachrichten von der laufenden Beobachtung der lit. Kommunikation, in den gelehrten Journalen anfangs ganz am Rande (dem Pariser *Journal des Savants* und den *Philosophical Transactions* der *Royal Society*, beide seit 1665, dem *Giornale de' Letterati*, ed. in Rom, Parma

1668 ff., den *Miscellanea naturae curiosorum*, Schweinfurt/Leipzig 1670 ff.), mit der fortschreitenden Ausdifferenzierung von »Literatur« im 18. Jh. in eigenen Sparten, darunter bald auch Theaterkritik (in Deutschland früh von Gottsched, Lessing), ehe es im 19. und 20. Jh. zu Zeitschriften mit literaturkritischem Schwerpunkt kommt (zuerst bei Thomasius [25]). Die Filmkritik entsteht um 1910/20 weitgehend als Derivat der Theaterkritik. Die Durchsetzung des Journals, dem im 18. Jh. der bald zum Feuilleton ausgebaute Rezensionsteil der Zeitung folgt, hat eine nachhaltige Reduktion der noch wenig erschlossenen, differenzierten Vielfalt kritischer Textformen, einem Teil der alteurop. gelehrten Publizistik (»Buntschriftstellerei«), zur Folge; ihre Reste leben seither im Schatten der Rezension weiter: bes. dialogische Formen (seit Gellius und Macrobius; die Gesprächslit. der Humanisten; Traiano Boccalinis *Ragguagli di Parnasso* 1612 ff.; der variantenreiche »Lukianismus« im Gefolge der Götter- und Totengespräche, u. a.). Die Debatte um die Legitimität des kritischen Urteils in der frühen Aufklärung (Baillet [2], P. Bayle: *Nouvelles* [3], Thomasius [25], Gundling [9]) begleitet die Durchsetzung der *libertas sentiendi* als Erweiterung der *liberté de penser* (Spinoza) [35]. Als Institution für die lit. Kommunikation in der Öffentlichkeit sind der Kritik immer wieder Wert und Nutzen bestritten worden, von Autoren (Goethe) oder auch von Staat und Kirche (in Fragen von Pornographie, Majestätsbeleidigung, Gewalt usw.). Totalitäre Staaten nehmen sie in den Dienst ihrer Erziehungsdiktatur (z. B. die DDR), das NS-Regime erließ 1936 gar ein Verbot der »Kritik« und suchte sie durch »Literatur«- bzw. »Kunstbetrachtung« zu ersetzen. Im 20. Jh. wurde die Rezension in den neuen, auch der Kritik dienstbaren Medien zurückgedrängt. Während der Hörfunk die vorgelesene Buchkritik, aber auch das kritische Gespräch, das Interview oder die Diskussion ausstrahlt, hat das Massenmedium Fernsehen eigene Sendeformen ausgebildet, die immer auch auf »Unterhaltung« eines breiteren, wenig lit. interessierten, zerstreuten Publikums zielen (u. a. Kulturmagazin, Talkshow), und selbst diese Sendungen sind nur noch im öffentlich-rechtlichen Fernsehen möglich. Das uneingeschränkt kommerzielle Privatfernsehen ohne öffentlich subventionierten Auftrag verzichtet ganz auf »Eliteprogramme«.

(b) Der Kritiker als *grammaticus* ist Gelehrter im artistischen Disziplinenbereich des *Triviums*. Dies setzt ihn als *criticus* (der er aber in Berufspositionen allenfalls nebenher ist) der topisch auftretenden Verachtung aus, die seit dem Erfolg des anti-artistischen und antihistor. Cartesianismus, der späthuman. wie aufklärerischen Pedantismuskritik und dem Tod des Polyhistors, der die lange Agonie der alteurop. Gelehrtenkultur einleitet, nicht mehr nachläßt [35. 181–192; 39; 43. 285–306]. Die neuzeitliche Kritikerrolle beginnt sich auszudifferenzieren, seit mit Poliziano u. a. die profane kritische Philol. eine nicht substituierbare, autonome Kompetenz für die Restitution des echten Textes und dessen richtiger Be-

deutung beansprucht und auch erprobt. Der Kritiker, und nur er aufgrund seines sprachlich-histor. Wissens (*historia* primär als »Kunde«, »Sachwissen«), kann feststellen, was ein Text bedeutet. Erst Le Clerc präzisiert die Konsequenz: Dem Kritiker stellt sich die Wahrheitsfrage als Echtheitsfrage bei der gramm.-rhet. Textrezension, d. h., er hat zu prüfen, welche Bedeutungen faktisch vorliegen, aber nicht, ob sie wahr sind (Ebenendifferenz: ›cognitio rerum ipsarum‹ vs. ›intelligere eorum sermonem qui de rebus egerunt‹ [11]). Die Autonomie der Kritikerrolle geht der Säkularisierung der Rollen des Gelehrten und späteren Intellektuellen voraus. Der späthuman. Kritiker, als *grammaticus-criticus* und Polyhistor, ist der Spezialist für Lesarten, Konjekturen und Textbedeutungen, zunehmend über Werke der Poesie (*auctores*) und *studia humanitatis*, ehe er im Zuge des Modellwechsels zum Journalisten und Tageskritiker wird, ökonomisch analog zum »freien Schriftsteller«, aber noch weniger als dieser nur von den Einkünften als Kritiker auf Dauer existenzfähig. In Deutschland bleibt diese Rollenfiliation zw. dem gelehrten Philologen (dem späteren Literaturwissenschaftler und Literarhistoriker) und dem Kritiker als Literaturjournalisten, der die aktuelle Literatur kritisch begleitet, länger als anderswo erhalten.

(c) Der gelehrte *criticus* schreibt für den Kreis der Fachkollegen und Freunde, in jedem Fall für sachlich vorverständigte, sehr begrenzte Öffentlichkeiten, im Idealfall für die Mitglieder der *Respublica litteraria*; die frühesten Dokumente für ein Rollenbewußtsein verwenden den ant. Topos von der Bitte um Kritik durch Autoritäten und Freunde (Horaz; Opitz 1624 : ›berühmter männer urtheil‹, ›gelehrter freunde guet achten‹ [16. 54–55]). Arbeitet der *criticus* an der beständigen Aufgabe der Kontrolle und damit der Reproduktion des klass. Kanons (›la critique éternelle‹ [4]), so äußert sich der mod. Kritiker ad hoc. Seit sich die *Querelle*-Problematik im 18. Jh. auflöst bzw. zur »Binnenquerelle« in die mod. Nationalliteraturen selbst verschiebt, sind die Anlässe zunehmend Werke der aktuellen Produktion allein, ohne den absichernden Vergleich mit dem Kanon der Alten, und an die Stelle der Gelehrtenrepublik ist das gemischte Publikum getreten, das zur anonymen Öffentlichkeit wird. Der Kritiker wird zum »Übersetzer«, der dem Publikum die semantischen und ästhetischen Rätsel auflösen hilft, die die einander überbietenden Neuheiten auf dem lit. Markt ihm aufgeben. Er vermittelt zw. heterogenen Mentalitäten (Fiktionswelten vs. Publikum). Der nach dem diachronischen Prinzip der Veraltung und Überbietung funktionierende Markt [44] erzeugt Divergenzen zw. Textwelten und Rezipienten, die der Kritiker mit konsensfähigen Urteilen, Selektionshilfen und Klassifizierungen, der Herstellung von Anschlußfähigkeit und anderen Orientierungsangeboten zu überbrücken sucht. Der h. vielfach festgestellte Autoritätsverfall der L. rührt von der Abwendung des breiten Publikums her, das als willkürliche Bevormundung meidet, was es einmal als hilfreiches Räsonnement und als Beitrag zur Dramatisierung der Kunst-kommunikation geschätzt hat. Hinzu kommt der globale Ökonomismus der Kulturindustrie, der weder »Kunst« noch kritische Vermittlung noch Leser kennt, sondern nur Konsumentenziffern, an denen auch kulturelle Qualität gemessen wird. Kritik ist dabei, sich in Product management aufzulösen.

QU 1 F. BACON, De dignitate et augmentis scientiarum libri IX (1623), in: The Works of F. B. I, London 1858, 433–840 2 A. BAILLET, Jugements des Savants sur les principaux ouvrages des auteurs, Paris 1685/86 (Ndr. 1971) 3 P. BAYLE, Nouvelles de la Republique des Lettres I, Rotterdam 1684, préface 4 J. CHAPELAIN, Sentiments de l'Académie Française sur la Tragi-Comédie du Cid (1637), in: Opuscules critiques, 1936 5 J. K. DANNHAUER, Hermeneutica sacra, Straßburg 1654 6 Dionysios Thrax, in: Grammatici Graeci I, Leipzig 1883/1901 7 G. GALILEI, Marginalien zu Tasso, in: Siderus Nuncius (Nachricht von neuen Sternen), 1980, 251–267 8 J. CH. GOTTSCHED, Versuch einer Critischen Dichtkunst für die Deutschen, Leipzig ⁴1751 9 N. H. GUNDLING, Gedancken von der Nohtwendigkeit einer Critisirung der neu herauskommenden Bücher und Schrifften, in: Neue Bibliothec 1715, 398–403 10 F. G. KLOPSTOCK, Die dt. Gelehrtenrepublik, Leipzig 1774 11 J. LE CLERC, Ars critica, Amsterdam 1696/97 12 G. E. LESSING, Kritische Briefe, 1749 (Druck in: Schriften, Berlin 1753) 13 Ders., Briefe, die neueste Litteratur betreffend, Berlin 1759 ff. 14 K. PH. MORITZ, Gramm. WB der dt. Sprache I, Berlin 1793 15 E. NEUMEISTER, De poetis Germanicis hujus seculi praecipuis Diss., Leipzig 1695 (Neuausg. mit Übers. hrsg. F. HEIDUK, 1978) 16 M. Opitz, Buch von der deutschen Poetery, 1624 (Ndr. hrsg. R. ALEWYN, 1966) 17 J. PAUL, Vorschule der Ästhetik, Hamburg 1804 18 PHOTIOS, Bibliothèque, 7 Bde. Kritische Ed. u. Übers. R. HENRY, 1959–77 19 A. POLIZIANO, Lamia. Critical Ed. A. WESSELING, 1986 20 QUINTILIAN, Institutio oratoria I, hrsg. COLSON, 1924 21 R. RAPIN, Les comparaisons des Grands Hommes de l'Antiquité I (1664), Amsterdam 1693 22 J. C. SCALIGER, Poetices libri VII, Lyon 1561 23 F. SCHLEGEL, Lyceumsfragmente Nr. 27, 1797 (in: Lyceum der Schönen Künste, Berlin 1797) 24 K. SCHOPPE, De arte critica, Nürnberg 1597 25 CH. THOMASIUS, Monatsgespräche I, Leipzig 1688 26 CH. WERNICKE, Überschrifte oder Epigrammata, Hamburg 1697 (Ndr. hrsg. R. PECHEL, 1909) 27 J. v. WOWER, De polymathia tractatio (1603). (Ndr. hrsg. u. eingel. J. THOMASIUS, Leipzig 1665)

LIT 28 W. BARNER (Hrsg.), L. Anspruch und Wirklichkeit, 1990 29 B. CROCE, Per la storia della critica e storiografia letteraria, in: Atti del Congresso intern. di scienze storiche 4, 1903, 113–135 30 R. FAYOLLE, La critique, ⁶1978 31 F. FOCKE, Synkrisis, in: Hermes 58, 1923, 327–368 32 A. GRAFTON, K. Schoppe and the Art of Textual Criticism, in: H. JAUMANN, K. Schoppe (1576–1649), 1998, 231–243 33 P. U. HOHENDAHL, Vorüberlegungen zu einer Geschichte der L., in: J. DREWS (Hrsg.), L. Medienkritik, 1977, 49–67 34 Ders. (Hrsg.), Geschichte der L. (1730–1980), 1985 35 H. JAUMANN, Critica. Unt. zur Gesch. der L. zw. Quintilian und Thomasius, 1995 36 Ders., Das Modell der L. in der frühen Neuzeit: zu seiner Etablierung und Legitimation, in:

[28. 8–23] 37 Ders., Frühe Aufklärung und histor. Kritik: P. Bayle und Ch. Thomasius, in: S. NEUMEISTER (Hrsg.), Frühaufklärung, 1994, 149–170 38 Ders., Satire zw. Moral, Recht und Kritik. Zur Auseinandersetzung um die Legitimität der Satire im 17. Jh., in: Simpliciana 13, 1991, 15–27 39 Ders., Was ist ein Polyhistor?, in: Studia Leibnitiana 22, 1990, 76–89 40 J. JEHASSE, La Renaissance de la Critique. L'essor de l'Humanisme érudit de 1560 à 1614, 1976 41 Ders., Critique et raillerie, in: J. LAFOND, A. STEGMANN (Hrsg.), L'automne de la Renaissance (1580–1630), 1981, 83–99 42 E. J. KENNEY, The Classical Text, 1974 43 W. KÜHLMANN, Gelehrtenrepublik und Fürstenstaat, 1982 44 N. LUHMANN, Das Kunstwerk und die Selbstreproduktion der Kunst, in: Delfin 3, 1984, 51–69 45 R. PFEIFFER, Gesch. der Klass. Philol. I, 1978 46 E. A. QUAIN, The Medieval Accessus ad auctores, in: Traditio 2, 1945, 215–264 47 G. TONELLI, Critique and Related Terms Prior to Kant, in: Kant-Studien 69, 1978, 119–148 48 F. VISMARA, L'invettiva, 1900.   HERBERT JAUMANN

Literaturwissenschaftliche Methoden
s. Philologische Methoden

Loci communes   A. EINLEITUNG
B. GRUNDSÄTZLICHE AUSSAGEN IM HUMANISMUS
C. PRAKTISCHE ANWENDUNG

A. EINLEITUNG

In der Ant. wurden in der dialektischen und rhet. Argumentation *loci* bzw. Topoi verwendet, um mit ihrer Hilfe passende Argumente zu finden und auf diese Weise das Ziel der Argumentation zu erreichen (Cicero definiert *loci* als *argumenti sedes*, Orte zur Auffindung des Arguments; Cic. top. 2, 8). Die bei Aristoteles zunächst methodisch-formalen Topoi wurden zunehmend auch inhaltlich bestimmt [27. 234–237]. So konnten sie bei Cicero und in der *Rhetorica ad Herennium* auch für die Amplifikation verwendet werden, für die deliberative Rede moralischen Charakter haben und für Zitate aus den Rednern oder Historikern verwendet werden (→ Argumentationslehre) [20. 2; 21].

Auch im 16. und 17. Jh. war die Bed. der *loci* bzw. L. C. zur Auffindung von Argumenten und in der Amplifikation bekannt. Darüber hinaus spielten die L. C., ohne daß immer eine völlige Abgrenzung von den beiden anderen Bed. der *loci* möglich wäre, als Ordnungskategorien und Gliederungspunkte für die Klassifizierung von Wissensstoff eine große Rolle [14. 58–75]. Indem eine systematische Anordnung von Inhalten oder Wörtern ermöglicht wurde, wurde ein Fortschritt gegenüber den ma. Florilegiensammlungen erzielt [13; 20. 75 f.]. Auf diese Weise konnte das Wissen, v. a. der Ant., das normativen Charakter für die Gegenwart hatte, für die eigene Produktion im 16. und 17. Jh. verfügbar gemacht werden. Der zuletzt genannte Aspekt der Verwendung der L. C. als human. Methode soll in seiner histor. Entwicklung und in seiner Bed. in der frühen Neuzeit im folgenden vorgestellt werden.

B. Grundsätzliche Aussagen
im Humanismus

Auf die L. C.-Lehre der frühen Neuzeit nahm ihre Behandlung bei Rudolf Agricola (ca. 1444–1485) einen bedeutenden Einfluß. In seinem Werk *De inventione dialectica* definierte er die Dialektik als Fähigkeit, über einen beliebigen Gegenstand glaubwürdig zu reden (*De inventione dialectica libri tres*: auf der Grundlage der Ed. von Alardus v. Amsterdam (1539) [2. 210f.]). Dafür seien *loci* als *sedes argumentorum* [2. 10f.] nötig, die allen Gegenständen gemeinsam sein sollen [2. 18–21], und mit deren Hilfe eine umfassende Beschreibung der Gegenstände ermöglicht werden soll [2. 404–413]. Zu den 24 *loci*, die Agricola aufzählt, gehören Definition, Gattung, Art, Eigentümliches, Ganzes, Teile usw. [2. 36f.]. Neben der Verwendung der dialektischen *loci* für die Argumentationslehre empfahl er in dem Brief *De formando studio* (1484), inhaltlich bestimmte Ordnungsbegriffe (*capita*) zur systematischen Erfassung und ständigen Verfügbarkeit des ant. Wissens zu verwenden. Solche *capita*, in antithetischer Ordnung und mit moralischer Qualität, sind z.B. ›Tugend, Laster, Leben, Tod, Bildung, Mangel an Bildung, Wohlwollen, Haß‹ (*De formando studio*, in: [1. 198]). Dabei könnten einzelne ant. Beispiele (*exempla*) verschiedenen *capita* zugeordnet und dadurch bei der eigenen Produktion von Texten in verschiedenen Kontexten wiedergegeben werden [12. 355–385].

Erasmus (ca. 1469–1536) behandelte im 2. B. von *De duplici copia verborum ac rerum* (Basel 1534; Erstausgabe Paris 1512) im Kap. *Ratio colligendi exempla* die Methode, nach der Beispiele (*exempla*) für die Beweisführung gesammelt werden können. Für die Lektüre der ant. Autoren soll der Leser eine Liste von *loci* bereitstellen, unter die er dann die einzelnen Inhalte einordnen kann. Solche »Orte« sind 1. ethische Ordnungskategorien (Frömmigkeit, Glaube, Wohltätigkeit und ihre Gegensätze) mit ihren Untergruppen (zu Frömmigkeit: Liebe zu Gott, Liebe zum Vaterland, Liebe zu den Eltern…) [4. 258f.]; 2. *exempla* wie ›bemerkenswert langes Leben‹ oder ›lebhaftes Alter‹; 3. L. C. in Form von Sentenzen: ›Es ist am sichersten, niemandem zu vertrauen‹ oder ›Wer schnell gibt, gibt zweimal‹. Die *exempla* und die L. C. müßten dann unter moralischen Oberbegriffen (*tituli*) zusammengefaßt werden. Der *locus communis* ›Wer schnell gibt, gibt zweimal‹ lasse sich also mit anderen Sentenzen der Überschrift *liberalitas* zuordnen. Auf diese Weise entstehe ein fertig organisiertes System, das es dem Leser ermögliche, *exempla*, Sentenzen, Parabeln u. a. an der jeweils richtigen Stelle zu notieren [4. 260f.; 20. 109–111]. Speziell für Theologen empfahl Erasmus *loci theologici* (z. B. ›über den Glauben, das Fasten, das Ertragen von Übeln…‹), auf die hin alles, was in der Bibel gelesen würde, wie in gewisse Nester eingeordnet werden sollte (*Methodus* (1516) [5. 69f.]).

Für die praktische Anwendung der L. C.-Methode sind die Aussagen von Philipp Melanchthon (1497–1560) schließlich von großer Bedeutung. L. C. sind bei Melanchthon nicht anderen *tituli* untergeordnete Sentenzen, sondern sie sind mit den *capita* bzw. *tituli*, d. h. mit den Überschriften oder Gliederungspunkten, identisch. Diese sollten nach dem später separat abgedruckten Kap. *De locis communibus ratio* aus der Schrift *De rhetorica libri tres* (Basel 1519) bei den systematischen Studien zur Speicherung lit. Produkte und zur Auffindung überzeugender Argumente oder Zitate Verwendung finden. Dabei dürfe es sich nicht um zufällig gewählte L. C. handeln, vielmehr sollten sie aus den tiefen Strukturen der Natur abgeleitet werden und sich somit auf alle Dinge beziehen [7. 698]. In den *Elementa Rhetorices* (Wittenberg 1531, 1542) setzte Melanchthon die L. C. mit den Thesen, also den allg. Aussagen gleich. Bedeutsam ist, daß unter L. C. nicht nur Tugenden und Laster zu verstehen sind, sondern die Hauptpunkte (*praecipua capita*) ›eines jeden Wissensbereiches, die die Quellen und den Kern der Disziplin enthalten‹ [8. 452; Übers. 6. 83]. Die L. C. werden also auf einzelne Disziplinen bezogen. [20. 119–130].

C. Praktische Anwendung

Indem die L. C. als die allg. Aussagen bezeichnet wurden, zu denen vom Speziellen übergegangen werden kann, eigneten sie sich als Mittel der Textinterpretation. Melanchthon wandte diese Methode bisweilen an, wie bes. in seiner Vorlesung über das Theogniscorpus deutlich wird (*Theognidis Sententiae cum versione latina*, Wittenberg 1560) [9; 15].

In der sehr einflußreichen theologischen Schrift *Loci communes rerum theologicarum, seu hypotyposes theologicae* (Basel 1521) [10] bezog Melanchthon die gesamte christliche Lehre auf die *loci*, die er bei der Lektüre des Römerbriefs aus dem Text gewonnen hatte. Sünde, Gesetz und Gnade, bzw. die Gegensatzpaare Gesetz-Sünde, Evangelium-Gnade sind die spezifisch theologischen *loci*, zu denen die ganze Hl. Schrift in Beziehung gesetzt werden soll. Auf diese Weise erhielten sie ihre eigentliche hermeneutische Bedeutung [18. 15f., 13a. 9–15].

Auch in der Jurisprudenz wurde von der L. C.-Methode etwa in Johannes Oldendorps (1488–1567) Werk *Topicorum legalium* (Marburg 1551) ›als Modell systematischer Darstellung komplizierter Sachverhalte und Interpretationen‹ [11a. 554] Gebrauch gemacht, wobei sie jedoch in der *Traditio methodica utriusque iuris* (Frankfurt 1543) des Konrad Lagus (ca. 1500–1546) ›zum Argumentationsschatz wohl einiges, zur Stofforduung und Systembildung aber nur weniges beigetragen hat‹ [26. 276–282 (Zitat 282)].

Großen Einfluß nahm die L. C.-Methode dann auf die Unterrichtspraxis; sie wurde überall in Westeuropa in Studienprogrammen und Anleitungen zum Studium angewendet. Seit 1531 wurden Agricolas Brief *De formando studio*, das Kap. *Ratio colligendi exempla* aus Erasmus' B. *De copia* und der Abschnitt *De locis communibus ratio* aus Melanchthons Werk *De rhetorica* unter dem Titel *De ratione studii* (Basel 1531) gemeinsam verbreitet [20. 119]. ›From now on, the history of the commonplace-book becomes an integral part of the history of

Renaissance culture in general (...)‹ [20. 134]. Die L. C.-Methode unterstützte die Schüler und Studenten, das ant. Wissen, aber auch Sentenzen, Wörter, Redewendungen zu entdecken, geordnet aufzuspeichern und bei Gelegenheit hervorholen zu können. So formulierte z. B. David Chytraeus (1531–1600), Professor in Rostock, in seinen einflußreichen Schriften die L. C.-Methode [20. 134 f., 160–164] und widmete ihr in den von ihm verfaßten Statuten der Univ. Helmstedt einen eigenen Abschnitt: ›Damit bei der Lektüre der Autoren die glänzenderen Sentenzen, Beispiele, Gleichnisse, Wörter, Phrasen und ausgezeichneten Redefiguren leichter behalten werden können und jederzeit zur Anwendung verfügbar sind und bereitstehen, ist es sehr nützlich, L. C. der wichtigsten wiss. Disziplinen in bestimmter Reihenfolge eingeteilt zu haben, unter welchen die Studierenden alles, was sie hören oder in den Schriften der Autoren lesen, wenn es der Erinnerung wert ist, aufzeichnen und gleichsam in festgesetzte Kategorien einteilen sollen. Auf diese Weise wird ein Verzeichnis zu den wichtigsten Autoren und eine Schatzkammer angefertigt, aus der die Studierenden, wenn sie über irgendeine Sache etwas reden oder schreiben müssen, eine ungeheure Menge an Sachen, Sentenzen, Gleichnissen, Geschichten etc. entnehmen können‹ [3. 122].

In Straßburg hatte Johannes Sturm (1507–1589) in seinem auf die Rhet. ausgerichteten Studienprogramm die L. C. als ›didaktisch-mnemotechnisches Hilfsmittel‹, als ›universelles Ordnungsprinzip für Welt und Wiss.‹ und als ›philos. Erkenntniswerkzeug‹ verstanden [22. 223]. Vier L. C. *generales* (Gott, Natur, Künste (*artes*), Mensch), mit denen das Universum des Denkbaren umspannt werden könne, zählte er in der Vorlesung *Ratio resolvendae linguae latinae* (Straßburg 1581, 9) auf [22. 222]. Der didaktische Aspekt der Sturmschen L. C.-Methode konnte sich am Straßburger Gymnasium bei der Lektüre der ant. Autoren einige Zeit durchsetzen. Sturms Nachfolger Melchior Junius (1546–1604) bezog die L. C. allerdings auf die Einzelwiss. und erarbeitete für die Fächer Ethik, Physik, Ökonomie und Historie *loci*-Listen mit jeweils zwanzig bis dreißig L. C. (*Methodus eloquentiae comparandae scholis rhetoricis . . .*, Straßburg 1585, 1592) [22. 221–229].

Neben den L. C.-Heften zum persönlichen Gebrauch bei der Lektüre der ant. Autoren wurden sie als *Commonplace-Books* schließlich auch gedruckt, so daß Sentenzen, Anekdoten, berühmte *exempla* aus der ant. Lit., unter verschiedenen Überschriften (also L. C.) geordnet, ohne persönliche Lektüre zugänglich wurden. Solche Werke, wie z. B. Georg Majors (1502–1574) Sammlung von Sentenzen aus verschiedenen ant. Dichtern (*Sententiae veterum poetarum, per locos communes digestae*, Magdeburg 1534), waren nützlich für den Unterricht [20. 188 f.].

Kollektaneen, Florilegien verschiedenster Art, auch geordnet nach L. C., gehörten im 17. Jh. schließlich zu den Arbeitsmitteln der Barockautoren. Als *poetae docti*

waren sie sehr interessiert an dem Wissen der Ant., um dieses nach dem Grundsatz der Imitation auch in ihren eigenen Werken zu verwenden. Dabei wurden allerdings als Quellen für die zusammengestellten Inhalte und Sentenzen nicht ausschließlich die griech. und lat. Texte des Alt. herangezogen. Zu der Fülle der zunehmend auch in der Muttersprache verfaßten Sammlungen gehört Christoph Lehmanns (1568–1638) *Florilegium Politicum: Politischer Blumen Garten, Darinn Auszerlesene Sententz, Lehren, Regulen und Sprichwörter Ausz Theologis, Juristconsultis, Politicis, Historicis, Philosophis, Poeten . . . unter 286 Tituln . . . In locos communes zusammen getragen* (Lübeck 1639; Faksimiledruck hrsg. von W. Mieder 1986) [11. 61 f.; 14a. 59–65].

In diesem Sinn fand die L. C.-Methode ihre Anwendung im 16. und 17. Jh. Gleichzeitig zeigten sich aber auch die Grenzen der Methode. Schon im 16. Jh. trat die gegliederte Sammlung des Wissens in einen engen Zusammenhang mit der Polyhistorie, wie etwa in Christoph Mylaeus' († 1570) *De scribenda universitatis rerum historia libri quinque* (Basel 1551). Theodor Zwingers (1533–1588) *Theatrum vitae humanae* (Basel 1565, ³1586) nahm durch die Aufnahme einer unermeßlichen Fülle an Wissensstoff enzyklopädischen Charakter an [23. 23–30, 59–66; 20. 191–197].

Schließlich verlor die L. C.-Methode in dem Maße an Bed., wie die human. Vorstellung von der Autorität der Ant. für die Gegenwart aufgegeben wurde. Francis Bacon (1561–1626) kannte zwar die L. C., mit deren Hilfe in traditioneller Weise Bekanntes geordnet werden konnte. Daneben forderte er aber ein *loci*-System, das die Auffindung neuen Wissens ermöglichen sollte. Durch den Empirismus und den Cartesianismus wurde der human. Methode schließlich ein Ende bereitet [20. 255–275].

→ Humanismus; Mnemonik/Mnemotechnik; Rhetorik

→ AWI Dialektik; Rhetorik; Topik

QU 1 RODOLPHUS AGRICOLA PHRISIUS, Lucubrationes... per Alardum Aemstelredamus, Köln 1539 (Ndr. 1975) 2 RUDOLF AGRICOLA, De inventione dialectica libri tres: auf der Grundlage der Ed. von Alardus v. Amsterdam (1539) = Drei Bücher über die Inventio dialectica, kritisch hrsg., übers. und kommentiert von L. MUNDT, 1992 (Frühe Neuzeit 11) 3 Die Statuten der Universität Helmstedt, bearbeitet von P. BAUMGART/E. PITZ, 1963 4 DESIDERIUS ERASMUS ROTERODAMUS, De copia verborum ac rerum, in: Opera omnia I, 6, B. I. KNOTT (Hrsg.), 1988 5 ERASMUS V. ROTTERDAM, Methodus, in: Ausgewählte Schriften Bd. 3, W. WELZIG (Hrsg.), ²1990, 38–77 6 J. KNAPE, Philipp Melanchthons Rhetorik, 1993 7 PHILIPP MELANCHTHON, De locis communibus ratio, in: Ders., Opera quae supersunt omnia, C. G. BRETSCHNEIDER (Hrsg.), Braunschweig 1854 (Ndr. 1963), Bd. 20, 695–698 8 Ders., Elementorum rhetorices libri duo, in: Ders., Opera quae supersunt omnia, C. G. BRETSCHNEIDER (Hrsg.), Braunschweig 1846 (Ndr. 1963), Bd. 13, 417–506 9 Ders., Theognidis Senten+iae cum versione latina . . . addita earundem explicatione, in: Ders., Opera quae supersunt omnia, C. G. BRETSCHNEIDER (Hrsg.),

Braunschweig 1853 (Ndr. 1963), Bd. 19, 5–178 **10** H. G.
PÖHLMANN, Philipp Melanchthon, Loci communes 1521.
Lat.-Dt. Übers. und mit kommentierenden Anmerkungen
versehen, ²1997

LIT **11** W. BARNER, Barockrhetorik. Untersuchungen zu
ihren geschichtlichen Grundlagen, 1970 **11a** B. BAUER,
Jurisprudenz und Naturrecht, in: Dies. (Hrsg.),
Melanchthon und die Marburger Professoren (1527–1627),
Bd. 2, 1999, 551–597 **12** J. BLUSCH, Agricola als Pädagoge
und seine Empfehlungen. De formando studio, in:
W. KÜHLMANN (Hrsg.), Rudolf Agricola 1444–1485.
Protagonist des nordeurop. Human. zum 550. Geburtstag,
1994, 355–385 **13** A. BUCK, Die studia humanitatis und ihre
Methode, in: Ders., Die human. Trad. in der Romania,
1968, 133–150 **13a** H. JUNGHANS, Philipp Melanchthons
Loci theologici und ihre Rezeption in deutschen
Universitäten und Schulen, in: Werk und Rezeption
Philipp Melanchthons in Universität und Schule bis ins
18. Jahrhundert. Tagung anläßlich seines 500. Geburtstags
an der Universität Leipzig, hg. v. G. Wartenberg unter
Mitarbeit von M. Hein, 1999, 9–30 **14** F. GOYET, Le
sublime du lieu commun. L'invention rhétorique dans
l'Antiquité et à la Renaissance, 1996 **14a** J. DYCK,
Ticht-Kunst. Deutsche Barockpoetik und rhetorische
Tradition, 1966 **15** D. KAUFMANN-BÜHLER, Eine Vorlesung
Ph. Melanchthons über das Theogniscorpus. Ein Beitr. zur
Gesch. der Philol. des Human., in: Philologus 100, 1956,
113–131 **16** M. J. LECHNER, Renaissance Concepts of the
Commonplaces, 1962 (1974) **17** P. MACK, Renaissance
Argument. Valla and Agricola in the Traditions of Rhetoric
and Dialectic, 1993, 130–167 **18** W. MAURER,
Melanchthons L. C. von 1521 als wiss. Programmschrift. Ein
Beitr. zur Hermeneutik der Reformationszeit, in:
Luther-Jb. 27, 1960, 1–50 **19** E. MERTNER, Topos und
Commonplace, in: P. JEHN (Hrsg.), Toposforschung. Eine
Dokumentation, 1972, 20–68 **20** A. MOSS, Printed
Commonplace-Books and the Structuring of Renaissance
Thought, 1996 **21** O. PRIMAVESI, Art. Topik; Topos,
HWdPh 10, 1998, 1263–1270 **22** A. SCHINDLING, Human.
Hochschule und freie Reichsstadt. Gymnasium und Akad.
in Straßburg 1538–1621, 1977 **23** W. SCHMIDT-
BIGGEMANN, Topica universalis. Eine Modellgesch. human.
und barocker Wiss., 1983 **24** A. SERRAI, Dei L. C. alla
bibliometria, 1984 **25** R. STINZING, Gesch. der dt.
Rechtswiss., 1. Abt., München/Leipzig 1880 **26** H. E.
TROJE, Konrad Lagus (ca. 1500–1546). Zur Rezeption der
Loci-Methode in der Jurisprudenz, in: H. SCHEIBLE (Hrsg.),
Melanchthon in seinen Schülern, 1997, 255–283
27 G. UEDING, B. STEINBRINK, Grundriß der Rhetorik.
Gesch., Technik, Methode, ³1994.   THORSTEN FUCHS

Logik   A. WIRKUNGSGESCHICHTE ALLGEMEIN
B. SPÄTANTIKE UND MITTELALTER
C. RENAISSANCE UND HUMANISMUS   D. NEUZEIT
E. 19. JAHRHUNDERT   F. 20. JAHRHUNDERT

A. WIRKUNGSGESCHICHTE ALLGEMEIN

Unter L. sei im Folgenden die Lehre von Begriff,
Urteil und Schluß verstanden. Faßt man dann unter traditionelle L. die Gesamtheit der Gestalten, die die ant. L.
während ihrer Rezeption durch die nachfolgenden Jh.
bis zum 19. einschließlich angenommen hat, so gilt, daß

die traditionelle L. für rund 15 Jh. am Anf. der Gelehr-
tenausbildung steht. In der lat. Spätant. und im MA gehört die L. zum Trivium der sieben → Artes liberales und
ist damit jeder weiteren akad. Ausbildung als Propädeutik vorgeordnet. [28] Dies setzt sich durch Human. und
Neuzeit fort, auch wenn sich Trivium bzw. Quadriv-
um der vormaligen Artistenfakultät nun zumeist in der
Aufspaltung der philos. Fakultät in eine der Künste (arts
et lettres / arts and letters) bzw. eine der mathematischen
Wiss. (sciences) wiederfinden. Da die institutionelle
Emanzipation der Natur- bzw. Geistes- und Sozialwiss.
von den philos. Fakultäten erst ein Produkt der Uni-
versitätsentwicklung des 19. und frühen 20. Jh. ist, gehört die traditionelle L. bis dahin zum Pflichtkanon der
meisten Studenten. Beides ändert sich erst um die Mitte
des 20. Jh.: Logische Propädeutik bleibt auf die Philos.
selbst beschränkt, und die traditionelle L. gilt nurmehr
als Vorläufer der mod. L.

Derart hat die traditionelle L. vom Ausgang der Ant.
bis zur Gegenwart geistes- wie kulturgeschichtlich in
ganz nachhaltiger Weise die abendländische Auffassung
von Rationalität – und damit vom Menschen als einem
animal rationale – geprägt. Dadurch hat sie auch zum mod.
Selbstverständnis von Wiss. beigetragen: Die L. buch-
stabierte aus, was es heißt, methodengebundener Rationalität verpflichtet zu sein. Wenn auch indirekt, hat sie
so unsere mod. wiss.-technische Lebenswelt mitgestaltet; ihr letzter Beitrag in diesem Kontext war die Bereitstellung der theoretischen Grundlagen für die mod.
Computertechnologie. Nicht minder haben sich gewisse
sprachliche und ontologische Grundpositionen der traditionellen L. durch die Geschichte hindurch gleichsam
zu einem Sediment von Grundannahmen abgesetzt und
so verfestigt, daß man sich ihnen auch h. nur schwer
entziehen kann – selbst wenn veritable Alternativen vorliegen. Dazu gehört etwa die Auffassung, daß Wissen
stets propositionaler Natur sei, oder die, daß die Welt
selbst wie auch ihre sprachliche Erfassung in Eigenschaften (Akzidentien, Prädikate) und ihre Träger (Substanzen, Subjekte) zerfalle. Damit ist die traditionelle L. einer
der wesentlichen Formfaktoren der westl. Zivilisation,
der sich zudem seit der Ant. kontinuierlich wirksam hat
durchhalten können. (Gesamtdarstellungen bieten [7;
12; 22; 35]).

B. SPÄTANTIKE UND MITTELALTER

Die ausgehende Ant. kennt im wesentlichen zwei
logische Trad.: die (platonisch-)aristotelische Linie einer
Begriffs-L. mit ihrer darauf aufbauenden Syllogistik und
die (megarisch-)stoische Linie einer Aussagen-L. Durch
polit. Verwerfungen (Christianisierung, Völkerwanderung, röm. Reichsteilung, Vordringen des Islam etc.)
werden diese Traditionsflüsse unterbrochen: Akademi-
en werden geschlossen, Lehr- und Forschungstrad. ver-
siegen, Originalschriften gehen verloren, und mancher
Autor bleibt wegen theologischer Vorbehalte ungelesen
[4; 14, Kap. 1–9].

Als man zu Zeiten der → Karolingischen Renaissance forciert daran geht, die Gelehrsamkeit aus abge-

legenen Klöstern zu holen und öffentlich(er) zu machen – Karl d. Gr. muß zu diesem Zweck u. a. auf Alkuin (ca. 730–804) aus England zurückgreifen – befindet sich die Rezeption der ant. L. im Abendland auf einem Tiefststand: Nicht einmal die logischen Werke des Aristoteles, das *Organon*, liegen vollständig vor, so daß Unterricht und Forsch. auf wiss. minderwertigen Kompendien der röm. Spätant. fußen. Und so unterteilt schon das MA selbst seine L. in drei Zeitabschnitte: die alte, die neue und die mod. L.; eine Unterteilung, die sich an der Verfügbarkeit der aristotelischen Schriften orientiert. Danach ist die *logica vetus* (bis ca. 1150) dadurch gekennzeichnet, daß sie von Aristoteles nur *De interpretatione* und die *Kategorien*-Schrift kennt, dazu noch eine Handvoll Werke weiterer Autoren, v. a. die Aristoteles- und Porphyrius-Komm. des Boethius (ca. 480–524), deren durchgängige Beachtung sich allerdings erst im 10. Jh. etabliert. In der *logica nova* (ca. 1150–1250) werden, neben *Metaphysik* und den naturwiss. Schriften, die restlichen Teile des *Organons* rezipiert: zunächst *Erste Analytik, Topik* und *Sophistische Widerlegungen*, später, im 13. Jh., auch die *Zweite Analytik*. Die *logica moderna/modernorum* schließlich (ab ca. 1250) zeichnet sich dadurch aus, daß sie – unter Wahrung des Bestandes, der jetzt *logica antiqua* heißt – erstmals die Grenzen der aristotelisch-boethischen Trad. überschreitet, was u. a. zum spätscholastischen Wegestreit zwischen *via antiqua/via moderna* führt [23, Kap. 4; 30, Kap. 1].

Hat diese Einteilung auch eine gewisse Berechtigung hinsichtlich der Rezeptionsgeschichte der ant. L., so wird sie dem inneren Entwicklungsgang der L. im MA nicht gerecht. Eher schon eignet sich die übliche Periodisierung nach Phasen der Scholastik, wenn sie auf dem Hintergrund theologisch-philos. Diskussionen der Zeit und polit.-sozialer Veränderungen gelesen wird [14]; hierzu einige Schlaglichter [23, 5–18; 34, Kap. 6]. Während der Vorscholastik (bis ca. 1100) [10, Kap. 7; 30, Kap. 2] dient das logische Instrumentarium zunächst dazu, die Hegemonieansprüche des neu erwachten Westens nach innen durchzusetzen (Bildungsreform, Führungselite) wie auch nach außen theoretisch anspruchsvoll zu formulieren (Ostrom, *Libri Carolini*). Nachdem das 10. Jh. – weithin ein *saeculum obscurum* – durchgestanden ist, verbessern Sicherung der Außengrenzen wie ökonomischer Aufschwung die Forsch.-Bedingungen, so daß eine endgültige Aneignung des Textkanons der *logica vetus* und der ant. Gramm.-Theorie möglich werden. Diese Arbeit findet ihren Höhepunkt in Gestalten eines Anselm von Canterbury (1033/34–1109), der die Existenz Gottes (›aliquid, quo nihil maius cogitari possit‹/›etwas, über das hinaus nichts Größeres gedacht werden kann‹) logisch zu beweisen sucht, oder eines Berengar von Tours (ca. 1000–1088), der die offizielle Abendmahlslehre von der – ab 1215 so genannten – Transsubstantiation als logisch unhaltbar zurückweist (es ist unmöglich, daß die Brotakzidentien der Hostie ohne Brotsubstanz als ihrem Träger an einem Ort sind). Anselms *sola ratione*-Programm und Berengars

Hochschätzung der L. (wer sich stets der Vernunft und L. bedient, erneuert damit täglich seine Gottesebenbildlichkeit – so verbindet er die kirchliche *imago dei*-Lehre mit Augustins Definition der L. als *ars artium* und der paulinischen *renovatio de die in diem*) finden sich umgesetzt in der Frühscholastik (ca. 1100–1240) [10, Kap. 8; 30, Kap. 3]. Ihr charakteristischer Anspruch ist es, die christl. Dogmen rein vernünftig, und d. h. auch mittels L., begründen zu wollen. Peter Abaelard (1079–1142) berichtet, seine Studenten hätten dies – Einsicht durch philos. Gründe statt leerer Worte – von ihm verlangt, und sein Werk *Sic et non* (um 1120) bezeichnet gleichsam eine Wasserscheide: Die Methode eines vergleichenden Prüfens löst das bloße Autoritätsargument ab, und das rationale Abwägen von Trad. und Vernunftgründen – also die sprichwörtlich scholastische Methode eines streng-logischen »Für und Wider« der *quaestiones*- und Sentenzenlit. – etabliert sich in all jener Subtilität, deren Vermittlung oftmals inkohärenter Auffassungen bedarf [18]. In diesen Zeitraum fällt auch die Ausarbeitung der Suppositionslehre (siehe unten). Die Hochscholastik (ca. 1240–1300) [30, Kap. 4] muß die christl. Lehren nicht nur mit den naturwiss. Schriften inklusive der *Metaphysik* des Aristoteles zu versöhnen, sondern auch in Abwehr von hochentwickelten Positionen arab. Denker zu begründen suchen. Zusätzlich ändert sich das innenpolit. Terrain durch den Auszug der Gelehrsamkeit aus Kloster- und Domschulen in die neugegründeten *universitates magistrorum et scholarium* und die mit ihnen eng verbundenen Orden wie Franziskaner und Dominikaner; als Veranschaulichung der Lage kann die sog. »Verurteilung von 1277« dienen [15]. Diese Entwicklungen erreichen in den großen *Summae* des 13. Jh., etwa des Thomas v. Aquin (1224–1274), ihren Höhepunkt, doch ist die vorherrschende metaphysisch-ontologische Grundorientierung einer formalen L.-Arbeit eher hinderlich. Die Spätscholastik (ca. 1300–1450) [9; 30, Kap. 5] – die in Form der span. Neuscholastik bis ins 17. Jh. hineinreicht und etwa durch F. Suárez (1548–1617) noch auf G. W. Leibniz (1646–1716) wirkt – bringt die endgültige Ausformulierung der Konsequenzenlehre (siehe unten) und im Anschluß an Wilhelm von Ockham (ca. 1285–1348) noch einmal eine radikale Umformulierung der ma. L. hervor, bevor sie ihre neue Heimat außerhalb der spätscholastischen Lehranstalten findet, dort, wo auch sonst die Neuerungen zu Hause sind: In den reichen Handelsstädten muß sie rhet., in der neuen Naturwiss. induktiv werden [23, Kap. 42–44; 34, Kap. 6].

Die Suppositionslehre (kurz: SL) wie sie sich klass. erstmals um 1230 bei Petrus Hispanus (ca. 1203–1277) und William von Shyreswood (ca. 1205–1277) zusammengestellt findet, reicht mit ihren Wurzeln wohl bis ins 11. Jh. und seinen Auslegungsproblemen autoritativer Texte zurück. Ihrer Entwicklung liegt als entscheidende Einsicht ›the »contextual approach« of language‹ (de Rijk) zugrunde: Der Satz im Ganzen bestimmt, was seine Glieder bezeichnen. Dies führt zu einer höchst differenzierten semantischen Untersuchung der Eigenschaften einzelner Satzglieder als Funktion ihrer syntaktischen Stellung (*proprietaties terminorum*)[11]. Nach dem Vorbild der ant. L. gelingt es diesen *terministi*, auch hier eine Reihe von logischen Regeln anzugeben, die es erlauben, die Suppositionsart eines Satzgliedes festzustellen und auszuwerten. Durch die ontologische Orientierung der Hochscholastik unterbrochen, erlebt die SL in der Spätscholastik eine neue Blüte. Manche Logiker entwickeln aus der SL heraus eine Theorie der Quantifikation des Prädikats – auf deren »Entdeckung« W. Hamilton (1788–1856) später so stolz sein sollte – und führen dazu Operatoren ein, die zum Teil die mod. Quantoren-L. antizipieren. In den Händen Ockhams und seiner Nachfolger dagegen nähert sich die SL einer Art Transformationsgramm. im Sinne N. Chomskys, die weit in die Gramm.-Theorie der nachfolgenden Jh. ausstrahlt [9; 23, Kap. 7, 9, 44, 48; 31; 32].

Die Konsequenzenlehre (kurz: KL) behandelt gültige Schlüsse, die sich nicht auf die traditionelle syllogistische Form bringen lassen. Hierunter fallen »direkte Schlüsse« aus nur einer Prämisse, »oblique Schlüsse«, in denen das Satzsubjekt nicht im Nominativ steht (›Wer einen Kreis zeichnet, zeichnet eine Figur‹), und v.a. die aussagenlogisch gültigen Schlüsse, also eine Wiederentdeckung des durch die stoische L. Geleisteten. Der Ursprung der KL ist verwickelt und nicht hinreichend geklärt. Während ein Teil ihres Materials bereits früher unter verschiedenen Themen, aber niemals explizit als Schluß behandelt worden war, so scheinen wichtige Anstöße zu ihrer Ausformulierung die Beschäftigung mit der *Topik* des Aristoteles und ein Kodifizierungsbedürfnis logischer Disputationsregeln gewesen zu sein [19]. Das früheste erhaltene Zeugnis der KL ist *De consequentiis* (ca. 1302) von Walter Burley (ca. 1275–1345) und findet sich nachfolgend viel behandelt. Hierbei kommen manche Autoren der mod. Zugangsweise sehr nahe, wenn sie die KL der eigentlichen Syllogistik gegenüber als vorrangig behandeln [8; 9; 23, Kap. 14f.; 37].

Über SL und KL hinaus leistet das MA viele weitere eigenständige Beiträge zur Fortbildung der ant. L.: Die Modal-L. führt die bis h. grundlegende Unterscheidung nach *de re/de dicto* ein; die Zeit-L. befaßt sich u.a. mit Problemen göttl. Vorherwissens (*futura contingentia*); Fehlschlüsse (*fallacia*) und semantische Paradoxien (*insolubilia*) werden systematisch untersucht; diverse Traktate beinhalten logisch-semantische Studien zu spezifischen Worten/Wortklassen (etwa: *syncategoremata*); die *sophismata*-Literatur nutzt enigmatische logische »Puzzle« teils in didaktischer, teils in systematischer Absicht [13]; Abh. namens *de obligationibus* kodifizieren die Diskussionsregeln der logischen Grundausbildung [20] – und vieles andere mehr [2; 8; 9; 23, Kap. 7–18; 24; 25; 27; 31; 39].

Doch weder ihre vielen kleinen noch ihre großen Leistungen überleben das MA. Selbst konzentrierte Wiederaufnahmen, etwa der KL bei J. Jungius (1587–1657) oder der SL bei G. Saccheri (1667–1733), bleiben

ohne große Breitenwirkung; das soziale und geistige Umfeld hat sich zu sehr verändert. Erst das 20. Jh. konnte die ma. Leistungen wieder würdigen. Im Anschluß an die Schaffung einer eigenen Modal-L. (»Kripke-Semantik«) fand man eine sichere Basis, von wo aus man sich den alten Texten zur Modal- und Zeit-L. verstehend-rekonstruierend nähern konnte. Darauf aufbauend werden die *counterfactuals* der mod. Sprachphilos., gleich der ma. *sophismata*, systematisch zur Theorieentwicklung genutzt, und auch die Analyse von Paradoxien wurde in der mod. L. erneut zu einem methodischen Dreh- und Angelpunkt. In der (teilweise erfolgten) Voranstellung der Aussagen-L. durch die KL erkannte man den eigenen Aufbau der L. nach Junktoren- und Quantoren-L. wieder, und auch zur SL wurde eine Verwandtschaft spürbar, weil sie sich – gleich der *ordinary language/Oxford philosophy* – im Spannungsfeld von formaler L., rationaler Gramm.-Theorie und einer Analyse der Gebrauchssprache entwickeln und behaupten mußte.

C. Renaissance und Humanismus

Die Tradierung der ant. L. und ihre Fortentwicklung durch das MA wurde nicht etwa abgelöst oder gar widerlegt durch bessere Theorien; ganz im Gegenteil hat keine Zeit außer dem 20. Jh. jemals wieder die Strenge, Höhe und Vielfalt der scholastischen L. erreicht. Ihr zunehmendes Siechtum durch die nachfolgenden Jh. hindurch hatte einen anderen Grund: wachsendes Desinteresse.

Parallel zum Ausgang des MA entwickelt sich die sozio-kulturelle Bewegung der Ren. und des Human., wie sie v.a. von it. Stadtstaaten nach ganz Europa ausstrahlt. Die gewandelten Bedürfnisse des privaten und beruflichen Alltags, die Verfeinerung des lit.-ästhetischen Geschmacks, eine herausgehobene Stellung des »Ich« gegenüber der Welt und dergleichen mehr, wie sie mit dem Reichtum der Handelsstädte einhergeht, führt zu einem entsetzten Abwenden von der autoritätshörigen, stets textgebunden verfahrenden, in »barbarischem« Lat. schreibenden Scholastik und zur Hinwendung zu den Klassikern der griech. und lat. Ant. So wird insbes. Cicero auf den Thron maßgeblicher Latinität gehoben, und entsprechend wird Eloquenz zu einem Hauptideal der Gebildeten [34, Kap. 1–5]. Für die L. hat dies zur Folge, daß sie eine Phase der »Rhetorisierung« erlebt: Statt aus toten Texten notwendige Wahrheiten zu pressen, soll sie lieber im Streit vor Gericht glänzende und persuasive Argumente beibringen und den Gegner rhetor. in Schach halten helfen (›ad victoriam plus quam probatio‹). An die Stelle des nackten muß der ›syllogismus ornatus‹ treten, der außer die kognitiven Fähigkeiten anzusprechen auch die ethischen und pathetischen Momente im Menschen freizusetzen fähig ist (›delectare etiam ac movere‹). So formuliert es die *Repastinatio dialecticae et philosophiae* (1439) des L. Valla (1407–1457) und will dazu in scharfer Kritik des Aristoteles und der Scholastik den Boden bereiten. An die Stelle einer deduktiv am Syllogismus ausgerichteten Theorie tritt als Aufgabe der L. in den Vordergrund, eine Lehre von der *inventio* zu entwickeln, d. h. des methodengeleiteten Auffindens eines konsensual wahrheitsfähigen Arguments aus weithin akzeptierten Allgemeinplätzen (*tópoi, loci*) im Sinne der *Topik* des Aristoteles – allerdings in ihrer ciceronisch verfeinerten Form. Die Betonung der *inventio* ist ein Hauptmerkmal dieser vorneuzeitlichen L. und wird, nach der einflußreichen *De inventione dialectica* (1479, publ. 1515) des R. Agricola (1444–1480) insbes. durch P. Ramus (1515–1572), etwa in seiner *Dialectique* (1555), programmatisch fortgeschrieben zu einer allg., teils dezidiert anwendungsorientierten, wiss. Vorgehensweise, womit sie die neuzeitliche Methodenlehre der Einzelwiss. – aus der sich im 19. Jh. die mod. Wiss.-Theorie entwickeln wird – vorbereiten hilft. Ramus bzw. seinem platonischen Einfluß verdanken wir darüber hinaus die Technik, Lehrstoffe oder Wissensgebiete durch Graphiken möglichst übersichtlich darzustellen. Sind mit *Rhetorilogik* und *inventio* auch zwei Schlagwörter benannt, die helfen, die Differenz zur Scholastik deutlich zu machen, so darf dies über zweierlei nicht hinwegtäuschen. Erstens gibt es in der L. der Zeit einen unübersichtlichen, weil vielfältigen Trad. verhafteten Eklektizismus, der auch die folgenden Jh. maßgeblich durchziehen wird. Zweitens wird ein Rumpfbestand an syllogistischer Theorie kontinuierlich gelehrt, selbst wenn es bloß dem Umstand zu danken ist, daß der Unterricht nun einmal auf vorhandenes Lehrbuchmaterial zurückgreifen muß [17; 26; 32; 34, Kap. 7].

D. Neuzeit

Im Anschluß an die Erneuerung eigenständiger naturwiss. Forschungen im Hochmittelalter – Robert Grosseteste (1168–1253), Roger Bacon (ca. 1216–1292), die *Merton School / Oxford Calculators* des 14. Jh. – und im Klima des Ren.-Ideals einer *vita activa*, die sich durch Wissen und Handeln der äußeren Natur zu bemächtigen sucht – programmatisch der ma. *vita contemplativa* entgegengesetzt –, entwickeln sich mit der Galionsfigur G. Galilei (1564–1642) um 1600 die Anfänge der mod. Naturwiss., welche in I. Newton (1642–1727) früh einen Gipfelpunkt erreicht.

Philosophen wie R. Descartes (1596–1650) und F. Bacon (1561–1626), die, grob gesprochen, am Anfang des kontinentalen Rationalismus und des britischen Empirismus als den zwei Hauptlinien der neuzeitlichen Philos. stehen, suchen nach einer neuen Methode für diese neue Wiss., denn beide denken schlecht über die traditionelle L. Auf dem Hintergrund der von der vorneuzeitlichen L. herausgestrichenen Bedeutung der *inventio* für die L. konfrontieren sie konkret den Anspruch der Syllogistik, aus Prämissen heraus etwas Neues zu beweisen, mit dem Neuen der neuen Physik und schließen ganz richtig, daß man mittels Syllogistik niemals auf diese neuen Einsichten hätte kommen können. Doch der Skopus ihrer Kritik differiert: Während Descartes die Abkehr von der traditionellen L. propagiert, da sie das *lumen naturale* des gesunden Menschenverstandes (*le bon sens*) nur verdunkele, meint Bacon, es helfe die beste

L. nichts, wenn sie in ihren Prämissen lauter korrumpierte Begriffe vorfindet (›in notionibus nil sani est‹). Entsprechend verschieden fallen ihre Methoden aus, die sie an Stelle der überkommen L. setzen wollen. Descartes' Methodenideal der *Regulae* (1628, publ. 1701) oder des *Discours de la méthode* (1637) beschreibt den theoretischen Physiker, der seine Intuition durch viel Mathematiktreiben schärft und durch ein methodisch vorgehendes Nachdenken zu klaren und deutlichen Einsichten kommt. Bacon dagegen wird durch sein *Novum Organon* (1620) der Vater des naturkundliche Zeugnisse sammelnden und experimentell vorgehenden Naturforschers. Damit bleibt der L. die Wahl, in cartesischer Manier hinter eine geschulte Intuition ins zweite Glied zu treten oder sich in Fortführung der Ideen Bacons zu einer induktiven L., die aus Einzelbeobachtungen auf allgemeine Gesetze zu schließen hilft, weiterzuentwickeln. Und obwohl man die logische Arbeit der Neuzeit kaum richtig einschätzen kann, ohne sich vor Augen zu halten, daß sie vor dem Hintergrund von Mathematik und Physik als philos. Leitdisziplinen steht, findet sich keine dieser Alternativen in einer langfristigen Forschungstrad. ernsthaft eingelöst. Was bleibt, ist die Geringschätzung der traditionellen L.: Aus der wichtigsten Grunddisziplin des Triviums wird etwas mehr oder minder Triviales.

Statt also die formale L. weiterzuentwickeln, wendet sich die logische Forschung bis zum Anfang des 20. Jh. vornehmlich der Aufgabe zu, die Konzeptionen von Begriff und Urteil zu vertiefen; eine Entwicklung, die sich vielfach (unzutreffend?) als »Psychologismus« charakterisiert findet. Ein Ausgangspunkt dieser Trad. wird durch *La logique ou l'art de penser* (1662) von A. Arnauld (1612–1694) bezeichnet, einen ungefähren Endpunkt bilden die Bemühungen E. Husserls (1859–1938) um eine phänomenologische Begründung der L. Grob läßt sich sagen, daß in vorkantischer Zeit die Begriffslehre im Vordergrund steht – so bei J. Locke (1632–1704) oder J. H. Lambert (1728–1777), später u.a. bei H. Lotze (1817–1881) und J. S. Mill (1806–1873). Danach findet auch die Urteilstheorie wieder verstärkt Beachtung – etwa bei C. Sigwart (1830–1905), F. Brentano (1838–1917) und J. v. Kries (1853–1928). Die logischen Leistungen der Ant. finden erst im Anschluß an die Arbeiten eines F. Trendelenburg (1802–1872) und H. Steinthal (1823–1899) wieder eine wiss. spürbare Würdigung. Doch können selbst Neo-Aristotelismus und Neo-Thomismus keine dauerhafte Renaissance der traditionellen L. bewirken.

Die Schlußlehre dagegen erfährt hin und wieder auch den Versuch einer formalen Neubehandlung. Vor dem Hintegund human. Mathematikbegeisterung erneuern Denker wie B. Spinoza (1632–1677) das axiomatisch-deduktive Methodenideal des *mos geometricus*, und Leibniz verteidigt gegen Locke den unverzichtbaren Nutzen der Syllogistik. Aber selbst wenn er damit C. Wolff (1679–1754) überzeugt, und seine Ansichten über ihn Schule machen, so arbeitet er selbst doch insgeheim an einer grundlegenden Reform der traditionellen L., damit sie endlich eine wahrhafte *ars inveniendi* wird. Allerdings kommen Leibniz' Ideen nicht über das Projektstadium hinaus, und erst rückblickend und in Kenntnis seines Nachlasses fing man im 19. Jh. an, in ihm den Ahnherrn einer neuen L. zu sehen. Und diejenigen, die, wie G. Ploucquet (1716–1790), Lambert u. a., in seinem Sinne an einem *logischen Calcul* arbeiten, erreichen kaum mehr als eine neue Darstellungsweise der traditionellen Syllogistik. Der neuzeitlichen Idee einer *mathesis universalis* [33, Kap. 2], die mit symbolischen Methoden den Operationskreis der traditionellen L. wirklich erweitert – als Paradigma hierfür nennt Descartes seine analytische Geometrie, Leibniz die Infinitesimalrechnung – wird erfolgreich zunächst nur im Bereich der Mathematik nachgegangen. Ihr früher Protagonist ist J. Wallis (1616–1703), der damit am Anfang einer britischen Vorreiterrolle in der Verwendung abstrakter Methoden in L. und Mathematik steht [5; 29; 32; 36; 46].

Der schlechte Allgemeinzustand der traditionellen L. in der Neuzeit wird schlaglichtartig deutlich, wenn ein eminenter Denker wie I. Kant (1724–1804) sie bezichtigt, seit Aristoteles weder einen Schritt vorwärts noch rückwärts gemacht zu haben. Die Feststellung ist zwar als Lob ihrer früh vollendeten Wissenschaftlichkeit gedacht, macht aber deutlich, daß ihre bewegte Geschichte – Stoiker gegen Peripatetiker und gegen beide die Skepsis, das 800-jährige Ringen der ma. Denker um das rechte Verständnis der L. samt ihren eigenen logischen Leistungen, die teilweise Rhetorisierung der L. im Übergang zur Neuzeit, schließlich die Forderung ihrer inventiven bzw. induktiven Umgestaltung – schon lange nicht mehr wahrgenommen wird.

E. 19. JAHRHUNDERT

Die Britische L. fällt bis zum 19. Jh. in einen Dornröschenschlaf, aus welchem sie erst die *Logic* (1826) des R. Whately (1787–1863) weckt. Der darauf folgende Aufbruch zeitigt zwar nachhaltige Wirkung, doch spielt die traditionelle L. darin nur noch eine untergeordnete Rolle. Zum einen ist Mill zu nennen, der in seiner *Logic* (1843) die induktive L. zu einer ersten Blüte führt und damit das alte Bacon-Programm erneuert. Zwar benutzt er die traditionelle L. als Medium seiner Darstellung, doch ist Mill auch sehr deutlich, was ihr Ungenügen, v. a. als eine »L. der Forschung« zu figurieren, angeht. Gleiches gilt von der Wiss.theorie des 20. Jh., die das Bacon-Mill-Programm einer induktiven L., aufgefaßt als Theorie wiss. Evidenz und Hypothesenbildung, -verwerfung und -akzeptanz, weiterführt; auch ihre beiden Hauptvertreter, Bayesianismus und Statistik, haben sich radikal von der traditionellen L. verabschiedet. Zum anderen eröffnet im Anschluß an die britische algebraische Tradition G. Boole (1815–1864) die neue Perspektive einer *Mathematical analysis of logic* (1847), was zur »Algebra der L.« des 19. und frühen 20. Jh. führt und ein speisender Zufluß der mod. L. wird. Doch auch hier gilt, daß die traditionelle L. nur noch als ein Spezialfall in einem ihr fremden Formalismus Platz findet. Diesen

Ansatz erweitert Boole um eine probabilistische L., welche die Wahrscheinlichkeitstheorie in seine mathematische Analyse der *Laws of thought* (1854) miteinbezieht, wodurch auch die dialektischen bzw. topischen Schlüsse der traditionellen L. eine völlige Transformation erfahren. In weiterentwickelter Weise spielen heutzutage solche mathematischen Modellierungen (Bayesianismus, Entscheidungstheorie, Spieltheorie) in der wiss.- und erkenntnistheoretischen Diskussion eine bedeutende Rolle.

Innerhalb des kontinentalen Rationalismus bringt Kants kritische Philos. erstmals wieder Bewegung in die L. Er ist der erste, der jede Erwiderung auf die skeptische Erkenntniskritik des D. Hume (1711–1776) explizit als logische Aufgabe begreift. Zwar setzt sich Kants eigene Antwort einer transzendentalen L. (und Ästhetik), in der sich die Kategorien und Schlußformen der traditionellen L. erkenntniskonstitutiv umgedeutet finden, nicht durch, aber sein neues Paradigma – daß die L. erkenntnistheoretisch aufgeladen werden muß – ist der Beginn einer Dynamik, an deren Ende u. a. die mod. L. und Wissenschaftstheorie stehen werden. Doch zunächst wird diese Forderung im dt. Idealismus aufgegriffen, wo z. B. G. F. W. Hegel (1770–1831) die traditionelle L. so sehr mit Ontologie und Geistmetaphysik verquickt, daß sie zu einer spekulativen Philos. gerät. Nachdem jedoch mit dem dt. Idealismus und der ihn tragenden Romantik eine Epoche zu Ende geht, folgt ein philos. Vakuum, in dem sich verschiedene Ansätze frei artikulieren können. Für die weitere Entwicklung der L. werden dabei v. a. folgende Aspekte wichtig: Im Anschluß an Lotze argumentiert der Neukantianismus dafür, daß es die L. allein mit der Untersuchung von Gültigkeitsbedingungen für Aussagen und Schlüsse zu tun hat; die Sprachwiss. untergräbt in den Händen Steinthals die traditionelle Nähe von logischer und gramm. Form und bestreitet den logisch fundamentalen Charakter der traditionellen Urteilsform »A ist B«; die traditionelle Begriffslehre schließlich (Begriff als Summe seiner Merkmale) wird problematisiert und so in Aporien verstrickt, daß sie unhaltbar erscheint. Dieser Revisionsbedarf an den Fundamenten der traditionellen L. erhält zusätzliche Schubkraft durch grundlagenorientiert arbeitende Mathematiker im letzten Drittel des Jh. Hierzu zählen R. Dedekind (1831–1916), der Arithmetik und Analysis auf eine sichere logische Basis stellen will, G. Cantor (1845–1918), dessen Mengenlehre letztlich zu einer mathematischen Theorie mathematischer Begriffe avanciert, und G. Peano (1858–1932), der eine neue Formelsprache vorschlägt, um die logischen Verhältnisse mathematischer Aussagen prägnant auszudrücken. Unabhängig, wenn auch nicht unbeeinflußt, steht in diesem Kontext G. Frege (1848–1925).

Gilt Aristoteles als der Begründer der (traditionellen) L., so steht Frege mit seiner *Begriffsschrift* (1879) samt Folgeaufsätzen neben ihm als Begründer der mod. L. Mit einer neuartigen Begriffslehre, die – wie die ma. Suppositionslehre einem Kontextprinzip verpflichtet –

Namen und Begriffe nach einer wahrheitswertrelevanten Bedeutung und einem einsichtsrelevanten Sinn scheidet, mit einer neuartigen Analyse von Sätzen nach dem mathematischen Paradigma von Funktion und Argument statt nach Subjekt und Prädikat, mit einer Aufstellung von logischen Schlußregeln, die sich nicht länger an Subordinationsverhältnissen von Begriffen, sondern an satzbildenden Operatoren wie »und« (Junktoren) oder »für alle x gilt« (Quantoren) orientiert, gelingt ihm die Ausarbeitung einer neuen L., die die traditionelle L. wie die wesentlichen Neuentwicklungen des 19. Jh. in sich aufnehmen kann, ohne ihren Schwächen verpflichtet zu sein. Kündigt sich damit auch das Ende der traditionellen L. an, bliebe das Bild doch zu unvollständig, würde man erstens nicht vermerken, daß die Gesamtheit der traditionellen L. in der *Wissenschaftslehre* (1837) des B. Bolzano (1781–1848) noch einmal eine ebenso scharfsinnige wie zukunftsweisende Bearbeitung erhält, und würde man zweitens nicht noch einen Blick auf die weitere Entwicklung werfen [1; 3; 29; 40].

F. 20. JAHRHUNDERT

Am Anf. des 20. Jh. steht zum einen die erste große Summe der neuen formalen L. im Anschluß an Boole, Frege, Peano u. a., die monumentalen *Principia mathematica* (1910–13) von A. N. Whitehead (1861–1947) und B. Russell (1872–1970), zum anderen die Einsicht, daß diese L. zu Widersprüchen Anlaß gibt, wenn sie unkritisch im Gebiet der Mengenlehre angewendet wird (»Paradoxien der Mengenlehre«). Der seinerzeit wohl bedeutendste Mathematiker, D. Hilbert (1864–1943), nutzte angesichts solcher Schwierigkeiten seinen Einfluß erfolgreich dazu, Bearbeiter zur »Rettung« der mod. L. und ihrer strengen Weiterentwicklung zu gewinnen. So beginnt die mod. formale L. in den 20er J. ihre heutige Gestalt als mathematische L. anzunehmen, die sie gegen Ende der 50er J. erreicht. Sie unterteilt sich in *Beweistheorie*, das Studium formalisierter Beweise, in *Modelltheorie*, die das Verhältnis von formalen Sprachen und ihren Modellen untersucht, in *Rekursionstheorie* als Theorie berechenbarer Funktionen und die *axiomatische Mengenlehre*. Zu ihren brillanten Pionieren gehören K. Gödel (1906–1978), A. Tarski (1901–1983) und A. Turing (1912–1954); zu ihren frühen Glanzleistungen zählen die sog. limitativen Theoreme aus den Jahren 1931–36. Diese Resultate zeigten mit mathematischer Präzision, daß viele Axiomensysteme korrekt nicht vollständig formalisiert werden können (wenn nur wahre Sätze formal beweisbar sind, sind manche formal unbeweisbar), und daß man die Widerspruchsfreiheit der Mathematik als Ganzes nicht nachweisen kann (1. und 2. Gödelscher Unvollständigkeitssatz); ferner, daß die logische Gültigkeit einer beliebigen Folgerung nicht mit einem allg. mechanischen Verfahren feststellbar und daß Wahrheit oftmals nicht definierbar sein kann (Unentscheidbarkeitssatz von Church/Post/Turing bzw. Undefinierbarkeitssatz von Gödel/Tarski). Kurz: Kreativität ist mit logischen Regeln nicht zu erschöpfen, und

der Traum von einer *mathesis universalis* ist ausgeträumt. Auf dem Fundament dieser mod. mathematischen L. wurden und werden vielfache »Spezial-Logiken« errichtet. Des weiteren ergaben sich sowohl innerhalb der Mathematik und Philos. wie auch zur theoretischen Linguistik und Informatik vielfältige Querverbindungen. Sie alle nutzen das Instrumentarium der mod. L. oder entwickeln es für ihre spezifischen Bedürfnisse weiter. Die L. steht h. als eine weltweit florierende »Industrie« dar, mit Berufsverbänden, unzähligen eigenen Zeitschriften und Buchreihen [1; 3; 6; 16].

Doch soll trotz aller Erfolge zweierlei nicht verschwiegen werden. Erstens gibt sie in vielen Fällen nur ein formales Prokrustesbett ab, d. h. auch sie wird sich – wie bisher – weiterentwickeln müssen. Zweitens besteht trotz ihrer glänzenden Erfolgsgeschichte erheblicher Klärungsbedarf bezüglich ihrer nicht-formalen Grundlagen – was, etwa, ist ein Begriff? Dies ist auch zugleich der einzige Kontext, in dem die traditionelle L. noch eine gewisse Rolle spielt und vereinzelt sogar als Alternative genannt wird [38].

So hat die traditionelle für die mod. L. keinen eigenständigen systematischen Wert mehr, aber ihr histor. Wert ist gestiegen. Denn mit dem hohen Stellenwert der mod. L. setzte auch ein neues Interesse an ihrer Geschichte ein. Der mod. L. ist es demnach nicht nur zu verdanken, daß wir heutzutage über die Geschichte der traditionellen L. und ihre Hauptgestalten besser informiert sind als jemals zuvor, sondern auch, daß wir vermittels der mod. Instrumentariums ihre problematisch oder dunkel scheinenden Teile besser zu erforschen und besser zu verstehen scheinen als jemals zuvor (dazu kritisch [21]).

→ AWI Logik

QU **1** L. BERKA, L. KREISER (Hrsg.), L.-Texte. Komm. Auswahl zur Gesch. der mod. L., ⁴1983 **2** N. KRETZMANN, E. STUMP (Hrsg.), Translations of medieval philosophical texts. Vol. 1: Logic and philosophy of language, 1988 **3** J. VAN HEIJENOORT (Hrsg.), From Frege to Gödel. A source book in mathematical logic, 1967

LIT **4** A. H. ARMSTRONG (Hrsg.), Cambridge history of late greek and early medieval philosophy, 1967 **5** H. W. ARNDT, Methodo scientifica pertractum ... 17. und 18. Jh., 1971 **6** J. BARWISE (Hrsg.), Handbook of mathematical logic, 1977 **7** J. M. BOCHENSKI, Formale L., ⁴1978 (engl. 1961) **8** I. BOH, Epistemic logic in the later middle ages, 1993 **9** A. BROADIE, Introduction to medieval logic, ²1993 **10** P. DRONKE (Hrsg.), A history of twelfth-century western philosophy, 1988 **11** C. A. DUFOUR, Die Lehre der Proprietaties Terminorum, 1989 **12** A. DUMITRIU, History of logic (4 Bde.), 1977 (rum. 1969) **13** S. EBBESEN, Commentators ... on Sophistici Elenchi (3 Bde.), 1981 **14** K. FLASCH, Das philos. Denken im MA, 1986 **15** Ders., Aufklärung im MA? Die Verurteilung von 1277, 1989 **16** D. GABBAY, F. GUENTHNER (Hrsg.), Handbook of philosophical logic (4 Bde.), 1983–1989 **17** N. W. GILBERT, Renaissance concepts of method, 1963 **18** M. GRABMANN, Die Gesch. der scholastischen Methode (2 Bde.), ³1988 **19** N. J. GREEN-PEDERSEN, Tradition of the topics in the middle ages, 1984 **20** K. JACOBI, Argumentationstheorie. Scholastische Forschungen, 1993 **21** G. JACOBY, Die Ansprüche der Logistiker auf die L., 1962 **22** W. & M. KNEALE, Development of logic, ²1984 **23** N. KRETZMANN et al. (Hrsg.), Cambridge history of later medieval and early rennaissance philosophy, 1982 **24** N. & B. E. KRETZMANN, The sophismata of Richard Kilvington, 1990 **25** S. KNUUTTILA, Modalities in medieval philosophy, 1993 **26** P. MACK, Renaissance argument. Valla and Agricola, 1993 **27** A. MAIERÙ, Terminologia logica della tarda scholastica, 1972 **28** Ders., University training in medieval Europe, 1994 **29** V. PECKHAUS, L., Mathesis universalis und allg. Wiss., 1996 **30** J. PINBORG, L. und Semantik im MA, 1972 **31** L. M. DE RIJK, Logica modernorum (2 in 3 Bde.), 1962–67 **32** W. RISSE, L. der Neuzeit (2 Bde), 1964–70 **33** C. SASAKI, Descartes' mathematical thought (Ph.D., Princeton), 1988 **34** C. B. SCHMITT et al. (Hrsg.), Cambridge history of renaissance philosophy, 1988 **35** H. SCHOLZ, Gesch. der L., ³1959 **36** H. SCHÜLING, Die Gesch. der axiomatischen Methode im 16. und beginnenden 17. Jh., 1969 **37** F. SCHUPP, Logical problems of the medieval theory of consequences, 1988 **38** F. SOMMERS, The logic of natural language, 1982 **39** E. STUMP, Dialectic and its place in the development of medieval logic, 1989 **40** N. I. STYAZHKIN, History of mathematical logic, 1969 (russ. 1964).   BERND BULDT

London, British Museum

I. KLASSISCHE ANTIKE
II. ÄGYPTISCHE ABTEILUNG
III. VORDERASIATISCHE ABTEILUNG

I. KLASSISCHE ANTIKE

A. GESCHICHTE   B. DAS GEBÄUDE
C. DAS DEPARTMENT OF GREEK AND
ROMAN ANTIQUITIES

A. GESCHICHTE

1. ALLGEMEINES

Das *British Museum* (B. M.) und seine Sammlungen haben unbestritten Weltrang. Es ist ein Objekt-Mus., dessen Ursprung es als Universal-Mus. im Sinne der Aufklärung wie auch als nationale Einrichtung definierte, die wiss. und histor. Museumsbesitztümer der britischen Nation verwaltete. In seiner Geschichte demonstriert es als Institution eine erfolgreiche Vereinigung von wiss. Anspruch und öffentlicher Darbietung, so daß es – unter verschiedenen Vorzeichen – als Vorbild für andere Mus. diente (→ New York, *Metropolitan Mus.*) [13; 33; 18; 49; 44]

2. DIE INSTITUTION

Das B. M. wurde 1753 durch den *British Mus. Act* des Parlaments ins Leben gerufen und öffnete 1759 seine Pforten. Dieses erfolgreiche Gesetz wurde erst 1963 – Abtrennung der Abteilung »Natural History« – und 1973 – Ausgliederung der *British Library* – neu gefaßt, ohne daß die grundsätzlichen Regeln geändert wurden. Denn bereits die Gründungslegislation vereinte drei für die Moderne wesentliche Aspekte eines Mus., nämlich die der weltlichen, nationalen, und öffentlichen Kontrolle. Deshalb wird das B. M. zu Recht als das erste

mod. Mus. bezeichnet. Von Anbeginn war es eine Institution, deren Belange unter Anteilnahme der Öffentlichkeit breit diskutiert wurden [1].

Anstoß der Gründung war der Erwerb der Sammlungen von Sir Hans Sloane (†1753), die dieser in mehr als einem halben Jh. durch Kauf bestehender sowie den Aufbau einer eigenen Sammlung zusammengetragen hatte [41]. Die über 80 000 Objekte umfaßten naturwiss. ebenso wie ant. Artefakte [13; 44]. Ihr Ankauf wurde durch eine öffentliche Lotterie finanziert. Neben der Sammlung Sloane gehören noch die der Familien Cotton und Harley (zahlreiche Hss., u. a. *Beowulf*) zu der Gründungstrias [33. 23]. Außerdem schenkte 1757 Georg II. dem B. M. die *Old Royal Library*, womit eine anhaltende Serie von bed. Stiftungen – Sammlungen wie auch Geldmittel – eingeleitet wurde, die bis zum heutigen Tage andauert. Diese Trad. hat ganz wesentlich zum Wachsen des B. M. beigetragen.

B. DAS GEBÄUDE

Die Architekturgeschichte des B. M. spiegelt die Auseinandersetzungen um Wertschätzung, Geltung und architektonische Bedürfnisse einer stürmisch wachsenden, nationalen wiss. Einrichtung während der vergangenen zweieinhalb Jh. wieder. Am heutigen Gebäude lassen sich inzwischen mehr als zehn Hauptphasen ablesen – von vielen kleineren Änderungen abgesehen –, die vom Klassizismus der nachnapoleonischen Periode bis zur Postmoderne mit der Überdachung des Innenhofs reichen [14]. Die Anpassungen des Gebäudes an die wachsenden Anforderungen der Sammlung sind zahlreich und verwirrend [14. 34], so daß nur wenige von ihnen noch deutlich wahrgenommen werden können. So ist das ursprüngliche *Montague House* 1842 verschwunden [14. 28]. Den Besucher grüßt h. der monumentale Bau im → Greek Revival Stil, der von Sir Robert Smirke von 1823 bis ca. 1850 (ab 1846 Sydney Smirke) errichtet wurde. Die nachhaltig klass. Architektur der Fassade (an der Great Russell Street) aus der Jh.-Mitte läßt leicht vergessen, daß der damals technisch hochmod., gußeisen-konstruierte und dem Pantheon fast gleichgroße Dom [33; 14. 76 (Abb. 52), 27] des berühmten Lesesaals auch bereits 1857 vollendet wurde.

Eine mod. Ergänzung der B. M.-Architektur ist die *Duveen Gallery*, d. h. der Parthenon-Saal, der zwar bereits 1939 fertiggestellt wurde, aber erst 1962 der Öffentlichkeit übergeben werden konnte. Diese Galerie ist ein Paradebeispiel einer für ein einzelnes Großmonument maßgeschneiderten Ausstellungslösung. Die monumentale Wirkung, die durch die Ausrichtung der großräumigen Architektur auf die alleinige Präsentation der klass. Plastik erzielt wird, tritt seit kurzem noch stärker im Raumkontrast mit der neuen hell. Galerie (seit 1995) zu Tage. Diese ist nach dem musealen Prinzip der Kontextdarstellung eingerichtet und präsentiert in ihrer relativen Kleinteiligkeit das Material sehr eindringlich.

Seit der Auslagerung der *British Library* (1997) gehört der Komplex an der Great Russell Street ausschließlich dem B. M. Durch Überdachung des Innenhofes (→ Kopenhagen) wird der ehemalige Lesesaal wirkungsvoll architektonisch integriert und die Nutzfläche erheblich vergrößert [14. 74]. Dies trägt v. a. der immer wichtiger werdenden Besucherbetreuung Rechnung.

C. DAS DEPARTMENT OF GREEK AND
ROMAN ANTIQUITIES

Antiken waren 1753 Teil der Gründungssammlungen. Sie spielten im Laufe der Sammlungsgeschichte des B. M. eine bes. Rolle. So nimmt das *Department of Greek and Roman Antiquities* h. eine herausragende Stellung unter den Antiken-Sammlungen der Welt ein, bes. durch die großen Komplexe originaler griech. Skulpturen [37]. Der erste große Ankauf arch. Artefakte (1772) nach der Eröffnung, die erste Sammlung Sir William Hamiltons (1730–1803), Gesandter der britischen Krone am Hof von Neapel, ist h. allerdings v. a. durch ihre griech. Vasen berühmt [38; 12]. Enthalten waren außerdem Skulpturen und Gemmen, doch spielten diese in der öffentlichen Wahrnehmung eine eher untergeordnete Rolle. Die *Curious stones from Vesuvius*, die ebenfalls erworben wurden, weisen auf Hamilton, den Vulkanologen und Nachfolger der Wunderkammer-Trad. hin [38. 65 ff.]. Hamilton dürfte auch einer der ersten Privatsammler gewesen sein, der seine Sammlung gezielt veröffentlichen ließ, durchaus mit dem Gedanken auf ein besseres Verkaufsergebnis [23].

Ursprünglich waren »klass.« Antiken und die Werke benachbarter Kulturen zusammen in derselben Abteilung untergebracht. So kamen 1802 nach dem Vertrag von Alexandria Antiken aus Ägypten, u. a. der *Rosetta-Stein* (→ II., Abb. 1) in die Abteilung. Diesem folgte 1805 die erste Townley-Sammlung, die 1808 in der neuen *Townley Gallery* im alten B. M.-Gebäude gezeigt wurde. 1814 wurde der zweite Teil angekauft. Mit diesen griech.-röm. Altertümern kam eine alte engl. Privatsammlung aus dem 18. Jh. [13. 106 ff.; 16] in den Besitz des B. M., die noch die Weltsicht aristokratischen und enzyklopädischen Sammelns erkennen ließ. Die *Townley Marbles* stammen als Originalmonumente aus einer völlig anderen Wurzel als die *Elgin Marbles*. Diese stehen für das mod., weltumspannend »zugreifende« *British Empire*. 1807 wurden die Parthenon-Skulpturen (Abb. 1) in London ausgestellt und 1816 vom B. M. erworben [2; 25; 48]. Die Wirkung der Elgin-Erwerbung innerhalb der Geschichte Englands und als internationales Politikum ist einzigartig und hallt bis h. nach [31]. Die Wirkung der *Townley Collection* hingegen wird erst allmählich gewürdigt [38. 102 ff.].

Bereits zwei J. vor den *Elgin Marbles* waren 1814 die Skulpturen von Bassae Phigaleia angekauft worden [15; 32]. Im Laufe der nächsten fünfzig J. erwarb das B. M. u. a. auch größere Skulpturenzusammenhänge aus Lykien (1842 und 1844, Abb. 2) und aus dem Mausoleum in Harlikarnassus sowie aus Knidos (1857–59) [45; 53], die z. T. gezielt durch Beauftragte für London gesucht und erworben wurden. 1865 kamen noch die Skulpturen aus Ephesus hinzu [59].

Abb. 1: Parthenonfries: Männlicher Oberkörper, Attisch, ca. 440 v. Chr.
(British Museum, GR 1840.11–11.5)

Bei dieser Fülle [9] von klass. Material, zu dem parallel ein Strom an Funden aus dem Nahen Osten, u. a. aus Persepolis (1825), Niniveh und Nimrud (1853 ff.) dem B. M. zufloß, wurde eine Aufteilung der allg. Abteilung »Ant.« nach Kulturen unumgänglich. So wurde 1861 die Einrichtung der drei getrennten Abteilungen *Oriental Antiquities*, *Greek and Roman Antiquities* und *Coins and Medals* durchgeführt. Dabei sind gewisse Überlappungen unvermeidlich. In der Abteilung *Coins and Medals* befinden sich die griech. und röm. Mz., deren Bearbeitung seit 1878 (Der erste Bd. der Serie: *Catalogue of Greek Coins. The Seleucid Kings of Syria*) für die gesamte Alt.-Wiss. Standards gesetzt hat. Die ägypt. Abteilung, seit 1955 neben der Abteilung *Western Asiatic Antiquities* selbständig, beherbergt Funde der ptolemäischen und späteren Zeit Ägyptens [10; 50], und die Vorderasiatische Abteilung weist desgleichen zahlreiche Bezugspunkte auf [19].

Die großen klass. Skulpturenkomplexe stehen beispielhaft für die Sammlungstiefe der Abteilung auf fast allen anderen Gebieten der ant. Kunst und Kultur. Das gilt bes. auch für die ant. Keramik [17; 39; 55] von der Bronzezeit bis zur Spätantike. Darunter finden sich ein kykladischer Krug mit fantastischem Greifenkopf (Abb. 3) und eine Genre-Szene mit einem Jungen und seinem Vogelkäfig. In der Kleinkunst wird die umfangreiche Serie der Bronzen vertreten durch eine elegant laufende

Abb. 2: Nereide, Marmor, aus Xanthos, frühes 4. Jh.
(British Museum, Sculpture 912)

Abb. 3: Krug mit Greifenprotomenkopf als Ausguß,
griech.-kykladisch, ca. 675–650 v. Chr.
(British Museum, GR 1873.8–20.385)

weibliche Figur. Porträts (Abb. 4) finden sich aus allen
Gebieten: Griech., wie der Kopf des Perikles [11], aber
auch röm. Kaiser, die teilweise auch auf Gemmen zu
bewundern sind. Für ant. Goldschmuck haben die Arbeiten von F. H. Marshall bereits am Anfang des 20. Jh.
Maßstäbe gesetzt [42; 43], die h. fortgesetzt werden [57;
58]. Auch die etr. Arch. [26; 27] ist reich bestückt, genauso wie die röm. Skulptur [34; 52.; 30].

In der Kleinkunst und der ant. Gebrauchsarch. belegen u. a. Glas [24] und Bernstein [51] deren Geschichte. Gemmen [20; 40] illustrieren die Miniaturkunst im
Dienste der Aristokraten und reicher Bürger. Die Geschichte des ant. häuslichen Beleuchtungswesens kann
durch die Sammlung ant. Lampen erhellt werden [3; 4;
5; 6; 7]. Neben dem Louvre besitzt das B. M. eine der
wichtigen ant. Terrakottensammlungen [28; 29], deren
Publikation, wie auch die der Lampen, eine weit-
genutzte Standardreferenz darstellt.

Nur eine Auswahl aus diesem gewaltigen Inventar
kann gezeigt werden. Dies geschieht v. a. durch kon-
textorientierte Ausstellungen, in denen neben kunstgeschichtlichen Aspekten die Funktion und Bed. der
Gegenstände nach mod. musealen Gesichtspunkten
verständlich gemacht werden [47]. Dazu dienen insbes.
sog. *Life Rooms*, deren Konzeption vielfach erörtert
wurde [22; 35; 36]. Um den Museumsbesuch zu vertie-

fen, hält das B. M. seit langem [46] für seine Besucher
eine große Zahl an präzisen, handlichen Führern bereit,
die regelmäßig auf den neuesten Stand gebracht werden. Zur Pflege seiner Bestände dient dem B. M. das
1922 eingerichtete Forschungslabor, das sich zu einer
international bekannten Einrichtung entwickelt hat
[54]. Das Labor hat in gewisser Weise auch als Anregung
für die Errichtung des Getty Restoration Institute gedient (→ Getty Museum). Neben der allg. Museumsarbeit hat in letzter Zeit die Aufarbeitung von Altbestän-
den und Fundkomplexen erhöhte Aufmerksamkeit erfahren [8]. Das B. M. ist im Internet zu erreichen unter
http://www.thebritishmuseum.ac.uk.

1 Accounts, estimate, and number of persons admitted, s.n.,
1827. Pamphlet, Lilly Rare Books Library, Bloomington,
Indiana 2 B. Ashmole, A short guide to the sculptures of the
Parthenon in the B. M. Elgin Collection, 1956 3 D. M.
Bailey, Greek and Roman pottery lamps, 1963 4 Ders.,
A catalogue of the lamps in the B. M. 1. Greek, Hellenistic,
and early Roman pottery lamps, 1975 5 Ders., Roman
lamps made in Italy, 1980 6 Ders., Roman provincial lamps,
1988 7 Ders., W. E. H. Cockle, D. R. Hook, Lamps of
metal and stone, and lampstands, 1996 8 R. D. Barnett
(Hrsg.), Tharros. A catalogue of material in the B. M. from
Phoenician and other tombs at Tharros, Sardinia, 1987
9 W. Blanchard Jerrold, How to see the B. M. in four

Abb. 4: Porträt des Antistius Sarculo und seiner Frau (und früheren Sklavin) Antistia Plutia, Marmorrelief, römisch, ca. 30–10 v. Chr. (British Museum)

visits, 1852 **10** M. BIERBRIER, S. WALKER, Ancient faces. Mummy portraits from Roman Egypt, 1997 **11** J. BOARDMAN, Greek Sculpture. The Classical Period, 1985 **12** L. BURN et al. (Hrsg.), Sir William Hamilton. Collector and Connoisseur. J. History of Collections, Bd. 9,2, 1997 **13** M. CAYGILL, The Story of the B. M., ²1992 **14** M. CAYGILL, C. DATE, Building the B. M., 1999 (Übersichtsplan S. 6, Bibliographie S. 78) **15** C. R. COCKERELL, The Temples at Aegina and Bassae, 1860 **16** B. F. COOK, The Townley Marbles, 1985 **17** Corpus Vasorum Antiquorum: fortlaufend, s. CVA Great Britain **18** J. M. CROOK, The B. M. A case-study in architectural politics, 1972 **19** J. CURTIS, Ancient Persia, 1989 **20** O. M. DALTON, Catalogue of the engraved gems of the post-classical periods in the Department of British and Mediaeval Antiquities and Ethnography in the B. M., 1915 **21** E. Edwards, Lives of the founders of the B. M., With notices of its chief augmentors and other benefactors, 1750–1870, 1870 **22** Greek and Roman Antiquities in a New Setting. B. M. Quarterly Supplement August 1964 **23** H. D'HANCARVILLE, Antiquités Etrusques, Greques et Romaines, tirées du cabinet de M. William Hamilton, 4 Bde., Neapel 1766–1767 **24** D. B. HARDEN, V. A. TATTON-BROWN, Catalogue of Greek and Roman glass in the B. M., 1. Core- and rod-formed vessels and pendants and Mycenaean cast objects, 1981 **25** D. E. L. HAYNES, The Parthenon frieze, 1959 **26** S. HAYNES, Etruscan Bronze Utensils, 1965 **27** Ders., Etruscan Sculpture, 1971 **28** R. A. HIGGINS, Catalogue of the terracottas in the Department of Greek and Roman Antiquities, 1954, 1959 **29** Ders., Greek Terracotta Figurines, 1963 **30** R. P. HINKS, Greek and Roman Portrait-Sculpture, 1935 **31** C. HITCHENS, The Elgin Marbles. Should they be returned to Greece, 1987 **32** C. HOFKES-BRUKKER, A. MALLWITZ, Der Bassai-Fries, 1975 **33** K. HUDSON, Museums of Influence, 1987, 6–8 **34** J. HUSKINSON, Roman sculpture from Cyrenaica in the

B. M., in: Corpus Signorum Imperii Romani. Corpus of the sculptures of the Roman world. Great Britain, Bd. 2,1, 1975 **35** I. JENKINS, The B. M. and its Life Rooms, Hesperiam 3, 1980, 19–36 **36** Ders., The B. M. and its Life Rooms. A postscript, Hesperiam 5, 1982, 39–46 **37** Ders., Archaeologists & Aesthetes. In the Sculpture Galleries of the B. M. 1800–1939, 1992 **38** Ders., K. SLOAN, Vases and Volcanoes. Sir William Hamilton and His Collection, 1996 **39** C. JOHNS, Arretine and Samian Pottery, 1971 **40** V. E. G. KENNA, Corpus of Cypriote antiquities, 3. Catalogue of the Cypriote seals of the bronze age in the B. M., Göteborg 1971, 41. Studies in Mediterranean archaeology, 20:3,3 **41** A. MACGREGOR (Hrsg.), Sir Hans Sloane. Collector, scientist, antiquary, founding father of the B. M., 1994 **42** F. H. MARSHALL, Catalogue of the Finger Rings, Greek, Etruscan and Roman in the B. M., 1907 (Ndr. 1968) **43** Ders., Catalogue of the Jewellery, Greek, Etruscan and Roman in the Department of Antiquities, 1911 (Ndr. 1969) **44** E. MILLER, That noble cabinet. A history of the B. M., 1974 **45** C. T. NEWTON, A history of discoveries at Halicarnassus, Cnidus & Branchidae, 1862–63 **46** TH. NICHOLS, A handy-book of the B. M. for every-day readers, 1870 **47** J. RANKINE , The role and purpose of the B. M. BALond 29 1992, 81–96 **48** W. SAINT CLAIR, An historical guide to the sculptures of the Parthenon, 1965 **49** H. C. SHELLEY, The B. M., its history and treasures. A view of the origins of that great institution, sketches of its early benefactors and principal officers, and a survey of the priceless objects preserved within its walls, 1911 **50** A. F. SHORE, Portrait painting from Roman Egypt, 1972 **51** D. E. STRONG , Catalogue of the carved amber in the Department of Greek and Roman Antiquities, 1966 **52** S. WALKER, Catalogue of Roman sarcophagi in the B. M., in: Corpus Signorum Imperii Romani. Corpus of the sculptures of the Roman world. Great Britain, Bd. 2,2, 1990 **53** G. B. WAYWELL, The free-standing sculptures of the Mausoleum at Halicarnassus in the B.M., 1978 **54** A.E. WERNER, Das neue Laboratorium des Britischen Mus., in: Berliner Jb. für Vor- und Frühgesch. 1, 1964, 91–94 **55** D. WILLIAMS, Greek Vases, 1990 **56** Ders., Classical antiquities in the B.M. Concepts, contexts and conflicts, in: Antikenpräsentation in der heutigen Zeit. Zw. Trad. und Zukunft. Internationales Kolloquium Leipzig, 22. Oktober 1994, Leipzig 1995, 65–68 **57** Ders., J. OGDEN, Greek gold. Jewellery of the classical world, 1994 **58** Ders. (Hrsg.), The Art of the Greek Goldsmith, 1998 **59** J. T. WOOD, Discoveries at Ephesus. Including the site and remains of the great temple of Diana, Ndr. 1975.

ZEITSCHRIFTEN: *The B. M. Quarterly*, von 1926 (Mai) – 1973 (Herbst). Nach Angliederung der *Library Departments* des B.M. an die *British Library* (J. POPE-HENNESSY, The B.M. Yearbook, Foreword, 1976) wurde es durch das kurzlebige *B. M. Yearbook* (2 Bde., 1976–77) ersetzt. Darauf folgte das *B. M. Society Bulletin* 1969–1989 (1–62) mit der Fortsetzung im *B. M. Magazine* (dreimal jährlich).

WOLF RUDOLPH

II. ÄGYPTISCHE ABTEILUNG
A. EINLEITUNG   B. DAS DEPARTMENT OF EGYPTIAN ANTIQUITIES   C. GESCHICHTE D. DIE ENTWICKLUNG DER ÄGYPTISCHEN SAMMLUNG   E. LAUFENDE AKTIVITÄTEN

A. EINLEITUNG
Das B.M., gegründet 1753, ist ein universales Museum. Es beherbergt h. die nationalen Antikensammlungen; Mz., Medaillen und Papiergeld; ethnographische Sammlungen; Drucke und Zeichnungen. Das B.M. wurde durch Parlamentsbeschluß ins Leben gerufen und wird h. durch ein Kuratorium geleitet. Der Hauptteil der Finanzierung trägt die Regierung, der Rest wird durch eigene Einnahmen ergänzt. Die Sammlungen sind in zehn *Departments* gegliedert.

B. DAS DEPARTMENT OF EGYPTIAN ANTIQUITIES
Die ägypt. Sammlung, die mehr als 100 000 Objekte umfaßt, illustriert sämtliche Aspekte ägypt. und nubischer Kultur, angefangen vom Neolithikum bis hin zur christl. Ära, d. h. von 4000 v. Chr. bis ins 12. Jh. n. Chr., also eine Zeitspanne von 5000 Jahren. Die Sammlung umfaßt darüberhinaus eine beachtliche Anzahl von Gegenständen aus dem Sudan. Insgesamt betrachtet, ist sie eine der vollständigsten und größten Sammlungen ihrer Art auf der Welt.

C. GESCHICHTE
Der Beginn des B.M. gründet sich auf das Testament des bekannten Arztes und leidenschaftlichen Sammlers Sir Hans Sloane (1660–1753). Sein bes. Interesse galt der Naturkunde, aber er besaß auch eine beachtliche Bibl. und eine kleine Sammlung verschiedenartiger Altertümer. Er vermachte seine Sammlung dem Volk gegen eine bescheidene Zahlung an seine Erben. König George II. hatte wenig Interesse, aber das Parlament war entschlossen, diese Chance zu nutzen. Auf einen Beschluß hin, der am 7. Juni 1753 auch die königliche

Zustimmung erhielt, wurde Sloanes Sammlung erworben. Hinzu kamen zwei weitere Kollektionen: die Cottonische (hauptsächlich Hss., aber auch ein Münzkabinett) und die Harleischen Manuskripte. Für die Oberaufsicht über das neue Mus. wurden Kuratoren ernannt. Die staatliche Lotterie unterstützte den Kauf des Montague-Hauses, eines Gebäudes aus dem 17. Jh. in Bloomsbury. Im Unterschied zu den königlichen und kirchlichen Sammlungen im kontinentalen Europa stellte das B.M. einen neuartigen Typ von Mus. dar, der urspr. aus privaten Sammlungen hervorgegangen war und sich nun im Besitz der Nation befand. Als das B.M. am 15. Januar 1759 eröffnet wurde, war es trotz der Beschränkung auf organisierte Besuchergruppen für die gesamte Öffentlichkeit zugänglich. Mit Beginn des 19. Jh. fielen diese Beschränkungen weg, und das Ideal des freien öffentlichen Zugangs sowie der öffentlichen Finanzierung wurde bis h. beibehalten.

D. DIE ENTWICKLUNG DER ÄGYPTISCHEN SAMMLUNG
Die anfänglichen Sammlungen des B.M. waren sehr stark durch die Naturkunde und die Bibl. bestimmt. Sloanes Sammlung enthielt aber auch einige wenige und eher unbedeutende Altertümer aus Ägypten. Bei den ca. 150 Objekten handelte es sich hauptsächlich um Götterfigurinen aus Bronze, Stein, Terrakotta und Fayence, daneben gab es Amulette, einige Skarabäen und Uschebti-Figuren.

Die Museumskollektionen waren in drei Abteilungen eingeteilt: Gedruckte B., Hss. sowie natürliche und künstliche Artefakte (wozu die Altertümer zählten). Der erste erwähnenswerte Erwerb war 1756 der Nachlaß des Colonel William Lethieulleir, der dem Mus. eine Mumie und einen Sarkophag, angeblich aus Saqqara stammend, sowie eine kleine Sammlung anderer ägypt. Altertümer vermachte. Dazu kam eine Kollektion, die von seinem Neffen Pitt Lethieullier gestiftet wurde. Sie enthielt ebenfalls eine Mumie und einen Sarkophag. Ein drittes Mitglied der Familie, Mr. Smart Lethieullier, schenkte dem Mus. 1758 einige kleinere Fundstücke aus Ägypten.

Die einzigen zusätzlichen Erwerbungen von ägypt. Altertümern, die vor dem 19. Jh. erfolgten, stammten von Edward Wortley Montague (1713–1776), der seinem Schwager, dem 3. Grafen von Bute, einige Stücke von seinen Reisen in die Heimat schickte. Lord Bute schenkte die eindrucksvolleren Artefakte, einschließlich einer Mumie in einem Sarkophag und zwei Innenstücke einer Säule von Tempeln aus dem Nil-Delta an König George III., der sie 1766 dem Mus. übergab. Anschließend stiftete Lord Bute einige weitere Stücke von Wortley direkt dem Mus., darunter das erste Exemplar eines Reliefs aus dem Alten Reich.

In den letzten J. des 18. Jh. begann die Erweiterung der Antiquitätensammlungen des Mus., aber mit Betonung auf klass. Material. 1772 konnten mittels eines Zuschusses der Regierung griech. Vasen von Sir William Hamilton angekauft werden. Die schwerpunktmäßige

Abb. 1: Der Rosetta-Stein,
Ptolemäisch, 196 v. Chr.,
gefunden in Ford Saint Julien,
el-Rashid, westliches Delta
(max. Höhe: 1,14m),
Geschenk von
König Georg III., 1802
(British Museum)

Beschäftigung mit klass. Altertümern wurde weiter unterstützt durch den Erwerb der Townleyschen Skulpturen-Sammlung im J. 1805 und der Parthenon-Skulpturen 1816. Aufgrund der steigenden Bed. dieser Sammlungen wurde 1807 die Abteilung für Altertümer (*Department of Antiquities*) gegründet.

1802 kam einer der wichtigsten Gegenstände in die Sammlung – der Rosetta-Stein. Zusammen mit ihm kamen Bruchstücke von großen Statuen, die von Wissenschaftlern gefunden wurden, die die franz. Expedition nach Ägypten begleiteten. Die Artefakte wurden von der britischen Krone im Zusammenhang mit dem Vertrag von Alexandria (1801), der der Niederlage Napoleons folgte, erworben und anschließend dem B.M. übergeben. Die Bed. des Rosetta-Steines – ein Erlaß Ptolemäus' V. Epiphanes (205–180 v. Chr., Abb. 1), der auf das J. 196 datiert wird – liegt in seiner dreifachen Inschrift, die in zwei altägypt. Schriften (hieroglyphisch und demotisch) und in Griech. ausgeführt wurde. Die Texte wurden Wissenschaftlern in ganz Europa zugänglich gemacht. Ihrer Entzifferung entstammen alle wirklich verläßlichen Kenntnisse über die altägypt. Sprache, das Verständnis der ägypt. Schriften und der Großteil

der Informationen, die wir h. über das alte Ägypten überhaupt besitzen. Einige vorläufige Entdeckungen machten J.K. Akerblad (1763–1819) und Thomas Young (1773–1829), aber der eigentliche Durchbruch gelang erst Jean-Francois Champollion (1790–1832), der seine Ergebnisse in seinem *Lettre à M. Dacier* bekannt machte, einem Brief, den er im September 1822 der *Académie Française* vorlegte.

1808 wurde eine eigens zu Ausstellungszwecken errichtete Ausstellungshalle, die Townley Gallery, eröffnet. Zwei Räume darin waren ägypt. Material vorbehalten. Es gab ein zunehmendes Interesse an Ägypten, und die Suche nach Altertümern begann. Einer der hervorragendsten Ausgräber war Giovanni Battista Belzoni (1778–1823), der im J. 1816 vom damaligen britischen Konsul in Kairo, Henry Salt (1780–1827) beauftragt wurde, zusammen mit Jean Louis Burckhardt (1784–1817) die kolossale Büste von Ramses II. (damals bekannt als der Jüngere Memnon) zu beschaffen. Die Skulptur (Abb. 2) wurde im Frühjahr 1818 im Mus. installiert. Salt nahm an einer Ausgrabungs- und Sammelkampagne teil, wobei er Belzoni als seinen Agenten und Mitarbeiter zur Verfügung hatte. Belzonis Arbeiten

Abb. 2: Obere Hälfte einer kolossalen Sitzstatue
von Ramses II., 19. Dynastie, ca. 1270 v. Chr.,
aus dem Ramesseum in Theben. (Höhe: 2,67 m),
Geschenk von J. L. Burckhardt und H. Salt
(British Museum, EA 19)

Der Beginn des 19. Jh. brachte einige Veränderungen für das Mus., so wurde mehr Wert auf Professionalität und Gelehrsamkeit gelegt. Ein neues Gebäude, das von Sir Robert Smirke entworfen wurde, befand sich ab 1823 im Bau. Sein westl. Flügel enthielt eine große, eigens dafür konstruierte Halle im Erdgeschoß, die zur Ausstellung von ägypt. Statuen dienen sollte. Die nördl. und zentralen Sektionen dieses Flügels wurden 1834 fertiggestellt, die südl. 1854 (Abb. 3 und 4). Kleinere Objekte waren in zwei Räumen im Obergeschoß ausgestellt. Als dann im J. 1880 die Naturkunde-Sammlung nach South Kensington umzog, konnte sich die Ägypt. Sammlung auf die gesamten oberen nördl. Galerien ausbreiten.

Die Ägypt. Sammlung vergrößerte sich weiter durch Erwerbungen von bedeutenden Sammlern wie John Barker (1833), Joseph Sams (1834), James Burton (1836), Giovanni d'Athanasi (1836 und 1834), Giovanni Anastasi (1839) und anderen. 1840 wurden innerhalb des Mus. die ägypt. Papyri von der Handschriftenabteilung in das *Antiquities Department* überstellt.

1861 wurde das gesamte *Antiquities Department* geteilt, wobei fortan die ägypt. und die assyrische Sammlung die Abteilung für Orientalische Altertümer (*Department of Oriental Antiquities*) bildeten, die von Samuel Birch (1813–1885) geleitet wurden. Birch war 1836 zum Mus. gestoßen und wurde als der »ideale Kurator« beschrieben. Er katalogisierte weitgehend die ihm unterstehenden Sammlungen, führte ein Nummernsystem ein (das noch h. in Gebrauch ist) und trug zum Fortschritt der wiss. → Ägyptologie bei. Seine Priorität lag in der Publikation vieler wichtiger Texte, die in der Mitte des 19. Jh. ins Mus. gelangten, wodurch er eine bis h. anhaltende Trad. von ägyptologischen Veröffentlichungen ins Leben rief. Die Serie *Select Pap. in the Hieratic Character from the Collections of the Britisch Mus.* wurde bereits 1841 begonnen und wird noch immer unter dem Titel *Hieratic Pap. in the British Mus.* fortgeführt, zusammen mit der parallelen Serie *Catalogue of Demotic Pap. and Hieroglyphic Texts.*

In den J. unter Birchs Leitung wurden nur wenige aktive Schritte unternommen, die ägypt. Sammlung zu erweitern. Trotzdem gab es einen beständigen Zugang neuer Objekte, wie zum Beispiel der Abbott-Grabraub-Pap. (1857), der mathematische Pap. Rhind (1856) und der Große Harris Pap. (1872). Außerdem sammelte zw. 1864 und 1891 der Reverend Greville Chester hunderte von Artefakten für das Museum.

Eine bedeutende Veränderung war 1882 die Gründung des *Egypt Exploration Funds* (jetzt: *Egypt Exploration Society*, EES). Ein Großteil der Initiative hierfür kam durch Amelia Edwards (1831–1892), einer Schriftstellerin mit laienhaftem Enthusiasmus für Ägypten. Birch bot keine direkte Unterstützung an, und Miss Edwards mußte sich auf die Unterstützung durch den *Keeper of Coins & Medals* (den Kurator des Departments) Reginald Stuart Poole (1821–95) verlassen. Die EES war die erste britische Institution, die reguläre Ausgrabungen

wurden, gemessen an den Standards der Zeit, mit ernsthaften arch. Absichten und großer Umsicht ausgeführt. Leider entstanden Mißverständnisse mit dem Mus., als Salt versuchte, seine Kosten und eine Entschädigung für seine Mühen zu erlangen. Die Museumskuratoren feilschten um den Preis der Gegenstände, die ihnen angeboten wurden. Ein Einvernehmen wurde letztendlich 1823 erreicht, als der Ankauf einer großen Menge Materials erfolgte, das von Salt in den J. 1817–1819 gesammelt wurde, darunter mehr als zwanzig wichtige Skulpturen, von denen die bekannteste ein Königskopf ist (die Zuordnung ist unklar, momentan denkt man an Amenophis III.). Die Sammlung enthielt auch zwei große Sitzstatuen aus schwarzem Granit, eine große Büste aus Kalkstein und zwei kolossale Köpfe aus Quarzit, die alle aus dem Totentempel des Amenophis III. in Theben stammen. Daneben gab es auch drei lebensgroße Holzfiguren von Königen aus Gräbern im Tal der Könige. Das Mus. kaufte weitere Stücke aus der Salt-Sammlung bei einem Verkauf bei Sotheby's im J. 1835, aber vieles gelangte von dort auch anderswo hin.

Abb. 3: Die Ausstellungshalle
für ägyptische Plastik (Norden),
1834 fertiggestellt
und 1981 umgebaut.

unternahm und von Anfang an dem Mus. die wichtigsten und gut dokumentierten Antiquitäten übergab, die sie aus Ägypten mitnehmen durfte. Unter den ersten führenden Ausgräbern war auch Flinders Petrie (1853–1942), der Vorreiter der wiss. Archäologie. Von seinen Ausgrabungen in Abydos wurden sehr viele Artefakte von histor. Tragweite erworben, einschließlich einer kleinen Elfenbeinfigur eines Königs der frühdynast. Periode. Die Figur ist in einen kurzen Umhang gekleidet, der mit dem Sed-Fest verbunden wird (Abb. 5). Die Unterstützung der Ägypt. Abteilung des B.M. durch die EES setzt sich bis h. fort.

1886 wurde die Abteilung in *Department of Egyptian and Assyrian Antiquities* umbenannt. 1885 wurde Birch

von Peter Le Page Renouf (1822–1897) abgelöst, dem wiederum 1894 Wallis Budge (1857–1934) folgte, der bis 1924 *keeper* (»Kurator«) der Abteilung blieb. Budge betrachtete nicht die Ausgrabung als wichtigste Quelle für Gegenstände für die Museumskollektionen, er kaufte lieber über Vermittler und Händler. Sein Interesse galt nicht so sehr der Kunst an sich, sondern vielmehr Objekten von dokumentarischem und wiss. Interesse auf bestimmten Gebieten, bes. Grabausstattungen, Skarabäen und rel. Papyri. Einer seiner größten Erfolge war die Identifikation der Amarna-Tafeln als authentisch und der Ankauf einer größeren Anzahl von Tafeln. Zu den ägypt. Papyri, die er kaufte, gehören u. a. das Totenbuch des Schreibers Ani und die semi-philos. Arbeit,

Abb. 4: Die Ausstellungshalle
für ägyptische Plastik 1875,
nach Norden

die unter dem Titel *Lehren des Amenemope* bekannt ist. Er
sicherte eine große Gruppe von griech. Papyri und
wichtige koptische Texte und verfaßte eine Vielzahl
von Publikationen. Der wichtigste Ankauf von Plastiken war der Erwerb zweier Statuen von Senenmut, des
Verwalters der Königin Hatschepsut. Budges Stellvertreter und späterer Nachfolger H. R. H. Hall (1873–
1930) belebte das Interesse der Abteilung an Ausgrabungen, indem er 1903 an Edouard Navilles EES-Ausgra-
bungen in Deir el-Bahari teilnahm. Von dort kamen bes.
schöne und wichtige Plastiken des Mittleren und Neuen
Reiches und darüber hinaus viele dokumentierte kleine
Objekte.

Im 20. Jh. sanken die Möglichkeiten, in Ägypten
Altertümer zu kaufen; so wurde klar, daß zukünftige
Erwerbungen sich beschränken würden auf Artefakte
aus Ausgrabungen und von älteren Sammlungen. Guy
Brunton finanzierte zw. 1928 und 1931 Ausgrabungen
des B.M. in Mostagedda und Matmar in Mittelägypten.
Von dort stammt außerordentlich wichtiges Material
zum Studium der frühen vordynastischen Kulturen
Ägyptens. Stiftungen in dieser Zeit umfaßten unter anderem auch den *Ramesseum Dramatic Pap.* (1929) und das
Chester-Beatty Traumbuch (1930), sowie den Pap. der
Sargtexte (1937) von Alan Gardiner. Ein Großteil der
Sammlung wurde während des zweiten Weltkrieges
ausgelagert. In der darauf folgenden Zeit wurden die
Objekte zurückgebracht und die Ausstellungsräume restauriert. 1955 teilte man – infolge der großen Erweiterung der beiden wichtigsten Zweige – das Department nochmals in das *Department of Egyptian Antiquities*
und das *Department of Western Asiatic Antiquities*.

Der Umfang der Publikationen der Abteilung wurde
vergrößert. Eine Serie von Katalogen, die auch unbe-
schriebene Artefakte einschloß, wurde 1968 von Dr.
I. E. S. Edwards, dem ersten Leiter der neuen Abteilung,
ins Leben gerufen. Obwohl wiss. Arbeit und Publikation weiterhin zwei wesentliche Funktionen der Abteilung blieben, wurden infolge der großen Popularität der
Ägyptologie auch die Dienstleistungen für die Öffentlichkeit erweitert. Das Mus. organisierte 1972 zusammen mit der Londoner *Times* die erste Ausstellung der
Schätze → Tutenchamuns außerhalb Ägyptens. Diese
Ausstellung zog 1,5 Mio. Besucher an. Die Skulpturen-
Galerie wurde umgebaut und 1981 wiedereröffnet.

E. LAUFENDE AKTIVITÄTEN

Ein Programm zur Renovierung der Ausstellungsräume führte zur Eröffnung der Raymond & Beverly
Sackler Hall *Ägypten und Afrika* (1991) und *Frühes Ägypten* (1993) sowie zur Roxie Walker Hall *Ägypt. Bestat-
tungsarch.* (1999). Die Abteilung erweitert noch immer
ihr Programm für Leihgaben ins Ausland und organisiert
wichtige Ausstellungen in der ganzen Welt. Die Websei-
te des Departements (*www.thebritishmuseum.ac.uk/egyp-
tian*) zeigt Objekte aus den Sammlungen und bietet Informationen zu wiss. Aktivitäten und anderen ägyptologischen Themen. Zusätzlich zur weiter bestehenden
Unterstützung der EES unternahm die Abteilung selbst

Abb. 5: Elfenbeinfigur eines Königs mit einem
Heb-Sed-Festgewand, Tempel des Osiris, Abydos,
frühdynastisch ca. 2900 v. Chr., (Höhe: 8,8 cm)
Geschenk des Egypt Exploration Fund
(British Museum, EA 37996)

zwei größere Ausgrabungen: in Ashmunein (Hermo-
polis Magna) (1980–1990) und in Tell el-Balamun im
nordöstl. Nil-Delta (begonnen 1991). Die Abteilung war
auch im Sudan sehr aktiv.
→ Ägyptologie; Entzifferungen
→ AWI Abydos; Ägypten; Amarna-Briefe; Amenophis
III; Demotisch; Hieroglyphen; Memnon; Papyrus;
Ramses II.; Rosetta-Stein; Saqqara; Tutenchamun

1 T. H. G. JAMES, The BM and Ancient Egypt, 1981
2 T. G. H. JAMES (Hrsg.), Excavating in Egypt: The Egypt
Exploration Society, 1982 3 S. QUIRKE, J. SPENCER (Hrsg.),
The British Museum Book of Ancient Egypt, 1992.
                                    MARJORIE CAYGILL/
                                    Ü: KRISTIN KLEBER

III. Vorderasiatische Abteilung
A. Einleitung   B. Geschichte
C. Die Sammlungen
D. Die Ausstellungsräume
E. Laufende Aktivitäten

A. Einleitung

Das geogr. Gebiet, das das *Department of Western Asiatic Antiquities* (»Vorderasiatische Abteilung«) abdeckt, umfaßt Mesopotamien, Iran, Teile von Zentralasien, den Kaukasus, die Arabische Halbinsel, die Levante und die phönizischen und punischen Kolonien im westl. Mittelmeer. In der zeitlichen Dimension reichen die repräsentierten Kulturen vom Neolithikum bis zum E. der sasanidischen Zeit. Die Sammlung, die eine der größten Kollektionen von altorientalischen Altertümern darstellt, ist aus zwei Gründen bes. bemerkenswert: Erstens stammen viele der Objekte aus Grabungen und besitzen damit einen genauen Herkunftsort, und zweitens wurde der größte Teil des restlichen angekauften Materials bereits im 19. Jh. erworben. Das Department hat momentan 17 fest angestellte Mitarbeiter. Dazu kommen das »Raymond und Beverly Sackler Stipendium« sowie das »Iran Heritage Foundation Stipendium« für zwei weitere befristete Mitarbeiterstellen.

B. Geschichte

Das *Department of Western Asiatic Antiquities* existiert separat erst seit 1955. Bis 1860 war es Teil des *Department of Antiquites* und danach Teil des *Department of Oriental Antiquities*. Letzteres wurde 1886 in *Department of Egyptian and Assyrian Antiquities* umbenannt. Das B.M. wurde 1753 gegr., aber zu dieser Zeit gab es noch keine Altertümer aus dem Alten Orient in der Sammlung. 1811 erwarb man in Persepolis eine Reihe von Reliefs, die 1817 und 1825 dem B.M. übereignet wurden. Dazu kam 1825 der Ankauf der Kollektion von Claudius James Rich, die hauptsächlich orientalische Hss. enthielt, aber auch einige Antiquitäten und Münzen. Um 1845 gab es in der Sammlung bereits ungefähr 550 Roll- und Stempelsiegel. Die Aussage von A. H. Layard, daß vor seinen Ausgrabungen alles, was von den großen Städten assyrischer und babylonischer Kultur, Ninive und Babylon übrig geblieben war, in eine Kiste von ca. drei Fuß im Quadrat passen würde (»a case scarcely three feet square enclosed all that remained, not only of the great city, Nineveh, but of Babylon itself«), war sicherlich übertrieben. Trotzdem wurde die Sammlung durch seine Ausgrabungen in Nimrud und Ninive (1845–1851) vollständig umgewandelt. Große Mengen assyrischer Altertümer wurden an das Mus. geschickt, darunter sehr viele Reliefs, bes. aus dem Nordwest-Palast Assurnasirpals II. (Abb. 1) und dem Zentralpalast von Tiglatpilesar III. in Nimrud, sowie aus dem Sanherib-Palast in Ninive. Mit den Reliefs kamen auch die großen Torfiguren (Abb. 2) und Stelen von assyrischen Königen in das B.M. Besonders herausragende Stücke sind die Statue Assurnasirpals II. und der Schwarze Obelisk von Salmanassar III. Außerdem fand er eine große und wichtige Sammlung von Tontafeln (die »Kouyunjik-Sammlung«), die königliche Bibliothek Assurbanipals. Das Eintreffen dieses Materials erregte ein enormes Interesse an Assyrien und führte zu weiteren Ausgrabungen in den assyrischen Hauptstädten.

Abb. 1: Das assyrische Relief zeigt Asurnasirpal II. (883–859 v. Chr.) mit zweien seiner Gefolgsleute. Der König sitzt auf einem kunstvoll mit Stierköpfen verzierten Thron ohne Rückenlehne. An den Sandalen der Männer sind noch Spuren von roter und schwarzer Farbe zu erkennen. Dieses Relief wurde von Layard im Raum G des Nordwest-Palastes in Nimrud gefunden (British Museum 124564)

Abb. 3: Die Sintflut-Tafel aus der Königlichen Bibliothek in Niniveh. Dies ist die elfte Tafel des Gilgamesch-Epos, die beschreibt, wie die Götter eine Flut sandten, um die Menschheit zu vernichten. Utnapishtim erhielt eine Warnung und baute daraufhin eine Arche, um seine Familie und einige Tiere zu retten. Obwohl die Geschichte selbst viel älter ist, wurde diese Tafel erst im 7. Jh. v. Chr. angefertigt (British Museum, K3375)

Abb. 2: Assyrische Torfiguren aus der Regierungszeit Sargons (731–705 v. Chr.). Der geflügelte Stier mit Menschenkopf und das Relief einer geflügelten menschlichen Gestalt (die einen Eimer und einen Kegel trägt) sind Teil eines Paares, das P.E. Botta 1843–44 in Charsabad fand. Das Foto zeigt die Aufstellung der Skulpturen von 1970: Das Relief war (irrtümlicherweise) an der Seite des Stiers plaziert, statt hinter ihm (British Mueum, 118808–9)

Layards Arbeit wurde durch Hormuzd Rassam, Layards Mitarbeiter vor Ort, von Mossul aus weitergeführt. Von 1852 bis 1854 erforschte Rassam den Nordpalast Assurbanipals in Ninive, der großartige Reliefs enthielt, darunter die Löwenjagdszenen und die bildliche Schilderung des Krieges mit Elam. Der *Keeper* (»Kurator«) des *Department of Antiquities* war damals Edward Hawkins, aber der Verantwortliche für den Empfang und die Ausstellung assyrischer Altertümer war Samuel Birch (1813–1885). Er war seit 1836 Mitarbeiter des Departments und wurde 1860 zum *Keeper* des neuen *Department of Oriental Antiquities* bestellt. Birch war sehr an der Entzifferung der Keilschrift interessiert. Obwohl er nicht selbst zur Entzifferung beitrug, half er, indem er die Texte für die Wissenschaftler bereitstellte. Um 1857 entschieden die Kuratoren des BM, eine Serie von Folio-Bänden mit dem Titel *Cuneiform Inscriptions of Western Asia* herauszugeben, die Kopien der Texte weithin zugänglich machten. H. C. Rawlinson wurde gebeten, diese Texte herauszugeben, die letztendlich in fünf Bde. erschienen (1861–1884). Weiteres Material für die Sammlung erbrachten Ausgrabungen in der Mitte des 19. Jh., die W. K. Loftus in Warka und Larsa, aber auch in Nimrud und Ninive sowie in Susa im Iran durchführte. Er fand parthische Gräber in Warka und die beeindruckende Elfenbeinsammlung in Nimrud.

Im J. 1872 identifizierte der brilliante junge Assyriologe George Smith (1840–1876) während der Durchsicht einer großen Anzahl von Tontafeln aus den frühen Ausgrabungen die sog. Sintflut-Tafel (Abb. 3), die die babylonische Version der Sintflutgeschichte enthält. Aufgrund dessen wurde Smith nach Mesopotamien geschickt, um, finanziert durch den *Daily Telegraph*, die alten Ausgrabungen in Assyrien erneut in Angriff zu nehmen. Er grub zw. 1873 und 1876. Aber obwohl Smith viele Tafeln für die Sammlung erwerben konnte, war das gesamte Projekt kein großer Erfolg. Smith starb 1876 in Aleppo.

Nach dieser Tragödie wurde Hormuzd Rassam, der nun in England lebte, gebeten, die Ausgrabungen im Auftrag des B.M. wieder zu beginnen. Zwischen 1878 und 1882 arbeitete er an vielen Stätten, darunter Nimrud, Ninive, Balawat, Babylon, Telloh, Borsippa, Abu Habbah (Sippar) in Mesopotamien und Toprak Kale in Anatolien. Die Methoden waren grob und die Dokumentation ließ einiges zu wünschen übrig, aber Rassam entdeckte sehr viel Material für das B.M.. Darunter befand sich auch der Kyros-Zylinder aus Babylon (Abb. 4), die Bronzetore aus Balawat, wichtige urartäische

Abb. 4: Der Kyros-Zylinder. Dieser Tonzylinder wurde in babylonischer Keilschrift beschrieben und vergraben, nachdem der Archämenidenkönig Kyros 539 v. Chr. Babylon eingenommen hatte. Der Text beschreibt, wie Kyros Babylon eroberte, wie er die Verehrung des babylonischen Gottes Marduk wieder einführte, wie er Götterstatuen in die Heiligtümer zurückbrachte, aus denen sie entfernt worden waren, und wie er unterworfenen Völkern gestattete, in ihre Heimat zurückzukehren. 1879 wurde der Zylinder von Hormuzd Rassam in Babylon ausgegraben (British Museum, 92394)

Bronzen aus Toprak Kale und die Sonnengott-Tafel aus Sippar. In Sippar allein fand Rassam nach eigener Einschätzung sechzig- bis siebzigtausend Tafeln.

Unterdessen kam ein anderer junger und hervorragender Assyriologe zum Mus., nämlich Theophilus Goldridge Pinches (1856–1934), der viele wichtige Texte edierte, bevor er im J. 1900 ausschied. Er hatte das Pech, mit E. A. Wallis Budge (1857–1934), der 1883 zum Mus. kam, in Konflikt zu geraten. Budge wurde 1894 *Keeper* und ersetzte damit den Ägyptologen Peter le Page Renouf, der 1885 auf Birch gefolgt war. Zuvor hatte Budge in den J. 1888–91 zwei Reisen nach Mesopotamien unternommen und dabei noch mehr Tafeln erworben, viele von ihnen aus Tell ed-Der. Er begann, das Department und die Ausstellungshallen zu reorganisieren, kaufte zahlreiche Stücke für die Sammlung an und initiierte ein aktives Publikationsprogramm, das auch die Serie *Cuneiform Texts from the BM* einschloß. Er schrieb außerdem selbst eine Reihe von Büchern. Es besteht kein Zweifel, daß Budge einen enormen Beitrag für das Department leistete, mehr als kaum ein anderer. Aber er war gleichzeitig auch eigensinnig und voreingenommen. Das brachte ihn mit mehreren Personen in Konflikt, darunter auch Rassam, der ihn wegen Verleumdung verklagte.

Budge hatte einige sehr fähige Assistenten, unter ihnen L. W. King (1869–1919), der von 1903 bis 1904 in Ninive grub, sowie R. Campbell Thompson (1876–1941). Im J. 1904 fertigten King und Thompson neue Kopien der Inschr. in Bisutun an. Gegen E. des 19. Jh. kamen mit dem Tode A. W. Franks 1897 viele wichtige Gegenstände in die Sammlung. Er übereignete dem Mus. den Oxus-Schatz, sasanidisches Silbergeschirr und einen achaemenidischen Silberteller.

Budge ging 1924 nach 30jähriger Tätigkeit als *Keeper* in den Ruhestand. Er wurde durch H. R. Hall (1873–1930) ersetzt, der 1896 zum Mus. gekommen war und 1919 in Tell al-Ubaid gegraben hatte. Die Arbeit in Ubaid führte dazu, daß das Mus. zusammen mit der *Univ. of Pennsylvania* Ausgrabungen in dem nahegelegenen Ort Ur finanzierte, die zw. 1922 und 1934 stattfanden. Diese Ausgrabungen, die von C. L. Woolley geleitet wurden, erbrachten eine große Menge Material für die Sammlung. Vorher hatte Woolley in der Ausgrabung von Karkemisch 1911–1920 mitgewirkt, zusammen mit D. G. Hogarth und T. E. Lawrence. Auch dieses Projekt war vom B.M. finanziert worden.

Im J. 1931 wurde Hall von Sidney Smith (1889–1979) als *Keeper* abgelöst, dem 1948 C. J. Gadd (1893–1969) folgte. Smith und Gadd hatten die Aufgabe, die Sammlungen zu Beginn des Zweiten Weltkrieges durch Evakuierung in Sicherheit zu bringen, ein großes Unternehmen, das ohne Pannen verlief. Smith und Gadd traten zurück, um einander auf dem Lehrstuhl für Alte Semitische Sprachen und Kulturen an der Univ. London zu folgen.

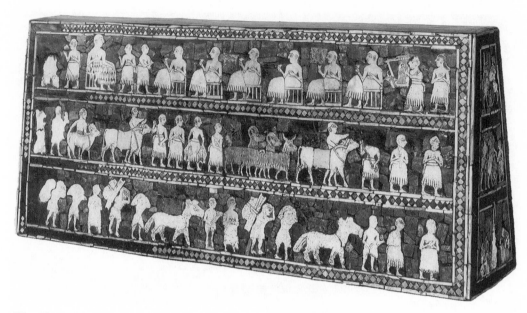

Abb. 5: Die sog. Standarte von Ur (ca. 2500 v. Chr.), die ursprünglich der Klangkörper eines Musikinstrumentes gewesen sein dürfte. Die in Bitumen gesetzten Mosaikverzierungen aus Muscheln, rotem Kalkstein und Lapis Lazuli zeigen auf der einen Seite eine kriegerische Szene, auf der anderen (hier abgebildet) eine Bankettszene. C.L. Woolley fand die Standarte 1928 in einem der Gräber des Königsfriedhofs von Ur (British Museum, 121201)

1955 kam die lang erwartete und notwendige Trennung der Abteilungen für Ägyptische und Assyrische Altertümer zustande. Infolgedessen wurde das *Department of Western Asiatic Antiquities* gegründet. Sein erster *Keeper* war Richard D. Barnett (1909–1986), der mit großer Energie und Fähigkeit die Stellung des neuen Departments festigte. Eines seiner zahlreichen Verdienste ist die komplette Reorganisation und Erneuerung der Assyrischen Ausstellungsräume, die 1970 wiedereröffnet wurden. Als Barnett *Keeper* wurde, hatte er nur einen kuratorischen Assistenten, D. J. Wiseman und drei unterstützende Mitarbeiter. Zum Zeitpunkt seiner Pensionierung 1974 aber war die Zahl der Mitarbeiter auf 18 angewachsen. Barnett wurde als *Keeper* von dem Sumerologen Edmond Sollberger (1920–1989) abgelöst, der sehr viel zum Ruf des Departments als Zentrum für Keilschriftstudien beigetragen hat. Er wurde durch Terence Mitchell abgelöst, der von 1983 bis 1989 als *Keeper* tätig war.

C. DIE SAMMLUNGEN

Die Sammlung enthält 280000 registrierte Objekte, davon allein 130000 Tontafeln. Zusätzlich existiert noch eine kleine Anzahl nicht registrierter Tontafelfragmente. Alle Gebiete des Vorderen Orients sind im Mus. gut repräsentiert, aber der umfangreichste Teil der Sammlung stammt aus Mesopotamien. Herausragend sind dabei die assyrischen Reliefs und die Torfiguren aus Nimrud, Ninive und Chorsabad, sowie die Bronzetore von Balawat. Aus den assyrischen Palästen stammen auch kleinere Artefakte, einschließlich der Tontafeln,

der Elfenbeinarbeiten und Bronzen. Aus Südmesopotamien kommen Bronzebeschläge aus einem frühdynastischen Tempel in Tell al-Ubaid und eine ganze Reihe von spektakulärem Material aus dem sog. Königsfriedhof von Ur, darunter die Standarte von Ur (Abb. 5), das »königliche Spiel«, der »Widder im Dornbusch« und Musikinstrumente. Dazu kommt noch viel Material aus anderen Stätten in Babylonien wie Sippar, Warka, Borsippa und Babylon selbst. Die iranische Sammlung konzentriert sich auf den Oxus-Schatz, der den größten Hortfund an Gold- und Silberobjekten aus der achaemenidischen Zeit darstellt. Aus derselben Zeit stammt auch der Kyros-Zylinder aus Babylon. Die Sammlung von Reliefs aus Persepolis ist, obwohl klein, die größte außerhalb des Iran. Lokalisiertes Material aus dem Iran stammt aus den Ausgrabungen von W. K. Loftus in Susa und aus den Ausgrabungen von Sir Aurel Stein in verschiedenen Orten, darunter Hasanlu. Die große Gruppe der Luristan-Bronzen enthält einige der frühesten Beispiele, die auf den Markt gekommen sind. Darunter befinden sich auch einige schön gearbeitete sasanidische Silberschalen. Wichtige Ausstellungsstücke aus der anatolischen Sammlung sind die bemerkenswerten urartäischen Bronzen aus Toprak Kale, Reliefs und Goldschmuck aus Karkemisch, Keramik aus einem Friedhof in Yortan in der Nähe von Troja und verschiedene hethitische Tontafeln und Siegel. Der Kaukasus wird durch Grabfunde aus der Eisenzeit repräsentiert. In der levantinischen Sammlung befinden sich Stücke aus Syrien, Jordanien und Palästina. Artefakte aus Ausgrabungen stammen aus syrischen Ruinenhügeln wie Tell Brak, Chagar Bazar und Alalach. Sie werden ergänzt durch die Reliefs aus Tell Halaf, eine beeindruckende Sammlung von Grabbüsten aus Palmyra und röm. Skulpturen aus Südsyrien. Die Jordanische Sammlung wurde kürzlich durch die Ausgrabungen in Tell es-Sa'adiyeh stark erweitert. Zwei Kalksteinstatuetten aus 'Ain Ghazal sollen in naher Zukunft die Sammlung ergänzen, sobald die Restaurationsarbeiten, die durch das B.M. finanziert werden, abgeschlossen sind. Die Sammlung aus Palästina ist nach dem kürzlich getätigten Transfer von Ausgrabungsstücken aus Lachisch (ca. 17 000 Objekte) sehr umfangreich. In derselben Sammlung befinden sich außerdem noch ein ausgegipster Schädel aus dem Neolithikum und der Inhalt eines Grabes aus der Mittleren Bronzezeit aus Jericho. Die Arabische Halbinsel wird durch eine große und bedeutende Sammlung von Steinstatuen und Inschr. aus dem Jemen repräsentiert. Vor nicht allzu langer Zeit wurden außerdem einige wichtige Grabfunde aus Bahrain erworben. Von außerhalb der engeren Grenzen des Nahen Ostens gibt es einige interessante phönizische und punische Stücke aus dem westl. Mittelmeergebiet, darunter eine große Gruppe punischer und neu-punischer Stelen aus Karthago und die Funde aus einem Friedhof in Tharros (Sardinien).

Ein Großteil der Sammlungen befindet sich im Magazin, kann jedoch leicht zu Forschungszwecken zugänglich gemacht werden. Das Material wird den Forschern im *Students' Room* des Mus. (zur Zeit im Obergeschoß) zur Verfügung gestellt. Besonders häufig werden Tontafeln angefordert. In den 50er J. rief man einen speziellen Arbeitskreis zur Konservierung von Tontafeln ins Leben. Der Zweck dieses Unternehmens ist, die Tafeln durch Brennen und Entfernen von Salzablagerungen zu festigen, damit sie mit Vorsicht benutzbar sind. Aufgrund der Bed. der Sammlung und dem Grundsatz des freien Zugangs wurde der *Students' Room* zu einem der wichtigsten Zentren des Studiums von Keilschrifttafeln sowie zu einem Treffpunkt von Assyriologen aus der ganzen Welt. Gegenwärtig wird der *Students' Room* vom Obergeschoß in den *Arched Room* im Erdgeschoß verlegt. Dieser architektonisch beeindruckende Raum wurde in den J. 1839–41 gebaut und zuvor von der *British Library* genutzt. Er soll im Januar 2002 eröffnet werden.

Im Verlauf der gesamten Geschichte des Departments wurde stets der Publikation der Sammlung ein hoher Stellenwert beigemessen. Das Ziel war, zwei wiss. Kat. anzufertigen – einen Kat., der Teile der Sammlung im Detail untersucht, und einen eher zusammenfassenden Kat., der Informationen für Wissenschaftler bietet, die zunächst einen Zugang zur Sammlung finden möchten. Von der Serie *Cuneiform Texts*, die größtenteils Kopien von Texten enthält, sind bisher 58 Bde. erschienen. Dazu kommen sechs Hefte von *Cappadocian Cuneiform Texts*. In der jüngeren Serie *Catalogue of Babylonian Texts*, die 1961 begonnen wurde, sind bisher fünf Bde. erschienen.

Was das arch. Material betrifft, so sind alle assyrischen Reliefs veröffentlicht, und es gibt Publikationen zu einzelnen Materialgruppen, wie den Elfenbeinarbeiten aus Nimrud, den Balawat-Toren und den babylonischen Grenzsteinen. Von acht geplanten Bde. zur Publikation der Rollsiegel sind bisher vier erschienen. Der erste von zwei Bde. über Glasgegenstände erschien 1985. Außerdem publ. das Mus. Ausgrabungsberichte der vom B.M. finanzierten Ausgrabungen, wie die von Ur (*Ur Excavations* in zehn Bd. und *Ur Excavation Texts*).

D. DIE AUSSTELLUNGSRÄUME

Die assyrischen Reliefs und eine Auswahl von kleineren Gegenständen aus Assyrien werden in sieben Galerien im Erdgeschoß und im Kellergeschoß ausgestellt. Nach einer großen Umgestaltung wurden sie 1970 wiedereröffnet. Seitdem gab es nur einige kleine Veränderungen in den assyrischen Ausstellungsräumen. Im Obergeschoß gibt es nun eine Reihe von neuen Hallen, deren Ausstattung durch eine Spende von Raymond und Beverly Sackler möglich gemacht wurde. Sie sind dem frühen Mesopotamien (eröffnet 1991), dem späteren Mesopotamien (eröffnet 1993), dem Alten Anatolien (1993) und der ant. Levante (1998) gewidmet. Eine neugestaltete Galerie des Alten Iran wurde 1995 eröffnet. Momentane Pläne beinhalten den Umzug der iranischen Sammlung in größere Räumlichkeiten im Obergeschoß, sowie die Installation einer neuen Ausstellung *Von Alexander bis zum Islam* im Kellergeschoß. Letztere wird den Nahen Osten von der Hell. Zeit bis zum E. des Sasanidischen Reiches umfassen.

E. LAUFENDE AKTIVITÄTEN

Neben den Ausstellungsplänen und dem Umzug des *Students' Room* in den *Arched Room* ist das Department momentan damit beschäftigt, Büros und Magazine in die zusätzlichen Räume, die neben dem *Arched Room* liegen, zu verlegen. Außerdem wird ein aktives Ausgrabungsprogramm betrieben. In den letzten J. wurden Ausgrabungen im Irak in der Eski-Mosul Region und in Nimrud und Balawat organisiert, sowie in Ra's al-Hadd im Oman, in Tell es-Sa'adiyeh in Jordanien und in Merv in Turkmenistan. Seit 1986 gibt es ein Programm von jährlichen Seminaren, sechs davon wurden bereits publiziert. Das Mus. engagiert sich auch zunehmend in der Öffentlichkeitsarbeit, was sich in zwei jährlichen finanzierten Vortragsreihen widerspiegelt, zum einen die »Vladimir G. Lukonin Gedenkvorträge« und zum anderen die »Anna Gray Noe Vorträge zur Biblischen Arch.«. Kuratoren des Departments begleiten außerdem B.M.-Reisen in den Nahen Osten.

→ AWI Alalach; Assurbanipal; Babylon; Balawat; Bibliothek; Bisutun; Jericho; Karkemisch; Karthago; Merv; Nimrud; Ninos; Oxus-Schatz; Sanherib; Siegel; Susa; Palmyra; Persepolis; Tharros; Tiglatpilesar; Ur

1 E. A. W. Budge, By Nile and Tigris, 2 Bde., 1920 2 Ders., The Rise and Progress of Assyriology, 1925 3 D. Collon, Ancient Near Eastern Art, 1995 4 J. E. Curtis, Ancient Persia, 2000 5 J. E. Reade, Assyrian Sculpture, 1998 6 Ders., Mesopotamia, 2000.   JOHN CURTIS / Ü: KRISTIN KLEBER

Luftbildarchäologie
A. Definition und Einleitung
B. Entwicklung
C. Voraussetzungen

A. Definition und Einleitung

L. ist die übliche Bezeichnung für Methoden der Fernerkennung, die über Höhendistanz zum Erdboden arch. Bodendenkmäler sichtbar oder besser übersehbar werden lassen. Zur Dokumentation der durch Höhendistanz gewinnbaren Informationen werden in der Regel photogr. Verfahren eingesetzt. Technische Möglichkeiten und Reichweite der L. sind abhängig von der Entwicklung der Luft- und Raumfahrt, sekundär der Photogr. Mit der Entwicklung der L. erweiterte sich der arch. Zugriff auf die Geschichte des Menschen um eine grundlegende, distanzierende und abstrahierende Perspektive. L. trägt bei entsprechenden Oberflächenbedingungen wesentlich zur flächendeckenden Identifizierung ortsfester arch. Denkmäler bei, sie liefert entscheidende Daten zu Art und Umfang histor. menschlichen Einwirkens auf größere Räume, bei Einsatz der Satellitenprospektion sogar auf ganze Landschaften. L. stellt ein wichtiges Mittel der Früherkennung und damit des präventiven Denkmalschutzes dar.

B. Entwicklung

[3. 33–44; 5. 1–84; 8] L. im engeren Sinne setzt mit der Erfahrung ein, daß eine Beobachtung aus größerer Höhe die Wahrnehmung zuvor nicht bekannter arch. Denkmäler oder einzelner ihrer Merkmale ermöglicht, eine Erfahrung, über die man an verschiedenen Orten isoliert voneinander bereits um die Wende vom 19. zum 20. Jh. verfügte. Im Bereich der Arch. der Ant. besaß die Zusammenarbeit einiger it. Archäologen (u. a. Giacomo Boni) mit mil. Photo- und Luftaufklärungsspezialisten Pioniercharakter, der seit 1899 unter anderem die Entdeckung der Spuren der monumentalen Inschr. auf der augusteischen Pflasterung des Forum Romanum oder die Identifizierung des histor. Flußverlaufes der Tibermündung bei Ostia verdankt wird [2. 22–25, 29–31]. Während des it.-türkischen Krieges 1911/1912 wurden durch Piloten derselben Einheit Reste der ant. Hafenanlagen von Sabratha in Tripolitanien identifiziert, die sich unterhalb der Wasseroberfläche befanden. Deutliche Entwicklungsschübe erfuhr die L. durch beide Weltkriege, ein Sachverhalt, der die jahrzehntelange Abhängigkeit der luftbildarch. Praxis von der Entwicklung der Kriegsführung aus der Luft und der mil. Fernaufklärung beleuchtet. In den I. Weltkrieg fielen die ersten Ansätze zu einem systematischen Einsatz der L., so unter anderem durch das Dt.-Türkische Denkmalschutzkommando unter Leitung von Theodor Wiegand im Nahen Osten oder durch Carl Schuchhardt in der Dobrudscha (Rumänien). Diese Einsätze kamen v. a. der Dokumentation einzelner Siedlungsbilder und linearer mil. Anlagen zugute. Zeitgleich erhielt die mod. Wirtschafts- und Sozialgeschichte durch den Aufklärungsoffizier und späteren *Annales*-Mitbegründer Marc Bloch die Anregung zum Einsatz der Luftprospektion für die Agrargeschichte [10. 101–107, 109f. 124f.]. Den methodischen wie praktischen Durchbruch erfuhr die systematische L. in den 20er J. in Großbritannien durch Osbert Crawford [7]. Crawford verschaffte der L. in seinem Lande die notwendige institutionelle Unterstützung, begründete eine bis in die Zeit weit nach dem II. Weltkrieg reichende personelle Kontinuität, definierte zusammenhängend typische Voraussetzungen für die Erkennung von Bodendenkmälern aus der Luft und sorgte für Publikation und Publizität der Errungenschaften der L. Antoine Poidebard überflog von 1925 bis 1932 planmäßig den ehemaligen röm. Grenzraum im heutigen Syrien und dokumentierte weite Strecken der zugehörigen Limes-Anlagen [9]. Von 1934 bis 1936 erarbeitete er in Kombination von L. und Unterwasserarch. einen Plan der unter dem Meeresspiegel liegenden Reste der Kaianlagen der phönikischen Hafenstadt Tyros. Erich F. Schmidt führte von 1935 bis 1937 im Auftrag des *Oriental Institute* der Universität Chicago Flüge im Iran durch, die der Unterstützung laufender Grabungen, der vorbereitenden Dokumentation vorgesehener Grabungsplätze und der planmäßigen Prospektion weiterer Territorien zur Identifizierung bis dahin unbekannter arch. Denkmäler dienten [11]. Parallel zur generellen Erstellung von Karten mit Unterstützung durch Luftbilder, insbes. Senkrechtaufnahmen, näherten sich seit dem I. Weltkrieg die L. und die arch. Kartographie an. Auf beiden Arbeitsgebieten, die auch personell verflochten waren (z. B. durch Osbert Crawford oder Giuseppe Lugli), kam es zu internationalen Tagungen und damit zur gegenseitigen Kenntnisnahme und allg. Verbreitung der Arbeitsergebnisse. Der verstärkte Einsatz der jeweiligen Luftstreitkräfte im Zweiten Weltkrieg führte zur Entstehung von Luftbildarchiven bis dahin unbekannter Größenordnung, die nachträglich auch für arch. Zwecke auswertbar sein konnten. Die L. erhielt dadurch einen weiteren entscheidenden Entwicklungsschub. Jean Baradez analysierte die Grenztopographie des röm. Nordafrikas mit Hilfe von weitflächig abdeckenden, aus großer Höhe erstellten Luftaufnahmen [4]. Die Luftbildserien der *Royal Air Force* begründeten eine neue Phase des Studiums der ant. Kulturlandschaften It., maßgeblich eingeleitet durch die *British School of Rome*. Die Denkmalschutzbewegung der 70er J. etablierte die L. in Europa prinzipiell als ein standardmäßiges Arbeitsinstrument der Landesarch. Zu einer ausreichenden infrastrukturellen Stabilität kam es in den meisten Zuständigkeitsbereichen jedoch nicht. Der polit. Umschwung in Mittel- und Osteuropa bedingte auch einen Neubeginn der L. in diesen Regionen, denn viele zuvor als Militärgeheimnisse eingestufte archivierte Aufnahmen wurden nun für die arch. Auswertung zugänglich, zugleich die Aufnahme neuer luftbildarch. Aktivitäten möglich. Im Rahmen einer eigens für die Arch. praktizierten Luftprospektion können die Bedingungen von Beobachtung und Dokumentation präzise auf wiss. Bedürfnisse abgestimmt werden; der Ertrag dieser exklusiv arch. Luftprospektion ist daher erheblich höher als die arch. Nachbearbeitung von Luftaufnahmen, die für andere Zwecke angefertigt wurden. Die automatische Datenverarbeitung erleichtert die nachträgliche Entzerrung von Schrägaufnahmen und ermöglicht die Zusammenführung luftbildarch. und anderer, unter anderem kartographischer Daten in Geographischen Informationssystemen (GIS), damit die Anlage integrierter arch. Archive, die die kombinierte Abfrage raum- und objektbezogener Informationen gestatten. Mit der Nutzung der immer besser auflösenden Satellitenaufnahmen schließt die L. wie zu Zeiten ihrer Entstehung erneut eng an die zeitgenössische Entwicklung der mil. wie zivilen Fernaufklärung an. Die L. gibt den arch. Wiss. ein Instrument an die Hand, mit größerer Annäherung an den noch theoretisch greifbaren Bestand das arch. Potential eines gegebenen Gebietes quantifizieren und qualifizieren zu können. Zugleich erschließt sie bestimmte Einzelquellen wie auch ganze Quellengattungen erstmalig. Auch im Bereich der Arch. der Ant. wird der L. die Identifizierung ganzer Siedlungen (z. B. Spina) wie zahlreicher eher isolierter Denkmäler v. a. in nicht überbauten Bereichen verdankt. Zur letzten Gruppe gehören Grenz- oder Befestigungsanlagen und temporäre Militärlager ebenso wie landwirtschaftliche Betriebe oder ländliche Residenzen (*villae*). Fast ausschließlich auf die Ergebnisse der L. sind die ergiebigen Forschungen zur ant. Limitation (Landvermessung) angewiesen.

C. VORAUSSETZUNGEN

Auch vom Boden aus nicht erkennbare arch. Zeugnisse müssen bestimmte Markierungen oder Spuren auf der Erdoberfläche hinterlassen, um auf dem Wege der Fernerkennung identifiziert werden zu können. Dazu gehören das leichte, schattenwerfende Bodenrelief und Bodenverfärbungen oder Unterschiede in Farbe oder Höhe des Bewuchses über arch. relevanten Überresten und Spuren im Erdboden. Nicht unwesentlich beeinflussen Tageszeit (Lichteinfall), Jahreszeit (Bewuchsdichte, Bewuchshöhe; Schneedecke), Flughöhe, Blick- bzw. Aufnahmewinkel die Ergebnisse der L. Das volle Potential der L. erschließt sich erst langfristig mit dem sukzessiven Zusammentreffen unterschiedlicher Konstellationen von Voraussetzungen (etwa unter Einschluß der Begleiterscheinung extremer Trockenheit). Grundsätzlich sind die Erfolgsaussichten der L. vom Umfang der nachträglichen Veränderungen der Bodenverhältnisse abhängig, wobei der Bodennutzung ein bes. Stellenwert zukommt. Ackerbau, insbes. Tiefpflügen, Zersiedelung oder Bodenversiegelung dezimieren den arch. Quellenbestand oder machen ihn für die Luftprospektion unzugänglich. Schon Anfang des 20. Jh. waren somit die Voraussetzungen für den Einsatz der L. von Gebiet zu Gebiet sehr unterschiedlich. So erklären sich die bes. Erfolge der L. etwa in Großbritannien auch durch die dortigen Besonderheiten der histor. Bodennutzung (überwiegend Viehzucht). Mit zunehmend systema-

tisch betriebener Luftprospektion über längere Zeiträume wird die L. ebenfalls zu einem erstrangigen Dokument des dynamisch fortschreitenden Verlustes ortsfester arch. Quellen.

→ Archäologische Methoden; Unterwasserarchäologie

1 Aerial Archaeology Research Group News, Periodikum 1, 1990ff. 2 GIOVANNA ALVISI, La fotografia aerea nell'indagine archeologica, 1989 3 HELMUT BECKER (Hrsg.), Arch. Prospektion. Luftbildarch. und Geophysik, 1996 4 JEAN BARADEZ, Fossatum Africae. Recherches aériennes sur l'organisation des confins sahariens à l'époque romaine, 1949 5 JOHN BRADFORD, Ancient landscapes. Studies in field archaeology, 1974 6 RAYMOND CHEVALIER, Bibliographie des applications archéologiques de la photographie aérienne, 1957 7 OSBERT CRAWFORD, ALEXANDER KEILLER, Wessex from the air, 1928 8 LEO DEUEL, Flights into yesterday. The story of aerial archaeology, 1973 9 ANTOINE POIDEBARD, La trace de Rome dans le désert de Syrie. Le limes de Trajan à la conquête arabe, 1934 10 ULRICH RAULFF, Ein Historiker im 20. Jh.: Marc Bloch, 1995 11 ERICH F. SCHMIDT, Flights over ancient cities of Iran, 1940. STEFAN ALTEKAMP

Luxemburg

A. DEFINITION B. VESTIGIA ROMANA
C. SCRIPTORIUM ECHTERNACH
D. HUMANISMUS E. MANSFELD
F. JESUITEN; DIE WILTHEIM
G. 19. JAHRHUNDERT H. 20. JAHRHUNDERT

A. DEFINITION

Das Territorium des heutigen Großherzogtums L. (2586 km²) ist, als Residualprodukt habsburgischer Heirats- und Europapolitik, ein Kompromißgebilde, das seine Existenz den unvereinbaren Machtansprüchen und strategischen Interessen verschiedener, im Laufe der Jh. häufig wechselnder Herrschaftshäuser verdankt. In seiner heutigen Form geht es geogr. auf den die letzte Teilung besiegelnden Londoner Vertrag vom 19. April 1839 zurück. Allein die dort verfügte, keiner zwingenden Logik gehorchende Grenzziehung eignet sich nicht für eine adäquate Darstellung des Nachlebens bzw. Einflusses der – hauptsächlich röm. – Ant. in einem Gebiet, das seit der Eroberung Galliens durch Caesar (53 v. Chr.) eher ein steten polit., sprachlichen und kulturellen Veränderungen unterworfener Umschlag- und Durchgangsplatz Mitteleuropas als ein durch natürliche Grenzen geopolit. präzise zu bestimmender und in sich geschlossener einheitlicher Hort des jeweils Existierenden gewesen ist. Um die wechselhafte histor.-polit. Dimension L. zumindest einigermaßen mit der geltenden geogr. in Einklang zu bringen, geht der nachfolgende Versuch von dem – h. zum größten Teil zu Deutschland, Belgien und Frankreich gehörenden – zusammenhängenden Gebiet aus, das vor dem am 7. 11. 1659 auf der Fasaneninsel im Grenzfluß Bidassoa zw. Frankreich und Spanien abgeschlossenen sog. »Pyrenäenfrieden« dem »Herzogtum L. und der Grafschaft von Chiny« entsprach; hierauf bezieht sich auch das entsprechende Adjektiv.

B. Vestigia Romana

In L. wie auch anderswo in den Provinzen *Belgica prima* und *Germania inferior* (die administrative Grenze verlief durch das heutige L. und behielt auf dem Gebiet der kirchlichen Einflußbereiche – Erzbistum Köln/Bistum Lüttich auf der einen, Erzbistum Trier auf der anderen Seite – bis 1801 ihre Gültigkeit) verdrängte die röm. nach und nach die urspr. keltische Kultur. Drei große Heer- und Handelswege führten durch das wirtschaftlich (Lage an einer der Bernsteinstraßen, die von Norddeutschland ans Mittelmeer führten) wie strategisch (Mosel-Rhein-Achse) wichtige Gebiet und erleichterten Kolonialisierung, Warenaustausch und Truppenbewegungen: 1. die Fernstraße von Lugdunum (Lyon) über Divodurum (Metz) und Ricciacum (Dalheim? – die Richtigkeit dieser Deutung ist umstritten) nach Augusta Treverorum (Trier); 2. die von Durocortum (Reims) über Bastonecum (Bastnach) und Belsonancum (Beßlingen/Basbellain) nach Colonia Agrippina (Köln) führende Verbindung und 3. die ebenfalls von Durocortum ausgehende, aber über Orolaunum (Arlon), L. und Niederanven verlaufende Straße, die vermutlich in der Nähe des siedlungsgeschichtlich weit in vorröm. Zeit hineinreichenden sog. Widdenberges auf die Metzer Straße stieß und über Trier hinaus südl. der Mosel weiter nach Mogontiacum (Mainz) führte. Von der Bed. Ricciacums als Etappenort (*mansio, mutatio*) zeugen u. a. ein teilweise freigelegtes Theater, zahlreiche bei Ausgrabungen gefundene Bronzestatuetten, Steindenkmäler und Keramikgegenstände, sowie die Nennung des Namens in der *Tabula Peutingeriana*.

Ein Großteil der anläßlich von arch. Grabungen geborgenen Zeugen röm. Besiedlung L. ist in der galloröm. Abteilung des Musée National d'Histoire et d'Art zu sehen; hinzuweisen ist u. a. auf eine sehr reichhaltige Münzsammlung. Da es in L. keine festen Truppenlager gab, spiegeln die ausgestellten Funde hauptsächlich das Alltagsleben (Handwerkszeug, Tafelgeschirr, Kunst- und Gebrauchsgegenstände aus Ton, Bronze, Gold und Glas) und den Jenseitsglauben (diverse Grabbeigaben) der wohlhabenden Oberschicht wider. Unter den Hunderten von röm. Villen, deren Existenz man bislang nachgewiesen hat, vermitteln bes. die zwei bei Echternach und Nennig (h. Deutschland; entdeckt 1852) gelegenen und *in situ* zu besichtigenden Anlagen ein anschauliches Bild des im Gebiet um Trier vorherrschenden landröm. Baustils. In der Reihe der nicht unbedeutenden Mosaikenfunde auf Luxemburger Territorium verdient die 1990 in Vichten erfolgte sensationelle Entdeckung eines 10,2 × 5,9 Meter großen Fußbodens aus dem Anfang des 3. Jh., auf dem Homer und die neun Musen dargestellt sind, bes. Erwähnung: Hierbei handelt es sich um eines von nur fünf bekannten und zudem um das besterhaltene Mosaik mit diesem Motiv nördl. der Alpen. Ebenso einzigartig ist auch die sog. »Igeler Säule« (Igel, h. Deutschland, gehörte von 1214–1815 zu L.), ein um 240 n. Chr. von den Tuchhändlern L. Secundinius Aventinus und L. Secundinius Securus errichtetes Pfeilergrabmal, das Goethe 1792 anläßlich seiner Campagne in Frankreich (niedergeschrieben 1820; Weimarer Ausgabe 1. Abt., Bd. 33) zweimal besichtigte und von der ihm die Sayner Hütte (bei Bendorf am Rhein) 1829 ein Bronzemodell schenkte, das 1922 gestohlen wurde (vgl. Goethes als Dankesschreiben verfaßten Aufsatz vom 1.6.1829 über *Das altrömische Denkmal bei Igel, unweit Trier*; bei dem h. im Großen Sammlungszimmer des Goethehauses am Frauenplan in Weimar zu bewundernden Exponat handelt es sich um eine Kopie aus Eisenguß). Als Curiosum möge in diesem Zusammenhang die Schrift *Cajus Igula, ou L'empereur Cajus César Caligula, né à Igel* von T. Lorent (1769) zumindest erwähnt sein, der aufgrund einer knappen Notiz bei Sueton (Caligula 8, 3) Igel als den Geburtsort von Kaiser Caligula ansah und das ikonographische Programm der Säule dementsprechend fehldeutete. Zu bescheidenem lit. Ruhm gelangte der Raum Oberlothringen/L. durch die Moselgedichte des Ausonius (*Mosella*; nach 368) und des Venantius Fortunatus (*De navigio suo* = Beschreibung einer Schiffahrt auf der Mosel von Metz bis Andernach; *Ad Villicum episcopum Mettensem*; *De castello Nicetii*).

C. Scriptorium Echternach

Von entscheidender Bed. für die intellektuelle und rel. Entwicklung L. in der Spätant. und im frühen MA waren die Beziehungen zum nahegelegenen Trier, das gegen E. des 3. Jh. zur Lieblingsresidenz von Kaiser Constantius I. und nach dem Mailänder Toleranzedikt seines Sohnes Constantinus d. Gr. aus dem Jahre 313 auch zu einem frühchristl. Zentrum (Eucharius, Valerius, Maternus) wurde. So war es Irmina, die einer fränkischen Familie entstammende hochadelige Äbtissin von Ören-Trier, die 698 dem angelsächsischen Missionar und Bischof von Utrecht Willibrord u. a. ein – damals bereits vorhandenes – Kloster auf ihren Besitztümern in Echternach schenkte, das sich schnell zu einem geistlichen Zentrum und einer Hochburg frühma. Buchkunst entwickelte. Obwohl das Echternacher Scriptorium heutzutage hauptsächlich für die Herstellung von Prunkcodices (z. B. die *libri aurei* von Madrid [Escorial, Vitrinas 17], Gotha [Forschungs- und Landesbibl., Memb. I 71] und Uppsala [Universitätsbibl., C 93]) bekannt ist und sich während der ersten Jh., hierin den irischen Gepflogenheiten entsprechend, nicht um das Abschreiben ant. Schriftsteller bemühte, leitete doch eine 973 im Gorzer Geiste durchgeführte Reform eine Wende ein, von der h. noch eine Reihe bedeutender Textzeugen klass. und spätant. röm. Lit. beredtes Zeugnis ablegen. So befinden sich unter den (seit 1802 zum größten Teil in der Bibliothèque nationale de France aufbewahrten) Echternacher Hss. u. a. die Werke Vergils (BnF lat. 9344 = suppl. lat. 683), diejenigen von Juvenal, Persius und Horaz (BnF lat. 9345 = suppl. lat. 1542; wichtigster Textzeuge für die Gamma-Rezension der Horazscholien), sowie diejenigen von Lucan (BnF lat. 9346 = suppl. lat. 1534), Statius (BnF lat. 10317 = suppl. lat. 1670; nur *Thebais* und *Achilleis*) und Sallust

(BnF lat. 10195 = suppl. lat. 205.4). An spätant. und frühma. Autoren sind u.a Paschasius Radbertus (BnF lat. 8915 = suppl. lat. 1698), Prudentius, Sedulius, Arator und Avian (Trier, Stadtbibl. Hs. 1093/1694) vertreten.

Wie die neuere Forschung (J. Schroeder, M. C. Ferrari) zu Recht betont, hat neben der Gorzer Reform auch das von Gerbert von Aurillac (dem späteren Papst Sylvester II.) entworfene und an vielen Orten übernommene Bildungsprogramm einen entscheidenden Einfluß auf die Tätigkeit des Echternacher Scriptoriums ausgeübt. Besonders häufig wurden die philos. und musiktheoretischen Schriften von Boethius (als führender Autorität der Fächer des Triviums und Quadriviums, → Artes liberales) kopiert; in diesen Zusammenhang gehört auch die Hs. mit Ciceros *Somnium*, Macrobius' *Komm.* dazu und Calcidius' kommentierte Übers. von Platons *Timaios* (BnF lat. 10195 = suppl. lat. 205.4; Sonderüberlieferung für Calcidius = Waszinks P$_{11}$). Daß diese Texte in Echternach um die Jahrtausendwende nicht nur abgeschrieben, sondern auch im Schulunterricht verwendet wurden, beweist ein lange für verloren gehaltenes, aber 1997 wiedergefundenes Folio-Einzelblatt, das eine synoptische Darstellung der Schriften des Boethius enthält und offensichtlich für den Gebrauch im Klassenzimmer bestimmt war (BnLux ms. 770; sog. *mensura monochordi* im Anschluß an Boethius' *De musica* mit einer frühen Form der arabischen Zahlen auf der Rectoseite; schematische Darstellung aller logischer Werke von Boethius in der kanonischen Reihenfolge auf der Versoseite). In das Reich der Fiktion gehört allerdings der in den *Annales Hirsaugienses* (ed. 1690, Bd. 1, 71) des Sponheimer Abtes Trithemius überlieferte Bericht, daß es im 10. Jh. in Echternach mehrere Kommentatoren der Schriften des Boethius gegeben habe.

Die scholastische Physik und Metaphysik – und damit einhergehend die Auseinandersetzung mit dem *corpus Aristotelicum* – scheint im Kloster Echternach nicht rezipiert worden zu sein. Aus dem Hoch-MA können einige Hss. kanonistischen Inhalts (Dekretalensammlungen z. B. BnLux mss. 34, 41, 140) Echternacher Provenienz für sich beanspruchen; ansonsten findet eine bewußte Auseinandersetzung mit der Ant. erst wieder nach der Erfindung des Buchdrucks statt. Ein nur teilweise edierter hsl. Bibl.-Kat. der Abtei aus dem späten 18. Jh. (Archives nat. Lux., ms. 15/279) listet eine ansehnliche Zahl früher Ausgaben klass. und patristischer Texte auf, doch entstammt der Kat. selbst einer Zeit des Niedergangs: der *Komm.* von Calcidius, so heißt es an einer Stelle, trage den Titel *In Timaeum Latronis*.

D. HUMANISMUS

Das durch den Ren.-Human. nördl. der Alpen vermittelte Antikeverständnis hat in L. nur wenig Spuren hinterlassen. Dies hängt zum einen mit dem Fehlen einer höheren Bildungseinrichtung zusammen – die auch außerhalb der Abtei Echternach funktionierenden Klosterschulen vermittelten nur den Elementarunterricht, und die von dem Luxemburger Kaiser Karl IV. 1348 in Prag gegründete Univ. unterhielt nicht die geringsten

Beziehungen zu des Kaisers ferner Heimat –, zum anderen aber auch mit dem im Vergleich zu anderen Städten und Regionen sehr unterentwickelten Mäzenatentum (das erste mit Sicherheit in L. gedruckte Buch entstammt dem J. 1598, und die Hauptstadt war bis ins 19. Jh. Festungs-, also Soldatenstadt). Es muß daher genügen, sechs der bekanntesten in L. geborenen Humanisten in chronologischer Reihenfolge bloß zu erwähnen, wobei betont werden muß, daß ihre Leistungen zu dieser Tatsache in keinerlei Kausalzusammenhang stehen (und allesamt außerhalb L. anzusiedeln sind):

1. Johannes Corrich, gen. Corycius (oft auch ›C. senex‹: vgl. Verg. georg. 4, 127), aus Koerich (ca. 1457–1527), diente sechs Päpsten von Alexander VI. (1492–1503) bis zu Klemens VII. (1523–1534) als Protonotarius und Supplikenreferent. Obwohl selbst kein eigener kreativer Geist, war Corycius im Mäzen ein bedeutender. Analog zu Ficinos musischer Feier des Geburtstags Platons versammelte er ab 1512 alljährlich anläßlich des Geburtstags der hl. Anna (26. Juli), der er in der Kirche S. Agostino eine von Andrea Sansovino verfertigte Statue (Anna Selbdritt) gestiftet hatte, die bedeutendsten in Rom weilenden Dichter (u. a. Pietro Bembo, Lelio Giraldi, Ulrich von Hutten und Janus Vitalis) um sich, die sowohl ihren Förderer und dessen Großzügigkeit als auch die Schönheit der offenbar formvollendeten Statue in allen erdenklichen Versformen besangen. Die eigen- und einzigartige Sammlung dieser von über 120 Literaten verfaßten Gelegenheitsgedichte wurde 1524 unter dem Titel *Coryciana* von Blossius Palladius veröffentlicht; sie feiert das Rom der damaligen Zeit, als ob es sich um das augusteische handelte.

2. Hieronymus Buslidius (de Busleyden), aus Bauschleiden (ca. 1470–1517), war ein Antiquar und, als Mitglied des Großen Rates von Mecheln, ein einflußreicher Diplomat. Thomas More, der im Sommer 1515 bei Buslidius weilte, pries sein Haus und seine Münzsammlung in mehreren Gedichten. Auf Anraten des Herausgebers von Mores *Utopia*, Erasmus (vgl. Allen II, ep. 477, 359, Z. 5–7), schrieb der flämische Humanist Pierre Gilles hierzu ein Vorwort, das er, um die Verbreitung des Werkes zu erleichtern und es dem Vorwurf der Häresie zu entziehen, an den Staatsmann Buslidius, ›Mecoenas et huius seculi decus‹, richtete. Buslidius verfügte testamentarisch die Stiftung des berühmten *Collegium trilingue* in Leuven.

3. Bartholomaeus Steinmetz (Masson), gen. Latomus, aus Arlon (ca. 1485–1570), wurde 1534 auf Betreiben Guillaume Budés erster Lehrstuhlinhaber für lat. Eloquenz am Collège Royal (dem späteren Collège de France). Latomus hat bes. durch seine auf den Unterricht zugeschnittenen rhet.-dialektischen Erläuterungen zu Livius und Cicero sowie durch seine Komm. zu den logischen Schriften von R. Agricola und G. von Trapezunt gewirkt. Die 1937 gegründete führende belgische Zeitschrift für klass. Philol. trägt seinen Namen.

4. Nicolaus Mameranus, aus Mamer (ca. 1500–1566/67), ein bedeutender Dichter, Philologe und In-

schriftensammler. Von bes. methodischem Interesse ist sein Vorwort zu der 1550 in Köln bei seinem Bruder Heinrich erschienenen Ausgabe von Paschasius Radbertus' *De corpore et sanguine Christi*, in der er den ersten Herausgeber dieses Werks, den Lutheraner Job Gast, als Fälscher und Interpolator entlarvte und im Laufe seiner Darlegungen u. a. auf den Begriff des hsl. »Archetyps« und davon abhängiger *codices descripti* als für die Textkonstitution entscheidende Dokumente rekurrierte (fol. B2r). Mameranus' nach 1538 entstandene Sammlung hispanischer Inschr. dagegen wurde noch von E. Hübner im zweiten Band des C. I. L. verwertet (vgl. Einleitung, VIII).

5. Johannes Philippi (Philippsohn), aus Schleiden in der Eifel, gen. Sleidanus (ca. 1505–1556), war der bedeutendste Historiker der Reformation. Für ihre typologische Deutung berief er sich in einer eigenen Schrift u. a. auf das Schema der Abfolge der vier Weltreiche (vgl. Dan 2, 31–45).

6. Johannes Sturm, gen. Sturmius, ebenfalls aus Schleiden (1507–1589), einer der einflußreichsten Pädagogen des Human., dessen hauptsächlich für das Straßburger Gymnasium – dem er ab 1537 als Rektor vorstand – entworfene Studienprogramme sowohl für die Reform der Heidelberger Univ. wie für die 1564–1570 erfolgte Reorganisation des Schulsystems in → Bayern maßgeblich waren. Neben seinen vielgelesenen Abhandlungen über das Studium der alten Sprachen, bes. des Lat. (z. B. *De litterarum ludis recte aperiendis*, Straßburg 1538), gab Sturmius die Werke Ciceros heraus und verfaßte einen Komm. zur *Ars poetica* des Horaz; des weiteren übertrug er die aristotelische Rhet. und mehrere Traktate des Hermogenes ins Lateinische.

E. MANSFELD

Auch die Ren.-Architektur hat in L. kaum gewirkt und nur wenig Spuren hinterlassen. Als größter Förderer der neuen Zeitströmung erwies sich Peter Ernst Graf von Mansfeld (1517–1604), den Karl V. 1545 zum Gouverneur des Herzogtums bestellte. Ab 1563 ließ Mansfeld vor den Festungsmauern der Stadt im Vorort Clausen »La Fontaine«, ein Lustschloß, erbauen, einen Wildpark und v. a. einen Garten mit Labyrinth, Teichen und Springbrunnen anlegen, dessen Pracht in zeitgenössischen Texten immer wieder gepriesen wird. Sammlungen röm. Reliefs und Inschr., die er von nah und fern herbeitransportieren und u. a. in einem mit Hermen röm. Kaiser verzierten Cryptoporticus aufstellen ließ, zeugten von seiner Begeisterung für die Ant.; heidnisch-röm. Gottheiten (Bacchus, Neptun, Venus) in Marmor und Bronze schmückten, allegorisch gedeutet, die Fontänen. Leider hat nur das wenigste hiervon die Zeitläufte überdauert; in sorgfältigen Detailinterpretationen, die sich z. T. auf hsl. erhaltene zeitgenössische Berichte stützen, versucht bes. O. Scholer in kenntnisreichen Arbeiten über die Art der Antikerezeption (ikonographische Programme im allg.; Arkadien; Allegorien und Embleme; Brunnenmotive; Terminussteine; Vitruvius etc.) des Mansfeldschlosses Klarheit zu gewinnen.

F. JESUITEN; DIE WILTHEIM

Als eigentliche Wiederentdecker bzw. Wiedererwecker der Ant. müssen in L. die Jesuiten gelten, die dort 1603 ein Kolleg gründeten und bis zur Auflösung des Ordens im J. 1773 allein für die höhere Bildung verantwortlich waren. Das allg. Lehrprogramm war selbstverständlich durch die jeweils geltende *Ratio studiorum* vorgegeben, in der der Griech.-Unterricht in der Regel ein Aschenbrödeldasein im Vergleich zum Lat.-Unterricht führte. Einem Jesuiten ist das erste wichtige Werk über das röm. Erbe in L. zu verdanken: Jean-Guillaume Wiltheim (1594–1636) verfaßte *Historiae Luxemburgensis antiquariarum disquisitionum libri tres* (BRBruxelles, ms. 7146; unveröffentlicht). Von unvergleichlich größerer Wichtigkeit dagegen ist ein anderes arch. Werk, das von Jean-Guillaumes Bruder Alexandre Wiltheim (1604–1684) verfaßt wurde: unter dem Titel *Luxemburgum Romanum* (Erstausgabe A. Neÿen 1841; Neuausg. in Vorb.) legte er ein von Jan Gruters *Thesaurus inscriptionum* (1601) inspiriertes und von überaus akkuraten Zeichnungen begleitetes vollständiges Repertorium aller im luxemburgischen und trierischen Raum greifbarer Spuren röm. Präsenz an. Dies ist unbestritten die bedeutendste Aufarbeitung der röm. Vergangenheit L. Allein der dokumentarische Wert des *Luxemburgum Romanum* kann schon deshalb nicht hoch genug veranschlagt werden, weil die meisten der von Wiltheim beschriebenen Gegenstände und Inschr. h. nicht mehr existieren.

Von den beiden eben erwähnten einsamen Pionierleistungen abgesehen, haben die Jesuiten in L. indes keine wiss. oder künstlerischen Leistungen hervorgebracht, die das ordensübliche Maß in signifikanter Weise überschritten oder das Antikeverständnis in entscheidendem Maße gefördert oder geprägt hätten. Von ihrem pädagogischen Wirken – und von ihren Vorstellungen des guten lat. Stils – zeugen noch zahlreiche aus ihrer Bibl. stammende Ausgaben der Werke Ciceros und des *Dictionarium* von A. Calepino, die sich in der Luxemburger Nationalbibl. erhalten haben. Ein ebenda aufbewahrtes umfangreiches Ms. (BnLux, ms. 199), in dem u. a. Theorie und Praxis der jesuitischen Theateraufführungen vor Ort dokumentiert sind, wird von J. Reisdoerfer ausgewertet.

G. 19. JAHRHUNDERT

Während des 19. Jh., also während der Zeit, wo das heutige L. zu einem unabhängigen Staat wurde und sich über den kleinsten gemeinsamen Nenner der sprachlichen (»westmoselfränkischen«) Gemeinsamkeit eine Art schlecht definierbaren nationalen Zugehörigkeitsgefühls herausbildete, geriet die Ant. beinahe völlig aus dem Blickfeld. Die lat. Lit. hinterließ einige wenige Spuren im lit., oder zumindest mit lit. Anspruch geschriebenen und in ihrem Kunst- und Weltverständnis an klassizistischen, auf Rom zurückprojizierten Normen und Wertvorstellungen orientierten Werk gebildeter großbürgerlicher Ästheten, wie etwa den 1805–1810 niedergeschriebenen Reisebeschreibungen von

P. A. C. Merjai (1760–1822; BnLux ms. 240 (26 größtenteils unveröffentlichte Bde.)) oder den Briefen von M.-L. Schrobilgen (1789–1883; BnLux ms. 776); ansonsten sucht man indes vergeblich nach aussagekräftigen Anknüpfungen an die ant. Tradition.

H. 20. Jahrhundert

Auch im 20. Jh. schlägt sich das ant. Erbe zumeist nur im Werk einzelner, meist isoliert arbeitender Denker und Künstler nieder. In bewußtem und eingestandenem Rückgriff auf Homer und Vergil schrieb L. Koenig unter dem Pseudonym Siggy vu Letzebuerg von 1933–1947 ein über 12 000 Verse umfassendes hexametrisches »nationalluxemburgisches Christusepos« (*Lucilinburhuc*), das er als Bollwerk gegen die Infizierung durch das Gift nationalsozialistischer Theorien verstanden wissen wollte: Durch die Darlegung der schicksalhaften Vorbestimmung L. im göttl. Heilsplan sollten einerseits das nationale Zusammengehörigkeits- bzw. Identitätsgefühl gestärkt, andererseits die kriminellen, weil arel. (und daher im Sinne des Verfassers antiluxemburgischen) Umtriebe der Hitlerdiktatur entlarvt und verhöhnt werden. Anders als der *Aeneis* blieb diesem Epos der lit. Erfolg allerdings versagt. Für den heutigen Geschmack leichter erträglich ist das allerdings immer noch sehr programmatische Vorwort, das H. Muller seiner 1995 erschienenen hexametrischen Übertragung von *Odyssee* 1–3 ins Luxemburgische voranschickte, in der der Verfasser u. a. einen über die Sprache vermittelten Beitrag zur Definition der nationalen Identität sah. Gänzlich auf theoretische oder weltanschauliche Erörterungen verzichten dagegen die ausgezeichnet lesbaren Übers. von Sophokles (*Antigone*, 1989; *Elektra*, 1991) und Euripides (*Medea*, 1996) durch C. Lamboray. Völlig abseits jeglicher Moden und zeitgenöss. Ideologien steht das einsame Werk des Philosophen J. Prussen, der bes. die in der Ant. – etwa in Platons *Parmenides* und von Diodoros Kronos – entwickelten (onto-)logischen Antinomien für seine Erforschung des Subjekts-, des Wahrheits- und des Möglichkeitsbegriffs sowie der Beziehungen zwischen Ich und Welt fruchtbar machte (*Apologie du solipsisme*, postum 1986). Dem mediokren Zeitgeist in radikaler Unversöhnlichkeit gegenüberstehend bemüht sich der Dichter J. J. Kariger um die Wiederbelebung ant. poetischer Gattungen wie dem Epigramm, der Fabel, der Sentenz und der Panegyrik (*Blitzröhren*, 1982; *Wahlgang der Tiere*, 1987; *Scutum – gemma vigilium*, 1993; *Geist-Weihen*, 1998). Einer bestimmten Vorstellung ant.-röm. Architektur und Urbanistik haben sich die in Fachkreisen kontrovers diskutierten Architektenbrüder Léon und Robert Krier (London und Wien) verschrieben.

Die möglicherweise bedeutendste Leistung auf dem Gebiet der Antikerezeption, die man seit dem Ende des 2. Weltkriegs mit einem Luxemburger Namen verbinden kann, ist allerdings die Edition der *Vulgata* der Württembergischen Bibelanstalt Stuttgart (1969): Ihr Hauptherausgeber, der Benediktinermönch Robert Weber, verbrachte einen Großteil seines Lebens in der Abtei St. Maurice et St. Maur in Clervaux (L.); er galt als einer der großen Bibelphilologen des 20. Jahrhunderts.
→ Jesuitenschulen
→ AWI Ausonius; Boethius; Constantinus [1], Constantius [1]; Hermogenes [7]; Säulenmonumente; Venantius Fortunatus; Vitruvius

1 L. Bakelants, Bartholomaeus Latomus, in: Bibliotheca Belgica, Bd. 3, 1964, 678–747 2 F. Bertemes, R. Echt, Nennig: die röm. Villa, in: Der Kreis Merzig-Waden und die Mosel zw. Nennig und Metz (Führer zu arch. Denkmälern in Deutschland; 24), 1992, 135–147 3 N. Campagna, Die Philosophie als Therapie im Werke Jules Prussens, 1996 4 N. Didier, Nikolaus Mamerarus. Ein Luxemburger Humanist des XVI. Jh. am Hofe der Habsburger, 1915 5 M. C. Ferrari, Sancti Willibrordi venerantes memoriam: Echternacher Schreiber und Schriftsteller von den Angelsachsen bis Johann Bertels – ein Überblick, 1994 6 J. H. Gaisser, The Rise and Fall of Goritz's Feast, in: Renaissance Quarterly 48, 1995, 41–57 7 J. Ijsewijn (Hrsg.), Coryciana, 1997 8 J. Krier (et al.), Alexandre Wiltheim (1604–1684). Sa vie, son oeuvre, son siècle (Ausstellungskat.), 1984 9 Jacques Mersch, La Colonne d'Igel. Essai historique et iconographique, 1985 10 Jules Mersch, Mathieu-Lambert Schrobilgen (1789–1883), 1947 11 J. Neumann, Les auteurs luxembourgeois, Programme Athénée Royal G.-D. de Luxbg.,1855–1856, 1–45 (unersetzte allg. Lit.-Übersicht) 12 J. Reisdoerfer, Magnas ac multiplices esse Graecae linguae utilitates…, in: Poikíla (FS O. Scholer), 1996, 213–243 13 J. Rott, Bibliographie des oeuvres imprimées du recteur strasbourgeois Jean Sturm (1507–1589), in: Actes du 95e congrès national des sociétés savantes (Reims, 1970). Section de philologie et d'histoire jusqu'à 1610. Tome 1: Enseignement et vie intellectuelle (IXe-XVIe siècle), 1975, 319–404 14 C. Schmidt, La vie et les travaux de Jean Sturm, 1855 (NDr 1970) 15 O. Scholer, Deux rescapés du grand naufrage: les termes rustiques du château de Mansfeld, in: Hémecht 43, 1991, 95–120 16 Ders., »Du vor des Wassers fließendem Gesicht, marmorne Maske …«: die Steckbriefe der Mansfeld-Brunnen, ibid., 48, 1996, 391–440; 479–537 17 Ders., Le serpent qui se mord la queue: un emblème perdu du château de Mansfeld, ibid. 44, 1992, 143–199 18 Ders., Un monstre au château de Mansfeld: science et superstition, ibid. 47, 1995, 43–105; 153–169 19 J. Schroeder, Bibl. und Schule der Abtei Echternach um die Jt.-Wende, Diss. Freiburg/Br. 1977 (zugl. in: Publ. de la Section historique de l'Institut Grand-Ducal de Luxbg. 91, 1977, 201–378) 20 A. Sprunck, La vie de Pierre-Alexandre-Cyprien Merjai (1760–1822), 1951 21 R. A. M. Stern, Moderner Klassizismus: Entwicklung und Verbreitung der klass. Trad. von der Ren. bis zur Gegenwart, 1990, S. 252–262 (über die Brüder Krier) 22 C.-M. Ternes, Das röm. L., 1971 (Übersichtsdarstellung) 23 Ders., Répertoire archéologique du Grand-Duché de Luxembourg, 1970 (Verzeichnis aller Grabungsstätten und Fundgegenstände) 24 G. Trausch, Histoire du Luxembourg, 1992 25 E. van der Vekene, Johann Sleidan, Stuttgart 1996 (Bibliographie) 26 H. de Vocht, Jerome de Busleyden, founder of the Louvain Collegium trilingue, 1950 27 K. H. Weichert, Goethe und die Igeler Säule, in: Goethe in Trier und L.: 200 Jahre Campagne in Frankreich 1792 (Ausstellungskat.), 1992, 102–119 28 R. Weiller, Die Fundmünzen der röm. Zeit im Großherzogtum L., 5 Bde.,

1972–1996 **29** E. WOLFF, Un humaniste luxembourgeois au XVIe siècle: Barthélemy Latomus d'Arlon, Programme Athénée G.-D. de Luxbg., 1901–1902, 3–92; I-[LXIII].

LUC DEITZ

Lykanthropie. Die Figur des Wolfsmenschen, des Werwolfs (vgl. ahd. wer-mann [18, 4]; auch: Wehrwolf, Bärwolf) oder Lykanthropen (gr.: λύκος »Wolf«, ἄνθρωπος »Mensch«) hat seit der Ant. das Denken und die Phantasie von Schriftstellern und Künstlern vielfältig angeregt. Auch in der ma. und frühneuzeitlichen Volkskultur finden sich ähnliche Vorstellungen, bes. in Litauen, Livland, Preußen und Sachsen [9. cap. 18; 18; 19].

Herausragende intellektuelle und gesellschaftliche Brisanz erlangte die L. in der Zeit der frühneuzeitlichen Hexenverfolgungen. In aufsehenerregenden Gerichtsprozessen wurden im 16. und 17. Jh. vermeintliche Hexer zum Tode verurteilt, die sich, zuweilen nach eigenem Eingeständnis, des Nachts in Werwölfe verwandelt, Erwachsene, Kinder und Tiere in Stücke gerissen und ihr noch warmes Fleisch verzehrt hatten. Der Teufel selbst, so gestanden sie, habe ihnen ein Fell oder eine Salbe gegeben, mit deren Hilfe sie sich beliebig in Werwölfe verwandeln konnten. Andere wurden gar des Morgens mit eben jener Verletzung aufgefunden, etwa einem fehlenden Arm, die ihnen Menschen oder Hunde des Nachts beigebracht hatten [1; 7; 8; 21; 22; vgl. Abb. 1].

Für die zeitgenössischen Juristen und Theologen waren derartige Geständnisse und Zeugenaussagen eine Herausforderung. Nur vereinzelt glaubten sie an eine tatsächliche, wesenhafte Verwandlung [3]. Die meisten Autoren lehnten diese Möglichkeit dagegen mit Augustinus (civ., 18) und dem *Canon episcopi* strikt ab. Sie verwiesen vielmehr auf die überragenden Fähigkeiten des Teufels und seiner Helfer, den Menschen durch geschickte Manipulationen und Gaukeleien täuschenden Trugbildern auszusetzen. Der Teufel verdichte und forme beispielsweise die Luft um die Beschuldigten, so daß Zeugen glaubten, einen Werwolf zu sehen. Oder er versetze die Angeklagten in tiefen Schlaf und lasse seine Dämonen in Wolfsgestalt schreckliche Verbrechen begehen, während er den Schlafenden Traumbilder vorgaukle, die sie von ihrer eigenen Täterschaft überzeugten. Über die Strafwürdigkeit war damit allerdings noch nicht entschieden. Immerhin mochten sie mit dem Teufel paktiert und sich eine Verwandlung in einen Werwolf zumindest gewünscht oder gar den Teufel zum Morden angestiftet haben [2; 7; 8; 13; 20].

Wesentliche Unterstützung und Ergänzung fand die Suche nach einer »naturalistischen« Erklärung der L. im überlieferten medizinischen Schrifttum. Der Begriff L. war hier seit Jh. gebräuchlich und bezeichnete eine Hauptform der → Melancholie. Schon bei Marsilius von Side erwähnt, gelangte diese Auffassung der L. über die spätant. byz. Kompilatoren [10; 11] in die frühneuzeitliche Medizin. Ein fast identisches Krankheitsbild

Abb. 1: Lucas Cranach der Ältere, *Werwolf*, Holzschnitt (162 × 126), ca. 1512, Gotha

glaubten die ma. und frühneuzeitlichen Ärzte auch in den Werken führender arab. Ärzte wiederzufinden [24], unter Begriffen wie *al-qutrub*, *al-catrab* oder *cutubut* (Avicenna, Canon medicinae, Basel 1556, Buch 3, fen 1, tract. 4, cap. 21).

Die Symptome wurden immer wieder mit fast den gleichen Worten beschrieben. Die Betroffenen trieben sich nachts in den Friedhöfen herum, mieden die Gesellschaft anderer Menschen und imitierten das Verhalten von Wölfen, in allem, was sie taten. Blasse, fahle Gesichter, tränenlose, eingesunkene Augen, ständiger Durst und chronische Geschwüre an den Schienbeinen prägten das äußere Erscheinungsbild. Die Krankheit trat v. a. im Februar auf. Fallgeschichten wurden publiziert. D. A. v. Altomare (De medendis humani corporis malis, Lyon 1559, cap. 9 (S. 96)) schilderte seine Begegnung mit einem L.-Kranken, der den Schenkel eines Toten auf der Schulter trug. P. van Foreest (Observationes et curationes medicinales, Leiden 1590, 207–11 (B. 10, obs. 25)) beschrieb den Fall eines Landbewohners, der in Alkmaar um die Friedhöfe strich und schließlich in der Kirche wie rasend auf die Bänke sprang und mit einem Stock um sich schlug, um die Hunde abzuwehren. Seine Beine waren ganz schwarz und von Geschwüren bedeckt, das Gesicht bleich, die Augen eingesunken, und sein ganzer Körper hatte ein dunkles, schwarzgalliges, also melancholisches Aussehen. Zur Behandlung wurden v. a. Aderlässe empfohlen, bis zur Ohnmacht, Molke, sowie Theriak, Opium und andere Arzneien.

Die intensive zeitgenössische dämonologische Diskussion eröffnete den Ärzten eine willkommene Gelegenheit, ihre bes. Expertise öffentlichkeitswirksam geltend zu machen. Theologen und Juristen akzeptierten – in Grenzen – die ärztliche Auffassung, daß den Geständnissen angeklagter Hexen auch melancholische Wahnerscheinungen zu Grunde liegen konnten [17]. Auch die Geständnisse angeblicher Werwölfe ließen sich als Folge von aufsteigenden, schwärzlichen, melancholischen Dämpfen verstehen. Zu plastischen Formen im Hirninneren verdichtet, setzten sie den inneren Sinnen so täuschend echte Bilder vor, daß die Betroffenen von ihrer Verwandlung und ihren Verbrechen überzeugt waren. Eine kompetente Beurteilung und gegebenenfalls medizinische Behandlung war allein dem Arzt möglich. Besonders an den protestantischen Universitäten, an denen sich im Gefolge von Melanchthons Seelenlehre (*Liber de anima*, Wittenberg 1552) eine stark galenisch-materialistisch geprägte »Psychologie« der *spiritus* und *vapores* entwickelte, wurde die L. zu einem beliebten Gegenstand medizinischer Dissertationen [4–6; 14–16].

Allerdings ließ das herkömmliche medizinische Verständnis der L. jene Züge vermissen, die man von Werwölfen v.a. erwarten mußte: Wildheit, Angriffslust, Hunger nach rohem Fleisch. Die Lykanthropen wurden vielmehr als ängstlich, als traurig und menschenscheu beschrieben. Und die subjektive Überzeugung der Kranken, sie hätten sich in einen Wolf verwandelt, blieb im überlieferten medizinischen Schrifttum gleichfalls unerwähnt; allenfalls hieß es, sie ahmten das Verhalten der Wölfe nach, was nicht das gleiche ist. In der Auseinandersetzung mit der dämonologischen Diskussion machte der medizinische L.-Begriff im 16. und 17. Jh. eine subtile Wandlung durch. Zunehmend wurden den L.-Kranken aggressive, ja kannibalistische Züge zugeschrieben, indem sie Menschen und Tiere mit Zähnen und Nägeln angriffen [4; 5.; 15]. Folgerichtig stellten manche Autoren die herkömmliche Deutung der L. in Frage. Sie wollten sie als eine Form der Raserei oder der Manie verstanden wissen, und als Ursache kam ihnen die natürliche schwarze Galle allenfalls in stark veränderter, maligner oder verbrannter Form in Frage, wenn nicht gar vielmehr die hitzige gelbe Galle schuld war [4]. In der Auseinandersetzung mit den volkstümlichen und dämonologischen Bildern vom Werwolf näherte sich der medizinische L.-Begriff diesen schließlich bis zur Verschmelzung an.

→ AWI Lykanthropie

QU **1** ANONYMUS, A true discourse declaring the damnable life and death of one Stubbe Peeter, a most wicked sorcerer, who in the likens of a woolfe, committed many morders, continuing this divelish practise 25 yeeres, killing and devouring men, woomen (sic), and children, London 1590 **2** P. BINSFELD, Tractatus de confessionibus maleficorum et sagarum. Trier 1591 **3** J. BODIN, De daemonomagia magorum, Buch 2, cap. 6, Straßburg 1581 **4** A. DEUSING, Dissertatio de lycanthropia, resp. E. C. van der Burgh, Groningen 1654 **5** W. A. FABRICIUS, Λυκανθρωπία, praes. J. R. Saltzmann. Argentorati 1649 **6** A. A. GOLDNER, De nullitate λυκανθρωπίας, resp. J. G. Neuman, Wittenberg 1664 **7** P. DE LANCRE, Tableau de l'inconstance des mauvais anges et démons, Paris 1612, 254–328 **8** J. DE NYNAULD, De la lycanthropie, ou de la transformation et extase des sorciers, Paris 1615 **9** OLAUS MAGNUS, Historia de gentibus septentrionalibus, Antwerpen 1558 **10** ORIBASIUS, Synopseos ad Eusthatium filium libri novem, Venedig 1553 **11** PAULUS VON AEGINA, De re medica, Paris 1532 **12** C. PEUCER, Commentarius de praecipuis divinationum generibus, Frankfurt 1593 **13** C. PRIEUR, Dialogue de la lycanthropie, Löwen 1596 **14** C. WANTSCHERUS, Disputatio zoologica de lupo et lycanthropia, praes. C. Wolff, Wittenberg 1666 **15** J. F. WOLFESHUSIUS, De lycanthropis, Leipzig 1591 **16** K. ZIEGRA, Disputatio contra opliantriam, lycantropian et metempychosim, Wittenberg 1650

LIT **17** S. CLARK, Thinking with demons. The idea of witchcraft in early modern Europe, 1997 **18** W. HERTZ, Der Werwolf. Beitrag zur Sagengesch., Stuttgart 1862 **19** R. LEUBUSCHER, Über die Wehrwölfe und Thierverwandlungen im MA, Berlin 1850 **20** C. OATES, Démonologues et lycanthropes. Les théories de la métamorphose au XVIe siècle, in: L. HARF-LANCNER (Hrsg.), Métamorphose et bestiaire fantastique au moyen age, 1985, 71–105 **21** DIES., The trial of a teenage werewolf, Bordeaux, 1603, in: Criminal Justice History 9 (1988), 1–29 **22** C. F. OTTEN (Hrsg.), A lycanthropy reader. Werewolves in Western culture, 1986 **23** M. SUMMERS, The werewolf, 1933 **24** M. ULLMANN, Der Werwolf. Ein griech. Sagenmotiv in arab. Verkleidung. In: Wiener Zeitschrift für die Kunde des Morgenlandes 68, 1976, 171–184.

MICHAEL STOLBERG

Lyrik A. DEFINITION
B. GRUNDFRAGEN C. ÜBERBLICK

A. DEFINITION

L. gilt seit dem 18. Jh. als eine der drei Hauptgattungen (Ch. Batteux), ja ›Naturformen der Dichtung‹ [15. 194], doch hat sie sich seit der Ant. durch die Vielfalt ihrer Formen und Funktionen der Definition entzogen. L. kann nur deskriptiv erfaßt werden als Kanon von Texten, jeweils als L. angesehen worden sind [22. 7–31]; die Aporie, daß dabei immer schon ein reflexiver Begriff von L. [35] bzw. ein reflexives Urteil [20] wirkt, ist anzuerkennen. Lyrische Texte lassen sich daher nur durch Merkmalskomplexe charakterisieren: a) Nähe zu Musik und Tanz; b) metr.-rhythmische und phonetische Strukturierung (Vers, Strophe, Reim); c) rel., soziale, polit. Funktion (Lob/Tadel); d) Kürze und Dichte (E. A. Poe; E. Pound); e) Bildlichkeit (W. Killy); f) enthusiastische Dichtweise [15. 194]; g) Subjektivität; h) Reflexivität [29]. Im Widerspiel von kollektiver und individueller Sprechhaltung (c, g), im Einüben, Singen und Memorieren (a, b, d, e) von Werten oder im Erproben neuer Haltungen und Sprechweisen (e, f, g) hat L. die europ. Geistesgeschichte mitgeprägt; durch ihre formale, oft musikalische Intensität (a, b, d) und die reflexive Betonung ihrer sprachlichen Verfaßtheit (h) wirkt L. als Medium emotionaler Klärung und Erkenntnis durch Sprache.

B. Grundfragen

Diese Polyvalenz ist konstitutiv für L., da sich schon die röm. L. aus histor. Distanz auf die griech. Melik und Chor-L. bezieht und die Formen sozialen Tadels (Iambos) bzw. Trauer, Gedächtnis und Wertreflexion (Elegie, Epigramm) integriert. Catull setzt bereits einen solchen offenen Begriff von L. voraus; die röm. Liebeselegie verschmilzt genuin lyr. Thematik mit einer keineswegs auf erotische Inhalte festgelegten Form; und Horaz adaptiert Formen (äolische Strophen, Jamben) und Motive (Motti, intertextuelle Zitate), Sprechweisen (Hymnus, Invektive, sympotische Reflexion etc.) unter Bezug auf Modelle poetischer Existenz (epist. 1,19,23 ›Archilochos‹; 2,2,99 ›Alcaeus‹; carm. 1,17,18 ›Anacreon‹; vgl. Properz 4,164 ›Romani ... Callimachi‹) und sucht Anschluß an den lyr. Kanon (carm. 1,1,37) im Bewußtsein der Differenz (epist. 1,19,25 ff.). Nimmt man Catulls car. 51 hinzu, das Sappho fr. 31 V. in pointierter Anverwandlung übersetzt, so ist die Skala der Transformationen der L. von der christl. Spätant. bis ins 20. Jh. bestimmt (→ Imitatio).

Träger dieser Trad. sind geprägte Formen, Themen und Haltungen: Zum Hymnos, zu pindarischen und horazischen Oden, zu Liedern der Anakreontik treten Bukolik, Elegie und Epigrammatik. Meist sind Formen, Motive und Ethos nach ant. Muster gekoppelt, doch gibt es auch Heiligenviten in Odenform (Metell v. Tegernsee, 12. Jh.), byz. Anakreonteen der Zerknirschung, und J. Milton schreibt im 17. Jh. lat. Hymnen in Jamben. Wie vielfältig Ant. und Moderne aufeinander zu beziehen sind, ist am besten für den Iambos aufgezeigt [38].

Das von E. R. Curtius entworfene Projekt einer poetischen Topik [6], die systematisch Motive und Verfahren der europ. Trad. sammelt, entbehrt einer neuen synthetischen Darstellung. Einzelstudien wie zum Kußgedicht [16] oder zu Konventionen wie dem Gedichtschluß [41] zeigen Umfang und Dringlichkeit der Aufgabe.

Konnten im lat. MA sowohl lyr. Formen stets aus Horaz [26] oder den Prosimetra des Boethius und Martianus Capella [31] als auch Motive aus Ovid übernommen werden [14], so setzt mit der Ren. die Rezeption von Catull [13], Pindar [39] und Anakreon [36] ein, die die lat. wie die volkssprachl. Dichtung stimulierten; Sappho tritt später hinzu [17; 34]. Die Titel des »dt. (it., frz. ...) Horaz (Pindar, Anakreon ...)« sind zahllos beansprucht und vergeben worden [37], und kaum eine Dichterin – von der Byzantinerin Kassia (9. Jh.) bis Else Lasker-Schüler – ist nicht mit Sappho verglichen worden. Der Psalmist David hat in christl. L. eine ähnliche Funktion als Legitimationsinstanz.

Zur ant. und zur christl.-biblischen Trad. kommt als dritte Kraft die musikalische Komponente der Volkssprachen hinzu. L. wird nicht nur in der lat. und byz. Liturgie gesungen, auch die L. der Trobadors, Trouvères, Minnesänger und Vaganten beruht auf Musik. Ebenso drängte die L. der Ren. zur Vertonung [2; 47].

Die seit dem Hell. entwickelte und wohl in Rom überwiegende Lese-L. wird erst seit der Neuzeit zur Regel. Es sind aber stets neue Verbindungen möglich: Das Kunstlied des 19. Jh. vertont L. nachträglich; andererseits waren B. Brechts Terzinen *Die Liebenden* urspr. ein Theater-Song (*Mahagonny*, Szene 14).

Neben diesem steten Wechselspiel mit der Musik sind aber auch visuelle Formen von L. wie Figurengedichte von Theokrit über das MA (Hrabanus Maurus) bis zur sog. konkreten Poesie dokumentiert [11].

C. Überblick

Sowohl im byz. Osten als auch im lat. Westen adaptiert die christl. Liturgie Formen des Chorgesangs. Ambrosius schafft mit der Hymnenstrophe das dominierende Muster [12], doch auch einzelne metr. Strophen des Prudenz halten sich im Brevier und bis ins evangelische Kirchenlied [47]. Aus der biblischen Dichtung (Psalmen, Magnificat) und dem liturgischen Gesang entwickeln sich im 9. Jh. die isosyllabischen Doppelchöre der *Sequenz/Prosa* (Notker Balbulus' *Pfingstsequenz*). Die Form stand aber von Anf. an auch weltlichen Themen nahe und ging später in die Entwicklung von *lai/Leich* ein [42. 20–24].

In Byzanz erreicht die rel. L. in den *Kontakia*, komplexen Langgesängen, des Romanos Melodos im 6. Jh. einen frühen Höhepunkt. Im 7./8. Jh. wird die neue Form des *Kanons* von Johannes Damaskenos und Andreas v. Kreta geschaffen, die bis h. in der orthodoxen Liturgie fortlebt [25].

Die weltliche L. tritt auch im Westen lange zurück. Nach einer Blüte im 9. Jh. (Walahfried Strabo, Gottschalk v. Orbais) und später in den Hss. von St. Martin/Limoges tritt sie ab dem 11. Jh. in den *Carmina Cantabrigensia* und dann in Gestalten wie Marbod v. Rennes, Baudri v. Bourgueil, Serlo v. Wilton kräftig hervor [10]. Die *Carmina Burana* thesaurieren die Summe der thematischen und formalen Möglichkeiten der lat. L. des 13. Jh. Die Wirkung der mittellat. L. ist oft indirekt, doch schwer zu überschätzen und reicht bis in Ch. Baudelaires *Les Fleurs du mal (Nr.60).*

Die ersten Zeugnisse volkssprachl. Dichtung, die mozarab. *cantigas* [10] und die irischen Dichtungen [43], gehören dem 9. Jh. an. Ihre Überlieferung ist äußerst lückenhaft und oft nur aus christl. Polemik faßbar wie auch die spärlichen Reste der ahd. und altengl. L.

Wohl im Anschluß an mittellat. Rhythmik [28], doch im Ergebnis neuartig, setzt im 11. Jh. die okzitanische L. ein (Wilhelm IX. v. Aquitanien), die über Nordfrankreich nach England, über den Rhein nach Deutschland (Minnesang) und in die galizisch-portugiesische Dichtung ausstrahlt. Die Genese der okzitanischen L. und die Zusammenhänge sind umstritten, so v. a. Art und Ausmaß des westl. Einflusses auf den dt. Minnesang. Entscheidend ist aber der Einfluß auf die sizilianische Schule am Hofe Friedrichs II. und auf den it. *dolce stil novo*. Guido Cavalcanti, Guido Guinizelli und auch Dante übernehmen die kunstvollen okzitanischen Reimstrophen und Formen wie die Canzone, entwickeln die Sestine und das in Sizilien entstandene Sonett weiter [5]. Mit F. Petrarcas *Canzoniere* [33] entsteht im 14. Jh. das wirkungsmächtigste Buch der europ. L. Die von ihm initiierte Trad. (systematische Variation der hohen Liebe in Sonetten und Canzonen) bestimmt über mehrere Jh. weite Teile der L. Zwar ist die ant. L. nur eine Quelle von Petrarkas L., doch hatte neben Vergil und der Elegie auch Horaz Anteil an der Konzeption des *Canzoniere* [30. 11–28].

In der 1. H. des 16. Jh. fällt die Entscheidung zw. Lat. und den Nationalsprachen. Während in Deutschland nach dem Vorbild von Conrad Celtis [1] weiter Dichtung in lat. Metren überwog, die noch im 17. Jh. in Jacobus Balde singuläre Qualität erreichte [37], entschieden sich die roman. Länder früher und erfolgreicher für ihre Sprachen. Nach dem Vorlauf des Florentiner *Certamen coronario* von 1441, in dem erstmals volkssprachliche Äquivalente für ant. Metren verwendet wurden (→ Verskunst), setzt mit der regen Editionstätigkeit und Wiedergewinnung der griech. L. (erste Pindar-Ed. 1513/15) bald auch die Übers.-Lit. und der Versuch formaler Aneignung ein [21]. In It. experimentieren G. G. Trissino und L. Alamanni mit den triadischen Strukturen der pindarischen Ode, ehe diese Form in Frankreich durch die Dichter der Pléiade aufgenommen wurde. Diese Gruppe, deren Mitglieder oft weiter Lat. schrieben [3; 48], trat durch P. de Ronsards *Hymnes* (1550), die von 12 pindarischen Oden eröffnet wurden, an die Spitze der Entwicklung und erweiterte ab dem späten 16. Jh. den Petrakismus um antikisierende Formen. Hatte in Spanien etwa Garcilaso de la Vega in der 1. H. des 16. Jh. die petrarkistischen Formen aus It. in die span. Dichtung eingeführt, so verbindet Fray Luis de Léon in der 2. H. horazische und biblische Formen und Motive [4]. Unter dem Einfluß der Pléiade und der span. L. schafft G. Chiabrera in It. mit seinen *canzoni-odi* eine klassizistische Alternative zur manieristischen Sonett-Kunst von M. Marini.

Die um 1600 im holländisch-dt. Raum einsetzende Prosodiereform löst die dt. und die engl. Lit. allmählich von It. und Frankreich. Voran geht die L. in England, wo die Sonett-Zeit um 1600 mit W. Shakespeare ihren Höhepunkt erreicht [44]. Zwischen J. Milton und Th. Gray tritt im 17. und frühen 18. Jh. eine Fülle von Lyrikern hervor, die aus ant. genuin engl. Formen entwickeln [8; 24]. Ben Jonson schrieb triadische Oden und etwas später A. Cowley *Pindarique Odes* (1656), während A. Marvell den Inbegriff der polit. horazischen Ode schuf; R. Lovelace traf in *The Grasshopper* Anakreons Ton.

Die dt. Barocklyrik bietet zunächst durch G. R. Weckherlin den Versuch, an romanischen Mustern orientierte *Oden und Gesänge* (1618/9) in die dt. Sprache einzuführen. Mit M. Opitz' Prosodie-Reform setzt hingegen eine Phase des Erprobens der rhythmisch gefestigten Sprache ein. P. Fleming, A. Gryphius und Chr. Hofmann v. Hofmannswaldau gewinnen ihr die feinsten Töne ab.

Erst F. G. Klopstock entwickelt ab der Mitte des 18. Jh. Oden in antikisierender Metrik und, im Anschluß an die Psalmen, Gedichte in freien Versen [23]. F. Hölderlin schafft wenig später horazische Oden von gespannter Balance und in den späten Hymnen pindarische Großformen, die Philos. und poetologische Reflexion mit detaillierter Anschaulichkeit vereinen. J. W. v. Goethe geht nach Experimenten mit freien pindarischen Formen (*Wandrers Sturmlied*, *An Schwager Kronos*) in den *Röm. Elegien* die engste Verbindung mit der Ant. ein.

Etwa zeitgleich entwickelt die russ. L. unter dt. Einfluß panegyrische Oden (G. Dershavin), von denen sich im 19. Jh. A. Puschkin abwendet, wobei er aber die Anverwandlung von Anakreon, Catull, Ovid und Horaz bis zu den Gedichten und Entwürfen der letzten Lebensjahre fortsetzt.

Demgegenüber bietet die dt. L. im 19. Jh. meist Epigonales. Während A. v. Platen den antikisierenden Versbau verfeinert, schafft allein E. Mörike mit Gedichten wie *An eine Äolsharfe* Werke, die ebenso als dt. Kunstgebilde wie als Variation ant. Themen und Verse lesbar sind.

In noch vollkommenerer Weise verschmilzt G. Leopardi, der die L. ›als einzig der Moderne verbleibende Gattung‹ bezeichnete, in seinen *Canti* (1831/35) ant. Haltung, it. Formen und mod. Reflexion. Sein *Canto notturno* überstrahlt ein Jh., an dessen E. die Philologen-Dichter G. Pascoli (*Odi e Inni; Canti di Castelvecchio*) und G. Carducci (*Odi barbare*) erneut mod. Formen aus der Aneignung der Ant. zu gewinnen versuchen.

Die engl. Romantik bietet zu Beginn des 19. Jh. mit W. Wordsworths *Ode* und S. T. Coleridges *Dejection* Beispiele privater, philos. und ästhetischer Reflexion; und J. Keats *Ode on a Grecian Urn* hat programmatische Qualität für das Jh., an dessen Ende A. Ch. Swinburne im Rückgriff auf die Ant. bereits die Prämoderne formulierte. Die L. von St. George, H. v. Hofmannsthal und R. Borchardt setzt ähnliche Tendenzen zu Beginn des 20. Jh. in Deutschlands »konservativer« Moderne fort.

Das 20. Jh. insgesamt war der ant. L. nicht günstig, doch erschienen um 1920 epochale Werke mit Bezug auf die Antike. E. Pound etwa entwickelte sein Konzept der sprachlichen Verdichtung unter Rückgriff auf Catull, Properz und die okzitanischen Dichter; P. Valérys *Charmes* (1922, zunächst *Odes* 1920) setzen in klass. Form und antikisierender Haltung den Maßstab der frz. Moderne; R. M. Rilke band in den *Duineser Elegien* und den *Sonetten an Orpheus* ant. Motive und Formen in ein mod. Sprachmodell der Welt; und F. Pessoa gelang in den Oden seines Heteronyms Ricardo Reis die wohl vollkommenste Verbindung von Moderne und Ant. im 20. Jh. [32]. K. Viëtor hat zwar bereits 1923 die Ode für tot erklärt [45], doch darf man mit erfreulichen Überraschungen rechnen. In den USA verblüffte D. Hall 1993 mit einer Kontrafaktur des ersten Odenbuches des Horaz [19], wobei man die Präsenz traditioneller Formen nicht unterschätzen darf [7]. Die Ant. ist auch in der L. von D. Walcott wirksam, der in den *Italian Eclogues* eine Summe der L. von der Ant. bis Josif Brodskij zieht [46. 64–70]. In begrenztem Maße ist die Ant. auch in der dt. L. nach 1945 präsent geblieben [40]. 1991 erschienen sogar wieder Oden ohne restaurativen Nebenton, und mit ihrem Autor L. Greve [18. 74] läßt sich resümierend über die katalytische Wirkung der ant. L. sagen: ›Die ant. Form muß nicht das letzte Wort sein, aber wer einmal da durchgegangen ist, verhält sich anders, bestimmter, auch ohne ihren Schutz‹.

→ Anakreontische Dichtung; Epigrammatik; Hymnos; Hymnus; Imitatio; Verskunst

→ AWI Anakreon; Catullus; Horatius; Lyrik; Pindaros; Sappho

1 U. AUHAGEN u. a. (Hrsg.), Horaz und Celtis, 2000. 2 W. BERNHARDT, »True Versifying«. Stud. zur elisabethanischen Verspraxis und Kunstideologie, 1993 3 M. BIZER, La poésie au miroir, 1994 4 G. CABELLO PORRAS, Ensayos sobre tradición clásica y petrarquismo en el Siglo de Oro, 1995 5 G. CONTINI (Hrsg.), Poeti del Duecento, ²1995. 6 E. R. CURTIUS, Europ. Lit. und lat. MA, ⁹1978. 7 P. DACEY, D. JAUSS (Hrsg.), Strong Measures. Contemp. Americ. Poetry in Trad. Forms, 1986. 8 T. DAWSON, R. S. DUPREE (Hrsg.), 17th-Century Poetry, 1994 9 F. DÖLGER, Eucharisterion, Die byz. Dichtung in der Reinsprache, 1961 (1948) 10 P. DRONKE, Medieval Latin and the Rise of European Love-Lyric, ²1968 11 U. ERNST, Carmen figuratum, 1991 12 J. FONTAINE, Naissance de la poésie dans l'occident chrétien, 1981 13 J. H. GAISSER, Catullus and his Renaissance Readers, 1993 14 I. GALLO, Aetates Ovidianae: Lettori di Ovidio dall' antichità al Rinascimento, 1995 15 J. W. v. GOETHE, West-östl. Diwan, Münchn. Ausg. II.1,2, hrsg. v. K. RICHTER u. a., 1998 16 R. A. GOOLEY, The Metaphor of the Kiss in Ren. Poetry, 1993 17 E. GREEN et al. (Hrsg.), Re-Reading Sappho, 1996 18 L. GREVE, Sie lacht, 1991 19 D. HALL, The Museum of Clear Ideas, 1993 20 R. HOMANN, Theorie der L., 1999 21 P. HUMMEL, Philologica lyrica, 1997 22 L. KÄPPEL, Paian, 1992 23 K. M. KOHL, Rhetoric, the Bible and the Origins of Free Verse, 1990 24 C. MADDISON, Apollo and the Nine. A History of the Ode, 1960 25 R. MAISANO, Prospettive recenti nello studio dell' innografia bizantina, AION 13, 1991, 291–306 26 M. MANITIUS, Analekten der Gesch. des Horaz im MA, 1893 27 C. MARTINDALE (Hrsg.), Ovid Renewed, 1988 28 U. MÖLK, Trobadorlyrik, 1982 29 E. MÜLLER-ZETTELMANN, L. und Metalyrik, 2000 30 Orazio e la letteratura italiana, Atti d. Conv. Licenza 19–23 Aprile 1993 31 B. PAPST, Prosimetrum, 1994 32 F. PESSOA, Texto crítico das Odes de Fernando Pessoa-Ricardo Reis, hrsg. v. S. BÉLKIOR, 1988 33 F. PETRARCA, Canzoniere, hrsg. v. M. SANTAGATA, 1996 34 Y. PRINS, Victorian Sappho, 1999 35 W. E. ROGERS, The Three Genres and the Interpretation of Lyric, 1983 36 P. A. ROSENMEYER, The Poetics of Imitation. Anacreon and the Anacreontic Tradition, 1992 37 E. SCHÄFER, Dt. Horaz, 1976 38 E. A. SCHMIDT, Notwehrdichtung. Mod. Jambik von Chénier bis Borchardt, 1990 39 TH. SCHMITZ, Pindar in der frz. Ren., 1993 40 B. SEIDENSTICKER, P. HABERMEHL (Hrsg.), Unterm Sternbild des Hercules, 1996 41 B. H. SMITH, Poetic Closure, 1968 42 J. SZÖVÉRFFY, Secular Latin Lyrics and Minor Poetic Forms of the Middle Ages, I-IV, 1992 43 J. TRAVIS, Early Celtic Versecraft, 1973 44 H. VENDLER, The Art of Shakespeare's Sonnets, 1997 45 K. VIËTOR, Gesch. der dt. Ode, 1923. 46 D. WALCOTT, The Bounty, 1997 47 E. WEBER, La musique mesurée à l'antique en Allemagne, 1974 48 H. W. WITTSCHIER, Die L. d. Pléiade, 1971.

THOMAS POISS

M

Märchen. Von Gewinn für die M.-Forsch. sei, ›bei den lat. und griech. classikern jede *anilis fabula*, jeden *graódēs mýthos* aufzuspüren, deren sie erwähnen‹ – dieser Forderung Jacob Grimms [1. 194] ist man nachgekommen: Eine Fülle ant. M.-Motiveme wurde entdeckt und lexikalisch aufgearbeitet [5] Ganze M.-Texte, die den Gattungsgesetzen entsprächen, sind in der Ant. so wenig wie im MA belegt. Die entsprechende Rezeptionsgeschichte kann nur nach Motivfiliationen, deren Überlieferungswegen sowie nach Umfang, Art und Gründen für ihre Veränderungen fragen. Ergebnisse gibt es bislang nur wenige, und selbst diese sind nicht immer stichhaltig [3], wenn man von direkten Aufnahmen ant. Motive in mod. M.-Sammlungen absieht (so die Grimmschen M. *Das Unglück* oder *Der Räuber und seine Söhne*, die jeweils über dt.-sprachige Zwischenstationen des 15. und 16. Jh. auf den *Bidbai* bzw. die *Odyssee* zurückgehen [3. 541 f.]). J. Grimm hat auf Verwandtschaft zweier Cunti des G. B. Basile (1634) mit einem Motiv (Auseinanderlesen von Körnern durch helfende Tiere) im *Asinus aureus* des Apuleius hingewiesen, das dann im Typus des »Aschenputtel«-M. wieder erscheint. Die Traditionswege sind unklar und umstritten, ähnlich wie die des »Dornröschen«-Zentralmotivs: Vom 57jährigen Schlaf des Epimenides kann eine Brücke zu Basile führen [4. 134 f.] (der zudem den Paliken-Mythos – wohl aus oraler neapolitanischer Trad. – damit verwob); aber ob Ch. Perrault (*contes* 1697) auf Basile oder selbständige mündliche Überlieferung zurückgriff, ist kaum zu klären. Derweil geht die Grimmsche Fassung auf Perrault zurück [3. 463 f.]. Es ist wohl eher ein *hero pattern* anzusetzen, eine weithin identische Grundmotivstruktur, die immer wieder und in verschiedensten gattungsmäßigen Ausprägungen neu realisiert wird. Stringent ist ausnahmsweise der M.-Typus »Von dem Machandelboom« mit dem Grundmotiv des von der Mutter geschlachteten, vom Vater verzehrten und in einen Vogel verwandelten Jungen auf den aitologischen Tereus-

Prokne-Mythos zurückzuführen, und zwar in der Vergilschen Fassung (ecl. 78–81), die durch gabeheischende Studenten das MA hindurch verbreitet wurde und ihrerseits zur Erfindung eines wiederum aitiologischen M. geführt hat (»Wer ist der auf einer Stange mitgeführte Vogel, und wie kommt er zu seinem Lied?« [4. 113–125]). Ohne die Entdeckung solcher Traditionsbrücken müssen die meisten Vermutungen entsprechender Rezeptionsvorgänge Spekulation bleiben.

→ AWI Märchen

1 J. Grimm, Vorrede zu Basiles Pentamerone, 1846, in: KS 8, Gütersloh 1890 2 M. Lüthi, M., bearbeitet von H. Rölleke, ⁹1996, 40–43 3 H. Rölleke (Hrsg.), Kinder- und Haus-M., 1994 4 W. Siegmund (Hrsg.), Ant. Mythos in unseren M., 1984 5 S. Thompson, Motif-Index of Folk-Literature, ²1956–1958.   HEINZ RÖLLEKE

Magie A. EINLEITUNG B. MITTELALTER C. »MAGIA NATURALIS« IN RENAISSANCE UND FRÜHER NEUZEIT D. DIE ENTWICKLUNG BIS INS 19. JAHRHUNDERT UND DER ZAUBER ALTER NAMEN E. 20. JAHRHUNDERT F. HEXENTRADITION, WICCA UND NEOPAGANISMUS

A. EINLEITUNG

Die ant. Diskussion um *mageia/magia, goêteia, carmen* etc. hatte eine Vielzahl möglicher Interpretationen hervorgebracht, die eine allgemeine Beschreibung dessen, was unter M. verstanden wurde, unmöglich macht. So kann auch ein Resümee der Begriffsgeschichte nicht mehr tun, als die verschiedenen M.-Entwürfe deskriptiv zu erfassen, ohne eine Vereinheitlichung erzwingen zu wollen [27]. Ferner gilt es zu bedenken, daß die Auffassung von M. – und zwar in enger Verflechtung mit den Begriffen Natur und Wiss. – sich vom 14.–17. Jh. grundlegend verändert hat und die moderne Definition jener drei Begriffe erst dem 18. Jh. entstammt [22. 7–23]. Zu unterscheiden ist dabei grundsätzlich (und vereinfacht) eine philos. Tradition einerseits, die über die abendländische Esoterik tradiert wurde und als Naturphilos. auch die neuzeitliche Naturwiss. beeinflußte, und eine weniger spekulativ als praktisch orientierte M., die v. a. im alltäglichen Kontext von weiten Teilen der Bevölkerung praktiziert wurde, wobei hier ein expliziter Rekurs auf ant. Quellen seltener ist. Schließlich kann das Nachwirken spätant. Diskurse bis in die wiss. Begriffsbildung verfolgt werden, die sich seit dem 19. Jh. zw. ethnologischer Feldforschung und sozialwiss. Theoriediskussion entfaltete [28].

B. MITTELALTER

Die Christianisierung des Röm. Reiches hatte zu einer weitgehenden Marginalisierung der M. im öffentlichen Raum geführt, wobei zu beachten ist, daß es sich hierbei um eine Auffassung von *magia* handelte, welche die M. insgesamt als »Schadenzauber« und »Häresie« kriminalisierte und die christl. Rituale dichotomisch davon absetzte [18]. Die griech.-röm., insbesondere aber auch die als ägypt. bezeichneten Traditionsstränge fanden

deshalb ihren weiteren Ausdruck verstärkt im Bereich islamischer Schulen. Dort wurde nicht nur die philos. orientierte Esoterik und Alchemie als »uralte« Weisheit tradiert, sondern auch ihre praktische Anwendung mit Hilfe von Amuletten, Gemmen oder anderem Zauber. Als Beispiel sei das »Steinbuch des Aristoteles« genannt, das in arab., hebräischer und lat. Fassung erhalten ist und etwa ins 9. Jh. zurückgeht. Dort werden Dioskurides' Arzneimittellehre mit ihrer Zusammenstellung von Mineralstoffen, entsprechende Passagen bei Plinius und lit. Anleihen bei Theophrast und dem Alexanderroman zu einem eigenen magisch-medizinisch-alchemistischen Dokument vereint [37]. Derartige Schriften waren weit verbreitet und kursierten namentlich unter den gebildeten Schichten. Daß neben → Aristotelismus und der alchemistischen Lit. (v. a. über Zosimus) auch die Hermetik im MA in german. Sprachen tradiert wurde, läßt sich etwa bei Gratheus zeigen, der in seinem magischen Traktat auf den *Asclepius* Bezug nimmt (dies ist wohl die einzige Schrift des *Corpus Hermeticum*, die dem MA bekannt war, s. [4. I.293–323, bes. 302]; s. insgesamt [36]). Für den nordeurop. Raum ist schließlich festzustellen, daß die M. – zumindest in Gestalt von Amuletten – erst durch das Christentum im 10. Jh. eingeführt worden ist, unter Verwendung hell. Zauberkunst [20].

C. »MAGIA NATURALIS« IN RENAISSANCE UND FRÜHER NEUZEIT

Zu einem expliziten Rekurs auf ant. Quellen kam es in umfangreichem Maße ab dem 15. Jh. Das esoterische Konzept der *philosophia occulta* (der »verborgenen Philos.«) gewann eine enorme Attraktivität, und zahlreiche Schriften erschienen, welche eine universalistische M. unter dem Begriff der *magia naturalis* entwarfen [22; 33]. Dabei wird *magia* als Wiss. zur Erkenntnis der verborgenen Zusammenhänge der natürlichen Welt betrachtet, die durch Analogien und Entsprechungen geprägt ist, welche der Wissende zu entschlüsseln vermag. Zu den wichtigsten Schriften zählen Nicolaus von Cues, *Idiota de staticis experimentis*, 1450; Marsilio Ficino, *De vita coelitus comparanda*, 1489; Henricus Cornelius Agrippa, *De occulta philosophia*, 1533; Paracelsus, *Magia naturalis*, 1537; Leo Suavius, *De usu et mysteriis notarum liber*, 1550; John Dee, *Monas hieroglyphica*, 1564; Giordano Bruno, *Sigilla sigillorum*, 1583; ders., *De Imaginum ... compositione*, 1591 (und weitere); Giovanni della Porta, *Magiae naturalis libri viginti*, 1589; Johannes Trithemius, *Steganographia*, gedr. 1606; Thomas Campanella, *De sensu rerum et magia*, 1620. Der human. Ruf *ad fontes* galt auch in der Esoterik, und man versuchte, die Auffassung explizit zu belegen, daß eine Reorganisation des ant. Materials das »uralte Wissen« der Naturphilos. enthüllen könne. In welchem Ausmaß die neuzeitlichen Autoren ant. Schriften rezipierten, läßt sich etwa bei dem kaiserlichen Arzt Georg Pictorius (geb. 1500) zeigen, der in seiner meist *Scientia ceremonialis* genannten Schrift (1563) u. a. folgende Autoren zitiert: Homer, Crinitus, Lucan, Plinius secundus, Philostratus, Hygin, Livius, Varro, Lampridius, Macrobius, Juvenal, Favorinus und Hippolyt, nicht selten mit genauem Verweis [3. 51–77]. Auch die Tradierung über die arab. Autoren, etwa Averroes, ist ihm bekannt. Ebenso instruktiv für die Rezeption sind seine Komm. zu ant. Schriften wie jener zu Plin. nat. XXX (das schon für das MA als Standardwerk anzusehen ist): In stoischer und neuplatonischer Tradition wird dort die M. als »höchste Wiss.« eingeführt, die sich des Wissens um die Sympathie bedient, um ›mit Hilfe natürlicher Kräfte durch richtige Anwendungen und gegenseitige Verbindung natürlicher Dinge Wirkungen hervorzubringen‹ [3. 89]. Dabei können (gemäß der von Antoine Faivre beschriebenen »Praxis der Konkordanz« [17. 29 f.]) selbst so unterschiedliche Autoren wie Galen, Hippokrates und Proklus gleichsam harmonisiert werden.

Auch die für die Esoterik so wichtige Verknüpfung zentraler Disziplinen (Magie, Astrologie, Metaphysik) findet sich in der Ren.-Lit., etwa bei Agrippa von Nettesheim, der nach einer Dreiteilung der M. in ›natürliche‹, ›himmlische‹ und ›zeremonielle‹ ausführt, daß die ›Magier die Kräfte der Elementarwelt durch die verschiedenen Mischungen der natürlichen Dinge in der Medizin und Naturphilosophie (suchen). Durch die Strahlen und Einflüsse der himmlischen Welt verbinden sie hierauf nach den Regeln der Astrologen und der Lehre der Mathematiker die himmlischen Kräfte mit jenen. Sodann verstärken und befestigen sie dies alles vermittels heiliger und religiöser Ceremonieen durch die Gewalt der verschiedenen Intelligenzen‹ (De occulta philosophia I.2, nach [35. 36]). Die praktische Arbeit des Magiers bestand folglich darin, zur richtigen Zeit durch konzentrierte Visualisierung [21] und die geschickte Zusammenstellung unterschiedlicher Materialien (Steine, Pflanzen, Planetensymbole etc.) eine bestimmte Kombination von Kräften zu evozieren, die entweder zur Heilung oder zur Schädigung eingesetzt werden konnte. Wie schon in der Ant. gingen die »weiße« M. und ihre »schwarze« Variante oft ineinander über (s. dazu [25], wo auch die »Volks-M.« und die Nachwirkung des Dr. Faustus beschrieben werden). Schließlich kann auf Paracelsus verwiesen werden, der von der *coniuratio* (»Beschwörung«) sagt, sie sei von Babylonien ausgegangen und über Ägypten und Israel schließlich zu den Christen gelangt [11. 136] (Abb. 1). Agrippa und Paracelsus haben die nachfolgende Geschichte maßgeblich geprägt, auch wenn spätere Denker wie Porta [35. 61–95] ihre eigenen Interpretationen einbrachten. Wie stark der magisch-esoterische Diskurs mit philos. Modellen des Nominalismus, der Linguistik und Semiotik verknüpft war, läßt sich von Ficino bis Martin Heidegger nachzeichnen [23].

In religionswiss. Deutung nach Max Weber wird häufig auf die Reformation verwiesen, die im Zuge der »Entzauberung der Welt« auch eine zunehmende Trennung der rel. von der magischen Sphäre intendierte, die im Katholizismus des Hoch-MA noch eng verflochten waren (s. bes. [41; 38]). Diese Interpretation verfehlt durch ihren schematischen Charakter die tatsächliche

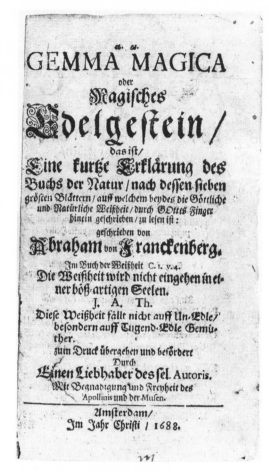

Abb. 1: Gemma Magica des Christoph Hirsch, unter dem Pseudonym Abraham von Franckenberg 1688 in Amsterdam publiziert. Hirsch betrachtet die rosenkreuzerische Pansophia als authentische Überlieferung der Weisheit der alten Ägypter und persischen Magier. Die Gemma Magica steht in paracelsischer Tradition (Bibliotheca Philosophica Hermetica, Amsterdam)

Sachlage, denn ›(i)nstead of evidence for a »disenchantment«, what we see in the historical record is a series of displacements, displacements caused by the appearance of a more radical soteriology and sacred anthropology. Armed with the most thoroughgoing concepts of human depravity and divine majesty, the sixteenth-century German Reformers moved to cordon off one kind of miracle by labelling it coercive, demonic magic‹ (was wir statt Beweisen für eine »Entzauberung« in den histor. Berichten sehen, ist eine Reihe von Ersetzungen, Ersetzungen, die sich einer radikaleren Soteriologie und hl. Anthropologie verdanken. Bewaffnet mit einem höchst weitreichenden Konzept menschlicher Verworfenheit und göttl. Herrschaft, begannen die dt. Reformer des 16. Jh. eine Form des Wunders auszugrenzen, indem sie sie als zwingende, dämonische M. bezeichneten) [39. 234]. Diese künstliche Dichotomisierung findet sich noch heute in wiss. Meinungen wieder.

D. Die Entwicklung bis ins 19. Jh.

und der Zauber alter Namen

Die Hochschätzung Ägyptens als Land der M. schlechthin sowie der jüd. M. als traditionsreicher Wurzel christl. Zauberkunst gehörte schon in der Spätant. zum festen Repertoire magischen Selbstverständnisses. Dies sollte bis ins 20. Jh. so bleiben, wobei es v. a. zwei Namen waren, denen die höchste Aufmerksamkeit zuteil wurde. Als erstes wäre das umfangreiche Schrifttum um die Person des legendären Hermes Trismegistos zu nennen, das in der Neuzeit adaptiert und erweitert wurde und das einen festen Referenzpunkt aller esoterischen Disziplinen bildet (→ Okkultismus). Der magische Nimbus Ägyptens spielte im 17. und 18. Jh., als sich Rosenkreuzer und Freimaurer als breite Bewegung in Europa etablierten, eine große Rolle [24; 14. 133–210]. Dabei war der Rekurs auf die ant. Quellen zumeist fiktiv, es wurden jene Konstruktionen übernommen, die Ägypten als Ursprung von Religion und M. sahen, wie bei der Gründung der »ägypt.« Maurerei durch Graf Cagliostro (alias Giuseppe Balsamo aus Palermo, 1743–95).

Für die M. im engeren Sinne noch bedeutsamer ist die zweite berühmte Persönlichkeit, nämlich Salomo, um den sich ebenfalls schon in der Ant. ein ganzer magischer Korpus gebildet hatte. Nachdem die jüd. → Kabbala in zunehmendem Maße auch im Christentum bekannt geworden war, trat die große Bedeutung der salomonischen Zauberkraft sowohl in den Ritualen der Geheimbünde als auch im Kontext alltäglicher M. (etwa beim Schreiben von Amuletten) besonders klar hervor. Die stark ausdifferenzierten magischen Dokumente der Ant. (*Testamentum Salomonis, Clavicula Salomonis* u. a.) wurden dabei zitiert, kommentiert und erweitert. Beispiele reichen vom ma. Gratheus (»Salomons Weisheit«, [4. II. 250–301]) über das wirkungsmächtige »Buch der wahren Praktik von der alten Magia« des Juden Abraham von Worms (»Buch Abramelin« [1], legendär auf 1387 datiert, älteste Kopien stammen aus dem J. 1608) bis hin zu Eliphas Lévi, der auf *Clavicula Salomonis* rekurriert. Der Mitbegründer des *Hermetic Order of the Golden Dawn*, S. Liddell MacGregor Mathers, der sieben Mss. jenes »Schlüssel Salomos« im British Mus. bearbeitete und herausgab, beruft sich in seiner Einleitung auf Josephus Flavius (1. Jh. n. Chr.), der entsprechende magische Werke Salomos nenne [9. 12]. Besonders im freimaurerisch-magischen Kontext galt die Authentizität ant. salomonischer Dokumente als ausgemacht, und 1723 (bzw. 1738) wurde Salomo als »Großmeister der Loge zu Jerusalem« gerühmt, d. h. die Ursprünge der eigenen Bewegung wurden ins 10. vorchristl. Jh. verlegt [19. 323; vgl. den Überblick 290–342].

E. 20. Jahrhundert

Das 19. Jh. war insgesamt geprägt von einem enorm gestiegenen Interesse an alten Kulturen, das durch immer neue Entdeckungen, Entzifferungen oder eben »Entschleierungen« befriedigt und vertieft wurde. Im religionswiss. Bereich galt dies auch für die M., indem ant. Texte zugänglich gemacht wurden und als wichtiger Referenzpunkt der eigenen zeitgenössischen Position dienten [26. 120–142]. Es wurde schon bei MacGregor Mathers deutlich, daß philol.-wiss. Ansprüche auch von praktizierenden Magiern aufgenommen wurden, ein Umstand, der sich einerseits der Popularisierung von Spezialistenwissen verdankt, andererseits die Interdependenz von Religionswiss. und Religion selbst erhellt [40]. Im *Order of the Golden Dawn* war dieser Zusammenhang stets präsent, z. B. wenn die »weiße Säule« (in Analogie zum kabbalistischen Baum der Sefirot) mit Vignetten des 17. Kapitels des ägypt. Totenbuches geschmückt wurde, welches vom Ägyptologen Lepsius 1842 ›versehentlich als das XVI. Kapitel bezeichnet worden‹ war [12. I. 270]. So wichtig jener 1888 gegründete Orden auch für die Folgezeit sein sollte, das entscheidende Manifest mod. Esoterik sind die Werke von Helena Petrovna Blavatsky (1831–91), Mitbegründerin der Theosophischen Gesellschaft (im J. 1875, s. zum Zusammenhang mit anderen Orden [16. 325–27]), nämlich *Isis Unveiled* (1877) und *The Secret Doctrine* (Bd. I–II: 1888; Bd. III: 1897). Besonders die »Geheimlehre« bündelt das wiss. und esoterische Wissen des 19. Jh. in einzigartiger, oft auch eigenwilliger Weise, und es gibt kaum einen ant. Autoren, der nicht rezipiert wird. So heißt es über die Frage, ob Zoroaster als Begründer der M. anzusprechen sei: ›... Ammianus Marcellinus, Plinius und Arnobius, mit anderen Geschichtsschreibern, haben gezeigt, daß Zoroaster nur ein Reformator der Magie war, wie sie von den Chaldäern und Ägyptern ausgeübt wurde, und durchaus nicht ihr Begründer‹ [5. III. 20, mit Verweis auf Anm. XXVI. 6]. Erneut spielt Ägypten bei der Aneignung der ant. M. die Hauptrolle [5. III. 241–257], und Dokumente wie der *Pap. Anastasi* werden dezidiert mit den Aussagen der Alten verglichen, mit dem Ergebnis: ›Herodot, Thales, Parmenides, Empedokles, Orpheus, Pythagoras, sie alle kamen, ein jeder zu seiner Zeit, in der Suche nach der Weisheit von Ägyptens großen Hierophanten, in der Hoffnung, die Rätsel des Weltalls zu lösen‹ [5. III. 254].

An jener ägyptisierenden Tendenz moderner M. hatte auch Aleister Crowley (1875–1947) Anteil, nicht nur durch die Übernahme von Ritualen des *Golden Dawn*, sondern auch durch die Offenbarungsschrift *Liber AL vel Legis* (1904), die nach einer seltsamen Vorgeschichte im Boulak-Mus. (heute Ägypt. Nationalmus., Kairo) und der Begegnung mit Horus in Form des Ausstellungsstückes Nr. 666 entstand. 666 ist die Zahl des »Tieres« der Johannes-Apokalypse, und Crowley, der schon von seiner Mutter »das Tier« genannt worden war, vereinigte sich mit dieser Kraft in einer magischen Zeremonie. Das *Buch des Gesetzes*, jene Offenbarung des Horus alias Ha-

Abb. 2: A. Crowley mit der Kopfbedeckung
des Horus, die Hände zum Zeichen des Pan erhoben

dit und der Nut an ihren Propheten A. Crowley alias
Perdurabo, wurde zum Gründungsmanifest der sog.
Thelemiten. Die Übernahme altägypt. Texte geschieht
dabei willkürlich, folgt es doch dem Programm: ›Aufgehoben sind alle Rituale, alle Prüfungen, alle Worte
und Zeichen. Ra-Hoor-Khut hat seinen Sitz eingenommen im Osten, bei der Sonnenwende der Götter
. . . Hoor in seinem geheimen Namen und Glanz ist der
Herr der Einweihung‹ [6. Satz 49]. In seinen zahlreichen
Schriften griff Crowley neben dem ägypt. Erbe explizit
die Traditionen der (christl.) Kabbala auf, konnte aber
für die Gestaltung der Oberseite des magischen Altars
auch das Eingravieren des »Mikrokosmos des Vitruvius«
[7. I. 117] (aus *De Architectura*) empfehlen (Abb. 2).

Im Zuge der Popularisierung vormals okkulter Dokumente wurde die esoterische Praxis der Konkordanz
im 20. Jh. weiter gefördert, was sich in magischen
Schriften direkt niederschlägt, indem es den Adepten
freigestellt wird, aus den verschiedenen Traditionen
(griech., ägypt., jüd., keltisch, indianisch) jene auszu-
wählen, in denen sie sich gleichsam zu Hause fühlen. Als
Beispiel sei Dolores Ashcroft-Nowicki genannt, die in
ihrem magischen Lehrgang das Bild einer ant. Mysteri-
enschule verwendet, um den Adepten das Gefühl einer
tatsächlichen Einweihung zu vermitteln: ›Gemeinsam
mit den anderen, die ausgewählt wurden, schreiten Sie
die Treppe empor, und die kleine Gruppe betritt das
kühle, halbdunkle Innere des Tempels mit dem Ho-
hepriester und der Hohepriesterin an der Spitze‹ [2. 25].
Dieses Bild, obwohl Visualisierung, wird zur magischen
Realität: ›Sollten Ihnen Worte mehr liegen als Bilder, so
lesen Sie die Anweisungen immer wieder, bis sie für Sie
Tatsachen geworden sind‹ [2. 24]. Hat man sich für die
griech. Symbole entschieden (s. die synoptische Tabelle
[2. 146f.]), so kann ein griech. Frühlingsritual mit der

Anrufung der entsprechender Götterwelt durchgeführt
werden [2. 176–181]. Zu einem späteren Ausbildungs-
zeitpunkt wird der Abstieg Ischtars in die Unterwelt
rituell nachvollzogen [2. 308–312], und zwar zu Neu-
mond unter Verwendung eines Hekate-Weihrauchs sowie von dunkelblauen oder schwarzen Kerzen. ›Eresh-
kikal ist Ihre eigene dunklere Seite, der Hüter der
Schwelle Ihre innere Weisheit, die Ihnen hilft, das innere Gleichgewicht zu halten, und der die Botschaft
vom Aufruf Ihrer Wiedergeburt bringt‹ [2. 312]
(Abb. 3).

F. Hexentradition, Wicca und Neopaganismus

Die magische Ant. wurde nicht nur über die esoterische Linie tradiert, sondern auch über nichtchristl.
Kulte, die in weiten Teilen Europas erhalten blieben.
Von besonderem Interesse, da heute erneut stark belebt,
ist die Religion diverser Hexengemeinschaften, die sich
meist ausdrücklich als Rezipientinnen griech.-röm. Religion und M. verstehen. Aus dem it. Raum liegen eine
Reihe von Dokumenten vor, die – um 1890 von Charles Leland u. a. gesammelt – zeigen, daß es dort noch
viele gibt, ›denen die etruskischen Namen der Zwölf
Götter vertraut sind und die Bacchus, Jupiter, Venus,
Merkur und die Geister der Ahnen anrufen, und in den
Städten gibt es Frauen, die Amulette herstellen, über die
sie Zauberformeln sprechen, wie sie in alten römischen
Zeiten bekannt waren und die selbst den Eingeweihten
verblüffen können mit ihren Legenden über röm. Götter, vermischt mit Zaubereien, wie man sie vielleicht bei
Cato oder Theokritius findet‹ ([30. 8]; s. auch [29]).
Auch wenn die Aussage, in den Hymnen und Ritualen
der Anhängerinnen der Diana sowie deren Tochter
Ariada/Aradia (Herodias) seien ›*wunderbare* Relikte einer uralten Mythologie und wertvollen Brauchtums,
genau das *cor cordium* der Geschichte, verborgen‹ ([30. 9;
s. auch 34]), dem wiss. Diskurs des 19. Jh. zuzurechnen
ist, finden sich doch in den Texten zahlreiche Hinweise

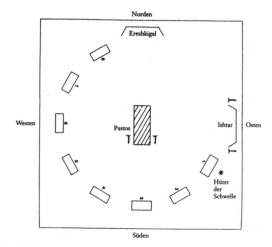

Abb. 3: Anordnung für den Abstieg der Ishtar im Tempel

auf konkrete Überlieferungen, die in die Ant. hinauf reichen könnten.

Seit den 1970er Jahren entfaltete sich eine bedeutende, dabei stark ausdifferenzierte Hexenbewegung im Kontext von moderner Esoterik und dem sog. *New Age* [31]. In der wichtigsten magischen Linie, nämlich der über Gerald B. Gardner sowie Alex und Maxine Sanders als Wicca zusammenfließenden Hexenreligion kam es zu einer freien Adaption ant., mehr jedoch keltischer Traditionsstücke und deren Fortschreibung unter Bedingungen der Moderne. Vivianne Crowley etwa nennt zwar ant. Autoren wie Livius, Seneca, Apuleius und die kirchlichen Apologeten, ist in ihrer Deutung indes stark abhängig von Carl Gustav Jung und seinem ahistorischen Verständnis von »Archetypen«, was eine synoptische Einordnung unterschiedlicher Traditionen in ein magisches Gesamtwerk maßgeblich erleichtert [8]. Wie stark ferner die religionswiss. Konstruktionen Mircea Eliades und Joseph Campbells auf die Interpretation der Geschichte eingewirkt haben, zeigt sich auch an anderen Dokumenten der Wicca-Szene [13]. Insgesamt ist festzustellen, daß die Welt der mediterranen Göttinnen und Götter für moderne Hexen zwar ein mögliches Symbolsystem für die rituelle Arbeit darstellt, doch jeweils in freier Interpretation und Assoziation (s. etwa [10] für das Beispiel Isis). Darüber hinaus ist, wie im Neopaganismus überhaupt, die keltische und nordeurop. Tradition meistens vorherrschend.

→ Gnosis; Naturwissenschaft; Okkultismus; Paganismus

→ AWI Corpus Hermeticum; Magie, Magier

QU **1** ABRAHAM VON WORMS, Buch Abramelin, das ist Die egypt. großen Offenbarungen oder des Abraham von Worms Buch der wahren Praktik in der uralten göttl. M., ed. G. DEHN, 1995 **2** D. ASHCROFT-NOWICKI, Magische Rituale. Ein praktischer Lehrgang, ³1994 (engl. 1986) **3** K. BENESCH, M. der Ren., 1985 **4** H. BIRKHAN, Die alchemistische Lehrdichtung des Gratheus filius philosophi in Cod. Vind. 2372. Zugleich ein Beitr. zur okkulten Wiss. im MA (Übers. und Komm.), 2 Bde., 1992 **5** H. P. BLAVATSKY, Die Geheimlehre. Die Vereinigung von Wiss., Religion und Philos., 4 Bde., Den Haag o. J. (engl. Erstausgabe 1888/97) **6** A. CROWLEY, Das Buch des Gesetzes. Liber AL vel Legis (1904), dt. 1981 **7** Ders., Magick. Buch Vier (Liber ABA) (1912–13 bzw. 1929–30), 2 Bde., dt. 1996 **8** V. CROWLEY, Wicca. Die alte Religion im neuen Zeitalter, 1993 **9** S. L. MacGREGOR MATHERS, Der Schlüssel von König Solomon (1888), dt. v. M. M. JUNGKURTH, 1985 **10** N. OZANIEC, The Garments of Isis, in: C. MATTHEWS (Hrsg.), Voices of the Goddess. A Chorus of Sibyls, 1990, 217–230 **11** THEOPHRASTUS PARACELSUS, Magia naturalis (1537), in: Werke V, 1976, 53–333 **12** I. REGARDIE, Das magische System des Golden Dawn, 3 Bde., ³1996 **13** STARHAWK (MIRIAM SIMOS), Der Hexenkult als Ur-Religion der Großen Göttin, 1979

LIT **14** J. ASSMANN, Moses der Ägypter. Entzifferung einer Gedächtnisspur, 1998 **15** N. L. BRANN, Trithemus and Magical Theology. A Chapter in the Controversy over Occult Stud. in Early Modern Europe, 1999 **16** D. VAN EGMOND, Western Esoteric Schools in the Late Nineteenth and Early Twentieth Centuries, in: R. VAN DEN BROEK, W. J. HANEGRAAFF (Hrsg.), Gnosis and Hermeticism from Antiquity to Modern Times, 1998, 311–346 **17** A. FAIVRE, Esoterik, 1996 **18** M. TH. FÖGEN, Die Enteignung der Wahrsager. Stud. zum kaiserlichen Wissensmonopol in der Spätant., 1993 **19** K. R. H. FRICK, Licht und Finsternis (= Die Erleuchteten II), Bd. I, 1975 **20** S. H. FUGLESANG, Amulets as evidence for the transition from Viking to Medieval Scandinavia, in: D. R. JORDAN u. a. (Hrsg.), The World of Ancient Magic, 1999, 299–314 **21** A. GODET, »Nun was ist die Imagination anderst als ein Sonn im Menschen«. Studien zu einem Zentralbegriff des magischen Denkens, 1982 **22** K. GOLDAMMER, Der göttl. Magier und die Magierin Natur. Religion, Naturmagie und die Anfänge der Naturwiss. vom Spät-MA bis zur Ren., 1991 **23** TH. M. GREENE, Language, Signs and Magic, in: P. SCHÄFER, H. G. KIPPENBERG (Hrsg.), Envisioning Magic. A Princeton Seminar and Symposium, 1997, 255–272 **24** E. HORNUNG, Das esoterische Ägypten. Das geheime Wissen der Ägypter und sein Einfluß auf das Abendland, 1999 **25** JACOBY, s. v. Kunst, in: H. BÄCHTOLD-STÄUBLI (Hrsg.), Handwörterbuch des dt. Aberglaubens Bd. 5, 1933, Ndr. 1987, 817–836 **26** H. G. KIPPENBERG, Die Entdeckung der Religionsgesch. Religionswiss. und Moderne, 1997 **27** Ders., s. v. M., in: HrwG 4, 1998, 85–98 **28** Ders., B. LUCHESI (Hrsg.), M. die sozialwiss. Kontroverse über das Verstehen fremden Denkens, ²1995 **29** CH. LELAND, Etruscan Roman Remains in Popular Tradition, 1892 **30** Ders., Aradia – Die Lehre der Hexen, 1979 **31** T. M. LUHRMANN, Persuasions of the Witch's Craft. Ritual Magic and Witchcraft in Present-day England, 1989 **32** R. MUCHEMBLED u. a. (Hrsg.), Magie et sorcellerie en Europe du Moyen Age à nos jours, 1994 **33** W.-D. MÜLLER-JAHNCKE, Von Ficino zu Agrippa. Der Magia-Begriff des Ren.-Human. im Überblick, in: A. FAIVRE, R. CHR. ZIMMERMANN (Hrsg.), Epochen der Naturmystik. Hermetische Trad. im wiss. Fortschritt, 1979, 24–51 **34** M. A. MURRAY, The Witch-Cult in Western Europe, 1921 **35** W.-E. PEUCKERT, Gabalia. Ein Versuch zur Gesch. der magia naturalis im 16. bis 18. Jh., 1967 **36** G. QUISPEL (Hrsg.), De Hermetische Gnosis in de loop der eeuwen. Beschouwingen over de invloed van een Egypt. religie op de cultuur van het Westen, 1992 **37** J. RUSKA, Das Steinbuch des Aristoteles, 1912 **38** R. SCRIBNER, The Reformation, Popular Magic, and the »Disenchantment of the World«, in: Journ. of Interdisciplinary History 23.3, 1993, 475–94 **39** PH. M. SOERGEL, Miracle, Magic, and Disenchantment in Early Modern Germany, in: P. SCHÄFER, H. G. KIPPENBERG (Hrsg.), Envisioning Magic. A Princeton Seminar and Symposium, 1997, 215–34 **40** F. H. TENBRUCK, Die Religion im Maelstrom der Reflexion, in: J. BERGMANN u. a. (Hrsg.), Religion und Kultur. Sonderheft der Kölner Zschr. für Soziologie und Sozialpsychologie 33, 1993, 31–67 **41** K. THOMAS, Religion and the Decline of Magic, 1971

KOCKU VON STUCKRAD

Mainz I. Ausgrabungsgeschichte II. Museen

I. Ausgrabungsgeschichte
A. Forschung seit dem Humanismus
B. Geschichte der Ausgrabungen, Leistungen und Aufgaben C. Verwendung der antiken Bauten und der Infrastruktur in nachantiker Zeit

A. Forschung seit dem Humanismus

Obertägig erhaltene Baudenkmäler und viele Inschriftenfunde aus röm. Zeit haben dazu geführt, daß die Geschichte des röm. M. (*Mogontiacum*) bereits seit dem Human. intensiv erforscht wurde. Dabei zog der sog. Drusus- oder Eichelstein, das monumentale Ehrengrabmal des älteren Drusus [2], bes. viel Aufmerksamkeit auf sich. Aber auch die Pfeiler der röm. Wasserleitung [20. 63] regten zu Studien an. Beide Denkmäler haben durch das MA hindurch in der Toponymie vielfältige Spuren hinterlassen [19. 150–153, 157–159]. Dietrich Gresemund der Jüngere (1477–1512) ist der erste Humanist, der sich mit den röm. Denkmälern von M. befaßte. Gresemund trug eine Sammlung röm. Altertümer, Inschr. und Mz. zusammen, die bei anderen Humanisten große Beachtung fand [8. 147–152, 160–165]. Die Vorbereitungen zur Veröffentlichung der Sammlung waren bereits weit gediehen, als dieses Vorhaben durch den frühen Tod Gresemunds zum Erliegen kam. Die Unterlagen gingen jedoch – anders als früher angenommen – nicht verloren, sondern wurden von Johannes Huttich (1487/88–1544) für seine Ausgabe der *Collectanea antiquitatum*, die 1520 erschien und 1525 neu aufgelegt wurde [18], benützt; Huttich hat seine Veröffentlichung nicht aufgrund einer eigenständigen Sammlung erstellt [8. 149–151]. Auf diese Weise sind viele h. verlorene Grabdenkmäler aus der Sammlung Gresemunds durch das Werk Huttichs in Zeichnungen überliefert. Zu der Zeit, als Huttich seine beiden Auflagen der *Collectanea antiquitatum* herausbrachte, schrieb der Benediktinermönch Hermannus Piscator (gest. 1526) eine umfassende Geschichte der Stadt M. und ihrer Kirche von den Anf. bis in die eigene Zeit, seine bes. Aufmerksamkeit widmete er dem Drususstein. Dieses Geschichtswerk des Hermannus Piscator galt lange als verloren, es konnte erst vor wenigen J. wiedergewonnen werden [14].

Im Auftrag des Mainzer Kurfürsten Emmerich Joseph von Breidbach-Bürresheim verfaßte Joseph Fuchs (1732–1782) eine mehrbändige Geschichte des röm. M. Die beiden ersten Bände, bis in die Zeit des Septimius Severus reichend, waren bereits erschienen [12], als durch den Tod des Kurfürsten die Gegner der Aufklärung an die Macht gelangten, Fuchs verfolgten und die Vollendung des auf vier Bände konzipierten Werks verhinderten. Seinen bes. Wert hat das Werk von Joseph Fuchs auch durch die in großer Zahl beigefügten Kupferstiche (Abb. 1).

Abb. 1: Die unvollendet gebliebene *Geschichte der Stadt Mainz* von Joseph Fuchs - die beiden ersten Bände erscheinen 1771 und 1772 - enthält zahlreiche Kupferstiche. Beeindruckend ist die Rekonstruktion eines Bogens der römischen Wasserleitung, von der die Gußmauerkerne der Pfeiler erhalten sind (in: J. Fuchs, Alte Geschichte von Mainz, Band 1, Mainz 1771, Taf. 23)

Ein neues Kap. der Sammlung und Erforschung der Mainzer Altertümer begann um 1800 mit Friedrich Lehne (1774–1836) [5. 10–11]. Lehnes Bestreben war es, der Stadt M. eine Sammlung röm. Altertümer zu verschaffen, nachdem Funde aus Mainzer Boden zuvor überwiegend auswärtige Mus. bereichert hatten. Lehne richtete daher eine Antiquitätenhalle ein; Johann Wolfgang von Goethe hat diese 1815 besucht. Die gesammelten Schriften Lehnes wurden posthum herausgegeben, sein Plan des röm. M. (Abb. 2) war grundlegend für die weiteren Forsch. im 19. Jh. Mit der Konstituierung des Mainzer Altertumsvereins 1844 verbesserten sich die Möglichkeiten zur Bewahrung der Denkmäler und Erforschung der Römerzeit erheblich [22; 24]. Durch das Zusammenwirken der Vereinsmitglieder gelang es nun, zahlreiche Denkmäler und Ausgrabungsfunde in der Stadt zu behalten. Die Sammlung des Vereins wuchs rasch, 1855 wurde sie mit der Sammlung der Stadt vereinigt. Aus diesem 1855 gegr. Altertumsmuseum erwuchs die Arch. Sammlung des Landesmuseums M. mit seiner international bedeutenden Sammlung röm. Steindenkmäler [31].

B. Geschichte der Ausgrabungen,
Leistungen und Aufgaben

Mit der Gründung des Mainzer Altertumsvereins nahmen auch die Ausgrabungen einen großen Aufschwung. Gleich im ersten J. seines Bestehens, 1844, wurde im heutigen Mainzer Stadtteil Finthen, wenige Meter neben der von M. nach Bingen führenden Römerstraße, ein Heiligtum entdeckt [22. 103–104]. Zahlreiche Votivaltäre und verschiedene Kleinfunde, wie zwei Caducei, zeigen, daß Merkur an dieser Stelle ver-

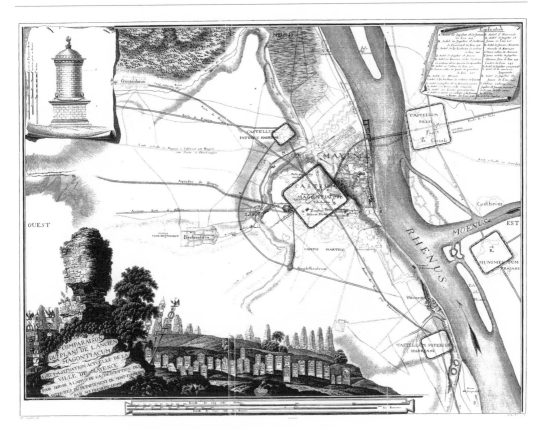

Abb. 2: Der Bibliothekar Friedrich Lehne (1774–1836) richtete für die Stadt Mainz eine Antiquitätenhalle ein. Seine posthum veröffentlichten Schriften und sein Plan des römischen Mainz bildeten die Grundlage für die weitere Forschung im 19. Jahrhundert (nach: JRGZ 15, 1968, Abb. 1, nach Seite 146)

ehrt wurde. Ein lebensgroßer Bronzekopf ist der herausragende Fund aus diesem Heiligtum. Es spricht einiges dafür, daß es sich um ein Bildnis der Rosmerta handelt. Methodik und Dokumentation dieser Ausgrabung blieben – der Zeit entsprechend – hinter heutigen Ansprüchen zurück, so daß wir über Chronologie und Baubefund des Heiligtums nur unzulänglich unterrichtet sind. Eine mustergültige Dokumentation erstellte der Verein dagegen wenige J. später bei der Unt. der röm. Rheinbrücke. Als der Rhein 1858 einen extrem niedrigen Wasserstand hatte, nutzte der Altertumsverein die Gelegenheit, die noch vorhandenen 19 Pfeiler, von denen die aus Eichenstämmen bestehenden Fundamente, die Pfahlroste, im Flußgrund konserviert waren, zu vermessen und zu zeichnen; zahlreiche Pfahlroste wurden 1880–1882 zur Erleichterung der Schiffahrt aus dem Flußbett entfernt [15; 20. 64; 21. 57].

Zu dieser Zeit war noch wenig über das Legionslager bekannt. Zwar war seine Lage auf dem »Kästrich« (von lat. castra) durch zahlreiche Zufallsfunde gesichert, doch über Grundriß und Größe existierten verschiedene falsche Vorstellungen. Erst seit 1901 wurden – mit großen Intervallen – systematische Ausgrabungen im Lagerareal durchgeführt. Bis h. bieten Ausschachtungsarbeiten für

Klinikbauten der dort gelegenen Universitätskliniken immer wieder Gelegenheit zu arch. Unt. So sind wir h. über den Grundriß des Lagers und seine Verteidigungsanlagen gut informiert. In den J., als die Grabungen im Legionslager begannen, wurden in Mainz zwei Steindenkmäler von herausragender Qualität geborgen und in das Altertumsmuseum verbracht. Die große Mainzer Jupitersäule [1], für das Heil des Kaisers Nero von Staats wegen geweiht, ist in ihrer Monumentalität und ihrem überaus reichen Reliefschmuck unerreicht von der Vielzahl der Jupitersäulen, die v. a. in den german. Provinzen und in der Belgica während des 2. und 3. Jh. n. Chr. in großer Zahl als private Weihungen aufgestellt wurden. Aus den Fundamenten der spätröm. Stadtmauer wurden zahlreiche Blöcke eines Ehrenbogens geborgen [9]. Dativius Victor, Ratsherr (*decurio*) der nahe gelegenen *civitas Taunensium*, hatte den Bogen und – h. nicht mehr erhaltene – Säulenhallen in der Mitte des 3. Jh. n. Chr. Jupiter Conservator und den Mainzern (*Mogontiacensibus*) geweiht.

Im heutigen Mainzer Stadtteil Weisenau wurden 1912 die Ausgrabungen in einer großen Nekropole aufgenommen [25]; sie wurden mit Unterbrechungen bis in die heutige Zeit fortgeführt. Von allen Mainzer Grä-

Abb. 3: Der Drususstein (Eichelstein) wurde
im 16./17. Jahrhundert in die Anlage der Stadtbefestigung
einbezogen. Der Kupferstich von M. Merian aus dem
Jahre 1646 zeigt die Nutzung als Wachtturm
(nach: JRGZ 32, 1985, Seite 402, Abb. 8)

berfeldern ist h. die Weisenauer Nekropole als die am
besten erforschte zu betrachten. Dagegen ist der Kennt-
nisstand über ein am Ballplatz entdecktes Mithrasheilig-
tum sehr gering. Das Mithräum wurde 1976 bei der
Ausschachtung einer Baugrube ohne arch. Dokumentation abgeräumt [10. 14]; ein Teil der Funde, darunter
Votivaltäre, konnte für das Landesmuseum M. gesichert
werden. Die Ausschachtung für einen Hotelneubau am
Rheinufer im Winter 1981/82 brachte bessere Ergebnisse; die hier gefundenen Kriegsschiffe aus spätröm.
Zeit konnten detailliert dokumentiert werden. Der publikumswirksame Fund dieser Römerschiffe führte
schließlich dazu, daß 1994 das Mus. für Ant. Schiffahrt
als Zweigmuseum des Röm.-German. Zentralmuseums
M. eröffnet wurde [26]. Inzwischen kennt man am
Rheinufer mehrere röm. Hafenanlagen [16. 370–377;
17]. Im Stadtbild sind h., neben den seit der Ant. obertägig sichtbaren Baudenkmälern (Drususstein und Pfei-
leraquädukt), weitere Baudenkmäler dauerhaft sichtbar.
So wurde 1985 ein Tor in der spätröm. Stadtmauer freigelegt und als Denkmalstätte unter freiem Himmel her-
gerichtet. Bei Ausgrabungen im Stadtteil Weisenau, die
von 1982 bis 1992 dauerten, wurde eine Gräberstraße
nach ital. Vorbild nachgewiesen [34]; ein Teilstück ist h.,
durch die Glasscheiben eines Schutzhauses zu betrachten, an Ort und Stelle konserviert. Im rechtsrheinisch

gelegenen M.-Kastel wurde 1986 in der Flucht der röm.
Rheinbrücke bei Ausschachtungsarbeiten für ein
Wohnhaus ein monumentales Baudenkmal entdeckt:
das Fundament eines dreitorigen Ehrenbogens aus dem
1. Jh. n. Chr. [3; 23. 77–82]. Das Fundament und Teile
des Reliefschmucks sind h. unter dem Keller des Hauses
für die Öffentlichkeit zugänglich. Auf der Mainzer Seite, nicht weit vom Drususstein entfernt, ist seit 1999 die
Freilegung des großen Bühnentheaters im Gange [27].
Die Ausgrabung bestätigt die schon frühere Erkenntnis,
daß das Halbrund der Zuschauerränge (cavea) einen größeren Durchmesser hat als dasjenige der Theater von
Arles und Orange. Zusammenfassend läßt sich sagen,
daß die Geschichte des röm. M. h. auf beiden Rhein-
ufern sowohl in mehreren Mus. (Landesmus. M.; Mus.
für Ant. Schiffahrt; Mus. Castellum) als auch an vor Ort
konservierten Denkmälern (Drususstein; Pfeileraquä-
dukt; Stadttor; Gräberstraße; Ehrenbogen; Bühnentheater) nachvollzogen werden kann.

C. Verwendung der antiken Bauten und der Infrastruktur in nachantiker Zeit

Über das E. der Römerherrschaft hinaus waren röm.
Strukturen bis in die Merowingerzeit und die Karolingerzeit für M. bestimmend. Als größtes Baudenkmal aus
röm. Zeit blieb die Stadtmauer erhalten, wenn jetzt
auch nicht mehr das gesamte umschlossene Areal besie-
delt war. Lediglich der Mauerzug am Rheinufer erfuhr
eine grundlegende Veränderung. Im 8. Jh. wurde der
röm. Mauerzug abgebrochen, diese Mauerstrecke wurde schließlich in der 2. H. des 9. Jh. ca. 25 m zum Fluß
hin vorgeschoben [33. 153, 191–193]. Für eine dort, um
den »Brand« und die Löhrstraße, bereits seit der Römerzeit bestehende Hafensiedlung hatte dies unmittelbare Auswirkungen. Durch den Bau der karolingischen
Mauerstrecke scheinen Hafen und Siedlung voneinander getrennt worden zu sein, gleichwohl blieb diese
Region das Kaufmannsviertel von M. bis in das späte
MA [32; 33. 191].

Außerhalb des Mauerrings ist eine Siedlungskonti-
nuität an weiteren Stellen zu erkennen; sie läßt sich an
mehreren röm. Friedhöfen, die im frühen MA weiterbenutzt werden, feststellen [33. 154–156, 159–161, 164–
170, 172–174, 198].

Seit spätröm. Zeit ist M. Bischofssitz, der lückenhaften Bischofsliste zufolge spätestens seit der Mitte des
4. Jh. [6. 47–49]. Die spätröm. Bischofskirche und die
frühma. Kathedralgruppe haben in der Nähe des späteren roman. Doms gestanden [33. 193–194]. Die Mainzer Bischöfe wurden bis in das frühe MA wahrscheinlich
um die spätröm. Coemeterialkirche St. Hilarius und auf
dem röm. Gräberfeld am Albansberg beigesetzt
[13. 146–155; 33. 159–161].

Im Bereich des röm. Gräberfelds am Albansberg entwickelte sich eine weitere bedeutende Stätte des frühen
Christentums in Mainz [30. 3–12]. Dort wurde über
dem Grab des Märtyrers Albanus am Anf. des 5. Jh.
n. Chr. eine Coemeterialkirche errichtet; für die Merowingerzeit und die Karolingerzeit sind weitere Kirchen-

bauten und die Existenz einer Klerikergemeinschaft nachzuweisen [30. 8–9, 25]. Der röm. Friedhof wurde im frühen MA kontinuierlich weiterbelegt [33. 164–168]. Durch zahlreiche Grabsteine ist die Bestattung von Christen nachgewiesen, wobei sich der Übergang von der Spätantike in das MA auch an den Namen der Verstorbenen ablesen läßt: roman. Namen werden im Laufe der Merowingerzeit allmählich durch german. Namen abgelöst [4. 3, 18–95]. Die Albanskirche erlangt ihre größte Bed. in der Zeit Karls d. Großen. Fastrada, Karls dritte Gattin, wurde hier 794 beigesetzt; E. des 8. Jh. wurde dann der Bau einer neuen, gewaltigen Kirchenanlage begonnen und 805 eingeweiht; das Kloster St. Alban war im 9. und 10. Jh. sowohl die Stätte wichtiger Kirchen- und Reichsversammlungen [30. 7, 9–10] als auch die bevorzugte Grablege der Mainzer Erzbischöfe [13. 161–167]; die in früheren Jh. an anderer Stelle – wahrscheinlich bei St. Hilarius – beigesetzten Bischöfe wurden 935 nach St. Alban umgebettet.

Abschließend sind hier zwei monumentale röm. Bauwerke zu nennen, die das E. der Römerherrschaft überlebt haben, jedoch nicht kontinuierlich weiterbenutzt wurden, sondern in MA bzw. Neuzeit fallweise noch einmal Verwendung fanden. Die bereits im 1. Jh. n. Chr. erbaute Rheinbrücke hatte, nach verschiedenen Reparaturen im Laufe der Jh., noch am Anf. des 5. Jh. Bestand, als Germanenstämme über sie nach M. einfielen und die Stadt brandschatzten. Wann die Brücke schließlich verfiel, ist nicht bekannt. Die nächste Nachricht liegt erst wieder für die Karolingerzeit vor. Karl d. Gr. schätzte die strategische und wirtschaftliche Bed. von M. sehr hoch ein und befahl daher den Bau einer Rheinbrücke. Diese Brücke wurde auf den Pfeilern der röm. Brücke errichtet; sie brannte allerdings kurz nach der Fertigstellung ab [7. 34; 22. 109–110]. Der – bis h. erhaltene, lediglich seines Blendmauerwerks beraubte – Drususstein, wurde im 16. und 17. Jh. in die neuzeitliche Befestigung der Stadt M. einbezogen und in diesem Kontext baulich verändert; zunächst wurde die Spitze abgetragen, später eine Treppe in den zylindrischen oberen Teil eingebaut, um das Monument als Wachtturm (Abb. 3) nutzen zu können [10. 398; 28. 108–109, 113–114; 29. 80–82].

→ AWI Mogontiacum

1 G. BAUCHHENSS, Die große Iuppitersäule aus M., 1984 (CSIR Deutschland, II,2) 2 H. BELLEN, Das Drususdenkmal apud Mogontiacum und die Galliarum civitates, in: JRGZ 31, 1984, 385–396 3 Ders., Der röm. Ehrenbogen von M.-Kastel. Ianus Germanici aut Domitiani?, in: Arch. Korrespondenzbl. 19, 1989, 77–84 4 W. BOPPERT, Die frühchristl. Inschr. des Mittelrheingebietes, 1971 5 E. DARAPSKY, Die Erforsch. der Altertümer in M., in: Führer zu vor- und frühgeschichtlichen Denkmälern, Band 11, 1973, 1–15 6 E. DASSMANN, Die Anf. der Kirche in Deutschland, 1993 7 L. FALCK, M. im frühen und hohen MA, 1972 8 H.-H. FLEISCHER, Dietrich Gresemund der Jüngere. Ein Beitr. zur Gesch. des Human. in Mainz, 1967 9 H. G. FRENZ, Der Ehrenbogen des Dativius Victor zu M. und seine neue Rekonstruktion, in: BRGK 62, 1981,

219–260 10 Ders., Drusus maior und sein Monument zu M., in: JRGZ 32, 1985, 394–421 11 Ders., Denkmäler röm. Götterkultes aus M. und Umgebung, 1992 (CSIR Deutschland II,4) 12 J. FUCHS, Alte Gesch. von M., Bd. 1 und 2, Mainz 1771/1772 13 E. GIERLICH, Die Grabstätten der rheinischen Bischöfe vor 1200, 1990 14 U. GOERLITZ, Human. und Gesch.-Schreibung am Mittelrhein. Das *Chronicon urbis et ecclesiae Maguntinensis* des Hermannus Piscator OSB, 1999 15 HEIM, W. VELKE, Die röm. Rheinbrücke bei M., in: Zschr. des Vereins zur Erforsch. der rheinischen Gesch. und Alterthümer in Mainz 3, 1868–1887, 553–607 16 O. HÖCKMANN, Röm. Schiffsverbände auf dem Ober- und Mittelrhein und die Verteidigung der Rheingrenze in der Spätant., in: JRGZ 33, 1986, 369–416 17 Ders., Reste röm. Prähme und Hafenanlagen vom Kappelhof in M., in: Mainzer Arch. Zschr. 2, 1995, 131–166 18 J. HUTTICH, Collectanea antiquitatum in urbe atque agro Moguntino repertarum, 2. Aufl. 1525; Ndr. 1977 mit Beih. von W. BOPPERT, Johann Huttich: Leben und Werk 19 W. KLEIBER, Mainzer Namen. Ein Beitr. zum Kontinuitätsproblem, in: G. AUGST, O. EHRISMANN, H. RAMGE (Hrsg.), FS für Heinz Engels zum 65. Geburtstag, 1991, 148–166 20 M. J. KLEIN, Traiano e Magonza, la capitale della provincia della Germania superior, in: G. A. POPESCU (Hrsg.), Traiano ai confini dell' Impero, 1998, 60–66 21 Ders., Der Rhein bei M. als Fundstelle: Brücken, Häfen und Zeugnisse des röm. Heeres, in: L. BONNAMOUR (Hrsg.), Archéologie des fleuves et des rivières, 2000, 56–64 22 Ders., N. SUHR, Ausgrabungen und Slgg. des Mainzer Altertumsvereins. Eine Ausstellung zum 150jährigen Bestehen des Mainzer Altertumsvereins, in: Mainzer Zschr. 89, 1994, 101–115 23 W. D. LEBEK, Die Mainzer Ehrungen für Germanicus, den älteren Drusus und Domitian, in: ZPE 78, 1989, 45–82 24 H. MATHY, Der Altertumsverein und die Gründung der Mus. in M. im 19. Jh., in: Mainzer Zschr. 89, 1994, 5–14 25 E. NEEB, P. TH. KESSLER, Die Ausgrabungen auf dem röm. Friedhofe bei Weisenau, in: Mainzer Zschr. 8/9, 1913/1914, 37–51 26 B. PFERDEHIRT, Das Mus. für röm. Schiffahrt, 1995 27 G. RUPPRECHT, Wo einst Gedenkfeier und Schauspiel stattfanden. Das röm. Bühnentheater von Mogontiacum/M., in: Ant. Welt 31, 2000, 157–161 28 K. A. SCHAAB, Die Gesch. der Bundes-Festung M., Mainz 1835 29 Ders., Gesch. der Stadt M., Bd. 1, Mainz 1841 30 R. SCHMID, Die Abtei St. Alban vor M. im hohen und späten MA, 1996 31 W. SELZER, Röm. Steindenkmäler. M. in röm. Zeit, 1988 32 E. WAMERS, Die frühma. Lesefunde aus der Löhrstraße (Baustelle Hilton II) in M., 1994 33 K. WEIDEMANN, Die Top. von M. in der Römerzeit und dem frühen MA, in: JRGZ 15, 1968, 146–199 34 M. WITTEYER, P. FASOLD, Des Lichtes beraubt. Totenehrung in der röm. Gräberstraße von M.-Weisenau, 1995.
MICHAEL J. KLEIN

II. MUSEEN

A. EINLEITUNG B. RÖMISCH-GERMANISCHES ZENTRALMUSEUM C. LANDESMUSEUM MAINZ

A. EINLEITUNG

Die Beschäftigung mit der materiellen Hinterlassenschaft der Ant. in M. setzte bereits zur Zeit der Ren. ein. 1520 erschien ein von Johannes Huttich verfaßter, mit Herkunftsangaben versehener Kat. von Funden aus der

Stadt und ihrer Umgebung [12]. Diese Publikation, wie auch eine noch frühere, doch nicht zum Druck gelangte Schrift zu epigraphischen Zeugnissen von Dietrich Gresemund ordnen sich in die Bestrebungen des Humanistenkreises ein, der den Mainzer Erzbischof und Kurfürsten, Kardinal Albrecht von Brandenburg, umgab. Im 17. und 18. Jh. folgten weitere Abhandlungen, die wiederum zumeist nicht veröffentlicht wurden und h. als verloren gelten müssen. Eine bedeutende Ausnahme bildete das Werk des Paters Joseph Fuchs [9], das als umfassende Darstellung der lokalen Vergangenheit geplant war; verlegt wurden nur die ersten beiden Bände, in denen aber gerade die ant. Denkmäler gebührende Berücksichtigung und sorgfältige Wiedergabe fanden. Die auch den Erhaltungszustand verzeichnenden Stiche ermöglichen die Identifizierung einer beträchtlichen Zahl erhaltener Werke, informieren daneben verläßlich über nicht mehr nachweisbare Monumente (Abb. 1).

Bei den seit dem 16. Jh. bekannten Relikten handelte es sich um Spolien oder um Denkmäler, die zufällig freigelegt wurden, so 1631 während der Anlage der Gustavsburg und noch in der ersten H. des 18. Jh.

Abb. 1: J. Fuchs, Alte Geschichte von Mainz, Mainz 1771, Tafel II, mit der Wiedergabe von in Mainz gefundenen, heute verschollenen Votivaltären an Iuppiter

bei Festungsarbeiten. Erste systematische Grabungen führte um 1800 Friedrich Lehne auf dem ant. Militärfriedhof im Zahlbacher Tal durch. Die Erforschung des Stadtgebiets wird kontinuierlich fortgesetzt; unter den jüngeren Aktivitäten, die meist unter dem Diktat neuer »Flächennutzungen« stehen, seien die Ausgrabungen am Weisenauer Steinbruch (60er J. des 20. Jh.), die Bergung von röm. Schiffen (1981/82), die Dokumentation des ant. Theaters (E. 20. Jh.) und Forschungen zur röm. Rheinbrücke (seit Frühjahr 2001) hervorgehoben.

Ansätze zu einer Präsentation ant. Zeugnisse fallen in die zweite H. des 18. Jh., als einige Steindenkmäler im Hof des Kurfürstlichen Schlosses Platz fanden. Noch in den 20er J. des 18. Jh. waren dagegen ant. Objekte dem kurfürstlichen Kollegen Carl Theodor von der Pfalz geschenkt worden; sie gingen 1766 in den Bestand des Antiquariums in → Mannheim ein. In M. gaben um 1800 die erwähnten Ausgrabungen im Zahlbacher Tal Anlaß zur Einrichtung einer »Antiquitätenhalle«, die u. a. von Goethe besucht wurde. Die in städtischem Besitz befindliche Kollektion bildete einen Ausgangspunkt für die Mainzer Mus., deren Gründung gleichwohl einem entwickelten nationalen Geschichtsverständnis des 19. Jh. vorbehalten blieb und in der Nachfolge anderer Einrichtungen stand (→ Bonn, Rheinisches Landesmuseum und Akademisches Kunstmuseum).

Das Röm.-German. Zentralmus. (RGZM) und das Landesmus. sind in ihrer Genese, ihrer Ausrichtung auf provinziale bzw. regionale Denkmäler sowie bedingt auch in ihren Aktivitäten miteinander verbunden. Seit 1847 war die städtische »Alterthümer«-Sammlung, neben der Gemäldegalerie ein Vorläufer des Landesmus., zusammen mit dem 1841 gegründeten »Verein zur Erforsch. der rheinischen Geschichte und Alterthümer in M.« im Kurfürstlichen Schloß zu M. untergebracht; am selben Ort kam 1852 das »Centralmus.« hinzu. Alle drei Institutionen unterstanden für längere Zeit gemeinsamer Leitung. Nachdem 1909 der Mainzer Altertumsverein seine Bestände an die städtische Sammlung abgegeben hatte, wurde ein organisatorisch eigenständiges Städtisches Altertumsmus. etabliert.

B. RÖMISCH-GERMANISCHES ZENTRALMUSEUM

Aus einer Initiative des Gesamtvereins der dt. Geschichts- und Altertumsvereine 1852 hervorgegangen, war das Mus. von Anbeginn damit beauftragt, die vor- und frühgeschichtlichen Kulturen in Deutschland zu erforschen und sie sowohl in originalen Zeugnissen als auch in exakten Nachbildungen zu präsentieren. Beide Aspekte sind bis h. verpflichtend. Die Forschungsfelder erstrecken sich satzungsgemäß auch auf das Verhältnis zu den Kulturen in anderen Teilen der Alten Welt. In das Mus. integrierte Laboratorien und Werkstätten sowie eine umfangreiche Bibl. und ein Bildarchiv gewährleisten ein breites Spektrum wiss. Aktivitäten.

Die überwiegend aus mod. Kopien bestehende Sammlung wuchs rasch. Um 1900 umfaßte sie bereits rund 13 200 Nachbildungen. Bei der Konzeption der Ausstellung standen von vornherein didaktische Ge-

Abb. 2: Mainz, Landesmuseum Mainz, Steinhalle.
Im Vordergrund Teilrekonstruktion einer Pfeilerhalle,
50–100 n. Chr.

Abb. 3: Sockelrelief der Großen Mainzer Iuppiter-Säule,
um 60 n. Chr., Mainz
(Landesmuseum Mainz, Inv. S 137)

sichtspunkte im Vordergrund. Dies gilt ebenso für Veränderungen in der Präsentation (Wiedereinrichtung der
Sammlungsräume nach Zerstörung im II. Weltkrieg und
Neugestaltung seit 1993), wobei die gegenwärtige Systematik aktuelle Sichten und Fragestellungen spiegelt:
Die Vorgeschichtliche Abteilung in der Steinhalle (einstige Zollhalle) thematisiert die vorchristl. Kulturentwicklung in ihrem gesamteurop. Kontext unter Einschluß Ägyptens und des Vorderen Orients. Die Röm.
Abteilung im Schloß informiert über die polit. Geschichte des Imperiums, die Rolle der Provinzen, das
Militärwesen, Handel und Gewerbe, Wiss., Technologien und Religionen. Den Schluß bildet eine Darstellung der Reichskrise. Im Frühjahr 2000 wurde auch die
Früh-ma. Abteilung wieder eröffnet. Die Sonderabtei-
lung Ant. Schiffahrt befindet sich, räumlich getrennt,
seit 1994 als Römerschiff-Mus. in einer früheren
Markthalle nahe dem Südbahnhof.

C. Landesmuseum Mainz

Platzmangel gab 1933 Veranlassung zu dem Beschluß, das bis dahin in der Steinhalle beim Kurfürstlichen Schloß verbliebene Städtische Altertumsmus. anderweitig einzurichten. 1937 wurden erste Räume im
umgebauten ehemaligen Marstall bezogen. Aufgrund
weitgehender Zerstörung des Gebäudes durch Bom-
bardierung (zeitgleich mit dem Schloß im August 1942)
konnten die Bestände, die auch erhebliche Schäden und
Verluste erlitten hatten, für längere Zeit nur proviso-
risch der Öffentlichkeit zugänglich gemacht werden.
1962 kehrte das Altertumsmus., nunmehr mit der Gemäldegalerie vereint, in den rekonstruierten Marstall
zurück. Die Sammlungen wurden 1967 als Mittelrhei-
nisches Landesmus. (jetzt Landesmus. M.) dem Land
Rheinland-Pfalz unterstellt. Dem Kernbereich des An-
tikenbestandes, den Steindenkmälern, dient die einstige

Reithalle als Standort. In Analogie zur früheren Auf-
bewahrungsstätte als Steinhalle bezeichnet, erfuhr sie
1980/81 eine grundlegende Umgestaltung und eine von
museumspädagogischen Prinzipien geleitete Neuaufstellung der Objekte. Die glatten Seitenwände des Saals,
rhythmisiert nur durch eine konstante Reihung von
Bogenfenstern, und die flache Eindeckung mit quer-
gelagerten Balken gewährleisten einen Rahmen von
schlichter Monumentalität, der Assoziationen an ant.
Großbauten wie die Trierer Palastaula oder an frühchristl. Kirchen evoziert. In dem weiten Raum vermögen sich auch Denkmäler von großen Ausmaßen zu
behaupten (Abb. 2). Zu den hier versammelten, nahezu
ausschließlich aus lokalen Werkstätten hervorgegange-
nen Relikten der röm. Vergangenheit zählt als charakteristisch provinziales Erzeugnis die um 60 n. Chr. entstandene Mainzer Iuppiter-Säule, die gleichwohl aufgrund ihres Formats, ihrer künstlerischen Qualität, der
inschr. Überlieferung ihres Stifters, ihres histor. Aussa-
gewerts für die zivile Siedlung Mogontiacum und weiterer Besonderheiten eine herausragende Stellung innerhalb des Typus beansprucht (Abb. 3). Einen Sonderfall unter den Mainzer Funden bietet ein nach dem II.
Weltkrieg entdecktes Marmorporträt, das, sofern es ant.
Herkunft ist, einem augusteischen Prinzen – Caius oder
Lucius Caesar – galt. Allerdings wurden mehrfach

Zweifel an der Authentizität des Kopfes laut; alternativ kommt eine neuzeitlich-klassizistische Arbeit in Betracht, mit der ein jugendlicher Augustus gemeint sein könnte.

Neben der Steinhalle ist seit Herbst 2000 auch die Arch. Sammlung im nordöstl. Flügel des Gebäudekomplexes, dem einstigen Pferdestall, zu besichtigen. Den schlicht restaurierten, flach gewölbten Saal gliedern Vitrinenblöcke mit Bodenfunden aus M. und Umgebung, die vom Paläolithikum bis zur röm. Kaiserzeit reichen. Weitere ausgestellte Funde, darunter das Fragment einer kaiserzeitlichen Bronzestatue und ein früh-ma. Anker, stammen aus dem Rhein. Im Mittelpunkt steht ein weiblicher, bisweilen auf eine lokale Gottheit gedeuteter Bronzekopf aus Mainz-Finthen. Ein anschließender Querriegel, der zugleich zur Steinhalle vermittelt, nimmt die nach Umfang und Erhaltungszustand bedeutende Kollektion röm. Gläser auf. Die Gefäße werden wirkungsvoll mit einer gemalten Wanddekoration aus der ersten H. des 2. Jh. n.Chr. kontrastiert.

1 100 Jahre RGZM M., 1952 2 Altertümer unserer heidnischen Vorzeit, I–V, Mainz 1858–1911 3 J.BECKER, Die röm. Inschr. und Skulpturen des Mus. der Stadt M., Bd. I, Mainz 1875 4 F.BEHN, Röm. Keramik mit Einschluß der hell. Vorstufen, 1910 5 G.BEHRENS, Merowingerzeit. Original-Altertümer des Zentralmus. in M., 1947 6 K.BÖHNER, Das RGZM, in: M. Führer zu vor- und frühgeschichtl. Denkmälern 11, 1969, 232ff. 7 H.CÜPPERS (Hrsg.), Die Römer in Rheinland-Pfalz, 1990 8 K.H. ESSER, Das Mittelrheinische Landesmus., in: M. Führer zu vor- und frühgeschichtl. Denkmälern 11, 1969, 207ff. 9 J.FUCHS, Alte Gesch. von M., I–II, Mainz 1771/72 10 G.HARTER, Röm. Gläser des Landesmus. M., 1999 11 O.HÖCKMANN, Spätröm. Schiffsfunde in M., in: Arch. Korrespondenzblatt 12, 1982, 231ff. 12 J.HUTTICH, Collectanea antiquitatum in urbe atque agro Moguntino repertarum, Mainz 1520, ²1525 13 J.KELLER, Die röm. Inschr. und Steinskulpturen des Mus. der Stadt M., 1. Nachtrag zum Becker'schen Kat., Mainz 1883/2. Nachtrag zum Becker'schen Kat., Mainz 1887 14 K.KÖRBER, Inschr. des Mainzer Mus., 3. Nachtrag zum Becker'schen Katalog, 1900 15 Ders., Neue Inschr. des Mainzer Mus., 4. Nachtrag zum Becker'schen Kat., 1905 16 J.H. KRAEMER, Aus der Frühzeit des Mainzer Altertumsvereins, in: Mainzer Zschr. 41/43, 1946–48, 3ff. 17 TH. KRAUS, Megarische Becher im RGZM zu M., 1951 18 Mainzer Zschr. 89, 1994 19 H.MENZEL, Ant. Lampen im Röm.-Germ. Zentralmus. zu M., 1969 20 G.RUPPRECHT (Hrsg.), Die Mainzer Römerschiffe. Ber. über Entdeckung, Ausgrabung und Bergung, 1982 21 K.SCHUMACHER, Verzeichnis der Abgüsse und wichtigeren Photographien mit Gallierdarstellungen, 1911 22 Ders., Germanendarstellungen, I. Teil: Darstellungen aus dem Alt., neu bearb. von H.KLUMBACH, 1935 23 W.SELZER et al., Röm. Steindenkmäler (Kat. Landesmus. M.), 1988 24 P.WALTER, Albrecht von Brandenburg und der Human., in: B.ROLAND (Hrsg.), Albrecht von Brandenburg, Ausstellungs-Kat. M., 1990, 65–82.

DETLEV KREIKENBOM

Makedonien/Mazedonien
I. SPRACHE II. KUNST
III. LITERATUR IV. KLASSISCHE STUDIEN

I. SPRACHE

Die Balkan-Halbinsel ist ein Gebiet mit vielen verschiedenen Sprachen. Auf unterschiedliche Weise und in mannigfacher Form hat die griech. Kultur vor der Ankunft der Slawen jahrhundertelang starken Einfluß auf alle Teile dieser Region ausgeübt. Spuren der klass. griech. Kultur sind überall auf dem Balkan erkennbar. Auf dem Gebiet der Republik M. hat man vier große ant. Theater gefunden. Die Slawen, die sich im 6. und 7. Jh. n.Chr. friedlich unter die halbhellenisierte und halbromanisierte Bevölkerung mischten, waren sowohl direkt wie indirekt griech. und röm. Einflüssen ausgesetzt.

Als sie den christl. Glauben annahmen, übernahmen die Slawen mit seinen Ritualen und Einrichtungen auch Ikone, Ritualgefäße und andere Kultgegenstände, die von byz. Künstlern und Handwerkern gefertigt waren, und zugleich entlehnten sie auch eine große Zahl griech. Wörter. Die aksl. Übers. der Bibel und die Andachtsbücher zeigen einen starken lit. Einfluß von griech. Seite. Abgesehen von einer großen Zahl griech. Lw. im Bereich der rel. Terminologie (angel, diakon, eparch usw.) wurden viele slawische Wörter durch Übers. griech. Begriffe gebildet: lihoimъstvie < πλεονεξία, nerqkotvoren < ἀχειροποίητος, sъvěstь < συνείδησις usw. Griech. Einfluß zeigt sich in allen Lebensbereichen: argat < ἐργάτης (»Arbeiter«), stomna < στάμνος (»Tonkrug«), (h)oro < χορός (»Reigen«) usw. In der heutigen maked. Sprache gibt es ungefähr tausend Wörter griech. Ursprungs, die bisweilen phonetische, morphologische oder semantische Veränderungen erfahren haben.

Die Palatalisation der gutturalen Laute, die palatalen Vokalen vorausgehen, ist in den slawischen Sprachen ein übliches Phänomen. Das Griech. wirkte indes diesem phonetischen Prozeß entgegen, wie sich bei dem Beispiel keramida < κεραμίς zeigt, das nicht wie erwartet zu *čeramida wird; man vergleiche auch hebräische Wörter, die unter Vermittlung des Griech. in die Sprache eingehen: geena und nicht žeena, cheruvim und nicht *šeruvim usw.

Griech. und lat. Einfluß zeigt sich in der Vereinfachung der aksl. Deklination. Der slawische Lok. und Instr., die in der Gruppe der balkanischen Sprachen keinen Rückhalt fanden, waren die ersten Fälle, die dem Prozeß der Reduktion zum Opfer fielen. Hatte man die Wahl zw. gleichbedeutenden Mitteln, gab man sowohl in funktioneller wie in formaler Hinsicht ähnlichen Formen den Vorzug: Der slawische besitzanzeigende Dat. der o-Stämme auf −ou und der griech. Gen. Singular auf −ou fielen zusammen und dienten als Gen. und Dativ.

Das Verschwinden des Inf. und das Entstehen der besonderen Form des Futurs (tha, maked. ḱe, ḱa) < verbum voluntatis sowie des Konj. Praes. in der Konjugation

des Vb. sind Entwicklungen, die sich sehr wahrscheinlich unter dem Einfluß des Griech. vollzogen. Der Beitrag des balkanischen Lat. bei der Herausbildung der
gramm. Struktur der heutigen Balkansprachen ist ebenfalls bedeutend. Die Verdoppelung des Objekts, die pe-
riphrastische Steigerung des Adjektivs usw. sind zum
großen Teil auf röm. Einfluß zurückzuführen.

Fast alle der wichtigsten Balkanismen im Maked. tauchen bereits in der maked. Übers. des Θησαυρός aus
Dimotiki in Aksl. auf, die Damascenus Studites im
16. Jh. n. Chr. angefertigt hat und die zahlreiche Elemente der Volkssprache enthält.

1 P. HR. ILIEVSKI, Balkan Linguistic Studies, Skopje 1988
2 B. KONESKI, Istorija na makedonskiot jazik, Skopje 1982
3 A. TAHOVSKI, Grčki zborovi vo makedonskiot naroden
govor, Skopje 1951 4 M. ARGIROVSKI, Grcizmite vo
makedonskiot jazik, Skopje 1998 5 LJ. BASOTOVA,
Latinizmite vo makedonskiot jazik, Skopje 1993
(maschinenschriftl. Diss.) 6 R. VEČERKA, Otnositel'no
problematiki vlijanija grečeskogo na staroslavjanskii, in:
Actes du Premier Congr. Internat. des Études Balkaniques et
Sud-Est-Européennes, Sofia 1968, 753–762.

PETAR HR. ILIEVSKI/Ü: ANDREAS WITTENBURG

II. KUNST

Bereits in spät-archa. Zeit hat die frühe Kunst der
Ant. im Gebiet der Republik M. ihre Spuren hinterlassen. Das bestätigen die Funde der »Fürstengräber« von
Trebeništa, Delgožda, Beranci und Tetovo. Bei den luxuriösen Gegenständen der gehobenen Produktion aus
Silber, Gold oder Bronze, die in den ewigen Heimstät-
ten der Toten niedergelegt wurden, handelt es sich um
außerordentliche Werke der Toreutik, hergestellt von
Künstlern, die aus Korinth oder von der thrakisch-maked. Küste stammten; ebenso sind sie von der ionischen
Kunst inspiriert. Die Masken, Sandalen und Hand-
schuhe, alle aus Gold, bedeckten Gesicht und Körper
der toten Fürsten. Dieser Brauch stand in Verbindung
mit der Vergöttlichung der Toten nach ägäischer Tradition. Die figürlichen Darstellungen wie z. B. von Rei-
tern, Medusenhäuptern oder Tierprotomen auf silbernen Rhytonen oder auf Bronzekrateren, die getrieben
oder, wie die *Mänade von Tetovo*, in Gußtechnik hergestellt sind, stellen meisterhafte Werke der spät-archa.
Epoche dar.

In den Jh. der klass. Zeit wurde der Einfluß der
griech. Kunst immer stärker, wie sowohl die Importe
von Vasen in rotfiguriger Technik aus Attika und aus der
Fabrikation an der Nordküste der Ägäis als auch deren
Nachahmungen aus lokalen Werkstätten zeigen. Die
Hydria von Demir Kapija, auf der Mänaden dargestellt
sind, wurde E. des 5. Jh. v. Chr. im Stile des Meidias
gefertigt. Die Grabstelen von Herakleia und Skopje mit
der Darstellung von Grußszenen (dexíosis) sind Werke
von Künstlern des 4. Jh. v. Chr. Die Armbänder mit
Schlangenköpfen, die Fibeln kleinasiatischen Typs und
die Ohrringe in Form von Halbmonden, alle aus Gold
und aus verschiedenen in Filigran- und Granulartechnik

gefertigten Teilen zusammengesetzt, sind von erstrangigen Goldschmieden hergestellt.

Die Kunst der hell. Zeit im Gebiet der Republik M.,
das damals das Land der Paionier und Makedonen war,
nimmt alle wichtigen Züge dieses Zeitalters auf. Die
mächtigen paionischen Herrscher lassen aus paioni-
schem Silber Mz. prägen, die Abb. von Apollon, Dionysos, Athena und Zeus zeigen und in ihrer technischen
Qualität wie in ihrer künstlerischen Gestaltung der
Münzprägung ihrer Nachbarn durch nichts nachstehen.
Feiner Goldschmuck wurde aus thrakisch-maked. Produktion importiert, aber auch in lokalen Werkstätten
hergestellt. Die Ohrringe und Halsbänder sind mit Lö-
wenprotomen, Greifen, Stieren, Tauben oder negro-
iden Köpfen nach orientalischem Vorbild dekoriert,
und diese sind mit farbigem Material ausgefüllt, sei es
mit Glasfluß, Kornalin, Bernstein oder Rubinen. Auf
den Grabstelen mit figürlicher Darstellung sieht man
Grabbauten, Abschiedsszenen, Totenmähler und Soldaten, und der kleinasiatische Einfluß ist spürbar. Hier
werden die intensiven Beziehungen mit hell. Zentren
deutlich. Die bronzenen Satyrn von Stobi sind im Umkreis der pergamenischen Schule entstanden. Der Bronzekopf des Dionysos Tauros, der in Jabolce gefunden
wurde, ist ein Meisterwerk des 1. Jh. v. Chr. Die Isis von
Ohrid in Alabaster ist dem hell.-ägypt. Typ der synkretistischen Göttin zuzuordnen. Das Relief mit Mänaden
und Satyrn aus Stobi, in archaisierendem Stil gefertigt,
zeigt neben den übrigen bereits erwähnten Werken die
großen stilistischen Ambitionen der Epoche und den
hohen geschmacklichen Anspruch der Auftraggeber.
→ AWI Toreutik

1 V. BITRAKOVA GROZDANOVA, Spomenici od
helenističkiot period vo SR Makedonija, Skopje 1987
2 B. FILOW, Die archa. Nekropole von Trebenischte am
Ohrida-See, 1927 3 I. MIKULČIĆ, Pelagonija, Beograd,
Skopje 1966 4 V. SOKOLOVSKA, Antička skulptura vo
SR Makedonija, Skopje 1987.

VERA BITRAKOVA GROZDANOVA/
Ü: ANDREAS WITTENBURG

III. LITERATUR

Aufgrund der geogr. Lage des Landes hat der Einfluß
ant. griech. Kultur in der Republik M. eine lange Tradition. Dieser Einfluß wurde während der türk. Herrschaft über den Balkan schwächer, doch in der zweiten
H. des 19. Jh. machte er sich bei der nationalen Wiedererweckung des maked. Volkes von neuem bemerkbar, als viele sich auf die Werte der ant. griech. Lit. zu-
rückbesannen. Unter den berühmten Persönlichkeiten
der maked. Ren. nehmen die Brüder Miladinovci (Dimitar, 1810–1862, und Konstantin, 1830–1862) eine
führende Stellung ein. Beide hatten eine gute Ausbildung in griech. Sprache und Kultur erhalten (Konstantin hatte an den Univ. von Athen und Moskau Philol.
studiert), wurden Lehrer und weckten das Interesse für
ant. griech. Literatur. Viele bedeutende Dichter jener
Zeit waren Schüler Dimitar Miladinovs (G. Prličev, R.
Žinzifov und der eigene Bruder Konstantin).

Der Einfluß griech. Lit. zeigt sich auf zweierlei Weise: in der Übers. einiger Werke ant. griech. Autoren und als eine Art von *aemulatio* in der lit. Schöpfung.

Jordan Hadži Konstantinov-Džinot (1820–1882), der Altgriech. konnte, war von der Persönlichkeit des Sokrates fasziniert und veranstaltete häufig mit seinen Freunden »Sokratische Symposien«, um über Ethik und andere philos. und polit. Probleme zu diskutieren. Im J. 1853 kündigte er in der Zeitschrift *Caregradski vestnik* die bevorstehende Drucklegung seiner zwei von der ant. Kultur inspirierten Dramen mit dem Titel *Fial Sokratov … und Dionisij tiranin, Damon i Fidijas radi prijatelstvo …* an. In derselben Zeitschrift sind im Jahre 1859 seine Übers. der *Antigone* des Sophokles und der Werke des Lukian (*Umotvorenie Lukijana Samosatskago*) angekündigt, aber das weitere Schicksal all dieser Werke liegt bis h. im dunkeln.

Der große maked. Dichter Grigor Prličev (1830–1893) schrieb unter verschiedenen Einwirkungen, aber ohne Frage war der Einfluß der homer. Dichtung vorherrschend. Er ist in M. geboren und erzogen worden (Ohrid) und begann dann das Studium der Medizin in Griechenland (Athen). Unterdessen nahm er mit seinem Gedicht *Armatolos* (*Sirdar*), das die heroische maked. Vergangenheit zum Gegenstand hatte, an dem Dichterwettstreit vom J. 1860 teil, gewann und wurde als »zweiter Homer« gefeiert. Im darauffolgenden J. schrieb Prličev ein weiteres, wesentlich längeres Gedicht mit dem Titel *Skenderbej* (3793 Verse). Beide Gedichte waren in griech. Sprache verfaßt, und in ihrem Bemühen, »homer. Stil« nachzuahmen, werden zahlreiche der homer. Dichtung eigene Elemente verwendet (Epitheta, Gleichnisse und einige typisch epische Themen). Viele der Epitheta sind von Homer entlehnt oder nach homer. Vorbildern geformt, doch in der Methode lit. Komposition zeigen sich bei Prličev deutliche Unterschiede auf funktioneller Ebene wie bei der Stilisierung. Die Aufnahme typisch homer. Themen ist sehr umfangreich: Die sorgfältigen Ausarbeitungen bewegen sich in der Bandbreite zw. mechanischer Nachahmung und freier Aufnahme. Hinter der keineswegs homer. Terminologie in beiden Beschreibungen der Bewaffnung der Helden in *Skenderbej* z. B. kann man die typisch homer. Art der Komposition entdecken. Nachdem er nach M. zurückgekehrt war, übers. Prličev die *Ilias* des Homer in die maked. Volkssprache und veröffentlichte diese Übers. zum Teil. Doch er war vor der sich damals vollziehenden Festlegung der maked. Literatursprache geboren, und seine Übers. wurde heftig kritisiert. Später schuf sich Prličev eine »gemeinslawische Sprache« (eine eigenartige Mischung aus Maked., Russ. und Aksl.) und übers. *Ilias* und *Odyssee* vollständig in diese Sprache.

1 V. Mitevski, Homer i Prličev, Skopje 1995
2 G. Nurigiani, The Macedonian Genius through the Centuries, 1972 3 N. D. Petruševski, Prličev i Homer, in: Prilozi MANU, Oddl. za opštestveni nauki I,2, 1970, 25–56 4 E. Zografska, Antikata vo deloto na Džinot, in: Prilozi

MANU, Oddel. za lingvistika i literaturna nauka VIII,1–2, 1983, 89–97.   VITOMIR MITEVSKI/Ü: ANDREAS WITTENBURG

IV. Klassische Studien

Im 19. Jh. wurden von einigen maked. Vertretern der Aufklärung (D. Miladinov, J. Hadži-Konstantinov »Džinot« und insbes. Gr. Prličev) Versuche unternommen, der ant. Kultur in ihren jeweiligen Schulen in Ohrid, Prilep, Kukuš und Skopje einen Platz einzuräumen. In der Zeit zw. den beiden Weltkriegen eröffnete die Univ. Belgrad eine Zweigstelle der Philos. Fakultät in Skopje, wo die klass. Sprachen als Hilfswiss. unterrichtet wurden.

Organisierter und stetiger Lehrbetrieb in allen altertumswiss. Fächern wurde dann im J. 1946 aufgenommen, als in Skopje die erste Philos. Fakultät M. gegr. wurde. Der erste Dekan der Fakultät, M. D. Petruševski, war zugleich der Gründer des Seminars für Klass. Philologie. In den 50er Jahren wurde es in Abteilung für Klass. Philol. umbenannt und verfügte über drei Professoren (für Sprachwiss., Lit. und Alte Geschichte unter Einschluß der Arch.), außerdem über zwei Dozenten und zwei Assistenzprofessoren.

Petruševski war im J. 1950 auch einer der Initiatoren bei der Gründung der Zeitschrift *Živa Antika* (ZA) und viele Jahre lang deren Herausgeber. ZA war die einzige altertumswiss. Zeitschrift Jugoslawiens und war mit dem Ziel gegründet worden, ihrem Publikum vor Augen zu führen, wie sehr die Slawen des Balkans der Wiss., Kunst und Kultur der Ant. verbunden waren. Seit 1951 ist die Zeitschrift dann regelmäßig in Skopje erschienen. Von Anf. an hat ZA alle Altertumswissenschaftler Jugoslawiens unter einem Dach vereint. Bis 1957 wurde die Zeitschrift in den Sprachen des früheren Jugoslawiens (Serbokroatisch, Maked. und Slowenisch) herausgegeben und enthielt Zusammenfassungen der Beitr. in einer der Weltsprachen. Seit 1958 begannen ausländische Kollegen, ihre Aufsätze zur Veröffentlichung in ZA einzureichen, und dadurch wurde die Zeitschrift von einer jugoslawischen zu einer internationalen altertumswiss. Publikation. Als man in den 70er Jahren einen Jugoslawischen Gesamtverband gründete, der die Gesellschaften für klass. Studien der einzelnen Republiken zusammenschloß, wurde ZA das Verbandsorgan. Im Zeitraum von 49 Jahren sind 49 Jahrgänge und 9 Monographien in 77 Bänden erschienen, und rund 2000 Unt. und Beitr. haben darin Platz gefunden. Diese stammen aus allen Bereichen der Altertumswiss.: Philol., Philos., Geschichte, Arch., Epigraphik, Numismatik, Kunstgeschichte, Architektur, Astronomie, Recht, Mathematik und aus anderen Wiss., die in der Ant. ihren Anfang nehmen. Die Philol. nahm indes den breitesten Raum ein und stellt ungefähr vier Fünftel des Gesamtumfangs dar.

Bei der Erdbebenkatastrophe, die Skopje im J. 1963 heimgesucht hat, wurde das Seminar für Klass. Philol. stark in Mitleidenschaft gezogen, und eine große Zahl der Bücher seiner Bibl. wurden zerstört. Doch durch Tauschvereinbarungen mit ZA und die großzügige Hilfe einiger Länder konnten die Verluste ausgeglichen werden. Im J. 1960 wurde innerhalb des Abteilung für Klass. Philol. ein Seminar für Mykenische Studien eingerichtet.

In den 80er Jahren ging die Abteilung für Klass. Philol. in ein Institut für Klass. Studien auf. Seine Mitglieder entwickelten neben der Erfüllung ihrer Aufgaben in Lehre und Forschung eine lebhafte Aktivität im populärwiss. Bereich, indem sie griech. und lat. Autoren (Homer, Heraklit, Aischylos, Sophokles, Euripides, Platon, Demosthenes, Horaz, Ovid, Seneca u. a.) in die maked. Sprache übersetzten.

Jedes Jahr schreiben sich ungefähr 20 neue Studienanfänger beim Institut ein, und fast alle erreichen einen Studienabschluß. Ihre weitere Laufbahn gestaltet sich indes äußerst schwierig, denn der Unterricht in den klass. Sprachen beschränkt sich in M. auf nur eine einzige Schule und umfaßt nur zwei Jahre mit jeweils zwei Wochenstunden.

1 P. Hr. Ilievski, Grupa za klasična filologija, in: Filozofski fakultet 1946–1976, Skopje 1976, 47–54 2 Ders., M. D. Petruševski and the Periodical »Živa Antika«, in: Prilozi MANU, Oddel. za opštestveni nauki 23,1, 1992, 45–62; vgl. auch ZA 10, 1960, 3–5; 21,1, 1971, 3–14; 31,1–2, 1981, 5–19; 41–42, 1991–92, 9–14.   PETAR HR. ILIEVSKI/
Ü: ANDREAS WITTENBURG

Makkaronische Dichtung. Im übertragenen Sinn wird bisweilen von M. D. gesprochen, wenn in einen poetischen Text – bald systematisch, bald wechselweise – Wörter, Wortgruppen oder Sätze unverändert in einer anderen Sprache eingefügt werden, wie z. B. in der Plautinischen Kom. *Poenulus*, in der Sätze in punischer Sprache auftauchen (Poen. 930–949), oder in den ma. *Carmina Burana*. Gleichwohl sollte man den Begriff M. D. ausschließlich im eigentlichen Sinn verwenden: Es handelt sich dann um ein Gedicht bzw. den Teil eines Gedichts oder eines Dramas (man denke hier auch an die berühmte makkaronische Szene in Molières *Le malade imaginaire*), in dem zwei Sprachen dergestalt miteinander vermischt werden, daß Wörter und Wendungen aus einer fremden Sprache grammatikalisch und manchmal idiomatisch nach den Regeln der Grundsprache behandelt werden; damit wird meistens ein komischer oder satirischer Effekt erzielt. Fast immer dient Lat. als Basissprache, in die Wörter oder Wortgruppen aus einer anderen romanischen oder nicht-romanischen Sprache eingebaut werden, die man oberflächlich latinisiert (etwa in der Endung), z. B. *nos binas Sprachas in Wortum einbringimus unum.* Eine aus so heterogenen Elementen bestehende Dichtung, die in der Regel in quantitierende Verse gefaßt ist, die nahezu fehlerfrei die Gesetze der Prosodie und Metrik des klass. Lat. befolgen, verlangt vom Dichter wie auch vom Leser eine gründliche Kenntnis des Lat. und der eingefügten Sprache; sie darf daher als gelehrtes Spiel betrachtet werden, das den

Durchschnittsleser mit großen Verständnisproblemen konfrontieren kann, wenn Lat. z. B. mit Polnisch oder Kroatisch vermischt wird. Nicht selten haben die Poeten ihre makkaronischen Gedichte mit Erklärungen versehen; bei einigen Autoren stellen letztere ihrerseits witzige Texte dar (als Parodie human. Komm. zu klass. Werken). Die meisten makkaronischen Dichter verfaßten auch »normale« lat. Poesie.

Die M. D. hat ihre frühen Vorläufer im röm. Altertum. In einem (Prosa-)Brief (Att. 1,16,13) erlaubte sich Cicero einmal spielerisch die Form *facteon* (direkt neben φιλοσοφητέον); ähnliches findet sich später auch bei Fronto. Bezüglich der Dichtung hätte Ausonius eine direkte Quelle der Inspiration für makkaronische Dichter werden können: In seinem 6. poetischen Brief bediente er sich in einigen wenigen Versen einer griech.-lat. Mischsprache (z. B. Vers 28: ἔν τε foro causaqι τε καὶ ingrataισι καθέδραις). Doch war der Text dieses Briefes zu der Zeit, als die M. D. in Nord-It. aufkam, hoffnungslos verderbt und unverständlich und hat das Aufblühen dieser Gattung praktisch nicht beeinflußt.

Das Genre entstand in den letzten Jahrzehnten des 15. Jh. In dieser Zeit wucherten innerhalb und außerhalb des Universitätsmilieus bestimmte Formen eines entstellten, d. h. durch die Volkssprache beeinflußten Lat., während gleichzeitig in Humanistenkreisen die Kenntnis des klass. Lat. und das Gefühl dafür stark zugenommen hatten: Folglich entstand das makkaronische Lat. wohl auch als Parodie auf bestimmte Formen des → Küchenlatein. Padua und sein Umland bildeten die Wiege der M. D.: Hier wurden um 1490 postum die *Maccheronea* oder das *Carmen macaronicum de Patavinis quibusdam arte magica delusis* des Tifi Odasi (Typhis Odaxius) mehrfach ediert. Um die Jh.-Wende verfaßten noch einige Norditaliener M. D., u. a. Evangelista (Matteo) Fossa aus Cremona (*Virgiliana*, ca. 1494) und Gian Giacomo Bartolotti aus Parma (*Macharonea medicinalis*, ca. 1500). Tifi selbst fungierte als Vorbild für den Benediktiner Teofilo Folengo (1491–1544), den man getrost den zweiten Begründer der Gattung und zugleich den am meisten klass. und populären makkaronischen Dichter nennen darf; sein Werk wird seit einigen Jahrzehnten gründlich analysiert, während die Erforsch. des größten Teils der übrigen M. D. noch in den Kinderschuhen steckt. Zeit seines Lebens war Folengo damit beschäftigt, seine makkaronischen Arbeiten zu verfeinern. Es liegen vier Redaktionen vor aus der Zeit von 1517 (*Liber macaronices*) bis nach 1535 (*Macaronicorum poemata*): Er bemühte sich um eine immer bessere Beherrschung des klass.-lat. Versbaus und eine stets fortschreitende Einfügung volksprachlicher, in diesem Fall mundartlicher Formen des Norditalienischen (mit Ausnahme des Toskanischen) in seine klass. Verse. Tifi folgend legte Folengo die Definition der M. D. fest: Die Bezeichnung *macaronica* geht zurück auf eine Art gefüllte *gnocchi*, ein Gericht für derb-komische Leute, eben solche, die teils realistisch, teils übertrieben humorvoll in dieser Dichtung auftreten. Folengo, der sich als makkaronischer

Dichter des Pseudonyms Merlinus Cocaius bediente, begründete seinen Ruf v. a. mit *Baldus*, einem komischen Epos, das die epische Technik Vergils nachahmte und die Abenteuer des Baldus und seiner Bande in allen Einzelheiten ausmalt. Ferner wagte er sich auch an ein burleskes Epos (von manchen höher eingeschätzt als *Baldus*) im Stil der *Batrachomyomachia* in seiner mehrfach übersetzten *Moschaea* (Hauptstadt des Fliegenreiches, das mit dem Ameisenreich in Streit gerät); dieses Epos in elegischen Distichen wurde von Natale Conti zu einem nicht-makkaronischen lat. Epos in vier Büchern umgearbeitet (*Myrmicomyomachia*, 1550). Folengo hat der makkaronischen Form nicht nur ins (burleske) Epos Eingang verschafft: Er schrieb auch makkaronische Eklogen (z. T. in sapphischen Strophen), Epigramma, lyrische Gedichte, poetische Briefe, Elegien und *sonolegiae* (Sonette in elegischen Distichen). So führte er die Mischform in die vornehmsten Gattungen ein und schenkte der M. D. sogar ihre eigenen Musen. Auch formal legte er die fortan gültigen Normen fest. Obwohl er die klass. Prosodie einhielt, verteidigte er in einem kurzen Manifest einige wenige Abweichungen (so darf auslautendes -e von Adverbien kurz gemessen werden). Zu den selbstverständlichen Gepflogenheiten der Gattung gehört die Tendenz, pro Vers mindestens ein makkaronisches Wort zu verwenden, wenn man auch zuweilen mehrere rein lat. Verse hintereinander antrifft. Ziemlich viele makkaronische Verse muten an wie geistreiche Repliken vergilischer Hexameter (z. B. ›O macaron, macaron, quae te mattezza piavit‹; vgl. Verg. Ecl. 2,69: ›A Corydon, Corydon, quae te dementia cepit‹). Folengo ließ manchmal »normale« lat. Gedichte auf makkaronische folgen.

Folengos Œuvre eroberte ganz Europa und fand beachtliche Nachfolge. Die Blütezeit dieser Dichtung fällt deutlich ins 16. und 17. Jh., doch gibt es Ausläufer bis ins 20. Jh.: ein gutes Beispiel bietet das *Carmen heroico-macaronicum* (1969), ein lat.-dt. Hochzeitslied von Harry C. Schnur (1907–1979). In Frankreich vermischte Antoine Aréna (de la Sablé) in seinem Gedicht über den Feldzug Karls V. in Frankreich (*Meygra entrepriza*) Lat. mit Frz., Provenzalisch und It.; bekannt war auch das *Dictamen metrificum de bello huguenotico* (1573) des Pléiade-Dichters Remy Belleau (1523–1577), ein lat.-frz. *Carmen macaronicum*. In Deutschland, das sich einer recht umfangreichen makkaronischen Produktion rühmen kann, wurde *Floia* (1593), ein Gedicht über den Floh und seine Stiche, besonders populär. Aus Polen ist uns insbes. das *Carmen macaronicum de eligendo vitae genere* des Jan Kochanowski (1530–1584) erhalten. Für England nennen wir nur den im 16. Jh. lebenden Dichter Richard Wills, der in sein *Poematum liber* (1573) einige makkaronische Gedichte (in verschiedenen Sprachen) aufnahm; für Portugal die *Macaronea latino-portugueza* (Porto 1791), für die Niederlande Petrus Burman (1668–1741) mit *Meditatio seria super tabacatione pipali, rejecta nasali et anathematizata knablativa.*

Auch makkaronische Prosa ist bekannt. Sie entwikkelte sich hauptsächlich aus der M. D. Zu verweisen ist auf Kapitel aus Rabelais' *Pantagruel* und *Gargantua*. Ein spätes Beispiel stellt die *Legenda aurea* (1791) dar, eine romanhafte Erzählung des Flamen Jan van Hese (1737–1802).

1 J. BAYBROOK, Remy Belleau's Macaronic Poem, De Bello Huguenotico, and the French Wars of Religion, in: Poets and Teachers, Latin Didactic Poetry and the Didactic Authority of the Latin Poetry from the Ren. to the Present. Edited by Y. HASKELL and P. HARDIE, 1999, 183–198 2 C. CORDIÉ (Hrsg.), Opere di Teofilo Folengo. Appendice: i maccheronici prefolenghiani, 1977 3 L. CURTI, Il testo completo »Contra Savoynos« di Bassano Mantovano e due macaronee prefolenghiane inedite in un nuovo manoscritto, in: Rivista di letteratura italiana 1 (1983), 139–153 4 J. DAHL, Maccaronisches Poetikum oder Nachtwächteri veniunt cum Spiessibus atque Laternis. Mit Illustrationen aus alter und neuer Zeit, 1962 5 O. DELEPIERRE, Macaronéana ou mélanges de littérature macaronique des différents peuples de l'Europe, Brighton 1852 6 Ders., Macaronéana andra, overum Nouveaux mélanges de littérature macaronique, Londres 1862 7 M. DIDONNA, La poesia maccheronica polacca, 1986 8 J. M. DOMÍNGUEZ LEAL, Concepto de poesía macarrónica, in: Calamus renascens 1 (2000), 101–110 9 C. G. DUBOIS, »Vice of innovation« et »escumeurs de latin«: quelques aspects du mélange des langues et de ses rapports avec la création littéraire en France au XVIᵉ siècle, in: Bulletin de l'association d'études sur l'Humanisme, la Réforme et la Ren., Numéro spécial 2 (1982), 19–32 10 J. U. FECHNER, Bartolomeo Bolla, ein makkaronischer Dichter am Heidelberger Hof an der Wende des 16. und 17. Jh., in: D. H. GREEN, L. P. JOHNSON, D. WUTTKE (Hrsg.), From Wolfram and Petrarch to Goethe and Grass. Stud. in Honour of L. Forster, 1982, 381–399 11 T. FOLENGO, Macaronee minori. Zanitonella – Moscheide – Epigrammi. A cura di M. ZAGGIA, 1987 12 Ders., Baldus, A cura di E. FACCIOLI. Testo a fronte, 1989 13 Teofilo Folengo nel quinto centenario della nascita (1491–1991), Atti del Convegno Mantova-Brescia-Padova 26–29 settembre 1991. A cura di G. BERNARDI PERINI e C. MARANGONI, 1993 14 F. GARAVINI, Ecriture critique et genre macaronique, in: Bulletin de l'association d'études sur l'Humanisme, la Réforme et la Ren., Numéro spécial 2 (1982), 40–46 15 P. GENTHE, Gesch. der macaronischen Poesie, Halle-Leipzig 1829 (= Leipzig 1836, Genève 1970) 16 M. V. GORTAN, Carnovalis Ragusini descriptio macaronica du latiniste ragusain Duro Feric (1739–1820), in: Živa Antika 25 (1975), 184–189 16 W. HERAEUS, Ein makkaronisches Ovidfragment bei Quintilian, in: RhM, N. F. 79 (1930), 253–278 17 J. IJSEWIJN, D. SACRÉ, Companion to Neo-Latin Stud. II: Literary, Linguistic, Philological and Editorial Questions, 1998, 136–138 18 H. KEIPERT, Sprachprobleme der M. D. in Polen, in: Die Welt der Slaven 33 (1988), 354–388 19 R. KÖHLER, Ausonius und die macaronische Poesie, in: RhM 12 (1857), 434–436 20 L. LAZZERINI, Per latinos grossos, in: Studi di filologia italiana 21 (1971), 219–239 21 Macaronee provenzali. Edizione critica a cura di F. GARAVINI e L. LAZZERINI, 1984 22 I. PACCAGNELLA, Le maccaronee padovane: tradizione e lingua, 1979 23 U. E. PAOLI, Il latino maccheronico, 1959 24 M. PELCZYNSKI, Stud. macaronica:

Stanislaw Orzelski na tle poezji makaronicznej w Polsce, Poznań 1960 **25** A. PISCINI, s. v. Folengo, Teofilo, in: Dizionario biografico degli Italiani 48, 1997, 546–552 **26** L. ROSSI, Carmina macaronica. A cura di G. PONTE, 1984 **27** F. SALAS SALGADO, La Metrificatio invectivalis de Tomás de Iriarte o un episodio de la Querelle des anciens et des modernes, in: Humanistica Lovaniensia 46 (1997), 326–362 **28** W. SCHUPBACH, Doctor Parma's Medicinal Macaronic: Poem by Bartolotti. Pictures by Giorgione and Titian, in: JWI 41 (1978), 147–191 **29** A. SOONS, Esquisse d'une valorisation du latin macaronique: La Meygra Entrepriza d'Antoine Aréna, in: Humanistica Lovaniensia 21 (1972), 71–80 **30** A. TORRES-ALCALÁ, Verbi gratia: los escritores macarrónicos de España, 1984 **31** M. ZAGGIA, Schedario folenghiano dal 1977 al 1993, 1994.   DIRK SACRÉ/
Ü: EDITH BINDER

Malerei s. Historienmalerei

Malibu, J. Paul Getty Museum
A. INSTITUTION   B. GESCHICHTE
C. SAMMLUNGEN   D. PUBLIKATIONEN

A. INSTITUTION

Das J. Paul Getty Mus. (G. M.) ist ein Teil des J. Paul Getty Trusts in Malibu, Kalifornien. Es sammelt h. Kunst in sieben getrennten Abteilungen: Griech. und Röm. Altertümer, Ma. Hss., Europ. Gemälde, Skulpturen, Zeichnungen, Kunsthandwerk und Fotografien [11]. Mit seinen heutigen Sammelbereichen ist das Mus. seit dem Tode des Stifters über dessen urspr. Konzeption hinausgewachsen. Hinter diesem Wachstum stand jedoch keine langfristige Planung wie z. B. eine vorformulierte *Museums Policy*, die in US-Mus. Standard ist, sondern das Prinzip der Gelegenheit. Mit dem Erwerb einer Rembrandt-Zeichnung nahm z. B. 1981 die Abteilung Zeichnungen ihren Anfang. Auf gleiche Weise entstanden die drei Abteilungen Europ. Skulptur (1982), Hss. (Erwerb der Sammlung Peter Ludwig, 1983) und Fotographie (u. a. Sammlung V. Kahmen, 1984).

Wirken und Arbeitsweise des G. M. und damit der Antikenabteilung werden am ehesten gekennzeichnet durch die enge Verbindung zw. dem Antiken-Mus. und dem im groß-wiss. Bereich arbeitenden Getty Research Instit. for the History of Art and the Humanities, welches sich der interdisziplinären Forsch. in Kunst und Geisteswiss. verschrieben hat. Als privates Inst. mit enormen Finanzmitteln ausgestattet, arbeitet es einer europ. Akad vergleichbar: Es legt die Programme selbst fest, stellt dafür die Mittel zu Verfügung und publiziert darüber hinaus auch die Ergebnisse. Das G. M. repräsentiert ganz deutlich den Einzelfall eines Forsch.-Mus., das Teil eines Ganzen ist. Der enorme Einfluß, den der Getty Trust auf die ant., noch mehr aber auf die neuere Kunstgeschichte ausübt, erklärt sich nicht aus der Qualität der Sammlungen, sondern aus übergreifenden Großprojekten, die der Gesamtdisziplin zugute kommen, so etwa der *Art and Architecture Thesaurus*, oder gezielte Maßnahmen zum Einsatz der elektronischen Medien [2; 4; 18; 25].

B. GESCHICHTE

Jean Paul Getty (1892–1976) gründete das Mus. 1953 auf seiner Ranch im kalifornischen Malibu, westl. von Los Angeles. Es ist das Produkt der Sammelleidenschaft des Ölmilliardärs, der zu seinen Lebzeiten als einer der reichsten Männer der Welt bekannt war, und um dessen extreme Sparsamkeit sich gleichwohl Legenden ranken. Ein dauerndes Vermächtnis in der internationalen Mus.-Landschaft sicherte er sich weniger durch die Einzigartigkeit seiner Sammlungen als vielmehr dadurch, daß er sein immenses Vermögen dem Getty Trust hinterließ.

Die Entstehungsgeschichte des G. M. hat Züge mit der ca. 100 J. älteren Ny Carlsberg Glyptotek (→ Kopenhagen) gemeinsam. Beide Institutionen entstanden aus Privatsammlungen, und beide etablierten sich schnell als bedeutende nationale und internationale Einrichtungen. Gleichzeitig zeugen die beiden Sammlungen jedoch von einem sehr unterschiedlichen Kunstverständnis ihrer jeweiligen Gründer. C. Jacobsen sammelte die mod. Kunst der Zeit um 1900. J. Paul Getty nahm an mod. Kunst keinen Anteil; sowohl seine Sammlung als auch die Wahl der Kopie einer Villa in Herculaneum als Mus.-Standort belegen eine eklektische, an etablierten, klass. Idealen geschulte Weltsicht. Dazu hat sein Studium in Oxford (1913) sicherlich ebenso beigetragen wie die Zusammenarbeit mit langjährigen Beratern wie den klass. Archäologen B. Ashmole (1894–1988) [13], J. Charbonneaux, und J. Frel sowie dem Kunsthistoriker J. S. Held und anderen. Seine Ansichten über das Sammeln hat Getty selbst wiederholt publiziert [11. 23. N.B]. Sein Ziel einer herausragenden Kollektion verfolgte er mit erheblichem Aufwand, wodurch er sich Stücke sicherte, deren lang etablierte Stellung in der arch.-kunsthistor. Diskussion das G. M. als Antiken-Mus. überhaupt erst bekannt werden ließ [11].

Da mit der Zeit das Gebäude auf der privaten Ranch von Getty hoch über dem Ufer des Pazifik zu klein wurde, errichtete man schließlich eine wesentlich größere Anlage in ant. Stil, deren niedrige Bauweise sich hervorragend in die Landschaft und Architektur Kaliforniens einfügt (Abb. 1). Es ist eine sorgfältige Nachempfindung der großen Villa dei Papiri von Cäsars Schwiegervater in Herculaneum, die durch ihre Lage und den ebenfalls nach ant. Vorbildern angepflanzten Garten sehr gewinnt [5]. Parallel zum neuen, größeren Mus.-Bau wurde die Sammlung in den frühen 70er J. durch Ankäufe gezielt vergrößert, um so den neu zu Verfügung stehenden Platz zu füllen. 1974 wurde die Villa eröffnet. Ursprünglich teilte sich die Antikensammlung den vorhandenen Raum mit den anderen Mus.-Abteilungen. Mit der Eröffnung des von R. Meier erbauten Getty Center in Los Angeles (1997) [29; 30.; 15] steht der Antiken-Abteilung nach einem Umbau der gesamte Gebäudekomplex zur Verfügung.

Abb. 1: Luftaufnahme, 1980
(J. Paul Getty Trust, Malibu, Kalifornien)

C. SAMMLUNGEN

Die Antikensammlung hat bis dato zwei Entwicklungsphasen durchlaufen. Während der ersten, von Getty selbst durchgeführten Phase wurden seit ca. 1950 gezielt ant. Skulpturen erworben, darunter solche Ikonen des Kunstgeschmacks des 19. Jh. wie die »Venus Mazarin« oder der »Herakles Lansdown« [11. 10. fig 11]. Auch Grabreliefs, Torsen oder Köpfe waren darunter [11. 15. fig.15], ebenso ant. bemalte Keramik. Es war v. a. der private, dem historistischen Klassizismus sehr zugeneigte Geschmack des Sammlers, der das Gesicht des G.M. prägte.

Die zweite Phase setzte nach dem Tode des Stifters ein. Der Umfang der Sammlungen wurde seitdem mit erheblichen Mitteln beträchtlich erweitert. Zu den besonderen, berühmten Ankäufen gehört auch die sog. Getty-Bronze (Abb. 2), eine der wenigen ant. Großbronzen außerhalb der Türkei, Griechenlands oder Italiens. Bei der Vorlage dieser Statue zeigt sich das G. M. auch in seiner Arbeitsweise als ein mod. Mus. auf der Höhe der Zeit. Dabei kommt es nicht nur auf eine exakte vergleichswiss. Vorlage an, sondern auch auf eine intensive Unt. der physischen Seiten des Objekts, was in Form eines vollständigen Restaurierungsberichts geschehen ist [16]. Dies wird durch die räumliche Nähe des ebenfalls dem Getty Trust zugehörigen Restoration Institute gefördert [22].

Im Rahmen der Sammlungserweiterung durch Ankäufe hat das G. M. zur Verminderung von Schwierig-

Abb. 2: Bronzestatue eines Jünglings,
4. Jh. v. Chr. (Römisch?)
(J. Paul Getty Trust, Malibu, Kalifornien,
Inv. Nr. 77.AB.30. Foto: Ellen Rosenbery)

keiten beim legalen Erwerb ant. Objekte v. a. den Ankauf von bestehenden Privatsammlungen betrieben. So war für die Bestandsbildung der griech. Vasen u. a. der Erwerb der etwa 500 Stücke umfassenden Sammlung Molly und Walter Bareiss (1986) wichtig, deren rotfigurige Trinkgefäße publ. worden sind [17]. Ebenfalls ins G. M. gelangten 1996 große Teile der Sammlung Barbara und Lawrence Fleishmann (New York).

Die Antikensammlung beherbergt auch einige erwähnenswerte Komplexe ant. Kleinkunst und Keramik, u. a. Vasen (Abb. 3), Glas (Abb. 4) und Goldschmuck. Hier zeigt sich ein sehr weit angelegtes Verständnis dessen, was der Bereich der Ant. war . Zum einen gibt es ein Kontingent griech., etr., röm. und nahöstl. Gemmen [23]. Zum anderen fällt eine ungewöhnliche Grup-

Abb. 4: Glas-Skyphos, Cameo-Technik,
Römisch (J. Paul Getty Trust, Malibu,
Kalifornien, Inv. Nr. 84.AF.85.
Foto Ellen Rosenbery)

Abb. 1: Kylix Typ B, Kleophrades, Sohn des Amasis,
Töpfer und Duris, Maler. Spätarchaisch
(J. Paul Getty Trust, Malibu, Kalifornien,
Inv. Nr. 83.AE.217)

pe von Metallgefäßen, Rhyta aus Silber und Gold,
Schalen, Tassen, Schmuck und Ornamentbeschlägen
auf, die den Blick weit über den gewohnten klass. Bereich hinauslenken [19].

In anderen Bereichen, z. B. bei Porträts, wurde der
Sammlungsbestand ebenfalls durch Neuerwerbungen
stetig vergrößert [6]. Daneben setzt das G. M. die ihm
durch den Trust zufließenden Mittel dazu ein, die ant.
Kunstgeschichte und Arch. durch Konferenzen, Symposia und Kooperationen weiter zu erforschen und z. B.
Grabungsergebnisse zu publizieren bzw. zu helfen, die
Grundlagen der Forsch. auch methodisch zu stärken.
Dazu gehören u. a. Symposia über Marmor und Metall,
in denen Wissenschaftler die Probleme dieses Materials
von allen Seiten durchleuchten können [27; 22]. In diese
Kategorie fällt aber auch die Arbeit über die Technik
athenischer Vasen [21].

Auch in der arch. Feldforsch. leistet das G. M., ohne
selbst zu graben, einen aktiven Beitrag. Behandelt wurde u. a. das Problem des Schutzes arch. Stätten im Mittelmeerraum [26]. Mit Beispielen aus der eigenen
Sammlung (Abb. 5) ist die Publikation zum Chalkolithikum Zyperns verbunden, in der Ergebnisse aus den
Grabungen auf Lemba vorgestellt werden [10].

D. PUBLIKATIONEN

Zu den Beständen des Mus. werden Kataloge und
Einzelforsch. vorgelegt. Ein Forum für alle Abteilungen
des G. M. ist das jährlich erscheinende The J. Paul Getty
Museum Journal, in dem Probleme in Artikelform abgehandelt werden. Das G. M. beteiligt sich auch an dem
weltweiten Dokumentationsprojekt des Corpus Vasorum
Antiquorum [17]. Daneben gibt es verschiedene Reihen,
die in loser Folge erscheinen und in denen Forsch. [9]

und Symposia [28; 3] gezielt und relativ schnell vorgelegt werden können.

Neben den erwähnten Katalogen [23; 19] sind weitere zu kykladischer [8] und röm. Skulptur [12] erschienen. Auf dem Gebiet der Alt.-Forsch. hat der Getty
Trust durch Wiederauflage bzw. Neuausgabe einiger
älterer Publikationen von sich Reden gemacht, wobei
v. a. das Thema Rom Beachtung gefunden hat [14; 24;
20].

Die Adresse des Mus. lautet: 17985 Pacific Coast
Highway; Malibu, California 90265. Im Internet ist das
G. M. zu finden unter: http://www.getty.edu/muse-
um/.

1 J. ALSOP, The Rare Art Traditions. The History of Art
Collecting and Its Linked Phenomena Wherever These
Have Appeared = Bollington Series XXXV.27, 1982,
141 ff. 2 Bibliography of the History of Art
(CD-ROM/Buch), Santa Monica, CA (Paul Getty Trust)
und Vandoeuvre-lès-Nancy CNRS, 1996. Zweisprachige
Bibliogr. zur nach-klass. Kunstgesch. 3 D. V. BOTHMER
(Hrsg.), The Amasis Painter and His World. Vase Painting in
Sixth Century B. C. Athens, 1985 4 Cumulative Index to
Art and Archaeology Technical Abstracts, Volumes 11–25
(1974–1988), 1994 5 J. J. DEISS, Italy's Buried Treasure:
Herculaneum, 1989 6 J. FREL, A. HOUGHTON, M. TRUE
(Hrsg.), Ancient Portraits in the G. M., Bd. 1. Occasional
Papers on Antiquities 4, 1987 7 Getty Thesaurus of
Geographic Names (1999). Internet-Adresse:
http://shiva.pub.getty.edu/tgn browser/
8 P. GETZ-PREZIOSI, Early Cycladic Sculpture. An
Introduction. Second Edition, 1994 9 Greek Vases in the
G. M. Bd. 6, 2000 10 V. KARAGEORGHIS, E. J. PELTENBURG,
Cyprus Before the Bronze Age. Art of the Chalcolithic
Period, 1990 11 S. KNUDSEN MORGAN (Hrsg.), The G. M.
Handbook of the Collections, 1986 12 G. KOCH, Roman
Funerary Sculpture (Getty Trust Publications), 1990
13 D. KURTZ (Hrsg.), Bernard Ashmole: An Autobiography,
1995 14 R. LANCIANI, Forma Urbis Romae, 1988
15 G. MACK, Kunstmus. auf dem Weg ins 21. Jh. Mit einem

Abb. 5: Weibliche Steinfigur, Zypern,
Frühe Bronzezeit, ca. 2500 v. Chr.
(J. Paul Getty Trust, Malibu, Kalifornien,
Inv. Nr. 83.Aa.38. Foto Dupe)

Beitr. von H. Szeemann, 1999, 52–63 **16** C. C. MATTUSCH,
The Victorious Youth. G. M. Stud. on Art, 1997 **17** M. B.
MOORE, Corpus Vasorum Antiquorum. Fascicule 8. United
States of America, 1998 **18** T. PETERSEN (Hrsg.), Art &
Architecture Thesaurus, 5 Bde., [2]1994 **19** M. PFROMMER,
Metalwork from the Hellenized East, Catalogue of the
Collections, 1993 **20** Roma: Area Archeologica Centrale,
1990 **21** T. SCHREIBER, Athenian Vase Construction. A
Potter's Analysis, 1999 **22** D. A. SCOTT, Metallography and
Microstructure in Ancient and Historic Metals, 1991
23 J. SPIER, Ancient Gems and Finger Rings, 1993 **24** E. M.
STEINBY (Hrsg.), Lexicon Topographicum Urbis Romae,
1990 ff. **25** CHR. STEPHENSON, P. MCCLUNG (Hrsg.),
Delivering Digital Images. Cultural Heritage Resources for
Education = The Mus. Educational Site Licensing Project
(MESL), Bde. 1 & 2, 1998 **26** M. DE LA TORRE (Hrsg.), The
Conservation of Archaeological Sites in the Mediterranean
Region. An International Conference Organized by the
Getty Conservation Institute and the G. M., May 1995 =
Symposium Proceedings, 1997 **27** M. TRUE, J. PODANY
(Hrsg.), Marble. Art Historical and Scientific Perspectives
on Ancient Sculpture, 1990 **28** Dies. (Hrsg.), Small Bronze
Sculpture from the Ancient World, 1990 **29** H. WILLIAMS et
al., The Getty Center: Design Process, 1991 **30** Ders.,
Making Architecture: The Getty Center, 1997.

WOLF RUDOLPH

Manichäismus s. Gnosis

Mannheim, Antikensaal und Antiquarium

A. HISTORISCHE VORAUSSETZUNGEN DES
ANTIKENSAALS B. SAMMLUNG UND BEDEUTUNG
DES ANTIKENSAALS C. DAS ANTIQUARIUM

A. HISTORISCHE VORAUSSETZUNGEN
DES ANTIKENSAALS

Die Einrichtung des Mannheimer Antikensaals, eines
mit Abgüssen ant. Bildwerke ausgestatteten Raumes, im
J. 1769 durch den Kurfürsten Carl Theodor (Regierungszeit 1724–1799) steht in direktem Zusammenhang
mit weiteren Bestrebungen des pfälzischen Landesherrn, seine Residenzstadt zu einem Zentrum wiss. und
musischer Aktivitäten auszugestalten. Davon zeugt die
1763 gegr. Akad. der Wiss. (Academia Theodoro-Pa-
latina) ebenso wie das Theater und die Förderung der
Musik, die bis h. mit dem Begriff »Mannheimer Klassik«
verbunden ist. Trotzdem kann bei der Kulturpolitik des
katholisch geprägten Fürsten nur bedingt von einem
Eingehen auf Maximen der Aufklärung die Rede sein;
so litt die Landesuniv. Heidelberg in jenen J. unter einem jesuitisch kontrollierten Lehrkörper. Auch war der
Mannheimer Antikensaal trotz der zeitlichen Nähe zu
Bestrebungen an anderen dt. Orten, öffentliche Mus.
mit Bildungsauftrag zu errichten (→ Dresden; Kassel),
ursächlich ein Produkt im Kontext spätabsolutistischen
Mäzenatentums, um nämlich durch die Bereitstellung
vorbildhafter Werke die bildende Kunst im Umfeld des
Hofes auf aktuellen frühklassizistischen Standard zu heben. Auf der anderen Seite steht die breite Wahrnehmung des Antikensaals durch ein an der Ant. interessier-
tes Publikum mit der Folge, daß der Sammlung eine
herausragende Rolle in der anschaulichen Wissensvermittlung zuerkannt wurde.

B. SAMMLUNG UND BEDEUTUNG
DES ANTIKENSAALS

Von 1769 bis 1803 beherbergte der Antikensaal in der
Mannheimer »Zeichnungsakademie« rund 60 Abgüsse
ant. Skulpturen, davon mehr als die Hälfte in Gestalt
ganzfiguriger Statuen bzw. Gruppen. Der überwiegende Teil der Gipse hatte sich vordem in Düsseldorf befunden und war zusammen mit originalen Antiken vielleicht schon unter dem Kurfürsten Carl Philipp, v. a.
aber nach 1750 unter Carl Theodor in die Residenzstadt
M. überführt worden. Ebenfalls über Düsseldorf gelangten Negativformen nach M., die um 1700 in Rom
und Florenz abgenommen worden waren und die auch
noch später ausgegossen wurden.

Am neuen Ort figurierten die Abgüsse nicht als
Schloßdekoration, sondern waren dafür bestimmt,
Künstlern als Vorlagen zu dienen. Zu diesem Zweck
wurde schließlich der Antikensaal eingerichtet, für den
der Architekt und Bildhauer Peter Anton von Ver-
schaffelt (1710–1793) verantwortlich zeichnete. Es fehlen bildliche Darstellungen zur Aufstellung der Gipse,
doch läßt sich aus schriftlichen Erwähnungen erschließen, daß einzelne Bildwerke auf drehbaren Sockeln im
Raum verteilt waren, während Köpfe und Büsten auf

Abb. 1: Mannheim,
Universität, Schloßkirche.
Antikensaal-Galerie

einem Brett an der Wand Platz fanden. Für eine vorzügliche, von Zeitgenossen gelobte Beleuchtung sorgten große Fenster in der Nordwand, wobei die Intensität des Lichteinfalls noch durch vertikal verstellbare
Vorhänge reguliert werden konnte.

Die Bed. des Saals lag einerseits in seiner ungehin-
derten Zugänglichkeit für jeden Interessierten, andererseits in der Konzentration derjeniger Werke, die nach
damaligem Verständnis als die wichtigsten Antiken galten; darunter befanden sich der *Laokoon*, der *Apoll vom
Belvedere*, der *Torso vom Belvedere*, die *Florentiner Ringer-
gruppe*, die *Venus Medici* und der *Fechter Borghese*. Der
Mannheimer Antikensaal vermittelte eine Anschauung,
wie sie sonst allein durch aufwendige Reisen oder in
ungenügender Weise durch Graphiken erlangt werden
konnte. Prominenteste Besucher waren Goethe, Herder und Schiller. 1803 wechselten die Gipse nach München und gingen in den Antikensaal der dortigen Kunstakad. ein. Übrig blieben in Mannheim die Negativformen, die noch im 19. Jh. ausgegossen wurden. Seit 1991
erinnert eine vom Arch. Seminar der Univ. M. eingerichtete, in einem Korridor der Schloßkirche unterge-
brachte »Antikensaal-Galerie« mit neu beschafften Abgüssen an den einstigen kulturgeschichtlichen Wert der
Sammlung (Abb. 1).

C. DAS ANTIQUARIUM

Neben dem Antikensaal existierte das der Akad. unterstellte Antiquarium mit originalen Antiken. Es erreichte zwar nicht die Berühmtheit des Antikensaals,
fand aber immerhin auch Beachtung durch einige Gelehrte wie Wilhelm von Humboldt. Das Hauptstück
dieser Kollektion bildete die Statue der *Trunkenen Alten*
(Abb. 2), die, aus dem Besitz des Kardinals Ottoboni
stammend, ihren Weg über Düsseldorf nach Mannheim
fand, spätestens 1803 aber in die Münchner Residenz
gebracht wurde und seit 1893 in der Münchner Glyptothek aufbewahrt wird. Schon 1778, als Karl Theodor
die Erbschaft des Kurfürstentums Bayern antrat, gelang-

Abb. 2: Mannheim, Universität, Schloßkirche.
Antikensaal-Galerie, *Trunkene Alte*.
Abguß der Statue in München, Glyptothek
(ehemals Mannheim, Antiquarium)

te das Münzkabinett nach München; 1802/03 folgte der
größere Teil der – vorwiegend Werke der Kleinkunst
und provinzialröm. Denkmäler umfassenden – Sammlung des Mannheimer Antiquariums. Am Ort verblieb
nur ein geringer Bestand, der erst im späteren 19. Jh.

durch Neuankäufe erweitert werden konnte (jetzt M., Reiss-Mus.).

1 W. SCHIERING, Der Mannheimer Antikensaal, in: H. Beck et al. (Hrsg.), Antikenslgg. im 18. Jh. (Frankfurter Forsch. zur Kunst, 9), 1981, 257–272 **2** Ders. et al., Zum Mannheimer Antikensaal und ein Kat. der Antikensaal-Galerie im Schloß, in: Mannheimer Geschichtsblätter 2, 1995, 115–184 **3** Ders., Der Antikensaal oder Saal der Statuen, in: A. WIECZOREK et al. (Hrsg.), Lebenslust und Frömmigkeit. Kurfürst Carl Theodor (1724–1799) zw. Barock und Aufklärung, 1999, Hdb. 267–269, Kat. 319–326 **4** R. STUPPERICH, Das Antiquarium Carl Theodors in M., in: A. WIECZOREK et al. (Hrsg.), Lebenslust und Frömmigkeit. Kurfürst Carl Theodor (1724–1799) zw. Barock und Aufklärung, 1999, Hdb. 337–345, Kat. 456–467.   DETLEV KREIKENBOM

Marathon s. Schlachtorte

Marxismus A. BEDEUTUNG DER ANTIKE FÜR MARX UND ENGELS B. MARX' DISSERTATION C. ANALYSE DER ANTIKEN GESELLSCHAFT D. FUNKTION DES ANTIKENBEZUGS FÜR MARX E. DER EINFLUSS VON ARISTOTELES F. AUSBLICK

A. BEDEUTUNG DER ANTIKE FÜR MARX UND ENGELS

Während Vorstellungen zum → Sozialismus sich aus vielen heterogenen Quellen speisen, finden marxistische Antikenkonzepte in den enormen, zu Lebzeiten unveröffentlicht gebliebenen oder gar nicht zur Veröffentlichung bestimmten Forschungsmanuskripten von Karl Marx (1818–1883) das Gedankenmaterial, mit dem sie sich immer wieder neu auseinandersetzen. Die noch unabgeschlossene Publikationsgeschichte dieser z. T. Inkohärenzen, auch Widersprüche, selbst Paradigmenwechsel aufweisenden Schriften und die Tatsache, daß die ersten Generationen von Marxisten nur kleine Ausschnitte dieses Werkes kennen konnten und zumeist auf Friedrich Engels' (1820–1895) Popularisierungen zurückgriffen, erfordert es, den Hauptakzent auf die originär marxsche Auseinandersetzung mit der Ant. zu legen.

Der marxsche Wissenschaftsbegriff, so DeGolyer [6. 121], hält den Bezug zur griech. *epistếmē* wie zur *sophía*, indem er wiss. Erkenntnis und Ethik umfaßt und sich zudem der Auseinanderreißung von Philos., Politik, Soziologie, Ökonomie usw. widersetzt. Wenn der junge Marx notiert, daß ›die Welt längst den Traum von einer Sache besitzt, von der sie nur das Bewußtsein besitzen muß, um sie wirklich zu besitzen‹ und daß ›die Menschheit keine neue Arbeit beginnt, sondern mit Bewußtsein ihre alte Arbeit zustande bringt‹ [1. Bd. 1. 346], so identifiziert DeGolyer [6. 119] diese ›alte Arbeit‹ als die Verwirklichung des griech. ›Traums‹ freier und universeller Entwicklung der Individuen in Gemeinschaft. V. a. aber nutzt Marx den ›Gegensatz der ant. Anschauung zur modernen‹ [1. Bd. 23. 431] durch-

gängig als verfremdendes Erkenntnismittel. Insgesamt stellt dieser Bezug bei Marx und Engels ein so wichtiges Element dar, daß das seither eingetretene Zerbrechen der human. Bildungswelt Europas einer Dekontextualisierung ihres Werkes gleichkommt.

Kein Einfluß aus der Schulzeit gibt ›eine hinreichende Erklärung für das außergewöhnliche Interesse, das Marx während seines ganzen späteren Studiums den klass. Fächern zuwandte‹ [34. 34]. Das sonst eher ›schablonenhaft‹ urteilende Abiturzeugnis hebt hervor, daß der Schüler Marx ›häufig auch die schwierigeren Stellen der alten Klassiker zu übersetzen und zu erklären gewußt habe, besonders solche, wo die Schwierigkeit nicht so sehr in der Eigentümlichkeit der Sprache, als in der Sache und dem Gedankenzusammenhange bestehe‹ [24. 11]. Während es bei Marx in der Abiturprüfung mit Religion und Geschichte ›nicht gehen wollte‹ [24. 11], kündigt sich schon beim Schüler Engels – etwa nach der liebevollen Sorgfalt zu schließen, mit der er sein *Geschichtsheft I. Alte Geschichte* [2. Bd. IV,1. 437–512] ausgearbeitet und illustriert hat – das bes. Interesse an der Geschichtsschreibung an.

B. MARX' DISSERTATION

Marx nahm zunächst ein »Pflichtstudium« in Jurisprudenz auf, belegte aber daneben Vorlesungen über Alt. und Kunst – so bei August Wilhelm von Schlegel, zu *Fragen über Homer* und den *Elegien des Properz*, oder bei Friedrich Gottlieb Welcker über *Myth. der Griechen und Römer*. Er engagierte sich in einem Poetenbund, in dem von einem ›in dt. Geist und Gemüt wiedergeborenen Griechentum‹ geträumt wurde; er exzerpierte Lessings *Laokoon* und Winckelmanns Kunstgeschichte; er übersetzte die *Germania* des Tacitus, die *Libri tristium* des Ovid, schließlich Teile der *Rhetorik* des Aristoteles [2. Bd. III,1. 15; 17].

Marx' Interesse konzentriert sich bald auf Philosophie. Obgleich es Hegel ist, den er – in einem *Kleanthes* betitelten Dialog [2. Bd. III,1. 17], wie bei den Alten üblich – widerlegen will und der ihn bei diesem Versuch überwältigt, ist es die Philos. des klass. Griechenlands, in der er sich, im Doppelsinn, bildet. In ihrem Medium führt er seine erste selbständige Forsch. durch, mit der er 1841 zum Dr. phil. promoviert wird: *Differenz der demokritischen und epikureischen Naturphilosophie*. Die Schrift beginnt mit einem Paukenschlag: ›Der griech. Philos. scheint zu begegnen, was einer guten Trag. nicht begegnen darf, nämlich ein matter Schluß. Mit Aristoteles, dem mazedonischen Alexander der griech. Philos., scheint die objektive Geschichte der Philos. in Griechenland aufzuhören‹ [1. Bd. 40. 266]. Hegel habe die Bed. der nach-aristotelischen Systeme falsch gesehen. ›Diese Systeme sind der Schlüssel zur wahren Geschichte der griech. Philosophie‹ [1. Bd. 40. 262]. Marx' Ausgangspunkt ist ›ein altes eingebürgertes Vorurteil, demokritische und epikureische Philos. zu identifizieren, so daß man in den Veränderungen Epikurs nur willkürliche Einfälle sieht‹ [1. Bd. 40. 268]. Dagegen ist es in Marx' Dissertation ›wieder der polemische Epikur, der in seine Rechte eingesetzt wird‹ (→ Epikureismus); und der von Epikur in die demokritische Lehre eingebrachte Gedanke der *ékklisis*, der »Abweichung« oder »Ausbeugung« der mechanisch bewegten Atome von ihrer Bahn, der ihm den Vorwurf eingetragen hat, er habe die Welt dem Zufall ausgeliefert, wird von Marx als Grundsatz einer ›Philos. des »Möglichen«‹ erkannt [10. 241]. Das kommt einer Berichtigung der bisherigen Philosophiegeschichtsschreibung gleich: ›Den aufklärerischen Impetus einer radikalen Absage an die Teleologie durch dieses Argument kann erst Marx wieder im vollen Umfang seiner systematischen Bed. erkennen‹ [10. 29]. Im Drehpunkt dieser Rehabilitierung Epikurs kündigt sich die marxsche Philos. neuen Typs an: Die ›Idee der Praxis, die später gegen Feuerbach aufgeboten wird, steckt bereits im Gegensatz zu Demokrits Naturphilosophie‹ [12. 37].

C. ANALYSE DER ANTIKEN GESELLSCHAFT

Marx begriff die mod. Antikenrezeption als ›missverstandne Form‹, doch beobachtete er, daß diese ›grade die allg. und auf einer gewissen Entwickelungsstufe der Gesellschaft zum allgemeinen use verwendbare‹ Form ist [1. Bd. 30. 614f.]. Im *18. Brumaire* führt Marx vor, wie etwa die Akteure der Frz. Revolution ›in dem röm. Kostüme und mit röm. Phrasen die Aufgaben ihrer Zeit, die Entfesselung und Herstellung der bürgerlichen Gesellschaft‹ vollbrachten [1. Bd. 8. 116]. Warum aber die Ant. so verklärt werden konnte, daß sie zum heroischen Imaginären mod.-bürgerlicher Kämpfe werden konnte, analysiert Marx in den *Grundrissen*: Weil die Herausarbeitung der ›Universalität der Bedürfnisse, Fähigkeiten, Genüsse, Produktivkräfte etc. der Individuen‹ im Kapitalismus als ›völlige Entleerung‹ und ›Entfremdung‹ und ›die Niederreißung aller bestimmten einseitigen Zwecke als Aufopferung des Selbstzwecks unter einen ganz äußeren Zweck‹ erscheint, ›erscheint einerseits die kindische alte Welt als das Höhere. Andrerseits ist sie es in alledem, wo geschloßne Gestalt, Form und gegebne Begrenzung gesucht wird. Sie ist Befriedigung auf einem bornierten Standpunkt; während das Moderne unbefriedigt läßt oder, wo es in sich befriedigt erscheint, *gemein* ist‹ [1 Bd. 42. 396]. Durch solche Brechung vermag es Marx, dem ›sehr verbreiteten Fehler aus dem Weg zu gehen, d.h. die neuzeitliche polit. Demokratie aus der ant. abzuleiten‹ [12. 62].

Von bes. Bed. für Marx' eigene Analyse der ant. Gesellschaft sind die *Grundrisse* von 1857/58 ›mit ihrem Reichtum an Gedanken, deren Saat erst ein Jh. nach ihrer Niederschrift beginnen sollte aufzugehen‹ [3. VIII], v.a. der Abschnitt (›Formen, die der kapitalistischen Produktion vorhergehen‹ [1. Bd. 42. 383–421]), wo Marx Niebuhrs *Röm. Geschichte* (²1827) auswertet. Aufschlußreich ist auch die fragmentarisch gebliebene Einleitung zu den *Grundrissen*, die just über der Frage abbricht, wie zu erklären ist, ›daß griech. Kunst und Epos (…) uns noch Kunstgenuß gewähren und in gewisser Beziehung als Norm und unerreichbare Muster

gelten‹ [1. Bd. 42. 45]. Die Antwort, die Ant. mit der Kindheit der Menschheit zu vergleichen, wobei dann die Griechen als ›normale Kinder‹ einen ›ewigen Reiz ausüben‹ (ebd.), ist, gemessen am geschichtsmaterialistischen Erkenntnisanspruch, eine auf Hegels Geschichtsphilos. zurückgreifende [12. 71] Verlegenheitslösung. Eine weitere Hauptquelle bildet Marx' Exzerpt aus L. H. Morgans *Ancient Society* von 1877 [20. 97–241]. Hier merkt man, wie die Aufmerksamkeit jäh zunimmt, wo von den ant. Gesellschaften Griechenlands und Roms die Rede ist. Marx moniert bei Morgan das Fehlen ethnologischer Distanz, wo dieser die Polis als Staat setzt: ›Er hätte sagen sollen, daß *political* hier Sinn des Aristoteles hat = *städtisch* und *politisches animal* = *Stadtbürger*‹ [20. 196]. Den europ. Gräzisten hält er vor, daß sie als ›Fürstenbediente‹ aus ›*basileús* Monarch im mod. Sinn‹ machen, während Morgan als ›Yankee Republican‹ Distanz dazu nimmt [20. 206].

Die zu verschiedenen Zeiten und in unterschiedlichen Kontexten niedergelegten marxschen Thesen zur Struktur der ant. Gesellschaft oder auch der ant. Produktionsweise im Blick auf Klassengegensätze und -kämpfe präsentieren sich auf den ersten Blick heterogen, doch fügen sich die einzelnen Züge insgesamt zu einem kohärenten Bild, auch wenn dessen Komplexität durch eingängige Kurzformeln – auch die von Marx selbst [17. 15ff.] – verfehlt werden. In der gemeinsam mit Engels verfaßten *Dt. Ideologie* (entstanden 1845/46) reiht Marx ›Patriarchalismus, Sklaverei, Stände, Klassen‹ als ›Betriebsweisen der ackerbauenden, industriellen und kommerziellen Arbeit‹ aneinander [1. Bd. 3. 22]. Die von Marx und Engels begriffene Beziehung zw. den ersten beiden dieser Betriebsweisen deutet darauf hin, wie sie die ant. Gesellschaft gesehen haben: Vom Eigentum heißt es hier, daß es ›in der Familie, wo die Frau und die Kinder die Sklaven des Mannes sind, schon seinen Keim, seine erste Form hat. Die freilich noch sehr rohe, latente Sklaverei in der Familie ist das erste Eigentum, das übrigens hier schon vollkommen der Definition der mod. Ökonomen entspricht, nach der es die Verfügung über fremde Arbeitskraft ist‹ [1. Bd. 3. 32]. In den *Grundrissen* geht es Marx darum, die kapitalistische Moderne insgesamt von ihr vorhergehenden Produktionsweisen abzugrenzen. Das Interesse gilt einerseits der Spezifik der alten Gesellschaftsformen, andererseits den Tendenzen und Prozessen ihrer Auflösung [1. Bd. 42. 410]. Marx bestimmt hier, wie Kondylis gezeigt hat [12. 55], als deren gemeinsamen Nenner die Tatsache, daß sie allesamt ›auf der Agrarwirtschaft und dem Grundeigentum‹ basieren. Ohne Kommentar exzerpiert er aus Niebuhr, daß in der augusteischen Zeit ›Reiche und Arme die einzig wahren Klassen der Bürger waren‹ [1. Bd. 42. 409]. Auch im *Kapital* (1867) werden die ›altasiatischen, ant. usw. Produktionsweisen‹ unter dem Gesichtspunkt ihrer Differenz zur kapitalistischen zusammengefaßt: In ihnen ›spielt die Verwandlung des Produkts in Ware, und daher das Dasein der Menschen als Warenproduzenten,

eine untergeordnete Rolle, die jedoch um so bedeutender wird, je mehr die Gemeinwesen in das Stadium ihres
Untergangs treten‹ [1. Bd. 23. 93]. An Platons *Politeia*
liest Marx den ägypt. Einfluß ab: ›Platos Republik, soweit in ihr die Teilung der Arbeit als das gestaltende
Prinzip des Staats entwickelt wird, ist nur atheniensische
Idealisierung des ägypt. Kastenwesens, wie Ägypten als
industrielles Musterland auch andren seiner Zeitgenossen gilt, z. B. dem Isokrates, und diese Bed. selbst noch
für die Griechen der röm. Kaiserzeit behielt‹ [1. Bd.
23. 388f.]. Im Blick auf die röm. Republik begreift
Marx die Geschichte des Grundeigentums als deren
›Geheimgeschichte‹ [1. Bd. 23. 96]. Ein Passus aus der
Antigone des Sophokles dient Marx als Beleg dafür, daß
die ant. Gesellschaft das Geld, weil in ihm ›gesellschaftliche Macht (…) zur Privatmacht der Privatperson‹
wird, ›als die Scheidemünze ihrer ökonomischen und
sittlichen Ordnung‹ denunziert [1. Bd. 23. 146]. Damit
hängt ein anderer Aspekt zusammen: ›Der Klassenkampf der ant. Welt z. B. bewegt sich hauptsächlich in
der Form eines Kampfes zw. Gläubiger und Schuldner
und endet in Rom mit dem Untergang des plebejischen
Schuldners, der durch den Sklaven ersetzt wird‹ [1. Bd.
23. 149f.]. An den gängigen Realenzyklopädien des
klass. Alt. sowie an Mommsens *Röm. Geschichte* kritisiert
Marx das ›Quidproquo‹, etwa von Kapitalismus zu sprechen, ›außer daß der freie Arbeiter und das Kreditwesen
fehlten‹ [1. Bd. 23. 182, Anm. 39]. ›Die sporadische Anwendung der Kooperation auf großem Maßstab in der
ant. Welt, dem MA und den mod. Kolonien beruht auf
unmittelbaren Herrschafts- und Knechtschaftsverhält-
nissen, zumeist auf der Sklaverei. Die kapitalistische
Form setzt dagegen von vornherein den freien Lohnar-
beiter voraus, der seine Arbeitskraft dem Kapital verkauft‹ [1. Bd. 23. 354].

Im Vorwort von *Zur Kritik der polit. Ökonomie* von
1859 etabliert Marx eine genetische Reihe von Gesellschaftsformationen: ›In groben Umrissen können asiatische, ant., feudale und mod. bürgerliche Produktionsweisen als progressive Epochen der ökonomischen Ge-
sellschaftsformation bezeichnet werden‹ [1. Bd. 13. 9].
An diese veröffentlichte Formel, die die komplexeren
Befunde der bis in die 1930er J. unveröffentlicht gebliebenen *Grundrisse* unzulässig vereinfacht und eine eurozentrische Sichtweise eines universellen Geschichts-
schemas fördert [17. 158f.], wird im 20. Jh., vermittelt
durch Engels' Kodifizierungen, die stalinsche Dogma-
tisierung der Formationenfolge anschließen, wobei die
asiatische Produktionsweise freilich ausgeblendet wird
[7; 14].

D. Funktion des Antikenbezugs für Marx

Der Bezug auf die ant. Gesellschaft bildet immer
wieder den Hintergrund, von dem sich die kapitalistische Welt in ihrer Spezifik abhebt: ›Im strengsten Gegensatz (… zur) Akzentuierung der Quantität und des
Tauschwerts‹ durch die bürgerlichen Ökonomen, heißt
es etwa im *Kapital*, ›halten sich die Schriftsteller des klass.

Alt. ausschließlich an Qualität und Gebrauchswert‹ [1.
Bd. 23. 386]. Marx belegt dies mit Zitaten von Thukydides, Platon, Xenophon, Isokrates und Diodorus Siculus [1. Bd. 23. 387f.]. Diese Grundierung der Differenz, um die Charaktere der bürgerlichen Moderne zu
profilieren, fundiert zugleich immanente Kritik derselben, insofern diese Welt ihr normatives Selbstverständnis aus den Idealisierungen der Polis durch Platon und
Aristoteles ableitet. Die Rezeption der *koinōnía politikḗ*
und *societas civilis*, die ins Dt. über die Ferguson-Übers.
und Kants Aufnahme derselben als »bürgerliche Gesellschaft« einging, grundiert die Kritik derselben als bloß
bourgeoiser Gesellschaft im Namen einer Assoziation freier Produzenten. Die mod. Wendung kommt einerseits durch die Verallgemeinerung herein, nicht mehr
nur die männlichen Stammbürger zu meinen, andererseits durch die Aufhebung des »aristokratischen« Aus-
schlusses der Produzenten. Die Perspektive des Abster-
bens des Staates, deren Kern darin liegt, zwischen-
menschliche Herrschaft und Ausbeutung strukturell
abzuschaffen und durch gemeinschaftliche Verwaltung
von Sachen zu ersetzen, läßt sich durch den Blick auf
den klass. griech. »Halbstaat« und seine *politeia* mit Evidenz füllen.

E. Der Einfluss von Aristoteles

Aristoteles war für Marx ein ›*intensiverer*‹ Philosoph –
neben Spinoza und Hegel [1. Bd. 40. 225]. Engels re-
spektierte ihn als ›universellsten Kopf‹ unter den alten
Philosophen, der ›auch bereits die wesentlichsten Formen des dialektischen Denkens untersucht‹ hat, bei
Seinsformen stets Denkformen mitfassend und umgekehrt [1. Bd. 20. 19]. In *Das Kapital*, Bd. 1, zitiert Marx
Aristoteles ausgiebig und ohne Nachweis (was offenbar
unnötig war [6. 113]). Insbesondere rühmt er ihn als den
›großen Forscher (…)‹, der die Wertform, wie so viele
Denkformen, Gesellschaftsformen und Naturformen
zuerst analysiert hat‹ [1. Bd. 23. 73]. Aristoteles kennt
den Doppelcharakter der Ware als Gebrauchs- und
Tauschwert (pol. I,9), seine Analyse, gipfelnd in dem
adúnaton, der Unmöglichkeit, unterschiedliche Qualitäten gleichzusetzen (eth.Nic. 5, 1133 b19), mußte aber
daran scheitern, daß er als in dieser Hinsicht kritikloses
Kind seiner Zeit Sklavenarbeit für »natürlich« hielt und
so keinen Begriff ›gleicher menschlicher Arbeit‹ haben
konnte [1. Bd. 23. 73f.].

In der Marx-Rezeption überschattet zumeist Hegel
die enorme Bed., die Aristoteles für Marx gehabt hat.
Noch 1979 sah der Leipziger Philosoph Helmut Seidel
›kein Werk (…), das die Beziehungen von Karl Marx zu
Aristoteles eingehend und umfassend untersucht hätte‹
[34. 3]. Erst in den 1990er J. ändert sich dies [22; 30].
Nun schlägt das Pendel oft in die entgegengesetzte
Richtung aus, und Marx wird, wie früher zum Links-
hegelianer, nun zum Linksaristoteliker. Autoren wie
DeGolyer u. a. sind so begeistert über die Ähnlichkeit,
daß sie die radikale Metaphysikkritik im Namen der
materialistischen Geschichtsauffassung übersehen. Mar-
tha Nussbaum identifiziert in Marx' Pariser Mss. von

1844 zwei Kernpunkte, ›that are Aristotle's: that truly human living requires performing all one's natural activities in a way infused by human choice and rationality; *and* that the capability to function in this human way, is not automatically open to all humans, but must be created for them (...) by material and social conditions‹ [29. 204 f.]. Eine polit. Theorie, die die Implikationen dessen entwickle ›without shrinking‹, könne sich aristotelisch nennen. J. Pike registriert bei Marx eine ›Aristotelian opposition to Platonic universals‹ [32. 13] und eine ebenso aristotelische Ablehnung des Dualismus von Sein und Sollen [32. 17 f.]; schließlich sind die Form/Stoff-Unterscheidung und die Formanalyse bei Marx durch Aristoteles kategorial angebahnt [6. 122; 32. 27]. Manche Autoren sehen die marxsche Idee vom ›Reich der Freiheit‹ als dem einer ›menschlichen Kraftentwicklung, die sich als Selbstzweck gilt‹ [1. Bd. 23. 828], als Fortwirkung des aristotelischen *bíos theorē̄tikós* als Selbstzweck [34. 7; 27. 24].

Es ist ein überschwengliches Mißverständnis zu meinen, Marx habe wie Nietzsche ›bei den Alten Antworten auf die Trag. der Modernen‹ gesucht und alle Grundbegriffe der Kritik der polit. Ökonomie seien polit.-ethisch durch Aristoteles fundiert [23. 302], das *Kapital* daher ›an attempt at building a neo-Aristotelian ethical theory through a critique of liberal economics‹ [23. 115]. Während hier die radikale Kritik an Aristoteles ausgeblendet wird, heben andere Autoren die polit.-ethische Differenz hervor: Wenngleich Marx' Analyse der grenzenlosen kapitalistischen Zirkulationsform im Gegensatz zur bedürfnisbezogenen einfachen Warenzirkulation von Aristoteles' Unterscheidung zw. *oikonomikḗ* und *chrematistikḗ* inspiriert sei, so sei dies mit radikaler Absage an die despotische Organisation des Oikos verbunden, der aber Vorbild insofern bleibe, daß Ökonomie hier nicht wie im Kapitalismus als Selbstzweck fungiere [5. 249 f.]. Hannah Arendt [27. 25] meint daher, Marx denke verzweifelt gegen die Trad. mit deren eigenen Begriffen. Gegen den Privatismus der bürgerlichen Existenz strebe Marx zurück zu dem für Aristoteles zentralen Postulat des polit. (gesellschaftlichen) Wesens des Menschen. Er sei daher im großen Streitgespräch zw. Alten und Modernen in der Entwicklung des mod. europ. Denkens in seiner spezifisch dt., durch Schiller geprägten Variante zu verorten.

F. AUSBLICK

Wenn eine Marx-Renaissance denkbar sei, dann nur eines aristotelischen Marx, meint Pike [32. 185]. Das mag überzogen sein. Gleichwohl kann die Bed. der marxschen Antikenrezeption kaum hoch genug angesetzt werden. In den ersten beiden Generationen von Marxisten – im Anschluß an den späten Engels – betreiben etwa Kautsky [11], Marx' Schwiegersohn Lafargue gue [16], Bebel, Mehring, aber auch Lenin (Philos. Hefte, Lenins Werke 38) mehr oder minder ausgedehnte Studien zu Aspekten der Ant., wobei dem Urchristentum ein bes. Stellenwert eingeräumt wird [9]. Die marxschen Forsch. sind damals noch größtenteils unbekannt. Auch wenn ungleichmäßig, aufgrund der Veröffentlichungsgeschichte oft notgedrungen selektiv und mit großer zeitlicher Verzögerung rezipiert, hat der marxsche Bruch mit der idealisierenden Sicht der Ant. die seitherige Rezeptionsgeschichte vielfach beeinflußt. Nicht nur marxistische Forscher wie etwa der von Alfred Sohn-Rethel beeinflußte George Thomson in England, der von Moses I. Finley (außer von Weber, Hasebroek und Polanyi) inspirierte Pierre Vidal-Naquet sowie Jean-Pierre Vernant in Frankreich [3], Ferenc Tökei in Ungarn [38], Gert Audring, Helmut Seidel, Elisabeth Charlotte Welskopf [39] in der DDR, um nur einige wenige zu nennen, haben sich als Marxisten mit fachwiss. Fragen der Antikenforsch. auseinandergesetzt, sondern marxsche Impulse sind weithin außerhalb der Grenzen marxistischer Denkweisen rezipiert und assimiliert worden, von Max Weber angefangen über Karl Polanyi bis Christian Meier.

QU 1 K. MARX, F. ENGELS, Werke (MEW), 43 Bde., 1956–1968 2 K. MARX, F. ENGELS, Histor.-Kritische Gesamtausgabe MEGA², 1927–1935; ²1975 ff.

LIT 3 M. AUSTIN, P. VIDAL-NAQUET, Gesellschaft und Wirtschaft im alten Griechenland, 1984 4 E. BLOCH, Avicenna und die Aristotelische Linke, 1952, Ndr. in: Das Prinzip Hoffung, Bd. II, 237 5 W. G. BOOTH, Households, Markets and Firms, in: [21. 243–271] 6 M. DEGOLYER, The Greek Accent of the Marxian Matrix, in: [21. 107–153] 7 J. HERRMANN, Formationenfolge, vorkapitalistische Gesellschaftsformationen, in: [8. Bd. 4. 655–668] 8 Histor.-Kritisches WB in: Marx. (HKWM), hrsg. v. W. F. Haug, 1994 ff. 9 K. KAUTSKY, Der Ursprung des Christentums. Eine histor. Unt., 1908 10 D. KIMMICH, Epikureische Aufklärungen, 1993 11 H. KLOFT, Karl Kautsky und die Ant., in: J. ROJAHN, T. SCHOLZ, H.-J. STEINBERG (Hrsg.), M. und Demokratie. Karl Kautskys Bed. in der sozialistischen Arbeiterbewegung, 1992, 334 ff. 12 P. KONDYLIS, Marx und die griech. Ant. Zwei Stud., 1987 13 R. KOPPE, Ökonomie und Politik in ant. Gesellschaften. Stud. zu Sozialstruktur und Basis-Überbau-Beziehungen in der Polisgesellschaft, 1991 14 L. KRADER (Hrsg.), Introduction, in: The Ethnological Notebooks of Karl Marx, 1972, 1–90 15 W. KÜTTLER, Formationstheorie, in: HKWM 4, 1999, 669–680 16 P. LAFARGUE, Geschlechterverhältnisse, Ausgewählte Schriften, Kritische Ausgabe, hrsg. von F. KELLER, mit einer Einl. von F. HAUG, 1995 17 P. LEKAS, Marx on Classical Antiquity. Problems of Historical Methodology, 1988 18 G. KITSCHING, Marxism and the Philosophy of Praxis, 1988 19 G. LUKÁCS, Zur philos. Entwicklung des jungen Marx 1840–1844, in: Ders., Schriften zur Ideologie und Politik, hrsg. von P. LUDZ, 1967, 506–592 20 K. MARX, The Ethnological Notebooks of Karl Marx, hrsg. von L. KRADER, 1972 21 G. E. McCARTHY, Marx and the Ancients: Classical Ethics, Social Justice, and Nineteenth-Century Political Economy, 1990 22 Ders. (Hrsg.), Marx and Aristotle. Nineteenth-Century German Social Theory and Classical Antiquity, 1992 23 Ders., Dialectics and Decadence. Echoes of Antiquity in Marx and Nietzsche, 1994 24 F. MEHRING, Karl Marx. Gesch. seines Lebens (1918), Gesammelte Schriften, Bd. 3, 1960 25 Ders., Zur griech. Philos. (1901), in: Gesammelte Schriften, Bd.

13, 1983, 7–29 **26** Ders., Der Ursprung des Christentums (1908), in: Gesammelte Schriften Bd. 13, 1983, 261–276 **27** H. MEWES, Karl Marx and the Influence of Greek Antiquity on Eighteenth-century German Thought, in: [21. 19–36] **28** R. MÜLLER, Hegel und Marx über die ant. Kultur, in: Philologus, 116, 1932, 1–31 **29** M. NUSSBAUM, Nature, Function, and Capability: Aristotle on Political Distribution, in: [22. 175–211] **30** J. PIKE, Marx, Aristotle and Beyond: Aspects of Aristotelianism in Marxist Social Ontology, Ph. D.-Thesis, Glasgow Univ. 1996 **31** Ders., Snapping the Bonds: Marx and Antiquity in the Earliest Writings, in: Critique – Journal of Socialist Theory, Nr. 30/31, 1998, 124–135 **32** Ders., From Aristotle to Marx. Aristotelianism in Marxist Social Ontology, 1999 **33** J. SALVIOLI, Der Kapitalismus im Altertum. Stud. über die röm. Wirtschaftsgesch., 1912 **34** R. SANNWALD, Marx und die Ant., 1957 **34** H. SEIDEL, Zum Verhältnis von Karl Marx zu Aristoteles, 1979 **35** Ders., Von Thales bis Platon, 1980, ⁴1987 **36** Ders., Aristoteles und der Ausgang der ant. Philos., 1984 **37** R. THOMAS, Der unbekannte junge Marx (1835–1841), in: Der unbekannte junge Marx. Neue Stud. zur Entwicklung des marxschen Denkens 1835–1847, hrsg. vom Inst. für staatsbürgerliche Bildung, 1973, 147–258 **38** F. TÖKEI, Ant. und Feudalismus, Budapest 1977 **39** E. CH. WELSKOPF (Hrsg.), Soziale Typenbegriffe im alten Griechenland und ihr Fortleben in den Sprachen der Welt, 5 Bde., 1981 ff.   WOLFGANG FRITZ HAUG

Maß und Gewicht

A. DAS FORSCHUNGSGEBIET
B. ÜBERLIEFERUNG IN MITTELALTER UND NEUZEIT
C. DE MENSURIS ET PONDERIBUS
D. WIEDERFESTSTELLEN ANTIKER EINHEITEN UND SYSTEME
E. EXOGENE UND ENDOGENE TRADITIONEN
F. MASSVERSTÄNDNIS UND WISSENSCHAFT

A. DAS FORSCHUNGSGEBIET

Maß, Gewicht und Waage sind Phänomene langer Dauer in der Geschichte materieller und geistiger Kulturen. Ihre Erforsch. wirft Fragen auf nach der Entwicklung von kollektiven und individuellen Erfahrungen, von elementarem Wissen und strukturierender Erkenntnis im Umgang des Menschen mit der Natur [16]. Sie überliefern uns das Entstehen numerischer Ordnungen der in verschiedenen Räumen in unterschiedlicher Geschwindigkeit wachsenden Gesellschaften und Wirtschaften.

Messen ist das Vergleichen einer unbekannten Größe und einer bekannten Einheit mit Hilfe der Zahl. Alle Maß- und Gewichtseinheiten der Ant. sind ihrem Ursprung nach Teile von jeweils realen, überschaubaren Ganzen, konkret von Sub- oder Teilsystemen mit jeweils wenigen Einheiten. Zur Einteilung bediente man sich handlicher numerischer (Rechen-) Systeme.

›Fingerbreite und -länge, Handbreite und -spanne; dann die Elle, um die man Garne und Seile aufrollte‹ und endlich ›der Klafter oder Faden, der mit der Länge des Körpers (…) übereinstimmt‹, kamen vermutlich als erste Längenmaße in Gebrauch. Das Fußmaß sodann haftete primär an Haus, Hof und Ackerland, ›bes. am Steinbau‹. Mit ihm verbindet sich der Wortsinn einer Basis. Das Schrittmaß schließlich war ein ›Bewegungsmaß‹ [27]. Die ersten Teilsysteme und anthropogenen Einheiten entsprachen den elementaren Bedürfnissen einer frühen Gesellschaft.

Es gab zu keiner Zeit ein vom Menschen der Ant. in abstrakt systematischer Absicht geschaffenes Maßwesen. Die Einheiten und Systeme änderten bzw. mehrten und erweiterten sich mit der Entwicklung der Kulturen auf eine spezifische, stets rationale Weise in Relationen einfacher, ganzer Zahlen. Zu den Einteilungen traten vermutlich sehr früh Vergleichungen mit konstanten Phänomenen der Natur hinzu. Sie brachten erste feste natürliche Größeneinheiten hervor – sei es, daß man Sonnenlauf und Wegmaß oder die Belastbarkeit eines Menschen/Tieres und ein Waren-/Volumengewicht in ein numerisches Verhältnis zu setzen verstand.

Darauf gründende Vergleichungen in sich ausweitenden räumlichen Beziehungen scheinen schließlich jene zweckgerichteten, konventionell normierten Einheiten und Systeme hervorgebracht zu haben, die die Ant. uns überliefert. Deren Maßwesen tritt uns als ein entwickeltes, differenziertes aus den Quellen entgegen – ausgestattet mit unterschiedlichen Subsystemen, mit gestuften Maß- und Gewichtsbereichen verschiedenen räumlichen und zeitlichen Ursprungs und zweckbestimmten Einheiten. Die Leiteinheiten, die in ganzzahligen Relationen rechen- und handhabbar waren, vermochte man als solche zu kontrollieren und ggf. rechtlich zu sanktionieren.

Die Leitgrößen der Subsysteme ließen sich untereinander und über Räume und Zeiten hinweg mit Hilfe eben dieser Zahlen vergleichen und in Erinnerung behalten. Einteilungen und Vergleichungen waren und sind die elementaren Strukturen jedes Maßwesens. Alle überlieferten Zahlen zu Maß und Gewicht (MuG) sind ihnen zuzuschreiben. Einteilungen waren von elementarer, statischer Art, Vergleichungen künden von dynamischen Entwicklungen in Gesellschaft, Wirtschaft und Kultur. Jeder Wandel brachte lediglich die Veränderung einer Zahlen-Relation mit sich. Jeder Maßstab, jedes Hohlmaß oder Gewicht repräsentiert eine oder mehrere Zahlen – man dachte in Zahlen und konkreten Dingen, nicht in den Begriffen abstrakter Volumina und Massen.

Ein Problem der Forsch. besteht darin, die sowohl mit Hilfe der Zahl als auch in gegenständlicher Form aequaliter und konstant trad., rechten natürlichen Leitgrößen von den arithmetisch oder geom. gewonnenen Varianten einerseits [10] und von verdorbenen, fehlerhaften, falschen Größen andererseits zu trennen. Letztere lassen sich nicht gegen erstere ins Feld führen. Vielmehr stellt sich die Frage nach dem Wesen bzw. der zulässigen Marge von Genauigkeit.

B. Überlieferung in Mittelalter und Neuzeit

Ant. Texte zu einzelnen metrologisch relevanten Sachgebieten (Medizin, Arzneikunde, Bauwesen, Feldmessung, Landwirtschaft, Geogr., Geom. u. a.) und systematischen Zusammenhängen waren seit dem frühen MA zugänglich, wurden aber als solche nicht reflektiert. Dingliche metrologische Überreste – selbst Mz. – blieben bis ins 16. Jh. als solche unbeachtet oder wurden nicht der Ant. zugeschrieben [5; 13]. Münzgeld als geprägtes Metall war noch im frühen MA seinem Wesen nach zugleich ein Gewichtsstück.

Mit der Früh-Ren. begann ›ein markanter Anstieg von Ber. über Mz., Inschr. und andere arch. Funde‹, verbunden mit einem Interesse an ihrer Herkunft. Die wachsenden Sammlungen ant. Mz. lieferten zu Beginn des 16. Jh. das Material zur Publikation von histor. Porträts. Die Sachdarstellungen auf den Mz. wurden als Zeugnisse aber erst seit den 1530er J. wahrgenommen [13].

Namen und Zahlen waren Medien auch der praktischen Kommunikation im Umgang mit Geld, Maß, Gewicht und Waage. Das Griech. und das Lat. sorgten für die Tradierung einer ant. Terminologie bis in die Neuzeit. Vollständig hat sie sich im Arzneiwesen erhalten. Doch läßt die Überlieferung spezifischer Einheiten z. B. in den Gesetzen der Angelsachsen oder in den Volksrechten seit dem frühen MA endogene Trad. vermuten, selbst in Gallien [27; 33].

Mit einer dynamischen Zunahme der Bevölkerung und Ausweitung des Handels seit dem 11. Jh. mehrten sich derartige Einheiten (Lot, Mark, Pfund, Schiffpfund, Last u. a.) in einem sich markant ausweitenden öffentlichen Maß- und Gewichtswesen. Beim Münzgewicht sind die ant. Spuren ausgeprägt, beim Warengewicht die endogenen. Die jeweilige Bezeichnung läßt jedoch keinen sicheren Rückschluß auf den Ursprung von Größe und Norm einer Einheit zu.

Die Ren. erinnerte sich der Ant., schuf einen Wissensbestand zum Maß und Gewicht der Ant. als unmittelbarer Vorgeschichte, übersah aber endogene Trad. und reflektierte nicht den ma. Bruch im Maßdenken. Hier setzt die heutige metrologische MA-Forsch. an. Agricola (1494–1555) überliefert, gestützt auf die ant. Lit., Grundzüge einer Maßgeschichte als Geistesgeschichte, die faktisch bis h. fortwirken: anthropogene Wurzel, gestifteter Ursprung, herrschaftliche Ordnung und Kontrolle, gesetzliche Normale werden thematisiert. Die Kontinuität über die dunklen Jh. des MA hinweg steht für Agricola nicht in Frage [2].

Zwei Reformen des Maßwesens flankierten die Geschichte Europas zw. 800 und 1800 – jene Karls d. Gr. von 793/94 und die Einführung des metrischen Systems zw. 1790/1795 und 1872/1875. Europa löste sich aus den Trad. der Ant. [38; 46]. Im metrischen Maßwesen blieb lediglich das dezimale Rechensystem erhalten. Zwar tragen seine Einheiten lat. bzw. griech. Namen, doch wurden ihre Größen zu den älteren in abstrakt definierte Zahlen-Relationen gesetzt.

C. De mensuris et ponderibus

›Seit der Wiederherstellung der Wiss., von Hermolaus Barbarus und Angelus Politanus an, hat eine fast unglaubliche Zahl Gelehrter sich der Unt.‹ der MuG der Ant. gewidmet [8]. Sie richteten Ihr Interesse auf das Übers. der Einheiten der Ant. in die Maßsprache des 16./17. Jh. Seit etwa 1500 entwickelte sich eine gelehrte Diskussion, und es entstand ein umfangreiches Korpus von Werken de mensuris et ponderibus.

Noch Hultsch hat diese Werke ›nebst ihren Ausläufern im 18. Jh.‹ wahrgenommen. Dann setzte die ›Periode der exakten Forsch.‹ ein; mit Böckh begann die der ›jüngsten Zeit‹ [22]. Nissen erwähnte 1886 die älteren Forsch. nicht mehr. Sie finden auch gegenwärtig wenig Beachtung. Jedoch hat v. Alberti 1957 den systematischen Ertrag der zwölf metrologischen Bücher Agricolas publiziert, die in dt. Übers. seit 1959 vorliegen [4; 2].

Zeitgenössische Motive – Agricola war Arzt, Apotheker, schließlich Ratsherr und lebte zwei J. in Venedig, drei J. in St. Joachimsthal und seit 1531 in Chemnitz – und ein genuines Interesse sowohl an seiner eigenen Zeit als auch an der Ant. führten zu einer Zusammenschau schriftlicher Zeugnisse und von dinglichen Überresten (Mz., Inschr.). Eine Suche nach weiteren Zeugnissen setzte ein – künstlichen und natürlichen, als Text, Abbildung, Stück oder als maßhaltiges Menschen- oder Naturwerk.

In einem Zeitalter steigender Kosten interessierten auch die Angaben zu Größen, Mengen und Preisen in der Antike. Von praktischer Bed. waren in der Epoche des Merkantilismus v. a. die Wert- bzw. Gewichtsverhältnisse der Metalle. Im späten 15. Jh. entstand eine Debatte um das gute Geld, die um 1530 auch in Sachsen und Polen und noch um 1580 in der engl. Öffentlichkeit geführt wurde. Dabei spielte der Hinweis auf ein konstantes Gold-Silber-Verhältnis von 12:1, das bereits Platon im Hipparchos genannt hatte, als Grundlage der Währungsordnung eine bes. Rolle. Diese Relation lag dem dt. Münzwesen bis 1566 zugrunde [38; 44].

Die Vorstellung von der Ant. als der Frühgeschichte Europas begann bei dem Bemühen eine Rolle zu spielen, die nationalen, territorialen oder lokalen Einheiten und Maßsysteme auf eine sichere, rationale Grundlage zu stellen. Thesen und Material zum Verhältnis ant. und zeitgenössischer Einheiten finden sich z. B. bei G. Budaeus und G. Agricola in der ersten H. des 16. Jh., in ihrer Nachfolge noch im frühen 18. Jh. bei J. C. Eisenschmid [45; 15]. Noch P. Herigone wußte, ›la proportion de l'or à l'argent anciennement parmy les Romains estoit comme 12 à 1‹. Vom frz. poids de marc seiner Zeit (244,7529 g) nahm er an: ›Les grains du poids de Paris pesent autant que les grains du poids de Rome, mais 7 grains du poids de Rome sont égaux à 8 grains du poids Attique pesent autant que 10 grains du poids des Hebraux‹ [18].

J. Kepler unternahm 1616 den Versuch, das System der MuG im oberösterreichischen Linz an röm. Einheiten zu binden. Von der Röm. Republik sei bekannt, ›das sie ihre gewichte/Elen und Maaß also an einander gehengt und verknüpfft/das eines ohne das ander nicht hat könden verlohren oder verendert werden‹. Er teilte die volkstümliche Vorstellung, nach der das Längenmaß ›mit den Gliedern deß Leibs gezeigt‹ wurde. Da mit Ausnahme der ›Sonn/ Mond/ und Sterne/ die uns aber zu hoch/ und den Erdboden/ der uns zu groß und untauglich ist‹, die Natur uns nichts ›zu einem gewissen langen Maß fürstellete/ das in bestendiger grösse bliebe‹, haben die Menschen ›nach dem volleibigen Maaß selber trachten/ und ihnen da ein gewisses Maaß außerwöhlen müssen‹. Sie gaben schließlich dem Gewicht den Vorzug vor der ›Eich‹. Das Gewicht sei für ein beständiges Maßwesen die beste Basis [24].

Kepler schlug mit seiner auf die Meßpraxis eingehenden ›Messekunst‹ einen Bogen zurück zu den Anf. einer rationalen numerischen Beschreibung der Natur der Dinge und verband die Existenz eines kohärenten, konstanten Maßwesens seit der Ant. mit dem Prinzip des Archimedes. Ein J. zuvor (1615) hatte er bereits eine mathematische Grundlegung der Faßrechnung publiziert, d. h. er schrieb zwei Bücher für zwei immer noch getrennte Kulturen: die *artes mechanicae* und die *artes liberales*, für Leser verschiedener gesellschaftlicher Gruppen. Bereits 1605 hatte er die Sicherung geschlossener Maßsysteme als naheliegendes Ziel einer Maßreform angesehen und vorgeschlagen, Länge und Gewicht sollten ›durch Naturkonstante unveränderlich festgelegt werden, u(nd) zw(ar) das Normalgewicht durch eine genau definierte Menge besten und reinsten Goldes, die Längeneinheit durch den Erdumfang in der Weise, daß die Meile gleich einer Bogenminute oder der 5400ste Teil eines Erdquadranten wird‹ [47].

D. Wiederfeststellen
antiker Einheiten und Systeme

Die frühneuzeitlichen Bemühungen um das Maßwesen der Ant. richteten sich primär auf die in der Lit. überlieferten Einheitensysteme und deren Zahlenwerte, d. h. auf die Einteilungen. Es war bekannt, daß MuG gleicher Bezeichnung unterschiedliche Zahlenwerte oder Größen aufweisen konnten. Auch wußte man, daß Volumen oder Masse bestimmter Einheiten vom spezifischen oder Schüttgewicht der gemessenen Dinge abhingen (Öl:Wasser/Wein = 9:10; Prinzip des Archimedes).

Pars pro toto. Man begann, über die einzelnen Sach-, Handlungs-, Orts- und Zeitbezüge hinaus die Texte als Teil-Überlieferungen von MuG eines ant. Gesamtbildes zu interpretieren, in dem man räumliche und zeitliche Strukturen erkannte. Quellen bezeugen, daß Länge, Maß und Gewicht der Ant. in einem geschlossenen System, in einem physikalisch interdependenten Verhältnis gedacht wurden. Sie zeigen auch, daß die Alten bestimmte Einheiten über Raum und Zeit hinweg nach festen Zahlen zu vergleichen verstanden.

Allein diese Vergleichungen eröffnen die Möglichkeit einer Wiederfeststellung ant. Einheiten in realer Größe. Den Autoren des 16. Jh. boten sich zwei methodische Wege an: über eine natürliche oder eine künstliche feste Größe – eine Naturkonstante oder ein Urnormal zu MuG. Da der Weg über eine natürliche Konstante nicht gangbar schien, blieben allein die vom Menschen geschaffenen Normale zu MuG übrig.

Unter diesen Stücken waren die gemünzten Edelmetalle am besten dokumentiert, erhalten und am genauesten gefertigt. Als Alternative kamen überlieferte ant. Maßstäbe in Frage. Bei den Hohlmaßen fehlte es an Sachzeugnissen. Der sog. Farnesische Congius bereitete mehr Probleme als er Lösungen bot. Agricola traf seine Entscheidung zugunsten des ant. Münzgewichts, wie noch rund 300 J. später Böckh [2; 8.; 45]. Auch Hultsch konstatierte das Fehlen einer normativen Überlieferung zum Maßwesen. Mit Ausnahme der Mz. ›ist überall den unmittelbaren Quellen nur ein bedingter Wert zuzusprechen‹.

Natürliche Konstanten als Basis von Urnormalen erschienen umso weniger denkbar, je stärker die mod. Wiss. sich methodisch festigten. Zu Zeiten der Erdumfangsmessungen auf den Expeditionen des 18. Jh. wurde noch als Möglichkeit erörtert, dem ant. Längenmaß habe das Wissen um eine Erdkonstante zugrundegelegen. Physiker des 19. Jh. wandten sich mit Unverständnis ab [24]. Seither dominiert die These, daß es der Ant. und den Hochkulturen an den Fähigkeiten mangelte, derartiges zu leisten. Heute wird die Präzision der ant. Erdmessungen in ihren Konsequenzen selten reflektiert.

Nicht der Fortschritt histor. Erkenntnis, sondern ein Unverständnis für die Meßpraktiken im Umgang mit unterschiedlichen Objekten/Produkten und in verschiedenen Maß- und Gewichtsbereichen, dazu die seit dem 17. Jh. wachsende Präzision der Instrumente und Genauigkeit der Messungen, Teilungen und Vergleichungen haben den Eindruck erweckt, erst Böckh und die Wiss. des 19. Jh. hätten die röm. *libra* und den *pes Romanus* exakt bestimmen können [21; 43]. Weißbach hat unter Hinweis auf die im mod. Maßwesen rechtlich sanktionierte Marge der Genauigkeit argumentiert, daß eine hohe Präzision bei der Wiederfeststellung der MuG der Alten nicht zu erwarten sei. Auch die mod. Definitionen bleiben zwangsläufig angenäherte Größen [35; 36].

Keine reale ant. Maßeinheit ist je als absolute Größe gedacht und trad. worden. Alle Leiteinheiten existierten nur in der Praxis und nur als Stab, Gefäß und Stück, als Name und Zahl, nicht als ein Begriff absoluter Länge, Ausdehnung oder Masse. Alle realen Maßstäbe und Gewichte bleiben Näherungsgrößen, können als Hilfsmittel aber hinreichend genau und v. a. konstant sein.

E. Exogene und endogene Traditionen

Sach- und Schriftzeugnisse belegen endogene Entwicklungen von MuG nördl. der Alpen im Siedlungsraum der Kelten und Germanen, auch der Slaven. Differenzierte Anwendungsbereiche, Größenordnungen und Teilungssysteme sind anzunehmen. Vergleichungen äquivalenter Einheiten und somit auch die Existenz von normhaltigen Größen zeichnen sich ab. Das sog. Megalithische Yard weist weit zurück. Erhalten haben sich v. a. Sachspuren, seltener schriftliche Zeugnisse. Wir dürfen generell auf eine Epochenfolge endogener Entwicklungen und/oder exogener Einflüsse von Messen und Wiegen in den materiellen und geistigen Horizonten aller Kulturen schließen. Das Vorkommen vergleichbarer Einheiten beweist nicht zwingend eine Wanderung oder Übertragung von Leiteinheiten. Unterschiedliche gesellschaftliche Ordnungen und metrologische Bedarfsstrukturen sind bis in die Neuzeit zu bedenken.

Für Europa ist seit fränkischer Zeit keine explizite Übertragung oder gesetzliche Einführung von ant. MuG überliefert. Es fehlen aber auch die tiefen Einschnitte, die ein epochaler Wandel hätte hinterlassen müssen. Einzig die karolingischen Reformen von 793/94 – und dazu Ansätze in merowingischer Zeit – lassen einen bedachten Normenwandel in einem reichsweiten Maßwesen vermuten. Als Karl d. Gr. um 787 sich von den Benediktinern aus Monte Cassino das Gewicht des Brotes und das Maß des Weines kommen ließ, übernahm oder verglich er normgerechte MuG. Es ist denkbar, daß sie sich bereits mit nicht-röm. Einheiten ganzzahlig vergleichen ließen – wie das *pondus Caroli* seit 793/94. Diese Reform brachte die endgültige Trennung der fränkischen Währung vom röm. goldenen Solidus, wahrscheinlich unter dem Einfluß des islamisch-arab. Dinars. Der silberne *denarius* wurde alleinige Währungsmünze. Hinter dem *pondus Caroli* verbirgt sich ein verändertes Netz von Relationen/Vergleichungen, ein neuer normsetzender Standard. Neben dem Münzwesen wurden zwangsläufig auch Einheiten aus dem Verbund weiterer Teilsysteme mit in diesen Wandel einbezogen [38; 46].

Kein Maßstab, Hohlmaß oder Gewicht hat als reales Urnormal oder Reichsstandard eine uns überlieferte zentrale Funktion in einer früh-ma. dt. Maßherrschaft erlangt. Ein Rückgreifen auf ant. Normale in gesetzgeberischer und ordnender Absicht ist gelegentlich anzunehmen, aber nicht überliefert Eine Suche nach der Überlieferung ant. MuG findet sich bei Agricola erst um die Mitte des 16. Jh. Bis ins 18./19. Jh. fehlte es an histor.-kritisch gesicherten Kenntnissen über die Größe ant. Einheiten anhand von Sachüberlieferungen. Die Existenz und Bed. von Normal- und Eichmaßen für die Festlegung und Bewahrung von konstanten Maß- und Gewichtsgrößen seit der Zeit der Hochkulturen und bis in die frühe Neuzeit bleibt ein zentrales Problem der Forschung.

Noch im hohen MA sind Hinweise auf Eichnormale äußerst selten. Ein kontrollierendes Vergleichen von MuG wird erst seit dem 13./14. Jh. häufiger erwähnt, ein flächiges Vergleichen territorialer oder nationaler Standards in normierender Absicht nicht vor dem späten 15. Jh. Im 13. Jh. galten in Köln 160 exakt geschlagene Pfennige, in einem Beutel verwahrt, als Äquivalent der Münzmark der Stadt. Im 16. Jh. war das größte Eichgewicht der Kölner Mark ein Unzen-Stück. Man verstand es als 19/20 einer Unze niederländischen Troygewichts [42; 44].

Definiert man die röm. *libra* zu 72 konstantinischen *solidi* oder 327,450 g, dann wogen die korrespondierende karolingische 12–Unzen-Einheit (*libra*) soviel wie 192 *denarii* oder 326,592 g, das *pondus Caroli* 408,240 g (240 d.) und eine spätere Nürnberger Mark 255,15 g (150 d.) [8; 38; 44; 42]. Die Grammgewichte meinen metrische Äquivalente für ganze Zahlen einer konstanten Gold-Silber-Rechnung im Fränkischen Reich. Die Abkehr vom *solidus* scheint zur gleichen Zeit in den Währungen in England und Skandinavien, wohl auch in It. sich durchgesetzt zu haben. Aber auch ältere Teilungen und Vergleichungen wirkten fort.

Die Leiteinheiten des europ. MuG-Wesens lassen sich seither rechnerisch einem dualen System zuordnen – einem karolingisch-europ. und einem röm.-antiken. Eine frühe Kölner Münzmark von 233,28 g (= Londoner Tower Mark) verhielt sich zur karolingischen *libra* wie 5:7, eine zweite von 233,885 g (Reichsmünzgewicht seit 1524) in denkbarer röm. Trad. zur Nürnberger Mark wie 11:12 und zum niederländischen Troygewicht wie 19:20 [42]. Nürnberg war Reichsmünzstätte und hielt noch in der Neuzeit das Monopol an sog. Einsatzgewichten. Die Kölner, die ihr Münzmetall auf dem Handelswege gewinnen mußten, bezogen von dort diese Sätze an Kleingewichten bis 1756. In Sachsen, wo man über eigene Silbervorkommen verfügte, blieb ein Markgewicht karolingischer Trad. in Gebrauch.

Nach Agricola benutzten die Baumeister in der Ant. als Maße: Finger, Handbreit und Fuß, die Geographen: *passus* und *milliare*, die landwirtschaftlichen Schriftsteller: *pes*, *passus*, *actus* (»Treib«), *clima* (»Hang«), *versus* (»Gewann«), *actus quadratus* (»Quadrattrift«) und *iugerum* (»Morgen«) [2]. Die Nachweise röm. Spuren in ganz Europa sind zahlreich. Eine röm. Grundordnung der Ackermaße hat sich für Marienburg im Burzenland (Siebenbürgen) bis in die Gegenwart verfolgen lassen. Im Gebiet des Dt. Ordens wurden Culmer Hufen nach Quadratmeilen verliehen (13./14. Jh.) [14]. Röm. Trad. ist auch im »Tausend« als Bernstein- und Wachsgewicht in Königsberg zu vermuten. Das Maß der Meile in der Landmeßtechnik überliefert für Preußen die *Geometria Culmensis* (um 1400): A) Deutsche Rast = 10 und mehr welsche Meilen (*milliarium Gallicum*) – leuca (kleine Rast) = 2 welsche Meilen – welsche Meile = 8 Gewend (*stadium*) – Gewend = 625 Fuß (*pes*) – Schritt (*passus*) = 5 Fuß – kulmische Elle (*ulna culmensis*) = 2 Fuß – Fuß = 4 Handbreit (*palma*) – Handbreit = 4 Fingerbreit (*digitus*). B) Deutsche Meile (*milliarium Teutonicum*) = 180 Seil (*corda*) = 5400 Schritt = 2700 Fuß – Seil = 10 Meßruten (*pertica*) = 150 Fuß. C) Hube (*mansus*) = 30 Morgen (*iugerum*) – Morgen = 3 Quadrat-Seil (*corda*) = 300 Tafel/Quadrat-Rute (*tabula/pertica*). D) Quadrat-Meile (*milliarium quadratum*) = 360 Huben = 1080 Morgen. Von der dt. Meile heißt es: ›alleyn das sy unglych lank ist, so sal sy doch nach der gemeyne mose haben yn dy lenge 180 seyl linienrychte uszcumessen‹

Berechnet nach einer *ulna culmensis* (28,81–29,22 cm) maßen: welsche Meile (1000 *passus*) 1.440–1.461 m – kleine Rast 2.881–2.922 m – dt. Rast ca.14.406–14.609 m – dt. Meile 7.779–7.889 m – Schritt (*passus*) 1,441–1,461 m – Gewende (*stadium*) 180–183 m. Die preußische Meile (1816: 7.532,4 m) galt 1717 gemeinhin als derjenige Weg, ›welchen ein fertiger Fußgänger innerhalb 2 Stunden zu gehen pfleget‹ – sie verband sich mit dem Maß der Zeit [37].

Die Annäherung an ant. Trad. ist augenscheinlich. Die röm. Meile zu 1000 *passus* entspricht 1,48–1,485 km. Caesars *De bellum Gallicum* überliefert die Ausdehnung des ›Herkynischen Waldes‹ in Deutschland in einer ›Breite von 9 Tagemärschen für einen »rüstigen« Wanderer (…), denn die Germanen kennen kein Wegemaaß‹. Herodot nennt als ein Zeitmaß die Distanz von 200 Stadien (31,5 km), und ›die Römer haben vermutlich nicht anders gerechnet‹: 1 Tagesmarsch rund 20 Meilen (29,6 km) [27] .

Wo immer derartige Zeugnisse sich allein auf die Terminologie, auf metrische Analogien oder angenäherte Größen stützen, bleiben Unsicherheiten. So ist möglicherweise die Definition der röm. *libra* durch Böckh (327,45 g) durch die Festlegung der Kölner Mark (233,885 g) in der preußischen Maß- und Gewichtsordnung von 1816 beeinflußt worden. Andererseits wiegen ein ›spätantikes Halbpfund-Gewicht von prachtvoller Ausführung und Erhaltung‹ von der Burgley bei Minheim noch h. exakt 163,77 g und ein gut erhaltenes spätkarolingisches Bronzestück des 9./10. Jh. mit der Inschr. ›Rodulfus Negotiens‹ 327,1 g [7; 38]. An der präzisen Bewahrung von Leitmaßen und -gewichten aus der Zeit der Hochkulturen bis ins 19. Jh. ist nicht zu zweifeln.

F. Massverständnis und Wissenschaft

Die histor. Wiss. kennen das Bild einer Weitergabe von MuG von Kultur zu Kultur – von Sumer, Babylon, Ägypten, Altpersien und Phönizien mit Palästina nach Griechenland, Rom und nach Europa. Diese Auffassung hat Methode. Sie verbindet sich primär mit Vorstellungen der Entwicklung von Staat und Recht.

Die metrologischen Forsch. zur Ant. sind seit jeher zeittypischen, kulturgebundenen Einflüssen und fachspezifischen Interessen ausgesetzt gewesen. Die ältere Forsch. hat das Werden geistiger Kulturen in den Vordergrund gerückt. Die fortwirkende Bed. materieller Kulturen für die Entwicklung numerischer Ordnungen wird bis h. kaum reflektiert. Noch immer finden die *artes liberales* weit mehr Beachtung als die *artes mechanicae* [6; 46].

Es mangelt an einer Darstellung der Gegenstände und Methoden der ant. histor. Metrologie, ihrer Forschungsprobleme, Lehrmeinungen und Streitfelder. Die Debatte um Thesen und Theorien auf der einen, gesicherte Schrift- wie Sachzeugnisse auf der anderen Seite zw. Weißbach und Lehmann-Haupt [35; 36] setzt sich h. fort z. B. in den kaum zu vereinbarenden Standpunkten von M. A. Powell oder H. Büsing und R. C. A.

Rottländer [30; 10; 31; 3]. Zu den Handbüchern des 19. Jh. fehlen kritische Komm. und Ergänzungen. Strukturgeschichtlich oder funktional angelegte, quellenbezogene Forsch. wie jene von Oxé sind in der Minderzahl [28]. Jüngste Ansätze zu einer umfassenden Erschließung der Sachüberlieferungen an MuG der Ant. werden z.Z. nicht weiter verfolgt [11].

Die klass. Ant. kannte keine Wiss. der Metrologie. Messen und Wiegen basierten auf Kenntnissen und Fähigkeiten, die sowohl den *artes liberales* als auch den *artes mechanicae* zuzuordnen sind. Ihre Orientierung an einem umfassenden, normsetzenden Ganzen läßt sich nur aus den numerischen Verbindungen erschließen, die für und zw. allen Maßbereichen und deren Einheiten überliefert sind. Die Trad. verbindet einschneidende Reformen, z. B. die des Solon, mit der Entwicklung des ant. Maßwesens [49].

Die Spuren, die Nachrichten über Stifter und Schöpfungen zu bedenken uns nahelegen, weisen auf reale Gehalte in obskuren Welt- oder Naturbildern früherer Epochen hin. Sie wirken bis in unsere Gegenwart in rel. und mythischen Vorstellungen fort. Die Hl. Schrift tradiert dieses ältere urtümliche Maßverständnis auf eine bes. Weise: ›Du aber hast alles nach Maß, Zahl und Gewicht geordnet‹ (Weish 2,12–20) [50]. Die Welt, die Natur erscheinen als das recht- und normsetzende Ganze. Die scholastische Enge der Auslegung der Triade hat mit dazu beigetragen, den Zugang zu den Meßtechniken und rationalen Maßvorstellungen der vor-ma. Jh. und der älteren, materiellen Metrologie zu verstellen.

Das Weltverständnis und der Ordo des MA gründeten auf gewachsene Trad., auf der Bewahrung des rechten MuG als der rechten Ordnung. Rechtes Maß aber mußte aequaliter, d. h. vergleichbar sein [46]. Vor dem späteren MA wäre es in Verwaltung und Gesetzgebung nicht denkbar gewesen, sich ant. Vorlagen zu MuG aus wilder Wurzel zu bedienen.

Es zeichnet sich ab, daß die ma. und frühneuzeitlichen Überlieferungen zu MuG einen Rückschluß auf Handhabungen, Strukturen und Denkweisen zumindest der Spätant. erlauben. Nicht ein abstraktes, absolutes, gesetzlich verordnetes allumfassendes Maßwesen tritt aus der Überlieferung hervor, sondern allein ein Netzwerk von produkt- und zweckbestimmten Leiteinheiten, Teilsystemen und numerischen Relationen. Die europ. Kultur der Neuzeit vollendete den im MA einsetzenden Bruch mit den konkreten Denkmustern der Ant. und setzte endgültig abstrakte an ihre Stelle.

→ AWI Flächenmaße; Gewichte; Hohlmaße; Maße

1 J. Q. Adams, Report of the Secretary of State upon Weights and Measures, 1821 2 G. Agricola, Schriften über MuG (Metrologie), 1959 (¹1550) 3 D. Ahrens, R. C. A. Rottländer (Hrsg.), Ordo et mensura IV/V, 1998 4 H.-J. v Alberti, MuG, 1957 5 M. R. Alföldi, Ant. Numismatik 1, 1978 6 G. Binding, Der früh- und hoch-ma. Bauherr als Sapiens Architectus, 1996 7 W. Binsfeld, Röm. Gewichte in Trier, in: Trierer Zschr. für Gesch. und Kunst 53, 1990, 281–290 8 A. Böckh, Metrologische Unt. über

Gewichte, Münzfüße und Maße des Alterthums in ihrem Zusammenhange, Berlin 1838 **9** G. BUDÉ (BUDAEUS), De asse et partibus ejus libri V, 1516 **10** H. BÜSING, Metrologische Beitr., in: Jb. des Dt. Arch. Inst. 97, 1982, 1–45 **11** H. CHANTRAINE, H.-J. SCHULZKI, Bemerkungen zur kritischen Neuaufnahme ant. MuG, in: Saalburg-Jb. 48, 1995, 129–138 **12** R. D. CONNOR, The Weights and Measures of England, 1987 **13** R. COOPER, Collectors of Coins and Numismatic Scholarship in Early Ren. France, in: Medals and Coins from Budé to Mommsen, 1990, 5–19 **14** A. Dunin-Wąsowicz, Die Meile als ma. Maß des Raumes und der Besiedlung, in: Acta Metrologiae Historicae V, 1999, 413–423 **15** J. C. EISENSCHMID, De ponderibus et mensuris veterum Romanorum, Graecorum, Hebraeorum (...), ²1732 **16** J. O. FLECKENSTEIN, Metrologische Methodik und metrosophische Spekulation in der Wiss.-Gesch., in: ZL. HERKOV (Red.), Travaux du 1er Congrès International de la Métrologie Historique 2, 1975, 445–458 **17** B. GARNIER, J. CL. Hocquet, D. WORONOFF (Hrsg.), Introduction à la métrologie historique, 1989 **18** P. HERIGONE, Cursus Mathematici/Cours Mathematique II. Continens arithmeticam practicam (...), 1644 **19** K. HITZL, Die Gewichte griech. Zeit aus Olympia, 1996 **20** N. HISCOCK, The Wise Masterbuilder, 2000 **21** D. HOFFMANN, H. WITTHÖFT (Hrsg.), Genauigkeit und Präzision in der Gesch. der Wiss. und des Alltags, 1996 **22** F. HULTSCH, Griech. und röm. Metrologie, Berlin ²1882 **23** H.-R. JENEMANN, Über Ausführung und Genauigkeit von Münzwägungen in spätröm. und neuerer Zeit, in: Trierer Zschr. für Gesch. und Kunst 48, 1985, 163–194 **24** J. KEPLER, Außzug aus der uralten Messe Kunst Archimedis (...), Linz 1616 **25** G. KARSTEN, Maass und Messen, in: Einl. in die Physik, Leipzig 1869, 414–647 **26** P. KIDSON, A metrological investigation, in: JWI 53, 1990, 71–97 **27** A. OXÉ, Die röm. Meile eine griech. Schöpfung, in: Bonner Jb. 131, 1926, 213–244 **28** Ders., Kor und Kab, in: Bonner Jb. 147, 1942, 91–216 **29** E. PFEIFFER, Die alten Längen- und Flächenmaße, 1986 **30** M. A. POWELL, Gudea's Rule and the so-called Nippur Cubit, in: Ordo et mensura IV/V, 93–102 **31** C. A. ROTTLÄNDER, Ant. Längenmaße, 1979 **32** E. SCHILBACH, Rechtes Maß von Gott gesetzt. Zur Legitimierung von Maßen in Ant. und frühem MA, in: Acta Metrologiae Historicae V, 17–31 **33** H. SIEMS, Stud. zur Lex Frisionum, 1980 **34** H. STEUER, Gewichtsgeldwirtschaften im frühgeschichtlichen Europa, in: Unt. zu Handel und Verkehr der vor- und frühgeschichtlichen Zeit in Mittel- und Nordeuropa IV, hrsg. v. K. DÜWEL et al., 1987, 405–527 **35** O. VIEDEBANTT, Forsch. zur Metrologie des Alt., 1917 **36** F. H. WEISSBACH, Neue Beitr. zur keilinschriftlichen Gewichtskunde, in: Zschr. der Dt.-Morgenländischen Ges. LXX, 1916, 49–91, 354–402 **37** H. WITTHÖFT, Rute, Elle und Schuh in Preußen, in: Scripta Mercaturae 15,1, 1981, 1–36 **38** Ders., Münzfuß, Kleingewichte, pondus Caroli und die Grundlegung des nordeurop. Maß- und Gewichtswesens in fränkischer Zeit, 1984 **39** Ders. et al. (Hrsg.), Die histor. Metrologie in den Wiss., 1986 **40** Ders., Umrisse einer histor. Metrologie zum Nutzen der wirtschafts- und sozialgeschichtlichen Forsch., 1979 **41** Ders., Dt. Bibliographie zur histor. Metrologie, 1991 **42** Ders., Die Markgewichte von Köln und von Troyes im Spiegel der Regional- und Reichsgesch. vom 11. bis ins 19. Jh., in: HZ 253/1, 1991, 51–100 **43** Ders., Dt. MuG des 19. Jh. 1 (Hdb. der Histor. Metrologie 2), 1993 **44** Ders., Die Münzordnungen und das Grundgewicht im Dt. Reich vom 16. Jh. bis 1871/72, in: Geld und Währung vom 16. Jh. bis zur Gegenwart, hrsg. v. E. SCHREMMER, 1993, 45–68 **45** Ders., Die Metrologie bei Georgius Agricola – von geistiger und materieller Kultur im 16. Jh., in: Der Anschnitt, 1996, 19–27 **46** Ders, Denarius novus, modius publicus und libra panis im Frankfurter Kapitulare. Elemente und Struktur einer materiellen Ordnung in fränkischer Zeit, in: Das Frankfurter Konzil von 794. Teil I, hrsg. v. R. BERNDT, 1997, 219–252 **47** Ders., Johannes Kepler über Messen und Wiegen, in: Struktur und Dimension. FS für K. H. Kaufhold 1, hrsg. v. H.-J. GERHARD, 1997, 111–137 **48** Ders., Acta Metrologiae Historicae V, 1999 **49** Ders., Der Mensch, die Dinge und das Maß, in: Acta Metrologiae Historicae V, 1999, 132–150 **50** A. ZIMMERMANN (Hrsg.), Mensura. Maß, Zahl, Zahlensymbolik im MA, 1983.   HARALD WITTHÖFT

Mathematik   A. EINLEITUNG   B. MITTELALTER C. RENAISSANCE   D. EINZELBEISPIELE

A. EINLEITUNG

Ausgehend von den mathematischen Leistungen der Ägypter und Babylonier hatten die Griechen die M. zu einem deduktiven System umgebaut, das auf einer Theorie des Beweisens beruhte. Anders als für ihre Vorgänger, war für die Griechen die M. eine um ihrer selbst willen betriebene Wiss., die auch ihre Grundlagen untersuchte; praktische Erwägungen und unmittelbar numerische Probleme traten in den Hintergrund. Die Hauptleistungen der Griechen betrafen die Zahlentheorie, die Schaffung einer allg. Proportionenlehre, die Algebra der quadratischen Gleichung, den Aufbau der Elemente der Geometrie, die Lehre von den Kegelschnitten, spezielle Formen von Integrations- und Differentiationsverfahren. Die Griechen entwickelten auch die sphärische Geometrie, eine auf der Sehne beruhende Trigonometrie und Methoden für die Lösung unbestimmter Gleichungen. Die Ergebnisse wurden in wiss. Abhandlungen (z. B. Archimedes, Apollonios) oder in Form von Lehrbüchern (z. B. Euklid) abgefaßt. Das methodische Vorgehen der Griechen und ihre Schriften, v. a. Euklids *Elemente*, haben die M. bis in die Neuzeit hinein geprägt. Alle Völker, die mit den mathematischen Schriften der Griechen in Kontakt kamen, wurden dadurch angeregt. Besonders deutlich sind diese Einflüsse in Byzanz, bei den Arabern, im westl. MA und in der Ren., sie sind aber auch noch im 19. und frühen 20. Jh. spürbar.

In späthell. Zeit und v. a. bei den Römern wurden auch die anwendungsbezogenen Aspekte der M. betont. Die praktische Geometrie, wie sie u. a. von Heron von Alexandria (um 60 n. Chr.) betrieben worden war, fand Eingang in die Schriften der röm. Feldmesser (→ Landvermessung) und wirkte durch sie im Westen während des ganzen MA bis zur Renaissance.

Es gibt drei Hauptwege, auf denen das griech. mathematische Wissen weitergegeben wurde:

1. durch die Römer, die einige wenige Schriften ins Lat. übersetzt hatten; dieser bescheidene Rest gelangte in die westeurop. Klöster;

2. durch griech. Hss., die in Byzanz aufbewahrt wurden und v. a. im 14. und 15. Jh. in den Westen gelangten;

3. durch Übers. griech. Texte ins Arabische.

B. MITTELALTER

1. RÖMER UND FRÜHES MITTELALTER

Die Römer hatten keinen Sinn für die wiss. M. der Griechen. Cicero schreibt, bei den Griechen sei die Geometrie in höchsten Ehren gestanden, die Römer hätten sich aber nur mit Messen und Rechnen abgegeben (›nos metiendi ratiocinandique utilitate huius artis terminavimus modum‹: Tusc. 1,2,5). Den Römern gebührt aber das Verdienst, im Schulunterricht auch die mathematischen Disziplinen betrieben zu haben: im Rahmen der → Artes liberales hatten auch die später als *Quadrivium* bezeichneten Fächer (Arithmetik, Geometrie, Astronomie, Musiktheorie) einen festen Platz. Einige Grundbegriffe der Arithmetik und Geometrie werden demzufolge auch in enzyklopädischen Schriften der Römer (z. B. bei Marcus Terentius Varro, nicht aber bei Plinius d. Ä.) und des frühen MA (z. B. Calcidius' Komm. zu Platons *Timaios*; Macrobius' Komm. zu Ciceros *Somnium Scipionis*; Martianus Capella; Cassiodor, *Institutiones divinarum et saecularium artium*; Isidor von Sevilla) behandelt.

Für das westl. MA bes. wichtig wurde Boethius. Sein Plan, die einschlägigen wiss. Werke der Griechen ins Lat. zu übersetzen, konnte aufgrund seines frühen Todes (524/5) nur zum kleinen Teil verwirklicht werden, jedoch haben seine *Arithmetik*, die im wesentlichen eine Übers. des zahlentheoretischen Traktats von Nikomachos ist, und seine *Musik*, die in der pythagoreischen Trad. steht (und daneben in geringerem Umfang auch seine *Geometrie*, die auf Euklid beruht), während des ganzen MA als Lehrbücher stark gewirkt.

Cassiodor betonte in seinen *Institutiones* die Wichtigkeit, die alten Autoren zu studieren und abzuschreiben; insbes. seien auch die *Artes liberales* eine notwendige Ergänzung der Theologie. Sein Bildungsprogramm wurde in der Folgezeit verbindlich, so daß fortan auch mathematische Schriften einen – wenn auch bescheidenen – Platz im klösterlichen Bereich (und seit dem 12. Jh. auch an den Univ.) hatten.

2. BYZANZ

Byzanz' Bed. für die Entwicklung der M. liegt v. a. darin, daß dort die griech. mathematischen Schriften aufbewahrt und kopiert wurden. Im 5. und 6. Jh. wurden im byz. Reich, z. T. durch persönliche Beziehungen zw. den Schulen in Konstantinopel und Alexandria, ernsthafte mathematische Studien betrieben, v. a. durch Proklos, Simplikios, Eutokios (als Archimedes-Kommentator), Anthemios und Isidoros von Milet. Leon der Mathematiker sorgte als Rektor der Univ. am Magnaurapalast (seit 863) dafür, daß die klass. mathematische

Lit. erhalten blieb; in dieser Zeit entstand der älteste erhaltene griech. Euklidcodex (888) und Hss., auf denen fast die gesamte Überlieferung von Diophant, Apollonios und Archimedes beruht. Mehr als für die theoretischen Schriften der Griechen interessierte man sich in Byzanz aber für die praktische M. Logistik (d. h. das praktische Rechnen) und Geodäsie sowie die anderen Stoffe des Quadriviums fanden wegen der Bed. für das tägliche Leben und als Vorbereitung für eine logische, philos. Schulung Eingang in die Unterrichtsanstalten. Geometrische und stereometrische Rezeptsammlungen, die auf Auszüge aus den Schriften Herons zurückgehen, waren seit dem 8. Jh. in Umlauf. Im 13. und 14. Jh. beschäftigten sich verschiedene Gelehrte im Rahmen der Quadrivium-Studien insbes. auch mit der auf die Griechen zurückgehenden M., die durch indisches Wissen (v. a. die von dort stammenden neuen Ziffern) angereichert wurde. Die wichtigsten waren: Georgios Pachymeres, der für den arithmetischen Teil seines *Quadriviums* auch Diophants Schrift benutzte; Maximos Planudes, der die *Anthologia Graeca* (und damit auch die in ihr befindlichen Aufgaben der Unterhaltungs-M., bei denen es u. a. darum geht, das Alter einer Person zu berechnen) überarbeitete, Diophants *Arithmetik* herausgab und kommentierte sowie ein Buch über das Rechnen mit indischen Ziffern schrieb; Johannes Pediasimos, der sich mit Arithmetik und praktischer Geometrie beschäftigte; Barlaam, der neben einem Komm. zum 2. Buch von Euklids *Elementen* auch eine *Logistik* verfaßte, in der das Rechnen mit gemeinen und mit Sexagesimalbrüchen sowie mit Proportionen gelehrt wurde; Nikolaos Rhabdas, der Planudes' Rechenbuch überarbeitete und sich mit den Problemen der griech. Logistik beschäftigte; Isaak Argyros, der Scholien zu den sechs ersten Büchern der *Elemente* Euklids schrieb, Nikomachos' Komm. zu Proklos und Philoponos neu herausgab und eine Geometrie nach Art der Heron zugeschriebenen Kompendien verfaßte.

3. ARABER

Unter Hārūn ar-Rašīd (786–809) und al-Ma'mūn (813–833) wurden in Bagdad systematisch griech. (und daneben auch indische) Originalabhandlungen gesammelt und ins Arab. übersetzt. Zu den griech. Schriften, die v. a. durch al-Ḥaǧǧāǧ, Isḥāq ibn Ḥunayn und Tābit ibn Qurra übersetzt wurden, gehörten auch die bedeutendsten mathematischen Werke: die *Elemente* und die *Data* des Euklid, die Schriften des Archimedes, Apollonios' Werk über die Kegelschnitte und Diophants algebraische Schrift. Die Araber benutzten nicht nur Hss. aus dem byz. Reich, sondern auch syrische Texte, die ihrerseits auf griech. Vorlagen zurückgingen. Um die Mitte des 10. Jh. war diese Phase der Übersetzertätigkeit beendet; seit dieser Zeit begannen die Araber damit, ausgehend von diesem Fundus zu neuen Ergebnissen zu kommen.

Insbesondere Euklids *Elemente* führten in der Folgezeit zu einer Vielfalt von Exzerpten, Bearbeitungen und Kommentaren. Am verbreitetsten war die Bearbeitung des Naṣīr ad-Dīn aṭ-Ṭūsī (1201–1274). Ein etwas jüngerer Komm., der Ṭūsī zu Unrecht zugeschrieben wird, entfaltete in Westeuropa eine große Wirkung, da er 1594 in Rom gedruckt wurde. Er hat die Diskussion um das Parallelenpostulat im 17. und 18. Jh. (J. Wallis, G. Saccheri) wesentlich beeinflußt. Überhaupt interessierten sich die Araber bes. für das Parallelenpostulat, das in Buch 1 von Euklids *Elementen* formuliert wird und das (sinngemäß) fordert, daß es in der Ebene zu einer gegebenen Geraden durch einen Punkt, der nicht auf dieser Geraden liegt, immer eine (und nicht mehr als eine) Parallele gibt. Bei ihren Versuchen, es zu beweisen, fanden sie dazu äquivalente Formulierungen, die – zumeist unabhängig von ihren arab. Vorgängern – im 19. Jh. im Westen in Verbindung mit der Begründung der nichteuklidischen Geometrien wiederentdeckt wurden. Neben dem Parallelenpostulat wurde auch die Lehre von den Irrationalitäten (Euklid, Buch 10) und die Theorie der Proportionen (Buch 5) von den Arabern stark beachtet.

Arab. Mathematiker haben sich ebenfalls intensiv mit den Schriften des Archimedes beschäftigt. Sie kannten auch einige genuine Schriften, die nicht im griech. Original erhalten sind, z. B. den *Liber assumptorum* (*Lemmata*), *Über einander berührende Kreise*, Archimedes' Siebenecksabhandlung und seine Studien über halbreguläre Körper. In der Trad. des Archimedes steht der *Liber trium fratrum* der Banū Mūsā (um 850). Er enthält u. a. Propositionen der *Kreismessung* und aus *De sphaera et cylindro* und ist auch dadurch wirkungsgeschichtlich bedeutend, daß er einen Beweis der Heronischen Dreiecksformel bringt und außer der Kreisquadratur auch die anderen beiden aus der Ant. stammenden klass. Probleme behandelt: die Würfelverdopplung (mit Hilfe der Bestimmung zweier mittlerer Proportionalen) und die Winkeldreiteilung.

4. WESTEN

Im 12. Jh. wurde durch die Übers. aus dem Arab. ins Lat., die v. a. Adelard von Bath, Plato von Tivoli, Robert von Chester, Hermann von Kärnten und Gerhard von Cremona in Spanien durchführten, ein großer Teil des arab. und griech. Fachschrifttums wieder im Westen bekannt, darunter die bedeutendsten Werke der griech. Mathematiker. Zwar fehlen einige Werke, v. a. die Schriften des Pappos, Diophant und Heron, jedoch sind vielfältige Spuren indirekter Kenntnis vorhanden.

Weniger einflußreich als die Übers. aus dem Arab. waren direkte Übertragungen aus dem Griech., die um 1160 in Süditalien und in Sizilien vorgenommen wurden. Zu den dort übersetzten Werken gehören Euklids *Elemente* und seine *Data*. Um 1269 übersetzte Wilhelm von Moerbeke, ermuntert durch Thomas von Aquin, am päpstlichen Hof neben Schriften des Aristoteles und Komm. dazu auch fast alle Werke des Archimedes und den Eutokios-Komm. nach einer griech. Handschrift. Das Autograph seiner Übers., das erhalten ist, wurde im frühen 16. Jh. von mehreren Bearbeitern benutzt, u. a. schon für die erste gedruckte Archimedesausgabe (Venedig 1503). Von einer unbekannten Person wurde ein Traktat über Isoperimetrie direkt aus dem Griech. übersetzt; er hat mathematische Arbeiten im Hoch-MA, etwa von Jordanus Nemorarius und Bradwardine, ebenso beeinflußt wie die Arbeiten von Nikolaus von Kues zur Quadratur des Kreises.

Die riesige Menge des neuen Stoffes, zu der außer griech. Werken auch genuin-arab. und auf die Inder zurückgehende Schriften gehörten, wurde seit dem 13. Jh. verarbeitet und in der Hochscholastik an den Univ. vervollkommnet und modifiziert.

Auch im Westen waren Euklids *Elemente* von bes. Bedeutung. Wirkungsgeschichtlich einflußreicher als die drei Übers., die im 12. Jh. entstanden (durch Adelard von Bath, Hermann von Kärnten und Gerhard von Cremona), waren zwei Bearbeitungen durch Robert von Chester (um 1140) und Campanus (vor 1259). Campanus fügte zeitgenössisches mathematisches Material, v. a. aus Jordanus Nemorarius' *Arithmetik*, und auch eigene Bemerkungen hinzu und versuchte dadurch, den Text verständlicher zu machen. Campanus' Euklidbearbeitung war im Spät-MA eines der wichtigsten Lehrbücher an der Artisten-Fakultät der Univ. und gehört zu den frühesten gedruckten mathematischen Texten (1482 und später). Außer den genannten Werken gab es mindestens drei Komm. zu den *Elementen*, die aus dem Arab. ins Lat. übersetzt wurden, und eigenständige lat. Bearbeitungen und Quaestiones, u. a. von Nicole Oresme.

Während die arab. Euklidbearbeitungen mehr auf die reine Mathematik ausgerichtet blieben, dienten die lat. Texte zumeist dazu, Antworten auf philos. Fragen zu liefern. So findet man in den lat. Bearbeitungen kaum etwas über das Parallelenpostulat, aber vieles zur Proportionenlehre, die speziell in Verbindung mit den Bewegungsgesetzen, die im 14. Jh. aufgestellt wurden, wichtig war. Man formte den Euklidtext zu einem Lehrbuch um, mit dessen Hilfe man auch außerhalb der Mathematik liegende, v. a. philos. Probleme in den Griff bekommen konnte, die mit dem Wesen des Unendlichen und der Stetigkeit zusammenhingen. Die wichtigsten derartigen Fragen waren die nach der Inkommensurabilität, nach dem hornförmigen Winkel zw. Kreisumfang und Tangente und nach der Teilbarkeit von Größen.

Von Archimedes' Schriften kannte man, abgesehen von Moerbekes Übers. aus dem Griech., im Westen nur die *Kreismessung* und Teile von *De sphaera et cylindro*. Starke Beachtung fand im Westen auch der *Liber trium fratrum* der Banū Mūsā, der im 12. Jh. übersetzt worden war, sowie die Schrift *De curvis superficiebus* von einem Johannes de Tinemue, die Anf. des 13. Jh. offenbar direkt aus dem Griech. übertragen wurde; sie behandelt u. a. die Berechnung der Oberfläche und des Volumens von Kegel, Zylinder und Kugel.

C. RENAISSANCE

Die Humanisten haben durch ihr gezieltes Bemühen, ant. Hss. habhaft zu werden, auch die Mathematik und die Naturwiss. positiv beeinflußt. Das geistige Klima der Zeit gab den naturwiss. interessierten Humanisten einen Freiraum für schöpferisches Arbeiten. Zu ihnen gehörte der Kardinal Bessarion. Seine Bibl. – sie bildet den Grundstock der Biblioteca Marciana in Venedig – enthielt viele mathematisch-naturwiss. Hss., die Bessarion seinen Bekannten zur Verfügung stellte. Auf diese Weise wurden sowohl Nikolaus von Kues als auch Regiomontanus mit ihnen und bisher unbekannten Texten vertraut. Vor allem Regiomontanus hat sie intensiv benutzt, z. T. abgeschrieben und bearbeitet. Als er 1461 mit Bessarion nach It. ging, lernte er u. a. die päpstliche Bibl. kennen. 1463 fand Regiomontanus eine griech. Diophant-Hs. und machte dadurch die Schrift dieses bedeutenden Mathematikers wieder im Westen bekannt. Hiermit beginnt ein neuer Abschnitt in der Geschichte der Algebra.

Zu den frühesten wiss. Werken, die gedruckt wurden, gehören Euklids *Elemente*. 1482 erschien eine Ausgabe der lat. Fassung des Campanus. 1505 wurde die Übers. aus dem Griech. ins Lat. gedruckt, die B. Zamberti angefertigt hatte, und 1533 kam in Basel die griech. Erstausgabe durch Simon Grynaeus heraus. Sie blieb bis zum 18. Jh. die einzige vollständige griech. Edition. Daneben gab es eine so große Fülle von Fassungen und Bearbeitungen in Lat. und in den Nationalsprachen, daß die *Elemente* als das meistgedruckte wiss. Werk überhaupt gelten. Richtungsweisend wurden die philol. genaue und mathematisch zuverlässige lat. Euklidausgabe von F. Commandino (1572) und die gelehrte Bearbeitung von C. Clavius (1574 und später), deren Umfang durch Zusätze auf über das Doppelte vergrößert wurde. Die ältesten Übers. in Landessprachen erschienen im 16. Jh. (it.: 1543, N. Tartaglia; frz.: 1564, P. Forcadel; dt.: 1558 bzw. 1562, J. Scheubel bzw. W. Holtzmann; engl.: 1570, H. Billingsley).

Die Euklidarbeiten im 16. Jh. dienten dazu, ein umfassendes Hand- oder Schulbuch herzustellen. Im 17. Jh. bemühte man sich, den Text zu vereinfachen (z. B. A. Tacquet, seit 1654, und I. Barrow, seit 1655): Beweise wurden verkürzt, die Reihenfolge geändert, Sätze oder sogar Bücher wurden ausgelassen. Im 18. und 19. Jh. strebte man danach, Unvollkommenheiten zu beseitigen. In England wurde bis zum Beginn des 20. Jh. die M. nach Euklids *Elementen* gelehrt.

Papst Nikolaus V. veranlaßte, daß um 1450 Jacobus Cremonensis eine neue Übers. der Archimedes-Schriften aus dem Griech. vornahm. Sie war schon sehr bald Nikolaus von Kues zugänglich, der sie für seine Schrift *De mathematicis complementis* benutzte (1453/54). Auch Regiomontanus besaß eine Hs. dieser Übersetzung; sie war die Druckvorlage für die lat. Übers., die 1544 zusammen mit der griech. Erstausgabe in Basel erschien.

D. EINZELBEISPIELE

Im folgenden soll an einigen markanten Beispielen der direkte Einfluß der griech. M. auf die Entwicklung der M. nach 1500 aufgezeigt werden. (Indirekte Einflüsse sind in fast jedem mathematischen Teilgebiet vorhanden.)

1. AXIOMATISCHE METHODE

Die Griechen haben die axiomatische Methode in der M. entwickelt. Sie ist in Euklids *Elementen* bes. klar angewandt. Ausgehend von unbeweisbaren Definitionen, Postulaten und »allg. Annahmen« (Axiomen), werden mit Hilfe logischer Folgerungen Sachverhalte bewiesen und aus einfacheren Sätzen kompliziertere hergeleitet. Dieses deduktive Vorgehen ist bis heute die Grundlage der M. geblieben [1. 17 f.].

2. DEFINITION DER REELLEN ZAHLEN

Eudoxos hat eine allg. gültige Proportionenlehre durch die Definition der Verhältnisgleichheit begründet, die gleichermaßen auf rationale wie auf irrationale Verhältnisse anwendbar ist (formuliert in Eukl. elem. V Def. 5). Sie läuft darauf hinaus, daß zwei Verhältnisse gleich sind, wenn sie dieselbe Einteilung im Gebiet der rationalen Verhältnisse hervorrufen. Denselben Gedanken benutzt R. Dedekind (1831–1916) bei seiner Begründung der reellen Zahlen mit Hilfe des sog. »Dedekindschen Schnitts« [1. 16, 102–108].

3. ZAHLENTHEORIE

In ant. Schriften, z. B. bei Nikomachos und Boethius, werden spezielle Eigenschaften natürlicher Zahlen behandelt (Primzahlen, vollkommene Zahlen, befreundete Zahlen …). Mit dem Wesen derartiger Zahlen oder Zahlenpaare haben sich nicht nur die Araber beschäftigt, sondern auch die europ. Mathematiker seit dem 17. Jh. – Diophant hat verschiedene Methoden dargestellt, um unbestimmte Gleichungen und Gleichungssysteme zweiten und höheren Grades zu lösen. Diese Verfahren wurden seit dem 16. Jh. v. a. durch die Diophant-Ausgabe von 1621 bekannt und haben Mathematiker des 17. und 18. Jh., v. a. P. de Fermat und L. Euler, zu weiterführenden Untersuchungen angeregt [6].

4. KREISMESSUNG

Archimedes hat in seiner *Kreismessung* ein Verfahren angegeben, um die Zahl π (d. h. das Verhältnis zw. Kreisumfang und -durchmesser) mit Hilfe von ein- und umbeschriebenen Polygonen zu bestimmen (siehe z. B. [1. 100–102]). Je größer die Eckenzahl der Polygone ist, desto genauer läßt sich π berechnen. Mit Hilfe des 96–Ecks gelangt Archimedes auf diese Weise zu der Erkenntnis, daß π kleiner als 3 1/7, aber größer als 3 10/71 ist. Archimedes' Verfahren wurde im 16. und 17. Jh. wieder aufgegriffen und führte zu einer Berechnung der Zahl π auf 35 Stellen (Ludolph van Keulen). Die bei den Griechen belegte Idee, mit Hilfe der Quadratrix (einer höheren Kurve, die durch zwei zeitgleiche Bewegungen erzeugt wird) einen Kreisbogen zu rektifizieren, führt zu dem unendlichen Produkt für das Verhältnis 2 : π, das Vieta E. des 16. Jh. herleitete [1. 95–98].

5. TRIGONOMETRIE

Die Griechen waren in der Lage, die Sehne zu jedem gewünschten Kreisbogen aus bekannten Grundsehnen abzuleiten, indem sie Additionstheoreme und, wenn diese nicht mehr weiterführten, Interpolationen benutzten. Diese Methode wird in Buch 1 von Ptolemaios' *Almagest* dargestellt. Ähnliche Methoden benutzten die Araber und die westl. Mathematiker im 15. und 16. Jh. (z.B. Johannes von Gmunden und Regiomontanus), um Sinustafeln zu erstellen.

→ AWI Apollonios; Archimedes; Boethius; Calcidius; Cassiodor; Diophant; Euklid; Heron; Leon der Mathematiker; Macrobius; Mathematik; Martianus Capella; Nikomachos; Varro

1 O. BECKER, Das mathematische Denken der Ant., 1957 2 M. CLAGETT, Archimedes in the Middle Ages, 5 Bde., 1964–1984 3 M. FOLKERTS, Arab. M. im Abendland unter bes. Berücksichtigung der Euklid-Trad., in: Die Begegnung des Westens mit dem Osten, hg. von O. ENGELS und P. SCHREINER, 1993, 319–331 4 Ders., Probleme der Euklidinterpretation und ihre Bed. für die Entwicklung der M., in: Centaurus 23, 1980, 185–215 5 Ders., Zur Überlieferungsgesch. mathematisch-naturwiss. Texte im Westen, in: Testimonia mathematica et geographica, hg. v. E. HORVÁTH, 1992, 1–32 6 J. E. HOFMANN, Beispiele zur unbestimmten Analytik im Sinne der Alten, in: Der M.-Unterricht 9, 1963, 5–37 7 A. P. JUSCHKEWITSCH, Gesch. der M. im MA, 1964 8 M. STECK, Bibliographia Euclideana, 1981 9 K. VOGEL, Der Anteil von Byzanz an Erhaltung und Weiterbildung der griech. M., in: Miscellanea Mediaevalia 1, 1962, 112–128 10 Ders., Die M. auf ihrem Weg von den Griechen ins Abendland, in: Dialog, Schule und Wiss., Klass. Sprachen und Lit. Probata-Probanda, 7, 1974, 102–115. MENSO FOLKERTS

Matriarchat A. BEGRIFFE UND KONZEPTE
B. WIRKUNGSGESCHICHTE
C. ANTIKE BEFUNDE UND NEUERE DEUTUNGEN

A. BEGRIFFE UND KONZEPTE

Der Begriff M. (wörtlich: Mutterherrschaft, von lat. *mater* »Mutter« und griech. ἄρχειν »anfangen, herrschen«) ist ein neuzeitliches Kunstwort und wurde in den 80er und 90er Jahren des 19. Jh. in Abgrenzung zu den Begriffen Mutterrecht und Gynaikokratie von Rechtsethnologen und Rechtshistorikern eingeführt [2; 9.; 43]. Im ant. Sprachgebrauch wurzelt dagegen der Begriff Gynaikokratie (wörtlich: Frauenherrschaft, von griech. γυνή »Frau« und κρατεῖν »herrschen«), dessen sich der Begründer der mod. Matriarchatsdebatte, der Basler Rechts- und Altertumswissenschaftler Johann Jakob Bachofen (Abb. 1), in seinem Werk *Das Mutterrecht. Eine Untersuchung über die Gynaikokratie der alten Welt nach ihrer religiösen und rechtlichen Natur* von 1861 bedient hatte [1].

Der Begriff Gynaikokratie bzw. *gynaikokrateisthai* (»von Frauen beherrscht werden«) taucht erstmals im philos. Schrifttum des 4. Jh. v. Chr. zur Charakterisierung der Verhältnisse in Sparta sowie bei einigen Randvölkern der griech. Kultur auf (Sparta: Aristot. pol.

Abb. 1: Richard Kissling, Bildnis Prof. Johann Jakob Bachofen-Burckhardt. Marmor, 1884. Öffentliche Kunstsammlung Basel, Kunstmuseum

2,9,1269 b 23–34; Lykier: Herakl. Pont. FGH 2,217,15; vgl. auch Lyder: Klearchos bei Athenaios, Deipnosophistai 12,515 d–516 a). Er wird meist pejorativ verwendet und steht tendenziell im Kontext der Tyranniskritik des 4. Jh. (Aristot. pol. 2,9,1313 b 32–38), findet sich aber auch noch in der spätant. Kritik am Machtstreben einzelner Frauen des röm. Kaiserhauses (Prok. HA. 5,26). Im frühneuzeitlichen Diskurs über die Legitimation weiblicher Regentschaft und der häuslichen Machtverteilung wird der Topos von der Frauenherrschaft wieder aufgegriffen [7; 29; 30; 44], um schließlich Eingang in die theoretischen Reflexionen des 18. u. 19. Jh. über die Entwicklungsgeschichte der Menschheit zu finden. Gynaikokratie erscheint nunmehr als Eigenart von Ethnien, die verwandtschaftliche Gruppenzugehörigkeit über die weibliche Linie bestimmen. Als *ginécocratie* charakterisierte etwa der Jesuitenpater Joseph Lafitau (*Moeurs des sauvages amériquains comparées aux moeurs des premiers temps*, 1724) das Recht der Matronen bei den matrilinearen Irokesen Nordamerikas, den Häuptling zu wählen. In diesem Kontext der Reflexionen über Verwandtschaftsordnungen gehört auch die Prägung der Begriffe Mutterrecht (engl. *Motherright*) und Vaterrecht durch Bachofen und den amerik. Juristen Lewis Henry Morgan (*Ancient Society*, 1877, dt. 1908, Ndr. 1979: *Die Urgesellschaft*). Während Bachofen das Mutterrecht in der Frühgeschichte ant. Völker verortete, beschrieb Morgan mit Mutterrecht die Verwandtschaftsorganisation zeitgenössischer Völker Nordamerikas (Irokesen) und Polynesiens. Sowohl Mutterrecht als auch Gynaikokratie gelten hier als Merkmale einer primitiven Entwicklungsstufe, in der das Allgemeininteresse vorherrscht und die Abstammung in mütterlicher Linie (»Mutterfolge«) die soziale und rechtliche Existenz des Einzelnen – verwandtschaftliche Gruppenzugehörigkeit, Namen, Rang und Besitz – bestimmt. Abgelöst wird das Mutterrecht sowohl bei Bachofen als auch Morgan vom Vaterrecht, das als ein Rechtssystem verstanden wird, das auf der Anerkennung der biologischen Vaterschaft basiert und dem Prinzip des Individualismus zum Durchbruch verhilft. Beide stellten an den Anf. der Entwicklung die Gruppenehe bzw. die urspr. Promiskuität. Während Morgans Konzept strikt verwandtschaftsethnologisch ausgerichtet ist und der amerikanische Jurist damit als Begründer der mod. Ethnologie gilt, argumentiert Bachofen stark geschichtsphilosophisch. Sein Konzept stellt ein von → Neuhumanismus, Romantik und Spätaufklärung beeinflußtes philos. System dar [8]. Vorherrschendes Merkmal ist der Dualismus zw. dem stofflich-weiblichen und dem männlich-geistigen Prinzip, das auf der in der aufklärerischen Vernunftkritik entwickelten Dichotomie der Geschlechtscharaktere basiert, derzufolge die Vernunft männlich und das Gefühl weiblich konnotiert ist [40]. Bachofen unterschied drei Phasen der Gynaikokratie: den Hetärismus, das Amazonentum und das demetrische Muttertum, die er mit der Vorherrschaft einer Erd- und Mondreligion gleichsetzte und einer vom männlich-geistigen Prinzip geprägten vaterrechtlichen Phase der apollinischen Sonnenreligion gegenüberstellte [1].

Impliziert das Konzept bei Bachofen auch weibliche Regentschaft im Haus und im Gemeinwesen, schlossen die Rechtshistoriker, die den Begriff M. einführten, eben dies weitgehend aus. Stattdessen ging man davon aus, daß auch unter mutterrechtlichen Bedingungen die Familiengewalt bzw. die Hausherrschaft beim Vater oder beim Mutterbruder gelegen habe und somit eine Entwicklung des Mutterrechts zum M. (= Herrschaft der Familienmutter) nur selten erfolgt sei [2; 9. 58]. Zur Kennzeichnung dieser Differenz zw. Verwandtschaftsordnung und Autoritätsverteilung wurde der Begriff Patriarchat = Vaterherrschaft in die Debatte eingeführt, der in dieser Bedeutung der staatsrechtlichen Diskussion über die Begründung der absoluten Gewalt des Königs entstammt. Während konservative Verfechter der absoluten Gewalt des Königs wie etwa Robert Filmer (»Patriarcha«. The Natural Power of Kings defended against the Unatural Liberty of the People, 1640/1680, ed. Sommerville 1991) die polit. Autorität auf die väterliche Gewalt Adams zurückführten und diese in Anlehnung der Herrschaft der biblischen Patriarchen als patriarchale Herrschaft bezeichneten, stellten liberal gesonnene Staatsthereoretiker wie John Locke (Treatises of Government, 1690, Kap. 2 § 6 u. 11) eben diese Ableitung des Rechtsanspruchs auf königliche Macht aus der vä-

terlichen Gewalt und die Ursprünglichkeit der patriarchalen Herrschaft mit dem Hinweis auf die von Filmer übersehene mütterliche Autorität über die Kinder infrage [25]. Eingebettet in eine Typologisierung von Herrschaftsformen erscheint das Konzept dann im 19. Jh. So stellt für Max Weber (Die drei Typen legitimer Herrschaft, in: Wirtschaft und Gesellschaft, hrsg. von J. Winckelmann 1980, 605) patriarchale Herrschaft eine Form der persönlichen, auf Gewalt und Gehorsam beruhende Herrschaft dar, die der patrimonialen und bürokratischen Herrschaft vorausgeht. Der synonyme Gebrauch von Patriarchat und Vaterrecht setzte sich erst sukzessive durch [16]. Seiner histor. Konnotationen völlig beraubt wurde der Begriff Patriarchat durch die neue Frauenbewegung, die ihn zum allg. Kampfbegriff gegen Männerdominanz erhob [16].

Im Zuge der ethnologischen Feldforschung, die zur Zeit des I. Weltkrieges einsetzte und zu einer Ablösung des Evolutionismus zugunsten diffusionistischer, funktionalistischer und kulturrelativistischer Theorien führte, wurden in der Ethnologie System- und Epochencharakter der unter dem Begriff M. subsumierten Phänomene verworfen [5]. Bevorzugte Begriffe wurden nun Funktionsbezeichnungen wie Matrilinearität und Patrilinearität bzw. Matrilokalität und Patrilokalität. Sie heben auf die Wahl der Eheresidenz und auf die Bestimmung der Zugehörigkeit eines Kindes ab, die in Gesellschaften mit unilinearen Verwandtschaftssystemen entweder über die mütterliche oder über die väterliche Linie erfolgten.

Seit dem E. des 19. Jh. fand in der Alt.-Wiss. eine Ethnisierung der Matriarchats- und Patriarchatsidee statt. Das M. wurde nun einem – mit Mitteln der Sprachwiss. erhobenen – vorindogermanischen Substrat zugeordnet. Das Patriarchat schrieb man indogermanischen Hirtenvölkern zu, die die alten matriarchalen Völker erobert und in ihrer Sprache die Erinnerung an nicht-indogermanische Völker bewahrt hätten [20; 21; 35]. In der Indogermanistik wird die diesen Konzepten zugrundeliegende Annahme einer Einheit von Sprache, Volk und Kultur mittlerweile verworfen und nicht mehr davon ausgegangen, daß alle Völker, die eine indogermanische Sprache sprechen, auch eine gemeinsame Sozialstruktur ausgebildet hätten. Auf dem Prüfstand stehen auch die Einwanderungstheorien, zumal arch. Befunde wenig aussagekräftig sind [15; 40. 312–317].

Herrschten in älteren Konzepten biologistische Erklärungsversuche für das Entstehen eines M. vor und wurde ein M. auf die vermeintliche Unkenntnis der biologischen Vaterschaft zurückgeführt, so dominieren in der jüngeren ethnologischen und histor. Forsch. soziologische Erklärungsangebote, in denen auf die Bedeutung weiblicher Arbeitskollektive für die Herausbildung von Matrilinearität abgehoben wird [40; 43]. Über den Zusammenhang von Frauenmacht und matrilinearer Verwandtschaft wird seit der Revision des M. als Epochen- und Systembegriff gestritten, zumal in vielen Gesellschaften ein Nebeneinander von matri- und patrilinearen Bezügen beobachtet werden konnte. So wird beispielsweise bei manchen Tuaregvölkern das Anrecht auf die Rekrutierung fremder Arbeitskraft in weiblicher Linie, das von diesen Arbeitskräften gehütete Vieh jedoch in männlicher Linie vererbt [31]. Wurde lange Zeit der Mutterbruder als entscheidende Autoritätsperson angesehen, so zeichnet sich in der jüngeren ethnosoziologischen Forsch. eine differenzierte Sicht ab und wird von einer Vielfalt von Autoritäts- und Machtfunktionen ausgegangen, die weder in patrilinearen noch in matrilinearen Gesellschaften auf nur ein Geschlecht beschränkt sind [23].

B. Wirkungsgeschichte

Von ihrer Genese her gesehen ist die Matriarchatstheorie eine Frage der Entwicklung der Sozialorganisation und der Familie, die im 19. Jh. unter einem evolutionstheoretischen Blickwinkel betrachtet wurde. Sowohl Bachofen als auch Morgan entwickelten Konzepte einer Abfolge von Familien- und Eheformen, die bei Bachofen mit dem Wandel von Religionen, bei Morgan mit dem Wandel von Eigentumsformen einhergehen [18]. Über die marxistische Rezeption der Morganschen Theorie durch Friedrich Engels (*Der Ursprung der Familie, des Privateigenthums und des Staats*, 1884) und August Bebel (*Die Frau und der Sozialismus*, 1879, [50]1909 = 1979) wurde das M. einer vorstaatlichen, von Urkommunismus geprägten Phase der Menschheitsgeschichte zugeordnet und bis weit ins 20. Jh. als eine Frage der Entstehung von Herrschaft und Staatlichkeit diskutiert [35; 44].

Die Verknüpfung der mutterrechtlichen und vaterrechtlichen Phasen mit bestimmten geschlechtsspezifisch determinierten rel. Ausdrucksformen hat die Matriarchatstheorie für die Religions-Wiss. und Psychoanalyse interessant werden lassen. C. G. Jungs Archetypenlehre und das davon beeinflußte Konzept der Großen Mutter von Erich Neumann (*Die Große Mutter*, 1956) verdanken der Bachofenschen Theorie wesentliche Impulse. Dieses Konzept der Muttergöttin fand auch Eingang in die Vorgeschichts-Forsch. und Arch., wo Funde von weiblichen Statuetten, die bis ins Paläolithikum zurückreichen, als Beleg für den universell verbreiteten Glauben an eine solche Göttin gewertet wurden. Während in der ethnologischen Forsch. auf die Vielfalt von Funktionen verwiesen wird, die Frauenfiguren in Hochzeits-, Initiations- und Heilungsritualen außereurop. Kulturen besitzen, wird in der Vorgeschichts-Forsch. häufig mit einem ganzheitlichen Konzept argumentiert, das weder regionale noch zeitliche Unterschiede berücksichtigt. Für die Vorgeschichtsforscherin Marija Gimbutas (*The Language of the Goddess*, 1989) stellt jede Frauenstatuette unabhängig von ihrer Gestalt und von ihren Fundumständen die Große Göttin – verstanden als Repräsentantin des Kosmos – dar. Dieses unhistor. Konzept der Großen Göttin [28; 33. 273–298] beherrscht weitgehend die feministisch orientierte Forsch., die in den 70er Jahren dieses Jahrhunderts einsetzte. Dazu gehört z.B. das philos. Kon-

strukt einer universell verbreiteten triadischen matriarchalen Symbolstruktur, das die Geschichtsphilosophin Heide Göttner-Abendroth (*Die Göttin und ihr Heros*, 1980) in Anlehnung an die Forsch. der britischen Ritualisten um J. G. Frazer und an das spekulative Mythensystem von Robert Ranke Graves entwickelt hat [22]. Im Zentrum ihres Interpretationsmodells steht die Figur der dreigestaltigen Göttin, die die weiblichen Lebensphasen (Mädchen, Frau, Greisin) sowie die kosmische Ordnung (Himmel/Frühling, Erde und Meer/Sommer, Unterwelt/Winter) repräsentiert und der eine Heros-Figur beigegeben ist, die diese triadische Struktur im Jahresverlauf nachvollzieht (Initiation im Frühling, hl. Hochzeit im Sommer, ritueller Tod im Winter). Während in der Erzählforschung dieses, an der christl. Trinitätsidee orientierte, Modell breit rezipiert wird [10], hat die histor., ethnologische und religionswiss. Forsch. quellenkritische Vorbehalte an solchen universalistischen Erklärungsangeboten vorgebracht [22; 38]. So ist in vielen Kulturen eine Kohärenz von weiblicher Feldarbeit und Verehrung von weiblichen Gottheiten, nicht aber von weiblichen Gottheiten und Matrilinearität beobachtet worden [34]. Auch verweisen die ältesten schriftlichen Überlieferungen, die in der griech. Ant. bis in die minoische Zeit (2. Jt.) zurückreichen, auf eine sehr viel komplexere, dyadische wie multiple Göttinnenstruktur, von der sich zwar Verbindungen zu weiblichen Tätigkeitsfeldern und Kompetenzbereichen wie Vorratshaltung (Demeter und Persephone), Buntweberei (Chariten) oder Geburtsmagie (Eileithyia), aber keine unmittelbaren Schlußfolgerungen auf die Machtverhältnisse zw. den Geschlechtern ziehen lassen [28; 33; 40].

Mit der histor. Verortung eines M. im minoischen Kreta, die mit den Ausgrabungen von Arthur Evans um 1900 in → Knossos erfolgte, ist die Matriarchatsidee verstärkt für modernitäts- und kulturkritische Zwecke in Dienst genommen worden. Evans hatte das Fehlen von Befestigungsanlagen und die Präsenz von Frauengruppen auf Wandmalereien als Ausdruck des friedfertigen und freizügigen Charakters der minoischen Kultur gewertet [33. 299–345]. Ihr Verschwinden lastete man in der Folgezeit patriarchalen Hirtenvölkern indogermanischer Herkunft an, die das friedliche M. der Minoer zerstört und eine kriegerische Kultur aufgebaut hätten [20; 35]. Außerhalb der Vorgeschichts-Forsch. fand die Assoziation der Matriarchatsidee mit Friedfertigkeit und sexueller Freizügigkeit v. a. in der Psychoanalyse bei Erich Fromm (*Die sozialpsychologische Bedeutung der Mutterrechtstheorie*, 1934) und Wilhelm Reich (*Der Einbruch der sexuellen Zwangsmoral*, 1972, 93–106) und in der feministischen Philos. breite Akzeptanz. Erst in den 80er und 90er J. erfuhr diese Einschätzung der minoischen Kultur eine kritische Revision [27] und setzte in der Religions- und Rechtsgeschichte sowie in der Psychologie und Alt.-Wiss. eine ideologiekritische Auseinandersetzung mit der Matriarchatsidee ein [11; 33; 40; 45]. Dabei wurden auch die psychologischen Bedürfnisse untersucht, die hinter den verschiedenen Matriarchats-imaginationen stehen. So wird z. B. die im Bild der Großen Göttin faßbare Idealisierung der Mutter als Regressionswunsch gedeutet [11]. Neu ist v. a. die Einordnung in den Kontext der Modernitäts- und Rationalitätskritik. Die verschiedenen Matriarchatskonzepte werden als Gegenbilder der Moderne erklärt, in denen Probleme, Defizite und Wünsche der Gegenwart (z. B. Friedenssehnsucht) aufgehoben sind [13; 33; 40]. Noch in den Anfängen steckt dagegen die kritische Revision des Patriarchatsbegriffs [16; 23; 41].

C. Antike Befunde
und neuere Deutungen

Die ant. Myth. bildet die wesentliche Grundlage aller Matriarchatskonzepte. Bachofen hatte eine Vielzahl von griech. Mythen als Indizien für einen weltgeschichtlich bedeutsamen Kampf zw. dem stofflich-weiblichen und männlich-geistigen Prinzip gewertet und daraus einen Wandel von der gynaikokratischen zur vaterrechtlichen Phase rekonstruiert. Dazu gehören die Erzählungen vom Kampf griech. Helden gegen Amazonen, die bereits in den homer. Epen zu finden sind, v. a. aber die in der att. Tragödie des 5. Jh. v. Chr. dargestellten Konflikte um den Dienst des Herakles bei der lydischen Königin Omphale (Sophokles, *Trachinierinnen*) oder um den Muttermord des Orest (Aischylos, *Orestie*). Hatten Bachofen und viele seiner Nachfolger [20; 24; 35] weder den zeitlichen Rahmen der Herausbildung eines Mythos noch den histor. Wandel der Rezeption mythischer Stoffe berücksichtigt, so ist es gerade diese Zeitgebundenheit, die h. den Ansatzpunkt für Deutungsangebote bildet. Neben polit. Erklärungen, z. B. der Deutung der Amazonenkämpfe als Reflex auf die Perserkriege [4], dominieren h. strukturalistische Ansätze und das Konzept der »Verkehrten Welt«. Ihnen zufolge stellen Mythen vom Geschlechtsrollentausch Umkehrbilder der bestehenden patriarchalen Ordnung der Griechen dar, deren Dauerhaftigkeit durch ein Gegenmodell bestätigt und legitimiert werde [32; 36]. Am patriarchalen Charakter der ant. Kulturen wird in der strukturalistischen Mythenforschung nicht gezweifelt. Sozialgeschichtliche Deutungsversuche gehen dahin, das Entstehen von Gegenbildern aus polit. Konflikten abzuleiten, die in klass. Zeit in Athen nicht zw. Personen, sondern zw. den Sphären der Geschlechter bestanden. Dies ist zum einen das Hauswesen, von dem ausgehend über Heiratsallianzen und Gastfreundschaftsbeziehungen in archa. Zeit Politik betrieben wurde, und zum anderen die Polis, die im 5. Jh. v. Chr. als ein Bindungsverhältnis der Krieger und männlichen Bürger verstanden wurde. Vorstellungen von Amazonengemeinschaften und Gemeineigentum an Frauen, wie sie etwa Platon in seiner *Politeia* (rep. 449 c, 457 c-d, 464 b-e) entwickelte, können demnach als Versuche verstanden werden, die weibliche Sphäre des Hauswesens der Struktur der att. Kriegergemeinschaft anzupassen, um darüber die auf Eigennutz ausgerichtete Politik der einzelnen Häuser zu unterlaufen. Gynaikokratievorstellungen, wie sie bei Aristoteles zu finden sind, lassen sich dagegen als Negativbilder von der Herrschaft eines solchen Hauses (Tyrannis) deuten, die z. T. auch auf die Völker an der Peripherie der griech. Kultur projiziert wurden (39; 40). Auch der in der *Orestie* inszenierte Konflikt um die Höherwertigkeit der Vater- oder Mutterbindung ist keineswegs nur auf familiäre Beziehungen, sondern auf eben diesen Konflikt zw. *oîkos* und *pólis* zu beziehen. Die höhere Wertschätzung der Zeugungsfunktion des Vaters gegenüber der Gebärfunktion der Mutter (Aischyl. Eum. 657–661) reflektiert die größere Bedeutung, die im 5. Jh. v. Chr. die Zugehörigkeit des männlichen Bürgers zur Gemeinschaft der Politen gegenüber der Zugehörigkeit zur häuslichen Gemeinschaft besaß [26]. Für die zeitlich und räumlich weit gestreuten Hinweise von Historikern und Dichtern auf matrilokale Eheresidenz (Hom. Il. 6,192 f. u. 11,221 ff.) oder matrilineare Benennung bei den Lykiern (Hdt. 1,173,4–5; Nikolaos von Damaskos FGrHist 90 F 3; Nymphis bei Plut. mor. 248 D) und in Lokroi epiphezyrioi (Pol. 12,5–6; Anth. Pal. VI,365) sowie Inschriftenfunde aus hell. Städten, die eine Teilhabe von Frauen an polit. Ämtern belegen [37], werden h. unterschiedliche Deutungen angeboten. Zum Teil werden diese Überlieferungen einer matrilinearen Benennung ebenfalls als Umkehrprojektionen gedeutet [3; 32]. Einige dieser Befunde werden zunehmend aber auch als Reflex auf tatsächliche soziale Praktiken verstanden und in den Kontext der Machtpolitik einzelner Häuser gestellt [6; 37; 41].

1 J. J. Bachofen, Das Mutterrecht, ed. K. Meuli, 1948 2 A. Bastian, M. und Patriarchat, in: Verhandlungen der Berliner Ges. für Ethnologie, Anthropologie und Urgeschichte 1886, 331 ff. 3 R. Bichler, Herodots Frauenbild und seine Vorstellungen über die Sexualsitten der Völker, in: R. Rollinger, C. Ulf (Hrsg.), Geschlechterrollen und Frauenbild in der Perspektive ant. Autoren, 1999, 13–56 4 J. Boardman, Herakles, Theseus and Amazons, in: D. Kurtz, B. Sparkes (Hrsg.), The Eye of Greece. Stud. in the Art of Athens, 1982, 1–28 5 F. Boaz, Evolution or Diffusion?, in: American Anthropologist 26, 1924, 340–344 6 A. S. Bradford, Gynaikokratoumenoi. Did Spartan Women Rule Spartan Men?, in: Ancient World 14, 1986, 13–18 7 S. Burghartz, Frauen – Politik – Weiberregiment. Schlagworte zur Bewältigung der polit. Krise von 1691 in Basel, in: A. Head-König, A. Tanner (Hrsg.), Frauen in der Stadt, 1993, 113–134 8 A. Cesana, Johann Jakob Bachofens Geschichtsdeutung, 1983 9 L. v. Dargun, Mutterrecht und Vaterrecht, 1892 10 K. Derungs, Struktur des Zaubermärchens, 1994 11 S. Distler, Mütter, Amazonen und dreifaltige Göttinnen, 1989 12 M. Gimbutas, The Language of the Goddess, 1989 13 L. Gossman, Basle, Bachofen, and the Critique of Modernity, in: JWI 47, 1984, 136–185 14 H. Göttner-Abendroth, Die Göttin und ihr Heros, 1980 15 J. M. Hall, Ethnic Identity in Greek Antiquity, 1997 16 K. Hausen, Das Patriarchat, in: Journal Geschichte 5, 1986, 12–21, 58 17 H.-J. Heinrichs, Materialien zu Bachofens »Das Mutterrecht«, 1975 18 H.-J. Hildebrandt, Der Evolutionismus in der Familienforschung des 19. Jh.,

1983 **19** Ders., J. J. Bachofen. Die Primär und Sekundärlit., 1988 **20** E. KORNEMANN, Die Stellung der Frau in der vorgriech. Mittelmeerkultur, 1927 **21** P. KRETSCHMER, Die griech. Benennung des Bruders, in: Glotta 2, 1910, 201–213 **22** S. LANWERD, Mythos, Mutterrecht und Magie, 1993 **23** I. LENZ, U. LUIG (Hrsg.), Frauenmacht ohne Herrschaft, 1990 **24** G. LERNER, The Creation of Patriarchy 1986, dt. 1991 **25** J. LOCKE, Zwei Abh. über Regierung nebst »Patriarcha« von Sir Robert Filmer (Dt. v. H. WILMANNS, 1906) **26** N. LORAUX, Les enfants d'Athéna, 1981 **27** N. MARINATOS, Role and Sex Division in Ritual Scenes of Aegean Art, in: Journal of Prehistoric Religion 1, 1987, 23–34 **28** L. MESKELL, Goddesses, Gimbutas and »new age« archaeology, in: Antiquity 69, 1995, 74–86 **29** G. C. ODORISIO, La teoria del Matriarcato in Hobbes, in: DonnaWomanFemme I/3, 1976, 21–33 **30** C. OPITZ, Souveraineté et subordination des femmes chez Luther, Calvin und Bodin, in: Encyclopédie historique et politique des femmes, éd. C. FAURÉ, 1997, 31–47 **31** C. OXBY, Women and the allocation of herding labour, in: Le fils et le neveu. Jeux et enjeux de la parenté touarèque, 1986, 99–127 **32** S. PEMBROKE, Last of the Matriarchs, in: Journal of the Economic and Social History of the Orient 8/3, 1965, 217–247 **33** B. RÖDER, J. HUMMEL, B. KUNZ, Göttinnendämmerung, 1996 **34** P. SANDAY, Toward a Theory of the Status of Women, in: American Anthropologist 75/5, 1973, 1682–1700 **35** G. THOMSON, The Prehistoric Aegean, 1949,⁴1978, dt. 1956 **36** W. B. TYRRELL, Amazons, 1984 **37** R. VAN BREMEN, The Limits of Participation, 1996 **38** M. TH. WACKER (Hrsg.), Der Gott der Männer und die Frauen, 1987 **39** B. WAGNER-HASEL, Männerfeindliche Jungfrauen? Ein kritischer Blick auf Amazonen in Mythos und Gesch., in: Feministische Studien 5/1, 1986, 86–105 **40** Dies. (Hrsg.), Matriarchatstheorien der Alt.-Wiss., 1992 **41** Dies., Die Macht der Penelope, in: R. FABER, S. LANWERD (Hrsg.), Kybele – Prophetin – Hexe. Rel. Frauenbilder und Weiblichkeitskonzeptionen, 1997, 127–146 **42** Dies., Herakles und Omphale im Rollentausch, in: G. ENGEL, H. WUNDER (Hrsg.), Geschlechterperspektiven der Frühen Neuzeit, 1998, 205–228 **43** U. WESEL, Der Mythos vom Matriarchat, 1980 **44** H. WUNDER, ›Er ist die Sonn', sie ist der Mond‹. Frauen in der Frühen Neuzeit, 1992, 206–215 **45** H. ZINSER, Der Mythos des Mutterrechts, 1981.   BEATE WAGNER-HASEL

Mausoleum   A. HEIDNISCHE ANTIKE

B. CHRISTLICHE GRABKAPELLEN
C. GRABMONUMENTE IM INNEN-, IM AUSSENRAUM
D. NEUZEIT   E. 18. JAHRHUNDERT
F. 19. UND 20. JAHRHUNDERT

A. HEIDNISCHE ANTIKE

M.: urspr. der Name des Grabmonuments für Maussolos von Karien († 353 v. Chr.) und seine Frau (und Schwester) Artemisia († 351) im lykischen → Halikarnassos (h. Bodrum). Es handelte sich um einen ionischen Peripteros von 9 × 11 Säulen auf hohem Sockel mit einem als Stufenpyramide gestalteten Dach, darauf eine Quadriga mit dem heroisierten Stifterpaar; die Baumeister: Pytheos und Satyros. Die schiere Größe (Höhe ca. 50 m), der Rang und die Leistung der beteiligten Bildhauer (Skopas, Bryaxis, Leochares, Timotheos) mach-

ten das Werk zu einem der → Sieben Weltwunder der Ant., das jedoch wegen seines prahlerischen Übermaßes schon im Alt. verspottet wurde (Lukian, Dialogi Mortuorum 24). Wie die (im Aufbau zit.) Pyramiden und Mastabas der Ägypter war es ein gigantisches Haus der Toten, komponiert aus Elementen der regionalen Sepulkralarchitektur. Im MA durch Erdbeben zerstört; im 19. Jh. britische Aus- bzw. Raub-Grabungen; die Reste der Bauplastik und die Stifterstatuen im BM, London.

Bei den Römern wurde M. zum Synonym für aufwendige Grabbauten (Paus. 8,16; Cassiod. var. 7,15; Suet. Aug. 100,3), ohne daß Typus und Ikonographie des urspr. M. berührt waren. So wurde M. bis h. zum Gattungsnamen für selbständige, freistehende haus- und tempelähnliche Grabbauten großer Dimension ohne definierte Erscheinungsform, meist von allg. antikischem Habitus. Mit Ausnahme der neuzeitlichen Nachahmungen des Ur-M. (→ Sieben Weltwunder) sind die späteren M. eher durch die Erbmasse Roms mit der Ant. verbunden: Vgl. Bauten wie das M. der Caecilia Metella (ca. 20 v. Chr.), Cestius-Pyramide (ca. 12 v. Chr.), M. Augusti (ab 28 n. Chr.), M. Hadriani (130–139), das Julier-Grab (3. Viertel 1. Jh. v. Chr.) in Glanum (h. Saint-Rémy-de-Provence), M. des Diokletian (um 300) in Spalato (h. Split), oder, zum E. des Alt., M. Theoderichs († 526) in Ravenna. Sie alle hatten für die Nachwelt mehr oder minder exemplarische Bedeutung.

B. CHRISTLICHE GRABKAPELLEN

Aufgrund der radikal veränderten Einstellung zum Tod büßten repräsentative Grabanlagen im frühen Christentum (wo es nicht mehr um Ruhm, sondern Erlösung ging) ihre Souveränität ein und wurden von den Kirchen gleichsam »aufgesogen«: zwecks Teilhabe am Heilswert von Grabkirche bzw. Martyrion (seit den konstantinischen Kirchen für die Apostelfürsten); vgl. Kuppelbauten (nach Art des M. Diokletians) wie die M. der Kaisermutter Helena († 330, bei SS. Pietro e Marcellino), der Prototyp der Gattung, sowie der Kaisertochter Constantia († 354, bei S. Agnese), h. die Kirche S. Costanza in Rom [16]; sie beziehen sich auf das Hl. Grab, die Anastasis Rotunda, die Konstantin in Jerusalem errichtet hatte (326–35, verändert 1048).

Derartige als Kirchen-Raum und -Annex verstandene Grabhäuser entstanden in großer Zahl und Vielfalt, jedoch selten im MA. Zu den ma. Ausnahmen zählen die romanische Grabkapelle Bischof Hartwigs II. (»Allerheiligenkapelle«) am Regensburger Dom (ca. 1160) und das Hexagon auf der Komburg (um 1230). Seit der Frühen Neuzeit realisierten die meisten europ. Dynastien ihre Grablegen in dieser Form (gern als Chorhaupt-Rotunde), die zunehmend auch repräsentative Außenwirkung zeigte (wohl zuerst: Michelozzos, dann Albertis Projekt für die Rotunde von SS. Annunziata, Florenz, ab 1444; sodann Bramantes Sforza-Projekt bei S. Maria delle Salute, Mailand, ab 1492). Höhepunkte – im jeweiligen (antikisierenden) Zeitstil: Chigikapelle bei S. Maria del Popolo, Rom (1512–13, Raffael); Medicikapelle bei S. Lorenzo, Florenz (ab

1521, Michelangelo). Maßgeblich für die Folgezeit
wurde die unvollendete (später abgebrochene) Chapelle
des Valois bei St. Denis (ab 1563, Primaticcio, sodann
Ducerceau; Stiche von Marot, 1764) [4. Abb. 5–8]. Capella dei Principi bei S. Lorenzo, Florenz (ab 1605, Don
Giovanni Medici, Matteo Nigetti); M. der Schaumbur-
ger Grafen (Heptagon!) an der Stadtkirche in Stadtha-
gen (1609–1625, Giovanni Maria Nosseni, Adrian de
Vries); M. Kaiser Ferdinands II. am Dom von Graz (ab
1614, Giovanni Pietro de Pomis, Peter Valnegro, sodann
Fischer v. Erlach); Schönbornsche Begräbniskapelle am
Würzburger Dom (1721–1736, Maximilian v. Welsch,
Balthasar Neumann). Sehr viel antikischer, wenn auch
noch in christl. Trad., war Christopher Wrens (unver-
wirklichter) Plan für das M. Karls I. von England in
Windsor Castle (1678). Entgegen der Annex-Trad.
nahm die vielteilige u. -figurige Grabanlage Kaiser Maximilians I. eine ganze Kirche in Anspruch und machte
diese gleichsam zu einem eigenen M. (Hofkirche, Innsbruck, 1509–1550) [13. Abb. 251]; eine ma. Vorform
dürfte im Naumburger Stifterchor (um 1240) zu erkennen sein.

C. Grabmonumente im Innen-, im Aussenraum

Als mehr oder minder deutliche Derivate des Ur-M.
lassen sich einige romanische Ziborien über den
(Hoch-) Altären mit den Reliquien von Titelheiligen
erkennen, so z. B. die säulengestützten, mit getreppten,
durchbrochenen Pyramidaldächern gedeckten Baldachine im Dom von Anagni und S. Nicola in Bari.
Ähnlich das sechseckige Baldachingrab Heinrichs II. in
Maria Laach (um 1255). Ferner entwickelten sich, neben den Annexen, Formen freistehender Grabmonumente für den kirchlichen Innenraum, die bedingt in
den Kontext des M. zu rechnen sind. Anfangs wohl nur
für Heilige, und zwar in der gewohnten Form von (ver-
größerten) Reliquienschreinen: Grab des hl. Stephan
von Obazine (um 1260/1270, Aubazine, Corrèze)
[1. 35]; bald mehrgeschossig: Arca des hl. Dominicus (ab
1267, Schule des N. Pisano) in S. Domenico, Bologna;
Arca des hl. Petrus Martyr (1336–1339, Giovanni di
Balduccio) in S. Eustorgio, Mailand [13. Abb. 321]. Siehe sodann das spätgot. Grabmal der Margarethe v. Österreich in Brou (1513–1532, Jan van Boghem, Conrad
Meid) [13. Abb. 341–345]. Prominentestes Beispiel in
der Ren.: Michelangelos Konzept eines Grabhauses für
Papst Julius II. (zuerst 1505, urspr. für St. Peter, zum
Wandgrab reduziert in S. Pietro in Vincoli, Rom) [13.
Abb. 418/19]. Vergleiche ferner die Grabmonumente
der frz. Könige (mit ihren Frauen) in St. Denis, die sich
im 16. Jh. von Tumben zu tempelähnlichen Grabhäu-
sern wandelten: Ludwig XII. (ab 1517, Antonio u. Giov.
Giusti); Franz I. (ab 1554, Philibert de L'Orme, Pierre
Bontemps); Heinrich II. (ab 1570, Franc. Primaticcio,
Germain Pilon) [13. Abb. 324, 354, 331]. Ferner das
Grab des Edo Wiemken, ein achteckiger Kuppelbau aus
Eichenholz, Stadtkirche, Jever (1561/1564), sowie das-
jenige Wilhelms v. Oranien in der Nieuwe Kerk, Delft

Abb. 1: Grab des Ronaldino Passegiero, um 1300. Bologna

(1609–1623, Hendrik de Keyser) [13. Abb. 413–416].
Bei allen diesen »feudalen« Grabmonumenten handelt
es sich um pfeiler- bzw. säulenbewehrte transparente
»Häuser«, in (bzw. auf) denen die Toten sowohl ruhend
(au mort) als auch »lebend« in Amtswürde (au vif) repräsentiert sind. Es wird dabei sowohl die Trad. des herkömmlichen, tischartigen »Doppeldeckergrabs« gewahrt wie auch die Chance zur Manifestation antikischer Monumentalität ergriffen.

Dagegen waren monumentale Grab-Solitäre im Au-
ßenraum bis weit in die Neuzeit nicht an der Tagesord-
nung, da diesen die (christl.) Symbiose von Grab- und
Kultstätte und der Aspekt der Humilitas fehlten. Nur
vereinzelt entstanden eigenständige, »öffentliche«
Grabmonumente seit dem Spät-MA, so eigentümli-
cherweise die Juristengräber in Bologna: des Accursio
(†1263), Odofredo (†1265) [10. Abb. 74, 75], Egidio
Foscherari (um 1290), des Ronaldino Passegiero (um
1300, Abb. 1), durchweg offene, ein- oder zweige-
schossige säulen-/arkadengestützte Bauten mit aufwendiger Dachpyramide, – offenbar got. Rekonstruktionen
des Ur-M. Sodann, ebenfalls in eigentümlicher Affinität
zu diesem, die Gruppe der Scaligergräber in Verona (ca.
1330, 1351, 1375) [10. Abb. 76], wo Reiter auf den
Pyramidenspitzen erscheinen (anstatt traditioneller got.
Baldachine). Das freistehende Grab Petrarcas in Arquà
(1380) ist zwar nicht als »Haus« zu bezeichnen, kann
aber gleichfalls als eine neue Form der öffentlichen To-
ten- bzw. Genie-Ehrung gelten.

Abb. 2: Nicholas Hawksmoor,
Mausoleum des Lord Carlisle, 1729–42. Castle Howard

Eine eigene Blüte hatten M. im muslimischen Orient, die allerdings erst im 10. Jh. einsetzte, wohl weil der Prophet aufwendigen Grabkult abgelehnt hatte. Inwieweit das Phänomen und seine bauliche Phänomenologie im mediterranen Bereich von den ant. (griech., röm., byz.) Monumenten, die die Eroberer vorfanden, abhängen, ist ungeklärt. Das bauliche Grundmodell, ein überkuppelter Zentralbau, meist ein Oktogon in solider Geometrie und Proportion, scheint für einen Zusammenhang zu sprechen [9].

D. NEUZEIT

Wenn auch allein eine pyramidale Dachform meist aufs Ur-M. anzuspielen scheint (wie bei den ma. Ziborien), kennt man eigentliche Rekonstruktionsversuche erst seit der Ren. [3], zunächst nur auf dem Papier: → *Hypnerotomachia Poliphili* (Venedig 1499; → Park VI., Abb. 1), sodann Heemskerks Zyklus der Sieben Weltwunder (gest. v. Ph. Galle, 1572), Fischer von Erlach (*Entwurf einer histor. Architektur*, 1, Taf. 6, 1721) [4. Abb. 71], Fr. Schinkel für ein Diorama der Sieben Weltwunder 1812; um diese Zeit treten die Archäologen an die Stelle der Künstler. Gebaute Beispiele siehe unten.

Der Terminus M. wurde in der Barockzeit auch auf Funeralwerke in Buchform übertragen, vgl. v. a. das *Mausolaeum* für Georg II. von Hessen-Darmstadt durch seine Witwe Sophia Eleonora (Darmstadt 1665), welche sich damit als »Artemisia« präsentiert, die ihrem verstorbenen »Maussolos« ein M. errichtet [2. Abb. 4, nach Heemskerk].

E. 18. JAHRHUNDERT

Die große Zeit des neueren, souveränen M. beginnt bezeichnenderweise nicht in der Ren., sondern im Zeitalter der Aufklärung, zunächst in England: gespeist aus einer neuen antiquarisch und emotional getragenen

Ant.-Manie – bei gleichzeitiger Distanzierung von der christl. Tradition. Wrens Schüler Nicholas Hawksmoor benutzte bzw. schuf gleich drei M.-Varianten: 1. eine Pyramide in Castle Howard (1728–29); 2. ebenda eine dorische, an Bramantes Tempietto orientierte Tholos mit Kuppeltambour (1729–1742) [4. Abb. 16], die als das erste vollgültige M. der Nachant. gelten kann (Abb. 2), zugleich zu einem Element der Parkgestaltung gemacht ist; 3. der Turmhelm von St. Georges Bloomsbury in London (1716–1727) mit Georg I. auf der Spitze, eine hochgereckte Rekonstruktion des Ur-M. (persifliert in Hogarths *Gin Lane*, 1751). Vergleiche sodann Robert Adams M. für David Hume in Edinburgh (1777), ein dorisch instrumentierter Grabturm à la Caecilia Metella [14. Abb. 30a/b]. Nach 1780 folgten zahlreiche M. der engl. Aristokratie, meist in den Parks ihrer Landsitze; die prominentesten Architekten sind beteiligt: William Chambers, Robert Adam, George Dance, James Wyatt, Joseph Bonomi, John Soane.

Einen nachhaltigen Schub, sachlich wie emotional, erfährt das erwachende Interesse an M. durch die Stiche Piranesis: *Prima parte di architetture e prospettive* (Rom, 1743), *Camere sepolcrali degli antichi romani* (1750), *Le antichità romane* (Rom, 1756), – mit Visionen phantastischer röm. Gräberstraßen, geschöpft aus dem vollen Arsenal der ant. Sepulkralkunst; aber auch mit dokumentarischer Publikation von Urnen, Gräbern, Grabinschriften. Auch hinter dem vielbeachteten Blatt *Mausoleo antico* (zuerst 1743, Abb. 3) steht keine Bau-, sondern eine auf Pathos gründende Wirkungsabsicht [8. Abb. 18]. Die frz. Akad. schreibt das Thema M. für den Rom-Preis des J. 1755 (erneut 1785) aus. M. werden zum bevorzugten Studien- und Entwurfsujet der röm. (Architektur-) Stipendiaten aller europ. Länder, wobei Geniebedürfnis und Geniebedienung einander bedingen (›Monuments consacrés à la gloire des grands Hommes‹, so Marie-Joseph Peyre in seinem Architekturwerk, Paris 1765). E. Kaufmanns *Architecture in the Age of Reason* beschreibt und illustriert dieses besondere, oft utopische Interesse, das in den M.-Entwürfen von Etienne-Louis Boullée gipfelt, zumal in den Phantasien für ein Newton-Kenotaph: Die berühmteste Variante, eine riesige Weltkugel mit Tag- und Nachteffekt, ummantelt von einem terrassierten Zylinder, der nach Art des M. Augusti mit Zypressen bewachsen ist [19].

Nicht minder huldigte man in Preußen beim Projektieren von M. dem Geniegedanken, vgl. dazu v. a. die Ausschreibung zur Errichtung eines Monumentes für Friedrich d. Gr. durch die Preußische Akad. 1796. C. G. Langhans, H. Gentz, Fr. W. Erdmannsdorf, A. Hirt, Fr. Weinbrenner und andere reichten Entwürfe ein; am spektakulärsten das Projekt Fr. Gillys, der über Rundbauten röm. Trad. (M. der Caecilia Metella, Pantheon) zu einem weitläufig abgegrenzten, obeliskflankierten, hoch aufgesockelten »Ehrentempel« im dorischen Stil gelangte [4. Abb. 45/46]. Zugleich ist das Friedrich-Projekt beispielhaft für die kulturelle Beliebigkeit der Muster in dieser Epoche, wo Pyramiden, Tempel,

Abb. 3: G.B. Piranesi,
»Mausoleo antico«, Kupferstich.
Aus: *Prima parte
di architettura*, 1743

Rundbauten, Obelisken usw. zu austauschbaren Memorial- und »Pathos«-Formeln geworden sind. Allen diesen und späteren M. bleibt als gemeinsames Kennzeichen die Doppelgeschossigkeit (gelegentlich kommunizierend): Das Obergeschoß birgt das Grabmonument, ist als Weiheraum gestaltet, das Untergeschoß dient als Ort der Gruft.

F. 19. UND 20. JAHRHUNDERT

Im frühen 19. Jh. wurden die Projekte, auch der Fürstenhäuser, zunächst bescheidener; vgl. das Grabhaus der Königin Luise von Preußen, ein viersäuliger dorischer Prostylos (1810–1812, Fr. Schinkel, H. Gentz, später erweitert) im Charlottenburger Park, Berlin sowie die Pyramide über der Gruft der badischen Fürsten auf dem Marktplatz von Karlsruhe, zunächst hölzern, dann in Stein erneuert (1818–1825, Fr. Weinbrenner). Vergleiche auch die nochmals gerundete, viergesichtige ionische »Rotonda« (nach Palladio, ähnlich schon bei Chambers 1751 [8. Nr. 53]) für Königin Katherina auf dem Wirtemberg bei Stuttgart-Untertürkheim (1820–24, G. Salucci) [4. Abb. 35/36]. Aus derselben Zeit

stammt der Tempio Canoviano in Possagno, ein »Pantheon« mit dem Pronaos des Parthenon, den der Bildhauer Canova sich selbst errichtete (1819–1832, G. A. Selva, A. Diedo). Es rückten jetzt, mit der Villa Rotonda, dem Pantheon, dem *Tempietto* Bramantes, genealogische Fremdkörper zu Prototypen des M. auf. Eine Genie-Stiftung noch im 20. Jh. : das ringförmig getreppte M. Gabriele d'Annunzios und seiner zehn Kampfgefährten im *Vittoriale degli Italiani* bei Gardone am Gardasee (40er J., G. C. Maroni).

Mit dem Historismus werden zusätzlich die Stile austauschbar (bevorzugt: got., romanisch, byz.), so daß viele M. nur mehr der Idee nach, nicht aber aufgrund ihrer Erscheinung zwingend der Ant. verbunden sind. Zugleich werden M. fürstlicher und bürgerlicher Provenienz zu Bestandteilen von Friedhöfen: vgl. das herzogliche, auch der Genie-Ehrung (Goethe, Schiller) dienende M. (*Fürstengruft*) in Weimar (1823/1825, C. W. Coudray), sowie das bürgerliche M. (der Familie Fr. Sadebeck, 1805) im schlesischen Reichenbach [14. Abb. 42b]. Die M.-ähnlichen, baulich und künstlerisch an-

Abb. 4: »Shrine of Remembrance«, 1934. Melbourne

spruchsvollen Familiengrabstätten auf Friedhöfen des 19. und frühen 20. Jh. sind unübersehbar nach Art und Zahl [14] und h. zu einem Problem der Denkmalpflege geworden.

Auch Bestattungshäuser kollektiv-anonymen Charakters, die Beinhäuser, konnten schon in der Frühen Neuzeit die Form von M. annehmen: vgl. bretonische Ossuarien, z. B. Roscoff (*Finistère nord*). Aber erst mit den Volksheeren und -toten der napoleonischen Kriege setzte eine gezielte kollektiv-anonyme Totenehrung ein, die sich demonstrativ der Formen des bislang den Individuen und Familien vorbehaltenen M. bediente. Als eine Vorform, mehr den Schlachten als deren Opfern gewidmet, darf die *Befreiungshalle*, ein achtzehnekkiges Pantheon, bei Kelheim gelten (1842–1863, Fr. Gärtner, Leo Klenze). Vgl. auch das *Völkerschlachtdenkmal* in Leipzig (1900–1913, B. Schmitz, F. Metzner), das Marine-Ehrenmal in Laboe (1927–36, G. A. Munzer), beide in zeitgenössischen Stilen mit ausgeprägtem Appell-Charakter. Der *Shrine of Remembrance* in Melbourne (Abb. 4), errichtet für die australischen Gefallenen des Ersten Weltkriegs (1934), zitiert dagegen ein weiteres Mal die Stufenpyramide des Ur-M., verbunden mit einer Parthenonfassade. Die *Totenburgen* des M.-Spezialisten Wilhelm Kreis (Bismarck-Monument in Stettin, 1915), an den Rändern des nationalsozialistischen Herrschaftsgebiets während des II. Weltkriegs, sollten als rassische M. der Eroberer eine neue ethnische Grenzziehung markieren [11].

Wie die »Helden« erhielten auch die Opfer ihre kollektiven M.: Vgl. die betreffenden Monumente u. a. in Bologna, Cuneo, Rom, Majdanek, Buchenwald.

Es blieb den Vereinigten Staaten von Amerika vorbehalten, die vorläufige Schlußphase des heroischen M. einzuläuten: M. der Präsidenten Ulysses S. Grant in New York, eine ionische Tholos mit Kegeldach auf dorischem Unterbau (1891–1897, J. H. Duncan), William McKinley in Canton, Ohio, wiederum à la Caecilia

Abb. 5: J. Russel Pope, Jefferson-Memorial, 1934–43. Washington D.C. (Foto Benoît Roland)

Metella (1905/06, H. van Buren Magonigle), das Lincoln-Memorial in Washington D. C., eine Art dorischer Tempel (1912–1922, H. Bacon), das Jefferson-Memorial ebenda, ein palladianisches »Pantheon« (1934–1943, J. Russel Pope), im Geiste des auch als Architekt hervorgetretenen Präsidenten (Abb. 5).

Mit der Verewigung von Autokraten und Diktatoren setzte und setzt man die Trad. des M. fort, das dabei zur bevorzugten Bühne staatlicher Repräsentation wird. Das durch ungezählte Inszenierungen und Staatsakte berühmteste: Lenins M. auf dem Roten Platz in Moskau, in dem nicht der Sarg, sondern die präparierte Leiche selbst besichtigt wird (1927–1930, A. V. Stschussew); ferner das M. Kemal Atatürks in Ankara (1944–1953, Emil Onat): Den Kernbau der umfangreichen Gesamtanlage bildet eine am Lincoln-Memorial orientierte Säulenhalle, die stilistisch nach Art von P. L. Troosts *Ehrentempeln*

am Münchner Königsplatz (1935, für die »Blutzeugen« des Hitlerputsches 1923) auf ihre geometrisch-orthogonalen Elemente reduziert ist.

→ AWI Bryaxis, Halikarnassos, Leochares, M. Augusti, M. Hadriani, Maussolleion, Maussolos, Pytheos, Satyros, Skopas, Timotheos

1 K. BAUCH, Das ma. Grabbild, 1976 2 J. BEPLER u. a., Weibliche Selbstdarstellung im 17. Jh. in: H. WUNDER, G. ENGEL (Hrsg.), Geschlechterperspektiven, 1998, 441–468 3 J. V. BREEN, Het reconstructieplan voor het mausoleum te Halikarnassos, 1942 4 B. EVERS, M. des 17.–19. Jh. Typologische Studien zum Grab- und Memorialbau, Diss. Tübingen 1983 5 H. G. EVERS, Tod, Macht und Raum als Bereiche der Architektur, 1939 6 K. GALLWITZ, Unt. zum it. zentralen Grab- und Memorialbau des 15. und 16. Jh., Diss. Göttingen 1957 7 R. GRANDI, I monumenti dei Dottori a la scultura a Bologna, 1982 8 J. HARRIS, Le Geay, Piranesi and International Neo-classicism in Rome 1740–1750, in: Essays in History of Architecture, presented to Rudolf Wittkower, 1967, 189–196 9 R. HILLENBRAND, Islamic Architecture: Form, Function and Meaning, 1994 10 H. KÖRNER, Grabmonumente des MA, 1997 11 E. MAI, Von 1930 bis 1945: Ehrenmäler und Totenburgen, in: W. NERDINGER, E. MAI, Wilhelm Kreis. Architekt zw. Kaiserreich und Demokratie 1873–1955, 1994, 156–167 12 E. KAUFMANN, Architecture in the Age of Reason, 1955 13 E. PANOFSKY, Grabplastik, 1964 14 P. PINNAU, Gruft, M., Grabkapelle, 1992 15 A. REINLE, Die Rotunde im Chorscheitel, in: Discordia Concors. Festgabe für Edgar Bonjour, 2, 1968, 727–758 16 Spätant. Zentralbauten in Rom und Latium, begründet v. A. TSCHIRA, ab 1984 17 D. STILLMAN, Death Defied and Honour Upheld: The M. in Neo-Classical England, in: The Art Quarterly, 1/3, 1978, 175–213 18 D. STILLMANN, s. v. M.: The Dictionary of Art, 20, 1996, 863–871 19 A. M. VOGT, Boullées Newton-Denkmal: Sakralbau und Kugelidee, 1969.

BERTHOLD HINZ

Maxime s. Aphorismus

Mechanik s. Naturwissenschaften IV.

Medaillen sind münzähnliche Metallstücke aus Gold, Silber, Bronze oder Blei, die nicht für den Geldverkehr vorgesehen sind. Im frühen MA fanden m.-förmige Imitationen röm. Denare als Schmuck Verwendung. M. entstanden in der Ren. in der 1. H. des 15. Jh.; Begründer der M.-Kunst war der it. Maler Pisanello (Antonio di Puccio Pisano, um 1395–1455) [5; 3. Bd. IV. 564–581]. Offizielle M. werden häufig zu histor. Ereignissen wie etwa Thronbesteigungen oder siegreichen Schlachten ausgegeben, wobei der jeweilige Herrscher in der Trad. der röm. Kaiser dargestellt ist (Abb. 1 und 2).

Etwa um die Mitte des 16. Jh. begann man in It. mit dem systematischen Sammeln röm. Münzen. Den dabei auftretenden Mangel an Originalen versuchte man durch die Anfertigung von Kopien zu beheben. Diese Nachbildungen wurden anfangs wie die ant. Mz. geprägt, später auch gegossen.

Entstanden sind diese Nachbildungen im it. Padua, weshalb sie allg. als Paduaner bezeichnet werden. Der bedeutendste Künstler und Stempelschneider war der aus Padua stammende Giovanni Cavino (1499–1570), der von dem Archäologen, Baumeister und Maler Alessandro Bassiano beraten wurde [3. Bd. I. 223–230].

Die Darstellungen auf den Paduanern beziehen sich, wie die auf röm. Mz., auf verschiedene Bereiche und Gestalten der Antike. Einen großen Teil des Werkes Cavinos machen die Nachbildungen röm. Kaisermünzen aus (Abb. 3 und 4). Die Paduaner sind nicht im strengen Sinne als Fälschungen ant. Prägungen anzusehen, sondern als M. der Ren., die das wachsende Interesse für die Ant. im 16. Jh. widerspiegeln.

Abb. 1: Johann III. von Polen, 1674–1696, AR-Medaille, 44 mm, 24,35 g (München, Staatliche Münzsammlung)

Abb. 2: Napoleon I. von Frankreich, 1804–1814, AR-Medaille, 40 mm, 35,78 g (München, Staatliche Münzsammlung)

Abb. 3: Titus, 79–81, AR-Paduaner von Cavino,
geprägt, 37 mm, 28,17 g (Vorderseite)
(München, Staatliche Münzsammlung)

Abb. 4: Titus, 79–81, AR-Paduaner von Cavino,
geprägt, 37 mm, 28,17 g (Rückseite)
(München, Staatliche Münzsammlung)

Im übrigen kann die blühende M.-Kunst der späteren Epochen, bei der prominenteste Künstler als Entwerfer auftraten, nur z. T. als spezifisches Phänomen der Antikenrezeption gelten.

1 M. BERNHART, Paduaner, in: Blätter für Münzfreunde 1912, Nr. 6, 5054–5060 2 Bollettino di Numismatica, Monografia 4.II.2, 1989: Milano. Civiche Raccolte Numismatiche. Catalogo delle medaglie II. Secolo XVI: Cavino 3 L. FORRER, Biographical Dictionary of Medallists, 1902–1930 4 Z. H. KLAWANS, Imitations and Inventions of Roman Coins, 1977 5 W. STEGUWEIT, s. v. M., LMA 6, 1993, 442.   GERD STUMPF

Medien

I. MEDIENEINSATZ IM UNTERRICHT
II. RUNDFUNK/AUDIO III. FERNSEHEN

I. MEDIENEINSATZ IM UNTERRICHT

A. BEDEUTUNG UND FUNKTION VON MEDIEN
B. MEDIENTYPEN UND BEURTEILUNGSKRITERIEN FÜR MEDIEN C. WICHTIGE MEDIEN DES ALTSPRACHLICHEN UNTERRICHTS (IN ALPHABETISCHER REIHENFOLGE)

A. BEDEUTUNG UND FUNKTION VON MEDIEN

M. haben eine zentrale Bed. im Unterricht. Ihre Hauptfunktion besteht in der Informationsvermittlung und der Intensivierung und Unterstützung von Lehr- und Lernprozessen; sie sind ›Interaktionsvehikel, die (…) im Lehr- und Lernprozeß (…) kommunikationsstützend und/oder kommunikationsübertragend bzw. kommunikationssteuernd in Aktion treten‹ [7. 72]. M. dienen nicht nur der Abwechslung oder Auflockerung, sondern können die Schüler aktivieren, Lernprozesse differenzieren und das Unterrichtsgeschehen strukturieren. Außerdem können M. die Dominanz des Lehrers mindern und ihn bei der Stoffvermittlung entlasten. Erfolgreicher M.-Einsatz kann die Schülermotivation und auch das »Image« eines Schulfachs positiv beeinflussen.

B. MEDIENTYPEN UND BEURTEILUNGSKRITERIEN FÜR MEDIEN

Die inhaltliche Bandbreite unterrichtsrelevanter M. ist umfangreich [8. 9 ff.]: Sie umfaßt hauptsächlich sog. »vortechnische« (z. B. Tafel, Unterrichtswerk) und »technische« Medien. Diese technischen M. werden unterteilt in auditive, visuelle und audiovisuelle M. (z. B. CD, Dia, Videofilm). Auch Unterrichtssituationen (z. B. Rollenspiele) und Personen (z. B. Lehrer) können als M. betrachtet werden. Letztlich können alle konkreten Objekte zu M. werden. Entscheidend für die Qualität von M. sind nicht nur eine vernünftige Aufwand-Nutzen- bzw. Kosten-Relation und eine attraktive Gestaltung, sondern v. a. sachliche Korrektheit, Übereinstimmung mit den Lehrplanvorgaben, eine angemessene Informationsdichte, die Qualität von Begleitmaterial, die Ausnutzung des jeweiligen m.-spezifischen Potentials, Schülergemäßheit sowie die Effektivität im Unterricht.

C. WICHTIGE MEDIEN DES ALTSPRACHLICHEN UNTERRICHTS (IN ALPHABETISCHER REIHENFOLGE)

Für den altsprachlichen Unterricht (AU) existiert ein fast unüberschaubares M.-Angebot [5]. Davon sind für die Unterrichtspraxis »traditionelle« M., v. a. Tafel, Unterrichtswerk und Schultextausgabe, von zentraler Bedeutung. Gleichzeitig ist die unterrichtspraktische Relevanz anderer M. stark gestiegen. Ihnen gilt deshalb in der folgenden Darstellung das Hauptaugenmerk: Hierzu gehören neben → Comics und Sachbuch v. a. audiovisuelle M.; zu den herkömmlichen Angeboten wie Dias, Videofilmen und OH-Folien wurden zahlreiche interaktive Computerprogramme für den AU entwikkelt. Hinzu kommt ein breites Materialangebot im Internet.

1. Das Bild (Foto, Zeichnung, graphische Darstellung, Reproduktion) dient im Sprach- und Lektüreunterricht der Veranschaulichung, Information und Motivationsförderung. Bilder zu Themen der Ant. stehen dem AU in verschiedener Form zur Verfügung, v. a. in Lehrbuch, Textausgabe und Sachbuch, sodann als Dia, im Internet, auf CD-ROM, als (Flip)Poster und Wandbild sowie schließlich in Comics, Zeitschriften und Zeitungen. Bilder können im Sprach- und Lektüreunterricht eingesetzt werden, z. B. zur Anbahnung und Förderung des Textverständnisses, zur Einführung und Vertiefung bei der Formen- und Wortschatzarbeit, zur Interpretation sowie zur Veranschaulichung realien- und kulturkundlicher Inhalte. Der didaktische Wert wird gemindert durch schlechte technische Qualität, mangelnde Sichtbarkeit für alle Schüler, fehlenden Textbezug und Reizüberflutung.

2. Comics haben für viele Schüler einen hohen Motivationswert. Sie fördern im Fremdsprachenunterricht das Textverständnis durch die Wahrnehmung des jeweiligen situativen Kontexts. Einsatzmöglichkeiten ergeben sich schon während der Lehrbuchphase: Aus Comics entnommene bzw. selbst erstellte, in sich geschlossene Einzelszenen können Grundlage zur Einführung und Übung gramm. Stoffe sein. Ferner können Comics als Übergangs-, Erst- oder Begleitlektüre eingesetzt werden. Hierfür sind v. a. Comics geeignet, die speziell für den AU entwickelt wurden (Caesar, Ovid, Komödie) und adaptiertes oder originales Latein bieten. Allerdings sind sie kein Ersatz für die Originallektüre. Desweiteren gibt es lat./griech. Übers. bekannter Comics (z. B. *Asterix*, *Tim und Struppi*, *Mickey Maus*), die in der Regel keine originale und bisweilen fehlerhafte Sprache aufweisen. Beim *Asterix Latinus* bieten sich diverse Möglichkeiten zum lehrbuchergänzenden Einsatz im Sprachunterricht oder bei der Übergangs- oder Begleitlektüre. Da die sprachlichen Anforderungen und die literarisch-histor. Anspielungen von recht hohem Niveau sind, ist eine flüssige Lektüre u. U. nur schwer zu erreichen und Motivationsverlust nicht auszuschließen.

3. Computereinsatz und Internet gewinnen immer größere Bed. für den AU. Der Computer kann eingesetzt werden zur Darstellung, Bearbeitung und Vertiefung eines Lerngegenstands und zur Informationsbeschaffung; er kann beitragen zur Motivation der Schüler, zur Förderung von selbständigem Lernen, zur Differenzierung von Lernprozessen sowie zur Einzelförderung und Kommunikation inner- oder außerhalb einer Lerngruppe. Bei interaktiven Programmen wird Selbstkontrolle ermöglicht; zudem orientiert sich das Lernen eher am Positiven, da Fehler per Knopfdruck beseitigt werden können. Schließlich können verschiedene Sozial- und Arbeitsformen beim Computereinsatz angewendet werden (Einzel-, Partner- und Gruppenarbeit, Wochenplan, Freiarbeit). Obwohl Computereinsatz kein Allheilmittel für grundsätzliche Probleme des

AU darstellt, kann er spezifische Lehr- und Lernprozesse des AU gezielt unterstützen: Lernprogramme (»Formen- und Vokabeltrainer«) können Wortschatz und Formenarbeit fördern; Vokabeln können auf verschiedene Art gelernt und vertieft werden (durch Übers. oder Bestimmung, durch Abfragen nach Wortarten oder Anfangsbuchstaben, durch Vokabelspiele oder Anlegen von Vokabeldateien). Am E. werden die Leistungen in einer Ergebnisstatistik dokumentiert. Als problematisch erweist sich hierbei die Tendenz zum schematischen Deklinieren und Konjugieren sowie zum Abfragen und Übers. kontextunabhängiger Einzelformen.

Auch für die Texterschließung und die Analyse komplexer Sprachstrukturen kommt die Arbeit am Computer in Frage. So können einzelne Wörter, Formen, Satzglieder und Konstruktionen gekennzeichnet und der Text verschieden angeordnet werden (z. B. durch Einrücken oder kolometrische Darstellung). Hierfür eignen sich gängige Textverarbeitungsprogramme, aber auch Lernprogramme bieten Möglichkeiten in diesem Bereich. Bei der Realien- und Kulturkunde schafft der Computereinsatz (Internet, CD-ROM) Gelegenheit zu multimedialen Spaziergängen durch ant. Stätten, zur intensiven Beschäftigung mit ant. Kultur, Geschichte, Lit. und Mythologie. Gerade das Internet bietet für Schüler beeindruckende Möglichkeiten, ant. Inhalte selbständig zu recherchieren, zu bearbeiten und zu präsentieren. So kann die Vorbereitung einer Studienreise mit Hilfe des Internet erledigt werden. Als problematisch kann sich die Informationsfülle dieser Neuen M. erweisen; außerdem scheinen auch interaktive Programme die Eigentätigkeit der Schüler noch nicht hinreichend zu fördern und einer rezeptiven Grundhaltung Vorschub zu leisten.

4. Das Diapositiv dient der Veranschaulichung ›verbal kaum beschreibbarer Objekte‹ [10. 25], also z. B. der Darstellung arch. Zeugnisse. Im Anfangs- und Lektüreunterricht können Dias zur Visualisierung einer bestimmten Lehrbuch- oder Textstelle herangezogen werden; hierfür existieren z. T. lehrbuch- oder lektüreverzahnte Diaserien. Ferner können Dias für die Illustration von Lehrer- und Schülervorträgen sowie für die Vor- und Nachbereitung von Studienfahrten hilfreich sein. Eine konzentrierte Beschäftigung wird durch die flexible Projektionszeit und die Beschränkung auf den visuellen Wahrnehmungskanal gefördert; dennoch besteht die Gefahr der Reizüberflutung, die durch Analyse der Unterrichtsvoraussetzungen (z. B. Alter der Schüler) und genaue Planung (z. B. Aktivierung der Schüler durch Arbeitsaufträge) vermieden werden kann.

5. Film/Video gehören zu den motivierendsten M., da sie durch ihre Lebendigkeit und Anschaulichkeit den Abstand zur Ant. besonders eindrucksvoll verringern können. Filme können im Lehrbuch- und Lektüreunterricht als Einstieg zur Motivierung und Problematisierung sowie zur Erarbeitung und Zusammenfassung eingesetzt werden. Aufgrund der Informationsfülle sind

eine intensive Vorbereitung, Arbeitsaufträge zur Beobachtung und eine Nachbereitungsphase sinnvoll. Da das Schulfilmangebot relativ schmal ist, bietet sich der Einsatz von Historien- und Dokumentarfilmen an. Problematisch ist der relativ hohe organisatorische Aufwand und die Dominanz des M., das Lehrer- und Schüleraktivitäten einschränkt und die Gefahr des bloßen Konsumierens in sich birgt.

6. Obwohl das Lernspiel in allen unterrichtlichen Lernbereichen eingesetzt werden kann, liegt das Haupteinsatzgebiet im Bereich der Übung. Dabei kommen dem Lernspiel vier Eigenschaften zugute: Das Lernspiel aktiviert die Schüler, es ermöglicht selbständiges Lernen und läßt den Lehrer in den Hintergrund treten. Das Lernspiel verfügt über eine große inhaltliche und methodische Variabilität. Es bietet sich daher als Alternative zu geläufigen und bisweilen monotonen Übungsformen an. Das Lernspiel vermittelt Kompetenz- und Erfolgserlebnisse und ermöglicht Fremd- und Selbstkontrolle. Wichtig ist dabei ein angemessenes Anforderungsniveau. Schließlich berücksichtigt das Lernspiel durch seinen spielerischen Charakter in bes. Weise die Schülermotivation. Trotzdem ist der Einsatz von Lernspielen nicht unumstritten (Wettstreitsituation mit negativen Folgen für das soziale Klima; Täuschung der Schüler über die eigentlichen Intentionen des AU; mangelnde Effektivität). Das Spektrum der im AU einsetzbaren Lernspiele ist umfangreich: Computerspiele, Gesellschafts- und Würfelspiele, Kartenspiele, Lotto, Bingo, Memory, Planspiele, Puzzle, Rätsel, Schreibspiele, Rollenspiele, Wettspiele. Im AU dienen Lernspiele zumeist der Festigung der Formenlehre und des Wortschatzes, bisweilen der Vertiefung realien- und kulturkundlicher Kenntnisse, aber nur selten der Übung von Syntax bzw. Übersetzungsmethodik. Lernspiele können in die Freiarbeit eingebunden werden und gewinnen in den mod. Unterrichtswerken immer mehr an Gewicht. Teilweise existieren eigens zu bestimmten Unterrichtswerken veröffentlichte Lernspiele. Bei kommerziellen Spielen mit Titeln ant. Inhalts kann man meistens nicht von Lernspielen sprechen, da das eigentliche Spiel nichts mit den Zielen des AU zu tun hat.

7. Die Projektion von Folien durch einen Overhead(Tageslicht)-Projektor gehört zu den gängigsten Formen des M.-Einsatzes. Die technischen und didaktischen Vorteile liegen auf der Hand: leichte Bedienung, beliebige Einsatzdauer, einfache Eigenproduktion und Reproduktion von Folienmaterial; ferner Unterstützung des Lernprozesses durch strukturierende und entwickelnde Veranschaulichung des Lernstoffes, Wiederholbarkeit und Einsatz in sämtlichen Unterrichtsphasen, aktive Schülerbeteiligung, Wahrung des Blickkontakts zu den Schülern, Zeitersparnis. Der OH-Projektor ist aufgrund seiner Abdeck-, Baustein-, Markierungs- und Overlaytechnik in vielen Bereichen des AU einsetzbar, z.B. bei der Formenlehre (schrittweise Entwicklung von Formen, Tabellenarbeit), der Texterschließung (Markierung zusammengehöriger Satzglieder und

Wörter, optische Unterstützung satzanalytischer Verfahren), der Metrik (Versanalysen), der Wortschatzarbeit (Beschriftung von Bildern, Lückentexte) und der Realienkunde (Einsatz von histor. und arch. Material). Neben technischen Problemen und hohen Kosten für Verlagsangebote kann sich v.a. die verminderte inhaltliche Flexibilität vorgefertigter Folien als nachteilig erweisen.

8. Das M. Tafel nimmt im AU auch weiterhin eine zentrale Stellung bei der Förderung von Lernprozessen ein. Wichtige Vorteile sind evident: allg. Verfügbarkeit und leichte Handhabung, Einsetzbarkeit in allen Unterrichtsphasen, große Flexibilität bei der Erstellung eines Tafelbildes (Korrektur, Variation, Integration von Schülerbeiträgen, Festhalten von spontan geäußerten Gedanken), Aktivierung der Schüler durch Beteiligung an der Tafelarbeit, Stoffzusammenfassung und -sicherung, Veranschaulichung und Strukturierung komplexer Inhalte. Der Tafeleinsatz kann die Erarbeitung spezifischer Inhalte des AU nachhaltig unterstützen, etwa die Einführung, Strukturierung und Vertiefung von Syntax- und Formenlehre (Wort- und Satzanalyse, Erstellung von Formentabellen und Regeln, Entwicklung von Übersetzungsschritten und -techniken), ferner die Wortschatzarbeit sowie die sprachliche und inhaltlich-interpretatorische Strukturierung von Original- und Lehrbuchtexten.

9. Tonträger (Audio-Kassette, CD, Schallplatte oder Tonband) haben einen hohen Motivationswert und können wichtige Aufgaben im AU übernehmen: Neben der Förderung konzentrierten Zuhörens kann in Lehrbuch- und Lektürephase ein unmittelbares Klang- und Lauterlebnis der lat. und griech. Sprache vermittelt werden. Hierzu liegt ein breites Angebot von gesprochenem und gesungenem Latein (und auch Griechisch) aus Ant., MA und Neuzeit vor. Da insbes. bei den gesprochenen Texten Versuche einer Rekonstruktion der histor. Lautgestalt vorgenommen werden, bietet sich im Unterricht eine Problematisierung der Aussprache des Lat. und Griech. an. Lat. Musikbeispiele und Tondokumente gesprochenen mod. Lateins können zu einer Verlebendigung des Unterrichts bis zum aktiven Gebrauch des Lat. führen. Desweiteren dienen Hörspiele und Rundfunkreportagen der Vermittlung histor. und realienkundlicher Kenntnisse. Tonträger können in Lehrbuch- und Lektürephase vorbereitend, begleitend, ergänzend oder zusammenfassend Informationen vermitteln. Sie können die Textarbeit unterstützen (z.B. durch auditive Texterarbeitung, durch einen abschließenden Lesevortrag nach der Lektüre mit Anregungen zur Interpretation oder durch Einbeziehung von Sekundärtexten) und die aktive Beherrschung der Alten Sprachen fördern (Aufnahme von Schüler-Rezitationen). Außerdem bieten Audio-Kassette und Tonband Möglichkeiten handlungs- und produktorientierten Arbeitens (Erarbeitung von Hörszenen und Reportagen). Nachteilig kann sich auch hier die immanente Tendenz zur Rezeptivität auswirken. Daher ist eine Aktivierung

der Schüler durch Beobachtungsaufgaben, vorheriges Lesen des Textes oder inhaltliche Vorklärung notwendig.

10. Die Wandkarte gehört zu den M., deren Einsatz im AU eine lange Trad. hat. Sie kann im Sprach- und Lektüreunterricht verwendet werden und dient nicht nur der Lokalisierung des Geschehens, sondern veranschaulicht Entwicklungen und ›Beziehungen‹ (...) (Lagebeziehungen, Entfernungen), von denen Wort und Bild kaum eine Vorstellung geben können‹ [10. 52]. Es handelt sich neben top. häufig um thematische Landkarten, die der Orientierung über polit., kulturelle und ethnographische Gegebenheiten und Entwicklungen in der Ant. dienen. Charakteristische Inhalte sind z. B. das klass. Griechenland, das Reich Alexanders des Gr., die Stadt Rom sowie das röm. Reich und seine Provinzen in den verschiedenen Stadien ihrer histor. Entwicklung. Ferner können Landkarten zur biblischen Geschichte (z. B. Reisen des Apostels Paulus) im AU eingesetzt werden. Zusätzlich gibt es Stilkunde- und Bildwandkarten, die durch die Einbindung von Bildmaterial die Anschaulichkeit der Landkarte erhöhen sollen, sowie Lehrtafeln zur Konjugation des lat. Verbs. Wandkarten können in Lehrbuch oder Textausgabe vorhandene Karten unterstützen, andere M. ergänzen oder mit ihnen kombiniert werden (z. B. mit Atlas, Film, Tafel, Unterrichtswerk). Als nachteilig erweisen sich optische Probleme im Klassenraum, Informationsüberfrachtung und ein hoher Anschaffungspreis.

1 D. Fechner, Multimedia im AU, in: AU 4+5/1998, 86–102 2 G. Hey, Lernen durch Spielen, 1984 3 D. Kaufmann, P. Tiedemann, Internet für Althistoriker & Altphilologen, 1999 4 W. Müller, Der Tageslichtprojektor im Lateinunterricht, 1981 5 S. Kipf, M.-Slg. zum AU, in: Mitteilungsblatt des Dt. Altphilologenverbands 38, 1995, Sonderheft; laufend aktualisierte Fassung unter http://www.fu-berlin.de/klassphi/didaktik 6 Ders., Et vitae et scholae…ludimus. Das Lernspiel im altsprachlichen Unterricht, in: AU 1/2000, 2–14 7 G. Kolb, M.-Didaktik aus kommunikationstheoretischer Perspektive, in: H. Dichanz et al., M. im Unterrichtsprozeß, 1974, 42–79 8 H. Meschenmoser, Lernen mit M. Zur Theorie, Didaktik und Gestaltung von interaktiven M., 1999 9 R. Müller, Spielerische Übungsformen für Freiarbeit in der Sekundarstufe I, in: AU 1/1997, 77–91 10 J. Steinhilber, M.-Hdb. zum Lateinunterricht, 1982 11 F. P. Waiblinger, Alte Sprachen und neue M., in: Forum Classicum 2/1997, 71–82. STEFAN KIPF

II. Rundfunk/Audio
A. Die Entwicklung des Rundfunks
B. Hörspiel und Feature   C. Schulfunk

A. Die Entwicklung des Rundfunks

Mit der Erfindung der drahtlosen Telegraphie 1897 durch Heinrich Hertz und ihrer Weiterentwicklung zur drahtlosen Telephonie zu Beginn des 20. Jh. waren die technischen Voraussetzungen für die Entstehung des R.

gegeben. Nachdem die Funktechnik zunächst v. a. militärisch genutzt worden war, entstanden ab 1920 die ersten R.-Dienste (USA 1920, England 1922, Deutschland 1923). In Deutschland lag die Funkhoheit von Anf. an beim Staat. Die staatliche Kontrolle erreichte ihren Höhepunkt im Nationalsozialismus, als der R. dem Reichsministerium für Propaganda unterstellt wurde. Während diese zentralistische Organisationsform in der DDR übernommen wurde, setzten in West-Deutschland die Alliierten unter Führung der US-Amerikaner nach 1945 das Modell des öffentlich-rechtlichen R. mit dezentraler Struktur durch. Neben die in der ARD zusammengeschlossenen Landesrundfunkanstalten sowie Deutschlandfunk und Deutsche Welle traten ab den 1980er J. zahlreiche private Anbieter, die sich allein durch Werbung finanzieren. Das Programmangebot dieses dualen Systems wurde durch mehrere Urteile des Bundesverfassungsgerichts festgeschrieben. Danach haben die öffentlich-rechtlichen Sender im Gegensatz zu den einerseits massenwirksamen, andererseits oft auf einzelne Sparten und damit auf bestimmte Programmformate beschränkten Privatsendern die Aufgabe einer inhaltlich umfassenden und ausgewogenen Grundversorgung [8. 431–449]. Innerhalb dieses Grundversorgungsauftrags nimmt allerdings auch im öffentlich-rechtlichen R. die Verspartung einzelner Programme zu. Sie wird u. a. durch die zunehmende Verbreitung von Kabel- und Satellitenempfang, durch die eine wesentlich größere Bandbreite an R.- und Fernsehsendern als bisher empfangen werden kann und der Konkurrenzkampf um die begrenzte Anzahl von Frequenzen aufgehoben wird, gefördert [8]. Infolge dieser Entwicklung der dt. Hörfunklandschaft werden die für die Antikerezeption zentralen Sendeformate Hörspiel, Feature und Schulfunk nahezu ausschließlich im öffentlich-rechtlichen R. und hier innerhalb bestimmter Programme zu meist festen Sendeplätzen ausgestrahlt.

B. Hörspiel und Feature

Die ersten Anf. des Hörspiels als Gattung fallen mit dem Beginn des R. zusammen. Unter den Hörspielen aus dieser Zeit gilt Eberhard Wolfgang Möllers *Douaumont* (Berliner R. 1932), die Geschichte eines spät heimkehrenden Soldaten des Ersten Weltkriegs, dessen Schicksal durch Mottos aus der *Odyssee* mit demjenigen des Odysseus gleichgesetzt wird, als Vorläufer des nationalsozialistischen Hörspiels. Während des Nationalsozialismus wurde der gesamte R. und damit auch das Hörspiel fast vollständig politisiert. Eine Gegenreaktion auf das nationalsozialistische Propaganda-Hörspiel stellt Bertolt Brechts im Exil entstandenes Werk *Das Verhör des Lukullus* (Radio Beromünster 1940) dar, in dem Brecht anhand eines Totengerichts über den Feldherren Lucullus dem Krieg jegliche Legitimation abspricht [3. 7–13, 169–176].

In den 1950er J. entwickelte sich das Hörspiel mehr und mehr zu einer anspruchsvollen lit. Gattung, die von zahlreichen bedeutenden Autoren aufgegriffen wurde. Zentrale Themen des Hörspiels der 1950er J. sind neben der Auseinandersetzung mit der Wohlstandsgesellschaft auch die Verarbeitung des Faschismus und des Krieges [7. 190]. So versetzt Leopold Ahlsen in seinem 1955 mit dem Hörspielpreis der Kriegsblinden ausgezeichneten Werk die Geschichte von *Philemon und Baucis* in die Zeit des Zweiten Weltkriegs. Im Gegensatz zum ant. Vorbild wird Ahlsens Ehepaar für seine Gastfreundschaft jedoch nicht belohnt, sondern hingerichtet. Wolfgang Weyrauchs *Anabasis* (BR/NDR 1959) ist, ebenso wie *Alexanderschlacht* (BR/NDR 1965), ein Plädoyer für Gewaltlosigkeit. In Wolfgang Hildesheimers *Das Opfer Helena* (NWDR/BR 1955) wird der durch Helenas Entführung ausgelöste Trojanische Krieg als ein von beiden Seiten herbeigeführtes Unternehmen, dessen erstes Opfer Helena wird, interpretiert und so die Frage nach der Kriegsschuld und der histor. Wahrheit thematisiert. Dieter Wellershoffs 1960 mit dem Hörspielpreis der Kriegsblinden ausgezeichnetes Hörspiel *Der Minotaurus* (SDR 1960) setzt einen Abtreibungsarzt mit dem menschenfressenden Monster der griech. Myth. gleich. Die bevorstehende Abtreibung ruft in Mann und Frau eine tiefe Krise hervor, durch die auch der junge Mann sein wahres Ich zeigt. Weniger problembeladen ist Friedrich Dürrenmatts *Herkules und der Stall des Augias* (1954), eine satirische Auseinandersetzung mit der den kulturellen Fortschritt hemmenden Schweizer Bürokratie.

Während bis dahin die lit. Seite des Hörspiels dominiert hatte, entwickelte sich in den 1960er J. die Gattung des »Neuen Hörspiels«, die unter Ausnutzung aller technischen Möglichkeiten des Mediums R. akustisches Material einbindet und als gleichberechtigtes Element neben den Text stellt. Vor allem Heiner Goebbels nutzt für seine Hörstücke, in denen er oft ant. Stoffe aufgreift, diese Form (Heiner Goebbels/Heiner Müller, *Verkommenes Ufer Medeamaterial Landschaft mit Argonauten*, BR 1984; Heiner Goebbels/Heiner Müller, *Die Befreiung des Prometheus*, SWF 1985, Hörspielpreis der Kriegsblinden 1985; *Schliemanns Radio*, HR/BR/SFB 1992, Karl-Sczuka-Preis, Spezialpreis des Prix Italia; Heiner Goebbels/Livius, Pierre Corneille, Heiner Müller, William Faulkner, *Der Horatier und Roman Dogs*, SWF/HR/WDR 1993/94).

Stark politisiert wird die Ant. in Helga M. Novaks Hörspiel *Stadtgespräch Nr. 1* (SDR 1972). Unter deutlichem Bezug auf die RAF-Terroristin Ulrike Meinhof wird Medea hier als Rebellin dargestellt, die aus dem Untergrund einen Aufstand unterstützt, um so das in Korinth herrschende System zu stürzen. Daneben treten seit den 1970er J. Gattungen wie das Kriminalhörspiel, das Mundarthörspiel oder das Science-Fiction-Hörspiel stärker hervor. Ant. Gestalten treten hier v. a. im Kontext von Zeitreisen auf, so die Figur des Sokrates in Hermann Motschachs *Begegnung im Holotank* (SDR 1992) und in Friedrich Bestenreiners *Die Geschichte mit dem Benzinkanister* (RB 1992).

Die 1980er und 1990er J. zeigen insgesamt eine große Vielfalt der Hörspielproduktion, die sich auch in der Form der Antikenrezeption niederschlägt. So macht Thomas Vanesta aus den *Hiketiden* des Aischylos ein Hörspiel über die Situation Asylsuchender in Deutschland (*Die Schutzflehenden*, 1990). Cees Nootebooms *Gyges und Kandaules* (BR/SDR 1993) ist eine Neuerzählung des Herodot-Stoffes, in der Kandaules' Untergang allein auf seine in polit. Handlungsunfähigkeit resultierende Obsession mit seiner schönen Frau zurückzuführen ist. Einen satirischen Bezug auf die Olympischen Spiele der Neuzeit stellt der Hörspiel- und Spielfilmautor Christoph Gahl durch seine Darstellung der ant. Olympischen Spiele in *Hipp hipp hurra mein Attika* (RIAS 1992) her, und Volker Erbes macht aus Odysseus den Söldner Oddy Revolver, der in einem Athener Bordell auf seine Frau Penelope trifft (*Penelope*, RB/SR/SWF 1988). Auch einige Kinderhörspiele nehmen ant. Stoffe auf. Hier dominieren Nacherzählungen ant. Mythen, teils mit einem originellen Ende (Dirk Heidicke, *Ganymed*, DS-Kultur 1992).

Obwohl sie nicht zur eigentlichen Gattung des Hörspiels gehören, werden auch Lesungen und Dramen auf dem Sendeplatz des Hörspiels ausgestrahlt. In diesem Rahmen werden, wenn auch vereinzelt, ant. Dramen gesendet: Aischylos, *Die Perser* (BR 1953); *Die Orestie* (SWF/BR/RB 1954); *Der gefesselte Prometheus* (HR 1970); Sophokles, *Antigone* (SWF/BR 1953); *König Ödipus* (SWF 1952); Euripides, *Elektra* (WDR 1952); *Ion* (HR 1958); *Alkestis* (NDR 1959); *Die Bakchen* (WDR 1972); Walter Jens, *Der Untergang* nach Euripides, *Die Troerinnen* (BR 1984); Aristophanes, *Lysistrate* (SDR 1957). Vereinzelt werden auch Dramen im Original gesendet, so Sophokles' *Oedipus Rex* (BR 1963). Daneben stehen mod. Dramen mit ant. Inhalten wie etwa Franz Werfels *Euripides oder Über den Krieg* (WDR/ORF 1987) und Albert Camus' *Caligula* (DS-Kultur 1992). Umgekehrt werden jedoch auch Hörspiele für andere Medien umgeschrieben. So wurde Leopold Ahlers *Philemon und Baucis* auch als Theaterstück und Fernsehfilm produziert, Volker Brauns *Iphigenie in Freiheit* (1991 als Hörspiel des Monats ausgezeichnet), in dem er den Untergang der DDR thematisiert, wurde 1992 als Drama uraufgeführt. Auch Heiner Goebbels arbeitet seine Hörstücke teilweise zu Bühnenstücken um (*Die Befreiung des Prometheus*, SWF 1985, 1993 als szenisches Konzert aufgeführt; *Schliemanns Radio*, HR/BR/SFB 1992, 1997 als Musiktheater aufgeführt).

Auch nicht als Drama konzipierte, durch ihren monologischen oder dialogischen Charakter jedoch für die Produktion als Hörspiel geeignete Werke wie Christine Brückners *Du irrst, Lysistrata* (BR 1984), Christa Wolfs *Kassandra* (WDR/SFB/SWF 1985) oder Platons *Phaidros* (SWF 1990) und *Das Trinkgelage oder Über den Eros* (SDR 1987) werden hier ausgestrahlt. Speziell Lesungen der *Odyssee* räumen die Sendeanstalten häufig größere Blöcke ein. Außergewöhnlichen Erfolg hatte hier das Projekt von Christoph Martin, dessen vollständige Übertragung der *Odyssee* bereits mehrfach im Bayerischen und Hessischen Rundfunk ausgestrahlt wurde. Besonders der HR bemühte sich um ein Gesamtkonzept: Im Rahmen einer Gesamtausstrahlung über 21 Tage im Sommer 1999 richtete der Sender eine öffentliche Veranstaltung mit Musik und griech. Essen aus, während der auch ein Teil der *Odyssee* gelesen und live übertragen wurde. Das Pfingstwochenende 1999 stand ganz im Zeichen der *Odyssee*, deren Vortrag durch musikalische und Wortbeiträge, die sich thematisch an der Ant. orientierten, ergänzt wurde.

Gerade Lesungen und Dramatisierungen lit. Werke werden seit einigen J. auch als Audiokassette oder CD veröffentlicht. In den 1970er und 1980er J. wurden Hörspielschallplatten und -kassetten noch, abgesehen von didaktischem Material sowie Hörbüchern für Blinde und Sehbehinderte, fast ausschließlich für Kinder und Jugendliche produziert. Im Bereich der Antikenrezeption werden hier v. a. Abenteuergeschichten ausgewählt, so *Hercules* (RTL/Karussell 1995, ein Hörspiel nach der dt. Fassung der Fernsehserie *Hercules: The Legendary Journeys*), *Die Abenteuer und Irrfahrten des Odysseus* von Karlheinz Koinegg (WDR/Hör-Verlag 2000) und *Der Zug der Argonauten* von Dimiter Inkiow (RB/Igel-Records 2000). Seit der CD-Markt für klass. Musik jedoch größtenteils gesättigt ist, bieten Hörbücher neue Absatzmärkte. Veröffentlicht werden hier neben aktuellen Bestsellern v. a. ant. und mod. Klassiker. So werden mehrere Lesungen der *Odyssee* (Übers.: Johann Heinrich Voss, SWF/Hörbuch o.J.; Übers.: Christoph Martin, HR/Patmos 1999; Bearb.: Laura Olivi, Audio Books o.J.) ebenso angeboten wie eine Hörspielbearbeitung von Christa Wolfs *Medea* (NDR 1997).

Teils auf dem Sendeplatz des Hörspiels, teils auf eigenen Programmplätzen bieten die öffentlich-rechtlichen R.-Anstalten regelmäßig Features an, die teilweise ant. Themen aufgreifen. Ziel solcher Sendungen ist es, einem interessierten Publikum kultur- und geistesgeschichtliche Themen in allgemeinverständlicher Form zu präsentieren. Der Bayerische R. etwa hat für solche Sendungen am Sonntagvormittag einen festen Sendeplatz eingerichtet. In der Reihe *Diese unsere Welt* werden regelmäßig auch Themen aus der ant. Geschichte und Lit. vorgestellt (Ulrich Zwack, *Die Athener sind wider alle Vernunft draufgängerisch! oder die ganz unphilos. Realität der ersten Demokratie*, BR 1997; Jürgen Lotz, *Laßt den Vorhang fallen – das Spiel kann beginnen! Theateralltag im kaiserlichen Rom*, BR 2000). Garleff Zacharias-Langhans produzierte für den SWF eine vierteilige Sendereihe über Herodots Berichte aus Ägypten und Babylon (SWF 1991). Ant. Quellen und erläuternde Komm. werden hier in lockerem Ton (Dirk Bennet bezeichnet Wagenrennen als »Formel 1 der Ant.«, BR 1999) aneinandergereiht und bieten in begrenzter Zeit einen Überblick über das Thema.

C. SCHULFUNK

Von Anf. an hatte sich der R. zum Ziel gesetzt, nicht nur Unterhaltung zu bieten, sondern auch ein Medium der Bildung zu sein [8. 149, 160]. So etablierte sich schon bald der Schulfunk als regelmäßiges, durch schriftliche Zusatzmaterialien ergänztes Programmangebot. Wie das gesamte R.-Programm wurde auch der Schulfunk im Nationalsozialismus gleichgeschaltet [5]. Die typischen Merkmale nationalsozialistischer Schulfunksendungen, die u. a. eine ideologische Vorbereitung auf den Krieg lieferten, werden an Fritz Meingasts Hörspiel *Der Läufer von Marathon* (1936/37) deutlich. Athen droht hier nicht nur durch die Perser, sondern v. a. durch Verräter in der eigenen Stadt Gefahr (sie ›gehorchen dem Verführer mehr als dem Führer‹ [1. 239]). Dieser Bedrohung stellt sich ein einzelner, junger Hoplit entgegen, der durch die Meldung vom Sieg bei Marathon den Athenern neue Hoffnung geben will. Wichtiger als die histor. Fakten ist in diesem Hörspiel die Vermittlung nationalsozialistischer Werte wie Heldenmut, der Bereitschaft, für Volk und Vaterland zu sterben, und des Trostes, den die Mutter aus der Gewißheit zieht, daß ihr Sohn für die Heimat gefallen ist.

Nach einer Unterbrechung der Schulfunkarbeit 1940 wurden Schulfunksendungen nach 1945 zunächst zu einem zentralen Unterrichtsmedium, da aufgrund des Papiermangels kaum ideologisch unbelastete Lehrbücher vorhanden waren [2]. Allerdings wurde auch der Einsatz des Schulfunks durch fehlende Empfangsgeräte und die Beschränkung des Unterrichtseinsatzes auf die Ausstrahlungszeit begrenzt. Diese Einschränkungen wurden durch die Ausstattung der Schulen mit R.-Geräten sowie durch den Einsatz von Tonbandaufzeichnungen behoben. Die von den West-Alliierten geförderte Demokratisierung der Deutschen schlug sich im Schulfunkprogramm durch eine bes. große Zahl an Sendungen aus den Fächern Deutsch und Geschichte nieder [4. 23]. Die zeitgenössische Auffassung von Geschichte als ›Interpretation eines Weltmoments‹ [4. 76] spiegelt sich in den Themen der Schulfunksendungen wieder, die sich oft mit herausragenden Einzelpersönlichkeiten und markanten Ereignissen beschäftigten und in Reihen wie *Augenblicke und Gestalten der Geschichte* (HR 1961), *Krisen in der Geschichte* (HR 1963/64), *Glück und Glanz in der Geschichte* (HR 1963/64) zusammengefaßt wurden.

Dagegen bemüht man sich seit den 1970er J. um Sendereihen, die einen Themenkomplex eingehender beleuchten [6. 94–99]. So produzierte der Hessische R. 1985 eine vierteilige Reihe zur *Krise des Römischen Reiches* sowie je eine Reihe über das ant. Griechenland und das Röm. Imperium. Daneben treten seit den 1970er J. Sendungen, die sich mit dem Alltagsleben in der Ant. beschäftigen (*Röm. Alltag*, RB 1984; *Im alten Griechenland*, HR 1985; *Käufliche Lust 1: »Wenn dir das Glied schwillt...«. Prostitution in der Ant.*, SWR 2000).

Abgesehen von histor. Themen werden die Bereiche Philos. und Myth. behandelt. Sendungen zur Philos. und Myth. suchen häufig den Bezug zur Gegenwart, wie bereits durch Reihentitel wie *Mythen – Sinndeutungen menschlichen Lebens* (BR 1995/96) angedeutet wird. So zeigt eine Sendung zu Penthesilea (BR 2000), inwiefern die Amazonenkönigin dem ant. Frauenbild widerspricht, und deutet sie als Vorkämpferin der mod.

Frauenbewegung. In einer Sendung zu Platons *Politeia*, die innerhalb einer Sendereihe *Utopie und Dystopie* steht (BR 1995), kommen auch die Elemente zur Sprache, die Platons Staat in die Nähe mod. Diktaturen rücken.

Die Form der Schulfunksendungen hat sich kaum verändert: in Sendungen von höchstens 30 Minuten wird ein begrenztes Thema teils durch Quellentexte und einen Komm., teils durch Mittel wie fiktive Dialoge oder Reportagen dargestellt. Die Grenzen zum nicht-didaktischen Hörspiel sind allerdings fließend, wie etwa bei Hans Kysers Hörspiel *Prozeß Sokrates*. Das 1929 entstandene Hörspiel in Form einer Reportage über Sokrates' Gerichtsverfahren wurde 1951 auch im HR-Schulfunk ausgestrahlt. Oft wird die Schulfunksendung durch zusätzliches didaktisches Material ergänzt. Dieses beschränkte sich zunächst auf Hintergrundinformationen und Hinweise für den Einsatz der Sendung im Unterricht, inzwischen werden jedoch darüber hinaus auch Arbeitsmaterialien zur Vertiefung und Festigung des Gehörten mitgeliefert, die die Schulfunksendung in einen Medienverbund integrieren sollen [6. 135 f.]. So bietet der Bayerische R. zu seiner Sendung *Vom römischen Alltag im Jahre Null* (BR 2000) nicht nur Hintergrundinformationen und Hinweise zu den mit der Sendung verbundenen Lernzielen und ihrer Umsetzung, sondern auch Bildmaterial, Arbeitsblätter und Vorschläge für ein Tafelbild.

QU **1** Schulfunk. Zweiwochenschrift für die Erziehungsarbeit 1936/37 **2** Schulfunk/Radio Frankfurt 5 (April 1948), 1

LIT **3** R. DÖHL, Das Hörspiel zur NS-Zeit, 1992 **4** Fünf J. Schulfunk in Hessen 1946–1951 **5** H. O. HALEFELDT, Schul- und Bildungsfunk in Deutschland Quellen 1923–1945, 1976, 13–24 **6** R. RIEDLER, Schulfunk und Schulpraxis, 1976 **7** I. SCHNEIDER, Zw. den Fronten des oft Gehörten und des Unentzifferbaren: Das dt. Hörspiel, in: CHR. W. THOMSEN, I. SCHNEIDER (Hrsg.), Grundzüge der Gesch. des europ. Hörspiels, 1985, 175–206 **8** H.-W. STUIBER, Medien in Deutschland, Bd. 2: R., 1998 **9** ST. B. WUERFFEL, Das dt. Hörspiel, 1978. BARBARA KUHN-CHEN

III. FERNSEHEN
A. EINLEITUNG B. DAS MEDIUM FERNSEHEN
C. ANTIKENREZEPTION IM FERNSEHEN

A. EINLEITUNG
Antike ist selbstverständlicher Bestandteil unseres kulturellen Referenzsystems. Andererseits ist das Fernsehen zur Zeit das Medium, das im allg. die weitreichendste Verbreitung hat [1. 21]. In verschiedenster Form finden sich zwangsläufig Schnittpunkte als Antikenrezeption im F., die die unterschiedlichsten Formen annehmen kann. Das Spektrum reicht dabei vom »Pidgin«-Lat. als Steinbruch für Zaubersprüche in Kinder- und Jugendserien (z. B. *Merlin*, Deutschland 1980; *Buffy. The Vampire Slayer*, USA 1997 ff.), der Darstellung verknöcherter Lateinlehrer in der Trad. von H. Manns Professor Unrath (*Nicht von schlechten Eltern*, Deutschland

1993 ff.), über das Auftreten ant. Götter in japanischen Animés (Aphrodite in *Wedding Peach*, Japan 1995) und strahlender Serienhelden in der Trad. der Sandalenfilme (*Hercules. The Legendary Journeys*, USA 1994–2000) bis zu Fernsehaufzeichnungen mod. Inszenierungen der ant. Theaterstücke und sorgfältig recherchierten Dokumentarsendungen.

Bisher war das Thema »Ant. im Fernsehen« nur sehr selten im Blick wiss. Unt. (Ausnahmen: [8. 46 f.; 2]). Doch im Zuge der zunehmenden Beschäftigung mit Film als (neuzeitlicher) Quelle wächst auch das Bewußtsein (vorerst v. a. in der Geschichtsdidaktik) dafür, wie stark Geschichtsbilder, die durch die mod. Medien vermittelt werden, die Wahrnehmung von Geschichte und, in diesem Fall, der Ant. prägen (z. B. [10. 17; 11. 523]). Hinzu kommt, daß diese Geschichts-/Antikenbilder nur selten oder gar nicht mit der Intention entworfen werden, die Vorgaben der Schulwiss. zu erfüllen, so daß hier ein Spannungsverhältnis besteht. Gerade in einem Medium wie dem F. überwiegt der Aspekt der Unterhaltung, auch wenn die öffentlich-rechtlichen Sender per Staatsvertrag verpflichtet sind, den Bildungsauftrag zu erfüllen [1. 137]. Gerade durch diese Diskrepanzen wird eine Beschäftigung mit diesem Themenkomplex interessant, aber auch notwendig. Andererseits hat die Wiss. und die Didaktik der Geschichte und Alten Sprachen im besonderen das Potential entdeckt, das in der Darstellung von Geschichte in audiovisuellen Medien (v. a. auch im → Film; [1. 8. 527]) liegt: ›F. hat hier eine ganz bes. Verantwortung. Wenn das Lehren von Geschichte in der Schule eher dazu dient, den Schülern Sachkenntnisse zu vermitteln, so hat das elektronische Medium doch weit mehr die potentielle Kraft, Neugier, Anteilnahme, Spannung und Betroffenheit zu wecken. Geschichte sinnlich zu erfahren – Augenblicke, die zu Wendepunkten wurden, aber auch die wesentlichen Linien, die das Bild einer Epoche prägen –, das kann Fernsehen leisten‹ [6. 1]. Allerdings wird die praktische Umsetzung noch mit Skepsis beobachtet und die Gefahr der ›Peinlichkeit und Trivialität‹ gesehen [2. 253]. Und doch liegen gerade in den erzählerischen Mitteln des Trivialfilms psychagogische Möglichkeiten, die der traditionellen histor. Darstellung versagt bleiben (so [2. 253]). Serien wie *Holocaust* (USA 1978) und *Roots* (USA 1977) schaffen so durch die Erzählung fiktiver Lebensschicksale nicht nur einen Einblick in die Vernichtung der europ. Juden bzw. die Geschichte der Sklaverei in den USA, sondern erzeugen vielmehr Betroffenheit und Erschütterung bei den Rezipienten.

B. DAS MEDIUM FERNSEHEN
Nachdem Möglichkeiten für die elektrische Übertragung von Bildern seit dem 19. Jh. erforscht wurden und es in den 1920er J. erste praktische Vorführungen gab, wurde am 22.3.1935 in Deutschland der erste regelmäßige Fernseh-Rundfunkdienst eröffnet. Nach dem Zweiten Weltkrieg wurde am 25.12.1952 ein öffentlicher Fernseh-Rundfunkdienst eingerichtet. Das

ZDF sendet seit 1963, die dritten Programme kamen seit 1964 hinzu. Die Aufgaben und Pflichten dieser öffentlich-rechtlichen Sender sind durch Staatsverträge geregelt. Das F. hat sich im Laufe der Zeit zum Massenmedium entwickelt und den Rundfunk als Leitmedium abgelöst [1. 18]. Mit der Einführung des Privat-F. Mitte der 1980er J. hat sich das Fernsehangebot nachhaltig verändert. Außerdem wurden neue Trägermedien entwickelt (Videotechnik, DVD u. a.), die auch private Archivierbarkeit von Sendungen von speziellem Interesse, aber auch Verfügbarkeit bestimmter Sendungen als Kauf- und Leihfilme ermöglichen. Entscheidend für die Antikenrezeption ist die neuartige Abrufbarkeit der einzelnen Sendungen, so daß auch ein Spartenpublikum unabhängiger von den Einschaltquoten wird, an denen die Sender in der Regel die Ausstrahlung orientieren.

C. Antikenrezeption im Fernsehen

Das Angebot im F. ist sehr vielfältig. Zum einen werden im F. ältere Kinoproduktionen gesendet, so daß diese Beispiele der Antikenrezeption in der allg. Wahrnehmung präsent bleiben. Auf der anderen Seite werden fiktionale und nichtfiktionale Sendungen, in deren Mittelpunkt ant. Inhalte und Themen stehen, in Formaten ausgestrahlt, die speziell für das F. konzipiert wurden. Infolge der allg. Tendenz, daß TV-Formate kostengünstiger produziert werden müssen, sind deutliche Unterschiede zw. Filmen und Fernsehproduktionen zu erkennen. Dies hatte bis in die 90er J. auch deutlichen Einfluß auf die Themenwahl. Massenszenen, wie sie z. B. für die Darstellung von kriegerischen Auseinandersetzungen oder auch nur Massenveranstaltungen (z. B. Gladiatorenspielen) erforderlich sind, oder die Tricktechnik für eine angemessene Darstellung von Wesen aus der Myth. waren ökonomisch nicht sinnvoll. Doch mit der rasanten Entwicklung der Möglichkeiten des Computereinsatzes (CGI, »Computer Generated Images«) ist zu beobachten, daß sich die TV-Formate neue Themen erschließen (*Hercules. The Legendary Journeys*, TV-Movies 1994). Als weitere Tendenz ließ sich bisher beobachten, daß Themen, die im Kino erfolgreich waren, einen gewissen »Modetrend« auslösten und auch für das F. aufgegriffen wurden (*Disney's Hercules*, Kinofilm, USA 1997, F.-Serie 1998). Inwieweit die aktuelle Wiederbelebung des »Sandalenfilms« im Kino (*Gladiator*, USA 2000) entsprechende Wirkung zeigen wird, bleibt abzuwarten.

Außerdem zeigt das TV-Angebot eine gewisse Saison-Abhängigkeit: Gerade in der Zeit hoher christl. Feiertage ist zu beobachten, daß die Programmauswahl auf die bewährten »Sandalenfilme« zurückgreift, in deren Mittelpunkt die frühchristl. Rel. steht: ›Feiertagsprogramme haben stets eine dreifache Aufgabe: Sie sollen auf den Charakter des Fests hinweisen und ihm gerecht werden; sie sollen mit ihrer Qualität aus dem Durchschnittsangebot herausragen, und sie sollen, da Feiertage Tage der Entpannung sind, wirksam unterhalten‹ [12. 16].

Die Unterscheidung in fiktionale und nichtfiktionale Sendungen ist die grundlegende Dichotomie, die auch für die Beschäftigung mit der Antikenrezeption im F. zu beachten ist. Auf der einen Seite ist die Ant. in fiktionalen Sendungen das *setting*, in dem eine fiktive Handlung spielt. Dies ist die Entsprechung der histor. Romane oder Historienromane, die entweder einen multiperspektivischen Zugang zur Alten Geschichte bieten können oder lediglich als exotische Staffage gewisse optische Reize bieten [2. 253]. Auf der anderen Seite erheben die nichtfiktionalen Sendungen, v. a. die Dokumentarsendungen den Anspruch, die Realität der ant. Geschichte und ihrer Erforsch. abzubilden und auch fachfremden Zuschauern nahezubringen. Trotzdem muß folgendes berücksichtigt werden: ›Die verschiedenen Filmgenres bedienen sich gleichermaßen der Grundelemente der Filmsprache. Sie bauen jeweils ein unterschiedliches Spannungsverhältnis zw. den filmischen Zeichen und der abgebildeten Realität auf: Während der Dokumentarfilm sich tendenziell auf vorfindbare Realität bezieht, werden im fiktiven Spielfilm Konstruktionen von Wirklichkeit gehandelt, die zu einem Bild von Realität zusammengesetzt werden‹ [9. 20].

1. Fiktionale Sendungen

Die fiktionalen Sendungen werden in den Formaten des Fernsehfilms, des Mehrteilers und der Fernsehserie produziert, die thematisch wiederum in verschiedene Subgenres eingeteilt werden können (Sandalenfilm, Bibelfilm, Fantasyfilm, Komödie, Melodram, Cartoon u. ä.)

1.1. Fernsehfilm

Der Fernsehfilm ist ein zeitlich begrenztes Format (in der Regel ein bis zwei Stunden), das in sich abgeschlossen ist. Im dt. Fernsehen hat er sich aus der Theateraufzeichnung heraus entwickelt und als Fernsehspiel eine eigene Filmsprache entwickelt. Charakteristisch für das dt. Fernsehspiel ist, daß über Theateradaptionen und Literaturverfilmungen hinaus speziell für dieses Format entwickelte Stoffe entwickelt und verfilmt wurden. So war der Fernsehfilm in Deutschland nicht die Billigvariante der Kinofilme, sondern hat sich zu einer eigenen Literaturgattung entwickelt [1. 240]. Seit Mitte der 1980er J. verändert sich dieses Profil als Reaktion auf den kommerziellen Druck der Zuschauerquoten und nähert sich verstärkt dem *Movie made for TV* nach US-amerikanischem Vorbild an, das sich in Inhalt und Ästhetik an den Kinofilmen orientiert [1. 242f.], sie aus ökonomischen Gründen jedoch kaum erreichen kann.

Der Fernsehfilm *Kümmert euch nicht um Sokrates* (Deutschland 1966) ist ein Beispiel aus der Trad. des dt. Fernsehspiels. Thema ist die Rezeption der sokratischen Dialoge: In einer behaglichen, von den Vorstellungen des Bildungsbürgertums geprägten Runde wird der *Gorgias* in verteilten Rollen gelesen und diskutiert. Entscheidend für die Antikenrezeption in dieser Sendung ist die Sicht des Bildungsbürgertums. Die ant. Philos. erscheint als konstitutives Element des aktuellen intellektuellen Basiswissens und des philos. Diskurses. Über allem steht der idealisierte Philosoph Sokrates als Maßstab und gütige Vaterfigur. Die Filmsprache ist in diesem frühen Beispiel statisch, die Wahl des zeitgenössischen Ambientes dagegen vermeidet eine aufwendige Ausstattung, die Antikenrezeption erfolgt v. a. verbal.

Mit deutlich mehr Aufwand werden die aktuellen Verfilmungen verschiedener Erzählungen aus der Bibel, wie z. B. *Jeremia* (Deutschland, It., USA 1998), ausgestattet. Da das Gewicht auf der (mod.) Erzählung der biblischen Geschichten liegt, wird die biblische Zeit zum stilvollen Hintergrund.

In der Trad. kostenbewußt produzierter US-amerikanischer Unterhaltungsfilme, aber mit den neuen technischen Möglichkeiten auf einer tragfähigeren Ausgangsbasis stehend, sind die Hercules-Filme (*Hercules and the Amazon Women*, 1994; *Hercules and the Lost Kingdom*, 1994; *Hercules and the Circle of Fire*, 1994; *Hercules in the Underworld*, 1994; *Hercules in the Maze of the Minotaur*, 1994) zu sehen, die gerade durch ihre erfolgreichen Nachfolgeserien (*Hercules. The Legendary Journeys*) Zeichen dafür sind, daß antike Myth. und Geschichte (als Versatzstücke) für farbenfrohe Unterhaltung genutzt werden kann. Die Quotenerfolge dieser TV-Movies ermöglichten z. B. eine Serienproduktion.

1. 2. FERNSEHSERIEN

Das eigentlich fernsehspezifische Format ist die Fernsehserie [5. 13 f.; 1. 254–257]. Es gibt verschiedene Konventionen für die Anzahl der Serienteile. Seit E. der 1990er J. wurden eine Reihe von Zweiteilern (sog. Miniserien) in den USA produziert, in denen ant. Myth. und Geschichte im Mittelpunkt standen (*The Odyssey*, USA 1997, *Cleopatra*, USA 1999, oder *Jason and the Argonauts*, USA 2000). Es handelt sich oft um verhältnismäßig aufwendige Produktionen, die entsprechend vermarktet werden. Thematisch lassen sich hierbei klare Parallelen zu den erfolgreichen Kinoproduktionen (*Jason and the Argonauts*, 1963; *Odysseus*, 1954; *Cleopatra*, USA 1934 und USA 1963) feststellen. Charakteristisch für europ. Mehrteiler wie *Quo vadis* (Österreich, Deutschland, It. u. a. 1986, in sechs Teilen) oder *Dido – Das Geheimnis des Fisches* (Österreich, Deutschland, Tschechoslowakei 1991, in drei Teilen) ist dagegen die internationale Kooperation verschiedener Sender. Diese beiden Romanverfilmungen bringen den in Kinofilmen ebenfalls zentralen Themenkomplex der Christenverfolgung im Röm. Reich auf den Bildschirm. Solche Neubearbeitungen bieten nun einerseits die Möglichkeit, auf Details einzugehen, die in einem großen Feature-Film nicht berücksichtigt werden können. So heißt es in der Ankündigung von *Quo vadis*: ›Die Fernsehfassung will, abweichend von der lit. Vorlage und ihren filmischen Vorgängern, neue Akzente setzen, aus realistischer Perspektive, mit psychologischem Interesse für die Charaktere‹ [3. 59]. Andererseits besteht gerade im Vergleich zur Kinoästhetik die Gefahr einer zu bedächtigen Erzählweise, die nicht zwangsläufig als Chance für eine detailgenauere Rekonstruktion der Vergangenheit genutzt wird.

Insgesamt gesehen stehen in solchen Fernsehserien v. a. drei Aspekte der Ant. im Vordergrund: Der Mythos als bunte Märchenkulisse, die Ant. als Zeit der gesellschaftlichen Dekadenz und die Ant. als Symbol der abendländischen Kultur. Serien, denen die (griech.) Myth. als Sujet dient, nutzen sie zumeist als farbenfrohen Hintergrund (*Jason*; *Hercules. The Legendary Journeys*; *Xena. Warrior Princess*, USA 1995–2001; *Disney's Hercules*; *Roar*, USA 1997 etc.). Neben dem recht unbekümmerten Umgang mit den Sagenkreisen, der bereits die »Sandalenfilme« kennzeichnete, ist gerade in den letztgenannten Serien der 90er J. das souveräne Spiel mit Versatzstücken aus Mythos und Geschichte zu konstatieren, das durchaus auch aktuelle Bezüge sucht. Es handelt sich um ein sehr eklektizistisches Vorgehen, das nicht auf eine detailgetreue Rekonstruktion konzentriert ist, sondern die Ant. als monolitischen Block wahrnimmt und sie als Materialsammlung für antikisierende Elemente benutzt. In der eher kanonischen Darstellung frühchristl. Märtyrer werden die Errungenschaften der Christen und ihre moralische Überlegenheit dadurch betont, daß sie in einer als dekadent dargestellten kaiserzeitlichen Gesellschaft agieren.

2. NICHT-FIKTIONALE SENDUNGEN

Unter den nicht-fiktionalen Sendungen ist die Dokumentarsendung das Format, in dem Themen der ant. Kultur und Geschichte, aber auch die Altertumswiss. selbst im Mittelpunkt stehen können. In anderen Sendeformaten wie Nachrichtensendungen oder Quizshows ist Antikenrezeption auch möglich, spielt jedoch eine untergeordnete Rolle.

Die Dokumentarsendung intendiert eine sachliche und kompetente Darstellung der Vergangenheit oder ihrer Erforschung. Sie ist ein Instrument, um die Forderung nach der in den Staatsverträgen festgelegten kulturellen Verantwortung zu erfüllen [1. 29, 37 f.]. Dennoch gilt: ›Beunruhigend an der histor. Dokumentation ist, daß manche glauben, es gäbe sie wirklich. Beruhigend an der histor. Dokumentation ist hingegen, daß es sie nicht gibt. Denn der Begriff »Dokumentation« läßt ein sehr objektives Gebilde erwarten. Die »histor. Dokumentation« ist jedoch – wie jede Informationssendung des Fernsehens – ein subjektives, willkürliches Gebilde. Als solches ist sie sogar gefährlicher als Nachrichtensendungen‹ [4. 49].

Für eine Dokumentarsendung, die mit der Einführung des F. vergleichbare Formate im Kino zurückgedrängt hat, ist die Darstellung eines in sich geschlossenen Sachverhalts kennzeichnend, die unter Rückgriff auf Originalquellen erfolgt. Deshalb sind Dokumentarsendungen über Themen der »Gegenwartsgeschichte« verbreitet, da in diesem Fall mit Filmdokumenten der Zeit gearbeitet werden kann, obwohl dieses Material oft genug nicht für die Arbeit mit und an der Quelle, sondern lediglich als Illustration dient. Diese Möglichkeit besteht für geschichtliche Epochen vor der Erfindung des Films – also auch die Ant. – natürlich nicht. Stattdessen arbeitet man in Dokumentarsendungen mit einer Mischung aus abgefilmten Überresten, Kartenmaterial, Sachvorträgen und nachgestellten Spielszenen. Dies bietet einerseits das Potential großer Anschaulichkeit, andererseits besteht u.U. ›die potentielle Gefährdung histor. Orientierung‹ [2. 254]. Denn auch in diesem Bereich gilt, daß große Unterschiede bei der Themenwahl, aber auch in der Qualität ihrer Umsetzung bestehen, die durch das Spannungsverhältnis von Bildungsanspruch und Unterhaltungswillen bedingt sind.

Auch Dokumentationen werden in unterschiedlichen Formaten ausgestrahlt, als alleinstehender Bericht, als Zweiteiler, mehrteilige Serie oder als in sich abgeschlossener Beitrag im Rahmen einer Reihe. Diese Sendungen werden im Zeitalter des Medienverbundes zunehmend von Sachbuchpublikation, CD-Roms u.ä. begleitet.

In der achtteiligen Dokumentarserie *Weltmacht Rom* (Deutschland 1988) erstreckt sich die Darstellung von der Frühzeit Roms bis in die Spätantike. Es wird der Aufstieg Roms zur entscheidenden polit. Macht thematisiert. Die einzelnen Teile stellen jeweils einen zeitlichen Abschnitt vor, der durch Aufnahmen der histor. Orte und Überreste in heutiger Zeit, Geschichtskarten und fiktive Gespräche, die an Originalschauplätzen von Schauspielern vorgetragen werden, präsentiert wird. Diese Darstellung entspricht einem Antikenbild, das v.a. von der polit. Geschichte und einem personenorientierten Geschichtsbild geprägt ist.

Im Gegensatz dazu wird in der *Rommaus* (Deutschland 1996), einer Sondersendung aus der Kinderserie *Die Sendung mit der Maus*, der Schwerpunkt auf die Alltagsgeschichte gelegt. Die Themen »Augustus«, »Kleidung«, »Wohnen« u.a. werden sorgfältig mit aufbereitetem Material dargestellt, das transparent präsentiert wird (z.B. wird bei abgefilmten Gemälden darauf hingewiesen, daß es sich nicht um Bildquellen der Zeit, sondern um »Geschichtsbilder« handelt).

Neben weiteren (deutlich populärwiss.) Geschichtsreihen wie *Terra X* (ZDF, 1982ff.) oder Wissenschaftsreihen wie *Quarks & Co* (WDR, 1991ff.) oder *Discovery* (ZDF/Discovery Channel 1998ff.), die Einzelsendungen über Themen aus der Ant. senden, gibt es auch Dokumentarsendungen, wie die erfolgreiche Reihe *Schliemanns Erben*, die sich mit der (Ausgrabungs-)Tätigkeit von Archäologen beschäftigen. Solche Sendungen finden ein Publikum auch deshalb, weil der Beruf des Archäologen in den Medien oft als eine Kreuzung von Detektiv und Wissenschaftler erscheint und durch die Grabungsstätten mit einem Hauch Exotik versehen wird. Archäologen andererseits sehen in einer solchen Kooperation die Chance, ihre Erkenntnisse einem weiteren Publikum zu vermitteln [7. 7].

1 R. Blaes, G. A. Heussen (Hrsg.), ABC des F., 1992 2 K. Bringmann, Alte Gesch. im F., in: [6. 252–258] 3 Das Erste, Arbeitsgemeinschaft der Öffentlich-Rechtlichen Rundfunkanstalten der Bundesrepublik Deutschland und der ARD-Werbung 4, 1986 4 D. Franck, Die histor. Dokumentation, in: [6. 49–53] 5 K. Hickethier, Die Fernsehserie und das Serielle des F., 1991 6 G. Knopp, S. Quandt (Hrsg.), Gesch. im F. Ein Hdb., 1988 7 H. Kyrieleis, Auf der Spur versunkener Kulturen, in: G. Graichen, M. Siebler (Hrsg.), Schliemanns Erben, 1996 8 C. Meier, Alte Gesch. im F. – Anregungen, in: Gesch. fernsehen, 4, 1984 9 K. Nebe, Mit Filmen im Unterricht arbeiten, in: Gesch. lernen 42, 1994, 20–24 10 J. Paschen, Film und Gesch., in: Gesch. lernen 42, 1994 11 G. Schneider, Filme, in: H.-J. Pandel (Hrsg.), Hdb. Medien im Geschichtsunterricht, 1985 12 D. Stolte, Das Festprogramm zu Ostern, in: Das Erste, Arbeitsgemeinschaft der Öffentlich-Rechtlichen Rundfunkanstalten der Bundesrepublik Deutschland und der ARD-Werbung 2, 1986 13 ZDF, Zweites Deutsches Fernsehen 3, 1991. BIRGIT EICKHOFF

Medizin A. Einleitung B. Byzanz C. Westeuropa vor 1100 D. Übersetzungen und Übersetzer im Mittelalter E. Die Auswirkungen mittelalterlicher Übersetzungen F. Die Rückkehr des Griechischen in der Renaissance G. Galenismus in der Renaissance H. Der Galenismus in der Kritik I. Der Triumph des Hippokrates J. Von der Medizin zur Geschichte

A. Einleitung

Die Geschichte der klass. M. entwickelte sich in der byz., islamischen (→ Arabische Medizin, → Arabisch-islamisches Kulturgebiet) sowie lat.-christl. Kultur in unterschiedliche Richtungen. Den beiden ersten Kulturen war ein spätant. Galenismus zu eigen, der im westl. Europa und in Nordafrika weit weniger um sich griff als in der griech. Welt oder unter syrisch sprechenden Christen des Nahen Ostens. Die Wiederentdeckung des → Galenismus begann im Westen im 11. Jh. und wurde v.a. über das Arab. vermittelt. Vertreter des in der Ren. aufkommenden Medizinischen Humanismus (→ Humanismus, Medizin) forderten, die griech. Medizin in ihrer urspr. Sprache kennenzulernen, und schufen auf diesem Wege einen neuen Galenismus. Diese Strömung wurde seit den 1550er J. von einem wiederbelebten → Hippokratismus überboten, der wegen seiner Betonung des Individuellen und Ganzheitlichen und seiner Wertschätzung von Naturheilverfahren, die sich auf solide klinische Beobachtung stützen, noch h. in medizinischen Debatten nachhallt.

B. Byzanz

Die byz. M. stand ganz im Zeichen einer galenischen M., wie sie in Alexandreia im 5. oder 6. Jh. systematisiert worden war. Die offizielle medizinische Ausbildung beruhte auf einer Reihe von Vorlesungen über feststehende Texte von Galen und Hippokrates. Ihnen entnahm man nicht nur theoretische Erörterungen, sondern auch Richtlinien für die klinische Praxis: anatomische Sektionen kamen allenfalls ganz vereinzelt vor, womöglich hat es sie nie gegeben [4]. Handschriften der wichtigsten klass. Autoren scheinen im 9. Jh.

weithin verfügbar gewesen zu sein, auch wenn Hunain ibn Ishaq (gest. 873) auf seiner Suche nach griech. Mss. galenischer Schriften bemerkt, daß zahlreiche B. Galens Raritäten geworden, einige sogar ganz verloren gegangen seien. Um 1200 war allerdings die Zahl der verfügbaren Galenschriften beträchtlich geschrumpft und hatte beinahe die Größenordnung erreicht, die das *Corpus Galenicum* heute besitzt. Während Exemplare des Aphorismenkommentars, die zum Teil außerhalb von Konstantinopel geschrieben worden waren, sich weiter Verbreitung erfreuten, waren Exemplare von Texten, die nicht zum Lehrplan gehörten, mittlerweile selten geworden. Einige Texte, die wie *De partibus artis medicae* oder *De causis contentivis* noch um 1300 verfügbar waren, sind seither in griech. Sprache verlorengegangen, haben aber in den lat. Übers. von Niccolò da Reggio überlebt.

Gleiches gilt für die Hss. von Rufus von Ephesos. Auch hier sind viele nach dem 9. Jh. nicht mehr überliefert worden. Frühere Schriftsteller, die nicht in galenischer Trad. standen, dürften jedoch schon vorher verloren gegangen sein, es sei denn sie befaßten sich, wie z. B. Soranos in seiner *Gynaikeia*, mit Themen, die nicht schon bei Galen vorkommen.

Mit dem Erbe der Klassik verfuhr man auf unterschiedlichste Weise. Textauszüge, die man aus dem gesamten *Corpus Galenicum* zusammentrug, wurden in kürzeren Handbüchern versammelt, wie z. B. Philaretos, *Über die Pulse*, oder Theophilos, *Über den Urin*, oder bildeten die Grundlage für umfangreichere Zusammenfassungen, in die auch jüngeres Textmaterial, z. B. von Johannes Aktouarios (wirkte um 1320), einfloß und in denen es um theoretische wie praktische Fragen der M. ging [24]. Einige galenische Schriften wurden in Gestalt fortlaufender Exzerpte zusammengefaßt, wie im Paris BN gr. 2332, während andere nur als Zitate in größeren Handbüchern wie denen von Paulos von Nikaia (7.– 9. Jh.) oder Johannes dem Archiater (9. Jh.?) fortbestanden. In diesem Überlieferungsgeschehen dürfte die Enzyklopädie des Aetios eine bedeutendere Rolle gespielt haben als die galenischen Texte selbst. Die Einschleusung von Textmaterial aus persisch-arab. Quellen, z. B. von Simeon Seth (wirkte um 1075), bereicherte diese gelehrte Medizin zwar, änderte sie aber nicht von Grund auf [23].

Auch in der medizinischen Praxis lebte die Ant. fort. In Konstantinopel waren Ärzte in einer Hochschule, in der es unterschiedliche Stufen gab, organisiert und unterstanden der Aufsicht eines »Ärztebarons« (Constantinus Porphyr., Liber Ceremoniarum I, 10 Hg. Vogt; Theodoros Stoudites, Epistulae II 162). Ein Prüfungsverfahren, in dem theoretische und praktische Kenntnisse abgefragt wurden und an dessen Ende die Vergabe von Zertifikaten stand, ist seit 1140 nachgewiesen [21]. Hinweise auf Spannungen, die zw. einer rel. und einer nicht-rel. Gesundheitsversorgung entstanden sein mögen, sind nicht bekannt. Ärzte arbeiteten (und lehrten häufig) in den großen Krankenhäusern wie dem Pantokrator oder dem Kral-Spital [3].

Im 15. Jh. kamen griech. Mediziner wie Johannes Argyropoulos nach Italien. Die Bibl. der Medici, des Kardinal Bessarion und v. a. von Niccolò Leoniceno (1428–1524) enthielten Abschriften nahezu sämtlicher medizinischer Texte, die in griech. Sprache überlebt hatten. Venezianische Ärzte, die in Kolonien oder Handelsniederlassungen dienten wie Alessandro Benedetti (gest. 1512) [18], halfen ebenfalls, das Wissen des byz. Galenismus zu verbreiten, noch ehe im Westen ein einziges echtes Werk Galens im Druck verfügbar war (*Methodus Medendi*, 1500; *Opera Omnia*, 1525).

C. WESTEUROPA VOR 1100

Im frühen MA wußte man in Westeuropa wenig von ant. Autoren, die ihre Werke in griech. Sprache verfaßt hatten. Spuren des spätant. Lehrplans mit galenischen und hippokratischen Schriften lassen sich im Raum Ravenna finden und schlugen sich in lat. Übers. nieder, die in den Bibl. einiger weniger großer Benediktinerklöster aufbewahrt wurden [2]. Kurze praktische Zusammenfassungen, die Hippokrates (und anderen) zugeschrieben wurden, waren verbreiteter als Abschriften von Texten aus dem Schriftenbestand, den wir heute *Corpus Hippocraticum* nennen. Was zählte, waren Kürze und Anwendbarkeit, so daß Arzneimittelbücher wie der Pseudo-Apuleius oder knappe Handbücher mit Handlungsanweisungen oder Rezepturen häufiger abgeschrieben wurden als langatmige lat. B. wie die von Cornelius Celsus und Caelius Aurelianus [1]. Im 9. Jh. wurde das medizinische Lehrgedicht von Q. Serenus wieder populär; theoretische Diskussionen über das galenische Konzept fehlen gleichwohl bis zum 11. Jh.

Süditalien und Sizilien blieben jedoch weiterhin in Kontakt mit Byzanz. In dieser zwei- oder dreisprachigen Region wurden Hss. griech. M.-Texte bis ins 13. Jh. hinein kopiert [25; 49]. Der jüd. Arzt Shabbetai ben Donnolo (913– ca. 982), der in Apulien tätig war, verknüpfte in seinem *Buch der Weisheit* griech. Anatomie und Pharmakologie mit jüd. Mystizismus und Astrologie [47].

D. ÜBERSETZUNGEN UND ÜBERSETZER IM MITTELALTER

Im Jahre 1063 machte sich Alfanus, Bischof von Salerno, zu einer Botschaftsreise nach Konstantinopel auf, wo er auf M.-Texte in griech. Sprache stieß. Er übersetzte Nemesios' *Über die Natur des Menschen* und verrät in seinen eigenen Schriften Kenntnisse byz. Werke über Puls- und Säftelehre. Griech. Einfluß läßt sich auch in den sog. Salernitanischen Fragen erkennen [29]. Kurze Zeit später übernahm ein Mönch aus dem Kloster von Montecassino, Constantinus Africanus, eine Reihe von Übers. aus dem Arab., darunter auch Galens *Ars Medica* und seine Komm. zu den Aphorismen und dem Prognostikon des Hippokrates. Seine Übertragung der medizinischen Fragen des Hunain ibn Ishaq, die *Ysagoge*, stellt eine elegante Kurzfassung galenischer M. dar [7]. Um 1200 wurden diese Texte mit lat. Fassungen des Urintraktats von Theophilos und der Pulsschrift des Philaretos zu der sog. *Articella* vereinigt, der »kleinen

Kunst der Medizin«, die mit der hippokratischen Schrift *De regimine in morbis acutis* in der Übers. von Gerard den Grundstock für die Schulmedizin der nächsten 300 J. bildete.

Von den 1140er J. an befaßte sich eine Gruppe von Übersetzern in Spanien, v. a. Gerard von Cremona (wirkte 1150–1187), mit medizinischen, philos. und naturwiss. Texten [26]. Gerard übers. nur wenige galenische Texte, darunter *Methodus medendi*. Ihm ging es in erster Linie um die Übertragung der größeren arab. Synthesen galenischer Medizin ins Lat., insbes. des *Kanon* von Avicenna und des *Liber ad Almansorem* des Rhazes. Zu derselben Zeit trug der in Konstantinopel wirkende Richter und Kaufmann Burgundio aus Pisa (1110–1193) mit Hilfe von griech. Kopisten aus Süditalien griech. Hss. galenischer Texte zusammen (h. in der *Laurenziana* in Florenz). Von zahlreichen berühmten Texten der so gesammelten Galenica, darunter *De locis affectis*, *De crisibus*, *De sectis* und *De naturalibus facultatibus*, fertigte er Übers. an [11, 16].

Gegen E. des 13. Jh. kam es zu einer weiteren Übersetzungswelle. Einige der Ursprungstexte stammten von arab. Autoren, z. B. Rhazes' *Continens*, das Abulfsragius 1282 in Sizilien übers., andere stammten von griech. Autoren und waren über das Arab. vermittelt worden, wie im Falle der Übers. von Galens *De tremore, palpitatione, convulsione et rigore* durch Arnald von Villanova (gest. 1311). Andere wiederum übers. man direkt aus dem Griech. Auch ins Hebräische wurden allmählich galenische Werke aus dem Arabischen übertragen. Der span.-jüd. Philosoph Shem Tob Ibn Falaquera (ca. 1225–nach 1290) zitiert mehrere philos. Schriften Galens, die h. im Griech. verloren sind, darunter *De propriis placitis* und *De indolentia* [54]. Von bes. Bed. waren die Übers. des Paduaner Professors Pietro d'Abano (1257–ca. 1315), die auf griech. Hss. beruhten, die dieser aus Konstantinopel mitgebracht hatte [14]. Unter solchen Übers. befand sich die des letzten B. von Galens *De methodo medendi*, die genauer war als die frühere Fassung von Gerard, sowie Teile von Galens *De usu partium*. Der letzte bedeutende Übersetzer war Niccolò da Deoprepio da Reggio, der als Arzt, Diplomat und Übersetzer am Hof der Anjou in Neapel wirkte [51, 53]. Während seiner 40–jährigen Laufbahn übertrug er mit beachtlicher Genauigkeit über 50 Galenschriften ins Lat., indem er einer Wort-für-Wort-Übersetzungstechnik folgte. Seine Übers. reichen von einer vollständigen Übertragung von *De usu partium* bis zu kleineren Traktaten wie den *Prognostika* oder *De substantia facultatum naturalium fragmentum*. Einige dieser Übers., die auf Hss. aus Konstantinopel oder Süditalien beruhen, repräsentieren Texte, deren griech. Fassungen seither verloren sind, z. B. *De causis procatarticis* und *De partibus artis medicativae*. Galen war der größte Nutznießer dieser Übers., ob sie nun auf direktem Wege zustande gekommen waren oder auf indirektem Wege über die Araber vermittelt worden waren. Von Hippokrates waren einige Texte in lat. Sprache verfügbar, im allg. gerade diejenigen, die

Galen kommentiert oder sich herausgegriffen hatte, doch die meisten unter seinem Namen zirkulierenden Schriften gehörten nicht dem Schriftenbestand des griechischsprachigen *Corpus Hippocraticum* an [28]. Gynäkologisches Material, das auf Soranos zurückging, erschien in der lat. Fassung des Muscio, Rufus kannte man hauptsächlich durch Fragmente in Rhazes' *Continens*: eine lat. Fassung von Rufus' Schrift *Über die Gelbsucht* war unter dem Namen Galens in Umlauf [52].

Übers. ant. Werke in die Volkssprachen gab es weit seltener; Teile der *Articella* erschienen auf Frz., Engl. und sogar Gälisch. Auch ist eine engl. Bearbeitung von Galens *De methodo medendi* erhalten [22]. Der Londoner Chirurg, der eine engl. Fassung einer *Anatomia Galeni* (London, Wellcome 290) in Auftrag gab, meinte, ein Originalwerk Galens zu lesen, obwohl es sich bei dem Text um Lanfrancs *Anatomia Porci* handelt.

E. DIE AUSWIRKUNGEN
MITTELALTERLICHER ÜBERSETZUNGEN

Abgesehen von einer Ausnahme änderten sich mit jeder neuen Welle von Übers. ant. M.-Texte die Vorstellungen von M. von Grund auf. Der Gegensatz zw. den ausgeklügelten salernitanischen Kommentaren über die M. aus der Mitte des 12. Jh. und dem medizinischen Wissen des vorangegangenen Jh. ist unverkennbar [27]. Die Salernitaner entwickelten eine medizinische Theorie und stellten die M. in den weiteren Horizont der Naturforsch. Statt lediglich Rezepte nachzubeten, gingen sie Fragestellungen nach und sondierten in Vorlesungen, in denen autoritative Texte kommentiert wurden, mögliche Argumentationsstrategien. Die Ysagoge mit ihrer letztlich galenischen Einteilung der M. in die natürlichen Dinge (der Körper, seine Teile und Funktionen), die wider-natürlichen Dinge (Krankheiten, Ursachen und Folgen) und die sechs nicht-natürlichen Dinge (Ernährung; Umwelt; Schlaf; Ausscheidungen; Bewegung; Gefühlshaushalt) eröffnete einen Weg zur Strukturierung des medizinischen Diskurses, der auf Jh. beschritten werden sollte. Um 1120 hatten die Salernitaner darüberhinaus die Zootomie in ihr Lehrprogramm eingeführt.

Die Übersetzer, die im 12. Jh. aus dem Arab. übers., verschafften der Schul-M. auch ein größeres Vokabular und schufen v. a. mit dem *Kanon* Avicenna die Grundlage für eine gelehrte Univ.-M. in Form von Vorlesungen über feststehende Texte. Ein Jh. später war diese stark arabisierte Medizin teilweise bereits von einem neuen Galenismus überholt worden, der auf einer unmittelbareren Vertrautheit mit galenischen Texten beruhte [20]. So nutzte etwa Arnald von Villanova in Montpellier bei der Kommentierung von Galens *De inequali temperamento* sein Wissen über Galens Schriften, um arab. Deutungen des Fiebers zu kritisieren. Pietro d'Abanos *Conciliator* stellte, wie der Titel bereits andeutet, den Versuch dar, die Einheit der Kunst der M. auf der Grundlage seiner neuen Übers. und des älteren Avicenna aufs neue herzustellen. Das Erscheinen neuer Übers. dürfte neue Forschungsimpulse gegeben haben,

z. B. zum Marasmus oder zum Wirkmechanismus von Arzneimitteln. In Italien veranlaßten sie Taddeo Alderotti (er lehrte in Bologna von 1260 bis 1295) zu neuen Ideen im Zusammenhang mit Krankheiten und innerer Medizin [48]. Auch seine Schüler waren ebenfalls bestens mit Galen vertraut, und es ist gewiß kein Zufall, daß es gerade das Beispiel Galens war, dem Mondino dei Luzzi folgte, als er um 1315 die Sektion des Leichnams in die Hochschulausbildung in Bologna einführte. (Sektionen wurden jedoch nicht vor dem 16. Jh. zur Regel.) Der neue Galenismus provozierte neue Debatten, nicht zuletzt über das Verhältnis zw. M. und Philos.

Im Gegensatz dazu wurden Niccolòs Übers. nur selten gelesen (der berühmte Chirurg aus Avignon, Guy de Chauliac, ca. 1300–1368, der sich in seiner *Chirurgia* stark an sie anlehnte, stellt eine Ausnahme dar), und sie existieren h. nur noch in wenigen Hss. [43]. Ein Grund für diese Vernachlässigung mag die geringe Praxis- und Prüfungsrelevanz zahlreicher seiner Übers. gewesen sein, bes. nachdem ein Kanon festgelegter Texte für den Vorlesungsbetrieb in ganz Europa Standard geworden war. Nur die bes. Eifrigen und Wohlhabenden, wie etwa Giovanni di Marco, der Arzt der Malatesta-Familie in Cesena, konnten es sich leisten, sich derart kleinen und medizinisch marginalen Texten zu widmen [34].

Drei weitere spät-ma. medizinische Neuerungen dürften letztendlich auf klass. Vorläufer zurückgehen. Die neuen europ. → Krankenhäuser des 13. und 14. Jh. sind größer und komplexer als ihre westl. Vorläufer und gehen auf Einflüsse zurück, die im Rahmen der Kreuzzüge entweder aus Byzanz oder aus dem Nahen Osten den Weg nach Europa fanden. Die Einrichtung von Stadtärzten, wie sie zunächst in Reggio und Bologna für das frühe 13. Jh. bezeugt sind, dürfte durch die Erschließung erst kurz zuvor entdeckter Texte zum röm. Recht angeregt worden sein [37 Kap. vi. 9–46]. Das Anwachsen der Ärztegilden und -kollegien, die als oberste Körperschaften über die ärztliche Praxis wachten, hat wohl eher mit dem Aufkommen städtischer Gilden zu tun, doch beriefen sich zahlreiche medizinische Kollegien mit Beginn des 15. Jh. auf Vorläufer aus klass. Zeit. Das 1518 gegründete *London College of Physicians* verlangte eine schwierige Eingangsprüfung, deren Gegenstand die Werke des Galen und des Hippokrates waren.

F. DIE RÜCKKEHR DES GRIECHISCHEN IN DER RENAISSANCE

Der lat. Human. des 14. und 15. Jh. hatte nur geringen Einfluß auf die M. der Zeit. Obwohl eine Hs. von Cornelius Celsus' *De medicina* schon 1426 wiederentdeckt worden war, wurde die Schrift von Medizinern nur wenig studiert [45]. Man zitierte Plinius d. Ä. und für kurze Zeit am E. des 15. Jh. auch Q. Serenus wegen ihrer Pharmakologie, und allmählich löste auch bei Ärzten ein klass. Lat. ihre arabisierte Fachsprache ab [41]. Doch die ma. Autoren und Übers. bildeten weiterhin und bis in die 1530er J. hinein die Grundlage der ärztlichen Ausbildung und Praxis, und dies trotz einiger

griechischsprachiger Mss., die es in Italien seit den 1460er J. gab, und trotz der Mahnungen von Vertretern des sog. Medizinischen Human., zu den griech. Quellen zurückzukehren [38].

Im Jahre 1492 zeigte Niccolò Leoniceno, Medizinprofessor in Ferrara und Besitzer der damals besten Bibl. griechischsprachiger medizinischer und naturwiss. Schriften, in seinen *De Plinii et plurimum aliorum erroribus*, daß Unkenntnis und Mißverständnisse des Griech. eines Galen, Pedanios Dioskurides, Hippokrates u. ä. große Verwirrung gestiftet hatten [35]. Das Gegenmittel, das er empfahl, war eine sofortige Rückkehr zum Griech. oder zumindest zu neuen lat. Übers. aus dem Griech., da auch er einsah, daß nur wenige Gelehrte Kenntnisse des Griech. hatten und und zugleich die nötigen medizinischen Kenntnisse besaßen. Solche Übers. entstanden mit einiger Verzögerung und beschränkten sich, abgesehen von den Übers. eines Thomas Linacre (ca. 1460–1524), im großen und ganzen auf die wenigen Texte, die an den Univ. studiert wurden [17].

M.-Texte in griech. Sprache wurden nur selten gedruckt: Dioskorides, den Aldus 1499 druckte, bildet eine Ausnahme. Die Pläne einer kompletten Ausgabe der galenischen Werke in griech. Sprache, wie sie N. Kallierges und N. Blastos hegten, wurden nach dem Druck der beiden Texte De methodo medendi und De methodo medendi ad Glauconem im Jahre 1500 nicht weiter realisiert. Aldus erwarb zwar Hss. für seine Galenausgabe, doch schaffte er es nicht, diese zu verwirklichen. So wurde der Wert des Griech. für die M. jener Tage zwar hier und da beteuert, aber nicht weithin anerkannt, denn es gab bis in die 1520er J., v. a. außerhalb Italiens, nur wenige Leser, die des Griech. mächtig waren. Doch die Bed. des Griech. zur Klärung und Erneuerung eines Fachvokabulars wurde in botanischen und anatomischen Schriften deutlich, wie v. a. die Schriften von Leoniceno und seinem Schüler Giovanni Manardi (1462–1536) zeigen [38; 35; 42; 46].

Die Lage änderte sich vollkommen, als 1525 die Aldina der *Opera omnia* Galens sowie die erste lat. Übers. der hippokratischen Schriftensammlung durch M. F. Calvo erschien, der im J. darauf die Aldina des *Corpus Hippocraticum* in griech. Sprache folgte. Eine Ed. des Paulos von Ägina schloß sich im Jahre 1528 an, doch dann fand die Serie der Aldinen (vermutlich aus finanziellen Gründen) ein jähes Ende, nachdem die Schriften des Aetios 1534 erst zur Hälfte ediert waren. Die griech. Ausgabe des Rufus erschien erst 1554, die des Oreibasios erst 1556 (Bücher 24 und 25 seiner *Collectiones*), sie waren jedoch in lat. Übers. schon früher verfügbar. Mit einigen wenigen Ausnahmen, insbes. Galens *De ossibus ad Tirones* (lat. 1535; griech. 1543) sowie des ersten B. von *De placitis Hippocratis et Platonis* (1544), waren sämtliche medizinisch bedeutenden Schriften Galens und Hippokrates' 1526 in der Sprache verfügbar, in der sie urspr. abgefaßt worden waren.

Ihrem Erscheinen folgte eine Flut von Übers. ins Lat. und gelegentlich auch in eine Volkssprache [15]. In den

30er und 40er J. des 16. Jh. wurden jährlich im Durchschnitt 15 Ed. bzw. Übers. galenischer Schriften veröffentlicht. 1538 waren es 20, 1549 schon 32. Die Anzahl der Ausgaben und Übers. hippokratischer Texte lag darunter: In Spitzenzeiten (1545 und 1552) waren es 11, doch kam es hier nicht zu jenem dramatischen Rückgang, der bei den Galentexten seit 1555 zu verzeichnen ist, als die Jahresproduktion im Schnitt auf fünf absank und die Marktpräsenz der Hippokratestexte überwog [39]. Die Übers. wurden eher von Medizinern aus ganz Europa als von Humanisten angefertigt. Bes. erwähnt seien die Italiener M. F. Calvo (gest. 1527), G. B. Rasario (1517–1578) und G. P. Crassi (gest. 1574), der Schweizer Wilhelm Copp (1460–1532), der Franzose Jacobus Sylvius (1478–1555), die Deutschen Janus Cornarius (1500–1558) und Johann Guinther von Andernach (1505–1574) sowie der Engländer John Caius (1510–1573).

Die meisten dieser Fassungen beruhten entweder auf den Aldinen oder den überlegenen griechischsprachigen Ausgaben aus Basel (Galen 1538; Hippokrates 1538), doch einige Übersetzer, vor allem Linacre, Caius und die italienischen Hrsg. der *Opera omnia Galeni* (Venedig 1541–1545), A. Ricci (1512–1564) und V. Trincavelli (1496–1568) zogen auch griech. Hss. zu Rate. Auch einige lat. Autoren wurden wiederentdeckt (Scribonius Largus, 1528), Caelius Aurelianus (1529), doch war es die griech. M., die, wenn auch überwiegend in lat. Übers., die Oberhand gewann. Lexika, Summaria, Komm. und Leseanleitungen trugen allesamt dazu bei, das Material zeitgenössischen Ärzten verfügbar zu machen.

G. GALENISMUS IN DER RENAISSANCE

Der wiedererstandene Galen unterschied sich in vielfacher Hinsicht von seinem ma. Alter ego. Als Arzt stand er ebenso wie seine Ren.-Anhänger in dem Ruf, breite kulturelle und philos. Interessen vertreten zu haben. Seine polemischen Ausfälle gegen Konkurrenten halfen bei der Profilierung einer akzeptablen medizinischen Praxis, wobei Astrologie und Harnschau mehr und mehr in die Peripherie der Medizin bzw. in den Bereich der Quacksalberei gedrängt wurden. Zugleich gewannen Galens Schriften in der Ren. an Univ. und M.-Schulen mehr und mehr Einfluß, wobei ihr Eintreten für akad. Bildung, Bücher und Autorität, wenn nicht gar Galens Glaube an einen planenden Schöpfer, eine hilfreiche Rolle spielte.

Klass. Vorbilder verhalfen v. a. zwei Forschungszweigen zu neuer Blüte. Eine erbitterte Kontroverse erwuchs aus Leonicenos Verurteilung der lat. und ma. Autoren, die seiner Meinung nach die griech. Pharmakologie und Botanik mißverstanden hatten. Am E. dieser Auseinandersetzung stand eine neue Methodologie, zur Erforsch. und Bestimmung von Kräuter, in der sowohl visuelle als auch schriftliche Quellen Berücksichtigung fanden (L. Fuchs, *De Historia Stirpium*, 1542; P. A. Matthioli, *Libri cinque della Historia et Materia medicinale*, 1544) und in deren Rahmen seit 1540 botani-sche Gärten und Lehrstühle für Botanik geschaffen wurden. Dies versetzte Ärzte in die Lage, auf Reisen zu gehen und nach Heilpflanzen zu forschen, die seit der Ant. in Vergessenheit geraten oder in Europa völlig unbekannt waren [46].

Die zentrale Rolle, die Galen der Anatomie zusprach, führte zu einem enormen Interessenszuwachs an diesem Fach. Nachdem sich die human. Ärzte zunächst um die Verbesserung der anatomischen Nomenklatur gekümmert hatten, wie z. B. Benedetti und G. Valla (1447–1500), unterstützen sie fortan die Aufnahme der Sektion in den Hochschulunterricht, u. a. bei M. Corti (1475–1544), J. Sylvius, J. Caius. Den größten Teil der Fehler, die man schließlich doch in Galens Darstellungen des menschlichen Körpers vorfand, schrieb man den Übersetzern und Kopisten zu. Galens Aufforderungen, persönlich seziert und geforscht zu haben, wurden begrüßt, wenn man sich auch allg. darüber im klaren war, daß er statt menschlicher Leichen größtenteils Tierkadaver untersucht hatte [31;9].

Der neue Galenismus legte auch Wert auf die Bedeutung einer angemessenen diagnostischen und therapeutischen Methode. In Padua erlangte G. B. Da Monte (1498–1551) Berühmtheit durch seine klinischen Beobachtungen und aufgrund der Tatsache, daß er Schüler vom Hörsaal unmittelbar ans Krankenbett führte, um ihnen Patienten zu zeigen, die an den zuvor in der Vorlesung besprochenen Krankheiten litten [8]. Die Wiederentdeckung von Techniken aus klass. Zeit konnte sich auch auf die Chirurgie erstrecken, wenn Vidus Vidius (1500–1569) etwa in seiner *Chirurgia* (1544) Zeichnungen von Operationsbesteck und Bandagierungspraktiken vorstellte, die er dem chirurgischen Niketas-Kodex aus dem 10. Jh. entnommen hatte [37. Kap. XII. 75–99]. Der Hippokrates-Hrsg. G. Mercuriale (1530–1606) sammelte ant. Schriften über Gymnastik, ehe er seine eigene Schrift *De Arte gymnastica* (1569) verfaßte.

H. DER GALENISMUS IN DER KRITIK

Um 1550 waren die meisten führenden Akademiker in Europa Galenisten. Doch mußten sie sich Kritik aus drei unterschiedlichen Richtungen stellen. Klinische M. nach der galenischen Methode war mühselig, sie richtig zu praktizieren überstieg die Möglichkeiten der meisten Ärzte. Die Nachfolger des Paracelsus (1493–1541), die zwar zahlenmäßig nicht sonderlich ins Gewicht fielen, aber mächtige Verbündete außerhalb der Profession hatten, behaupteten, daß galenische Pflanzenheilmittel im Vergleich zu ihren eigenen chemischen Zubereitungen wirkungslos seien. Galens Anatomie wurde stärker in Frage gestellt durch die Funde A. Vesals (1514–1564), der die lat. Fassungen der anatomischen Schriften Galens für die Giunta-Ausgabe der *Opera Omnia* (1541–1542) überarbeitet hatte [44]. Sein *De humani corporis fabrica* (1543; ²1555) nutzte galenische Methodologie und galenische Rhetorik, um zu behaupten, daß Galen niemals Leichen seziert hatte und daher seine Anatomie schwere Fehler enthielt [13]. Solche Übertreibungen ließen Galenisten wie Cornarius und Sylvius in Rage kommen, doch viele andere, darunter Melanchthon (1497–1560), sahen in Vesal einen Mitgalenisten, der Galens Entdeckungen, trotz starker Abweichungen im Detail, nach wie vor lediglich modifizierte. Um 1560 hatte die Humananatomie eines Vesal die Anatomie des Galen weitgehend ersetzt: Fabricius von Aquapendente (1533–1619) oder V. Coiter (1534–1576), deren Aufmerksamkeit wie bei Aristoteles der Zootomie galt, wurden immer raffinierter in ihren vergleichenden anatomischen Studien [12].

Galens Physiologie, die von einem Glauben an drei weitgehend unabhängige Systeme im Körper ausging, die wiederum auf drei Organen, nämlich Leber, Herz und Gehirn, basieren, fand im 16. Jh. bei Ärzten große Akzeptanz, mit Ausnahme von einigen Philosophen, die Aristoteles' Theorie vom Herzen als Sitz der Seele favorisierten. Es war ein überzeugter Galenist und Aristoteliker, nämlich W. Harvey (1578–1657), der in seiner Schrift *De motu cordis et sanguinis in animalibus* (1628) die Einheit des venösen und arteriellen Systems als die eines einzigen, geschlossenen Kreislaufsystems und deren Abspaltung vom Nervensystem aufzeigte – eine physiologische Dichotomie, die auch in philos. Argumenten von Descartes (1596–1650) ihren Niederschlag fand.

I. Der Triumph des Hippokrates

Der Angriff auf Galen und den Galenismus war beinahe auf der ganzen Linie erfolgreich. Von nun an wurde Galen als der Erzpedant angesehen, als Windbeutel und Stümper in Sachen Anatomie. Dieser Ruf blieb mindestens bis in die 1970er J. an ihm haften (→ Medizingeschichtsschreibung). Verteidiger traditioneller M. wandten sich Hippokrates zu, dem »Vater der M.«, dessen im *Corpus Hippocraticum* niedergelegte Grundsätze unterschiedliche Interpretationen und Entwicklungsmöglichkeiten zuließen. V. a. in Paris führte eine Lehre, die im wesentlichen in der Kommentierung hippokratischer Texte, einschließlich der *Coacae praecognitiones*, bestand, zu neuen Ideen im Bereich der Umwelt-M., Chirurgie und Therapie [33]. Anderenorts legte man großes Gewicht auf Hippokrates' Rolle als Beobachter individuellen Krankheitsgeschehens, das bis zu einem gewissen Grade den Regeln der Natur folgte. Klinische M. fußte auch weiterhin auf dem Konzept der vier Körpersäfte (→ Säftelehre), doch legte man großen Wert auf die individuelle Reaktion des Patienten auf die jeweilige Krankheit. Geschickte Beobachter wie P. van Foreest (1522–1610), der seine *Observationes et Curationes* in 41 B. niederlegte, oder T. Sydenham (1624–1689), dessen *Observationes medicae* (1676) meisterhafte Beschreibungen von Fieberzuständen enthielten, wurden als der »Holländische« bzw. der »Englische Hippokrates« bezeichnet [5; 19].

Die Lehren, die man in der hippokratischen Schriftensammlung vorfand, ließen sich im Sinne eines neuen Denkens reinterpretieren. J. A. van der Linden (1609–1664) zeigte zur allg. Zufriedenheit, daß Hippokrates

Harvey in seiner Entdeckung der Kreisbewegung des Blutes zuvorgekommen war. F. W. Hoffmann (1660–1742) benutzte dagegen eine Reihe hippokratischer Texte, um seine ganz anders gearteten iatromechanistischen Theorien zu untermauern [36].

In den Niederlanden sah man in Hippokrates den Quell klinischen Wissens schlechthin, den verläßlichsten Sachwalter von Sachverhalten. H. Boerhaave (1668–1738) verbreitete diese Botschaft in seinen Vorlesungen über die Aphorismen durch seine zahlreichen Schüler weltweit [32]. Am E. des 18. Jh. lehnte die Schulmedizin v. a. in Deutschland jedes medizinische Konzept, das auf Kausalitätsdenken beruhte, zugunsten sorgfältiger Beobachtung von Zeichen und Symptomen ab. Diese sollten statt dessen weiterhin nach altbewährtem Muster behandelt werden. Ant. Texte, sofern sie verläßlich ediert und verstanden waren, boten ebenso zuverlässige Informationen wie neuere Fallsammlungen, und der neutrale hippokratische Beobachter, so glaubte man, würde eher mit Erfolg therapieren als die Parteigänger des Brownianismus oder der Homöopathie [6]. Dies war das Klima, in dem zahlreiche klass. Autoren von C. G. Kühn (1754–1842) neu gedruckt wurden, unter ihnen Hippokrates, Galen und Aretaios. Zahlreiche ant. Komm. zu hippokratischen Schriften wurden erstmalig in griech. Sprache von F. R. Dietz 1834 herausgegeben.

J. Von der Medizin zur Geschichte

Die Tatsache, daß in der ersten H. des 19. Jh. Autoren der klass. Ant. immer noch als Quellen wertvollen therapeutischen Wissens angesehen wurden, läßt sich aus den Vorworten zu F. Adams engl. Übertragungen des Paulos (1844–47) und zu E. Littrés monumentaler Gesamtausgabe und Übers. des Hippokrates ins Frz. ersehen. Doch im Erscheinungszeitraum der Littréschen Ed. (1839–1861) zeichnet sich der Wandel zu einem histor.-philol. Zugang zur Medizingeschichte ab (→ Medizingeschichtsschreibung). Mit wenigen Ausnahmen, wie z. B. J. Petrequins *Chirurgie d'Hippocrate* (1877–78), ist von einem Wert ant. Theorien und Therapien für die zeitgenössische M. nicht mehr die Rede, auch wenn ant. Heilmittel in den Pharmakopöen bis ins 20. Jh. fortexistierten.

Hippokrates wurde unterdessen zur Symbolfigur für ein Ideal. Littrés Hippokrates ist ein für das 19. Jh. typischer antiklerikaler Rationalist, ein geschulter Beobachter und überzeugter Verfechter einer Umwelt-M. [50]. In den 1920er und 1930er J. wurde Hippokrates europaweit zum Musterkliniker idealisiert, der allein die unterschiedlichen Befunde, die sich bei jedem einzelnen Patienten erheben lassen, zu deuten vermochte. In einer zunehmend technologisierten Welt konnte allein der hippokratische Arzt eine persönliche Note und ein ganzheitliches Denken bewahren [30]. Tatsächlich wird am Ende des 20. Jh. von Vertretern einer alternativen M. die ant. M. immer noch als Beleg für die Vorzüge eines ganzheitlichen Denkens angeführt. Spuren ant. Medizin finden sich auch in der mod. tibetischen M.

und in der im Islam beheimateten Yunani-M., wo mod. Labormedizin und klinische Forsch. bemüht werden, um Aussagen von Avicenna oder Galen zu bestätigen.

Das 20. Jh. steht auch im Zeichen der Rückbesinnung auf den → Hippokratischen Eid als ein ethisches Ideal, an dem sich alle praktizierenden Ärzte orientieren sollten. Während man diesen Text um 1900 in weiten Kreisen als unzeitgemäß und irrelevant belächelte, wird er h. wieder als normativ angesehen, v. a. in der breiten Öffentlichkeit. Inweiweit die einzelnen Gelöbnisse des Eides bekannt sind oder verstanden bzw. befolgt werden, ist jedoch fraglich [40].

→ AWI Aëtios; Caelius Aurelianus; Celsus; Galenos von Pergamon; Hippokrates; Krankenhaus; Medizin; Muscio; Paulos von Aegina; Dioskurides; Philaretos; Plinius d. Ä.; Rufus; Scribonius Largus; Serenus, Q.; Soranos; Theophilos

→ Arabisch-islamisches Kulturgebiet; Arabische Medizin; Galenismus; Hippokratismus

QU 1 G. Baader, Medieval Adaptations of Byzantine Medicine, in: Dumbarton Oaks Papers 38, 1984, 251–259 2 A. Beccaria, I Codici di Medicina del Periodo presalernitano (secoli IX, X e XI), 1956 3 U. B. Bichler-Argyros, Byz. Spitalgesch. Ein Überblick, in: Historia Hospitalium 15, 1983–84, 51–80 4 L. Bliquez, A. Kazhdan, Four Testimonia to human Dissection in Byzantine Times, in: BHM 58, 1984, 554–557 5 H. A. Bosman-Jelgersma (Hrsg.), Petrus Forestus Medicus, 1997 6 T. H. Broman, The Transformation of German academic medicine, 1750–1820, 1996 7 C. Burnett, D. Jacquard, Constantine the African and Âli ibn al-Abbas al-Magusi, 1994 8 J. Bylebyl, Teaching Methodus Medendi in the Ren., in: F. Kundlien, R. J. Durling (Hrsg.), Galen's Method of Healing, 1991 9 A. Carlino, La Fabbrica del Corpo, 1994 10 J. Céard, Le Corps à la Ren., 1990 11 P. Classen, Burgundio von Pisa, in: SHAW 1974 12 A. Cunningham, Fabricius and the »Aristotle Project« in anatomical Teaching at Padua, in: A. Wear, R. K. French, I. M. Lonie (Hrsg.), The medical Ren. of the sixteenth Century, 1985, 195–222 13 A. Cunningham, The anatomical Ren., 1997, 88–142 14 M. T. D'Alverny, Pietro d'Abano traducteur de Galien, in: Medioevo 11, 1985, 19–64 15 R. J. Durling, A chronological Census of Ren. Editions and Translations of of Galen, in: JWI 24, 1961, 230–305 16 Ders., Burgundio di Pisa's Translation of Galen's περὶ τῶν πεπονθότων τόπων, De Interioribus , 1992 17 Ders., Linacre and medical Humanism, in: F. Maddison, M. Pelling, C. Webster (Hrsg.), Essays on the Life and Work of Thomas Linacre, 1977, 76–106 18 G. Ferrari (Hrsg.), Alessandro Benedetti, Historia corporis humani sive Anatomice, 1998 19 R. French, A. Wear (Hrsg.), The medical Revolution of the seventeenth Century, 1989 20 L. Garcia Ballester, Arnau de Vilanova (c. 1240–1311) y la Reforma de los Estudios médicos en Montpellier 21 A. Garzya, Science et Conscience dans la Pratique médicale de l'Antiquité tardive et byzantine, in: Entretiens 43, 1997, 350 22 F. M. Getz, The Method of Healing in Middle English, in: F. Kudlien, R. J. Durling (Hrsg.), Galen's Method of Healing, 1991, 147–156 23 G. Harig, Von den arab. Quellen des Symeon Seth, in: Medizinhistor. Journal 2, 1967, 248–268 24 A. Hohlweg, John Actuarius' De methodo medendi. On the new Ed., in: Dumbarton

Oaks Papers 38, 1984, 121–134 25 A. M. Ieraci Bio, La Trasmissione della Letteratura medica greca nell' Italia meridionale fra X e XV secolo, in: A. M. Garzya (Hrsg.), Contributi all Cultura greca dell' Italia meridionale, 1989 26 D. Jacquart, La Science médicale occidentale entre deux renaissances (XIIe s.-XVe s.), 1997 27 M. D. Jordan, The Construction of a Philosophical Medizine, in: M. G. McVaugh, N. G. Siraisi (Hrsg.), Taddeo Alderotti and his pupils, 1981 28 P. Kibre, Hippocrates Latinus, 1985 29 B. Lawn, I Quesiti Salernitani, 1969 30 K. H. Leven, Hippokrates im 20. Jh. Ärztliches Selbstbild, Idealbild und Zerrbild, in: K. H. Leven, C. R. Prüll (Hrsg.), Selbstbilder des Arztes im 20. Jh., 1994, 39–91 31 L. R. Lind, Studies in pre-Vesalian Anatomy, 1975 32 G. A. Lindeboom, Boerhaave and the ancient Greek writers on Medicine, in: Janus 50, 1961–63, 75–87 33 I. M. Lonie, The »Paris Hippocratics«: Teaching and Research in Paris in the second Half of the sixteenth Century, in: A. Wear, R. K. French, I. M. Lonie (Hrsg.), The medical Ren. of the sixteenth Century, 1985, 155–174 34 A. Manfron (Hrsg.), La Biblioteca di un Medico del Quattrocento, 1998 35 D. Mugnai Carrara, La Biblioteca di Nicolò Leoniceno, 1991 36 I. W. Müller, Iatromechanische Theorie und ärztliche Praxis im Vergleich zur griech. M., 1991 37 V. Nutton, From Democedes to Harvey, 1988 38 Ders., Hellenism postponed, in: Sudhoffs Archiv 81, 1997, 158–170 39 Ders., Hippocrates in the Ren., in: G. Baader, R. Winau (Hrsg.), Die hippokratischen Epidemien, 1989, 420–439 40 Ders., Hippocratic Morality and Modern Medicine, in: Entretiens 43, 1997, 31–63 41 Ders., The changing Language of Medicine, in: O. Weijers (Hrsg.), Vocabulary of Teaching and Research between between Middle Ages and Ren., 1995, 184–198 42 Ders., The Rise of medical Humanism: Ferrara, 1464–1555, in: Renaissance Studies 11, 1997, 2–19 43 M. G. Ogden, The Galenic Works cited in Guy de Chauliac's Chirurgia Magna, in: JHM 27, 1973, 24–33 44 C. D. O'Malley, Andreas Vesalius of Brussels, 1514–1564, 1964 45 T. Pesenti, Gli Excerpta Celsiani di Giovanni di Marco da Rimini, in: Nuovi Annali della Scuola speciale per Archivist e Bibliotecari 13, 1999, 23–40 46 K. M. Reeds, Botany in medieval and ren. Univ., 1991 47 A. Scharf, The Universe of Shabbetai Donnolo, 1976 48 N. G. Siraisi, Taddeo Alderotti and his Pupils, 1981 49 P. Skinner, Health and Medicine in early medieval Southern Italy, 1997 50 W. D. Smith, The Hippocratic Trad., 1979, 31–44 51 L. Thorndike, Translations of Works of Galen from the Greek by Niccolò da Reggio (c. 1308–1345), in: Byzantina-Metabyzantina 1, 1946, 213–235 52 M. Ullmann, Die Schrift des Rufus von Ephesos über die Gelbsucht, in: AAWG 138, 1983, 1–87 53 R. Weiss, The Translators from the Greek at the Angevin Court of Naples, in: Rinascimento 1, 1950, 195–225 54 M. Zonta, Un interprete ebraico della filosofia di Galeno, 1995

LIT 55 G. Baader, G. Keil, M. im ma. Abendland, 1982 56 L. I. Conrad, M. Neve, V. Nutton, R. Porter, A. Wear, The Western medical Trad., 1995 57 L. Garcia Ballester, R. French, J. Arrizabalaga, A. Cunningham (Hrsg.), Practical Medicine from Salerno to the Black Death, 1994 58 M. D. Grmek (Hrsg.), Storia del Pensiero medico occidentale, Bd. 2, Dal Rinascimento all'Inizio dell'Ottocento, 1994 59 J. Hamesse (Hrsg.), Rencontres de Cultures dans la Philos. médiévale, 1990 60 G. Keil, B. Moeller, W. Trusen (Hrsg.), Der Human. und die oberen Fakultäten, 1987 **61** J. SCARBOROUGH (Hrsg.), Symposium on Byzantine medicine, in: Dumbarton Oaks Papers 38, 1984 **62** N. G. SIRAISI, Medieval and Early Ren. Medicine, 1990 **63** O. TEMKIN, Galenism. Rise and Decline of a medical Philosophy, 1973.   VIVIAN NUTTON / Ü: LEONIE V. REPPERT-BISMARCK

Medizingeschichtsschreibung   A. ARABISCHE MEDIZINGESCHICHTSSCHREIBUNG
B. MITTELALTER UND RENAISSANCE
C. MEDIZINGESCHICHTE UND DIE MEDIZINER
D. DIE PHILOLOGISIERUNG ANTIKER MEDIZIN
E. IDEENGESCHICHTE
F. DIE WIEDERBELEBUNG ANTIKER MEDIZINGESCHICHTE

A. ARABISCHE MEDIZINGESCHICHTSSCHREIBUNG
Die historiographische Beschäftigung mit der ant. Medizin geht mindestens auf die Spätant. zurück, als Johannes Philoponos (6. Jh.) eine *Geschichte der Ärzte* verfaßt haben soll. Diesem Werk entnahm wiederum Ishaq ibn Hunayn (gest. 910/11) Material für seine eigene *Geschichte*, in der es in erster Linie um Fragen der Chronologie geht [11]. Ishaqs Beispiel folgte eine Reihe arabisch schreibender Autoren, von denen einige im allg. nur Werkverzeichnisse anlegten, wie z. B. der Buchhändler Ibn an-Nadim (wirkte um 987), andere Stoffe aus älteren medizinischen Schriften mit blühender Phantasie zu einer fesselnden Lebensgeschichte eines medizinischen Weisen verwoben [9]. Bei dem aufschlußreichsten dieser Biographen, Ibn abi Usaibi'a (gest. 1270), und zwar in seinen Quellen der Nachrichten von den Klassen der Ärzte, haben sich ein Gutteil von Textmaterial aus heute verlorenen galenischen Schriften sowie Legenden erhalten, die sich um den Namen Galen ranken [6].

B. MITTELALTER UND RENAISSANCE
Aus diesem historiographischem Material wurde im MA mit Ausnahme von al-Mubassir nichts in eine europ. Sprache übersetzt. Informationen zur Geschichte der ant. Medizin lieferten entweder Werkverzeichnisse, z. B. von Vinzenz von Beauvais (gest. 1264) oder I. P. Forestus (wirkte um 1480), oder, seit dem 15. Jh., Digesten von Plinius' Haßtiraden gegen griech. Ärzte in Rom, wie er sie im 25. Buch seiner *Historia naturalis* niedergelegt hatte [1]. Trotz all seiner Voreingenommenheit blieb Plinius bis ins 20. Jh. die wirkmächtigste Quelle für die Geschichte der ant. Medizin, nicht zuletzt wegen seiner Verunglimpfung der späteren griech. Medizin als äußerster Schwundstufe hippokratischer Medizin [8]. Die bio-bibliographischen Berichte über Galen und Hippokrates, die einigen lat. Werkausgaben in der Ren. vorangestellt wurden, bestätigten Plinius' Bericht eher, als daß sie ihn widerlegten, auch wenn sie auf guter Kenntnis der griech. Texte basierten [7].

C. MEDIZINGESCHICHTE UND DIE MEDIZINER
In der ersten größeren Geschichte der Medizin, nämlich der des Schweizers Daniel Leclerc (1652–1728), nahm die Darstellung der Ant. breiten Raum ein. Ihr folgte die Geschichte der Medizin von John Freind (1675–1728). Die Behauptungen eines Kollegen von Freind, Richard Meads (1673–1754), der Ärztestand habe in der Ant. in hohem Ansehen gestanden (und daran habe sich, implizit, auch bis in die Gegenwart nichts geändert), führte zu einer heftigen Kontroverse, in deren Verlauf die epigraphischen Zeugnisse für Sklavenärzte und freie Ärzte und deren Verhältnis zu den Schriftzeugnissen weitreichende Deutungen erfuhren. Auch bestand Interesse an ant. Mz., die mit Medizin zu tun hatten, und der Altdorfer Professor Johann Heinrich Schulze (1687–1744) verwandte christl., syrische und arab. Zeugnisse, um Licht in die medizinische Welt der Spätant. zu bringen [3]. Gegen E. des 18. Jh. hatte sich ein pragmatischer Zugang zur Medizingeschichte herausgebildet, in deren Gefolge die groben Stadien der histor. Entwicklung bis in die Gegenwart hinein benannt und zugleich ant. Texte auf ihren möglichen Quellenwert im Hinblick auf Krankheiten und Therapien untersucht wurden. Beispiele für diese pragmatische M. sind der Jenenser Professor Christian Gottfried Gruner (1744–1815) sowie der Hallenser Professor Kurt Polycarp Joachim Sprengel (1766–1833) [5]. Vor diesem Hintergrund bereitete Carl Gottlob Kühn (1754–1840), Dekan der Medizinischen Fakultät der Univ. Leipzig, seine Ausgaben ant. Texte (Galen, 1821–1833; Hippokrates 1825–1827; Aretaios 1828) und seine immer noch wertvollen Anmerkungen zu medizinischen Autoren und Praktiken der Ant. vor. Die frühen Veröffentlichungen der Sydenham-Gesellschaft in England, einschließlich der Übertragung des Paulos von Aigina (1844–1847) durch Francis Adams, sowie die Hippokratesausgabe und -Übersetzung durch E. Littré entstanden unter ähnlichen Zielvorstellungen.

Littrés Ausgabe (1839–1861) markiert den Übergang von der Welt der Medizin in die Philologie. Seine sorgfältige Unt. der Hss. war richtungsweisend für eine angemessene philol. Beschäftigung mit ant. medizinischen Schriftstellern, während seine Vorworte, v. a. in den ersten Bänden, den anhaltenden Wert hippokratischer Schriften für die Medizin betonen. Nach ihm haben nur noch wenige Mediziner, insbesondere F. Z. Ermerins (1808–1871) und J. P. E. Petrequin (1809–1876), ant. Texte ediert. Die Mehrzahl der medizinhistor. interessierten Ärzte befaßte sich eher mit Übers. und medizinischen Komm, oder arbeitete, wie etwa der Leipziger Medizinhistoriker Karl Sudhoff (1853–1938) bei seinem Werk über die griech. medizinischen Papyri, mit einem in der Klass. Philol. geschulten Kollegen zusammen. Andere entwickelten einen histor. Zugang zu den Zeugnissen ant. Epidemien, wie z. B. Heinrich Haeser (1811–1884) in seinem *Lehrbuch der Geschichte der Medizin und Volkskrankheiten* (1845, 3. Auflage 1875–1882). Substantielle Studien zur ant. Medizin legten dt.

Gelehrte am E. des Jh. vor, und obgleich sie immer noch eindrucksvoll in ihrer Stofffülle sind – man denke nur an M. NEUBURGER, J. PAGEL, Hrsg., *Handbuch der Geschichte der Medizin*, 1902–1905 – fanden sie außerhalb der medizinischen Fakultät kaum Beachtung.

D. DIE PHILOLOGISIERUNG ANTIKER MEDIZIN

Die editorische und interpretatorische Arbeit an ant. medizinischen Texten übernahmen jedoch, zumal in Deutschland, klass. Philologen. Der Königsberger Professor Friedrich Reinhold Dietz gab die späten griech. Komm. zu Galen und Hippokrates heraus (1834). Seit den 1850er J. machten sich die Bibliothekare Charles Daremberg (1817–1872), der auch den *Anonymus Parisinus* ans Licht brachte, und Valentin Rose (1829–1916) daran, zahlreiche spätlat. medizinische Texte zum ersten Mal zu publizieren bzw. erstmalig nach allen Regeln der Kunst zu edieren. Zwischen 1870 und 1914 erschienen galenische Texte in Neuausgaben, die nach den besten philol. Standards erarbeitet wurden, oftmals als Dissertationen, die an mehr als der Hälfte der dt. altertumskundlichen Seminare betreut wurden. I. v. Müller (1830–1917) in Erlangen (später München) regte viele seiner Schüler an, seinem Beispiel zu folgen und Galen zu edieren. Der Höhepunkt dieser philol. Unternehmungen wurde 1901 mit der Gründung des *Corpus medicorum* erreicht, das die ant. Medizin fest in der Alt.-Wiss. verankerte, ganz im Sinne von Hermann Diels (1848–1921) und Ulrich v. Wilamowitz (1848–1931), die selbst medizinische Texte edierten und kommentierten. Diels war Mitherausgeber der ersten Ausgabe des *Anonymus Londiniensis* (1893), den William H. S. Jones (1876–1963) 1947 neu herausgab. Letzterer hatte sich übrigens mit seinem Buch *Malaria and Greek History* (1909) einen Namen gemacht, eine der wenigen Studien zur ant. Medizin, die sich mod. medizinische Entdeckungen zunutze machte.

E. IDEENGESCHICHTE

Der Erste Weltkrieg setzte den philol. Unt. der ant. Medizin im Geiste des Positivismus praktisch ein Ende. Nach 1918 wurden Textausgaben seltener, und der führende Historiker der ant. Medizin, Max Wellmann (1863–1933), brachte außer kurzen Artikeln wenig Substantielles zustande [4]. Nachwuchswissenschaftler gab es kaum – mit Ausnahme von Hans Diller (1905–1977) und Karl Deichgräber (1903–1984), die beide die ant. Medizin im Rahmen ihrer Arbeit als Gräzisten erforschten.

Das Interesse galt nun vermehrt dem Ideensystem Medizin, um nicht zu sagen: einem idealisierten Ideensystem der Medizin. Werner Jaeger (1888–1961), der zum ersten Mal durch seine Arbeit über Poseidonios und Nemesios mit der ant. Medizin in Berührung gekommen war, nahm ein entsprechendes Kapitel in den 1934 erschienenen ersten Band seiner Paideia auf und schrieb ein bedenkenswertes, wenn auch in weiten Teilen anfechtbares, Buch über Diokles von Karystos (1938) [12]. Einer seiner Berliner Studenten war Ludwig

Edelstein (1902–1965), dessen provokative Aufsätze über die der griech. und röm. Medizin zugrundeliegende Ideenwelt im englischsprachigen Raum eine tiefe Wirkung hinterließen [2]. Edelstein floh vor den Nazis und kam auf Einladung von Henry Ernest Sigerist (1891–1957), einem charismatischen Medizinhistoriker, der in Leipzig gelehrt hatte und unter dessen frühesten Veröffentlichungen Ausgaben spätant. lat. Texte waren, an die Johns Hopkins Univ. nach Baltimore. Sigerists Forderung nach einer »Gesamtgeschichte« der Medizin, der es ebenso auf die kulturellen und sozialen Hintergünde der Medizin wie auf deren Ideen ankam, blieb unerfüllt, wenn man einmal von zwei Bänden zur Ant. (von der Steinzeit bis zum klass. Griechenland) absieht (1951–1961). Seine Idealisierung der griech. Medizin als Urquell westl. Medizin wurde von Medizinhistorikern noch begrüßt, als deren Voraussetzungen bereits fraglich geworden waren [13]. Sein Leipziger Student und späterer Kollege in Baltimore, Owsei Temkin (geb. 1902) hatte ein besonderes Interesse an Ideengeschichte, insbes. am diachronen Wandel medizinischer Konzepte. Seine Werke *Galenism* (1973) und *Hippocrates in a World of Pagans and Christians* (1991) können auch als Herausforderung an den mod. Arzt gelesen werden, medizinische Praxis auf philos. und ethische Fundamente zu gründen.

F. DIE WIEDERBELEBUNG ANTIKER MEDIZINGESCHICHTE

Eine solche Beschäftigung mit medizinischen Ideen wurde, wenn auch auf anderen Wegen, fortgesetzt von Sir Geoffrey Lloyd (geb. 1933), der die Medizin neben andere Formen ant. Wiss. stellte und unter Heranziehung chinesischer Medizin und Wiss. die spezifischen Qualitäten des griech.-röm. Denkens untersuchte. Andere Forscher, v. a. Fridolf Kudlien (geb. 1928), waren bestrebt, den sozialgeschichtlichen Hintergrund medizinischer Praxis und ihrer vielfältigen Sachwalter aufzuzeigen und die fließenden Grenzen zw. Medizin, Religion und Philos. deutlich zu machen. Altertumsforscher mit einer ärztlichen Ausbildung sind heutzutage selten: einer von ihnen ist Mrko D. Grmek (1924–2000), der größere Arbeiten zu Krankheiten in der Ant. vorgelegt hat und einer der Vorreiter eines seit den 1970er J. wiedererwachten großen Interesses an der alten Medizin ist.

In jener Zeit ist die Zahl der Ausgaben ant. Medizintexte merklich gestiegen, wobei pro Jahr durchschnittlich ein neuer Text (wenn auch fragmentarisch) angekündigt oder veröffentlicht wird. Die meisten dieser Texte stammen aus arab. Quellen; bei ihrer Bearbeitung kann auf das ältere Werk von Max Meyerhof (1874–1945) und Richard Walzer (1900–1975) aufgebaut werden. Andere wurden in griech. oder lat. Sprache in vernachlässigten Bibl. entdeckt. Das *Corpus medicorum* hat einen mächtigen Aufschwung erlebt, in den Budé-Reihen sind größere Ausgaben des Hippokrates, Soranos und Celsus erschienen. Es gibt in regelmäßigen Abständen internationale Konferenzen zu Hippokrates

(seit 1972), Galen (seit 1979) . Inzwischen sind zu beinahe allen Aspekten der ant. Medizin eingehende Studien erschienen, von medizinischen Geräten bis hin zu
Krankheiten, von der Deutung medizinischer Doxo-
graphie bis zum Renommée ant. Ärzte. Sozialhistoriker
haben sich mit der Interaktion zw. Heilpersonal und
Patienten bzw. Kollegen befaßt, sogar mit ihrer arch.
Umgebung. Auch der Feminismus hat eine wichtige
Rolle gespielt, die Aufmerksamkeit auf die Gynäko-
logie im weitesten Sinne zu lenken, wobei das Augenmerk nicht nur auf Frauenkrankheiten und ant. Vorstellungen über die Physiologie der Frau gerichtet wurde, sondern auch auf die Rolle der Frau als Heiltätige
innerhalb wie außerhalb der Familie.

Die Medizin des Alten Ägypten und Babylonien hat
erst neuerdings dieselbe Aufmerksamkeit erfahren wie
die Medizin des Alten Griechenland. Obwohl die Erforsch. ägypt. Mumien dazu beitrug, die wiss. Disziplin
der Paläopathologie zu begründen, hemmten die verhältnismäßig schmale Bandbreite von Texten und die
Schwierigkeiten bei deren Interpretation ihre wiss. Erforsch. (und ermunterten den Populärwissenschaftler),
auch wenn größere Gesamtdarstellungen in den 1990er
J. erschienen (→ Medizin). Das Verständnis der babylonischen Medizin hinkt noch weiter hinterher, doch
geben die Publikation zahlreicher neuer Texte in den
1990er J. sowie die Ankündigung vieler weiterer Textausgaben zur Hoffnung Anlaß, daß sich hier ein neues
und womöglich höchst aufregendes Forschungsgebiet
eröffnen wird. Die alte Frage nach möglichen Wech-
selwirkungen zw. der Medizin des Nahen Ostens und
der Medizin Griechenlands kann dann mit weniger
Vorurteilen und auf der Grundlage eines breiteren Tat-
sachenmaterials erneut aufgegriffen werden.

→ Altertumswissenschaft; Arabische Medizin; Corpus
Medicorum; Medizin
→ AWI Anonymus Londiniensis; Anonymus Parisinus;
Celsus; Galenos aus Pergamon; Hippokrates; Plinius
d. Ä.; Soranos

QU 1 L. BELLONI, D. M. SCHULLIAN (Hrsg.), Giovanni
Tortelli. Della Medicina e dei medici; Gian Giacomo
Bartolotti, Dell' antica Medicina , 1954 2 L. EDELSTEIN,
Ancient Medicine, 1967, vii-xiv 3 J. M. EDER, Johann
Heinrich Schulze, 1917 4 G. HARIG, Die ant. Medizin in der
Berliner medizinhistor. Forsch., in: D. TUTZKE (Hrsg.),
Trad. und Fortschritt in der medizinhistor. Arbeit des
Berliner Instituts für Gesch. der Medizin, 1980, 37–50
5 H.-U. LAMMEL, Zw. Klio und Hippokrates, Hab.,
Rostock 1999 6 M. MEYERHOF, Autobiographische
Bruchstücke aus arab. Quellen, in: AGM 22, 1929, 72–86
7 V. NUTTON, Biographies of Galen, 1340–1660, in:
T. RÜTTEN (Hrsg.), Gesch. der
Medizingeschichtsschreibung (in Vorbereitung) 8 Ders.,
From Democedes to Harvey, 1988, Kap. vii, 30–31
9 F. ROSENTHAL, A History of Muslim Historiography,
²1968, 79–81, 107–110 10 Ders., Al-Mubassir ibn Fatik.
Prolegomena to an abortive Edition, in Oriens 13–14, 1961,
132–158 11 Ders., Ishaq b. Hunayn's Ta'rikh al-atibba', in:
Oriens 7, 1954, 55–80 12 H. VON STADEN, Jaeger's

›Skandalon der histor. Vernunft‹. Diocles, Aristotle, and
Theophrastus, in: W. M. CALDER III (Hrsg.), Werner Jaeger
reconsidered, 1992, 227–266

LIT 13 D. GOUREVITCH (Hrsg.), Médicins érudits de Coray à
Sigerist, 1995 14 Society for the History of Ancient
medicine Newsletter, 1972–1997.   VIVIAN NUTTON/
                                    Ü: LEONIE V. REPPERT-BISMARCK

Melancholie   I. MEDIZIN   II. LITERATUR

I. MEDIZIN

Im 5. Jh. n. Chr. verschmolz die in galenischer Trad.
(→ Galenismus) genährte Vorstellung, die M. sei ein von
der schwarzen Galle, einem der vier Kardinalsäfte, be-
herrschtes Temperament, irreversibel mit der älteren
Vorstellung eines spezifischen Krankheitsbildes mit Namen M. Damit war die schwarze Galle zum gefährlich-
sten Körpersaft avanciert, und der Melancholiker schien
mehr denn je mit allen möglichen Krankheiten behaftet
zu sein. Isidorus, Etymologiae X 176, leitete das Wort
malus von einem Überschuß an schwarzer Galle ab, der
Melancholiker menschliche Kontakte meiden ließ und
ihnen den Argwohn der anderen eintrüge. In der ma.
Medizin sah man in der M. die Geisteskrankheit par
excellence, obwohl man auch allerlei körperliche Stö-
rungen mit ihr verband [1].

Constantinus Africanus (wirkte um 1080) schrieb
eine Abh. über die M., die im wesentlichen auf den
Gedanken des Rufus von Ephesos beruhte, wie sie von
arab. Autoren übermittelt worden waren. Darin betonte
er die Geisteskrankheiten, die die M. mit sich brachte,
und schloß darin auch eine Tendenz zu polarem Verhalten, z. B. zum Lachen und Weinen, ein. Andere Autoren, insbes. Theologen, beschrieben die M. als einen
Verzweiflungszustand, als einen Teil jener Strafe, die
über Adam verhängt wurde, als er in die verbotene
Frucht biß. Die Traurigkeit der M. stand im Gegensatz
zur Freude des Sanguinikers [5]. Die Fülle unterschiedlicher Arten und Manifestationen der M. wurde von
Avicenna (→ Arabische Medizin) und seinen lat. Inter-
preten seit 1100 damit erklärt, daß M. durch Verbren-
nungsrückstände eines jeden Körpersaftes entstehen
können. So unterschied man eine phlegmatische M.
von einer melancholischen M., eine sanguinische M.
von einer cholerischen M., wobei die ersteren eine gegenüber den Ausgangssäften verschärfte Neigung zu
depressiver Symptomatik, die letzteren zu manischen
Anwandlungen besaßen. Verbindungen zu einer mindestens bis auf Ptolemaios zurückreichenden Trad. der
Physiognomie bekräftigten, daß die unter dem Einfluß
des Saturn stehenden M.-Kranken den schlimmsten
körperlichen und geistigen Krankheitszuständen ausgesetzt waren. Auch die sog. Liebskrankheit führte man
auf die Auswirkungen der M. zurück, zu denen auch
körperliche Schwerfälligkeit und Verschlagenheit zählten [8].

Im Rahmen des in der Ren. wiedererwachten Interesses an griech. Philos. und Wiss. lebte auch die Dis-

Abb. 1: Dürers Kupferstich *Melencolia I* (1514), Bildarchiv Preußischer Kulturbesitz

kussion um das melancholische Genie in der aristotelischen Trad. der *Problemata* wieder auf. Ficino stellte in seinen um 1490 geschriebenen Büchern *De vita triplici* die aristotelische M. mit der göttl. Inspiration Platons gleich, die unverzichtbar für jeden sei, der in die Geheimnisse des Universums vordringen wolle. Dürers

Stich *Melencolia I* (Abb. 1), der um 1514 begonnen wurde, führt sämtliche Merkmale der M. vor Augen, angefangen mit der Traurigkeit und Lethargie bis hin zu intensiver Denkkraft [5]. Die Geschichte von Hippokrates' Versuch, den Philosophen Demokritos zu heilen, wurde emblematisch für die Fähigkeit des Melancholikers, die Welt um sich zu begreifen, denn auch sie leidet an M. [6; 4]. So gesehen formulieren Robert Burtons *Anatomy of Melancholy* (1621) und seine Identitätspräsentation als »Democritus Junior« einen Anspruch, die gesamte *conditio humana* zu untersuchen.

Die negativen Merkmale der M. wurden zunehmend als Voraussetzung von Selbsterkenntnis angesehen, was wiederum, wie in Miltons *Il penseroso*, den Weg zu einem innigeren M.-Bezug und einem romantischen Begriff von »Weltschmerz« wies. Kant glaubte, Melancholiker seien wahrhafter Tugend teilhaftig, denn nur sie allein hätten einen Sinn für das Erhabene und könnten durch ihr Wissen um die Welt und die menschliche Natur zu einem wahren Verständnis von Moral und Sitte gelangen [7]. Schließlich erkannte man in der M. einen vorübergehenden Zustand von Traurigkeit und Nostalgie, der durch äußere Einflüsse, z.B. die ihrerseits wiederum als melancholisch geltende Dämmerung oder Landschaft, herbeigeführt werden könne [9].

Der Begriff M. blieb als diagnostische Entität für eine schwere Geisteskrankheit bis weit ins 20. Jh. hinein in Gebrauch [2]. Dabei dachte man an eine Serie von Angstzuständen, tiefen Depressionen und körperlicher sowie geistiger Trägheit, die gelegentlich mit manischen Zuständen abwechselten. Solche Phänomene werden natürlich auch h. noch beobachtet, doch finden sie in der mod. Psychiatrie unterschiedliche Namen und Erklärungen [3].

→ AWI Demokritos; Hippokrates; Melancholie; Ptolemaios; Rufus

1 H. FLASHAR, M. und Melancholiker, 1966 2 S. FREUD, Trauer und M., in : Gesammelte Werke, Bd. X, 1946, 428–446 3 W. JACKSON, Melancholy and Depression. From Hippocratic Times to Modern Times, 1986 4 S. JACOBS, T. RÜTTEN, Democritus ridens – ein weinender Philosoph? Zur Trad. des Democritus melancholicus in der Bildenden Kunst, in: Wolfenbütteler Beiträge 11, 1998, 73–143 5 R. KLIBANSKY, E. PANOFSKY, F. SAXL, Saturn und M., 1990 6 T. RÜTTEN, Demokrit – lachender Philosoph und sanguinischer Melancholiker, 1992 7 F. SENA, A Bibliography of Melancholy (1660–1800), 1970 8 M. F. WACK, Lovesickness in the Middle Ages, 1998 9 H. WATANABE-O'KELLY, M. und die melancholische Landschaft, 1978.   VIVIAN NUTTON/
Ü: LEONIE V. REPPERT-BISMARCK

II. LITERATUR

Die M. ist ein diskursiv und histor. je unterschiedlich bestimmter Begriff, der gegenwärtig in der Medizin eine psychische Erkrankung bezeichnet, in der Philos. und in den Künsten eine intellektuelle Haltung, vorwiegend den Habitus des Genies, und im alltäglichen Sprachgebrauch eine transitorische Verstimmung des Gemüts. Die hippokratische Humorallehre (5. Jh. v. Chr.) verbindet M., den schwarz verfärbten Gallensaft, mit krankhaften Erscheinungen (Handlungshemmung, Kommunikationsunfähigkeit, Wechsel von Manie und Depression). Diese einseitig negative Bewertung hebt erstmals Theophrast auf. In den pseudo-

aristotelischen *Problemata Physica* (3. Jh. v. Chr.) behauptet er, daß alle außergewöhnlichen Menschen in Politik, Dichtung, Philos. und den Künsten Melancholiker seien, da der Stoff der schwarzen Galle nicht nur krankhafte Exallagen verantworten könne, sondern auch das Vermögen, die alltägliche Ordnung der Durchschnittsmenschen zu transzendieren. Theophrasts Exempel beweisen jedoch, daß ebenso die Gefahr der Hybris besteht, daß der Melancholiker verführt ist, die (gottgegebene) Ordnung der Gemeinschaft selbst anzuzweifeln.

Populär wird die philos. Nobilitierung der M. nie, durch die Zeiten dominiert die medizinisch-negative Auffassung. Die ma. Theologie erneuert das Wissen um M. als gestörtes Gottesverhältnis. In Thomas von Aquins *Summa theologiae* (1267–1273) z. B. wird M. als Todsünde definiert, als *acedia* oder *tristitia saeculi*, die das Elend im Irdischen fälschlich absolut setzt. In der spätma. Lyrik, etwa bei Jean Froissart und Charles d'Orléans, erscheint die M. vereinzelt schon als subjektive Stimmung und Muse des Dichters. Die eigentliche Wende zum neuzeitlichen M.-Begriff vollzieht sich exemplarisch in Marsilio Ficinos *De vita triplici* (1482–1489), der die Komplexion von M. und Genialität historisiert: Sie wird zum Erkennungszeichen der *viri litterati* der Ren., deren Reflexionsfreiheit nach dem Zusammenbruch der christl.-ma. Ordnung eine problematische ist. Sinnfällig stellt dies Albrecht Dürers Kupferstich *Melencolia I* (1514, Abb. 1) dar: durch die Personifikation des melancholischen Wissenschaftlers, der mit Hilfe mathematischer Instrumente die Welt neu vermessen will und seine Grenzen erkennt. Die Welt scheint aus den Fugen, deshalb findet man an der Wende zur Neuzeit große Melancholiker in der Lit.: Don Quijote, Faust oder Hamlet.

Während Robert Burtons *The Anatomy of Melancholy* (1621) ein unterhaltsames Panorama zeitgenössischer M.-Formen entwirft, kennt das christl.-dt. Barock nur eine legitime: die *tristitia secundum deum*, die Klage über die Sündhaftigkeit des Menschen. Im Zeitalter der → Aufklärung wird M. zum Kampfbegriff gegen pietistische Trauer und manisches Schwärmertum sowie deren säkularisierte Ausprägungen im europ. Sentimentalismus, die dem Fortschritt vorgeblich entgegenstehen. Karl Philipp Moritz' *Anton Reiser* (1785/86, 1790) gibt dafür ein Beispiel. Die Kehrseite davon ist bürgerliche M. als Adelskritik, z.B. in Johann Wolfgang von Goethes *Werther* (1774, 1787). Der Weltschmerz in der Lit. eines Lord Byron, Heinrich Heine oder Georg Büchner tarnt sich als existentielle M. und ist doch polit. motiviert, eine Reaktion der nachidealistischen Generation auf die Restaurationsperiode nach 1815. Um die Mitte des 19. Jh. verwandelt sich – z.B. bei Charles Baudelaire – der *spleen* in die heroische Melancholie des Flaneurs in der Menge. M. und das Bewußtsein der »transzendentalen Obdachlosigkeit« gehören in den Krisenzeiten der Moderne zusammen, wie noch Thomas Manns Roman *Doktor Faustus* (1947) bezeugt. In

der Lit. der Postmoderne sind Melancholiker als Grenz-
gänger des Absoluten selten geworden. Ihre Gestaltung
orientiert sich eher an der M.-Forsch. von Soziologie
und Psychoanalyse im 20. Jh., die den Zusammenhang
von M. und Nonkonformität, M., Inkludenz und Re-
manenz oder auch M. und Narzißmus untersucht hat.

1 L. BINSWANGER, M. und Manie, 1960 2 L. FÖLDÉNYI,
Melankólia, 1984 3 S. FREUD, Trauer und M., 1917
4 R. KLIBANSKY, E. PANOFSKY, F. SAXL, Saturn and
melancholy, 1964 5 J. KRISTEVA, Soleil Noir, Dépression et
mélancolie, 1987 6 W. LEPENIES, M. und Ges., 1969
7 J. SCHIESARI, The Gendering of Melancholia, 1992 8 H. J.
SCHINGS, M. und Aufklärung, 1977 9 J. STAROBINSKI,
Gesch. der M.-Behandlung von den Anfängen bis zur
Gegenwart, 1960 10 H. TELLENBACH, M., Problemgesch.,
Endogenität, Typologie, Pathogenese, Klinik, 1961
11 L. VÖLKER (Hrsg.), ›Komm, heilige M.‹, 1983.

GÜNTER BLAMBERGER

Memorabilia s. Autobiographie, Biographie,
Geschichtswissenschaft/Geschichtsschreibung

Menippea s. Satire

Menschenrechte A. BEGRIFFSKLÄRUNG
B. DIE FRAGE NACH DEN URSPRÜNGEN DER
MENSCHENRECHTE IN DER FORSCHUNG
C. BELEGE DER FORSCHUNG FÜR WURZELN
DER MENSCHENRECHTE IN DER ANTIKE UND
DEREN REZEPTION
D. ANTIKE-REZEPTION IN DER VORGESCHICHTE
DER MENSCHENRECHTE
E. ANTIKE-REZEPTION IM KONTEXT DER
AMERIKANISCHEN ERKLÄRUNGEN DER RECHTE
F. ANTIKE-REZEPTION IM KONTEXT DER
FRANZÖSISCHEN MENSCHEN- UND
BÜRGERRECHTSERKLÄRUNG

A. BEGRIFFSKLÄRUNG

Unter M. versteht man seit den großen M.-Erklä-
rungen des 18. Jh. die auf den Schutz elementarer Le-
bensgüter und Freiheiten bezogenen individualrechtli-
chen Ansprüche, die jeder Person kraft ihres bloßen
Menschseins zukommen. In der Anknüpfung an die
Personqualität des Menschen gelten die M. für alle
Menschen gleichermaßen und insofern universal (vgl.
Art. 2 UN-M.-Erklärung von 1948). Mit der Idee der
M. als angeborener, unverzichtbarer und unentziehba-
rer Naturrechte des Menschen verbindet sich ferner ein
vor- und überstaatlicher Geltungsanspruch. Die Ge-
währleistung der M. soll somit normativer Maßstab sein,
von dem her Recht und Staat erst ihre Legitimation
beziehen. Wenn auch mit den M. ein das positive Recht
transzendierender, philos.-naturrechtlicher Begründungsanspruch geltend gemacht wird, gelangen sie doch
erst als institutionell bzw. verfassungsmäßig verbürgte
und einklagbare Grundrechte zu ihrer vollen Verwirklichung.

B. DIE FRAGE NACH DEN URSPRÜNGEN DER MENSCHENRECHTE IN DER FORSCHUNG

Wer mit Blick auf die Geschichte der M.-Idee und
ihrer Verwirklichung nach Hinweisen einer Ant.-Re-
zeption sucht, hat sich zunächst mit der Frage auseinanderzusetzen, ob M. im Alt. nachweisbar sind. In der
Forsch. werden diesbezüglich verschiedene Positionen
vertreten. Von einigen Altertumswissenschaftlern wird
die These bevorzugt, Menschen- oder Grundrechte
könnten der Sache nach in geistesgeschichtlicher Hinsicht [8] oder sogar in der Rechtswirklichkeit [21; 20]
bereits in der Ant. nachgewiesen werden. Dies steht in
auffälligem Kontrast zur *Opinio communis* histor. und
rechtshistor. Unt., die sich mit den M.-Erklärungen des
18. Jh. und deren Vorgeschichte befassen. Hier ist man
sich weitgehend darin einig, daß M. als eine Schöpfung
der revolutionären Umwälzungen der Neuzeit anzusehen sind. Für die Vorgeschichte werden auf die Ant.
zurückreichende Wurzeln bestenfalls in geistesgeschichtlicher Hinsicht gelten gelassen, während man die
polit. Vorgeschichte im äußersten Falle mit den ständischen Freiheitsverbriefungen und Herrschaftsverträgen
des MA (*Magna Charta* von 1215 u. *Joyeuse Entrée* von
Brabant, 1356) und der frühen Neuzeit (Tübinger Vertrag, 1514) beginnen läßt [16; 7]. In ihnen wird eine für
die späteren M. bedeutsame Trad. der rechtlichen Herr-
schaftsbeschränkung sowie der ›schriftlichen Fixierung
und Katalogisierung von Fundamentalrechten‹ gesehen
[7. 242]. Dies gelte in besonderem Maße für die angelsächsische Rechtstrad., in der sich bedingt durch den
frühzeitigen Abbau ständischer Privilegien eine Uni-
versalisierung urspr. ständisch gedachter Rechte und
Freiheiten vollzogen habe [14]. Auch für die kontinen-
taleurop. Rechtsgeschichte wird neuerdings die These
vertreten, daß sich in Institutionen des Persönlichkeits-
schutzes, der »Hausnotdurft« oder in häuslichen Früh-
formen der Religionsfreiheit bereits in der altständi-
schen Gesellschaft ›eine Zone quasi-individueller Be-
rechtigungen ausbildete, welche die ständische Libertät
in Richtung auf menschenrechtliche Freiheiten überschreitet‹ [7. 243].

Im Hinblick auf die Ideengeschichte der M. ist der
Einfluß der Naturrechtslehre des 16. bis 18. Jh. sowie
der polit. Philos. und Publizistik der Aufklärung (Schule
von Salamanca, Hugo Grotius, sog. preußisches Naturrecht von Samuel Pufendorf bis Christian Wolff, John
Locke) eingehend untersucht und bestätigt worden [4;
5]. Daß bei der Ausbildung des M.-Gedankens auch auf
ant., vornehmlich stoisches Gedankengut und Bestände
christl. Trad. zurückgegriffen worden sei, ist in der älteren, aber noch immer maßgeblichen Gesamtdarstellung von Gerhard Oestreich besonders betont worden
[16. 14] und hat sich inzwischen fast schon zu einem
Topos der Handbuchlit. verfestigt. Doch steht der
Nachweis für diese These in Form einer systematischen
Aufarbeitung konkreter Rezeptionsspuren noch weitgehend aus. Nachfolgend gilt es, die in der Forsch. angeführten wichtigsten Belege für eine Existenz der M.
in der Ant. und ihrer späteren Rezeption zu erörtern.

C. Belege der Forschung für Wurzeln der Menschenrechte in der Antike und ihrer Rezeption

Für die Ant. wird in begriffsgeschichtlicher Hinsicht auf die allerdings seltenen Verwendungen von Termini wie ›ius hominum‹ oder ›ius humanum‹ verwiesen [20. 1258]. Die Problematik solcher Hinweise besteht zum einen darin, daß diese Wendungen zumeist in begrifflicher Opposition zum natürlichen oder göttl. Recht stehen und menschliche Satzung bezeichnen (z.B. Cic. off. 1, 26). Bei anderen oftmals als Beleg angeführten Stellen (Cic. Tusc. 1, 64, 2: ›ius hominum, quod situm est in genere humani societate‹; Sen. benef. 3, 18, 2) ist indes fraglich, ob im Begriff *ius* der für den M.-Begriff zentrale Aspekt des subjektiven Rechts im Blick steht und nicht vielmehr seine objektiv-rechtliche Bed. im Sinne von *lex* (letzteres eindeutig bei Gai. inst. 1, 2, 1: ›communi omnium hominum iure‹). Auch der Hinweis auf die dem mod. M.-Begriff noch am nächsten kommende Wendung bei Tert. (ad Scapulam 2, 2: ›humani iuris et naturalis potestatis est unicuique, quod putaverit, colere‹) kann alleine nicht hinreichen, um die Präsenz des M.-Gedankens in der Ant. zu belegen. Nicht ohne Grund wird in den einschlägigen begriffsgeschichtlichen Unt. der Ant. daher kein Augenmerk geschenkt [13]. Vielmehr deuten deren Ergebnisse darauf hin, daß die Wendung »Rechte der Menschen / Menschheit« (bzw. ihre fremdsprachlichen Äquivalente) nicht vor dem 18. Jh. zum Schlüsselbegriff des polit.-philos. Diskurses geworden ist. Dahinter zurückgehende ideengeschichtliche Unt. zur Genealogie der M.-Idee setzen demgegenüber an bei Begriffen wie *ius naturale*, *potestas* oder *facultas moralis*, *ius connatum*, *natural rights*, *droits naturels*, die in der Bed. von natürlichen Rechten bislang frühestens innerhalb des ma. Naturrechtsdenkens nachgewiesen worden sind [22; 11].

Wenn in der Forschungslit. bezüglich der M. von Parallelen, Entsprechungen, Spuren oder Wurzeln in der Ant. die Rede ist, bezieht sich dies in der Regel entweder auf die materialen Gehalte von bereits in ant. Rechtswirklichkeit geltenden Rechten, wobei vom naturrechtlichen Begründungsanspruch und universellen Geltungshorizont der M. abgesehen wird [21; 20]. Oder aber es stehen im Fokus der ideengeschichtlichen Betrachtung ethische, anthropologische oder rechtsphilos.-polit. Reflexionen in Philos. [8] sowie heidnischer und christl. Literatur [19]. Einen Rahmen für Fragestellungen wie diese – zumal unter Einbeziehung auch außereurop. Gesellschaften des Alt. – bietet die *Revue internationale des droits de l'antiquité* (RIDA) der *Société internationale Fernand de Visscher pour l'histoire des droits de l'antiquité* (SIHDA), die zudem jüngst ihre 50. Session (Brüssel 16.–19.9.1996) eigens dem Thema »Le monde antique et les droits de l'homme« gewidmet hat [12].

Was die Bed. der Ant. und ihrer Rezeption für die spätere Ausbildung der M. anbelangt, so ist zuletzt von Hubert Cancik geltend gemacht worden, daß die ant. Wurzeln des neuzeitlichen M.-Denkens in der For-schungslit. bislang zu wenig berücksichtigt worden seien [8]. Mit Recht weist er darauf hin, daß zentrale Argumentationsfig. und Begriffe der mod. M.-Diskussion, wie der Rekurs auf ›Natur‹ und ›Naturrecht‹, ›Naturzustand‹ oder ›Gesellschaftsvertrag‹ bereits in der Ant. begegnen [8. 312]. Ob man indes soweit gehen kann, für einzelne Formulierungen beispielsweise der frz. M.-Deklaration einen direkten Einfluß des klass. Naturrechts oder der stoischen Anthropologie anzunehmen [8. ebd.], scheint jedoch fraglich.

So berechtigt die Zurückweisung der pauschalen Behauptung von dem alleinigen Ursprung des M.-Denkens im Christentum ist, so wenig ist es zulässig, den gesamten Gehalt des mod. M.-Denkens allein aus heidnisch-ant. Wurzeln herzuleiten. Auch kann es nicht darum gehen, jegliche Bed. des Christentums für die Geschichte der M. in Abrede zu stellen. Eine diesbezüglich hinreichend differenzierende Einschätzung hätte zu berücksichtigen, daß die M., wie Hans Maier es treffend formuliert hat, ›ebenso im Bund mit christlichen Überlieferungen wie im Widerspruch gegen konkrete zeitgeschichtliche Ausprägungen des Christentums erkämpft worden sind‹ [15. 48f.].

D. Antike-Rezeption in der Vorgeschichte der Menschenrechte

Es ist nicht zu übersehen, daß sowohl in den Erklärungen der Rechte durch amerikanische Einzelstaaten wie beispielsweise Massachusetts und Virginia, in der *Declaration of Independence* (1776) sowie in der *Déclaration des droits de l'homme et du citoyen* (1789) an entscheidender Stelle auf naturrechtliche Begründungsmuster rekurriert wird. Indes, mögen auch die Wurzeln des Naturrechts bis auf Cic. und die Stoa zurückgehen, so haben doch die M.-Forderungen der amerikanischen und frz. Revolutionäre an die zeitgenössischen Naturrechtslehren angeknüpft. Diese standen in der Trad. des neuzeitlich-protestantischen Naturrechts, wie es von Hugo Grotius im 17. Jh. begründet, vornehmlich durch die Werke Samuel Pufendorfs in ganz Europa verbreitet und durch Aufklärungsdenker wie John Locke, Jean-Jacques Rousseau oder Immanuel Kant in Richtung auf den Gedanken der Unveräußerlichkeit der persönlichen wie der polit. Freiheit radikalisiert wurde. Daß dieses neuzeitliche Naturrecht selbst wiederum wichtige Anstöße auch aus der Ant. erfahren hat, ist unbestritten. So sind etwa im Naturrecht eines Thomas Hobbes oder John Locke, wohl vermittelt durch den Kreis um Pierre Gassendi, neo-epikureische Einflüsse wirksam geworden, während die Naturrechtslehren von Grotius (Gedanke der Selbsterhaltung, *appetitus societatis*) und Pufendorf (*socialitas*-Lehre) deutliche Einflüsse der Stoa, insbesondere deren Oikeiosis-Lehre aufweisen. Doch scheint gerade der hier eigentlich in Frage stehende naturrechtliche Gedanke, daß der Mensch als Individuum Träger subjektiver natürlicher Rechte ist, seine Wurzeln nicht in der Antike zu haben. Vielmehr bezogen die Vertreter des »säkularen« Naturrechts ihn aus dem christl.-scholastischen Naturrecht des MA, von dem sie stärker abhängig waren, als es angesichts ihrer Polemik gegenüber dem »aristotelisch-scholastischen Dogmatismus« vordergründig scheinen mag. Deutlich ausgebildet finden sich natürliche Rechte bereits bei span. Spätscholastikern wie Francisco Suarez (*De legibus ac Deo legislatore*, 1612), Fernando Vasquez y Menchaca (*Controversiae illustres*, praef., 1559), Bartolomē de las Casas oder Francisco de Vitoria (*Relectio de Indis*, 1539), aber auch schon bei früheren scholastischen Philosophen wie Jean Gerson und Wilhelm v. Ockham [22]. Von dem Mediävisten Brian Tierney ist zudem die These vertreten worden, daß die frühen scholastischen Theorien natürlicher Rechte ihrerseits von den Dekretisten des 12. und 13. Jh. beeinflußt seien, die bei der Glossierung des *Decretum Gratiani* den Begriff des subjektiven Rechts erstmals konzipiert hätten. Tierney legt das Gewicht dabei vor allem auf die Dekretisten. Ließe sich indes nachweisen, wofür es Hinweise gibt [9], daß der gleiche Vorgang sich auch bei der Kommentierung des *Corpus iuris civilis* durch die Legisten vollzog, so wäre darin ein Beleg für einen, wenn auch äußerst vermittelten, Beitrag von Ant.-Rezeption zur Ausbildung der M. zu sehen.

E. ANTIKE-REZEPTION IM KONTEXT DER AMERIKANISCHEN ERKLÄRUNGEN DER RECHTE

Ein unmittelbarer und bestimmender Einfluß der Rezeption ant. Trad. auf die großen M.-Erklärungen des 18. Jh., die Rechteerklärungen der amerikanischen Einzelstaaten, die *Declaration of Independence* sowie die *Déclaration des droits de l'homme et du citoyen* ist in der Forsch. bislang nicht nachgewiesen worden. Gewiß zählen ant. Autoren zum festen Bildungsbestand der geistigen Elite der amerikanischen Kolonisten, und in den Schriften der führenden Revolutionäre, wie überhaupt in der Pamphletlit. der Revolutionsperiode, finden sich Bezugnahmen auf die Ant. zuhauf, wenngleich sie mitunter auch rein rhet.-illustrativen Zwecken gedient haben mögen. [3. 26; 18]. Belegt ist zudem der maßgebliche Einfluß des »klass. Republikanismus« auf die Verfassungsdiskussion unter den *Founding Fathers* [3; 18]. Der Spiritus rector der Unabhängigkeitserklärung, Thomas Jefferson, hat ohne Zweifel auch unter dem Einfluß ant. Denker gestanden. So nennt er sich einmal einen ›Epicurean‹ (Letter to William Short vom 31.10. 1819) [2. 1430], ein andermal führt er als ›elementary books of public right‹, die für die Unabhängigkeiterklärung von Bed. gewesen seien, neben jenen von Lokke und Algernon Sidney auch die von Arist. und Cic. an (Letter to Henry Lee vom 8.5.1825) [2.1501]. Dennoch konnte sich jene für die amerikanische Unabhängigkeitserklärung und die Rechteerklärungen mancher amerikanischer Einzelstaaten, wie die *Virginia Declaration of Rights*, so charakteristische Berufung auf die »unalienable and inherent rights« der Person nicht auf die ansonsten auch für das Naturrechtsdenken der amerikanischen Revolutionäre wichtigen ant. Autoren (Cic., Sen.) stützen. Die Quellen hierfür sind in anderer Richtung zu suchen. In der Historiographie zu den ameri-

kanischen *Bills of Rights* wird auf den Einfluß der engl. Rechtstrad. verwiesen, auf das Bewußtsein der Kolonisten, die »Rights of an Englishman« auch für sich in Anspruch zu nehmen. Im Gegensatz zu England lassen sich zudem sogar schon für die frühe Kolonialzeit in den Charters und Fundamentalgesetzen einzelner Kolonien (New-Plymouth, West-New-Jersey) erste Ansätze zu einer Konstitutionalisierung der auf dem Boden des *Common Law* gewachsenen Individualrechte konstatieren. Hinzu kommt der überragende Einfluß des europ. Naturrechts, das im Augenblick der Loslösung vom Mutterland, sogar zur entscheidenden Legitimationsgrundlage dieser Rechte erhoben wird. Der von den führenden Protagonisten der Amerikanischen Revolution wiederholt beschworene »Common Sense« wurde, jedenfalls was die Rechte des Individuums angeht, neben Locke, dessen Einfluß in dieser Hinsicht kaum zu hoch veranschlagt werden kann, auch durch Blackstones *Commentaries on the Law of England* und die Naturrechtslehren von Jean-Jacques Burlamaqui, Emer de Vattel, Pufendorf und Grotius geprägt. Mit den Gedanken dieser Autoren waren die Kolonisten schon von der Schule her vertraut, gehörte doch das Naturrecht, gleichviel ob in direkter Lektüre oder vermittelt durch popularisierende Lehrbücher, zum Unterrichtsstoff an amerikanischen Colleges [11. 323 ff.]. Auch ist die Wertschätzung dieser Autoren bei den *Founding Fathers* durch explizite Äußerungen belegt. So zog etwa James Otis immer wieder John Locke als Autorität in Fragen des Naturrechts heran, während Alexander Hamilton die Werke von Grotius, Pufendorf, Locke, Montesquieu und Burlamaqui zur unverzichtbaren Lektüre erklärte [23. 79].

F. ANTIKE-REZEPTION IM KONTEXT DER FRANZÖSISCHEN MENSCHEN- UND BÜRGERRECHTSERKLÄRUNG

Wie in Amerika zählten auch an den frz. Collèges die Klassiker Roms zum festen Bildungskanon [17. 14 f.]. Bezüge auf ant. Autoren finden sich daher auch in den Reden, die in den Debatten der konstituierenden Nationalversammlung gehalten wurden [17. 18 f.]. In einer histor. Situation, da dem geschriebenen Wort und der freien Rede eine überragende polit. Bed. zuwuchs, dienten ant. Redner als Vorbilder. Eine über den rhet. Aspekt hinausgehende auch inhaltlich-konzeptuelle Relevanz gewinnt die polit. Geschichte der röm. Republik und deren Institutionen in dem Moment, da die Einführung einer republikanischen Staatsform zum Gegenstand der Debatte wird. Es erstaunt indes kaum, daß sich Hinweise auf einen vergleichbaren Stellenwert der Ant. für die Diskussion um die M.-Erklärung nicht finden lassen. Zwar mögen vereinzelt Belege wie etwa die Erwähnung von Ulpians naturalistischer Naturrechtsdefinition (Dig. 1, 1,3) durch Durand de Maillane in der Debatte vom 1.8. 1789 zu finden sein [19. 235], doch läßt sich daraus kein bestimmender Einfluß ant. Naturrechtsdenkens ableiten. Wenngleich im 1. Art. der frz. Menschen- und Bürgerrechtserklärung festgestellt wird,

Abb. 1: Eine von zahlreichen Darstellungen der »Déclaration« - hier aus den Jahren 1791/92 - mit den Allegorien Frankreichs (links oben) sowie antikisierenden Motiven wie phrygischer Mütze oder Fasces (Musée Carnavalet, Paris)

daß ›les hommes naissent et demeurent libres et égaux en droits‹, so steht dies nur scheinbar in Einklang mit ant. Naturrechtsdenken. Denn zum einen kannte das klass. Naturrecht noch keine angeborenen Individualrechte und zum anderen fehlt ihm dort, wo der Gedanke einer urspr. Freiheit und Gleichheit der Menschen formuliert wird, bei den röm. Juristen (Institutiones 1,2,2 und 1,5 praef.; Dig. 50,17,32), das für die Verkünder der *Déclaration* so wesentliche Moment von deren Unveräußerlichkeit (›demeurent‹; vgl. demgegenüber Dig. 1,5,4). Die geistesgeschichtlichen Grundlagen der *Déclaration* sind vielmehr neuzeitlicher Provenienz. In ihr haben die u. a. durch Montesquieu und Voltaire vermittelte Trad. des engl. Verfassungsdenkens und das mod. Naturrecht ebenso ihren Niederschlag gefunden wie die philos. und polit. Auffassungen der Enzyklopädisten und Physiokraten sowie schließlich das konkrete Vorbild der amerikanischen Erklärungen der Rechte [19].

Die *Déclaration* selbst stellt sich mit keinem Wort ausdrücklich in irgendeine geistesgeschichtliche Trad. – auch nicht in die der Antike. Anders indes die zeitgenössische polit. Ikonographie: Sie ist reich an Ant.-Zitaten. Auch in die Darstellungen der *Déclaration* haben antikisierende Motive Eingang gefunden. So wird diese zuweilen in Gestalt von steinernen Gesetzestafeln präsentiert, verziert u. a. mit Fasces und phrygischer Mütze (Abb. 1). Die antikisierenden Motive sind hier kaum

Abb. 2: Minerva federführend bei der »Déclaration«: Jean-Baptiste Regnault (1754–1829), Allégorie relative à la Déclaration des droits de l'homme, 1790 (Musée Lambinet, Versailles)

mehr als dekorierende Beigaben. In einem Bild Jean-Baptiste Regnaults hingegen ist es Minerva, die Göttin der Weisheit, welche für die Deklaration der M. als federführend dargestellt wird (Abb. 2). Soweit die Ant. im zeitlichen Umfeld der frz. Revolution in das Blickfeld geschichtlicher Betrachtungen zu den M. rückt, wie bei Sylvain Maréchal (*Déclaration des droits de l'homme et du citoyen décrétée par l'Assemblée nationale, comparée avec les lois des peuples anciens et modernes et principalement avec les déclarations des États-Unis d'Amérique*, 1791) und Marie Jean Antoine Nicolas de Condorcet (*Esquisse d'un tableau historique des progrès de l'esprit humain*, 1794), so wird sie in diesen menschheitsgeschichtlichen Darstellungen durchaus – bei Maréchal in idealisierender Weise [10. 57] – in die Vorgeschichte der M. einbezogen. Wenn ihr indes bei Condorcet nicht der Rang eines Vorbildes zugewiesen wird, so liegt dies nicht nur in dem seinem Geschichtsentwurf zugrunde gelegten Fortschrittsparadigma begründet, sondern auch in dem Wissen um die Grenzen z. B. der in der att. Demokratie realisierten Freiheit und Gleichheit. So gibt er zu bedenken, daß diese nur einem geringen Teil der tatsächlichen Bevölkerung zugestanden wurden und das Fundament, auf welchem die Gesetzgeber ihre Gesetze gründeten, weder die Vernunft noch ›les droits que tous les hommes ont également réçus de la nature‹ gewesen seien [1. 114–120].

→ AWI Menschenrechte; Menschenwürde

QU **1** A. DE CONDORCET, Esquisse d'un tableau historique des progrès de l'esprit humain (1794) / Entwurf einer historischen Darstellung der Fortschritte des menschlichen Geistes (frz./dt.), W. ALFF (Hrsg.), 1963 **2** TH. JEFFERSON, Writings, M. D. PETERSON (Hrsg.), 1984

LIT **3** B. BAILYN, The Ideological Origins of the American Revolution, 1967 **3a** R. A. BAUMAN, Human rights in Ancient Rome, 2000 **4** G. BIRTSCH (Hrsg.), Grund- und Freiheitsrechte im Wandel von Ges. und Gesch., 1981 **5** G. BIRTSCH (Hrsg.), Grund- und Freiheitsrechte von der ständischen zur spätbürgerlichen Ges., 1987 **6** G. BIRTSCH, MICHAEL TRAUTH, IMMO MEENKEN (Hrsg.), Grundfreiheiten, Menschenrechte 1500–1850. Eine internationale Bibliogr. 5 Bde., 1992 **7** G. BIRTSCH, Art. Rechte des Menschen, M., in: Histor. WB der Philos., J. RITTER (Hrsg.), Bd. 8, 1992, 241–251 **8** H. CANCIK, Gleichheit und Freiheit, Die ant. Grundlagen der M., in: Ders., Antik – Modern, Beiträge zur röm. und dt. Kulturgesch., 1998 **9** H. COING, Zur Gesch. des Begriffs subjektives Recht (1958), in: Ders., Zur Gesch. des Privatrechtssystems, 1962 **10** M. GAUCHET, La Révolution des droits de l'homme, 1989 **11** K. HAAKONSSEN, Natural Law and Moral Philosophy. From Grotius to the Scottish Enlightenment, 1996 **12** H. JONES (Hrsg.), Le monde antique et les droits de l'homme, 1998 **13** G. KLEINHEYER, Art. Grundrechte, in: Geschichtliche Grundbegriffe. Histor. Lex. zur polit.-sozialen Sprache in Deutschland, O. BRUNNER, W. CONZE, R. KOSELLECK (Hrsg.), Bd. 2, 1975, 1047–1082 **14** M. KRIELE, Zur Gesch. der Grund- und Menschenrechte, in: Öffentliches Recht und Politik, FS f. H. U. Scupin, N. ACHTERBERG (Hrsg.), 1973, 187–211 **15** H. MAIER, Überlegungen zu einer Gesch. der M., in: Wege und Verfahren des Verfassungslebens, FS f. Peter Lerche zum 65. Geburtstag, P. BADURA U. R. SCHOLZ (Hrsg.), 1993, 43–50 **16** G. OESTREICH, Gesch. der M. und Grundfreiheiten im Umriss, ²1978 (1966) **17** H. T. PARKER, The Cult of Antiquity and the French Revolutionaries, 1937 **18** C. J. RICHARD, The Founders and the Classics. Greece, Rome, and the American Enlightenment, 1994 **19** S.-J. SAMWER, Die Frz. Erklärung der M. von 1789/91, 1970 **20** P. SIEWERT, Art. M., in: Der Neue Pauly, Bd. 7, Sp. 1258–1260 **21** G. TÉNÉKIDÈS, La cité d'Athènes et les droits de l'homme, in: F. MATSCHER, H. PETZOLD (Hrsg.), Protecting Human Rights. The European Dimension, 1988, 605–37 **22** B. TIERNEY, The Idea of Natural Rights, Studies on Natural Rights, Natural Law, and Church Law, 1150–1625, 1997 **23** M. WHITE, The Philosophy of the American Revolution, 1978 **24** S. F. WILTSHIRE, Greece, Rome and the Bill of Rights, 1992

TIM KAMMASCH UND STEFAN SCHWARZ

Messe
A. EINLEITUNG B. STRUKTUR
C. MELODISCHE BEARBEITUNGEN
D. EINSTIMMIGE VERTONUNGEN
E. MEHRSTIMMIGE VERTONUNGEN
F. PROTESTANTISCHE MESSE

A. EINLEITUNG

In karolingischer Zeit ergab sich eine Verlagerung der maßgebenden Zentren für die Messliturgie aus dem Mittelmeerraum in das german. Einflußgebiet nördl. der Alpen. Geformt wurde aus der altröm. Liturgie der Spätant. eine röm.-fränkische Mischliturgie, die binnen kurzer Zeit die nichtröm. Liturgien (v. a. die gallikanische, Mailänder, mozarabische und irisch-keltische) verdrängte. Die Auffassung der M. wandelte sich von einer Feier zum Gedächtnis an Tod und Auferstehung Christi hin zur sakramentalen Gegenwart des Erlösers in Form des gewandelten Brotes und Weins.

Im Gefolge des Wandels, der den urspr. Textbestand der stadtröm. Liturgie kaum veränderte, konnte sich der Geltungsbereich der röm. Liturgie auf große Teile Westeuropas ausweiten. Besonders die cluniazensische Bewegung und die nach Papst Gregor VII. (1073–1085) benannte gregorianische Reform des 11. Jh. trugen dazu bei, daß die röm.-fränkische M. durch die Übernahme an die röm. Kurie zum Vorbild für die gesamte Westkirche wurde.

B. STRUKTUR

Der in den *Ordines Romani* aufgezeichnete Aufbau des röm. Stationsgottesdienstes des 7./8. Jh. wird nur unwesentlich verändert in die röm.-fränkische M. übernommen und über die Reformen des Konzils von Trient (1545–1563) mit dem in der Folge entstandenen ersten verbindlichen *Missale Romanum* (1570) bis in die katholische M. des 20. Jh. beibehalten. Das 2. Vatikanische Konzil (1963–66) hat diese Form der M. mit allen Gesängen in der Kultsprache Lat. als Gemeinde-M. abgeschafft: Einzug mit Introituspsalm, Begrüßung des Altars, Kyrierufe, Gloriahymnus, Orationen, Epistellesung, Antwortpsalm und Halleluja oder Tractus, Evangelienlesung, Bereitung des Altars und der Gaben mit Offertoriumsgesang, Praefation, Sanctus, Kanongebete, Friedensgruß, Brechen des Brotes mit Agnus Dei, Kommunion mit Communiopsalm, Schlußoration, Entlassungsruf, Auszug.

Die wechselnden Gesänge für Sonn- und Festtage wurden in der röm.-fränkischen M. erstmals im Proprium zusammengefaßt: Introitus, Graduale, Alleluia, Tractus, Offertorium und Communio. Die festen, textlich unveränderlichen Gesänge, die das Jahr über mit unterschiedlichen Melodien vorgetragen wurden, sind Teil des Ordinariums: Kyrie, Gloria, Credo, Sanctus mit Benedictus, Agnus Dei.

Dieser Kern an Texten und Melodien wurde seit karolingischer Zeit durch Zusätze ergänzt und an lokale Bedürfnisse angepaßt, wobei durchaus anzunehmen ist, daß Festinhalte und Ideen spätant. liturgischer Trad., die durch die Verdrängung lokaler Liturgien nicht mehr in der sanktionierten M. verwendet werden konnten, wieder Aufnahme in der Messliturgie fanden. In erster Linie geschah dies durch Tropierung, wobei die bestehenden Gesänge durch vorangestellte und interpolierende Passagen textlich und melodisch erweitert wurden.

C. Melodische Bearbeitungen

Im Zuge der karolingischen Redaktion der M. wurden die altröm. Melodien der Messgesänge in den liturgischen Zentren des fränkischen Reichs, möglicherweise an der kaiserlichen Kapelle in Aachen und an der Schule von Metz, rezipiert und trotz des expliziten Anspruchs einer möglichst authentischen *imitatio Romae* an die unterschiedlichen musikalischen Voraussetzungen, Trad. und Bedürfnisse nördl. der Alpen angepaßt, wohl auch in ein musikalisches fränkisches Idiom umgesetzt und übersetzt.

Die erst seit karolingischer Zeit fest mit dem Namen des Papstes Gregor I. († 604) verbundenen Messgesänge galten fortan als unantastbar. Dies veranschaulichen ab dem 10. Jh. die bildlichen Darstellungen, nach denen die Gesänge dem Kirchenvater Gregor durch den Hl. Geist in Form einer Taube diktiert worden waren. Hierdurch galten sie quasi als göttlich sanktioniert und unveränderbar, was in der sehr einheitlichen melodischen Überlieferung des MA seinen Ausdruck findet.

D. Einstimmige Vertonungen

Erste musikalische Aufzeichnungen der Messgesänge der Westkirche lassen sich von der 1. H. des 9. Jh. an nachweisen, wobei die regional unterschiedlichen Neumenschriften bis in das 11. Jh. hinein zumeist keine Tonhöhen fixieren, sondern lediglich den Melodieverlauf und die Agogik des Vortrags andeuten. Die musikalische Überlieferung von Messgesängen nichtröm. Riten, aufgezeichnet kurz vor der Verdrängung durch röm.-fränkische Gesänge im 11./12. Jh., ist spärlich, erlaubt jedoch Einblicke in die Spätzeit der altröm., beneventanischen und der Mailänder Liturgie. Möglich scheint, daß trotz melodischer Veränderungen, die auf die mündliche Tradierung zurückzuführen sind, sogar Melodien spätant. Ursprungs überliefert sind. Für andere Messtrad., etwa die gallikanische, irische und mozarabische Liturgie, fehlen authentische musikalische Quellen, doch fanden einzelne Melodien möglicherweise eine Rettung vor völligem Verlust durch die Aufnahme in das Repertoire der röm.-fränkischen M., wobei eine zweifelsfreie Zuordnung kaum möglich scheint.

Zwar wurden die Ordinariumstexte bis in das 18. Jh. nach wie vor in der Trad. des einstimmigen Chorals mit neuen Melodien versehen (so von Henry Du Mont), in der Choralrestauration des 19. und 20. Jh. (v. a. der Benediktiner von Solesmes) wurde jedoch ausschließlich auf ma. Quellen zurückgegriffen.

Nach wie vor im Dunkeln liegt die Entstehung der sog. *missa graeca*, der M. in griech. Sprache, die ab dem 9. Jh. in lat. Umschrift in Quellen aus West- und Ostfranken auftritt. Ob diese M. möglicherweise unmittelbar auf die griech. Päpste des 7. und 8. Jh. zurückgeht,

oder doch fränkischen Ursprungs im Umfeld der Klöster Fleury oder St. Denis ist, wird diskutiert.

E. Mehrstimmige Vertonungen

Nach vereinzelten, mehrstimmigen Aufzeichnungen von Teilen der M. in England (Winchester) sowie in Chatres und Fleury findet sich eine erste Corpusbildung erst im 12./13. Jh. an der Kathedrale Notre Dame zu Paris.

Die zyklische M., die sich auf Vertonungen der Gesänge des Ordinariumszyklus beschränkt (Kyrie, Gloria, Credo, Sanctus, Benedictus, Agnus Dei), ist hingegen nach Ansätzen im 14. Jh. (Guillaume de Machaut) erst im 15. Jh. voll ausgebildet. In dieser Trad. stehen, ungeachtet aller stilistischen Veränderungen in der Musik, seit der Zeit der franko-flämischen Schule (Guillaume Dufay, Josquin des Prez) alle Messvertonungen der Ren. (Palestrina, Lasso), des Barock (Biber, Charpentier) und der Klassik (Mozart, Haydn). Das immer weitergehende Eindringen der Volkssprachen in die Liturgie verhindert nicht, daß der größte Teil der Messvertonungen der Romantik (Bruckner) und des 20. Jh. (Stravinsky) ebenfalls dieser klass. Form folgt.

F. Protestantische Messe

Ab dem frühen 17. Jh. läßt sich in der protestantischen Liturgie die sog. »Deutsche M.« nachweisen (Michael Praetorius), mit Übers. der Ordinariumstexte in die Volkssprache. Der Ordinariumszyklus mit lat. Texten wird zunehmend beschnitten. Um 1750 waren es zumeist nur Kyrie und Gloria, die vertont wurden (Bach). Das Credo wurde zu einem Gemeindegesang in dt. Sprache umgewandelt, mit dem die eigentliche M. beschlossen wurde. Ab dem 18. Jh. verdrängten Kirchenkantaten die verbliebenen Ordinariumsvertonungen.

QU 1 Graduale sacrosanctae romanae ecclesiae, 1952 2 R. J. Hesbert, Antiphonale missarum sextuplex, 1935 3 Paléographie Musicale, Solesmes 1889–1974

LIT 4 C. Atkinson, Further Thoughts on the Origin of the Missa Graeca, in: FS H. Hucke, 1993, 75–94 5 O. Cullin, M. Huglo, Gallikanischer Gesang, in: MGG² 3, 1995, 998–1027 6 A. Ekenberg, Cur cantatur? Die Funktion des liturgischen Gesangs nach den Autoren der Karolingerzeit, 1987 7 K. G. Fellerer (Hrsg.), Gesch. der katholischen Kirchenmusik, 2 Bde., 1975 8 D. Hiley, Western Plainchant, A Handbook, 1993 9 H. B. Meyer, Eucharistie, Gesch., Theologie, Pastoral, 1989 10 H. Möller, R. Stephan (Hrsg.), Die Musik des MA, Neues Hdb. der Musikwiss. 2, 1991 11 K. Schlager, Ch. Atkinson, Ch. Hannick et al., Messe, in: MGG² 6, 1997, 174–228.
VOLKER SCHIER

Metamorphose

A. Metamorphose als revelatorische Deixis
B. Metamorphose-Rezeption am Beispiel von
Ovids Werk   C. Metamorphose als
Anti-Ästhetik   D. Metamorphose als
Transgressionserfahrung   E. Metamorphose
als Codierung von Alterität

A. Metamorphose
als revelatorische Deixis

M. begegnet in Mythen und Märchen als sprachtransgredierende, deiktische Geste des Bildhaften. »Sprachkritisch«, ja sogar »sprachnegierend« rekurriert sie auf das »Andere des Logos«: die Physis des Menschen [13. 1]. Wie paradigmatisch bereits Ovids Verwandlungsmythen zeigen, tritt das Phänomen meist auf, wenn sich ein Mensch in höchster Gefahr befindet, wenn Verletzungen an Leben, Tugend und Unschuld drohen oder aber der Konfrontation mit einer übermenschlichen emotionalen Belastung nicht standgehalten werden kann. Zwischen »konkreter Leiblichkeit« und »abstrakter Geistigkeit« situiert sich M. somit am ›Grenzbereich menschlichen Daseins‹ [7. 121] und bildet als klimaktisches Moment oft Höhe- und Wendepunkt eines Geschehens, dessen Umschlag menschliche Imagination und dichterische Mimesis zu sprengen droht. In poetologischer Hinsicht erlaubt das Strukturmodell M. die Kodierung extremer Liebes-, Todes- und Schmerzerfahrung (Ov. met., Daphne I,452–567; Pyramus und Thisbe IV,55–166; Niobe VI,146–312), aus psychologischer Perspektive eignet dem Verwandlungsvorgang eine »revelatorische« Qualität: Indem sie menschliche Taten konsequent zu Ende führt [7. 123], fördert die M. ein dem Verwandelten innewohnendes Triebpotential zutage: Die Verkehrung von äußerer Form und innerer Substanz läßt dessen verborgene *proprietas* manifest werden. So bewirkt Aktäons sexuelles Begehren, die Göttin Diana beim Bad zu erspähen, die Regredierung auf eine animalische Daseinsstufe: Während aber der Mensch ent-anthropomorphisiert wird, vermenschlicht sich der Hirsch (Ov. met. III,192–198). Der Verwandelte gewinnt so im Moment der Verwandlung zwar Einblick in seine tiefste Identität, verliert aber zugleich jegliche Handlungsautonomie. In der Verquickung von *otherness* und *sameness* [2. 82] bleibt die Frage nach der Kontinuität der eigenen Identität im Wandel problematisch, zumindest beim Ovidischen Typ der M., denn in Apuleius' *Asinus aureus* (um 170) behält der temporär in einen Esel verwandelte Protagonist Lucius seine menschlichen Gedanken und Gefühle.

B. Metamorphose-Rezeption
am Beispiel von Ovids Werk

Hans Blumenberg konstatierte in seiner 1979 erschienenen Schrift *Arbeit am Mythos*, daß die europ. Phantasie ›ein weitgehend auf Ovid zentriertes Beziehungsgeflecht‹ sei. Tatsächlich gehört Ovids *Metamorphosen*-Dichtung (*Metamorphoseon libri*, entstanden 1–10 n. Chr.) – ästhetischer Höhepunkt einer älteren myth.

Trad. – zu den Grundtexten der europ. Kultur. Zwar folgt die Rezeption epochenspezifisch unterschiedlichen Zielsetzungen, das Werk wird jedoch in seiner Gesamtheit oder in Auszügen seit der Ant. immer wieder übers. und kommentiert. Nicht nur stofflich, sondern auch in ästhetisch-formaler Hinsicht schult sich die volkssprachliche Dichtung Europas an diesem Vorbild: Dante, Ariost, Cervantes, Shakespeare – alle großen Autoren der europ. Lit. greifen auf Episoden aus Ovids *Metamorphosen* zurück oder beziehen sich auf dessen Werk. Das 12. und das 13. Jh. gelten als *aetas ovidiana*, wobei hier allerdings moralisierende und allegorisierende Auslegungen alleinige Geltung beanspruchen (Arnulf v. Orléans, *Allegoriae super Ovidii Metamorphosin*, E. 12. Jh.) [5. 9]. In Frankreich beherrschen der *Ovide moralisé* (1291/1328, anon.) und der sog. *Ovidius moralizatus* des Pierre Bersuire (vor 1342), in It. die *Genealogiae deorum gentilium* (seit 1447), ein myth. Traktat Giovanni Boccaccios, für etwa zweihundert J. die *Metamorphosen*-Rezeption [4. 19]. Auf komm. it. Übersetzungen sowie die lat. Ovid-Ausgabe des Raphael Regius (*Enarrationes* 1493) folgen Kompilationen und freie Bearbeitungen in der Volkssprache. Noch die zahlreichen Travestien zeugen von der Beliebtheit des Stoffes [14]. In Ren. und Barock befreit sich die *Metamorphosen*-Rezeption allmählich von der theologischen Bevormundung: Ovids Themen und Figuren werden nun nicht mehr als *exempla* gedeutet, sondern inspirieren die neuen Gattungen (Oper [18; 19]; Ballett [17]) einer sich bildenden Festkultur, in deren Rahmen auch die bildliche und plastische Darstellung von M. einen Höhepunkt erreicht [16]: Circe, Proteus und Janus zählen zu den beliebtesten myth. Bühnenfiguren, sie sind fester Bestandteil der zahlreichen dem Herrscherlob dienenden Festumzüge der Epoche.

Zwar vererbt die Ovid-Rezeption in Klassik und Romantik, aber noch im ausgehenden 20. Jh. lassen sich konkrete Bezugnahmen auf Ovid finden, wie etwa die in *After Ovid. New Metamorphoses* (1994) vorgelegten Neuinterpretationen der Verwandlungsmythen sowie weitere Romane der letzten Jahrzehnte: Während David Malouf in seiner Ovid-Erzählung *An Imaginary Life* (1978) die M. existentiell als Überwindung zivilisatorischer Deformation deutet, gelingt Christoph Ransmayr eine um aktuelle Themen erweiterte *réécriture* der Ovidischen *Metamorphosen*: *Die letzte Welt* (1988) schreibt Ovids *perpetuum carmen* unter den macht-, vernunft- und zivilisationskritischen Aspekten des ausgehenden 20. Jh. noch einmal neu. Neben der vielschichtigen produktiven Rezeption der *Metamorphosen* fanden einige Verwandlungsmythen auch Eingang in theoretische Diskurse der Moderne: So gelangte beispielsweise der Begriff des »Narzißmus« über den Umweg psychoanalytischer Begriffssprache (Sigmund Freud, *Zur Einführung des Narzißmus*, 1914) in die Alltagssprache. In jüngster Zeit sucht die feministische Theoriebildung trad. Lesarten der Mythen in einer revisionistischen Lektüre aufzubrechen, um die patriarchalischen Strukturen des Ovidischen Kosmos freizulegen: (Opfer-)Figuren wie die in eine Spinne verwandelte Weberin Arachne, die entkörperte Echo und die stimmlose Philomela sowie deren Schwester Prokne stehen exemplarisch für die Beschneidung weiblicher Autonomie in körperlicher, emotionaler und geistig-kreativer Hinsicht [8; 9].

C. METAMORPHOSE ALS ANTI-ÄSTHETIK

Konnte die M. zum Grundprinzip barocker Ästhetik avancieren, so gilt sie den Wegbereitern idealistischer Ästhetik als verabscheuungswürdiges Unterfangen. Zwar setzte Goethe sich zeitlebens sowohl in seiner Dichtung (*Faust II*, 1832) wie auch in seinen naturwiss. Studien mit dem Phänomen der Metamorphose auseinander [11], auch zählten die *Metamorphosen* Ovids zu seinen Lieblingsbüchern, dennoch spricht sich J. J. Winckelmann in seinen ästhetischen Überlegungen dezidiert gegen die bildliche und plastische Darstellung von Verwandlungsszenen aus. Sein gegen die Apollo-Daphne-Gruppe Berninis (1622–1625) ausgesprochenes Verdikt (1755), das die Manieriertheit des Barockgeschmacks endgültig überwinden will, wirkt weiter auf A. W. Schlegel und andere Theoretiker [12. 17 f.]. Noch Hegel wird den M.-Gedanken in seinen *Vorlesungen über Ästhetik* (1835–1838) ausschließlich negativ fassen: Als ›Strafe‹ und ›Erniedrigung des Menschlichen‹, als ›Schmerzgestaltung, in welcher das Menschliche sich nicht mehr zu halten vermag‹ (Hegel, *Vorlesungen über die Ästhetik*, 2. Teil: »Die Verwandlungen«). Trotz dieser ablehnenden Skepsis zeichnet sich aber bereits in der romantischen Theorie eine Um- und Neubewertung des Phänomens ab. Im Zuge romantischer Verunsicherung imaginiert Novalis Verwandlung als ›fortwährende Erlösung in der Natur‹ (Novalis, *Fragmente und Studien* 1799/1800, n° 387). Losgelöst von myth. Kontexten erlangt M. eine neue Autonomie: Als Indikator für die Destabilisierung künstlich konstruierter Entitäten verweist sie von nun an signalhaft auf ein irritiertes Selbst-, Welt- und Körperverständnis. In der romantischen Sehnsucht nach Verwandlung scheinen aber in ambivalenter Weise zugleich Verlust und das Versprechen der Einlösung einer verlorenen mythischen Totalität auf. Dies zeigen die quasi-rel., um alchemistische und mystische Konnotate angereicherten Totalitätserfahrungen romantischer Dichtung von Novalis (*Heinrich von Ofterdingen*, 1802) bis E. T. A. Hoffmann (*Der goldene Topf*, 1814), die im Medium der M. eine Wiederverzauberung der Welt erhoffen [10].

D. METAMORPHOSE ALS
TRANSGRESSIONSERFAHRUNG

Zwar erfolgt M. in Mythen und Märchen meist in negativer Hinsicht als »Strafe« für die Übertretung eines (göttlichen) Gesetzes, sie kann jedoch auch positiv gedeutet werden: Als »Transgression« menschlichen, göttl. und natürlichen Gesetzes bietet sie ein unkonventionelles Lösungsmuster in paradoxen, rational nicht lösbaren Situationen. So führt die körperliche Verschmelzung der Nymphe Salmacis mit dem begehrten Knaben

Hermaphroditus (Ov. met. IV,373–79) nicht nur die Überwindung der Geschlechterdichotomie vor Augen, sondern in der Verwandlung entsteht ein *tertium quid* [1. 64 f.] von neuer, bislang unbekannter Qualität, welches als Symbol realisierter Totalität und ewiger Synthese die Phantasien künftiger Generationen von Künstlern und Philosophen beflügeln wird. Das Motiv vom Doppelmenschen reizte bes. die bildenden Künste zur Darstellung, und auch die Alchemie entwickelte trotz ihres Hermetismus eine fruchtbare Bild- und Textproduktion, die im Hermaphroditen das Sinnbild der *coincidentia oppositorum* sah. In der Lit. finden sich Konzepte, die die Idee des »Zwei-in-einem« im Bild des Geschwisterinzests imaginieren, so etwa in Robert Musils Roman *Der Mann ohne Eigenschaften* (1930–1952). Die als ›Doppelgängerei im andern Geschlecht‹ intendierte Begegnung der Geschwister Ulrich und Agathe findet sich im mythischen Bild vom Hermaphroditen, worin sich die metamorphotische Allverbundenheit des ›anderen Zustands‹ – Musils formelhafte Bezeichnung utopischer Ganzheitlichkeit – fokussiert, seinen adäquaten Ausdruck [14a. 905, 766].

In ihrer Engführung von übermenschlicher Erkenntnis, rationaler Ohnmacht und ekstatischem Untergang beschreibt die M. des Aktäon ein logisch nicht mehr darstellbares Transgressionserlebnis: Aktäons Tabubruch läßt ihn zwar an der Epiphanie der Gottheit teilhaben, seine Verwandlung in das hl. Tier der Göttin aber ist Erfahrung einer nicht mehr integrierbaren Differenz, die nur mehr myth. dargestellt werden kann, denn der vom Jäger ins gejagte Wild Verwandelte erlangt in seiner Vision zwar Einsicht ins göttl. Wesen der Natur, verliert mit seiner menschlichen Gestalt aber die Fähigkeit, seine neugewonnene Erkenntnis mitzuteilen. Die Koinzidenz von Animalität und Göttlichkeit, von Eros und Tod im singulären Moment sprengt den engen Rahmen menschlicher Individualität radikal und irreversibel auf. Erst in der Nachfolge von Friedrich Nietzsches Dionysismus wird sich ein neues ideelles Konzept der M. herausbilden, welches diesen transgressiven Charakter des Phänomens positiv bewerten und M. nicht mehr als Degradation, sondern als Möglichkeit »innerer Steigerung«, Streben nach Vielheit und Erleben von Simultaneität begreifen wird [15]. Unter dem Einfluß von Nietzsches Philos. und im Rückgriff auf bislang vernächlässigte Gebiete der Arch. und Ethnologie propagieren die Surrealisten (Michel Leiris, Georges Bataille, André Breton) M. als rauschhaftes Aufbrechen der Ich-Identität, als Öffnung hin zu einem atavistischen Potential [12. 122–149]. Im Verständnis Georges Batailles ist es das »Heterogene«, das Transgression auslösen kann. Damit sind jene außerhalb gesellschaftlicher Konditionierung stehenden Grenzerlebnisse – wie Krieg, Ekstase, Ekel, Lachen, der Rausch der Musik – gemeint, die sich zw. Intellekt und Physis am Rande des Darstellbaren situieren.

E. Metamorphose als Codierung von Alterität

Winckelmanns Verdikt gegen die Darstellung von M. dokumentiert nicht allein einen ästhetischen Geschmackswandel, sein Urteil enthält auch ein ethisches Postulat, galt doch dem klass. Geschmack das beunruhigende Potential der M. nicht zuletzt deshalb als suspekt, weil es des Menschen Verfangenheit in die niedere Materie sinnfällig vor Augen führt. Der im Verwandlungsvorgang transparent werdende Verlust des Geistigen und die Hypostasierung des Körperlichen werden als Angriffe auf die klass. Ideale von *clarté* und *bienséance* empfunden [12. 9ff.]. Wie die negativen Urteile Winckelmanns und Hegels bekunden, kultiviert M. stets ein klassizistische Vorstellungen unterspülendes anti-idealistisches Moment: Verwandlungsszenen und -abbildungen bringen in skandalöser Weise das materiell-Kreatürliche menschlicher Existenz ins Spiel, wie etwa die sog. phallischen Porträts des Giuseppe Arcimboldo (1527–1593) in ihrer lustvollen Inszenierung einer (noch) »heiteren« Materialität belegen. Einen vergleichbaren Kosmos universaler M. – nun allerdings im Medium der Lit. – entwerfen die 1868 anon. veröffentlichten *Chants de Maldoror* (*Die Gesänge des Maldoror*) des Comte de Lautréamont. Diese stehen ganz im Zeichen einer die »Moderne« ankündigenden aggressiven Nervosität. Das monolithische Werk, das erst von den frz. Surrealisten wiederentdeckt wurde, markiert in gewisser Weise den Beginn einer mod. M.-Konzeption: In der Thematisierung des gesellschaftlich Tabuisierten nobilitiert es nicht nur die animalisch-instinkthaften Komponenten menschlicher Existenz, sondern übt auch Kritik an trad. ästhetischen, moralischen und rel. Leitbildern.

In seiner enormen Anpassungfähigkeit an unterschiedliche Epochen und Stile scheint sich das Phänomen M. jedem Versuch einer generalisierenden Bilanzierung a priori zu widersetzen. Als verbindliche Konstante zeichnet sich einzig der dem Phänomen inhärente – in ethischer wie auch ästhetischer Hinsicht wirksame – Wille zur Opposition ab, auf diesem gründet die Universalität des Paradigmas: M. situiert sich bevorzugt auf der Seite des von der Gesellschaft Verdrängten. Gegen den Konsens dominierender Kunstströmungen und ethisch-moralischer Konventionen codiert M. stets *la part maudite* (Georges Bataille) einer Gesellschaft. In der ihr eigenen vorsprachlichen Deixis erlaubt M. Rückschlüsse auf die psychische wie physische Disposition ihrer eigenen Epoche, darüber hinaus indiziert sie die repressiven Mechanismen der jeweils dominanten Kultur. Gegen die am Leitbild des »Eindeutigen« orientierten Ratio- und Ordnungsprinzipien des Okzident artikuliert M. als Alteritätssignal par excellence das aus dem Diskurs verdrängte, sprachlose »Andere« in all seiner Opazität und Diffusität. Kafkas Erzählung *Die Verwandlung* (entstanden 1912, veröffentlicht 1915) gestaltet diesen Einbruch eines oppositionellen und atavistischen Potentials in die vom Wunsch nach Homogenität ge-

kennzeichnete Alltagsrealität beispielhaft für die Moderne aus, tritt doch in der Verwandlung des Protagonisten Gregor Samsa das defizitäre Selbstbild des Außenseiters – und damit das aus dem gesellschaftlichen Leben ausgegrenzte »Heterogene« – in der Projektion auf den Körper für alle sichtbar nach außen. Im Bild des ekelerregenden riesigen Insekts findet das von Freud konstatierte »Unbehagen in der Kultur« sein für die Moderne wohl eindrucksvollstes Emblem: Zwar fokussiert die Leiborientiertheit des Verwandlungsvorgangs augenscheinlich nur Funktionen des Körperlichen (wie Nahrungsaufnahme und -ausscheidung), in der Alterität des Insekts codiert sich aber auch ein anderes Verständnis von Kunst. Die Erzählung illustriert dies am Beispiel von Gretes Geigenspiel. Gregors Wertschätzung dieses Musizierens (›War er ein Tier, da ihn Musik so ergriff?‹ [8a. 185]) steht ganz im Gegensatz zur bürgerlichen Kunstrezeption, wie sie exemplarisch an den vom Spiel gelangweilten, an bloßem Divertissement interessierten Zimmerherren vorgeführt wird.

In der ihr eigenen Ambivalenz artikuliert M. aber nicht nur die Defizite gesellschaftlicher Kulturation, sondern verspricht auch die Rückgewinnung eines verschütteten Gutes. Wie die Lit. des lateinamerikanischen »magischen Realismus« zeigt, indiziert M. nicht nur die im Zuge der Kolonialisierung erfolgte kulturelle Entwurzelung, sondern stellt in ihrem Totalitätsversprechen zugleich die Restituierung der verlorenen Identität im Sinne einer *religio* (Rückbindung) in Aussicht [3]. Erotische und sexuelle Konnotation tragen darüber hinaus zur skandalösen Wirkung des Phänomens bei: Wie zahlreiche Beispiele aus Ant. und Moderne belegen, erlaubt M. die Imaginierung eines anderen, meist tabuisierten »Begehrens«: Myrrhas Verführung des Vaters (Ov. met. X,300–502), Gregors verhülltes Begehren der Schwester (*Die Verwandlung*), die Transgression der Geschlechtergrenzen in Virginia Woolfs *Orlando* (1928) signalisieren Fluchtreflexe aus einer als restriktiv empfundenen Begehrensstruktur. Bereits Märchen und Mythen aktualisierten diese sexuelle Konnotation, etwa wenn das sexuell begehrte Weibliche oder Männliche mit Zügen des Animalischen belegt oder gänzlich als Tier imaginiert wurde (Mme Leprince de Beaumont, *La belle et la bête*, 1758). Tommaso Landolfis traumhafte Erzählung *La pietra lunare* (1939), welche die sexuelle Initiation eines jungen Mannes in der Begegnung mit einer »animalischen« Frau schildert, scheint noch auf solche archa.-mythischen Vorstellungen zu rekurrieren. Diese eher traditionelle Adaption zeigt aber nur die vorübergehende Destabilisierung im Verlauf einer »normalen« Identitätsbildung an. Anders ist der feministischen Umkodierung derartiger mythischer Muster von »tierhafter« Frau und »Tierbräutigam« daran gelegen, die Defizite weiblichen Begehrens und weiblicher Sozialisation im Medium dieser alten märchenhaft-eindringlichen Bildersprache offenzulegen. Texte wie Anna Maria Orteses *L'Iguana* (1965), Marian Engels *Bear* (1976) und Marie Ndiayes *En famille* (1990) zeigen das aus der symbolischen Ordnung (des Vaters) ausgeschlossene (weibliche) »Andere« im Rückgriff auf das Paradigma der M. auf und dementieren so die Idee weiblicher Identitätsgewinnung im Kontext eines die Frau negierenden Systems nachhaltig. Noch radikaler attackiert Pier Paolo Pasolinis in den 70er J. entstandenes Romanfragment *Petrolio* (posthum 1992) die repressiven Machtstrukturen eines leibfeindlichen, auf kulturelle Entfremdung zielenden totalen Konsumismus. Indem Pasolini die polit. Analyse mittels Verwandlungsszenarien (Spaltung des Protagonisten in eine dem Kapital und eine dem Sexus verpflichtete Hälfte und schließlich Verwandlung in eine Frau) auf den Körper selbst überträgt, transzendiert er nicht nur die konventionellen Mittel der Signifikation, sondern M. fungiert als ein subversiver Code, der subtil alle Formen der Machtausübung, der kulturellen, identitären und sexuellen Enteignung aufdeckt. Mit derartigen gesellschaftskritischen Implikationen überschreitet das Phänomen M., das als Gegenprogramm zu erstarrten kulturellen und künstlerischen Formen das »Andere« immer schon einklagte und als *perpetuum carmen* stets neu inszenierte, endgültig eine verharmlosende Situierung im Bereich des Märchenhaft-Mythischen und gewinnt eine neue, polit. Dimension.

→ Verwandlung
→ AWI Metamorphose; Ovidius Naso, Publius; Apuleius

1 L. BARKAN, The Gods made Flesh. Metamophosis & the Pursuit of Paganism, 1986. 2 H. FRAENKEL, Ovid. A Poet between Two Worlds, 1945 3 N. GRAY DÍAZ, The Radical Self. Metamorphosis to Animal Form in Modern Latin American Narrative, 1988 4 B. GUTHMÜLLER, Ovidio Metamorphoseos Vulgare. Formen und Funktionen der volkssprachlichen Wiedergabe klass. Dichtung in der it. Ren., 1981 5 Ders., Stud. zur ant. Myth. in der it. Ren., 1986 6 C. HESELHAUS, Kafkas Erzählformen, in: DVjS 26. Bd. (1952), 353–376 7 Ders., M.-Dichtungen und M.-Anschauungen, in: Euphorion 47 (1953), 121–146 8 A. R. JONES, New Songs for the Swallow: Ovid's Philomela in Tullia d'Aragona and Gaspara Stampa, in: M. MIGIEL, J. SCHIESARI (Hrsg.), Refiguring Woman Perspectives on Gender and the Italian Ren., 1991, 263–277 8a F. KAFKA, Die Verwandlung, in: Schriften, Tagebücher, Briefe. Kritische Ausgabe, hrsg. von J. BORN, G. NEUMANN, M. PASLEY, J. SCHILLEMEIT, Teilband: Drucke zu Lebzeiten, hrsg. von W. KITTLER, H.-G. KOCH, G. NEUMANN, 1994, 113–200 9 P. KLINDIENST JOPLIN, The Voice of the Shuttle is Ours, in: Stanford Literature Review n° 1 (1984), 25–53 10 D. KREMER, Romantische M. E. T. A. Hoffmanns Erzählungen, 1993 11 C. LICHTENSTERN, Die Wirkungsgeschichte der M.-Lehre Goethes von Philipp Otto Runge bis Joseph Beuys, 1990 12 Dies., M. Vom Mythos zum Prozeßdenken. Ovid-Rezeption. Surrealistische Ästhetik. Verwandlungsthematik der Nachkriegskunst, 1992 13 I. MASSEY, The Gaping Pig. Literature and Metamorphosis, 1976 14 M. MOOG-GRÜNEWALD, M. der *Metamorphosen*. Rezeptionsarten der ovidischen Verwandlungsgeschichten in It. und Frankreich im XVI. und XVII. Jh., 1979 14a R. MUSIL, Der Mann ohne Eigenschaften, Bd. 1 und 2

hrsg. von Adolf Frisé, 1978 15 M. PERROT, L'homme et la métamorphose, 1979 16 A. PIGLER, Barockthemen. Eine Auswahl von Verzeichnissen zur Ikonographie des 17. und 18. Jh. Bd. II, 1. Griech. und röm. Myth. hauptsächlich die Ovidischen Verwandlungen, Budapest ²1974, 7–273 17 J. ROUSSET, La littérature de l'âge baroque en France. Circé et le paon, 1954 18 F. W. STERNFELD, The birth of Opera: Ovid, Poliziano, and the lieto fine, in: Analecta Musicologica 19 (1979), 30–51 19 H. C. WOLFF, Ovids Metamorphosen und die frühe Oper, in: Quadrivium 12,2 (1971), 89–107.   IRMGARD SCHAROLD

Metapher/Metapherntheorie
A. BEGRIFFLICHKEIT, STRUKTURGESCHICHTE
B. REZEPTIONSGESCHICHTE

A. BEGRIFFLICHKEIT, STRUKTURGESCHICHTE
Die Begriffsgeschichte der M. ist ebenso wie die Sachgeschichte ihrer Theoretisierung (Metapherntheorie, = Mt.) gekennzeichnet durch weitreichende etym. und onomasiologische Verschiebungen bzw. Ausweitungen, die sich den Veränderungen in den ontologischen, erkenntnis- und sprachtheoretischen Basisinterpretationen der jeweils zugrunde liegenden epistemologischen Paradigmen verdanken und die zugleich diese Veränderungen mitbestimmen und anzeigen. Die Geschichte des M.-Begriffes ist zugleich die Geschichte wechselnder theoretischer Referenzkontexte und vielfältiger epistemischer Milieus. Insofern ist die Mt. grundsätzlich in ihrer histor. Dynamik und auf dem Hintergrund der jeweiligen Episteme zu analysieren: Denn gilt die M. als Form uneigentlichen Sprechens, ist schon die Bestimmung dessen, was als das Eigentliche und das Uneigentliche zu gelten habe und wie die Relation zw. diesen beiden Relata näher zu bestimmen sei, ebenso Teil der histor. Perspektivierung wie die wechselnden Begriffsvorlieben und tropologischen Konstellationen, in welche die M. eintritt.

Die grundlegende Definition der M. stammt von Aristoteles: ›Eine M. ist die Übertragung eines Wortes (das somit in uneigentlicher Bed. verwendet wird), und zwar entweder von der Gattung auf die Art oder von der Art auf die Gattung, oder von einer Art auf eine andere, oder nach den Regeln der Analogie.‹ (Aristot. poet. 1457b). Die nacharistotelische Rhet. spezifiziert zunächst den aristotelischen Sammelbegriff M. für Tropus überhaupt (als *verba singula*) in Abgrenzung von anderen Tropen (Metalepse, Periphrase, Synekdoche, Antonomasie, Emphase, Litotes, Ironie, Hyperbel, Metonymie) und den *figurae* (als *verba coniuncta*): Als M. gilt insofern lediglich die Übertragungsart gemäß analoger Begriffsverhältnisse (dies entspricht der vierten Übertragungsform der aristotelischen Definition). In der rhet. Schultrad. ist sodann die M. *ornatus* im Rahmen der *elocutio*, d. h. schmückender Ausdruck der in der *inventio* aufgefundenen Gedanken. Doch bereits Aristoteles hatte der M. eine die Rhet. überschreitende innovative Sprach- und Erkenntnisfunktion zugewiesen: ›Denn dies (die M.) ist das Einzige, das man nicht von einem anderen erlernen kann, und ein Zeichen von Begabung. Denn gute M. zu bilden bedeutet, daß man Ähnlichkeiten zu erkennen vermag.‹ (Aristot. poet. 1459a). Daraus begründet sich die Sonderstellung der M. als Phänomen zw. Sprache und Erkenntnis, zw. Rhet. und Lit. einerseits, Sprachtheorie, Philos., Kognitionspsychologie, Anthropologie und Ethnologie andererseits. Im Fortgang der M.-Diskussion bleibt zwar der rhet. Bezugsgrund weiter bestimmend, hinzu treten indessen spekulative Zusammenhänge, welche die M. zum sprachlichen Prinzip (geschichtlich als frühe Stufe der Sprache, ästhetisch als Sprache der Kunst, transzendental als Bedingung der Möglichkeit von Sprache und Erkennen) verallgemeinern oder zu einem fundamentalen Modus des Denkens (wiederum geschichtlich, ästhetisch oder transzendental) erheben. Heute hat sich der Begriff der M. weitgehend (zumeist unter Verlust der tropologischen Detailunterscheidungen) als Sammelname für den Gesamtbereich des bildlichen Sprechens und Denkens durchgesetzt. Dabei datiert die Fusion des M.- mit dem Bildbegriff erst in das 18. Jh. [19; 2]; im 20. Jh. bezeichnet die M. weniger den im sprachlichen Bild konstituierten Gehalt als vielmehr das semantische und kognitive Verfahren seiner Konstitution [56. 1–27].

Bis ins 18. Jh. hinein ist für die Strukturbeschreibung der M. die sog. Substitutionstheorie vorherrschend (und zwar unabhängig von ihrer häufig konträren Funktionsbestimmung und Wertung): Sie besagt, daß das metaphorisch gebrauchte Wort uneigentlich verwendet wird und sodann eine wörtliche Bezeichnung des Gegenstandes substituiert; dabei besteht zw. *substituens* und *substitutum* (das im Text nicht mehr anwesend ist) eine Teiläquivalenz (*tertium comparationis*) entweder der sprachlichen und mentalen Eigenschaftsmengen bzw. Intensionen (linguistische bzw. noetische Lesart) oder der beiden Denotate (ontologische Lesart). Die M. ist allerdings nicht schon der Ersetzungsprozeß selbst, sondern die Bedeutungsveränderung im *substituens* (vom *verbum proprium* in das *verbum alienum/translatum, immutatio*). In dieser ›Verwechslung der metasprachlichen Operation des M.-Theoretikers mit der metaphorischen Operation des M.-Verwenders‹ ist das Mißverständnis begründet, daß ›die metaphorische Operation selbst bei der Produktion als Substituierung eines eigentlichen Ausdrucks B durch einen uneigentlichen Ausdruck A, bei der Rezeption vice versa verläuft‹ [62. 13 f.]. Die substitutionstheoretische Deutung der M. im Rahmen einer Theorie der Bezeichnung (M. als Wortphänomen) bezieht demnach die M. auf eine stets mögliche eigentliche Bezeichnung; folglich kann die M. keine eigenständige Intension und Referenz beanspruchen.

Erst im Kantischen Kritizismus ist die entscheidende Veränderung in der philos. Rahmentheorie theoretisch formuliert: Sprache und das Bewußtsein der Realität gelten nicht mehr als Abbild, sondern als kategorienlogisches Konstitutionsprinzip des Wirklichen; so folgt aus Hamanns und Herders Ablehnung des Konzepts einer universalen, einheitlichen und einzigen Vernunft (Deprivilegierung der *ratio*), daß die M. als Prinzip einer dem rationalen Diskurs histor. vorgängigen oder ihn fundierenden oder ihm gegenüber inkommensurablen Form wirklichkeitsbezogenen Sprechens gelten kann.

In der Folge stehen aber Variationen des substitutionstheoretischen und des konstruktivistischen (konstitutionslogischen) Modells der M. zumeist unvermittelt nebeneinander. In der neopositivistischen und sprachanalytischen Trad. gilt die M. als Anomalie des literalen Wortgebrauchs; das Verstehen und die semantische Analyse der M. ist sodann an den literalen Wortgebrauch verwiesen. In der konstruktivistischen Trad. hingegen gilt die M. als eine hinsichtlich des Literalen gleichursprüngliche, alternative Weise der Welterzeugung (Goodman); ihr Verständnis bedarf daher auch keiner Vermittlung an den literalen Wortgebrauch; sie ist relativ zu der Ordnung der Dinge, in der sie artikuliert wird, wahrheitsfähig.

B. Rezeptionsgeschichte

Zur Rezeptionsgeschichte allg. [60]. Die lat. Rhet. übernimmt die M. als *translatio* und postuliert die Ähnlichkeit nicht zw. *substituens* und *substitutum* (wie Aristoteles), sondern zw. Subjekt und Prädikation. So stellt sich die M. bei Cicero als *brevitas*-Form eines Vergleiches dar (Cic. de orat. 3,157). Quintilian ersetzt überdies die ontologische Differenzierung der Übertragungsrichtungen (nach Art und Gattung) durch eine neue, ebenfalls vierstufige Typologie (Quint. inst. 9,3,1), d. h. Übertragung von Belebtem auf Belebtes, von Belebtem auf Unbelebtes, von Unbelebtem auf Belebtes und von Unbelebtem auf Unbelebtes.

Im MA hängen Kritik und Funktionsbestimmung der M. von der kontroversen ontologischen Interpretation der Analogie als Strukturmoment des Verhältnisses von Aktualem bzw. Sichtbarem und (intelligiblem) Spirituellem ab. Im Rahmen der *liber-naturae*-Lehre schlägt Cajetanus eine essentialistische Deutung der M. vor (Cajetanus, *De nominum analogia*). In dieser Hinsicht entspricht die Analogierelation der M. den tatsächlichen Verknüpfungen der Gegenstände und deren Verbindung mit dem ersten Wahren, mit Gott. Thomas' von Aquin nominalistische Deutung der Analogie bestreitet zwar den metaphysischen Status der Analogie (was zur Ablehnung der M. in Logik und Argumentation führt; Thomas von Aquin, Expositio, prooem., quaestio 2, articulus 3, ad 5 [48]), hält aber an der erkenntnisdidaktischen und sowohl bibelhermeneutischen als auch esoterischen Funktion der M. hinsichtlich der vierfachen Kodierung des hl. Schriftsinns fest (Thomas von Aquin, Summa theologica I q.1 a.10).

Die Traktatisten des it. Barock (G. Marino, M. Peregrini, S. Pallavicino, E. Tesauro [51]) rücken in der Formulierung der *Acutezza*-Lehre die metaphorischen Verbindungen zw. Entlegenstem und Ungleichem als Kombinationskunst ins Zentrum einer in der Konsequenz von jeglicher Referenz absolvierten Dichtungsauffassung. Für den dt. Barock (M. Opitz [41], G. P.

Harsdörffer [25. Bd. 1,12, Bd. 2,49, Bd. 3,57], G. Schottelius [46. 1249], K. Stieler [50. 3095–3097, 3114, 3128]) bleiben trotz der Hochschätzung der M. die Maßhaltevorschriften der lat. Rhetoren und der Ren.-Poetik Scaligers im Recht (vgl. [54]).

Skeptische Haltungen zur M. entwickeln sich zunächst aus den Denkvoraussetzungen des Rationalismus und Empirismus. Im Empirismus gilt die sensuale Herleitbarkeit der Begriffe als *conditio* der Wahrheitsfunktionalität von Sätzen; mithin wird die M. als Schulfall äquivoken Wortgebrauchs aus dem philos. Diskurs verbannt [30; 36. Bd. 1. § 5, Bd. 3. §§ 1, 6, 8, 16, 34]. Im Rationalismus Descartes' führt das Ideal erfahrungsfreier Deduktion des Wahren aus metaphysisch evidenten Theoremen (*intellectio pura*) zur Abwertung der Imagination und in weiterer Folge zur Ablehnung der M. [16].

Aber bereits die cartesianische Nachfolge (Logik von Port Royal [1], B. Lamy [33], Fénelon [18]) bindet die Evidenz des Wahren an die sinnliche Intuition und die Affekte; ihnen entspricht sprachlich die M., der sodann auch eine expositorische Erkenntnisfunktion zukommt.

Diese emotivistische Einschätzung der M. als natürliches Zeichen wird dann in den Zusammenhängen der dt. Aufklärung, etwa bei Breitinger [9] und Lessing [35. Bd. 11,1. 609 (Brief Nr. 489); 34], und in Frankreich – wenngleich kritisch – von Voltaire [53], zustimmend von Rousseau [44; 45], Dubos [17] und Du Marsais [39] übernommen. Bei Rousseau erhält die M., wie schon bei G. Vico [52], den Status eines emotional fundierten Prinzips der Ursprache; Hamann [23; 24], Herder [26; 27; 28], J. Paul, und Wordsworth sprechen der M. sowohl histor. Vorgängigkeit in der Diachronie der Sprachentstehung als auch Superiorität in der synchronen Abgrenzung von der Wissenschaftssprache zu. Goethe differenziert die M. in die Opposition zw. Symbol und Allegorie; letztere wird aufgrund ihrer Begriffsabhängigkeit ab-, ersteres aufgrund seiner inexponiblen Idealität aufgewertet ([20]; vgl. [49]).

Für die Romantiker vermittelt die M. – unter dem Begriff der Allegorie, der Ironie, des Witzes – das Endliche des Menschen und seines Wissens, das auf das rational Bedingte beschränkt ist, an das entzogene Unbedingte und Unendliche. Insofern entspricht die M. der postulatorischen, im Endlichen nie einlösbaren Operation des Romantisierens [31] und fungiert mithin als Nucleus der geforderten »Neuen Mythologie« [3. Bd. 2. 368 ff., Bd. 12. 39].

Im Zusammenhang mit dem erkenntnistheoretischen Rigorismus in Nietzsches Frühphilos. steht der Begriff der M. zunächst für die irreduzible Kontingenz der sprachlichen Synthesen und den willkürlichen Weg der Terminologisierung. Aber die referentielle Kontingenz der M. wird zugleich, wie schon im frz. Symbolismus Baudelaires und Verlaines, gegen die Erstarrung im Szientismus als vitalistische Rehabilitierung des menschlichen schöpferischen Vermögens gewertet [40].

Im 20. Jh. hat sich eine kaum mehr überschaubare Vielzahl von theoretischen Zugängen zur M. etabliert.

Neben linguistischen bzw. sprachanalytischen Analysen zur gramm. Form (Brooke-Rose [10]), zur semantischen Interaktion der M.-Bereiche (I. A. Richards, M. Black, [6; 5]) und zur sprechakttheoretischen oder behavioristischen Erklärung der M. (Searle [17], Davidson, [13; 12]) werden hermeneutische bzw. kulturtheoretische (Cassirer [11], Blumenberg [8; 7], Ricœur [65]), wiss.-theoretische (Th. S. Kuhn [32]) und philos.-pragmatische (Goodman [21; 22], Hesse [29], Rorty [43], Kittay [58], Lakoff/Turner [59]) Modelle der M. entwickelt. Diese Modelle verstehen die M. als konstruktiv-transzendentales Fundament lebensweltlicher, kultureller und wiss. Leitvorstellungen, während die linguistische und sprachanalytische Trad. an der Prämisse einer »Literal theory of meaning« und an einer Deutung der M. als semantischer Anomalie festhält. Die dekonstruktivistische Schule (Derrida [14; 15], De Man [37; 38] unter Rückgriff auf W. Benjamin [4]) sieht in der semantischen Anomalie der M. das destabilisierende Prinzip des vermeintlich denotativen Sprechens, das aufgrund der permanenten Verschiebung der Bedeutungshierarchien und der daraus folgenden Selbstbezüglichkeit der Zeichen in eine endlose Signifikantenkette einmündet.

Erst in jüngerer Zeit ist die von Literaten selbst geführte poetologische Diskussion der M. wieder ins Blickfeld der Wiss. getreten, womit der Tatsache Rechnung getragen wird, daß die M. im 20. Jh. zu einem zentralen poetologischen Gegenstand und Streitgrund der Autoren avanciert. Dabei wechseln die Vorbehalte gegen die M. als ein anthropomorphes, inauthentisches und unsachliches Klischee (Marinetti, Sternheim, Einstein, Tagger, Döblin, Schnurre, Robbe-Grillet, N. Parra, Heißenbüttel, Wellershoff, R. D. Brinkmann) mit emphatischen Legitimationen der M. als abstraktes oder chaotisches Texturverfahren (Wortkunst, Surrealismus), als histor. offene poetische Sinninitiative ohne letztes positives Fundament (Hofmannsthal, Rilke, Musil, Broch, Grünbein) und als Nucleus myth. Redeweise (Grass, Strauss, Handke) (alle Texte in [61]).

→ AWI Metaphora

QU 1 A. Arnauld, P. Nicole, L'Art de Penser. La Logique de Port-Royal, Paris 1662 2 B. Asmuth, s. v. Bild, Bildlichkeit, in: G. Ueding (Hrsg.), HWdR 2, 1994, 10–30 3 E. Behler et al. (Hrsg.), Friedrich Schlegel, Kritische Ausgabe, 1958 ff. 4 W. Benjamin, Ursprung des dt. Trauerspiels (1928), [6]1993 5 M. Black, How Metaphors Work: A Reply to Donald Davidson, in: Ders., Perplexities, Rational Choice, the Prisoner's Dilemma. Metaphor, Poetic Ambiguity, and Other Puzzles, 1990, 77–91 6 Ders., Mehr über die M., in: [56], 379–413 7 H. Blumenberg, Ausblick auf eine Theorie der Unbegrifflichkeit, in: [56], 438–454 8 Ders., Paradigmen zu einer Metaphorologie, in: ABG 6, 1960, 1–142 9 J. J. Breitinger, Critische Dichtkunst, Bd. 2, Zürich 1740 (Ndr. 1966) 10 C. Brooke-Rose, A Grammar of Metaphor, 1958 11 E. Cassirer, Philos. der symbolischen Formen, 1923 12 D. Davidson, A Nice Derangement of Epitaphs, in: E. LePore (Hrsg.), Truth and Interpretation. Perspectives

on the Philosophy of Donald Davidson, 1986, 433–446
13 Ders., Was M. bedeuten, in: Ders., Wahrheit und
Interpretation, 1986, 343–371 **14** J. DERRIDA, Der Entzug
der M., in: V. BOHN (Hrsg.), Romantik, Lit. und Philos.
Internationale Beitr. zur Poetik, 1987, 317–354 **15** Ders.,
Die weiße Mythologie. Die M. im philos. Text, in:
P. ENGELMANN (Hrsg.), Randgänge der Philos., 1988,
205–258 **16** R. DESCARTES, Meditationes de prima
philosophia, Amsterdam ⁴1647, Meditatio 4,2 **17** J.-B.
DUBOS, Réflexions Critiques sur la Poësie et sur la Peinture,
2 Bde., Paris 1719 **18** F. L. DE FÉNELON, Dialogues sur
l'éloquence, in: Ders., Œuvres, Bd. 21, Versailles 1824,
1–121 **19** R. FRAZER, The Origin of the Term »Image«, in:
English Literary History 27, 1960, 149–161 **20** J. W. VON
GOETHE, Maximen und Reflexionen, Aphorismen 749,
750, Stuttgart/Tübingen 1834 **21** N. GOODMAN, Vom
Denken und anderen Dingen, 1987 **22** Ders., Weisen der
Welterzeugung, 1990 **23** J. G. HAMANN, Aesthetica in nuce,
in: J. NADLER (Hrsg.), J. G. Hamann. Sämtliche Werke, Bd.
2, 1950, 195–217 **24** Ders., Metakritik über den Purismum
der Vernunft, in: [23], Bd. 3, 281–289 **25** G. PH.
HARSDÖRFFER, Poetischer Trichter, 3 Bde., Nürnberg
1648–1653 (Ndr. 1969) **26** J. G. HERDER, Abh. über den
Ursprung der Sprache, in: B. SUPHAN (Hrsg.), Sämmtliche
Werke, Bd. 5, Berlin 1878 f. **27** Ders., Iduna oder der Apfel
der Verjüngung, in: [26], Bd. 18 **28** Ders., Ueber Bild,
Dichtung und Fabel, in: [26], Bd. 15 **29** M. HESSE,
Unfamiliar Noises: Tropical Talk – The Myth of the Literal,
in: Proc. of the Aristotelian Society, Suppl. 61, 1987,
297–311 **30** TH. HOBBES, Leviathan, Kap. 4, London 1651
31 P. KLUCKHOHN, R. SAMUEL (Hrsg.), Novalis, Schriften,
1960 ff. **32** TH. S. KUHN, Metaphor in Science, in: [63],
409–419 **33** B. LAMY, De l'art de parler, Paris 1676 **34** G. E.
LESSING, Werke (Hrsg. von H. G. GÖPFERT et al.), Bd. 6,
1970 ff., 650 **35** Ders., Werke und Briefe in 12 Bänden
(Hrsg. von W. BARNER), 1985 ff. **36** J. LOCKE, An Essay
concerning Human Understanding, London 1690 **37** P. DE
MAN, Epistemologie der M., in: [56], 414–437 **38** Ders., M.,
in: CH. MENKE (Hrsg.), Die Ideologie des Ästhetischen,
1993, 231–262 **39** C. CH. DU MARSAIS, Des Tropes, ou des
diférens sens dans lesquels on peut prendre un même mot
dans une même langue, Paris 1730 **40** F. W. NIETZSCHE,
Ueber Wahrheit und Lüge im aussermoralischen Sinne.
Nachgelassene Schriften 1870–1873. Kritische
Studienausgabe (hrsg. von G. COLLI, M. MONTINARI), Bd. 1,
²1988 **41** M. OPITZ, Buch von der Dt. Poeterey, Kap. 6,
Breslau 1624 (Ndr. 1954) **42** J. PAUL, Vorschule der
Aesthetik, § 50, Hamburg 1804 **43** R. RORTY, Kontingenz,
Ironie und Solidarität, 1989, 21–51 **44** J. J. ROUSSEAU,
Discours sur l'origine et les fondemens de l'inégalité parmi
les hommes, Kap. 3, Amsterdam 1755 **45** Ders., Essai sur
l'origine des langues, Kap. 3, 9, 10, Genève 1781 **46** J. G.
SCHOTTELIUS, Ausfuehrliche Arbeit Von der Teutschen
HaubtSprache, Braunschweig 1663 (Ndr. 1967) **47** J. R.
SEARLE, Metaphor, in: [63], 92–123 **48** M. SPIAZZI (Hrsg.),
Th. v. Aquin. Expositio super Boetium De Trinitate, in:
M. CALCATURA (Hrsg.), Opuscula Theologica, Bd. 2, De re
spirituali, 1954 **49** B. A. SØRENSEN, Symbol und
Symbolismus in den ästhetischen Theorien des 18. Jh. und
der dt. Romantik, 1963 **50** K. STIELER, Die Dichtkunst des
Spaten, Hs. von 1685 (Ndr. 1975) **51** E. TESAURO, Il
Cannocchiale Aristotelico, Turin 1670 (Hrsg. von A. BUCK,
1968), 82–107, 266–500 **52** G. VICO, Principi di una scienza
nuova, Napoli 1744, 2,2,2; 2,2,4 **53** F. VOLTAIRE, Komm. zu

Corneille, Horace III, 1, in: Ders., Œuvres Compl., Bd. 31,
Paris 1880 **54** M. WINDFUHR, Die barocke Bildlichkeit und
ihre Kritiker, 1966 **55** W. WORDSWORTH, Preface to the
Lyrical Ballads, London 1800/1802

LIT **56** A. HAVERKAMP (Hrsg.), Theorie der M., 1983, ²1996
57 Ders. (Hrsg.), Die paradoxe M., 1998 **58** E. F. KITTAY,
Metaphor. Its Cognitive Force and Linguistic Structure,
1987 **59** G. LAKOFF, M. TURNER, More than Cool Reason. A
Field Guide to Poetic Metaphor, 1989
60 K. MÜLLER-RICHTER, A. LARCATI, Kampf der M.! Stud.
zum Widerstreit des eigentlichen und uneigentlichen
Sprechens. Zur Reflexion des Metaphorischen im philos.
und poetologischen Diskurs, 1996 **61** Dies. (Hrsg.), Der
Streit um die M. Poetologische Texte von Nietzsche bis
Handke. Mit kommentierenden Stud., 1998 **62** J. NIERAAD,
Bildgesegnet und Bildverflucht. Forsch. zur sprachlichen
Metaphorik, 1977 **63** A. ORTHONY (Hrsg.), Metaphor and
Thoughts, 1979 **64** Z. RADMAN (Hrsg.), From a
metaphorical point of view. A multidisciplinary approach to
the cognitive content of metaphor, 1995 **65** P. RICŒUR, La
métaphore vive, 1975 **66** A. WARD, The Unfurling of
Entity. Metaphor in Poetic Theory, New York 1987.

KLAUS MÜLLER-RICHTER

Metaphysik   A. EINLEITUNG
B. METAPHYSIK ALS ARISTOTELESEXEGESE
C. METAPHYSIK ALS PARMENIDESEXEGESE
D. METAPHYSIK ALS EXEGESE DES HOHENLIEDES

A. EINLEITUNG

Nachdem Platon und Aristoteles vornehmlich gegenüber der Atomtheorie die M. als Wissen vom Sein
des Intelligiblen etabliert hatten, erscheint sie in der
spätant. Philos. in dreifacher Form, in der sie auch für
die Entwicklung der Disziplin bis ins 20. Jh. konstitutiv
und prägend blieb. Zuerst nimmt sie v. a. in den Werken
der Aristoteleskommentatoren die Gestalt der abstrakten Seins- und Gotteslehre an. Von Plotin an tritt die M.
auch als Auslegung des platonischen Dialogs *Parmenides*
auf, in der der Begriff des Einen thematisiert wird.
Schließlich begreift sich die christl. Auslegung des Ho-
heliedes selbst als die M. der christl. Philos., in der der
praktische Ursprung der M. am deutlichsten hervortritt.

B. METAPHYSIK ALS ARISTOTELESEXEGESE

Während bei Aristoteles selbst die M. als theoretische
Wiss. noch eingebettet war in einen umfassenden Pra-
xis-Zusammenhang, so daß sie auch als die höchste Lebensform oder als ›eine Ethik‹ [4. 129] verstanden werden kann, vollzieht sich die Theoretisierung der M. im
Sinne einer abstrakten, lebensfernen, verobjektivieren-
den Wiss. bei den Aristoteleskommentatoren, d. h. nicht
nur in den uns vorliegenden M.-Komm., unter denen
wir den Komm. des Alexander v. Aphrodisias zu den
Büchern A – Δ und Ps.-Alexanders zu den Büchern E-N
und die Komm. des Syrian, des Asclepius und schließlich des Ps.-Philoponos zu unterscheiden haben, sondern auch in den Werken der anderen Kommentatoren,
bes. in der Ammonius-Schule. In dieser spätant. Aristotelesexegese ist eine relativ einheitliche Konzeption der
M. erkennbar, nach der sie Ontologie, Wiss.-Theorie

und philos. Theologie in einem ist. Allgemeine Ontologie ist sie, insofern sie, von der Sinneserkenntnis am weitesten entfernt und deshalb schwer erreichbar, das schlechthin allgemeinste Wissen vom Seienden als solchem darstellt. Das Seiende als solches meint keinen bestimmten Gegenstandsbereich, sondern die allgemeinsten Strukturen, die einem jeden Seienden, insofern es seiend ist, zukommen. Dazu gehören nicht nur die Zusammengesetztheit aus Form und Materie, aus Akt und Potenz usw., sondern auch bestimmte allg. Bestimmungen, die dem Seienden als solchem notwendigerweise zukommen, wie z.B. das Eine, das Identische, das Gleiche, das Ähnliche und die entgegengesetzten Bestimmungen des Vielen, Verschiedenen usw. Obwohl das Allgemeinste überhaupt, der Begriff des Seienden als Seienden, den Gegenstand der M. ausmacht, ist gleichwohl aus dem Gegenstandsfeld der M. Bestimmtes ausgeschlossen, wie z.B. das akzidentell Seiende und v.a. das sog. veritative Sein (ὄν ὡς ἀληθές), d.h. das in wahren oder falschen Sätzen erkannte Sein, das im MA seit Averroes unter dem Titel des Gedankendings (*ens rationis*) behandelt wird. Die Aristotelesexegese orientiert sich vielmehr bei der Bestimmung des Seienden als Seienden an jenem Bereich, der für schlechthin seiend, d.h. für selbständig und an sich existierend gehalten wird, und das ist das »äußere Seiende«, also das physische Sein der Naturdinge. Deswegen kann Ps.-Alexander als Gegenstand der M. das physisch Seiende angeben, insofern es seiend ist. »Insofern es seiend ist« aber bezieht sich nicht auf das faktische Vorhandensein von etwas, sondern auf das, was im »eigentlichen Sinne« ist (κυρίως ὄν); das aber ist die Substanz. Die Frage nach dem Seiendsein des Seienden ist daher gleichbedeutend mit der Frage nach seinem substantiellen Charakter (Alexander, In Metaph. CAG I, 242.250.461.).

Die M. erfüllt aber in der spätant. Philos., wie auch schon bei Aristoteles, gleichfalls die Funktion der Wiss.-Theorie. Da die dem Seienden als solchem zukommenden allgemeinsten Bestimmungen durch die Methode des Beweises aufgezeigt werden, muß zuletzt von selbstevidenten, unvermittelten, selber unbeweisbaren Sätzen, den sog. Axiomen, ausgegangen werden. Von dieser Art sind Sätze wie daß, wenn von Gleichem Gleiches weggenommen wird, Gleiches übrigbleibt und bes. das allen anderen Sätzen zugrundeliegende Widerspruchsaxiom (Alexander, Asclepius). Einen besonderen Stellenwert hat bei Syrian die Betrachtung der grundlegenden allerersten Begriffe und Sätze, insofern sie als Selbstentfaltung des göttlichen Geistes angesehen werden und als solche auch über die Struktur des menschlichen Bewußtseins, das ein göttliches Element in sich birgt, Aufschluß geben können. Doch nicht nur die Thematisierung der Axiome als der Prinzipien unseres wiss. Wissens sind die Sache der M. Es gehört vielmehr zur Vollendung des theoretischen Wissens überhaupt, auch die Prinzipien und Ursachen des Seienden, zuletzt auch die ewigen Ursachen alles Seienden zu suchen. Wenn es also eine erste, allg., oberste und ewige Ursache gibt, die

notwendigerweise immaterieller Natur ist, dann muß die M. auch diese abgetrennte höchste Substanz thematisch behandeln. Die M. wird auf diese Weise zur philos. Theologie. Später wird in diesem Sinne bei Ammonius Hermeiu und in seiner Schule (Simplikios) die M. Wiss. vom absolut Immateriellen, das weder seiner Existenz nach mit Materie in Verbindung steht noch durch das menschliche Bewußtsein mit Materiellem in Verbindung gebracht werden kann. Von solcher Art ist das göttliche Wesen. Aber wie bes. Simplikios betont, ist es in diesem Sinne auch die Aufgabe der »übernatürlichen Pragmatie«, d.h. der M., die in jeder Hinsicht immateriellen, intelligiblen, unvergänglichen Formen zu betrachten, die eine bes. Form den Einzeldingen transzendenten Allgemeinheit und in sich differenzierten Einheit darstellen.

In den spätant. Schulen wurde die M. als krönender Abschluß des gesamten Studienganges erlernt, d.h. nach der Logik, Ethik, Mathematik und Physik. Avicenna hat diesen Grundgedanken des spätant. Curriculums aufgenommen und theoretisch verarbeitet: Die M. heißt auch so, weil sie das thematisiert, was für uns »nach der Natur« kommt, eben das Wissen vom Wesen und vom göttlichen Sein. An sich aber geht dies allem Natursein vorher und stellt das Ersterkannte dar. So wird also die M. als letzte Disziplin, d.h. auch erst nach den beiden anderen theoretischen Disziplinen, erlernt, aber sie macht zugleich bewußt, daß ihre Gegenstände, nämlich das Wesen der Dinge und das göttliche Sein, das an sich Ersterkannte darstellen und, bedingt durch die Schwachheit der menschlichen Natur, nur für uns zuletzt und mit Mühe erkennbar sind.

Diese bei Aristoteles vorgebildete, und in der spätant. Kommentierung des Aristoteles ausgebildete Form der M., nach der sie die Funktionen der Ontologie, Wiss.-Lehre und Theologie in sich vereinigt, wurde dem MA überliefert. Thomas v. Aquin und Duns Scotus haben – beide im Namen der aristotelischen Lehre, aber unter den Vorzeichen ganz verschiedener Ontologien – die M. als Lehre vom Sein neu und für Jh. maßgeblich formuliert: Der eine im Sinne einer Aktontologie, der andere als Lehre von einer formalen Wesenheit bzw. vom realen Sein des Möglichen. Vermittelt durch die Spanische Scholastik (bes. Suarez) und die protestantische M.-Trad. des 17. Jh. wurde schließlich die Ontologie des Aristoteles und der Aristotelesexegese auch in der Dt. Schulphilos. und durch sie vermittelt bei Kant aufgenommen.

C. Metaphysik als Parmenidesexegese

Ein ganz anderer Typ der M. entsteht in Plotins Lehre, die sich selbst als Auslegung des platonischen Dialogs *Parmenides* versteht. Seitdem gilt der *Parmenides* im Neuplatonismus als die Theologie, d.h. die M. der platonischen Philosophie. In diesem Sinne sind die anon., mit guten Gründen Porphyrios zugeschriebene Parmenides-Komm. wie auch die z.T. nicht erhaltenen des Jamblich, Syrian, Philoponos und bes. diejenigen von Damaskios und Proklos, wie auch das Werk *De divinis nominibus* des Ps.-Dionysius, das ähnlich wie der Traktat *Über die ersten Prinzipien* des Damaskios praktisch eine Parmenidesexegese ist, Darstellungen der M. von einem neuplatonischen Standpunkt aus. Dabei wird oft, wenngleich – so scheint es – erst von Porphyrios, später auch von Syrian, Proklos, Hierokles u. a. als Bezeichnung für die höchste Wiss. vom Einen der aus der Mysteriensprache stammende, schon von den Mittelplatonikern (Plutarch, Theon v. Smyrna, vgl. auch Clemens v. Alexandrien) mit der M. identifizierte Begriff der »Epoptie« verwendet. In ähnlicher Weise wird die M. innerhalb der Parmenidesexegese bes. von Proklos als eine Art der »Mystagogie« bezeichnet. Beide Ausdrücke deuten an, daß beim eigentlichen metaphysischen Prozeß das metaphysiktreibende Subjekt eine gewisse Veränderung durchmacht. Wie bes. bei Plotin und Proklos zu beobachten ist, etabliert sich die neuplatonische M., verstanden als eine Lehre vom Einen, als Kritik an der aristotelischen Geistmetaphysik. In der aristotelischen Lehre vom göttlichen Selbstbewußtsein werde, so monieren insbes. Plotin und Proklos, eine verborgene Zweiheit als erstes Prinzip bedacht. Die neuplatonische M. will demgegenüber das Erste als ein wahrhaft Eines vor allem Seienden aufzeigen, das aller Vielheit enthoben, differenzlos, relationslos und unaussagbar ist, das als solches zu unterscheiden ist von einem zweiten Einen, dem Einen der zweiten Hypothese des Parmenides, das selbst die Verbindung zum Seienden herstellt und daher auch συντεταγμένον (zusammengefügt) genannt wird. Dieser Aufweis geschieht aber nicht durch eine reine theoretische Darlegung der Hypostasenhierarchie, sondern indem aufgrund der Selbsterforsch. der Seele die Hypostasen als drei Erfahrungsstufen der Seele selbst aufgezeigt werden (Plot. Enneades V.1). Der Aufstieg der Seele zum Einen ist daher kein rein theoretischer Akt, bei dem die Seele von allem Körperlichen, Sinnfälligen, Schlechten und Vielfältigen absähe und dabei doch selbst bliebe, was sie ist. Vielmehr ist sie selbst auch in diesen Prozeß einbezogen. Die Seele betrachtet nicht theoretisch die Hypostase des Geistes und des Einen, sondern sie »wird« selbst Geist und Eines (Enneades VI, 9, 9 f. V, 3, 3, 11. 29. VI, 7, 15, 25 – 32). Plotin hat diesen Prozeß der Einswerdung der Seele in – wie er selbst bemerkt – kühnen Worten beschrieben: Es geht um eine Schau, bei der der Schauende und das Geschaute nicht mehr zwei, sondern eine ununterschiedene Einheit darstellen, so daß der ›Schauende selbst gleichsam ein anderer geworden und nicht mehr er selbst‹ ist (Enneades VI,9,10,13–16). Die im neuplatonischen Sinne der Einswerdung verstandene M. ist somit eine Denkform, die nicht mehr an das Subjekt-Objekt-Schema gebunden ist. M. treiben heißt neuplatonisch: Einfachwerden.

Diese Lehre vom Einen, die bei späteren Neuplatonikern wie z.B. bei Proklos in modifizierter Form als Theorie des »unum in nobis« erscheint, markiert den neuplatonischen Typ der M. in seiner charakteristischen Weise gegenüber dem der Aristotelestradition. Denn im neuplatonischen Denken wird die M., sofern sie als Einswerdung im Sinne Plotins verstanden wird, in den Kontext des ant. Philosophiebegriffs überhaupt gerückt, nach dem Philos. keine abstrakte Theorie, sondern eine Lebensform darstellt. M. als Einswerdung ist eine geistige Übung, die Übung der höchsten Selbstfindung. Während Plotin, Damaskios und Proklos das transzendente Eine als jenes Prinzip gedacht haben, das als Ursache von allem Sein, Leben und Denken doch selbst dieser Triade enthoben ist, haben andere neuplatonische Philosophen Sein, Leben und Denken als die inneren Momente der intelligiblen Substanz angesehen, so daß – so z.B. bei Porphyrios in seinem Parmenides-Komm. – das Eine mit dem ersten Moment der Triade zusammenfällt, und das ist das »Sein« verstanden als reiner Akt im Unterschied zu allem »Seienden«. Andere Neuplatoniker haben das transzendente Eine mit dem akthaft verstandenen Sein (das Porphyrios erstmals vom Seienden unterscheidet) identifiziert. Diese innerneuplatonische Kontroverse um den Transzendenzcharakter des Einen findet ihre Fortsetzung in der Auseinandersetzung zw. Marsilio Ficino und Giovanni Pico della Mirandola. Nach Marsilio Ficino, der der plotinisch-proklischen Linie folgt, ist das Eine das überseiende, wahre, reine und einfache Prinzip, das jenseits aller Form der Unterschiedenheit und damit auch der Selbstreflexion im Sinne des aristotelischen Nus ist. Giovanni Pico della Mirandola dagegen hat im Sinne der neuplatonischen These von der Übereinstimmung zw. der Lehre Platons und des Aristoteles die Identität des Einen und des Seins vertreten.

Was diese von Plotin inaugurierte M. von der aristotelischen eigentlich unterscheidet, ist die Tatsache, daß das metaphysiktreibende Subjekt nicht mehr dem geistigen Sein als Objekt unbewegt gegenübersteht, sondern in den Prozeß der Einung miteinbezogen ist. Denn nach Plotin und dem Neuplatonismus überhaupt vollzieht sich durch die Umkehr der Seele ins eigene Innere eine Transformierung des Bewußtseins, bei der die Seele – wie es in VI,9 heißt – zuerst Geist und dann Eines »wird«, d. h. mit sich selbst einig und absolut einfach. Darin besteht die Eigentümlichkeit des neuplatonischen Typs der M., daß durch sie keine theoretische Erkenntnis vollzogen wird, sondern die Veränderung des Subjekts selbst, die als »Einfachwerdung« oder als Ekstase oder Erwachen oder Selbsthingabe oder ähnlich bezeichnet wird. Von diesem Standpunkt aus erscheint auch die M. – wie die anderen Disziplinen – als eine geistige Übung im Sinne des ant. Philosophiebegriffs.

Die M. des Subjekts, wie man die neuplatonische M. bezeichnen könnte, wurde insbes. durch Proklos und Ps.-Dionysius Areopagita in das MA weitergegeben, wo sie zunächst in der hochma. Mystik (Meister Eckhart, Tauler, Seuse), später auch in der protestantischen Mystik und im Pietismus (V. Weigel, A. Silesius, Oetinger) in neuer Gestalt erscheint. Besonders aber muß das Denken des dt. Idealismus als eine Fortsetzung dieser vom Neuplatonismus inaugurierten Form der M. angesehen werden. Nicht nur, weil z.B. J.G. Fichte – wie bes. deutlich aus seinem *Sonnenklaren Bericht ...* von 1801 hervorgeht – seine Ich-Konzeption oder der frühe Schelling seine Lehre von der Identität von Subjekt und Objekt in engem Anschluß an die neuplatonisch-mystische Terminologie entfaltet.

Vor allem hat auch Hegel den Grundgedanken seiner Philos., das spekulative Denken, die spekulative Idee, mit der »Mystagogie« der Neuplatoniker in Verbindung gebracht. Denn das Mystische drückt genau wie das Spekulative eine Einheit aus, die die Gegensätze, bei denen der Verstand stehenbleibt, aufgehoben in sich enthält und somit eine konkrete Totalität darstellt. Die Mystagogie ist daher nichts anderes als die spekulative oder vernünftige Philos., in der der Gegensatz von Subjekt und Objekt verschwunden und somit das Sein im Denken oder Selbstgenuß und Anschauung wirklich wird.

D. METAPHYSIK ALS EXEGESE DES HOHENLIEDES
Die M. erscheint im spätant. Denken schließlich auch als Exegese des *Hohenliedes.* Origenes hat erstmals im Prolog seines Hohelied-Komm. in diesem Sinne eine Wiss.-Lehre der wahren Philos., d.h. der christl. Philos. entworfen, nach der die stoische Einteilung der Philos. in Ethik, Physik und Logik bzw. Theologik auch in den Schriften des AT erkennbar ist. Dementsprechend ist das *Buch der Sprüche* (*Proverbia*) als die Ethik, das *Buch des Predigers* (*Ecclesiastes*), später auch das Buch *Genesis* als die Physik und schließlich das *Hohelied* als die M. der christl. Philos. anzusehen. Origenes verwendet zur Kennzeichnung dieser Art der M. wie auch die Trad. der Parmenidesexegese den seit dem Mittelplatonismus üblichen (bei Plutarch und Theon v. Smyrna belegbaren) Terminus technicus der »Epoptie« (= *inspectiva* in der Rufinschen Übers.), den schon Clemens v. Alexandrien mit dem aus der Aristotelestrad. stammenden Begriff der M. identifiziert hat. Im Unterschied zur theoretischen Disziplin der M. in der Aristotelesexegese kommt der M. der christl. Philos. ein praktischer Charakter zu, der durch Origenes' Verständnis der – im V. 1,8 des *Hohenliedes* angesprochenen – Selbsterkenntnis in einem praktischen Sinne als Gewissensanalyse grundgelegt ist. Die weitere Geschichte der Hoheliedauslegung hat diesen praktischen Charakter der M. noch unterstrichen: Nach Gregor v. Nyssa ist so die M. – wie auch beim neuplatonischen Typ der M. des Subjekts – als eine Art der »Mystagogie« zu begreifen, durch die der Mensch in die göttlichen Geheimnisse eingeführt wird, d.h. aber durch die er als ganzer umgewandelt und gewissermaßen vergöttlicht wird. Dementsprechend bezeichnen auch später Bernhard v. Clairvaux, die viktorinische Mystik und große Teile der späteren Mystik diese Hinführung zu dem wahren Selbst als eine *transformatio* des Selbst, die dadurch erreicht wird, daß sich das Selbst auf sich selbst konzentriert, die Zerstreuungen des Herzens (*dispersio cordis*) ablegt und sich selbst in sich selbst – wie das mit dem Ausdruck aus dem platonischen *Phaidon* gesagt wird – »sammelt«. Das auf diesem Weg erreichte Ziel ist die Kontemplation des Göttlichen, aber es ist keine theoretische Art der Betrachtung, sondern eine durch die Übungen der Aufmerksamkeit auf sich selbst, durch Wachsamkeit, Selbstsorge, Behutsamkeit, Umsicht und Gewissenserforschung vermittelte Kontemplation, oder – wie später Wilhelm v. St. Thierry sagen wird – eine »affektive«, d.h. praktische Kontemplation. Die M. im Sinne der Hoheliedauslegungs-Trad. ist also offenkundig eine praktische Disziplin; ma. Texte, die die *inspectiva* der *practica* zurechnen, scheinen das zu bestätigen. Sie ist aber v.a. auch – jedenfalls nach dem Selbstverständnis der Autoren von Origenes bis ins hohe MA – die M. der christl. Philosophie. Das ist kritisch hervorzuheben gegenüber all jenen Entwürfen, die die sog. Exodus-M. (E. Gilson), sei es als von der griech. Ontologie qualitativ verschiedene, sei es als christl. Modifikation derselben, im Sinne einer M. der christl. Philos. verstehen.

Obwohl dieser Typ der christl. M. vielfach eine enge Verbindung mit der neuplatonischen Konzeption der M. eingeht, ist doch eine eigene Trad. erkennbar. Was Origenes erstmals formuliert hat, wird bald bes. durch Ambrosius' Schrift *De Isaac et anima*, die praktisch einen Komm. zum *Hohelied* darstellt, in die lat. Welt übermittelt und von da durch Cassiodor u.a. Vermittler an das karolingische Denken (Alkuin, Hrabanus Maurus) und an das 12. Jh. (Bernhard v. Clairvaux, die Viktoriner, die Schule von Chartres) weitergegeben. In den metaphysischen Entwürfen des 12. Jh. ist der praktische Charakter der M. bes. gut zu beobachten. Denn der entscheidende Grundgedanke von einem sich durch die M. selbst umgestaltenden Selbst – wie ihn schon Gregor v. Nyssa im Begriff der *metamórphōsis* formuliert hatte – ist hier überall präsent. Diese Transformation des Selbst vollzieht sich aber dadurch, daß der Geist sich wahrhaft erkennt, die Zerstreuungen des Herzens ablegt und sich sammelt und auf Eines konzentriert, wachsam und umsichtig sich selbst gegenüber ist und doch zugleich auch über sich selbst hinausgeht, sich selbst fremd, gleichsam trunken wird und sich selbst vergißt. Die Mystik, in der sich die patristischen Elemente mit den neuplatonischen bes. eng verbinden, hat diese Trad. einer praktischen M. bewahrt. Sie taucht in verwandelter Form wieder auf in Martin Heideggers Daseinsanalyse, die mit der Trad. der praktischen M. durch die These verbunden ist, daß der Mensch nicht zunächst, sondern gewissermaßen abgeleiterweise und spät ein theoretisches Wesen ist. Ganz in Übereinstimmung mit dieser Trad. ist der Mensch nach Heidegger zunächst ein Wesen der Selbstsorge, das meistens zerstreut ist in das Man oder das Viele, umsichtig mit etwas umgeht oder umsichtig sich in etwas aufhält. Es scheint, daß ein wichtiger Teil der Heideggerschen Daseinsanalyse, die die Phänomene der Sorge, der besorgenden Umsicht, der existenzialen Modi des Geredes, der Neugier und der Zweideutigkeit betrifft, eine späte Form der praktischen M. darstellt.

→ Aristotelismus; Platonismus;

→ AWI Aristoteles; Aristoteleskommentatoren; Metaphysik; Neuplatonismus; Origenes

1 W. BEIERWALTES, Denken des Einen. Stud. zum Neuplatonismus und dessen Wirkungsgesch., 1985 2 Ders., Das seiende Eine. Zur neuplatonischen Interpretation der zweiten Hypothese des platonischen Parmenides: Das Beispiel Cusanus, in: Proclus et son influence. Actes du Colloque de Neuchâtel, ed. G. BOSS et G. SEEL, 1987, 287–297 3 CH. GENEQUAND, L'objet de la métaphysique selon Alexandre d'Aphrodisias, in: MH 36 (1979), 48–57 4 P. HADOT, Qu'est-ce que la philosophie antique?, 1995 5 Ders., La Metaphysique de Porphyre. Entretiens sur l'Antiquité class. 12: Porphyre (1965), dt. in: Die Philos. des Neuplatonismus, hrsg. v. C. ZINTZEN (1977) 208–237 6 TH. KOBUSCH, M. als Einswerdung. Zu Plotins Begründung einer neuen M., in: L. HONNEFELDER, W. SCHÜSSLER, Transzendenz. Zu einem Grundwort der klass. M. (FS K. Kremer), 1992, 93–114 7 Ders., Dionysius Areopagita, in: Klassiker der Religionsphilos., hrsg. v. F. NIEWÖHNER, 1995, 84–98 8 Ders., M. als geistige Übung. Zum Problem der Philos. bei Bernhard v. Clairvaux, in: Cistercienser Chronik, 106 (1999) Heft 1, 57–67 9 Ders., M. als Lebensform. Zur Idee einer praktischen M., in: Die M. und das Gute, hrsg. v. W. GORIS, Bibliotheca 2 (FS J. A. Aertsen) 1999, 29–56 10 Ders., Die Begründung eines neuen Metaphysiktyps durch Origenes, in: W. A. BIENERT, U. KÜHNEWEG (Hrsg.) Origeniana Septima, Origenes in den Auseinandersetzungen des 4. Jh., 1999, 61–68 11 Die M. als Lebensform bei Gregor von Nyssa (Vortrag auf dem Intern. Gregor v. Nyssa-Kongreß in Paderborn 1998), im Druck 12 K. KREMER, Der Metaphysikbegriff in den Aristoteles-Komm. der Ammonius-Schule (Beitr. zur Gesch. der Philos. und Theol. des MA) 1961 13 D. J. O'MEARA, Le problème de la métaphysique dans l'antiquité tardive, in: Freiburger Zschr. für Philos. und Theol. 33 (1986) 3–22. 14 OEING-HANHOFF, TH. KOBUSCH, T. BORSCHE, s. v. M., HWdPh 5, 1980, 1186–1279.   THEO KOBUSCH

Meteorologie A. EINLEITUNG
B. MITTELALTER UND RENAISSANCE
C. 17. UND 18. JAHRHUNDERT
D. 19. JAHRHUNDERT

A. EINLEITUNG

Die ant. M. hat die Naturforsch. bis in die Moderne beeinflußt. Manche der Erklärungen, welche Aristoteles in seinen Μετεωρολογικά (*Meteorologiká*) gegeben hatte (etwa der feurigen Himmelserscheinungen, der Erdbeben oder der Vulkane) waren noch im frühen 19. Jh. gültig. Die Rezeptions- und Wirkungsgeschichte der ant. M. umfaßt drei Phasen: Die erste Phase ist die der kritischen Aufnahme und Weiterführung der ant. Konzeption im MA und in der Renaissance. In der zweiten Phase (17. und 18. Jh.) wurde die M. mehr und mehr auf die atmosphärischen Phänomene eingeschränkt, wobei aber die ant. Erklärungsmuster vielfach verbindlich blieben. Im 19. Jh. sind explizite Bezüge auf die ant. M. nur noch selten zu finden, aber ihre Nachwirkungen blieben deutlich spürbar.

B. MITTELALTER UND RENAISSANCE

Die Rezeption der ant. M. im MA und in der Ren. folgt weitgehend derjenigen der ant. Naturwissenschaft. Eine Besonderheit ist insofern gegeben, als das lat. Christentum bereits vor der Ant.-Rezeption des 12. und 13. Jh. über eine vergleichsweise gute Kenntnis der M. verfügte. Die Hauptquellen der Naturkunde (Sen. nat., Plin. nat., Vitr., Isid. nat. und Isid. orig. sowie im Anschluß daran Beda Venerabilis, Hrabanus Maurus u. a.) handelten alle recht ausführlich über meteorologische Phänomene [5. 25–39; 14. 12–13; 30. 41–42]. Senecas *Naturales quaestiones* können sogar im Kern als eine M. nach aristotelischem Vorbild angesehen werden [31. 4–5], da dort letztlich gerade diejenigen Naturphänomene (Regenbogen, Nebensonnen, Halos, Blitz und Donner, Regen und Schnee, Hagel, Quellen, Wolken und Wind, Erdbeben und Vulkanismus, Kometen u. a.) behandelt werden, die Aristoteles beschrieben hatte. Im islamischen Kulturkreis ist eine Kenntnis der ant. M. seit dem 8. Jh. nachweisbar. Sowohl die M. des Aristoteles als auch die des Theophrastos sowie die Komm. des Alexandros von Aphrodisias und des Olympiodoros lagen in arab. Übers. vor [32. 205–212]. Im 12. Jh. übersetzte Gerard von Cremona die M. des Aristoteles ins Lat., einen ersten lat. Komm. verfaßte Albertus Magnus. Und im 13. Jh. wurden auch die Komm. von Averroës und Alexandros von Aphrodisias übersetzt [5. 39–66]. Kennzeichnend für die Rezeption und Weiterführung der M. ist, daß sie auf einer außerordentlich breiten Basis erfolgte. Die naturkundlichen Enzyklopädien (Alexander Neckham, Bartholomäus Anglicus, Vincent von Beauvais, Thomas de Cantimpré, Brunetto Latini, Konrad von Megenberg u. a.) behandelten alle auch die meteorologischen Phänomene [5; 14. 13–14]. Zudem haben viele meteorologischen Phänomene bzw. deren Erklärungen Eingang in die Dichtung und die Lit. gefunden: Vergil beschrieb in seiner *Georgica* das Wettergeschehen [23; 30. 32–35], Wolfram von Eschenbach verwendete in seinem *Willehalm* metaphorisch die Erklärungen der Sternschnuppen und der Entstehung des Regens [12], und Cic. Arat. war im MA ein weit verbreitetes Schulbuch. Dante setzte sich mit der M. des Aristoteles bzw. des Albertus Magnus (Annahme einer spontanen Entzündung der meteorischen Dämpfe) sowie mit den verschiedenen Auffassungen über die Milchstraße und den Regenbogen auseinander [13; 34. 243–51]. Ein Charakteristikum der M. des 13. und 14. Jh. war die (v. a. durch Avicenna und die arab. Gelehrten geprägte [32. 253, 292–294]) enge Bindung an die Optik. Die meteorologische Optik war zugleich der einzige Bereich, in dem ein teilweises Hinausgehen über die ant. Erklärungsansätze zu verzeichnen ist (Theorie des Regenbogens bei Theodoricus, *De iride et radialibus impressionibus* [33a]) [vgl. 5. 102–108]. Ein weiteres Charakteristikum der ma. M. ist das Aufblühen der (bis weit in das 17. Jh. einflußreichen) Astro-M., welche aus den Gestirnen das Wetter und andere Naturerscheinungen vorhersagen wollte und sich v. a. auf den *Tetra-*

biblos des Ptolemaios stützte [14. 14–15; 22; 30. 43–46]. 1474 wurde die erste lat. Ausgabe der M. des Aristoteles (zusammen mit dem Komm. des Averroës) in Padua gedr., eine erste griech. Ausgabe zusammen mit den Werken des Aristoteles in Venedig (1495–1498). Bis 1601 erschienen über 125 selbständige Ausgaben der M., ferner eine Reihe neuer Komm. (die bedeutendsten waren die des Agostino Nifo, 1531, und des Francesco Vimercati, 1556) sowie weitere Schriften zur M. [14. 9–10, 225–240, 244–246]. Alle diese Schriften sind letztlich Abbilder der aristotelischen Meteorologie. Wie bei diesem waren bestimmte astronomische und terrestrische Phänomene (Kometen, Milchstraße, Erdbeben, Vulkane, Entstehung der Metalle) stets Gegenstand der Meteorologie. In diesem Sinne wurden etwa die Metalle häufig als ›earthly meteors‹ angesprochen [10. fol. 62], oder das gemeinsame Auftreten von Kometen und Erdbeben beschrieben [25]. Grundlage der Erklärungen war stets die aristotelische Lehre von den zwei Ausdünstungen, der feuchten und der trockenen ἀναθυμίασις/ *anathymiásis* [14. 37–150]. In diesem Sinne erklärte etwa Leonardo da Vinci die Erdbeben durch in der Erde eingeschlossenen und durch das erdinnere Feuer erhitzten Wasserdampf, oder die Blitze durch in den Wolken eingeschlossene, verdichtete und entzündete Wärme und Feuchtigkeit [21. fol. 28r].

C. 17. UND 18. JAHRHUNDERT

Das Aufkommen der neuen Naturwiss. und die Einführung der beiden wichtigsten meteorologischen Instrumente (Thermometer, Barometer) haben zu Beginn des 17. Jh. neue Ansätze der Wetterforsch. entstehen lassen [30. 54–74]. Auch wurde die M. zunehmend als »Wiss. von den atmosphärischen Erscheinungen« verstanden [14. 4–5], da sich v. a. die Erforsch. der terrestrischen Erscheinungen seit der Mitte des 16. Jh. als eigenständige »Wiss. von den Dingen unter der Erde« zu konstituieren begonnen hatte (→ Geologie). Dennoch blieben sowohl die ant. Konzeption der M. als auch die Erklärungen einzelner meteorologischer Phänomene bestimmend. Robert Fludds *Meteorologia cosmica* (1626) [9] etwa stand noch ganz in der aristotelischen Tradition. Auch R. Descartes' *Les Météores* (1637) kann – trotz einer richtigen Erklärung des Regenbogens [4. Kap. 8] und der Beschränkung auf die atmosphärischen Phänomene – die Parallelen mit der aristotelischen M. nicht verleugnen (etwa die Behandlung der ›vaporibus et exhalationibus‹ [4. Kap. 2]). Für die Tradierung der ant. M. bedeutsam blieb auch, daß die meteorologischen Phänomene bzw. ihre Erklärungen – wegen ihrer großen Bed. für das alltägliche Leben und (dadurch bedingt) ihrer Eignung zur »Moralisierung« – nach wie vor einen festen Platz in der Lit. und Dichtung hatten [33. 86–113; 14. 153–214]. Wenn 1716 E. Halley (im Rahmen seiner Erklärung der Polarlichter, welche deren Zusammenhang mit dem Erdmagnetismus postulierte) bewußt versuchte, die aristotelische Terminologie zu vermeiden [7. 244–246], so war dies eher die Ausnahme als die Regel. J. J. Scheuchzer blieb ganz im ant. Kontext, wenn er

die ›feurigen Lufft-Geschichten‹ (z. B. die Sternschnuppen) auf ›schwefelichte und salpetrische Materie‹ zurückführte [28. 44–46]. Und J. Scheuchzer folgte 1736 in seinen Beschreibungen der ›vapores‹ und ›exhalationes‹ explizit denen des Aristoteles [29. 8–9]. Dieses »doppelte Gesicht« der M. des 18. Jh. – die Anbahnung der mod. Erklärungen bei gleichzeitigem Verhaftetbleiben in den ant. Vorstellungen – zeigen dann auch die großen Enzyklopädien. J. H. Zedler etwa stellte zwar klar, daß Erdbeben fälschlicherweise zu den »meteora« gerechnet würden [35. Bd. 20, Sp. 1282], erklärte dann aber ganz selbstverständlich die ›Meteorum igneum, Feuer-Zeichen‹ (Irr-Lichter, Sternschnuppen, Blitz usw.) ›aus fetten schweflichten Dünsten, so sich droben entzünden‹ [35. Bd. 20, Sp. 1288]. Bei den Erdbeben wiederholte er (mit Bezug auf Seneca, Plinius, Aristoteles, Lucretius u. a.) die ant. Erklärungen (Erdbeben sind ›nichts anders als ein unterirdisches Donner-Wetter‹ [35. Bd. 8, Sp. 1523–1524]), und die Blitze erklärte er (mit Aristoteles, Plinius, Seneca, Plutarch u. a.) als zusammengepresste, entzündete ›Dünste‹, die aus den Wolken ausbrechen [35. Bd. 4, Sp. 169]. Ähnlich erschienen in der frz. *Encyclopédie* z. B. die ›météores ignés‹ (Blitz und Donner, Irrlichter, Sternschnuppen u. a.) als diejenigen, welche aus schwefeliger Materie bestünden [6. Bd. 10. 444–445], wie überhaupt für die Erklärung der einzelnen Meteore nach wie vor die (aristotelischen) ›vapeurs‹ (›les fumées humides‹) und ›exhalaisons‹ (›les fumées sèches‹) maßgeblich waren [6. Bd. 6. 253]. Ein markantes Beispiel hierfür sind die Erdbeben [6. Bd. 19. 580–581], welche überhaupt dasjenige Phänomen sind, bei dem sich die ant. Erklärung am längsten gehalten hat [17. 422–423; 19. 28–31]. Im 18. Jh. kam schließlich auch die auf Hippokrates zurückgehende ant. Klimalehre (wieder) zum Tragen [8], die ihre Wirkung allerdings v. a. in der → Geographie des 19. Jh. entfaltete.

D. 19. JAHRHUNDERT

1818 gab J.-B. Biot eine frühe mod. Definition der M., in der diese als »Physik der Atmosphäre« bestimmt wurde, und als Ursachen der meteorologischen Phänomene v. a. die Wärme, die Elektrizität und der Magnetismus genannt wurden [26. Bd. 20. 444]. Allerdings blieb die ant. M. im 19. Jh. noch lange spürbar. W. A. Lampadius diskutierte zwar nicht mehr die Vulkane und Erdbeben selbst, wohl aber deren Einflüsse auf die Atmosphäre [18. 206–207]. Seine Übersicht der verschiedenen »Meteore« erinnert immer noch deutlich an den traditionellen Kanon der aristotelischen M. [18. 35]. A. von Humboldt nannte in seinem südamerikanischen Reisebericht unter den möglichen Ursachen der Erdbeben noch gleichsam selbstverständlich (mit Bezug auf die Griechen) ›elastische Flüssigkeiten‹ [15. B. 2. 499], und er spekulierte über den möglichen Zusammenhang von Erdbeben, Meteoriten und Südlichtern [15. B. 2. 488]. J.-B. Biot nahm für die Nordlichter einen elektrischen Ursprung sowie einen Zusammenhang mit dem Erdmagnetismus an. Bei der Frage nach der ›Materie des Nordlichts‹ überlegte er dann allerdings, ob diese vielleicht ›nichts anders als eine Masse der feinsten Auswürfe der Vulkane im hohen Norden‹ sei [2. 6–14, 35–36, 184; 24. 83]. Und schließlich manifestierte sich die ant. M. in der Tatsache, daß viele der mod. Geologen – von J. Hutton [16] bis hin zu A. Wegener – zugleich Meteorologen waren.

1 Aristoteles, La »Metaura« d'Aristote. Volgarizzamento fiorentino anonimo del XIV secolo, 2 vols., ed. R. Librandi, Romanica neapolitana 29, 1995 2 J.-B. Biot, Bemerkungen über die Natur und die Ursachen des Nordlichts, Annalen der Physik 67, 1821, 1–41, 173–185 3 G. Böhme, H. Böhme, Feuer, Wasser, Erde, Luft. Eine Kulturgesch. der Elemente, 1996 4 R. Descartes, Les météores, 1637, in: Oeuvres, ed. C. Adam und P. Tannery, Bd. 6, 1902, 229–366 5 J. Ducos, La météorologie en Français au Moyen Age (XIII-XIVe siècles), Sciences, techniques et civilisations du Moyen Age à l'aube des Lumières 2, 1998 6 Encyclopédie, ou Dictionnaire raisonné des sciences, des arts et des métiers, par une societé de gens de lettres, Paris 1751 ff. (Ndr. 1966) 7 P. Fara, Lord Derwentwater's lights. Prediction and the Aurora Polaris, Journal for the History of Astronomy 27, 1996, 239–258 8 T. S. Feldman, The ancient climate in the eighteenth and early nineteenth century, in: Science and nature. Essays in the history of the environmental sciences, ed. M. Shortland, 1993, 23–40 9 R. Fludd, Philosophia sacra et vere Christiana, seu meteorologia cosmica, Frankfurt 1626 10 W. Fulke, A goodly gallery with a most pleasaunt prospect, into the garden of naturall contemplation, to beholde the naturall causes of all kind of meteors, 1563, ed. T. Hornberger, Memoirs of the American Philosophical Society 130, 1979 11 C. Galtier, Météorologie populaire dans la France ancienne. La Provence, Empire du soleil et Royaume des vents, 1984 12 C. Gerhardt, sternvürbe. Zu Wolfram von Eschenbach Willehalm 322,18–19, Würzburger medizinhistor. Mitteilungen 18, 1999, 159–166 13 S. A. Gilson, Dante's meteorological optics. Refraction, reflection, and the rainbow, Italian Stud. 52, 1997, 51–62 14 S. K. Heninger jr., A handbook of Ren. meteorology, with particular reference to Elizabethan and Jacobean literature, 1960 15 A. von Humboldt, A. Bonpland, Reise in die Aequinoctial-Gegenden des neuen Continents in den J. 1799, 1800, 1801, 1802, 1803 und 1804, 11 B. in 7 Bd., Stuttgart und Tübingen 1815 ff. 16 J. Hutton, The theory of rain, Transactions of the Royal Society of Edinburgh 1, 1788, 41–86 17 I. Kant, Von den Ursachen der Erderschütterungen bei Gelegenheit des Unglücks, welches die westl. Länder von Europa gegen das E. des vorigen J. betroffen hat, 1756, in: Gesammelte Schriften, Bd. 1, ed. Königlich Preußische Akad. der Wiss., 1902, 417–427 18 W. A. Lampadius, Systematischer Grundriß der Atmosphärologie, Freiberg 1806 19 J. G. Lehmann, Physicalische Gedancken von denen Ursachen der Erdbeben und deren Fortpflanzung unter der Erden, größtentheils aus dem Baue des Erdbodens hergeleitet, Berlin 1757 20 H. R. Lemay, Science and theology at Chartres. The case of the supracelestial waters, British Journal for the History of Science 10, 1977, 226–236 21 Leonardo da Vinci, Der Codex Leicester, Übers. von M. Schneider, ed. Haus der Kunst, München, Mus. der Dinge, Berlin 1999 22 D. Le Prado-Madaule, L'astrométéorologie. Influence et évolution en France, 1520–1640, Histoire, Économie et Société 15 1996, 179–201 23 A. Low, The georgic revolution, 1985 24 C. Lüdecke, Die geophysikalischen Ergebnisse der Expedition des Barons Ferdinand von Wrangell in das nördl. Eismeer (1820–1824), in: Admiral Parun Ferdinand von Wrangell (1796–1870). 200. Sünniaastapäeva sümpoosioni ettekanded, FvW in intinere 3, 1997, 79–96 25 Matteo dell'Aquila, Tractatus de cometa atque terraemotu. Cod. Vat. Barb. Lat. 268, ed. B. Figliuolo, Storia e scienze della terra 2, 1990 26 Nouveau Dictionnaire d'Histoire naturelle, appliqué aux artes, à l'agriculture, à l'Économie rurale et domestique, à la Médecine, etc. Par une société de naturalistes et agriculteurs, Paris 1816 ff. 27 B. Obrist, Wind diagrams and medieval cosmology, Speculum 72 1997, 33–84 28 J. J. Scheuchzer, Meteorologica et Oryctographica Helvetica, oder Beschreibung der Lufft-Geschichten, Steinen, Metallen und anderen Mineralien des Schweizerlands, Naturhistorie des Schweitzerlands 6, Zürich 1718 29 J. Scheuchzer, Disquisitionis physicae de meteoris aqueis pars prima, sistens materiam de vaporibus, nebulis et nubibus, Zürich 1736 30 K. Schneider-Carius, Wetterkunde – Wetterforsch. Gesch. ihrer Probleme und Erkenntnisse in Dokumenten aus drei Jt., 1955 31 L. Annaeus Seneca, Naturales quaestiones, übers. und ed. M. F. A. Brok, 1995 32 F. Sezgin, Gesch. des Arab. Schrifttums, Bd. 7, 1979 33 K. Svendsen, Milton on science, 1956 33 Theodoricus Teutonicus, De iride, in: Dietrich von Freyberg, Opera omnia, Vol. 4, ed. M. R. Pagnoni-Sturlese, R. Rehn, L. Sturlese, W. A. Wallace, 1985 34 C. Thomasset, J. Ducos (ed.), Le temps qu'il fait au Moyen Age. Phénomènes atmosphériques dans la littérature, la pensée scientifique et religieuse, Cultures et civilisations médiévales 15, 1998 35 J. H. Zedler, Grosses vollständiges Universal-Lexicon aller Wissenschafften und Künste, Halle und Leipzig 1732 ff.

BERNHARD FRITSCHER

Metrik s. Verslehre

Metrologie s. Landvermessung; Maß und Gewicht

Milet. Name und Ort der ant. Stadt M. waren nie in Vergessenheit geraten, ihre Bauten nie vollständig unter der Erde verschwunden. Die Phase der Entdeckungsgeschichte fällt – anders als beispielsweise in Troja – für M. also aus. Die byz. Stadt, die sich nach einer offenbar niemals verschütteten Inschr. an der westl. Parodoswand des Theaters als πόλις τῶν Μιλησίων bezeichnet [18], geht kontinuierlich in den seldschukisch besetzten Ort über, der sich nach dem Kastell auf dem Theater (Palatium) bis h. Balat nennt. Ab 1352 unterhält Venedig eine Faktorei in Balat, 1403 und 1414 werden weitere Verträge zw. Venedig und Ilyas Bey aus dem Hause Menteşe geschlossen [48]. Das Handelsnetz der Venezianer und der Genuesen ebnete Cyriacus von Ancona [1] den Weg, der auf seiner ersten Orientreise 1412/13 als früher wiss. Augenzeuge nach M. gelangt: ›Milesium vidit, olim nobilem, et nunc diruptam vetustate urbem, sed eiusce maximi amphitheatri et pleraque alia suae majestatis eximia conspectantur vestigia‹; ›Er besuchte

Milet, die einst berühmte und jetzt durch ihr hohes Alter zerfallene Stadt; aber auch jetzt sind noch Überreste eines sehr großen Theaters und mehrere andere herausragende Reste aus ihrer Glanzzeit zu sehen‹. [1. 203]. Eine instruktive Beschreibung der Ruinenstätte gibt Richard Chandler [36], der kurz auf das Theater und auch auf die oben erwähnte Inschr. eingeht. Er sah Reste von Kirchen, verschiedene Inschr. und Statuenbasen sowie zwei skulpierte Löwen, von denen der eine sicher identifiziert werden kann [37], während es sich bei dem anderen ›auf einem türk. Begräbnisplatz‹ wahrscheinlich um den liegenden Löwen handelt, den Rayet 1873 nach Paris brachte (Louvre Ma 2790, ›Trouvé (...) dans un cimetière tardif‹ [17. 58. Nr. 50]).

Erste arch. Ausgrabungen fanden in M. im J. 1873 statt. Sie wurden von O. Rayet und A. Thomas mit finanzieller Unterstützung der Gebrüder Rothschild durchgeführt [35]. Bei den Arbeiten im Theater fand man sechs Skulpturen – unter ihnen den berühmten Torso von M. –, die als Geschenk G. de Rothschilds in den Louvre gelangten [22; 17. 100–101. Nr. 90]. Andere Funde wie z. B. die Friesplatten mit Erotenjagd, die man nicht für wertvoll hielt, ließ man vor dem Theater liegen. Diese erste Phase der Ausgrabungstätigkeit blieb jedoch Episode und setzte sich nicht über das J. 1873 hinaus fort.

Im Juni des J. 1891 besuchten F. Hiller v. Gaertringen und C. Humann für eine Woche M. Während dieses Aufenthaltes fertigte Humann die erste top. Aufnahme des Stadtgeländes an. In der Folgezeit (1895) bemühte er sich vergeblich um eine Grabungsgenehmigung (Firman des Sultans) für M. Mehr Erfolg hatte Th. Wiegand, der damals mit der Wahrnehmung der Interessen der Berliner Mus. in der Türkei beauftragt war und gleichzeitig kommissarisch die Ausgrabungen von Priene leitete. Anfang 1898 erhielt er nicht nur die gewünschte Lizenz, sondern konnte am E. des selben J. auch den Kaiser auf dessen Orientreise in Istanbul von der Größe der Aufgabe überzeugen und gleichzeitig erste Gelder für die Grabung aus dem kaiserlichen Dispositionsfond gewinnen. Von Anfang an ging es um das archa. M. und die dort zu erwartenden Funde Trotz des strengen Antikengesetzes, das Hamdi Bey durchgesetzt hatte und das damals schon in Kraft war, konnte man sich nämlich Hoffnung auf Besitz und Ausfuhr von Grabungsfunden machen. Andere europ. Regierungen hatten entsprechende Sonderregelungen erreicht, und auch Th. Wiegand setzte sich im Trend der damaligen Großmächte für eine Fundteilung ein. Noch während die Ausgrabungen in M. anliefen, erging eine Irade (Erlaß) des Sultans, deren Inhalt durch eine Verbalnote des Außenministeriums vom 15.11.1899 der Kaiserlichen Botschaft mitgeteilt wurde, und die den Berliner Mus. die H. der Funde aus ihren Ausgrabungen vertraglich zusprach.

Th. Wiegand bereitete die Ausgrabungen in M. sorgfältig vor. Er ließ Entwässerungsgräben im Ruinengelände anlegen, baute auf der Höhe von Akköy ein Grabungshaus (Abb. 1) und kümmerte sich um Landkäufe im Ruinengelände [39]. Am 26. September 1899 begannen die eigentlichen Ausgrabungsarbeiten. Was Th. Wiegand damals plante und dachte, steht als Selbstzeugnis in einem Brief an seine Verlobte Marie Siemens: ›Am Morgen (...) bin ich durch die durstige Ebene (von Priene) hinübergeritten und habe von M. Besitz ergriffen (...). In dieser großartigen Einsamkeit der weiten Landschaft kam ich mir doch etwas eroberermäßig vor mit dem Plan im Kopf, die da drüben schlafende Millionenstadt zu neuem Leben aufzurütteln‹ [39. 103–104]. Die Ausgrabungen wurden parallel am »Heiligen Tor« und im Gebiet um die »Löwenbucht« durchgeführt. Damit waren in Gestalt der (späten) Stadtmauer

Abb. 1: Grabungshaus von Milet, um 1899

die Grenzen abgesteckt und gleichzeitig mit der schnellen Auffindung des Bouleuterions das Zentrum berührt. Zweifellos stand Th. Wiegand seit dem Beginn der Grabung das archa. M. vor Augen. Was er jedoch am E. nach großen und bewundernswerten Leistungen im Verlauf von nur 19 Kampagnen erreicht hatte, war nicht die Wiedererweckung des archa. Groß-M., sondern die Freilegung der späteren und weniger spektakulären hell.-röm. Stadt. Nach und nach kamen deren Großbauten zutage und schlossen sich zum Ensemble eines städtischen Organismus zusammen, der dann in dem Modell von H. Schleif (Abb. 2) und in dem Stadtplan A. v. Gerkans (1935) seine eindrucksvoll rekonstruierte Gestalt gewann. Auch die Publikation der Grabungsergebnisse ging nach Großbauten vor und erreichte, mit einigen Ausnahmen, ihren Abschluß noch zu Lebzeiten des Ausgräbers. Im Sinne der damaligen Absicht, durch Ausgrabungen ein komplettes ant. Stadtbild an die Erdoberfläche zu bringen, wurden neben den Einzelbauten auch die Stadtmauern, die Häfen, das Straßennetz, die Bauten zur Wasserversorgung und nicht zuletzt die Nekropolen (1901–1909) untersucht.

Th. Wiegand war nicht nur einer der tatkräftigsten und erfolgreichsten, sondern auch einer der weitsichtigsten und methodisch modernsten Ausgräber seiner Generation. Für ihn gab es keine zu vernachlässigende Periode in der Geschichte einer Stadt, und so widmete er der bronzezeitlichen Vorgeschichte, deren Entdecker er ebenfalls war, die gleiche Aufmerksamkeit wie dem

christl. und auch dem islamischen M. Er erkannte die Rolle, die das Umland für die Entwicklung einer Metropole spielte [47]. Seinen Umgang selbst mit Kleinfunden zeigen die Reste des damaligen Kleinfundedepots, das wieder unter die Erde gelangt war und im J. 1997 selbst zum Ausgrabungsgegenstand wurde [34]. Er war ferner davon überzeugt, daß der Ausgräber auch für die Restaurierung und Konservierung der von ihm ausgegrabenen Monumente zuständig und verantwortlich sei [46].

Die erste und bisher bedeutendste Epoche in der Grabungsgeschichte M. endete mit dem Ausbruch des I. Weltkrieges. Das archa. M. war durch sie nicht wiedererstanden. Nur ein geringer Teil der Funde und Befunde bezog sich auf die glanzvolle Frühzeit der Stadt. Es war, einschließlich der Reste am Kalabaktepe, so wenig, daß A. v. Gerkan, der Bauforscher der Grabung und in den späteren J. geradezu ein Gegenspieler Th. Wiegands, sogar die Hypothese formulieren konnte, daß das archa. M. nicht an der gleichen Stelle, sondern weiter landeinwärts gelegen habe. Wiegand selbst hielt seine Arbeit in M. für abgeschlossen. Obwohl er seit 1924 wieder in Didyma arbeitete und später sogar für viele J. die Pergamongrabung leitete, kehrte er nicht mehr an seine alte Wirkungsstätte zurück, kämpfte jedoch in dem wechselvollen Berliner »Museumskrieg« verbissen für die angemessene Präsentation des milesischen Funderbes. Gegen E. seines Lebens übereignete er alle dortigen Landkäufe der jungen Türkischen Republik und

Abb. 2: Modell von H. Schleif (Staatliche Museen zu Berlin)

damit dem Land, dem er nach seinem eigenen Eingeständnis so viel zu verdanken hatte.

Bei der Wiederaufnahme der Arbeiten im J. 1938,
die von jetzt an bis zum heutigen Zeitpunkt von der
Deutschen Forschungsgemeinschaft unterstützt werden, wandte sich die M.-Grabung mit C. Weickert als
ihrem Leiter erneut der archa. Frage zu. Unter den
wachsamen Augen A. v. Gerkans, der seine These von
der anderweitige Lage des archa. M. in nächster Nähe zu
dem Grabungsbericht von C. Weickert publizierte [3;
43], wurde wieder am Athenatempel gearbeitet. Man
suchte hier aufgrund der Wiegandschen Funde einen
archa. Tempel, der jedoch durch die alten Grabungen
schon teilweise aufgedeckt, damals aber falsch datiert
worden war. Überraschende Funde der kurzen »Ver-
suchsgrabung« trieben die Unt. am Athenatempel bald
in eine andere Richtung. Schon 1938 waren hier »früh-
myk.« Scherben zutage gekommen. In den Kampagnen
1955 und 1957, mit denen die Grabungen nach dem II.
Weltkrieg wieder einsetzten, rundete sich das Bild zu
einem erstaunlichen Einblick in die Frühgeschichte M.
ab. Festgestellt wurden drei bronzezeitliche Perioden,
deren erste stark minoisch geprägt war, während in der
zweiten, an ihrem E. gewaltsam zerstörten Periode die
myk. Elemente zunahmen, die dann in der dritten Periode mit ihrer mächtigen Befestigungsmauer vollständig das Feld behaupteten. Daneben wurden in diesen J.
am Athenatempel erstmals für das ionische M. eine protogeom. Scherbenschicht, erste geom. Bauwerke und
eine später als durchlaufend erkannte spätgeom. Zer-
störungsschicht nachgewiesen. Auch für die eigentliche
archa. Zeit war der Ertrag bedeutend, indem nördl. des
Athenatempels Hausreste aufgedeckt wurden und der
angebliche Nottempel der nachpersischen Zeit sich als
Athenatempel des 7. Jh. herausstellte, dem nun die früheren reichen Funde von Weihgeschenken zugeordnet
werden konnten [26; 44.; 45].

Die anschließenden Grabungsarbeiten, die seit 1959
nominell schon unter der Leitung von G. Kleiner standen, verfolgten weiterhin das Ziel, Lage und Ausdehnung des archa. M. festzustellen. Um eine archa. Besiedlung auch in anderen Bereichen des Stadtgebietes
nachzuweisen, wurden zunächst die in dieser Hinsicht
schon fündig gewesenen Wiegandschen Schnitte westl.
des Bouleuterions neu geöffnet [20]. Im J. 1960 wurden
die Unt. auf den Theaterhügel ausgedehnt, wo sich
ebenfalls archa. Reste fanden, die jedoch noch nicht im
Zusammenhang publiziert sind. Bes. reiche Siedlungs-
spuren, die von der spätmyk. über die spätgeom. Zeit bis
zur Perserzerstörung von 494 v. Chr. reichen, wurden in
den J. von 1963 bis 1973 unmittelbar nördl. der späthell.
Quermauer aufgedeckt [19; 4.; 5]. Nachgrabungen im
Delphinion brachten auch hier (unpubliziertes) archa.
Scherbenmaterial zutage. Parallel zu diesen Aktivitäten
lief ein Programm, mit dessen Hilfe die Ausdehnung der
myk. Stadt festgestellt werden sollte. Die entsprechenden Suchschnitte von 1959 (West), 1963 (Süd-Nord),
1966 (Ost) sind jedoch allesamt unpubliziert geblieben

(zur Lage vgl. Abb. 10 in: [38]). Auch sonst wurden die
Grabungen im bronzezeitlichen M. in beschränktem
Umfang fortgesetzt. Daneben begann man mit ersten
Unt. an den christl. Denkmälern von M. Den Anknüpfungspunkt bildeten auch hier die Wiegandsche Grabung, die nicht mehr zur endgültigen Publikation der
freigelegten Kirchenbauten gekommen war. Im Zuge
einer ersten Restaurierungsmaßnahme wurde außerdem ein Teil der »Ionischen Halle« wieder aufgebaut.

Nach einer Übergangzeit von 1973–1975, während
der die von G. Kleiner initiierten Arbeiten weitergeführt wurden, übernahm W. Müller-Wiener die Grabungsleitung und entwickelte ab 1977 ein Programm
zur abschließenden Bearbeitung der spätant. und früh-
ma. Denkmäler M., in das jetzt neben den Kirchen auch
die bisher vernachlässigten späten Befestigungsbauten
eingeschlossen wurden. Im Zentrum der Grabungsarbeiten standen die Michaelskirche mit den angeglie-
derten Bischofspalast [29] und die sog. Große Kirche
[30]. Bei der gewählten Methode, die betreffenden
Areale bis zum gewachsenen Boden durchzugraben, ergaben sich auch für die früheren Perioden wertvolle
Erkenntnisse. So wurde unter der Michaelskirche auch
der frühhell. Dionysostempel untersucht und durch
eine Rekonstruktionszeichnung bekannt gemacht. Unter der Großen Kirche fand sich ein weiterer, ebenfalls
hell. Tempel. Auf dem bisher vernachlässigten Humeitepe wurde ein Demeter (?) – Heiligtum mit einem pro-
stylen Tempel aus der Mitte oder der 2. H. des 3. Jh.
v. Chr. ausgegraben [27]. Daneben fanden die archa.
Grabungen westl. des Bouleuterions eine Fortsetzung
oder wurden – wie auf dem Kalabaktepe – neu aufgenommen. In größerem Umfang wurden Restaurie-
rungs- und Konservierungsmaßnahmen durchgeführt
(zu E. gebrachte Teilrekonstruktion der »Ionischen Halle«, Schutzdach über dem Bischofspalast, Sanierung islamischer Bauten). Angesichts der Tatsache, daß es vom
Beginn der M.-Grabung an aufgrund der verlorenen
Vorkriegsfunde noch keine Publikation der Grabungsfunde nach Gattungen gab, leitete Müller-Wiener eine
Reihe von entsprechenden Publikationen ein [21]. Als
Altschulden wurden ferner auch die drei innerstädti-
schen Heroa der Wiegandschen Grabung neu untersucht und für eine Publikation vorbereitet [28].

Ab 1990 trat insofern ein methodischer Wechsel ein,
als sich die M.-Grabung unter der Leitung des Unter-
zeichneten ein sukzessive erweitertes interdisziplinäres
Programm unter Beteiligung von Naturwissenschaftlern zulegte. Als Ziel der wiss. Aktivitäten galt von Anfang an die konzentrierte Erforsch. der Stadt M. in archa. Zeit [8; 9; 10; 11; 12; 14]. Die Voraussetzungen dafür wurden durch Grabungsarbeiten am Kalabaktepe
geschaffen, der sich durch mehrere Vorkampagnen seit
1985 als das geeignetste Gelände für einen Einblick in
die urbanistischen Strukturen der archa. Stadt erwiesen
hatte [6; 7]. Durch die dortigen Arbeiten ergab sich zunächst, daß sowohl die Ostterrasse des Kalabaktepe wie
auch dessen haldenartig erscheinender Gipfel aus dem

Schutt der 494 v. Chr. von den Persern zerstörten Stadt aufgeschüttet worden sind [13]. Auf der Ostterrasse wurde der Tempel der Artemis Chitốnē als Zeugnis des ältesten milesischen Stadtkultes entdeckt, auf der Südseite ein städtisches Quartier mit handwerklicher Nutzung ausgegraben, das vom frühen 7. Jh. an bis zur Perserzerstörung existiert hat und somit eine wertvolle durchlaufende Stratigraphie liefert. Reste einer »Zitadellenmauer« auf dem Gipfel des Kalabaktepe stützen die alte These von einer befestigten Akropolis oder einem Tyrannensitz. Durch die mit geophysikalischen Methoden entdeckte archa. Landmauer konnte gezeigt werden, daß der Kalabaktepe in das Weichbild der archa. Stadt eingeschlossen war. Ein flacher westl. Nachbarhügel (Zeytintepe) gab das von der M.-Grabung lange gesuchte Heiligtum der Aphrodite »von Oikus« preis, in dem seit 1990 gegraben wird. Der bes. Fundreichtum dieses Heiligtums gibt schon jetzt einen nachhaltigen Eindruck von der archa. Kunst M. (Abb. 3). Die Ergebnisse des interdisziplinären Forschungsprogramms beziehen sich auf die Geologie und den ant. Umgang mit der Umwelt, die Wasserversorgung und andere Subsistenzgrundlagen der Stadt, die Nutzung von Tieren und Pflanzen durch den Menschen, die handwerklich-industrielle Produktion, die bei der Metallherstellung und

den Töpferprodukten auch naturwiss. untersucht wird (Ü. Yalçın). Seit 1992 werden die von Th. Wiegand begonnenen Unt. in der milesischen Chốra mit Hilfe mod. Surveymethoden [23; 24.; 25] erfolgreich weitergeführt (H. Lohmann).

Einen zweiten Schwerpunkt innerhalb der Grabungstätigkeit in M. bilden die am Athenatempel wieder aufgenommenen und seit 1994 von B. und W.-D. Niemeier durchgeführten Grabungen im bronzezeitlichen M. [31]. Durch den Einsatz einer Grundwasser-Absenkungsanlage (*wellpoint*) konnten hier die ungünstigen Voraussetzungen der älteren Grabungen weitgehend behoben werden (Abb. 4). Zu den neuen Ergebnisse gehört u. a., daß jetzt die Schichten bis zum späten Chalkolithikum des späten 4. Jt. v. Chr. zu verfolgen sind und bes. die frühe und mittlere Bronzezeit, wo sich durch Siegelfunde die Anzeichen für eine Administration minoischen Typs häufen, stratigraphisch und in den Bausubstanzen genau erfaßt werden können. Mit diesen neuen Grabungen ergeben sich auch weitere Hinweise darauf, daß das Milawanda der hethitischen Quellen histor. mit dem spätbronzezeitlichen M. gleichzusetzen ist. Ein archa. Brunnenkontext leitete schließlich auch eine neue Datierung des »jüngeren« Athenatempels selbst ein [32; 41].

Abb. 3:
Gespannpferd aus dem Aphrodite-heiligtum. Bronze, um 530 v.Chr. (Miletgrabung)

Abb. 4: Grabung am Athenatempel 1996 (Miletgrabung)

Neben dem wiss. Programm führt die jetzige M.-Grabung umfangreiche Sanierungs- und Restaurierungsmaßnahmen an den bereits früher ausgegrabenen Bauten durch (B. F. Weber) und bemüht sich, die Ruinenstätte für den heutigen Besucher besser begehbar und als ursprünglichen Organismus besser erfahrbar zu machen [2; 15; 16; 33; 42].

1 J. COLIN, Cyriaque d'Ancone. Le voyageur, le marchand, l'humaniste, 1981, 162. Quelle: F. SCALAMONTI, Vita Kyriaci Anconitani, 1457, abgedruckt bei GIUSEPPE COLUCCI, Delle antichità picene XV, Pesaro 1792, 56–57 2 W. EDER, Entwurf eines denkmalpflegerischen und touristischen Gesamtkonzepts für die Stadtruine M., in: V. v. GRAEVE, M. 1992–1993, in: AA 1995, 275–282 3 A. v. GERKAN, Zur Lage des archa. M., in: Ber. über den VI. Internationalen Kongress für Arch., Berlin 21–26. August 1939, 1940, 323–325 4 V. v. GRAEVE, M., in: MDAI(Ist) 23/24, 1973/74, 63–115 5 Ders., M., in: MDAI(Ist) 25, 1975, 35–59 6 Ders., Grabung auf dem Kalabaktepe, in: W. MÜLLER-WIENER, M. 1985, in: MDAI(Ist) 36, 1986, 37–51 7 Ders., Grabung auf dem Kalabaktepe, in: W. MÜLLER-WIENER, M. 1986, in: MDAI(Ist) 37, 1987, 6–33 8 Ders., M. 1989, in: MDAI(Ist) 40, 1990, 37–68 9 Ders., M. 1990, in: MDAI(Ist) 41, 1991, 125–156 10 Ders., M. 1991, in: MDAI(Ist) 42, 1992, 97–124 11 Ders., M. 1992–1993, in: AA 1995, 195–228 12 Ders., M. 1994–1995, in: AA 1997, 109–163 13 Ders., Neue Ausgrabungen und Forsch. im archa. M., in: Nürnberger Blätter zur Arch. 14, 1997/98, 73–88 14 Ders., M. 1996–1997, in: AA 1999, 1–108 15 G. GRESIK, H. OLBRICH, Sicherungs- und Sanierungsarbeiten in M., in: MDAI(Ist) 42, 1992, 126–134 16 Dies., R. ZURKUHLEN, Zwischen-Ber. über die Sicherungs- und Sanierungsarbeiten am Theater und am Theaterkastell während der Kampagnen 1992 und 1993, in: V. v. GRAEVE, M. 1992–1993, in: AA 1995, 253–264 17 M. HAMIAUX, Les sculptures grecques I, 1992 18 P. HERRMANN, Inschr. von M. (M. Ergebnisse 6,2), 1998, 127–128, Nr. 943 19 J. KLEINE, M., in: MDAI(Ist) 29, 1979, 109–159 20 G. KLEINER, W. MÜLLER-WIENER, Die Grabung in M. im Herbst 1959, in: MDAI(Ist) 22, 1972, 45–92 21 A.-U. KOSSATZ, Die Megarischen Becher (M. Ergebnisse 5,1), 1990 22 A. LINFERT, Der Torso von M., in: AntPl 12, 1973, 81–90 23 H. LOHMANN, Survey in der Chora von M., in: AA 1995, 293–328 24 Ders., Survey in der Chora von M., in: AA 1997, 285–311 25 Ders., Survey in der Chora von M., in: AA 1999, 439–473 26 A. MALLWITZ, W. SCHIERING, Der alte Athena-Tempel von M., in: MDAI(Ist) 18, 1968, 87–160 27 W. MÜLLER-WIENER, Unt. auf dem Humeitepe, in: Ders., M. 1980, in: MDAI(Ist) 31, 1981, 99–105 28 Ders., B. F. WEBER, Arbeiten im Gebiet des Heroon am Theaterhang (HI), in: Ders., M. 1983–1984, MDAI(Ist) 35, 1985, 16–23 29 Ders., Unt. im Bischofspalast in M., in: MDAI(Ist) 38, 1988, 279–290. 30 Ders., Arbeiten in der Großen Kirche, in: V. v. GRAEVE, M. 1989, in: MDAI(Ist) 40, 1990, 72–78 31 W. D. NIEMEIER, Projekt Minoisch-Myk. bis Protogeom. M. Zielsetzung und Grabung auf dem Stadionhügel und am Athenatempel, in: AA 1997, 189–248 32 Ders., Die Zierde Ioniens. Ein archa. Brunnen, der jüngere Athenatempel und M. vor der Perserzerstörung, in: AA 1999, 373–413 33 H. OLBRICH, R. ZURKUHLEN, Sicherungs- und Sanierungsarbeiten in M., in: V. v. GRAEVE, M. 1994–1995, in: AA 1997, 179–188 34 J. A.

PANTELEON, Inventa Inventorum, in: M. BAUMBACH (Hrsg.), Tradita et Inventa. Beitr. zur Rezeption der Ant., 2000, 487–494 **35** O. RAYET, A. THOMAS, M. et le golfe Latmique. Fouilles et explorations archéologiques II, 1880–85 **36** Reisen in Klein Asien unternommen auf Kosten der Ges. der Dilettanti (…), Leipzig 1776, 206–210 **37** V.-M. STROCKA, Neue archa. Löwen in Anatolien, in: AA 1977, 492–495 **38** W. VOIGTLÄNDER, Zur Top. M. Ein neues Modell zur ant. Stadt, in: AA 1985, 87 **39** C. WATZINGER, Theodor Wiegand. Ein dt. Archäologe 1864–1936, 1944, 109–110 **40** B. F. WEBER, Die Grabung im Heroon III, in: W. MÜLLER-WIENER, M. 1983–1984, MDAI(Ist) 35, 1985, 24–38 **41** Ders., Die Bauteile des Athenatempels in M., in: AA 1999, 415–438 **42** Ders., Restaurierungsmaßnahmen im Theater von M., in: V. v. GRAEVE, M. 1996–1997, in: AA 1999, 115–124 **43** C. WEICKERT, Grabungen in M. 1938, in: Ber. über den VI. Internationalen Kongress für Arch., Berlin 21–26. August 1939, 1940, 325–332 **44** Ders., Die Ausgrabung beim Athena-Tempel in M. 1955, in: MDAI(Ist) 7, 1957, 102–132 **45** Ders., Die Ausgrabung beim Athena-Tempel in M. 1957, in: MDAI(Ist) 9/10, 1959/60, 1–96 **46** TH. WIEGAND, Die Denkmäler, ihr Untergang, Wiederersehen und ihre Erhaltung, in: HdArch I 1, 71–134, bes. 107–109 **47** Ders., Die M. Landschaft (M. Ergebnisse 2,2), 1929 **48** P. WITTEK, M. in der türk. Zeit, in: Das islamische M. (M. Ergebnisse 3,4), 1935, 4. VOLKMAR VON GRAEVE

Mimesis A. BEGRIFFSKLÄRUNG
B. KONZEPTGESCHICHTE

A. BEGRIFFSERKLÄRUNG

Der Begriff M. ist bereits in der griech. Ant. durch eine prekäre semantische Vieldeutigkeit gekennzeichnet. Im Kontext der platonischen Philos. problematisiert er die Möglichkeit referenzsemantischer Bezugnahme sprachlicher oder mentaler Repräsentationen auf die bewußtseinstranszendente, externe Realität oder Ideensphäre, insbes. im Medium der Kunst und Literatur. Insofern Kunst lediglich die Erscheinung externer Gegenstände imitativ abbildet, diese Gegenstände wiederum als raum-zeitlich partikuläre Objekte an der Universalität ihrer Ideen nur teilhaben (*méthexis*), ist sie hinsichtlich ihres ontologischen Status drittrangig; Kunst wird mithin in ihrer pädagogischen, polit. und philos. Funktion fragwürdig. Im poetologischen Kontext der aristotelischen Philos. hingegen ist der extratextuelle, referenzsemantische Aspekt der M. als *mímēsis práxeōs* (Darstellung menschlicher Handlungen) konkretisiert und mit dem textinternen, strukturellen Anspruch eines einheitlichen, ganzheitlichen und wahrscheinlichen Handlungsablaufs (Fabel, → Mythos) enggeführt (→ Poetik). Gegenstand der M. ist demnach nicht histor. oder objektiv Konkretes bzw. Einmaliges; vielmehr ist M. als *poíēsis* Darstellung des Allgemeingültigen (*kath'hólu*). Im Rahmen der aristotelischen Ontologie verkehrt sich folglich das erkenntnistheoretische Verdikt Platons gegen die Kunst bzw. Dichtung in sein Gegenteil: Kunst ist der Abbildung des geschichtlich Wahren durch M. eines Allgemeinen überlegen. In der hell.

und insbes. in der röm. Ant. wird die Aufmerksamkeit von der referenzsemantischen Problematik der M. als Bezugnahme der Sprache auf Außersprachliches weitestgehend abgezogen; im Zentrum steht fortan die Frage nach der intertextuellen Relation auf lit. Vorbilder und textgenerative Muster sowohl in stilistisch-rhet. als auch in gattungstheoretischer Hinsicht: M. bzw. der lat. Terminus → imitatio benennt hier das Ideal einer angemessenen Nachahmung der klass.-ant. Textverfahren.

Schon das ant. Schwanken zw. M. als Darstellungs- bzw. Referenzform einerseits und M. als intertextueller Relation andererseits macht verständlich, warum M. als Schlüsselbegriff der Poetik in ihrer Theorie- und Deutungsgesch. erheblichen konzeptuellen Reformulierungen unterworfen ist. Und insofern M. als Modus sprachlicher Bezugnahme auf außersprachliche Realität (Handlung, externe Objekte, Natur) gefaßt wird, ist sie wesentlich bezogen auf das jeweils geltende Verständnis von Realität und – grundlegender noch – auf die epistemologische Bestimmung der Bezugnahmerelation von Sprache und Realität selbst: Die Betonung der objektkonstitutiven Tätigkeit des menschlichen Urteilsvermögens im subjektiven Idealismus (so in der kantischen Philos.) verwirft beispielsweise grundsätzlich die Idee einer naiv-realistischen Referenz der Sprache auf eine schon aus sich selbst heraus sinnvolle Realität, nicht aber die Möglichkeit der M. von Sprach- und Bewußtseinsunabhängigem schlechthin. Aus der konstruktivistischen bzw. konzeptualistischen Interpretation der außersprachlichen Bezugnahme heraus läßt sich – wie auch Neuansätze im 20. Jh. zeigen – eine neoaristotelische Reformulierung der M. als tätige (poietische) Erschließung bedeutungshafter Realität begründen.

Von daher indiziert noch die Kritik oder gar die Ablehnung der M. zunächst und v. a. einen Wechsel im jeweils geltenden Rahmensystem der Ästhetik, sei es im zugrunde liegenden Konzept der Realität bzw. Natur, auf die Kunst mimetisch bezogen ist; oder in der epistemischen Bestimmung der Bezugnahmerelation; oder schließlich im Bestand der ästhetischen Verfahren, dem in Frage gestellten, vorgängigen Realitätskonzept zugeordnet sind: So hat z. B. die in der Romantik emphatisch betonte Preisgabe der ästhetischen ›Tendenz, die Natur zu copieren‹ (Novalis) zunächst die epistemologische Marginalisierung der »bedingten« Welt des Verstandes zur Voraussetzung und richtet sich sodann insbes. gegen die dem Realitäts- bzw. Naturkonzept der Aufklärung und der Weimarer Klassik zugeschriebenen ästhetischen Darstellungsstrategien. Dabei wird aber der Anspruch, aus dem tätigen Subjekt heraus – in der Bewegung des Romantisierens – bewußtseinstranszendente, kommunizierbare Realitätskonstrukte zu setzen, keinesweg aufgegeben. Ebenso sind die den histor. Avantgarden (Expressionismus, Futurismus, Dadaismus, Surrealismus) kritiklos unterstellten amimetischen Verfahren a-mimetisch zunächst nur in Bezug auf die etablierten, als realistisch kodierten Muster mimetischen Sprechens bzw. die sog. realistischen Wirklichkeitskonzepte, die durch diese Muster legitimiert sind: Denn der Expressionismus und der Futurismus formulieren fraglos einen in der Expression eröffneten neuen Realitätsbezug, und auch der Surrealismus negiert zwar die logische, naturgesetzliche und bürgerliche Ordnung der Wirklichkeit, dies aber durchaus mit dem Ziel, Wirklichkeit vermittels des Unbewußten auf eine höhere, surreale Realität hin zu überschreiten. Noch die in der *crise de la représentation* angezeigte Kritik der Dekonstruktion an der M. (Derrida, de Man, Bloom) zehrt unbewußt vom Modell einer vorfindlichen Wirklichkeit, wiewohl diese in der mimetischen Repräsentation stets als unerreichbar gedacht wird: Ist das Objekt der M. bereits prinzipiell kontaminiert durch den Akt seiner Wiedervergegenwärtigung (Re-Präsentation) und ferner ein außersprachlicher Standpunkt zur Evaluierung der mimetischen Korrespondenz unmöglich, d. h. wird das Objekt der M. allererst durch die jeweils geltenden sprachlichen Signifikationsstrategien der M. konstituiert, dann ist M. eine Replikation oder Doppelung, in der das »originäre« Objekt selbst entzogen, mithin notwendigerweise sprachlich imaginiert sein muß. Paradoxerweise aber setzt dieses Defizienzurteil, wonach M. die vorgegebene Wiedervergegenwärtigung des sprachunabhängig Vorfindlichen unweigerlich verfehlt, die Existenz des Vorfindlichen, mithin das Axiom des klass. M.-Konzepts noch in seiner Kritik voraus.

B. Konzeptgeschichte

Im Christentum des MA ist M. als imitative Bezugnahme und referentieller Verweis auf eine zeichenhaft strukturierte Wirklichkeit und teleologisch aufgefaßte Heilsgeschichte gedacht – ein Gedanke, der über die Ren. hinaus bis in die Barockpoetiken lebendig bleibt (vgl. Harsdörffer, *Poetischer Trichter*). Die ästhetische bzw. poetische Nachahmung der göttlichen Ordnung besteht daher allein in der *elocutio* der kosmischen Ordnung (vgl. Lact. inst. 1,2,24).

Die Ren. übernimmt und vermischt die drei Hauptkonzepte der M. aus der Ant.: M. im Sinne Platons verstanden als Abbildung des raum-zeitlich Konkreten und sinnlich Wahrnehmbaren; M. als das aristotelische Konzept der allgemeingültigen Darstellung menschlichen Handelns; und schließlich M. als das hell. und lat. Modell einer Übernahme vorgängiger, generativer Textverfahren und -formen. Die synkretistische Zusammenführung der verschiedenen Konzepte der M., insbes. ihre Entbindung aus dem philos. Zusammenhang, in den sie urspr. eingebettet und in dem sie formuliert waren, führt in der Folge zu entscheidenden konzeptuellen Abweichungen von den ant. Quellen: Unter Rückgriff auf die platonische Ontologie (Dichtung, Erscheinung, Idee) entsteht die neoplatonische Vorstellung vom Dichter als einem gottähnlichen zweiten *creator*; dieser *alter deus* soll den göttlichen Schöpfungsprozeß gemäß wahrer Ideen nachbilden; M. ist hier bereits M. der *natura naturans*. Der aristotelische Anspruch einer dichterischen Fassung des *kath'hólu* wird reformuliert als Darstellung bestimmter sozialer Typen und Schichten

durch entsprechende sprachliche Register. Und die rhet. Interpretation der M. als stilistische Imitation ant. Vorbilder wird mit der (wiederum zunächst von Platon formulierten, sodann insbes. von Ps.-Longinos aufgegriffenen) Enthusiasmos-Lehre und der Idee des *furor divinus* verbunden (vgl. Vida, Ars poetica 2,422–444). Obwohl eine lat. Übers. von *Perí poiētikḗs* 1498, der griech. Text 1508 und eine ital. Übers. 1549 vorliegen, bleibt die aristotelische Strukturimplikation der M. (die Idee einer einheitlichen, ganzheitlichen und wahrscheinlichen Handlungsstruktur) auch in der 2. H. des 16. Jh. unbeachtet oder konfundiert mit der neoplatonischen Ideenlehre: z. B. verbindet Fracastoros *Naugerius, sive de poeta dialogus* (1555) die aristotelische Notation des *kath'hólu* mit der platonischen Idee der Schönheit; und Scaliger begründet seine Hochschätzung Vergils mit dessen Fähigkeit, eine »zweite« Natur zu schaffen, die der realen an Schönheit überlegen sei. Boileau formuliert hieraus die für die franz. Klassik gültige Formel: M. der Natur durch M. der ant. Autoren (*L'Art poétique* [1674]).

Eine wieder engere Auslegung des aristotelischen Konzepts von M. unter der Formel von der Nachahmung der Natur (*natura naturata*) findet sich in der poetologischen Auseinandersetzung des 18. Jahrhunderts. Präsupponiert ist eine vorfindliche, dem ästhetischen Akt vorgängige Ordnung der Dinge, in der Objekte der Natur sich nach logischen Gesetzen zueinander verhalten, und ferner eine erkenntnismetaphysische Prämisse, wonach durch die Verazität Gottes die Homologie zw. logischer Ordnung der Realität (*res extensa*) und mentaler Ordnung ihrer Repräsentation (*res cogitans*) garantiert ist. Interpretationsspielraum hinsichtlich der M.-Konzepte ergibt sich aus der Diskussion des Erstaunlichen bzw. Wunderbaren (*thaumastón*), das für Aristoteles als Eigenschaft der idealen Fabelstruktur noch über dem Kriterium ihrer Wahrscheinlichkeit bzw. Möglichkeit steht. Insofern gründet der Widerspruch zw. Gottscheds *Versuch einer critischen Dichtkunst* (1730) und Breitingers *Critischer Dichtkunst* (1740) zunächst v. a. in einer strenger rationalistischen Auffassung (Gottsched) oder weiterer Interpretation des *thaumastón* (Bodmer/Breitinger). Aber in der emphatischen Betonung des Wunderbaren als Vermögen der dichterischen »Einbildungs-Krafft« (Bodmer/Breitinger) und, später, in der kritischen Auseinandersetzung mit der dogmatischen Nachahmungstheorie Batteux' (*Les Beaux-Arts réduits à un même principe*, 1746), sowie aufgrund einer allg. Emotionalisierung des Dichtungsverständnisses im Verlauf des 18. Jh. artikuliert sich zunehmend Skepsis gegen den Gedanken der Nachahmung und der Natur als vorrangiges Objekt der Nachahmung: Zunächst vorsichtig von J. E. Schlegel in seiner *Abhandlung, daß die Nachahmung der Sache, der man nachahmt, zuweilen unähnlich werden müsse* (1745) formuliert, wird dann in Moritz' Abhandlung *Über die bildende Nachahmung des Schönen* (1788) die Abkopplung des Schöpferischen und Individuellen von der Nachahmung der Natur offen vertreten. Die Forderungen nach dem »Originalwerk« (Sulzer) und nach einem die ›einfache Nachahmung der Natur‹ übersteigenden subjektiv-schöpferischen ›Stil‹ (Goethe) profilieren sich fortan gegen das im klass. Konzept der M. vorausgesetzte Modell einer vorgängigen Wirklichkeit und gegen die Verpflichtung der Kunst auf ihre Nachahmung – eine Auffassung, der sich alle Vertreter der Romantik, der Neoromantik und des Ästhetizismus im 19. Jh. vorbehaltlos anschließen, ohne jedoch in ihren varianten Formulierungen und Begriffen den Anspruch einer semantischen Referenz der Dichtung auf subjekt- und bewußtseinstranszendente Bereiche preiszugeben. Fortsetzung findet das klass. M.-Konzept (mit seiner bewußtseinsphilos. Subjekt-Objekt-Opposition und dem vorausgesetzten realistischen Wirklichkeitsmodell) in der Poetik des Realismus (vgl. hierzu [1]) und Naturalismus, sowie in der hegelianischen bzw. marxistischen Begündung der Widerspiegelungstheorie im sozialistischen Realismus (Lukács, *Die Eigenart des Ästhetischen*). Brechts Konzept des »epischen Theaters« fordert allerdings den Artefaktcharakter der M., denn gerade aus dem nicht-illusorischen Element der Unähnlichkeit resultiert das kritische Potential der Kunst.

Dagegen setzt die Wiederaufnahme des M.-Begriffs in den hermeneutischen, erzähl- und filmtheoretischen Ansätzen der 2. H. des 20. Jh. direkt bei Platon und Aristoteles an und führt das aristotelische M.-Konzept mit der kritizistischen Grundeinsicht zusammen, wonach Sprache und das Bewußtsein der Realität nicht als Abbild, sondern als kategorienlogisches Konstitutionsprinzip des Wirklichen gedacht werden müssen. N. Friedman wendet das platonische Begriffspaar *m.* und *dihēgēsis* auf narrative Texte an, um zu einer gemäß der Polarität illusionistisch/nicht-illusionistisch differenzierten Typologie erzähltechnischer Mittel zu gelangen. Genettes *Discours du récit* (1972) [9] erneuert und differenziert bzw. verdoppelt die platonische Unterscheidung von *m.* und *dihēgēsis*. Die beiden Grundmodi des Erzählens, Erzählung von Ereignissen (*récit d'événement*) einerseits und Wiedergabe von Figurenrede (*récit de parole*) andererseits lassen sich noch weiter untergliedern hinsichtlich der Vermittlungsstruktur narrativer Fakten: Performative *m.* ist dann das Maximum an Information bei minimaler Erzählervermittlung, *dihēgēsis* das entsprechende Gegenteil. In Ricœurs *Temps et récit* fungiert M. als Zentralbegriff jeglichen Weltverhaltens. Die in der Narration etablierte Ordnung urspr. disparater Erfahrungen, deren textuelle, raum-zeitliche Struktur und deren Einbettung in den lebensweltlichen Kommunikationshintergrund eröffnen allererst den Sinnhorizont, in dem der Mensch sich zu seiner Welt verhalten kann: M. ist hier das Eindringen sprachlicher Sinnstrukturen in die an sich sinnlose Faktizität.

→ Neuplatonismus; Imitatio; Poetik
→ AWI Aristoteles [6]; Aristotelismus; Mimesis, Neuplatonismus; Poetik; Platon; Ps.-Longinos

1 E. AUERBACH, M. Dargestellte Wirklichkeit in der abendländischen Lit., 1946 2 W. BENJAMIN, Über das mimetische Vermögen, in: Ders., Gesammelte Schriften, Bd. 2,1 (Hrsg. von R. TIEDEMANN, H. SCHWEPPENHÄUSER), 1991, 210–213 3 H. BHABHA, Of Mimicry and Man, in: Ders., The Location of Culture, 1994, 85–91 4 J. D. BOYD, The Function of M. and its Decline, 1968 5 R. W. DASENBROCK, Imitating the Italians, 1991 6 N. FRIEDMAN, Point of View in Fiction, in: Publications of the Modern Language Association of America 70, 1955, 1160–1184 7 G. GEBAUER, CH. WULF, M. Kultur – Kunst – Ges., 1992 8 A. GAUDREAULT, M., diegesis et cinéma, in: Recherches Sémiotiques/Semiotic Inquiry 5,1, 1985, 32–45 9 G. GENETTE, Discours du récit, in: Ders., Figures III, 1972, 65–282 10 W. ISER, Das Fiktive und das Imaginäre. Perspektiven lit. Anthropologie, 1991 11 P. LACOUE-LABARTHE, Typography. M., Philosophy, Politics, 1989 12 J. D. LYONS, S. D. NICHOLS, M. From Mirror to Method, Augustine to Descartes, 1982 13 J. MAHONEY, The Whole Internal Universe. Imitation and the New Defense of Poetry, 1985 14 A. MELBERG, Theories of M., 1995 15 C. PRENDERGAST, The Order of M., 1986 16 P. RICŒUR, Temps et récit, 3 Bde., 1983–85.
KLAUS MÜLLER-RICHTER

Mimesislegenden A. ANTIKE B. NACHANTIKE

A. ANTIKE

Unter M. seien Anekdoten verstanden, mit denen die täuschenden Wirkungen naturnachahmender Kunstwerke, der Malerei und Plastik, auf Mensch und Tier zum besten gegeben werden. Ihr weit unterhalb des aristotelischen Mimesisbegriffs angelegter Diskurs setzt eine »naturalistische« Kunst voraus und dokumentiert das Erstaunen der Zeitgenossen über deren Entstehung und Fortschreiten. Die Mehrzahl der M. ist erst spät (um die bzw. nach der Zeitwende) dokumentiert, meist in Anekdotensammlungen (z. B. Aelianus, Athenaios v. Naukratis, Valerius Maximus), in Epigrammen (*Anthologia Graeca*, Ausonius), v. a. aber in den betreffenden Bänden der Universalhistorie von Plinius d. Ä. (XXXIV-XXXVI). Bei Plinius sind sie weniger zur Kurzweil des Lesers bestimmt, sondern dienen als unterscheidender Wertmaßstab zw. Bild und Bild und zw. Meister und Meister, damit der Kunstkritik, sowie auch zur Beglaubigung des künstlerischen Fortschritts, damit der Kunstgeschichtsschreibung.

Der Ursprung der M. dürfte mit dem Erlebnis der klass. griech. Kunst seit ca. 450 v. Chr. verbunden sein. Dafür spricht nicht nur die kunstgeschichtliche Evolution im allg., sondern u. a. die (in diese Zeit zu datierende) mit M. bes. reich bedachte Bronze-Kuh des Myron, von dem Plinius sagte, dieser gelte als ›der erste (Künstler), der die Wahrheit multipliziert‹ habe (Plin.nat. XXXIV, 58). Myrons Kuh habe aufgrund ihrer stupenden Naturtreue nicht nur Stechmücken, hungrige Kälber und liebestolle Stiere genarrt, sondern auch Hirten, Bauern und Viehdiebe sowie Priester beim Tieropfer und habe schließlich den Künstler selbst in die Irre geführt (36 Epigramme der Anth. Gr.). Die myronische

Kuh dürfte auch die zuerst in den *Kretern* des Euripides erkennbare (scheinbar uralte) Sage von der Kunst-Kuh des Daidalos für Königin Pasiphaë »ins Leben« gerufen haben [5. 67–70].

Es existiert kaum ein namhafter Künstler der Ant., dessen Werken nicht die erstaunlichsten Täuschungseffekte nachgesagt wurden: Der Maler Apelles ließ einen Wettbewerb über das trefflichste Bild eines Pferdes durch die Pferde selbst für sich entscheiden; denn nur sein Bild wieherten diese an und erklärten das Pferd so für ihresgleichen (Plin.nat. XXXV, 95); Protegenes malte einen Satyrn mit einem Rebhuhn, das zahlreiche lebende Artgenossen durch ihre Reaktion ebenfalls akkreditierten (Strab. Geogr. XIV, 652); und Praxiteles ›schuf Venus so lebensecht in Marmor, daß sie zu atmen schien (...). Wegen ihrer Schönheit mußte sie sich die Umarmung eines Lüstlings gefallen lassen‹, so Valerius Maximus über ›große Wirkungen der Künste‹ (Val.Max. VIII, C.11, ext.4) [5].

Die bis h. sprichwörtlich gebliebene und populärste Anekdote handelt von den »Trauben des Zeuxis«, die dieser so getreu faksimiliert habe, daß Vögel von ihnen naschen wollten. Zeuxis scheiterte indes bei der versuchten Steigerung, dem Bild eines Trauben tragenden Knaben, insofern sich die Vögel, die zwar erneut kamen, wider Erwarten durch den Knaben nicht abschrecken ließen. Eine weitere Niederlage mußte der Maler durch seinen künstlerischen Nebenbuhler Parrhasios einstecken, der auf ein scheinbares Bild einen so feinen Vorhang gemalt hatte, ›daß der auf das Urteil der Vögel so stolze Zeuxis verlangte, man sollte doch endlich den Vorhang wegnehmen‹ (Plin.nat. XXXV, 65/66) (Abb. 1). Es ist also nicht ein Tatsachen-Urteil, sondern das Fehlurteil, das für eine erstklassige Taxierung des Kunstwerks fällig wird; und je höher die »Fach-Autorität« dessen, der fehlurteilt (Maler, Pferde, Rebhühner, Liebhaber), desto hochwertiger das die Täuschung bewirkende Kunstwerk.

Befremden muß nicht nur die theoretische Anspruchslosigkeit dieses Diskurses, der nichtsdestoweniger die große Kunst des Alt. andauernd und publikumswirksam begleitete, sondern auch der exklusive Faksimile-Appeal, mit dem diese Kunst in den Augen der Nachwelt so gar nicht übereinzustimmen scheint. Zur Rechtfertigung wird man die Überlegung anstellen können, ob nicht mit dem bornierten Verzicht auf alle

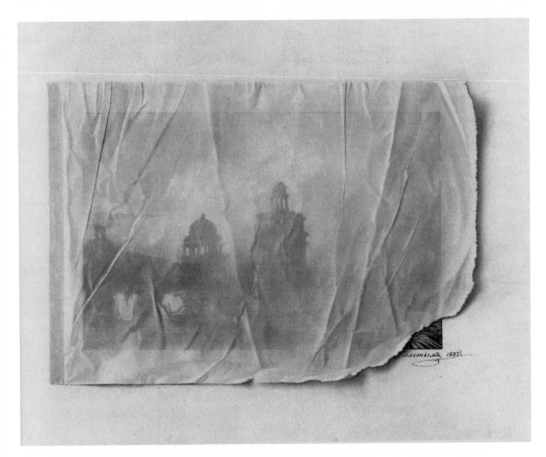

Abb. 1: Fjodor Tolstoi, Vedute unter Transparentpapier (Parrhasios-Effekt). Pinsel-, Federzeichnung, 1837 (Moskau, Tretjakow-Galerie)

Momente des Numinosen, Metaphysischen und Ideellen so etwas wie eine (bisher undenkbare) Freiheit der Kunst (im Alt.) in Anspruch genommen und praktiziert worden sei. Schließlich waren so die Kriterien des artistischen Wettbewerbs an Stelle der apriorischen Ideen zu den Kriterien der Kunst geworden (was den bekannten Einspruch Platons hervorrief, vgl. v. a. rep. 10.599).

B. NACHANTIKE

Nicht minder bemerkenswert ist der Umstand, daß die epochale »Wiedergeburt« der bildenden Kunst gegen E. des MA (in It.) – nach tausendjähriger Pause – von derselben trivialen Anekdotik eskortiert wurde, die sich seitdem nicht nur regenerierte, sondern viele weitere Blüten trieb – bis in die jüngere Vergangenheit (Abb. 1).

Es beginnt mit der geringen Fliege, die der kleine Giotto einer Figur seines Meisters Cimabue auf die Nase gemalt und die dieser, vergeblich, fortzuscheuchen versucht habe [12. Bd. I.404], was – wie die Zeuxis-Parrhasioskonkurrenz – sagen soll, daß der Meister seinen Meister gefunden habe. Die Anekdote von der gemalten (schattenwerfenden) Fliege fand solchen Anklang, daß sie nicht nur, mit wechselnden Personen, immer wieder nacherzählt wurde (Hermann van der Mast mit seinem Lehrer Frans Floris, dort eine Spinne [9. Bd. I.325]; Beccafumi und sein Meister [3. 312]), sondern eine eigene kunstgeschichtliche Karriere machte: Die Fliege ver(un)ziert so manches illuminierte Buch der Frühen Neuzeit (z.B.: Rothschild-Gebetbuch, Wien, Nat.B.), aber auch zahlreiche Bilder, so des Meisters v. Frankfurt, Dürers, Cranachs d. Ä., Hans Baldungs u. a. m. Vgl. auch Cranachs Titelbild der »Kilianschen Fliege« für die betreffende Schrift des Georg Sibutus, Leipzig 1507 [1. Bd. I. Nr.163].

Das späte Datum der Quelle (Vasari 1568) darf nicht darüber hinwegtäuschen, daß es bereits im Trecento feste Meinung war, die Natur vermöge nichts hervorzubringen, was nicht der Künstler so täuschend darstellen könne, daß es wie die Natur selbst erscheine (Boccaccio über Giotto; Dekameron, 6. Tag, 5. Novelle). Das (unvergessene) Mimesis-Lob der Ant. wurde (nach Verlust deren Malerei) zum Stichwortgeber der Erneuerung und bestimmte deren »naturalistischen« Diskurs. Die »Fortschritte« der Malerei ließen sich fortan mit der Täuschungs-Topik feiern und vorantreiben. So wurden die Leistungen in der Naturnachahmung erneut zu Kriterien der Kunstbewertung und der Kunsthistoriographie (bei Vasari und der Mehrzahl der folgenden Künstler-Biographen). Dabei konnte die Novellistik zur künstlerischen Täuschung (nach ant. Muster) nachgerade panegyrische Züge annehmen: vgl. z.B. Scheurls Lobrede auf Cranach d. Ä. von 1508 [8. 49–55]. Das den M. implizite Kunsturteil verlor dabei oft den Bezug zu den Werken und verkam rasch zur hohlen Rhetorik.

Allenfalls die neuen lebensnahen Porträts (seit etwa 1500) besaßen aufgrund ihrer traditionellen Funktion der persönlichen Stellvertretung eine gewisse sachliche Affinität zur Illusionsthematik, die jetzt zu bes. anekdotischen Ehren kam. So soll ein Selbstbildnis Dürers

von dessen Hund für seinen Herren selbst gehalten worden sein [11. 460], was auf ein Epigramm der Anth.Gr. (IX,604) zurückgehen dürfte (ähnlich in Leonardos Buch von der Malerei: ed. Ludwig, 1882, I, 20). Vor Cranachs d. Ä. Bildnis Friedrichs d. Weisen im Fenster des Schlosses von Lochau hätten die Einwohner ehrerbietig das Knie gebeugt [8. 51]. Gleiches widerfuhr dem Bildnis Papst Pauls III. von Tizian [12. Bd. VII. 446f. Anm. 5] und, hundert J. später, einem Porträt Rembrandts [10. 425]. Ein Bildnis Karls V. von Tizian soll dessen Sohn Philipp für den Vater selbst gehalten haben [12. VII. 446f., Anm.5]. Und Zuccari weiß zu berichten, daß ein Kardinal Papst Leo X. auf dem Bilde von Raffael Tinte und Feder zur Signatur gereicht habe [15. 248].

Die illusionistische Wandmalerei durfte nicht zurückstehen: Peruzzis Grisaillen im röm. Chigi-Palast seien für steinerne Reliefs gehalten worden [15. 248], und die Scheinperspektiven des Hans Vredeman de Vries hätten sogar gekrönte Häupter, den Prinz von Oranien und Kaiser Rudolf II. in Prag, getäuscht. In eine Scheintür des Vredeman de Vries (in Brüssel) habe Breughel einen schmutzigen Bauern gemalt und damit zusätzlich großes Aufsehen erregt [9. Bd. II. 107, 111, 115]. (Vergleichbares bereits: Villa Maser von P. Veronese, um 1561; Burg Trausnitz von A. Scalzi, um 1578.)

Inzwischen wurden die M. selbst zu einem Thema der Kunst. Es gestattete künstlerische Reflexionen über Fragen des Selbstverständnisses und des Ranges der Künstler und der Künste sowie des Vorzugs von Ant. oder Moderne und zeugte nicht zuletzt von der Bildung und dem artistischen Können des Urhebers. Das war selbstredend verbunden mit einem weiter gesteigerten Illusionismus. So dürften Caravaggios *Früchtekorb* (Mailand, Pinacoteca Ambrosiana) sowie sein *Knabe mit Früchtekorb* (um 1593; Rom, Galleria Borghese) auf die *Trauben des Zeuxis* und sowie dessen (enttäuschenden) traubentragenden Knaben anspielen. Nicht zuletzt spielen im 16., v. a. aber im 17. Jh., ungezählte Trompe l'œils mit dem Mythos der künstlerischen Täuschungsmacht.

Eine neue Dimension der Mimesis-Euphorie eröffnete der bisher unerreichte Illusionismus der holländischen Malerei des 17. Jh., der im allgegenwärtigen ›Lobtopos‹ des »lebenden« Bildes› seinen Niederschlag fand [13]. Auch hier liegt der Bezug zu den ant. Mustern auf der Hand: vgl. z.B. die Rede von der »Belebtheit« der Aphrodite (s.o.) und der »Wiederbelebung« der erstarrten Niobe (Anth. Gr. XVI,129), Statuen des Praxiteles, bes. aber die Gemäldebeschreibungen in Philostrats *Eikones*, die wie lebende Ereignisse geschildert sind. Die Täuschungsabsicht erklärt sich offen im Terminus *bedriegertje* für Trompe l'œils. Doch der Täuschung durch das fingierte Leben wurde nun ein Sinn unterlegt: die Einsicht in die Nichtigkeit des physischen angesichts der Dauerhaftigkeit des künstlichen, durch den Pinsel geschaffenen Lebens (»Zeege der Schilderkunst«), zugleich die Erkenntnis vom »transzendentalen« Vermö-

gen des Auges, sich gegenüber der scheinbaren, d. h.
Kunst-Existenz von Trauben, Blumen, Gläsern etc. seiner Urteilsfähigkeit zu vergewissern: Demgemäß etwa
die Reaktion des Kaisers in Wien angesichts eines *bedriegertje* von Samuel van Hoogstraeten, wovon Hou-
braken im Tonfall der mimetischen Mirabilien berichtet
[13. 102].

Das Thema der faksimilierenden Mimesis verlor in
der Neuzeit sein verbales Eigenleben und seine Rolle als
Begleiterin durch die Kunstgeschichte, wurde, v. a. aus
klassizistischer Sicht, gar zur widerkünstlerischen Kate-
gorie des Nachäffens. Im Zeitalter von Fotografie, Film,
Video und Cyber-Räumen kehrt die Problematik der
Mimesis und der Augentäuschung mit Macht zurück,
wenn auch konzentriert auf konzeptuelle Projekte (vgl.
René Magritte, Duane Hanson, John de Andrea, Char-
les Ray, Hans Peter Reuter, Ilja Kabakov), nachdem die
»Ontologie« des Faksimiles in den Ready-mades von M.
Duchamp längst ihr paradoxes Gleichnis gefunden hat.

1 Ausstellungs-Kat. Basel, Lukas Cranach. Gemälde,
Zeichnungen, Druckgraphik, I–II, 1974/1976 2 TH. BIRT,
Laienurtheil über bildende Kunst bei den Alten. Ein Capitel
zur ant. Aestetik, 1902 3 H. FLOERKE (Hrsg.), Die 75 it.
Künstlernovellen der Ren., 1913 4 E. H. GOMBRICH, Kunst
und Illusion (1959), 1967 5 B. HINZ, Aphrodite. Gesch.
einer abendländischen Passion, 1998 6 Ders., Perdix
cinerea, in: Kunst und Sozialgesch., FS für Jutta Held, hrsg.
v. M. PAPENBROCK et al., 1995, 174–187 7 E. KRIS, O. KURZ,
Die Legende vom Künstler (1934), 1979 8 H. LÜDECKE,
Lucas Cranach d. Ä. im Spiegel seiner Zeit, 1953 9 C. VAN
MANDER, Das Leben der niederländischen und dt. Maler
(1617), I–II, Übers. von H. Floerke, 1906 10 R. DE PILES,
Abrégé de la Vie des Peintres, 1715 11 H. RUPPRICH, Dürer.
Schriftlicher Nachlaß, III, 1969 12 G. VASARI, Le vite (…)
(1568), hrsg. v. G. MILANESI, 1906, Ndr. 1973, I–IX
13 G. J. M. WEBER, Der Lobtopos des »lebenden« Bildes,
1991 14 A. WEIXLGÄRTNER, Die Fliege auf dem
Rosenkranzfest, in: Die graphischen Künste, 51, 1928,
Nr. 2/3, 20–22 15 F. ZUCCARI, Idea de' Pittori, Scultori et
Architetti, II, 1607, in: Scritti d'Arte di Federico Zuccari,
hrsg. v. D. HEIKAMP, 1961.   BERTHOLD HINZ

Mischverfassung A. ANTIKE GRUNDLAGEN.
B. SPÄTMITTELALTER UND RENAISSANCE.
C. FRÜHE NEUZEIT. D. MISCHVERFASSUNG UND
DEMOKRATISCHER VERFASSUNGSSTAAT

A. ANTIKE GRUNDLAGEN

M. meint eine polit. Ordnung, die aus Elementen der
Grundtypen von Verfassung (Monarchie, Aristokratie,
Demokratie) so zusammengesetzt sei, daß sie eine Ordnung *sui generis* bilde. Das Konzept setzt die Herausbildung der Verfassungstypologie seit dem späten 5. Jh.
v. Chr. voraus.

Es wurde unterstellt, eine Mischform fördere die
Stabilität, da sie den Ausgleich unterschiedlicher sozialer
Interessen gewährleisten könne. Einerseits gab es Überlegungen, die Zusammensetzung der Aktivbürgerschaft
so zu regeln, daß die Spannungen zw. der breiten Masse

der Bürger und einer sozialen Elite aufgehoben werden
könnten; andererseits sah man eine M. in Sparta realisiert, da die Pluralität der Institutionen – Doppelkönig-
tum, Gerousia, Ephorat und Volksversammlung – sowohl sozialen Ausgleich wie eine wechselseitige Kontrolle der Amtsträger garantiere. Polybios (6, 10–18) hat
dieses, als ein System von Interorgankontrollen verstandene, Modell weiterentwickelt und auf die röm. Verfassung – mit Consuln, Senat, Volkstribunen und Volksversammlung – übertragen; Cicero ist ihm z. T. gefolgt.

Für die Rezeption war besonders wichtig, daß Ephoren und Tribunen im Kontext einer M. als »demokratische« Elemente vorgestellt wurden, obwohl sich »Demokratie« sonst auf die unmittelbare Partizipation des
Volkes bezog; ferner, daß das Ephorat als Institution galt,
durch die das Königtum in Sparta zwar »gezügelt« (Plat.
leg. 692a), aber gerade dadurch erhalten worden sei (so
in der Variante, daß König Theopomp die Ephoren eingesetzt habe; Aristot. pol. 1313 a 23–33; Plut. Lykurgos
7, 2), und daß dem Volkstribunat die Domestizierung
des Volkswillens zugeschrieben wurde (Cic. leg. 3, 19–
26).

B. SPÄTMITTELALTER UND RENAISSANCE

Das Theorem der M. ist seit der Aristoteles-Rezeption des 13. Jh. in der polit. Theorie wieder präsent gewesen, wenngleich es bei Thomas v. Aquin noch ohne
konkreten Bezug auf die eigene Gegenwart aufgenommen wird [14]. Dies ändert sich in der Folgezeit, als sich
Reflexionen über die histor. Vorbilder Rom und Sparta
auf vielfältige Weise mit Stellungnahmen zu aktuellen
verfassungspolit. Problemen verschränken [23; 24].

In stadtstaatlichen Kontexten ist das Konzept der M.
v. a. in Florenz und Venedig rezipiert worden, wo sich
auf je unterschiedliche Weise die Frage stellte, wie sich
die Behauptung bürgerlicher Freiheit mit der faktischen
Begrenzung polit. Partizipation auf eine Elite vereinbaren lasse. Für Bruni stellte sich 1438/39 Florenz mit
seinem ausdifferenzierten Ämtersystem, das dem engeren Kreis der qualifizierten Bürger ein Höchstmaß an
Mitwirkungschancen gab, als eine Mischung aus Aristokratie und Demokratie dar. Mit den republikanischen Verfassungen von 1494 und 1527 (jeweils nach
dem Sturz der Medici) trat die Variante der M. als Verkörperung institutioneller Kontrollen in den Vordergrund [19; 27]. Der 1494 etablierte *Consiglio Maggiore*
stand für eine Verbreiterung der Aktivbürgerschaft und
galt Savonarola als Symbol bürgerlicher Freiheit; Verfechter einer aristokratisch geprägten Verfassung wie
Guicciardini und Giannotti erkannten dies an, forderten
jedoch eine Ausbalancierung durch andere Verfassungsorgane nach venezianischem Vorbild.

In der florentinischen Debatte des späten 15. und
frühen 16. Jh. ist wesentlich die Vorstellung geprägt
worden, daß Venedig mit seinen Institutionen (Doge,
Senat, Großer Rat) eine M. nach dem Muster Spartas
darstelle und wie das ant. Vorbild der Machtverschränkung seine außergewöhnliche Stabilität verdanke; daß
die Pluralität der Verfassungsorgane auf einer schmalen

Basis polit. Berechtigter aufbaute, wurde selten thematisiert, so jedoch bei Machiavelli (Discorsi I, 2–5). Seit Contarini ging das M.-Modell in den Mythos von Venedig als einer vorbildlichen Republik ein, der bis ins 18. Jh. florierte [15; 20; 26].

C. FRÜHE NEUZEIT

Die Theorie der M. und der Ephoren als Mittel zur Beschränkung königlicher Macht hat in zahlreichen europ. Ländern in der Zeit vom 14. bis zum 17. Jh. eine besondere Rolle in den Diskussionen über das Verhältnis von Krone und Ständen geführt; parallel dazu auch im Konziliarismus, der die Macht des Papstes begrenzen wollte. Indem die Rolle ständischer Vertretungen mit derjenigen der Ephoren verglichen wurde, konnte mit Verweis auf die Theopomp-Legende argumentiert werden, daß deren Mitwirkung gerade im Interesse der Monarchen selbst liege [23. 13–15]. Die Beispiele für die Anwendung dieser Argumentation reichen von Marsilius v. Padua (Defensor Pacis I, 8) – zur frz. Monarchie des 14. Jh. – über die Trad. der *Justicia Mayor* von Aragon [18] bis zu den schwedischen Kontroversen des 17. Jh. [28]. Die dt. Reichsstaatslehre sah in der M.-Konzeption eine Möglichkeit, der besonderen Verfassungslage des Heiligen Römischen Reiches gerecht zu werden [17].

Von besonderer Relevanz wurde die mit M. und Ephoren-Vorbild begründete Einschränkung der Krone in den monarchomachischen Theorien des 16. Jh. Reformatoren wie Butzer, Calvin, Luther und Melanchthon haben – in unterschiedlichen Varianten – akzeptiert, daß deshalb ein Widerstandsrecht ständischer Organe gegen einen (wegen seiner Religionspolitik) tyrannischen Herrscher gegeben sei; schottische und engl. Monarchomachen haben Mitte des Jh. so gegen katholische Herrscher protestiert, die Hugenotten nach der Bartholomäusnacht (1572) damit ihren Widerstand begründet [21; 22. 189–198; 23. 14f.; 30. 189ff.]. Der Vorzug der Argumentation lag u. a. darin, daß mit der Übertragung des Widerstandsrechts auf Ephoren die Konsequenz vermieden wurde, den Tyrannenmord durch Privatleute zu legitimieren.

Aus der Erfahrung des rel. Bürgerkrieges wurde die Gegenvorstellung der unteilbaren Souveränität geboren. Sie implizierte die Ablehnung der M. So legte Bodin (République II, 1) dar, daß die vorgeblichen Beispiele von Sparta, Rom, Venedig ebenso wie die Applizierung auf zeitgenössische Königreiche histor. und staatsrechtlicher Analyse nicht standhielten; in der Zeit der engl. Revolution hat Filmer ebenso argumentiert.

Eine besondere Konjunktur haben M. und Ephoren in den engl. Verfassungsdebatten des 17. Jh. erfahren [22. 252–291]. Die Konflikte zw. den Stuarts und ihren Parlamenten sind zunächst als Rechtsstreitigkeiten ausgetragen worden. Das änderte sich schlagartig, als sich seit 1641 die Auseinandersetzung zu einem Kampf um die Souveränität steigerte. Der erneute Rekurs auf M. und Ephoren ging z. T. einher mit dem Rückgriff auf monarchomachische Theorien, ist aber v. a. durch eine

Deklaration im Namen des Königs befördert worden, die Antwort vom Juni 1642 auf die *Nineteen Propositions* des Parlaments. Karl I. ließ hier erklären, die engl. Verfassung sei eine ›mixture of absolute monarchy, aristocracy and democracy which by the experience and wisdom of your ancestors had been moulded as to give this kingdom the convenience of all three as long as the balance hangs even between the three estates‹. Er könne deshalb den neuerlichen Forderungen des Parlaments nicht nachkommen, wenn er nicht die ›ancient, equal, happy, well-poisoned and never enough commended constitution of the government of this Kingdom‹ zerstören und schließlich auch der Überwältigung des Parlaments durch die ungezügelte Gewalt des Volkes Vorschub leisten wolle [29. 40–43]. Bei dieser auf das Gleichgewichtsmodell des Polybios zurückgreifenden Argumentation wurde die innere Logik eines Systems betont, dessen Erhaltung der Bereitschaft zum Kompromiß bedurfte. Das *House of Lords* wurde zum notwendigen Balancefaktor zwischen König und Commons erklärt, seine Legitimation somit nicht auf die Rechtstitel der Aristokratie, sondern auf seine Funktion gestützt. Das Zusammenwirken von König, Ober- und Unterhaus wurde als Voraussetzung des sozialen status quo erklärt. Diese Erklärung war eine scharfe, aber zweischneidige Waffe im Propagandakrieg. Einerseits konnte sich Karl I. als konstitutioneller Monarch darstellen; andererseits hatte er sich durch die Rede von den *three estates* auf die gleiche Stufe wie die beiden Häuser des Parlaments gestellt.

Das M.-Modell ist nach der königlichen Proklamation sofort von Pamphletisten sowohl der parlamentarischen wie der royalistischen Sache aufgegriffen worden. Allerdings hat nur Hunton thematisiert, daß M. eine gemeinsame Souveränität von König, Ober- und Unterhaus impliziere und dies in der aktuellen Situation bedeute, daß es keinen verfassungsmäßigen Ausweg aus dem Konflikt geben könne.

Mit dem Fortgang des Bürgerkriegs kam es zu einer Radikalisierung des Ephorenvergleichs, da die vom König beschworene M., die diesem genuine Rechte innerhalb der Verfassungstrias zuschrieb, der Sache des Parlaments hinderlich wurde. So berief man sich angesichts des Prozesses gegen Karl I. darauf, daß in Sparta die Ephoren die Könige vor Gericht stellen konnten und dies zur Hinrichtung von König Agis IV. 241 v. Chr. (Plut. Agis 16–21) geführt hatte [23. 18f.].

Das Scheitern der Verfassungsexperimente während des Protektorats Cromwells schien seit ca. 1658 eine Restauration der Monarchie unausweichlich zu machen. Auch überzeugten Republikanern war klar, daß ein Festhalten an einer unbeschränkten Parlamentsherrschaft nicht möglich war. Verschiedene Autoren – darunter Harrington – ventilierten die Idee, durch ein Zweikammersystem Äquivalente zu Ephoren und Tribunen zu schaffen, um das Parlament kontrollieren zu können. (Ähnlich wurde in der frz. Verfassungsdiskussion der 1790er J. die Forderung nach einem Verfassungsgerichtshof mit dem Vorbild von Ephoren und Tribunen untermauert; die 1799 eingeführte dritte Kammer erhielt die Bezeichnung *Tribunat* [16]).

Tatsächlich ist man in England 1660 mit der Restauration von Monarchie und Adelskammer zur traditionellen Verfassungsordnung zurückgekehrt. Dafür bot sich das nunmehr etablierte Bild der M. an; es paßte zur Souveränität des *King-in-Parliament*, die mit einer Abschottung vom unmittelbaren Volkswillen verbunden war. Die internen Kontrollen zw. König, Ober- und Unterhaus sollten die Selbstbeschränkung des »gemischten« Souveräns garantieren. Forderungen nach einer strikten Trennung zwischen Exekutive und Legislative, wie sie während der Revolution erhoben worden waren, wurden damit obsolet. Im späteren 17. und im 18. Jh. war die M. als Bild für das engl. Verfassungssystem allg. akzeptiert; unterschiedliche Positionen wurden nur hinsichtlich der Frage vertreten, ob die von der Krone ausgeübte Ämter- und Wahlkreispatronage dem ausgewogenen Zusammenspiel der Verfassungsorgane abträglich oder förderlich sei. Die Berufung auf die M. entsprach einer Konstellation, in der man dem Problem der Stiftung einer neuen Verfassungsordnung ausgewichen war; die theoretische Schwäche bestand darin, daß in diesem Modell die Unabhängigkeit der Rechtsprechung nicht abgebildet war. Auch in Montesquieus Beschreibung der engl. Verfassung (Esprit des Lois XI, 6) wird die Machtverschränkung zwischen den traditionellen Verfassungsorganen und das Postulat einer Trennung der Gewalten nicht in ein einheitliches Konzept integriert.

D. MISCHVERFASSUNG UND DEMOKRATISCHER VERFASSUNGSSTAAT

In der amerikanischen Revolution sind in den Einzelstaaten nach 1776 zunächst Verfassungen geschaffen worden, die dem Gewaltentrennungsprinzip entsprachen. In der langjährigen Diskussion um die Bundesverfassung (1787 verabschiedet) gewann zeitweise der vom ant. Vorbild geprägte Gedanke einer M. an Boden, in der eine zweite Kammer eine »natürliche Aristokratie« repräsentieren solle, so bei John Adams. Mit dem fortschreitenden Bewußtsein, daß man mit der Konstituierung einer Ordnung auf der Basis der Volkssouveränität einen Bruch mit der Trad. vollziehe, trat dieser Gedanke wieder zurück [25]. Der M.-Gedanke wurde nun seiner sozialen Implikationen entkleidet und in das Prinzip einer Gewaltenverschränkung (*checks and balances*) zwischen Institutionen überführt, die jeweils nur über aus der verfassungsgebenden Gewalt des Volkes abgeleitete Kompetenzen verfügten.

M. konnte solange noch ein Thema sein, wie man eine Lösung des Verfassungsproblems durch Verbindung von monarchischem Prinzip und Repräsentation durch ständische Vertretungen erreichen wollte, so im dt. Frühliberalismus [32]. Mit der Akzeptanz des von der Amerikanischen und Frz. Revolution geprägten demokratischen Konstitutionalismus mußte die aus der Ant. übernommene Verfassungstypologie (mit der Un-

terstellung einer Pluralität legitimer Verfassungsformen) und damit auch die M.-Lehre obsolet werden. Wenn sie auch in der Gegenwart gelegentlich noch bemüht wird, um zu unterstreichen, daß im Verfassungsstaat das demokratische Mehrheitsprinzip rechtlichen Beschränkungen unterworfen ist [31], wird zwar der Kontinuität des Prinzips der Machtbegrenzung Rechnung getragen, zugleich aber die epochale Zäsur durch das Aufkommen des demokratischen Konstitutionalismus verdeckt.

→ Demokratie; Republik

QU **1** JOHN ADAMS, Thoughts on Government (1776). A Defence of the Constitutions of Government of the United States of America (1787), in: The Works of John Adams, C. F. ADAMS (Hrsg.), Boston 1850–1856, Bd. 4 **2** JEAN BODIN, Les Six Livres de la République, Paris 1583; dt.: Sechs Bücher über den Staat, P. C. MAYER-TASCH (Hrsg.),1976 **3** LEONARDO BRUNI ARETINO, Peri tes ton Florentinon Politeias. Über die Staatsverfassung der Florentiner (griech./dt.), C. F. NEUMANN (Hrsg.), Frankfurt 1822 **4** GASPARO CONTARINI, De Magistratibus et Republica Venetorum, Paris 1543; engl.:The Commonwealth and Government of Venice, London 1599 (ND 1969) **5** ROBERT FILMER, The Anarchy of a Limited or Mixed Monarchy (1648), in: Patriarcha and Other Writings, J. P. SOMMERVILLE (Hrsg.),1991 **6** DONATO GIANNOTTI, Republica Fiorentina (nach 1530), G. SILVANO (Hrsg.), 1990 **7** FRANCESCO GUICCIARDINI, Dialogo e Discorsi del Reggimento di Firenze (ca. 1524), R. PALMAROCCHI (Hrsg.), 1932; engl.: Dialogue on the Government of Florence, A. BROWN (Hrsg.), 1994 **8** JAMES HARRINGTON, Pour enclouer le canon (1659; engl.), in: Political Works, J. G. A. POCOCK (Hrsg.), 1977 **9** PHILIP HUNTON, A Treatise of Monarchy, London 1643 **10** NICCOLÒ MACHIAVELLI, Discorsi sopra la prima deca di Tito Livio (ca. 1517), in: Opere complete, Bd. 1, Mailand 1858; dt.: Polit. Betrachtungen über die alte und it. Gesch., E. FAUL (Hrsg.), 1965 **11** MARSILIUS V. PADUA, Defensor Pacis (1324), R. SCHOLZ (Hrsg.), 1933 **12** CHARLES DE MONTESQUIEU, De l'Esprit des Lois, Paris 1748; dt.: Vom Geist der Gesetze, E. FORSTHOFF (Hrsg.), 1951 **13** GIROLAMO SAVONAROLA, Trattato Terzo. Della istituzione e modo del governo civile (1498), in: Opere 11, L. FIRPO (Hrsg.), 1965.

LIT **14** J. M. BLYTHE, Ideal Government and the Mixed Constitution in the Middle Ages, 1992 **15** W. J. BOUWSMA, Venice and the Political Education of Europe, in: J. R. HALE (Hrsg.), Renaissance Venice, 1973, 445–466 **16** P. CATALANO, Tribunato e resistenza, 1971 **17** H. DREITZEL, Absolutismus und ständische Verfassung in Deutschland, 1992 **18** R. E. GIESEY, If Not, Not: the oath of the Aragonese and the legendary laws of Sobrarbe, 1968 **19** F. GILBERT, The Venetian Constitution in Florentine Political Thought, in: N. RUBINSTEIN (Hrsg.), Florentine Studies, 1968, 463–500 **20** E. O. G. HAITSMA MULIER, The Myth of Venice and Dutch Republican Thought in the 17th Century, 1980 **21** R. M. KINGDON, Calvinism and Resistance Theory, in: J. H. BURNS, M. GOLDIE (Hrsg.), The Cambridge History of Political Thought 1450–1700, 1991, 193–218 **22** W. NIPPEL, Mischverfassungstheorie und Verfassungsrealität in Ant. und früher Neuzeit, 1980 **23** W. NIPPEL, Ancient and Modern Republicanism: *mixed constitution* and *ephors*, in: B. FONTANA (Hrsg.), The Invention of the Modern Republic, 1994, 6–26 **24** J. G. A.

Pocock, The Machiavellian Moment, 1975 **25** P. A. Rahe, Republics, Ancient and Modern, 1992 **26** E. Rawson, The Spartan Tradition in European Thought, 1969 **27** N. Rubinstein, Politics and Constitution in Florence at the End of the Fifteenth Century, in: E. F. Jacob (Hrsg.), Italian Renaissance Studies, 1960, 148–183 **28** N. Runeby, Notizen über eine verhinderte Republik, in: H. G. Koenigsberger (Hrsg.), Republiken und Republikanismus im Europa der frühen Neuzeit, 1988, 273–284 **29** A. Sharp (Hrsg.), Political Ideas of the English Civil Wars, 1983 **30** Q. Skinner, The Foundations of Modern Political Thought II. The Age of Reformation, 1978 **31** D. Sternberger, Der Staat des Aristoteles und der mod. Verfassungsstaat, 1985 **32** V. Wember, Verfassungsmischung und Verfassungsmitte, 1977. WILFRIED NIPPEL

Mittelgriechisch s. Griechisch I.
Byzantinisches Mittelalter und Neuzeit

Mittellatein I. Sprache
II. Literatur III. Philologie

I. Sprache
A. Vulgärlatein und Spätlatein
B. Christliches Latein C. Charakteristik des Mittellateins D. Sprachliche Erscheinungen E. Forschungsstand

A. Vulgärlatein und Spätlatein

Nach dem Untergang der ant. Welt hat die lat. Sprache auf zwei Ebenen ihren Weg ins MA genommen. Die gesprochene Sprache des gemeinen Mannes pflanzt sich, regional differenziert und z. T. unter dem Einfluß von Substraten, von Sprecher zu Sprecher als »Muttersprache« fort; ihre Merkmale lassen sich in der geschriebenen Sprache bisweilen als beabsichtigte Charakterisierungen, z. B. im Roman des Petronius erfassen, öfters als Ausdruck der geringen formalen Bildung von Schreibern, nicht nur in Inschr. und Graffitti, sondern auch in Büchern wie denen des Anthimus und der Egeria. Dieses »Vulgärlatein« wird, regional differenziert, zur Grundlage der romanischen Sprachen. Es empfiehlt sich, für das im vorkarolingischen Zeitraum geschriebene Lat. (»Merowingerlat.«) die Bezeichnung »frühma. Vulgärlat.« zu verwenden. Die vollzogene Verselbständigung der romanischen Sprachen läßt sich an zwei Kriterien ablesen, erstens der Bezeichnung als eigene Sprache, zweitens der Verschriftlichung. So bietet schon der Bericht über den ältesten zusammenhängenden Text in altfrz. Sprache, den Eid, den Ludwig d. Deutsche seinem Bruder Karl (d. Kahlen) in dessen Muttersprache 842 zu Straßburg schwor (Nith. 1, 3, 5), auch eine Bezeichnung für die »neue« Sprache: *romana lingua*. Zu bemerken ist, daß schriftliche Aufzeichnungen in einer anderen als der lat. Sprache entweder aus missionarischen Bedürfnissen erfolgen oder aus dem Bestreben, einen juristisch relevanten Text in seiner originären Form festzuhalten. Die zweite Ebene, auf der das Lat. im MA weiterlebt, ist die der lit. Hochsprache, wie sie in der Spätzeit der ant. Latinität nicht nur von großen Bewahrern des ant. Erbes wie den *Symmachi* und *Nicomachi*, von einem Boëthius schließlich und einem Cassiodor gehandhabt wird, sondern auch von hochgebildeten Christen wie Hieronymus und Augustinus und den span. Autoren des isidorianischen Zeitalters. Die Sprache dieser Autoren, als »Spätlat.« bezeichnet und v. a. von der schwedischen Schule der Klass. Philol. erforscht, wird zum Fundament der Lit.-Sprache des MA. Dieses Spätlat. unterscheidet sich von der »klass.« genannten Sprache eines Caesar oder Cicero durch eine Wiederaufnahme sprachlicher Erscheinungen, die diese eliminiert hatte. So treten Möglichkeiten des Altlat. im Spätlat. wieder auf, so z. B. auf dem Gebiete der Syntax der *quod*-Satz in der abhängigen Aussage, ohne jedoch den Akkusativ mit Infinitiv (AcI) zu verdrängen [11]. Auf dem Gebiet des Wortschatzes erscheint das volkstümliche Seemannswort *petra* (Enn. ann. 365) in der klass. Latinität zugunsten von *rupes* unterdrückt, in der *Peregrinatio Egeriae* (3,6) tritt die Ableitung *petrinus* wieder auf. So verfügt also das ma. Lat. über größere sprachliche Möglichkeiten, denen allerdings ein Verlust an differenzierten Instrumenten einer »strategischen« [2] Syntax gegenübersteht.

B. Christliches Latein

Eine wesentliche Prägung erhält das M. dadurch, daß in das spätlat. Erbe eine Sondersprache eingegangen ist, die der Christen. Die Gemeinden der Christen, abgehoben von ihrer heidnischen Umwelt nicht nur durch ein neues rel. Erleben, das zu neuem sprachlichem Ausdruck drängt, sondern auch durch den sozialen Status ihrer Mitglieder, der Mühseligen und Beladenen, bedienen sich bis in die Mitte des 3. Jh. so gut wie ausschließlich der griech. Sprache. Aus der Verbreitung der neuen Lehre im Westen des Reiches erwächst das Bedürfnis, die neuen Inhalte und auch neue Realien ins Lat. zu übertragen. Es entsteht eine zunächst vulgär gefärbte Sondersprache, die zugleich Lehnsprache ist, gekennzeichnet durch Lehnbedeutungen wie *fides* »Christenglaube« nach griech. πίστις, Lehnübersetzungen wie *carnalis/spiritualis* nach griech. σαρκικός, πνευματικός, Lehnwörter wie *episcopus*. Bemerkenswert ist, daß mit dem Siege des Christentums neben *episcopus* heidnische Bezeichnungen wie *antistes, praesul, pontifex* treten, ein Indiz dafür, daß die heidnischen Kulte keine Gefahr mehr bedeuten; ferner macht dieses Beispiel deutlich, daß die Sprache der Christen sich zunehmend literarisiert und schließlich mit den großen Kirchenlehrern Anschluß an das Niveau ihrer Zeit gefunden hat.

C. Charakteristik des Mittellateins

Die regionalen Ausformungen des Vulgärlat. sind, zunächst nur gesprochen, mit ihrer Verschriftlichung nicht mehr »Lat.«. Das Lat. wird damit zu einer von der mündlichen Trad. gelösten Sprache, die man als Zweitsprache, als »Lernsprache« nach geschriebenen Vorbildern handhabt und bisweilen auch im Schulbetrieb spricht. Die Schreibung der neuen, »romanischen« Sprachen ist am frühesten für das Frz. durch den Straßburger Eid bezeugt, den Ludwig d. Deutsche seinem Bruder Karl 842 schwor, für das It. durch Zeugenaussagen aus Capua (964); das Provenzalische ist seit dem 11. Jh. in Urkunden greifbar, und an dessen Ende steht als erster Dichter Wilhelm v. Poitou. Von den Sprachen der Pyrenäenhalbinsel ist das Span. seit dem 10. Jh. in teils umfänglichen Glossen belegt, erst wesentlich später erscheinen galicische und portugiesische Texte. Für die Lösung der romanischen Sprachen vom Lat. sind neben der Schreibung auch selbständige Bezeichnungen wie *lingua roman[ic]a, vox francisca, lingua vulgaris* ein Indiz. Mit der Etablierung der romanischen Sprachen ist das Lat. niemandes Muttersprache mehr, man lernt es als Fremdsprache (»Vatersprache« [13]) aus Gramm., die eigentlich für Muttersprachler verfaßt sind, wie dem *Donatus minor* bzw. *maior* [4]; für die Syntax standen lediglich die in den meisten Hss. fehlenden und auch gesondert überlieferten B. 17 und 18 von Priscians *Ars* (*P. minor*) zur Verfügung. Mit dem Erwachen eines sich der Ant. ebenbürtig sehenden Selbstbewußtseins entstehen um 1200 neue Lehrb. in Versform: Das *Doctrinale* Alexanders de Villa Dei und der *Grecismus* Eberhards v. Béthune. Wer metr. dichten will, ist außerdem genötigt, sich die Kenntnis der seit dem 4. Jh. verfallenden Vokalquantitäten in Lehrb., Wortlisten oder Merkv. zu verschaffen [7]. Gelöst von den natürlichen Fortentwicklungen einer Muttersprache orientiert sich das M. an geschriebenen Vorbildern, allen voran der Prosa der Bibel und der Kirchenväter, in der Poesie v. a. an Vergil, doch wählen sich Schriftsteller bisweilen einen bestimmten Leitautor, wie der Verfasser der *Vita Heinrici IV.* den Sallust [12]. Dieser Rückorientierung als einem Moment der Beharrung steht auf der anderen Seite das fortschrittliche Element des Ausgreifens auf neue Bereiche gegenüber: german. Gesellschaftsordnung, arab. Medizin und Naturwiss., scholastische Philos., christl. Mystik. Diese neu erschlossenen Bereiche werden v. a. im Wortschatz sichtbar.

D. SPRACHLICHE ERSCHEINUNGEN

Eine neue soziale Ordnung wird in Lehnwörtern wie *feudum* »Lehen«, *foresta* »Bannwald«, in Lehnbedeutungen wie *comes* »Graf«, *miles* »Ritter« sichtbar; die Mathematik liefert z. B. *ducere* »multiplizieren«, die Astronomie *augis* »Apogäum«, *complecti* »in Konjunktion stehen«; die scholastische Unterrichtspraxis bringt *quaestio, quodlibetum* und Wendungen wie *videtur quod non, secundum esse et essentiam*, Bildungen wie *quidditas*. Auffällige und durchgehende Erscheinungen in mittellat. Texten sind die Schreibungen *michi* und *nichil*, die noch von den frühen Humanisten ausgiebig diskutiert werden, die Ersetzung des Diphthongs *ae* zunächst (10.–12. Jh.) durch ę (*e caudata*), später durch einfaches *e*; *-ci-* und *-ti-* werden – häufig auch graphisch nicht zu unterscheiden – austauschbar (*amicicia*); gleichfalls dringt die *littera Graeca -y-* auch in lat. Wörter ein (*yra, hyemps = hiems*), hier auch das anaptyktische *-p-* wie z. B. *alumpnus*; anlautendes *k-* ist vor *a* häufig (*karus*), im insularen Bereich auch vor hellem Vokal; anlautendes *h-* schwankt (*arundo, ha-*

bundare); im Wortinneren dient es zur Vokaltrennung (*puhella, cohire*). In der Syntax ist besonders auffällig die Wiedergabe der abhängigen Aussage durch *quod*-Satz [11], wo Alt- und Spätlat. mit der Übersetzungssprache der *Vulgata* zusammenwirkt; ferner die Ersetzung des Nom. Ptz. Präs. durch den Abl. des Gerundiums (*cantando* [*scil. cantantes*] *ecclesiam intrant*).

E. FORSCHUNGSSTAND

Die Erforschung der ma. Latinität wurde zunächst aus dem Bedürfnis der Praxis von Historikern und Diplomatikern in Angriff genommen. Diesen Interessen wird neben einer Reihe von Quellen- und Urkundenpublikationen das erste mittellat. Lex. verdankt, der Du-Cange [3]. Im 19. Jh. lag die Erforschung der lat. Lit. des MA, oft eher nebenhin betrieben, in den Händen der neusprachlichen Philologen, bis einzelne Hochschullehrer der Klass. Philol. ihr Tätigkeitsgebiet ins MA erweiterten, in Deutschland W. Meyer, L. Traube, P. v. Winterfeld [9. 15]. Die beiden fundamentalen sprachlichen Aufgaben einer Philol., Lex. und Gramm., sind noch nicht erfüllt. Den Plan eines umfassenden WB, eines »neuen DuCange«, sucht die *Union Académique Internationale* in der Weise zu realisieren, daß zunächst in den einzelnen Mitgliedsländern Material gesammelt und in nationalen WB publiziert wird. So verfügt man derzeit über etwa ein Dutzend größtenteils unvollendeter Lex. auf unterschiedlichem Niveau [5. 8]. Unterstützt werden diese Arbeiten durch ein »Archiv« [1]. Die wegen des disparaten Charakters des Sprachmaterials problematische Aufgabe [7] einer Gramm. ist von P. Stotz in Angriff genommen worden; von dem auf fünf Bände veranschlagten Werk liegt der dritte (Lautlehre) vor [14], gleichermaßen ausgezeichnet durch Fülle des Materials wie Präzision der Darbietung.

1 Archivum Latinitatis medii aevi (ALMA, Bulletin DuCange), Paris 1924 ff. **2** E. AUERBACH, Mimesis. Dargestellte Wirklichkeit in der abendländischen Lit., ⁵1971 **3** CHARLES DUFRESNE SIRE DUCANGE, Glossarium mediae et infimae Latinitatis, 1883–87, Ndr. 1954 **4** L. HOLTZ, Donat et la tradition de l'enseignement grammatical. Étude sur l'Ars Donati et sa diffusion (4e–9e siècle), 1981 **5** U. KINDERMANN, Einführung in die lat. Lit. des ma. Europa, 1998 **6** P. KLOPSCH, Zu einer mittellat. Gramm., in: Mittellat. Jb. 2, 1965, 233 – 240; Ndr. in: A. ÖNNERFORS (Hrsg.), Mittellat. Philol., 1975, 261 – 282. Dort weitere Arbeiten zur mittellat. Sprache **7** DERS., Einführung in die mittellat. Verslehre, 1972 **8** F. J. KONSTANCIAK, Zum aktuellen Stand der WBarbeit in den Philol.: I. Mittellatein, in: Mitteilungsbl. d. Mediaevistenverbandes 1, 1984, Nr. 3, 28 – 31; 2, 1985, Nr. 1, 20–26; 2, 1985, Nr. 2, 16–20 **9** K. LANGOSCH, Wilhelm Meyer aus Speyer und Paul v. Winterfeld, Begründer der mittellat. Wiss., 1936 **10** A. ÖNNERFORS (Hrsg.), Mittellat. Philol., 1975 **11** L. WIRTH-POELCHAU, AcI und quod-Satz im lat. Sprachgebrauch ma. und human. Autoren. Diss. 1977 **12** J. SCHNEIDER, Die Vita Heinrici IV. und Sallust. Stud. zu Stil und Imitatio in der mittellat. Prosa, 1965 **13** W. VON DEN STEINEN, Das ma. Lat. als histor. Phänomen, in: Schweizerische Zs. für Gesch., 7/1, 1957, 1–17 **14** P. STOTZ, Hdb. zur lat. Sprache des MA, Bd. 3, Lautlehre, 1996 **15** L. TRAUBE, Rückblick auf meine Lehrtätigkeit, G. SILAGI (Hrsg.), 1988 (Privatdruck).   PAUL KLOPSCH

II. Literatur
A. Tragweite B. Schwerpunkte
C. Erscheinungsformen

A. Tragweite

Das breite und vielschichtige Thema der Ant.-Rezeption in der M. L. (Mittellat. Lit.) kann nur in Zusammenhang mit der Überlieferungsgeschichte der klass. (hauptsächlich lat.) Autoren im MA behandelt werden, denn erst vor dem Hintergrund ihres Vorhandenseins kann ihre Wirkung, sei es in formaler oder inhaltlicher Sicht, ermessen werden. Umgekehrt wurde natürlich nicht jeder vorhandene Text gleichermaßen rezipiert: Frühe Hss. von z. B. Tacitus' *Annales* und Livius blieben ohne große Wirkung. Da ein großer Teil der Dokumentation noch unerschlossen in Hss. ruht, ist eine umfassende Analyse der Rezeption selbst eines einzelnen Autors bisher kaum möglich. Man hat über verschiedene Wege die Ant.-Rezeption in der M. L. zu erfassen versucht: durch die Präsenz der klass. Autoren in ma. Bibliothekskat., durch die Produktion und Verbreitung von Klassikerhss., durch die Komm. zu klass. Autoren, durch Zit. aus und Anspielungen auf klass. Autoren in mittellat. Werken, durch das Imitatio-Verfahren der mittellat. Autoren. Das Thema ist von zentraler Bed. für die M. L., versucht doch die vielleicht einflußreichste Monographie zur gesamten ma. Lit. [7] zu beweisen, daß die Einheitlichkeit der europ. Lit. gerade auf dem rhet. und poetischen Erbe der Ant. basiert, das durch das lat. MA überliefert wurde. Auch das für die Periodisierung der M. L. einflußreiche Konzept der sog. »Ren. im MA« deutet die Blüteperioden der ma. Kultur (→ Karolingische Renaissance, → Ottonische Renaissance und insbes. die Ren. des 12. Jh.) nach exklusiv klassizistischen Kriterien und Idealen. Dennoch müssen neben dieser Komponente auch die beiden anderen Pfeiler der M. L., das Christentum (das bekanntlich bei [7] völlig fehlt, aber auch in [12] zu kurz kommt) und die volkssprachliche Lit. (die Perspektive einiger der frühesten mittellat. Philologen, wie J. Grimm und E. Du Méril) ständig ins Auge gefaßt werden; man darf die M. L. nicht lediglich als eine Abfolge von Epochen des Verfalls und der klassizistischen Blüte verstehen. Für das MA selbst war das Kernproblem der Ant.-Rezeption in der M. L. der unausgleichbare Gegensatz zwischen Heidentum und Christentum. Die klass. Autoren, mit ihrer paganen Vergangenheit belastet, verkündeten nur heidnische Lügen und wurden also nach der Einschätzung von Paulus (2 Kor 6,14–16) und Hieronymus (epist. 22,29,6–7) als für einen Christen ungeeignete Lektüre empfunden. Folglich wurden neue, christl. Werke geschrieben, welche die entsprechenden heidnischen Texte ersetzen sollten: Hrotsvitha von Gandersheim wollte mit ihren Dramen (Homeyer, 1970) den Terenz verdrängen, Otloh von St. Emmeram mit seinem *Liber proverbiorum* (Korfmacher, 1936) die *Disticha Catonis* und die *Proverbia* des Ps.-Seneca, Alexander von Villa Dei mit seinem *Ecclesiale* (Lind, 1958) vielleicht Ovids *Fasti*.

Klassische Autoren konnten aber auch entschärft werden, indem sie christenfreundlich dargestellt wurden: So wurde Seneca als ›amicus Christianae religionis‹ (Otto von Freising, Chron. 3,15, Hofmeister, 1912, vgl. ibid. 2,40) angesehen, und es wurde ihm ein Briefwechsel mit dem Hl. Paulus zugedichtet (Barlow, 1938; Natali, 1995). Schon im 4. Jh. wurde die 4. Ekloge Vergils als Ankündigung der Geburt Christi gedeutet. Zuweilen wurde ein klass. Autor schlichtweg christianisiert: Eine Legende aus dem 13. Jh. erzählt vom Hl. Ovid, Bischof von Tomi (Freiburg i. Br., UB, Cod. 380, f. 1r). Die für das MA maßgebliche Haltung gegenüber dem heidnisch-klass. Schrifttum war aber durchaus positiv und wurde bildhaft kodifiziert von Augustinus (›spolia Aegyptiorum‹: vgl. Aug. doctr. christ. 2,144–145 zu Ex 3,21–22, übernommen z. B. von Hrabanus Maurus, De institutione clericorum 3,26; Zimpel, 1996) und Hieronymus (›captiva mulier‹: vgl. Hier. epist. 21,13,5–6 zu Dt. 21,10–13, übernommen z. B. von Wibald von Stablo, der in seiner Selbstbezeichnung als ›spoliorum cupidus‹ auch das augustinische Bild aufgreift: epist. 147, PL 189, 1252 B = epist. 167, Jaffé, Monumenta Corbeiensia, 281). Es galt, jene Elemente aus dem klass. Erbe in passender Form herauszufiltern, die für das Verständnis der Bibel und der christl. Weisheit erforderlich waren. Mit dieser Grundeinstellung verfaßte Cassiodor seine *Institutiones divinarum et saecularium litterarum*, in denen er eine Summa der weltlichen Wiss. als Vorbereitungsstufe zur christl. Weisheit darstellte (vgl. z. B. inst. 1,28, Mynors, ²1961). Das klass. Erbe war für das christl. MA in diesem Sinne unentbehrlich. Seine Rezeption, die deshalb auch eine gezielte und funktionale Übernahme war, verlief jedoch nicht nur in einer direkten Begegnung mit den klass. Autoren, sondern auch sehr oft mittels spätant. Enzyklopädien (Isidor von Sevilla), Handbücher der *Artes liberales* (Martianus Capella) und sonstiger Lehrbücher (insbesondere Donatus, Priscianus, Boëthius). Sogar Gelehrte wie Lupus von Ferrières, Gerbert von Reims, Abaelard oder Johannes von Salisbury schöpften ihre klass. Zit. nicht selten aus einer sekundären Quelle. Da die Kirche doch die heidnisch-klass. Kultur als Basis einer christl. Wiss. akzeptierte, zugleich aber auch sich gezwungen sah, selber die nötigen Bildungsstrukturen auszubauen, weil das spätant. Schulsystem in den Wirren des 5.–6. Jh. bis auf vereinzelte Ausnahmen (insbes. It.) untergegangen war und keine andere Instanz imstande war, ein neues zu gründen, ist die Überlieferung des klass. Erbes jahrhundertelang fast ausschließlich von Mönchen und Chorherren in Kloster- und Kathedralschulen als Teil eines christl. Bildungsprogramms wahrgenommen worden und war Ant.-Rezeption nur mittels dieses Schulunterrichts möglich; in der Regel kamen Fürstenhöfe und Bischofssitze erst später als Milieus für Klassikerrezeption hinzu. Folglich kann man einen ma. »Human.« nur verstehen als eine auf die patristische Trad. zurückgehende Bestrebung des Klerus, durch das Studium der klass. Kultur sein Selbstverständnis als Christ zu bereichern. Auch die Ant.-

Rezeption der größten unter den ma. Gelehrten, die wegen ihrer lit.-philol. Interessen »Humanisten« genannt worden sind, Lupus von Ferrières und Johannes von Salisbury, hält sich innerhalb dieser Grenzen. So hat Lupus seine berühmte Aussage über den Stellenwert der »weltlichen« Studien (epist. 1,5: ›Propter se ipsam appetenda sapientia‹, Marshall, 1984) wohl nicht anders gemeint als Alkuin (gramm., PL 101, 850 B). Auch für Johannes von Salisbury, dessen Kenntnisse der ant. Lit. im 12. Jh. einzigartig waren, bleibt der wichtigste Bezugstext die Bibel (Entheticus maior, 439–450, van Laarhoven, 1987). Sicherlich gibt es einzelne Werke aus der M. L., in denen das Studium der Ant. als Heilmittel für gegenwärtige Probleme ohne jeglichen Bezug auf die christl. Lehre empfohlen wird: Das beste Beispiel ist vielleicht Johannes von Hauvillas *Architrenius* (Schmidt, 1974). Dennoch propagierten erst die Humanisten der Ren. eine umfassende, sprachlich korrekte und lit. Nachahmung der ant. Autoren, mit dem Ziel, mittels dieser Imitatio auch die in der klass. Lit. zum Ausdruck gebrachten moralischen Ideale vollends zu verinnerlichen und mit Blick auf eine erneuerte Gesellschaft auszuwerten.

B. Schwerpunkte

Oft wiederholt, aber u. a. aufgrund jetziger Kenntnisse der Textüberlieferung klass. Autoren nicht mehr uneingeschränkt haltbar ist die Einteilung von L. Traube [23. 113], der die Phasen der Ant.-Rezeption in der M. L. als *aetas Vergiliana* (8.–9. Jh.), *aetas Horatiana* (10.–11. Jh.) und *aetas Ovidiana* (12.–13. Jh.) differenziert hat. Dabei muß beachtet werden, daß klass. Autoren manchmal in einer beschränkten Perspektive (z. B. Horaz hauptsächlich als Moralist und Satiriker, wie beispielsweise in den *Sermones* oder *Saturae* und *Epistulae* oder als Wissensvermittler in der *Ars poetica*, viel weniger als lyr. Dichter; Apuleius als Philosoph, erst ab dem 14. Jh. als Romanautor), sehr häufig auszugsweise mittels (anon. oder von bekannten Autoren verfaßten) Florilegien und fast immer zusammen mit einem erklärenden Apparat von *accessus ad auctores*, Komm. und Glossierung rezipiert wurden. Welche Autoren besonders populär waren, kann am bequemsten durch die Entwicklung des Lektürekanons der Schulen verfolgt werden, der für jegliche Ant.-Rezeption die notwendige Voraussetzung war. Im 9 Jh. ist Vergil der einzige feste heidnisch-klass. Schulautor neben den spätant. christl. Dichtern Arator, Juvencus, Prosper Aquitanus (auch als Historiker erfolgreich), Prudentius und Sedulius, die alle bis zum E. des MA in der Schule gelesen wurden. Gegen E. des 10. Jh. erreichten auch Persius, Juvenal, Horaz, Terenz, Lucan und Statius (*Thebais*) diesen Status. Im 11. Jh. kommen allmählich Ovid, Cicero (insbes. *De officiis* und *Laelius de amicitia*) und Sallust (*De coniuratione Catilinae* und *De bello Iugurthino*) hinzu, so daß im 12. Jh. acht Dichter und zwei Prosaiker (ab dem 11. Jh. gelegentlich *auctores maiores* genannt) beim Studium der Gramm. regelmäßig in den Schulen (aber nur selten alle zusammen in einer einzigen Schule) gelesen

wurden. Im Elementarunterricht wurden einige weitere klass. Texte herangezogen, die *Disticha Catonis*, die *Ilias Latina* und Statius (*Achilleis*), neben Avians Fabeln, Maximians Elegien, Claudians *De raptu Proserpinae* und der ma. *Ecloga Theoduli*, die im 13. Jh. zusammengefaßt wurden in den sog. *Libri Catoniani* und im 14.–15. Jh. von der modifizierten Reihe der *Auctores octo morales* abgelöst wurden. Neben den kanonischen Schulautoren sind natürlich auch andere klass. Schriftsteller, darunter z. B. Seneca, in der M. L. rezipiert worden; unser globales Panorama der Ant.-Rezeption wird ständig durch neue Forsch. bereichert. Eine Gruppe von klass. Autoren, die außerhalb des Schulbetriebs im MA nachwirkten, waren die Quellentexte für die Kenntnisse der röm. Geschichte: hauptsächlich Eutropius (auch in den Bearbeitungen und Erweiterungen von Paulus Diaconus und Landulfus Sagax) und Orosius, in viel geringerem Maße Sueton (Einhards Sueton-Rezeption in der *Vita Karoli* ist ein isoliertes Phänomen), Jordanes, Florus, Festus, die *Periochae Livianae* und die *Historia Augusta*, und kaum die großen klass. Historiker, Sallust (der einzige Schulautor, aber dann als Stilmuster und Moralist), Caesar, Livius, Tacitus und Ammianus Marcellinus; die histor. Lit. der klass. Ant. ist somit ein weiteres Beispiel des schon erwähnten Perspektivenwechsels. Außer der Schule war auch die Lektüre im Kloster gemäß der *Regula Benedicti* (Kap. 48) ein Medium für Ant.-Rezeption: Sowohl die klass. Lit. (nur vereinzelte Beispiele sind jedoch explizit belegt) als auch die röm. Geschichte (insbes. durch die Martyrologien) wurden auf diese Weise eingeprägt. Ab dem 13. Jh. verlieren die *auctores* gegenüber den *artes* an Bed. für die Bildung, und die Ant.-Rezeption konzentriert sich nicht mehr ausschließlich auf die Lit., sondern vielmehr auf die neu auflebenden Wiss. (Jura, Naturwiss., Philos., Theologie). Seit dem 12. Jh. wird dazu auch die griech. wiss. und philos. Lit. (insbes. Platon und Aristoteles, dazu auch Hippocrates, Galenus, Archimedes, Euclides und Ptolemaeus), aus der davor nur drei Werke (Aristoteles, *Categoriae* und *De interpretatione* sowie Platons *Timaios* unvollständig) in lat. Übers. (Arist.: Boëthius; Plat.: Cicero und Calcidius) bekannt waren, durch eine intensive Übersetzungstätigkeit entweder direkt aus dem Griech. oder indirekt aus arab. Übers. griech. Texte zunehmend erschlossen. Eine Ausnahmeerscheinung während der Karolingerzeit war Johannes Scotus Eriugena gewesen, der die neuplatonische Philos. aus den urspr. griech. Quellen rezipiert hatte. Um 1240 legte Henri d'Andeli in seinem allegorischen Gedicht *La bataille des sept arts* (Paetow, 1914) die neuen Verhältnisse dichterisch dar: Frau Grammatik, unterstützt von u. a. Homer, Vergil, Lukan und Horaz, verliert den Kampf gegen Frau Logik, flankiert von u. a. Aristoteles, Platon, Galenus und Hippokrates. Zusammen mit dem Wandel der Bildungsprogramme und -institutionen (vgl. das Entstehen der Univ.) ändert sich auch die Ant.-Rezeption, ohne daß jedoch der alte Modus völlig untergeht. Noch um die Mitte des 13. Jh. dichtet Albert von Stade seinen *Troilus*, ein Großepos in

Distichen über den Trojanischen Krieg (Merzdorf, 1875).

C. Erscheinungsformen

1. Gattungen-Stilarten-Autoren

In der M. L. sind nicht lit. Gattungen als solche, sondern vielmehr individuelle musterhafte *auctores* der Ant. rezipiert: So stand Vergil für das Epos, Ovid für die Elegie. Wenn Ordericus Vitalis über Wilhelm von Poitiers sagt, er habe den Stil Sallusts nachgeahmt (Historia ecclesiastica 4, Chibnall, 1969–1981, Bd. II, 258]), meint er schlichtweg, er habe wie ein ant. Historiker geschrieben. Obwohl es in der M. L. schon Versuche gegeben hat, die gesamte Lit. mit Hilfe von Gattungsbezeichnungen zu klassifizieren (oft auf den Spuren Isidors: *Origines*, 8,7; die wichtigsten Quellen vor ihm sind Horaz, *Ars poetica*, Quintilian, *Institutio oratoria*, 10 und Diomedes, *Ars grammatica*), arbeitet die mittellat. Literaturkritik jedoch nicht primär mit abstrakten Gattungskategorien, sondern ist auf konkrete Autoren bezogen: vgl. Konrad von Hirsau, *Dialogus super auctores* (Huygens, 1970); Hugo von Trimberg, *Registrum multorum auctorum* (Langosch, 1942). Ebenso orientiert sich die Stilanalyse in den neuen Poetiken und Rhet. des Hoch–MA nach Musterautoren, wobei auch nicht-kanonische Schriftsteller der Spätant. hervortreten: Galfredus von Vinsauf würdigt den ›modus et mos Sidonianus‹ und den ›usus Senecae‹ (*poetria nova*, V. 1825 und 1833; Faral, 1924); Johannes von Garlandia unterscheidet vier Stilarten der Kunstprosa (poetria parisiana 5,402–481: Lawler, 1974), den *stilus Tullianus* (Cicero), *Gregorianus* (Gregor der Große), *Hilarianus* (Hilarius von Poitiers) und *Isidorianus* (Isidor von Sevillas *Synonyma*).

2. Imitatio-Aemulatio

Wie in der Ant. und Neuzeit wurde Nachahmung (*imitatio*) im MA immer auch als Wettstreit (*aemulatio*) verstanden. Trotz der massiven Präsenz des klass. Erbes, dem die ma. Autoren sich nicht entziehen konnten, fühlten diese sich dennoch durch die ihnen offenbarte christl. Weisheit grundsätzlich überlegen. Auf diese Mischung von Abhängigkeit und Fortschritt deuten das berühmte Bild der Zwerge auf den Schultern von Riesen (Johannes v. Salisbury, Metalogicon 3,4; Hall, 1991) und die zahlreichen Überbietungformeln der mittellat. Autoren: so z. B. Alkuin (›Orpheus aut Linus, nec me Maro vincit in odis‹: car. 18,19, MGH, Poetae Latini aevi Carolini I,240), Hildebert von Lavardin (›Alter Homerus ero vel eodem maior Homero‹: versus de excidio Troiae; PL 171,1452 C; freilich nur in Bezug auf die *Ilias Latina* gemeint) und in scherzhafter Form der Archipoeta (›Nasonem post calicem carmine preibo‹: car. 4,14,4=10,18,4; Watenphul, Krefeld, 1958). Manchmal geht die Auseinandersetzung über solche einfachen Aussagen hinaus: Alanus von Lille z. B. wetteifert mit Claudians *In Rufinum* (Rufinus als Inkarnation des Bösen), wenn er sein allegorisches Lehrgedicht über die Schöpfung des neuen, vollkommenen Menschen *Anticlaudianus de Antirufino* nennt. Einer kreativen Imitatio im Sinne einer produktiven Rezeption auf hohem Niveau begegnet man nicht selten auch in der lyr. Dichtung, nicht nur bei bekannten Autoren, wie z. B. Baudri von Bourgueil oder Peter von Blois, sondern auch in vielen anon. Texten.

3. Schulunterricht-Literaturbetrieb

Durch das Studium der klass. Schulautoren sollte der Schüler die nötigen Kenntnisse des lat. Vokabulars, der Gramm., Prosodie und Metrik, Rhet. und Stilistik erwerben. Die Warnung des Hieronymus, die Lektüre der klass. Autoren sei wohl in der Schule zugelassen, danach aber ein nicht mehr duldbares ›crimen voluntatis‹ (epist. 21,13,9), wurde im MA oft wiederholt: vgl. die Selbstvorwürfe des Guibert von Nogent (de vita sua 1,17; Labande, 1981) und Marbod (liber decem capit. 2; Leotta, 1984, ²1998) über ihre maßlose Begeisterung für die klass. Lit. und die in moralischer Sicht schädlichen Folgen sowie die Geschichte des Gervinus, erzählt von Hariulf von St. Riquier (Chronicon centulense, 207–208; Lot, 1894). Gerade im späten 11. und 12. Jh. – einer Epoche besonders intensiver Ant.-Rezeption – erhoben sich in der M. L. Proteste gegen eine zu weitgehende Nachahmung: So z. B. Bernhard von Morlas, *De contemptu mundi* 3,318–9: ›Sed stylus ethnicus atque poeticus abjiciendus. Dant sibi turpiter oscula Jupiter et schola Christi‹ (Hoskier, 1929). Eine geläufige und z. B. in der platonisierenden Schule von Chartres sehr beliebte Technik, um den Umgang mit ant. Texten gegen solche Kritik zu rechtfertigen, war die durch die Bibellektüre und -exegese wohlvertraute Allegorisierung (vgl. schon Theodulf von Orléans, car. 45; MGH Poetae Latini aevi Carolini I,543–544). Auch in den Schriften der klass. Autoren konnte man unter der trügerischen Oberfläche einen tieferen Sinn, eine moralisch-rel. Botschaft gewinnen. Andererseits war die Vermittlungsrolle der Schule, wo jeder mittellat. Autor die kreative Handhabung der lat. Sprache durch Nachahmung der ant. Vorbilder erlernen mußte, so wesentlich, daß die lit. Praxis des MA ohne die Schulautoren als Inbegriff der lit. Normen kaum denkbar ist, auch wenn die M. L. mehrere Neuschöpfungen aufweist, die nicht auf ant. lit. Trad. zurückgehen. Versifikatorische Übungen waren ein fester Bestandteil der Schulausbildung und haben die M. L. maßgebend mit bedingt. Dabei ist nicht nur zu denken an typische Schuldichtungen, wie z. B. Versifikationen von klass. Prosawerken (Radulfus Tortuarius, de memorabilibus, nach Val. Max.; Ogle, Schullian, 1933) oder Nachdichtungen (z. B. von Ovids *Ars amatoria* und *Remedia amoris*; Thiel, in: MLatJb. 5, 1968 und 6, 1969), sondern auch an manche große Dichtwerke, insbes. aus dem 12. Jh.: Walter von Châtillons *Alexandreis* (Colker, 1978), Alanus von Lilles *Anticlaudianus* (Bossuat, 1955), Joseph von Exeters *Ylias* (Gompf, 1970) und Johannes von Hauvillas *Architrenius* (Schmidt, 1974) wurden so stark von den ant. Musterautoren geprägt, daß sie selbst zum vorbildhaften Schultext und »klass.« Autor wurden. Aus vergleichbaren Gründen hatte schon im Früh—MA Aldhelm in England sehr schnell diesen Status erreicht.

4. FORM-INHALT

Mittellat. Autoren rezipierten immer einzelne Formen oder Inhalte des klass. Schrifttums und beabsichtigten nie eine globale Nachahmung eines klass. Schriftstellers oder der gesamten klass. Ant. als stilistischen und ethischen Ideals. So erprobte Metellus von Tegernsee in seinen *Quirinalia* (Jacobsen, 1965) systematisch alle Metra der horazischen Oden, ohne jedoch eine inhaltliche Beziehung zur horazischen Lyrik zu erstreben. Diese fragmentarische Ant.-Rezeption wurde von E. Panofsky als ›the principle of disjunction‹ (d. h. Trennung von Form und Inhalt) [20. 84] und von R. Newald als ›Atomisierung‹ charakterisiert [19. 192 f.]. So hat fast jeder mittellat. Autor, der für seine vollendete Ant.-Nachahmung berühmt wurde, auch nicht-antikisierende Werke geschrieben: Einhard nicht nur die *Vita Karoli* (Holder-Egger, 1911), sondern auch eine *Translatio SS. Marcellini et Petri* (Waitz, 1887), Hildebert von Lavardin nicht nur Elegien, sondern auch etliche Bibelversifikationen. Zudem wurde das klass. Schrifttum als ahistorisches Corpus von musterhaften Texten betrachtet. Selbst ein Gelehrter wie Johannes Scotus meinte, man könne nicht bezweifeln, daß Martianus Capella ein Schüler Ciceros sei ›sive vivente illo sive obeunte‹ (Annotationes in Marcianum 3; Lutz, 1939). Aber gerade durch das Fehlen einer histor. Distanz war der Bezug zur Ant. auch konkret, direkt, lebendig. Vergil wurde nicht als histor. Figur, sondern als weissagender Prophet betrachtet. In den *Gesta Romanorum* (Oesterley, 1872) wurde die röm. Geschichte in einer Form tradiert, die für erbauliche Predigten verwendbar war. Vielleicht mehr noch als bei der Rezeption der klass. Autoren oder der röm. Geschichte wird dies deutlich bei einer dritten Kategorie der Ant.-Rezeption in der M. L., der gelehrt-antiquarischen Rezeption des nicht-lit. Erbes des ant. Rom in arch. Beschreibungen und Traktaten, wie z. B. dem Traktat, der sich zum maßgeblichen Pilgerführer für die Stadt Rom entwickeln sollte, den *Mirabilia Urbis Romae* (Valentini, Zucchetti, 1946), in dem die Stadt und ihre Monumente nicht aus musealer Ferne empfunden und histor.-kritisch erforscht werden, sondern als zeitloses und exemplarisches Konglomerat providentiell bestimmter heidnischer und christl. Bauten den Betrachter zu Gott führen. Wo die Rezeption der ant. Autoren und der röm. Geschichte von den Renaissance-Humanisten auf einer neuen Basis, in einem neuen polit. und geistigen Kontext, mit neuen Voraussetzungen und Zielsetzungen betrieben wurde, hat dagegen innerhalb dieses dritten Bereiches die ma. Betrachtungsweise noch sehr lange in der Neuzeit die wiss. Beschäftigung mit dem ant. Rom mitbestimmt.

→ Imitatio; Neulatein; Schulwesen;

→ AWI Ammianus Marcellinus; Arator; Avianus; Caesar; Cassiodorus; Cicero; Claudianus; Eutropius; Festus; Florus; Historia Augusta; Horatius; Ilias Latina; Iuvenalis, Iuvencus; Livius; Lucanus; Maximianus; Ovidius; Persius; Sallustius; Sedulius; Seneca; Statius; Suetonius; Tacitus; Terentius; Vergilius

1 E. Auerbach, Literatursprache und Publikum in der lat. Spätant. und im MA, 1958 2 B. Bischoff, Ma. Stud., 3 Bd., 1966–1981 3 R. R. Bolgar, The Classical heritage and its beneficiaries, 1954 4 G. Cavallo et al. (Hrsg.), Lo spazio letterario del Medioevo, 1. Il Medioevo latino, III. La ricezione del testo, 1995 5 A. N. Cizek, Imitatio et tractatio. Die lit.-rhet. Grundlagen der Nachahmung in Ant. und MA, 1994 6 D. Comparetti, Virgilio nel Medioevo, ²1896 7 E. R. Curtius, Europ. Lit. und lat. MA, ²1954 8 L. J. Engels, Humanisme in de Middeleeuwen, in: Lampas, 10,1977,256–282 9 L. J. Engels, Spätant. und lat. MA – ein rezeptionsgeschichtlicher Ausblick, in: L. J. Engels, H. Hofmann (Hrsg.), Spätant. (= Neues Hdb. der Literaturwiss. 4), 1997, 601–633 10 G. Glauche, Schullektüre im MA, 1970 11 A. Graf, Roma nella memoria e nelle immaginazioni del Medio Evo, ²1923 12 C. H. Haskins, The Ren. of the twelfth century, 1927 13 J. Leclercq, L'amour des lettres et le désir de Dieu, ³1990 14 C. Leonardi (Hrsg.), Gli umanesimi medievali, 1998 15 B. Munk Olsen, I classici nel canone scolastico altomedievale, 1991 16 Ders., L'atteggiamento medievale di fronte alla cultura classica, 1994 17 Ders., La réception de la littérature classique au moyen âge, 1995 18 L. Nees, A tainted mantle. Hercules and the Classical tradition at the Carolingian court, 1991 19 R. Newald, Nachleben des ant. Geistes im Abendland bis zum Beginn des Human., 1960 20 E. Panofsky, Renaissance and renascences in Western art, ²1965 21 P. G. Schmidt, Ma. Human., in: Human. in Europa, hrsg. von Stiftung »Humanismus heute« des Landes Baden-Württemberg, Heidelberg 1998, 75–88 22 P. Stotz, Dichten als Schulfach – Aspekte ma. Schuldichtung, in: MLatJb, 16,1981,1–16 23 L. Traube, Vorlesungen und Abh., 2. Bd. Einleitung in die lat. Philol. des MA, 1911.

MARC LAUREYS

III. PHILOLOGIE

Bereits im frühen 16. Jh. treten Humanisten auf, die sich mit mittellat. Autoren beschäftigen. Conrad Celtis, der 1501 die Werke der Hrotsvit v. Gandersheim edierte, ist im nördlichen Human. kein Einzelgänger. Das lat. Vokabular des MA erschloß systematisch Charles DuFresne DuCange mit seinem dreibändigen *Glossarium ad Scriptores mediae et infimae latinitatis* (1678). Fast gleichzeitig setzte sich als erster umfassend mit der Schrift des lat. MA der Benediktiner Jean Mabillon, in *De re diplomatica* (1681) auseinander. Die barocke Klostergelehrsamkeit brachte z. T. vorzügliche Gesamtausgaben mittellat. Autoren hervor, wie die *Alcuini opera* des Fürstabts Frobenius Forster (Regensburg 1777 = Migne PL 100 und 101). Die dann durch die Säkularisation unterbrochenen Projekte des »Klosterhuman.« sind z. T. bis h. nicht realisiert (z. B. die *Hrabani Mauri opera omnia*, die die Reichsabtei St. Emmeram edieren wollte).

Wegbereiter des M. als Universitätsfach waren neben den MA-Spezialisten der Germanistik, Geschichte und Romanistik die Handschriftenforscher. Ein inhaltlich und methodisch auf das spätere Fach M. hinführendes Buch publizierten der Germanist Jakob Grimm und der Bibliothekar Andreas Schmeller 1838: *Lat. Gedichte des X. und XI. Jh.* Der Leipziger Romanist Adolf Ebert schrieb eine dreibändige *Allg. Geschichte der Lit. des MA*, die vom 3. bis zum 11. Jh. n. Chr. reicht (1874–1887). Wilhelm Meyer aus Speyer (1845–1917) hat als Handschriftenbibliothekar in München Interesse für Schrift, Sprache und Lit. des MA an den Quellen selbst geschöpft. In seinem ersten mittellat. Aufsatz *Radewins Gedicht über Theophilus* (Sitzungsbericht München 1873) erkannte und benannte Meyer die Typen der gereimten Hexameter des hohen MA. Obwohl Meyer bereits 1886 auf einen Lehrstuhl für Klass. Phil. nach Göttingen berufen wurde und dort ab 1895 M. unterrichtete [22; 23], gilt als der Begründer des M. als Universitätsfach Ludwig Traube (1861–1907), der entscheidend die Methoden geprägt und große Wirkung auf jüngere Wissenschaftler ausgeübt hat [13; 14; 22; 28 Bd. 1. XI— XLVII].

Die Idee des neuen Fachs, das Traube ab Sommersemester 1889 als Privatdozent in München (ab 1902 ebd. als Ordinarius) vertrat, ist die einer Phil. auf der Basis von Handschriften. Die Hs. verkörpert die Gegenwart lat. Schrift, Sprache und Lit. des MA; sie ist an Authentizität schlechthin nicht überbietbar und als Quelle längst noch nicht erschöpft, wenn man sie abgeschrieben hat. Die Paläographie als das Handwerk des Lesens, Benennens, Datierens und Lokalisierens von Hss. ist, seitdem sie Traube ›zu einer Diagnostik der Überlieferungsgeschichte verfeinert‹ hat (B. Bischoff [13. 28]), Grundlage des Fachs.

Paul v. Winterfeld (1872–1905), stärker als Meyer und Traube ein Mann der Lit. und Literaturgeschichte, erhielt 1904 ein Extraordinariat für Lat. Philol. des MA in Berlin [17; 22.; 24]; sein Nachfolger war Karl Strecker (1861–1945), der akkurateste und fruchtbarste Editor unter den bisherigen Mittellateinern. Er mußte es allerdings erleben, daß in der Not der Zeit sein Lehrstuhl nach der Emeritierung (1929) nicht mehr besetzt wurde. Von da an bis 1957 war das Fach in Deutschland nur noch mit einem Lehrstuhl in München vertreten, wo Paul Lehmann (1884–1964) als Nachfolger Traubes lehrte [13]. 1957 wurde das Heidelberger Seminar gegründet, dann (im deutschsprachigen Raum) in rascher Folge institutionalisierte Fachvertretungen in Köln, Berlin (FU), Marburg, Erlangen, Münster, Zürich, Freiburg, Bonn, Kiel, Göttingen, Wien und zuletzt Eichstätt (1987–1993); dazu Vertretungen im Rahmen anderer Disziplinen in Halle, Jena, Tübingen, Wuppertal. Eine bedeutende Rolle als Wegbereiter des Fachs in der öffentlichen Meinung haben die Arbeiten der Romanisten Leo Spitzer, Ernst Robert Curtius und Erich Auerbach gespielt. In vielen europ. Ländern und einigen überseeischen ist das Fach inzwischen fest etabliert [3], allen voran in It., wo bereits 1939 die Mailänder Università Cattolica einen Lehrstuhl für *Storia della letteratura latina medievale* mit Ezio Franceschini (1906–1983) besetzte [15]; es folgte 1953 Rom mit Gustavo Vinay [29]. In der Folge sind in It. mehr als 20 Professuren für M. entstanden. Eine Besonderheit der mittellat. Philol. in It. ist, daß sie nicht so stark wie in Deutschland die Paläographie integriert, weil es für dieses Fach

eigene Lehrstühle gibt. – In Spanien ist das M. nie aus dem Bildungshorizont verschwunden; viele span. Latinisten arbeiten gegenwärtig sowohl auf dem klass. als auch auf dem mittellat. (und neulat.) Gebiet; das wird dadurch begünstigt, daß in Spanien vom Latinisten nicht unbedingt gräzistische Kompetenz erwartet wird. – Wer im mod. Frankreich frz. Lit. und Kultur studiert, erfährt wenig oder nichts von der lat. Klassik im Frankreich des 12. Jh. Alles, was vor Franz I. von Frankreich liegt, ist für das herrschende Selbstverständnis frz. Kultur irgendwie Vorgeschichte; dementsprechend ist an den frz. Univ. das M. kaum vertreten. Anders sieht es an den *Grandes Écoles* aus, wo es immer hervorragende Kenner des lat. MA gegeben hat. – In England sind Cambridge und Oxford Mittelpunkte der mittellat. Studien, die dort allerdings nicht dauerhaft institutionalisiert sind. – Aus Wien kommend hat Ludwig Bieler in Irland großes Interesse für die lit. und sprachliche Betrachtung des Hiberno-Lat. geweckt; nach seinem Tod (1981) hat sich dieses auf die Keltistik verlagert. An allen irischen Univ. wird intensiv an den altirischen Texten gearbeitet; das mittellat. Pendant fehlt weithin. – Der nördlichste Punkt Europas, an dem M. angeboten wird, ist Bergen in Norwegen. Die skandinavischen Mittellateiner bilden eine kleine Gruppe, zählen profilierte Köpfe und pflegen im Anschluß an Einar Löfstedt mit Vorliebe die lat. Sprachgeschichte. Die skandinavische Schule hat eine Brückenfunktion zw. der Klass. und Mittellat. Philologie. – Für die USA ist die Bindung des Faches an jeweils eine Person charakteristisch: Mehrere Nordamerikaner haben bereits bei Ludwig Traube (†1907) studiert und in Amerika Großes geleistet. In vielen Fällen aber hat es dann keine Nachfolge gegeben. Der Zwang zum *fund-raising* mit *publicity*-Arbeit ist für Mittellateiner nicht leicht erfolgreich durchzuhalten. Gegenwärtig bemühen sich die amerikanischen Kollegen, Medieval Latin im amerikanischen Wissenschaftssystem zu verankern. In der American Philological Association gibt es seit 1982 eine Medieval Latin Studies Group. – Kanada schließlich hat in Toronto einen festen Stützpunkt des M. im Pontifical Institute of Mediaeval Studies und anderen Institutionen.

Lange haben die zumeist interdisziplinär orientierten Mittellateiner gezögert, aus dem Schatten der größeren Nachbarfächer herauszutreten; erst seit 1964 gibt es in dem von K. Langosch begründeten *Mittellateinischen Jahrbuch* eine eigene Fachzeitschrift (daneben *Journal of Medieval Latin* ab 1991 und *Filologia mediolatina* ab 1994); erst seit 1988 Kongresse [1].

Die Aufgaben sind maßgeblich von Traube [12. Bd. 1. 1–46] in seiner *Einleitung in die lat. Phil. des MA* [28. Bd. 2] umrissen worden; sie haben sich teilweise als realisierbar erwiesen: Paläographischer Kat. der lat. Hss. bis zum 9. Jh., Sammlung und Abbildung der datierten Hss. des MA (»Manuscrits datés« als Fixpunkte der Bestimmung). Manche Traubesche Idee harrt vielleicht noch der Verwirklichung (Geschichte der Halbunziale), anderes erweist sich als kaum machbar (Lat. Literaturgeschichte des MA primär als Überlieferungsgeschichte) oder doch als machbar [21; 26] trotz Traubes gegenteiliger Prophezeiung: ›Es gibt kein ma. Lat., es wird auch kein WB und keine Gramm. desselben geben‹ [28. Bd. 2. 78].

Die Leistungen des Fachs [4; 9] liegen in einer Reihe von zuverlässigen Editionen mittellat. Texte (z. B. Streckers *Waltharius*, 1947; A. Hilka, O. Schumann, B. Bischoff, *Carmina Burana*, 3 Bde. 1930–1970), in paläographischen Arbeiten wie der geordneten Übersicht der *Codices Latini Antiquiores* (bis 800), die der Traubeschüler Elias Avery Loew (ab 1918 »Lowe«) herausbrachte [15], an denen ab Bd. 2 (1935) Bernhard Bischoff ›bis zu 80–90%‹ der Arbeitsleistung erbrachte (Bischoff mündlich 1982). In Fortsetzung dieses paläographischen Wegweisers hat Bischoff erstmals die karolingische Hss.-Überlieferung des 9. Jh. (über 7000 Hss.) geordnet; das Werk erscheint aus dem Nachlaß [6]. Unter der Regie desselben Bischoff, der als Einzelpersönlichkeit ein genialer Forscher war, sind die *Ma. Bibl.-Kat. Deutschlands und der Schweiz* [20] von ihrer eigentlichen Aufgabe abgekommen, und hat sich das *Mittellat. WB* (das zusammen mit vielen anderen »national« organisierten ähnlichen Unternehmungen einmal DuCange ersetzen soll [21]) aus einer Krise herausarbeiten müssen. Auch hat die Poetae-Serie der MGH 1979 einen qualitativen Einbruch erlitten [4]. Die maßgebende Literaturgeschichte des lat. MA ist diejenige von Max Manitius (1858–1933) geblieben [18]; der Versuch, neue Fragestellungen in die mittellat. Literaturgeschichte einzubringen [30] ist eher geglückt, als derjenige, den Manitius umzuschreiben [7]. Daneben sind nicht wenige Literaturgattungen des MA (z. B. Biographie, Drama, Epigramm, Hymnendichtung, Prosimetrum) monographisch aufgearbeitet; anderes, wie eine Formgeschichte der mittellat. Lyrik, fehlt noch. Der Anteil des M. an der Erforsch. der lat. lit. Zentren v. a. des frühen MA (Canterbury, Chartres, Corbie, Durham, Fleury, Fulda, Montecassino, Reichenau, St. Gallen, Verona etc.) ist beachtlich. Auch sind nicht wenige Mittellateiner an den Fortschritten der Katalogisierung ma. Hss. beteiligt. Wichtige Hilfsmittel zur lat. Dichtung des MA liegen in den *Initia carminum* vor [25; 31]; die neuere Fachliteratur ist durch die Bibliographie *Medioevo latino* (seit 1980) erschlossen. Charakteristisch für die Arbeit des Fachs sind die z. T. mehrbändigen Aufsatzsammlungen seiner Vertreter [5; 8; 12; 19; 28]. Größere Publikationsreihen sind *Quellen und Unt. zur lat. Phil. des MA* (begründet von L. Traube, 13 Bde.), *Editiones Heidelbergenses* (begründet von W. Bulst, 30 Bde.), *Sammlung mittellat. Texte* (hrsg. v. A. Hilka, 10 Bde.), *Mittellat. Studien und Texte* (begründet von K. Langosch, 29 Bde.). Einen ersten Eindruck von Arbeitsweise und Interessengebieten der Mittellat. Philol. vermitteln Festschriften wie diejenigen für Strecker (1941), Lehmann (1950), Bischoff (1971) und Bulst (1981). Die durchdachteste Einführung ist – obwohl lückenhaft und in Einzelheiten überholt – immer noch die Einleitung Traubes [28. Bd. 2]; in der Praxis hat sich diejenige

Streckers [27] bewährt. Zu dem, was die Nachbarwiss. am dringendsten von den Mittellateinern erwarten, gehört die Fortsetzung der Literaturgeschichte von Manitius über die Mitte des 12. Jh. hinaus.

1 Akten des I. Internationalen Mittellateinerkongresses Heidelberg 1988 = MlatJb 24/25, 1991 **2** Atti del II Congresso Florenz 1993, 1998 **3** W. BERSCHIN, M. international, Teil 1 in: Wiener Human. Blätter, Sonderheft Lat. zw. Ant. und Neuzeit, 1998, 7–12; Teil 2 in: MlatJb 36, 2001, 198–200 **4** Ders., Mittellat. Philol. in Deutschland im XX. Jh. I. Das frühe MA. Probleme der Ed. mittellat. Texte, in: La Filologia Medievale e Umanistica greca e latina nel sec. XX, hrsg. von E. Follieri, 1993, 77–88 **5** B. BISCHOFF, Ma. Stud., 3 Bde., 1966–1981 **6** Ders., Kat. der festländischen Hss. des neunten Jh. 1, 1998 **7** F. BRUNHÖLZL, Gesch. der lat. Lit. des MA, 2 Bde., 1975, 1992 **8** W. BULST, Lat. MA. Gesammelte Beitr., 1984 **9** P. C. JACOBSEN, Mittellat. Philol. in Deutschland im XX. Jh. II: Arbeiten zum hohen und späten MA, in: La Filologia Medievale e Umanistica greca e latina nel sec. XX, 1993, 89–127 **10** S. KRÄMER, Bibliogr. Bernhard Bischoff und Verzeichnis aller von ihm herangezogenen Hss., 1998 **11** K. LANGOSCH, Wilhelm Meyer aus Speyer und Paul von Winterfeld, 1936 **12** P. LEHMANN, Erforsch. des MA, 5 Bde., 1941–1962 **13** Ders., Forscher-Erinnerungen o. J. (1965; dabei Nachruf auf Lehmann von B. Bischoff) **14** A. LEHNER, W. BERSCHIN (Hrsg.), Traube-GS. Lat. Kultur im VIII. Jh., 1989 **15** C. LEONARDI, Ezio Franceschini, 1986; in der Bibliogr. dieses Helden der Resistenza fehlt der Titel Storia della Letteratura latina medievale II: Autori del secolo IX, der mit folgendem Impressum erschienen ist: Gruppo universitario fascista 1939 (XVII) **16** E. A. LOWE (und B. BISCHOFF), Codices Latini Antiquiores 1–11 + Suppl., 1934–1971 **17** W. MAAZ, Paul v. Winterfeld, MlatJb. 12, 1977, 143–163 **18** M. MANITIUS, Gesch. der lat. Lit. des MA, 3 Bde., 1911–1931 **19** W. MEYER, Gesammelte Abh. zur ma. Rythmik, 3 Bde., 1905–1936 **20** Ma. Bibl.-Kat. Deutschlands und der Schweiz, 4 Bde. in 7 Teilen, 1918–1979; dazu als Ergänzungsband in 3 Teilen die unzuverlässige Kompilation Hss.-Erbe des dt. MA **21** Mlat. WB bis zum ausgehenden 13. Jh., Bd. 1 (A–B) 1967, Bd. 2 (C) 1999 **22** U. PRETZEL, Beitr. zur Gesch. der mittellat. Philol. Teil 1, in: MlatJb 5, 1968, 242–269; Teil 2 in: Lit. und Sprache im europ. MA (FS Karl Langosch) 1973, 481–508 **23** F. RÄDLE, Wilhelm Meyer, Prof. der Klass. Philol. 1886–1917, in: Die klass. Altertumswiss. an der (...) Univ. Göttingen, 1989, 128–148 **24** H. REICH (Hrsg.), Dt. Dichter des lat. MA, ²1917 (mit Winterfeld-Biographie) **25** D. SCHALLER, E. KÖNSGEN, Initia carminum latinorum saec. XI antiquiorum, 1977 **26** P. STOTZ, Hdb. der lat. Sprache des MA, 2 Bde. 1996, 1998 **27** K. STRECKER, Introduction to Medieval Latin, ²1963 **28** L. TRAUBE, Vorlesungen und Abh., 3 Bde., 1909–1920 (In Bd. 1 Traube-Biographie von F. Boll) **29** G. VINAY, Pretesti della memoria per un maestro, 1967 (teilweise autobiographisch) **30** Ders., Alto Medioevo latino, 1978 **31** H. WALTHER, Initia carminum ac versuum medii aevi posterioris latinorum, 1959 + Suppl. 1969.   WALTER BERSCHIN

Mnemonik/Mnemotechnik A. Vorbemerkung
B. Antike Ausgangssituation und
Fluchtlinien einer Rezeptionsgeschichte der
Gedächtniskunst   C. Die mittelalterliche
Umgestaltung der antiken Gedächtniskunst
D. Die Transformation der Gedächtniskunst
in der frühen Neuzeit (insbesondere
Renaissance) bis auf Leibniz
E. Moderne Äquivalente einer Gedächtnis-
kunst jenseits des rhetorischen Paradigmas

A. Vorbemerkung

Die rezeptionsgeschichtliche Behandlung der M.
steht vor einem Dilemma. Faßt sie ihren Gegenstand
eng als technisch-mentales Verfahren zur Herstellung
einer *memoria artificialis* bzw. der Optimierung der *memoria naturalis* für die Zwecke der rhet. Praxis in einer
Kultur der Oralität (s.u.), als welche sie in Lehrbüchern
kodifiziert und überliefert wurde, verfehlt man, wie
bahnbrechende Studien am Material gezeigt haben, den
größten Teil des tatsächlichen Umfangs ihrer Nachwirkung. Faßt sie ihren Gegenstand weit, wird er tendenziell identisch mit Gedächtnis und Erinnerung überhaupt in ihren vielfältigen Leistungen im Erkenntnis-,
Kultur- und Vergesellschaftungsprozeß und damit
möglicherweise prinzipiell, in jedem Falle aber im vorgegebenen Rahmen unbehandelbar. Darüber hinaus
verlöre man die konkreten histor. Ausgestaltungen der
memoria-Trad. in der Form des mnemonisch-mnemotechnischen Komplexes der Rhet., die ja gerade auch als
solche gewirkt haben, aus dem Blick. Die Unterscheidung von *memoria* als *ars* und *memoria* als *vis*, die A. Assmann vornimmt, ist keine angemessene methodische
Vorkehrung, um dieses Dilemma zu vermeiden. Derartige binäre Kodierungen sind nicht geeignet, genetisch-
histor. Vermittlungsprozesse zu erfassen. Selbst wenn es
sich dabei um ›zwei unterschiedliche Diskurs-Trad. der
Ant.‹ [6. 30] handelte, wäre gerade und zuallererst re-
zeptionsgeschichtlich deren Interferenz der eigentliche
Gegenstand. Was die umfangslogische Auffassung der
M. angeht, so wird hier ein mittlerer Kurs eingeschla-
gen, auf dem die klass. Gedächtniskunst von Fall zu Fall
auf die umfassendere philos. und empirische Gedächtnisproblematik bezogen wird. Hinzu kommt, daß die
M. auch in der Ant. keinesfalls Alleinbesitz der Rhet.
und ihr exklusives Entwicklungsfeld gewesen ist. Vielmehr ist die M. nur im Rahmen der Rhet. als vordring-
liche Aufgabe des Redners, der über keine mnemischen
Hilfsmittel wie etwa ein Ms. verfügte, kodifiziert und
überliefert worden. (Diese Kodifizierung ist zudem lük-
kenhaft.) Auch deswegen tut eine Rezeptionsgeschichte der M. gut daran, nicht diese histor. kontingente
Form der Überlieferung allein in den Blick zu nehmen.

B. Antike Ausgangssituation und
Fluchtlinien einer Rezeptionsgeschichte
der Gedächtniskunst

Im System der ant. Rhet. als Kunstlehre (*ars*) unterscheiden wir einen text- bzw. argumentationstheoreti-
schen Teil, der aus *inventio, dispositio* und *elocutio* besteht,
von einem performanztheoretischen Teil, der *memoria*
und *actio* bzw. *pronuntiatio* umfaßt ([36. 284], ebenso
[41. 13, 212], wo drei Textproduktions- und zwei Per-
formanzstadien unterschieden werden). Zusammen bilden sie die *officia oratoris*. Die texttheoretischen Teile sind
von Aristoteles behandelt, die performanztheoretischen
von der Stoa bzw. der hell. Rhet. hinzugefügt worden.
Diese Unterscheidung ist im Hinblick auf das rezeptionsgeschichtliche Schicksal der M. speziell und der
Rhet. allg. seit der frühen Neuzeit wichtig, waren es
doch die performanztheoretischen Teile, die aus dem
rhet. System verschwanden, bevor die Rhet. insgesamt
ihren Niedergang erlebte. In der Ant. war der spätere
rhet. Systemteil *memoria* zunächst außerhalb der Rhet.
und im Hinblick auf verschiedene Wissens- und Un-
terrichtsgebiete zu einer Technik des Erinnerns, einer
Gedächtniskunst, eben der M. ausgebaut worden, die
erst in der hell. Rhet. ins rhet. System übertragen wurde. Von da an wurde sie im Werk- und Funktionszusam-
menhang der Rhet. überliefert. Ein anderer Überliefe-
rungszusammenhang der M. existiert nicht. Diese technische Seite ist kurz in Erinnerung zu rufen, und zwar in
Anlehnung an die Form, die der *Auctor ad Herennium* ihr
gegeben hat, ist sie doch die zentrale Überlieferungs-
konstante. Die Grundeinheiten der Technik sind Orte
(*topoi, loci, sedes*) und Bilder (*imagines*). In einem innerlich vorgestellten Gebäude, das sein Vorbild in der äußeren Realität haben kann, einem Tempel, einem
Wohnhaus, später einer Kirche oder einem Theater,
werden Gedächtnis-*loci* nach Regeln, die sehr variieren
können, ausgesucht. An diesen *loci* müssen Gedächtnisbilder plaziert werden, die das zu Memorierende repräsentieren und dem Gebäude den Charakter einer
Gemäldegalerie verleihen. Die vielfach überlieferte Legende, die dem Chorlyriker Simonides von Keos die
Erfindung der M. zuschreibt, hat Goldmann [26] als
eine Deckerinnerung für den Sachverhalt zu interpretieren versucht, daß die M. im Totenkult gründet: Den
Toten werden *loci* in der *memoria* angewiesen. Totenkult, Ahnenverehrung und Gedächtniskunst wären
demnach eng verflochten.

Während des Vortrags schreitet der Redner diesen
Gedächtnisraum innerlich ab, wobei ihn architektonische Markierungen wie Säulen, Türen, Zimmergrößen
u. ä. hilfreich beim Abrufen unterstützen. Die Bilder
müssen markant und einprägsam sein, zuzeiten (etwa im
MA) werden sie grotesk. Den Affekten wird in Gestalt
der *imagines agentes* eine gebührende Rolle eingeräumt:
Es handelt sich dabei um Bilder, die in bes. Weise affektiv aufgeladen sind. Die mod. Kognitionspsychologie
bestätigt übrigens die Wirksamkeit des Verfahrens: Bei
dieser Methode der Orte in einer visuellen Vorstel-

lungsmnemonik haben wir es mit einer Form sog. tiefer, elaborierter Kodierung zu tun [45. 81 ff.]. Die Auswahl der Bilder und ihre Kodierungsqualität waren aber nicht nur an Affekte gebunden. Die Bildfindung und nachhaltige Einprägung, d. h. die Umsetzung des zu Memorierenden in ein mnemonisches Zeichen, greift immer auch auf die Tropenlehre, die »Bildlichkeit der Rede« als den sprachlichen Untergrund schlechthin in Gestalt von Metapher, Metonymie, Synekdoche etc. zurück und nutzt sie als ›affektives mnemotechnisches Hilfsmittel‹ [28. 28; 35. XXI]. Daß wir uns hier in einer Kultur der Oralität bewegen, die in der schriftlich fixierten Rhet. nur höchst defizient abgebildet ist, belegen die zahlreichen Varianten des Verfahrens, die es gegeben haben muß, empfahlen die Rhetoriklehrer doch ihren Schülern, daß jeder seine auf seine individuellen Bedürfnisse und Idiosynkrasien zugeschnittene Technik entwickeln und anwenden solle. Für die Rezeptionsgeschichte von entscheidender Bed. jedoch wird sich der mit dem Verfahren postulierte ungehinderte semantische Transfer zw. Bild(-vorstellungen) und Wort(-vorstellungen) erweisen, der die ›kategorialen Metaphoriken von Bild und Schrift‹ gleichermaßen nutzt und im ›Zusammenspiel von Bild und Schrift‹ seine Geschichte entfaltet [33. 12]. Dieser Transfer hat das imaginative Vermögen, die Vorstellungs- resp. Einbildungskraft zu seiner Grundlage und stimuliert sie kräftig. Weinrich [51. 41] hat nachdrücklich darauf hingewiesen, daß in der Perspektive der ant. M. Imagination und Gedächtnis, *mnémē* und *phantasía*, nur zwei Seiten ein und derselben Sache seien. Die alphabetischen Zeichen funktionieren zwar auch ohne Bildlichkeit, haben dann aber gleichsam als Klischees keine mnemonische und als Folge davon auch keine ingeniöse Qualität: Es sei an das Aristotelische ›Nihil potest homo intelligere sine phantasmata‹ erinnert [28. 27].

Allerdings wurden im Rahmen der Rhet. keine weiteren Überlegungen zur Natur des menschlichen Gedächtnisses angestellt. Gerade dies geschah jedoch, wenn auch zögerlich, da offenbar das Gedächtnis zunächst als Naturbasis kognitiver Prozesse vorausgesetzt wurde in einer von der Rhet. unabhängigen spekulativ-philos. Trad., die mit der *anámnēsis*-Lehre Platons im Kontrast, ja in Konkurrenz zu mnemonischen Konzepten steht. Im ›urspr. Spannungsfeld von *anámnēsis* und *memoria*‹ sei die Begriffsgeschichte der *memoria* ›aufzusuchen‹ [30. XV]. Darüber hinaus käme, wenn man so verfahre, das Verhältnis von Philos. und Rhet. zum Ausdruck (s. u.). Die Unterscheidung zw. Gedächtnis und Wiedererinnerung, die Aristoteles in *De Memoria et Reminiscentia*, einer kleinen Schrift aus dem systematischen Kontext von *De Anima*, trifft, bedeutet insofern einen Terraingewinn, als das Konzept im Gegensatz zur *anámnēsis*-Lehre, wie die Referenz zu *De anima* bezeugt, auf ein empirisch-psychologisches Phänomen zielt. Seine Wirkung wird es insbes. in der Scholastik entfalten. Ein Hinweis auf die Gestalt der M. als Methode der Orte, wie sie sehr viel später in der röm. *memoria*-Trad.

von *Ad Herennium*, Ciceros *De Oratore*, Quintilians *Institutio* zusammengefaßt wurde, fehlt hier, wenn Aristoteles auch an insgesamt vier anderen Stellen auf sie Bezug nimmt [49. 22]. Inwieweit in *De Memoria* auf gänzlich andere mnemonische Konzepte angespielt werden könnte [49. 31 ff.], oder gar die Frage nach den mnemonischen Funktionen und Gehalten der *Topica* braucht hier nicht erörtert zu werden. Jedenfalls entwickelt Aristoteles seinen Begriff der Topik in absichtsvollem Gegensatz zur mnemonischen Topik der Rhetorik. Unabhängig davon bleibt diese auf die aristotelische Interferenz von Denken/Gedächtnis und Vorstellungskraft/Bildlichkeit (*phantasmata*) eingeschworen. Eine als solche anzusprechende Theorie der Erinnerung bzw. des Gedächtnisses, die die erwähnten Traditionsstränge zusammenfaßt, entwickelt dann erst, vermutlich unter Rückgriff auf Plotin, Augustinus. Er relativiert die Unterscheidung der platonischen Trad. von *mnémē* und *anámnēsis*. Garantiert die *anámnēsis* vor aller Erfahrung die Teilhabe an der Ideenwelt bzw. dem Göttl., ist das *memoria*-Konzept des Gedächtnisses zentral auf die auf sinnlicher Erfahrung oder symbolischer Vermittlung beruhenden Wissensbestände gerichtet. Augustinus unterscheidet in *De trinitate* eine *memoria interior*, ein funktionelles Äquivalent der platonischen *anámnēsis* sowie ein Moment des triadisch vorgestellten Seelenvermögens neben *voluntas* und *intellectus* von einer das aristotelische *memoria*-Konzept aufrufenden *memoria exterior*, die auf M. als unverzichtbares Hilfsmittel angewiesen ist [37. 25 f.]. In den *Confessiones* findet sich die darüber hinausgehende Vorstellung, daß die Einheit des Bewußtseins im Fluß der Zeit eine Funktion der *memoria* sei, so daß jede Gegenwart über eine erinnerte Vergangenheit und eine vorgestellte Zukunft verfüge. Diese Aufwertung der *memoria* sollte die Rezeptionsgeschichte der M. als spekulativ-philos. Hintergrundannahme nachhaltig bestimmen.

Gleichwohl macht die pragmatische Begriffsunterscheidung von Mnemonik als theorieorientierter und Mnemotechnik als praxisorientierter Kategorie einen Sinn [13. 374], werden doch einer Kunstlehre des Gedächtnisses immer zumindest implizite theoretische Konzeptualisierungen von Gedächtnis zugrunde liegen, deren Entfaltung und Transformation insbes. seit der frühen Neuzeit und sogar noch in der naturwiss. Gegenwart als Bestandteil einer Rezeptionsgeschichte der M. begriffen werden können. Als deutschsprachige Bezeichnung des mnemonisch-mnemotechnischen Komplexes wird hier in Anlehnung an Frances A. Yates' bahnbrechende Studie [53] der Ausdruck »Gedächtniskunst« verwendet. Zum Begriffsfeld wäre darüber hinaus noch zu bemerken, daß die *artificiosa memoria* bzw. *memoria artificialis* nicht mit »künstliches«, wie allg. gebräuchlich, sondern mit »kunstvolles«, eben ein durch die *ars memorativa* bzw. *ars memoriae* geschultes und optimiertes unwillkürlich-spontanes Gedächtnis (*memoria naturalis*) übersetzt werden sollte. Erst mit der Möglichkeit der Externalisierung des Gedächtnisses bzw. einzelner Gedächtnisfunktionen in großem Maßstab (s.u.), was im Zuge der Entwicklung zunächst von Reproduktions- (urspr. v. a. Buchdruck), später von Speicher- und Prozessierungstechnologien (zuletzt Informationsdigitalisierung) sich durchsetzt, sollten wir in Analogie zur künstlichen Intelligenz von einem künstlichen Gedächtnis reden.

In diesem Zusammenhang muß darauf hingewiesen werden, daß der ant. Rhetor gänzlich die Gestalt einer Kultur der Oralität war, zumindest aber einer Subkultur der Oralität, wenn man berücksichtigen will, daß die Ant. den Schriftgebrauch, allerdings sozial restringiert, pflegte. Jedenfalls waren die Aufschreibsysteme elementarer Natur, und es existierten keine erweiterten Reproduktionstechniken (mechanische Vervielfältigung). Die drei *genera* der Rhet., die forensische Beredsamkeit (*genus iudiciale*), die polit. oder beratende Beredsamkeit (*genus deliberativum*) sowie die Lob- und Prunkrede (*genus demonstrativum*), bezeugen das [22. 77f.]. Sie war *face to face*-Kommunikation und ausschließlich auf Primärpubliken bezogen, so daß jede Form der Mediatisierung gesellschaftlicher Kommunikationsprozesse etwa in Folge der Erfindung des Buchdrucks zu einem Funktionswandel bzw. -verlust der Rhet. führen mußte, was insbes. am Systemteil *memoria* und seiner Ausgestaltung als einer *ars memorativa* sich zeigen sollte.

Ein weiterer, bereits erwähnter Sachverhalt ist für die Rezeptionsgeschichte der M. von formativer Bed.: Die Konkurrenz von Rhet. und Philos., die sich exemplarisch im Verständnis von *memoria* demonstrieren läßt [29. 28; 30. XIIf.]. Es gibt eine rhet.-technische und eine spekulativ-philos. *memoria*-Tradition. Letztere ist schon in der Ant. wesentlich an den Gültigkeitskriterien der Wahrheit von Erkenntnis interessiert, wenn auch noch zurückgebunden an Vorstellungen vom geordneten Kosmos und vom guten Leben. Diese Gültigkeitskriterien werden mit der gleichzeitig erkenntnis- und subjekttheoretischen Wende der Philos. seit Descartes – einer der Schläge gegen die *memoria*-Trad., vielleicht der entscheidende! – zum beherrschenden philos. Thema. Der ant. Rhetor dagegen, dessen Praxis in den Rhet. nur unzureichend fixiert werden konnte, übt keineswegs prinzipiell eine demagogische Manipulationskunst, wie ihm von seiten der spekulativen Philos., aber auch von Autoren wie Tacitus (*Dialogus de oratoribus*) vorgehalten worden ist. Auch vermittelt er nicht nur eine Einsicht, die der Masse/dem Publikum aus kontingenten Gründen bis dato verborgen geblieben ist, und deren Gültigkeit längst feststeht. Vielmehr ist er interaktiver Teilnehmer an einem Prozeß der pragmatischen Wahrheitsfindung, dessen Ergebnis offen ist. Daß in Rom die *communis opinio* den Rang einer logischen Kategorie erreichte, mag hierfür als Indiz gelten. Genau aus diesem Grunde kommt es in der Ren. u. a. durch Lorenzo Valla (1407–1457) zu einer gegen die Scholastik gerichteten ›rhet. Wende‹ des Philosophieverständnisses [48. 657f.]. Es geht also nicht allein darum, die rein rhet.-technische Mnemonik in einem philos.-spekula-

tiven Horizont verständlich zu machen [37. 19f.], sondern darüber hinaus die philos.-theoretischen Metamorphosen zu identifizieren, in denen Impulse und Konzepte der ant. Rhet., speziell ihrer performanztheoretischen Teile und der damit aufgerufenen *memoria*-Trad. wirksam bleiben oder erneut wirksam geworden sind. In der zeitgenössischen Sprachphilos. wie im *linguistic turn* (R. Rorty) insgesamt, können wir eine eigentümliche Verbindung von erkenntnistheoretischer und rhet.-pragmatischer Dimension erkennen. Die Sprachtheorie geht nicht mehr wie die philos.-spekulative Trad. davon aus, daß die Wahrheit für sich selbst spricht und daß sie zumindest in der theoretischen Bestimmung ihrer Möglichkeitsbedingungen greifbar wird. Sie teilt mit der Gestalt des ant. Rhetors, an deren ethischer und gemeinwohlorientierter Läuterung Cicero so überaus gelegen war, die Intuition einer allmählichen Herstellung der Wahrheit beim Reden.

C. Die mittelalterliche Umgestaltung der antiken Gedächtniskunst

Die drei die Rezeptionsgeschichte der rhet. Gedächtniskunst dominierenden lat. Schlüsseltexte sind Ciceros *De oratore*, zusammen mit dem Jugendwerk *De inventione*, das den ersten texttheoretischen Systemteil der Rhet. behandelt und die Wirkungsgeschichte der *ars memorativa* von *De oratore* in spezifischer, noch zu erwähnender Weise steuerte, während der *Orator* die *memoria*-Thematik gar nicht berührt, weiterhin die *Rhetorica ad Herennium* eines Anonymus und schließlich Quintilians *Institutio oratoria*. Dieses Werk, wie im übrigen auch *De oratore*, war, wenn überhaupt, im MA nur bruchstückhaft und korrumpiert zugänglich und wirkte kaum. (Es war sogar so, daß Poggios Entdeckung des integren Textes der *Institutio* während des Konstanzer Konzils in St. Gallen und seine alsbaldige Publikation zumindest bei den Humanisten aufgrund der skeptischen Haltung Quintilians in Fragen der Gedächtniskunst eher ernüchternd wirkte.) Vielmehr wurde *De inventione* als Erste bzw. Alte Rhet. und *Ad Herennium* als Zweite bzw. Neue Rhet. des »Tullius« überliefert. Zum Abschluß von *De inventione* werden vier Haupttugenden genannt, zu denen die *prudentia* gehört, die ihrerseits aus *memoria*, *intelligentia* und *providentia* sich zusammensetzt. Und der *Auctor ad Herennium*, vermeintlich Cicero, zeigt, wie das natürliche Gedächtnis durch eine *ars* zu einem kunstvollen Gedächtnis gesteigert werden kann. Dadurch erhält die scholastische Rezeption der Gedächtniskunst einen eigentümlichen *shift* von der Rhet. zur Ethik, der durch die Anstrengung, die Aristotelische Philos. in die scholastische Spekulation zu integrieren, noch verstärkt wurde, wobei der Rückgriff auf *De memoria et reminiscentia* eine wichtige Rolle spielte. In der *Summa* hat Thomas der Gedächtniskunst durchaus einen Platz, wenn auch keinen sehr auffälligen, angewiesen. Als Teil der *prudentia* konnte von der Gedächtniskunst schließlich ein frommer Gebrauch gemacht werden. Die scholastische spekulative Philos. war also hinsichtlich ihrer Behandlung der *memoria* immerhin geeignet, die Gedächtniskunst und insbes. ihr Herzstück, die auf dem imaginativen Vermögen beruhende Verwendung von Bildern, zu legitimieren, ja sogar, wie Yates bemerkt [53. 77], zur Schaffung neuer Bildvorstellungen zu ermuntern.

Obwohl die klass. Redekunst verschwunden war, und die Gelehrsamkeit nur noch in der Nichtöffentlichkeit der Klöster weiterexistierte, gab es eine Nachfrage nach mnemonischen Hilfsmitteln, und zwar für die ma. Form der Redekunst, die im Entstehen begriffene Predigt, für die klösterliche Gebets- und Andachtspraxis sowie dann auch die der Laien und für die für den Laien gedachten Kataloge von Lastern und Tugenden, wobei wir uns immer noch in einer Kultur der Oralität bewegen. Darüber hinaus stellte Yates [53. Kap. 4], und zwar als erste, einen Zusammenhang her zw. der fortwirkenden, scholastisch legitimierten Gedächtniskunst und der Elaborierung der ma. Bilder- und Kunstsprache, so daß wir in der ma. Bilderwelt die veräußerlichten, zum Zwecke der Hinterlassung tiefer Erinnerungsspuren in ihrem Ausdrucksgehalt aufs äußerste gesteigerten Gedächtnisbilder zu sehen hätten. Im rein technischen Sinne mit den überlieferten Gedächtnisregeln konform wurde die Bildsprache ins Phantastische, Groteske, ja Abnorme gesteigert. Sollten die innerlichen mnemonischen Verfahrensweisen tatsächlich ihren Anteil an der äußeren Bilderwelt des christl. MA haben, würden die negativen Folgen des späteren protestantischen Ikonoklasmus (wie auch der human. Skepsis) für die *memoria*-Trad. um so verständlicher. Allerdings existiert noch eine andere Version der ma. Gedächtniskultur als die auf die Entwicklung einer Bilderwelt abzielende, die Yates markiert. Diese Bilderwelt trägt gleichsam okkulte Züge und weist insofern auf die Ren. voraus, in der sich die Gedächtniskunst mit hermetisch-okkulten Trad. und Tendenzen verbindet. Diese andere Version geht davon aus, daß die ma. Kultur des Westens als Kultur ihre Grundlage im Gedächtnis hatte [20]. Das Gedächtnis ist eine der »Modalitäten«, wie die Kulturanthropologie sagt, die diese spezifische Kultur als Symbolsystem funktionsfähig erhält, wobei der überlieferte mnemonisch-mnemotechnische Komplex eine zentrale Rolle spielt. Die gesamte lit.-künstlerische Praxis des MA ist auf die Produktion eines einzigen *memoria*-Textes gerichtet, der eine alltägliche Trad. bildet und ohne jegliche okkulte Züge offen zu Tage liegt. So gesehen gibt es verblüffende Parallelen zw. dieser Praxis und der mod. Theorie der Literatur. Etabliert Yates die Gedächtniskunst als einen esoterischen »Bildraum«, worin MA und frühe Neuzeit sich allenfalls graduell unterscheiden, so definiert sie Carruthers mit Blick auf das MA als einen exoterischen ›Schriftraum‹ [33. 10 f.]. Anzufügen bleibt noch, daß die M. im MA nicht mehr im Werkrahmen der Rhet. fortgeschrieben wurde, sondern in Form selbständiger Traktate.

D. Die Transformation der Gedächtniskunst in der frühen Neuzeit (insbesondere Renaissance) bis auf Leibniz

Im kulturellen Zusammenhang der Ren. erlebt die M. eine außergewöhnliche Blüte, aber auch eine nachhaltige Transformation. Gleichzeitig treten Kräfte und Tendenzen auf, die die Rezeption der M., jedenfalls in ihrer klass. Gestalt, in gewisser Weise abschließen. Die bahnbrechenden und nach wie vor maßgeblichen Unt. stammen von Frances A. Yates [53], die das sowohl okkulte wie auch ingeniöse und insofern die Gestalt von Magie annehmende, sich aber gleichwohl auf die klass. M. zurückschreibende Gedächtnis der Ren. fast buchstäblich entdeckte, und Paolo Rossi [44], der die Zusammenhänge zw. Gedächtniskunst auf der einen Seite und den Anf. der kombinatorischen Logik in Gestalt der *ars combinatoria* des Raimundus Lullus (1235–1315) bis zu ihrer Modernisierung durch Leibniz (1646–1716) auf der anderen Seite untersucht, wobei deutlich wird, daß Wissenserinnerung, -ordnung und -generierung in dieser Zeit eine enge Verbindung eingehen. Darüber hinaus sollte ein existierender Forschungsverbund zur *ars memorativa* der frühen Neuzeit nicht unerwähnt bleiben, der im Begriff ist, die Quellen zu erschließen und zu publizieren sowie monographisch darzustellen [9; 10; 11; 12].

Mit der frühen Neuzeit kommt es im allg. Zuge der nicht scholastisch-christl. restringierten Wiederbelebung der Ant., speziell aber unter dem Einfluß neuplatonisch-hermetischer, gnostischer und kabbalistischer Trad., die die *memoria*-Lehre auf eine okkulte Linie führen, sowie angesichts der Notwendigkeit der Beherrschung des akkumulierten, nicht mehr ausschließlich rel.-kirchlich zurückgebundenen Wissens (Beispiele: Universalwiss., Enzyklopädik), aber auch des Wunsches nach Generierung neuen Wissens (Beispiel: *ars combinatoria* als *ars inveniendi*) zu einer explosionsartigen Vermehrung mnemonisch-mnemotechnischer Systeme und Entwürfe, die den Werk- und Überlieferungsrahmen der Rhet. endgültig sprengen, so daß eine diachronische Darstellungsweise im vorgegebenen Rahmen sofort an eine Grenze stieße. Berns/Neuber [10. 378] verzeichnen zw. 1450 und 1700 ca. 1000 einschlägige Titel in ca. 2300 Ausgaben von ca. 800 verschiedenen Autoren. Es empfiehlt sich daher eine synchrone Markierung von Tendenzen.

Die Tendenz zur ›magisch-mnemonische(n) Verschlüsselung des Wissens‹ [33. 16] sowie die Systematisierung des akkumulierten Wissens jenseits einer christl. Orthodoxie und die systematische Generierung neuen Wissens verbinden sich, wie Yates eindrucksvoll gezeigt hat, in den beiden exemplarischen Ren.-Gestalten Giulio Camillo Delminio, kurz Giulio Camillo (1480–1544), dem Venezianer, und seinem Projekt eines Gedächtnistheaters (*Teatro della memoria* oder auch *Theatrum mundi*) sowie Giordano Bruno (1548–1600), dem Nolaner und Dominikanermönch, mit der Verbindung von Kombinatorik, Gedächtniskunst und natürlicher Magie, die seine umfangreichen rhet.-mnemonischen Schriften prägt und darüber hinaus seine ganze Philos. durchdringt.

Giulio Camillos Gedächtnistheater, bezeichnenderweise nach Vitruvianischem Vorbild entworfen, ist uns in zeitgenössischen Berichten von Beobachtern bzw. Besuchern, wenn auch nicht sehr präzise und anschaulich, sowie in Schriften und Plänen seines Erfinders überliefert. Es muß als wohnhausgroßes, begehbares, holzgefertigtes Modell existiert haben, das wegen eines letzten Endes nicht ausreichenden finanziellen Engagements seiner Gönner, darunter der König von Frankreich, in seiner geplanten Form nicht realisiert werden konnte. Es war in seiner Zeit ein europaweit bekanntes und diskutiertes Projekt, das später in Vergessenheit geriet. Dieses Theater, so entnehmen wir den Plänen, ist ein externalisiertes System von Gedächtnisorten, das dem Muster der *locus-imago*-M. entspricht und an denen Unterlagen, Schriften und Bücher deponiert werden, so daß wir es gleichzeitig mit einer Art Bibl. oder Archiv und Registratur zu tun haben. Die Systematik der Orte und ihre Benennung, i.e. Bebilderung, im einzelnen nimmt Camillo auf der Grundlage der hermetisch-kabbalistischen Trad., wahrscheinlich im Sinne Picos della Mirandola (1470–1533), vor. Seine Lebensaufgabe, so faßt es Yates [53. 127] zusammen, sei es gewesen, diese Trad. mit der klass. Gedächtniskunst in Einklang zu bringen. Dieses Gedächtnissystem zielt nicht mehr auf das innere Memorieren einer *qua elocutio* entwickelten Rede, sondern auf die »sinnvolle« Ordnung des Wissens schlechthin, die noch in hermetisch-kabbalistischen Vorstellungen gesucht wird und letztlich in ein magisches Natur- und Wissenserzeugungsverständis hineinreicht. Die klass. Gedächtniskunst wird ›eine okkulte Kunst‹ [53. 139]. Das *Teatro della memoria* ist in mehrfacher Hinsicht im Übergangsphänomen zunächst zw. *locus-imago*-M., die als Theaterarchitektur externalisiert ist, und Archiv, dessen Ablage-und Aktivierungssystem, dessen Suchmaschinen gleichsam, geheimwiss. konstruiert sind. Der Impuls, das gesamte Wissen derart zu aktivieren, deutet auf universalwiss. und im übrigen auch universalsprachliche Projekte [23] hin. Und insofern die Widerspiegelung bzw. Reproduktion der Welt in einem Gedächtnissystem nicht nach willkürlichen Regeln erfolgen konnte, sondern sich so gut wie möglich an deren eigene Konstruktions- und Funktionsprinzipien halten mußte, handelt es sich um einen Schritt auf dem Weg zu einer wiss. Methode in unserem Sinne. Das ›wahrscheinlich letzte große Monument des Ren.-Gedächtnisses‹ [53. 295] und seines okkulten Zuschnitts war ebenfalls ein »Theater-Gedächtnissystem« und wurde in der engl. Ren. von Robert Fludd (1583–1637) projektiert und als mehrbändiges monumentales Werk publiziert. Er unternimmt den ehrgeizigen Versuch, Mikro- und Makrokosmos in allen Einzelheiten nach mnemonisch-hermetischen Ordnungsprinzipien aufeinander zu beziehen [47].

Ein großer Teil des Corpus der Brunoschen Schriften, das in den J. von 1582 bis 1591 in verschiedenen europ. Städten (Paris, Oxford, Frankfurt, Wittenberg, Helmstedt, Zürich) entsteht und erscheint, sind Schriften zur Mnemotechnik und Rhetorik. Steht Camillo noch ganz auf dem Boden der klass. M., von dem aus er im Geiste der Epoche ausgreift, kommt mit Bruno neben den neuplatonischen *Hermetica* in Gestalt des Lullismus ein weitere Trad. in die Gedächtniskunst, die sie gleichzeitig mit dem Bruno eigentümlichen Gewicht auf Vorstellungskraft und Phantasie weit vom klass. Muster entfernt. Es war weniger die Gedächtniskunst des ma. katalanischen Theologen und Philosophen Ramon Lull, die Bruno aufnahm und die ihn inspirierte. Sie hat mit ihren Diagrammen, schematischen Figuren und »Wissensbäumen« ihre Wurzeln nicht in der klass. M., sondern in der philos. Trad. eines augustinischen Platonismus. Vielmehr war es der universalwiss. Anspruch der Lullschen *ars magna* bzw. *ars generalis* und dessen zentrales Erkenntnisinstrument, die *ars combinatoria*, die der Nolaner seiner Philos. adaptierte. Nachdem die Scholastik als entscheidendes Verbreitungs- und Wirkungshindernis des Lullismus ihren Einfluß eingebüßt hatte, erlebte die Lehre des katalanischen Franziskaners, insbes. seine Kombinatorik, mit der Ren. bis hin zu Leibniz eine erstaunliche Konjunktur. Ob Lulls Kombinatorik nur ein rhet. Mittel des Beweises dessen sei, was bereits bekannt ist [23. 81], oder ob sie Wissen nicht nur reproduziere, sondern auch neu hervorbringe [16. 34], ist kontrovers. Für Bruno wie für den gesamten Lullismus war sie eine produktive Kunst, eine *ars inveniendi*, welchen Charakter ihr Leibniz auch nach Anlage strengerer logisch-mathematischer Kriterien bestätigte. Für den Nolaner war sie darüber hinaus ein Ersatz der Aristotelischen Logik, die er als eine Fessel des wichtigsten Mediums einer im Geiste der M. betriebenen Philos. betrachtete, nämlich von Vorstellungskraft und freier Phantasietätigkeit. In der mnemonisch geregelten, auf der freien semantischen Konvertierbarkeit von Bildern, Zeichen und Worten beruhenden *memoria* als einer geistigen Aktivität, die in der Vorstellungskraft – Kant wird von Einbildungskraft reden – ihr Zentrum hat, werden Strukturen greifbar, die die der Natur selbst sind. Diese Identifikation von mnemonischer Ordnung als urspr. subjektiver und zumindest vergleichsweise willkürlicher Veranstaltung mit der Ordnung der Dinge selbst in Kosmos, wie Natur und Menschenwelt, zog wie im übrigen auch andere zeitgenössische M. in ›Magieverdacht‹ oder den Vorwurf der ›pseudomagischen Scharlatanerie‹ [10. 392] auf sich. Yates hebt mit Nachdruck hervor, daß Brunos Antrieb im Einklang mit dem Geist der Epoche der Ren. ästhetischer Natur war, und sein Interesse in letzter Instanz der ästhetischen Produktivität galt. Künstler, Dichter und Philosoph seien eins: ›Nichts tritt nach außen, was nicht zuerst im Inneren geformt worden ist, und deshalb wird das wesentliche Werk im Innern vollbracht‹ [53. 279]. Keller hat die Frage aufgeworfen, ob die M. in der zunehmenden Bindung ihrer technischen Verfahren an ›inventorisch-kreative Akte‹, die ›den Raum des Inneren konstituieren sollen‹, auf den massiven Externalisierungsschub von Gedächtnisleistungen reagierte, den die Erfindung des Letterndrucks darstellte [4. 211].

Für viele Bereiche kultureller, ästhetischer und wiss. (inkl. philos.) Produktion sind für den Zeitraum von 1300 bis 1700 inzwischen – und gerade in jüngster Zeit im Zuge des Interesseschubes an der Gedächtnisthematik – Wirksamkeit und Rezeption der klass. M. aufgedeckt worden, wofür im Folgenden Gebiete sowie Autoren und Projekte nur lemmatisch und exemplarisch angeführt werden können. Das Programm einer Universalwiss. jenseits vergleichbarer, aber auf ma. *ordo*-Konzepte abgestimmter Entwürfe, das in der frühen Neuzeit in Ren. wie Barock eine wichtige Rolle spielte, hatte in der *memoria* einen zentralen Systemteil und war häufig aus mit der M. verbundenen Ordnungsvorstellungen abgeleitet [37; 38.; 24]. Die Enzyklopädik, urspr. enggeführt mit dem universalwiss. Programm und in einzelnen Exemplaren dessen Realisierungsgestalt, war mit der M. ebenfalls durch bestimmte Ordnungsvorstellungen und das Motiv der Wissensbeherrschung verbunden. Erst mit der Trennung von diesem Programm im 18. Jh. nimmt die Enzyklopädik additive, nach äußeren, entsubstanzialisierten Grundsätzen gegliederte Form an, die wir kennen. Das viel diskutierte, aber niemals praktisch realisierte Projekt einer Universalsprache gehört ebenfalls in diesen Kontext und ist teilweise eine Rezeptionsgestalt der M. [44. 201 ff.; 23]. Die mit der Erfindung des Buchdrucks sprunghaft anwachsenden Bestände der Bibl. warfen ähnliche Probleme auf. Eine Einzelfallstudie [39] zu der Schrift *Bibliotheca universalis* (1545) des Zürcher Polyhistors Konrad Gesner (1516–1565), die diese Probleme zu lösen versprach, ist aufschlußreich hinsichtlich der Bed., die der M. dabei zugemessen wird. Die Bestände, gleichgültig ob als reale oder als Kat., hätten das Schrifttum aller Zeiten zu umfassen. Gesammelt und verzeichnet werden sollte konsequent alphabetisch unter Verzicht auf jede Form von mnemotechnischer Selektion und Ordnung. Gesner reduziert *memoria* auf *catalogus*. In einem zweiten Teil der Schrift allerdings, den drei J. später erschienen sog. Pandekten, der sich mit der Erschließung der Bestände für den gelehrten Gebrauch befaßt, mit der Entwicklung von »Suchmaschinen«, um es so auszudrücken, greift er auf klass. Topik und M. zurück: Die *memoria naturalis* sozusagen der Kat. muß offenkundig mittels *ars memorativa* optimiert werden. Inzwischen ist auch der Versuch unternommen worden, die lange Zeit gänzlich anders gedeutete frühneuzeitliche Emblematik mindestens anteilsweise als Rezeptionsgestalt der M. zu identifizieren [40]. Wie sich die klass. M. und die weitere *memoria*-Trad. in der gesamten Bildwelt der Lit., der Bildenden Kunst (einschließlich der Buchillustration), der Architektur und – neuerdings in die Unt. einbezogen – der Musik dieser Epoche niedergeschlagen haben,

kann hier unmöglich entfaltet werden. Jedenfalls sind Teilgebiete und Einzelautoren bzw. -künstler in den einschlägigen Sammelbänden bereits in beachtlichem Umfang monographisch behandelt worden (an erster Stelle zu nennen: [18; 19]).

Gleichzeitig bringen die Erfindung des Buchdrucks und die Reformation Vektoren ins Spiel, die die klass. M. im Kern verändern und schließlich fast zum Verschwinden bringen, wobei der Wechsel der philos. Rahmenparadigmatik (s.o.) und die langsam in eine methodische Vorbildposition rückende mathematische Naturwiss. das Ihre tun. Spätestens seit dem 18. Jh. fristet die M. für die Zwecke des Unterrichts, allerdings kaum noch in der *loci-imagines*-Vollform, d.h. reformatorisch gereinigt, und teilweise auch noch in Rhet., die ihren klass. Geltungsanspruch aber längst abtreten mußten, ein marginalisiertes Dasein, um gegenwärtig in kultursemiotisch orientierten Projekten (s. Abschnitt E), v.a. bei Haverkamp und Lachmann [31; 32], eine bemerkenswerte Neubewertung, wenn nicht Revitalisierung zu erfahren.

In der ersten H. der anstehenden Epoche kommt es mit der Erfindung des Buchdrucks zu einem massiven Externalisierungsschub des Gedächtnisses. Nach Auffassung von Yates [53. 119] zerstörte das gedruckte Buch uralte Gedächtnisgewohnheiten, und für einen Humanisten wie Erasmus war die Gedächtniskunst ganz einfach im Begriff, ein Opfer des gedruckten Buches zu werden [53. 145]. Der Komplex – mechanische Buchproduktion, Buchmarkt und Bibl. gedruckter Bücher – läßt ein vollkommen externes sowie einheitliches Gedächtnis als reale Möglichkeit erscheinen – allerdings mit den Problemen, denen sich Gesners *Bibliotheca universalis* (s.o.) konfrontiert sieht, kurz gesagt, wie man sich ein Gedächtnis des Gedächtnisses vorzustellen habe. An dieser Stelle ist die Erinnerung daran notwendig, daß wir mit der Schrift seit ca. 3200 v.Chr. über ein Medium der Externalisierung des Gedächtnisses verfügen ([5] und Abschnitt »Schriftlichkeit und *ars memorativa*« in [12]). Die Diskussion der Konkurrenz von Schrift und Gedächtnis, bzw. der Arbeitsteilung zw. »innerer« Leistung und externem Medium, ist alt und beispielhaft, wenn auch mit den bekannten Optionen in Platons *Phaidros* (274c–278b) dokumentiert. Ob Schrift sich in dieser Funktion angesichts neuer medialer Möglichkeiten überleben könnte, ist offen [33. 8 f.]. Wenn die Externalisierung des Gedächtnisses mit Schrift bzw. Zeichen und Zeichenträgern begonnen hat, so ist diese Tendenz in der Geschichte der *memoria* und insbes. der M. immer wieder zu verzeichnen: Sie ist in der architektonischen Ausgestaltung des »Gedächtnisraumes« der klass. M. schon angelegt. (Unsere Idiomatik, daß man etwas »auswendig« lernen müsse, um es »auswendig« zu können, ist übrigens ein schöner Fingerzeig.) Die ma. Bilderwelt als Andachtsmnemonik ist in der Folge ein derart real Auswendiges, und die Gedächtnistheater Camillos und Fludds sind bereits in der Äußerlichkeit gebauter, jedenfalls zu bauender oder als gebauter vorzustellender »Gedächtnisraum«. Dieses ›von der Imagination in Gang gesetzte‹ und in der Imagination und d. h. nicht zuletzt im semantischen Gleiten zwischen Bild- und Wortvorstellungen wesentlich sich vollziehende ›Wechselspiel von Innen und Außen‹ [35. XXI], das für die M. charakteristisch ist, führt mit dem Buchdruck endgültig zu einer artefaktischen Externalisierung potentiell aller Gedächtnisinhalte. Berns/Neuber [11. 380] sagen zu Recht, daß ›die Geschichte der Mnemonik sich als Prozeß der zunehmenden Veräußerlichung der Mnemotechniken, der Gedächtnishilfen verstehen läßt‹, die schon im MA einsetze und in der Ren. eine Beschleunigung erfahre. Insofern ist ihre Forderung nach einer – wir fügen hinzu: wohlverstandenen, d. h. wissens-, kultur- und gesellschaftsgeschichtlichen – Technikgeschichte der M. berechtigt, wenn man dabei auch nicht aus dem Auge verlieren darf, daß die Externalisierung in der Ren. nicht nur eine »Beschleunigung« erfährt, sondern sich im Letterndruck, d. h. in der tendenziell unbegrenzten Reproduzierbarkeit von schriftlich fixierten (Gedächtnis-)Inhalten ein qualitativer Sprung in der Entwicklung ereignet. Diese Entwicklung ist beispielsweise hinsichtlich ›der sozialen Gemeinschaft (...) als ein Informations- und Kommunikationssystem, welches durch den Buchdruck als Schlüsseltechnologie hervorgebracht wurde‹ [25. 22] in einer außerordentlichen Studie eingehend untersucht worden. Welche Konsequenzen allerdings diese Erfindung in Bezug auf die vielfältigen kulturellen Leistungen der *memoria* hatte, ist allenfalls lückenhaft erforscht, und was sie speziell für die Gestalt bedeutete, die die *memoria* als M., d. h. als Element der Kultur einer Oralität, in der Ant. angenommen hatte, ist bisher weitgehend im Dunkeln geblieben. Daß insbes. die der *loci-imagines*-M. zugrundeliegende Vorstellungskraft entwertet und kulturell marginalisiert wurde, und daß möglicherweise Brunos extreme Kultivierung des Gedächtnisinnenraums nicht nur ein Ausdruck ästhetischer Tendenzen der Epoche war, sondern auch eine, wenn in der Folge auch keinesfalls stabile Reaktion auf diese Erfindung, bleibt zu untersuchen. Daß diese letzten Endes zu einer Schwächung der Stellung der M. nicht nur im Überlieferungsrahmen der Rhet., sondern schlechthin beitrug, kann allerdings nicht in Zweifel gezogen werden.

Die medientechnische Revolution der Erfindung des Letterndrucks und die Reformation bilden speziell für die M. einen einheitlichen Wirkkomplex [14. 61] in Richtung Disfunktionalisierung und Marginalisierung. Der *shift* zum »Wort«, dem Wort Gottes, und zur »Schrift«, der Hl. Schrift, verbunden mit Affektkontrolle und ikonoklastisch zurückgeschnittener Vorstellungskraft, waren keine günstigen Voraussetzungen für die mnemonisch-mnemotechnische Tradition. Die mit dem Letterndruck verbundene Möglichkeit der tendenziell grenzenlosen Vervielfältigung eines identischen Textes führte zum mnemonischen Prinzip der ›Wortwörtlichkeit‹ [14. 69], das keiner bildlichen Vermittlung

im Sinne der *loci-imago*-M. mehr bedurfte: Auf Imagination beruhende Mnemotechniken wurden nachhaltig entwertet. Verstärkt wurde diese Tendenz, insofern dem äußeren Ikonoklasmus des Protestantismus ein innerer korrespondierte: Das ›Bilderverbot (gilt) ebenso im Inneren wie im Äußeren‹ [53. 255]. Die Humanisten verhielten sich skeptisch gegenüber der klass. *loci-imagines*-M. und ablehnend gegenüber ihren hermetischen und bildgesättigten Ren.-Abkömmlingen, insbes. gegenüber Bruno, sahen sie in ihnen doch v. a. ma. Impulse wirksam. Mit dem Ramismus gelangte überdies eine Spätform der human. Philos., und zwar v. a. im protestantisch-reformatorischen Raum, zur kulturellen Hegemonie, die im Hinblick auf die Gedächtniskunst einen konsequenten inneren Ikonoklasmus vertrat. In diesem Punkt den Lullismus fortführend sah Petrus Ramus (1515–1572) in der abstrakten Ordnung der dialektischen Analyse das geeignete Mittel der Gedächtniskunst, nicht etwa in engrammatisch wirksamen Bildvorstellungen: Wahre Gedächtniskunst und Dialektik fallen in letzter Instanz zusammen. In dieselbe Richtung wirkte seine umfängliche Neuordnung der Wissens- und Wissenschaftsgebiete im vermeintlich ant. Geiste, die für die Rhet. eine Reduktion auf die *elocutio* vorsah, während der »Rest« an die Dialektik fiel. Diese Neuordnung war von großem Einfluß auf die *curricula* des gymnasialen und akad. Unterrichts sowie die Lehrbücher. Konnte der Ramismus sich auch nicht überall durchsetzen und fand seine Hegemonie eine zeitliche Grenze in der Mitte des 17. Jh., als der Cartesianismus diese Rolle übernahm, wird im Ergebnis von nun an ›fast überall (...) die *memoria* in den Allgemeinrhetoriken ausgegrenzt‹ [36. 282]. Spielen von nun an Elemente der klass. M. im Unterricht noch eine Rolle, kommen sie nahe an das heran, was der Volksmund Eselsbrücken nennt. *Memoria*-Trad. und technisch-mentales Merkverfahren werden aufgespalten, und in der Didaktisierung tritt der instrumentelle Aspekt in den Vordergrund. In dieser Verwendung ist die M. ihrer theoretischen Legitimation, ihres systematischen Orts und erst recht ihrer in MA und Ren. so imponierenden Kreativität beraubt. Der schließlich die hegemoniale Position übernehmende Cartesianismus ist dann der *memoria*-Trad. und der klass. M. noch aus anderen und sehr fundamentalen Gründen abträglich (s. o.). Yates läßt diese Entwicklung in einem für die M. versöhnlicheren Licht erscheinen, indem sie die im Laufe des 17. Jh. sich durchsetzende wiss. Methode (Bacon, Descartes, Leibniz) als eine Transformationsgestalt der Gedächtniskunst herauszustellen sucht, bzw. den Anteil der Gedächtniskunst an deren Entwicklung akzentuiert. Insbes. Leibniz sucht sie in die Position eines Abkömmlings und Erben, ja Vollenders des Ren.-Programms der Verbindung von Lullismus und klassischer Gedächtniskunst zu rücken, um dann doch einzuräumen, ›daß hier der Einfluß der Gedächtniskunst als ein Faktor der grundlegenden europ. Entwicklungen endet‹ [53. 351].

E. Moderne Äquivalente
einer Gedächtniskunst
jenseits des rhetorischen Paradigmas

Verflacht die Rezeptionsgeschichte der M. auch mit diesen Entwicklungen und kommt sie, jedenfalls was ihre Vollform angeht, schließlich ganz zum Erliegen, so bleibt die Gedächtnisproblematik unserer Kultur selbstverständlich erhalten, wobei bemerkenswerterweise an der einen oder anderen Stelle Struktur- und Funktionsmuster der klass.-rhet. M. wiederzuerkennen sind. Drei diesbezügliche Felder zeichnen sich gegenwärtig ab:

1) Erforsch. des natürlichen Gedächtnisses (Stichwort: Gehirnforsch.)

2) Computertechnik/elektronische Medien für Speicherung, Prozessierung und Austausch von »Informationen«, die man einmal als Gedächtnisinhalte bezeichnen konnte (Stichwort: Computer, Internet)

3) Kultursemiotische Erklärungsansätze (Stichwort: Kultur als Gedächtnis)

Das natürliche Gedächtnis wird gegenwärtig im Kontext einer interdisziplinären, allerdings z.Zt. vorrangig von den Neurowiss. und der Kognitionspsychologie getragenen Gehirnforsch. untersucht [46]. Dabei sind alte und ältere, teilweise auch jüngere Vorstellungen über die Lokalisation von Kompetenzen im Gehirn [21], über ein neuroanatomisches Substrat der intellektuellen Vermögen, über die neurophysiologische Basis kognitiver Prozesse etc. teilweise ein für allemal falsifiziert worden und haben sich ansonsten als unterkomplex erwiesen. Was das Gedächtnis angeht, so ist eines jedenfalls klar: Seine »Inhalte« werden nicht maßstabs- und detailgetreu abgespeichert, um je nachdem abgerufen zu werden, vielmehr werden sie in einem imaginativen Prozess (re)produziert und (re)konstruiert. Ob das eher die Arbeitsweise ist, die sich die klass. M. zunutze zu machen suchte, oder ob das dem Modell der digitalen Datenverarbeitung (s.u.) entspricht, bleibt offen.

Eine gewisse Sonderstellung nimmt in diesem Zusammenhang die Psychoanalyse ein. Gemäß dem eigentümlichen Verhalten dieser Wiss. auf der Grenze von ideographischer und nomothetischer Wissenschaftstypik verbinden sich in ihr, wie verschiedentlich festgestellt worden ist und wie es für die *Traumdeutung* (1900), den Initialtext der Psychoanalyse, in bes. Weise gilt, sprachlich-rhet. sowie kultur- und sozialwiss. Konzepte auf der einen Seite mit neurologisch-kognitionswiss. und psychobiologischen auf der anderen Seite. Die Kompatibilität von psychoanalytischen Einsichten mit denen aus Kognitionsforsch. und Neurobiologie ist in der Diskussion [43]. Sprachlich-rhet. Elemente spielen in der Psychoanalyse insofern eine wichtige Rolle, als die Prozessierung (unbewußter) Gedächtnisinhalte (»Traumarbeit«, Primärprozeß) in und zw. den verschiedenen psychischen Systemen nach dem Muster der sprachlichen Bewegung von Tropen, insbes. Metapher und Metonymie, konzipiert ist. Folgerichtig hat Antoine [1] versucht, die »Rhet. des Witzes«, Freuds »Witz-

arbeit« und die Kunst des Gedächtnisses auf der Grundlage der Redefiguren einheitlich zu schematisieren. Auf die »Traumarbeit« findet sich dort leider nur ein knapper Hinweis. Die von Freud werkgeschichtlich schon sehr früh eingeführte und metapsychologisch immer beibehaltene Unterscheidung von Sach- bzw. Ding- und Wortvorstellung, deren Verhältnis in den unterschiedlichen psychischen Systemen resp. Topoi verschieden gestaltet ist, und die bei der Abwehr- und Erinnerungsarbeit eine wichtige Rolle spielen, verweist unverkennbar auf die *locus-imago*-M., ohne daß bisher einschlägige rezeptionsgeschichtliche Unt. vorlägen. Abgesehen davon wäre angesichts der zentralen Stellung der Lehre von der Abwehr und der Verdrägung von Vorstellungen und Gedächtnisinhalten ins Unbewußte in der Psychoanalyse sowie einer reziproken *ars*, nämlich der Behandlungstechnik, deren Ziel Erinnern, Wiederholen und Durcharbeiten ist, zwanglos eine von Freud selbst nicht explizit dargestellte Gedächtnistheorie zu entwickeln, die ohne weiteres eine M. einschließen würde. Derartiges gibt es bisher aber nur in Ansätzen (z. B. [3]). Der von Freud häufig verwendete Ausdruck »Erinnerungsspur« verweist darauf, wie Gedächtnisinhalte in unterschiedlichen psychischen Systemen abgelegt werden und aufgrund dieser differenten Ablage mit unterschiedlichen Techniken erinnert werden müssen, und daß diese Möglichkeit der Erinnerung abhängig ist von der libidinösen Besetzung dieser Inhalte.

Was die Computertechnik angeht, so ist im Zusammenhang einer Rezeptionsgeschichte der M. v. a. darauf zu verweisen, daß wir es hier mit einem in den Dimensionen wahrscheinlich noch massiveren Externalisierungsschub mnemonischer Funktionen zu tun haben, als ihn die Erfindung des Buchdrucks bereits darstellte, blieb diese doch, obwohl ein Medienwechsel, im Rahmen der gewohnten analogen Darstellung von (Gedächtnis-)Inhalten. Was dieser jüngste qualitative Gedächtnismediensprung, dessen Eigenart in der Digitalisierung der Inhalte und der virtuellen Unendlichkeit der Kapazitäten besteht, für die bereits im Kontext analoger Medien und Techniken diskutierten Probleme der mnemonischen Aufbereitung des Wissens, der Wissenssystematisierung und -generierung bedeutet, braucht an dieser Stelle nur als Frage gestellt zu werden. Jedenfalls ist hier ein universelles, externalisiertes, jedoch hinsichtlich seiner Materialität zweideutiges Modellgedächtnis im Entstehen begriffen, das die Gedächtnisinhalte aller kognitiver und kultureller Ebenen kaum unberührt lassen dürfte. Die Befürchtung von Haverkamp/Lachmann, daß mit diesem Gedächtnismodell ebenso wie mit der Herabstufung der M. zur ›konzeptuelle(n) Vorstufe der Zerebralphysik‹ [31. 17] die produktive Interaktion von Gedächtnis/M. und Kultur zum Erliegen kommen könnte, ist nicht von vornherein von der Hand zu weisen. Schließlich gibt es erste Versuche, die wie oben angedeutet erforschte *memoria naturalis* mit dem neuen externalisierten Universalgedächtnis zu kombinieren und zusammenzuschließen.

Eine hinsichtlich wiss. Herkunft und Erkenntnisinteresse sicherlich recht differente Gruppe von Methoden, Ansätzen, Disziplinen etc. in den Kultur- und Humanwiss. läßt sich vielleicht doch unter dem Rubrum Kultursemiotik versammeln. An diesem Paradigma wird unvermittelt klar, warum Mnemosyne, die Göttin des Gedächtnisses, die Mutter der Musen, der Göttinnen der kulturellen Produktionen, ist. Seine allgemeinste Formel heißt: ›Die Kultur ist also für die Gesellschaft, was das Gedächtnis für das Individuum ist (...). Sie ist ein kollektiver Mechanismus für die Informationsspeicherung‹ [42. 65]. Die Präzisierung dieses Verständnisses von Kultur im Hinblick auf die Rezeptionsgeschichte der M. und die *memoria*-Trad. lautet: ›In zeichentheoretischer Neubestimmung des Begriffs von Kultur wird Kultur zum neuen Inbegriff von *memoria*‹ [30. XVI]. Nach dieser Auffassung schlägt sich Kultur in Texten nieder, die als Träger des Gedächtnisses jenseits und unabhängig von ihrer Zuschreibung zu Autoren fungieren [35. XVII]. Wir haben uns in unserer Darstellung bereits an diesem Konzept orientiert, und es dürfte deutlich geworden sein, daß es zu einer Neubewertung, ja Revitalisierung der Rhet. und der klass.-rhet. M. führt. Eine andere Version dieses Paradigmas konkretisiert sich im Konzept des »kulturellen Gedächtnisses«, das von dem Ägyptologen und Altertumswissenschaftler J. Assmann u. a. entwickelt worden ist [3; 4; 5; 6; 7; 8]. Das kulturelle Gedächtnis ist gegenüber dem kommunikativen Gedächtnis und dem kollektiven respektive sozialen Gedächtnis (M. Halbwachs) eine Steigerungsform hinsichtlich Komplexität und Reflexivität. Es existiert in zwei Modi: einmal als Potentialität des kulturellen Archivs, zum anderen als der aus der aktuellen Situation heraus perspektivierte und konstruierte Bestand an objektivem Sinn [8. 13]. Damit sind die Varianten des gesamten Paradigmas nicht erschöpft, aber jene bezeichnet, die in bes. Weise zur Überlieferung der M. bzw. der *memoria*-Trad. sich verhalten.

Verschiedentlich und unsystematisch wird immer wieder die Frage aufgeworfen, ob es nicht auch eine *ars oblivionis* bzw. *oblivionalis*, eine Vergessenskunst oder »Amnestonik« geben könne oder sogar geben müsse, so daß der ›Wechsel von Vergessen und Erinnern als die Eigenbewegung der Kultur‹ [35. XVIII] durchsichtig werden könnte. Weinrich [52] hat dazu Belegstellen und Meinungen aus der abendländischen Geistesgeschichte zusammengetragen, die eine Hilfe bei einer systematischeren Diskussion dieses Problems sein können: Vergessen als Nietzschescher Segen, der dem Leben dient, oder als Fluch in Gestalt der destruktiven Wiederkehr des Verdrängten und Unerledigten nach Freud. → AWI Mnemotechnik

1 J.-P. ANTOINE, Ars memoriae – Rhet. der Figuren, Rücksicht auf Darstellbarkeit und die Grenzen des Textes, in: [31. 53–73] 2 Ders., The Art of Memory and its Relation to the Unconscious, in: Comparative Civilisation Review 18, 1988, 1–21 3 A. ASSMANN, D. HARTH (Hrsg.), Kultur als Lebenswelt und Monument, 1991 4 Dies. (Hrsg.), Mnemosyne. Formen und Funktionen der kulturellen Erinnerung, 1991 5 A. u. J. ASSMANN, C. HARDMEIER (Hrsg.), Schrift und Gedächtnis. Beitr. zur Arch. der lit. Kommunikation I, 1983 6 A. ASSMANN, Erinnerungsräume. Formen und Wandlungen des kulturellen Gedächtnisses, 1999 7 J. ASSMANN, Das kulturelle Gedächtnis. Schrift, Erinnerung und polit. Identität in frühen Hochkulturen, ²1997 8 Ders., T. HÖLSCHER (Hrsg.), Kultur und Gedächtnis, 1988 9 J. BERNS, W. NEUBER, Ars memorativa. Eine Forschungsbibliogr. zu den Quellenschriften der Gedächtniskunst von den ant. Anf. bis um 1700, in: Frühneuzeit-Info 3, 1992, 65–87 10 Dies., Das enzyklopädische Gedächtnis der Frühen Neuzeit. Enzyklopädie- und Lexikonart. zur Mnemonik, 1998 (Frühe Neuzeit 43, Documenta Mnemonica 2) 11 Dies. (Hrsg.), Ars memorativa. Zur kulturgeschichtlichen Bed. der Gedächtniskunst 1400–1750, 1993 (Frühe Neuzeit 15) 12 Dies., Seelenmaschinen. Gattungstrad., Funktionen und Leistungsgrenzen der Mnemotechnik vom späten MA bis zum Beginn der Moderne, 2000 (Frühneuzeit-Studien N. F. 2) 13 Dies., Mnemonik zw. Ren. und Aufklärung, in: [11], 373–385 14 J. BERNS, Umrüstung der Mnemotechnik im Kontext von Reformation und Gutenbergs Erfindung, in: [11. 35–72] 15 H. BLUM, Die ant. Mnemotechnik, 1969 16 P. R. BLUM, Giordano Bruno, 1999 17 H. BÖHME, K. R. SCHERPE (Hrsg.), Lit. und Kulturwiss., 1996 18 L. BOLZONI, Gedächtniskunst und allegorische Bilder. Theorie und Praxis der ars memorativa in der Lit. und Bildenden Kunst It. zw. dem 14. und 16. Jh., in: [3. 147–176] 19 Dies., Fresken, illustrierte Bücher und mnemonische Systeme. Die Gedächtniskunst und die Kunst der Transkodifikation, in: [12. 463–469] 20 M. CARRUTHERS, The Book of Memory. A Study of Memory in Medieval Culture, 1990 21 E. CLARKE, K. DEWHURST, Die Funktion des Gehirns. Lokalisationstheorien von der Ant. bis zur Gegenwart, 1973 22 E. R. CURTIUS, Europ. Lit. und lat. MA, 1948 23 U. ECO, Die Suche nach der vollkommenen Sprache, ²1994 (urspr. it. 1993) 24 U. ERNST, Memoria und ars memorativa in der Trad. der Enzyklopädie. Von Plinius bis zur Encyclopédie française, in: [12. 109–168] 25 M. GIESECKE, Der Buchdruck in der frühen Neuzeit. Eine histor. Fallstudie über die Durchsetzung neuer Informations- und Kommunikationstechnologien, 1991 26 S. GOLDMANN, Statt Totenklage Gedächtnis. Zur Erfindung der Mnemotechnik durch Simonides von Keos, in: Poetica 21, 1989, 43–66 27 H. HAJDU, Das mnemotechnische Schrifttum des MA, 1936 28 D. HARTH, Die Erfindung des Gedächtnisses, 1991 29 A. HAVERKAMP, Auswendigkeit. Das Gedächtnis der Rhet., in: [31. 25–52] 30 Ders., Hermeneutischer Prospekt, in: [32. IX–XVI] 31 Ders., R. LACHMANN (Hrsg.), Gedächtniskunst: Raum-Bild-Schrift. Stud. zur Mnemotechnik, 1991 32 Dies., (Hrsg.), Vergessen und Erinnern, 1993 (Poetik und Hermeneutik 15) 33 Dies., Text als Mnemotechnik, in: [31. 7–22] 34 M. KETTNER, Das Konzept der Nachträglichkeit in Freuds Erinnerungstheorie, in: Psyche 53, 1999, 309–342 35 R. LACHMANN, Kultursemiotischer Prospekt, in: [32. XVII–XXVII] 36 J. KNAPE, Die Stellung der memoria in der frühneuzeitlichen Rhetoriktheorie, in: [11. 274–285] 37 T. LEINKAUF, Scientia universalis, memoria und status corruptionis, in: [11. 1–34] 38 Ders., Systema mnemonicum und circulus encyclopaediae. Johann Heinrich Alsteds Versuch einer Fundierung des universalen Wissens in der ars memorativa, in: [12. 279–307]

39 J.-D. MÜLLER, Das Gedächtnis der Universalbibl. Die neuen Medien und der Buchdruck, in: [17. 78–95] 40 W. NEUBER, Locus, Lemma, Motto. Entwurf zu einer mnemonischen Emblematiktheorie, in: [11. 350–372] 41 C. OTTMERS, Rhet., 1996 42 R. POSNER, Kultur als Zeichensystem. Zur semiotischen Explikation kulturwiss. Grundbegriffe, in: [3. 37–74] 43 Psyche, 52, 1998, Heft 9/10: Psychoanalyse, Kognitionsforschung und Neurobiologie 44 P. ROSSI, Clavis universalis. Arti mnemoniche e logica combinatoria de Lullo a Leibniz, 1960 45 D. L. SCHACTER, Wir sind Erinnerung. Gedächtnis und Persönlichkeit, 1999 (urspr. engl. 1996) 46 S. J. SCHMIDT, Gedächtnis. Probleme und Perspektiven der interdisziplinären Gedächtnisforsch., 1991 47 W. SCHMIDT-BRIGGEMANN, Robert Fludds Theatrum memoriae, in: [11. 154–169] 48 W. Schröder, s. v. Philosophie III, in: HWdPh 7, 1989, 656–662 49 R. SORABJI, Aristotle on Memory, 1972 50 L. VOLKMANN, Ars Memorativa, in: Jb. der Kunsthistor. Slg. in Wien, N. F. 3, 1929, 111–200 51 H. WEINRICH, Gibt es eine Kunst des Vergessens?, 1996 52 Ders., Lethe. Kunst und Kritik des Vergessens, 1997 53 F. A. YATES, Gedächtnis und Erinnerung. Mnemonik von Aristoteles bis Shakespeare, 1990 (urspr. engl. 1966). ALFRED KROVOZA

Mode A. EINLEITUNG B. MITTELALTER
C. RENAISSANCE D. KLASSIZISMUS
E. 19./20. JAHRHUNDERT

A. EINLEITUNG

Die Frage nach der Rezeption der ant. M. bedingt die Frage nach der Rezeption der ant. Kunst. Ihre Zeugnisse, die plastischen Werke, Fresken, Mosaiken, die Terrakotten und Vasenmalereien sind es, die unser Bild von der Kleider-M. des griech.-röm. Altertums prägen. Aufgrund der geringen Zahl erhaltener Originalstücke sieht sich die Kostümgeschichte bis über das MA hinaus im wesentlichen auf die Kunstgeschichte angewiesen, um die Beschaffenheit und Tragweise der Kleidung jener Epochen zu rekonstruieren. Dabei ist stets die Frage nach dem Realitätswert der Bilddokumente zu stellen. Eigenständig in ihrer Entwicklung, doch in wechselseitiger Befruchtung mit den bild- und bühnenkünstlerischen Schöpfungen, vollzieht sich die Aneignung und Verarbeitung älterer (also auch ant.) Vorgaben in der Geschichte der M. vielschichtig überlagert. Die Formen, in denen der Rückblick und Rückgriff auf die Ant. zum Tragen kommt, legen von jeweils wechselnden Perspektiven und Motiven Zeugnis ab, je nach dem, welche Kleidung was zu transportieren hat. Wenn es gilt, ein neues Körperideal oder Rollenbild anschaulich zu machen, Natursehnsucht oder polit. Bewußtsein auszudrücken, kann ein Kleidungsstück oder ein Detail davon ein signifikanter Sinnträger sein.

Bedeutsamer als das Bemühen um Authentizität zeigt sich in der Rezeptionsgeschichte ant. Kleiderbilder das Bestreben, der Idee der Ant. Gestalt zu verleihen. Diese manifestiert sich v. a. in der Linie der Drapierung, dem Faltenwurf der Gewandung, jenen Merkmalen also, die die Kleidung des klass. Alt. wie kein anderes charakte-

risieren und damit zugleich den grundlegenden Unterschied gegenüber der nachant., der zugeschnittenen und genähten Kleidung markieren.

B. MITTELALTER

Die skizzierte Problematik des Perspektivenwechsels zeigt sich v. a. beim ersten, dem ma. Zeitabschnitt, der sich noch in der Kulturkontinuität zur Ant. versteht (karolingische »Renovatio«), für den Ant. v. a. Spätant. ist. Gleichwohl sind es im wesentlichen die in dieser Epoche ausgebildeten Formvorgaben, die tradiert werden: sowohl für die Kleidung des Volkes wie der weltlichen Herrscher und geistlichen Würdenträger. Bis in das hohe MA hinein stellt das Grundelement der Bekleidung beider Geschlechter und aller Schichten weiterhin die Tunica dar, allerdings in dem der Dalmatica gleichenden kreuzförmigen Gewandschnitt mit angewebten langen Ärmeln (*Tunica manicata*), der in der röm. Kleider-M. erst mit dem 3. Jh. zur Geltung kam. Knöchellang in der Frauenkleidung, kniekurz als Männerrock, wird das gegürtete Tunikagewand von der arbeitenden Bevölkerung noch bis in das Spät-MA getragen und lebt fort in der neuzeitlichen Kitteltracht der Handwerker und Bauern. Im frühen MA vervollständigt die in der röm. Männerkleidung seit dem 2. Jh. verbreitete knie- oder knöchellange Hose (*Braccae*), ergänzt durch Wadenbinden, die Ausstattung des Mannes. Auch die Manteltracht des MA lehnt an überlieferte Formen an: Bis zum 12. Jh. v. a. der seitlich gefibelte, d. h. mit einer Nadel meist auf der rechten Schulter befestigte halblange Mantelumhang, der in Anlehnung an das Pallium von längsrechteckigem oder, dem Sagum ähnelnd, von halbkreisförmigem Zuschnitt sein kann. Dabei präsentieren sich die Vornehmen in den Bildern der ma. Buchmalerei bevorzugt in jenen kostbaren Seidenstoffen, die in byz. Werkstätten gefertigt wurden. Byzanz, in dessen höfischer Kleider-M. die ant. Gewandformen eine golddurchwirkte »Verfestigung« finden, erweist sich v. a. für die Entwicklung des herrscherlichen Ornats als vorbildhaft. Karl d. Gr. übernimmt das nun bodenlange Paludamentum der byz. Würdenträger, mit dem Justinian in S. Vitale in Ravenna verewigt ist (Abb. 1), als kaiserliches Hoheitszeichen. Als herrscherliche Insignie bleiben der Purpurmantel ebenso wie die purpurnen Schuhe auch für die Nachfolger der fränkischen Kaiser verbindlich, doch die Form verändert sich. Im Zuge der modischen Veränderungen des 12. Jh., Verengung der Gewänder und Verlängerung der Männerkleidung, wird der über der Brust geschlossene halbkreisförmige Schnur- oder Tasselmantel populär und geht im 13. Jh. in das Krönungsornat ein. Verwandt mit der ma. Herrschertracht ist das in seinen Grundformen auf die spätröm. Kleidung zurückgehende Ornat der Geistlichkeit. In die im 6. Jh. im wesentlichen festgelegte liturgische Kleidung sind u. a. Paenula und Tunica, die zur Kasel und Albe werden, oder schon im 4. Jh. die Dalmatica, die Tracht der frühen Christen, übernommen: gleichermaßen Würdezeichen des Kaisers wie der Bischöfe. In der Bildwelt stellt die Kombination von Dal-

Abb. 1: Kaiser Justinian mit Gefolge, Wandmosaik, S. Vitale, Ravenna, Mitte des 6. Jh.

matica, z. T. auch langer Tunica und einfachem Pallium das Standardkostüm der Heiligen und biblischen Gestalten dar und bleibt noch weit über das MA hinaus für das Bild von Christus und den Aposteln bestimmend (Abb. 2).

C. Renaissance

Bezeichnend für die Ant.-Rezeption der Ren. ist das Zäsurverständnis der Epoche, die sich mit dem Rückgriff auf das Formengut des klass. Alt. vom vorangegangenen Zeitalter, dem MA abzusetzen sucht. Im Zentrum des Interesses steht allerdings nicht die ant. Gewandung an sich, sondern der Körper, der sie trägt und seine Ausdrucksqualität.

Das ist in der Kleidergeschichte zwar nur in Ansätzen nachzuweisen, stellt sich in der Kunstgeschichte aber als herausragendes Phänomen dar. Insbesondere in der it. Kunst zeigt sich die Rezeption ant. Vorbilder in einem neuen Zusammenspiel von Gewand und Körper, und zwar in Ruhe und Bewegung. Das betrifft eher die weiblichen Figuren, denn die männlichen werden, den klass. Skulpturen entsprechend, häufiger unbekleidet oder nur mit einer knappen Tunica o.ä. gezeigt. Es herrscht nicht mehr die schwere Fülle der die Körper negierenden Faltenschleifen und -schwünge, wie in der spätgot. Plastik, sondern das durch den bewegten (zumal weiblichen) Körper belebte Gewand, sowohl bei rel. wie profanen Themen, vgl. Ghiberti, Donatello, Ghirlandajo, Filippo und Filippino Lippi, Botticelli. Von

letzterem kennen wir die charakteristischen dünnen, z. T. chitonartig plissierten Stoffe in heller Farbgebung, die an jene Faltenspiele und die wie feucht am Körper klebenden Gewanddrapierungen erinnern, welche ant. Statuen und gelegentlich die romanische Monumentalplastik aufweisen. Die phantasievollen Kostümentwürfe von Ren.-Künstlern, in denen sich Elemente der Zeit-M., etwa geschlitzte und gepuffte Kleiderärmel, mit antikisierenden Formen, z. B. Schürzungen in der Art von Kolpos, Toga oder Pallium, verbinden, fördern die Motorik ihrer Träger und dramatisieren deren Figuration. In wehenden Umhängen und sich aufblähenden Stoffbahnen, flatternden Rockzipfeln und fliegenden Haaren, von Aby Warburg als »Pathosformeln« bezeichnet, scheinen sich innere Erregungszustände abzubilden (Abb. 3).

D. Klassizismus

Er zeichnet sich wie keine andere Epoche durch die Hinwendung zum klass. Alt. aus: Ebenfalls eine Gegenbewegung, nunmehr – vor dem Hintergrund der Aufklärung – gegen die als künstlich und überladen betrachtete Formenwelt des Barock und Rokoko. Im ant. Kleid wird das Natürliche und Maßvolle gesehen. Einflußreich sind die zunehmend gut dokumentierten Entdeckungen, insbes. die Ausgrabung der Vesuv-Städte. Die gesellschaftspolit. Dimension von Winckelmanns Aufruf zur Nachahmung der Ant., findet in jenen Kleiderbildern unmittelbaren Ausdruck, die Jacques-Louis

Abb. 2: Apostelpaar, Georgschor im Dom zu Bamberg, um 1220/1230

David nicht nur in Gemälden (wie dem *Horatierschwur*, 1784; → Historienmalerei, Abb. 9), sondern v. a. in den Entwürfen einer antikisierenden Nationaltracht für das Direktorium in den 90er J. zum Ausweis republikanischer Gesinnung macht. Die phrygische Mütze wird zwar von den Jakobinern als revolutionäres Freiheitssymbol übernommen, doch kann sich die antikische M., v. a. bei der Männerkleidung, nicht nachhaltig durchsetzen. Sie zeigt sich am ehesten in Details, wie der nachrevolutionären Haartracht, die röm. Kaiserporträts nachempfunden ist, dem kurzgelockten Tituskopf und der von Napoleon favorisierten glattgekämmten Cäsarenfrisur.

Abb. 3: Sandro Botticelli, Geburt der Venus (Ausschnitt),
Uffizien, Florenz, 1482/1483 (Foto Artothek)

Den Hauptpart bei der modischen Ant.-Manie übernimmt die Frau. Im Zuge der von England ausgehenden
Reformbestrebungen, die zu einer Vereinfachung der
Kleidung hinführen, kommt im späten 18. Jh. mit dem
chitonimitierenden Chemisenkleid die »mode à la grecque« auf. Die europ. Frauen-M. ist bis in die 20er J. des
19. Jh. hinein bestimmt durch das schlichte, meist kurz-
ärmlige Gewand im geraden Hemdschnitt mit hoch-
gezogener Taille und unverstärktem Rock aus weißem
dünnen Baumwollstoff, Musselin oder Batist. Wenn
auch erschwinglich im Material und einfach im Schnitt,
so scheinen doch jene tiefdekolletierten Modelle der
Jh.-Wende, die aufgrund ihrer Durchsichtigkeit als
»Nackt-M.« ironisiert, zudem ohne Hemd, gleich dem
Kostüm der Ballerina, über einem Trikot getragen wurden, v. a. für die Salon-Damen vom Schlage der Récamier gemacht (Abb. 4). Neben einem schürzenartigen
Überwurf in Form einer Tunika ist der Schal, vorzugsweise aus gemustertem Kaschmir, das wichtigste Attri-
but der antikisierenden Aufmachung. Seine Drapierung
wird nach ant. Vorbild zur einer Kunst erhoben, die
unter Anleitung von Tanzmeistern geschult und in der
Aufführung von *Tableux vivants* unter Beweis gestellt
werden konnte. M. ist nun Inszenierungskunst und
steht in vielfältigen Bezügen zur Bühne. Wie die Tän-
zerinnen in Viganos Ballett-Trag. zeigt sich die elegante
Frau in Sandalen oder Kreuzbandschuhen und wird, inspiriert durch Grillparzers gleichnamiges Bühnenstück,
»à la Sappho« frisiert. Neben der Frisuren-M. nach
griech. Art, die Stirn- und Schläfenlöckchen mit einem

auf dem Hinterkopf arrangierten Haarknoten kombiniert, ist ebenfalls der kurzgeschnittene Tituskopf verbreitet. Antikisierende Bänder und Diademe schmük-
ken ebenso wie Federn oder Perlen auch die Zweit-
frisur. Die Perücke wird v. a. am Abend in Hellblond
getragen, der in spätröm. Zeit bevorzugten und gleichermaßen in der it. Ren.-M. geschätzten Haarfarbe.

Stilmischungen und -brüche sind nicht nur für die
Haar- und Hut-M., deren Repertoire von randlosen
Toques und Hauben bis zu helmartigen Hüten und Tur-
banen reicht, bezeichnend. Doch vermag gerade das
modische Beiwerk das freie Spiel mit Zitaten sichtbar zu
machen, das für die Ant.-Rezeption im Empire und
Directoire charakteristisch ist. Wedgewood-Knöpfe,
die Szenen aus der Sagenwelt des klass. Alt. illustrieren,
Fächer mit Bildern röm. Denkmäler und Handtaschen
in Form ant. Urnen, wiederspiegeln jene »Antikomanie«, deren Ausbreitung von den M.-Journalen gleichermaßen befördert wie karikiert wird. Der gerade
Kleiderschnitt mit hochangesetzter Taille bleibt in der
Damen-M. der Restaurationszeit erhalten. Doch läßt
die Wahl fester, steifer Materialien sowie die Vorliebe
für gepuffte Ärmelformen und üppige Dekorationen
aus Rüschen, Spitzen und Volants das ant. Vorbild kaum
mehr erahnen. Die sog. griech. M. kommt nur noch in
der Abendkleidung zum Tragen und wird zur Ballgar-
derobe.

Abb. 4: François Gérard, Madame Récamier, Musée Carnavalet, Paris, 1802

E. 19./20. Jahrhundert

Mit den gängigen Periodisierungen ist die Rezeptionsgeschichte der ant. Mode in der jüngeren Zeit kaum zu fassen. Die komplexen Verflechtungen der vielfältigen, oft widersprüchlichen Strömungen kulminieren um die Wende zum 20. Jh. in gesellschaftspolit. und künstlerischen Erneuerungsbewegungen. Erneut sehen wir das Streben nach Natürlichkeit gegen modische, zugleich gesundheitsschädliche Unvernunft, insbes. die Rückkehr der korsettierenden M. Und wiederum gingen die Impulse von England aus. Für eine Erneuerung der M. machen sich v.a. die sozialreformerisch engagierten Präraffaeliten stark, in deren Kleiderentwürfen ästhetische wie funktionale Gesichtspunkte Berücksichtigung finden. Bezeichnend für ihren Stil ist die »ant. Taille«, d.h. der weitfallende, faltenreiche Schnitt der Hemdkleider, mit denen, gleichsam im Geiste der Ren., Bewegungsfreiheit beschworen wird. Dies gilt gleichermaßen für die künstlerischen Kreationen, z.B. Edward Burne-Jones' mantegneske Draperien, wie für die von den Modellen und Künstlerfrauen getragenen Kleiderschöpfungen eines William Morris oder Dante Gabriel Rossetti, deren bauschige Ärmel und stoffreiche Röcke an Frauenbildnisse Raffaels erinnern.

Während die präraffaelitischen Kleidermodelle die Weiblichkeit der Trägerin durchaus zu unterstreichen wissen, wird das Design der Jugendstilkünstler (etwa Henry van de Velde, Peter Behrens oder Alfred Mohrbutter) in stärkerem Maße von moralischen Tendenzen bestimmt, in denen sich die Kritik an der erotisierenden Überzeichnung des Körpers in der herrschenden M. niederschlägt. So will das Reformkleid mit seiner von der Schulter herabfallenden Weite und der im Empirestil hochangesetzten Taille einem natürlichen Körperideal Rechnung tragen, das sich am Vorbild ant. Plastik orientiert.

Eine unmittelbarere Umsetzung als in der Reform-M. findet die erstrebte Befreiung in der Befreiung von Bekleidung überhaupt, nämlich in der Körper- und Freikörperkultur, die gegenüber der exklusiven künstlerischen Kleiderreform eine breite Masse zu mobilisieren vermag. Die wahre Natur des nach ant. Vorbild gestählten und modellierten Körpers wird gesucht, der in der rhythmischen Bewegung bei Gymnastik und Ausdruckstanz die Einheit von Seele und Kosmos anstrebt. Der Tanz ist das Medium, in dem der Mythos der Ant., bei entsprechender kostümlicher Ausgestaltung, lebendig zu werden verspricht. In antikisierenden Gewanddrapierungen präsentieren Laienchöre ihre rhythmisch-plastischen Bewegungsübungen »à la grecque«. Barfuß, in Peplos oder leichter Tunika, mit einem Schleier oder Schal als Requisit, stellt ein Bühnenstar wie Isadora Duncan im 1. Jahrzehnt des 20. Jh. dem europ. Publikum ihre tänzerischen Ant.-Visionen dar. Inspiriert wird die Wegbereiterin des mod. Tanzes, die über Bilder der Präraffaeliten und Botticellis *Primavera* Zugang zur ant. Kunst gewinnt, insbes. durch griech. Vasenbilder und die Darstellungen des Mänadentanzes, seine ekstatischen Bewegungsformen, schwingenden Falten und durchscheinenden Chitone. Zu den weichfallend chitonartigen Gewändern zählen auch Modelle von M.-Schöpfern wie Paul Poiret, v.a. aber Mariano Fortuny. Gleichermaßen vom Studium ant. Plastik wie der tänzerischen Theatralik geprägt, kreiert der ehemalige Bühnenbildner Fortuny sein berühmtes, bis in die 50er J. hergestelltes »Delphos«-Kleid, eine nach dem Vorbild des delphischen Wagenlenkers in schlichter Chitonform geschnittene, z.T. mit einem dem griech. Apoptygma ähnelnden Überwurf versehene Seidenrobe, die sich durch ihre enggefaltete Plissierung auszeichnet (Abb. 5). Drapierungen im antikisierenden Stil, wenngleich in anderen Materialien, kennzeichnen auch die Modelle der Modeschöpferin Alix Barton (alias Madame Grès), die ihre Kreationen in gleichsam bildhauerischer Manier direkt am Körper der Mannequins modelliert. Ihre raffiniert gewickelten und gerafften, stoffreich fließenden Modelle, vorzugsweise aus elastischem, glänzendem Seidenjersey, haben als Ausstattung von den zu Göttinen stilisierten Hollywood-Diven schon in den 30er J. Filmgeschichte gemacht. Ebenso wie die an Fortunys Fächerkleider erinnernden Plissagen-Designs, die Issey Miyake mit seinen »Tanzenden Kleidern« in den 80er und 90er J. u.a. für den Choreographen Frederick Forsyths entwickelt, sind auch die Drapierungskünste nach Art der Grès-Modelle, die z.T. in Roben von

Abb. 5: Gesellschaftskleid
»Medieval Gown« (Vordergrund)
und Gesellschaftskleider
»Delphos«, Mariano Fortuny,
Venedig, um 1910 und 1930,
Museum für Kunst und
Gewerbe, Hamburg

Couturiers wie Thierry Mugler oder Karl Lagerfeld nachleben, weniger für den Alltag, als für den großen Auftritt geschaffen.

Allgegenwärtig ist die Ant. noch im Schönheitsideal, das die Werbung, v. a. der Kosmetikindustrie, in Photogr. und Film massenhaft vermittelt. Deren Design folgt noch in der Gegenwart im wesentlichen Vorbildern der 30er und 40er J., wie etwa den klassizistisch mondänen Arrangements des M.-Photografen Horst P. Horst. Dessen photogr. Kompositionen, etwa eine Parfumwerbung von 1982, scheinen unter Beweis zu stellen, daß es im gegenwärtigen Stadium der Rezeption ant. M. nur mehr sparsam eingesetzter rückverweisender Versatzstücke bedarf, um das Bildgedächtnis zu aktivieren: hier etwa – im Zusammenspiel von Schleierwurf und Körperhaltung – an Nike, die geflügelte Statue von Samothrake, die in der Interpretation durch die Serpentinentänze Loies Fullers jene bewegte Form erhielt, in der sie als Kühlerfigur von Rolls Royce das Fortschrittsdenken der Moderne personifizieren sollte.
→ AWI Dalmatica; Mänaden; Paenula; Pallium; Paludamentum; Sagum; Sandalen; Tunica B

1 Anziehungskräfte. Variété de la Mode 1786–1986, hrsg. vom Münchner Stadtmus., 1986 2 G. BARMEYER, Die Gewandung der monumentalen Skulptur des 12. Jh. in Frankreich, 1933 3 E. BIRBARI, Dress in Italian painting 1460–1500, 1975 4 G. BRANDSTETTER, Spiel der Falten. Inszeniertes Plissee bei Mariano Fortuny und Issey Miyake, in: M., Weiblichkeit und Modernität, G. LEHNERT (Hrsg.), 1998, 165–193 5 Dies., Tanz-Lektüren. Körperbilder und Raumfiguren der Avantgarde, 1995 6 J. BRAUN, Die liturgische Gewandung im Occident und Orient nach Ursprung und Entwicklung, Verwendung und Symbolik, 1907 7 A. HOLLANDER, Seeing through clothes, 1993 8 R. KINZEL, Die M.-Macher. Die Gesch. der Haute Couture, 1990 9 H. KÜHNEL, Bild-WB der Kleidung und Rüstung, 1992 10 A. MEYER-WINSCHEL, Ren. und Ant. Beobachtungen über das Aufkommen der antikisierenden Gewandgebung in der Kunst der it. Ren., 1933 11 ST. M. NEWTON, Fashion in the Age of the Black Prince in the Years 1340–1365, 1980 12 Pompeji an der Alster. Nachleben der Ant. um 1800, B. DOERING (Hrsg.), Ausstellungskat. des Mus. für Kunst und Gewerbe Hamburg, 1995 13 P. E. SCHRAMM, Herrschaftszeichen und Staatssymbolik. Beitr. zu ihrer Gesch. vom 3. bis zum 16. Jh., 3 Bde., 1954 14 B. STAMM, Das Reformkleid in Deutschland, 1976 15 E. THIEL, Gesch. des Kostüms, 1989

16 A. WARBURG, Sandro Botticellis *Geburt der Venus* und *Frühling*, 1893, in: ABY M. WARBURG, Ausgewählte Schriften und Würdigungen, D. WUTTKE (Hrsg.), 1992, 11–63 17 J. WILPERT, Die Gewandung der Christen der ersten Jh., Köln 1898 18 J. WIRSCHING, Die Manteltracht im MA, 1915 19 G. WITTKOP-MÉNARDEAU, Unsere Kleidung. Aus der Gesch. der M. bis zum Jahr 1939, 1985.

ANDREA REICHEL

Modell/Korkmodell

A. ARTEN UND FUNKTIONEN
B. KORKMODELLE   C. KÜNSTLER
D. KÄUFER   E. BAUWERKE

A. ARTEN UND FUNKTIONEN

M. (it.: *modello*): originalgetreue, maßstabgerecht verkleinerte, dreidimensionale Architekturdarstellung aus unterschiedlichen Materialien (Gips, Holz, Metall, Ton, u. a.) [1]. Symbolische M. sind bereits im alten Ägypten und in der klass. Ant. (Votiv-M.) nachweisbar und existierten während des MA als Stifter-M. im christl. Kontext weiter [2]. Die Früh-Ren. (ab 1350) entwickelte das M. zu Entwurfszwecken (Planungs-, Präsentations-M.) [5]; in dieser Eigenschaft besteht das M. technisch verfeinert (Computersimulation) bis heu-

te fort. M. post factum werden seit E. des 18. Jh. an den Akad. (Lehr-M.) oder zu dokumentarischen Zwecken (Erinnerungs-, Faksimile-M.), in neuerer Zeit als (fotografische) Kontroll-M. u. a. für Rekonstruktionen genutzt [2].

B. KORKMODELLE

Die aus Kork gefertigten Reproduktionen ant. (zumeist röm.) Bauten nehmen unter den M. post factum eine Sonderstellung ein. Handwerklich und materialtechnisch durch den neapolitanischen Krippenbau (seit Anfang 17. Jh.) vorgeprägt, entwickelte sich die *Phelloplastik* (griech.: φελλός = Kork) [4. 25] unter Einfluß aufklärerisch-wiss. betriebener Altertumsforsch. (1738 Ausgrabungen in Herculaneum und Pompeji) und der dadurch forcierten Ant.- bzw. Ruinenbegeisterung des → Klassizismus zu einer eigenständigen, kommerziell orientierten Gattung. Neben Zeichnungen, Drucken und Gemälden ant. Veduten sowie verkleinerten Nachbildungen griech. Statuen avancierten Kork-M. im Laufe des 18. Jh. aufgrund ihrer, durch das poröse Material erzielten, naturalistischen Wiedergabe des Verfallszustandes und wegen ihres geringen Gewichts zu beliebten Souvenirs des europ. Adels auf der *Grand Tour* [6], wurden aber auch ihrer Genauigkeit wegen zuneh-

Abb. 1: Antonio Chichi, Modell des Konstantinbogens in Rom, sign., Kassel, Staatliche Museen, Antikensammlung

mend in die akad. Ausbildung von Architekten integriert und gewannen hier Einfluß auf zeitgenössische Architekturentwürfe (vgl. Ege in: [3]).

C. KÜNSTLER

Der Neapolitaner Augusto Rosa (1738–1784) bezeichnete sich selbst als den Erfinder der Kork-M. [4. 11 ff.]. Als Begleiter G. B. Piranesis wohnte er im Jahre 1777 der Vermessung der neuentdeckten Tempel Paestums bei, in deren Folge Reproduktionen wie das einzig signierte M. des »Poseidontempels« (1777, Musée des Antiquités Nationales, St. Germain-en-Laye [4. Abb.2]) entstanden. Als der bekannteste und erfolgreichste Korkbildner aber gilt Antonio Chichi (1743–1816), der eine vielfach reproduzierte Serie von 36 Kork-M. erarbeitete (Abb. 1), während von Giovanni Altieri (ca. 1767–1790) nur insgesamt 15 M. erhalten sind (z. B.: M. des Rundtempels von Tivoli, Sir John Soane's Museum, London [4. Abb. 3]). Modellbauer außerhalb Italiens gelten als Nachahmer Chichis: So der Erfurter Hofkonditor Carl May (ca. 1747–1822), der eine serielle Produktion von M. zu günstigeren Preisen (32 der 39 M.-Typen heute im Schloß Aschaffenburg [4. Kat. 2–52]) entfaltete, oder der Engländer Richard Dubourg (ab 1776) sowie Stephane Stamati in Frankreich (ab 1808), die M. nur zu Ausstellungszwecken fertigten, ohne daß einzelne Arbeiten sicher zugeschrieben werden können [4. 19 f.]. Aus verstärkt arch. Interesse gestalten sich die M. der zweiten Generation größer und systematischer: Die M. der Georg Heinrich Mays (1790–1853) zeigen die Bauten in einem großen Maßstab, hoher Detailtreue und oft im zeitgenössischen baulichen Kontext [4. Kat. 1–47]. Neben einem weiterhin gut florierenden, gehobenen Souvenirhandel während des 19. Jh. in It. fertigte Carlo Lucanelli (1747–1812) im Zuge der Ausgrabungen des Kolosseums in Rom (1810/11) zahlreiche Zustands-M. an [4. Abb. 13]; Domenico Padiglione (belegt 1802–1830) stellte 1805 eine vollständige M.-Dokumentation der Ausgrabungen in Paestum vor Ort her (z. B.: M. des »Poseidontempels« in Paestum, 1818, Schloß Aschaffenburg [4. Kat. 54]), und der Antiquar August Pelet (1785–1865) suchte um die 1820er Jahre, mit nicht weniger als 40 M. gleichen Maßstabs, einen repräsentativen Überblick über die griech. und röm. Architektur zu geben [4. 22 f.].

D. KÄUFER

Wohlhabende, zumeist adelige Dilettanten erwarben, oft über Kunsthändler (wie Francesco Piranesi), ganze Serien von Kork-M., die in z. T. heute noch bestehende, ehemals fürstliche Antikensammlungen integriert wurden (z. B. bestellte Landgraf Friedrich II. von Hessen-Kassel 1776/77 auf seiner Italienreise M. von Chichi für das Museum Fridericianum; ebenso Großherzog Ludwig I. von Hessen-Darmstadt und der Herzog von Sachsen-Gotha; vgl.Forssman in: [4]). Betuchte Architekten wie Sir John Soane, dessen Sammlung von 1806 an regulärer Bestandteil der Ausbildung an der Royal Academy in London wurde [2], sowie die Akad. selbst legten M.-Sammlungen an, soweit nicht fürstliche

Bestände zu Studienzwecken genutzt werden konnten (z. B.: Architekturakademie in Kassel ab 1781; vgl. Gercke in: [3]) oder Sammlung der Pariser Académie des Beaux-Arts [4. 26]).

E. BAUWERKE

Eine komplette Serie Chichis, die vorbildhaft für die meisten folgenden Korkbildner war, umfaßte 36 M. der berühmtesten ant. röm. Bauten und wichtigsten Gebäudetypen. Die Auswahl entsprach dem Besichtigungsrepertoire der *Grand Tour* und war publizistisch durch die Stichwerke und Bauaufnahmen G. B. Piranesis (z. B.: Le Antichità Romane, 4 Bde., 1756) sowie Gemälde G. P. Panninis (z. B.: *Roma Antica* 1756/57, Stuttgart, Staatsgalerie [4. Farbabb.1]) bereits vorgegeben (vgl. Helmberger in: [4]): Neben den Tempeln als die wichtigste architektonische Gruppe (insbes. den einzigen griech. Tempeln auf it. Festlandsboden in Paestum), finden sich M. der Theater und Amphitheater, verschiedene Typen von Grabbauten und Triumphbögen, aber auch, die gesamte stadtröm. Architektur berücksichtigend, Ingenieurwerke wie Wasserleitungsanlagen, Brücken- und Schleusenbauten (z. B.: C. May, Emissar des Albanersees, 1792, Schloß Aschaffenburg [4. Abb. Kat. 59]). In geringerem Maße sind die Bauwerke im Umkreis der Via Appia und von Tivoli unter den Kork-M. vertreten (vgl. Büttner in: [3]). Das Programm wurde vom jeweiligen Künstler um (mitunter ant.) Bauten aus der eigenen Heimat bereichert [4. 20].
→ Klassizismus

1 Architekturmodell, in: Lex. der Kunst, hrsg. v. H. OLBRICHT, Bd. 1, 1987, 246f. 2 Architekturmodell, in: The Dictionary of Art, hrsg. v. J. TURNER, Bd. 2, 1996, 335ff. 3 P. GERCKE (Hrsg.), Ant. Bauten in Modell und Zeichnung um 1800, 1986 (mit Beitr. von A. BÜTTNER, K. EGE, P. GERCKE, M. REINECK) 4 G. HOJER (Hrsg.), Rom über die Alpen getragen. Korkmodelle ant. Architektur im 18. und 19. Jh., 1993 (darin Beitr. von F. BISCHOFF, E. FORSSMAN, W. HELMBERGER, V. KOCKEL, I. THOM) 5 A. LEPIK, Das Architekturmodell der frühen Ren., hrsg. v. B. EVERS, 1995, 10–20 6 A. WILTON, Memories of Italy, in: Grand Tour, hrsg. v. A. WILTON, I. BIGNANINI, 1996, 271–299.   FRANZISKA GOTTWALD

Moderne

A. Einleitung

1883 malte A. Böcklin (1827–1901) ein Bild mit dem Titel *Odysseus und Kalypso*. Odysseus kehrt dem Betrachter den Rücken zu, am linken Bildrand stehend und in einen dunklen Mantel gehüllt, scheint er sehnsuchtsvoll in die Ferne zu blicken. Bald wird er sein Floß bauen, das ihn nach Ithaka zurückbringen wird. Kalypso lagert unbekleidet auf einem roten Tuch; sie wirft ihrerseits einen sehnsüchtigen Blick über die Schulter, doch dieser gilt dem sie ignorierenden homerischen Helden. Die wartende Frau und der abweisende/abreisende Mann – Böcklin variiert hier ein traditionelles Thema der Kunst, ähnlich der Ikonographie von Venus und Mars: Die Liebesgöttin sucht den sie verlassenden Mars aufzuhalten, bekanntlich ohne Erfolg. Im nächsten Moment wird er wie Odysseus gegangen sein. Circa 100 J. später erschien in England eine Comic-Reihe mit dem eher unantiken Titel *Tankgirl*. Die Protagonistin ist ein höchst militant ausgerüstetes *punkgirl*, das über einen schweren Panzer und alle Sorten von Maschinenpistolen und Bomben verfügt. Der Leser findet die verblüffende Ankündigung, daß es sich bei diesem Comic um eine neue Version des Mythos von Odysseus handelt: Der ant. Held ist zur Frau geworden; entsprechend finden wir Penelope in Form eines recht virilen Känguruhs. Ansonsten stößt man auf Episoden und Figuren, die jedem Leser des Mythos vertraut sind: Der gemeinsame Sohn Telemach taucht auf, verwandelt in eine Art Roboter mit einem Fernsehgerät – *television* – als Kopf, usw.

Es handelt sich um einen ironischen Umgang mit der oft sakrosankten Ant., alle Episoden der *Tankgirl*-Story haben ihre Vorlagen bei Homer. Gleichzeitig wird aber eine ebenso berühmte Bearbeitung des ant. Epos mitverwendet, nämlich James Joyces Roman *Ulysses* (1914).

Die »Neuauflage« des griech. Mythos in *Tankgirl* scheint exemplarisch für das zu stehen, was Antikenrezeption in der Kunst des 20. Jh. sein kann: Bildliche Darstellung eines der Gründungsepen der Ant., (mindestens) doppelt verfremdet, da die »Modernisierung« der Odysseusgeschichte durch Joyce durchgehend mitverwendet wird, versetzt mit den »Mythen« des ausgehenden 20. Jh. Stichworte: Fernsehen, Film, »starke Frauen«, Geschlechterwechsel, Entgrenzung der Körperwelten und die alltägliche Gewalt.

Der Mythos von Odysseus ist das am meisten dargestellte ant. Thema in der Moderne; es folgen die *Metamorphosen* des Ovid. Mythische »lineare« Reise und permanenter »zyklischer« Wandel sind, generell gesprochen, die beiden Pole, zw. denen sich die Antikenrezeption des 20. Jh. bewegt. Das Thema »Ant.« ist in der Moderne nicht weniger aktuell als in früheren Epochen, erscheint aber oft in neuem Licht.

B. Modi der Antikenrezeption

Prinzipiell lassen sich auch in der M. zwei Modi unterscheiden:
– Übernahme antiker Stoffe und Formen im Zitat
– Evozierung von Ant., ohne Rückbezug auf benennbare Werke. Auch in der technischen Welt fehlen entsprechende Bezüge nicht: so die Plastik *Europa (und der Stier)* auf dem Schnelldampfer *Europa* (1930) oder Fliegerbomben im II. Weltkrieg, die die Namen ant. Götter trugen, was wiederum von Künstlern aufgegriffen wird (vgl. Dalís *Leda atomica* von 1949, oder Karl Hofers *Atomserenade* von 1947). Auch Merkur, der bekanntlich mit seinen Flügelschuhen der schnellste der Götter war, wird oft zitiert, so beim Wettlauf mit einer Lokomotive (Mz. des amerikanischen Künstlers Paul Manship, 1930), oder als Schirmherr der Börsen in aller Welt.

Auch ist die Antikenrezeption in der Moderne alles andere als homogen oder durchgängig; bestimmte künstlerische Stile und Perioden waren ihr günstiger (30er J.) als andere (z. B. Expressionismus). Philos. und kulturwiss. Entwürfe spielen ebenfalls eine große Rolle (Nietzsche, Aby Warburg).

Für den Begründer der Psychoanalyse, Sigmund Freud, und, ihm folgend, für viele Künstler steht »Ant.« für das Un-/Unterbewußte, gewissermaßen für die älteste, verschüttete Spur des Denkens und Fühlens, die erst durch eine Art arch. Ausgrabung wieder zugänglich gemacht werden kann. Dies gilt speziell für die Antikenrezeption der Surrealisten. Auch gibt es eine auffällige polit. Facette: Kaum eine Epoche oder Kultur wurde so häufig wie die Ant. für Zwecke der Propaganda von Diktaturen eingesetzt, sei es durch die Nationalsozialisten, die in den Griechen ihre wahren Vorfahren sahen und dies in ihren Festzügen auch künstlerisch umsetzten oder ant. Statuen speziell für die Sportfotografie benutzten [16. 138 f.] (→ Nationalsozialismus), oder durch die it. Faschisten, die ebenfalls immer wieder die Ant. für ihre Interessen in Anspruch nahmen – in diesem Fall nicht die griech., sondern die röm.: In Rom

setzen bis h. ganze Stadtviertel wie EUR (gebaut anläßlich der *Esposizione Universale di Roma* 1942) optische
Zeichen einer Rückbesinnung auf ant. röm. Architektur (oder was man dafür hielt). Auch einzelne Monumente konnten so eine Antikisierung erfahren: Der in
EUR befindliche Palazzo della Civiltà del Lavoro heißt
denn auch volkstümlich »das quadratische Kolosseum«.

Nach 1945 konnte Ant., verstanden als figurative
Kunst, die auf einem Schönheitskanon basierte, mitunter als »kontaminiert« verstanden werden – dies führte
etwa im Deutschland der 50/60er J. dazu, daß viele
Künstler es vermieden, figürlich-realistisch zu malen,
stattdessen abstrakte Bilder schufen und ihnen ant. Titel
gaben. Einen anderen Versuch, Ant. vom Stigma der
Diktatur zu befreien, stellt der figürlich, doch ironisch-
polemische Umgang russ. Künstler der 80er und 90er J.
mit dieser mythischen Zeit dar, sowie, im Bereich der
Lit., die berühmte Beschreibung des → Pergamonaltars
in Peter Weiss' Roman *Die Ästhetik des Widerstandes*
(1975).

C. Beginn des 20. Jahrhunderts

Zu den in diesem Zusammenhang wichtigsten Malern am Anf. des 20. Jh. zählen Lovis Corinth mit *Orpheus* (1909), *Odysseus im Kampf mit dem Bettler* (1903),
Jugend des Zeus (1905) und *Kentaur und Nymphe* (1908)
sowie Max Slevogt mit *Achilles* (1908); ferner Franz von
Stuck mit *Pluto* (1909) und *Herkules und Nessus* (1927).
Vgl. auch Oskar Kokoschkas *Helena* (Bronzestatuette,
nach 1906). Ein beliebtes Thema v. a. dieser frühen J.
war die Darstellung des mythischen Goldenen Zeitalters, wie sie etwa André Dérains gleichnamiges Gemälde (1905), oder Henri Matisses *Die Freude am Leben* oder
der *Tanz* (zwei Versionen: 1909 und 1909/10) und noch
seine Wandbilder 1931/32 zeigen. Am monumentalsten
dargestellt wurde die Thematik von Maurice Denis:
Sieben Decken- und Treppengemälde bilden eine Art
Zyklus, der aus dem J. 1943 (!) stammt. Eine Figur, die
vorwiegend in der ersten H. des 20. Jh. auftrat, war das
Musenroß: Odile Redon malte und stach zw. 1890 und
1909/10 allein elf Versionen des Themas, darunter einen
Schwarzen Pegasus. Auch Pierre Bourdelle entwarf 1929
einen Pegasus aus Bronze; die wohl originellste Gestaltung stammt aber von Pablo Picasso, der für den Vorhang des Theaterstücks *Parade* von Jean Cocteau (Musik: Erik Satie) 1917 in Paris einen *Pegasus* schuf, auf
dessen Rücken eine geflügelte Frauenfigur zu sehen ist.

Max Klinger (1887), Paul Gauguin (1903), Auguste
Renoir (1908–1910), De Chirico (1982) u. a. gestalteten, z. T. mehrmals, das Parisurteil, ein Thema, das Sigmund Freud in einem berühmten Aufsatz (*Das Motiv der
Kästchenwahl*, 1913) psychoanalytisch interpretiert hatte.
Demnach dürfen Bearbeitungen des 20. Jh. als Auseinandersetzung mit Verderben und Tod interpretiert werden, Schönheit und Liebe können als Vorbotinnen des
Unterganges fungieren. Das Parisurteil erfreute sich zudem bes. Beliebtheit in der Kunst des Nationalsozialismus und der DDR.

D. Dix, Beckmann und Schlemmer

Ein Komm. zu Sterblichkeit und Krieg ist Otto Dix'
Selbstbildnis als *Mars* (1914), während Max Beckmann
1911 noch traditioneller die Amazonen vorzog – nur
scheinbar ein kriegerisches Thema, das eher der Gattung
der (versteckten) erotischen Darstellung zuzurechnen
ist. 1935 malte Beckmann einen *Leiermann*, der in der
Trad. des Herkules am Scheideweg steht. In den 40er J.
entstanden eine Reihe von Bildern mit Figuren aus der
griech. Ant., so etwa 1941 das große *Perseus*-Tripty-
chon; verschiedentlich thematisierte er auch den am
häufigsten rezipierten Mythos des 20. Jh., den des
Odysseus. Nach dem Krieg entstanden die *Argonauten*
(1949/50), vermutlich ein Reflex auf die Kriegsheim-
kehrer, sowie ein *Jupiter* (1949). Hingewiesen sei auch
auf Alfred Kubins *Saturn, seine Kinder verschlingend*
(Tuschfederzeichnung, 1936/37) und Richard Oelzes
Kassandra (Kreidezeichnung, 1934). Für Künstler wie
Oskar Schlemmer war die Ant. nicht in mythologischer
Hinsicht bedeutsam, sondern als ästhetischer Kanon.
Für seinen *Stehenden – geteilt* (1915, Abb. 1) stand die
frühklass. Kunst Pate, genauer der sog. Kritios-Knabe
der Zeit vor Phidias [14. 115]. Eine Replik seiner Begeisterung für diese Zeit, die er auch in seinem Tagebuch formuliert hatte, findet sich auch noch in der
strengen Formensprache des Bildes *Römisches* (1925).

E. Gruppe des Novecento und Picasso

In It. und Spanien waren es die Vertreter des
Neoklassizismus und einzelne später ins Lager der Fu-
turisten abwandernde Künstler wie Carlo Carrà mit *Penelope* (1917) oder Mario Sironi, der in *La allieva* (1923)
Statuen »verarbeitete«, die auf die Ant. in verstärktem
Maß zurückgriffen; auch Achille Funi, der das Thema
der *Ant. Spiele* (vor 1933), etwa in der Statue des Dis-
kophoros, ant. Architektur sowie vieler weiblicher Statuen quasi programmatisch thematisierte. Unzählige

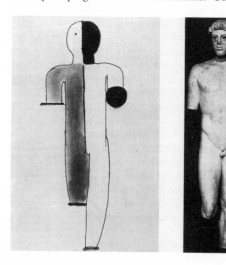

Abb. 1: Oskar Schlemmer, Stehender - geteilt; 1915,
Pinsel und Feder, 28,6 × 14,2 cm (Privatbesitz);
rechts Kritios-Knabe. Athen, Archäologisches Museum

Male griff er Antikes auf, so etwa: *Nudo di donna con statua* (1930), *Diana* (1930), *Roma* (ca. 1930), *Visione di una città ideale* (1935), *Scena di sacrificio* (1936), *Soggetto mitologico* (1937), einen jungen Mann in ant. Architektur und einen Torso. Für die Zeit nach 1945 sind zu nennen: *Omaggio alla Scuola Pompeiana* (1954), *Didone abbandonata* (1955); ein ant. Pferdekopf, betitelt *Testo di cavallo* (1961) – mythische Frauenfiguren, Opfer und ant. Architektur und Skulptur sind die immer wiederkehrenden Gegenstände seiner Antikenrezeption. Insgesamt neigen die genannten Künstler der Gruppe des sog. Novecento weniger zu konkreten Zitaten als vielmehr zu Werken, die in ihren Proportionen und ihrem klassizistischen Geist den Rückbezug auf die Ant. assoziativ-unspezifisch suchen. Das gilt – *cum grano salis* – auch für Pablo Picasso. Sein Werk stellt eine beständige Auseinandersetzung mit der Ant. dar. Seine ersten Zeichenversuche machte er nach ant. Vorlagen. Auch später kehrte er immer wieder zur Ant. zurück, wie etwa in seiner »klassizistischen Phase« mit ihren monumentalen, Ant. assoziierenden Frauenfiguren. Speziell Minotaurus und Faun finden sich in seinem gesamten Œuvre seit 1906 und in allen denkbaren Materialien. In der Figur des Minotauros verschmelzen im übrigen ant. Mythos und Künstlermythos, ist der kretische Stiermensch für Picasso (und sicherlich nicht nur für ihn) Identifikationsfigur.

F. Pittura Metafisica und Surrealismus

Pittura metafisica und Surrealismus dagegen zitieren gern und ausgiebig identifizierbare Ant., oft auch Fragmente, die durch ungewöhnliche Kombinationen Neugierde wecken und Denkanstöße geben wollen. Es ist nicht eine klassizistische Ästhetik oder Formenwelt, sondern, S. Freud folgend, das Ineinssetzen von Ant. und Unbewußtem. Giorgio De Chirico benutzt in seiner Pittura Metafisica das klass. Erbe, bereits etwa in *Canto d'amore* (1914) in Form eines Kopfes einer ant. Statue, kombiniert mit einem übergroßen Handschuh (→ Apoll von Belvedere, Abb. 6). In Griechenland geboren, ist ihm die Ant. Metapher des Landes (und der Zeit), das Sehnsucht weckt, das Land, das aber doch unwiederbringlich verloren ist wie die Kindheit. In seiner *Melancholia* (1916) zitiert er die liegende Statue der vatikanischen *Ariadne*; vgl. ferner die *Geängstigten Musen* von 1917, sodann *Hektor und Andromeda* (1918) mit den charakteristischen *manichini* (Gliederpuppen). Merkur spielte für ihn eine wichtige Rolle: 1921 entsteht *Röm. Villa mit Merkur* (was er in einer Zeichnung von 1967 wiederaufnehmen sollte), 1924 sein *Selbstporträt mit Merkurkopf*. Nach 1945 schuf er *Die Schmiede des Vulkan* (1949) und 1955 den *Fall des Ikarus* (nach Rubens). Für das Œuvre De Chiricos war die Antikenrezeption von zentraler Bed., wie bereits an dem Titel zu sehen, den er sich selbst gab: *Pictor Optimus*, eine Anspielung auf den größten aller Götter, *Jupiter Optimus Maximus*.

Um ein quasi programmatisches Bild zur A. handelt es sich bei einem der frühesten surrealistischen Werke, nämlich Max Ernsts *Oedipus Rex* (1922, Abb. 2), das sich

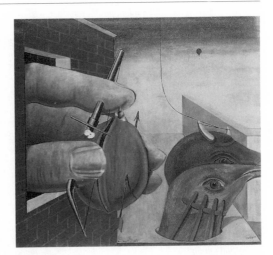

Abb. 2: Max Ernst, *Ödipus Rex*; 1922. Privatsammlung

gleichwohl einer eindeutigen Interpretation entzieht: Wohl zu deuten als Reflex auf Freuds Pathologie des Ödipuskomplexes (zu erinnern ist auch an Gemäldetitel wie *Castor und Pollution*, 1923). Max Ernst, der schon früh mit den Texten Freuds vertraut war, geht in seiner Antikenrezeption ironisch-psychoanalytisch vor. Für ihn ist, überspitzt formuliert, die Thematisierung der Ant. Thematisierung der Sexualität.

G. Masson und die Gradiva

Einen weniger stark von der Psychoanalyse geprägten Zugriff zeigt die Antikenrezeption im Werk von André Masson, wie an seinem Gemälde *Gradiva* (1939, Abb. 3) zu sehen ist, bei dem er, anders als Ernst, ant. Fragmente in der Komposition verwertet. So entwirft er aus ant. Stücken, ant. Orten und Gemälden (*villa dei misteri*), aus ant. Lit. (Ovid), einem mod. Roman, der allerdings im ant. Pompeji spielt, und der Freudschen Psychoanalyse (S. Freud, *Der Wahn und die Träume in Jensens »Gradiva«*, 1906) eine vielschichtige Komposition. Von Massons Hand stammen darüber hinaus u. a.: *Die Gorgonen* (Stich, 1934), eine der *Arbeiten des Herkules* (Gemälde, 1934), *Daedalus' Werkstatt* (Gemälde, 1939), *Die Geburt des Minotauros* (Gemälde, 1939), *Zur Ehre Vulkans* (Gemälde, 1942), zwei Versionen der *Pasiphae* (Gemälde, 1942; Fresko, 1943), *Die Hesperiden* (abstrakte Lithographie, 1947), *Leda* (Stich, 1947), zwei Versionen der *Penthesilea* (Stich, 1946; Gemälde, 1961), *Der Kentaur Nessus entführt Deianeira* (Zeichnung, 1950) und schließlich das Deckenfresko für das Pariser L'Odéon: *Die Amazonen bringen Trophäen zu Penthesilea* sowie *Prometheus bringt den Menschen das Feuer* und *Prometheus gebunden* (1965).

H. Picabia und Delvaux – Mythos und Obsession

Auch im Œuvre Francis Picabias und Paul Delvaux' ist die Ant. immer wieder präsent. Picabias Werk ist reich an Zitaten; er verwendet direkte Vorlagen der Ant., die nicht immer leicht auszumachen sind: So ver-

Abb. 3: André Masson, *Gradiva*;
1939, Öl auf Lw., 93 × 130 cm,
Privatsammlung

birgt sich etwa in dem Bild mit dem Titel *Adam und Eva*
(1930–31) die (nachträglich montierte) sog. *Orestes-E-
lektragruppe* (Museo Nazionale, Neapel); 1929 malte er
eine *Hera* in surrealistischer Manier, sowie *Medea*
(Aquarell, 1929), 1930 eine der Harpyien: *Aello Leda*
stellte er zweimal dar in Gemälden von 1931 und 1937–
38. Ein anderes Werk mit dem Titel *Resignation* (Gemälde, 1935) kopiert eine Malerei aus Pompeji (*Das
Opfer der Iphigenie*, jedoch fehlt die dort dargestellte ant.
Statuette einer Göttin). *Apoll* und *Herkules* stellte er jeweils mit ihren Pferden dar (Gemälde, 1935). Unter seinen Werken findet sich im weiteren eine *Enthauptete
Medusa* (Gemälde, 1936). Sein Umgang mit den ant.
Mythen betont eher deren düstere Seite, benutzt sie, um
negative Gefühlszustände darzustellen (*Resignation*) oder
kombiniert sie nach seinem *gusto*, wenn er eine pagane,
nicht zusammengehörende Gruppe in Adam und Eva
verwandelt.

Paul Delvaux' Œuvre stellt in gewisser Hinsicht eine
Ausnahme dar: Es finden sich zahlreiche Antikenzitate,
fast alle beziehen sich jedoch auf Architektur. Sein frühestes Werk mit ant. Thematik, *Cortèges en dentelles*
(1936), ist programmatisch, da das klass. Motiv der ant.
Architektur, der Triumphbogen, kombiniert ist mit
sechs nackten Frauen in provokativen Posen, die auf die
beiden seitlichen Flügel verteilt sind. Sein letztes Ant.
zitierendes Werk stammt aus dem J. 1973, *Le rendez-vous
d'Ephèse*, es enthält eine Tempelarchitektur. (Ein anderes Bild gleichen Titels datiert aus dem J. 1967). Insgesamt dürfte er einer vorsichtigen Schätzung zufolge in
ca. 30 seiner Werke Ant. rezipiert haben – meist in Form
griech. Tempel-Architektur. Doch findet man in seinen
Bildern auch Straßen, Stadttore, Portiken usw. in ant.
Stil, aber auch die Reiterstatue Mark Aurels in Rom.
Auch eine Version der Pygmalion-Geschichte (1939)
taucht auf, jedoch sind die Rollen vertauscht: Diesmal
ist es eine Frau, die die Büste eines Mannes auf einer

Stele zum Leben zu erwecken wünscht. Eine weitere
Ungewöhnlichkeit fällt auf: Es gibt figürliche Werke
Delvaux', die nur im Titel auf Ant. anspielen, während
das entsprechende »Motiv« nicht auszumachen ist: So
etwa bei *Leda* (1948), *Pénélope* (1951/52, dargestellt ist
eine mod. Stadt), *Vénus couchée* (1952), *L'acropole* (1966),
Le sacrifice d'Iphigénie (1968, auch bei Picabia), *Pompéi*
(1970), *Les vestales* (1972), *Les ruines de Sélinunte*
(1972/73, keine ant. Ruinen!). Dagegen entspricht es
stärker dem Zeitgeist, wenn auch Delvaux den Orpheus-Mythos (1956) in einem Gemälde aufgreift. Ein
Kuriosum stellen Delvaux' Fresken im Haus des Gilbert
Périer in Brüssel (1954–1956) dar. Hier findet sich eine
Vielzahl von Antikenzitaten abgebildet, wohl auf
Wunsch des Eigentümers, dessen Nostalgie für das alte
Rom entsprechend; bei der Figur in ant. Gewändern
handelt es sich vermutlich um den Eigentümer in Person.

1. Ironie versus Monumentalität:
Die Antike bei Paul Klee und in den
deutschen und italienischen Diktaturen

Ironisch gebrochen findet sich Antikisches im Schaffen von Paul Klee bereits in seinem Stich aus dem J. 1904
mit dem Titel *Perseus: Der Triumph des Witzes über das
Unglück (Erfindung Nr.8)*. Von einer *Schwebenden Grazie
(im pompeijanischen Stil)* aus dem J. 1901 (Aquarell) abgesehen, beschäftigte er sich hauptsächlich in seinem Spätwerk mit der Antike. Zum Teil sind seine Gemälde abstrakt, wie die *Scylla* (1938). In seinen Händen gewinnen
die myth. Figuren Heiterkeit, wie etwa bei der *Diana im
Herbstwind* (Aquarell und Öl, 1934), den *Nymphen im
Gemüsegarten* (Aquarell/Gouache, 1939) oder der röm.
Göttin der Bäume und des Obstsegens, *Pomona – überreif*
(Öl, 1938). Mitunter bezieht er sich auch auf Geistes-
größen der Vergangenheit, wie z.B. Goethe, wenn er
1939 ein Bild betitelt: *Der Torso und die Seinen* (Wasser-
farben). Sein Œuvre bildet damit einen Gegensatz zu

dem zeitgleich propagierten Bild der Ant. des Nationalsozialismus und → Faschismus, bei dem Monumentalität, Heroismus und körperliche Bestformen herausgestrichen wurden.

In der NS-Malerei finden sich oft myth. Reminiszenzen v. a. bei Aktdarstellungen wie Werner Peiners *Europa* (1937), Ivo Saligers *Parisurteil* (Große Dt. Kunstausstellung, GDK, 1939), sein *Bad der Diana* (GDK, 1940), Raffael Schuster Woldans *Danae* (GDK 1941) oder Paul M. Paduas *Leda* (1939). Ant. Venusstatuen bzw. ihre neoklassizistischen Nachfolgerinnen lieferten Vorlagen für Badende speziell für Klimsch [16. 146], den Goebbels schätzte. Im übrigen hielten sich auch Porzellanfiguren an diesen »Schönheitskodex«, der allerdings in der NS-Ausprägung in der Regel bedeutend weniger erotisch ausfiel als bei den ant. Darstellungen, dafür aber »rasserein«. Ansonsten ist es immer wieder Pallas Athene, die als Schutzgöttin der Künste antikisch nachgebildet wird, sei es als übergroße ephemere Statue oder Büste wie bei den Festzügen, sei es als Porzellanfigur oder Medaille.

Bei der Darstellung männlicher Stärke, wie bei Arno Brekers *Partei und Wehrmacht* (Ehrenhof der Neuen Reichskanzlei Berlin, 1940) oder Josef Wackerles *Rosseführer* vor dem Marathontor (Reichssportfeld Berlin, 1936), lassen sich Reminiszenzen an die Dioskuren (→ Dioskuren von Monte Cavallo) feststellen. Auch Europa und der Stier wurden rezipiert. Unikatcharakter hat in diesem Zusammenhang die Reisinger- bzw. Europa-Anlage in Wiesbaden, ein Gelände mit einer Gesamtfläche von 3,4ha, das in zwei Zeitabschnitten entstanden ist: 1932 und 1937. Eine Grünzone mit Brunnen, Skulpturen und Architekturen mit *sgraffiti*, zelebriert das Konzept Europa, verstanden als ›dt. Version von »Völkerverständigung« in einem unterworfenen Europa‹ [5. 131].

Abschließend sei erwähnt der »Europ. Jugendkongress« in Wien 1942, in dem in »Gauhaus« umbenannten Wiener Parlamentsgebäude, das für die Gelegenheit mit einer »Europa-und-Stier«-Plastik (aus Stuck) geschmückt wurde [5. 132f.]. Festzuhalten ist, daß das Repertoire der rezipierten Ant. äußerst eingeschränkt ist – Akte beziehen sich auf Venusfiguren oder Europa, männliche Heroen auf Figuren wie Herkules oder die Rossebändiger.

Im It. Mussolinis schuf u. a. Sironi für die Aula des Schwurgerichts des Palazzo di Giustizia in Mailand (erbaut 1932–1940) Mosaiken, die die Gerechtigkeit zw. Gesetz und Gewalt, assistiert von der Wahrheit, zum Gegenstand hatten. Reichsadler, Säulenfragmente, eine geflügelte Viktoria sowie die kaum bekleideten Figuren der Gewalt (männlich) wie der Veritas (weiblich) spielen mit ant. Assoziationen. Daneben verweisen die verwendete Technik – das Mosaik – und die beiden zentralen weiblichen Gewandfiguren von Gesetz und Recht eher auf das Mittelalter. Das Regime Mussolinis bediente sich zum einen des Futurismus, der von Ant. nicht viel wissen wollte, zum anderen – durch die den Faschismus

zelebrierenden Künstler – vorwiegend der Kunst des 15. Jh. [8. 40–43]. Das gilt mit gewissen Einschränkungen auch für Mussolini-Porträts, die sich einerseits der Ikonographie der ant. Kaiser zu bemächtigen suchten, andererseits aber auch die Trad. des Bildes der Renaissancefürsten und der *uomini illustri* für ihre Zwecke benutzten (oder den *Duce* futuristisch präsentierten) [15. 252–53]. Hitler stattete der it. Kapitale 1938 einen Staatsbesuch ab; für diese Gelegenheit schmückte man Rom mit den ant. Herrschafts- und Triumphzeichen. Zusammenfassend läßt sich sagen, daß sich im it. Faschismus Antikenrezeption v. a. im Bereich polit. Symbole abspielte.

J. NACH 1945: MAGRITTE, DALÍ

Sofern die Ant. für bestimmte Künstler nicht eine mehr oder minder feste Konstante ihres Œuvres darstellte, änderte sich ihr Profil in der Zeit nach dem 2. Weltkrieg. So etwa im Werk Salvador Dalís, der einen Zusammenhang zw. Ant., mod. Technologie und den Naturwiss. herstellte; es fand gewissermaßen ein Paradigmenwechsel statt: Anstelle von Traum-Assoziationen wie bei den Surrealisten treten nun das Trauma Atombombe und neue Technologie in den Vordergrund. Es bleibt indes bei der Fixierung auf archa. Ängste; die Zeit der bedingungslosen Technikbegeisterung war vorbei. Einen kuriosen Komm. zum Thema gibt René Magritte: In einem Bild von 1947 mit dem Titel *Bergbewohner* läßt er eine Art urtümliches Nashorn, Zeuge einer archa. Zeit, die längst vergessen scheint, gegen alle Gesetze der Schwerkraft eine überdimensional große, kannelierte Säule mit zerbrochenem ionischen Kapitel hochsteigen, als könne das Tier sich problemlos in der Vertikalen bewegen: Archaik als Metapher des Un-/Unterbewußten und Aufhebung der Gesetze der Schwerkraft finden zusammen.

Salvador Dalís wohl berühmtestes Werk zur Ant. ist seine *Leda atómica* (»nukleare Leda«) von 1949 (Abb. 4), die er zum ›Schlüsselwerk unserer Zeit‹ erklärte. Vorausgegangen waren ihm *Die drei Sphingen von Bikini* (1946). Es war nicht sein erstes Werk zur klass. Myth.; von seiner Hand stammt ein *Perseus* (1930) und eine Illustration zur *Odyssee* (Rückkehr) sowie *Die Metamorphosen des Narziß* (1937), doch stammen die meisten Werke, die Ant. rezipieren, aus der Zeit nach 1946. 1963 schuf er eine ganze Serie zur Myth. (Drucke), in einem Stich griff er das Thema der *Leda* ein J. später wieder auf, schuf ein *Medusenhaupt*, und beschäftigte sich, wie viele seiner surrealistischen Zeitgenossen, mit der Gradiva (mit deren Namen er oft auch seine Frau bezeichnete). Die *Leda atómica* scheint die neuen, für Dalí maßgeblichen Theorien zu reflektieren, daß auch Körper und Masse Energie repräsentieren. Entmaterialisierung war ihm damit das Schlüsselwort: Leda, der Schwan und alle anderen Gegenstände seines Bildes konnten so keinen körperlichen Kontakt aufnehmen, da sie über keine physische Konsistenz verfügten – ihr existenzieller Zustand war der der Immaterialität, im Bild des Schwebens eingefangen.

Abb. 4: Salvador Dalí, *Leda atómica*; 1949, Öl auf Leinwand. Figueras, Fund. Gala-Salv. Dalí

K. Künstler und mythologische Themen der Nachkriegszeit, allgemein

Manche Künstler arbeiteten mehr oder minder unbeeinflußt vom Weltgeschehen fort: Kokoschka mit *Leda mit dem Schwan* (Lithographie, 1951), *Pegasus* (Lithographie, 1966), *Merkur* (Lithographie, 1967) und 44 Lithographien zu *Odysseus* 1963–1965. Moore entwarf für die frz. Übers. (A. Gide) von Goethes *Prometheus* 1950 eine Serie von Lithographien. Doch waren die myth. Themen der Nachkriegszeit z. T. eine Reaktion auf bzw. eine Auseinandersetzung mit den traumatischen Ereignissen der Feindseligkeiten: So finden sich Darstellungen des *Charon*, *Hades* sowie des *Eingangs in die Unterwelt* von Werner Gilles (1947, 1956 und 1957); er malte auch eine *Gorgo* (Aquarell, 1957). Vorangegangen waren 1933/34 *Harpyien*. Bernhard Heiliger schuf eine Stuck- und Bronzeskulptur für die Univ. Münster zum selben Thema; desgleichen Karl Hofer (1954). Prometheus, der den Menschen einst das Feuer und damit die Zivilisation brachte, taucht bei Marcks etwa als *Gefesselter* (1948) auf. Ambivalent sind César Kleins Gemälde *Die Äpfel der Hesperiden* (1945) oder, J. später, Max Ackermanns *Der Garten der Hesperiden* (abstraktes Gemälde, 1968): Der weitab liegende Garten der Hesperiden war einerseits Paradiesbild, konnte aber auch als eine Jenseitsdarstellung gelesen werden. Die surrealistische Antikenorientierung fand auch in der Nachkriegszeit eine Fortsetzung, etwa in Klaphecks *Medusa, meine Freundin* (Gemälde, 1958), bei Leonor Finis *Hekate* (Gemälde, 1965) oder Paul Wunderlichs *Leda und der Schwan*

(Gemälde, 1963). Einer gewissen Beliebtheit erfreute sich auch das Thema der Büchse der Pandora als Unglücksbringerin etwa von Edwin Scharff (Bronze, 1953), von Max Beckmann (Gemälde, 1936 begonnen und 1947 neu gemalt). Auch Man Ray gestaltete *Pandoras Büchse* (Skulptur-Assemblage, 1963), oder, sprachlich verfremdet, als *Pain doré* (Bronzeskulptur-Assemblage, 1969/70). Ikarus, den man wohl als Reaktion auf den Zusammenbruch des Glaubens an Fortschritt und Zivilisation und als Beispiel für die Folgen der menschlichen Überheblichkeit lesen konnte, beschäftigte Künstler wie Pollock (Gemälde, 1945, verschollen), Eduardo Paolazzi (abstrakte Bronze, 1949; *Ikarus II*, Bronze, 1957) oder später Marc Chagall (*Der Fall des Ikarus*, Gemälde, 1974–1977) und Olga Morano (abstraktes Gemälde, 1977).

L. Mythos zwischen Kunst und Musik

Auch der Themenkreis Musik und Kunst ist stark vertreten: Orpheus (G. Marcks, vergoldete Bronze, 1956; Barbara Hepworth, abstrakte Messingskulptur, 1956; Werner Gilles, *Orpheus-Zyklus*, Gemälde und Aquarell, 1947–1954; Jacques Lipchitz, *Die Freude des Orpheus*, Bronze, 1945; Barnet Newmann, *The Song of Orpheus*, abstraktes Gemälde, 1944–45; Francis Picabia, *Zuerst fang deinen Orpheus*, 1948; Karl Hofer, *Schwarzer Orpheus*, Gemälde, 1947 und *Atomserenade*, Gemälde 1947; Ossip Zadkine, Holz- und Bronzeskulptur, 1930–1960), die Sirenen (Hans Arp, abstrakte Bronze, 1957; Marc Chagall, *Gelbe und blaue Sirenen*, Pastell, 1949) und die Musen (Arp, *Torso einer Muse*, abstrakte Bronze, 1959; Lipchitz, Bronzerelief, 1944–1950; H. Hofmann, *Terpsichore*, abstraktes Gemälde, 1958) finden sich. Daneben *Urania* (Georges Braque, Gipsrelief, 1947), zuständig für die Astronomie und das Sternbild des *Orion* (Gerhard Marcks, Bronze, 1948), sowie eine *Landschaft mit Nymphe* (Raoul Dufy, 1946) und, natürlich, Odysseus (Rudolf Hausner, *Die Arche des Odysseus*, 1956; Barnet Newmann, abstraktes Gemälde, 1952; Robert Motherwell, abstraktes Gemälde, 1947). Das Thema der *Lotusesser* bearbeitete Zadkine 1961 in einer Bronzeskulptur.

M. Abstraktion und Demystifizierung des Mythos

Jackson Pollock schuf 1949/50 eine abstrakt bemalte Terracotta, betitelt *Raub der Europa*, ein Thema, das nach der Befreiung Europas von Nationalsozialismus und Faschismus über eine gewisse Brisanz verfügte. Auch Reuben Nakian schuf in den J. 1945–1965 zahlreiche Skulpturen zum Thema Europa in Bronze und Terracotta. Dies alles war häufig mit den Mitteln der Abstraktion, der neuen Weltsprache, wie Haftmann es formuliert hatte, oder im (vorwiegend amerikanischen) abstrakten Expressionismus der 50er und 60er J. dargestellt worden. Es war der Schrecken des Krieges, der die Antikenrezeption prägte, es waren aber auch – vereinfacht gesagt – »musikalische« Themen, die speziell die abstrakten Künstler beschäftigten – in Analogie zur Harmonik etwa der Zwölftonmusik.

Doch gab es auch positive »Aufbruchsstimmungen«, so etwa Paul Wunderlichs *Aurora* (1964, 2 Versionen nach Runge, *Morgen*). Insgesamt sind aber die 60er J., speziell die abstrakte Kunst und die Minimal Art, eher arm an myth. Reminiszenzen, auch wenn diese durchaus fortexistierten, z.B. bei Arp, *Ganymed* (abstrakte Terracotta, 1954), oder in seinen *Drei Grazien* (abstrakte Aluminiumskulptur, 1956) oder Alexander Archipenkos *Leda und der Schwan* (als Zeichnung oder in Form von abstrakten Skulpturen in verschiedenen Materialien wie Bronze oder Terracotta, zw. 1959 und 1982).

Yves Klein schuf 1962 eine *Blaue Venus* und eine *Nike von Samothrake* in derselben Farbe. Bei ihm wie bei einigen seiner Zeitgenossen zeichnet sich aber eine Tendenz ab, die für die folgenden Jahrzehnte wichtig werden sollte: Wenn etwa Robert Rauschenberg einen *Eimer für Ganymed* als Assemblage (1959) entwarf oder Arman 1962 das *Gorgoneion* als Akkumulation von Kämmen in einer Holzbox vorführte bzw. *Odysseus* in Form eines Stuhles (1965) darstellte, deutet dies auf einen Umgang mit Ant. hin, der in deren radikalen und respektlosen Neuinterpretation sowohl für die Künstler der *arte povera*, die ausgiebig Myth. rezipierten und, später, für die Künstler der Postmoderne wichtig werden sollte.

N. Arte Povera und ihre Folgen

In It. entstanden im Umfeld der Studentenunruhen der späten 1960er J. Arbeiten, die man gewöhnlich unter dem Begriff *arte povera* zusammenfaßt. Ziel der von Duchamp beeinflußten Gruppe war es, verkrustete mentale Strukturen aufzubrechen, eine Kunst zu schaffen, die sich nicht in den etablierten Kunstbetrieb einfügen ließ. Man arbeitete mit gewöhnlichen, »armen« Mitteln wie Stoffen und Steinen, wobei auch ant. Statuen und Figuren auftauchten. Mussolinis Antikengebrauch hatte sich größtenteils auf Machtsymbole beschränkt. So war Ant. nicht als solche kontaminiert und konnte durch Bewegungen wie die *arte povera* wiederaufgegriffen werden, dies doch stets in verfremdetem Zusammenhang. Michelangelo Pistoletto schuf eine Serie von Venus-Statuen, die entweder mit einem Berg alter Lappen oder einem mod. Koffer kombiniert werden (*Venere della valigia*, 1971): Die Liebesgöttin auf der Reise nach immer neuen Abenteuern. Vittor Pisani beschäftigte sich mit dem Ödipus-Mythos. Er zog 1970 nach Rom, wo er das R. C. Theatrum (nach dem Namen seines Lehrers) gründete, das dem griech. Helden und seiner schönen Mutter Iokaste gewidmet ist. In verschiedenen Installationen schuf er *Das Grab des Oedipus*, das sich der Legende nach an vier verschiedenen Orten befindet: In Pisanis Werk schweben über einer ant. Frauenbüste ein Paar von der Decke abgehängter Hanteln wie ein Damoklesschwert. In einer Version ruht die Frauenbüste auf einer kreisrunden Steinplatte, die Sprünge aufweist, in einer weiteren steht sie auf dem Fußboden, die Namen Marcel und Suzanne Duchamp sind im Hintergrund zu lesen: ein mod. Fall einer produktiven inzestuösen Liebe.

Auch die Künstler der *arte povera* setzten sich mit der *Odyssee* auseinander. Luciano Fabro entwarf 1972 eine *Penelope*, ein in einem Raum angeordnetes System miteinander verwobener Fäden und Nadeln, die eine Art von Stoff-Netz erzeugen, mit dem auf den Stoff angespielt wird, den Penelope tagsüber webt und nachts wieder auflöst, um die Entscheidung für oder gegen einen ihrer Freier hinauszuschieben: die Kunst möchte sich ihren potentiellen Käufern ebenso entziehen wie Penelope ihren Freiern. Fabro schuf auch ein *Parisurteil* (1979): vier gewölbte Tonformen, deren eine (Paris?) die drei anderen, völlig identischen, überragt – für eine Wahl gibt es kein Kriterium mehr. Die Antikenrezeption der *arte povera* hat es mit Objekten zu tun; Bilder existieren so gut wie keine. Einer der wichtigsten Künstler für die Antikenrezeption innerhalb der *arte povera* ist Giulio Paolini. In seinem Werk fusionieren Ant. und Lit., wie am *Marmorfaun* (1982) zu sehen ist, der auf den gleichnamigen Roman von N. Hawthorne aus dem J. 1860 anspielt. Hawthornes Roman ist so reich an Beschreibungen von ant. und anderen Kunstwerken Roms, daß er phasenweise von amerikanischen It.-Reisenden als *Baedeker* benutzt wurde. Seinen Titel verdankt er einer populären Figur des Kapitolinischen Museums. Somit war Paolinis *Marmorfaun* aus Stuck ein *remake* einer der berühmtesten ant. Marmorstatuen, die sogar bereits lit. Karriere gemacht hatte. Im Kontext der neu entstehenden Gruppen von *anacronisti* und *citazionisti* wird auch für Paolini ab den 1970er J. das Zitat zunehmend wichtig. 1975 entsteht die Gruppe *Mimesis* (Abb. 5): Zwei Venusstatuen sind so aufgestellt, daß sie sich gegenseitig, und zwar exklusiv, betrachten. Die *Mimesis* ist so buchstäblich verstanden, daß der Unterschied von Bild und Abbild gegenstandslos ist.

Wie Paolini arbeitet Claudio Parmiggiani u. a. mit Gipsabgüssen antiker Büsten oder Fragmenten von solchen. In seinem *Pan* von 1985 ist ein Bonsaibäumchen auf eine ant. Büste eines Jünglings montiert, dessen melancholischer Gesichtsausdruck von der lüsternen Natur des Gottes nicht zu wissen scheint und eher apollinischen Charakter aufweist (von 1982 stammt ein ähnliches Werk mit dem Titel *Alchimia*).

O. Pittura Colta

Bei der *pittura colta* handelt es sich um eine Bezeichnung, die *anacronisti* und – in gewissem Maße – auch die *citazionisti* umfaßt. Ein Vertreter der *citazionisti* ist der sizilianische Künstler Salvo (Salvatore Mangione), dessen spätere Werke ausgiebig klass. und neoklass. Vorgaben rezipierten. Von ihm stammt eine Landschaft (Ohne Titel, 1978), die ant. Tempelreste sowie Säulenfragmente in leicht naiver, an Rousseau gemahnender Manier zeigen.

Alberto Abate und Carlo Maria Mariani gelten als die beiden wichtigsten Vertreter der sog. Anachronisten, einer Künstlergruppe, deren Name Programm ist. So schuf Abate in *Mithraica* (1988) in einem an den Symbolismus Moreaus erinnernden Stil ein Werk, das die Opferung des heiligen Stiers durch Mithras zeigt – ein

Abb. 3: Giulio Paolino, *Mimesis*;
1975, *due calchi ingesso, due basi*

Akt, der in ant. Weltsicht den Kosmos entstehen ließ.
Die Malerei der Anachronisten und Zitationisten ver-
strömt Eleganz und Bildung, kultiviert das figürliche
Element und eine geschliffene Darstellungsweise.
Gleichwohl basiert sie, abhängig von Duchamp, auf einem theoretisch entwickelten Konzept. Carlo Maria
Mariani bezeichnet sich selbst als ›Maler in der Art eines
Kunsthistorikers‹ [26. 257] und sucht dabei nach
neoklassizistischer Schönheit. Winckelmann, Karl Philipp Moritz und Mengs sind seine bevorzugten Kunst-
wissenschaftler. Unter den Künstlern gehört Angelika
Kauffmann zu seinen Favoriten [26. 258ff.]. In seinem
Gemälde *Sich selbst in einem himmlischen Spiegel betrachtend*
(1984) hat sich die Hauptfigur verdoppelt, ähnlich wie
bei Paolinis Mimesis. Auch hier handelt es sich um einen
Fall absichtlich eingesetzter Tautologie, radikalisiert, da
im Medium der Malerei ausgeführt. Der Topos des
künstlerischen Narzißmus wird in Marianis Werk ironisiert. Eine Fortsetzung fand diese Art der Malerei auch
in den USA: Der kalifornische Maler David Ligare schuf
einen Herkules, der – so der Titel des Werkes – die
Balance zw. Vergnügen und Tugend bewahrt (*Herkules
protecting the Balance between Pleasure and Virtue*, nach
Dürer, Öl, 1993). Er orientiert sich aber im Gegensatz
zu vielen der it. Künstler nicht an Bildern, sondern verwendet lebende Modelle, so daß die ant. Vorgaben
(hier: Herkules am Scheideweg) völlig neu interpretiert

sind: In der Physiognomie der äußerst realistisch dargestellten Figuren erkennt man zeitgenössische Personen. Auch die Terracottastele *Classical Exposure* (1972)
von Robert Arneson weist einen definitiven Gegen-
wartsbezug auf: Der Künstler stellt sich selbst in einer
antikischen Büste aus, bereichert die überlebensgroße
Stele, nach Vorbild ant. Hermen, mit seinen Genitalien
und, am Boden, mit seinen Füßen.

P. DIE KUNST DER DDR
UND DER PERESTROIKA

Antike findet sich nicht nur in Werken des Westens,
sondern auch der ehemaligen DDR und der ehemaligen
Sowjetunion. Bekannt ist v. a. das Œuvre von Wolfgang
Mattheuer, in dem sich der Mythos von Prometheus,
dem heroischen Begründer menschlicher Zivilisation,
und der des Sisyphos als *alter ego* des Künstlers der
Moderne, der unter gewaltigen Anstrengungen und
letztendlich sinnlos seiner Mission folgt, wiederholt
thematisiert findet. Die russ. Künstler der Perestroika
Komar & Melamid, die 1978 in die USA emigrierten,
schufen nach einer Plinius-Vorgabe ihr Bild *Der Ursprung des sozialistischen Realismus* (Abb. 6): Die Wiedergabe des Geliebten, legendäre Stimulanz des Ursprungs
der Malerei, zeigt indes Josef Stalin. Komar & Melamid
bedienen sich dabei (naturgemäß) einer fast altmeister-
lichen Perfektion, doch im Gegensatz zur *pittura colta*
war nicht ein ironisch-demystifizierender Umgang mit
der Ant. das Ziel ihrer Kunst, sondern die Demontage
von Herrscherzelebrierung und die »Denunziation« des
Sozialistischen Realismus. Auch der russ. Künstler Genia Chef, der sich seit 1985 in Deutschland, Spanien und
den USA aufhält, polemisiert in seinem Werk gegen
Diktaturen und deren verheerende Folgen. Er kombiniert in seinem Œuvre – Bildern wie Digitalprints – die
unterschiedlichsten Epochen und Architekturen. Berühmte architektonische und skulpturale Monumente
der unterschiedlichsten Epochen, oft auch Ruinen, die
umstandslos nebeneinandergestellt werden, führen jegliche Fortschrittsideologie *ad absurdum*. Alles hat denselben Stellenwert: In seiner *Begegnung am Kolosseum*
(1997) findet sich das Kolosseum neben dem Branden-
burger Tor, der Berliner Siegessäule, der zerstörten Ge-
dächtniskirche und der Reiterstatue des Alten Fritz wieder, exotische (indische?) Architekturen neben der kolossalen Hand des röm. Kaisers Konstantin (im Kapitol).
An diesem »utopischen« Ort geben sich Hitler und Mussolini, der Künstler selbst, wilhelminische Soldatenfi-
guren, zeitgenössische Musiker und mod. Touristen ein
Stelldichein. Die großen Diktatoren des 20. Jh. und ihr
ideologischer Rückbezug auf die Ant. werden gnaden-
los entlarvt und schriller Komik ausgeliefert.

Q. SOGENANNTE MYTHISCHE INSTALLATIONEN
UND PROJEKTE DER GEGENWART

Abschließend der Blick auf zwei nur schwer dem
mainstream zuzuordnende Beispiele: Ein *Minotaurus*
(1998) von Athos Collura, sodann als jüngstes *work in
progress* ein in Los Angeles stattfindendes Projekt zum
Mythos Europa, die sich beide mit dem »Mythos« Kreta

Abb. 6: Komar & Melamid,
Der Ursprung des sozialistischen Realismus;
1982–83. Öl auf Leinwand, 183 × 122 cm

beschäftigen, wenn auch auf höchst unterschiedliche Weise.

Der in Sizilien aufgewachsene und h. in Mailand lebende Athos Collura schuf 1988 eine Installation zum Thema »Labyrinth und Minotauros« mit dem Titel *Die Schwindel des Labyrinths*, das anläßlich eines Kongresses zum Thema Enigma (sowie dem der Sphinx) stattfand. Sein grauweißer Minotauros aus Glasfaserkunststoff befindet sich in einem Labyrinth aus transparenten Paneelen, die von buntfarbigen, kometenartigen Linien durchzogen werden. Ungleich den berühmteren Variationen des Mythos durch Picasso dauert uns die von Collura geschaffene Figur: Der Stier liegt mit nach oben gewendetem Kopf, die rosafarbenen Augen verzweifelt gen »Himmel« gerichtet. In seinem Labyrinth gefangen, ist er nicht Bild einer monströsen Kraft und Energie (wie häufig bei den Surrealisten oder Picasso), sondern eher Inbegriff von Verzweiflung und Hoffnungslosigkeit. Cesare Ciasullos enigmatisches Gedicht *Die Klage des Minotauros* formuliert in etwa, was sich in der Installation ausdrückt (Paraphrase): ›Stummer Wächter in Uniform, scheide ich Spiralen von Gift aus; ausgesondert von der Welt brüte ich über meinem Anderssein: Ich gäbe alle beide meiner Augen und umarmte unendlich den, der mich aus diesem schwarzen Loch erlöste‹

[12. 125]. Minotaurus, aufgrund einer unverschuldeten Diversität in die schwarze Hölle einer überbunt psychedelischen Welt voller *incubi* für immer verbannt und schließlich von der Normalität des Theseus erlegt, tritt uns hier als beklagenswertes Opfer gegenüber.

Zwei junge Künstler, Christina Clar und Peter Jap Lim, arbeiten derzeit an einem Projekt mit dem Titel *Turning Dreams and Shifting Harbors*, das sich mit dem Mythos Europa auseinandersetzt. Das Projekt wendet sich an Exilanten, speziell solche, die nach Los Angeles ausgewandert sind. Der Mythos dient hierbei für teils rationalistische Interpretationen des Exils, teils ist er Ausgangspunkt für die Eröffnung eines Dialoges über das Leben der »Fremden«. In einer ersten Etappe sollen Plakate mit dem Phantombild einer jungen, schönen Frau geschaffen und mit der Beischrift »Wanted« in Los Angeles verbreitet werden. Das Fahndungsbild ist die künstlerische Umsetzung des Traumes der phönizischen Königstochter Europa, der in der Nacht vor ihrer Entführung durch Zeus eine an Aphrodite gemahnende Frau erschienen war. Ziel ist, etwas von den Träumen der Exilanten zu erfahren – ist ihre alte Heimat das Land ihrer Träume geblieben, haben diese sich in der Fremde geändert, oder ist gar die »Stadt der Engel« mittlerweile zum Gegenstand ihrer Träume geworden? Eine zweite Etappe reflektiert über den »Anderen« und visualisiert mit Hilfe eines Videos das Meer, durch das der Stier Europa nach Kreta trug und dem Kontinent seinen Namen gab. Ein Parfum, »Scent of Europa«, zusammengesetzt aus den Blumendüften des Strandes von Sidon, der Heimat der Königstochter, wird das Projekt weiterführen: In Frankreich in schönen Flakons hergestellt, komprimiert es Erinnerung vermittels des primordialen Geruchssinnes. Installation wie Projekt thematisieren Einsamkeit und Fremdheit und können vielleicht ein Beispiel für die Aktualität mythischer und myth. Themen sein und, wie auch der eingangs vorgestellte Comic des *Tankgirl*, zw. Aggressivität und Gewalt einerseits und den Träumen und dem Versuch eines Dialoges auf der anderen Seite vermitteln.

1 Ausstellungskat. Arte Povera, hrsg. von G. Celant (überarbeitete und mit anderen Texten angereicherte Version des Kat. der Ausstellung The Knot. Arte Povera at P. S. I, New York 1985, 1989 **2** Ausstellungskat. Arte povera 1971 und 20 J. danach. Hrsg. von Z. Felix, Kunstverein München, 1991 **3** Ausstellungskat. Genia Chef, Promenaden in Arkadien. Hrsg. von Avantgarde Galerie Kyra Maralt, Berlin, 1997 **4** Ausstellungskat. Der Traum des Orpheus. Myth. in der it. Gegenwartskunst 1967–84 Hrsg. von H. Friedel, Städtische Galerie im Lenbachhaus München, 1984 **5** Ausstellungskat. Mythos Europa. Europa und der Stier im Zeitalter der industriellen Zivilisation. Hrsg. von S. Salzmann, Kunsthalle Bremen, 1988 **6** Ausstellungskat. Giulio Paolini. Hrsg. von Accademia di Francia a Roma, 1996 **7** Ausstellungskat. Claudio Parmiggiani, Iconostasi, hrsg. von K. Wolbert, Darmstadt, Mathildenhöhe, 1992 **8** Ausstellungskat. Vita e arte in Italia negli anni trenta. Hrsg. von Galleria Nazionale d'Arte Moderna, s.l. 2000 **9** M. L. Borràs,

Picabia, 1985 **10** R. Bossaglia, Athos Collura, 1995
11 M. Butor, J. Clair, S. Houbart-Wilkin, Delvaux.
Catalogue de l'Œuvre peint, 1975 **12** C. Ciasullo, Il
Lamento del Minotauro, in: Le vertigini del labirinto, a cura
di R. Aragona, 2000, 125 **13** A. Del Guercio, Storia
dell'arte presente. Europa e Stati Uniti dal 1945 a oggi, 1985
14 M. Eberle, Oskar Schlemmer: Die Wandlung Adams zu
Prometheus durch Geom. Transzendente Anatomie, in:
Der Weltkrieg und die Künstler der Weimarer Republik –
Dix, Grosz, Beckmann, Schlemmer, 1989, 111–137
15 I. Golomstock, Totalitarian Art in the Soviet Union,
the Third Reich, Fascist Italy and the People's Republic of
China. 1990 **16** B. Hinz, Bild und Lichtbild im
Medienverbund, in: Ders., Die Dekoration der Gewalt.
Kunst und Medien im Faschismus, 1979, 137–148 **17** Italian
Art Now. The Southern European Trad. – Chia, Clemente,
Cucchi, Paladino, Art & Design, vol. 5 1/2, 1989
18 H. Keulen, Die Ant. in der Karikatur, 1986
19 E. Lucie-Smith, Kunst h., 1997 **20** J. D. Reid, The
Oxford Guide to Classical Mythology in the Arts,
1300–1990s, 2 vol., 1993 **21** U. Reinhardt, Griech.
Mythen in der Kunst des 20. Jh., in: Der ant. Myhos und
Europa. Texte und Bilder von der Ant. bis ins 20. Jh., hrsg.
von F. Cappelletti, G. Huber-Rebenich, 1997, 191–228
22 Die Rezeption der Metamorphosen des Ovid in der
Neuzeit: Der ant. Mythos in Text und Bild. Internationales
Symposium der Werner-Reimers-Stiftung, Bad Homburg
v. d. h., hrsg. von H. Walter, H.-J. Horn, 1995
23 J. Russel, The Meaning of Modern Art, 1981 **24** The
Shadow of the Gods. Greek Myth and Contemporary Art,
hrsg. von E. di Stefano, 1998 **25** N. Suthor, Caius Plinius
Secundus d. Ä.: Trauerarbeit/Schatten an der Wand (77
n. Chr.), in: R. Preimesberger, H. Baader, N. Suthor,
Porträt, 1999, 117–126 **26** P. V. Tondelli, Claudio Maria
Mariani, in: Un weekend postmoderno, 1996, 257–262
27 K. Türr, Zur Antikenrezeption in der frz. Skulptur des
19. und frühen 20. Jh., 1979 **28** Dies., Fälschungen ant.
Plastik seit 1800, 1984 **29** W. Worringer, Die dt.
Buchillustration, 1912. GABRIELE HUBER

Möbel A. Früh- und Hochmittelalter
(500–1250) B. Spätmittelalter (1250–1500)
C. Renaissance (1450–1600) D. Barock
(1600–1730) und Rokoko (1730–1740)
E. Frühklassizismus (1760–1790), Empire
(1790–1820), Biedermeier (1800–1850)
F. Historismus
G. Entwicklung ab 1890 bis zur Gegenwart

A. Früh- und Hochmittelalter (500–1250)

Bei den wenigen erhaltenen Beispielen der M.-
Kunst des Früh- und Hoch-MA handelt es sich zumeist
um Stühle, die neben ihrer Verwendung als Sitz-M. v. a.
als Würdezeichen des Besitzers zu sehen sind. Sowohl
die Gestaltung als auch die Verwendung weisen auf ant.
Vorbilder. Zu unterscheiden ist hierbei zw. dem Typus
des (griech.) *thrónos* bzw. des (röm.) *solium*, dem
(griech.) *klismós* bzw. der (röm.) *cathedra* und dem Faldistorium. Als früh-ma. Beispiel für das *solium* sei die
Cathedra Sancta Petri (Rom, St. Peter) genannt, die
wahrscheinlich zw. 870 und 875 in Metz entstand. Ur-

Abb. 1: Cathedra des Erzbischofs Maximians von Ravenna,
Holzkern mit Elfenbeinplatten,
Ravenna oder Konstantinopel, Mitte 6. Jh. Ravenna,
Museo Arcivescovile

sprünglich war dieses M. nicht als päpstlicher Thron,
sondern von Kaiser Karl dem Kahlen für den eigenen
Gebrauch in Auftrag gegeben worden. Während der
Ant. zeichnet sich das *solium* durch seine gerade, hohe
Rückenlehne und Armlehnen aus sowie durch seinen
feierlichen Charakter. Bei der *Cathedra Sancta Petri* fehlen die Armlehnen, doch die restliche Erscheinung
bleibt dem ant. Ideal verpflichtet; die Verwendung als
Kaiserthron entspricht der ant. Auffassung. Wenngleich
weitere überlieferte Thronsessel aus dieser Zeit fehlen,
so darf nicht ausgeschlossen werden, daß ursprünglich
zahlreiche ähnliche Zeremonialstühle existierten, wie
Herrscherdarstellungen der Buchmalerei nahelegen.

Die *cathedra* dient in ant. Zeit als Frauensitz-M.; in
der Spätant. ist sie das kennzeichnende M. für Philosophen und Rhetoren. In diesem Sinn findet sie Benutzung während des frühen und hohen MA, wie sich anhand der Cathedra des Erzbischofs Maximians von Ravenna (546–556) (Ravenna, Museo Arcivescovile)
nachweisen läßt, die in der Mitte des 6. Jh. entstand
(Abb. 1). In der Ant. weist die *cathedra* eine runde Lehne
auf, Armlehnen fehlen; die vorderen Beine sind nach
außen gestellt. Während die runde Lehnenform auch
bei dem Beispiel aus dem 6. Jh. zu finden ist, so nicht die
nach außen gestellten schrägen Beine; Armlehnen sind
nur angedeutet. Somit stellt dieser Thron eine Verbindung aus *cathedra* und *solium* dar, wie es auch dem Amt

Abb. 2: Faltstuhl (Faldistorium), Holz, Bein, Leder,
Salzburg oder Rheinland, 1242 (?) mit späteren
Ergänzungen.
Salzburg, Benediktinerinnenstift Nonnberg

eines (Erz-) Bischofs angemessen ist, dem als Lehrer und
Seelenhirten nach spätant. Verständnis die *cathedra*, als
kirchlichem Würdenträger aber das *solium* gebührt. Ein-
fachere Beispiele aus einer Pfostenkonstruktion mit
Korbgeflecht dienen in spätant. Zeit als Sitz für ältere
Menschen und Frauen. Bildquellen aus romanischer
Zeit belegen diese Trad. auch für das MA, wie Darstel-
lungen der thronenden Mutter Gottes beweisen.

Das Faldistorium, der Faltstuhl, ist als dritter Typus
angeführt, wobei hierfür zwei Beispiele des Früh- und
Hoch-MA aufgezählt seien, der *Dagobertthron* (Paris,
Cabinet des Médailles de la Bibliotheque nationale), der
E. des 8. Jh. wahrscheinlich in Aachen aus Bronze hergestellt wurde (mit ergänzten Arm- und Rückenlehnen
aus dem 12. Jh.) und der Faltstuhl des Benediktinerin-
nenstiftes Nonnberg (Salzburg, Benediktinerinnenstift
Nonnberg), der um 1242 im Rheinland oder in einer
Werkstatt in Salzburg entstand (Abb. 2). Während der
röm. Ant. dienten Faltstühle (die sog. *sella curulis*) als
Königssitz, das wurde später auf hohe Beamte übertragen, wenn diese kraft ihres Amtes zu sitzen hatten. Mit
der teilweisen Übernahme der röm. Beamtenhierarchie
durch die Kirche übernahm man dieses Würdezeichen,
wobei die Buchmalerei auch den Gebrauch im weltlichen Bereich nahelegt. Nicht nur die Verwendung der
einzelnen Stuhlformen entspricht den ant. Vorbildern,
sondern auch die verarbeiteten Materialien, wobei –
hier ant.-biblischen Trad. folgend – v. a. (Elfen-)Bein
eine herausragende Stellung zukommt. Der Schmuck
von Thronsesseln kann um eingelegte Gemmen und
Kameen, Metalle, Email und Edelsteine bereichert sein.
Polster und textile Behänge sind – wie in der Ant. – lose
aufgelegt. Aus dem frühen und hohen MA haben sich
neben den Thronsesseln kaum weitere M. im Original
erhalten.

Im Testament Karls des Gr. werden drei silberne und
ein goldener Tisch erwähnt, bei denen es sich wohl um
Beute- oder Erbstücke aus der Ant. handelt, die mit der
unmittelbaren Anknüpfung an die Ant. während der
renovatio imperii zusammenhängen. Aus der Romanik
kennen wir nicht nur Dachtruhen, die an hell. Holz-
und röm. Steinsarkophage erinnern, wie auch der ähnliche Typus bei Schreinen der Heiligen- und Reliquienverehrung das gemeinsame ant. Vorbild nahelegt, sondern auch den Giebelschrank in der Verwendung als
Aufbewahrungs- und Bücherschrank, hier ebenso
(spät-)ant. Vorbildern folgend.

B. Spätmittelalter (1250–1500)

Mit dem Aufstieg der Städte zu pol., gesellschaftlichen, wirtschaftlichen und künstlerischen Zentren und
einer sinkenden Mobilität der Gesellschaft kommt dem
Mobiliar eine neue Bedeutung zu: Zum einen kann es
künstlerisch aufwendiger gestaltet werden, weiter ist es
ein wichtiges Repräsentationsmittel beim hohen Bürgertum, zum dritten steigt die Zahl unterschiedlicher
M.-Typen.

Durch die Entwicklung des Zunftwesens verfeinerte
sich die Technik, was v. a. bei der Konstruktion deutlich
wird: Die tragenden M.-Seiten sind nun aus einem
Holzrahmen gefertigt, in den dann eine Füllung einge-
lassen wird. Dadurch wird das M. nicht nur leichter,
auch die Dekorationsmöglichkeiten nehmen zu.
Schmucktechnik bildet während des Spät-MA neben
der Bemalung v. a. das Schnitzwerk. Während bei romanischen M. meist noch auf ant. Dekor zurückgegriffen wird, der allerdings christl. umgedeutet sein kann,
bildet die zeitgenössische gotische Architektur das Vorbild für die Schmuckformen bei spät-ma. M. Die Fül-
lungen weisen daher neben dem Faltwerk v. a. Maßwerk und Spitzbögen auf. Im Laufe der Zeit – entsprechend der Entwicklung in der Architektur – wird
der Dekor immer feingliedriger. Von der Ant. löst man
sich somit bei Dekorationsformen, der Herstellungstechnik und beim Material.

Gegenüber dem *solium* tritt die *cathedra* in ihrer Bed.
zurück. Das *solium* beruht auf der angesprochenen Konstruktion (Kastenstuhl), wobei die Sitzfläche als Tru-
hendeckel dienen kann, so daß dieser Typus nicht nur
Sitz- sondern auch Aufbewahrungs-M. darstellt. Die
zahlreichen erhaltenen Beispiele machen deutlich, daß
dieser Stuhl nun nicht mehr nur als Thron für weltliche
und geistliche Würdenträger gebräuchlich ist, sondern
ein Hoheitszeichen in allen Gesellschaftsschichten darstellt.

C. Renaissance (1450–1600)

Von It. ausgehend, erfolgt – auch beim Mobiliar –
die Wiederentdeckung der Antike. Durch Ausgrabungen und das Studium der Schriftquellen wird das Wissen
über die Ant. systematisch erweitert, durch den Druck
der Schriften und die Herausgabe von Vorlagestichen
nach ant. Bildwerken die Kenntnis in ganz Europa verbreitet. Technisch bleibt die spät-ma. Konstruktion
weiterhin verbindlich, doch wird der Rahmen inner-

halb der künstlerischen Gestaltung verschleiert. Entweder wird nun nicht nur die Füllung mit Schnitzwerk dekoriert, sondern auch der Rahmen oder aber – bes. in It. – der ganze M.-Korpus mit plastischem, farbig gefaßten Stuck überzogen. Als neue Technik tritt die bereits während der Ant. bekannte Intarsientechnik hinzu, bei der unterschiedlich farbige Hölzer in das Trägerholz eingelegt werden. Gerade die Intarsie wird ausgehend von It. in ganz Europa die gebräuchliche Verzierungstechnik für Repräsentations-M. Manche M. werden direkt ant. Vorbildern angeglichen, wie etwa die Truhe in Sarkophag-Form (cassone a sarcofago), bei der der Truhenkorpus stark plastisch verziert und in Anlehnung an röm. Steinsarkophage mit antikisierenden Reliefs versehen ist. Die aufkommenden Wangentische aus Holz haben ihr Vorbild in ant. Wangentischen aus Marmor. Die Bed. des *solium* tritt in It. zugunsten des Faltstuhles zurück; als eine Wiederentdeckung darf der wohl in der Ant., aber nicht während des MA gebräuchliche Scherenstuhl gelten, bei dem der Korpus durch mehrere ineinandergreifende Scheren klappbar gestaltet ist, die Sitzfläche also aus den Holzstreben gebildet wird, nicht aus textilen oder ledernen Bespannungen wie bei den Faltstühlen. Die M.-Typen orientieren sich dabei weniger in ihrer Konstruktion und Form an ant. Mobiliar, sondern die Ausschmückung der M. erfolgt nach ant. Vorbildern, wobei hier – wie bereits während der Gotik – die Architektur für die Ornamente der M. vorbildlich ist. Maßwerk und Spitzbogen werden ersetzt durch antikisierende Arkaden und Säulen. Neben Architekturelementen treten zunehmend figürliche Reliefs in den Mittelpunkt. Thema bilden hier ant. Erzählungen, die sich in einzelnen Szenendarstellungen über den gesamten M.-Korpus erstrecken können, aber auch Einzelfiguren nach ant. Vorbild. Gerahmt werden diese Szenen von antikisierenden Friesen. In den Ländern nördl. der Alpen hält man länger an den während des Spät-MA entwickelten M.-Formen fest, wie etwa dem Kastenstuhl. Als neue, in der Ant. unbekannte M.-Typen müssen der (Fassaden-)Schrank (gebildet aus Ober- und Unterschrank, eine Entwicklung, die im Spät-MA einsetzte und während der Ren. ihren Höhepunkt erreichte), der Kabinettschrank (ein auf einem Gestell ruhender Korpus, der in seinem Inneren in Fächer zur Aufbewahrung von Kunstkammerstücken, Dokumenten und Schmuck unterteilt ist) und die Kommode genannt werden. Besonders die beiden letzten Typen werden wegweisend für Barock-M.

D. Barock (1600–1730) und Rokoko (1730–1770)

Während des Barocks gewinnt die Gesamtausstattung des Raumes an Bed., wobei Bildprogramme mit antikisierenden Themen oder Einzelszenen meist durch die Bildwirkerei und Malerei wahrgenommen werden; so treten entsprechende Szenen bei M. zurück und beschränken sich nur auf eine antikisierende Grundgliederung (Pilaster, Halbsäulen, Säulen) und auf Ornament-Zitate. Die Verzierungstechniken werden reicher und die Intarsie durch die Marketerie abgelöst, bei der auf dem Trägerholz ein Bild aus verschiedenfarbigen Furnierhölzern zusammengesetzt wird.

Sitz-M. sind weiterhin Zeichen der Würde und Hierarchie. Dabei spielt die feste Polsterung, die in der Ant. noch nicht bekannt war, eine immer größere Rolle. Insgesamt lösen sich die M. erneut von dem ant. Vorbild sowohl in Herstellungstechnik und Form als auch in den verwendeten Materialien. Diese im Barock einsetzende Entwicklung findet ihren Höhepunkt im Rokoko: Nicht einmal Einzelornamente haben noch ant. Vorbilder. Im 18. Jh. tritt eine Vielzahl neuer M.-Typen hinzu, die nun v. a. auf Bequemlichkeit für den Benutzer abzielen, nicht nur auf das Herausstellen seiner gesellschaftlichen Stellung.

E. Frühklassizismus (1760–1790), Empire (1790–1820), Biedermeier (1800–1850)

Mit den Ausgrabungen in → Herculaneum und → Pompeji wird das Interesse an der Ant. neu geweckt. Wie bereits während der Ren. verbreiten sich die neuen Kenntnisse durch Stichwerke, etwa denen von G. B. Piranesi. Um 1760 tauchen so in Paris M. mit antikisierenden Ornamenten auf, die als Gegensatz zum Rokoko verstanden werden. Allerdings hält man an den M.-Typen und den verfeinerten Ausführungstechniken des 18. Jh. fest, doch fertigt man nun Beschläge, Marketerien und Schnitzereien nach ant. – meist der Architektur entlehnten – Vorbildern an. Die Silhouette der M. wird geradlinig und die farbigen Marketeriebilder treten zugunsten des großflächig verwendeten Mahagoniholzes zurück. Die zeitgenössischen Bezeichnungen für diese Stilentwicklungen – *goût grec* und *goût étrusque* – belegen, daß es um eine detaillierte, wiss. fundierte Auseinandersetzung mit ant. Formengut geht. Die Entwicklung findet dann während des Empires ihre Fortsetzung. Suchte man während des Frühklassizismus die Ornament-Vorbilder v. a. in der hell. Welt, so nun in der röm. Antike. Die Korpus-M., wie Sekretäre (Abb. 3) und Kommoden, sind im Gegensatz zum Frühklassizismus nicht mehr drei-, sondern nur noch einseitig ausgerichtet. Zudem werden während des Empires ant. M.-Typen aufgegriffen, wie die Liege für den Salon oder der Faltstuhl. Ab 1790 tauchen neben röm. Elementen verstärkt ägyptisierende auf. Der Stil findet in ganz Europa durch das Stichwerk von C. Percier und P. Fontaine Verbreitung. In England werden ähnliche Umrißradierungen von T. Hope herausgegeben.

Während Napoleon nach den Revolutionskriegen die frz. Luxuswarenindustrie durch Staatsaufträge fördert, sind die übrigen Länder Kontinentaleuropas von der Finanzierung der Kriege bald schon wirtschaftlich erschöpft. So entwickelt sich hier eine neue, schlichte Variante der M.-Formen, das Biedermeier. Der Korpus wird mit einheimischen Hölzern unter Verzicht auf aufwendiges Schnitzwerk und Beschläge furniert. Man meint die Umsetzung des Zitats der »edlen Einfalt und stillen Größe« von J. J. Winckelmann vorzufinden. Bei

Abb. 3: Pierre-Benoit Marcion (1769–1840),
Klappsekretär, Mahaghoni auf Eiche, vergoldete
Bronzebeschläge, Marmorplatte, Paris, um 1801

den Sitz-M. ist, ähnlich dem Empire, häufiger ein direktes Zurückgreifen auf ant. Vorbilder zu erkennen. So
übernahm man von der griech. Vasenmalerei den Typus
des *klismós* mit gebogener Rückenlehne, schräg ausgestellten Vorderbeinen und fehlenden Armlehnen, der
weite Verbreitung fand. Besonders Architekten wie
K. F. Schinkel in Berlin oder L. v. Klenze werden zu
wichtigen Entwerfern des Biedermeier-M. Mit der Restauration ab 1815 kehrt der Wohlstand nicht zuletzt
auch in bürgerliche Kreise zurück und die M. werden
nun wieder aufwendiger. Ant. Schmuckformen – Lö-
wenmasken, Sphingen, antikisierende Säulen, ge-
schnitzt, aufgemalt oder aus geprägtem Metall – sind
allerdings ebenso häufig zu finden wie gotisierende oder
barockisierende Schmuckelemente, so daß sich im Gegensatz zum Empire während des Biedermeiers nicht
ein alleiniger Rückgriff auf die Ant. feststellen läßt.

F. Historismus

Ab ca. 1840 orientiert man sich bei der Gestaltung
der M. immer häufiger an histor. Stilen, v. a. an Gotik,
Ren. und Barock. Dies bedeutet eine Übernahme der
einzelnen Formenelemente auf die M.-Typen des Biedermeier. Die Ant. spielt zunächst kaum eine Rolle. Erst
mit einer systematischeren kunsthistor. Unt. der Stile im
Kunsthandwerk (ab ca. 1870) und der Forderung nach
Vorbildertreue bis in das letzte Detail tritt auch die Ant.
stilbildend hinzu (ohne daß man allerdings auf mod.
Komfort wie etwa die Polsterung verzichtet). Der
Funktion eines Raumes wird ein bestimmter Stil zugeordnet: Während im Salon die frz. Königsstile des Barocks und Rokokos zu finden sind, bevorzugt man für
das Eßzimmer die Neorenaissance. Seltener sind ant. inspirierte Räume, meist dann die Arbeitszimmer. Der
Wiener Architekt T. Hansen ist hier als wichtiger Vertreter zu nennen. Dennoch werden ant. Formen meist
über den Umweg der Ren. und des Frühklassizismus
rezipiert.

G. Entwicklungen ab 1890
bis zur Gegenwart

Der Jugendstil löste sich mit seinen floralen, stilisiert-
floralen und geom. Formen vom Vorbild histor. M. Um
1900 werden die Anklänge an die Ant. stärker – allerdings hier auch oft als Rezeption der 100 J. älteren klassizistischen M. (Empire, Biedermeier); seltener sind
komplette antikisierende Raumausstattungen wie bei
der Villa F. v. Stucks in München. In den 20er J. des
20. Jh. hält diese Tendenz noch begrenzt an, wobei wieder verstärkt ägypt. Elemente bei M. zu finden sind.

Der von L. Mies van der Rohe entwickelte Sessel-
und Hockertypus für den dt. Pavillon auf der Weltausstellung in Barcelona (1929), der sich an ant. Faltstühlen
orientiert, bleibt eine Ausnahme. Bei der Eröffnung der
Weltausstellung sollte das span. Königspaar auf diesen
Sesseln Platz nehmen, so daß nicht nur mit der Gestaltung, sondern auch mit der Verwendung deutlich ein
Anschluß an die Ant. gefunden wurde.

Während der 30er und 40er J. werden M. der Repräsentationsbauten des Staates und der Wirtschaft architektonisch gegliedert. Diese strenge Gestaltung der
M. mit Pilastern und Gesimsen läßt ein ursprünglich ant.
(Architektur-)Vorbild noch erahnen.

Besonders in den Vereinigten Staaten von Amerika
und in Skandinavien entdeckt man neue synthetische
Materialien wie Kunststoffe, und neue Techniken wie
die dreidimensionale Formung von Hölzern für das
M.-Design, die nahezu unbegrenzte Gestaltungsmög-
lichkeiten bieten. In den Jahrzehnten nach 1945 entwickelt sich eine Vielfalt verschiedener individueller
Designrichtungen, die meist einen von der Vergangenheit losgelösten Stil suchen. Erst die Postmoderne der
1980er J. bezieht sich wieder bei der Gestaltung von M.
– wenn auch bisweilen ironisch – auf ant. (Architek-
tur-)Formensprache, wobei dies nur eine kurze Erscheinung unter einer Vielzahl unterschiedlicher Entwicklungen ist.

→ AWI Möbel

1 J. Bahns, Biedermeier-M., 1979 2 R. G. Blakemore,
History of Interior Design and Furniture, 1997
3 M. Deschamps, Empire, 1994 4 O. v. Falke, H. Schmitz
(Hrsg.), Dt. M. vom MA bis zum Anfang des 19. Jh., 1923
5 H. Groth, Neoclassicism in the North, 1990 6 S. Hinz,
Innenraum und M., 1979 7 H. Kreisel, G. Himmelheber,
Die Kunst des Dt. M., 1983 8 D. Ledoux-Lebard, Les
ébénistes du XIXe siècle, 1984 9 H. Ottomeyer, Zopf- und
Biedermeier-M., 1991 10 P. Thornton, The Italian Ren.
Interior, 1991 11 F. Windisch-Graetz, M. Europas,
1982/1983 12 H. Whitehead, The French Interior in the
Eighteenth Century, 1992.   Martin Eberle

Mönchtum A. VORGABEN
B. MITTELALTERLICHE ENTFALTUNGEN
C. BETTELORDEN
D. ORDENSLEBEN IN DER NEUZEIT UND SEINE
ORGANISATION

A. VORGABEN

Das M. gehörte als ausgewiesene und anerkannte christl. Lebensform zur Kirche der Spätant. und wurde mit der Annahme des Christenglaubens durch die german. Völker in ihre entstehenden Landeskirchen aufgenommen. M. war dabei keine einheitliche Größe. Von den konstitutiven Elementen – Leben in der asketisch geprägten Christusnachfolge in geordneter Gemeinschaft (Zönobiten) oder als Einsiedler (Eremiten) – abgesehen, gab es vielerlei Formen und Gestalten. Isidor von Sevilla (gest. 636) zählte sechs verschiedene Arten von Mönchsleben auf.

Gezielter Ordnungswille führte im lat. M. zum Aufkommen der Klosterregeln. Nach der in den letzten J. des 4. Jh. geschriebenen *Augustinusregel* (sog. *Praeceptum*; in geistiger Nähe dazu stand der etwas ältere *Ordo Monasterii*), die inhaltsgleich in männlicher und weiblicher Fassung veröffentlicht wurde, waren es zwei Übers.-Arbeiten: Die sog. *Basiliusregel* (Kleines Asketikon) durch Rufinus von Aquileia um 396 und die *Pachomiusregeln* durch Hieronymus im J. 404, die Einfluß auf das lat. M. gewannen. Dann setzte eine eigene rege lat. Regelproduktion ein. An die 30 Klosterregeln wurden bis etwa 700 geschrieben. Die Reihe beginnt – um nur einige zu nennen – mit den sog. *Väterregeln aus Lérins*, den Schriften des Johannes Cassian; im 6. Jh. folgen die beiden Regeln des Caesar von Arles, dessen *Nonnenregel* als erste Regel ausdrücklich für Frauen geschrieben wurde, die umfangreiche *Magisterregel*, die *Mönchsregel* des Benedikt von Nursia und die Regeln des Columban, die iroschottischen Einfluß in das lat. M. brachten; aus dem 7. Jh. die *Mönchsregeln* des Isidor von Sevilla und die beiden Regeln des Fructuosus von Braga. Mit den genannten Namen ist auch die monastische Landkarte abgesteckt: Gallien, It., Nordafrika, Spanien und das ferne Irland/Schottland. Die Regeln wollten kein neues M. schaffen; sie sind als Verschriftlichungen bewährten klösterlichen Lebens anzusehen, Festschreibungen des monastischen Konsenses für eine bestimmte Klostergemeinschaft. Vom 7. Jh. an zeigte sich ein Konzentrationsprozeß dieser Normtexte, in dem Regeln zusammengezogen und Regelkomposita, »Mischregeln«, gebildet wurden. Über diese Mischregelepoche stieg im merowingisch-fränkischen M. die Benediktusregel nach und nach zur bevorzugten Klosterregel auf, bis sie in der karolingischen Klosterreform wenigstens nominell zum allein anerkannten Normtext wurde. Das gilt für das fränkische, angelsächsische und it. M. Spanien blieb davon unberührt (hier wurde die Benediktusregel erst im 10./11. Jh. rezipiert). Außerhalb der uniformierenden Tendenzen blieb auch das iroschottische M., das im 8. und 9. Jh. mehrere eigene Regeltexte produzierte.

Durch das Konzil von Chalcedon 451 waren die Klöster den Bischöfen unterstellt, denen die Aufsicht über Gründung und Erhaltung von Klöstern zustand (Can. 4). Diese rechtliche Einbindung in die Ortskirchen galt grundsätzlich auch für das lat. M. Bischöfe waren bevorzugte Klostergründer. Aber neben ihnen standen vermögende und vornehme Laien, die Klostergründungen ermöglichten und Einfluß in ihren frommen Stiftungen beanspruchten.

B. MITTELALTERLICHE ENTFALTUNGEN

Die »Karolingische Klosterreform« unter den Kaisern Karl d. Gr. (800–814) und Ludwig dem Frommen (814–840), an deren Seite Bischöfe und Äbte standen, v. a. Benedikt von Aniane (um 750–821), griff mit starker Hand in das überkommene Klosterwesen ein. Die Klöster wurden gezielt in den Landesausbau und die Reichsorganisation eingefügt. Sie wurden zu Institutionen im Dienst des Reiches. Königlicher Schutz sicherte und förderte ihren Bestand. Im Gegenzug wurden Leistungen für den Herrscher und das Reich erwartet: Das Gebet, materielle Abgaben und mil. Dienstleistungen. Karl d. Gr. spannte die Klöster bewußt in seine Bildungsreform ein (*Epistola de litteris colendis*, 784/85; *Admonitio generalis*, 789). Die Klöster sollten Schulen einrichten, und Mönche als Lehrer wirken. Die monastischen Gemeinschaften wurden zu Hütern der überkommenen Traditionsgüter in Theologie, Liturgie, geistlicher und profaner Lit. und machten sie fruchtbar für ihre Zeit. An die Stelle der Handarbeit trat die geistige Arbeit in Schreibstube und Bibliothek. Die Klöster wuchsen in eine ausgedehnte kulturelle Tätigkeit hinein. Von den kontinentalen Klosterregeln, auch von der Benediktusregel, war eine solche außerklösterliche Wirksamkeit nicht vorgesehen, wohl aber boten sie Ansatzpunkte. Die Pflicht der täglichen Lesung führte zum Gebot des Lesen- (und Schreiben-) lernens (Pachomius, *Praecepta* 139–140; das Gebot gilt gleicherweise für Frauen: Caesar von Arles, *Nonnenregel* 18). Cassiodor (gest. um 500) gab den Mönchen seiner Klosterstiftung *Vivarium* die Schreibarbeit als besonderen Auftrag und begründete damit ein ›Apostolat der Feder‹ (*Institutiones* I 30), das im MA häufig aufgenommen und beschrieben wurde. Die genannten Beanspruchungen durch Karl d. Gr. griffen die klösterlichen Vorgaben auf; in ihrer Bereitschaft zur Mitwirkung leisteten die Klöster ihren Beitrag zur sog. → karolingischen Renaissance.

1. UNIFORMIERUNGSTENDENZEN

Innerklösterlich war das entscheidende Moment die Durchsetzung der Benediktusregel als allg. verpflichtende Klosterordnung (Aachener Reformsynoden 816/819). Das von Ludwig dem Frommen gegr. Kloster Inda (Kornelimünster bei Aachen) unter der Leitung Benedikts von Aniane wollte als »Musterkloster« fungieren, in dem Mönche die rechte benediktinische Lebensform kennenlernen und in ihre Klöster tragen sollten. Das Programm der »einen Regel« (*una regula*) und einer einheitlichen klösterlichen Praxis (*una consuetudo*) war keineswegs schlagartig in eine Tat umzusetzen. Benedikt von Aniane bemühte sich in seinem *Codex Regularum* und seiner *Concordia Regularum* die Benediktregel als die geglückte Zusammenfassung der gesamten altkirchlichen monastischen Trad. vorzustellen, um so die Annahme des Regeltextes zu erleichtern und das Benediktinische als das authentisch Monastische zu präsentieren. Die nominell und offiziell verfügte Identität von Mönch und Benediktiner mag im weiten Karolingerreich erreicht worden sein, die *una consuetudo* konnte nicht geschaffen werden. Außerdem war das gesamte Unternehmen so sehr mit dem karolingischen Reichssystem verbunden und seinen Zielen unterstellt, daß es mit dessen Niedergang auch selbst sein Ende fand. Die Aachener Reformgesetze hatten in entsprechender Weise auf andere kirchliche Gemeinschaften geblickt. Um 755 hatte Bischof Chrodegang von Metz (gest. 766, auch in der monastischen Reform engagiert) den gemeinsam lebenden Klerikern eine Kanonikerregel gegeben. Die Aachener Synode von 816 veröffentlichte mit ihrer *Institutio canonicorum* eine allg. verbindliche Norm für solche Gemeinschaften und grenzte den *ordo canonicus* vom *ordo monasticus* (Leben nach der Benediktregel) ab. Die Aachener Gesetzgebung dehnte diese Ordnung auf weibliche Gemeinschaften aus (*Institutio sanctimonialium*), womit Frauenkommunitäten kanonikal geordnet werden sollten, insofern sie nicht nach monastischer Ordnung leben wollten. Die Rezeption dieser Regel ist nicht genau zu verbuchen, da monastische und kanonikale Lebensweise in den Frauenklöstern nicht klar getrennt waren.

2. Cluny und andere Reformverbände

Ein deutlicher Einschnitt in der Geschichte des abendländischen M. ist mit der Gründung des Klosters Cluny (Burgund) im J. 909/10 gegeben. Herzog Wilhelm III. von Aquitanien schenkte seinen Besitz in Cluny dem Abt Berno vom Baume zur Errichtung eines Klosters nach der Benediktusregel. Der Gründer unterstellte das Kloster, den Apostelfürsten Petrus und Paulus geweiht, dem Schutz des Hl. Stuhles und gleichzeitig verzichtete er für sich und seine Erben auf alle Ansprüche dem Kloster gegenüber. Diese Freiheit des Klosters wurde in den folgenden J. durch päpstliche und königliche Privilegien gefördert und gesichert. Die langen Abbatiate der ersten fünf Äbte, von der Gründung bis 1149, trugen das Ihrige dazu bei. Cluny konnte einen weit ausgreifenden Klosterverband aufbauen, v.a. in Frankreich (hier etwa 600 Klöster), It., Spanien und England. Im rechtsrheinischen Reichsgebiet dagegen blieben cluniazensische Gründungen marginal. Ein erstes Frauenkloster im Verband von Cluny wurde unter Abt Hugo (1049–1109) bald nach dessen Amtsantritt in Marcigny-sur-Loire gegründet. Frauen und Männer sollten in der erneuerten »Kirche von Cluny« vereinigt sein. Mit Cluny besetzte eine eigene Interpretation des Benediktinischen die monastische Landkarte: zentrale Leitung unter dem Abt von Cluny, einheitliche Praxis des Lebens in den Klöstern (*consuetudo*), Bevorzugung des liturgischen Dienstes, repräsentative Selbstdarstel-

lung in großen Klosterkirchen, dazu das intensivierte Gebetsgedenken. Diese Elemente hielten die »ecclesia cluniacensis« zusammen und eröffneten ihr weitreichenden Einfluß über ihre Klöster hinaus. Wiss. Leistung war nicht betonte Aufgabe, wurde in einzelnen Klöstern (in Cluny eine reichhaltige Bibl.) und von einzelnen Mönchen durchaus erbracht. Andere monastische Zentren ließen sich von ihr anregen, ohne sich dem Verband anzuschließen, z.B. Fruttuaria/Piemont und St. Benigne in Dijon unter ihrem Abt Wilhelm von Volpiano (962–1031), der die dt. Reformzentren Siegburg und St. Blasien beeinflußte; Hirsau (gegr. 1059), unter Abt Wilhelm (1069–1091) nach den *Consuetudines* von Cluny erneuert. Das lothringische Gorze (eine Gründung Chrodegangs von Metz) verdankte dem Metzer Bischof Adalbero I. (929–964) seine Erneuerung. Es wurde zu einem eigenen Reformzentrum, das den »Ordo Gorciensis« (mit eigenen *Consuetudines*) weit ausstrahlen ließ. Für England sind die Klostergründungen unter Wilhelm dem Eroberer (1066–1087) und die monastische Reformarbeit des Lanfranc von Bec (Erzbischof von Canterbury, 1070–1089) zu nennen. Wie auf dem Festland wurden die Klöster in das polit.-soziale System des Landes eingebaut und ihnen eine prägende Rolle im rel. und kulturellen Leben zugedacht.

Dieses erneuerte Benediktinertum war grundsätzlich durch die Benediktusregel auf eine einheitliche Lebensnorm verpflichtet. Aber die eine Regel war in den organisierten Verbänden und ebenso in den durch geistige Zusammenschlüsse verbundenen Klöstern mit neuen Normtexten aktualisiert und konkretisiert: *Consuetudines*, *Constitutiones*, *Ordines* u.a. Mit diesen Texten, die man auch »Brauchtexte« nennt, legitimierten sich eigene Formen des Benediktinertums, die sich keineswegs nur freundlich voneinander abgrenzten.

3. Chorherren und die Neuentdeckung der Vita apostolica

Das 11. Jh. brachte dem M. schließlich Konkurrenz und neue Form. Die Konkurrenz formierte sich in den sog. Regularkanonikern, ein Ergebnis der allg. Kirchen- und Klerusreform. Was in karolingischer Zeit mit dem *ordo canonicus* in den Blick gekommen war, wurde jetzt mit Eifer und Energie aufgenommen. Die Stiftsgeistlichen wurden zur *Vita communis* mit Verzicht auf Privatbesitz gedrängt. Dahinter stand die Neuentdeckung der *Vita apostolica*, die asketisch-monastisch interpretiert wurde und die Möglichkeit apostolischer (pastoraler) Tätigkeit einschloß. Ihre bes. geprägte Form fand sie in jenen Gemeinschaften, die »nach der Regel Augustins« lebten. Es war ein schöpferischer Rückgriff auf die Autorität Augustins, auf Texte des Kirchenlehrers, bes. auf die unter seinem Namen überlieferten Regeln (*Ordo monasterii*; *Praeceptum*), die in unterschiedlicher Gewichtung oder freier Kombination rezipiert wurden und sich in den sog. Augustinerchorherren und -chorfrauen organisierte. Die ersten Gründungen sind in Mailand (1057), Reims (1067), Senlis (1076) auszumachen, dann folgte eine dichte Gründungswelle. Für Deutschland sind Rottenbuch/Obb. (1073) und Marbach/Elsaß (um 1090) zu nennen, beide mit weiter Ausstrahlung. Die Berufung auf Augustinus wurde von den Kanonikern durch eigene Brauchtexte konkretisiert, z. B. *Consuetudines* von Marbach (1122/1124 von Mangold von Lautenbach verfaßt), *Consuetudines* von Rolduc (Springiersbach) u. a. Die Annahme solcher Konstitutionen konnte auch bei den Kanonikern zu eigenen Kongregationen führen. Die Berufung auf das Ideal der *Vita apostolica* – verwirklicht in Armut und Wanderpredigt – ließ weitere Gruppierungen entstehen. Die bekannteste davon ist die Gründung Norberts von Xanten (gest. 1132) in Prémontré bei Laon im J. 1120, die sich im kanonikalen Orden der Prämonstratenser organisierte. Diese Neugründungen übten eine faszinierende Anziehungskraft auf Frauen aus, so daß ihre Klostergründungen vielfach Frauen- und Männergemeinschaften umfaßten (Doppelklöster); im Fall des Robert von Arbissel (gest. um 1114) kann man von einem Doppelorden sprechen.

Programmatisch grenzten sich *ordo monasticus* und *ordo canonicus* scharf voneinander ab. Eine umfängliche polemische Lit. verteidigte den jeweiligen Eigenwert und stritt für die je bessere Lebensform, die jeweils in der eigenen Gemeinschaft gefunden wurde. Dabei waren die beiden *ordines* in Wirklichkeit keine einheitlichen Formationen, und was die Gründung und wirtschaftliche Sicherung eines kanonikalen Klosters (Stift), seine Einbindung in die Kirche, seine Verbindung mit der polit. und gesellschaftlichen Ordnung, seine bauliche Gestaltung, das tägliche Leben und die Tätigkeit angehen, waren die Unterschiede gar nicht so groß.

Dazu wurde der *ordo monasticus* in seiner konkreten Gestalt von reformerischen Aufbrüchen und Bewegungen in Frage gestellt. Die Rückbesinnung auf die eremitischen Anf. drängte aus den Großklöstern hinaus. In der wiederentdeckten Einsamkeit sammelten sich Kleingruppen, die zwar an der Benediktusregel festhielten, aber sie unter Bevorzugung der Einsamkeit, Armut und der überschaubaren brüderlichen Gemeinschaft leben wollten. In It. hatte schon um 1000 Romuald von Ravenna (gest. 1027) den Eremitenorden der Kamaldulenser gegründet, benannt nach der Einsiedlerkolonie von Camaldoli/Arezzo. Johannes Gualbert (gest. 1073) gründete in gleicher Absicht das Kloster Vallombrosa bei Florenz. In Frankreich war es neben anderen Bruno von Köln (gest. 1101), der sein Amt als Kanzler des Erzbistums Reims aufgab und sich im J. 1084 in die Bergeinsamkeit von La Chartreuse bei Grenoble mit einigen Gefährten zurückzog. Damit war der Anstoß für die spätere Gründung des Kartäuserordens gelegt. Die einsiedlerischen Gruppierungen verbanden das alte Eremitenideal mit Elementen des Gemeinschaftslebens. »Geordnete Einsamkeit« war das Ergebnis, das seinen festen Platz auf der monastischen Landkarte Europas eroberte.

4. ZISTERZIENSER

Zur einflußreichen Neugründung wurde das 1098 in der Waldeinsamkeit südl. von Dijon entstandene Kloster Citeaux. Eine kleine Gruppe von reformfreudigen Benediktinern ließ sich dort unter der Führung des Abtes Robert von Molesme nieder. Eremitorische Wertschätzung der Einsamkeit, ein einfacher Lebensstil mit Wiederaufnahme der Handarbeit, verbanden die Gründermönche miteinander, die damit zur reinen, urspr. Regel Benedikts zurückkehren wollten. Roberts Nachfolger Alberich und v. a. Stephan Harding (Abt 1109–1133) lenkten die Gründung in feste Bahnen und legten den Grund für die rasche Ausbreitung dieser neuen Form benediktischen Lebens. Erheblichen Anteil an ihr hatte der 1112 in Citeaux eingetretene junge Adelige Bernhard, der bereits 1115 zur Gründung von Clairvaux ausgesandt wurde, dessen Abt er bis zu seinem Tod 1153 geblieben ist. Bei seinem Tode zählte der neue Orden über 300 Klöster, mehr als 60 davon waren unmittelbar von Clairvaux aus gegründet worden. Während seiner Entstehungs- und ersten Ausbreitungsphase gab sich der Orden seine eigene Verfassung. Entsprechend der Benediktusregel blieb die Abtei eine selbständige Einheit mit dem Recht der eigenen Abtswahl. Auf der nächsten Ebene war die Abtei in das System der Filiation eingebunden; der Vaterabt (d. h. der Obere des Gründungsklosters) hatte bestimmte Kontroll- und Aufsichtsfunktionen. Auf der höchsten Ebene folgte das Generalkapitel, die alljährlich stattfindende Versammlung aller Abteien in Citeaux. Eine Art Verfassungsurkunde, die sog. *Carta caritatis*, hatte diese Organisationsform festgeschrieben. Die bes. Interpretation der Benediktusregel geschah durch eigene Brauchtexte, die die einheitliche zisterziensische Ordnung und Lebensform garantierten, in die auch zahlreiche Frauengemeinschaften aufgenommen wurden. Die Klöster füllten die ganze europ. Landkarte. Mit ihrer vorzüglichen wirtschaftlichen Organisation, getragen und betrieben von den ordenseigenen Konversen, waren sie durch ihre Stifter in den Landausbau und in das Wirtschaftssystem einbezogen. Wie die Klöster der Chorherren und der Benediktiner waren sie dazu als Stätten des fürbittenden Gebetes gestiftet, häufig auch als Grabort der Stifterfamilien ausgezeichnet. Mit ihrer eigenen Architektur und den funktional angelegten Klosterbauten, gefüllt von einer eigenen Frömmigkeit und Geistigkeit, konnten sie im 13. Jh. die europ. Mönchslandschaft entscheidend prägen.

C. BETTELORDEN

Die asketische Christusnachfolge in der Trad. des frühen M. hatte bis in das 12. Jh. hinein zu vielerlei Gestalten und Verwirklichungen gefunden. Neben den bislang erwähnten ist an Hospitalitergemeinschaften und an die Ritterorden zu erinnern, die traditionelle Elemente des monastischen Lebens mit genau bestimmten Funktionen erfüllten.

Eine neue mönchs-/ordensgeschichtliche Epoche setzte im frühen 13. Jh. ein. Ihre geprägte Form sind die sog. Bettelorden (*ordines mendicantes*): Dominikaner (1215 gegr., von Dominikus von Osma, gest. 1221), Franziskaner (1206/1208 gegr. von Franz von Assisi, gest. 1226), Augustiner (-Eremiten; 1256 durch die Päpstliche Kurie gegr.) und Karmeliten (1206–1214 auf dem Berg Karmel von einer Einsiedlergruppe gegr.); später wurden ihnen weitere Gruppierungen zugeordnet. Diese Form klösterlichen Lebens hatte zur Voraussetzung die tiefgreifenden sozio-ökonomischen und kulturellen Wandlungen mit dem Aufschwung der Städte, eigene Formen des Gemeinschaftslebens in Verfassung, Lebensstil und Tätigkeit, gesamtkirchliche Aktivitäten, die in der päpstlichen Ekklesiologie und im Jurisdiktionsprimat begründet waren. Daraus ergaben sich als charakteristische Merkmale der neuen Orden: Sie sind ortsunabhängige Personalverbände, sind apostolisch tätig im päpstlichen Auftrag, verzichten auf (gemeinsamen) Besitz und feste Einkünfte und sichern ihre Existenz durch Arbeit bzw. subsidiär durch Bettel. Die Arbeit ist primär seelsorgliche Tätigkeit, die bes. Ausbildung in ordenseigenen Studienhäusern fordert (*ordines studentes*). Sie bauten ihre eigene Studienorganisation auf (Haus-, Provinz-, Generalstudien). Die Studienkonvente arbeiteten eigenständig oder in abgestufter Kooperation mit den Universitäten. Mit ihren ausgeprägten philos.-theologischen Schulen wurden Dominikaner, Franziskaner und Augustinereremiten zu anerkannten Trägern ma. Gelehrsamkeit. Die pastorale Tätigkeit und die materielle Existenzsicherung waren auf die Niederlassung in den Städten ausgerichtet, ihre Beanspruchung durch die Kommunen läßt sie als städtische Interpretation des alten M. erscheinen. Ihre Kirchen und Klöster wurden zu paraparochialen Kultzentren in den Städten, die in ihrer architektonischen Gestaltung auch städtebauliche Akzente setzten. Diese neuen Orden, vorab die Franziskaner, erlebten im 13. Jh. eine stürmische Ausbreitung, die zu ihrer Allgegenwart in ganz Europa und darüber hinaus führte. Die Träger und Verbreiter der Scholastik formulierten auch eine eigene Erbauungstheologie, die die aufbrechende Laienfrömmigkeit anregte und förderte. Laienkreise schlossen sich in geistlicher Bindung an die neuen Orden an und wurden in sog. »Dritten Orden« organisiert. Lebhafte Wechselwirkung gab es zw. der rel. Frauenbewegung und den Bettelorden. In ihren weiblichen Zweigen – Dominikanerinnen, Klarissen/Franziskanerinnen – fanden die Frauen ihnen entsprechende Formen des klösterlichen Lebens, dazu gesellschaftliche und kirchliche Anerkennung. Die Vielzahl der neuen Orden und rel. Gruppierungen drängten schließlich zu Gegenmaßnahmen. Das 2. Konzil von Lyon 1274 unterdrückte jüngst entstandene Orden und verbot jede Neugründung (Canon 23). Die regulierenden Maßnahmen hatten freilich wenig Erfolg; das gilt auch von den meisten später kirchlich verfügten Beschränkungen.

D. Ordensleben in der Neuzeit und seine Organisation

Die Reformationszeit brachte eine erhebliche Verminderung der Klöster aller Orden, in den Territorien der Reformation ihr völliges Verschwinden. Gleichzeitig entstanden aus den Kräften der katholischen Reform neue Ordensgemeinschaften und zeitgemäße Erneuerungen der alten Orden. Von den Neugründungen ist die Gesellschaft Jesu des Ignatius von Loyola (gest. 1556) zu nennen. Ihr Ziel war die Verbreitung und Verteidigung des Glaubens durch pastorale-missionarische Tätigkeit, (Predigt und Exerzitien), Erziehung und Unterweisung der Jugend, karitative Werke. Dieses Ziel war verbunden mit dem Festhalten an den konstitutiven Elementen des Ordenslebens, aber mit dem Verzicht auf traditionelle Formen und Praktiken (Chorgebet, Ordenskleid, klösterliche Gebäude, Klausur). Eine streng zentralistische Organisation sicherte Einsatz und Bestand. Mit ihrer raschen Ausbreitung und allg. Anerkennung wurden sie zum Modell für kommende Neugründungen, männlicher wie weiblicher Art (z. B. die »Engl. Fräulein«, von Maria Ward 1609/10 gegr.), in gleicher Weise zum Maßstab für die Erneuerung der alten Orden. Beispiele erfolgreicher Reformen älterer Orden sind das Werk der Theresia von Avila (gest. 1582), sog. »theresianischer Karmel« mit männlichem und weiblichem Zweig und die Kapuziner, die zu einem selbständigen franziskanischen Orden wurden. Generell setzte sich in den katholischen Ländern des 17. und 18. Jh. neben neuen Orden eine beachtliche Erneuerung der alten Orden durch.

Die Klöster der Benediktiner, Zisterzienser und die Stifte der Chorherren fanden zu polit., wirtschaftlicher und kultureller Bed. zurück. Das stolze Selbstbewußtsein zeigte sich in den baulichen Neugestaltungen, in der sich die Barockkunst reich entfaltete. Die Niederlassungen der Bettelorden und der neueren Ordensgemeinschaften taten es ihnen nach, so daß die Klöster zu beeindruckenden Stätten barocker Frömmigkeit und Kultur wurden.

Mit der Auflösung der alten polit. und kirchlichen Ordnung Europas um 1800 war auch das E. der neuzeitlichen mönchs- und ordensgeschichtlichen Epoche gekommen. Die Frz. Revolution und die Säkularisation lösten Klöster und Ordensgemeinschaften auf, ein Vorgang, der sich durch das ganze 19. Jh. hindurchzog. Eine Reorganisation setzte nur zögerlich ein und war immer vom vorherrschenden Staatskirchentum der europ. Länder abhängig. Immerhin brachte es das alte M. in seiner benediktinischen Form zu einer beachtlichen Restauration (Frankreich: Solesmes 1833; Deutschland: Wiederzulassung von Klöstern unter König Ludwig I., 1825–1848; Beuron 1863). Die zisterziensische Trad. erlebte in ihrer reformierten Form (Trappisten) einen überraschenden Aufstieg. Bescheiden blieb die Wiederbelebung der kanonikalen Gemeinschaften (einige der großen Chorherrenstifte hatten in Österreich die Säkularisation überlebt). Einen Neubeginn mit weiterem

Aufbau konnten auch die ma. Bettelorden setzen. Die Jesuiten, 1773 von Papst Klemens XIV. aufgehoben, wurden 1814 durch Pius VII. offiziell wiederhergestellt. Das charakteristische Merkmal der Ordensgeschichte des 19. Jh. (und weit in das 20. Jh. hinein) ist die Vielzahl von Neugründungen männlicher und v. a. weiblicher Ordensgemeinschaften. Sie reagierten auf kirchliche und gesellschaftliche Notstände und wurden zu Einsatzgruppen auf dem pastoral-missionarischen, sozial-karitativen und erzieherischen Feld. Das alte monastische Ideal wurde in bislang nicht bekannter Weise instrumentalisiert. Es galt als unverzichtbare geistliche Grundlage und schloß die Fortführung klösterlicher Lebensform ein, die nun aber mit den genannten Tätigkeiten verbunden wurde. Mit diesem Einsatz in kirchlicher und gesellschaftlicher Öffentlichkeit stellte das Ordensleben seine Nützlichkeit unter Beweis und errang neuen Ansehens- und Achtungserfolg. Solcher Aktivität verschlossen sich auch die Klöster der alten monastischen Orden nicht. Als Stätten gepflegter Liturgie und Kontemplation, Zentren für Seelsorge und Mission, Erziehung, Wiss. und Kunst, auch als wirtschaftliche Musterbetriebe fanden sie zu Attraktivität und hohem Prestige. Über Kolonisierung und Auswanderung kam das europ. geprägte M./Ordensleben in die Länder der Dritten Welt, wo es im Laufe des 20. Jh. zu eigenständigen, autochthonen Formen fand. Diese steile Aufwärtsentwicklung brach in der 2. H. des vergangenen Jh. jäh ab. Der bedrohliche Mitgliederschwund, v. a. in Europa und Nordamerika, und der Verlust prestigeträchtiger Funktionen erfordern eine grundsätzliche Neuorientierung, die den geistig-geistlichen Lebenswert dem funktionalen Einsatz verordnen will. In diesem Prozeß spielt die Wiederanerkennung von Bruder-/Schwesternschaft in den Kirchen der Reformation eine erhebliche Rolle, ebenso der lebhaft aufgebrochene Dialog mit dem außerchristl. M.

→ AWI Mönchstum

1 D. BERG (Hrsg.), Vitasfratrum. Beitr. zur Gesch. der Eremiten- und Mendikantenorden des 12. und 13. Jh. (FS K. Elm), 1994 2 A. CONRAD, Zw. Kloster und Welt. Ursulinen und Jesuitinnen in der katholischen Reformbewegung des 16./17. Jh., 1991 3 Dizionario degli Ist. di Perfezione, 1974 ff. (umfassende lexikographische Informationen) 4 K. ELM, M. PARISSE, Doppelklöster und andere Formen der Symbiose männlicher und weiblicher Religiosen im MA, 1992 5 A. FALKNER, P. IMHOF, Ignatius von Loyola und die Ges. Jesu 1491–1556, 1990 6 H. FELD, Franziskus und seine Bewegung, 1994 7 J. W. FRANK, Die Bettelordensstudien im Gefolge der spätma. Univ., 1988 8 Germania Benedictina, 1986 (zu Benediktinerklöstern in Deutschland) 9 R. GILCHRIST, Gender and material culture. The archeology of Religious women, 1994 10 Helvetia Sacra (zu Klöstern und Orden in der Schweiz in den entsprechenden Ordensbänden) 11 W. A. HINNEBUSCH, The history of the Dominican Order, 1966–1973 12 L. IRIARTE, Der Franziskusorden, 1984 13 C. JOEST, Spiritualität evangelischer Kommunitäten, 1995 14 R. D. JOHNSON, Equal in Monastic Profession. Religious women

in medieval France, 1991 15 J. KIRMEIER, M. TREML, Glanz und E. der alten Klöster. Säkularisation im bayerischen Oberland 1803, 1991 16 R. KOTTJE, H. MAURER, Monastische Reformen im 10. Jh., 1989 17 C. LANGLOIS, Le catholicisme au feminin, 1984 18 L. J. LEKAI, The Cistercians. Ideals and reality, 1977 19 MAX-PLANCK-INSTITUT FÜR GESCHICHTE (Hrsg.), Unt. zu Kloster und Stift, 1980 20 R. MEIWES, »Arbeiterinnen des Herrn«. Katholische Frauenkongregationen im 19. Jh., 2000 21 G. MELVILLE, J. OBERSTE (Hrsg.), Die Bettelorden im Aufbau. Beitr. zu Institutionalisierungsprozessen im ma. Religiosentum, 1999 22 J. A. NICHOLS, L. T. SHANK, Medieval religious women, 1984 23 D. W. POECK, Cluniacensis Ecclesia, 1998 24 T. SCHILP, Norm und Wirklichkeit rel. Frauengemeinschaften im Früh-MA, 1998 25 G. SCHWAIGER, M., Orden und Klöster, 1993 26 A. WILTS, Beginen im Bodenseeraum, 1994 27 J. WOLLASCH, Cluny – Licht der Welt. Aufstieg und Niedergang der klösterlichen Gemeinschaft, 1996.

                                        KARL SUSO FRANK

Moldova   A. HISTORISCHE EINLEITUNG
B. ANTIKEREZEPTION: SPRACHE UND FOLKLORE
C. KULTUR- UND BILDUNGSEINRICHTUNGEN
BESSARABIENS – MOLDAVIENS – MOLDOVAS
D. ANTIKE GESTALTEN UND MOTIVE IN DER KULTUR

A. HISTORISCHE EINLEITUNG

Das heutige M. entstand 1991 auf dem Territorium der ehemaligen Sowjetrepublik Moldavien, des histor. Bessarabiens, im Gebiet zw. den Flüssen Pruth und Dnestr (moldavisch: Nistru). Schon im 1. nachchristl. Jt. existierte hier ein Staat, der im Grenzgebiet verschiedener Zivilisationen und einander ablösender Reiche (des röm., byz., osmanischen, österreich-ungarischen und russ.) lag. Während der Völkerwanderung zogen die Stämme durch M. hindurch; es stellte die Grenze der Konfrontation zw. Osten und Westen dar. Vom 9. Jh. an war es ein Vasall Ungarns, dann Polens, des osmanischen Reiches usw.; einige seiner Bestandteile waren zeitweise Teil der Nachbarstaaten. So wechselte Bessarabien allein 1711–1812 während der Kriege zw. Rußland und der Türkei fünfmal den Besitzer. Infolge des Vertrages von Bukarest von 1812 zw. dem osmanischen und dem russ. Reich wurde Bessarabien ein Teil Rußlands, wobei das westl. M. und die Wallachei zum Königreich Rumänien vereinigt wurden. Bessarabien wurde 1918 mit Rumänien vereinigt, aber 1940 von der UdSSR annektiert. Von 1941 bis 1945 war M. eine rumänische Provinz; ab 1945 war die Moldavische SSR Teil der UdSSR. Das heutige M. grenzt im Westen an Rumänien (am Pruth), im Osten an die Ukraine; das an die Ukraine angrenzende Gebiet entlang des linken Ufers des Dnestr, mit einer überwiegend russischsprachigen Bevölkerung (das sogenannte Transnistrien), erkennt die Oberhoheit M. nicht an.

B. ANTIKEREZEPTION: SPRACHE UND FOLKLORE
Die moldavische Sprache ist das Hauptdenkmal des röm. Einflusses; trotz der starken slawischen, türk. und

anderen Einwirkungen der letzten sieben Jh. sind die romanischen Grundzüge der moldavischen Sprache erhalten geblieben. Vor dem Anschluß Bessarabiens an Rußland war die moldavische Sprache der östl. umgangssprachliche Dialekt des Rumänischen; wie auch im Rumänischen entstand die Schriftsprache auf der Grundlage des kyrillischen Alphabetes; seit 1989, wie auch 1932–1945, wird das lat. Alphabet benutzt. Infolge der überwiegend bäuerlichen Kultur M. wurde das ant. Erbe zu einem gewissen Grad in der Folklore erhalten, aber nicht in der Lit. oder der bildenden Kunst; so kann man in den Liedern über den »Bedik (Onkelchen) Trojan« die Erinnerung an den Kaiser Trajan, den Eroberer Dakiens, erkennen [4; 9]. In Rumänien wird die moldavische lit. Tradition als eine regionale Variante der rumänischen angesehen. Im sowjetischen Moldavien hingegen wurden immer die Besonderheiten der moldavischen Entwicklung und ihre Verbindung mit den Slawen unterstrichen; mehr noch, die romanischen Bestandteile (auch die, die in der Ant. ihren Ursprung haben) wurden bis zum E. der sechziger Jahre vertuscht [6; 8]. Die Besonderheiten des Moldavischen als romanischer Sprache werden in [1; 5; 14] behandelt.

C. KULTUR- UND BILDUNGSEINRICHTUNGEN BESSARABIENS – MOLDAVIENS – MOLDOVAS

Die Struktur der staatlichen, rechtlichen und kulturellen Institutionen M. als Grenzstaat hing in erster Linie von äußeren Umständen wie der Herkunft und kulturellen und polit. Orientierung der Herrscher ab. Bis zum 16. Jh. waren slawische (serbische und bulgarische) Übers. und Nacherzählungen die Quelle für die Kenntnisse von byz. Recht und christl. Altertümern. Vom 16. Jh. an tauchten byz. Kodizes nicht nur vom Süden her auf, sondern auch aus dem Norden, aus Polen und Rußland [11; 16]. Im 17. Jh. und später, vom Anf. des 18. Jh. bis zum Anf. der Kolonisation durch Rußland, war eine griech. sprachliche und rel. Orientierung charakteristisch für die »Hospodaren« (Herrscher) M., während die Mehrheit der orthodoxen Moldavier den Gottesdienst in aksl. Sprache feierte (ab dem 14. Jh. waren die moldavischen Lande dem galizischen Bischof untergeordnet).

Während der Herrschaft von Vasile Lupul (1634–1653) wurde die erste Hochschule in Jaşi (der damaligen Hauptstadt M.) eröffnet; in der Epoche der sog. Phanarioten, die aus Konstantinopel stammten und M. von 1711 bis 1812 beherrschten, wurde in den moldavischen Schulen die griech. Sprache gelehrt. Wahrscheinlich wurden auch in dieser Zeit einzelne Elemente des byz. Rechts übernommen (siehe die von Andronaki Donic 1814 veröffentlichte *Kleine Gesetzessammlung*, in der die Normen des röm. Rechts zusammengefaßt sind, die seiner Meinung nach im moldavischen Staat eingeführt worden waren [15]).

Mit der Eingliederung Bessarabiens in Rußland 1812 wurde Chisinau zum Verwaltungs- und Kulturzentrum dieses Teils von M.; hier hatte schon ein orthodoxer Metropolit seinen Sitz. Das erste klass. Gymnasium wurde 1833 eröffnet; in den folgenden 80 J. stieg die Einwohnerzahl von 10000 auf 120000, so daß es 1914 schon elf Gymnasien und ungefähr 30 Buchläden und Bibl. gab. Der Latein- und Griechischunterricht wurde auf russ. durchgeführt. 1946 wurde in Chisinau eine staatliche Univ. gegründet, an der die Klass. Philol. aber lediglich eine Hilfswiss. für Geschichts- und philol. Disziplinen war. Die sowjetisch-moldavische Arch. sah ihre Aufgabe darin, auf dem Gebiet M. so viele Spuren der slawischen Ureinwohner wie möglich zu finden; siehe z.B. [7].

Im Laufe von nur 20 J. fand aus M. und insbes. aus der Hauptstadt Chisinau eine ungewöhnlich hohe Migration statt, so daß einzelne Bevölkerungsgruppen fast völlig verschwanden [13]. Wegen der Vernichtung der klass. Bildung in der UdSSR wurde der Griechischunterricht eingestellt. Ohne Kontinuität in Bildung und Kultur konnten in Chisinau nur durch bes. Umstände Zentren des Interesses an der Ant. entstehen und Spezialisten, die die Überlieferung der ant. Tradition sicherten, hervorgebracht werden. Dank der pädagogischen Tätigkeit von Nathan S. Grinbaum, einem Spezialisten für die griech. Lyrik, am Pädagogischen Institut in Chisinau 1950–1970 erschien das erste Lehrbuch der lat. Sprache für moldavische Muttersprachler [2]. Die ersten Versuche, ant. Autoren ins Moldavische zu übersetzen, gehen auf den Anfang der zwanziger Jahre zurück [3]. Am E. der sowjetischen Periode der Geschichte M. war eine bescheidene Reihe von röm. und griech. Autoren in der moldavischen Sprache erschienen: Aischylos in der Übers. von P. Starostin (1966), Ovid und Vergil (Paul Mihnea 1970, 1972) und Aristophanes (V. Belistov 1975).

D. ANTIKE GESTALTEN UND MOTIVE IN DER KULTUR

Wegen der späten Entwicklung der Schriftsprache im Moldavischen gelangten ant. Elemente manchmal durch sehr entfernte Vermittler nach M. So wurde die Legende, daß sich das Grab Ovids auf moldavischem Gebiet befinde, aus Polen nach M. gebracht; die russ. Lit. in der Epoche der Ausweitung des Imperiums verlieh M. den Status der »letzten Zuflucht Ovids«; für Details siehe [10]. Nachdem M. 1991 die Unabhängigkeit erlangt hat, wird ein gewisses Anwachsen des Interesses an der romanischen Welt beobachtet; insbes. werden die lat. Werke des Fürsten Dmitij Kantemir (1673–1723) neu herausgegeben: sie sollen die postsowjetische kulturelle Übergangssituation mit dem legendären Goldenen Zeitalter verbinden [12].

→ Rumänien; Rußland

1 С. Бережан, А. Дырул, Т. Ильяшенко, Курс де граматикэ историкэ а лимбий молдовенешть (Red.), Кишинэу 1964 2 Н. С. Гринбаум, К. Н. Никова, А. П. Маричук-Леонтеш, Лимба латинэ, Кишинэу, »Лумина«, 1966, ²1972 3 Ср. Петр Д. Драганов (составитель), Ученая, литературная и художественная Бессарабия: алфавитный бублиотечный указатель (Repr. der Ausg. Кишинев

1911), Кишинев: Universitas, 1993 **4** В. С. Зеленчук, Очерки молдавской обрядности, Кишинев 1959 **5** Н. Г. Корлэтяну, Исследование народной латини и ее отношений с романскими языками, М., »Наука«, 1974 **6** И. Кругликова, К вопросу о романизации Дакии, in: Вестник древней истории 1947, 3, 219–230 **7** Т. Н. Никольская, Итоги работы советских археологов за 1946–1950 гг., in: Вестник древней истории 1951, 4, 225 **8** Э. А. Рикман, Этническая история Поднестровья и прилегающего Подунавья в первых веках нашей эры, М., 1975 **9** Г. И. Спатару, Молдавский новогодний обрядовый фольклор, in: Фольклор и этнография. Обряды и обрядовый фольклор, М., Наука, 1974, 110–117 **10** А. А. Формозов, Легенда о гробнице Овидия в русской литературе, in: Вестник древней истории 1976, 4 (136), 122–130 **11** Я. Н. Щапов, Рецепция сборников византийского права в средневековых балканских государствах, in: Византийский Временник 37, 1976, 123–129 **12** Dimitrie Cantemir, Descriptio Moldaviae. Descrierea Moldovei, Chişineu: Editura Hyperion, 1992 **13** Valeriu Cozma, Istoria Universitatii de Stat din Moldova: 1946–1996, Chisinau: Ministerul Învatamantului al Republicii Moldova, 1996 **14** O. Densuşianu, Istoria limbii române, Vol. 1–2, Bucureşti 1961 **15** Andronachi Donici, Manuarlul juridic. Ed. crit. Bucureşti: Ed. Acad. Republicii Populare Romîne, 1959 (Adunarea izvoarelor vechiului drept romînesc scris. 5; Zusammenfassung in frz. und in russ. Sprache) **16** A. V. Soloviev, Der Einfluß des byz. Rechts auf die Völker Osteuropas, in: Zschr. der Savigny-Stiftung für Rechtsgesch., Bd. 76. Romanistische Abteilung, Weimar 1959, 432–458; s. auch Bibl. des Arpad-Klosters in Rumänien, Nr. 21; Bibl. der Akad. der Wiss. Rumäniens, slavische Mss. 461 (Бистрицкий список); Bibl. der Akad. der Wiss. in St. Petersburg, Nr. 13.3.27 (Slg. Jazimirski, 27).   Gassan Gussejnov

Monarchie I. 800–1500
II. 1500–19. Jahrhundert

I. 800–1500
A. Einleitung   B. Bedeutung im mittelalterlichen Sprachgebrauch
C. Rezeption der antiken Staatsformenlehre
D. Universalmonarchie

A. Einleitung
Der vornehmlich im Bereich der polit. Theorie begegnende Begriff *monarchia* trat gegenüber den im MA gebräuchlicheren Bezeichnungen für (königliche) Alleinherrschaft wie *regnum, imperium, principatus* quantitativ zurück. In den Reichen des MA war die monarchische Herrschaft jedoch längst Realität, bevor sie Gegenstand gelehrter Spekulation wurde. Mit bemerkenswertem Beharrungsvermögen hat sie sich als die exklusive Herrschaftsform behauptet.

B. Bedeutung im mittelalterlichen Sprachgebrauch
M. konnte im MA sowohl Alleinherrschaft im allgemeinen als auch die königliche oder kaiserliche Herrschaft bezeichnen. Der Begriff wurde jedoch auch zur Kennzeichnung der Stellung Gottes bzw. Christi im Kosmos verwendet.

1. Alleinherrschaft
Nach der das ma. Verständnis maßgeblich beeinflussenden Definition Isidors von Sevilla (Etymologiae 9,3,23; um 600) wurde unter M. die Herrschaft eines einzelnen (*singularis principatus*) im Unterschied zu derjenigen mehrerer Machthaber verstanden. In diesem unspezifischen Sinne begegnet die Bezeichnung M., die auch in ahd. Glossen (E. Steinmeyer – E. Sievers Bd. 1, 1879, 212 Z. 8; Mitte 8. Jh.) bezeugt ist, in der Geschichtsschreibung des frühen und hohen MA (Wipo, Cantilena in Heinricum III. Str. 7, MGH SS rer. Germ. 1915, 105 Z. 27; Lampert von Hersfeld, Annales zu 1063 und 1066, MGH SS rer. Germ. 1894, 88 Z. 24, 100 Z. 28; Otto von Freising, Chronica, Capitula libri secundi 50; IV, 3; Capitula libri sexti 8, MGH SS rer. Germ. 1912, 17,187,28).

2. Weltherrschaft
Mit dem Verweis Isidors von Sevilla auf Alexander und Julius Caesar wurde bereits die gedankliche Verbindung zu einer universellen irdischen Herrschaft (Etymologiae 5,39,25) hergestellt. Die aufs engste mit dem Namen Caesars verbundene Institution des Kaisertums wurde hiernach als eine die gesamte zivilisierte Welt umfassende Herrschaft eines Monarchen verstanden. Die besondere heilsgeschichtliche Rolle, die dem röm. Kaisertum im Rahmen der Danielschen Prophezeiung von der Abfolge der vier Weltreiche (Dan. 2,36 ff.) zukam, trug wesentlich zur Stärkung des monarchischen Gedankens bei. Während des gesamten MA galt das Kaisertum gleichsam als ›höchste Form monarchischer Herrschaft‹ [7. 155]. Fortan diente der Begriff *monarchia* zur ideologischen Begründung kaiserlicher Weltherrschaftsansprüche (*mundi monarchia*) wie etwa im Manifest Friedrichs II. von 1240 (MGH Const. 2, 308 ff. Nr. 224). Umgekehrt griff auch das Papsttum auf den Gedanken einer den weltlichen und geistlichen Bereich umfassenden monarchischen Herrschaft (*pontificalis et regalis monarchatus*) zurück, um der kaiserlichen Argumentation zu begegnen (Encyclica Innocentii IV. von 1245, ed. E. Winkelmann, Acta imperii inedita 2, 1885, 696 ff. Nr. 1035). Es entsprach schließlich dem gesteigerten Selbstbewußtsein der Kronvasallen, wenn der Begriff M. seit dem 12. Jh. zur Bezeichnung der fürstlichen Machtstellung (MGH Die Urkunden Heinrichs des Löwen, 1949, 4 ff. Nr. 4–5: *Saxonum monarchia*; 1143) herangezogen wurde.

3. Göttliches Weltregiment
Durch die im MA geläufige Vorstellung von der monarchischen Ordnung des Kosmos erhielt die irdische M. eine zusätzliche Legitimation. Die monarchische Struktur des Kosmos, die in der Stellung Christi als Weltenherrscher (Pantokrator) sinnhaft Ausdruck fand, wurde zum Leitbild für die Deutung und Gestaltung menschlicher Verbände. Für Hrabanus Maurus stellte die Herrschaft Gottes im Weltall gleichsam den Urtypus der M. dar (De universo 16,3 Migne PL 111, 447 D; nach

842). Dem entsprach die herausragende Stellung Christi, die Otto von Freising als höchste Stufe der M., d. h. als Alleinherrschaft über die gesamte Welt (Chronica III,6 MGH SS rer. Germ. 1912, 142 Z. 27: *monarchiae apex, id est singularis super totum mundum principatus;* 1157) charakterisierte. Im Rahmen der an der Schule von Chartres gepflegten kosmologischen Spekulationen gewann die Vorstellung von einer monarchischen Regierung des Himmels und der Erde beispielhafte Bed. für die Organisation des menschlichen Gemeinwesens (Alanus ab Insulis, De planctu naturae VI,76–83 ed. N. M. Häring, Studi Medievali 3. ser. 19, 1978, 827; ca. 1160–1170). In den Traktaten des sog. Normannischen Anonymus wurde das irdische Königtum geradezu als Spiegelung der immerwährenden göttl. M. (ed. K. Pellens, 1966, 132 = J 24; um 1100) gedeutet.

C. Rezeption der antiken Staatsformenlehre

Im Zuge der Aristotelesrezeption des 13. Jh. kam es auch zu einer Reflexion über die M. als eigentümliche Staatsform. In Anknüpfung an die von Aristoteles unterschiedenen drei gutgearteten und drei entarteten Verfassungstypen (pol. 3,7,1279a 22–b10) setzte eine lebhafte Diskussion über die beste Regierung eines menschlichen Gemeinwesens ein. Obgleich Aristoteles der Königsherrschaft (basileía) nur eine für eine bestimmte Entwicklungsstufe angemessene Bed. zugestanden hatte (pol. 3,14, 1285a 1ff.), haben ma. Autoren nahezu einhellig zugunsten der M. votiert. Dabei ist die Tendenz zu beobachten, Aristoteles auch dort als Kronzeugen für die monarchische Verfassung in Anspruch zu nehmen, wo derselbe sich keineswegs so eindeutig festgelegt hatte [8. 307 f.]. Seit Thomas von Aquin wurde in den staatstheoretischen Schriften des MA *monarchia* mit *regnum,* der Bezeichnung für die königliche Regierung, gleichgesetzt (De regno I,3 und 5 ed. H.-F. Dondaine, Opera omnia 42, 1979, 452 Z. 8, 454 Z. 4; nach 1260). Während Wilhelm von Moerbeke, der Übersetzer der aristotelischen *Politik* (um 1260), *monarchia* noch unterschiedslos für beide Formen von Alleinherrschaft verwendete, stellte der Thomas-Schüler Aegidius Romanus der *monarchia regia* eine *monarchia tyrannica* (De regimine principum III,2,4 ed. H. Samaritanius, Rom 1607, 459 f.; 1277/1279) gegenüber. Marsilius von Padua gebrauchte *monarchia* dagegen allein zur Bezeichnung der positiven Form von Alleinherrschaft im Unterschied zu Tyrannis und prägte den Begriff *monarchizare* für die Regierung eines guten Alleinherrschers (Defensor pacis I,9,5; I,16,21 ed. R. Scholz, MGH Fontes iuris 7,1932, 44 Z. 11, 109 Z. 17; 1324). Als Argument zugunsten der M. wurde auf das Erfordernis einer einheitlichen Regierungsgewalt, auf das Vorbild der Natur sowie auf das Moment der Erfahrung (Thomas, De regno I,1–2; II,3; I,5 S. 450 f., 465, 454) verwiesen. In diesem Zusammenhang kam der sich aus der Trad. der Ant. herleitenden organologischen Betrachtungsweise [9] ein bes. Stellenwert zu. So verstand der Franziskaner Wilhelm von Ockham die durch den Monarchen ver-

körperte Einheit des Staates als hierarchisch abgestuftes Ordnungsverhältnis zwischen Haupt und Gliedern (Dialogus III,2,3 c. 22 ed. M. Goldast, Monarchia s. Romani imperii 2, Frankfurt a. M. 1614, 954; ca. 1347). Auch angesichts der niemals völlig auszuschließenden Gefahr eines Umschlags in Gewaltherrschaft wurde grundsätzlich am Prinzip monarchischer Regierung festgehalten. Für den Dominikaner Johannes Quidort von Paris befand sich ein Gemeinwesen ohne monarchische Leitung (*sine regimine*) auf der Stufe einer rein animalischen Existenz (De regia potestate c. 1, ed. F. Bleienstein, 1969, 77 Z. 16–20; 1302/3).

D. Universalmonarchie

Der sich an der Ordnung der Natur und des Kosmos orientierende Gedanke einheitlicher Leitung führte in letzter Konsequenz zur Vorstellung von einer die gesamte Welt umfassenden M. Auf einzigartige Weise hat Dante in seiner *Monarchia* die Idee eines universellen, sich über die gesamte zivilisierte Menschheit (*humana civilitas*) erstreckenden Kaisertums propagiert. Denn nur unter der einheitlichen Leitung eines *monarcha sive imperator* sei der Frieden als Voraussetzung für das der Menschheit zugeschriebene Ziel der Vernunftverwirklichung (Monarchia I,5,9; I,3,7–8 ed. G. Ricci, 1965 [Edizione Nazionale 5], 147, 141 f.; nach 1316) zu erlangen. Infolge des zeitlichen Zusammentreffens der Anf. des Kaisertums mit der Geburt Christi in der Zeit des Augustus erfuhr die von Dante theoretisch begründete M. eine heilsgeschichtliche Legitimation. Für Vertreter der Reichspublizistik des späteren MA wie Lupold von Bebenburg (*De iuribus regni et imperii Romani;* um 1340) und Konrad von Megenberg (*De translatione imperii;* 1354) gehörte die Anschauung vom Kaisertum als einer Völker und Reiche überragenden Weltmonarchie (*totius orbis monarchia*) bereits zum festen Bestand. In Anbetracht des seit der Kodifikation des röm. Rechts eingetretenen Wandels der Verfassungsstrukturen besaß dieser Aspekt für die gelehrten Juristen des 14. und 15. Jh. größte Aktualität. Für Bartolus von Sassoferrato (1357) war der Kaiser als Herr des Erdkreises (*dominus et monarcha totius orbis*) Garant für die Kontinuität der Gültigkeit der röm. *leges* (ad D. 49,15,24 v. hostes: Opera omnia 6, Basel 1588, p. 637). In Anlehnung an Antonio Rosellis (1466) Traktat *De monarchia* hat der Humanist Enea Silvio Piccolomini noch einmal alle Argumente zugunsten monarchischer Herrschaft zusammengefaßt. Er gelangte hierbei zu dem Ergebnis, daß unter den von Aristoteles als gut gekennzeichneten Verfassungen allein die M. zur Aufrechterhaltung von Frieden und Gerechtigkeit geeignet sei (De ortu et auctoritate imperii Romani 199–203, ed. G. Kallen, 1939 [Veröffentlichungen des Petrarca-Hauses I,4],66; 1446). In seinem *Libellus de cesarea monarchia,* dem ersten Versuch einer Darstellung der Verfassungsgrundlagen des ma. dt. Reiches, hat schließlich Peter von Andlau in wörtlicher Anknüpfung an Thomas die Vorzüge der M. hervorgehoben und damit dem dt. Kaiser eine den röm. Imperatoren vergleichbare universelle Stellung eingeräumt (Libellus I,8

ed. J. Hürbin, Zeitschrift für Rechtsgeschichte, Germ.
Abt. 12, 1891, 65 ff.; 1460).

1 A. BLACK, M. and Community. Political Ideas in the Later
Conciliar Controversy 1430–1450, 1970 2 K. ECKERMANN,
Studien zur Gesch. des monarchischen Gedankens im
15. Jh., (Abhandlungen zur mittleren und neueren Gesch.
73), 1933 3 E. H. KANTOROWICZ, The King's Two Bodies,
1957; dt. Ausgabe von W. THEIMER, Die zwei Körper des
Königs, 1990 4 F. KERN, Gottesgnadentum und
Widerstandsrecht. Zur Entwicklungsgesch. der M., 2. Aufl.
hrsg. von R. BUCHNER, 1954 5 Das Königtum. Seine
geistigen und rechtlichen Grundlagen, hrsg. von TH.
MAYER, (Vorträge und Forschungen 3), 1956 6 J. MIETHKE,
Polit. Denken und monarchische Theorie, in: Ansätze und
Diskontinuität dt. Nationsbildung im MA, hrsg. von
J. Ehlers, (Nationes 8), 1989, 121–144 7 H. K. SCHULZE,
»Monarchie«, in: Geschichtliche Grundbegriffe 4, 1978,
141–168 8 T. STRUVE, Die Begründung monarchischer
Herrschaft in der polit. Theorie des MA, in: Zschr. für
Histor. Forsch. 23, 1996, 289–323 9 Ders., Die
Entwicklung der organologischen Staatsauffassung im MA,
(Monographien zur Gesch. des MA 16), 1978
10 W. ULLMANN, Principles of Government and Politics in
the Middle Ages, ²1966 11 H. G. WALTHER, Imperiales
Königtum, Konziliarismus und Volkssouveränität, 1976
12 Ders., Regnum magis assimilatur dominio quam simplici
regimini. Zur Attraktivität der M. in der politischen Theorie
gelehrter Juristen des 15. Jh., in: Sozialer Wandel im MA,
hrsg. von J. MIETHKE, K. SCHREINER, 1994, 383–399.

                                    TILMAN STRUVE

II. 1500 – 19. JAHRHUNDERT
A EINLEITUNG B. BEDEUTUNGSVARIANTEN
C. GRUNDLEGENDE ANSÄTZE UND
ENTWICKLUNGEN
D. MONARCHIE UND WELTORDNUNG

A. EINLEITUNG

Zur Formierung und dem Betrieb der neuzeitlichen
M., die zw. Ren. und I. Weltkrieg praktisch wie theoretisch die europ. Politik bestimmte und maßgeblich die
mod. Staatsgewalt hervorbrachte, trug (neben dem german. und jüd.-christl.) das ant. Erbe vornehmlich durch
textlich, in geringerem Maße auch durch Überreste
(Gegenstände, Gebräuche) vermitteltes Sach-, Orien-
tierungs- und Methodenwissen bei. Die wichtigsten
Autoren waren Platon, Aristoteles und Tacitus. Aneignung und Fortentwicklung erfolgten vornehmlich über
komm. Edd., Kompilationen sowie Gattungs- und
Werknachahmungen, konkret v. a. Florilegien, Exem-
pla-Sammlungen, akad. Briefe, Herrscherbiographien,
sonstige Lehrhistorien, Fürstenspiegel und nach aristotelischem Vorbild gestaltete (deshalb: »methodische«)
Systematiken. Nach einer von ihm bestimmten Phase
schwächte sich das ant. Element des M.-Diskurses seit
dem ausgehenden 17. Jh. von West- und Nordeuropa
her ab; im 19. Jh. trat es auch in Mitteleuropa in den
Hintergrund. Inhaltlich lieferte der ant. Bezug sowohl
zentrale Beitr. zur Aufrüstung und Legitimation der M.
wie zu deren Differenzierung, Milderung und Kritik;
von einer argumentativen Leit- reduzierte er sich zu

einer exemplifizierend-illustrativen Hilfsfunktion. Infolge der sich im Zuge der Staatsbildung national auseinander entwickelnden Formen polit. Kultur und Praxis gingen außerdem die europ. Gemeinsamkeiten der
Interpretation und Adaption allmählich verloren.

B. BEDEUTUNGSVARIANTEN

Über empirisch veranlaßte Differenzierung, logische
Systematisierung und Abstraktion sowie Anlagerung
neuer Konzeptionen (Verfassung, Souveränität u. ä.)
entwickelten sich sechs wesentliche, z. T. neue Auffas-
sungsvarianten: M. als analytischer Verfassungsbegriff
im Gegensatz zu Aristokratie und Demokratie, als de-
skriptiver Staatsbegriff (z. B. Königreich Frankreich), als
Statusbegriff (souveräne M. im Gegensatz zur abhängigen Fürstenherrschaft), als normativer Begriff (»wahre«
M. im Gegensatz zur Negativform Tyrannis und zur
Defizienzform Despotie), als partieller Verfassungsbegriff (monarchischer Verfassungs- bzw. Institutionenteil
in einem Staat) und als imperialer Begriff (Universal-
herrschaft). Anhaltende oder neue außerpolit. Verwendungen waren unter anderem M. als Form der Herrschaft Gottes, Form der Herrschaft des Haus- und
Familienvaters sowie seit um 1700 als Anspruch oder
Wirkung einer Denkschule.

C. GRUNDLEGENDE ANSÄTZE UND
ENTWICKLUNGEN

Der frühneuzeitliche M.-Diskurs setzte um 1400 einerseits in It., andererseits in Westeuropa ein. Am bedeutendsten war die auf den Republikanismus der röm.
Aristokratie, bes. Cicero, gestützte M.-Kritik des sog.
Florentiner Bürgerhuman. (Coluccio Salutati, Leonardo Bruni). An sie knüpfte 1513/17 Niccolò Machiavelli
an, der sich wegen der Bedrängung It. durch auswärtige
Mächte veranlaßt sah, auf Livius und Tacitus zurückzugreifen, um die M. (bzw. hier gleichbedeutend: den
Prinzipat) als Notlösung bis zur Wiederherstellung der
Republik zu empfehlen. Seine neuartige Freisetzung
der Politik als autonomes Denk- und Handlungsfeld, in
dem die Normen der allg. Moral zugunsten des praktischen polit. Erfolgs suspendiert sind, also lediglich die
(in der Ant. konzeptionell unbekannte) Staatsräson
zählt, beschleunigte die theoretische und praktische
Herausbildung der neuzeitlichen M. entscheidend.
Demgegenüber erst weniger wirkungsvoll war die stärker aus dem ant. Kontext hinaus strebende parallele Debatte um die richtige Form der M. (John Fortescue,
Claude de Seyssel), deren Hintergrund der Widerstand
der sonstigen Inhaber von Herrschaftsrechten gegen
den Aufstieg der Monarchen bildete: rel., natur- und
gewohnheitsrechtlich in ihren Kompetenzen eingeschränkt oder an Zustimmung gebunden; unter Einbe-
zug der Stände als Teilhaber an der monarchischen
Würde bzw. Inhaber konkreter Mitwirkungsrechte;
ohne derartige Mitinhabe oder Beteiligung. Eine Reaktion auf die bereits als unaufhaltsam erkannte Emanzipation der Monarchen stellte der polit. Moralismus der
Humanisten vom Schlage z. B. des Erasmus v. Rotterdam dar, die sich unter anderem auf die Stoa stützten,

aber auch in die Nähe von Platons Konzept des Philo-
sophenkönigs rücken konnten; aus ihrer Sicht sollten
die Gefahren der M. durch entsprechende Erziehung,
Bildung und Beratung der Monarchen eingedämmt
werden. Indem diese Autoren wie die grundsätzlich
ebenso argumentierenden, aber stärker aus der jüd.-
christl. Überlieferung schöpfenden Reformatoren und
deren altgläubige Gegner (ab 1520) dabei den Amts-
charakter der M. betonten, bereiteten sie trotz gleichzeitiger Vollendung der Idee des monarchischen
Gottesgnadentums auch das mod. Staats- und Verfas-
sungsdenken vor. Die zeitgenössische Utopie, deren
Abstrahierung von der europ. Trad. und Empirie eine
zukunftsweisende grundsätzliche Abkehr von der ant.
Überlieferung markierte, bediente sich dagegen in ihrem M.-Beitrag dort, wo sie dennoch Antikes heranzog,
dieser Bestände nur mehr sehr eklektisch. Aus der ver-
schärften polit. Rivalität des anschließenden konfessionellen Zeitalters (1550 bis E. des 17. Jh.) erwuchsen unter Verarbeitung nach wie vor zentral ant. Wissens sowohl Konzeptionen höchst gesteigerter monarchischer
Macht als auch von deren Gegenteil (erbittertste Gegner: die sog. Monarchomachen). Praktisch am bedeutsamsten wurde der sog. Tacitismus (Scipione Ammirato,
Trajano Boccalini, Justus Lipsius), der unter Umgehung
des verfemten Machiavelli die von Tacitus geschilderten
Durchsetzungs- und Stabilisierungspraktiken der Tyrannis zu einer Herrschaftslehre der erfolgreich krisen-
bewältigenden und daher guten M. umwandelte. Ihre
Anwendung in Fürstentümern It. und Deutschlands, in
Spanien, Frankreich und England, aber auch entsprechend angepaßt in aristokratisch-oligarchischen Systemen schloß die Aneignung praktischer ant. M.-Trad.,
z. B. der Herrscherrepräsentation durch Münzen, aber
auch die Nachahmung des röm. Militärwesens (orani-
sche Heeresreform in den Niederlanden) ein. Im protestantischen Deutschland befaßte sich seit um 1600 der
sog. *Politische Aristotelismus* (Henning Arnisaeus, Hermann Conring) auf höchstem theoretischen Niveau sowohl mit der institutionell-legitimatorischen Hochrüs-
tung als auch der funktional-moralistischen Entschär-
fung der konfessionellen M. Als längerfristig wirksamer
erwies sich indessen die Hervorbringung des konfessi-
onsneutralen monarchischen Absolutismus maßgeblich
durch Jean Bodin schon 1576, mit dem die monarchische Verfassung endgültig ihre wesentlichen nachant.
Definitionsmerkmale erhielt: Souveränität als absolute,
dauernde, höchste Befehls- (Gesetzgebungs-)gewalt;
jedoch gleichzeitig Bindung an Fundamentalgesetze;
systematische Unterscheidung von Staatsform (nach
dem Inhaber der Souveränität) und Regierungsart. Wie
die Anhänger der M., lehnten aber auch die Befürworter aristokratischer Lösungen (Magistrats-, Stände-,
oder Parlamentsaristokratie; unter anderen François
Hotman, Johannes Althusius und Theoretiker des engl.
Parlaments), die ihre Argumentationen ebenfalls noch
vielfach ant. zu untermauern suchten, die eigentliche
Alternative zur M. ab, die als solche aus der ant. Über-

lieferung rezipierte, durch die neue Idee der Volkssouveränität angereicherte Demokratie. Auf sie setzte allerdings ohne elementaren ant. Bezug nur der radikale Flügel der Engl. Revolution (John Lilburne, Gerrard
Winstanley). Gerade deshalb konnte sich über Thomas
Hobbes und dessen Aneignung wesentlicher Prinzipien
der neuen, definitiv nicht mehr ant. empirisch-szientis-
tischen Wiss. die M. theoretisch nochmals festigen, um
den Preis endgültiger Aufgabe der ant. Staatsformenlehre einschließlich von deren Unterscheidung monarchischer Entartungsformen. Wenig später, nach der definitiven Überwindung der Selbstgefährdung Europas
durch den Konfessionskrieg, wurden in der Diskussion
um die engl. Restauration (ab 1650) die wichtigsten
Argumente der mod. M.-Kritik formuliert: höchste
Korruptionsanfälligkeit (Algernon Sidney), Bedrohung
des Eigentums und der Religions- bzw. Gewissensfrei-
heit (John Locke). In dieser in ganz Europa aufgenommenen und im Schlagwort der Freiheit wirksam zuge-
spitzten Debatte spielte ant. Wissen nur noch eine ex-
emplifizierende bzw. illustrierende Rolle; theorierele-
vante apologetische oder kritische M.-Ideen v. a. aus der
aristotelischen Trad. hielten sich nur noch in Deutschland. In Frankreich, dessen absolutistische M. seit Ludwig XIV. († 1715) propagandistisch gerne auf ant. Symbole und Mythen (z. B. Herkules) zurückgriff und deshalb entsprechende Despotismuskritik herausforderte,
wurden jetzt zwar die Alternativen am konsequentesten
reflektiert. Selbst Jean-Jacques Rousseau, der über seine
radikale Konzeption der Volkssouveränität zur Auffassung gelangte, daß direkte Demokratie die einzig legitime Staatsform darstelle und dabei auch auf die athenische Polis rekurrierte, hielt deren praktische Verwirklichung jedoch nur für im Rahmen eines kleinen Staates
möglich. Zunächst überwog deshalb die Neigung zum
sog. Aufgeklärten Absolutismus als mit Ausnahme eher
oberflächlicher Anknüpfung an Platons Philosophen-
M. kaum mehr ant. abgestützte oder auch nur infor-
mierte M.-Variante, die allerdings nur außerhalb Frankreichs zu annähernder Verwirklichung kam. Anders war
die Entwicklung in den gegen das engl. Mutterland auf-
begehrenden nordamerikanischen Kolonien. Deren
Vertreter verfügten zumindest rhetorisch erneut auch
über zentrale Topoi des ant. Republikanismus, konzipierten ihre dezidiert antimonarchische Verfassung unter Bezug auf das republikanische Rom (v. a. dessen Senat) und stellten sich selbst architektonisch in diese
Trad., obwohl an ihrem Gegenentwurf zur M. die
Monarchomachen, das Naturrecht, die Hochaufklä-
rung und die Polit. Ökonomie den größten Anteil hatten. Die Rückwirkung der nordamerikanischen Re-
publikgründung auf Frankreich, die Frz. Revolution
und den alten Kontinent insgesamt verstärkte allerdings
deren genuin mod. Elemente. Am Beginn des 19. Jh.
standen sich daher in Europa M.-Varianten und nicht-
bzw. antimonarchische Entwürfe gegenüber, die von
der Ant. erheblich entfernt, wenngleich noch nicht völlig losgelöst waren: napoleonische Neoabsolutismus-

konzeptionen, die sich gerne klassizistisch repräsentierten und deshalb unter anderem als → Caesarismus wahrgenommen und kritisiert werden konnten; Konzeptionen der beschränkten bzw. repräsentativen, dann konstitutionellen M.; konservativ-legitimistische, christl.-ma. geprägte Entwürfe; republikanisch-liberale, z. T. wieder entsprechend athenisch oder röm. fundierte bzw. exemplifizierte Konzeptionen.

D. Monarchie und Weltordnung

Bis spätestens 1715 war auch der frühneuzeitliche M.-Diskurs noch mit der (spätant.-frühchristl.- heilsgeschichtlich untermauerten) Vorstellung verknüpft, die (zivilisierte) Menschheit müsse (könne) angesichts der gottgewollten Ordnung des Kosmos unter der Herrschaft nur eines einzigen Monarchen stehen. Erst nachdem die zwei oder drei potentiellen Universalmächte (Habsburg als Kaiserdynastie und insofern direkter Erbe des alten Rom, dann Frankreich/Bourbon ebenfalls mit Ambitionen auf das röm. Kaisertum; im zweiten Drittel des 17. Jh. zumindest tendenziell Schweden/Wasa) sich mit der Fortexistenz weiterer Mächte abfinden mußten, entwickelt sich nach ersten Ansätzen in den bes. bedrohten republikanischen Niederlanden, dann im vorgelagerten England die Wahrnehmung und Norm einer pluralen Welt gleichberechtigter Staaten bzw. eines europ. Gleichgewichts. Zur Bewahrung dieser neuen Ordnung erschienen vielfach die angeblich friedfertigeren (weil v. a. am Handel interessierten) Republiken besser geeignet; in der histor. Exemplifizierung dieser These wurde oft auch wieder (fälschlich) auf das klass. Athen im Kontrast zum monarchischen Sparta zurückgegriffen.

→ Herrscher; Tyrannis

LIT 1 M. BAZZOLI, Un concetto di lunga durata. La monarchia universale, in: Il pensiero politico 24, 1991, 67–74 2 F. BOSBACH, Monarchia universalis. Ein polit. Leitbegriff der Frühen Neuzeit, 1988 3 H. DREITZEL, Monarchiebegriffe in der Fürstengesellschaft, 2 Bde., 1991 4 DERS., Absolutismus und ständische Verfassung in Deutschland. Ein Beitrag zu Kontinuität und Diskontinuität der polit. Theorie in der Frühen Neuzeit, 1992 5 Fürstenspiegel der frühen Neuzeit, H.-O. MÜHLEISEN (Hrsg.) u. a., 1997 6 Grundriß der Gesch. der Philos., begründet v. FRIEDRICH UEBERWEG, Die Philos. des 17. Jh., Bd. 1–3, 1988–1998 7 Hauptwerke der polit. Theorie, T. STAMMEN (Hrsg.) u. a., 1997 8 Das Herrscherbild im 17. Jh., K. REPGEN (Hrsg.), 1991 9 C. LOHR, Latin Aristotle Commentaries. Renaissance Authors, 2 Bde., 1988–1995 10 H. MÜNKLER, Im Namen des Staates. Die Begründung der Staatsräson in der Frühen Neuzeit, 1987 11 G. OESTREICH, Geist und Gestalt des frühmod. Staates, 1969 12 W. REINHARD, Vom it. Human. bis zum Vorabend der Frz. Revolution, in: Gesch. der polit. Ideen, H. FENSKE (Hrsg.) u. a., 1996, 241–376 13 DERS., Gesch. der Staatsgewalt. Eine vergleichende Verfassungsgesch. Europas von den Anfängen bis zur Gegenwart, 1999 14 K. C. SCHELLHASE, Tacitus in Renaissance political Thought, 1976 15 B. SINGER, Die Fürstenspiegel in Deutschland im Zeitalter des Human. und der Reformation, 1981 16 F. VALJAVEC, Die Entstehung der polit. Strömungen in Deutschland 1770–1815, ²1978 17 W. WEBER, Prudentia gubernatoria. Stud. zur Herrschaftslehre in der dt. polit. Wiss. des 17. Jh., 1992. WOLFGANG WEBER

Motivgeschichte s. Thematologie

München, Glyptothek und Antikensammlungen

A. Einleitung B. Das Antiquarium der Residenz C. Der Bau der Glyptothek D. Die Skulpturensammlung unter Ludwig (I.) E. Die Aufstellung der Skulpturen in der Glyptothek unter Ludwig (I.) F. Die Glyptothek nach dem II. Weltkrieg G. Die Antikensammlungen

A. Einleitung

Unter mehreren Aspekten nimmt die Geschichte der Münchner Antikenmus. im Vergleich zu anderen dt. Sammlungen eine Sonderstellung ein: Das Antiquarium des 16. Jh. in der Residenz spielte eine Vorreiterrolle im Rahmen fürstlicher Repräsentation. M. konkurrierte dann jedoch nicht mit den Sammlungstätigkeiten, durch die anderenorts zur Zeit des Absolutismus und der Aufklärung Antikenbesitz intensiviert wurde. Entscheidende Akzentsetzungen erfolgten dagegen in der ersten H. des 19. Jh., v. a. mit dem Erwerb originaler griech. Skulpturen und der Neubewertung archa. Kunst, die in anderen dt. Sammlungen kaum vertreten war. Der Bau der Glyptothek stand zwar in einer Reihe mit anderen Museumsgründungen, die Systematik der Präsentation zeichnete sich aber durch ein histor. Kunstverständnis aus, das zuvor im Japanischen Palais zu → Dresden noch nicht anzutreffen war und das sich auch im zeitgleichen Alten Mus. zu → Berlin nur in Ansätzen geltend machte. Außergewöhnlich waren ebenso die top. Situation der Glyptothek und die Ensemblebildung von drei antikisierenden Architekturen am Königsplatz. Eine funktional stimmige Vollendung fand die Ensembleidee 1967 mit der Einrichtung der Antikensammlungen im Ausstellungsgebäude gegenüber der Glyptothek.

B. Das Antiquarium der Residenz

Zwischen 1569 und 1571 ließ Herzog Albrecht V. (Regierungszeit 1550–1574) in der Münchner Neuveste, der nachmaligen Residenz, einen Saal für seine Antiquitäten errichten, nachdem 1563–1567 bereits die Kunstkammer (im Obergeschoß des alten Marstalls, der späteren Münze) durch den Hofbaumeister Wilhelm Egkl gestaltet worden war. Der Erwerb von Kunstwerken und die Schaffung spezieller Sammlungsarchitekturen gingen mit weit gespannten kulturpolit. Aktivitäten einher, die auch der Bibl., den Bildenden Künsten und der Musik (Orlando di Lasso: seit 1556 an der Hofkapelle tätig) in der Residenzstadt zugute kamen.

Das Antiquarium war das erste Sammlungsgebäude auf dt. Boden, das den manieristischen, in It. und in Fontainebleau entwickelten Bautypus der Statuengalerie rezipierte. Formale Anleihen verweisen nach Rom (Hoffront des Palazzo Farnese) und nach Florenz (De-

korationssystem des Uffizienkorridors). Ganz unitalie-
nisch waren aber die gedrückten Proportionen des gewölbten Raumes, die E. des 16. Jh. mit einer Tieferle-
gung des Fußbodens bedingt korrigiert wurden. Von
der gleichzeitigen Nutzung als Festsaal zeugt ein Kamin,
dessen Aufbau 1600 datiert ist.

Die für Albrecht V. tätigen Kunstagenten Jacopo
Strada und Niccolò Stoppio legten den Grundstock für
eine vornehmlich Büsten umfassende Sammlung, deren
urspr. Bestand sich allerdings nicht mehr verläßlich bestimmen läßt. Das Antiquarium entwickelte sich durch
weitere Erwerbungen während der folgendenden Jh.
und durch eine systematisierte Aufstellung im frühen
19. Jh. in Richtung auf ein Museum. 1807 wurde es der
Königlichen Akad. der Wiss. angegliedert. Der Bestand
erfuhr einerseits um 1800 noch Erweiterungen
(→ Mannheim, Antikensaal und Antiquarium), andererseits bald auch Reduktionen, v. a. um 1850 durch die
Abgabe zahlreicher Objekte an neue Münchner Mus.
(s. u.). Im II. Weltkrieg stark beschädigt, ist das Antiquarium seit 1974 wieder zugänglich.

C. Der Bau der Glyptothek

Die Idee des Kronprinzen und nachmaligen Königs
Ludwig (I., Regierungszeit 1825–1848, gest. 1868), ein
Mus. der ant. Skulptur zu gründen, läßt sich bis zu dessen
Italienreise 1804/1805 zurückverfolgen. Nachdem
Bayern 1806 zum Königreich aufgestiegen war und sich
überdies Planungen zu einer Erweiterung der Residenzstadt als notwendig erwiesen hatten, kam bald ein
Standort am Rand der sog. Max-Vorstadt in Betracht.
Auf einem Plan für den Königsplatz von 1812 ist bereits
ein Antikenmus. an der Stelle der späteren Glyptothek
eingetragen. Die Entscheidung für den Bau des Mus.
fiel 1814 mit einem Preisausschreiben der (wenige J.
zuvor gegründeten) Akad. der Künste. An dem Wettbewerb beteiligten sich die Architekten Karl von Fischer, Carl Haller von Hallenstein und Leo von Klenze,
doch fand keiner der eingereichten Entwürfe das Wohl-

gefallen des Kronprinzen. Aufgrund eines weiteren,
Anfang 1816 vorgelegten Entwurfs erhielt Klenze aber
den Zuschlag. In der Folge wurde das Projekt in enger
Abstimmung mit dem Kronprinzen präzisiert; von diesem stammt auch die Bezeichnung als Glyptothek – ›also
nenne ich das die Bildwerke alter und neuer Zeit ent-
haltende Gebäude‹ (Brief an Haller von Hallenstein
vom 12.4.1816). Die Grundsteinlegung fand im selben
J. statt. Mit der Eröffnung 1830 (Besetzung der Statu-
ennischen an der Platzseite erst 1841) bildete die Glyptothek den ältesten realisierten Teil der Platzeinfassung.
Es folgten das ab 1838 als Pendant errichtete Ausstellungsgebäude und die 1848 begonnenen, in Anlehnung
an den Torbau der Athener Akropolis gestalteten Propyläen; letztere besitzen einen denkmalartigen Charakter, indem ihr Reliefschmuck auf den griech. Freiheits-
kampf und die Herrschaft von Ludwigs Sohn Otto, dem
König von Griechenland, verweisen. Zusammen markieren die drei Gebäude ein antikisierendes Architek-
turensemble, das gleichermaßen den kulturellen Anspruch wie das Repräsentationsbedürfnis der bayerischen Monarchie zur Geltung brachte.

Für eine direkte Nutzung zu repräsentativen Zwek-
ken waren auch Teile der Glyptothek selber bestimmt.
Im rückwärtigen Flügel, der urspr. als Haupttrakt gedacht war, dienten zwei um ein Vestibül gruppierte Säle
als Festräume für höfische Anlässe. In ihnen fand schon
zwei J. vor der Eröffnung des Mus. eine nächtliche Feier
mit Fackelbeleuchtung statt. Sie behielten diese Funktion bis zum letzten Viertel des 19. Jahrhunderts.

Grundlegende Merkmale für den zu errichtenden
Bau waren bereits mit der Ausschreibung von 1814
festgeschrieben worden. Sie blieben auch für Klenzes
ausgeführtes Projekt verbindlich: antikischer Stil, Ein-
geschossigkeit, Fensterlosigkeit, Geschlossenheit der
einzelnen Säle und nachträgliche Erweiterungsmög-
lichkeit.

Abb. 1: München, Glyptothek, Aufnahme um 1900 (Bildarchiv Foto Marburg)

Abb. 2: München, Glyptothek, Römer-Saal
Zustand vor dem Zweiten Weltkrieg
(Fotografien der Staatl. Antikenesammlungen und
Glyoptothek: Aufnahmen von Franz Kaufmann)

Zum Platz hin dominiert im Außenbau der Eingangsbereich mit eingestellten ionischen Säulen und vorgeblendetem, giebelbekröntem ionischem Portikus (Abb. 1). Das Motiv der Tempelfront griff – im Unterschied zum gleichzeitigen Alten Mus. in Berlin – prinzipiell auf ältere Lösungen im Bereich der Museumsarchitektur zurück (z. B. das Fridericianum in → Kassel), war aber zugleich innovativ durch den Gegensatz zu den niedrigeren, kubischen Flügeln, deren Flächen allein durch sparsam eingesetzte Nischen aufgelockert sind. Trotz des gräzisierenden Formenapparats erinnert die Schlichtheit des Baukörpers nicht zufällig an frz. Architektur. Klenze selber reklamierte als Vorbilder verschiedene griech. Denkmäler, lehnte aber einen arch. Klassizismus ab, indem er die Umgestaltung der Struktur wie der Einzelheiten zu einem Erfordernis der Neuzeit erhob.

Im Grundriß stellt sich die Glyptothek (wie ähnlich schon in Fischers Entwurf) als eine quadratische, um einen Innenhof gruppierte Anlage dar. Alle Säle sind – ganz ungriechisch – gewölbt; die vorderen Eckräume tragen steil aufsteigende Kuppeln.

Ein bes., schon während der Bauzeit diskutiertes Problem bildete die Beleuchtung. Von den Eckräumen an der Rückfront abgesehen, weisen die Säle durchgängig geschlossene Außenwände auf. Die Durchfenste-

rung beschränkt sich auf die zum Hof hin gerichteten Lünetten, wobei zu Beginn der Bauausführung noch größere Wandöffnungen vorgesehen waren. Bedingt durch die kleinen Fenster in der Gewölbezone waren die Lichtverhältnisse ungenügend, zumal reiche Dekorationen der Gewölbe, Fresken von P. Cornelius in den Gewölbekappen, farbige Wandverkleidungen aus Stuckmarmor und Buntmarmore auf dem Boden insgesamt noch dämpfend gewirkt haben müssen (Abb. 2). Immerhin ordnete Klenze dem Stuckmarmor die Qualität zu, daß er ›die Bildwerke in warmen Reflexlichtern deutlich hervortreten läßt‹ [6. 206].

D. Die Skulpturensammlung unter Ludwig (I.)

Zeitparallel zur Planung und Ausführung der Glyptothek betrieb der Bauherr eine intensive Ankaufspolitik. Sie setzte bereits mit der Italienreise des Kronprinzen ein; als Sachverständige fungierten Antonio Canova und Bertel Thorvaldsen. Weitere Erwerbungen in It. folgten 1808 (Rom) und 1810/1811 (Verona, Sammlung Bevilacqua). Große Bed. für den Aufbau der Sammlung gewann die Verbindung mit Martin (von) Wagner als Ankäufer und Berater (1810–1858). Ihm werden Erwerbungen bei röm. Kunsthändlern (Vitali, Camuccini, Pacetti) und aus röm. Sammlungen (Palazzo Braschi, Palazzo Rondanini, Palazzo Barberini) verdankt. Als Hauptstücke unter den aus Rom stammenden Skulpturen galten der (damals als Muse gedeutete) »Apollon Barberini« und der »Barberinische Faun«.

Der bes. Rang der Münchner Sammlung beruht nicht zuletzt auf der vergleichsweise frühen Anschaffung griech. Originale. Ab 1811 lieferte Carl Haller von Hallerstein erste Werke aus Griechenland (Athen, Rhodos). Haller war im selben J. auch an der Ausgrabung der Tempelskulpturen von → Aigina beteiligt. 1813 durch Wagner für den Kronprinzen erworben und 1815–1818 von Thorvaldsen in Rom ergänzt, gelangten die *Ägineten* 1828 nach München. Dagegen riet Wagner vom Erwerb des 1812 gefundenen Frieses vom Tempel in Phigalia-Bassai ab (London, BM). Neben den *Ägineten* war seit 1853 der »Apoll von Tenea« (Abb. 3) der bekannteste Vertreter archa. griech. Großplastik in der Glyptothek.

Eine günstige Gelegenheit, um Skulpturen in größerer Menge zu erwerben, bot sich 1815 in Paris anläßlich der Auflösung des napoleonischen Kunstraubs. Allein aus der Sammlung Albani wechselten ca. 40 Skulpturen in den Besitz des Kronprinzen, darunter die Statuen der Eirene, des »Münchner Königs« und des Diomedes. Dem Fürsten Albani hatte auch der Bronzekopf eines »Knabensiegers« (Abb. 4) gehört; dieser galt noch A. Furtwängler als hochklass. Original und ›das edelste und vollendetste Werk, das die Glyptothek besitzt‹ [3. 373], während er h. zumeist dem frühkaiserzeitlichen Klassizismus zugeordnet wird.

Seit den 20er J. des 19. Jh. wurden die erworbenen (und einige aus der Akad. der Künste überführte) Skulpturen sukzessive in der Glyptothek aufgestellt. Die An-

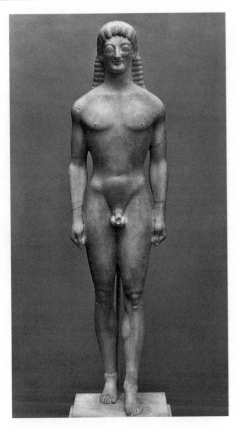

Abb. 3: Kouros (»Apoll«) von Tenea um 550 v. Chr.
München Glyptothek
(Foto Archäologisches Institut der Johannes
Gutenberg-Universität Mainz)

Abb. 4: Bronzekopf eines »Knabensiegers«,
1. Drittel 1. Jh. n. Chr. München, Glyptothek
(Foto Hartwig Koppermann)

kaufspolitik beschränkte sich zunehmend auf einzelne
Ergänzungen des Bestandes mit Blick auf die Präsentation, v. a. im Römersaal. An ägypt. (und ägyptisierenden) Werken standen zunächst nur in It. gefundene
Objekte zur Verfügung, zu denen nun in Alexandria
erworbene (1823 beim Konsul Drovetti) bzw. aus
Ägypten nach Rom gebrachte und dort gekaufte traten.
Einen neuen Akzent setzten 1863 einige assyrische Reliefs, mit denen erstmals auch die Kunst des Alten Orients innerhalb der Sammlung vertreten war.

E. DIE AUFSTELLUNG DER SKULPTUREN
IN DER GLYPTOTHEK UNTER LUDWIG (I.)
Gegen Martin Wagners Plädoyer für eine herkömmliche myth.-thematische Gliederung (vgl. Dresden,
Staatliche Kunstsammlungen) setzte Klenze eine vorwiegend histor. Aufstellungskonzeption durch. Die,
von den Festsälen allerdings unterbrochene, Abfolge der
zumeist jeweils einer Periode gewidmeten Räume spiegelte das von Winckelmann geprägte, im einzelnen aber
variierte biologistische Entwicklungsmodell ant. Kunstgeschichte, an deren Beginn ägypt. Werke aufgrund ihres postulierten Einflusses auf Griechenland standen und

an deren E. in zeitlicher wie qualitativer Hinsicht die
röm. Kunst rangierte, die laut Klenze ›dem Wesen nach
nichts Eigentümliches als den Portraitcharakter hat‹
[6. 205]. Allein an den Stellflächen gemessen, konkurrierte der Römersaal samt zugehörigem Eckraum aber
durchaus mit den Abschnitten der früheren Perioden.
Von der damals aktuellen und folgenreichen Anerkennung frühgriech. Kunst zeugten dagegen der Inkuna-
belnsaal, der nach der Mitte des 19. Jh. auch den »Apoll
von Tenea« aufnahm, und der Saal der Ägineten. Als
weiteres Hauptwerk griech. Kunst war der »Barberinische Faun« hervorgehoben, der sich (im Bacchus-Saal)
in der Blickachse befand, die von den Durchgängen des
westl. Trakts kanalisiert wurde und an die sich die Zwi-
schenwände in kulissenartiger Staffelung heranschoben.
Das E. der Achsen der beiden seitlichen Flügel bildeten
die großen Außenfenster der rückwärtigen Eckräume,
wodurch der »Barberinische Faun« – und im Osten der
»Sandalenbindende Hermes« (»Alexander Rondini«) –
in theatralischer Effektsteigerung von einer Lichtfolie
hinterfangen erschienen. Die auf einen Rundgang
durch die vier Museumstrakte abgestimmte Systematisierung der Sammlung erfuhr eine strukturelle Inkon-
sequenz, als in den späten Lebensjahren des abgedank-
ten, doch weiterhin die Glyptothek fördernden Königs
Ludwig I. die assyrischen Reliefs in einem zusätzlichen
Saal plaziert wurden, der, in den Innenhof ausgreifend,
an das Vestibül der Frontseite anschloß.

Abb. 5: Ostgiebel vom Aphaia-Tempel auf Aigina, um 480 v.Chr. (Ausschnitt).
Glyptothek München, Aufstellung seit 1972 (Foto Hartwig Koppermann)

F. Die Glyptothek nach dem Zweiten Weltkrieg

Die Präsentation der Sammlung blieb prinzipiell bis zur Schließung der Glyptothek am Beginn des II. Weltkriegs unverändert. Bombardierungen verwandelten das Gebäude teilweise in eine Ruine (Einsturz der Gewölbe im Vestibül und im Römersaal). Ein provisorischer Wiederaufbau – ohne den assyrischen Annex – erfolgte 1947 bis 1953. Mit der Eindeckung des Römersaals war 1959/60 der Baukörper im wesentlichen gesichert. Zeitgleich setzten Überlegungen zur Innengestaltung ein; auch eine Überdachung des Innenhofs bzw. die Errichtung eines mod. Anbaus wurden erwogen. Seit der Wiedereröffnung 1972 präsentiert sich die Glyptothek als erneuerte Architektur Klenzes, doch mit nüchternen Innenräumen unter Verzicht auf eine Rekonstruktion der einstigen Dekoration (Abb. 6). Die Wände wurden ziegelsichtig belassen und weiß geschlämmt, die Böden mit schlichten Kalksteinplatten ausgelegt. Den Lichtverhältnissen kamen große Öffnungen zur Hofseite als entscheidende Verbesserungen zustatten.

Dem Gestus funktionsbezogener Sachlichkeit, der Reduktion der Räume auf ein scheinbar neutrales Ambiente, entsprach eine »Entrestaurierung« der Skulpturen. Im J. der Wiedereröffnung des Mus. wurden ›die in ihrer Grundstruktur immer großartigen Säle‹ dezidiert mit ant. röm. Großbauten verglichen, die ohne ihre einstige Verkleidung zu beeindrucken vermögen [13. 12]. Die Abnahme der Statuenergänzungen fand geteiltes Urteil. An der Präsentation der *Ägineten* (Abb. 5) entzündete sich eine heftig ausgetragene Diskussion, wobei die Entfernung der von Thorvaldsen ausgeführten Teile bes. von kunsthistor. Fachvertretern angegriffen wurde. Das Spektrum der Gegenargumente reichte von künstlerischen und sammlungsgeschichtlichen Aspekten bis zu ästhetischen und museumspädagogischen Einwänden. Auch wurde der Vorstellung, nur originalen Partien Geltung verschaffen zu wollen, entgegengehalten, der ant. Zustand könne allein schon wegen Thorvaldsens Bearbeitungen der überlieferten Oberflächen nicht mehr veranschaulicht werden. Auf der anderen Seite wurde reklamiert, daß selbst mit der minimalisierten Form lückenhaft addierter Fragmente, die den visuellen Nachvollzug körperlicher Zusammenhänge erschweren, doch noch die alte Komposition der Giebel im Rahmen des Möglichen präsentiert werde, nachdem Thorvaldsen sie durch falsche Haltungsmotive der Figuren und falsches Arrangement verunklärt habe. Letztlich ging es um einen doppelten, unüberbrückbaren Begriff von Historie, der sich das eine Mal auf den Prozeß eines Monuments von der Ant. bis zur Gegenwart bezog, das andere Mal ganz auf die Rückgewinnung des Ursprungs fokussiert war. Daneben spielten unausgesprochen divergente ästhetische Ideale hinein, die die Grenze zu ethischen Normen tangierten, wenn nicht überschritten: Ohne zu explizieren, wohl auch ohne sich dessen bewußt zu werden, wie sehr sie jeweils an Seherfahrungen und Konventionen von Kunstverständnis gebunden waren, glaubten beide Kontrahentengruppen, ein hohes Maß an Verantwortlichkeit zu erfüllen.

Die Aufteilung der Sammlung – ohne die ägypt. und altorientalischen Bestände – erfolgte wiederum unter

Abb. 6: München, Glyptothek, Saal V,
Aufstellung seit 1972
(Foto Hartwig Koppermann)

Abb. 7: Attisch-rotfigurige Halsamphora des Euthymides,
um 510 v.Chr. Theseus raubt Korone
(Ausschnitt, Zeichnung von Karl Reichhold).
München, Antikensammlungen

vorwiegend chronologischem Gesichtspunkt. Veränderungen gegenüber der urspr. Systematik betrafen in
erster Linie die nunmehr in die ehemaligen Festsäle ver-
setzten *Ägineten*. Durch ihre Plazierung sind sie einerseits aus der Sukzession der Stilperioden herausgelöst,
andererseits als zentraler Komplex ausgewiesen. Ein be-
merkenswertes Spannungsmoment liefert der Kontrast
zw. den beiden ersten Sälen des Rundgangs, indem archa. Skulpturen einschließlich des Kouros von Tenea
unmittelbar zum »Barberinischen Faun« überleiten, so
daß qualitativ herausragende Denkmäler die frühe und
die späte Phase griech. Kunstproduktion eng verklammern. Überdies trägt die Positionierung des *Barberinischen Fauns* im Mittelpunkt eines Zentralraums der
Mehransichtigkeit des Bildwerks besser Rechnung als
seine frühere axiale Einbindung.

Insgesamt herrscht eine lockere Gruppierung der
Skulpturen unter Berücksichtigung des seitlichen Lichteinfalls (Abb. 6). Strikte Aufreihungen auf gemeinsamer Grundlinie wurden vermieden. Programmatisch ist
dagegen im großen Römersaal (Saal XI) das Prinzip der
Übersichtlichkeit durch eine scheinbar gleichmäßige,
tatsächlich aber doch strukturierte Fülle in der Präsentation ersetzt, durch die der Besucher einen individuell
gewählten Weg nehmen kann. In der früheren, noch
mehr Objekte umfassenden Aufstellung waren die Por-
trätbüsten und -statuen einheitlich vor den Wänden po-
stiert (Abb. 2).

G. Die Antikensammlungen

Ab 1824 schuf Ludwig eine umfangreiche, in It. und
auf Sizilien zusammengetragene Kollektion griech. Vasen. Sie schließt zahlreiche Werke hervorragender Qualität ein (Abb. 7). Die Vasen wurden 1841 als Zeugnisse
des Beginns abendländischer Malerei in der (nachmaligen Alten) Pinakothek ausgestellt. Daneben gehörten
bedeutende Produkte ant. Kleinkunst den sog. Vereinigten Sammlungen Ludwigs I. an (Tongefäße, Goldschmuck, Bronzearbeiten, Gläser). Alle Antiken – außer
den Skulpturen in der Glyptothek und den Vasen in der
Pinakothek, aber unter Einschluß von Beständen der
Residenz – wurden nach Ludwigs Tod 1869 als Königliches Antiquarium zusammengefaßt (ab 1872 in der
Neuen Pinakothek). Die Vereinigung der Vasensamm-
lung und des Antiquariums erfolgte erst nach dem I.
Weltkrieg (Königliches bzw. Staatliches Mus. Ant.
Kleinkunst in der Alten Pinakothek). Unter den Neu-
zugängen nach 1869 sind v. a. die Schenkungen von James Loeb (1933) und Freiherr Hans von Schoen (1964)
hervorzuheben.

Die Bestände fanden 1967 in dem der Glyptothek
gegenüber gelegenen, seitdem als (Staatl.) Antikensammlungen bezeichneten Mus. einen ihnen angemes-

senen Ort. Das Mus. ist eine im klassizistischen Außenbau getreue, im Kern aber völlig veränderte Wiederherstellung eines Gebäudes, das 1838–1845 der Architekt Georg Friedrich Ziebland an Stelle älterer Planungen (Mil. Denkmal, Kirche, Bibl.) als ›Kunst- und In-
dustrie-Ausstellungsgebäude‹ zur Förderung von Kunst
und Gewerbe errichtet hatte. Nachfolgend diente es
unterschiedlichen musealen Nutzungen, darunter 1869–
1872 auch schon einmal zur Aufnahme des Königlichen
Antiquariums. Im II. Weltkrieg zerstört, suchte der In-
nenausbau während der 60er J. des 20. Jh. mit großzü-
gigerer Raumaufteilung einen zeitgemäßen Rahmen
für die Präsentation zu bieten. Im Hauptgeschoß verklammern Werke verschiedener Gattungen aus den
Stiftungen Hans von Schoen und James Loeb die chronologisch angeordnete Sammlung griech. Vasen. Über
dem Mittelsaal erhebt sich ein Obergeschoß, das großformatige unterital. Gefäße, einen archa. Bronzekrater
und zahlreiche etr. Denkmäler beherbergt. Im Untergeschoß dominieren Goldarbeiten, Terrakotten und
Kleinbronzen.

1 H. BANKEL (Hrsg.), Carl Haller von Hallerstein in
Griechenland. 1810–1817, 1986 2 Ein griech. Traum. Leo
von Klenze. Der Archäologe, Ausstellungs-Kat. M., 1986
3 A. FURTWÄNGLER, Beschreibung der Glyptothek König
Ludwig's I. zu M., 1900 4 Ders., Die Aegineten der
Glyptothek König Ludwigs I., 1906 5 Glyptothek M.
1830–1980, Ausstellungs-Kat. M., 1980 6 O. HEDERER,
Leo von Klenze. Persönlichkeit und Werk, 1964; ²1981
7 U. HÖCKMANN, Die Bronzen aus dem Fürstengrab von
Castel San Mariano (Staatl. Antiken-Slgg. M., Kat. der
Bronzen I), 1982 8 M. FUCHS, Röm. Idealplastik
(Glyptothek M., Kat. der Skulpturen VI), 1992
9 L. O. LARSSON, Thorvaldsens Restaurierung der
Ägineten-Skulpturen, in: Konsthistorik Tidskrift 38, 1969,
23–46 10 R. LULLIES, Griech. Vasen der reifarcha. Zeit,
1953 11 M. MAASS, Nachträgliche Überlegungen zur
Restaurierung der Ägineten, in: MDAI(A) 99, 1984, 165–176
12 D. OHLY, Die Neuaufstellung der Ägineten, in: AA 1966,
515–528 13 Ders., Glyptothek M. Griech. und röm.
Skulpturen, 1972 14 Ders., Die Ägineten I, 1976 15 Ders.,
Die Antiken-Slgg. am Königsplatz in M., 3. Aufl. (o.J.)
16 M. OHLY-DUMM, Att. Vasenbilder der Antiken-Slgg. in
M. nach Zeichnungen von Karl Reichhold, I–II, 1975
17 J. SIEVEKING (Hrsg.), Die Bronzen der Slg. Loeb, 1913
18 Ders. (Hrsg.), Die Terrakotten der Slg. Loeb, I–II, 1916
19 Ders. (Hrsg.), Bronzen, Terrakotten, Vasen der Slg.
Loeb, 1930 20 Ders., R. HACKL (Hrsg.), Die Königliche
Vasen-Slg. zu M. I, 1912 21 L. URLICHS, Die Glyptothek
S. Maj. des Königs Ludwig I. von Bayern nach ihrer Gesch.
und ihrem Bestande, München 1867 22 Ders., Beiträge zur
Gesch. der Glyptothek (22. Programm des von
Wagner'schen Kunstinst. der Univ. Würzburg), Würzburg
1889 23 K. VIERNEISEL, B. KAESER (Hrsg.), Kunst der Schale.
Kultur des Trinkens (Ausstellungs-Kat. Antiken-Slgg. M.),
1990 24 B. VIERNEISEL-SCHLÖRB, Klass. Skulpturen
(Glyptothek M., Kat. der Skulpturen II), 1979 25 Dies.,
Klass. Grabdenkmäler und Votivreliefs (Glyptothek M.,
Kat. der Skulpturen III), 1988 26 E. WESKI,
H. FROSIEN-LEINZ, Das Antiquarium der Münchner
Residenz. Kat. der Skulpturen, 1987 27 R. WÜNSCHE,

Antiken aus Griechenland – Botschafter der Freiheit, in:
R. HEZDENREUTER et al. (Hrsg.), Die erträumte Nation.
Griechenlands Wiedergeburt im 19. Jh., 1995.

DETLEV KREIKENBOM

Münze, Münzwesen   A. ANTIKE
B. MITTELALTER UND NEUZEIT

A. ANTIKE

Die Mz., ein bis h. geläufiges Zahlungsmittel, wurde
in der 2. H. des 7. Jh. v. Chr. im kleinasiatischen Lydien
erfunden und war dann bald in der gesamten von Griechen bewohnten Welt verbreitet [1]. Aufgrund der polit. Struktur und der Vielzahl derjenigen, die Mz. prägten – Städte, Herrscher –, war das griech. Münzwesen
nicht einheitlich: Jede Stadt bzw. jeder Herrscher hatte
ein eigenes Münzbild, auch waren die Münzfüße, d. h.
die Gewichtssysteme, auf denen die Prägungen aufgebaut waren, z. T. verschieden. Erst unter Alexander d.
Gr. (336–323 v. Chr.) setzte sich eine Währung, die
maked., in einem größeren territorialen Raum als Ein-
heitswährung durch.

Im röm. Reich gab es eine einheitliche Währung, die
Mz. wurden in allen Münzstätten des Reiches nach dem
gleichen Münzfuß geprägt und galten im gesamten
Reichsgebiet. Der im Jahr 312 n. Chr. von Kaiser Konstantin eingeführte Goldsolidus war bis zur Mitte des
14. Jh. der Grundpfeiler des byz. Währungssystems.
Wegen des hohen Feingehaltes der Mz. entwickelte sich
die byz. Goldwährung zu einer internationalen Leit-
währung des MA [8].

B. MITTELALTER UND NEUZEIT

Die Münzprägung der Reiche der Völkerwande-
rungszeit – Vandalen, Ostgoten, Westgoten, Sueven,
Langobarden, Merowinger – orientierte sich am byz.
Münzwesen. Neben diesen Prägungen waren allerdings

Abb. 1: Ludwig d. Fromme, Goldsolidus, 814–840,
Av., Umschrift D(ominus) N(oster) HLVDOVICVS
IMP(erator) AVG(ustus),
Dm. 20 mm, Gew. 4,38g, unbestimmte Münzstätte
(München, Staatliche Münzsammlung)

auch noch röm. Silberdenare des 1. und 2. Jh. n. Chr. im Umlauf – solche Mz. fanden sich z. B. als Beigabe im Grab des Merowingerkönigs Childerich († 482) und z. T. auch noch in Schatzfunden der Wikingerzeit (9.–11. Jh.). Der lat. Begriff *denarius* bezeichnete in der Urkundensprache bis in das späte MA die Hauptmünze der Zeit, den Pfennig. Auch das frz. *denier* und das bis in das 20. Jh. gebräuchliche Kürzel θ für Pfennig sind davon abgeleitet [4]. Die karolingische Münzordnung fußte auf dem röm. Pfund: Seit 755 unter Pippin III. wurden aus einem Pfund Silber 264 Denare geschlagen, seit etwa 781 unter Karl d. Gr. 240 [10. 296 f.].

Mz. hatten nicht nur eine Funktion als Zahlungsmittel. Mit ihrer Ikonographie und der Münzlegende waren sie auch ein Nachrichten- und Propagandamittel: Durch die Mz. wurde etwa in der röm. Kaiserzeit der Herrschaftsantritt eines neuen Kaisers bis in die äußersten Reichsgebiete bekannt gemacht. Während der Regierungszeit spiegelten die Revers der Mz. Leistungen oder Programm des Herrschers, z. B. »Abundantia«, »Aequitas«, »Concordia«, »Felicitas«, »Pax«.

Im Gegensatz zu den röm. Mz. zeigten die der Karolingerzeit nicht das Bildnis des Herrschers, sondern auf dem Avers ein Kreuz und dem Revers einen Tempel. Erst Kaiser Karl d. Gr. ließ nach 804 Denare prägen, mit denen er sich in die Trad. der röm. Kaiser stellte: Auf dem Avers ist die drapierte Büste des Kaisers mit Diadem dargestellt, die Umschrift lautet KAROLVS IMP(erator) AVG(ustus); Ikonographie und Umschrift folgen genau dem ant. Vorbild. So wie die ant. Mz. auf dem Revers häufig durch die Darstellung heidnischer Gottheiten einen rel. Bezug haben, ist auf den Mz. Karls d. Gr. dementsprechend ein Tempel zu sehen mit der Umschrift + XPICTIANA RELIGIO (Christiana Religio). Die Mz. zeigen deutlich den Anspruch Karls, als christl. Herrscher in der Nachfolge der röm. Kaiser zu stehen. Auch Ludwig d. Fromme (814–840) ließ derar-

tige Portrait-Mz. prägen [3] (Abb. 1). Die spätere Karolingerzeit verzichtete dann auf die Verwendung des Herrscherbildes.

Erst unter Otto I. (936–973) begegnet wieder das Bildnis auf Mz., allerdings nicht in Anlehnung an ant. Vorbilder. In den niederlothringischen Münzstätten Maastricht, Lüttich, Huy und Namur werden im 10. und 11. Jh. Bildnis-Mz. geprägt, die sich wieder an spätant. Vorbilder anlehnen, deren künstlerische Qualität aber nicht erreichen [2].

Im J. 1231 legte Kaiser Friedrich II. von Hohenstaufen den Grundstein für die spät-ma. Goldprägung in Europa. Er ließ in Messina und Brindisi sog. Goldaugustalen – ›nummi aurei qui augustales vocantur‹ [5; 7; 10. 49] – prägen, die wegen ihrer künstlerischen und technischen Vollendung sowie des nicht zeitgemäßen Kaiserbildnisses zu den berühmtesten Gold-Mz. zählen und als die schönsten Mz. des gesamten MA angesehen werden (Abb. 2). Auf dem Avers ist das antikisierende Brustbild des Kaisers im Lorbeerkranz nach rechts zu sehen, die Umschrift lautet CESAR AVG(ustus) – IMP(erator) ROM(anus). Auf dem Revers ist ein sehr naturalistischer Adler, Symbol der Staufer, dargestellt, die Umschrift + FRIDE-RICVS benennt den auf dem Avers dargestellten Kaiser. Der Augustalis war die Kopie einer Mz. des röm. Kaisers Augustus (27 v. Chr. – 14 n. Chr.). Mit dieser Prägung deutete Friedrich an, daß die Zeit des Augustus, geprägt u. a. durch die *Pax Augusta*, und damit die Zeit Christi wieder erstanden sei [6].

In der Münzprägung des späteren MA und der Neuzeit beschränkte sich die Antikenrezeption auf lat. Umschriften: Der Kaiser des Hl. Röm. Reiches Dt. Nation wird auf Mz. *Imperator Romanus Semper Augustus*, »Röm. Kaiser, allzeit Mehrer des Reiches«, genannt. Ganz bewußt in der Trad. ant. Mz. stehen die Geschichtstaler des bayerischen Königs Ludwig I. (1825–1848), deren

Abb. 2: Friedrich II., Augustalis, nach 1231, Dm. 19 mm, Gew. 5,27 g, Münzstätte Brindisi (München, Staatliche Münzsammlung)

Rückseiten bedeutenden Ereignissen oder Zeitgenossen gewidmet waren. Wie die ant. Mz. waren sie nicht nur ein Zahlungsmittel, sondern auch ein Medium, durch das der Regent zum Volk sprach [9].

1 M. R. Alföldi, Ant. Numismatik, 1978, 71–74
2 P. Berghaus, Ant. Herrscherbildnisse auf niederlothringischen Mz. des 10./11. Jh., in: Scripta archaeologica Groningana 6, 1975, 83–90 3 Ders., Das Münzwesen, in: Karl der Große – Werk und Wirkung, 1965, 149–156 4 Ders., s. v. Denar, LMA 3, 1986, 694
5 W. Jesse, Quellenbuch zur Mz.- und Geldgesch. des MA, 1924, Nr. 204 (aus der Chronik des Ryccardus de S. Germano) 6 E. Kantorowitz, Kaiser Friedrich II., ⁶1985, 205 7 H. Kowalski, Die Augustalen Kaiser Friedrichs II., in: SNR 55, 1976, 77–150 8 C. Morrisson, s. v. Mz., Münzwesen, LMA 6, 1993, 921 f. 9 B. Overbeck, Geschichtstaler König Ludwigs I. von Bayern – Zitate nach röm. Mz., in: JNG 39, 1989, 27–35 10 F. v. Schrötter (Hrsg.), WB der Mz.-Kunde, ²1970.   GERD STUMPF

Münzsammlungen   A. Definition
B. Die bedeutendsten Münzsammlungen
C. Münzsammlungen und Altertumswissenschaft

A. Definition

M., auch als Münzkabinette bezeichnet, gehen auf die Ren. und die damalige Vorliebe für das Alt. und dessen Monumente, zu denen auch die ant. Mz. zählen, zurück. Der erste bekannte Sammler von Mz. war Petrarca (1304–1374). Die meisten der heute staatlichen M. entstanden im Zeitalter des Absolutismus im Anschluß an die fürstlichen Kunstsammlungen [19. 436]. Gerade in diesen Kabinetten bilden die ant. Mz., d. h. der Kelten, Griechen, Römer und Byzantiner einen der Sammlungsschwerpunkte. Auch in Stadt- und Landesmus. und Univ. finden sich häufig Münzkabinette.

B. Die bedeutendsten Münzsammlungen
1. West- und Mitteleuropa
1.1. Frankreich

Bis etwa zur Mitte des 19. Jh. war das *Cabinet des médailles de la Bibliothèque nationale* in Paris die bedeutendste und umfangreichste M. in Europa. Sie geht zurück auf die königlichen Sammlungen von Schmuck, Mz., Gemmen und sonstigen Kostbarkeiten, die in den verschiedenen Schlössern aufbewahrt wurden. Unter Charles IX. (1560–1574) wurden die Sammlungen in den Louvre verbracht und zusammengefaßt, mit einem *garde particulier des médailles et antiques du roi*, einem »Sonderaufseher für die Medaillen und Altertümer des Königs«, an der Spitze. Unter Louis XIV. (1661–1715), dem die Sammlung einen erheblichen Zuwachs an Mz. zu verdanken hat, wurde 1667 das Kabinett vom Louvre in die Königliche Bibl. verbracht. Auch im 18., 19. und 20. Jh. wurde der Bestand durch Ankäufe, Münzfunde und Stiftungen kontinuierlich ausgebaut. Seit 1917 befindet sich die Sammlung in ihren jetzigen Räumen in der Rue de Richelieu. Der Bestand an Mz. beläuft sich auf über 500000, wobei diejenigen der Ant. den größten Teil ausmachen [16]. Diese wurden und werden publ., so z. B. E. Babelon, *Catalogue des monnaies grecques de la Bibliothèque nationale*: I. *Les rois de Syrie, d'Arménie et de Commagène*, 1890, II. *Les Perses Achéménides, les satrapes et les dynastes tributaires de leur empire, Cypre et Phénicie*, 1893; Ders., *Inventaire sommaire de la Collection Waddington*, 1898; SNG France, 1983 ff.; J.-B. Giard, *Catalogue des monnaies de l'empire romain* I, 1976; II, 1988.

1.2. Grossbritannien

Das *Department of Coins and Medals* des British Museum in London entstand 1753 bei der Einrichtung des Mus. als Abteilung des *Department of Manuscripts*. 1803 kam die Sammlung zum *Department of Antiquities*, 1863 wurde das unabhängige *Department of Coins and Medals* geschaffen, das 1893 dann in den noch h. genutzten Westflügel des Mus. einzog. Einen großen Aufschwung erfuhr das Department durch die Schenkungen der königlichen Sammlung 1823 durch George VI. und der Sammlung der Bank of England 1877. Aufgrund der kolonialen Vergangenheit des Königreichs bilden die Prägungen des Orients mit 71000 Stücken einen Schwerpunkt, herausragend und am bedeutendsten ist jedoch der Bestand an ant. Mz.: 85000 griech. und 84000 röm. und byz. Stücke. 1814 publizierte Taylor Combe unter dem Titel *Veterum Populorum et regum numi qui in Museo Britannico adservantur* den damaligen Bestand an griech. Mz.; dem folgte 1830 Payne Knight mit *Nummi Veteres Civitatum Regum Gentium et Provinciarum, Londini in Museo Richardi Payne Knight asservati, ab ipso, ordine geographico, descripti*. Zwischen 1873 und 1927 entstanden die 29 Bde. mit dem Bestand an griech. Mz. (BMC, Gr). Drei Bände waren 1910 den Mz. der röm. Republik gewidmet (*Coins of the Roman Republic in the British Museum*, BMCRR), mit der Kaiserzeit beschäftigten sich von 1923 bis 1962 die sechs Bände *Coins of the Roman Empire in the British Museum* (BMCRE) [4]. Umfangreiche Bestände an ant. Mz. haben auch die Univ. Oxford [10] und Cambridge [17].

1.3. Niederlande

Die Anf. des Münzkabinetts in Leiden datieren in die 1. H. des 18. Jh. unter Fürst Wilhelm IV. Das erste Inventar von 1759 verzeichnete 170 ant. Gold-Mz., an Griechen 463 Silber- und 2741 Bronze-Mz., 731 röm. republikanische Silber-Mz. sowie 3740 Gold- und 8404 Bronze-Mz. der Kaiserzeit. Derzeit beläuft sich der Bestand an ant. Mz. auf rund 60000 [18].

1.4. Belgien

1835 wurde das Musée d'armes anciennes, d'armures, d'objets d'art et de numismatique gegründet, 1838 die numismatische Abteilung der neugegründeten Bibliothèque Royale angegliedert. Der Bestand von rund 210000 Objekten enthält einen beträchtlichen Bestand an ant. Münzen [9].

1.5. Deutschland

Die größten M. in Deutschland sind das Münzkabinett in Berlin und die Staatliche Münzsammlung in München. Das erste erhaltene Inventar des Münzkabinetts Berlin datiert in das J. 1649 und weist einen Bestand von 5000 Mz. aus. 1830 wurde es mit Gründung der Königlichen Mus. Teil des sog. Antiquariums und für die Öffentlichkeit zugänglich, 1868 bekam es den Status eines selbständigen Mus. und wechselte 1904 an den jetzigen Standort im Kaiser-Friedrich-Museum, h. Bodemuseum. Seit 1992 ist das Kabinett Teil der Staatlichen Mus. zu Berlin – Preußischer Kulturbesitz. Der Sammlungsbestand beläuft sich auf rund 500 000 Objekte, darunter 104 000 griech. und 45 000 röm. und byz. Mz. [8]. Ein Teil der ant. Mz. ist publ. in A. v. Sallet et al., *Beschreibung der ant. Mz.*, 1888–1894. Die Staatliche Münzsammlung München reicht in ihren Anf. bis in die 2. H. des 16. Jh., als Herzog Albrecht V. (1550–1579) die Kunstkammer gründete. Gegen Ende des Jh. belief sich der Bestand an Mz. bereits auf 7000, in der Hauptsache Prägungen der Antike. Als 1777 unter Kurfürst Carl Theodor die wittelsbachische Pfalz und Bayern vereinigt wurden, kam auch die bedeutende kurpfälzische M. von Mannheim nach München. Mit der Säkularisation zu Beginn des 19. Jh. gelangten aus den Klöstern wichtige Stücke und Partien in die M., wobei bes. die Abteilung »Röm. Ant.« bed. Zugänge hatte. 1807 wurde das »Kgl. Münzcabinet« der Akademie der Wissenschaften angegliedert, h. ist es eine eigenständige Sammlung. Im 19. Jh. wurden für den Bereich der griech. Ant. die Privatsammlungen Cousinéry, Astuto, Avellino und Longo erworben. Bes. Förderung im Bereich der Ant. erfuhr die M. durch den für die Ant. begeisterten König Ludwig I. (1825–1848). Die Abteilung Ant. enthält ca. 100 000 Mz. (Kelten, Griechen, Römer, Byzantiner), die im Rahmen der SNG und in Ausstellungskat. teilweise publ. sind [20; 5; 7; 14; 15].

1.6. Österreich

Das Wiener Münzkabinett hat seinen Ursprung in der Münzsammlung der Habsburger. Ferdinand I. (1521–1564) hatte eine Vorliebe für ant. Mz., aus seiner Zeit (nach 1547) existieren zwei Sammlungsverzeichnisse. Für die Entwicklung des Kabinetts war das 18. Jh. von entscheidender Bed.: Karl VI. (1711–1740) ließ ein einheitliches Münzkabinett schaffen, d. h., die an vielen Orten befindlichen Bestände wurden gesichtet und vereinigt. Unter Maria Theresia war ab 1774 Joseph Hilarius Eckhel Direktor der Abteilung Ant., der mit seinem Hauptwerk *Doctrina numorum veterum* (8 Bände, Wien 1792–1798) die wiss. Numismatik begründete. Der Bestand des Wiener Kabinetts beläuft sich auf rund 500 000 Objekte mit einem bedeutenden Anteil ant. Mz. [6].

2. Nordeuropa

2.1. Dänemark

Das Kopenhagener Münzkabinett ist aus der königlichen Kunstkammer Frederiks III. (1648–1670) hervorgegangen. 1654 kamen die ersten röm. Mz. in die Sammlung, seit dem 18. Jh. wurde der Bestand an ant. Mz. kontinuierlich ausgebaut. Mit dem Ende der absoluten Monarchie 1848 übernahm der dänische Staat die bis dahin königliche Sammlung. Der Bestand umfaßt h. über 400 000 Objekte mit einem großen Anteil

griech. Mz., die von 1939 bis 1977 in 43 Faszikeln der SNG publiziert wurden [12].

2.2. Schweden

Das Münzkabinett Stockholm, dessen Anf. in das späte 16. Jh. datiert, zählt zu den ältesten M. in Europa. Königin Kristina (1632–1654) hatte die erste bedeutende Sammlung ant. Mz., die zum Teil während des Dreißigjährigen Krieges in München (1632) und Prag (1648) erbeutet worden waren. Etwa die Hälfte des Bestandes von 400 000 Mz. stammt aus schwedischen Schatzfunden, ein Großteil der ant. Mz. wird Schenkungen, u. a. von König Gustaf VI. Adolf (1950–1973), verdankt. Im Rahmen der SNG sind bislang vier Bde. (1974–1995) erschienen [21].

3. Südeuropa

3.1. Spanien

Die Geschichte des Münzkabinetts Madrid reicht bis in das J. 1712 zurück, als Felipe V. die Biblioteca Real gründete, in die die im Königspalast befindlichen M. integriert wurden. Heute ist die Sammlung Teil des Museo Arqueológico Nacional. Sie besitzt eine bedeutende Sammlung röm. republikanischer Bronze-Mz. und Denare, die zu einem erheblichen Teil aus Funden stammen. Am bedeutendsten und vollständigsten ist mit 65 000 Exemplaren die Serie der röm. Mz. der Kaiserzeit [2]. 1994 ist ein Band SNG erschienen.

3.2. Italien

Im Castello Sforzesco in Mailand werden seit 1918 zwei M. aufbewahrt, die staatliche Sammlung des Gabinetto Numismatico di Brera und die Civiche Raccolte Numismatiche der Stadt Mailand. Gegründet wurde das Kabinett im Palazzo di Brera – dort seit 1817 – 1808 als Reale Gabinetto di Medaglie e Monete, die Mailänder Sammlung entstand 1832 mit der Schenkung der Sammlung Castiglioni. Die beiden M. haben einen Bestand von über 140 000 Mz., darunter etwa 11 000 griech., den größten Anteil haben mit über 65 000 die röm. und byz. Mz. [1]. Seit 1988 wurden von den Civiche Raccolte Numismatiche elf Bände der SNG herausgegeben und seit 1990 neun Bände *Sylloge Nummorum Romanorum*. Umfangreicher als die Mailänder M. ist die Sammlung des Museo Nazionale Romano in Rom, deren Schwerpunkt allerdings auf den it. Mz. des MA und der Neuzeit liegt. Die M. in It. sind zahlreich und über das ganze Land verteilt.

3.3. Griechenland

Die größte griech. M. ist das Numismatische Mus. in Athen, das 1829 als Teil des Nationalmus. in Aegina gegründet wurde. Den Grundstock bildete die Sammlung Jossimades mit 20 000 griech., röm., byz., ma. und neuzeitlichen Mz. und Medaillen. Von 1889 bis 1922 wirkte an dem Kabinett der bekannte Numismatiker Ioannis Svoronos. In dieser Zeit wurde die Sammlung in die Akad. verlegt, später dann in das Nationalmuseum. Die Sammlung umfaßt mehr als 500 000 Mz., vorwiegend griech., röm. und byz., deren Zahl durch Funde und Ausgrabungen stetig weiter wächst [13].

4. Osteuropa, Übersee

Die wichtigsten osteurop. M. mit ant. Mz. sind die Kabinette in St. Petersburg, Moskau und Sofia, deren Bestände nach der Veränderung der polit. Verhältnisse der Wiss. wieder leichter zugänglich sind. Die bedeutendste M. in Übersee ist die der American Numismatic Society (ANS) in New York mit einem Gesamtbestand von fast 800000 Mz., darunter ca. 120000 griech. und 95000 röm./byzantinische. Einen Schwerpunkt bilden die Mz. der hell. Herrscher. Seit 1961 hat die ANS sieben Bände SNG publiziert [11].

C. Münzsammlungen und Altertumswissenschaft

Neben den schriftlichen Zeugnissen und arch. Denkmälern sind ant. Mz. eine wichtige Quelle für die Wissenschaft. Das bekannte Material wird fortwährend durch Funde und Ausgrabungen ergänzt und erweitert. Aufgabe der M. und der dort tätigen Wissenschaftler ist es, dieses einzuordnen und der Fachwelt durch Publikationen oder auf andere Art – Photo, Gipsabguß, Vorlage bei Besuch – zugänglich zu machen. Durch die mod. Kommunikationsmittel und Reisemöglichkeiten ist es der Forsch. möglich, problemlos die Bestände der M. zu nutzen. Gerade im letzten Jh. sind daher Mz. als wichtige Quellen für die Erforsch. der Ant. herangezogen worden.

1 E. A. Arslan, Il Gabinetto numismatico dei civici Musei di Milano, in: Commission Internationale de Numismatique. Compte rendu 22, 1975, 39–47
2 C. Alfaro Asins, El Departamento de Numismática y Medallística del Museo Arqueológico Nacional de Madrid, in: Commission Internationale de Numismatique. Compte rendu 39, 1992, 39–47 3 F. de Callataÿ, Les principales collections publiques de monnaies grecques, in : Commission Internationale de Numismatique. Compte rendu 41, 1994, 66–78 (Gibt einen Überblick über alle M. mit griech. Mz.) 4 R. A. G. Carson, The Department of Coins and Medals, BM, in: Commission Internationale de Numismatique. Compte rendu 21, 1974, 35–45
5 J. Garbsch, B. Overbeck, Spätant. zw. Heidentum und Christentum, 1990 (Ausstellungskat.) 6 H. Jungwirth, Die Slg. von Medaillen, Mz. und Geldzeichen des Kunsthistor. Mus. in Wien, in: Commission Internationale de Numismatique. Compte rendu 37, 1990, 47–54
7 D. Klose, G. Stumpf, Sport – Spiele – Sieg. Mz. und Gemmen der Ant., 1996 8 B. Kluge, Das Münzkabinett der Staatlichen Mus. zu Berlin – Preußischer Kulturbesitz, in: Numismatisches Nachrichtenblatt 46, 1997, 401
9 J. Lippens, Bruxelles: Le Cabinet des Médailles de la Bibliothèque Royale, in: Commission Internationale de Numismatique. Compte rendu 37, 1990, 39–41 10 D. M. Metcalf, The Heberden Coin Room, Ashmolean Mus., Oxford, in: Commission Internationale de Numismatique. Compte rendu 25, 1978, 40–44 11 W. E. Metcalf, The American Numismatic Society, 1958–1996, in: Commission Internationale de Numismatique. Compte rendu 42, 1995, 49–55 12 O. Mørkholm, The Royal Collection of Coins and Medals, Copenhagen 1780/81 – 1980/81, in: Commission Internationale de Numismatique. Compte rendu 27, 1980, 31–42
13 M. Oeconomides-Caramessini, Musée Numismatique d'Athènes, in: Commission Internationale de Numismatique. Compte rendu 29, 1982, 28–30 14 B. Overbeck, Rom und die Germanen. Das Zeugnis der Mz., 1985 (Ausstellungskat.) 15 Ders., D. Klose, Ant. im Münzbild. Lehrausstellung zum Einsatz im Unterricht, 1986
16 M. Pastoureau, Paris: Le Cabinet des Médailles de la Bibliothèque Nationale, in: Commission Internationale de Numismatique. Compte rendu 23, 1976, 56–61 17 J. G. Pollard, The Department of Coins and Medals, Fitzwilliam Mus., Cambridge, in: Commission Internationale de Numismatique. Compte rendu 26, 1979, 41–51 18 M. Scharloo, A History of Rijksmus. – Het Koninklijk Penningkabinet, in: Commission Internationale de Numismatique. Compte rendu 44, 1997, 64–74 19 F. v. Schrötter (Hrsg.), WB der Mz.-Kunde, ²1970, s. v. Münzsammeln und M., 435–437 20 G. Stumpf, Zur Gesch. der Münchner M., in: Numismatisches Nachrichtenblatt 47, 1998, 361 21 U. Westermark, Stockholm: Royal Coin Cabinet. National Mus. of Monetary History, in: Commission Internationale de Numismatique. Compte rendu 23, 1976, 50–56. GERD STUMPF

Musen A. Literatur
B. Bildende Kunst C. Musik

A. Literatur

Am Eingang zum MA stehen die gefallenen M. Boëthius' *De consolatione Philosophiae* (um 523 n. Chr.) thematisiert gleich zu Beginn (Boeth. 1,1) die entscheidende Wende: Die Allegorie der Philos. verscheucht die den leidenden Verfasser umgebenden *poeticae Musae* (Dichtermusen) und bezeichnet diese als *scaenicae meretriculae* (Theaterhuren), die mit süßem Gift und Schmeicheleien nur den Schmerz vermehrten – ›sirenes usque in exitium dulces‹. Diesen Sirenen, die als verderbliche, sinnlich-tellurische Gegenbilder zu den M. als rein intelligiblen Götterwesen galten, wolle die Philosophia nun ihre eigenen M. gegenüberstellen. Boethius bedient sich in seiner Gegenüberstellung von Ratio und Affekt platonischer Gedanken, die aber jetzt unter christl. Vorzeichen zu einer generellen Degradierung jener heidnischen Gottheiten führt. Die Trad. des Musenanrufs geht im MA nicht ganz verloren. Ein schwer zu deutender Exkurs in Gottfrieds von Straßburg *Tristan* bedient sich – möglicherweise nur ironisch – der ant. Topik: ›ich entuo daz eine dar zuo/deiswâr daz ich noch nie getete:/mîne vlêhe und mîne bete/die wil ich êrste senden/mit herzen und mit henden/hin wider Êlicône/zu dem niunvalten trône,/von dem die brunnen diezent,/ûz den die gâbe vliezent/der worte unde der sinne‹ (V. 4860 ff.; zit. nach [2. 298]). Die human. Scholaren Deutschlands widmeten ihre an Horaz und Vergil ausgerichteten antikisierenden Oden wieder explizit *Phoebo et musis* (so z. B. Conrad Celtis, *Odarum libri IV*, Strassburg 1513) und zierten ihre Drucke mit myth. überfrachteten Holzschnitten, als gelte es, ein Jt. fehlender Überlieferung aufzuholen. Dabei bedienten sie sich auch der Darstellung von Apoll auf dem Parnaß sowie der neun M., etwa auf C. Celtis' und P. Tritonius' *Melopoiae* (Augsburg 1507). Durch Opitz und andere, die

die M. wieder als Beschützerinnen der Dichter begriffen und um Beistand baten, gelangte der Begriff samt etlicher Komposita in ständigen Sprachgebrauch: ›das wort wird notwendiges zubehör der dichtersprache für lange hinaus, bis auf unsere zeit‹ [3. 2736]. Eine besondere Konvention der Poetik des 17. Jh. war der doppelte Dichterparnaß: Dem altklass. Musenberg wurde ein neuzeitliches Spiegelbild mit zeitgenössischem Personal entgegengesetzt. So plazierte C. Chr. Dedekind auf dem Titelkupfer seiner Anthologie *Aelbianische Musen-Lust* (Dresden 1657) gegenüber dem Parnaß mit Apollo und den M. in hierarchisch-chonologischer Staffelung sächsische Dichter wie Opitz und Fleming vor sächsischer Kulisse. Die durch J. J. Winckelmann ausgelöste Antikenbegeisterung im späteren 18. Jh. verhalf den M. erneut zu besonderer Präsenz. Nach dem Vorbild des Pariser *Almanac des Muses* (seit 1765) erschien ab 1770 der Göttinger *Musenalmanach*, das Organ des Göttinger Hainbundes und Vorbild für zahlreiche weitere poetische Jahrbücher: Schiller veröffentlichte seinen *Musenalmanach* von 1796 bis 1800, ähnliche Gedichtsammlungen waren bis in die Romantik beliebt. Über die Etikette hinaus – Goethe schließt einen Brief an C. Fr. Zelter mit ›Apoll und den Musen bestens befohlen‹ (19. Okt. 1821) – suchte Hölderlin in einer Hymne an Mnemosyne (1793) die individuelle Auseinandersetzung mit der ant. Figur. Die dt. Romantiker sahen sich vor der Aufgabe, die ant. Stereotypen mit ihren christl. Schwärmereien in Einklang zu bringen, d. h. jene diesen unterzuordnen. A. Wilh. Schlegel formulierte das programmatisch in seinem Gedicht *Der Bund der Kirche mit den Künsten* (1800), in dem Ecclesia vom Himmel herabsteigt und sich zum Parnaß begibt, ›Wovon so viel die eitle Welt gedichtet: / Dort waren einst die Eitelkeiten schön. / Apollos alter Dienst ist längst vernichtet, / Daß dürr, verwildert sein Haine stehn‹ [5. 87 f.]. Wackenroder läßt in seinen *Herzensergießungen eines kunstliebenden Klosterbruders* (1796/97, Abschnitt *Die Bildnisse der Maler*) einen jungen Künstler mit der (!) M. den Gemäldesaal betreten, wo sie gemeinsam vor den Bildern Leonardos, Dürers, Michelangelos und Raffaels in hl. Schauern verharren; Kunst und Religion gehen hier in eins. Nach ihrer Anthologie *Le Parnasse contemporain* (3 Teile, 1866–1876) als *École parnassienne* (oder kurz *les Parnassiens*) benannt wurde eine Gruppe frz. Dichter um Charles-Marie-René Leconte de Lisle, die in ihrer Lyrik die formale Strenge und Virtuosität des L'art-pour-l'art erstrebte. Die beliebige Verfügbarkeit des ant. Mythos auch in der Alltagskultur spiegelt sich nicht zuletzt im ironisierenden Sprachgebrauch bei der (in Goethes Gedicht noch ernst gemeinten) Bezeichnung »Musensohn« für den Studenten sowie darin, daß das Internationale Olympische Kommittee von 1912 bis 1948 den »Fünfkampf der Musen« (Musik, Architektur, Lyrik, Malerei und Bildhauerei) mit Medaillen honorierte. Als »zehnte Muse« wurden in jüngerer Zeit Kabarett oder Opernlibretto (z. B. [15]) bezeichnet.

B. BILDENDE KUNST

Ihren unmittelbaren Niederschlag findet die Preisgabe der M. als Symbolfiguren für göttl. Inspiration und Wahrheit in der christl. Kunst des MA, die die Ikonographie von Dichter und M. auf die Evangelisten und ihre Symbole übertrug. In ihrer Eigenschaft als Allegorien der Künste wurden sie meist durch die Personifikationen der *Artes liberales* oder Frau Musica ersetzt. Eine spätma. Miniatur der neun M. findet sich in M. Lefrancs *Le Champion des Dames* (F-Pn, fr.12476, fol. 109v). Mit der human. Wiederentdeckung der Ant. finden auch die M. als Stellvertreter der Künste erneut Eingang in die Ikonographie. Als besonderer Bildtypus ist dabei die Darstellung der neun M. als Gruppe, meist samt Apoll, auf dem → Parnaß zu werten. Daneben stehen Einzeldarstellungen weiblicher Figuren und Allegorien, die wohl oft vom Wunsch nach Abbildung weiblicher Nacktheit geleitet wurden. Giovanni lo Spagna (di Pietro, um 1450–1528) schuf eine Freskenfolge mit Apoll und den M. (Pinakothek, Rom), Botticelli seine komplizierte Allegorie *Primavera* (um 1478, Uffizien, Florenz). Bilder von Parnaß, M. und Apoll malten u. a. Mantegna, Raffael, Lorenzo Lotto, Giulio Romano, Tintoretto, Tiepolo, in Frankreich Simon Vouet, Poussin, Eustache Lesueur und Claude Lorrain (→ Parnaß). Mitunter ist die Interpretation musizierender Frauen als M. nicht gesichert, ja unmöglich (beispielhaft: Tintoretto, *Musizierende Frauen*, nach 1566, Dresdner Gemäldegalerie, vgl. [14]). Wohl durch eine etym. motivierte begriffliche Verengung wurden den M. entgegen der ant. Ikonographie als Attribute bald grundsätzlich Musikinstrumente beigegeben. Dabei stehen imaginären ant., der *musica speculativa* entlehnten Leiern und Triangeln jeweils der aktuellen Praxis entsprechende oder zumindest angenäherte Instrumente gegenüber, die – auch auf Deckeln von Virginalen u. ä. – bis zum 18. Jh. eine Fundgrube für die Instrumentenikonographie darstellen. Je nach Detailtreue und musikalischer Erfahrung der Maler variieren die organologischen Rückschlüsse erheblich. Einen prominenten Platz nahmen die M. in der Staffage der barocken Festkultur ein. Zahlreiche Parnasse enstanden zu dekorativem Zweck, aber auch nicht wenige, auf denen die Fürsten und Könige als Beschützer und Pfleger der Künste verherrlicht werden sollten. Unter den Bourbonen blühte die derart durch myth. Stoffe verbrämte polit. Propaganda auf, so nach der Hochzeit von Louis XIV. mit Maria Theresia von Österreich (1660), deren Verbindung langen Frieden und somit eine neue Blüte der Künste gewähren sollte. Das Brautpaar wurde mit einem 40 Fuß hohen, lorbeerbekrönten Musenberg gefeiert, auf dem Apollo und die neun M. saßen [11. 74 und Abb. 62]. Dem gleichen Zweck diente der *Le Consert royal des muses* betitelte Kalender von 1671, der dasselbe Brautpaar auf einem weiteren Parnaß thronend zeigt [11. 74 f. und Abb. 63]: Maria Theresia überreicht hier ihrem Gemahl eine Liste mit den sieben *Artes liberales*; die sieben musizierenden Frauen aber scheinen zugleich freie Künste und (aufgrund ihrer Instrumente) M. zu verkörpern. Im bildnerischen Klassizismus werden – neben großen Neuschöpfungen wie A. Canovas *Polyhymnia* (1815, Hofburg Wien) – kleinformatige Antikenreproduktionen, zumeist massenweise hergestellte Biskuitstatuetten, zum obligaten Accessoire bildungsbürgerlicher Einrichtungen; Giovanni Volpato (1733–1803) kopierte zu diesem Zweck die ant. Skulpturen der M. Klio und Thalia aus den vatikanischen Museen (Liebighaus Frankfurt). Goethe hatte zusammen mit Johann Heinrich Meyer 1798 (*Über die Gegenstände der bildenden Kunst*) in der Hierarchie der Bildthemen ›symbolische Darstellungen‹ an die Spitze gestellt, worunter auch die M. fallen: ›In symbolischen Figuren der Gottheiten oder ihrer Eigenschaften, bearbeitet die bildende Kunst ihre höchsten Gegenstände, gebietet selbst Ideen und Begriffen uns sinnlich zu erscheinen (...). Der große Zyklus der zwölf obersten Gottheiten, und der kleinere der Musen, der Grazien, Horen, Parzen usw. greifen alle, wie Räder eines Uhrwerks, zum Zweck eines vollendeten Ganzen ineinander; sie umfassen, füllen und begrenzen auch, wie es scheint, das ganze Gebiet der Kunst im Charakteristischen, im idealisch Erhabenen, im Gefälligen, Reizenden und Schönen‹ [8. 73 f.]. Noch über diesen Themen stehe allerdings die Darstellung der Madonna; in diesem Punkt war die romantische Kunstauffassung vorgezeichnet. Nach klassizistischen Ausläufern wie dem *Heiligen Hain der Künste und Musen* (1884–1889) von Pierre Puvis de Chavannes und der profanisierten Darstellung der M. als Gruppe zeitgenössischer Frauen (1893) durch Maurice Denis entstehen in den bildenden Künsten zu Beginn des 20. Jh. stark individualisierte Neu- und Umdeutungen, darunter Giorgio de Chiricos *Le muse inquietanti* (1916) und Otto Dix' *Selbstbildnis mit Muse* (1924), ferner reine Abstraktionen wie Constantin Brancusis *Schlummernde Muse* (1906, 2. Fassung 1910).

C. Musik

Zumindest in zwei der ant. lat. Musiktheorie entnommenen Aspekten bleiben die M. im Musikdenken des MA lebendig: zum einen in ihrer kosmologisch-zahlensymbolischen Bed., die auf Martianus Capellas *De nuptiis Philologiae et Mercurii* (4./5. n. Chr., B. I,28) zurückgeht, zum anderen in etym. Zusammenhängen, die Remigius von Auxerre und noch Walter von Odington aus Fulgentius' *Mitologiae* (5./6. Jh., Fulg. 1,15: *De novem musis*) geschöpft haben [6. 22 f.]. Da die M. nach wie vor als Abstraktionen musiktheoretischer Zusammenhänge verstanden wurden, mußte ihre Neunzahl nicht selten den praktischen Erfordernissen geopfert werden. In Fr. Gaffurius' *Practica musice* (Mailand 1496) stehen acht M., versehen mit den griech. Saitennamen der achtstufigen Leiter, spiegelbildlich acht *Planeten* gegenüber, die entsprechend mit den Namen der Kirchentonarten verbunden sind; Thalia jedoch hat sich neben dem über allem thronenden Apollo zusammen mit Euphrosyne und Aglaia zur Gruppe der Drei Grazien vereint. Noch bei P. Aron [1. 1,3] wurde die Musik auch deswegen

nach den M. benannt, ›perche per il numero novenario di tali dee gli antichi Theologi uolsero denotarsi i concenti de le otto sphere celesti‹. Weniger bedeutungsbeladen dienten die M. zahlreichen Musikdrucken als schmückender Zierat, insbes. das (um Apoll gruppierte) Musenkonzert; Pierre Phalèse erwählte das Motiv zu seinem Druckerzeichen. Auch als Namensgeber musikalischer Sammlungen konnten die M. bemüht werden, so in diversen *Libri delle muse* (RISM 1555²⁵⁻²⁷), am prominentesten sicherlich bei Praetorius (*Terpsichore*, 1612¹⁶; *Musae Sioniae*, 1605–1610), der im Proömium zum zweiten Teil des ersten Bandes seines *Syntagma musicum* ausführlich die verschiedenen Beschreibungen und Deutungen der M. bei den ant. Autoren referiert (S. 319–324). Auch später verzichtet kaum eine der großen musiktheoretischen Abhandlungen ganz auf etym. und allegorische Erklärungsversuche. Joh. Fr. B. C. Majer versöhnt dabei in seinem *Museum musicum* (Schwäbisch Hall 1732) nochmals ant. und christl. Welt: ›Es waren aber die Musen (...) nach Heydnischem Gedichte Töchter des Jupiters, welche er mit seiner Gemahlin Mnemosyne (der Gedächtniß / so insonderheit zum studiren erfordert wird) erzeuget; zu bedeuten: Daß Fürsten und Herren die Künste / als ihre Töchter lieben/dieselbe unterhalten und beschirmen sollen; oder daß alle gute Künste von GOTT herkommen. (...) Sie sind Jungfrauen und unbewaffnet; weil keusche fried=liebend= und sanfftmüthige Leute des Studirens am fähigsten sind. Ihre Wohnung ist der Berg Parnassus oder Helicon; weil so mühsam ist zu grosser Geschicklichkeit zu gelangen / als einen hohen Berg zu ersteigen.‹ [4. 2] Den Musenberg als Gipfel der Geschicklichkeit sah später auch M. Clementi im Titel seines fingertechnischen Vervollkommnung dienenden *Gradus ad parnassum* op. 44 (L./Lpz./P. 1817–1826). Als Bühnenfiguren wurden die M. eher selten lebendig. Bereits 1491 sangen in einem Ferrareser Intermedium Apoll und die M. zur Lira bzw. Laute. Auch im Prolog zu Caccinis *Il rapimento di Cefalo* (1600 Florenz) traten Musagetes und Gefolge auf. Im Florentiner Palazzo Pitti wurde am 20. Jan. 1626 das Intermedium *Balletto delle muse e degli argonauti* auf ein Textbuch von Andrea Salvadori gegeben. Ein typisches Beispiel für die erwähnte Vereinnahmung der M. zur Verherrlichung absolutistischer Regenten ist die Siegesszene im *Ballet de la prospérité des armes de la France* (1641), ein weiteres der Musenberg Ansbach in der Oper *Il Narciso* (1697) von Fr. A. Pistocchi und A. Zeno. A. Campras Opéra-ballett *Les Muses*, ein von Apoll veranstalteter Wettstreit unter den M., wurde am 28. Okt. 1703 aufgeführt, sein Divertissement *Les Muses rassemblées par l'amour* 1723. J. J. Mouret schrieb 1714 *Les Fêtes de Thalie*, Händel komponierte seine Oper *Terpsichore* 1734. G. Reutter schrieb nach einer Vorlage von Metastasio *Il Parnasso accusato e diffeso* (22. Aug. 1738 Wien). J. J. Rousseaus Opéra-ballett *Les Muses galantes* wurde 1745 privat inszeniert. Die lat. Oper *Musae in Parnasso Salzburgensi* von Th. F. Lipowsky (1759) ist verschollen. Häufiger treten die M. einzeln auf: Thalia in Cestis *Il pomo d'oro*, Erato in Händels *Il pastor fido*, Melpomene in Lullys *Atys*, Polyhymnia in Rameaus *Les Boréades*. A. Scarlatti schrieb eine Kantate *Sole, Urania e Clio: Le muse lodano le bellezze di Filli* (1706). Weniger reserviert gingen die Komponisten des späteren 19. Jh. mit den M. um: ›Keine anderen Gestalten der ant. Myth. wurden in dem Maße in einem klischeehaft-allegorischen Sinne ausgeschlachtet wie die M.‹ [9. 187]. Zumeist in den uferlosen Sammlungen kleinerer Klavierstücke für den Hausgebrauch griffen Salonmusikkomponisten zu Titeln wie *Blumensträußchen aus Terpsichorens Garten* (C. G. Kupsch, um 1834) oder *Eratos Liebessehnen und Uranias Sternenfahrt* (Otto Ermin, um 1910); die Strauß-Dynastie schuf *Musen-Polka, Musen-Quadrille, Euterpen-Polka-Mazurka* und den *Musenklänge*-Walzer; G. W. Chadwick schrieb die Konzertouvertüren *Melpomene* (1891) und *Euterpe* (1906); C. Saint-Saëns betitelte sein Konzertstück für Violine und Violoncello op. 132 mit *La Muse et le poète*. Als Signum göttl. Auszeichnung gesellt sich auf Max Klingers Brahms-Statue (1906) dem Tonkünstler eine M. bei. G. Balanchines und I. Stravinskijs Ballett *Apollon musagète* (1928) dagegen orientiert sich direkt an den ant. Schablonen und ist choreographisch wie musikalisch das Modell neoklassizistischer Reduktion, was sich im Verzicht auf farbige Kostüme, in der reinen Streicherbesetzung, den diatonischen (Dur-) Harmonien und auch in der Verwendung »klass.« Metren (Jambus, Alexandriner) äußert. In ähnlich zurückhaltender Weise, aber nicht unter völliger Preisgabe romantischer Ausdrucksmittel, hat Nikolaj Metner kompositorisch seiner M. Denkmäler gesetzt (*Muza* op. 29/1, *Sonate-Vocalisé* op. 41/1, *Geweihter Platz* op. 46/2), die für ihn, ähnlich wie für Wackenroder, Mittlerwesen göttl. Inspiration in christl. Geiste war. In seiner musikästhetischen Schrift *Muza i moda* (Muse und Mode, Paris 1935) findet der abendländische Mythos vom göttl. Ursprung der Kunst zu einer letzten, am über Jt. tradierten Bild der M. orientierten Überhöhung, die in ihrer unbedingten Hingabe und gläubigen Naivität jene Intensität und Direktheit erreicht, die für den ant. Menschen charakteristisch gewesen sein mag.

QU **1** P. ARON, Toscanello in musica, Venedig ³1539 **2** GOTTFRIED VON STRASSBURG, Tristan, hrsg. von R. KROHN, Bd. 1, ⁵1990 **3** Grimmsches WB, Bd. 6, Leipzig 1885 **4** Joh. Fr. B. C. Majer, Museum musicum, Schwäbisch Hall 1732 **5** A. W. VON SCHLEGEL, Sämmtliche Werke, hrsg. von E. BÖCKING, I Poetische Werke 1. Theil, Leipzig 1846 (Ndr. 1971)

LIT **6** M. BERNHARD, Überlieferung und Fortleben der ant. lat. Myth. im MA, in: FR. ZAMINER (Hrsg.), Rezeption des ant. Fachs im MA, 1990,7–35 (= GMth 3) **7** M. BOYD, Metner and the Muse, in: The Musical Times 121, 1980, 22–25 **8** W. BUSCH, W. BEYRODT (Hrsg.), Kunsttheorie und Malerei. Kunstwiss., 1982 (= Kunsttheorie und Kunstgesch. des 19. Jh. in Deutschland 1) **9** A. EDLER, Stud. zur Auffassung ant. Musikmythen im 19. Jh., 1970 **10** H. HUNGER, Lex. der griech. und röm. Myth. mit Hinweisen auf das Fortwirken ant. Stoffe und Motive in der bildenden Kunst, Lit. und Musik des Abendlandes bis zur Gegenwart, ⁸1988 **11** A. P. DE MIRIMONDE, L'Iconographie musicale sous les rois bourbons. La Musique dans les arts plastiques (XVIIe-XVIIIe siècles), 1975 **12** W. F. OTTO, Die M. und der göttl. Ursprung des Singens und Sagens, 1955 **13** A. RIETHMÜLLER, Probleme der spekulativen Myth. im MA, in: FR. ZAMINER (Hrsg.), Rezeption des ant. Fachs im MA, 1990, 163–201 (= GMth 3) **14** H. COLIN SLIM, Tintoretto's »Music-Making Women« at Dresden, in: Imago Musicae 4, 1987, 45–69 **15** P. J. SMITH, The Tenth Muse. A Historical Study of Opera Libretto, 1971.

CHRISTOPH FLAMM

Musik I. IDEENGESCHICHTE II. STOFFGESCHICHTE

I. IDEENGESCHICHTE

A. EINLEITUNG B. BEGRIFF C. GESCHICHTE D. ANTIKE MUSIKAUFZEICHNUNGEN

A. EINLEITUNG

M. wird in einer ant. Tradition bis zum 17./18. Jh. als zweifache Möglichkeit des Problems aufgefaßt, sich mit »Empirie« und »Struktur« zu beschäftigen [21]. Im ersten Fall gilt sie als Medium, das dazu verhilft, von einzelnen Sinneswahrnehmungen zu abstrahieren. Oder umgekehrt: M. verschafft Einsicht in intelligible Faktoren, die nicht notwendigerweise zu Sinneswahrnehmungen führen. Solche M. wird im folgenden zunächst einer ideengeschichtlichen Betrachtung (Teil I) zugewiesen, womit sich dann als Sammelbecken für die (der Ideengeschichte durchaus nicht strikt entgegengesetzte) stoffgeschichtlichen Belange der M. (Teil II) einzelne Aspekte (wie Formenlehre, Elementarlehre) oder einzelne Wissensteile (wie M. und einzelne Artes liberales) sowie verschiedene histor. Schichten (wie MA, Neuzeit) ergeben.

B. BEGRIFF

Der griech. Begriff M. meint in der wissenschaftsgeschichtlich maßgeblichen Ausrichtung die mediale Form organisierter Klänge und bezieht sich gleichzeitig als Theorie auch immer auf die intelligiblen Faktoren, die solchen klingenden Ereignissen zugrundeliegen. Soweit M. als der Zeitlichkeit (dem Entstehen und Vergehen) unterstehendes Phänomen verstanden wird, sind die formativen Komponenten des Mediums zumindest seit Aristoxenos in einem breiten, durch Begriffe wie »Zeit«, »Bewegung«, »Ort«, »Raum« und »Maß« abgesteckten wiss. Rahmen vorgegeben [7]. Histor. sinnvoll läßt sich die Frage nach M. wohl bis zum 17./18. Jh. nur stellen, wenn Derivate von *musiké* (lat. *musica*, arab./hebr./syr. *mūsīqī/mūsīqā*) zur Diskussion stehen, womit M. nicht das Medium selber, sondern die Betrachtung des Mediums aus der Optik von M., aus »griech. Optik« also, meint. Damit sind kulturspezifische Begriffe für organisierte Klänge wie lat. *cantus* oder arab. *ǧinā'* oder hebr. *nəgīnā* nicht synon. zu M., sondern bedürfen eigener Erklärungsweisen. Anders gesagt: M. ist begriffsgeschichtlich darum immer problematisch, weil sich M.

als Objekt erst durch bestimmte Fragerichtungen der Untersuchung konstituiert.

Idealtypisch unterscheidbar sind drei Ansätze: 1. M. kann sich am Klang orientiert auch auf intelligible (»ewige«) Komponenten (Maße, Zahlen und deren Verhältnisse) beziehen oder 2. nur mit solchen Komponenten befaßt sein, womit klingende M. zum Spezialfall einer allgemeineren Frage wird. In beiden Fällen wird 3. M. auch als jedem Menschen affektiv zugängliche mediale Form verstanden. In pädagogischer Absicht wird darum in der Geschichte immer wieder versucht, ausgehend vom affektiven Geschehen erste Formen abstrakter Begriffsbildung einzuüben.

Soweit diese Aktivitäten um die mediale Form von M. in Rezeptions- und Wissenschaftsgeschichte ideell und curricular geordnet und organisiert werden, geht es um den Ausschnitt aus dem Thema von Aristoteles bis Leibniz, der im MA einsetzt und bis zum 17./18. Jh. dauert [9]. Da sich die wesentlichen Transformationen der griech. Musikauffassung im MA vollziehen und diesbezügliche Wissensstoffe noch von Athanasius Kircher (1601–1680) oder Andreas Werckmeister (1645–1706) überliefert werden, liegt das Gewicht der Berichterstattung dieses Beitrags auf der ma. Geschichte [28]. Nach Eulers *Tentamen novae theoriae musicae* von 1739 spielte die Harmonielehre in der Forschung der bedeutenden Wissenschaftler keine eigenständige Rolle mehr [23. 121]

C. Geschichte

1. Voraussetzungen der Transformation von Musik im Mittelalter bis zur Zeit von Leibniz

Boëthius (um 500) bietet in *De institutione musica* eine in die Mathematik eingebettete Lehre der M., deren spezifische Funktion er in zwei anderen Texten hierarchisch bestimmt. Vom Abstrakten zum Konkreten fortschreitend ergibt sich folgende Ordnung: In *De trinitate* (2) formuliert Boethius das Verhältnis der Metaphysik, Mathematik und Physik aufgrund ihrer Verwendung von Form (*forma*) und Stoff (*materia*), wobei Stoff an die physikalisch zentrale Kategorie der Bewegung (*motus*) gebunden ist. Als Schema ergibt sich [20. 515]: (Abb. 1).

	abstracta (reine Form)	*inabstracta* (Form in Stoff)
sine motu (dem Prinzip der Bewegung nicht unterliegend)	Theologie (Metaphysik)	Mathematik
in motu (dem Prinzip der Bewegung unterliegend)		Physik

Abb. 1: Schematische Darstellung nach Boëthius *De trinitate*

Da Physik (*scientia naturalis*) »Bewegung« untersucht und damit »natürliche« (*naturalis*), also dem Prinzip von Entstehung (*generatio*) und Vergehen (*corruptio*) unterworfene Vorgänge, mag man von einer »natürlichen Be-

trachtungsweise« sprechen, der die auf Abstraktion bedachte formale Sprache der Mathematik gegenüber steht.

M. ist Teil der Mathematik. Boëthius bestimmt in *De institutione arithmetica* (1,1) deren Aufbau. Mathematik gehört zur Kategorie der Quantität (*quantitas*), wobei die beiden Subkategorien – diskrete (*quantitas discreta*) und kontinuierliche Quantität (*quantitas continua*) – jeweils zweigeteilt die vier Gegenstandsbereiche der quadrivialen Disziplinen ausmachen. Arithmetik und M. untersuchen die diskrete Quantität. Dabei bildet solche Quantität für sich (*per se*) betrachtet das Subjekt der Arithmetik (9,1–2), während diskrete Quantität, verstanden als die Betrachtung von einzelnen Quanten im Verhältnis zu anderen (*ad aliquid relata*), das Subjekt der M. abgibt. Andererseits bilden die unbewegliche Größe und die bewegliche Größe die zwei Gegenstandsbereiche von Geometrie und Astronomie innerhalb der Subkategorie der kontinuierlichen Quantität. Auf Pädagogik bedacht, benutzt Boethius in der *Inst. mus.* den Begriff »Quantität« nicht und nennt deren Subkategorien »Menge« (*multitudo*, 8,23) und »Größe« (*magnitudo*, 8,18). Damit liegt eine naive Formulierung für ein diskretes und ein kontinuierliches System vor (28,84–85).

Aufgrund dieser beiden Voraussetzungen formuliert Boëthius seine Lehre von der M. in der *Inst. mus.* Daß es ihm nur um die aus dem Stoff abstrahierte Form geht und nicht um Physik, zeigt sich an der Proportionenlehre, welche *Inst. arith.* und *Inst. mus.* verbindet. Zudem ist er kritisch gegenüber einer »konfusen« Auffassung, wobei *confuse* »vermischt« (z. B. Inst. mus. V,2) in dem Sinne meint, daß Stoff und Form nicht getrennt aufgefaßt werden.

2. Musik und Instrumente

Boëthius teilt in *De institutione musica* (1,2) die M. dreifach: in die M., welche die Welt konstituiert (*m. mundana*), die M., die diesem Makrokosmos gegenüber den mikrokosmischen Aspekt vertritt (*m. humana*). Dabei steht diesem von Boëthius in der *Inst. mus.* nicht ausgearbeiteten Makro-Mikro-Paar eine dritte M. gegenüber, die in gewissen Instrumenten fest eingerichtet ist (*quae in quibusdam constituta est instrumentis* [187. 21–22]). Gemeint sind nur bestimmte Instrumente, und zwar jene, die entsprechend einer vorgegebenen, auf Proportionen beruhenden Ordnung stimmbar sind, also Saiten- und Blasinstrumente. Ab der ersten Hälfte des 12. Jh. wird der Ausdruck zu *musica instrumentalis*, damit zur Bezeichnung jeglicher klingenden M.

Fragt sich, wie ein solcher *instrumentum*-Begriff gemeint ist. Die Ableitungen von *instrumentum* in diesem Zusammenhang mögen im einzelnen unklar sein, doch dürfte *instrumentum* in den nach Stichwörtern geordneten *Accessus* in analoger Bedeutung auftreten. Etwa wenn es vielleicht um 1150 bei Dominicus Gundissalin (De divisione philosophiae 54,4–5) sinngemäß heißt, das Instrument einer einzelnen *ars* ist das, womit derjenige, der die *ars* betreibt, im Stoff (*materia*) – im spezifischen materiellen Substrat der *ars* – tätig ist (*operatur*) und dann die dem Menschen eigenen, daher natürlichen, zur Tonhervorbringung notwendigen Instrumente (Zähne, Zunge, Gurgel etc.) von den künstlichen (z. B. Saiten- und Blasinstrumente) unterschieden werden (ebenda 99,21–25). Eine solche Vorstellung vom Instrument dürfte weit eher zur Geschichte des Begriffsfeldes von *órganon* gestellt werden als die Namensgleichheit etwa von Instrumenten in der Septuaginta und späterer Zeit, in der sachliche Zusammenhänge wohl nicht bestehen, sondern biblischer Sprachgebrauch Sachen legitimiert.

3. MUSIK UND MEDIZIN

M. hat als mediale Form gedacht eine Wirkung. In dieser Verfassung nennt Boethius sie idealtypisch *musica humana* (Inst. mus. 187,21), erläutert diesen Typus aber nicht. Solche M. kann als »Stimmung« aufgefaßt werden, die übertragen wird: »traurige« M. transferiert die besondere Stimmung »traurig« der Person, die sich dieser M. aussetzt, und zwar dann, wenn der Hörvorgang nicht rein passiv (ästhetisch) verläuft, sondern entsprechende Bewegungen aktiviert [22. 23]. So gesehen gehört sie zur Ethoslehre. Zu den Grundlagen, die vorhanden sein müssen, damit sinnvollerweise von M. und Medizin zu sprechen, gehören zwei weitere Aspekte: die Überzeugung, daß Körper und Seele eng aufeinander bezogen und der Arzt für beide zuständig ist sowie die immer wieder an Galen orientierte Humoralmedizin (mit den Säften, den *humores* befaßte Medizin), die sich auf die Elemente (Feuer, Wasser, Luft und Erde) als Prinzipien bezieht. Die Schwierigkeit in der sehr langen Tradition der Behandlung des Themas »M. und Medizin« liegt darin, daß die scheinbar einfache Ausgangssituation – M. hat eine *Wirkung* – sich sofort kompliziert, wenn gefragt wird, ob die Wirkung beim Menschen »einfach« eintritt oder ob ein vom Menschen zu leistender Teil Voraussetzung dafür ist, daß M. *wirkt* [24].

4. NACH BOËTHIUS

Daß Boëthius stark auf griech. Quellen gestützt neoplatonisch argumentiert, ist klar. Die Einseitigkeit seiner Berichterstattung wird nach 1250 deutlicher, zu dem Zeitpunkt also, da die *Analytica posteriora* und die *Physik* von Aristoteles nicht nur in lat. Übersetzungen, sondern nach ersten Rezeptionsphasen bekannt werden. Aristoteles bespricht ja gelegentlich das Verhältnis von mathematischen und physikalischen Eigenschaften (Phys. B, 193 b 22–94 a 25; An. post. 1,9; 1,13) und stellt fest, daß einige der mathematischen Disziplinen physikalischer (Phys. B, 194 a 7) seien als andere. Man nennt im MA solche Disziplinen – M., Astronomie und Optik – mittlere Wissenschaften (*scientiae mediae*), da sie zwischen Mathematik und Physik stehen (als frühester Beleg für den Begriff *scientia media* gilt ein meist ins Jahr 1256 datierte Textstelle bei Thomas Aquinas. M. als *scientia media* fordert dazu heraus, im Falle des genuin physikalischen Begriffs Schall (*psóphos, sonus* [33]) den Aspekt der kontinuierlichen Größe mathematisch zu untersuchen und nach der Metrisierung des Phänomens zu fragen. Solche Überlegungen führen zu einer Bezeichnungstheorie entsprechender physikalischer Daten, die sich zwischen 1320/30 zur sog. Mensuralnotation ausbildet. Indem solche Daten als diskrete Quanten in ihren proportionalen Verhältnissen beschreibbar und bezeichenbar werden, erhält die Rede von proportional rhythmisierten Werten eine bis zur Neuzeit haltbare Basis, welche die ältere, an grammatikalischen Parametern (Länge und Kürze beim Sprechen) orientierte Modellbildung ablöst. Systematisch gesehen wird M., damit griech. Auffassungen verpflichtet, als diskretes wie als kontinuierliches System fasslich und dient vom 14. Jh. bis zur Leibniz-Zeit oft als paradigmatische Disziplin in einem mathematisch-physikalisch orientierten Wissenschaftsbetrieb [28; 29], da sich an ihr diese systemischen Komponenten höchst anschaulich und gemeinverständlich zeigen lassen [12]. M. wird wissenschaftsgeschichtlich kaum je eine wichtige Disziplin, da notwendiges Wissen sich immer aus Mathematik und Physik herleitet. M. bleibt aber solange wesentlich, als sich nur bei ihr vermuten läßt, sie sei als Medium allen Menschen bekannt und sich nur an ihr die Interaktion zwischen Teilen dieser beiden Fächer hervorragend demonstrieren läßt.

5. MUSIK IM UNTERRICHT

Für den Unterricht der M. als Teil der → Artes liberales gilt idealtypisch als Ausgangssituation: pro Fach wird ein Textbuch (*textus*) bestimmt, das in der Vorlesung (*lectio*) vom Magister diskutiert wird. Das Ergebnis kann in Form von Interlinearglossen oder einem durchgehenden Kommentar (mit mannigfachen Zwischenstufen) überliefert sein. Der *textus* par excellence der M. ist *De institutione musica*. Da sich daraus keine praxisbezogene Lehre ableiten läßt, entsteht seit dem 9. Jh. eine praxisorientierte Herstellungslehre mit Versatzstücken der Theorie. Diese Lehre, die jederzeit M. als Begriff für die Belange des »Gesangs« (*cantus*) benutzt, ist durch drei Eigenschaften gekennzeichnet:

a) In den bisherigen Abschnitten wurde M. im Sinne von Theorie vorgestellt. Allerdings kennt das lat. MA seit Cassiodor und Isidor eine an Aristot. eth. Nic. 6,3–4 orientierte Unterscheidung von Theorie und Poietik, wobei Theorie als Wissen gilt von dem, was notwendigerweise der Fall ist (eth.Nic. 1139 b 20f., 31 f.). Eine im Verhältnis 2:3 geteilte Saite ergibt notwendigerweise die Quinte zum Grundton der leeren Saite. Die Poietik lehrt dagegen Herstellungswissen, das der Kontingenz (im Sinne von Prozessen, die so, aber auch anders vor sich gehen, eth.Nic. 1140 a 1f., 5f., 16f.) unterliegt. Herstellungswissen liegt etwa dann vor, wenn ein Text Regeln mit einem bestimmten, oft auch nur angedeuteten Geltungsbereich formuliert. Etwa: Der A und der B singen zusammen zweistimmig (Ausgangssituation). Wenn der A und der B zusammen das Intervall der Oktave bilden (Situation a) und wenn A in dieser Situation um zwei Töne nach oben geht (Situation b), dann steigt B um drei Töne ab (Situation c), wodurch A und B eine Quinte bilden (Situation d = neue Ausgangssituation a). Typisch an dieser Regelbildung (im Sinne der Feststellung von Situationen) ist: es wird nicht ausgesagt, daß A und B immer dann, wenn die Situation »Oktave« gegeben ist, so vorgehen müssen. Gefragt ist in solcher praxisbezogener Musiklehre die Exemplifizierung von Regeln, aber nicht die Diskussion, was eine Regel ist und unter welchen Umständen sie gilt.

b) Das Niveau solcher Lehre ist von einem bildungspolitischen und einem wirtschaftlichen Faktor bestimmt. Natürlich wollen die Karolinger die *artes* als eine *translatio studii* (analog zur *translatio imperii*) einführen; doch fehlen zu Beginn geeignete *textus* für einige Disziplinen: das Bildungssystem der *artes* erscheint eher als Ideal denn als Spiegel faktischer Verhältnisse. Auch darum behilft man sich mit *De nuptiis Philologiae et Mercurii* Martians, da der Text zwar brauchbare *textus* nicht ersetzen kann, aber wenigstens in den Büchern 3–9 die *artes* (und in Buch 9 die M., genannt *harmonia*) vorführt. Die *artes* als Bildungsplan sind über das MA hinaus relevant; doch werden sie nur selten an einem Ort gesamthaft gelehrt. Die Notlage, zu solchen Zeiten einen Plan durchzusetzen, der nicht zahlbar ist, verdeutlichen oft die Martian-Handschriften dann, wenn ein einzelnes Buch überliefert ist, dem einschlägige Materialien zur Disziplin beigegeben sind [26].

c) Praxisbezogene Musiklehre wird auch für Kinder benötigt, da deren Stimmregister im Gesang nicht fehlen darf. Stimmbruch entsteht durch Ausschüttung des Hormons Testosteron; der Zeitpunkt der Ausschüttung ist abhängig von der Ernährung. Einzeluntersuchungen für die ma. Zeit lassen vermuten, daß Stimmbruch mit etwa 12 bis 13 Jahren eintritt [14]. Soweit M. es mit Begriffen wie »Zeit«, »Bewegung«, »Ort«, »Raum« und »Maß« zu tun hat, geht es um die Frage, wie Kindern zwischen 7 und 12 bis 13 Jahren solche Begriffe für die Belange der M. verdeutlicht werden, woraus sich oft genug eine Lehre ergibt, in dem das jedem Kind faßliche Medium M. (»Gesang«) dazu dient, elementare Abstraktion einzuüben. Des Boëthius Vorstellung von einer »natürlichen Betrachtungsweise« mutiert dann von Physik zu einer naiven Betrachtung, für die M. durch Verweise auf intelligible Faktoren erste Abstraktionsmöglichkeiten bereitstellt.

6. Beispiele

Nur aus dieser Problemlage heraus läßt sich verstehen, warum im lat. MA und darüber hinaus kaum Texte entstanden, die sich dem Niveau nach mit der »großen« griech. Theorie der M. vergleichen lassen. Anders gesagt: für die Erziehungs- und Bildungsgeschichte liefert M. das größte relevante Textarsenal, während sie wissenschaftsgeschichtlich bei und nach Boëthius kaum bedeutend wird. Zur Exemplifizierung diene zunächst ein Beispiel aus der *Musica enchiriadis* (9. Jh., nach [10. 24]).

1. In Abb. 2 sind am linken Rand Tonhöhen mit den im 9. Jh. entwickelten Daseia-Zeichen notiert. Der Text der zweistimmig gesungenen Sequenz wird silbenweise am Tonort (*locus*) als Marke (*nota*) eingetragen. Die von A gesungene Unterstimme (*vox principalis*, in Abb. 3 in hohlen Noten notiert) ist vorgegeben. Dazu singt der B die zweite Stimme (*vox organalis*, in Abb. 3 mit gefüllten Noten wiedergegeben). Sie soll der Übungsanlage gemäß eine Quarte unter der vorgegebenen Stimme verlaufen, was auch über *domine maris undi[soni]* realisiert wird. Der B muß vom Schema dann abweichen, wenn sich aufgrund des Tonvorrats keine Quarte, sondern nur eine übermässige Quarte (Tritonus) bilden läßt. Um diesen Fehler (*vitium*) zu vermeiden, muß B vor der kritischen Stelle ([*Rex cae-]li*) etwas tun. Anders gesagt: B muß lernen, eine zeitgebundene Komponente zu berücksichtigen – neben den räumlichen, in die das »Koordinatensystem« (Abb. 2) einführt und den semantischen, die seine Lesbarkeit voraussetzt (Abstractum »Tonhöhe«, begrifflich mit *nota* und *locus* benannt und im Beispiel konkretisiert).

2. Abb. 2 ist ein Beispiel für die Nutzung des ersten der zum Lernen befähigenden Sinne (*sensus disciplinales*: Aristot. metaph. 1,1 980 a 21 – b 25; sens. 1, 437 a 3–5), nämlich des Gesichtssinns (*visus*), der dem Gehör unter diesen Sinnen vorangeht. Die elementare, für Kinder oder Jugendliche brauchbare Ausdrucksweise zeigt sich in der Sprache der Lehrtexte. So heißt es in einem um 1280 entstandenen Compendium eines gewissen Franco zu Belangen der Notation: »Zeit ist das Maß des hervorgebrachten Lautes und dessen Gegenteils, des ausgelassenen Lautes. Dies nennt man üblicherweise Pause« (*tempus est mensura tam vocis prolatae quam eius contrarii, scilicet vocis amissae, quae pausa communiter appellatur* [25. 5]). Die Definition ist geprägt von der Zeitdefinition des Aristoteles (Zeit ist das Maß der Bewegung: *tempus est mensura motus*, phys. D 12, 220 b 32 – 221 a 1), wobei die Abstrakta »Zeit« und »Maß« beibehalten werden, »Bewegung« (*motus*) aber konkret durch eine *vox prolata* (*amissa*) bestimmt ist, deren Maß die »Zeit« abgibt. Dies allerdings nicht im Sinne von »Zeit« als Kontinuum, sondern durch die grammatikalische Vorgabe, der zufolge der Redestrom durch »Länge« und »Kürze« (*longa* und *brevis*) metrisiert ist, wobei die *brevis* einem Zeitmaß (einem *tempus*) entspricht und die *longa* zwei Zeitmaße besitzt. Die Musiklehre rekurriert hier auf einfachste grammatikalische Wissensbestandteile. Das ist natürlich dann situationsgerecht, wenn Kinder zunächst *grammatica* lernen und damit das Erlernen des Lateinischen in Sprache und Schrift gemeint ist. Zudem kommt damit der Aspekt der diskreten Quantität (1,1.b) ins Spiel, da Aristoteles bei der Kennzeichnung dieser Subkategorie ausdrücklich die Rede (*oratio*) erwähnt, die elementar aus diskreten Quantitäten zusammengesetzt ist. Diesen Zusammenhang zwischen M. und Sprache (die »Analogie von M. und Sprache«) neu zu formulieren gelingt erst dann, wenn die physikalischen Implikationen erforscht werden (vgl. Abschnitt C. 4.).

7. Typik der Lehre

Für die Zeit vom frühen 13. Jh. an läßt sich M. in Paris – einem wichtigen musikalischen Zentrum – als universitäre Disziplin an der Artistenfakultät nachweisen. Allerdings lassen sich kaum Auseinandersetzungen mit dem *textus* feststellen. Solche mangelnde Bedeutung

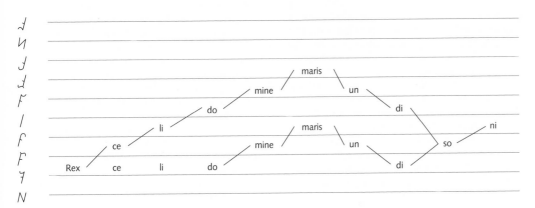

Abb. 2 Ausschnitt aus der Sequenz *Rex caeli* in der *Musica enchiriadis*

Rex cae- li, do- mi- ne, ma- ris un- di- so- ni

𝗈 = vox principalis ● = vox organalis

Abb. 3 Umschrift von Abb. 2

der M. mag zunächst damit zusammenhängen, daß die Integration einer neoplatonischen Schrift wie der *Institutio musica* in eine stark am *Corpus Aristotelicum* orientierte Lehre schwierig war. Es ist wahrscheinlich, daß recht ausführliche Wissenschaftsklassifikationen (oft *divisio scientiae* genannt) als Ersatz für die Beschäftigung mit dem *textus* dienen [17. 281–313; 18; 19; 25]. Dabei wird die Erklärung musikalischer Elemente auf ein Minimum beschränkt (Aufzählung der Arten von M.; Zuweisung von Proportionen an die geläufigen Intervalle), aber die Situierung der M. innerhalb der Wissenschaften gut beleuchtet. Einem Robert Kilwardby, der um 1245/50 mit *De ortu scientiarum* eine Einleitungsschrift für angehende Artisten verfaßt, ist auch am Beispiel der M. wichtig darzustellen, in welchem Verhältnis der mathematische zum physikalischen Aspekt steht, womit der Bezug der Abstraktion (der intelligiblen Faktoren von M.) gegenüber der zeitgebundenen, dem Prinzip der Bewegung unterliegenden M. zum Thema wird.

Idealtypisch wäre zu vermuten, daß mit der Ausbreitung des Stoffes in 1. einem elementaren Curriculum für Kinder, dann 2. in Einführungsschriften für junge Artisten (wohl um die 14 Jahre alt) und 3. für Artisten im Verlaufe des artistischen Curriculums (für ca. 14–21jährige) Stoffe dreimal formuliert werden: 1. zunächst auf die Ermöglichung einfacher, erster Abstraktionsvorgänge anhand oft extensiver Beispiele ausgerichtet, die 2. klarer thematisiert werden, in ihrer Eigenart aber erst sub 3. untersucht werden, wobei sich die Untersuchung nicht an der M. orientiert, sondern zu deren weiterer Erforschung Diskussionen zentraler

Themen (Zeit, Raum, Ort, kontinuierliche vs. diskrete Systeme, Bewegung, Maß) bereitstellt. Texte zu 1. scheinen oft auf 2. und 3. hin formuliert, wie das Beispiel der handfesten Zeit-Definition (vgl. Abschnitt C. 6. 2.) zeigt.

Damit ist ein Hauptproblem der Antikenrezeption angezeigt. Aufgrund der sozialen Einbettung von M., zudem sicher auch aufgrund der recht schlechten Kenntnis griech. Texte sind monographische Untersuchungen, die sachorientiert alles vorhandene Wissen zur Klärung der Verfassung von M. heranziehen, kaum vorhanden. Eine bemerkenswerte Ausnahme dürfte das sog. *Speculum musicae* eines gewissen Jacobus (von Lüttich) sein, das aus der Zeit nach 1320 stammt [17]. Die zu Beginn dieses Artikels gebotenen ersten Bestimmungen von M., die nach Ausweis der griech. Texte weit präziser formulierbar sind, lassen sich für die Rezeptions- und Wissenschaftsgeschichte kaum besser fassen, da die dem MA maßgeblich durch Boëthius bekannten Materialien gemäß den Altersstufen reformuliert werden. Dabei werden auf der Stufe der Artistenfakultät in den Disziplinen Logik und Grammatik monographisch einzelne Themen erörtert, die sich nur mittelbar aus dem *textus* herleiten. Für den Fall der M. fehlt solche Arbeit. Anders gesagt: Man wird im MA vergeblich nach einem Gegenstück zu Werken des Aristoxenos oder des Ptolemaios fahnden, da der Anlaß zu solcher monographischer Literatur gar nicht bestand.

Die Erforschung von M. in Texten seit dem 13. Jh. ist darum verhältnismäßig einfach, weil sich den universitären Curricula maßgebliche Wissenssedimente entnehmen lassen, die zum Textverständnis nützlich sind. Bis heute als äußerst schwierig zu interpretieren sind alle Texte davor. Wenn etwa Guido von Arezzo (erste Hälfte des 11. Jh.) mit der Wendung »Bewegung der Stimme« ein Problem formuliert, erinnert ein solcher *motus vocum* an die *kínēsis phōnéseōs* bei Aristoxenos; doch kann sich Guido nicht auf Aristoxenos beziehen und seine Verwendung des reich befrachteten Begriffs bleibt unklar. Dies gilt oft auch für spezielle Termini wie Ton (*tonus, vox, sonus* [32]) oder eben für die bereits angeführten Zentralbegriffe wie »Zeit«, »Bewegung«, »Ort«, »Raum« und »Maß«. Es ist anzunehmen, daß es dem MA vor dem 13. Jh. nicht möglich war, solche Begriffe bei Boethius auszuloten, da eine einschlägige Textbasis gerade bezüglich der Physik wie der Metaphysik fehlte.

8. NOTATION UND »WERK«

Die mehrfach angezeigten Schwierigkeiten, herkömmliche Termini der griech. M. im lat. Bereich ausreichend zu verstehen, dürfte auch damit zu tun haben, daß M. im Sinne eines Handlungsvollzuges erst seit der ersten Hälfte des 9. Jh. notierbar ist. Daß es überhaupt zur Notation kam, dürfte auf folgende Problemlage zurückzuführen sein. Die Karolinger versuchen, ein im Frankenreich gebräuchliches Choralidiom − bekannt unter dem Namen »gregorianischer Choral« − auf der ganzen Fläche des eine Million Quadratkilometer umfassenden Reiches durchzusetzen. Dafür benutzen sie Notation (im ersten Stadium: Neumen). Eine solche musikalische Schrift funktioniert aufgrund einer doppelten Metaphorik: vom Tastsinn wird abgeleitet, daß das »Scharfe« in der M. das »Hohe«, das »Stumpfe« das »Tiefe gemäß einer Übertragung« (*katá metaphorán*: Aristot., an. B, 420 a 29) vertritt und daß das »Hohe« auf dem Beschreibstoff oben, das »Tiefe« dagegen unten angeordnet wird.

Neumen sind in vielen Formen für die Reproduktion des Gesanges ungeeignet, doch erlauben sie dessen Kontrolle. Wenn die Karolinger mit der Durchsetzung des gregorianischen Chorals einen Traditionsbruch salvieren wollen, geht es um die Frage, wie eine ehemals mündliche Tradition mit einem Corpus, das zu wenige Tradenten hat, so fortgeführt wird, daß ein Sänger einen ihm unbekannten Gesang leicht lernt. Dies können Notenschriften leisten, die Tonhöhen eindeutig wiedergeben. In dem Maße, indem Schrift nach einem solchen Traditionsbruch das Gemeinte klar wiedergibt, kann Neues aufgeschrieben und schriftlich an andere weitergegeben werden.

Die Formierung des neuen Mediums »M. in Schrift« hat erhebliche Konsequenzen für die Reflexion des Geschriebenen. Robert Kilwardby faßt, darin dem Kommentar des Eustratios zur eth.Nic. 1,2 1094 b 13−14 verpflichtet, den Aspekt einer musikalischen Poietik bündig in die Formel, M. hinterlasse »ein nicht bleibendes Werk« (*opus non manens*) [144. 22]. Solche Werkvorstellung mündet im Produzieren, nicht im Produkt [8. 448], sofern gilt, daß der für den Herstellungsprozeß notwendige Verstandesakt (*ratio*) im Herstellenden (*in faciente*) und nicht im Hergestellten (*in facto*) bleibt. In der nicht poietischen Optik kann dagegen *opus* immer das Werk in jedwedem Material und im besonderen die Mauerwerkstechnik (*opus romanum, opus quadratum*) [6. 223] sein. Wenn sich der Wissende (*knower*) derart vom Gewußten (*known*) trennt, mag es nur noch wesentlich sein, ob das Notierte (*known*) seine kommunikative Funktion erfüllt. Der Herstellungsprozeß dagegen verliert dann seine reflexive Herausforderung, da die musikalische Praxis »funktioniert«. Dem entspricht der Umstand, daß die heute erhaltenen Lehrtexte zur Mehrstimmigkeit bis zum 12. Jh. Muster mit recht allgemein gehaltenen Hinweisen auf relevante Faktoren der Herstellung (mögliche Intervallfolgen, Abschnittsbildung) wiedergeben, ohne eine Herstellungsanalyse anzubieten. Zudem wird so verständlich, warum im 13./14. Jh., in Übersichtsdarstellungen oft abgesteckt mit den Namen wichtiger Tradenten und Erfinder − Johannes de Garlandia (um 1250), Franco (von Köln, um 1280) und Johannes de Muris (um 1320/30) −, die Lehre sich intensiv mit Möglichkeiten einer aufgrund der Notierung allein eruierbaren Gestaltung der Rhythmik beschäftigt.

9. SEMITISCHE TRADIERUNG UND LATEINISCHES MITTELALTER

Wird nur das lat. MA betrachtet, mag die Formel von einer genuin »abendländischen M.« gelingen, deren Dignität in einer kontinuierlichen, schriftlich niedergelegten »Theorie« zur M. und in deren Notierung besteht. Allerdings ist diese Sicht darum so einseitig, weil zu ma. Zeit gerade im arabischen Schrifttum des Islam wie im jüdischen Schrifttum Texte der griech. Antike in Übersetzung aufgenommen und kommentiert werden. Neben den hier relevanten hebräischen und arabischen Texten sind syrische Zeugnisse kaum vorhanden, wenn von den syrisch-arabischen Glossaren abgesehen wird.

Welche griech. Texte in arabischer Übersetzung vorliegen, ist schwierig auszumachen; doch zeigt eine der hier wichtigsten Quellen, das vor 950 entstandene *Große Buch der Musik* (*Kitāb al-mūsīqī al-kabīr*) von al-Fārābī Kenntnisse von Gedankengängen, die mit den Namen Ptolemaios und Aristoxenos verbunden sind. al-Fārābīs Text ist mehrfach als Paradigma brauchbar. So verwendet er den Graezismus M. (in der Form *mūsīqī* oder *mūsīqā*) als Anzeige seiner Sicht: zur Diskussion steht arabische M. in griech. Optik. Das Fremdwort *mūsīqī* (*mūsīqā*) wird substituiert durch den genuin arabischen Begriff *alhān*. Dieser (gebrochene) Plural von *lahn* (»Gesang«) kann verstanden werden als »(einige) Melodien«, womit M. in eine Konzeption überführt wird, in der ein Grundbestand an Melodien durch melodische Modelle gegeben ist. (Nachweisbar seit dem 4. Jh., also seit den Hymnen Emphraem des Syrers, dienen Modellmelodien der Überlieferung. Solche Modelle zu klassifizieren, d. h. gemäß genuin musikalischen Parametern in »Tonarten« (*modi, toni*) einzuteilen, geschieht auch mit Hilfe griech. Termini, aber aufgrund ganz anderer Vorstellungen.

al-Fārābī versucht, im »Großen Buch« eine Prinzipienlehre zu entwickeln, die an Aristoxenos orientiert sein mag, sicher aber Kenntnisse der *Analytica posteriora* des Aristoteles voraussetzt. Die im lat. MA so wichtige Dichotomie von Sinneswahrnehmung und Vernunft erweitert er gezielt aufgrund von De an. 3 um den Aspekt des Vorstellungsvermögens, wodurch die Wahrheitsoption »imaginierter Melodien« zum Problem wird. Diese aristotelische Disposition dient auch der Untersuchung von *ġinā'*, der autochthonen arabischen M., die heute ansatzweise aus dem *Kitāb an-naġam* des Ibn al-Munaġġim bekannt ist. Dabei kombiniert al-Fārābī seine Darstellung mit Namen bedeutender Musiker, deren Eigenarten bezüglich genuin arabischer M. aus der heute vorab durch das *Buch der Lieder* (*Kitāb al-aġānī*) repräsentierten literarischen Gattung bekannt sind. Damit wird einem arabischen Publikum nicht aus der Geschichte, sondern aus Geschichten gegenwärtiges Material mit einer griech. Optik so verschränkt, daß der Faktor »Antikenrezeption« schwerlich herausgelöst werden kann. Das gilt bereits darum, weil al-Fārābī es durch eine ganz eigene Aneignung ant. Stoffe versteht, neuartige Querbezüge herzustellen – etwa dann, wenn er Teilungsmöglichkeiten von Intervallen anhand selbst gebildeter Analogien zu den zenonischen Paradoxien in Aristoteles, Physik 7,5 darlegt.

10. Beginn der Neuzeit

Die Aneignung und selbstständige Durchdringung griech. Materials erreicht damit um 950 im Islam, dann auch im Judentum aufgrund arab.-hebr. Übersetzungen ein Niveau, das im lat. MA auch im 14. Jh. und danach nicht mehr erreicht wird. Der Grund dürfte in den unterschiedlichen Voraussetzungen des Wissenserwerbs liegen. al-Fārābīs Text entsteht wie der anderer islamischer und jüdischer Gelehrter als Auftragsarbeit in einer gut ausgestatteten Infrastruktur ohne curriculare Zielsetzung.

Die Scholastik im lat. MA wirkt dagegen heute so langsam, weil es um die Ausbildung einer »gemeinverständlichen« Basis geht: die einzelnen Fächer sind möglichst so zu fördern, daß die Gesamtheit an Wissen (*philosophia*) überschaubar bleibt. John E. Murdoch hat kognitive Strategien gezeigt, die er *languages* nennt und die für alle Disziplinen einheitliche Sprachregelungen bezüglich diskreter und kontinuierlicher Systeme (*language of proportion, language of remission*) bieten [29]. Die eifrige Lektüre neu bekannt gewordener griech. Texte zur M. führt im 15. und 16. Jh. zu mannigfachen monographischen Arbeiten, ohne das Programm einer in die *philosophia* eingebetteten M. erfüllen zu können. In der Phase des emphatischen Kunsterlebens von I. Kant über G. W. F. Hegel zu F. T. Vischer der Kunsttheorie, in der zufolge Kunst als künstlerisches Handeln lediglich in ihrem passiven, »kontemplativen« Aspekt diskutiert wird [11. 513 f.], mag griech. Wissen als wichtig gelten; doch scheint die Loslösung der schönen Künste von den entstehenden Naturwissenschaften längst so entschieden, daß die Integration der M. in eine *philosophia* nicht mehr

gelingt. Griech. Namen von Aspekten der M. ersetzen Lehr- und Lernvoraussetzungen; ein kulturphilosophisches Programm, wie Ernst Cassirer es zum letzten Mal vor dem *linguistic turn* vorlegt, wird zur Philosophie eines Außenseiters. Ein zukünftiges Programm müßte wohl darin münden, M. wiederum im Rahmen der Wissenschaftsgeschichte anzusiedeln, um die ungewissen Bestimmungen medialer Formen durch die Reflexion der grundsätzlichen Begriffe »Zeit«, »Bewegung«, »Ort«, »Raum« und »Maß« im Zusammenhang von M. zu ersetzen.

QU **1** Boëthius, De institutione arithmetica libri duo, De institutione musica libri quinque, hrsg. von G. Friedlein, Leipzig 1867 (ND 1966) **2** Boëthius, De trinitate, in: Boethius. The Theological Tractates, hrsg. von H. F. Stewart, E. K. Rand, S. J. Tester, 1911, 2–31 **3** Dominicus Gundissalin, De divisione philosophiae, hrsg. L. v. Bauer, 1903 **4** Franco, Ars cantus mensurabilis, hrsg. von G. Reaney, A. Gilles, 1974 **5** R. Kilwardby, De ortu scientiarum, hrsg. von A. Judy, 1976

LIT **6** G. Binding, Die neue Kathedrale. Rationalität und Illusion, in: Aufbruch – Wandel – Erneuerung. Beiträge zur »Renaissance« des 12. Jh., hrsg. von G. Wieland, 1995, 211–235 **7** O. Busch, Logos synthese̅os, die euklidische *Sectio canonis*, Aristoxenos, und die Rolle der Mathematik in der ant. Musiktheorie, 1998 **8** F. Dirlmeier, Aristoteles' Nikomachische Ethik, [7]1979 **9** I. Düring, Von Aristoteles bis Leibniz. Einige Hauptlinien in der Gesch. des Aristotelismus, in: Aristoteles in der neueren Forsch., hrsg. von P. Moraux, 1968, 250–313 **10** H. H. Eggebrecht, Die Mehrstimmigkeitslehre von ihren Anfängen bis zum 12. Jh., in: GMth 5, 1984, 9–87 **11** D. Gerhardus, s. v. Kunst, Enzyklopädie Philos. und Wissenschaftsgesch. 2, 1995, 512–514 **12** A. Goddu, Connotative Concepts and Mathematics in Ockham's Natural Philosophy, in: Vivarium 31, 1993, 106–139 **13** M. Haas, Stud. zur ma. Musiklehre I: Eine Übersicht über die Musiklehre im Kontext der Philos. des 13. und frühen 14. Jh., in: Forum Musicologicum 3, 1982, 323–456 **14** Ders., Die »Musica Enchiriadis« und ihr Umfeld: Elementare Musiklehre als Propädeutik zur Philos., in: Hentschel 1998, 187–226 **15** Ders., Musik und Sprache – Musik als Sprache. Notizen aus der musikwiss. Prov., in: Schweizer Jb. für Musikwiss., Neue Folge, 20, 2000, 85–142 **16** F. Hentschel (Hrsg.), Musik – und die Gesch. der Philos. und Naturwiss. im MA. Fragen zur Wechselwirkung von »musica« und »philosophia« im MA (= Stud. und Texte zur Geistesgesch. des MA 62), 1998 **17** Ders., Sinnlichkeit und Vernunft in der ma. Musiktheorie. Strategien der Konsonanzwertung und der Gegenstand der *musica sonora* um 1300, 2000 **18** Ders., Quaestiones mathematicales. Eine Textgattung der Pariser Artistenfakultät im frühen 14. Jh., in: Nach der Verurteilung von 1277. Philos. und Theologie an der Univ. von Paris im letzten Viertel des 13. Jh. Stud. und Texte, hrsg. von J. A. Aertsen, K. Emery, A. Speer, 2001, 618–634 **19** E. Hirtler, Die Musik als *scientia mathematica* von der Spätant. bis zum Barock, 1995 **20** K. Jacobi, Natürliches Sprechen – Theoriesprache – Theologische Rede. Die Wissenschaftslehre des Gilbert von Poitiers (ca. 1085–1154), in: Zschr. für philos. Forsch. 49, 1995, 511–528 **21** F. Kambartel, Erfahrung und Struktur. Bausteine zu einer Kritik des Empirismus und Formalismus, 1976

22 E. Kazemi, Die bewegte Seele. Das spätant. Buch über das Wesen der Musik (Kitāb ʿUnsur al-mūsīqī) von Paulos/Bulos in arab. Übers. vor dem Hintergrund der griech. Ethoslehre, 1999 (= The Science of Music in Islam 5) 23 T. Kuhn, Mathematische versus experimentelle Trad. in der Entwicklung der physikalischen Wiss., in: Die Entstehung des Neuen. Stud. zur Struktur der Wissenschaftsgesch., 1978, 84–124 24 W. F. Kümmel, Musik und Medizin. Ihre Wechselbeziehungen in Theorie und Praxis von 800 bis 1800, 1977 (= Freiburger Beiträge zur Wissenschafts- und Universitätsgesch. 2) 25 C. Lafleur, Quatre introductions à la philosophie au XIIIᵉ siècle. Textes critiques et étude historique, 1988 26 C. Leonardi, I codici di Marziano Capella, in: Aevum 33, 1959, 443–489; 34, 1960, 1–99, 411–524 27 T. J. Mathiesen, Apollo's Lyre. Greek Music and Music Theory in Antiquity and the Middle Ages, 1999 28 J. E. Murdoch, Philosophy and the Enterprise of Science in the Later Middle Ages, in: Y. Elkana (Hrsg.), The Interaction between Science and Philosophy, 1974, 51–74 29 Ders., From social into intellectual factors: an aspect of the university character of late mediaeval learning, in: The Cultural Context of Mediaeval Learning. Proceedings of the First International Colloquium on Philosophy, Science, and Theology in the Middle Ages – September 1973, 1975, 271–348 30 S. Pinker, The Language Instinct. How the Mind Creates Language, New York 1994 31 F. Reckow, Organum-Begriff und frühe Mehrstimmigkeit. Zugleich ein Beitrag zur Bed. des »Instrumentalen« in der spätant. und ma. Musiktheorie, in: Forum musicologicum. Basler Beiträge zur Musikgeschichte 3, 1975, 31–167 32 A. Riethmüller, s. v. Phthongos, HWB der musikalischen Terminologie, 1974 33 Ders., Psophos, HWB der musikalischen Terminologie, 1976 34 Probleme der spekulativen Musiktheorie im MA, in: GMTh 3, 1990, 163–201 35 Musik zwischen Hell. und Spätant., in: Die Musik des Alt., hrsg. von A. Riethmüller, F. Zaminer, 1989, 207–325. MAX HAAS

D. Antike Musikaufzeichnungen

Die als einzige Musikaufzeichnung in drei byz. Hss. überlieferten Mesomedes-Hymnen [1] gehen auf ein spätant. musiktheoretisches Corpus zurück, das wahrscheinlich Notationstraktate enthielt, die in diesen Hss. fehlen. Da die ant. Notation in Byzanz aufgegeben wurde, blieben die Musikaufzeichnungen ungedeutet. Nach deren Wiederentdeckung in der Renaissance (Ed. princeps: Vincenzo Galilei, Florenz 1581) gelang es nur in Ansätzen, die von der neuzeitlichen Notenschrift völlig verschiedenen ant. Tonzeichen korrekt zu entziffern und zu deuten. Anders als die gelehrte Aneignung (darunter des Notationstraktats von Alypios [2]; angebliche Pindar-Melodie bei Athanasius Kircher, 1650) wurde die Umwandlung der Zeichen in M. zum Problem. Pierre Jean Burette, Leibarzt von Louis XIV. und Erforscher der ant. M., bot eine Übertragung der Hymnen nach zwei Hss. [3], erntete mit seiner Aufführung aber den Spott eines Jean-Jacques Rousseau [4]. Ungeachtet gelehrter Fortschritte sind skeptische Stimmen seither nicht verstummt. Anhand der seit 1883 zufällig gefundenen, meist fragmentarisch erhaltenen Musik-aufzeichnungen auf Stein und Papyrus (kritische Ausgabe E. Pöhlmann [1], ergänzend M.L. West [5]) hat sich die gelehrte Auseinandersetzung vertieft, die musikalische Rezeptionsproblematik aber (trotz des gefälligen Seikilos-Liedes) eher verschärft, worüber Übertragungen in moderne Notenschrift, phantasievolle Analysen, Aufführungen und Schallaufnahmen schwerlich hinwegtäuschen können.

→ Humanismus (musikalisch)

→ AWI Alypios; Mesomedes; Pindar; Seikilos.

1 E. Pöhlmann, Denkmäler altgriech. Musik, 1970 (Abb. 5–9; Denkmäler) 2 Alypios, ed. von J. Meursius, Leyden 1616, M. Meibom, Amsterdam 1652 3 Ph. Vendrix, Aux origines d'une discipline historique, 1993, 120–122 (Abb.) 4 F. Zaminer, P. J. Burette (1665–1747) und die Erforsch. der ant. M., in: Akademie und Musik (FS Werner Braun), 1993, 298 f. 5 M. L. West, Ancient Greek Music, 1992, 277–326 6 F. Zaminer, Griech. M., in: Musikalische Ed. im Wandel des histor. Bewußtseins, 1971, 9–27.
FRIEDER ZAMINER

II. Stoffgeschichte

A. Einleitung B. Musiktheorie und Musiklehre im lateinischen Mittelalter C. Monographische Elemente D. Musik und einzelne artes liberales et mechanicae E. Antikenrezeption ausserhalb des lateinischen Mittelalter F. Neuzeit

A. Einleitung

Die schriftlich erhaltene Reflexion zu M. wird seit langem von der Musikwissenschaft traditionell Musiktheorie genannt. Dieser Prägung kann sich auch dieser zweite, stoffgeschichtlich ausgerichtete Teil nicht vollständig entziehen. Man beachte, daß in der Tradition klar unterschieden wird zwischen einer Theorie über M. und einer (praxisbezogenen, poietisch orientierten) Lehre von der Musik. Erst die Betonung des Musizierens (als der musikalischen Praxis), dem alles andere als »Theorie« gegenübersteht, schuf im 19. Jh. die unhaltbare Dichotomie und damit auch den Verzicht auf die terminologische Fassung der poietischen Komponente.

MAX HAAS

B. Musiktheorie und Musiklehre im lateinischen Mittelalter

Ant. Texte zur Musiktheorie bilden die Grundlage ma. Musiktheorie und -lehre seit dem 9. Jh., seit dem Zeitpunkt also, da Gesichtspunkte des im Frankenreich geläufigen Choralidioms (»gregorianischer Choral«) zu unterrichten und zu reflektieren waren. Die der Musik gewidmeten Teile der Schriften von Vitruvius, Quintilianus, Censorinus, Calcidius, Fulgentius und Favonius Eulogius haben in der ma. Musiktheorie kaum Spuren hinterlassen. Das gilt auch für die *Musica* des Augustinus. Daraus findet sich in ma. musikbezogenen Texten häufig zitiert die Definition *Musica est scientia bene modulandi* (Aug. De musica 1,2,2); doch wird die

Musica selber zwar wegen der Autorität ihres Autors häufig abgeschrieben und auch exzerpiert, aber nur selten rezipiert. Entscheidenden Einfluß auf das MA hatten Macrobius, Martianus Capella, Cassiodor, Isidor und v. a. Boëthius.

Eine durch Boëthius vermittelte, für die Antike wesentliche Verfassung der M. spricht Cassiodor (inst. 2,3,6) paradigmatisch in einer kurzen Definition der M. an. Wenn er sagt, M. sei die Disziplin, in der 1. von den Zahlen die Rede sei, die 2. auf etwas bezogen sind und 3. in den Tönen gefunden werden (›*musica est disciplina vel scientia quae de numeris loquitur, qui ad aliquid sunt his qui inveniuntur in sonis*‹ – vgl. Boëth., De institutione arithmetica 1,9,2–3), so benennt er mit 1. und 2. den Aspekt »Proportion«, den die M. untersucht (im Unterschied zur Arithmetik, die Zahl an sich betrachtet), erwähnt aber mit 3. den Bereich, in dem solche Proportionen begegnen. Die physikalische Größe *sonus* wird allerdings erst nach dem Bekanntwerden der Schriften von Aristoteles zur *Physik* (12./13. Jh.) zur rechenbaren Größe. Der Kommentar des Macrobius zu Ciceros *Somnium Scipionis* wurde seit etwa 900 oft benutzt. Seine Intervallehre wird bei Regino von Prüm (ca. 900), in der *Musica manualis* (13. Jh.), bei Jacobus von Lüttich (14. Jh.) und Johannes Tinctoris (15. Jh.) ausführlich zitiert. Unklar ist gelegentlich, ob immer der Text des Macrobius als Quelle dient oder ob Material aus einschlägigen Kommentaren bekannt wird.

Martianus Capella hat die ma., auf die *artes* bezogene Literatur immer wieder beschäftigt, doch setzte man sich mit dem fachlichen Inhalt des 9. Buches über die M. in der Musiklehre kaum auseinander. Nur Regino von Prüm und ein anonymer Traktat *Dulce ingenium musicae* (10.–11. Jh.) zitieren ihn ausführlich. Frühe ma. Kommentatoren behandeln Buch 9 allerdings ausführlich.

Der weitaus bedeutendste und umfangreichste Text der antiken lat. Musiktheorie war *De institutione musica* des Boëthius. Sie hat die Musiktheorie des MA entscheidend beeinflußt. Ein unvollständiges Exemplar des Textes kam offensichtlich im frühen 9. Jh. in das Frankenreich und wurde zum Ausgangspunkt der Überlieferung. Rund 140 Hss., davon zehn aus dem 9. Jh., machen das Werk zum meistkopierten musiktheoretischen Text des MA. Bereits im 9. Jh. wurde *De institutione musica* mit einer umfangreichen Glossatur versehen, die mit Veränderungen und Erweiterungen in 60 Hss. überliefert bis ins 12. Jh. weiterwirkt (»Glossa maior«). Davon unabhängige Kommentare entstanden im Spät-MA u. a. im Oxforder, Pariser und Krakauer Universitätsmilieu. Neben den vollständigen Texthss. sind auch zahlreiche Exzerpte und Abbreviaturen erhalten. Die Rezeption des Textes beginnt im 9. Jh. zunächst ohne Auseinandersetzung mit der praktisch ausgeübten Musik. Naturphilosophie und Mathematik stehen bei der Kommentierung in der Karolingerzeit im Vordergrund.

Die Adaptierung des bei Boëthius dargestellten antiken Tonsystems an den weitaus differenzierteren Gregorianischen Choral wurde seit 900 versucht (bei Hucbald und der anonymen *Alia musica*) und war seit der Jahrtausendwende vollzogen. Boëthius wurde zur ersten Autorität der spekulativen Musiktheorie im Rahmen der *artes* bei der Behandlung des Tonsystems und der Intervallehre, der Bedeutung und Klassifikation der Musik. Gleichzeitig bedeutete die Zunahme praktisch orientierter Lehrschriften für die Musikausbildung einen Rückgang in der unmittelbaren Beschäftigung mit *De institutione musica*. In den umfassenden Handbüchern zu Musiktheorie und -lehre des 13.–15. Jh. nehmen Zitate aus *De institutione musica* hingegen breiten Raum ein. Die zahlenmässige Ordnung der M. wurde unter Verwendung der Lehre des Boëthius auch in Philosophie und Kosmologie des MA behandelt.

In der Frühzeit der Universität gehört *De institutione musica* offiziell zum Lektürekanon der Artistenfakultät, wird aber in Vorlesungen kaum behandelt. Im 14. Jh. verdrängt sie in Mitteleuropa die *Musica speculativa* des Johannes de Muris, eine aristotelisch orientierte Abbreviatur des Boëthius-Textes. In England und Italien verwendet man sie im Unterricht noch im 15. Jh., druckt sie 1492 in Venedig im Rahmen einer Gesamtausgabe der Werke des Boëthius zum ersten Mal und zitiert sie als wesentliche Quelle bis ins 17./18. Jh. Cassiodors *Institutiones* wurden v. a. im Früh-MA von der Musiktheorie rezipiert, traten jedoch gegenüber der beherrschenden *De institutione musica* in den Hintergrund. Im 14. Jh. gibt es vereinzelte Traktate, die seine Lehre aus eher antiquarischem Interesse wieder aufgreifen. Die Darstellung der M. im dritten Buch von Isidors *Etymologiae* fußt in weiten Teilen auf Cassiodor und wurde im MA v. a. von Enzyklopädisten benutzt. Bei den Fachschriftstellern werden häufig in kurzen Einleitungen traditionelle Topoi der Musiktheorie nach Isidor zitiert.

Die praxisbezogene Musiklehre im MA wird bis ins 13. Jh. begrifflich nicht notwendigerweise als Teil der *musica* aufgefaßt. Der Stoff, um den es geht, kann oft unter *cantus* subsumiert und mit den Textincipits der Gesänge zitiert werden. Im 13. Jh. erwähnt man rhythmische mehrstimmige M. noch mit Textincipit und Angabe der Gattung (etwa Organum, Conductus, Motette), wählt aber um 1250 auch den übergeordneten Begriff einer *musica mensurabilis* (*musica mensurata*), die nach Maßen einer fortwährenden Rezeption der Werke von Aristoteles unter die Theorie einer Wissenschaft zwischen Mathematik und Physik (*scientia media*) gestellt wird. Zu solcher *musica* kann als Gegenstück und bezogen auf den Choral neben dem Ausdruck *cantus planus* (*planus* im Sinn von »unrhythmisch«) auch *musica plana* oder *musica immensurabilis* gestellt werden.

Elektronisch sind alle lat. Texte zwischen dem 4. und dem 17. Jh. zugänglich im Projekt TML (= Thesaurus musicarum latinarum): *http://www.music.indiana.edu/tml/start.html.* Über die erhaltenen lat. Texthss. orientieren die Bände des *Répertoire International des Sources musicales*, Serie B III, 1961 ff.

1 M. Bernhard, Überlieferung und Fortleben der ant. lat. Musiktheorie im MA, in: GMTh 3, 1990, 1–35 **2** L. Gushee, Questions of Genre in Medieval Treatises on Music, in: Gattungen der Musik in Einzeldarstellungen. Gedenkschrift Leo Schrade, 1973, 365–433 **3** M. Haas, Stud. zur ma. Musiklehre I: Eine Übersicht über die Musiklehre im Kontext der Philos. des 13. und frühen 14. Jh., in: Forum Musicologicum 3, 1982, 323–456 **4** F. Hentschel (Hrsg.), M. – und die Gesch. der Philos. und Naturwiss. im MA. Fragen zur Wechselwirkung von »Musica« und »Philosophia« im MA, 1998 **5** Johannes de Muris, Musica speculativa, hrsg. von C. Falkenroth, 1992 **6** M. Masi (Hrsg.), Boethius and the Liberal Arts, in: Utah Stud. in Literature and Linguistics 18, 1981 **7** T. J. Mathiesen, Apollo's Lyre. Greek Music and Music Theory in Antiquity and the Middle Ages, 1999 **8** C. V. Palisca, Boethius in the Renaissance, in: A. Barbera (Hrsg.), Music Theory and Its Sources. Notre Dame Conferences in Medieval Stud. 1, 1990, 259–280 **9** N. Phillips, M. Huglo, Le »De musica« de Saint Augustin et l'organisation de la durée musicale du IXe au XIIe siècles, in: Recherches augustiniennes 20, 1985, 117–131 **10** A. Riethmüller, Probleme der spekulativen Musiktheorie im MA, in: GMTh 3, 1990, 163–201 **11** A. White, Boethius in the Medieval Quadrivium, in: M. Gibson (Hrsg.), Boethius. His Life, Thought and Influence, 1981, 162–205 **12** G. Wille, Musica Romana. Die Bed. der M. im Leben der Römer, 1967.

MICHAEL BERNHARD

C. Monographische Elemente

1. Musikalische Elementarlehre

Wesentliche musikalische »Grundbestandteile«, wie sie für die Ant. am geschlossensten Aristoxenos [1] (als *stoicheía*) erörtert hatte, bildeten sachlich wie terminologisch die Basis der musikalischen Elementarlehre und Theorie, die dem MA v. a. durch Boëthius [2] überliefert wurde und in seiner Tradition, wenn auch verwandelt, weiterwirkte [3] bis zur Neuzeit. Fünf dieser »Elemente« seien umrissen:

1. Der Einzelton. Obwohl er die kleinste Einheit darzustellen scheint, blieb er deutlich am Rande des Interesses. Denn erwähnt werden bei ihm lediglich, daß er eine feststehende Tonhöhe besitzen muß (die ihn zum *phthóngos* oder *sonus discretus* macht), und zuweilen die in der Antike bekannten physikalischen Bedingungen seines Entstehens.

2. Das Intervall. Als im »musikalischen« Sinn entscheidendes »Element« hatte die Tonhöhen-Beziehung zwischen zwei nacheinander oder gleichzeitig erklingenden Tönen (*diástema*, *intervallum*) zu gelten (Boëthius [2. 189]: *de musicae elementis*). Denn indem ihr »Abstand« sich nicht nur als auditiv exakt unterscheidbar, sondern auch als objektiv »meßbar« erwies (durch am Monochord gewonnene Zahlen[=Saitenlängen]-Proportionen), wurde dieser Zusammenhang von Intervall- und Zahlenlehre, dessen Entdeckung die Tradition dem Pythagoras zuschrieb, zum Schlüssel der Erkenntnis von »Musik« wie von jedweder »Harmonie«. Dies aber beruhte darauf, daß den »besten«, eingängigsten, verschmelzungsfähigsten Intervallen auf gleichsam

wunderbare Weise auch die einfachsten aller Zahlenproportionen entsprachen, nämlich der Oktave die Saitenhalbierung 2:1, der Quinte die Drittelreduktion 3:2, der Quarte ein Viertelabzug 4:3 (gemeint sind stets die »reinen« Formen dieser Intervalle!). Die naheliegende Folgerung, daß sich beispielsweise die Addition von Quinte und Quarte zur Oktave auch zahlenmäßig (als Multiplikation der Proportionen) ausdrücken ließ, öffnete den Weg zu einer streng arithmetischen Darstellung musikalischer Tonverhältnisse, wie sie auf vielfältigste Weise und völlig unabhängig von der jeweiligen Musikpraxis bis in die Neuzeit hinein geübt wurde (hochdifferenzierte Beispiele etwa bei Ptolemaios [4], Boethius [2] und in vielen aus dieser Tradition schöpfenden Musiktraktaten bis zum 17. Jh.). Die Lehre der Intervalle und ihrer Proportionen begründete den Unterschied zwischen jenen »besten« Intervallen und den zahlreichen »sonstigen«, und zwar im qualitativen wie im systemkonstitutiven Sinn. Qualitativ hoben sich jene als »Konsonanzen« (*symphōníai*, *consonantiae*, *concordantiae*) ab, und ihre Lehre begleitete maßgeblich die Entwicklung der Mehrstimmigkeit seit dem 9. Jh. Ferner bildeten (in ant. wie ins MA übernommener Theorie) Quarte, Quinte und Oktave die »feststehenden« Rahmen-Intervalle für die verschiedenen Möglichkeiten, diese Zwischenräume »auszufüllen«, nämlich durch kleinere (»stufenweise« eingefügte) Intervalle, von denen das wichtigste die Differenz von Quinte und Quarte, der »Ganzton« (9:8), war.

3. Die Räume von Quarte (Tetrachord), Quinte (Pentachord) und Oktave (Oktachord). An diesen Intervall-»Räumen« wurden die Alternativen der »Ausfüllung« (durch Ganztöne und den Rest-»Halbton« [256:243]) demonstriert. So bietet die (reine) Quarte als Rahmen drei (diatonische) Lösungen, vorstellbar an den weißen Klaviertasten von *c* bis *f*, *d* bis *g*, *e* bis *a* (also mit Halbton oben, in der Mitte oder unten). Die Lehre dieser Intervall-»Gattungen« (oder *species*) diente bis ins 16. Jh. hinein dazu, anschaulich zu machen, wie sich die sieben möglichen Species der Oktave zum Fundus der Kirchen-Tonarten verhielten.

4. Die »Genera« von Diatonik, Chromatik und Enharmonik. Die in der Ant. zentrale Bedeutung des Tetrachord-Raumes für den Aufbau des Tonsystems trat zwar seit dem MA zurück; doch hielt sich v. a. in der Theorie die am Tetrachord veranschaulichte Lehre, daß der Quartraum nicht nur »diatonisch« in zwei Ganztöne und einen Halbton geteilt werden könne, sondern auch auf zwei andere Arten: »chromatisch« in »Anderthalbton« und zwei »Halbtöne«, »enharmonisch« in »Doppelganzton« und zwei »Vierteltöne«. Diese unterschiedlichen Genera besaßen in der Ant. musikpraktische Bedeutung, führten hingegen im 16. Jh. bei Versuchen einer Wiederbelebung griech. Musik nur zu vereinzelten Kuriosa [5]. In der »Halbton«-Unterscheidung hingegen (zwischen diatonischem, mit benachbartem Stammton wie *e-f* und chromatischem, mit gleichem Stammton wie *c-cis*) sowie in der enharmonischen

Gleichsetzung (wie von *cis* und *des*, oft mißverständlich »Verwechslung« genannt) wirkte die Lehre der Genera bis in die neuzeitliche musikalische Elementarlehre hinein.

5. Das Tonsystem. Darstellungen des ant. *Sýstēma téleion* (im Rahmen einer Doppeloktave) gingen ebenfalls über Boëthius in die Musiklehre des MA ein. Sie traten allerdings seit dem 11. Jh. im Zeichen von System-Erweiterungen in den Hintergrund. Doch das überkommene (diatonische) Aufbau-Prinzip wie auch seine tragenden ant. Begründungszusammenhänge blieben bis ins frühe 20. Jh. hinein für die abendländische M. tonsystematisch verbindlich und bestimmend.

1 Aristoxenos, Elementa harmonica, hrsg. von R. da Rios, 1954 2 Boëthius, De institutione musica, hrsg. von G. Friedlein, Leipzig 1867 (ND 1966) 3 K.-J. Sachs, s. v. Musikalische Elementarlehre im MA, GMth 3, 1990, 105–161 4 I. Düring, Ptolemaios und Porphyrios über die M., 1934, 47–55 5 F. Rempp, s. v. Elementar- und Satzlehre von Tinctoris bis Zarlino, GMth 7, 1989, 78–100.

KLAUS-JÜRGEN SACHS

2. Musikalische Formenlehre

Als grundlegende Formungskriterien, die nach Aristoteles das »Vollständige« einer Handlung gewährleisten, übernahm das MA zwei Überlegungen. Die Annahme, daß dem Ganzen und Vollständigen nichts fehlt (*totum et perfectum est cui nihil deficit*: Aristot. phys. G 6, 207 a 8–10), ermöglicht die Qualifizierung einer Handlung als *perfectio* (Vollständigkeit), womit die Ebenen der Erörterung von *perfectio* und *imperfectio* begründbar werden. Zweitens gehen nach poet. 1450b die Aspekte »Anfang«, »Mitte«, »Schluß« (*initium, medium, finis*) ebenfalls auf das »Vollständige« bezogen in die ma. Choral-Lehre ein. Dabei wurden immanente melodische Tendenzen (eröffnendes Ansteigen, abrundendes »Fallen«) und Arten des musikalischen »Schließens« erörtert (*differentiae* der Psalmtöne [1]). Die Mehrstimmigkeits-Lehre übernahm die Aspekte wie auch das Erörtern graduell abgestufter Schlußbildungen (*clausulae, cadentiae*[2]). Wo ant. Bezeichnungen wie → Hymnus (für liturgische Gesänge des MA), → Ode, → Elegie u. a. (für mehrstimmige Lieder oder Instrumentalstücke seit dem 15. Jh.) weiterleben, weisen die so benannten Stücke oder Typen jedoch kaum mehr »formale« Beziehungen zu den ant. Gattungen auf.

1 D. Hiley, Western Plainchant. A Handbook, 1993, 58–51 2 E. Schwind, Klausel und Kadenz, MGG 5, 256–273.

KLAUS-JÜRGEN SACHS

3. Musikalische Ethoslehre

Die in klass. Zeit verbreitete Überzeugung (Pythagoreer, Platon, Aristoteles u. a.), daß der Musik, den Tonarten, Tongeschlechtern, Rhythmen und Instrumenten ein mit bestimmten Wirkungen verbundenes Ethos innewohnt (von Sophisten und Epikureern bestritten), fand bis zu heidnischen und christl. Autoren der Spätant. ein Echo; man wußte davon auch im MA. Einen eigenen Ansatz boten die unabhängig von der E.

entstandenen einstimmigen Gesänge der christl. Kirchen mit ihren acht Tonarten. Nachdem im 9. Jh. im lat. Westen die vier authentischen und vier plagalen Tonarten mit den acht ant. Oktavgattungen Dorisch, Phrygisch, Lydisch, Mixolydisch, Hypodorisch usw., trotz der grundsätzlichen Verschiedenheit, verbunden worden waren, bemühte man sich seit dem 11. Jh. um eine der ant. E. ähnliche Charakteristik, die man jedoch mit einem eher stilistisch-ästhetischen Verständnis der Melodien verquickte. Merkmale der E. (Plat. rep. 398–99; Aristot. pol. 8,1340–42) paßten nur teilweise zu ma. Tonarten (Hermannus Contractus, um 1050) [1]:

	Antike (Plat., Aristot.)	MA (Herm. Contr.)
Dorisch:	ruhig, männlich	ernst, vornehm (gravis, nobilis)
Phrygisch:	enthusiastisch (bis hin zur Katharsis)	beschwingt, tanzend (incitatus, saltans)
Lydisch:	threnodisch/ anmutig	ergötzlich (voluptuosus)
Mixolydisch:	leidenschaftlich klagend	geschwätzig (garrulus).

Die Kirchentonarten wurden in ma. Quellen zudem sehr unterschiedlich charkterisiert. Guido von Saint-Denis [2] kommentierte um 1300 die Lehre im Licht der neuen Aristoteles-Rezeption (pol. 8). Um 1473 beschrieb Joh. Tinctoris, auf ant. Autoren gestützt, unterschiedliche Wirkungsweisen der Musik [3]. Für die Polyphonie war die Charakteristik der Kirchentonarten ohne Gewicht, und Versuche, die ant. E. kompositorisch wiederzubeleben, auch mittels Chromatik und Enharmonik, blieben ohne Erfolg (anders die → Affektenlehre). Nach dem Auffinden griech. Quellen stritt man z. B., ob die dorische Finalis C, D oder E sei [8. 31]. Im 17. Jh. aufgekommene Charakteristiken der Dur- und Molltonarten bestätigten den längst vollzogenen Übergang vom ant.-ethischen zum neuzeitlich-ästhetischen Tonarten- und Musikbegriff. Die E. der Ant. interessierte fortan nurmehr Gelehrte, doch auch Goethe [6. 777].

→ AWI Ethos; Musik; Rhythmus

QU 1 H. Contractus, Musica = Scriptores ecclesiastici de musica sacra posissimum, hrsg. v. M. Gebert, Ndr. 1963, Bd. 2, 148 2 S. van de Klundert, Guido von Saint-Denis Tractatus de tonis, 1996 (Diss. Utrecht) 3 J. Tinctoris, Complexus effectuum musices = Scriptorum de musica medii aevi nova series, hrsg. v. E. de Coussemaker, Ndr. 1963, Bd. 4, 191–200

LIT 4 H. Abert, Die Lehre vom Ethos in der griech. Musik, 1899 (Ndr. 1968) 5 Ders., Die Musikanschauung des MA und ihre Grundlagen, 1905 (Ndr. 1964) 6 E. Grumach, Goethe und die Ant., 1949 7 C. V. Palisca, Humanism in Italian Ren. Musical Thought, 1985 8 D. P. Walker, Der musikalische Human., 1949. FRIEDER ZAMINER

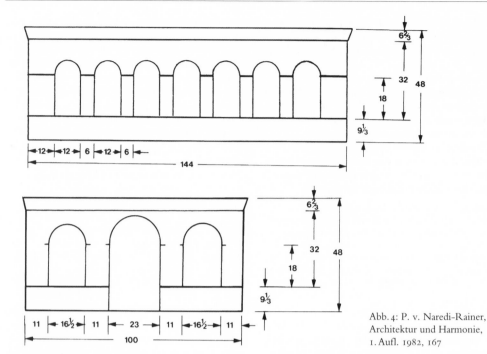

Abb. 4: P. v. Naredi-Rainer,
Architektur und Harmonie,
1. Aufl. 1982, 167

D. MUSIK UND EINZELNE
ARTES LIBERALES ET MECHANICAE
1. MUSIK UND ARCHITEKTUR

Die antike Auffassung von einer Analogie zwischen
M. und Architektur gründet sich auf die pythagoräisch-
platonische Idee einer universalen Zahlenharmonie. In
der M. sah man eine Manifestation dieser Harmonie, da
schwingende Saiten in konsonanten Intervalle erklin-
gen, wenn ihre Längen kleine ganzzahlige Verhältnisse
ergeben. Diese Proportionen (ausgedrückt in den Zahlen der Tetraktys und Timaios-Tonleiter) galten als Ausdruck objektiver Schönheit und wurden von der M. auf
die Architektur übertragen. Vitruv fordert in seinem
Traktat *De architectura* im 1. Jh. v. Chr., der Architekt
müsse die musikalischen Konsonanzen kennen (1,1,8).
Neben dieser indirekten, über die Proportionenlehre
und die Idee der Harmonie vorhandenen Beziehung zur
M. war wissenschaftsgeschichtlich allerdings die Nähe
der Handwerkskunst »Architektur« zur Wissenschaft
der Geometrie immer wesentlich. Durch die Schriften
von Augustinus und Boëthius, in denen die ant. Zahlenharmonie eine christl. Deutung erfährt, wurden musikalische Proportionen auch für die Sakralarchitektur
des MA relevant [3], wobei einschlägige Interpretationen allerdings sehr umstritten sind [4]. In der Renaissance wurde solche Proportionenlehre von L. B. Alberti
systematisch dargestellt (*De re aedificatoria*, Florenz 1485,
4,5–6) und zur Grundlage harmonischer Bezüge in Flächen (Alberti, Fassade des Tempio Malatestiano, s. Abb.
4) und Raumfolgen (A. Palladio, *I Quattro Libri dell'Architettura*, Venedig 1570). Im Laufe des 17. Jh. verlor das
ant. Harmoniekonzept seine metaphysische Bedeutung.
Musikalische Proportionen wurden in der Folge ent-

weder als willkürlich abgelehnt oder erstarrten zu aka-
demischem Regelwerk. Im 20. Jh. wurde der Gedanke
einer Analogie von optischen und akustischen Proportionen von einzelnen Architekten (u. a. Th. Fischer, Le
Corbusier) – angeregt von der Wiederbelebung der pythagoräischen Harmonik durch A. v. Thimus und H.
Kayser – wiederaufgegriffen, blieb jedoch insgesamt
eine Randerscheinung.

1 P. v. NAREDI-RAINER, Architektur und Harmonie. Zahl,
Maß und Proportion in der abendländischen Baukunst,
⁵1995 2 U. STEINHAUSER, s. v. M. und Architektur, MGG 6,
1997 3 O. v. SIMSON, The Gothic Cathedral, Origins of
Gothic Architecture and the Medieval Concept of Order,
³1988 4 G. BINDING, Die neue Kathedrale. Rationalität und
Illusion, in: Aufbruch – Wandel – Erneuerung. Beiträge zur
»Renaissance« des 12. Jh., hrsg. von G. WIELAND, 1995,
211–235 5 R. WITTKOWER, Architectural Principles in the
Age of Humanism, 1971   ULRIKE STEINHAUSER

2. MUSIK UND GRAMMATIK

Die Analogien zw. M. und Sprache (als »Ausdrucksmittel«, die sich in einer »zeitlichen Abfolge« entfalten)
legen Parallelisierungen nahe, wie sie seit der Ant. man-
nigfach begegnen. Für die *musica* des MA diente primär
die gleichfalls den → *Artes liberales* zugehörige *grammatica*
mit ihrem sprach-analytischen Arsenal als Modell-Disziplin für das Verständnis musikalischer Gestaltung [1].

So übernahmen Texte seit dem 9. Jh. aus dem
Komm. des Chalcidius zu Timaios (1,44) [6] den Vergleich von Buchstabe, Silbe, Wort usw. mit Ton, Intervall, Melodie-Teil usw. [2. 109–115]. Die Vorstellung,
der *musicus* setze die musikalischen Elemente so zusammen wie der *grammaticus* die sprachlichen, war gängig

und sollte das planvoll Gefügte einer musikalischen »Komposition« verdeutlichen.

Während dies aber zumeist auf eine elementare und »syntaktische« Betrachtungsweise beschränkt blieb, wurde für die »semantischen« Eigenschaften der M. auf die Modell-Disziplin der *rhetorica* zurückgegriffen [3. 816–820]. Doch ist die Grenze zw. Gramm. und Rhet. in ihren Einflüssen auf Musiklehre und -denken nicht selten unscharf, wie auch die musikalischen Termini zeigen, die jenen *artes dicendi* entstammen [4].

Eine fortschreitende Differenzierung der »Regeln«, denen mehrstimmige M. unterlag, führte seit dem 14./15. Jh. dazu, »Satzfehler« schulmäßig gramm. als *vitia* anzuprangern. Und dem bei J. Burmeister (um 1600) bezeugten Verfahren, die grundlegende musikalische Satzlehre wie eine Syntax mit ihren *soloecismi* zu behandeln [5], folgten Autoren noch bis ins 19. Jh. hinein [3. 817].

1 M. BIELITZ, M. und Gramm., 1977 2 K.-J. SACHS, s. v. Musikalische Elementarlehre im MA, GMth 3, 1990, 105–161 3 H. KRONES, s. v. M. und Rhet., MGG 6, 814–852 4 F. A. GALLO, Beziehungen zw. gramm., rhet. und musikalischer Terminologie im MA, in: Kongr.-Ber. der Internationalen Ges. für Musikwiss., 1977, 787–790 5 M. RUHNKE, Joachim Burmeister, 1955, 110–114 6 J. H. WASZINK (Hrsg.), Timaeus a Calcidis translatus commentarisque instructus, 1975 (Corpus Platonicum Medii Aevi IV).   KLAUS-JÜRGEN SACHS

3. MUSIK UND RHETORIK

Die seit der Ant. beobachtete »Sprach-Nähe« und »Sprach-Ähnlichkeit« der Musik inspirierte vielfältige Bemühungen, Musik und Sprache strukturell wie semantisch miteinander zu vergleichen, um M. »wie eine Sprache« erklären zu können. Daß M. (in vielen Fällen) einer Rede ähnlich sei, war ein langlebiger Topos, der besonders emphatisch auf die im 18. Jh. zur Blüte strebende »reine« (textlose) Instrumental-M. als eine Ton-Sprache oder Klang-Rede (J. Mattheson [1. 82]) bezogen wurde.

Noch in dieser Zuspitzung sind als Spuren langer Entwicklung die Anleihen aus der spätant. Rhetorik gültig, indem wie bei einer Rede sowohl die Herstellungs-Phasen (*inventio*, *dispositio*, *elaboratio*) als auch der Vortrag (*pronuntiatio*) unterschieden und gelehrt werden. Und bei J. N. Forkel, ihrem letzten maßgebenden Autor (1788), umfaßt musikalische Rhetorik die Wahl von Stil und Gattung, die Gliederung und Periodik des Musikstückes sowie dessen Detail-Ausarbeitung und Darbietung [2. 816].

Eine entscheidende Rolle bei der Detail-Ausarbeitung spielen die musikalisch-rhetorischen Figuren, die wie Quintilians *figurae* (inst. 9,1,4) als Lizenzen besonders hervortreten, auch als Schmuck dienen und v. a. die Expressivität steigern sollen. Sie sind zwar auch »rein musikalisch« gültig, gewinnen aber ihre Eigenart erst bei Textvertonung. Daher ist Vokalmusik das genuine Feld musikalischer Rhetorik. Indem bereits Lehrschriften des MA das Übereinstimmen von Textinhalt und musi-

kalischem Ausdruck fordern, zielen sie, wie die Rhetorik, auf »Angemessenheit«, die jedoch einschließt, daß M. den Text durch ihre spezifischen Ausdrucks-Qualitäten unterstreicht und beleuchtet. Denn die M. ist, anders als die Sprache, semantisch weder eindeutig noch direkt, sondern bedarf vermittelnder Assoziationen. Diese aber vermögen musikalische Sinnbezüge nicht nur »verständlich« zu machen, sondern ihnen auch transverbale Dimensionen zu erschließen. Und darin stößt jeder Vergleich von M. und Rhetorik an seine Grenze.

Die Fülle der in Traktaten des 16. bis 18. Jh. behandelten musikalisch-rhetorischen Figuren [3] läßt sich in solche der Melodie-Wiederholung, der Stimmen-Imitation, der Dissonanz-Behandlung, der Intervall-Fortschreitung, der Klang-Wirkung und der Pausen-Verwendung einteilen [4]. Etliche Figuren wurden mit griech. oder lat. Namen aus der Rhetorik-Tradition benannt; doch dies geschah uneinheitlich und weniger einer systematischen Lehre als der Kompositions-Praxis (seit dem 15. Jh.) folgend, in der mit dem Bildungsgut der *artes* auch Kenntnisse der Schul-Rhetorik wirksam waren.

Die textbezogenen Figuren können markante Einzelwörter oder den Skopus einer Textpassage musikalisch ausdrücken, sie können unmittelbar »bildhaft« wirken (Bewegung, Klang u. a. nachahmen), die Affektgehalte umsetzen (durch eine Vielfalt musikalischer Mittel) oder auf verborgene Sinnbezüge anspielen (eigenständige »Symbole« nutzen). Die Fülle praktischer Beispiele ist unübersehbar; einen exemplarischen Zugang gewährt das Œuvre von H. Schütz [5].

1 J. MATTHESON, Der vollkommene Capellmeister, Hamburg 1739 (Faksimile-ND 1954) 2 H. KRONES, s. v. M. und Rhet., MGG² 6, 814–852 3 D. BARTEL, Hdb. der musikalischen Figurenlehre, 1985 4 G. J. BUELOW, s. v. Rhetoric and music, The New Grove Dictionary of Music, 1980, 15, 795–800 5 H. H. EGGEBRECHT, Heinrich Schütz. Musicus poeticus, 1959.   KLAUS-JÜRGEN SACHS

E. ANTIKENREZEPTION AUSSERHALB DES LATEINISCHEN MITTELALTERS

1. MUSIKTHEORIE UND -LEHRE IN BYZANZ

Musiktheorie wird in Byzanz in zwei verschiedenen Bereichen vermittelt: auf der einen Seite sind es die Lehrschriften, die auf die Bedürfnisse der kirchenmusikalischen Praxis abgestimmt sind, auf der anderen Seite sind es theoretische Schriften, die die Traditionen des ant. griech. Musikdenkens aufnehmen. Während die Kirchenmusik in der Patriarchats- bzw. in den Klosterschulen unterrichtet wird, lehrt man ant. Musiktheorie an der weltlichen Hochschule, abgesondert von der aktuellen Musikausübung. Das Musikschrifttum der Byzantiner setzt sich aus enzyklopädischen Sammlungen, Kompendien, Scholien, Kommentaren zu klassischen Werken, Exzerpten, Einführungsschriften zusammen und bezieht sich auf die Erkenntnisse verschiedener Perioden der Antike. Somit reicht die Rezeption der ant.

Musiktheorie vom Sammeln wortgetreu zitierter Auszüge bis zur relativ selbständigen Verarbeitung der ant. Schriften. Beide Traditionslinien der Ant. sind in den Werken der Byzantiner vertreten: die streng mathematisch-zahlentheoretische Harmonielehre der pythagoreischen Philosophen und die praktisch orientierte Melodie- und Rhythmuslehre der Aristoxener. Die Lehren der Pythagorasschule werden v. a. durch die Schriften des Nikomachos von Gerasa (2. Jh. n. Chr.) und des Theon von Smyrna (2. Jh. n. Chr.) vermittelt. Aristoxenisches Wissensgut wird hauptsächlich aus den Lehren des Kleoneides (2. Jh. n. Chr.) und Aristeides Quintilianus (3. Jh. n. Chr.) geschöpft. Die dritte und bedeutendste Quelle für die Byzantiner stellt das Werk des Klaudios Ptolemaios (2. Jh. n. Chr.) dar, das sich auf pythagoreischer Grundlage als eigenständige Theorie gegenüber den Pythagoreern und Aristoxeneern erweist.

Die Pflege der ant. Traditionen und die Wiederbelebung der klassischen Studien beginnt nach der Überwindung des Bilderstreits in der zweiten Hälfte des 9. Jh. Aus dem 10. Jh. stammt das erste datierbare kompilatorische Werk ant. Musiktheorie eines gewissen Dionysios, der als Quelle die Schrift des Bakcheios Geron (9. Jh. n. Chr.?) heranzieht. In Form von Fragen und Antworten werden die sieben Teile der Harmonik dargestellt, wobei die Lehren der kanonikoí (Pythagoreer und Mathematiker) jenen der musikoí (Aristoxeneer) gegenübergestellt werden. Ein Kompendium der vier mathematischen Disziplinen, das von der Forschung als das Werk des Pseudo-Psellos bezeichnet wird, ist Ausdruck des byz. Studienbetriebs im 11. Jh. Es erfuhr in späterer Zeit große Verbreitung. Die Musiktheorie des Pseudo-Psellos schöpft sowohl aus den Quellen der pythagoreischen als auch der aristoxeneischen Schule. Theon von Smyrna, Nikomachos und Kleoneides sind die wichtigsten Autoren, auf die das Werk Bezug nimmt.

Aus der Zeit um 1300 stammt die einzige Quadrivialschrift der spätbyz. Zeit von Georgios Pachymeres. Sein musiktheoretisches Werk gilt als Renaissance der mathematischen Harmonik. Pachymeres ist v. a. Eklektiker. Häufig zitiert er Autoren wortgetreu, ohne deren Namen zu nennen. Er befaßt sich in erster Linie mit der neupythagoreischen Tradition des Nikomachos; allem voran steht jedoch die Schrift des Ptolemaios. Vereinzelt sind auch aristoxeneische Lehrinhalte feststellbar. In seiner Schrift verknüpft Pachymeres die Transpositionsskalen der ant. M. mit den Kirchentönen (échoi), und stellt damit, zumindest terminologisch, erstmals einen Zusammenhang her. Das selbständigste Werk byz. Musiktheorie stellt die umfassende Musikschrift des Manuel Bryennios (um 1300 verfaßt) dar. Wenn auch, wie bei Pachymeres, ganze Abschnitte unverändert spätant. Vorlagen entnommen sind, so versucht Bryennios doch, durch Weiterführung eine Synthese der verschiedenen Schulen der griech. Musiktheorie herzustellen. V. a. die Autoren der neupythagoreischen Schule stellen für ihn

die wichtigsten Gewährsleute ant. Musiktheorie dar. Neben Nikomachos und Theon von Smyrna ist es hauptsächlich Ptolemaios, an den sich Bryennios anschließt. Auch die Aristoxenos-Tradition wird in Übereinstimmung mit Kleoneides und Aristeides Quintilianus zur Gänze bearbeitet. In einem Kapitel über die acht Melodiegattungen befaßt sich Bryennios eigenständig mit den Grundlagen der byz. Kirchenmusik. Die Zuordnung der échoi der Kirchenmusik zu den Transpositionsskalen ist ausführlicher und durchdachter als bei Pachymeres. Die Schrift erfuhr bereits im 14. Jh. große Verbreitung und wurde im Auftrag des Franchino Gaffurio im 15. Jh. ins Lateinische übersetzt. Im 14. Jh. unternahm Nikephoros Gregoras eine Redaktion der Harmoniká des Klaudios Ptolemaios. Zu didaktischen Zwecken ergänzte er die fehlenden Schlußkapitel, die das Gebiet der Sphärenharmonie behandeln. Zusätzlich verfaßte er zum Werk des Klaudios Ptolemaios Scholien und Kommentare.

Am Ende der byz. Rezeptionsgeschichte steht Georgios Gemistos Plethon (ca. 1355–1451), der als Vermittler ant. Musiktheorie zur italienischen Renaissance eine wichtige Rolle spielt. Als Anhänger des Platon gibt er über das 1. Buch des Aristeides Quintilianus einen kurzen Abriß mit Kommentar.

Kurz sei hier noch auf die Schrift des Hagiopolites eingegangen, deren Entstehungszeit für das 12. Jh. n. Chr. angenommen wird. Anschließend an die Theorie zur byz. Kirchenmusik findet sich auch ant. Musiktheorie. Diese ist zum größten Teil den Anonymi Bellermanni entnommen. Der Text stellt Exzerpte aus ant. Autoren, wie Aristoxenos, Klaudios Ptolemaios und Aristeides Quintilianus dar. Die Entstehungszeit liegt möglicherweise im 5./6. Jh. n. Chr. Vermutlich wurde die ant. Lehre bewußt dem Traktat angeschlossen, um bestimmte Phänomene der Kirchenmusik mit Hilfe von Diagrammen und Erklärungen aufzuhellen. Verschiedene Termini und einzelne Zitate der ant. Musiktheorie finden sich auch in den Traktaten zur Kirchenmusik des 14./15. Jh. Vor allem anhand von Beispielen des achtsaitigen Organon soll der Nachweis erbracht werden, daß sich die Kirchenmusik als reine Vokalmusik nicht völlig losgelöst vom ant. Tonsystem entwickelt hat.

1 C. HANNICK, Byz. Musik. Die Lehrschriften der klass.-byz. Musik; Die Lehrschriften zur byz. Kirchenmusik, in: H. HUNGER, Die hochsprachliche profane. Lit. der Byzantiner, Bd. 2, 1978, 181–218 2 L. RICHTER, Momente der Musikgesch.: Ant. und Byzanz, 2000, 183–267.   GERDA WOLFRAM

2. ARABISCHE, HEBRÄISCHE UND SYRISCHE MUSIKTHEORIE

Im Rahmen der Übersetzung ant. philosophischer Texte ins Arabische, Hebräische und Syrische werden auch griech. musiktheoretische Schriften bekannt. Sie sind als Übersetzungen in der Regel nicht erhalten, werden aber durch die Lehrschriften bezeugt. Für die Rezeption ant. Schriften sind in der syr., hebr. und arab.

Literatur drei Textsorten relevant: Enzyklopädien, philosophische und medizinische Texte sowie Musiktheorie. Eine klare Unterscheidung ist nicht immer möglich, da in der arab. und hebr. Kommentarliteratur (wie dann in der lat.) gerade zu Plato und Aristoteles Stellen, die sich auf Musik beziehen, ausgearbeitet und wiederum in die Musiktheorie integriert werden können.

Als Zeugnis der syr. Rezeption im Sinne eines kohärenten Textes (und nicht nur einzelner Begriffe) ist nur der dem Quadrivium gewidmete Teil aus dem *Buch der Dialoge* des Severus bar Šakkū (gest. 1241) zu nennen, der weitgehend aus Exzerpten griech. Vorlagen besteht. Das relevante hebr. Schrifttum ist deutlich von der arab. Rezeption abhängig und wird hier darum nicht extra besprochen. Der Faustregel nach können arab. Texte »Musik« von zwei Seiten her untersuchen: nach Maßgabe der eigenen autochthonen Tradition, wenn der Oberbegriff *ġinā'* (»Gesang«, musikalisches »Spiel«) gebraucht wird oder aus der Optik griech. Musiktheorie, wenn als Ausgangspunkt griech. *musikḗ* gesetzt wird. In der phonetisch getreuen Wiedergabe wird *mūsīqī* oder *mūsīqā* geschrieben; die Schreibweise *mūsīqā* betont die Genuskongruenz zwischen dem griech. Nomen und dessen arab. Äquivalent.

Das auf *musikḗ* zurückgehende Fremdwort wird durch das genuin arab. Nomen *alḥān* substituiert. Alḥān (Pl. von *laḥn*) geht auf die schwer interpretierbare Wurzel *lḥn* zurück, deren Grundbedeutung »vom normalen Sprechen abweichen« (= »singen«) dem Nomen den Sinn »Melodie« gibt. Erst in späten Stadien des Arabischen wie des Hebräischen hat der in den meisten indogerman. Sprachen als Oberbegriff gebräuchliche Graezismus »Musik« (*musique*, *music* etc.) allgemeinere Bedeutung gewonnen.

Wie von der Betrachtungsweise aus griech. Observanz eine genuin arab. Tradition auszumachen ist, muß natürlich auch im hebr. Schrifttum zwischen der griech. motivierten Optik und dem genuin eigenen Schrifttum geschieden werden. Das rabbinische Schrifttum kennt keinen Oberbegriff im Sinne von »Musik«. Vom »Musikalischen« ist in Sprachregelungen aus eigenem Recht die Rede.

Im enzyklopädischen Schrifttum wird M. als Teil des Quadriviums behandelt. Dabei legt man in der auch hebr. rezipierten Lehre der sufischen Sekte Iḫwān aṣ-Ṣafā' (9./10. Jh.) Wert auf die Feststellung, daß von den mathematischen Disziplinen nur die Musik kein Objekt im Vollzug der ihr eigenen Tätigkeit hinterlässt. Damit tritt die Eigenart der Musik als unmittelbar einwirkende Kunst in den Vordergrund. al-Fārābī (st. 950) andererseits legt in seiner ungemein einflußreichen, in hebr. Versionen und zwei lat. Redaktionen überlieferten Wissenschaftseinteilung (Iḥṣā' al-ʿulūm) klar, daß jede Wissenschaft einen theoretischen und einen praktischen Aspekt besitze.

Nach der Pionierleistung in der Adaptation griech. Musiktheorie, welche Texten von al-Kindī (gest. nach 870) zu danken ist, stellt al-Fārābī in seinem *Großen Buch der Musik* (*K. al-mūsīqī al-kabīr*) eine für Jh. wesentliche Summa der Untersuchung arab. Musik aus griech. Observanz vor. Der Text bietet mehrere Eigentümlichkeiten. Erstens wird eine aristotelisch ausgerichtete Prinzipienlehre entwickelt, die als Basis dient. Zweitens wird über diese Prinzipienlehre hinaus das *Corpus Aristotelicum* in neuartiger Synthese genutzt, um eine stark philosophisch orientierte Musiktheorie vorzustellen. Aristoteles hält fest, daß es unter den mathematischen Wissenschaften solche gebe, die physikalischer seien als andere (phys. B 1, 194 a 7). Als Paradigmen nennt er neben der M. Optik und Astronomie. Im lat. MA wird diese Feststellung erst nach 1250 in eine Lehre von den *scientiae mediae*, den mittleren Wissenschaften, ausgebaut. al-Fārābī dagegen führt bereits im frühen 10. Jh. eine mathematisch, aber eben auch physikalisch orientierte Theorie ein. Darin entwickelt er sehr eigenständig Überlegungen zum kleinsten hörbaren Teil des klanglichen Kontinuums unter Berücksichtigung der Zenonischen Paradoxien (phys. 7,5 250a15–28) wie der Idee des Hirsekorns als kleinste Partikel (sens. 6, 445b33–446a20). Andererseits berücksichtigt er die auch für das einschlägige jüd. Schrifttum wesentlichen Passagen zum Vorstellungsvermögen in Aristot. an. 3, um neben dem Denken über M. und dem musikalischen Handeln auch die musikalische Vorstellung erörtern zu können. Und schließlich illustriert er seine Ausführungen durch Hinweise auf musikalische Usanzen großer Sänger der arab. Tradition.

QU 1 I. ADLER, Hebrew Writings Concerning Music In Manuscripts and Printed Books from Geonic Times up to 1800 (= Répertoire International des Sources musicales B IX/2), 1975 2 E. KAZEMI, Die bewegte Seele. Das spätant. Buch über das Wesen der Musik (Kitāb ʿUnṣur al-mūsīqī) von Paulos/Bulos in arab. Übers. vor dem Hintergrund der griech. Ethoslehre (= The Science of Music in Islam 5), 1999 3 E. NEUBAUER, Arab. Musiktheorie von den Anfängen bis zum 6./12. Jh. Stud., Übers. und Texte in Faksimile (= The Science of Musicon Islam 3), 1998

LIT 4 B. REINERT, Das Problem des pythagoräischen Kommas in der arab. Musiktheorie, in: Asiatische Stud. 33, 1979, 199–217 5 Ders., Die arab. Musiktheorie zwischen autochthoner Trad. und griech. Erbe, in: H. BALMER, B. GLAUS (Hrsg.), Die Blütezeit der arab. Wiss., 1990, 79–108 6 J. RUSKA, Das Quadrivium aus Severus bar Sakku's Buch der Dialoge, 1896 7 A. SHILOAH, The Theory of Music in Arabic Writings (c. 900–1900). Descriptive Catalogue of Manuscripts in Libraries of Europe and the U.S.A. (= Répertoire International des Sources musicales B X), 1979 8 Ders., s.v. Arab. Musik, MGG² 1, 686–766 9 O. WRIGHT, Ibn al-Munajjim and the Early Arabian Modes, The Galpin Society Journal 19, 1966, 27–48.

MAX HAAS

F. NEUZEIT

1. MUSIKTHEORIE

Zu den wesentlichen Errungenschaften der Musiktheorie zwischen der Mitte des 15. Jh. und dem frühen 17. Jh. gehörten die Wiedererschließung, Edition und (vorwiegend lat., teils auch vulgärsprachliche) Übersetzung der musikbezogenen Literatur der griech. Antike. Das Studium der nun wieder im Original zugänglichen musiktheoretischen Texte von Aristides Quintilianus (*De musica libri III*), Claudius Ptolemaeus (*Harmonicorum libri tres*), Aristoxenus (*Harmonica*), Nicomachus (*Enchiridion*), Ps.-Plutarch (*De musica*), Plato (*Timaios*), Bacchius (*Introductio musica*), der drei Bellermann-Anonymi, des Manuel Bryennius (*Harmonica*) und anderer ant. sowie ps.-ant. Autoren schlägt sich in der Musiktheorie des italienischen Humanismus als Bereicherung und Modifizierung tradierter Theoreme nieder, führt aber keinesfalls eine grundlegende Neuorientierung der Lehre herbei, wie sie das geläufige Epochenraster Mittelalter – Neuzeit suggerieren könnte.

Gleichwohl sind Tendenzen zu beobachten, welche die musiktheoretische Interpretation der ant. Texte in wachsendem Maße von früheren Konzepten abheben: Zu nennen sind 1. ein neuartiges Bewußtsein für die histor. Distanz zwischen ant. und zeitgenössischer Musiktheorie, dem andererseits ein eigentümlicher Habitus des freundschaftlich-privaten Eindenkens in die ant. Autoren gegenübersteht, 2. ein ausgeprägt philologisches Interesse an den Texten, das die intensive Anwendung textkritischer Methoden begünstigt, 3. eine propagandistisch motivierte Abwertung der nach-ant. Epoche als einer Zeit der – auch musiktheoretischen – Finsternis, 4. die Verlagerung von einer mathematisch-proportionalen Betrachtung der musikalischen Elementarlehre hin zu einer physikalisch-akustischen Sicht klanglicher und musikalischer Phänomene, schließlich 5. der Vergleich zwischen ant. und zeitgenössischer Musikpraxis vor dem Hintergrund von Bestrebungen, die legendären Wirkungen der alten Musik in der modernen wiedererstehen zu lassen und nach Möglichkeit zu überbieten.

Da für die Diskussion der Frage nach der Vorbildfunktion der ant. Musik anders als in der Literatur und der bildenden Kunst keine praktischen Denkmäler vorliegen, kommt den musiktheoretischen Zeugnissen hier ein besonderer Stellenwert zu. Vor allem im Italien des 16. und im Frankreich des 17. Jh. werden in diesem Zusammenhang die ant. Einheit von Poet und Musiker sowie die Unterordnung der Musik unter den Text, die man durch lebendigen Ausdruck des Textsinnes, Erhaltung des Textrhythmus und Textverständlichkeit in der Vertonung verwirklichen will, heftig diskutiert. Die ant. Musiktheorie wird darüber hinaus aber auch in Debatten um die Wiedereinführung des chromatischen und enharmonischen Tongeschlechts, die Wiederbelebung der ant. Tonartencharaktere und die Existenz einer mehrstimmigen Musikpraxis in der Ant. für das Pro und Contra der sich zunehmend in ideologischer Verhärtung gegenüberstehenden Positionen instrumentalisiert (vgl. u.a. Pontus de Tyard, *Solitaire second ou prose de la musique*, Lyon 1555; Nicola Vicentino, *L'Antica musica ridotta alla moderna prattica*, Rom 1555; Gioseffo Zarlino, *Le Istitutioni harmoniche*, Venedig 1558; Girolamo Mei,

De modis musicis antiquorum, 1573 (Ms.); Vincenzo Galilei, *Dialogo della musica antica et della moderna*, Florenz 1581; Marin Mersenne, *Harmonie universelle*, Paris 1636–37; Giovanni Battista Doni, *De praestantia musicae veteris libri tres*, Florenz 1647; Ders., *Lyra barberina amphichordos*, postum Florenz 1763).

In der → Querelle des Anciens et des Modernes begründet Charles Perrault die Überlegenheit der modernen Musik v.a. mit der Mehrstimmigkeit (*Parallèle des Anciens et des Modernes*, Paris ²1692–1697, ND 1979, 348 ff. und 83 f.). Paradigma einer in diesem Sinne die Ant. überbietenden zeitgenössischen Kompositionsart ist für ihn die *Tragédie en musique*. Im Gegenzug kann freilich ein »Ancien« wie Rémond de Saint-Mard mit demselben Recht behaupten, daß die → Oper eigentlich eine Erfindung der Ant. gewesen sei (*Réflexions sur l'opéra*, Den Haag 1741, 18 ff.).

Kompositionsgeschichtliche Folgen dieser langwierigen theoretischen Auseinandersetzungen sind unmittelbar greifbar in der *musique mesurée* des 16. Jh. im Umfeld der poetisch-musikalischen Akademie des Jean-Antoine de Baïf sowie in der humanistischen Odenkomposition in Deutschland und Italien. Sie sind eher untergründig faßbar in der solistisch-monodischen Vokalmusik des *stile recitativo* und der Entstehung des Solomadrigals und der Oper um 1600, die in Verbindung stehen mit den Bestrebungen der Florentiner »Camerata« unter Giovanni de' Bardi.

Die Frage nach der Vorrangstellung von Vernunft (*ratio*) oder Gehör (*sensus*) bei der Beurteilung musikalischer Sachverhalte erfährt im frühen 18. Jh. eine Neubelebung im Zusammenhang mit einer Erörterung des konsonierenden oder dissonierenden Status der Quart. Johann Mattheson, der sich selbst gelegentlich als »Aristoxen, der jüngere« bezeichnet, tritt vor dem Hintergrund eines modernen empirischen Sensualismus für die Aristoxenische Position ein, daß ›das Gehör / nicht aber numerus, des Musici Zweck sey‹ (*Das Forschende Orchestre*, Hamburg 1721, 174). Andererseits bleibt auch die entgegengesetzte Pythagoreische Betrachtungsweise, welche die Musik als tönende Mathematik begreift, bis in die Musikästhetik des 19. Jh. hinein als Gegenentwurf zum dominierenden Verständnis von M. als einer Empfindungssprache wirksam. Gleiches gilt für den an diese Vorstellung eng gekoppelten universellen Harmoniebegriff.

Seit dem späten 17. Jh. ist ein spezifisch historiographisches Interesse an der Geschichte der ant. M. und Musiktheorie greifbar, so etwa in der *Historia musica* (Perugia 1695) des Giovanni Andrea Angelini Bontempi, der auf Marcus Meiboms einflußreiche Anthologie *Antiquae musicae auctores septem* (Amsterdam 1652) zurückgreift, Wolfgang Caspar Printz' *Historische Beschreibung der edelen Sing- und Kling-Kunst* (Dresden 1690) sowie Pierre Bourdelots und Pierre Bonnets *Histoire de la Musique et de ses Effets* (Paris 1715). Mit den Darstellungen von John Hawkins (*A General History of the Science and Practice of Music*, London 1776, Buch 1–2) und Charley Burney (*A General History of Music from the Earliest Ages to the Present Period*, London 1776, Bd. 1) ist der Übergang zur modernen Musikgeschichtsschreibung bezeichnet.

So sehr die ant. Texte auch in der Neuzeit Begriffe, Kategorien und Denkfiguren der Musiktheorie geprägt haben, so wenig ist zu übersehen, daß die Alterität der griech.-röm. Musikkultur das europ. Denken mit interpretatorischen Problemen bis hin zu unüberwindbaren Aporien konfrontiert hat. Die geläufige Rede von der griech. Ant. als der Wiege der europ. Musikkultur läßt außer Acht, daß sich in MA und Neuzeit keine organische Entfaltung von ant. Ideen ereignet hat, sondern stets die kritische Selektion und anwendungsbezogene Transformation des überlieferten Gedankenguts im Vordergrund gestanden haben.

→ Sphärenharmonie

1 C. DAHLHAUS, Die Musiktheorie im 18. und 19. Jh. (= GMTh 10/11), 1984–89 2 F. A. GALLO, R. GROTH et al., It. Musiktheorie im 16. und 17. Jh. Antikenrezeption und Satzlehre (= GMTh 7), 1989 3 K. G. HARTMANN, Die humanistische Odenkomposition in Deutschland, 1976 4 E. E. LOWINSKY, Humanism in the Music of the Ren., in: Music in the Culture of the Ren. and Other Essays, Bd. 1, 1989, 154–218 5 A. E. MOYER, Musica Scientia. Musical Scholarship in the Italian Ren., 1992 6 C. V. PALISCA, Humanism in Italian Ren. Musical Thought, 1985 · Ders., The Florentine Camerata. Documentary Stud. and Translations, 1989 7 J. A. PEARSON, Johann Mattheson's »Das Forschende Orchestre«: The Influence of Early Modern Philosophy on an Eighteenth-Century Theorist, Diss. Univ. of Kentucky 1992 8 W. SEIDEL, B. COOPER, Entstehung nationaler Trad.: Frankreich. England (= GMTh 9), 1986 9 D. P. WALKER, Der musikalische Humanismus im 16. und frühen 17. Jh., 1949. WOLFGANG HIRSCHMANN

2. MUSIKALISCHE MYTHEN UND LEGENDEN

M. ist im antiken Mythos nicht nur als Bestandteil des rel. Kultes, sondern v. a. als eine das Leben der Menschen und der Natur beeinflussende Macht wichtig. Ihre besondere Kraft – in den verschiedenen Rezeptionsphasen immer wieder als magisch, besänftigend, ordnend, heilend und zivilisierend aufgefaßt – ist in der Geschichte von Orpheus, der durch seinen Gesang sogar Tiere, Pflanzen, Berge und die Mächte der Unterwelt bewegt, oder in der Sage von Amphion, der durch das Spiel seiner Lyra die Mauern von Theben zusammenfügt, für viele Generationen eindrucksvoll gefaßt. Mythen und Legenden treten dann, wenn sie wieder erzählt werden, für komplexe Gefühlslagen ein, die ganz unterschiedliche Gesellschaften immer wieder stellvertretend als Bilder- und Sprachwelt für eigene Bedürfnisse gebrauchen. So verkörpern die Sirenen die verführerische und zerstörende Seite der Musik. Die Wirksamkeit dieser Bilder- und Sprachwelt kann nach Zeiten unterschiedlich sein: der Hirtengott Pan, Erfinder der Syrinx, hat die Künstler der Neuzeit, besonders um die Wende vom 19. zum 20. Jh., mehr inspiriert als in der Antike.

Als »Musikmythen« können auch Apollon und die von ihm geführten Musen, Dionysos, die Idee der »Sphärenharmonie« und die »Äolsharfe« verstanden werden, doch ist ihre musikalische Rezeption schwerer zu fassen [4]. Zwei historische Persönlichkeiten sind schon in der Antike durch Legendenbildung mythisiert worden: Arion von Methymna (um 620 v. Chr.), der Erfinder des Dithyrambus, der durch seinen Gesang einen Delphin anlockte, der ihn vor räuberischen Seeleuten rettete, und die Lyrikerin Sappho von Lesbos (um 600 v. Chr.), die in einem angeblich platonischen Epigramm als »zehnte Muse« gerühmt wurde (Anth. Gr. IX 506) [2]. Beide wurden wie Orpheus zu Symbolgestalten für die Macht von Dichtkunst und Musik. Die musikalische Rezeption der »Musikmythen« vollzieht sich kontinuierlich von der Renaissance bis heute, v. a. in den Gattungen → Oper, Ballett, Kantate, Symphonische Dichtung und Lied, wobei sie sich im 19. Jh. etwas von der Bühne ins Konzert verlagert. Daneben sind die musikalischen Mythen z. T. schon seit dem MA (Orpheus) von großer Bedeutung für theologische, philosophische und ästhetische Konzeptionen.

MUSIKWERKE NACH ANTIKEN MUSIKMYTHEN

1) Arion: A. Campra: *Arion* (Kantate, 1708). E. d'Albert: *Arion* (op. 23,3, 1900). S. Rachmaninoff: *Arion* (op. 34,5, 1913). 2) Orpheus (Opern u. a.): J. Peri: *Euridice* (1600). G. Caccini: *Euridice* (1602). C. Monteverdi: *Orfeo* (1607). G. Ph. Telemann: *Orpheus und Eurydike* (1734). C. H. Graun: *Orfeo ed Euridice* (1744). Chr. W. Gluck: *Orfeo ed Euridice* (1762, 1774). J. Haydn: *L'Anima del Filosofo* (*Orfeo ed Euridice*) (1791). F. Schubert: *Lied des Orpheus, als er in die Hölle ging* (1816). H. Berlioz: *La Mort d'Orphée* (Kantate, 1827). F. Liszt: *Orpheus* (Symphonische Dichtung, 1854). J. Offenbach: *Orphée aux Enfers* (Opéra bouffe, 1858; Opéra-Féerie, 1874). E. Krenek: *Orpheus und Eurydike* (1931). A. Casella: *La Favola d'Orfeo* (1932). I. Strawinsky: *Orpheus* (Ballett, 1947). W. Killmayer: *La Tragedia di Orfeo* (1961). H. W. Henze: *Orpheus* (Ballett, 1976).

3) Pan: F. Mottl: *Pan im Busch* (Tanzspiel, 1881). C. Debussy: *Prélude à l'après-midi d'un faune* (1894), *Syrinx* (1913). K. Szymanowski: *Dryaden und Pan* (op. 30,3, 1915). A. Roussel: *Pan* (op. 27,1, 1925). B. Britten: *Pan* (op. 49, 1, 1951). 4) Sappho: G. Pacini: *Saffo* (Oper, 1840). Ch. Gounod: *Sapho* (Oper, 1851). Sappho-Vertonungen von G. Bantock, J. Blow, L. Dallapiccola, W. Killmayer, Z. Kodály, C. Loewe, S. Moniuszko, C. Orff, I. Pizzetti, H. Reutter, G. Spontini, C. M. von Weber u. a. 5) Sirenen: J. G. Kastner: *Le Rêve d'Oswald ou Les Sirènes* (1858). C. Debussy: *Sirènes* (1900). R. Glière: *Les Sirènes* (Symphonische Dichtung, 1908). K. Szymanowski: *Die Insel der Sirenen* (op. 29,1, 1915). J. J. A. Roger-Ducasse: *Ulysse et les Sirènes* (Symphonische Dichtung, 1938). 6) Andere Mythen: J. G. Naumann: *Amphion* (Opéra ballet, 1778). L. van Beethoven: *Die Geschöpfe des Prometheus* (Ballett, 1801). I. Strawinsky: *Apollon musagète* (Ballett, 1928).

→ AWI Amphion; Arion; Apollon; Aulos; Dionysos;

Dithyrambus; Kithara; Orpheus; Pan; Sappho; Sirenen; Syrinx

1 J. DRAHEIM, Vertonungen ant. Texte vom Barock bis zur Gegenwart, 1981 2 Ders., Sappho in der M., in: M. VON ALBRECHT, W. SCHUBERT (Hrsg.), M. in Ant. und Neuzeit, 1987, 147–182 3 Ders., Das Notenarchiv zur musikalischen Rezeption der Ant. in der Bibliothek des Seminars für Klass. Philol. der Universität Heidelberg, in: Gymnasium 102, 1995, 160–162 4 A. EDLER, Studien zur Auffassung ant. Musikmythen im 19. Jh., 1970 5 H. HUNGER, Lex. der griech. und röm. Myth. mit Hinweisen auf das Fortwirken ant. Stoffe und Motive in der bildenden Kunst, Lit. und M. des Abendlandes bis zur Gegenwart, ⁸1988.

JOACHIM DRAHEIM

Mykene   A. ANTIKE   B. 19. JAHRHUNDERT C. NEUERE AUSGRABUNGEN UND FORSCHUNGSGESCHICHTE

A. ANTIKE

Pausanias beginnt seinen kurzen Bericht über M. mit der Zerstörung der Stadt im J. 466 v. Chr. durch die Argiver. Diese fühlten sich durch die Mykener benachteiligt, die 480 v. Chr. achtzig Krieger zum Kampf gegen die Perser an die Thermopylen geschickt hatten, während sich Argos zurückhielt. Auch an der Schlacht bei Platää waren die Argiver nicht beteiligt. Die ersten Entdecker und Nutzer des alten M. waren die Griechen, die sich nach den Zerstörungen der bronzezeitlichen Stadt (um 1100 v. Chr.) zur Zeit des homer. Epos auf der mauergeschützten Burg angesiedelt und im 7. Jh. v. Chr. ebendort einen stattlichen Tempel errichtet haben. Die Neugründung einer über große Teile des alten M. ausgedehnten hell. Stadt erwähnt Pausanias bei seinem Besuch im 2. Jh. n. Chr. nicht ausdrücklich, wenn er auch die »Perseia«, ein hell. Brunnenhaus, nennt. In die Heldenzeit zurückgewandt, zählt er aber die ›Reste der Stadtmauer und das Tor‹ (Paus. II,16.5) auf, über dem er das bekannte Löwenrelief (Abb. 1) wahrnimmt. Dann folgen in der Beschreibung hauptsächlich die noch vorhandenen oder irgendwie überlieferten Gräber, darunter das ›unterirdische Gebäude des Atreus und seiner Söhne‹ mit seinen Thesauroi, also das bis in die Neuzeit »Schatzhaus des Atreus« genannte größte und am besten erhaltene der (insgesamt neun) Kuppelgräber vor den »kyklopischen« Mauern der Stadt. Weiterhin erzählt Pausanias, daß Klytämnestra und Ägisthos außerhalb der Mauer begraben wurden, weil im Inneren ›Agamemnon selbst lag und die mit ihm Ermordeten‹. Dies ist die Stelle des Pausanias-Textes (Paus. II,16.7), an die Heinrich Schliemann 1876 beharrlich angeknüpft hat (→ Kretisch-Mykenische Archäologie).

B. 19. JAHRHUNDERT

Vor Schliemann kamen schon spätestens um 1800 Reisende, von denen Edward Dodwell auch in M. stimmungsvolle Bilder malte. Unter den Reisenden befanden sich auch Lord Elgin und der Vali von Nauplia, Veli Pascha. Ersterer ließ 1794 Teile vom Schmuck des

Abb. 1: Mykene, Löwentor (13. Jh. v. Chr.)

»Atreusgrabes« freilegen und mitnehmen, letzterer eignete sich 1810 Funde aus dem »Grab der Klytämnestra« an, während der dt. Architekt und Bauforscher Carl Haller von Hallerstein zur gleichen Zeit schon gewissenhafte Beschreibungen, Vermessungen und Zeichnungen von »Atreusgrab« und Löwentor machte. Nach der Befreiung Griechenlands ließ die Griechische Archäologische Gesellschaft 1841 das Löwentor (Abb. 1) bis auf die Schwelle freilegen. Schliemann besuchte M. schon auf seiner ersten Griechenlandreise 1868. In seinem Buch *Ithaka, der Peloponnes und Troja* (1869) gibt er Beschreibungen der auffälligsten Monumente. 1874 folgten Unt. am »Atreusgrab« und Versuchsgrabungen (Schächte und Gräben) im Inneren der Burg, auf deren Höhe er so schnell auf den gewachsenen Fels stieß, daß er dort auch bei dem entscheidenden Aufenthalt von 1876 nicht mehr graben wollte. Mit offizieller Erlaubnis

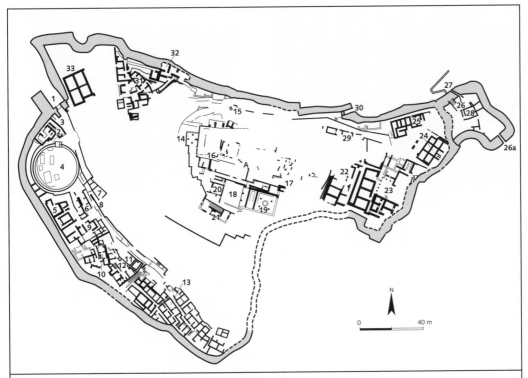

Abb.2: Plan der Burg von Mykene

1 Löwentor	11 Adyton (das Allerheiligste	18 Grosser Palasthof	27 Pforte
2 Getreidespeicher	des Tempels	19 Megaron	28 Häuser A und B
3 Treppenhaus	12 Tsountas-Haus	20 Viereckiges Zimmer	29 Eine Reihe von Räumen
4 Gräberrund A	13 Gebäude	21 Grosse Treppe	(Vorratsräume ?)
5 Haus der Kriegervase		22 Werkstatt der Künstler	30 Nord-Tor
6 Haus an der Rampe	A Palast	23 Haus der Säulen	31 Haus M
7 Grosse Rampe	14 Propylon (Vorhalle)	24 Haus D	32 Vorratsräume
8 Kleine Rampe	15 Nördlicher Aufgang	25 Haus Γ	33 Haus N
9 Südliches Haus	16 Nördlicher Korridor	26 Der Abstieg zum Brunnen	
10 Heiligtümer	17 Badezimmer	26a Brunnengang	

ließ er statt dessen mit 66 bzw. 120 Mann dort graben, wo er hinter dem Löwentor bald auf den doppelten Plattenring stieß, in dem ihm vier Steinstelen mit Reliefdarstellungen die in der Tiefe verborgenen Schachtgräber anzeigten. In den Bestattungen erkannte Schliemann die von Pausanias erwähnten Gräber von Agamemnon und den ›mit ihm Ermordeten‹ (Paus. II,16.7), die sich nach diesem Text nicht außerhalb, sondern innerhalb der Mauer befanden. Im Zusammenhang mit der Freilegung der von ihm entdeckten Schachtgräber I–V, zu denen bald noch das von P. Stamatakis gefundene Grab VI kam, stieß Schliemann nördl. und südl. des Gräberrundes auch auf bronzezeitliche Hausmauern, deren nördl. er als ›Kyklopenhäuser‹ (h. »Kornspeicher«) und deren südl. er als ›Palast des Atreus‹ (h. »Haus der Kriegervase«) bezeichnet hat. An beiden Stellen, v.a. aber im Süden des Gräberrundes, wurden diese Grabungen von griech. und engl. Seite weitergeführt (Abb. 2: 3–9) [5; 6.; 10].

Die Funde aus Schliemanns Schachtgräbern (inzwischen: Gräberrund A), die einen großen Teil des ersten Saales im Athener Nationalmus. füllen, sind nicht nur des vielen Goldes wegen (auf annähernd 15 kg geschätzt) die bis h. reichsten Grabfunde der myk. Kultur (Abb. 3–5), sondern gleichzeitig auch die wichtigsten Zeugnisse des überwältigenden Einflusses, der zu Beginn der späten Bronzezeit, d.h. im 16. Jh. v.Chr., von der kretisch-minoischen Kultur (für die Gold übrigens sehr rar gewesen ist) auf das myk. Festland ausging (Abb. 4) [3]. Daneben aber zeigen v.a. die beiden Typen goldener Gesichtsmasken (Abb. 5) auch die myk. Eigenständigkeit (vgl. auch Abb. 3).

C. Neuere Ausgrabungen und Forschungsgeschichte

Die Geschichte vom Beginn der myk. Kultur wird durch eine zweite Entdeckung in M. auf ideale Weise ergänzt. Gemeint ist das in einiger Entfernung westl. vom Löwentor, d.h. außerhalb der Burgmauer 1951

Abb. 3: Teil der Goldblechverkleidung eines sechseckigen Holzkästchens aus Schachtgräberrund A, 16. Jh. v. Chr. (Hirmer Fotoarchiv)

Abb. 4: Goldtasse aus Schachtgräberrund A, 16. Jh. v. Chr. (Hirmer Fotoarchiv)

von den griech. Archäologen Ioannis Papadimitriou und George E. Mylonas bei Reinigungsarbeiten am »Grab der Klytämnestra« entdeckte und zw. 1952 und 1954 ausgegrabene Gräberrund B [6. 97–109]. Die gleichen Ausmaße, mehrere Tote in einem Grab und dieselben Grabsitten, zu denen auch hier steinerne Stelen innerhalb der kreisförmigen Umfassung gehörten, beleuchten bei etwas bescheideneren und teils etwas älteren Grabbeigaben die Geschichte von M. am E. der sog. mittelhelladischen Epoche, in der die Stadt und ihre Fürsten den Reichtum der kommenden J. begründeten. Ausgräberisch gesehen hatten die Grabungen in diesem etwas älteren Schachtgräberrund den Vorteil, daß die Archäologen 1952–1954 mit den Erfahrungen vieler Jahrzehnte beim Freilegen von 14 Schachtgräbern (und 12 flacheren Gräbern) alle nennenswerten Umstände viel besser beobachten und niederschreiben konnten als dies 1876 für Schliemann möglich war. Einen bescheideneren, aber relativ großen Friedhof vor dem Löwentor haben in den frühen 20er J. Christos Tsountas und Allen J. B. Wace sowie zw. 1950 und 1957 Wace allein mit myk. und mittelhelladischen Keramikfunden freigelegt. Eine eigene Geschichte hat die Beschäftigung mit den Kuppelgräbern von M. Als die eindrucksvollsten Baudenkmäler der myk. Kultur zogen sie immer wieder ein bes. Interesse auf sich. Gemeint ist in M. hauptsächlich eines der neun Beispiele, die in einem unregelmäßigen Halbkreis westl. der Burg verteilt sind: das »Schatzhaus« (Kuppelgrab) »des Atreus«, das als das südlichste auch h. noch den Besucher von M. empfängt. Diese Lage und die ausgezeichnete Erhaltung haben gewiß nicht erst seit Pausanias' und dann wieder seit Lord Elgins Zeiten für seine Bekanntheit gesorgt. Oben war im Zusammenhang mit diesem Grabbau auch von Haller und von Schliemann die Rede, dessen Frau sich übrigens dem ant. (durch ein hell. Theater) und mod. (durch Grabräuber) gestörten, aber kaum weniger eindrucksvollen »Klytämnestragrab« gewidmet hat (Dromos und Kammer). Immer wieder beschäftigten sich später

griech. und engl. Archäologen wie Stamatakis, Tsountas oder Wace mit diesen bekannten und mit weniger bekannten Kuppelgräbern, die Wace 1923 nach ihrer unterschiedlichen Bauweise in drei, grob von ca. 1500 bis etwa 1200 v. Chr. reichende Gruppen geteilt hat. Die in den 50er und 60er J. auch an den Kuppelgräbern durchgeführten Restaurierungsarbeiten kamen zur wiss. Ordnung hilfreich hinzu. Weiter verbreitet als die Kuppelgräber waren in der myk. Zeit die einfach in den Fels geschlagenen, doch gelegentlich reich ausgestatteten Kammergräber mit kurzem Dromos. Im Umkreis der Burg hat Wace auch diese Gräber untersucht und (1932) publiziert [8].

Es wurde bereits darauf hingewiesen, daß Schliemann die auf der höchsten Erhebung der Burg gelegene

Abb. 5: Mykene, Goldmaske aus Schachtgräberrund A, 16. Jh. v. Chr. (Hirmer Fotoarchiv)

Akropolis wegen des dort hoch anstehenden Felsens zu Ausgrabungen für ungeeignet hielt. Auch Reste der geom., archa. und hell. Überbauung sowie der Geländeabbruch am Megaron haben zu dieser ungünstigen Situation beigetragen. Dennoch ist v. a. Mylonas in den 60er J. in der »Werkstatt der Künstler«, im »Säulenhaus«, vor der kyklopischen Nordmauer und im Bereich der »nordöstl. Erweiterung« einer Klärung der baulichen Bestände nachgegangen (Abb. 2: 22–29). Im Zentrum des spät (um 1200 v. Chr.) noch einmal veränderten Palastes haben Restaurierungsarbeiten des griech. Kultusministeriums für eine gute Überschaubarkeit gesorgt. Nicht hier also, sondern auf dem SW-Abhang des ummauerten Burgareals und außerhalb im Westen der Burg sind nach Schliemann die Entdeckungen gemacht worden, die das Leben der Bewohner von M. unerwartet gut beleuchtet haben.

Auf den Bereich hinter dem Löwentor sind wir schon im Zusammenhang mit Schliemanns Grabung im Schachtgräberrund A gestoßen. Es handelte sich um das von den engl. Ausgräbern später »Granery« genannte Gebäude und das Haus, in dem Schliemann die bekannte Kriegervase fand (Abb. 2: 5). Aus der Schliemann-Biographie von Ernst Meyer geht hervor, daß der Entdecker der Schachtgräber in einer nächsten, nicht mehr zustande gekommenen Ausgrabung eben dort, wo er den »Palast des Atreus« vermutet hatte, weitergraben wollte. Statt seiner hat der griech. Archäologe Tsountas nach 1884 diese Aufgabe übernommen und im Laufe der folgenden J. auf dem Areal zw. einer hell. Stützmauer im Norden und dem gleichzeitigen »Polygonal Tower« drei dicht bebaute, von West nach Ost ansteigende Terrassen freigelegt. Diese Arbeiten haben sich neben anderen Aufgaben von 1884 bis 1902 hingezogen. Der freigelegte Gebäudekomplex (Abb. 2: 11–12), zu dem außer einem Wohnhaus mit Magazinen ein kleines, offenbar aber wichtiges Heiligtum gehörte, hat später den Namen des Ausgräbers erhalten (»Tsountas-Haus«). Eine erste Zeichnung der Grundrisse fertigte Wilhelm Dörpfeld für die Veröffentlichung. Nach 1920 und von 1950 bis 1957 wurde das Grabungsfeld auf dem SW-Abhang von Wace erweitert [10], und ab 1959 arbeitete dort 10 J. lang ein griech.-britisches Archäologenteam mit Papadimitriou auf griech. und Lord William Taylour auf engl. Seite. Nach Papadimitrious Tod füllte Mylonas die Lücke und setzte die Grabung noch bis 1975 fort. In diesem schwierig zu ergrabenden Areal (»Citadel House Area« oder »Cult Center«) wurden nun die Grundmauern unterschiedlicher Häuser (Megara), Magazine, Heiligtümer (Tempel, Schreine), Altäre, Wege (darunter ein »Prozessionsweg«), Treppen und ein Entwässerungskanal freigelegt (Abb. 2: 10). Das Hauptergebnis aller dieser Arbeiten liegt darin, daß hier ein über älteren Anlagen im 13. Jh. v. Chr., d. h. etwa gleichzeitig mit Löwentor, »Atreusgrab« und Veränderungen des Palastes entstandenes Kultzentrum zutage kam, dessen Bestimmungen durch Altäre, 50–60 cm hohe bemalte weibliche Tonidole etc. und Freskodar-

stellungen gesichert sind [6. 127–150]. Einige Funde deuten darauf hin, daß auch Werkstätten für künstlerische Erzeugnisse (u. a. aus Elfenbein) an den Komplex angeschlossen waren. Die Funde – unter denen ägypt. Objekte sind – und die qualitativ wertvollen Freskofragmente sind zum größeren Teil im Mus. von Nauplia, teils aber auch im Athener Nationalmus. ausgestellt. Problematisch ist allerdings immer noch die Stellung dieses etwas verwirrenden Kultbezirkes im Leben der alten Stadt. Stand er ganz im Dienst des Palastherren, wofür der sog. Prozessionsweg sprechen könnte, oder war er mit eigener Priesterschaft hauptsächlich an die Bewohner der Stadt, vielleicht sogar nur an einen bestimmten Stand (Handwerker, Künstler) gebunden? Ähnlich offen wie diese Frage ist die damit verbundene nach den Gottheiten, die in diesem um 1200 v. Chr. zerstörten Kultzentrum verehrt wurden.

Die Aussagen der Ausgrabungen des Kultzentrums innerhalb der Burg werden auf seiten des städtischen und wirtschaftlichen Lebens durch Grabungen in der Unterstadt, d. h. außerhalb der Burgmauern, ergänzt. Ähnlich wie im Burgbereich durch die dichte hell. Überbauung waren und sind Ausgrabungen draußen durch die natürlichen Gegebenheiten auf sporadische, meist zufällige Begegnungen mit den Überresten der myk. Zeit angewiesen. Wace, Sinclair Hood und der griech. Archäologe Petsas stießen nördl. von Gräberrund B auf einige Hausreste: »Cyclopean Terrace Building Area«, »House of the Wine Merchant«, »Petsas' House Area«. Nördl. und südl. des »Atreusgrabes« haben Wace bzw. Ione Mylonas-Shear zwei Hauskomplexe des 13. Jh. v. Chr. untersucht (»House of Lead« und »House I«). Südl. von Gräberrund B legte Wace zw. 1954 und 1961 drei gegen E. des 13. Jh. zerstörte Häuser frei, deren wohlhabende Bewohner einer wirtschaftlichen Beschäftigung (Ölhändler, Parfumherstellung) nachgegangen waren: »House of Shields«, »House of the Oil Merchant« und »House of Sphinxes« [5. 80–82]. Bei den Grabungen fanden sich nicht nur Einrichtungen, die von der Tätigkeit dieser Leute zeugen, oder Artefakte (aus Elfenbein), die deren einstigen Wohlstand beweisen, sondern auch die weitaus größte Anzahl der in M. zutage gekommenen Linear-B-Täfelchen als Beweis für eine ordentliche »Buchführung« [1]. Das kleine zusammenhängende Häuserviertel wurde durch ein zugehöriges viertes, von Nikolaos Verdelis freigelegtes Haus ergänzt: »West House«.

Für die Zukunft sind nicht nur weitere Grabungen und Funde – v. a. in der Unterstadt – zu erwarten; u. a. stehen auch noch viele Fragen zur Chronologie, zur Geschichte der Zerstörungen, zur Frühgeschichte der myk. Siedlung und zu deren Nachleben offen.

→ Kretisch-Mykenische Archäologie

1 S. HILLER, O. PANAGL, Die frühgriech. Text aus myk. Zeit, ²1986 2 S. E. IAKOVIDIS, M. – Epidaurus, 1987 3 G. KARO, Die Schachtgräber von M., 1930–1933 4 S. MARINATOS, M. HIRMER, Kreta, Thera und das myk. Hellas, ³1976 5 G. E. MYLONAS, Mycenae and the Mycenaean Age, 1966

6 Ders., Mycenae Rich in Gold, 1983 7 H. SCHLIEMANN, Mykenae, 1878 (Ndr. 1964) 8 A. J. B. WACE, Chamber Tombs at Mycenae, 1932 9 Ders., Mycenae. An Archaeological History and Guide, 1949 10 Ders. et al., Excavations at Mycenae 1939–1955, Hrsg. von E. FRENCH, The Annual of the British School at Athens, Suppl. Vol. 12, 1979. WOLFGANG SCHIERING

Mysterien s. Okkultismus

Mythologie I. LITERATUR II. ALLTAGSWELT

I. LITERATUR
A. EINLEITUNG B. MYTHOGRAPHISCHE
HANDBÜCHER C. ALLEGORISCHE DEUTUNG
D. MYTHOS UND DICHTUNG

A. EINLEITUNG
In der *Encyclopédie* der frz. Aufklärung (1751–1780) heißt es unter dem Stichwort M. (*mythologie, fable*): ›Ihr Studium ist für die Maler, die Bildhauer und insbesondere für die Dichter unentbehrlich. Die M. ist die Grundlage ihrer Werke, aus ihr entnehmen sie ihre wichtigsten Schmuckmittel (…). Unsere Schauspiele, unsere Opern und Theaterstücke, alle Gattungen der Dichtung spielen ständig darauf an; die Stiche, die Gemälde, die Statuen, die unsere Zimmer, unsere Säle, unsere Zimmerdecken, unsere Gärten schmücken, sind fast immer dem Mythos entnommen; er ist schließlich derart gebräuchlich in all unseren Schriften, Romanen, Broschüren und sogar in unseren alltäglichen Unterhaltungen, daß es unmöglich ist, ihn nicht zu kennen, ohne daß man über eine solche Bildungslücke erröten müßte.‹ (XXII, 650; XIII, 737 f.) Diese wenigen Zeilen führen in anschaulicher Weise vor Augen, welch grundlegende Bed. der griech.-röm. M., denn allein sie ist gemeint, in Theater und Oper, in der Dichtung, in den bildenden Künsten und selbst in der Allgemeinbildung bis in die zweite H. des 18. Jh. zukam [7; 17; 21; 1]. Erst die Romantik wird die zentrale Rolle, die die ant. M. in der abendländischen Kultur gespielt hat, grundsätzlich in Frage stellen.

Die zentrale Rolle der M. in der abendländischen Kultur ist durch die Ant. vorgegeben, deren Dichtung und Kunst im Mythos den allgegenwärtigen Hintergrund hat. Der wichtigste Fundort der ant. Götter- und Heldensagen waren für MA und Ren. die röm. Dichter, v. a. die *Aeneis* des Vergil und die *Thebais* des Statius; in der Zeit des Human. kamen als neue Quellen die Griechen hinzu, die homer. Epen, die Boccaccio, wie er stolz in der *Genealogia deorum gentilium* (ca. 1350–1375, hrsg. v. V. Zaccaria, 1998) erklärt, als erster nach It. zurückgerufen hat (XV,7), sowie die Trag. des Sophokles und Euripides. Es waren jedoch v. a. die *Metamorphosen* Ovids, die dem Abendland die ant. Mythen vermittelt haben. ›Die *Metamorphosen* waren (…) das romanhaft spannende Repertorium der Mythologie. Wer war Phaëthon? Lycaon? Prokne? Arachne? Für tausend solcher Fragen war Ovid das Who's Who‹. Diese viel

zitierten Sätze von Ernst Robert Curtius [3. 28] treffen für das MA wie für die Ren. zu. Die *Metamorphosen*, die »Bibel der Heiden«, waren das Grundbuch myth. Wissens, dessen Kenntnis für das Verständnis der alten wie der neuen Lit. und Kunst unentbehrlich war. In Ovids poetischer Weltgeschichte, die von den Ursprüngen bis zu Augustus reicht, im Original und mehr noch in den zahlreichen (meist stofflich erweiterten, illustrierten und allegorisch erklärten) Übers. und Neubearbeitungen, fanden die Leser, Dichter und Maler – eher als in trockenen myth. Kompendien – die spannende Handlung und die plastischen Details, die faszinierende Erzählkunst, die ihre Phantasie beflügeln konnten [51; 18].

Der Tatsache, daß die ant. Dichter nicht nur im Original weiterwirkten, sondern über Zwischenstufen vermittelt rezipiert wurden, kann man in Untersuchungen zur Tradierung des ant. Mythos kaum zu große Bed. beimessen. In zahllosen Fällen war es für den Leser, Dichter, Maler näherliegend, da zweckgerechter, eine Übers., eine Kurzfassung, eine poetische Neuformung, eine emblematische Bearbeitung heranzuziehen. In diesen Vermittlertexten haben die ant. Mythen nicht selten mit der neuen Formgebung auch andere Bed. angenommen, als im Original vorliegen. Die volkssprachliche Wiedergabe der *Metamorphosen*, die über Jh. hin in It. die ovidischen Mythen an den des Lat. unkundigen Leser vermittelte, der 1375–77 entstandene, in zahlreichen Hss. überlieferte *Ovidio Metamorphoseos vulgare* des Giovanni dei Bonsignori, basiert nicht auf dem ovidischen Original, sondern auf einer erklärenden, Ovid aus anderen Quellen ergänzenden lat. Paraphrase, die 1322/23 in Bologna als Univ.-Vorlesung entstanden war. Der *Ovidio Metamorphoseos vulgare* wurde 1497 gedruckt und mehrfach neu herausgebracht. Die nachfolgende it. Wiedergabe der *Metamorphosen* aus der Feder des Nicolò degli Agostini (1522), die bis 1548 aufgelegt wurde, schreibt die Prosa Bonsignoris in Verse um, so daß Ovid bis in die Mitte des 16. Jh. in einer it. Wiedergabe gelesen wurde, die nicht auf dem Original, sondern auf einer erklärenden Paraphrase der Dantezeit fußt [22]. Ähnlich ist in Frankreich die erste gedruckte volkssprachliche Wiedergabe der *Metamorphosen* (1491) keine Übers., sondern eine Kompilation, die den anon. *Ovide moralisé* aus dem Anf. des 14. Jh. sowie den sog. *Ovidius moralizatus* des Benediktiners Pierre Bersuire aus der Zeit um 1340–1350 ausschreibt [38]. Die *Metamorphosen* Ovids sind in dieser Hinsicht keine Ausnahme; auch die früheste gedruckte it. *Aeneis* (1476) ist keine Wiedergabe des Originals, sondern eine in der Dantezeit entstandene Übers. einer kürzenden lat. Paraphrase [16. XXIXff.; 31. 113–116]. Es waren ohne Zweifel die volkssprachlichen Wiedergaben der ant. Dichter, die zum Bekanntheitsgrad der Mythen beim breiten Leserpublikum entscheidend beitrugen. Ihnen kommt jedoch noch in anderer Hinsicht große Bed. zu: die volkssprachlichen Wiedergaben waren in der Regel die Vorlagen der des Lat. nicht mächtigen Maler und Kunsthandwerker, die ihrerseits seit dem E. des 15. Jh. immer häufiger neben den biblischen myth. Stoffe gestalteten [24]. Clément Marot übersetzt 1534 das erste Buch der ›belle Métamorphose‹, weil das Gedicht in frz. Gewand für die volkssprachlichen Dichter und die Maler ›höchst nützlich‹ sei [35. 19–20]. Eine bes. Bed. kommt in dieser Hinsicht den emblematischen Bearbeitungen der ant. Dichter zu, die neben der Kurzfassung und Deutung der Mythen auch deren bildliche Darstellung lieferten [26]. Die Maler und Kunsthandwerker werden gelegentlich schon auf dem Titelblatt dieser Werke als Adressaten genannt. *Schöne Figuren auß dem fürtrefflichen Poeten Ovidio allen Malern, Goldtschmiden und Bildthauwern zu nutz unnd gutem mit fleiß gerissen durch Vergilium Solis und mit Teutschen Reimen kürtzlich erkleret*, so lautet der Untertitel der *Tetrasticha in Ovidii Metamor. lib. XV* des Johannes Posthius aus Germersheim (1563), einer emblematischen Bearbeitung der *Metamorphosen* Ovids, die in der Nachfolge der berühmten, 1557 in Lyon erschienenen *Métamorphose d'Ovide figurée* steht [24. 213–236].

B. MYTHOGRAPHISCHE HANDBÜCHER

Konnten die Leser, Dichter und Maler in der ant. Dichtung sowie in ihren mod. Wiedergaben die bekanntesten ant. Mythen in faszinierender poetischer Gestaltung vorfinden, so entstand doch schon früh in der abendländischen Geschichte das Bedürfnis nach einer umfassenden Sammlung und systematischen Darstellung der ant. M. Nicht zufällig war es einer der großen Initiatoren des Ren.-Human., Petrarcas Freund und Schüler Boccaccio, der das gewaltige Unternehmen in Angriff nahm. In mehr als fünfundzwanzig J. Arbeit (ca. 1350–1375) erstellte er die fünfzehn Bücher der *Genealogia deorum gentilium*, die erste Vollständigkeit anstrebende nachant. myth. Enzyklopädie. In der programmatischen Widmung beklagt Boccaccio den Untergang der ant. mythographischen Lit., die Naturkatastrophen, menschliche Gleichgültigkeit und christl. Übereifer zerstört hätten (die unter dem Namen des Apollodoros unvollständig überlieferte sog. *Bibliothek* aus dem 1. Jh. n. Chr. (?) wird erst im 16. Jh. Verbreitung finden). Er will die Reste des gestrandeten Schiffes, das in tausend Stücke zerschellt ist, aufsammeln und zu einem neuen Ganzen zusammenfügen. Triebfeder seines Unternehmens ist die Überzeugung, daß in den ant. Mythen, die er rehabilitieren will, die ant. Weisheit verborgen ist, die in seinem Werk mit Hilfe der allegorischen Methode freigelegt werden soll. Doch eine weitere Überzeugung leitet ihn: aufgrund der theologischen Prämisse des MA, die ant. Götter seien *fictio* und nicht *veritas*, sieht er in den ant. Mythen weniger Zeugnisse rel. Erfahrung als Erfindungen der Dichter: ›Opus nostrum (...) omne poeticum est‹ (XIV,5), so schreibt er über die *Genealogia*, die nach seinen Vorstellungen zur Belebung der mod. Dichtung beitragen soll. Die poetologischen Bücher XIV und XV kommen deshalb nicht unerwartet, sie bringen vielmehr die theoretische Rechtfertigung für das gewaltige Unternehmen der Mythensammlung in den Büchern I-XIII. Die für die

Ren. typische enge Beziehung zw. Mythos und Dichtung (und Kunst) ist bei Boccaccio bereits angelegt [23. 19–33].

Boccaccio ordnet die Mythen nach genealogischen Kriterien, eine Entscheidung, die mit sich bringt, daß die myth. Figuren im Zentrum stehen und nicht die *fabulae* (wie bei Ovid). Die Bücher III bis V z.B. stellen die Nachkommenschaft des Caelus (Uranos) zusammen, Buch VIII gilt Saturn und seinen Kindern, Buch IX Iuno, Buch X Neptun, Buch XI-XIII Iupiter; an den Anf. stellt Boccaccio den mysteriösen Demogorgon. Doch die ant. Mythen sind bekanntlich nie in nur einer Version überliefert, der Mythos lebt vielmehr in seinen Varianten. Angesichts dessen stellt das genealogische Ordnungsprinzip Boccaccio vor größte Schwierigkeiten, die er nur dadurch zu überbrücken vermag, daß er, Ciceros Darlegungen in *De natura deorum* folgend, annimmt, daß verschiedene Figuren in der ant. M. denselben Namen trugen. So unterscheidet er z.B. drei Götter des Namens Jupiter und vier verschiedene Göttinnen des Namens Venus, die an unterschiedlichen Stellen des Werks vorgestellt werden.

Boccaccio erneuert die ma. mythographische Trad. von Grund auf. Im direkten Rekurs auf die ant. Autoren und die astrologische Trad. – er zitiert Albumasar (Abū Maʿšar, 9. Jh.) und Andalò di Negro (ca. 1270 – nach 1342) [49. 265 ff., 270 ff.] – gelingt es ihm, den ant. Göttern ihre Komplexität und Würde zurückzugeben, die sie in der verkürzten und einseitigen Darstellung der Mythographen des MA verloren hatten. Von den Boccaccio vorausliegenden mythographischen Werken kommt v.a. den *Mythologiae* des Fulgentius und dem sog. Mythographus Vaticanus tertius Bed. zu. Die *Mythologiae* (E. 5. Jh., hrsg. v. R. Helm, 1898), in denen Fulgentius jeweils kurz Gestalt und Attribute der Götter beschreibt und den verschiedenen Attributen ausführliche allegorische, meist moralische Auslegungen folgen läßt, in denen er die tiefere Wahrheit der Erfindungen der ant. Dichter und Philosophen ergründen will, haben als der fundamentale mythographische Text zu gelten, auf dem die ma. Vorstellungen von den ant. Gottheiten basieren. Isidor von Sevilla und Hrabanus Maurus sind in den M.-Kap. ihrer Enzyklopädien (*Etymologiae*, 7. Jh., *De universo*, 9. Jh.) ebenso von Fulgentius abhängig wie die für den Schulunterricht verfaßten Hdb. des sog. Mythographus Vaticanus primus (ca. 875–1075), secundus (vor 1100) und tertius (12. Jh.). Der Mythographus vaticanus tertius ist höchstwahrscheinlich mit dem nicht weiter bekannten Magister Albericus Londoniensis zu identifizieren (hrsg. v. G.H. Bode 1834, Reprint 1968). Er ordnet das myth. Material im wesentlichen nach Genealogie und Rangfolge der Götter und Helden (Saturn, Cybele, Iupiter, Iuno, Neptun, Pluto etc.); im ersten Paragraphen der einzelnen Kap. erklärt er ähnlich wie Fulgentius den Namen der Gottheit und bringt Angaben zu Gestalt und Attributen, die jeweils allegorisch ausgedeutet werden; danach führt er die *fabulae* an, die zu der Gottheit in Beziehung stehen. Der viel gelesene Trakat bietet um 1200 die Summa ma. myth. Wissens. Noch Petrarca besaß ein Exemplar des Werks (Cod. Paris. lat. 8500) [39. I,204–206] und hat sich vermutlich zu den Götterbeschreibungen im dritten Buch der *Africa* von Albericus anregen lassen. Doch tilgt der Humanist die erbaulichen und lehrhaften Auslegungen des Mythographen und übernimmt nur die bildlich darstellbaren Elemente. Bei ihm dienen die Götterbildnisse somit nicht länger als bloße Träger von Gehalten, sie werden vielmehr aufgrund ihrer poetischen Suggestivkraft rezipiert und neugestaltet [50. 125 ff.; 42. 9 ff.]

In der Mitte des 16. Jh. entstanden in It. die drei großen mythographischen Hdb. des Ren.-Human., die die weitere mythographische Trad. in Europa bestimmen sollten [50; 2]: *De deis gentium varia et multiplex historia* des Lilio Gregorio Giraldi (Basel 1548), die *Mythologia* des Natale Conti (Venedig 1551?, 1567) und die *Imagini colla sposizione degli dei degli antichi* des Vincenzo Cartari (Venedig 1556, 1571 mit Illustrationen, krit. Ausg. von G. Auzzas u. a., 1996); v. a. die beiden letztgenannten Werke fanden in und außerhalb It. große Verbreitung. Die Wissensbasis hatte sich in der Zeit des Human. gegenüber Boccaccios *Genealogia*, des bis dahin maßgeblichen Hdb., erheblich verbreitert, die Autoren verfügten über bessere Ausgaben und sicherere philol. Kenntnisse, sie beherrschten das Griech. und zogen nun gelegentlich auch arch. Funde heran. Doch es kann kein Zweifel bestehen, daß die neuen Hdb. die Trad. der *Genealogia* fortführen, der sie in der Anlage wie in vielen Einzelheiten verpflichtet sind (synkretistische Darstellung der ant. Götter, allegorische Deutung der Mythen nach dem Schema *historice, physice, ethice*, fast ausschließliche Berücksichtigung schriftlicher Quellen).

Die drei Hdb. haben jedoch ein je eigenes Profil. Giraldi ist der gelehrteste unter den Verfassern, derjenige, der die größte Masse an Informationen zusammenträgt. Er ist gleichzeitig der pedantischste, dessen Götterkapitel nach einem kurzen Porträt (Eltern der Gottheit, eventuelle Varianten, Attribute) eine nicht enden wollende Zahl von Beinamen und Epitheta ohne klar erkennbare Ordnung aneinanderreihen, die er mit einer gewaltigen Fülle von Verweisen und Zitaten belegt. Er geht in der synkretistischen Orientierung am weitesten, indem er die griech.-röm. systematisch mit ägypt., assyrischen, babylonischen, persischen u. ä. Gottheiten in Verbindung bringt. Sein Werk macht den Eindruck eines Repertoriums, in dem die Erfindungen der Dichter und deren allegorische Erklärung zugunsten von Sachkenntnissen in den Hintergrund treten. Die *Historia* ist in 17 Syntagmata unterteilt, in denen (nach einem Syntagma ›De deis in universum‹) jeweils ein Hauptgott mit verwandten Gottheiten zusammengestellt wird.

Conti kommt es v. a. auf die philos. Ausdeutung des Mythos an, er behauptet sogar im Vorwort (f. 4r), er sei der erste, der sich ein solches Ziel gesetzt habe; Boccaccio und Giraldi werden nirgendwo erwähnt. Die philos. Ausdeutung, die – wie bei Boccaccio – jeweils auf die Sammlung der *fabulae* der ant. Autoren (bei Conti insbesondere griech. Autoren) folgt, ist jedoch im wesentlichen nichts anderes als die traditionelle allegorische Erklärung nach dem Schema *historice, physice, ethice*. Neu ist die dezidiert moralisch-didaktische Ausrichtung des Werks, das als Lehrwerk für die Jugend konzipiert ist. Anders als Boccaccio ist Conti deshalb nicht auf Vollständigkeit aus, nur die Mythen will er aufnehmen, ›(die) die Menschen zur Erkenntnis der himmlischen Dinge führen, sie in der Rechtschaffenheit unterweisen, von illegitimer Wollust abschrecken und ihnen die Geheimnisse der Natur enthüllen‹ (f. 4v). Seine Allegorien wollen dementsprechend nicht primär, wie die Boccaccios, die ant. Weisheit bloßlegen, der Conti eher distanziert gegenübersteht. Die Überschriften seiner zehn Bücher kündigen eine Ordnung nach Problemen und Themen an: II ›De uno rerum omnium principio et auctore Deo‹, III ›Quam praeclare dicta de inferis excogitata sint ab antiquis‹, doch ist die bestimmende Ordnung auch bei ihm letztlich die nach Göttern.

Cartari geht es v. a. darum, aus der ant. Lit. Informationen darüber zusammenzutragen, wie die Götter bildlich dargestellt wurden (seine Hauptquelle ist neben Boccaccio und Giraldi die *Periegesis* des Pausanias), nur in zweiter Linie will er ant. Erklärungen der Genealogie und der Attribute der Götter anführen. Er ordnet sein Werk übersichtlich nach den bekanntesten röm. Gottheiten. Sein Werk hat anders als die *Mythologia* des Conti keine moralisierende Absicht, es ist v. a. für Dichter und Künstler gedacht, denen es wertvolle Informationen bieten möchte. Seinem Zielpublikum trägt Cartari auch mit der Wahl der Sprache Rechnung: anders als Giraldi und Conti (die sich an human. Fachleute bzw. an die human. gebildete Jugend wenden) schreibt er auf It., erhielten doch die Künstler damals in aller Regel keine umfassende human. Bildung.

Die Mythographen haben nach den ant. Dichtern und deren mod. Rezeptionsformen als der wichtigste Fundort der ant. Mythen zu gelten. Doch konzentrieren sie ihre Aufmerksamkeit auf die Eigenschaften und Attribute der Gottheiten und deren angeblichen tieferen Sinn; die Erzählung der *fabulae* interessiert sie weniger. Deren Schönheit wird kaum spürbar, sie wird verdeckt unter einem Wust von Attributen und naturalistischen und moralischen Deutungen. Vor allem Conti scheut vor keiner rationalisierenden und damit den Mythos tendenziell verflachenden Deutung zurück, wenn es gilt, bestimmte Attribute der Götter in den moralisch-pädagogischen Kontext seiner Deutungsmuster einzubeziehen. Man kann sich kaum vorstellen, daß Dichter, Maler, Leser sich an der Lektüre dieser Werke erwärmen konnten, es sei denn sie griffen zu ihnen, um sich über bestimmte Einzelheiten zu informieren. ›Sie lenken den Blick der Künstler weg von den reinen nackten Formen Griechenlands hin zu erschreckenden oder geheimnisvollen Allegorien‹, so urteilt Jean Seznec; ›Insgesamt ist diese M. (. . .) zugleich pedantisch und barbarisch, und insofern ist sie doppelt antiästhetisch‹ [50. 190, 193].

C. ALLEGORISCHE DEUTUNG

Die beherrschende Rolle der M. in der ant. Kultur mußte problematisch werden, sobald das Christentum an Bed. gewann. Christliche Apologeten wie Lactantius sprechen den Mythen jede philos. Tiefe ab; die Mythen bergen keine moralische Lehre oder naturphilos. Wahrheit in sich, dies behaupten nur die Heiden, um das Skandalöse ihrer Religion zu entschuldigen. Hinter den ant. Gottheiten verbergen sich Menschen, die der heidnische Aberglaube aus Angst oder Bewunderung wie Götter verehrte. Die Dichter verschönerten deren Taten mit Hilfe des ›poeticus color‹ und von ›obliquae figurationes‹, zu denen Lactantius auch die schockierenden Verwandlungen zählt. Iupiter, der sich in einen Adler verwandelte, um Ganymed zu entführen, war ein kretischer König, der den Knaben mit Hilfe seines Heeres raubte, dessen Standarte einen Adler zeigte; Iupiter, der sich in einen Goldregen verwandelte, gewann Danaës Liebe, weil er ihr Geld bot (Divinae Institutiones I,11) [44. 429 ff.]. Mit Hilfe der euhemeristischen Deutungsmethode ließ sich kein tieferer Sinn des Mythos beweisen, sondern nur die Falschheit und Frivolität der heidnischen Götter, und darum ging es der frühchristl. Polemik in erster Linie.

Die Wende zu einer versöhnlicheren Haltung den heidnischen Mythen gegenüber, in einer Zeit, da die heidnische Religion keine echte Gefahr mehr für das Christentum darstellte, vollzog sich mit den *Mythologiae* des Fulgentius. Es wurde üblich, die ant. Mythen als dichterische Erfindungen zu verstehen, unter deren schöner Hülle sich wichtige histor., physikalische und moralische Wahrheiten und Lehren verbergen; diese Wahrheiten und Lehren gilt es mit Hilfe der Allegorie aufzudecken. Die Mythen sind entweder poetisch verbrämte Berichte über histor. Begebenheiten, die Götter in Wirklichkeit große Männer und Frauen, die aufgrund ihrer überragenden Taten von den Mitmenschen göttlich verehrt wurden; oder die Mythen erklären Naturphänomene, die Götter stehen für die Elemente, für Himmelskörper oder sonstige kosmische Erscheinungen; oder die Mythen veranschaulichen moralische Ideen, die Götter verkörpern Tugenden und Laster. Diese Methode der Mythendeutung, die sich schon bei den Griechen im Zusammenhang mit der Verteidigung Homers gegen den Vorwurf, er verunglimpfe die Götter, herausgebildet hatte und die Cicero in *De natura deorum* umfassend erörtert, wird in den Schulen und Univ. des MA und der Ren. und in den mythographischen Hdb. in ununterbrochener Trad. fortleben [50; 2; 9; 28]. Zwar lehnen um 1500 it. Humanisten wie Filippo Beroaldo (*Commentarii in Asinum aureum Lucii Apuleii*, Venedig 1500) [30] oder Raffaele Regio (*Ovidii Metamorphosis cum luculentissimis enarrationibus*, Venedig 1493) [23. 35–46] die Allegorie als den ant. Mythen nicht gemäß ab, die Mythen seien *exempla* und keine Allegorien, die Belehrung, die sie böten, sei dem Text inhärent; doch blieben solche Vorbehalte auf einen Teil der Humanisten begrenzt und konnten die allegorische Mythendeutung nach dem histor., naturphilos. und insbesondere nach dem moralischen Sinn nicht gefährden. Die allegorische Methode wurde, zumal in den großen mythographischen Hdb. des 16. Jh., weiterhin praktiziert.

Anders verhält es sich mit der christl. Allegorese der *fabulae* zu Predigtzwecken, die im 16. Jh. bei den Humanisten und Reformatoren mehr und mehr verpönt wird und schließlich 1559 den gegenreformatorischen Reformbestrebungen zum Opfer fällt. In der christl. Allegorese werden die ant. Mythen nach dem Vorbild der Bibelexegese typologisch, tropologisch (moralisch) und anagogisch (heilsgeschichtlich) ausgelegt [33]. So wie die *catholica ecclesia* einst die heidnischen Tempel zu heiligem Gebrauch in christl. Kirchen umfunktioniert hat, will der Prediger die merkwürdigen, den Zuhörer faszinierenden Mythen *ad usum christifidelium convertere*. Mit Hilfe des typologischen Sinns werden die ant. Mythen *figurae*, Vorverweise auf den christl. Glauben. So wie Moses *figura* (*typus*) Christi ist, so kann dies auch Jupiter, Herkules oder Orpheus sein. Ein Beispiel: Orpheus, der Sohn der Sonne, ist Christus, der Sohn Gottvaters, der sich zu Anf. Eurydike, d. h. die menschliche Seele, in Liebe verband. Doch eine Schlange (der Teufel) biß (versuchte) die Neuvermählte (die Neugeschaffene), während sie Blumen pflückte, d. h. vom verbotenen Apfel begehrte, tötete sie (stieß sie in die Sünde) und schickte sie schließlich in die Hölle. Als dies Orpheus (Christus) sah, stieg er in Person in die Hölle hinab und entriß sein Weib (die menschliche Natur) der Finsternis (*Ovidius moralizatus*, Paris 1509, 73r).

Berryl Smalley hat in ihrem Buch *English Friars and Antiquity* (1964) nachgewiesen, daß diese Tendenz der christl. erbaulichen Nutzbarmachung der ant. Mythen in rel. Schriften und Predigten im 14. Jh. v. a. in einem Kreis von engl. Klerikern zuhause war. Die bekanntesten Namen sind die der Dominikaner Thomas Waleys und Robert Holcot sowie des Franziskaners John Ridewall, der in seinem *Fulgentius Metaforalis* (um 1330) die *Mythologiae* des Fulgentius im Sinne christl. Moraltheologie für Predigtzwecke neu bearbeitet hat [32]. Von Holcot sind die damals enorm verbreiteten, vermutlich ebenfalls im engl. Raum für Predigtzwecke entstandenen *Gesta Romanorum* abhängig. Diese Deutungsmethode fand bald auch in Frankreich Anklang, der anon. Verfasser des *Ovide moralisé* (vermutlich ein Franziskaner, erstes Drittel des 14. Jh.) wie auch der Benediktiner Pierre Bersuire, der im 14. Buch seines *Reductorium morale*, einer christl.-allegorischen Enzyklopädie, stellvertretend für den ant. Mythos wiederum Ovids *Metamorphosen* ausdeutet, führen diese Methode in ihre Werke ein. Der sog. *Ovidius moralizatus* Bersuires (ca. 1340–1350) wird später zusammen mit dem *Ovide moralisé* zur Grundlage der ersten gedruckten frz. Wiedergabe und Deutung der ovidischen Mythen unter dem bezeichnenden Titel *La Bible des poètes* (Paris 1491, Erstausgabe Brügge 1484 unter anderem Titel). Der *Ovidius moralizatus* wird des weiteren Anf. des 16. Jh. mehrfach in

Paris herausgebracht und regt neue christl. Deutungen an: die von dem Dominikaner Pierre Lavin in Angriff genommene *Tropologica nonnullarum fabularum enarratio* (Lyon 1510) ist ebenso vom *Ovidius moralizatus* abhängig wie die christl. Deutung der Mythen, die der Meistersänger Johannes Spreng in seiner emblematischen Bearbeitung der *Metamorphosen* vornimmt (Frankfurt 1563).

Eine ganz andere, den Mythos im Rahmen philos. Spekulationen sublimierende Interpretation hatte in der zweiten H. des 15. Jh. Marsilio Ficino im Rekurs auf Platon versucht. Greifen wir seine Deutung der Venus heraus, die in der Lit. und Malerei der Ren. eine besondere Rolle spielen sollte; man denke nur an Bembos Dialog *Gli asolani* (1505) und an Tizians berühmtes Gemälde *Himmlische und irdische Liebe* [40. 129ff.]. Platon unterscheidet im *Symposion* (180d) eine himmlische und eine »gemeine« Aphrodite, denen er einen je eigenen Eros zuordnet. Marsilio Ficino erläutert in seinem einflußreichen *Commentarium in Convivium Platonis de Amore* (1469, lat.-dt. Ausg. von K. P. Hasse u. P. R. Blum, 1984) die Unterscheidung Platons folgendermaßen (II 7): Die himmlische Venus stammt ab vom höchsten Gott Celus; sie hat keine Mutter, das heißt, da die Naturphilosophen unter der Mutter die Materie verstehen, daß sie ohne Beteiligung der Materie gezeugt wurde, demnach mit dem Körperlichen nichts gemein hat und allein dem Bereich des Engelsgeistes (der *mens angelica*) zugehört; die gemeine Venus wurde hingegen von Zeus (der Kraft der Weltseele) und der Dione gezeugt, sie gehört dem Bereich der *anima mundi* zu und geht dementsprechend Verbindungen mit der Materie ein. ›Mit einem Wort, es gibt zweierlei Aphroditen: die eine ist diejenige Intelligenz, welche wir in dem Engelsgeiste annahmen; die andere ist die der Weltseele angehörende Zeugungskraft‹ (S. 63). Beide Veneres finden sich in der Seele des Menschen. Die himmlische hat die Kraft des Erkennens und der Kontemplation der Schönheit Gottes, die irdische die Kraft des Zeugens; sie will die Schönheit Gottes in den weltlichen Körpern hervorbringen. Die himmlische Venus nimmt den göttlichen Lichtglanz auf und gibt ihn weiter an die gemeine, die dessen Funken in die Materie hineinlegt. Beide Veneres sind untadelig, denn sie sind beide auf die göttliche Schönheit gerichtet. Nur wenn jemand in der Gier des Zeugens die Kontemplation vergißt, wenn jemand die Schönheit des Körpers vor die der Seele stellt, ist die Liebe verwerflich. ›Wer sich aber der Liebe auf rechte Art befleißigt, der preist wohl die schöne Form des Körpers, lenkt aber durch ihre Vermittelung seine Gedanken auf die erhabenere Schönheit der Seele, des Geistes und Gottes und trägt nach dieser das heißeste Verlangen‹ (S. 65).

D. MYTHOS UND DICHTUNG

1. SPÄTMITTELALTER UND FRÜHHUMANISMUS

Wo die griech. – röm. Mythen in der Spätant. und im MA in poetischen oder philos. Werken aufgegriffen wurden, standen sie in der Regel in den Diensten der Allegorie. Dies trifft für *De nuptiis Philologiae et Mercurii* des Martianus Capella (5. Jh.) ebenso zu wie für *De consolatione philosophiae* des Boethius (Anf. 6. Jh.) oder *De planctu Naturae* des Alain de Lille (12. Jh.) [17. 187–209]. Mit den sich wandelnden ökonomischen und sozialen Verhältnissen, mit der beginnenden Verweltlichung der christl.-ma. Kultur entstehen im 12. Jh. die Voraussetzungen für eine verstärkte Rezeption der ant. Dichter und namentlich Ovids, der bis dahin in der abendländischen Kultur keine größere Rolle gespielt hatte, widersprechen doch seine Liebesdichtung und Göttergeschichten deutlicher als etwa Vergils Werke christl. Moral- und Glaubensvorstellungen. In Orléans, der damaligen Hochburg poetischer Studien, macht der Grammatiklehrer Arnulf Ovid zum bevorzugten Gegenstand des Unterrichts: er kommentiert die *Ars*, die *Remedia*, die *Metamorphosen*, die *Fasten*, *Ex Ponto*; zu den *Metamorphosen* verfaßt er außerdem eine allegorische Erklärung, die für das spätere Verständnis des Werks nachhaltige Bed. gewinnen sollte [19]. Die ovidischen Mythen werden zum eigentlichen Erzählgegenstand lat. Gedichte, so etwa bei Matthieu de Vendôme, der im Anschluß an die *Metamorphosen* die myth. Liebeserzählung pflegt. Im Zuge der wachsenden Unterhaltungsbedürfnisse eines höfischen Publikums erlebt die volkssprachliche Dichtung eine erste Blüte; auch hier entdeckt man (neben den keltischen) die ant. Mythen als faszinierende poetische und narrative Stoffe. Chrétien de Troyes greift die Geschichte von *Philomena* auf und erzählt sie neu; von anon. Dichtern stammen der *Piramus* und der *Narcissus*-Lai. Neben myth. Kurzerzählungen entstehen myth. Romane: der *Roman d'Enéas*, der *Roman de Thèbes*, der *Roman de Troie*, Werke die zwar noch stark auf ma. Quellen fußen und in denen sich das märchenhaft Wunderbare und die höfische Galanterie der Zeit mit dem Mythos verbinden, in denen jedoch die ant. Götter- und Heldengeschichten zum leitenden Thema werden [15; 5. 15–51]. Es ist allerdings mit zu bedenken, daß die trojanischen und thebanischen Mythen damals eher als histor. denn als myth. (fiktive) Stoffe angesehen und dementsprechend häufig in histor. Kompilationen tradiert wurden. Die klass. M. spielt schließlich in einem so weit verbreiteten Werk wie dem *Rosenroman* eine zentrale Rolle, vor allem im von Jean de Meun stammenden zweiten Teil [5. 52–89]. Der *Piramus* und die *Philomena* des Chrétien de Troyes wurden Anf. des 14. Jh. in jenes Werk integriert, das in Frankreich bis ins 16. Jh. die Mythenrezeption bestimmen sollte, den *Ovide moralisé* (hrsg. v. C. de Boer, 1915 – 1938), durch den die ovidischen Mythen zum ersten Mal in ihrer Gesamtheit dem volkssprachlichen Leser zugänglich gemacht wurden.

Die verstärkte Rezeption der ant. Dichter greift von Frankreich nach It. über. Dantes ›bella scuola‹ (Inferno IV) spiegelt den Kanon der damaligen Schulautoren: Horaz, Ovid, Lukan; Virgil, den Führer Dantes, und den »Christen« Statius muß man sich hinzu denken. In Bologna finden wir 1321 das erste Dokument, das diese

Praxis eindeutig belegt. Der Professor für Gramm. und Rhet. Giovanni del Virgilio erhält den Auftrag, am Studio ›versifficaturam poesim et magnos auctores, videlicet Virgilium, Stacium, Luchanum et Ovidium maiorem‹ zu erklären (*Italia medioevale e umanistica* 4, 1961, 182). Seine Ovidarbeit, eine exegetische Paraphrase mit allegorischer Deutung in der Trad. des Arnulf, ist erhalten [20]. Ihr sollte vermittelt über die it. Übers. von Giovanni dei Bonsignori ein langes Nachleben beschieden sein [22].

Das Interesse für die ant. Mythen wurde in It. nachhaltig geschürt durch die Rolle, die die drei großen Autoren des Trecento, die die weitere Entwicklung der it. und europ. Lit. maßgeblich bestimmen sollten, ihnen in ihrem Werk zusprachen. In Dantes *Commedia* sind die ant. Mythen überall präsent, man denke nur an die Verwandlungsmythen in *Inferno* XIII und XXIV-XXV oder in *Purgatorio* XIV [24. 17–36; 46. 35–59]. Die *Paganorum Biblia*, wie einer der frühesten Kommentatoren der *Commedia* die *Metamorphosen* Ovids nennt, war Dante, der der röm. Ant. eine ähnlich wichtige Stellung im Heilsplan Gottes zusprach wie dem Judentum, die unerschöpfliche Quelle für die als Parallele zu den biblischen benötigten ant.-myth. Exempel sowie für die myth. Anspielungen und Vergleiche, zu denen er an exponierten Stellen der *Commedia* greift, um eine besondere Sinnfülle zu erreichen [46]. Petrarca, von dessen Götterbildnissen in der *Africa* schon die Rede war, hat das für die *Rime* grundlegende Wortspiel *Laura- l'aura- lauro* aus den ant. Mythen von Apoll und Daphne und Cephalus und Procris gewonnen; die Kanzone XXIII ist so völlig von Ovids Mythen abhängig, daß man sie als ›piccola Metamorfosi‹ bezeichnen konnte [11]. Boccaccio ist derjenige der *tre corone*, dessen Werk am stärksten vom ant. Mythos durchdrungen ist; von der *Caccia di Diana*, seinem ersten bekannten Werk, über den auf Statius fußenden *Teseida* bis hin zum *Ninfale fiesolano*, wo er eine ovidische Verwandlungsgeschichte in der eigenen Heimat ansiedelt, sucht er immer erneut seine Inspiration in den ant. Götter- und Heldensagen [27]. Er ist es dann auch, der die Notwendigkeit empfindet, die ant. Mythen in einem groß angelegten Werk zu sammeln.

Als Folge der vor- und frühhuman. Ausweitung der klass. Studien regt sich im späten Tre- und beginnenden Quattrocento in rigoristischen kirchlichen Kreisen, wo die Unterschiede zw. heidnischer und christl. Kultur hervorgehoben wurden, Widerstand gegen die Rezeption der ant. Mythen; man kritisiert insbesondere ihre Verbreitung in Schule und Kirche. Die *Metamorphosen* mit ihren Götter- und frivolen Liebesgeschichten gelten als Ausbund der Unmoral und des Irrglaubens, als gefährliches Werk, ›ubi omnes errores in fide et moribus proponuntur‹ (Roger Bacon, *Opus tertium*, XV). Der kurze Hinweis auf die Kontroversen zw. dem Florentiner Dominikaner Giovanni Dominici und Coluccio Salutati und zw. dem anon. Verfasser des *Antiovidianus*, einem Mailänder Franziskaner, und dem Humanisten

Ambrogio Migli muß hier genügen. Giovanni Dominici geht in der *Lucula Noctis* (1405, hrsg. v. E. Hunt, 1940), einer gewichtigen Schrift, in der er eine *refutatio* aller human. Argumente für die klass. Erziehung anstrebt, und in *Del governo di cura familiare* (Auszüge in *Prosatori volgari del Quattrocento*, hrsg. v. C. Varese, 1955) mit der damaligen Schulpraxis und dem ant. Mythos bes. hart ins Gericht: die Kinder, die von den falschen Wundern und eitlen Verwandlungen der mythischen Götter hören, so meint er, werden zu Heiden, bevor sie noch zu Christen geworden sind; sie nennen Gott Jupiter oder Saturn, bevor sie noch gelernt haben, ihn als Gottvater, Sohn und Heiligen Geist anzurufen; auf diese Weise wird der wahre Glaube mißachtet und der Samen der Sünde ausgesät. Die Mythen, weit davon entfernt, ein Wegweiser der rechten Lebensführung zu sein, wie die Humanisten behaupten, bringen den Leser, und zumal den jugendlichen, in die Gefahr moralischer und rel. Fehlentwicklung. Coluccio Salutati, das Haupt der Humanisten seiner Zeit, trägt im ersten Buch seiner Schrift *De laboribus Herculis* (in der zweiten Fassung zw. 1383 und 1391 begonnen) eine nachdrückliche Verteidigung der ant. Dichtung vor. Das wichtigste der Argumente, die er anführt, ist wiederum deren moralischer Nutzen: ›Carpunt equidem nostri poete vitiosos et vitia, celebrant autem cum virtuosis honesta laudatione virtutes‹ (hrsg. v. B. L. Ullmann, 1951, I, 10). Auch hier wird die theoretische Grundlage dieser Behauptung durch das allegorische Verständnis der *fabulae* geliefert, die keineswegs nur eitle Erfindungen sind, sondern auf naturwiss., ethische und histor. Wahrheiten und Lehren verweisen (›volunt medullitus aliud aliquid quod naturam, mores, aut vera gesta respiciat designare‹ [I, 13]).

2. RENAISSANCE

Seit dem E. des 15. Jh. begegnen die ant. Mythen überall, in der Lyrik, in der erzählenden Dichtung, in der Malerei, der Skulptur, in der Gebrauchskunst (Maiolica, Teppiche, Kleinplastik, Schmuckgegenstände), in Theateraufführungen, im Ballett, in festlichen Umzügen. Der Mythos löst sich weitgehend aus den Fesseln der Allegorie und wird mehr und mehr aufgrund der Schönheit, der dramatischen Lebendigkeit und Faszination der erzählten Geschichten geschätzt [6. 192; 25]

Vor allem im kulturell maßgeblichen Milieu der Höfe erleben die ant. Götter- und Heldensagen eine außerordentliche Blüte. Der durch die Autorität der Klassiker geadelte ant. Mythos mit seinem beinahe unerschöpflichen Reservoir an für die verschiedensten Situationen geeigneten Themen bot den willkommenen festlich-ornamentalen Rahmen für zahlreiche Manifestationen des höfischen Lebens. Man fand in ihm, besonders wenn er umgegossen wurde in mod. Formen, die feinsinnige Unterhaltung, die man in der Lit., im Schauspiel, in den Künsten suchte [24]. Eine solche neue Form war das myth. dramatische Festspiel. In der Nachfolge des *Orfeo* Polizians (1480?), des bekanntesten Repräsentanten dieser Gattung, entstanden zahlreiche

Stücke, die dem Unterhaltungsbedürfnis der Höfe in der Karnevalszeit oder bei besonderen Festlichkeiten (bei Hochzeiten zumal) dienten [4]. Häufig wurden die Stoffe ausgewählt, die sich zur Neugestaltung als Hochzeitsdrama eigneten: der Mythos von Orpheus und Eurydice, von Cephalus und Procris, von Amor und Psyche. Die Aufführungen gaben freudigen Ereignissen festlichen Glanz, sie durften insofern nicht traurig enden. Das *lieto fine*, das die Autoren entgegen der Trad. in den Mythos einführten, ist nur eine der zahlreichen im Hinblick auf die besonderen Umstände der Aufführung vorgenommenen Aktualisierungen. Das höfische myth. Festspiel hatte neben der feinsinnigen Unterhaltung der Hofgesellschaft eine weitere Funktion; es diente der Repräsentation und Legitimierung der fürstlichen Macht, erlaubte der Mythos es doch, den Herrscher in eine höhere Welt zu projizieren, ihm einen übermenschlichen Status zu geben. Bei der Aufführung ant. oder mod. Kom., die keine myth. Thematik hatten, übernahmen diese Funktion die den Stücken beigegebenen myth. Zwischenspiele. Aus Anlaß der Aufführung der *Calandra* des Bibbiena 1513 in Urbino, einer der beliebtesten Kom. der Ren., wurde z. B. in vermutlich von Baldassare Castiglione konzipierten pantomimischen Tänzen der Jason-Mythos gezeigt, der die Rolle des Herzogs von Urbino im Krieg der Heiligen Liga gegen die Franzosen verherrlichen sollte [24. 165–185]. Aus diesen mit allem erdenklichen Aufwand an Prunk, künstlerischen und technischen Mitteln veranstalteten Theateraufführungen wird später die Oper hervorgehen, die ihre Stoffe fast ausschließlich der ant. M. entnehmen wird. Von Polizians *Orfeo* führt eine direkte Linie zum ersten vollständig erhaltenen Melodrama, der *Euridice* des Ottavio Rinuccini, die 1600 in der Vertonung von Iacopo Peri anläßlich einer Fürstenhochzeit in Florenz inszeniert wurde [47]. Als weitere dramatische Gattung, die (außer auf biblische) auf myth. Stoffe zurückgreift, gewinnt um die Mitte des 16. Jh. die Trag. an Bedeutung.

Neben den dramatischen Festspielen ist die erzählende Dichtung die wichtigste Form der Rezeption und Neugestaltung der ant. Mythen. Niccolò da Correggio widmet um 1490 seine *Fabula Psiches et Cupidinis* Isabella d'Este. Durch Sannazaros *Arcadia* (ca. 1485) werden die bukolischen Mythen wiederbelebt. Selbst in die Ritterdichtung dringt der Mythos ein; Boiardos Erneuerung des Genus im *Orlando Innamorato* beruht nicht nur auf der Einführung des Liebesmotivs in die Karlsepik, sondern ebenso auf der Neugestaltung zahlreicher Episoden mit Hilfe ant. *fabulae*. In Polizians *Stanze per la giostra del magnifico Giuliano di Piero de' Medici* (1475) ist die M. in solcher Dichte präsent, daß die Erzählung eher der myth. Dichtung als der Ritterdichtung zuzurechnen ist. Polizian verlegt die Liebe des Giuliano de' Medici, des Bruders Lorenzos des Prächtigen, zu Simonetta in den Bereich der ant. Mythen: Giulano wird zu einem Gefolgsmann der Diana, Simonetta zu einer von Amor ausgesandten Nymphe. Die Beschreibung des Palastes

der Liebesgöttin Venus gibt dem Dichter Gelegenheit, die ant. M. Revue passieren zu lassen; die meisterhafte Schilderung der Schaumgeburt der Venus sollte Botticellis berühmtes Gemälde anregen. 1475 wird der – am Hof von Ferrara viel gelesene – *Teseida* des Boccaccio mit den (um 1425 entstandenen) myth. Erklärungen des Pier Andrea de' Bassi in Ferrara gedruckt, eine Initiative, die das Interesse der Zeit – über das myth. Festspiel und über die myth. Kurzerzählung hinaus – auch für das myth. Epos in *ottava rima* dokumentiert, das Boccaccio mit diesem – sich an der *Thebais* des Statius orientierenden – Werk in die it. Dichtung eingeführt hatte.

Zu Beginn des 16. Jh. wird es gleich zu mehreren Versuchen kommen, das myth. Epos in der it. Dichtung heimisch zu machen [12; 25. 53–72]. Im Juli 1503 erschien in Venedig der *Thebano* des sonst nicht weiter bekannten Battista Caracini aus Macerata. Im Januar 1504 (1503 *more veneto*) folgte die wiederum in Venedig gedruckte *Amazonida la qual tracta le gran bataglie e triumphi che fece queste donne Amazone* des Andrea Stagi aus Ancona; Weihnachten 1504 beendete der Bolognese Giovanni Filoteo Achillini seinen – allerdings erst 1513 (in Bologna) gedruckten – *Viridario*, in dem er, wie es zu Beginn heißt, ›die vortrefflichen Unternehmungen‹ des Königs Minos besingen will (f. 5v). Obwohl Caracini sich im Exordium von der Ritterdichtung ausdrücklich distanziert und obwohl er mit den thebanischen Sagen eben jenen Stoff aufgreift, der auch dem *Teseida* des Boccaccio zugrundeliegt, hat er doch keinen engeren Kontakt zur neuen lit. Avantgarde und steht in der Trad. der breiten volkstümlichen *ottava rima*-Dichtung, die im Zuge der allg. Hochschätzung der Ant. am E. des 15. Jh. ihrerseits die Mythen als dankbare Stoffe entdeckt hatte; damals waren mehrere *cantari* myth. Thematik entstanden (über Pyramus und Thisbe, Prokne und Philomela, Meleager und Atalanta, Orpheus und Eurydike), und auch längere Gedichte wie der in ma. Stofftraditionen verwurzelte anon. *Troiano* (1483), an den Caracini mit seinem *Thebano* offenbar anknüpfen will. Mit dem Wechsel des Stoffes ist bei Caracini also keine lit. Neuorientierung verbunden; auf den klass. Stoff überträgt er vielmehr die konventionellen Erzählschemata der *ottava rima*-Dichtung. Stagi und Achillini hingegen orientieren sich deutlich an den Idealen der Avantgarde. Die Wahl des ausgefallenen Amazonenstoffes wurde Stagi ohne Zweifel von Boccaccio nahegelegt, der im ersten Buch der *Teseida* den Feldzug des Theseus und Herkules gegen die kriegerischen Frauen erzählt, eine Episode, die in der *Amazonida* wiedererscheint. Aber nicht nur dies: die *Teseida* (man vergleiche Stagis Titel *Amazonida*) war offensichtlich Stagis maßgebliches gattungsmäßiges Modell, insbesondere hinsichtlich der Symbiose von Elementen des ant. myth. Epos und der höfischen Ritterdichtung. Doch noch auf einen zweiten emblematischen Text der Zeit, der diese Symbiose (unter anderem Vorzeichen) ebenfalls verwirklicht, nimmt Stagi Bezug, wie er gleich zu Beginn seines Gedichts offenlegt, wo er Wendungen aus dem Exordium der *Stanze* Polizians wörtlich übernimmt. Wie in der *Amazonida* des Stagi verbindet sich auch im *Viridario* des Giovanni Filoteo Achillini das myth. Gedicht mit zahlreichen Elementen der Ritterdichtung. Im Hintergrund steht als Modell wiederum die *Teseida* Boccaccios, worauf Achillini selbst verweist, wenn er in die Aufzählung der ant. Helden, die zur Hochzeit des Glauco kommen, Arcita und Palemone, die ritterlichen Helden des *Teseida*, aufnimmt (f. 138r).

Die Tatsache, daß zu Beginn des Cinquecento gleich drei myth. Epen entstehen, kann nicht darüber hinwegtäuschen, daß sich das myth. Gedicht in It. nicht durchzusetzen vermochte. Schon bald (1516) wird Ariost seinen *Orlando Furioso* publizieren, dessen gewaltiger Erfolg den Ritterroman zum angesehensten Genus in der erzählenden Dichtung des Cinquecento macht. Ähnlich wie Boiardo gelingt Ariost jedoch die Neugestaltung des Ritterromans nicht zuletzt deshalb, weil er massiv auf die ant. Mythen zurückgreift, nach deren Muster er zahlreiche Episoden seines Gedichts gestaltet; als Beispiel sei nur die Befreiung der Angelica durch Ruggiero genannt, die der Befreiung der Andromeda durch Perseus nachgebildet ist [48. 153–171]. Zu Versuchen der Neubelebung des myth. Epos wird es im gesamten 16. Jh. nur vereinzelt kommen (Giraldi Cinzio publiziert 1557 einen – unvollständigen – *Ercole*, Ercole Udine 1599 eine *Psiche*), im Unterschied zur myth. Kurzerzählung, die das ganze Jh. hindurch beliebt bleibt. Das myth. Langgedicht wird erst wieder mit dem *Adone* (1623) des Giambattista Marino im 17. Jh. zu Ehren kommen.

Eine gesonderte Bemerkung verdienen die Emblembücher, die sich bis ins 18. Jh. in ganz Europa einer großen Beliebtheit erfreuten [26]. Schon in Alciatis *Emblematum liber* (1531), dem Prototyp und Modell der Gattung, sind etwa ein Viertel aller Bildgedichte dem Mythos entnommen, dem meist ein moralischer Sinngehalt zugesprochen wird: Aeneas etwa erscheint als Sinnbild der ›Pietas filiorum in parentes‹ (LXIX). Der gewaltige Erfolg der Emblembücher führte dazu, daß man auch die ant. Dichter emblematischen Bearbeitungen unterwarf. Die berühmte *Métamorphose d'Ovide figurée* zeigt die für das Emblembuch typische Dreiteiligkeit: Inscriptio, Pictura, Subscriptio, nimmt aber anders als das Emblembuch keine Ausdeutungen der Mythen vor, sondern erzählt diese nur in poetischer Form nach. In der Nachfolge der *Métamorphose d'Ovide figurée* entstehen dann jedoch eigentliche Emblembücher. Die schon genannten *Tetrasticha in Ovidii Metamor. Lib. XV quibus accesserunt Vergilii Solis figurae elegantiss.* des Arztes und Dichters Johannes Posthius aus Germersheim (Frankfurt 1563) wenden sich nicht nur an die Maler, Bildhauer und Kunsthandwerker, sondern, wie es im Vorwort heißt, an den ›gmeinen Mann(s) im Teutschen Land‹, den es lehren soll, ›wie man sol wol und züchtig leben‹. Die ant. Mythen eignen sich zu einer solchen Unterweisung in bes. Weise, denn sie enthalten viele merkwürdige Dinge, die das Interesse des Lesers wek-

ken, und liefern gleichzeitig ein Modell des rechten Lebens. Die moralische Belehrung, die z. B. Narziß bietet, lautet: ›Das Laster hangt uns an schier allen/ Daß wir uns selbs zuvil gefallen‹, Icarus: ›Verwegenheit groß schaden bringt‹, Phaëton: ›Der was nit kann und nimps sichs an/ Der muß den spott zum Schaden han‹. Die Illustrationen, die die Verse begleiten, bewirken, daß der Leser-Betrachter an den Fabeln noch mehr Gefallen findet und sich so die guten Exempel leichter einprägt [24. 213–236; 36. 156–184].

Der Umgang mit den ant. Mythos, der sich in der it. Ren. herausbildet, wird vorbildhaft für das übrige Europa. Vor allem Frankreich folgt eng dem von It. vorgegebenen Muster. Das Programm der Dichter der Pléiade fordert die Pflege der ant. und it. Gattungen, die an die Stelle der heimischen treten sollen. Diese Forderung schließt einen neuen Gebrauch der ant. Mythen ein [10; 38]. Bis dahin waren die ant. Mythen v. a. von der mehrfach gedruckten *Bible des Poètes* und dem *Grand Olympe* (1532) vermittelt worden, die vom *Ovide moralisé* und *Ovidius moralizatus* abhängig sind und die ant. Mythen in einer anspruchslosen Prosaparaphrase wiedergeben. Clément Marot hat die *Metamorphosen* zum ersten Mal nach dem Original übersetzt (Buch I, 1534 und II, 1543); Barthélemy Aneau fügte 1556 ein weiteres Buch hinzu und publizierte die Übers. zusammen mit einer Erklärung ›par Allégories Historiales, Naturelles et Moralles‹ und einer ›Préparation de voie à la lecture et Intelligence des poètes fabuleux‹, in der er sein von den Italienern geprägtes human. Mythenverständnis darlegt; die christl. Allegorese verwirft er, da sie anachronistisch sei und das Heilige mit dem Profanen vermenge [35].

In der ersten H. des Jh. steht ein Dichter wie François Habert noch ganz in der Trad. der Mythenrezeption des *Ovide moralisé*. *La fable de Piramus et Thisbe* und *La fable du beau Narcissus* (1541), die Habert als Übers. ausgibt, sind in Wirklichkeit vom *Grand Olympe* abhängig. In *La Nouvelle Pallas, la Nouvelle Juno, la Nouvelle Venus* (1545) geht es ihm weniger um die Erzählung des Parisurteils als um die Darlegung des wahren Glaubens und der wahren Liebe, die von den neuen Göttinnen verkörpert werden. Die neue Venus und die neue Juno erscheinen in enger Verbindung mit Catarina de' Medici, die neue Pallas (›Pallas nouvelle et catholique‹) wird dem Dauphin, dem späteren Heinrich II., zugeordnet [38. 50–70]. Mit den Dichtern der Pléiade setzt sich ein neues Mythen- und Dichtungsverständnis durch. Ronsard hat zwar im *Hercule chrétien* auf die christl. Ausdeutung der ant. Mythen zurückgegriffen, doch ist dieses Mythenverständnis für ihn nicht typisch. Er verwendet die myth. Erzählung oft, wie in der Ode *Le ravissement de Cephale*, um die Eigenheit des poetischen Diskurses sowie die Natur poetischen Schaffens zu ergründen [38. 125–132]. Die Anspielung auf die ant. Mythen verankert seine Dichtung in der als vorbildhaft empfundenen klass. Trad., die für den Dichter der *Oden* und *Hymnen* primär die griech. Trad. (Pindar) ist. In den *Hymnen* personifiziert Ronsard die im Kosmos wirkenden Kräfte in den Gestalten der M. In einer seiner *Oden* verklärt er den königlichen Hof als Olymp auf Erden: Heinrich II. ist Jupiter, Catarina de' Medici Juno, der Herzog von Guise Mars usw. Ronsards Liebesgedichte, wie schon vor ihm die des Maurice Scève, erhalten eine bes. Beziehungsfülle durch die Wahl der Namen der Geliebten (Délie, Cassandre, Hélène), die auf ant. mythische Frauen und die *fabulae*, die an sie gebunden sind, verweisen. Auch Ronsard versucht sich, wie vor ihm die Italiener, am myth. Epos, das sich jedoch in Frankreich ebenso wenig durchsetzen kann wie in Italien: in der *Franciade* leitet er in der Nachfolge der *Illustrations de Gaule et Singularités de Troie* (1511–1513) [38. 17–40] des Jean Lemaire de Belges die Herkunft der frz. Könige von Francus ab, einem Nachkommen der Könige von Troja, der demnach Aeneas, dem Begründer des röm. Reichs, an Alter und Würde in nichts nachsteht. Andere Pléiadedichter pflegen die myth. Kurzerzählung oder das Hirtengedicht wie Remy Belleau (*La Bergerie*) und Jean-Antoine de Baïf, der seine myth. *Poèmes* über Pyramus und Thisbe, Salmacis, Atalanta etc., in denen er eng Ovid folgt, als Geschenke des Dichters an Freunde präsentiert, denen sie ästhetisches Vergnügen bereiten sollen. Pontus de Tyard gibt den drei Bänden der *Erreurs amoureuses* (1549, 1551, 1555) ihre innere Einheit durch den neuplatonisch geprägten philos. Sinngehalt, den er den ant. Mythen zuspricht; im ersten Band kommt insbesondere dem Ixion-Mythos, verbunden mit den Symbolen des Rades, des Ringes und des Kreises, eine Leitmotivfunktion zu [34; 25. 93–112]. Etienne Jodelle schreibt die ersten frz. Trag. (neben einer *Cléopâtre captive* eine *Didon se sacrifiant*), eine Gattung, die im *siècle classique* herausragende Bed. bekommen sollte.

3. KLASSIK

Das 17. Jh., namentlich dessen zweite H., steht in Frankreich im Zeichen der → Querelle des Anciens et des Modernes. Die ant. Lit. wird von den Modernes in ihrer Vorbildlichkeit in Frage gestellt; in einer Zeit, da einerseits Rationalismus, andererseits gegenreformatorische Orthodoxie an Bed. gewinnen, sind zumal die ant. Mythen der Kritik ausgesetzt. Sie werden in burlesken Bearbeitungen wie dem *Virgile travesty* (1648–1652) oder dem *Ovide bouffon* (1649) und dem *Ovide en belle humeur* (1650) lächerlich gemacht [36. 113–156, vgl. 25. 73–92] und in den Traktaten der Modernes im Namen der Vernunft, der Moral und der Religion abgeurteilt [14. 49–65]. Sie seien mit den Werten der neuen Zeit unvereinbar, widersprächen dem *bon sens*, seien unwahrscheinlich, unkohärent und in sich widersprüchlich; die Schandtaten der Götter und Helden verletzten die *bienséance*; das Auftreten heidnischer Götter stehe im Widerspruch zum christl. Glauben. Autoren wie Desmarest de Saint-Sorlin fordern, daß das *merveilleux païen* in der Dichtung durch das *merveilleux chrétien* ersetzt werde, allein der wahre Glaube könne wahre Dichtung inspirieren. Andere Modernes verlangen, daß nationale an die Stelle der ant. Themen treten, die *fable gauloise* die *fable grecque* ablöst. 1686 schreibt Jean de Pré-

chac eine lit. unbedeutende, aber ideologisch interessante myth. Allegorie des Titels *La Jalousie des dieux*. Ludwig XIV. erscheint unter dem Namen Celte le Grand, der die Häresie aus seinem Reich vertrieben hat. »Häresie« schickt »Zwietracht« zu den Göttern des Olymp, die Celte in seine Schranken weisen sollen. Die Götter ziehen aus gegen den Rivalen, doch umsonst, er ist ihnen in allen Bereichen überlegen. Die Botschaft ist klar: die griech.-röm. Welt ist durch das *siècle de Louis XIV* alias Celte, ein Name, der die nationale Trad. herausstellt, endgültig überwunden [14. 54]. Charles Perrault wird im *Poème sur le siècle de Louis le Grand* (1687) und in der *Parallèle des Anciens et des Modernes* (1693) diese Gedanken verallgemeinern.

›Qu'on fait d'injure à l'art de lui voler la fable!/ C'est interdire aux vers ce qu'ils ont d'agréable (...)./ Des roses et des lis le plus superbe éclat,/ Sans la fable, en nos vers, n'aura rien que de plat‹, so verteidigt Corneille in seiner *Défense des fables dans la poésie* den Gebrauch der ant. Mythen (Œuvres, 1862, X, 235 ff.). Ähnlich äußern sich die anderen großen Klassiker des 17. Jh., Racine, La Fontaine, Boileau, Fénelon, La Bruyère. Den Vorwürfen der Modernes ist gemeinsam, daß sie der Dichtung keinen Eigenraum, keine eigene Redeweise zugestehen wollen. Eben diese Besonderheit der Dichtung wird von den Anciens verteidigt, die dem Mythos spezifisch poetische Eigenschaften zuerkennen, die nur ihm eigen sind. Racine spricht im Vorwort zu *Phèdre* von den ›ornements de la fable, qui fournit extrêmement à la poésie‹; der Mythos hat, so Boileau, hinsichtlich des Gegenstands der Dichtung die Fähigkeiten des ›orner, élever, embellir, agrandir‹ und hinsichtlich der Wirkung auf den Leser und Zuschauer die des ›surprendre, frapper, saisir, attacher‹ (L'Art poétique, III, 175, 188) [14. 25–31]. Der *merveilleux chrétien* kommt als Stoff der Dichtung nicht in Frage, da er anders als der Mythos sich nicht primär an die Vorstellungskraft des Lesers wendet und weil die dichterische Behandlung die hl. Stoffe profanieren würde.

Die Anciens verteidigen den Mythos nicht nur in theoretischen Schriften, sie machen ihn wiederum zur stofflichen Grundlage ihrer Werke und entnehmen ihm ihre poetischen Schmuckmittel. La Fontaine greift auf Apuleius zurück und versetzt seine prosimetrische Erzählung *Les Amours de Psyché et de Cupidon* (1669) in die Gärten von Versailles; Fénelon schreibt *Les Aventures de Télémaque* (ca. 1695), um seinen Schüler, den Enkel Ludwigs XIV., in die ant. Welt und M. einzuführen. Das *siècle classique* ist jedoch v. a. das große Jh. des Theaters. Die Kom. gestaltet, der Gattungsdefinition gemäß, keine myth. Stoffe; Molières *Amphitryon* (1668) ist eine durch das Vorbild des Plautus legitimierte Ausnahme. Um die Mitte des Jh. beherrscht der Mythos die *pièces à machines*, jene von der it. Oper beeinflußten Stücke, die aus Anlaß höfischer Feste aufgeführt wurden und beim Zuschauer durch den mannigfachen Einsatz von Theatermaschinen und den reichlichen Gebrauch des *merveilleux* Erstaunen und Bewunderung hervorrufen sollten [8]. Auch Corneille schrieb mit *Andromède* (1650) und *La Toison d'Or* (1660) derartige Stücke, in denen er höfische Galanterie und heroisches Ethos verbindet. Das höfische Fest, die Hofballette, die Bankette, die Umzüge stehen überhaupt ganz im Zeichen der Mythen. Als die Truppe Molières 1664 das erste große Hoffest Ludwigs XIV. in Versailles ausrichtet, schreibt er als zentrales Unterhaltungsstück die *Princesse d'Elide*, eine Ballettkomödie mit mannigfachen myth. Bezügen; das Fest wurde der Fiktion nach zu Ehren des Königs und der Königin von Rittern in den Diensten der Alcina gestaltet, die am ersten Tag in der Rüstung von Griechen ein Turnier austragen; im Mittelpunkt der Entrée steht mit deutlicher Anspielung auf den Sonnenkönig der Wagen Apolls, der von zahlreichem myth. Gefolge begleitet wird. Beim abendlichen Bankett schweben Diana und Pan vom Himmel herab, um dem königlichen Paar ihre Speisen darzubieten. 1670 schreibt Molière im Auftrag des Königs zusammen mit Corneille, Quinault und Lulli die Balletttragödie *Psyché*, die bereits in großer Nähe zur Oper steht. Doch erst Lulli tut 1673 in *Cadmus et Hermione* den entscheidenden Schritt zum ausschließlich gesungenen Schauspiel. Lullis sechzehn Opern haben mit Ausnahme von zwei Stücken, in denen er auf den Ritterroman rekurriert, alle myth. Themen (*Alceste ou le Triomphe d'Alcide* 1674, *Thésée* 1675, *Atys* 1676, *Isis* 1677, *Psyché* 1678 etc.).

Die Trag. triumphiert mit Racine, dessen bekannteste Stücke wiederum myth. sind: *Phèdre* (1677), *Iphigénie* (1674), *Andromaque* (1667); schon 1663 hatte er eine *Thébaïde* verfaßt. Racine setzt sich, anders als die meisten Autoren der Zeit, in seiner Neuformung der ant. Mythen auch mit den griech. Bearbeitungen des Aischylos, Sophokles und Euripides auseinander, was seinen Stücken bes. Beziehungsfülle verleiht. Obwohl er, wie er sagt, ›scrupuleusement‹ den Gegebenheiten des Mythos folgt, verwirft er doch bestimmte Einzelheiten, die *bienséance* und *vraisemblance* verletzen könnten. In *Iphigénie* gibt er der Protagonistin anders als Euripides einen Liebhaber und eine Rivalin, die an ihrer Stelle am E. des Stückes geopfert wird; die ›absurde‹ und ›unglaubwürdige‹ Verwandlung der Iphigenie in eine Hirschkuh mutet er seinem Publikum nicht zu (*Préface*). Über Andromaque sagt er, er folge nicht der Figur des Euripides, sondern der Idee ›que nous avons maintenant de cette princesse‹ (*Seconde Préface*). Der Mythos bietet Racine exemplarische Darstellungen extremer menschlicher Lebenssituationen, die ihm als Ausgangspunkt für seine Analyse der ›nature humaine‹, der menschlichen Leidenschaften und der Fatalität des Lebens dienen können [13; 29].

4. NACHKLASSISCHE ZEIT

Der Mythos lebt auch nach der Querelle im 18. Jh. in Dichtung und Kunst fort, das eingangs gebrachte Zitat kann davon eine lebendige Vorstellung vermitteln. Die oberflächliche und anmaßende Homerkritik des Houdar de La Motte (*L'Iliade. Poëme, avec un discours sur Homère*, 1713) wird von der Gräzistin Anne Dacier heftig zurückgewiesen (*Des causes de la corruption du goût* 1715; *Homère défendu*, 1716). Sehr erfolgreiche popularisierende myth. Werke wie die *Lettres à Emilie sur la Mythologie* von Demoustier belegen das fortbestehende Interesse. Voltaire, der weiterhin in der Trad. des 17. Jh. myth. Tragödien schreibt (*Oedipe, Ériphile, Oreste …*), macht in seiner *Apologie de la fable* (Œuvres complètes, 1877, IX, 365–366) die christl. Legenden lächerlich: anders als die Mythen Homers und Ovids sind sie häßlich und verdummen. Erst mit Chateaubriands *Génie du Christianisme* (1802) wird sich das Postulat der Überlegenheit der christl. Kunst durchsetzen können. Am E. des Jh. gelingt André Chénier in den *Bucoliques* (1778–1787) eine überzeugende Neubelebung der ant. Götterwelt, jedoch greifen die für den Fortgang der frz. Lit. entscheidenden Werke nicht mehr auf die ant. M. zurück. Die wiss. Auseinandersetzung mit dem Mythos beginnt (Fontenelle, *De l'origine des fables*, 1724; Giambattista Vico, *La Scienza nuova*, 1725–1744), die im 19. Jh. ihre Blüte erleben wird.

Die Romantik wird die ant. M. als Grundlage der Dichtung und der Künste grundsätzlich in Frage stellen. Vor allem in It. und Frankreich kommt es Anf. des 19. Jh. zu einer heftigen Querelle über die Beziehungen zw. Dichtung und M., die im Zentrum der – teilweise an die Querelle des Anciens et des Modernes anschließenden – Polemik zw. Romantikern und Klassizisten steht und letztlich Wesen und Funktion der Dichtung zum Gegenstand hat. Im Namen der neuen poetischen Ideale der Volkstümlichkeit, des Rückgriffs auf das MA, des freien, spontanen Schaffens und der Originalität, der Darstellung des Wahren, Wirklichen, Zeitgenössischen in einfacher, konkreter, direkter Form erklärt man die M. für überholt und der Dichtung schädlich: sie sei nur einer Bildungselite zugänglich und der Mentalität des Volks zutiefst fremd; sie enge den Dichter in der Freiheit des Schaffens ein; indem sie ihm Stoffe und Ausdrucksmittel vorschreibe, verleite sie ihn zu steriler Nachahmung; sie sei den Vorstellungen und Glaubensformen einer vergangenen Welt verhaftet und der mod. christl. Sensibilität nicht angemessen; sie diene als Spiel der Phantasie dem bloßen Vergnügen, sei ohne Nutzen für den moralischen und polit. Fortschritt; sie sei bloße Fiktion und führe damit von der Wirklichkeit und Wahrheit weg. Zwar erlauben auch die Romantiker die Darstellung von Legenden und Mythen, jedoch müssen diese im Glauben und Brauchtum des Volks verwurzelt sein, was nach ihrer Meinung wohl für die ma. christl. Vorstellungen von Zauberern, Hexen und Gespenstern zutrifft, nicht aber für die heidnisch-ant. Göttersagen. Die christl. inspirierte Dichtung ist grundsätzlich der heidnisch-myth. überlegen.

Die romantische Auflehnung und Neuerung bedeutete freilich nicht das E. der ant. M. in der Dichtung und in den Künsten. Immer wieder haben einzelne Dichter, Maler, Bildhauer bis in die jüngste Zeit hier ihre Inspiration gesucht, nennen wir im 19. Jh. in Frankreich nur Leconte de Lisle (oder Jacques Offenbach, der mit seiner *Belle Hélène* 1864 ein parodistisches Sittengemälde des Zweiten Kaiserreichs schuf) und die Symbolisten, in jüngerer Zeit Gide, Cocteau, Giraudoux, Anouilh, Marguerite Yourcenar – oder Camus und Sartre, die in Essays (*Le Mythe de Sisyphe*) oder Dramen (*Les Mouches*) auf griech. Mythen rekurrieren, um in ihnen existenziale Anliegen des mod. Menschen zu thematisieren [1; 8. 305–350]. Doch die Romantik brachte das E. der ant. M. als weitgehend allgemein verbindlicher Grundlage des lit. und künstlerischen Schaffens. Eine jahrhundertealte Trad. lief damit aus. Parallel dazu verlor die ant. M. ihre Bed. als Lehrstoff in den Schulen und damit als Teil der Allgemeinbildung, so daß wir h. gelegentlich Namen wie Mars, Herkules, Aiax eher mit Süßigkeiten, Bier und Putzmittel in Verbindung bringen als mit ant. Göttern und Helden.

1 P. ALBOUY, Mythes et M. dans la littérature française, 1969 2 D. C. ALLEN, Mysteriously Meant. The Rediscovery of Pagan Symbolism and Allegorical Interpretation in the Renaissance, 1970 3 E. R. CURTIUS, Europ. Lit. und lat. MA, ⁴1963 4 A. TISSONI BENVENUTI, M. P. MUSSINI SACCHI (Hrsg.), Teatro del Quattrocento. Le corti padane, 1983 5 R. BLUMENFELD-KOSINSKI, Reading Myth. Classical Mythology and Its Interpretations in Medieval French Literature, 1997 6 A. BUCK, Die Rezeption der Ant. in den romanischen Lit. der Ren., 1976 7 F. CAPPELLETTI, G. HUBER-REBENICH (Hrsg.), Der ant. Mythos und Europa, 1997 8 C. DELMAS, M. et mythe dans le théâtre français (1650–1676), 1985 9 P. DEMATS, Fabula. Trois études de mythographie antique et médiévale, 1973 10 G. DEMERSON, La M. classique dans l'œuvre de la Pléiade, 1972 11 Ders. (Hrsg.), Poétiques de la métamorphose. De Pétrarque à John Donne, 1981 12 C. DIONISOTTI, Fortuna e sfortuna del Boiardo nel Cinquecento, in: G. ANCESCHI (Hrsg.), Il Boiardo e la critica contemporanea, 1970 13 R. ELLIOT, Mythe et légende dans le théâtre de Racine, 1969 14 C. FAISANT, L. GODARD DE DONVILLE (Hrsg.), La M. au XVIIe siècle, 1982 15 E. FARAL, Recherches sur les sources latines des contes et romans courtois du Moyen Age, 1913 16 G. FOLENA (Hrsg.), Istoria di Eneas vulgarizata da Angilu di Capua, 1956 17 M. FUHRMANN (Hrsg.), Terror und Spiel. Probleme der Mythenrezeption, 1971 18 I. GALLO, L. NICASTRI (Hrsg.), Aetates Ovidianae. Lettori di Ovidio dall'Antichità al Rinascimento, 1995 19 F. GHISALBERTI, Arnolfo d'Orléans, un cultore di Ovidio nel secolo XII, in: Memorie del R. Istituto Lombardo di Scienze e Lettere (cl. di Lettere) 24 (1932) 20 F. GHISALBERTI, Giovanni del Virgilio espositore delle *Metamorfosi*, in: Il Giornale dantesco 34 (1933) 21 G. VON GRAEVENITZ, M. Zur Gesch. einer Denkgewohnheit, 1987 22 B. GUTHMÜLLER, Ovidio Metamorphoseos vulgare. Formen und Funktionen der volkssprachlichen Wiedergabe klass. Dichtung in der it. Ren., 1981 23 Ders., Studien zur ant. M. in der it. Ren., 1986 24 Ders., Mito, poesia, arte. Saggi sulla tradizione ovidiana nel Rinascimento, 1997 25 B. GUTHMÜLLER, W. KÜHLMANN (Hrsg.), Ren.-Kultur und ant. Myth., 1999 26 A. HENKEL, A. SCHÖNE (Hrsg.), Emblemata, Hdb. zur Sinnbildkunst des XVI. und XVII. Jh., 1967 27 R. HOLLANDER, Boccaccio's two Venuses, 1977 28 J. HORN, H. WALTER (Hrsg.), Die Allegorese des ant. Mythos, 1997 29 R. C. KNIGHT, Racine et la Grèce, 1950 30 K. KRAUTTER, Philol. Methode und human. Existenz.

Filippo Beroaldo und sein Komm. zum Goldenen Esel des Apuleius, 1971 31 E. LEUBE, Fortuna in Karthago. Die Aeneas-Dido-Mythe Vergils in den romanischen Lit. vom 14. bis zum 16. Jh., 1969 32 H. LIEBESCHÜTZ, Fulgentius metaforalis. Ein Beitr. zur Gesch. der ant. M. im MA, 1926 33 H. DE LUBAC, Exégèse médiévale. Les quatre sens de l'Écriture, 1959–1964 34 H. MAREK, Vom leidenden Ixion zum getrösteten Narziß. Der ant. Mythos im Werk von Pontus de Tyard, 1999 35 CLÉMENT MAROT, BARTHÉLEMY ANEAU, Les trois premiers livres de la *Métamorphose* d'Ovide, hrsg. v. J.-C. MOISAN, 1997 36 M. MOOG-GRÜNEWALD, Metamorphosen der *Metamorphosen*. Rezeptionsarten der ovidischen Verwandlungsgeschichten in It. und Frankreich im XVI. und XVII. Jh., 1979 37 A. MOSS, Ovid in Renaissance France. A Survey of the Latin Editions of Ovid and Commentaries Printed in France before 1600, 1982 38 Ders., Poetry and Fable. Studies in Mythological Narrative in Sixteenth-Century France, 1984 39 P. DE NOLHAC, Pétrarque et l'humanisme, ²1907 40 E. PANOFSKY, Studies in Iconology. Humanistic Themes in the Art of the Renaissance (1939), 1972 41 Ders., Problems in Titian mostly iconographic, 1969 42 Ders., Hercules am Scheidewege und andere ant. Bildstoffe in der neueren Kunst, hrsg. v. D. WUTTKE, (1930) 1997 43 Ders., Die Ren. der europ. Kunst, übers. v. H. Günther, (1960) 1990 44 J. PÉPIN, Mythe et allégorie. Les Origines grecques et les contestations judéo-chrétiennes, 1958 45 M. PICONE, B. ZIMMERMANN (Hrsg.), Ovidius redivivus. Von Ovid zu Dante, 1994 46 M. PICONE, T. CRIVELLI (Hrsg.), Dante. Mito e Poesia, 1999 47 N. PIRROTTA, Li due Orfei. Da Poliziano a Monteverdi, 1975 48 L. ROTONDI SECCHI TARUGI (Hrsg.), Il mito nel Rinascimento, 1993 49 F. SAXL, La fede negli astri. Dall'antichità al Rinascimento, hrsg. v. S. SETTIS, 1985 50 J. SEZNEC, Das Fortleben der ant. Götter. Die myth. Trad. im Human. und in der Kunst der Ren., übers. von H. Jatho, (1940) 1990 51 H. WALTER, H.-J. HORN (Hrsg.), Die Rezeption der *Metamorphosen* des Ovid in der Neuzeit, 1995 52 E. WIND, Pagan Mysteries in the Renaissance, ²1968.
BODO GUTHMÜLLER

II. ALLTAGSWELT
A. GEGENSTANDSBEREICH B. REZEPTIONSGESCHICHTLICHE VORAUSSETZUNGEN AM BEISPIEL DES DEUTSCHEN SPRACH- UND KULTURRAUMES C. PRÄSENZ DER MYTHEN IN DER ALLTAGSWELT DER GEGENWART

A. GEGENSTANDSBEREICH

Ein trojanischer Held im Putzeimer, ein olympischer Gott als Rakete, eine Muse zum Fahren: Mythische Figuren der griech.-röm. Antike wie Ajax, Apollo oder Clio haben in der mod. Gesellschaft ihren festen Platz, und je nachdem, wie weit man den Begriff der Alltagswelt faßt, begegnen sie täglich als Produktnamen, in der Werbung, Subkultur, in Filmen, Computerspielen, Kunst und Lit., im Berufsleben, Internet oder dem allg. Sprachgebrauch. Allerdings treten die mythischen Figuren oft in Gewändern auf, unter denen ihre ursprüngliche Gestalt, der ant. Mythos, nicht mehr zu erkennen ist, so daß bei einer rezeptionsgeschichtlichen Betrachtung jeweils zu prüfen ist, welche Rolle der ant. Kontext überhaupt noch spielt und worin die Bed. der Mythen in der heutigen Alltagswelt liegt. Dabei kann das Problem der Mythos-Definition in den Hintergrund treten, da es nicht entscheidend ist, ob es sich bei den ant. Mythen um ein »Wissen in Geschichten« oder um ›traditionelle Erzählungen mit besonderer »Bedeutsamkeit«‹ [1. 14; 2] handelt, sondern welche »Geschichten« in einer Gesellschaft als Mythen wahrgenommen und tradiert werden. Im europ. Kulturraum steht diese Frage im engen Zusammenhang mit der jeweiligen Präsenz der griech.-röm. Ant. als Quelle der Mythen. Eine erste Erschließung der Mythen in der europ. Alltagswelt wird z.Z. durch ein von der EU gefördertes Projekt im Rahmen des Sokrates-Programms versucht.

B. Rezeptionsgeschichtliche Voraussetzungen am Beispiel des deutschen Sprach- und Kulturraums

Das Fehlen einer topographischen Kontinuität ant. Mythen über ihre Rückbindung an bestimmte Plätze, wie sie in Griechenland oder It. besteht, macht deren Vermittlung vom Grad der Bildung abhängig. Während die griech.-röm. Mythologie im 19. Jh. auf der Grundlage der Neuhuman. und einer staatlich geförderten Antikenbildung [3. 30–55] zum Objekt einer starken künstlerischen, musikalischen und lit. Rezeption wurde und v. a. durch Gustav Schwabs *Die schönsten Sagen des klass. Alt.* (3 Bde., zuerst 1838–40) breite Bevölkerungsschichten schon von Kindheit an erreichte, ist im 20. Jh. nach dem Verlust des Bildungsmonopols der human. Gymnasien die Auseinandersetzung mit den ant. Trägern seltener und der Zugang zu den Mythen über eine direkte Rezeption erschwert.

Gleichwohl legte die populäre Sammlung Schwabs den Grundstein für eine Herauslösung der Mythen aus ihrer engen Verknüpfung mit der Antikenrezeption: In ihrer dt. Fassung konnten aus den ant. Mythen »klass. Sagen« werden, die auch in einer nicht von der human. Bildung geprägten Gesellschaft gelesen werden und sich von ihren ant. Trägern, v. a. den *Metamorphosen* Ovids und dem mythographischen Handbuch Ps.-Apollodors abgekoppelt haben. Mit dieser indirekten Rezeption setzt eine verstärkte Kanonisierung der Mythen ein: Schwabs Sammlung enthält nur eine Auswahl bestimmter Mythen, die in einer geglätteten Fassung präsentiert werden, so daß aus verschiedenen Versionen ein einheitlicher, stringenter Gesamtmythos konstruiert wird. Die Nuancen, Variationen und die für die ant. Mythographie charakteristische Offenheit der Ausgestaltung gehen dabei für die Rezeption verloren.

Die Arbeit am Mythos [4] hört nicht auf: In Auseinandersetzung mit der ant. (oder vermittelten) Version werden neue Kontextualisierungen versucht, die das Potential der Mythen zeigen und weiter ausloten. Rezeptionsobjekte und -zeugnisse kommentieren sich so gegenseitig, wobei die benutzte Vorlage als Kontrastfolie dienen oder bewußt ausgeklammert werden kann, um z. B. einen neuen Mythos zu schaffen. Je nach Intensität des Dialogs mit der Ant., der durch eine Rezeption eröffnet und/oder von dem Rezipienten erkannt

wird, kann es zu einer Reduktion des Mythos auf einen oder mehrere Teilaspekte bis hin zu einer reinen Begriffs- oder Namensrezeption kommen, bei der keine Anspielung auf den Mythos mehr intendiert ist und allein der Klanggehalt des mythischen Namens interessiert, mit dem allenfalls die Autorität einer nicht weiter spezifizierten Ant. verbunden ist.

C. Präsenz der Mythen in der Alltagswelt der Gegenwart

1) Ein direkter Rückgriff auf die ant. Vorlagen ist seltener geworden und findet im wesentlichen in den Bereichen der Kunst und Lit. mit Blick auf eine gebildete Adressatengruppe statt. Solche Rezeptionsprodukte stehen, ganz gleich in welchem Maße, mit dem ant. Mythos und/oder der Trad. seiner Rezeption in Verbindung und suchen diese Rückbindung, um ihre Wirkung entfalten zu können: Christoph Ransmayrs *Die letzte Welt* (1988) lädt zu einem Vergleich mit Ovids *Metamorphosen* ein [5], und die Kenntnis der ant. Mythen wird bei der Lektüre von Sten Nadolnys *Ein Gott der Frechheit* (1994) vorausgesetzt, um in der Satire auf die mod. Gesellschaft mittels ant. Mythen zugleich eine Parodie der ant. Mythen und Götter über ihre Transformation ins 20. Jh. zu erkennen. Kanonische Beschränkungen finden sich für die lit. und künstlerische Mythenrezeption nicht (Beispiele in [6] mit Lit.-Verweisen), sondern der Rekurs auf die ganze Breite der M. wird zum Thema, und ausgehend von populären und kontrovers diskutierten Rezeptionszeugnissen wie Christa Wolfs *Kassandra* werden Fragen nach Grenzen im Dialog mit der Ant. und der Aktualisierung ihrer M. gestellt.

2) Weitaus am häufigsten finden sich Zeugnisse indirekter Rezeption mit dem Aufgreifen von Trad.-Strömen, in denen der ant. Kontext nur teilweise bzw. selektiert erhalten ist. Entsprechend vorsichtig sollte man bei vielen mod. Rezeptionszeugnissen mit einer zu sehr auf die Ant. blickenden Zugangsweise sein, um nicht wie Goethes Herold im *Faust* an seinem Objekt zu scheitern: ›Die Bedeutung der Gestalten/ Möcht' ich amtsgemäß entfalten./ Aber was nicht zu begreifen,/ Wüßt' ich auch nicht zu erklären.‹ (5506–9). Das exegetische Dreieck von Rezeptionsobjekt, Rezipient und Adressat muß von Fall zu Fall neu bestimmt werden, und je nachdem was für ein Dialog geführt wird, spielt die ant. Vorlage nur eine untergeordnete Rolle oder verbirgt sich hinter der Doppelstrategie des Rezipienten, sowohl für einen Adressaten mit Kenntnis der Mythen wie für einen ohne dieses Wissen ein attraktives Rezeptionsprodukt zu bieten. Dabei können sich auch Divergenzen im Dialog von Rezipient und Adressat ergeben, wenn ein Rezeptionszeugnis einen anderen Kontext evoziert als er bei dem Adressaten vorhanden ist. Bucht man beispielsweise einen Flug mit »Ikarus-Reisen«, so muß man davon ausgehen, daß der Name in Unkenntnis der negativen Seite des Mythos, dem Absturz von Ikarus, gewählt wurde, und daß eine Reduzierung der Figur auf ihre positive Seite, die Idee des

Fliegens, erfolgte. Umgekehrt wird bei der Wahl der myth. Figur gezielt mit der Kenntnis des Adressaten gearbeitet, der sich gern der Detektei »Argos« anvertrauen soll und den Wäschesalon »Adonis« um so lieber betreten wird, wenn er weiß, daß sich hinter dem Namen ein schöner Jüngling verbirgt, dessen Anblick sogar Göttinnen verführt.

Eine Sonderstellung nimmt die Rezeption der ant. Mythen im Bereich der Subkultur ein, wo Mythos teils als etwas Mystisches, Irrationales verklärt, teils eskapistisch verwendet wird: Mythen erscheinen als Wegweiser in eine phantastische Welt, dienen als Fluchtpunkte aus der aufgeklärten Zeit und als Möglichkeit, der Realität einer mythenlosen Gesellschaft zu entkommen. Für diesen Zweck bieten sich die ant. Mythen an, da sie bereits existieren und zumindest vage präsent sind, so daß man keine »neuen Mythen« mitsamt Inventar erfinden und dem Rezipienten schmackhaft machen muß. Der Erfolg von Comics [7] und Computerspielen mit ant. Mythen spricht für sich und bezeugt das große Interesse, für die Dauer eines Spiels der Realität zu entkommen und etwa als »Tomb Raider« in die Welt eines König Midas einzutauchen.

3) Läßt sich bei vielen Zeugnissen noch ein Bezug zum ant. Mythos herstellen, so erscheinen mythische Figuren bes. in der Produktwerbung oft ohne erkennbaren Rückbezug zu ihrem urspr. Kontext und werden zu universell einsetzbaren Begriffen wechselnden Inhalts. Im Bereich Heidelberg beispielsweise lassen die *Gelben Seiten* für das J. 1999/2000 bei acht von insgesamt 19 Verwendungen mythischer Figuren keinen Antikenbezug erkennen: So repräsentiert Hera eine Glaserei und Zeus ist Namenspatron einer Gesellschaft für Nutzfahrzeuge. Überregional gesellt sich das eingangs erwähnte Fahrzeug »Clio« zum Schokoladenriegel »Mars«. Daß in der Wirtschaft verstärkt mit dem Namen ant. mythischer Figuren gearbeitet wird, erstaunt nicht, schließlich äußert sich im Rückbezug auf ein gemeinsames kulturelles Erbe die Suche nach möglichst breiten Identifikationsangeboten für einen europ. Kundenkreis. Auch im allg. Sprachgebrauch lassen sich vielfach Spuren von Mythen finden, deren Bed. nicht mehr mit der Kenntnis des Mythos verbunden ist: Wer denkt beispielsweise bei einem »panischen Schrecken« noch an den Hirtengott oder wird vom Klang einer Alarm-Sirene angelockt? Haben viele alltäglich gewordene mythische Figuren so ihren Mythos verloren, stellen sie gleichwohl ein Potential zur erneuten Beschäftigung mit der Ant. dar. Man muß sich nur anregen lassen, ›den hochkomplexen, ja widerstreitenden Botschaften nachzuspüren, die aus den alten Geschichten herausklingen‹ [1. 25], doch genau das ist die Achillesferse.

→ Mythologie I; Mythos

→ AWI Mythographie

QU 1 W. BURCKERT, Ant. Mythos – Begriff und Funktion, in: H. HOFMANN (Hrsg.), Ant. Mythen in der europ. Trad., 1999 2 A. HORSTMANN, Der Mythosbegriff vom frühen Christentum bis zur Gegenwart, in: Archiv f. Begriffsgesch.

23, 1979, 7–54. 197–245 3 M. LANDFESTER, Human. und Ges. im 19. Jh., 1988 4 H. BLUMENBERG, Arbeit am Mythos, 1979 5 M. MOOG-GRÜNEWALD, Über die ästhetische und poetologische Inanspruchnahme ant. Mythen bei Roberto Calasso, Le nozze di Cadmo e Armonia und Christoph Ransmayr, Die letzte Welt, in: H. HOFMANN, [1], 243–60 mit Bibliographie 6 V. RIEDEL, Antikerezeption in der dt. Lit., 2000 7 T. LOCHMANN, Antico-Mix, Ant. in Comics, 1999

LIT 8 R. BARTHES, Mythen des Alltags, 1964 9 K.-H. BOHRER (Hrsg.), Mythos und Mod., 1983 10 H. DICKINSON, Myth on the Modern Stage, 1969 11 M. FUHRMANN (Hrsg.), Terror und Spiel. Probleme der Mythenrezeption, 1971 12 F. GRAF, Mythos in mythenloser Gesellschaft. Das Paradigma Roms, 1993 13 K. JASPERS, R. BULTMANN, Die Frage der Entmythologisierung, 1981 14 L. KOLAKOWSKI, The Presence of Myth, 1989 15 W. OLBRICH, Ant. Mythen in mod. Prosa, 1986 16 R. SCHLESIER, Faszination des Mythos, 1985 17 I. STEPHAN, Musen & Medusen. Mythos und Geschlecht in der Lit. des 20. Jh., 1997 18 R. STUPPERICH, Lebendige Ant., Rezeptionen der Ant. in Politik, Kunst und Wiss., 1995 19 O. TAPLIN, Feuer vom Olymp, 1991 20 CH. TRILSE, Ant. und Theater heute. Betrachtungen über M. und Realismus, Trad. und Gegenwart, Funktion und Methode, Stücke und Inszenierungen, ²1979.

MANUEL BAUMBACH

Mythos I. BEGRIFF II. DEUTUNGSGESCHICHTE

I. BEGRIFF

A. BEGRIFF UND VERFAHREN

B. REZEPTIONSGESCHICHTE

A. BEGRIFF UND VERFAHREN

I. MYTHOS UND MYTHOLOGIE

Im Unterschied zum Terminus »Myth.«, der einerseits – als »Rede« (Logos) von den Handlungen der Götter und Heroen – den Gesamtbestand an überlieferten Erzählungen (die »Mythen«) eines Volkes, und zum anderen – als »reflektiertes Wissen« (Logos) über diese mythischen Erzählungen – die wiss.-kritische Beschäftigung und Darstellung im Sinne einer »Mythenlehre« meint, bezeichnet der Begriff des Mythos (M.) in der Rezeptionsgeschichte die Entwicklung und Beschreibung eines kognitiven Organisations- und Narrationsmodells. Als solches steht das »mythische Erkennen«, das erklärte Andere des logischen Erkennens, entweder in Konkurrenz zum metaphysisch oder wiss.-positiv begründeten Erkenntnismedium des Logos, wirkt als exoterische bzw. allegorische Verkleidung seiner »eigentlichen«, esoterischen Gehalte, tritt als eigenständiges erkenntnisleitendes Komplementärvermögen neben ihn, bzw. wird zur apriorischen Voraussetzung des logischen Erkennens selbst. Ist die Rezeptionsgeschichte des Begriffes »M.« mithin die Geschichte seiner theoretischen Konstitution in Auseinandersetzung mit der Konzeption des Logos, so bezeichnet der Begriff – im Kontext etwa der histor. Ethnologie und Anthropologie – auch eine genuine Lebensform: die intellektuelle, rel. und soziale Grundverfassung dessen, der »im M. lebt«.

2. Verfahren

Ausgangspunkt des mythischen Erzählverfahrens (Mythopoiesis), das – in der Weise einer numinosen Setzung – das erlebte Transzendente (Numen) in den Namen (Nomina) der mythischen Objekte zur Erscheinung bringen will, ist einerseits die nominale Aufteilung des Numinosen in die Vielfalt konkurrierender anthropomorpher Wesen und Erscheinungen, zum anderen die narrative Einordnung derselben in ein weitgespanntes Netz genealogischer Beziehungen. Die kulturelle – reflexive und pragmatische – Funktion dieser polytheistischen Nomenklatur und Narration besteht in der ›archа‹. Gewaltenteilung‹, die als Quelle und Ergebnis der kontinuierlichen erzählerischen ›Arbeit‹ an den Mythen den ›Absolutismus‹ der erlebten Wirklichkeit – die Kontingenz – bekämpft (Hans Blumenberg [18]). Das narrative Kontingenzbewältigungs- und Sinnstiftungsverfahren, das die Ursprungsfragen ›fernrückt‹, also distanzierende Funktion gewinnt, setzt an die Stelle dieser ferngerückten Anfangsgründe eine archetypische Erzählung, die den Ursprung im Erzählprozeß »erfindet« und auf diese Weise ›unbefragbar‹ macht [18. 142]. Zusätzlich zu seiner distanzierenden erhält der M. somit letztbegründende Funktion, indem er die Voraussetzung von Regularitäten und Veränderungen innerhalb der raumzeitlichen Lebens- und Erfahrungswelt auf numinose Ursprungshandlungen – die Archai oder Archetypen – gründet und auf diese Weise narrativ, sprich: logosfremd, »erklärt«. Die Archai, welche ihrerseits als überzeitlich singuläre, im histor. Erfahrungsraum jedoch ›identisch wiederholt(e)‹ Muster vorzustellen sind [31a. 135f.], erscheinen somit als Konstituenten und Konstanten innerhalb der mythischen Erzählung selbst. Bei gleichzeitiger, nahezu ›ikonische(r)‹ Beständigkeit [18. 165] der archetypisch-narrativen Kerne – der Mythologeme – sind die mythischen Erzählungen je nach Region und Zeitumständen ihrer Weitergabe variabel, unterliegen also permanent spezifischen Veränderungen im Prozeß der Rezeption. Zentrales Merkmal dieser Varianz ist wiederum die relative Offenheit der Raum- und Zeitverhältnisse im Medium des mythischen Erkennens, die sich dem Zusammenspiel von hl. (»identisch-wiederholter«, zyklischer) und meßbarer profaner (linearer) Zeit, bzw. hl. (entgrenztem) und profanem (individuell begrenztem) Raum verdankt. Entsprechend werden auch die mythischen Objekte (etwa Götterbilder, kultische Gerätschaften und Orte) als komplexe Einheiten aus materiell und ideell »realen« Elementen vorgestellt [31a].

3. Abgrenzung

Die numinosen Wesenheiten, die man auch als apriorische Voraussetzung des myth. Diskurs- und Denkmodells verstehen kann [31a. 133f.], erfüllen im Zusammenspiel mit den regulativen Archai eine doppelte Funktion: als Grundlage sowohl für die diversen Einzel-M., als auch für die im Bereich des Kultus ausgeführten rituellen Handlungen. ›Die Hauptfunktion des M.‹ zeigt sich hier in seiner Fähigkeit, ›die exemplarischen Modelle für alle Riten und alle wesentlichen Betätigungen des Menschen (...) zu »fixieren«‹ (Mircea Eliade [24. 87]), wobei der im Vollzug des Rituals erfahrenen Präsenz des Hl. auch ein identifikatorisches Moment zu eigen ist, das wiederum als Präfiguration des mystischen, durch imaginativen Aufschwung zur Verschmelzung mit der Gottheit führenden Erlebens (unio) gelten kann. Im Unterschied zur Forderung der Religion nach strenger Observanz der in den hl. und somit unveränderlichen Schriften, Dogmen, Ritualen und Verfügungen fixierten Glaubenssätze ist der M. aber weder präskriptiv noch normativ, ihm fehlt ›jede Tendenz zur ständigen Selbstreinigung (...), zum Abstoßen des Unzugehörigen‹ [18. 264]. Auch bleiben die an letzten, allg. und abstrakten Grundprinzipien orientierten metaphysischen Erkenntnis- und Erklärungsstrategien dem Erfahrungs- und Bedeutungsraum des Mythischen genauso fremd wie der an diese Strategien angelehnte Anspruch der → Magie, ›mythische Vorstellungen in Beherrschungsrituale umzuwandeln‹ [31a. 347]. Dagegen wirkt das myth. Diskursmodell als raum- und zeitenthobenes und doch zugleich auf die konkreten Raum- und Zeitverhältnisse bezogenes Struktur- und Sinnstiftungsverfahren auch im außermyth. histor. Diskurs und dessen narrativen Konstruktionen (in Geschichtsphilos., Geschichtsschreibung und -dichtung) fort; und dies nicht nur im Gattungsrahmen einer fiktional-»mythopoetischen« Geschichts-Erzählung, sondern auch im augenscheinlich deskriptiven, »wiss.« Geschichtsmodell. Auch in der aktuellen Wissenschaftsgeschichte (etwa Thomas S. Kuhn, Paul Feyerabend) werden jene mythischen Voraussetzungen des vermeintlich »strengen« Wissenschaftsdiskurses, seiner Theoriebildungs- und Realisationsverfahren reflektiert.

B. Rezeptionsgeschichte

1. Mythos als »falscher Logos«

Die schon in ant. Zeit einsetzende Kritik am M. (etwa bei Xenophanes und Hekataios), welche in der Fiktionalitätskritik bei Platon und in Epikurs anthropozentrisch-hedonistischer Befreiungslehre einen ersten Höhepunkt erreicht, sieht im Begriff des M. eine Gegenkonzeption zum Logos, der als wahre und verantwortete Rede der moralisch fragwürdigen, weil »erlogenen« und unverbürgten mythischen Erzählung gegenübersteht. In frühchristl. Zeit wird diese Interpretation des myth. Diskursmodells als »falscher Logos« für die Abgrenzung der neuen Heilsbotschaft – des »wahren« Logos – von den »falschen *fabulae*« und »Häresien« der ant. M. anschlußfähig und in der → Patristik (etwa bei Origines und Tertullian) entsprechend fortgeführt. Auch die im MA und im Human. einsetzende positivere Bewertung von Funktion und »Wahrheit« dieser »heidnischen Erzählungen« hat jene Vorbehalte gegenüber den ant. M. nur zum Teil beseitigt; in der ethnographisch und histor. orientierten Aufklärungskritik erscheinen diese einmal mehr als Inversion des Logos, als ›histoire des erreurs de l'esprit humain‹ (Fontenelle) [5. 202], als gleichsam infantile Stufe auf dem Weg der geistes- und kulturgeschichtlichen Evolution der Menschheit hin zum »siècle de raison«. Auch Hegel, der im myth. Diskurs bereits ›Gedanken‹ angedeutet findet, stuft das Narrativ des Mythischen als ›Werk der phantasirenden Vernunft‹ [8. 102 f.] zugunsten des »Begriffs«, der Ausdrucksform des philos.-logischen Diskurs- und Denksystems zurück und arbeitet damit dem Wissenschaftsmodell des »logozentrisch«-kritischen Rationalismus zu, der, wo er M. als »Metaphysik« und »Mystik« deklariert (wie etwa in der Theorie des logischen Positivismus), dessen produktives Potential als eigene Erkenntnis- und Erschließungsdimension in Frage stellt. Die reduktive Vorstellung vom Mythischen als logosfeindlichem Prinzip erscheint, wenngleich mit logoskritischer Implikation, auch noch im Hintergrund der Ideologiekritik von Horkheimer/Adorno, etwa in der festgestellten »Dialektik«, Aufklärung als ›radikal gewordene, mythische Angst‹ schlage wieder ›in die Myth. zurück‹ [1. 32, 44]. Das mythenskeptische Moment des theologischen Diskurses wiederum ergibt sich aus der Forderung nach einer programmatischen »Entmythologisierung« (Rudolf Bultmann), welche die im NT vermeinte rel. Wahrheit unabhängig von den biblischen, als nicht mehr zeitgemäß empfundenen Mythologemen denkt und diese Wahrheit mittels Reduktion der mythischen Gehalte für die aufgeklärte Weltsicht der Moderne zu bewahren hofft (vgl. [23. 102 ff.]).

2. MYTHOS ALS »EXOTERISCHE FORM« DES LOGOS

Ebenfalls ant. Ursprungs ist die Mytheninterpretation als myth. Allegorese, welche den im Hintergrund der mythischen Erzählungen vermuteten geheimen und durch deren äußere, sprich: »exoterische Phantasmata« verdeckten inneren, den »esoterisch wahren« Logos zu erschließen sucht (Theagenes). Schon mit der systematisch durchgeführten allegorischen Profanisierung der erzählten Götterwelt – sowohl durch die Erklärung dieser Götter zu Naturgewalten in der Deutung der Stoa, bzw. ihre Reduktion zu menschlichen Heroen bei Euhemeros, als auch in deren metaphysischer Allegorese durch Plutarch – sind die zentralen allegorischen Verfahren vorgegeben, welche in der nachfolgenden Mytheninterpretation als Rezeptionsmuster Verwendung finden konnten. Die scholastische Allegorese, welche die trad. heidnischen Erzählungen als metaphysische Vorausdeutungen biblischer Ber. liest, entwickelt sich aus dieser Trad. der myth. Allegorese ebenso wie in der Frühaufklärung die historisierende Behauptung, in den M. sei der Wissens- und Erfahrungsschatz der frühen Völker noch »poetisch« (exoterisch) festgehalten (Giambattista Vico), könne aber allegorisch mittels einer eigenen »mitologia« (also esoterisch) zu rekonstruieren sein ([16], vgl. ähnlich [7]). Der M. gilt mithin als »dichterische« Ausdrucksform, die in der Mythostheorie der Frühromantik auch als *sermo mythicus seu symbolicus* bezeichnet (Christian Gottlob Heyne [9]) und in Herders sprach- und volksgeschichtlicher Kulturphilos. histor. hergeleitet und entfaltet wird. Der allegorische Beschreibungsmodus, der sich in der aufklärungs- und ra-

tionalitätskritischen Programmatik des romantischen Diskurses auch »symbolisch« nennt und M. als ›Theologumena‹ und ›ausgesprochene Symbole‹ definiert (Georg Friedrich Creuzer [4. 42 ff.]), bleibt auch für die rationalistische Definition bestimmend, die im exoterischen Gewand der mythischen Erzählungen verborgene »Philosopheme« sieht (G. Hermann, Hegel, Schopenhauer); er findet sich bis in die Werke Freuds, der in den M. vornehmlich die narrative Ausgestaltung psychopathologischer Konflikte diagnostiziert und seine psychoanalytische Begrifflichkeit als ›unsere Myth.‹ bezeichnet [6. 529]. Allegorischen Charakter hat z. T. auch noch die strukturale Mytheninterpretation der neueren Ethnologie und Anthropologie, die das vom myth. Diskurs- und Denksystem aus einzelnen »Mythemen« kombinierte Sinnkonstrukt als narrative Umsetzung zentraler kognitiver Muster und anthropologischer Strukturgesetze zu erweisen sucht (Claude Lévi-Strauss).

3. NEUE MYTHOLOGIEN

Der Ruf nach einer neuen, auf die aktuellen Zeitverhältnisse bezogenen und prospektiv-utopischen Myth. erscheint bereits in Platons *Politeia* als konkrete Forderung nach einer ›durchaus wohlgemeinte(n) Lüge‹ (Plat. rep. 414), die dem Staat zum Nutzen zu »erfinden« sei. Die damit eingeleitete konstruktivistisch-funktionale M.-Diskussion, die sich vom MA bis zur Aufklärung vornehmlich in Gestalt erfindungsreicher allegorischer Lektüren zeigt, erhält in den poetologisch-philos. Diskurssystemen der Genieästhetik, Klassik und Romantik programmatische Funktion. Zwei unterschiedliche Tendenzen lassen sich dabei erkennen: einerseits die bis in die Moderne praktizierte produktive Aneignung, Bearbeitung und Neudeutung der überlieferten Mythologeme insbes. der griech. Myth. (bes. im Zusammenhang mit der frz. → Querelle des Anciens et des Modernes, dann in der Programmatik Winckelmanns, an der sich wiederum die Dichtungstheorie der Klassik orientiert, bis zum poetischen und philos. Diskurs der Gegenwart), zum anderen die aus der produktionsästhetischen Zusammenschau von Poesie und M. resultierende Idee der zeitgemäßen Mythenschöpfung, die – als »Volksschöpfung« in der Genieästhetik vorbereitet (Herder, Brüder Grimm) – im sog. *Ältesten Systemprogramm des dt. Idealismus* (Schelling) zur prägnanten Forderung geworden ist: ›wir müßen eine neue Myth. haben, diese Myth. aber muß im Dienste der Ideen stehen, sie mus e (sic!) Myth. der *Vernunft* werden‹ [14. 111 f.]. Entworfen auf der Grundlage der kantischen Natur-Philos. entwickelt diese »hieroglyphische« Myth. [15. 204] in ihrer Ablehnung sowohl der im Prozeß der Überlieferung erstarrten und als normativ erlebten Numina wie auch des mythoskritischen Vernunftbegriffs der Aufklärung ein auf die Konzeption von kommunikativer Freiheit, Intersubjektivität und Organizität gegründetes Vernunft-Modell. Im Rahmen dieses philos., gesellschaftskritischen und dichtungstheoretischen Konstrukts wird dann die Poesie – beruhend auf der ›Harmonie des Ideellen und Reellen‹ (Schlegel [15. 203]) – zum geheimen Zentrum jener konstruktiv-utopischen Erneuerungsbestrebungen, die für das Selbstverständnis des romantischen Diskurssystems charakteristisch sind (vgl. [27]). Die Vorstellung der individuellen, zeitgemäßen Mythenschöpfung wirkt als produktionsästhetisches Modell auch noch im philos.-künstlerischen wie gesellschaftlich-polit. Diskurs der Folgezeit (Richard Wagner, Friedrich Nietzsche, Ernst Bertram, Alfred Rosenberg, Georges Sorel, Vladimir Majakowskij) und bleibt – z. T. im Rahmen einer allg. Ideologiekritik (etwa bei Manfred Frank [28]) – bis in die Mythosdiskussion der Gegenwart mit ihren (unbewußten oder inszenierten) »Mythen des Alltags« (Roland Barthes) präsent.

4. Logos als »mythisches Konstrukt«

War im rezeptionsgeschichtlichen Verlauf bereits bei Vico mit der ›logica poetica‹ ein für die mythischen Erzählungen spezifisches Verfahren angesprochen [16. 161 ff.], das bei Heyne unter der Bezeichnung *sermo mythicus* auch eine eigene, wenngleich kulturgeschichtlich frühe Denk- und Ausdrucksform beschrieb, so findet sich – im Anschluß an die klass. Autonomieästhetik (insbes. Karl Philipp Moritz') und die myth. Erneuerungsbewegung im romantischen Diskurs – die philos. und ästhetisch nachdrücklichste Aufwertung des M. in der M.-Theorie des 20. Jh. Sie bezeichnet eine Neubewertung, die – entgegen den vornehmlich allegorischen Tendenzen innerhalb der Rezeptionsgeschichte und im Gegensatz zur einflußreichen These von der geistes- und kulturgeschichtlichen Entwicklung »vom M. zum Logos« (Wilhelm Nestle) – dem Diskurs- und Denkmodell des M. eine genuine »Wahrheit« (»Logos«) zuerkennt. »Myth. Denken« gilt dabei als kategorial vom logisch-wiss. Diskurs verschieden, es ist eine originäre Denk- und ›Lebensform‹, nicht etwas, das ›auch unmythologisch ebensogut und ebenso voll ausgedrückt werden könnte‹ (Karl Kerényi [10. 12]), sondern eine ›typische Weise des Bildens‹, welcher ›ein Gesetz von eigener Art und Prägung zugrunde liegt‹ (Ernst Cassirer [2. 20; 3. 11]). Als ›eigentümliche »Modalität« (...) der geistigen Formung‹, deren ›mythische Kausalität‹ bildhaft ›be-gründet«, nicht logisch »erklärt« [3. 7, 47; 10], wird sie im lebensphilos. Diskurs auch ontologisch aufgewertet und – z. T. polemisch – als »Beseelung« über die empirisch-rationale »Wissenschaftlichkeit« gesetzt (Henri Bergson, Ludwig Klages). In der aktuellen Mythosdiskussion steht diese »Rationalität des Mythischen« (Kurt Hübner) als distinkter Modus der Erkenntnis mit der Rationalität der Wiss. auf gleicher Stufe: ›Wiss. und mythische Erfahrung haben die *gleiche Struktur*‹ [31a. 287]; sie unterscheiden sich ›im *Inhaltlichen*‹ und nach der modalen Fassung ihrer »rationalen«, welterschließenden Potenz. Die gegenseitige Durchdringung der Konzepte »M.« – »Logos«, wie sie – skeptisch reflektiert bei Horkheimer/Adorno – in der Konsequenz der neueren »konstruktivistischen« Definition und Aufwertung des M. liegt (Hans Blumenberg, Kurt

Hübner, Heinz Reinwald, Ingo W. Rath), führt ihrerseits zu einer Neubewertung auch des wissenschaftstheoretischen Logos-Begriffs. Bezüglich seiner mythosanalogen apriorischen Voraussetzungen – etwa der histor. Bedingtheit wiss. Begriffs- und Theoriebildung, die zusätzlich an vorgegebene und ihrerseits histor. kontingente axiomatische Begründungen gebunden ist –, erweist sich der positivistische, rationalistische Begriff von Wissenschaftlichkeit aus Sicht der aktuellen Mythostheorien selbst in weiten Teilen als ein »mythisches«, gerade deshalb aber auch erkenntnisleitendes Konstrukt. Die »Gegenwärtigkeit des M.« (Leszek Kolakowski) wird mithin zur Möglichkeitsbedingung jenes logischen Erkennens (›M. der Vernunft‹ [33. 58 f.]), das seine eigenen histor. Bedingungen und Kontingenzen reflektiert.

→ Mythendeutung; Poetik; Theologie und Kirche des Christentums

→ AWI Mythos; Patristik; Polytheismus; Stoa

QU 1 Th. W. Adorno, Dialektik der Aufklärung. Philos. Fragmente (1947), Gesammelte Schriften Bd. 3, hrsg. von R. Tiedemann, 1997 2 E. Cassirer, Philos. der symbolischen Formen, 3 Bde. (1923–29), Bd. 2, ^{9}1994 3 Ders., Die Begriffsform im mythischen Denken (1922), in: Ders., Wesen und Wirkung des Symbolbegriffs, ^{8}1994, 1–70 4 G. F. Creuzer, Symbolik und Myth. der alten Völker, bes. der Griechen, Bde. 1–4 (1810–12), Bd. 1, ^{3}1837, Ndr. 1973 5 B. Le Bovier de Fontenelle, De l'origine des fables, in: Œuvres complètes 3, 1989, 187–202 6 S. Freud, Neue Folge der Vorlesungen zur Einführung in die Psychoanalyse (1932), Studienausgabe Bd. 1, hrsg. von A. Mitscherlich et al., ^{11}1989 7 J. Görres, Glauben und Wissen (1805), in: Gesammelte Schriften Bd. 3, 1926, 1–70 8 G. W. F. Hegel, Vorlesungen über die Gesch. der Philos. (1817), Theorie-Werkausgabe Bd. 18, 1971 9 Chr. G. Heyne, Sermonis mythici seu symbolici interpretatio, Göttingen 1807 10 K. Kerényi, Über Ursprung und Gründung in der Myth., in: C. G. Jung, K. Kerényi (Hrsg.), Einführung in das Wesen der Myth., 1941, 9–37 11 Ders. (Hrsg.), Die Eröffnung des Zugangs zum M., 1982 12 L. Klages, Der Geist als Widersacher der Seele (1929–1932), ^{5}1972 13 W. Nestle, Vom M. zum Logos, 1940 14 F. W. J. Schelling, Das sog. »älteste Systemprogramm« (ca. 1796), in: M. Frank, G. Kurz (Hrsg.), Materialien zu Schellings philos. Anf., 1975, 110–112 15 Fr. Schlegel, Rede über die Myth. (1800), in: Studienausgabe Bd. 2, hrsg. von E. Behler, H. Eichner, 1988, 201–208 16 G. Vico, La scienza nuova seconda (1744), Opere 4/1, 1958.

LIT 17 R. Barthes, Mythologies, 1957 (dt. M. des Alltags, 1964) 18 H. Blumenberg, Arbeit am M., 1979, ^{5}1990 19 K. H. Bohrer (Hrsg.), M. und Moderne, 1983 20 L. Brisson, Chr. Jamme, Einführung in die Philos. des M., 2 Bde., 1991/1996 21 W. Burkert, Structure and History in Greek Mythology and Ritual, 1979 22 J. Campbell, Myths to Live By, 1972 23 I. U. Dalferth, Jenseits von M. und Logos. Die christologische Transformation der Myth., 1993 24 M. Eliade, Le sacré et le profane, 1965 (dt. Das Hl. und das Profane, 1957) 25 Ders., Aspects du mythe, 1963 (dt. M. und Wirklichkeit, 1988) 26 P. Feyerabend, Against Method, 1975 (dt. Wider den Methodenzwang, 1976) 27 M. FRANK, Der kommende Gott. Vorlesungen über die Neue Myth., 1982, 153 ff 28 Ders., Kaltes Herz. Unendliche Fahrt. Neue Myth., 1989 29 M. FUHRMANN (Hrsg.), Terror und Spiel. Probleme der M.-Rezeption (Poetik und Hermeneutik 4), 1971 30 C.-F. GEYER, M., 1996 31 A. GRABNER-HAIDER, Strukturen des M. Theorie einer Lebenswelt, 1993 31a G. v. GRAEVENITZ, M. Zur Gesch. einer Denkgewohnheit, 1987 32 K. HÜBNER, Die Wahrheit des M., 1985 33 L. KOLAKOWSKI, Die Gegenwärtigkeit des M., 1972, ³1984 34 T. S. KUHN, The Structure of Scientific Revolutions, 1962 35 C. LÉVI-STRAUSS, Anthropologie structurale, 2 Bde., 1958, 1973 (dt. Strukturale Anthropologie, 2 Bde., 1977) 36 Ders., Mythologiques 1–4, 1964–1971 (dt. Mythologica 1–4, 1971–1975) 37 Ders., Myth and Meaning, 1974 (dt. M. und Bed., 1980) 38 M. MARTINEZ (Hrsg.), Formaler M., 1996 39 J. MOHN, M.-Theorien, 1998 40 W. F. OTTO, M. und Welt, 1963 41 L. L. PATTON, W. DONIGER (Hrsg.), Myth & Method, 1996 41a H. POSER (Hrsg.), Philos. und M. Ein Kolloquium, 1979 42 I. W. RATH, Die verkannte mythische Vernunft, 1992 43 H. REINWALD, M. und Methode, 1991 44 M. SCARBOROUGH, Myth and Modernity, 1994 45 R. SCHLESIER (Hrsg.), Faszination des M., 1985 46 H. H. SCHMID (Hrsg.), M. und Rationalität, 1988 47 R. A. SEGAL (Hrsg.), Theories of Myth, 6 Bde., 1996 48 T. J. SIENKEWICZ, Theories of Myth (Bibliogr.), 1997. ROBERT MATTHIAS ERDBEER

II. DEUTUNGSGESCHICHTE

A. BEGRIFF B. GESCHICHTE DER DEUTUNGSMETHODEN

A. BEGRIFF

Der neuzeitliche Begriff Mythos zur Bezeichnung bestimmter Erzählungen, welche Anspruch auf Traditionalität und Bedeutsamkeit in den sie erzählenden Gesellschaften erheben, geht auf Christian Gottlob Heyne (1729–1812) zurück. Der Begriff ist nicht zuletzt eine Reaktion auf die Abwertung dieser Erzählungen als fiktiv, lügenhaft und primitiv, die seit der Ant. faßbar ist. Heyne stellt *mythus* bewußt dem gängigen Begriff *fabulae* (*fable, favola*) seiner Zeitgenossen und Vorgänger gegenüber. Er greift dabei über das Latein auf einen griech. Begriff zurück, der seit dem späteren 5. Jh. v. Chr. (Herodot, Thukydides) solche Erzählungen bezeichnet hat und der insbes. durch Platon radikal dem *logos* als rationalem und in seinem Wahrheitsgehalt überprüfbaren Diskurs gegenübergestellt wurde; freilich ist griech. *mythos* und lat. *fabula* nie mit dem mod. Terminus koextensiv, sondern umfaßt etwa auch die philos. Mythen Platos, Ciceros *Somnium Scipionis* und die Fabeln des Aesop. Während in der frz. und engl. Forschung des späteren 18. und frühen 19. Jh. sich der traditionelle Begriff *fable* noch lange halten konnte, griff die sich formende deutsche Altertumswiss. den Heyneschen Terminus auf und machte ihn über den deutschen Sprachbereich hinaus dominant; dabei spielten Carl Otfried Müllers (1797–1840) *Prolegomena zu einer wissenschaftlichen Mythologie* von 1825, 1844 ins Englische (*Introduction to a Scientific System of Mythology*) übersetzt, eine wichtige Rolle.

Das Verhältnis von Myth. und Religion ist außerordentlich komplex. Während für Herodot Homers und Hesiods Erzählungen Namen und Funktion der Götter definieren (2,58) und aitiologische Myth. bis hin zu Macr. Somn. 1,2,9 die Riten erklären, stellt die philos. Dichter- und Mythenkritik seit den Vorsokratikern eine radikale Kluft zwischen Myth. und richtigem Gottesbild auf, und Mythen haben nie der jüd. und christl. Schrift auch nur entfernt vergleichbaren Anspruch auf religiöse Autorität erhoben, auch wenn die Polemik der christl. Apologeten dies gelegentlich vorauszusetzen scheint.

Wieder etwas anders liegen die Dinge in Rom, wo der M. stark als Inhalt von (griech. inspirierter) Literatur und Kunst präsent ist. Entsprechend schwankt die Einschätzung in der Forschungs- und Rezeptionsgeschichte. MA und Renaissance behandeln den M. als Inhalt von Dichtung und bildender Kunst völlig getrennt von der griech. und röm. Religion, welche Gegenstand der antiquarischen Forschung war. Der Neuansatz nach Heyne hat zwei verschiedene Positionen zur Folge. Wer – wie etwa Heyne oder der Strukturalismus – die Narrativität des M. herausstellt, löst ihn aus der Religion heraus und statuiert, wie Paul Veyne, daß die Griechen nicht an ihre M. glaubten. Die Leichtigkeit, mit der M. von Kultur zu Kultur wandern, wird zum gewichtigen Argument. Wer umgekehrt – wie etwa Hermann Usener oder die »Cambridge Ritualists« – auf die Aitiologie großes Gewicht legt, macht den M. zu einem integralen Bestandteil von Religion, die im wesentlichen als Summe der rituellen Tradition verstanden wird. M. P. Nilsson formulierte eine Zwischenposition (praktisch sind Myth. und Religion eng verwoben) [24. 13]. Daß im übrigen M. und Religion in ethologischen Kulturen nicht im selben Verhältnis stehen wie in Griechenland, ist Ergebnis der jüngsten, forschungskritischen Diskussion insbesonders in der Ethnologie, welche die globale Verwendbarkeit des Terminus als eines eurozentrischen Konstrukts überhaupt anzweifelt.

B. GESCHICHTE DER DEUTUNGSMETHODEN

I. ANTIKE

Das Verständnis von M. als problematischer Erzählung, die nicht für sich stehen kann, sondern der Deutung bedarf, geht auf die griech. Aufklärung des späten 6. und 5. Jh. v. Chr. zurück. Die ant. Mythendeutung stellt auch die Methoden bereit, welche bis ins 19. Jh. ausschließlich benutzt werden: physikalische und moralische → Allegorese und Euhemerismus. Die Allegorese entwickelte sich bes. in der Homerdeutung, als Reaktion sowohl (aber nicht primär) auf die philos. Mythenkritik eines Xenophanes wie auf ein allg. Informationsbedürfnis der Zuhörer; sie geht davon aus, daß die mythische Erzählung einen tieferen, in der Erzähloberfläche nicht manifestierten Sinn besitzt (*hypónoia*). Die physikalische Allegorese, die Erklärung der mythischen Erzählung als physikalische Aussage und die Reduktion der einzelnen Gestalten auf Naturkräfte (Hera als Luft) geht vielleicht auf Theagenes von Rhegion zurück (VS 8 A 2); frühen Ausdruck hat sie im Kommentar zu einer Theogonie des Orpheus im Derveni-Papyrus gefunden, und sie wird das zentrale Instrument der stoischen Mythendeutung (Heraklit, Alleg. Hom.). Die ethische Allegorese, die Erklärung der Erzählung als moralisches Lehrstück, wird sowohl mit den Pythagoreern (Aristot. fr. 196) wie vielleicht mit Anaxagoras verbunden (VS 59 A 1); sie wird wichtiges Instrument in der Schullektüre (Plut. De aud. poet.). Die euhemeristische Mythendeutung, die Reduktion der mythischen Erzählung auf Geschichte, setzt die in Griechenland und Rom selbstverständliche Lesung des Heroenmythos als geschichtliche Erinnerung voraus, die freilich von allzu phantastischen Elementen befreit werden soll (Hekataios, FGrH 1 F 1; programmatisch Plut. Thes. 1), und überträgt dies auch auf den Göttermythos; zuerst ist dies bei Prodikos (VS 84 B 5) faßbar. Euhemerus von Messene, nach dem diese Methode benannt wird, fußt auf diesen Ansätzen. – Die Rhetorenschule übernimmt das Verständnis von M. (*fabula*) als Fiktion und systematisiert dies in ihrer Klassifikation narrativer Texte (Cic. inv. 1,27).

2. MITTELALTER UND RENAISSANCE

Die spätere Ant. übernimmt diese Ansätze und Methoden, arbeitet sie zu einem komplexen System aus und benutzt sie als Instrument, um die Lektüre der paganen Texte auch in einer christl. Welt zu ermöglichen. Isidor übernimmt das rhet. Verständnis von M. als Fiktion und tradiert es dem MA. In der Mythendeutung steht die Allegorese im Zentrum des Interesses; die Kirchenväter entwickeln für manche Mythen (Odysseus und die Sirenen) christologische Deutungen. Für die Mythentheorie im lat. Westen wird das von Macrobius in seinem Kommentar zum *Somnium Scipionis* erarbeitete System wegweisend (1,2,7f.). Danach ist M. (*fabula*) fiktionale Schöpfung von Dichtern (hier geht diese philos. Tradition mit den rhetor. zusammen), umfaßt Tierfabeln, rituelle Aitiologien, Theo- und Kosmogonien und, zentral, die philos. Mythen, die alle allegorisch zu deuten sind. Dies wird zum Ausgangspunkt insbes. der in der Schule von Chartres theoretisierten Allegorese, geht aber auch, da Macrobius auf Porphyrius verlorenem Kommentar zur Platonischen *Politeia* fußt, mit dem Rückgriff der Renaissance auf neuplatonisches Mythenverständnis zusammen.

3. NEUANSATZ IM 18. JAHRHUNDERT

Die Kenntnis außereurop. Mythen durch die Entdeckungen seit Kolumbus verändert den Status von M. nur langsam; bis ins 19. Jh. hinein halten sich traditionelle Deutungsmodelle. Entscheidend ist die Einsicht von Bernard de Fontenelle (1724), daß M. in die Frühzeit der menschlichen Geschichte gehören und narrative Reaktion einer kindhaften Intelligenz auf Naturphänomene sind. Damit ist physikalische Allegorese gefordert und legitimiert. Giambattisto Vico (1725) und, später, Johann Gottfried Herder lenken die Aufmerksamkeit auf die europ. Bauernkulturen als Hüter ähnlich primitiver Traditionen. Heynes Neuorientierung knüpft hier an: Mythen enthalten frühmenschliches Wissen um die Natur und die eigene Geschichte in stark verschlüsselter, symbolischer Form, die durch Allegorese verständlich wird; sie sind damit als Zeugnis der Geistigkeit des frühen Menschen bedeutsam.

4. WISSENSCHAFTLICHE MYTHOLOGIE DES 19. UND 20. JAHRHUNDERTS

Obschon Heyne die myth. Erzählung nicht als poetisch beabsichtigte Allegorie, sondern als unbeabsichtigtes Symbolsystem ansieht, hält er an der Deutbarkeit durch Allegorese ebenso fest wie seine Nachfolger, von Karl Otfried Müller, für den Myth. sowohl Naturphänomene wie histor. Ereignisse reflektieren und der als erster die Bedeutsamkeit lokaler Mythologien für die Rekonstruktion der griech. Frühgeschichte betonte, bis zu den Naturmythologen um Max Müller und Adalbert Kuhn, welche M. ausschließlich als symbolischen Diskurs über Natur verstanden.

Eine wichtige Weiterentwicklung markiert die sog. Cambridge School, bes. mit Jane Ellen Harrison (1850–1928) und James G. Frazer. Sie dominiert in Weiterentwicklungen auch die Mythendeutung des 20. Jh. In ihrer urspr. Form kombiniert sie die auf Edward Tylor zurückgehende kulturelle Evolutionstheorie mit der von den Naturmythologen formulierten Bedeutung der Natur für den frühen Menschen, sieht aber Natur nicht als direkten Auslöser mythischer Erzählungen, sondern ritueller Handlungen, die insbes. der agrarischen (und menschlichen) Fruchtbarkeit im Jahreszyklus gelten; M. erklären dann als aitiologische Erzählungen diese Riten. Wenn in der Reaktion auf Frazer Riten von dieser Grundlage losgelöst werden, wird damit die Verbindung von M. und Ritus nicht zwingend gelöst: im Anschluß an Émile Durkheims Verständnis von Religion als gesellschaftsbildend und gesellschaftlich determiniert verstehen seine Schüler, aber auch Jane Ellen Harrison Riten als Instrumente der gesellschaftlichen Selbstdefinition, Mythen als Erklärungen dieser Riten; seit Jane Ellen Harrison beschäftigt sich dieser Deutungsansatz privilegiert mit den Initiationsriten und -mythen der Griechen. Erst Walter Burkert, der als formativ für Riten vor- und frühmenschliche Verhaltensprogramme postulierte, ersetzte das logische Nacheinander von Ritus und M. durch ihr Nebeneinander: beide sind letztlich durch derartige Programme determiniert.

Heynes theoretische Einsicht, daß M. Symbol und nicht Allegorie sei, wird von der deutschen Romantik aufgenommen und radikalisiert, bis schließlich in Schellings *Philosophie der Mythologie* M. als eigenständige Denkform im Bewußtsein des Menschen angesiedelt wird. Damit rückt Schelling von allen Versuchen, M. auf etwas außer sich zu reduzieren, ab. Das wird zur grundlegenden Anregung sowohl für die Jungsche Mythendeutung wie für Ernst Cassirers philos. Analyse des mythischen Denkens; Jung ist dabei auch der Freudschen Tiefenpsychologie, Cassirer dem Tylorschen Evolutionismus verpflichtet.

In all diesen Deutungsmodellen ist das bereits ant. Konzept, daß Myth. individuelle Schöpfung sei, durch das Konzept von Myth. als kollektiver Vorstellung ersetzt. Dies gilt auch für die psychoanalytische Mythendeutung, die deswegen, weil Psychoanalyse sich mit individuellen Vorstellungen beschäftigt, sich mit dem Problem auseinandersetzen muß, wie sich kollektive und individuelle Vorstellung verhalten. Sigmund Freud, der den M. in seinen narrativen Formen mit dem Traum vergleicht, versteht ihn als verzerrten Wunschtraum ganzer Nationen, der mit den Mitteln der Traumdeutung verstanden werden muß. Freuds Schüler nehmen dies auf; während Karl Abrahams Mythendeutung sich eng an den Lehrer anschließt, entwickelt Carl Gustav Jung die Archetypenlehre, welche in M. und Traum dieselben kollektiven Ur-bilder (Archetypen) sich manifestieren sieht. Dies wird allein in den Arbeiten Karl Kerényis für die ant. Mythendeutung fruchtbar gemacht, wobei sich der spätere Kerényi von Jung wiederum distanziert. Im Ganzen sind die theoretischen Probleme, die sich für eine psychoanalytische Mythendeutung ergeben, nie zufriedenstellend gelöst worden.

Im Kontrast zu diesen Deutungen, die Myth. immer auf etwas außer seiner selbst reduzieren wollen, setzt mit der Schelling verpflichteten philos. Mythostheorie in Deutschland und mit dem frz. Strukturalismus (Lévi-Strauss, Roland Barthes) eine Reaktion ein, die die myth. Erzählung als Eigenwert ansieht. Während die philos. Theorie M. als eigenständige Denkstruktur begreift und, in teilweise noch evolutionistischem Verständnis (Cassirer, Kurt Hübner) ihn als autonom der empirisch-rationalen Wissenschaftlichkeit gegenüberstellt, sieht Lévi-Strauss in den binären Strukturen mythischer Erzählung die Grundstrukturen menschlichen Denkens reflektiert. Die wenigen Versuche, die narrativen Strukturen des M. semiotisch zu verstehen, schließen hier an. Die Reaktion auf diese Ansätze hat zu einer radikalen Kritik geführt: während die deutsche Tradition zu einem Verständnis von Wissenschaft als eines unserer Kultur eigenen M. führt, betont die Reaktion auf den Strukturalismus die Relativität der Kategorie M. als eines auf die Aufkärung zurückgehenden Konstrukts unseres wiss. Denkens, das nicht als humane Konstante verstanden werden darf (M. Detienne). Beide letztlich aporetischen Positionen führen in der Praxis der My-

thendeutung zu einer Rückbesinnung auf historistische Modelle (Ansätze bereits bei Kirk), welche die innerkulturellen Funktionen von M. – einschließlich der Mythosrezeption – zu erhellen suchen.

QU 1 K. ABRAHAM, Traum und Mythus. Eine Studie zur Völkerpsychologie, in: Schriften zur angewandten Seelenkunde 4, 1909, 1–73 (Ndr. in: GS 2, 1982, 163–225) 2 R. BARTHES, Mythologies, 1957 3 W. BURKERT, Griech. Myth. und die Geistesgesch. der Moderne, in: Les études classiques aux XIXe et XXe siècles. Leur place dans l'histoire des idées, Entretiens sur l'antiquité classique 26, 1980, 159–199 4 Ders., Structure and History in Greek Mythology and Ritual, 1979 5 C. CALAME, Mythe et rite en Grèce. Des catégories indigènes? in: Kernos 4, 1991, 179–204 6 W. M. CALDER III (Hrsg.), The Cambridge Ritualists Reconsidered, 1991 7 E. CASSIRER, Philos. der symbolischen Formen, Bd. 2: Das mythische Denken, 1924 8 M. DETIENNE, L'invention de la mythologie, 1981 9 W. G. DOTY, Mythography. The Study of Myths and Rituals, 1986 10 B. DE FONTENELLE, De l'origine des fables, Oeuvres complètes 3, hrsg. von A. NIDERST, 1989, 187–202 11 J. G. FRAZER, The Golden Bough. A Study in Magic and Religion, London 1890 (^{3}1913–18) 12 F. GRAF, Griech. Myth., 1985 13 J. E. HARRISON, Prolegomena to the Study of Greek Religion, Cambridge 1908 (^{2}1922) 14 Dies., Themis. A Study of the Social Origins of Greek Religion, 1911 (^{2}1927) 15 CH. HARTLICH, W. SACHS, Der Ursprung des Mythosbegriffs in der mod. Bibelwiss., 1952 16 CH. G. HEYNE, Quaestio de caussis fabularum seu mythorum veterum physicis, Opuscula Academica Collecta et Animersationibus Locupleta 1, Göttingen 1764, 184–206 17 Ders., Sermonis mythici seu symbolici interpretatio ad caussas et rationes ductasque inde regulas revocata, Commentationes Societatis Regiae Scientiarum Gottingesis 16, 1807, 285–323 18 H. HOFMANN (Hrsg.), Ant. Mythen in der europ. Trad., 1999 19 C. G. JUNG, K. KERÉNYI, Einführung in das Wesen der Myth. Gottkindmythos – Eleusinische Mysterien, 1942 20 G. S. KIRK, Myth. Its Meaning and Function in Ancient and Other Culture, 1970 20 A. KUHN, Die Herabkunft des Feuers, Berlin 1859 21 K. MORGAN, Myth and Philosophy from the Presocratics to Plato, 2000 22 F. M. MÜLLER, Comparative Mythology, Oxford 1856 23 K. O. MÜLLER, Prolegomena zu einer wiss. Myth., Göttingen 1825 24 NILSSON GGR Bd. 1 25 J. DE VRIES, Forschungsgesch. der Myth., 1961 FRITZ GRAF

N

Nachahmung s. Imitatio, Mimesis

Nachdichtung s. Adaption

Nacktheit in der Kunst A. Einleitung
B. Mittelalter C. Renaissance D. Neuzeit

A. Einleitung

Obwohl die Kunstgeschichte der N. nicht von deren Kulturgeschichte zu trennen ist, kann es hier nur um die Modalitäten der kunstgeschichtlichen N. gehen, soweit diese von der griech.-röm. Ant. abhängt. Die agonale N. (erstmals angeblich: Orsippos aus Megara, 15. Olympiade, um 720 v. Chr., Paus. I,44,1) dürfte zwar eine Voraussetzung, aber kein hinreichender Grund für deren Kultivierung in der bildenden Kunst sein. Der Umstand, daß ein Olympionike unbekleidet kämpfte und siegte, erklärt noch nicht sein nacktes Standbild, erst recht nicht das eines Kriegers, Tyrannenmörders oder gar eines Gottes. Die N. weiblicher Statuen (seit dem 4. Jh. v. Chr.) besitzt ohnehin keine kulturellen Kontexte. Vollends die Adoption der bildnerischen N. durch das augusteische Rom zeigt deren motivische Verselbständigung und Ablösung von ethnischen Traditionen. Die nackte Figur war die Regel, die bekleidete die (zumeist ikonographisch begründete) Ausnahme geworden. Bemerkenswert ist von Anbeginn die Unterscheidung der Geschlechter in genitaler Hinsicht: Während der Mann physisch komplett ist, erscheint die Frau stets mit einem makellosen Dreieck in der Leistenbeuge, anstelle der Vulva. Diese »kulturelle« Differenz behielt normative Geltung in der Kunst – bis ins 20. Jh. (Abb. 5). Anthropologisch virulent bleibt indessen immer der notwendig geschlechtliche Charakter der N. [3].

B. Mittelalter

1. Dämonisierung

Der geschlechtliche Charakter ist dafür verantwortlich, daß N. seit der bilderfeindlichen frühchristl. Zeit nicht als künstlerisches, sondern als sittliches Phänomen betrachtet wurde. Unbeschadet des generellen Idolenvorwurfs wurden heidnische Statuen (insbes. weibliche: Aphrodite/Venus) von Kirchenvätern wegen ihrer verführerischen N. inkriminiert [7. 96ff.]. Künstlerisch dokumentiert wird dieses in der christl. Kunst durch die Ikonographie des Idols, das, bis weit in die Neuzeit, als eine zumeist nackte auf einer Säule stehende Statue/ Statuette vorgestellt wird. Dieses auch rückwirkend: vgl. Illustrationen zu Nebukadnezars Traum vom »Koloß auf tönernen Füßen« (LCI 3. 305).

Die ant. N. wird im MA sexistisch gesehen und denunziert, – auch bildnerisch: v. a. in der Personifikation der von der Venusfigur abgeleiteten Todsünde Luxuria (Wollust, Geilheit), die in der Romanik oft als nackte Dämonin im Verein mit Schlangen und Kröten, den laut Mose (Lv 11,41–45) unreinen Tieren des Satans, wie-

dergegeben ist: so etwa in Vézelay, Charlieu, Moissac [4] (Abb. 1); in der Gotik erscheint Luxuria dann, didaktisch präpariert, als »Fürstin der Welt« (Straßburg, Basel) oder als »Frau Welt« (Worms): vorn der schöne, kostümierte Schein, hinten das nackte Sein, von Würmern und Kröten zerfressen. Wenn Luxuria gelegentlich in unentstellter N. glänzt (Auxerre, Freiburg i. Br.), dann durch unmißverständliche Attribute indiziert: Ziegenbock, -fell (Abb. 2).

2. Christliche Ikonographie

Die wenigen nackten Figuren der christl. Kunst entstammen dagegen meist der hl. Schrift (LCI 3. 308 f.). So steht N. bei Adam und Eva vor dem Sündenfall (und analog bei der Errettung aus der Vorhölle) für die urspr. Unschuld bzw. deren Wiederherstellung durch die Erlösung. Kunstgeschichtlich sind die Menschheitseltern dennoch, wie auch der nackte Jonas, zunächst Geschöpfe der heidnischen Bildtradition. Das semantische Problem wurde durch Hinzufügung des Feigenblatts gelöst, das bereits auf frühchristl. Sarkophagen auftritt und, später auch ant. Statuen appliziert, bis ins 20. Jh. das Schamgefühl beschwichtigte. Das (oft nackte) Bild

Abb. 1: Teufel-Luxuria. Portalrelief aus Sandstein, um 1120/1135. Moissac, St. Pierre

Abb. 2: Luxuria (Venus). Sandstein, um 1270/1290.
Freiburg i.Br., Westportal des Münsters

Abb. 3: Antonio Federighi, Weihwasserbecken
(Detail), Marmor, 1467. Siena, Dom

Christi in Passion und Auferstehung scheint von der
Vorstellung des Neuen Adam geprägt und erst seit der
frühen Neuzeit von antikischer N. eingeholt zu sein.
Sonst ist biblische N., im Rahmen des sozialen Lebens,
fast stets mit Schande, Elend und Anstößigkeit konnotiert: Noah, Hiob, Loth. Ausnahmsweise konnte N.
all'antica allegorisch umgedeutet werden, so bei N. Pi-
sanos »Fortitudo« in Gestalt eines nackten Herkules
(Kanzel im Baptisterium, Pisa, um 1260) oder bei seines
Sohnes G. Pisano kanzeltragender Tugend (Dom, Pisa,
vor 1311) in Gestalt einer nackten *Venus pudica*
[7. 164ff.] (→ Gotik, Abb. 3).

C. RENAISSANCE

1. DÄMONISCHES ERBE

Galt N. dem MA als heidnisch (negativ), war sie der
Frühren. Synonym der Ant. (positiv). Gelegentlich mu-
tierten so die heidnischen Idole zu histor. Vorläufern des
siegreichen Christentums, vgl. die nackten, versklavten
Träger (männlich und weiblich) des Weihwasserbek-
kens im Dom von Siena (A. Federighi, 1467, Abb. 3),
des Ölbrunnens in der Weissagung der Sybille von Tibur
(Venezianisch, Sieg des Christentums über das Heidentum, um 1400, Stuttgart, Staatsgalerie) u. a. mehr. Auch
Michelangelos Sklaven vom Juliusgrab sind so diskutiert
worden. Die nackten Jünglinge auf Signorellis und Michelangelos betreffenden Madonnen-Tondi (beide Flo-

renz, Uffizien) wurden gleichfalls als Repräsentanten
der dem Heilsereignis vorausgegangenen Epoche des
heidnischen Alt. gedeutet.

Das dämonische Erbe der ant. N. reicht indes als
mentaler Vorbehalt bis weit in die Neuzeit: evident bei
Baldung Grien (Hexen!), mittelbar anschaulich in Dürers lebenslangen Anstrengungen um die Metrik der
nackten menschlichen Gestalt, die er damit von ihrer
sexuellen Vergangenheit zu befreien suchte [7. 202ff.].
Noch 1555 wurden die Körper-Blößen in Michelangelos Jüngstem Gericht (Vatikan, Sixtinische Kapelle)
übermalt. Dieser Vorgang ist *ex negativo* ein zusätzlicher
Beleg dafür, daß das Erlebnis der ant. N., von ungezählten Ren.-Künstlern spontan reproduziert, jenseits iko-
nologischer Aspekte einen mehr als tausend Jahre unterdrückten Vitalimpuls freisetzte und zur Emanzipation der Sinnlichkeit beitrug (vgl. auch D. Neuzeit).

2. VERSCHIEDENE MODI

Im 16. Jh. hatte sich N. *all' antica* in der Kunst weithin durchgesetzt, v. a. bei entsprechenden myth. Sujets,
sei es daß Form und Inhalt übereinstimmten (z. B. Botticelli: Geburt der Venus, Florenz, Uffizien) oder dif-
ferierten (z. B. Cranach d. Ä.: zahlreiche Venusse, Paris-
urteile etc.). Aber auch ohne thematischen, ikonographischen Anlaß tritt N. auf. Das ist bereits der Fall bei
Donatellos Bronze-David (wohl um 1430, Florenz,
Bargello), der als die erste freistehende nackte Figur seit
der Ant. gilt. Man hat in diesem Zusammenhang von
›idealer N.‹ gesprochen [6], die, von hell. Herrschern für

Abb. 4a: Leone Leoni, Kaiser Karl V.
triumphiert über Furor (nackt).
Bronze, 1549–1555. Madrid, Prado

Abb. 4b: Leone Leoni,
Kaiser Karl V. triumphiert über Furor (gerüstet).
Bronze, 1549–1555. Madrid, Prado

sich usurpiert, von röm. Cäsaren übernommen, ein zeitloses Charakteristikum des Heroischen bedeutete. Tatsächlich wurde dieses gewagte Spiel bei neuzeitlichen
Herrschern fortgesetzt: Vgl. Kaiser Karl V., der bei Bedarf allerdings mit einer Rüstung bekleidet werden
konnte (L. Leoni, 1551/1553, Madrid, Prado, Abb.
4a/4b), Andrea Doria als Neptun (A. Bronzino,
1540/50, Mailand, Brera), Napoleon (A. Canova,
1802/06, London, Wellington Museum), der eine solche »Idealisierung« indes nicht goutierte.

3. Didaktik

Zeitgleich mit Donatellos David hatte Alberti empfohlen, die Figuren eines Bildes nackt anzulegen, was,
seit Raffaels und Leonardos Vorbild, auf Jh. großenteils
befolgt wurde. Dabei wird in der künstlerischen Praxis
zw. Natur- und Antikenstudium kaum ein Unterschied
gemacht, wie Pisanello, Pionier auf beiden Feldern, bereits zum Auftakt belegt. Man begann im 15. Jh. (in It.)
zwar vorzugsweise mit der Nachzeichnung ant. Figuren
(Statuen und Reliefs), gab diese Übung wegen deren
Vorbildlichkeit aber auch nicht auf, als genügend Akt-
modelle verfügbar waren. Vgl. Rubens' entsprechendes
Plädoyer: ›De imitatione statuarum‹ (ca. 1608?).

Seit Beginn des akad. Kunstunterrichts im 16. Jh.
existiert an den europ. Kunstakad. – bis heute – ein
professionelles Aktstudium [1]; Voraussetzung dafür
war, daß die heikle N. zum unproblematischen Akt (wie

man es später nannte) werden konnte. Gezeichnet wurde gleichermaßen nach ant. Statuen (bzw. Gipsabfor-
mungen) und lebenden Modellen. Nach klassizistischer
Kunsttheorie stehen sich Naturalismus und Idealismus
dieser Art nicht im Wege, sondern führen vereint zu
höherer künstlerischer Vollkommenheit (so noch J.
Reynolds, 3. Diskurs, 1770). Die künstlerischen Zeugnisse dafür sind vom 16. bis zum 19. Jh. unabsehbar.
Noch im 20. Jh. operieren Lehrbücher mit Synopsen
photographierter, meist ant. Skulpturen und Aktmo-
delle [9].

D. Neuzeit

Verabsolutiert wurde die ant. N. als die ideale
menschliche Natur von Winckelmann, der sie zum
›höchsten Vorwurf der Kunst‹ erklärte (Gedanken über
die Nachahmung II,2,2, 1755). Und Goethe spricht be-
stätigend vor der nackten Agrippa-Statue in Venedig:
›Wie doch eine solche Darstellung den reinen Menschen
Göttern ähnlich macht‹ (8. 10. 1786). In diesem Geiste
schuf J. B. Pigalle die Sitzstatue des Philosophen *Voltaire
nu* (1776, Paris, Louvre). Spät folgten Auguste Rodin,
Der Denker (1889), und Max Klinger, *Beethoven* (1902
vollendet). Im übrigen huldigte der Klassizismus wie
keine andere Epoche der Vorstellung von idealer, »essentieller« N. in der Kunst: Vgl. Sergel, Thorwaldsen,
Canova, Dannecker, Ingres.

Nach dem Zwischenspiel der bürgerlichen und naturalistischen Kunst des 19. Jh. bekannte sich die beginnende Moderne erneut zu antikisch inspirierter N., gleichsam unter dem Signum des Goldenen Zeitalters: Auf den Figurenbildern von H. v. Marées, Puvis de Chavannes, Cézanne u. a. herrschen ebenso zeitlos wie formal geprägte Figürlichkeit und geschlechtliche Entspanntheit.

Hier wäre auch der Ephebismus in Wilhelm von Gloedens Photographien nackter Jugendlicher zu nennen: in klass. Posen und Ambientes und südit. Landschaft (vor und nach 1900). Besonders evident ist hier die (namentlich durch Statuen vermittelte) legitimatorische Funktion antikischer N. für homophile Interessen. Dieses ist aber kein neues, sondern ein die gesamte Neuzeit begleitendes Phänomen. Vgl. etwa Cellinis Skulpturen *Apollo* und *Hyazinth*, *Narziß* (1548, Bargello, Florenz) und des Autors Bericht darüber, sowie Winckelmanns bes. Neigung für die Gestalt und Figurationen des Antinous. Solche Neigung war offenbar gelegentlich sogar Anlaß fachlicher Publikationen, so etwa bei W. Pater, *Greek Studies – The Age of Athletic Prizemen* – (Werke 1910) und H. Licht, *Sittengeschichte Griechenlands* (1925–28).

Dagegen stand die eskapistische Freikörperkultur dieser Zeit in ihrer lebensreformerischen Mission der ant. N. und deren Rezeption in der Gegenwartskunst eher fern, vgl. hier v. a. die ekstatische Nackt-Ikonographie von Fidus.

Um 1900 bildete sich eine Neuklassik aus, die in den 30er/40er J. »heroisch« kulminierte; bei der Skulptur: Hildebrand, Tuaillon, Maillol, Despiau, Lehmbruck, Kolbe bis hin zu A. Breker; in der Malerei: Boecklin, de Chirico, Picasso, Léger, Carrà, Sironi; in reflektierter Weise bei Magritte (Abb. 5).

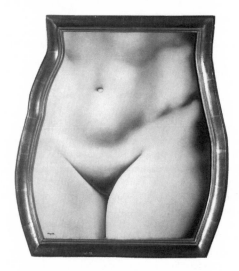

Abb. 5: René Magritte, La Représentation,
Öl auf Leinwand, 1937,
Edinburg, Scottish National Gallery of Modern Art

Wenn auch der neuzeitliche »Akt« immer wieder große, oft gänzlich unantikische Originalität besitzt, ist er als privilegiertes Sujet der bildenden Kunst – aufs Ganze gesehen – sicher nicht ohne den Vorgang der ant. N. zu erklären.

1 G. BAMMES, Das zeichnerische Aktstudium, 1668
2 K. CLARK, Das Nackte in der Kunst, 1958 3 H. P. DUERR, N., 1988 4 R. HAMANN, Kunst und Askese, 1987
5 W. HAUSENSTEIN, Der nackte Mensch, 1913
6 N. HIMMELMANN, Ideale Nacktheit, 1985 7 B. HINZ, Aphrodite, 1998 8 D. HOFFMANN, Der nackte Mensch, 1989 9 C. H. STRATZ, Die Darstellung des menschlichen Körpers in der Kunst, 1914. BERTHOLD HINZ

Namenforschung s. Onomastik

Nationale Forschungsinstitute
I. AMERICAN SCHOOL OF CLASSICAL STUDIES
II. DAS BELGISCHE ARCHÄOLOGISCHE INSTITUT IN GRIECHENLAND
III. THE BRITISH SCHOOL AT ATHENS
IV. THE BRITISH SCHOOL AT ROME
V. DAS DÄNISCHE ARCHÄOLOGISCHE INSTITUT IN ATHEN
VI. DAS FINNISCHE INSTITUT IN ATHEN
VII. INSTITUTUM ROMANUM FINLANDIAE
VIII. DAS RÖMISCHE INSTITUT DER GÖRRES-GESELLSCHAFT
IX. DAS NIEDERLÄNDISCHE INSTITUT IN ATHEN
X. DAS NIEDERLÄNDISCHE INSTITUT IN ROM
XI. DAS NORWEGISCHE INSTITUT IN ATHEN
XII. DAS ÖSTERREICHISCHE ARCHÄOLOGISCHE INSTITUT
XIII. DAS ÖSTERREICHISCHE ARCHÄOLOGISCHE INSTITUT, ZWEIGSTELLE ATHEN
XIV. DAS SCHWEDISCHE INSTITUT IN ATHEN
XV. DIE SCHWEIZERISCHE ARCHÄOLOGISCHE SCHULE IN GRIECHENLAND

I. AMERICAN SCHOOL OF CLASSICAL STUDIES
s. Nachtrag

II. DAS BELGISCHE ARCHÄOLOGISCHE INSTITUT IN GRIECHENLAND
A. GESCHICHTE B. PERSONELLE ZUSAMMENSETZUNG C. WISSENSCHAFTLICHE TÄTIGKEITEN D. DOKUMENTATION E. PUBLIKATIONEN

A. GESCHICHTE
Die Geschichte der *Belgische archeologische school in Griekenland*, der »Belgischen archäologischen Schule in Griechenland« (BASG), nahm im Oktober 1960 ihren Anfang, als ein belgisches Mitglied der → École Française d'Athènes, H. Mussche, auf der Halbinsel A. Nikolaos in Thorikos (Attika) Probegrabungen durchführte, die im Rahmen eines Forschungsprojekts über Küstenbefestigungsanlagen erfolgten. Das Projekt wur-

de vom NFWO (*Nationaal Fonds voor Wetenschappelijk Onderzoek*) in Brüssel und von der Univ. Gent unterstützt.

Im Anschluß an dieses Forschungsprojekt schlug der damalige Direktor des Griechischen Archäologischen Dienstes, Dr. J. Papadimitriou, im Dezember 1961 vor, in Thorikos eine belgisch-griech. Grabung durchzuführen. Auf belgischer Seite wurde dieser Vorschlag begrüßt und im Februar 1962 wurde das *Comité voor Belgische opgravingen in Griekenland* (»Verein für belgische Ausgrabungen in Griechenland«) gegründet; dem Präsidium gehörten sechs Vertreter der damals vier belgischen Univ. an. Das Bildungsministerium (*Ministerie voor Onderwijs en Wetenschappelijk Onderzoek*) übernahm die Finanzierung.

Die Grabungen fingen am 7. Oktober 1963 an und wurden seitdem regelmäßig fortgesetzt. Eine Ausnahme bildeten die J. 1967 und 1974. Im J. 1971 wurde das Grabungshaus Kefalou Melathron bezogen, das nach dem Palast des mythischen Königs von Thorikos, Kefalos, benannt ist. 1985 erkannte die griech. Regierung dieser belgischen arch. Mission den Rang einer Schule zu. In diese Zeit fiel auch die Umwandlung des Kefalou Melathron zu einem Forschungszentrum.

1990 wurde die noch junge Einrichtung, die urspr. national (d. h. belgisch) war, mit der fortschreitenden Föderalisierung des belgischen Staates konfrontiert, weil in diesem J. auch das Bildungsministerium föderalisiert wurde. Das hatte zur Folge, daß die finanzielle Unterstützung wegfiel, weil sie von keiner der beiden Gemeinschaften übernommen wurde.

Die darauffolgenden J. waren sehr schwierig, da für die Finanzierung eine neue Lösung gefunden werden mußte. Dabei spielte die Univ. Gent eine wichtige Rolle. Erst 1999 konnte ein neuer Verein gegründet werden, die BSAG, die vom neu gegründeten nationalen Kultusministerium (*Ministerie voor Wetenschappelijke, Technische en Culturele Aangelegenheden*) bezuschußt wird. Auf diese Weise blieb der nationale Charakter der Schule erhalten. Der Verwaltungsrat des Vereins ernennt den Direktor und den wiss. Sekretär und trifft die wichtigen Entscheidungen.

B. Personelle Zusammensetzung

Neben dem Verein, der die BSAG verwaltet, beaufsichtigt eine wiss. Kommission die Forschungsarbeit und die Veröffentlichungen.

Der Direktor, dessen Ernennung zunächst für vier J., aber mit der Möglichkeit einer Verlängerung erfolgt, übernimmt die allg. Leitung der Schule als eines wiss. Forschungszentrums. Ihm assistiert ein wiss. Sekretär, der sich während des ganzen J. in Griechenland aufhält.

Die Schule ist zugänglich für Studenten (mit Studienabschluß) und Forscher aus Belgien und anderen Ländern. Als einzige Einschränkung gilt, daß sich die Studenten und Forscher schwerpunktmäßig mit einem Thema befassen, das mit der hell. Kultur von der Prähistorie bis h. in engem Zusammenhang steht.

C. Wissenschaftliche Tätigkeiten

Bis h. besteht die wichtigste Tätigkeit der Schule in der Erforsch. der arch. Stätte von Thorikos, einem ausgedehnten und arch. reichen Gebiet, das von ca. 3000 v.Chr bis 550 n.Chr. bewohnt war. Die wichtigsten Perioden, in denen der Ort eine Blüte erlebte, sind die Übergangszeit vom späten Neolithikum zur frühen Bronzezeit, mit der ältesten bekannten Blei- und Silbergewinnung und Spuren eines Wohngebiets; die späte Bronzezeit mit fünf monumentalen myk. Gräbern (Abb.1) und wichtigen Spuren des Bergbaus; die geom. Periode mit Häuserresten und zahlreichen Gräbern (hauptsächlich aus der spätgeometrischen Zeit). Aus der archa. Periode stammen eine Reihe von Gräbern und die ersten Spuren einer Theateranlage (Abb.2); aus der klass. Periode stammen Häuser, Bergwerke und Werkstätten für die Konzentrierung oder Anreicherung von weniger silberhaltigen Bleierzen, ferner fand der weitere Ausbau des Theaters im 5. und 4. Jh. v.Chr. statt. Die hell. Periode und die früh-byz. Periode förderten zahlreiche, aber v.a. vereinzelte Funde zutage, die eher auf eine *squatter occupation* (spätere Neubesiedlung ohne Veränderung an den vorhandenen Strukturen) hinweisen; aus der byz. Periode finden sich ebenfalls Spuren von Bergbau.

Zu den Schwerpunkten der wiss. Tätigkeiten gehört die Erforsch. der Blei-Silber-Metallurgie (zum Teil in Zusammenarbeit mit der Deutschen Montantechnologie, DMT, in Bochum), die Analyse der att. Keramik vom 9. bis zum 4. Jh. v.Chr. (unter Einbeziehung von petrographischen Methoden und Neutronenaktivität-Analysen an der Univ. Gent) und die Unt. der Anfangsphasen des Theaters. Dieses Theater ist deshalb von Bed., weil es nach wie vor als das älteste in Griechenland gilt. Außerdem zeichnet sich die Theateranlage durch ihre Form aus sowie durch die Art, wie sie sich in das Gelände einfügt. Es gibt triftige Gründe für die Annahme, daß die Orchestra bereits in ihren Ursprüngen in der archa. Periode eine Kultstätte war, die sich später zu einer Agora mit rel. und pol. Funktionen entwickelte. Die ersten epigraphischen Belege für eine Theateraufführung stammen erst aus dem 4. Jh. v.Chr. [3].

In Zusammenarbeit mit Prof. Ing. C. Conophagos (†) wurden in Megala Pevka (Schmelzöfen, Waschanlagen) und Demoliaki (schneckenförmige Waschanlage) Grabungen durchgeführt, die zum Ziel hatten, mehr über die Konzentrierung und das Schmelzen von Erzen zu erfahren. In der Umgebung von Thorikos führt die Univ. Gent nach wie vor geologische und geomorphologische Unt. durch. In den achtziger J. wurden auf Südeuböa im Gebiet von Styra und Pyrgari eine Reihe ausführlicher Prospektionen von röm. Cipolino-Steinbrüchen und den dazugehörigen Marmorstraßen durchgeführt.

D. Dokumentation

Alle in Thorikos gemachten Funde werden in den Magazinen des Mus. von Lavrio gelagert, lediglich einige interessante Gegenstände werden in den nur in be-

Abb. 1: Das Mykenische Grab Nr. IV
(Comité des Fouilles Belges en Grèce)

schränktem Ausmaß zur Verfügung stehenden Räumlichkeiten ausgestellt. Die vollständige Dokumentation zu den Ausgrabungen wird in der Univ. Gent aufbewahrt. Ein Teil dieser Dokumentation liegt bereits in zweifacher Ausführung vor und befindet sich im Forschungszentrum in Thorikos. Die Herstellung einer Kopie des restlichen Dokumentationsteils ist für die nächsten J. geplant.

Bisher umfaßt die elektronische Datenverarbeitung der Funde ca. 9000 Inventarnummern, und auch diese Arbeit wird systematisch vorangetrieben. Die Datenbank kann sowohl in Gent als auch in Thorikos benutzt werden. In Thorikos ist man mit dem Ausbau einer Bibl. beschäftigt, die primär die arch. Forsch. in Südattika und die damit verbundene Metallurgie dokumentieren soll.

E. PUBLIKATIONEN

Die Publikationen der BSAG bilden die Fortsetzung der drei Reihen, die ab den 60er J. erschienen.

1. Bei der ersten Reihe handelt es sich um die *Preliminary Reports*. Sie enthalten erste und vorläufige Dokumentationen über die Grabungen in Thorikos. Der erste Teil, *Thorikos 1963*, erschien 1968, der neunte Teil im Jahr 1990 (insgesamt umfaßt die Reihe etwa 1300 Seiten). Der zehnte Teil ist in Vorbereitung und erscheint voraussichtlich 2002.

2. Die *Final Reports* zu den Grabungen in Thorikos, wovon zwei Teile erschienen sind [1; 2]. Zwei weitere Teile sind in Vorbereitung: D. Vanhove, *Graffiti, Dipinti and Stamps* und K. Van Gelder, *The Geometric Pottery*.

3. In der dritten Reihe, der *Miscellanea Graeca*, erschienen bisher neun Lieferungen, die Monographien und Art. enthalten. Die erste Lieferung erschien 1975, die letzte 1994. Einige Beitr. beziehen sich ausschließlich auf die Grabungen in Thorikos, so Lfg. 1: *Thorikos and the Laurion in Classical Times*, 1975; Lfg. 2: *Technological Studies*, 1979; Lfg. 6: *Greek Lamps from Thorikos*, 1983; Lfg. 8: *An Archaic and Classical Votive Deposit from a Mycenean Tomb at Thorikos*, 1988. Der Bericht über die in Euböa durchgeführte Prospektion wurde separat veröffentlicht [4].

1 J. LABARBE, Les Testimonia, 1977 2 H. MUSSCHE, Thorikos. A Mining Town in Ancient Attika, 1998 3 Ders., Das Theater von Thorikos. Einige Betrachtungen, in: Sacris Erudiri XXXI, 1989–1990, 309–314 4 D. VANHOVE, Roman Marble Quarries in Southern Euboea and the Associated Road Networks, 1996.   HERMAN MUSSCHE/
Ü: ERIKA MUSSCHE

Abb. 2: Das Theater mit dem Inselberg Velatouri
(Comité des Fouilles Belges en Grèce)

III. The British School at Athens
A. Gründung und Entwicklung
B. Forschungsaktivitäten
C. Forschungseinrichtungen
D. Lehrveranstaltungen
E. Publikationen
F. Personal und Mitglieder

A. Gründung und Entwicklung

Die British School at Athens (BSA) verdankt ihre Existenz der Bestrebung, die Erforsch. Griechenlands in jeder Hinsicht und über alle Epochen hinweg zu fördern. Insbesondere bietet sie Forschungstätigen eine akad. Ausgangsbasis, die entsprechenden Ressourcen und wiss. Einrichtungen sowie praktische Hilfe vor Ort. Sie unterstützt dabei die Arbeit auf so unterschiedlichen Gebieten wie Klass. Arch. oder mod. griech. Literatur. Ihr Ansehen in der Fachwelt gründet sich jedoch auf den Beitr., den sie seit mehr als 100 Jahren zur arch. Forsch. leistet.

Das Studium der ant. griech. Lit. war ein essentieller Teil der Ausbildung jedes engl. Gentleman. Britische Reisende spielten eine führende Rolle bei der Erforsch. griech. Altertümer im 18. und frühen 19. Jh., und britische Philhellenen unterstützten tatkräftig die griech.

Sache im Unabhängigkeitskrieg. Dann jedoch ließ das Engagement nach; man wandte sich anderen Gebieten und Themen zu, bis das urspr. Interesse am klass. Griechenland durch die Entdeckungen der dt. Ausgräber in Olympia neu geweckt und durch Schliemanns Funde in Mykene und Troja auch auf die Vor- und Frühgeschichte ausgedehnt wurde.

Richard Jebb und George Macmillan übernahmen die Führung bei der Gründung der Society for the Promotion of Hellenic Studies (1879), deren Ziel u. a. ›die Unterstützung und Beratung engl. Reisender in Griechenland und die Anregung von Forschungs- und Ausgrabungsaktivitäten in griech. Landen‹ war. Jebb zeigte sich 1878 nach einem Aufenthalt in Athen von der → École Française d'Athènes und dem → Deutschen Archäologischen Institut beeindruckt und sprach sich im Mai 1883 öffentlich für die Gründung eines britischen Instituts aus. Die Resonanz war so positiv, daß der Prince of Wales im Juni 1883 eine Versammlung einberufen ließ, die die Umsetzung dieses Vorschlages beschloß.

Die griech. Regierung gab ihre Zustimmung und signalisierte ihre großzügige Unterstützung durch die Überlassung eines Grundstücks, das einen Teil des Olivenhains des Petraki-Klosters am Hang des Lykabettos

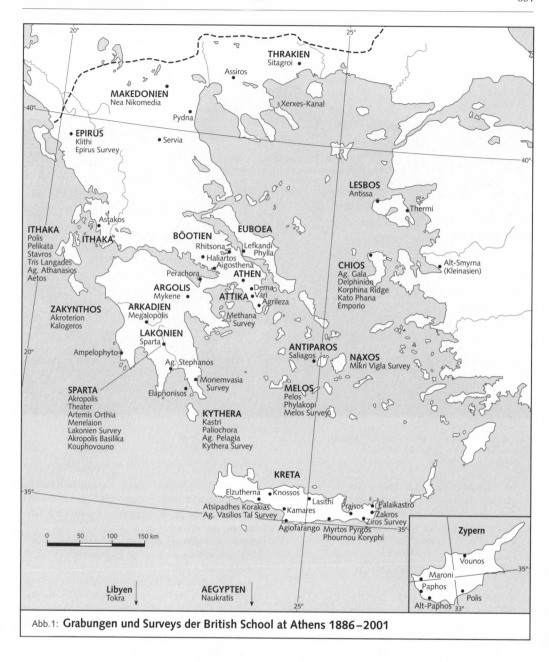

Abb. 1: Grabungen und Surveys der British School at Athens 1886–2001

umfaßt. Inzwischen präsentiert sich das Gelände hinter dem Evangelismós-Krankenhaus als eine wahre Oase mit einem gepflegten Garten und zwei klassizistischen Gebäuden, von denen das erste im November 1886 eröffnet wurde. Das zweite, als separate Studentenunterkunft konzipiert, wurde 1895 begonnen. Mit seiner Fertigstellung fand der erste Bau seine endgültige Bestimmung als Residenz des Direktors. 1903–04 entstand ein Anbau am Studentenwohnheim, der die Bibl. beherbergen sollte, welche sich durch die Aufnahme der persönlichen Bibl. des Historikers George Finlay be-

trächtlich vergrößert hatte. Zusätzliche Erweiterungen erfuhr die Bibl. in den J. 1936–7 und noch einmal in den 1970ern, als man auch das Fitch-Labor baute.

Die erste Studentin schrieb sich 1890 ein, und ab 1920 wohnten Frauen auch in der Unterkunft. Seit 1921 steht die School auch Studenten aus Ländern außerhalb des Commonwealth offen.

Ein staatlicher Zuschuß von jährlich 500 Pfund wurde erstmals 1895 genehmigt. Heute bezieht die BSA rund zwei Drittel ihres Einkommens von der britischen Regierung (über die British Academy). Sie finanziert sich zudem über private Spenden und die »Friends of the British School«. Ein vom Prince of Wales im J. 1998 gestarteter Spendenaufruf dient dem Ziel, den Anteil des privaten Stiftungsvermögens zu erhöhen, um so die Forschungsaktivitäten ausweiten und die Einrichtungen der School instand halten zu können.

Von 1994–1996 führte die British Academy eine Überprüfung der britischen Institute im Ausland durch. Das Urteil über die Athener Einrichtung fiel positiv aus, und einige der vorgeschlagenen Reformen wurden in die Tat umgesetzt. Im J. 1998 stellte man Statuten auf, von denen die erste lautet: ›Der Zweck der British School at Athens soll das Studium Griechenlands in all seinen Aspekten sein. Insbes. stellt sie Einrichtungen für alle Forschungstätigen zur Verfügung, die sich mit der Anthropologie, Arch., Architektur, Kunst, Natur, Geographie, Geschichte, Sprache, Lit., Religion und Top. Griechenlands aller Epochen bis in die Gegenwart befassen‹ (Statut 1). Zur Geschichte der BSA siehe [4].

B. FORSCHUNGSAKTIVITÄTEN

Obwohl die BSA in den Anfangsjahren auf Zypern aktiv war, hat sie seit dem E. des 19. Jh. fast ausschließlich innerhalb der Grenzen des mod. Griechenlands gewirkt (Abb. 1).

Im J. 1900 führte Sir Arthur Evans die ersten systematischen Grabungen in Knossos durch. Er konnte den erfahrenen Grabungsspezialisten Duncan Mackenzie engagieren, der sich bereits ab 1896 beachtliche Fertigkeiten bei der ersten größeren griech. Ausgrabung der BSA in Phylakopi auf Melos angeeignet hatte. Evans arbeitete einen Großteil seines späteren Lebens an der Ausgrabung des von ihm entdeckten bronzezeitlichen Palastes und an dem vierbändigen Buch, in dem er die Ausgrabungen publizierte: *The Palace of Minos*. Zur Erleichterung seiner Arbeit baute er in Knossos die sog. Villa Ariadne. 1926 überließ er seinen gesamten Nachlaß, einschließlich des Palastes, der BSA, die ihn wiederum 1952 dem griech. Staat übereignete und nur ein kleines Haus, die »Taverna«, nahe der Straße behielt. In den 1960ern errichtete die BSA ein Stratigraphisches Mus., um die Unt. des aus Evans' und späteren Ausgrabungen stammenden Materials zu ermöglichen.

Die Trad. des Studiums der minoischen Kultur wurde von Generationen von britischen Archäologen fortgeführt, hauptsächlich in Form von Ausgrabungen in Zentral- und Ostkreta. Berühmte Teilnehmer waren John Pendlebury, Kurator von Knossos, der sich bei der Vorbereitung seiner *Archaeology of Greece* einen beträchtlichen Teil der Insel »erwanderte«. Ausgrabungen wurden durchgeführt in Palaikastro, Praisos, Zakros, Lasithi, in der Diktäischen und in der Kamares-Höhle. Das Interesse beschränkte sich dabei nicht allein auf die Bronzezeit, wie die Arbeiten in Praisos zeigen [3].

Nach dem Zweiten Weltkrieg wurde die Forsch. auf Kreta mit Ausgrabungen und systematischen Geländeerfassungen (Surveys) fortgesetzt. Neue Ausgrabungsstätten eröffnete man u. a. in Phournou Koryphi und Myrtos-Pyrgos. Die Grabungen in Palaikastro wurden

wieder aufgenommen, und z.Z. wird eine geomorphologische Unt. des umliegenden Tales durchgeführt. Die Ausgrabungstätigkeit in Knossos, einschließlich des »Unexplored Mansion«, läuft weiter, und die Ergebnisse aller Grabungen im Tal sind in einer Reihe von Veröffentlichungen des *Knossos Survey* zusammengetragen worden. Der archäologische Survey ist, wie auch die Einbeziehung der Naturwissenschaften, ein speziell britischer Beitr. zur arch. Forsch. in Griechenland.

Knossos war auch in röm. Zeit als einzige röm. Kolonie auf Kreta von Bedeutung. Dies zeigt sich in der prachtvollen Ausstattung einer röm. Villa, die wegen ihrer großartigen Mosaikböden als »Villa Dionysos« bekannt ist. Die BSA-Ausgrabungen begannen 1935 und wurden in den 1950ern, den 1970ern und den 1990ern fortgesetzt.

Die BSA war im Laufe des 20. Jh. auch in vielen anderen Teilen Griechenlands tätig. 1906 begann man in Sparta mit der Freilegung des Heiligtums der Artemis Orthia. In den 1920ern konzentrierten sich die Aktivitäten auf das Theater und die nahegelegene Basilika, wo man in den 1990ern die Arbeit wieder aufnahm. Zwischen den beiden Weltkriegen erforschten der Direktor der BSA, Alan Wace, und Walter Heurtley das prähistor. Thessalien und Makedonien; Wace leitete darüberhinaus die britischen Ausgrabungen in Mykene; ein späterer Direktor, Humphrey Payne, arbeitete an dem archa. und klass. Heiligtum in Perachora; Winifred Lamb legte die prähistor. Stätte Thermi auf Lesbos frei und eröffnete dann die britischen Ausgrabungen auf Chios. Im Westen legte eine engagierte Kollegin, Sylvia Benton, die sog. Polis-Höhle auf Ithaka frei.

Die griech. Regierung sieht es gern, wenn ausländische Institute ihre Verbindungen zu ehemaligen Ausgrabungsorten aufrecht erhalten: So konnte die BSA in der zweiten H. des 20. Jh. an viele ihrer früheren Grabungsorte zurückkehren: nach Melos (weitere Ausgrabungen in Phylakopi, ein Survey der Insel und jüngst eine Studie zur Bodenschatzgewinnung), nach Chios (Emporio und Kato Phana) und nach Mykene.

In den 1970ern legte Hector Catling die bronzezeitliche Stätte um das Menelaion bei Sparta frei. Ein weitläufiger Survey wurde später in Lakonien durchgeführt, bei dem man mehrere erfolgversprechende Grabungsstätten ausfindig machte. Die Arbeit an der ersten hat bereits begonnen: der neolithische Tell (eine seltene Erscheinung im südlichen Griechenland) von Kouphovouno, wenig südlich von Sparta.

Auf Kythera wurde in den 1960ern das stark minoisch geprägte Kastri ausgegraben. Ein neues Survey-Programm der BSA stellt nun diese Stätte in ihren weiteren und unerwartet reichhaltigen arch. Kontext.

Nach ersten Geländeerkundungen in Euböa gruben Mervyn Popham und Hugh Sackett in den 1960er J. in Lefkandi eine bronzezeitliche Siedlung und eine Begräbnisstätte aus der Zeit der Dunklen Jh. aus. Die reichen Funde brachten ein unerwartet hohes kulturelles Niveau nach dem E. der myk. Zivilisation ans Licht.

Zwanzig J. später führten sie eine Rettungsgrabung in einem Heroon der Dunklen Jh. durch, das sich als das bei weitem größte Gebäude aus dieser Zeit in Griechenland erwies. Ein ungewöhnliches Projekt auf Euböa war die Ausgrabung eines Kasernenblocks in Phylla, das, zw. Chalkis und Eretria gelegen, im späten 8. und im späten 6. Jh. v. Chr. als Grenzfestung diente.

In Attika haben Mitarbeiter der BSA eine Anzahl ländlicher Siedlungsstätten sowie Bergbaustätten im Laurion-Gebiet untersucht, bes. in Agrileza.

Ab den 1960er J. kehrte die BSA auch in das nördl. Griechenland zurück, wo sie an frühzeitlichen Stätten in Nea Nikomedia (Frühes Neolithikum), dann in Servia, Sitagroi und Assiros Toumba grub. Die Surveys und Ausgrabungen, die von Eric Higgs ins Leben gerufen worden waren, trugen in großem Maß zur Entdeckung des Paläolithikums in Griechenland bei. Von ganz anderer Natur war die erfolgreiche Suche nach Xerxes' Kanal bei Nea Rhoda in der Chalkidike mittels geophysikalischer Vermessungsmethoden und der Analyse von Bohrkernproben.

In allen Tätigkeitsbereichen der BSA haben immer wieder Architekten eine Schlüsselstellung eingenommen. Der erste Direktor der Schule, Francis Penrose, hatte sich dem Studium klass. Bauten in Athen gewidmet, die er in *Principles of Athenian Architecture* publizierte. Er war es auch, der das erste Gebäude für die School entwarf. Andere bedeutende Architekten kamen als Mitglieder der Byzantine Research Foundation zur BSA. Zwischen 1896 und 1907 bereisten sie Griechenland und fertigten Pläne und Fotografien von über 400 byz. Kirchen an, von denen bisher nur einige wenige veröffentlicht worden sind. Diese umfangreiche Sammlung von Unterlagen ist Teil des Archivs der BSA. A. H. S. (Peter) Megaw, Direktor der Schule in den 1960ern, führte die Studien zu byz. Kirchen fort und entwarf einige der Anbauten für die Gebäude der BSA. Die Erforsch. der byz. und späterer Epochen ist ein beständiger Teilaspekt der BSA. Viele ihrer führende Persönlichkeiten erschlossen so durch ihre weit gefächerten Interessensgebiete faszinierende Betätigungsfelder für die BSA [2].

C. FORSCHUNGSEINRICHTUNGEN

Die Bibl. ist das Herzstück der School und stellt ihr wichtigstes Gut dar. Die Sammlungen der Bibl. decken alle Aspekte hellenischer Studien ab, von der Vor- und Frühgeschichte bis zum mod. Griechenland, mit dem Hauptaugenmerk auf Kunst und Archäologie. Weitere Sammlungen widmen sich den arch. Wiss., Ägyptologie und Balkanstudien. Es sind ca. 60000 Titel verzeichnet, hinzu kommen über 1000 Zeitschriften, 2000 Karten und eine stetig wachsende Zahl an CD-Roms. Lokalen und internationalen Wissenschaflern steht die Bibl. während der normalen Öffnungszeiten zur Verfügung; Mitglieder der BSA haben während des akad. Jahres rund um die Uhr Zugang. Die Bibl. zieht zahlreiche Interessenten aus den unterschiedlichsten Ländern und aus den unterschiedlichsten Disziplinen an: Klass. Philologen,

Archäologen, Epigraphiker, Numismatiker, Kunsthistoriker, Forscher, die sich mit dem byz. oder dem mod. Griechenland beschäftigen, Anthropologen, Ethnographen, Naturwissenschaftler und andere. Gegenwärtig steht genügend Raum für mehr als 50 Leser zur Verfügung, alle Bände (mit Ausnahme von 3000 seltenen Ausgaben) sind frei zugänglich, und es gibt Fotokopier- und Scangeräte sowie Zeicheneinrichtungen und eine Dunkelkammer.

Die Bibl. bietet darüber hinaus von zwei Terminals im Reference Room seinen Lesern Online-Zugriff auf das interne Netzwerk der BSA (BSA Research Network) und seine Datenbanken.

Das Archiv der BSA verwahrt, unter der Schirmherrschaft der Bibl., Aufzeichnungen (u. a. Notizbücher, Zeichnungen, Pläne, Fotografien und Datenbanken) von allen Ausgrabungsaktivitäten und Survey-Projekten der BSA, des weiteren administrative Unterlagen, die BSA-Kunstsammlung, die persönlichen Sammlungen einiger Ausgräber, darunter die von Sylvia Benton und John Pendlebury sowie die der britischen Philhellenen Sir William Gell und George Finlay.

Insbes. der George Finlay Collection kommt eine zweifache Rolle zunächst als Bestandteil der Bibl., aber auch in ihrer Funktion als Studiensammlung des Archivs zu. Die zahlreichen, von Finlay gesammelten Bücher wurden in ihrer urspr. thematischen Anordnung bewahrt und sind im Finlay-Raum (dem Aufenthaltsraum der BSA) untergebracht, wo sie allen Interessierten zur Verfügung stehen. Finlays persönliche Unterlagen wie auch die seines Vaters John Finlay und die von Frank Abney Hastings werden im Archiv aufbewahrt.

Eine weitere große Studienkollektion ist die Sammlung des Byzantine Research Fund, die unzählige architektonische Zeichnungen, Aquarelle, Notizbücher und Fotografien von Kirchen umfaßt, von denen einige inzwischen nicht mehr existieren. Sie wurde von einem Team britischer Architekten zu Beginn des 20. Jh. zusammengetragen.

Neben Fotografien von vielen der Fundstücke des Museums werden im Archiv Fotosammlungen aufbewahrt, die sich auf Ausgrabungen beziehen sowie private Fotoalben von Studenten, die ihre Arbeit und ihren Aufenthalt an der BSA dokumentieren.

Die Kollektion des BSA-Museums setzt sich aus Gegenständen zusammen, die der School gestiftet oder überlassen wurden, zunächst von George Finlay, bis in die 1950er J. hinein dann auch von einer Reihe von Archäologen und anderen Reisenden. Das Material reicht in Herkunft und Beschaffenheit von Neolithischem bis zu Venezianischem, von Keramik bis zu Metalobjekten, und von Münzen bis hin zu Inschriften.

Das Museum verfügt über eine wertvolle Sammlung, die für Vergleichsstudien ideal geeignet ist und auch für Ferienkurse und zur Unterrichtung von Studierenden der BSA und anderer akad. Einrichtungen in Griechenland herangezogen wird.

Nur ein Teil des Materials des Museums ist bisher publiziert worden. Ein Programm zur Veröffentlichung bestimmter Gruppen von Gegenständen ist im Gange, und bis jetzt sind die Inschr. und Architekturfragmente veröffentlicht worden, die Bände zur schwarzfigurigen Keramik und zur Skulptur stehen kurz vor der Vollendung. Eine neue Studie der »melischen« Reliefs und eine Neubearbeitung der archa. und klass. Statuetten ist in Arbeit.

Als das Stratigraphische Museum im J. 1905 gegründet wurde, bestand es aus einer umfangreichen Scherbensammlung und kleineren Funden, die aus Arthur Evans' Grabungen im Tal von Knossos stammten und urspr. in den überdachten Räumen des Palastes von Knossos gelagert worden waren. Im Laufe der Jahrzehnte dehnte sich die Sammlung rapide aus und umfaßte schließlich auch Töpferware und kleine Funde neuerer britischer Ausgrabungen im Tal von Knossos. Das in den 1960er J. erstellte Gebäude im Süden des BSA-Geländes in Knossos ist seitdem das Hauptquartier für alle britischen Ausgrabungen im Knossos-Tal. Abgesehen von den Lagermöglichkeiten bietet das Gebäude Einrichtungen zum Zeichnen, zur Forschung im Archiv, Computerzugang und einfache Konservierungsmöglichkeiten zur Vor-Ort Behandlung arch. Materialien nach der Ausgrabung. Das Stratigraphische Museum ist das Kronjuwel der BSA in Knossos; es ist eine Anlaufstelle für Archäologen der unterschiedlichsten Nationalitäten, die sich mit allen Aspekten der Geschichte von Knossos befassen, vom Neolithikum und der Minoischen Kultur bis in die byz. Zeit.

Das Marc und Ismene Fitch Labor wurde 1974 gegründet, um die Anwendung naturwiss. Analysen bei der arch. Forsch. in Griechenland zu fördern. Die Arbeit des Labors ist in drei Gebiete gegliedert: Kompositionsanalyse inorganischer Materialien, Umweltstudien und geophysikalische Prospektion. Keramik bildet den Hauptschwerpunkt der Kompositionsanalyse; Metalle, Putz, Farbpigmente, Glas und Gegenstände aus Stein werden ebenfalls untersucht. Diese Forsch. zielt darauf, die Entscheidungen und Prozesse, die zur Entwicklung ant. Produktionstechniken führten, zu beleuchten und durch die Herkunftsbestimmung des gefundenen Materials ein besseres Bild von ant. Handels- und Tauschsystemen zu gewinnen. Zwei analytische Techniken kommen dabei zur Anwendung: a) die chemische Analyse mit Hilfe der Atom-Emissions-Spektroskopie (ICP—AES) und b) die optische Unt. mit dem Polarisationsmikroskop. Das Labor unterhält eine Umwelteinheit mit mod. Vergleichssammlungen tierischer und pflanzlicher Überreste. Die Einheit bietet darüberhinaus die Möglichkeit, mikromorphologische Boden-Unt. durchzuführen, die Aufschluß geben können über die Formations- und Entwicklungsprozesse arch. Stätten. Die geophysikalische Prospektion wird zur Aufspürung unter der Oberfläche liegender Strukturen (Mauern, Gräben, Brandflächen, Konzentrationen von Keramik, usw.) verwendet, ohne daß man dafür aufwendige Grabungen durchführen müßte.

Das Laborpersonal umfaßt den Direktor, eine Teilzeitsekretärin und zwei oder mehr wissenschaftliche Mitarbeiter. Das akad. Personal setzt sich üblicherweise aus Archäologen zusammen, die in der naturwiss. Analyse ausgebildet sind, um so die Zusammenführung von arch. und wiss. Daten zu erleichtern. Das Labor bietet für spezifische Projekte auch Praktikumsplätze an.

Die Forschungsprogramme des Labors werden oft in Zusammenarbeit mit Mitgliedern des Griechischen Archäologischen Dienstes und Wissenschaftlern britischer Univ. durchgeführt. Zahlreiche Studien wurden auch im Zusammenspiel mit anderen internationalen Instituten in Athen betrieben, z.B. der American School of Classical Studies, der → École Française d'Athènes, dem Schwedischen Archäologischen Institut in Athen (siehe XIV.) und dem Österreichischen Archäologischen Institut in Athen (siehe XIII.). Enge Beziehungen werden auch mit den arch. Labors griech. Institutionen gepflegt, darunter das Archaeometry Laboratory am National Center for Scientific Research »Demokritos«, das Institute for Geology and Mineral Exploration (IGME) und das Wiener Laboratory der Americal School of Classical Studies.

D. Lehrveranstaltungen

Obwohl die BSA in erster Linie eine Forschungseinrichtung ist, die öffentliche Vorlesungen für ein breiteres Publikum und Seminare für ihre Mitglieder anbietet, ist sie sich der Rolle, die ihr bei der Durchführung griech. und der klass. Ant. geltender Studien zukommt, durchaus bewußt und führt für Schulen und Univ. bestimmte Lehrveranstaltungen durch. Besonders zu nennen sind hier ein jährlich stattfindender, dreiwöchiger Sommerkurs für Studenten zur Arch. und Top. Griechenlands (seit 1973) und, alle zwei J., ein zweiwöchiger Kurs für Lehrer der Altertumswiss. an Schulen (seit 1979) und ein zweimonatiger Kurs für Graduierte zur Arch., Top. und Geschichte von Athen und Attika (seit 1998).

E. Publikationen

Die Hauptpublikation der BSA ist seit 1895 das *Annual of the British School at Athens* (ein illustrierter Band von 300–400 Seiten). In ihm werden Berichte über die Feldforschungsprojekte der BSA sowie Art. zu einer Vielzahl an griech. Themen veröffentlicht.

In Zusammenarbeit mit der Hellenic Society veröffentlicht die School die Reihe *Archaeology in Greece* (im Rahmen der *Archaeological Reports*), eine englischsprachige Zusammenstellung der aktuellen arch. Aktivitäten in Griechenland, die jährlich vom Direktor der BSA zusammengestellt wird.

Supplementary Volumes präsentieren Abschlußberichte zu größeren BSA-Ausgrabungen und Feldforschungsprojekten und verwandte Themen. *BSA Studies* bieten Kongreßakten und einen regelmäßigen Überblick über den aktuellen Forschungsstand auf allen Gebieten der Griechenland-Forschung.

Die *Fitch Laboratory Occasional Papers* befassen sich mit aktuellen Themen der arch. Naturwissenschaften.

Seit 1998 gibt die Schule auch einen Newsletter heraus und unterhält ihre eigene Internet-Seite: www.bsa.gla.ac.uk.

F. Personal und Mitglieder

Volle Mitgliedschaft steht allen Graduierten, etablierten Wissenschaftlern und Lehrern der Altertumswiss. sowie verwandter Fächer an Schulen offen, ob aktiv oder im Ruhestand. Studenten, Schulabgänger und Personen, die an der Feldarbeit teilnehmen, können als außerordentliche Mitglieder beitreten. Die Aufnahme anderer Interessierter, die mit griech. Studien beschäftigt sind, liegt im Ermessen des Direktors.

Im akad. J. 1999–2000 zählte die BSA zu ihren Mitgliedern Angehörige von 26 Nationalitäten, davon stammten 44% aus Großbritannien, 3% aus Irland, 5% aus dem Commonwealth, 34% aus der EU und 14% aus anderen Ländern.

Eine Anzahl verschiedener Stipendien wird jährlich an Kandidaten von britischen, irischen und von Commonweath-Univ. verliehen. Aus einem Fonds, der zum 100. Geburtstag der Schule eingerichtet wurde, werden kürzere Stipendien (ein bis drei Monate) an Graduierte griech. und zypriotischer Nationalität für Forschungs- und Studienprojekte an britischen Hochschulen vergeben. Ein neu eingerichtetes Stipendium der Foundation for the Hellenic World wird die Forsch. an einer britischen Einrichtung zur griech. Zivilisation außerhalb des mod. Griechenlands ermöglichen. In den letzten Jahren konnten mehrere albanische Archäologen mit der Unterstützung der Butrint-Stiftung an der BSA ihre Studien betreiben.

Die Schule hat vier akad. Mitarbeiter: den Direktor, der mit der Geschäftsführung und der Leitung der BSA in Griechenland betraut ist und einem Londoner Aufsichtsrat untersteht, den Zweiten Direktor, den Direktor des Fitch Laboratory und den Kurator der Außenstelle in Knossos. Des weiteren gehören zum ständigen Personal die Sekretärin der BSA und der Bibliothekar. Alle unterstehen dem Direktor.

Der Aufsichtsrat ernennt jährlich einen Gastwissenschaftler, der normalerweise für drei Monate im Wohnheim untergebracht wird, während dieser Zeit ein Forschungsprogramm absolviert und sich generell am akad. Leben der BSA und ihrer Studenten beteiligt.

Seit 1886 ist die British School at Athens ein internationales Zentrum für Griechenland-Studien. Durch ihre Publikationen und vielfältigen Aktivitäten wirbt sie weltweit für die dauerhaften und universalen Werte der hellenischen Kultur. Die School wurde gegründet vor dem Hintergrund leidenschaftlicher britischer Begeisterung für die Ideale des ant. Griechenlands; eine ihrer Aufgaben ist nun, diese Ideale auch in das 21. Jh. zu tragen.

→ Knossos; Sparta

1 D. J. Blackman, The publication policy of the BSA, in: S. Hadjisavvas, V. Karageorghis (Hrsg.), The Problem of Unpublished Excavations. Conference organized by the Dept. of Antiquities & the Leventis Foundation, Nicosia November 1999, 2000, 59–65 2 R. Clogg, The BSA and the Modern History of Greece, in: Journal of Modern Hellenism 10 (1993), 91–109 (= Ders., Anglo-Greek Attitudes, in: Stud. in History, 2000, Kap. 2 3 D. Huxley (Hrsg.), Cretan Quests: British Explorers, Excavators and Historians, 2000 4 H. Waterhouse, The BSA: The First Hundred Years, 1986. DAVID BLACKMAN/Ü: TINA JERKE

IV. The British School at Rome
A. Gründung B. Sitz, Aufbau und Organisation C. Wissenschaftliche Tätigkeit und Publikationen D. Ausblick

A. Gründung

Die Initiative zur Gründung einer ständigen britischen Forschungsstelle in Rom, ein Projekt, das sich an die → École Française und das → Deutsche Archäologische Institut anlehnte, gehört ebenso wie die Gründung der *Society for the Promotion of Hellenic Studies* und der *Society for the Promotion of Roman Studies* zu einer Reihe von Schritten im späten 19. und frühen 20. Jh., die die Altertumswissenschaften in England nach kontinentalem Vorbild umgestalten sollten. Stets ging die Initiative von den Philhellenen aus. So wurde auch der Vorschlag für eine British School in Rom (B. S. R.) vom Vorstand der British School in Athen (siehe III.) geäußert. Führend waren Henry Pelham und sein Nachfolger auf dem Camden-Lehrstuhl für Alte Geschichte in Oxford, Francis Haverfield. Beide waren sich der Neuorientierung der Röm. Geschichte durch Theodor Mommsen sowie der sprunghaft angestiegenen Bed. der Arch. nach dem *Risorgimento* in It. bewußt. Finanziert wurde das Projekt durch private Spenden; erst 1906 wurde ein kleiner Zuschuß von der Regierung bewilligt.

Die offiziell am 11. April 1901 eröffnete B. S. R. sollte v. a. die Klass. Arch. vorantreiben. Von Anfang an erhielt sie jedoch eine übergreifendere Funktion als »Schule für röm. und it. Studien«, einschließlich der röm. und it. Lit., Kunst und Geschichte. Ihr erster Direktor, Gordon McNeil Rushforth, war klass. Philologe, interessierte sich jedoch sehr für Kunstgeschichte: sein erster Beitrag für den ersten Band der *Papers of the British School at Rome* (1902) war eine Unt. der eben entdeckten Fresken in der früh-ma. Kirche S. Maria Antiqua in Rom. Dennoch stand die Ant. im Mittelpunkt des Interesses. In ihren ersten Jahren verdankte die Institution ihr Ansehen v. a. Thomas Ashby, dem ersten Stipendiaten (1901–1902), der bald zum Stellvertretenden Direktor (1903) und schließlich zum Direktor ernannt wurde (1906).

Da ausländische Wissenschaftler zu dieser Zeit keine Grabungslizenzen mehr erhielten, spezialisierte sich Ashby auf top. Studien. Vor allem durch seine gemeinsame Arbeit mit S. B. Platner am *Topographical Dictionary of the City of Rome* (1929) trug er wesentlich zur Top. der Stadt Rom bei. Seine bedeutendsten Arbeiten waren jedoch die Unt. der Landschaft um Rom, v. a. eine Reihe von Unt., die in *The Roman Campagna in Classical*

Times (1927) und *The Aqueducts of Rome* (1935 posthum veröffentlicht) mündeten. Seine Liebe zur röm. Landschaft ging unter anderem auf Sir William Gells Arbeiten zu Beginn des 19. Jh. zurück; sie sollte sich in vielen Nachfolgern Ashbys fortsetzen. Die zweite herausragende Gestalt der frühen Jahre war Eugenie Strong (Stellvertretende Direktorin 1908–1925), eine der Pionierinnen röm. Kunstgeschichte in England, die bedeutende Arbeit auf dem Gebiet der röm. Plastik leistete. Dieses Forschungsgebiet war bereits durch Henry Stuart Jones (Direktor 1903–1905), der den Kat. der Plastiken in den Kapitolinischen Museen (→ Rom, Kapitolinische Museen) herausgab, ins Augenmerk der B. S. R. gerückt.

B. Sitz, Aufbau und Organisation

Die B. S. R. war zunächst in einer Wohnung im Palazzo Odescalchi untergebracht und wurde, obwohl ihre Bibl. rasch wuchs, nur von wenigen Studenten genutzt. Der urspr. Plan, ein breiteres Interessensspektrum abzudecken, wurde 1911 anläßlich der Weltausstellung in Rom umgesetzt. Der britische Pavillion war von dem bedeutenden Architekten Sir Edwin Lutyens entworfen worden. Nach Verhandlungen zw. dem britischen Botschafter Sir Rennel Rodd und dem röm. Bürgermeister Ernesto Nathan wurde das Gelände dem britischen Volk zur Errichtung einer Akad. überlassen. Lutyens entwarf das neue Gebäude (erbaut 1912–1916), das wesentlich von der *Royal Commission for the Exhibition of 1851* (der Königlichen Kommission für die Weltausstellung im Londoner Kristallpalast, die einen großen Gewinn einbrachte) finanziert wurde. Diese Kommission richtete auch Stipendien in den Schönen Künsten ein. Das neue Gebäude erhielt außerdem sieben Künstlerateliers, die von der Witwe des Malers Edwin Austin Abbey finanziert wurden. Die Ausführung von Lutyens urspr. Plänen verzögerte sich durch finanzielle Engpässe; erst 1938 wurde die vierte Seite des Gebäudes fertiggestellt.

Die B. S. R., die seit 1916 in Valle Giulia residiert, hat nicht nur Wissenschaftler aus der Klass. Arch. und der Röm. Gesch., sondern auch aus den Bereichen Kunst, Architektur, Kunstgeschichte, Mittlere und Neue Geschichte sowie Italianistik beherbergt. Sie fördert die wiss. Arbeit sowohl durch Stipendien und Preise für Nachwuchswissenschaftler und arrivierte Kollegen, die ihren eigenen Forschungsgebieten nachgehen, als auch durch Forschungsprojekte, die von Mitarbeitern der B. S. R. durchgeführt oder von der B. S. R. unterstützt werden. Die B. S. R. erhält Zuschüsse von der britischen Regierung (seit 1950 über die British Academy) sowie private Spenden und Stiftungen. Die Bed. der B. S. R. für britische Forschungsaktivitäten in It. geht jedoch weit über ihre eigentlichen Projekte hinaus. So steht sie nicht nur ihren eigenen Stipendiaten zur Verfügung, sondern bildet auch für andere Wissenschaftler eine Anlaufstelle. Die über 50 000 Bände und über 600 laufende Zeitschriften umfassende Bibl. steht Wissenschaftlern aller Nationalitäten offen. Darüber hinaus wird sie häufig von Wissenschaftlern aus dem British Commonwealth (v. a. aus Australien und Kanada) genutzt, die Stipendien der B. S. R. erhalten können.

C. Wissenschaftliche Tätigkeit und Publikationen

Nach Thomas Ashbys langer Amtszeit (1906–1925) hatten die meisten Direktoren vor dem Zweiten Weltkrieg den Posten nur wenige Jahre inne. Die wichtigsten Beiträge zur Klass. Arch. aus dieser Zeit stammen von Bernard Ashmole (1926–1928), einer Autorität auf dem Gebiet der ant. Plastik, und von Ian Richmond (1930–1932), dessen Unt. zu den röm. Stadtmauern und zur Trajanssäule an Ashbys top. Interesse anknüpften. Ein größeres Forschungsprojekt wurde dagegen erst nach dem Krieg von John Ward Perkins (Direktor 1946–1974) ins Leben gerufen. Nachdem er im Krieg mit Mortimer Wheeler unter Montgomery in Nordafrika stationiert gewesen war, befaßte sich sein erstes größeres Projekt mit Libyen, wo er zusammen mit R. Goodchild einen Survey des röm. Tripolitanien durchführte. Aus dieser Arbeit ging auch Joyce Reynolds Werk *Inscriptions of Roman Tripolitania* (1952) hervor. Gleichzeitig war Ward-Perkins auch in Malta (wo bereits Ashby gegraben hatte) und in It. tätig. Seine Ausgrabungen an S. Salvatore in Spoleto mit Erik Sjöqvist waren die ersten Grabungen durch ausländische Archäologen seit dem 19. Jh. Auch seine gemeinsam mit Jocelyn Toynbee durchgeführten Arbeiten an der Nekropole unter dem Petersdom (1956) verdienen Erwähnung.

Sein ehrgeizigstes Projekt war jedoch ein Survey des südl. Etruriens in Zusammenarbeit mit einer Reihe von Forschern. Dieses Projekt griff durch die Sichtung der noch stehenden Überreste in der Gegend um Rom auf die Tradition von Gell und Ashby zurück, eröffnete jedoch gleichzeitig neue Horizonte, da Ward-Perkins einen Survey der Gegenstände, die beim tiefen Pflügen an die Oberfläche geworfen worden waren, für eine Unt. der Siedlungsmuster im Verlauf der Geschichte nutzte. Diese Arbeit erstreckte sich über 20 Jahre, und obwohl einzelne Grabungsorte (v. a. der Friedhof von Quattro Fontanili bei Veii) publiziert wurden, wurden ihre Ergebnisse, abgesehen von Tim Potters Überblick in *The Changing Landscapes of South Etruria* (1979), noch nicht in einer endgültigen Form veröffentlicht. Dieses Material wird derzeit in einem großangelegten Kooperationsprojekt zum mittleren Tibertal unter der Leitung von Helen Patterson untersucht.

Aus Ward-Perkins Konzentration auf Landschaftsarch. gingen verschiedene andere Projekte zur Oberflächenforschung hervor, darunter diejenigen von Graeme Barker (Direktor 1984–1988) im Bifernotal und um Tuscania sowie von John Lloyd im Sangrotal. In jüngerer Zeit liegt der Schwerpunkt auf der Verwendung von Techniken aus der geophysikalischen Prospektion, wodurch in Falerii Novi unter Simon Keay und Martin Millett und in Forum Novum in der Sabina unter Helen Patterson, Vince Gaffney und Paul Roberts (Stipendiat 1989) bemerkenswerte Ergebnisse erzielt wurden.

Auch auf anderen Forschungsgebieten hat die B. S. R. Bedeutendes geleistet. Das Interesse an → Ostia und seiner Umgebung geht auf Russell Meiggs (Pelham-Stipendiat 1925) zurück; sein *Roman Ostia* wurde erst 1960 veröffentlicht, ist jedoch das Resultat jahrzehntelanger Arbeit. Weitere bedeutende Arbeiten wurden von Amanda Claridge (Stellvertretende Direktorin 1980–94) am Vicus Augustanus in Castelporziano, von Janet DeLaine (Stipendiatin 1986) am Haus des Ganymed in Ostia und von Simon Keay und Martin Millett bei einer geophysikalischen Unt. des trajanischen Komplexes in Portus durchgeführt.

Das Interesse an Kampanien geht auf die Arbeiten von R. C. Carrington (Stipendiat 1928) zurück, der sich auf → Pompeji und seine Umgebung spezialisiert hatte. Hier ist v. a. die Arbeit von Martin Frederiksen (Stipendiat 1954) hervorzuheben, dessen Werk *Campania* (1984) posthum von Nicholas Purcell (Craven Fellow 1978) herausgegeben wurde. In Nordkampanien ermöglichte die Ausgrabung der röm. Villen von San Rocco und Posto, Francolise, durch Molly Cotton, eine langjährige Mitarbeiterin von Ward-Perkins, und durch Guy Metraux Einblick in die röm. Landwirtschaft. Auch Paul Arthur (Stipendiat 1981) beschäftigte sich mit den Römern in Nordkampanien. Pompeji gehörte zu Ward-Perkins Interessensgebieten. Als Verf. des Kat. (zusammen mit Amanda Claridge) trug er wesentlich zur Ausstellung »Pompeii AD 79« 1976–1977 in London bei, wodurch er Unterstützung für ein Forschungsprojekt an der *Insula* des Menander (I, 10) unter Leitung von Roger Ling (Stipendiat 1965) gewinnen konnte. Der erste Band zur Baugeschichte der *Insula* erschien 1997. Die Methode, Pompeji anhand der *Insulae*, nicht der Einzelhäuser zu untersuchen, wurde von Andrew Wallace-Hadrill (Direktor 1995–h.) in seinem Projekt an der *Insula* 9 der Region I aufgegriffen und durch Michael Fulfords Ausgrabungen von Schichten, die vor 79 n. Chr. datieren, ergänzt. Durch die Unt. von Penelope Allison (Stipendiatin 1989), die von Joanne Berry (Stipendiatin 1996) fortgeführt wurden, konnte das umfangreiche bei früheren Grabungen aufgezeichnete Material wieder in seine Raumsituation eingeordnet werden.

Samnium stand ebenfalls kontinuierlich im Zentrum der Aufmerksamkeit, von E. T. Salmons (Craven-Stipendiat 1927) Überblickswerk bis zu den jüngeren Studien von John R. Patterson (Stipendiat 1982), Emma Dench (Stipendiatin 199x) und Stephen Oakley. In diesem Gebiet wurden mehrere bedeutende Grabungsprojekte der B. S. R. durchgeführt: Neben der Arbeit von John Lloyd im Sangrotal haben die großangelegten Ausgrabungen von Richard Hodges (Direktor 1988–95) an der Abtei von San Vincenzo al Volturno Einblick in eine Stätte eröffnet, die von der Ant. bis zum Frühma. Bed. hatte.

In Südit. war v. a. die Katalogisierung südital. Vasen durch A. D. Trendall (Bibliothekar 1936–38) wichtig. Das großangelegte Projekt eines Surveys der Anord-

nung röm. Äcker im apulischen Tavoliere, die durch Luftaufnahmen von J. S. P. Bradford entdeckt worden waren, konnte von G. D. B. Jones (Stipendiat 1959) vor seinem Tod nur noch teilweise publiziert werden. Von Ward-Perkins initiierte Grabungen in Gravina wurden von Alistair Small (Stipendiat 1964) durchgeführt und publiziert. Hinzu kamen Grabungen bei Otranto durch David Whitehouse (Direktor 1974–84) und Dimitri Michelides (Stellvertretender Direktor x-x).

Schließlich stand auch die Stadt Rom selbst kontinuierlich im Zentrum der Aufmerksamkeit, sei es durch die top. Unt. von Peter Wiseman (Stipendiat 1961) und Nicholas Purcell (Craven Fellow 1978), durch Unt. einzelner Objekte wie die Arbeiten zu den Caracalla-Thermen von DeLaine, zu den Trajansmärkten von Lynne Lancaster (Stipendiatin 199x), zu den aurelianischen Mauern von Robert Coates-Stephens (Stipendiat 1996), durch die Ausgrabung an S. Maria Antiqua durch Henry Hurst oder durch den umfassenden Überblick in Claridges Führer.

Zahlreiche andere Projekte haben ihren Ausgangspunkt von der B. S. R. genommen, sind durch ihre Stipendiaten und Mitarbeiter durchgeführt oder von der Schule finanziell unterstützt worden; die jährlich erscheinenden *Papers*, die durch eine Monographienreihe ergänzt werden, spiegeln das breite Interessensspektrum der Institution wieder. Aufgrund der breitgefaßten Intention der B. S. R. bildete die Klass. Arch. nie eine isolierte Wissenschaft. Ashby interessierte sich für das prähistorische Malta und Sardinien ebenso wie für Italienreisende des 18. und 19. Jh. Unter den Direktoren der jüngeren Vergangenheit waren neben Altertumswissenschaftlern auch Vertreter der Urgeschichte (Barker) und der ma. Arch. (Whitehouse, Hodges). Auch gab es keine Trennung zw. Arch. und Geschichte: Althistoriker von Meiggs oder Frederiksen bis Geoffrey Rickman, Peter Wiseman und vielen anderen Zeitgenossen kamen durch die B. S. R. in engen Kontakt mit arch. Material. Ferner wurde die Ant. nicht strikt von der Urgeschichte einerseits und der ma. Geschichte andererseits getrennt. Epochenübergreifende Studien haben sehr interessante Übergangsperioden aufgezeigt: So wurde Tim Potter durch seinen Survey von Südetrurien dazu veranlaßt, das prähistorische Narce einerseits sowie den Übergang von der Spätant. zum MA am Monte Gelato andererseits zu untersuchen. Auch zw. arch. Feldarbeit und Kunstgeschichte gab es Überschneidungen: Ward-Perkins ist ebenso bekannt für seine Beiträge zur röm. Architekturgeschichte wie für seine Feldarbeit, und Claridge führte nicht nur die auf Eugenie Strong zurückgehende Tradition der Arbeiten zur röm. Plastik fort, sondern ist ebenso bekannt für ihre Beiträge zur röm. Topographie. Solche Kontakte zw. unterschiedlichen Fachgebieten machen die wiss. Arbeit dieser typisch britischen Institution besonders fruchtbar.

D. Ausblick

Anläßlich ihres hundertjährigen Jubiläums (2001) nahm die B.S.R. – mit finanzieller Unterstützung der britischen Regierung und privater Spender, v.a. durch Lord Sainsbury von Preston Candover und das Packard Humanities Institute – ihr ehrgeizigstes Bauprojekt seit der Fertigstellung des Lutyens-Baus in Angriff. Ein neues Auditorium soll einen weiteren Ausbau der Vortragsreihen und fachübergreifenden Konferenzen ermöglichen. Eine Erweiterung der Bibl. soll für weitere 20 Jahre Neuanschaffungen Platz bieten. Auch das bedeutende Archiv der B.S.R. soll hier untergebracht und zugänglich gemacht werden. Es umfaßt Photogr. von Rom und It., die bis zur Mitte des 19. Jh. zurückreichen, Dokumente von arch. Projekten der B.S.R. sowie Arbeiten ihrer Stipendiaten und Künstler. Das Herz des Archivs bildet die Sammlung von Thomas Ashby; viele seiner Photogr. sind in einer Reihe von Ausstellungskatalogen veröffentlicht worden. Andere bedeutende Sammlungen sind die von Eugenie Strong und John Ward-Perkins. Ein solcher Fundus hat nicht nur großen wiss. und wissenschaftsgeschichtlichen Wert, sondern ist für die B.S.R. auch ein steter Quell der Selbsterneuerung.

1 H. Petter, Lutyens in Italy. The building of the B.S.R., 1992 2 http://www.bsr.ac.uk/bsr.html 3 T.P. Wiseman, A short history of the B.S.R., 1990.

ANDREW WALLACE-HADRILL/
Ü: BARBARA KUHN-CHEN

V. Das Dänische Archäologische Institut in Athen
A. Geschichte   B. Personal
C. Forschungsaktivitäten und
-Einrichtungen   D. Publikationen

A. Geschichte

In einem Brief des griech. Kulturministeriums vom 7. März 1992 bestätigten die Behörden die Existenz des Dänischen Instituts für Altertumsforsch., Arch. und Kulturgeschichte in Athen (DIA) an. Am 2. April desselben J. wurde das Inst. offiziell durch den dänischen Bildungsminister eingeweiht.

Seit dem frühen 19. Jh. hatte Dänemark enge Beziehungen mit Griechenland gepflegt. Ein Vorreiter bei der Etablierung dieser Beziehungen war der Klass. Philologe und Archäologe P.O. Brønsted (1780–1842), der zusammen mit dem Philologen Georg Koës (1782–1811), dem Deutschen Haller von Hallerstein (1774–1817), Jacob Lincks (1786–1837) und dem Esten Otto Magnus von Stackelberg (1887–1841) drei J. (1810–1813) in Griechenland verbrachte. Brønsted selbst legte den ant. Stadtstaat Karthaia an der südöstlichen Küste der Kykladen-Insel Keos frei und nahm an der Ausgrabung des Apollontempels von Bassai in Arkadien teil. Brønsteds vielbeachteten Vorlesungen in der Hauptstadt Kopenhagen und verschiedene wiss. Publikationen (*Reisen und Unt. in Griechenland*, 1826) schufen bei der

dänischen Bevölkerung ein elementares Verständnis und eine grundlegende Sympathie für das erst seit kurzem unanbhängige Griechenland.

Der dänische Architekt Christian Hansen (1803–1883) und sein Bruder Theophilus Hansen waren unter den ersten ausländischen Architekten, die in Athen arbeiteten. Christian Hansen kam 1833 nach Athen, im selben J., in dem es zur neuen Hauptstadt erklärt worden war. Mit Ludwig Ross (1806–1859) und Eduard Schaubert (1804–1860) leitete er 1835–6 die Restaurierung des Athena-Nike-Tempels auf der Akropolis (Abb. 1).

Abb. 1: Der Wiederaufbau des Tempels der Athena Nike durch Chr. Hansen und Eduard Schaubert 1836 (Bibliothek der Royal Academy of Fine Arts, Kopenhagen)

Im J. 1839 begann er mit dem klassizistischen Bau der neuen Univ. in der Panepistimioustraße, wo sie neben der Akad. und der National-Bibl., die beide von seinem jüngeren Bruder entworfen wurden, noch h. zu besichtigen ist. Theophilus Hansen zeichnete auch verantwortlich für das Observatorium auf dem Musenhügel, das Demetrios-Haus am Syntagma-Platz, das später in das Hotel Grande Bretagne umgewandelt wurde, die Ausstellungshalle Sappion und andere das mod. Stadtbild prägende Gebäude. Christian Hansen entwarf die im byz. Stil gehaltenen Augenklinik, des Ophthalmiatrion, in der Nähe der Akademie.

Im J. 1863 wurde der dänische Prinz Vilhelm, Sohn von König Christian IX., König von Griechenland. Er nahm den Thronnamen Georg I. an und übte sein Amt aus bis er 1913 in Thessaloniki einem Attentat zum Opfer fiel. Während seiner Regentschaft besuchten viele Dänen Griechenland, unter ihnen auch der Philologe Karl Frederik Kinch (1853–1921). Er schrieb seine Dissertation über den Galerius-Bogen in Thessaloniki und initiierte zusammen mit dem zehn J. jüngeren Christian Sørensen Blinkenberg (1863–1948) die erste dänische Feldforschungkampagne in Griechenland: die Ausgrabungen der Carlsberg-Stiftung in Lindos und auf dem südlichen Rhodos (1902–1914), das bis 1948 unter türk. Hoheit stand. Spätere dänische arch. Unternehmungen in Griechenland umfaßten die Ausgrabungen von K.A. Rhomaios und Frederik Poulsen im ätolischen Kalydon in den J. 1926, 1928 und 1932. Die Arbeiten wurden beendet und zum größten Teil publiziert von dem Architekten Ejnar Dyggve (*Das Heroon von Kalydon*, 1934, *Das Lyphrion. Der Tempelbezirk von Kalydon*, 1948).

Das DIA fand bald in zwei klassizistischen Gebäuden auf dem Catarina-Platz in der Plaka von Athen (Herefondos 12–16) ein Zuhause. Inzwischen befinden sich in den Gebäuden Büros, Unterkünfte für Gastwissenschaftler und ein Auditorium mit 100 Sitzplätzen. Das Inst. ist eine unabhängige Einrichtung, die abwechselnd dem Bildungsministerium oder dem Forschungsministerium unterstellt ist. Ziel des Inst. ist es, im allg., bestehende kulturelle Beziehungen zw. Dänemark und Griechenland zu pflegen bzw. auszubauen und, im besonderen, Forsch. und Lehre sowie die gegenseitige kulturelle Bereicherung auf den Gebieten der Arch., Geschichte, Sprache, Lit. und Architektur zu fördern und unser Wissen über die kulturellen Trad. Griechenlands und des Mittelmeerraumes zu erweitern.

B. PERSONAL

Der Direktor des Inst. wird für einen Zeitraum von drei bis fünf J. aus dem Kreis der führenden Wissenschaftler des dänischen Nationalmuseums und der Univ. von Kopenhagen, Aarhus und Odense ernannt. Die Position des Stellvertretenden Direktors wird durch ein Stipendium der Ny Carlsberg-Stiftung und Beitr. der vier genannten Institutionen ermöglicht. Das Sekretariats- und Buchhaltungspersonal wird von den beiden beteiligten Ministerien gestellt. Stipendien für Studenten und Wissenschaftler werden über die Eleni-Nakou-Stiftung, die Carlsberg-Stiftung und die Velux-Stiftung von 1981 finanziert. Graduierte dänischer Univ. sind im Rahmen ihrer Promotionsstudien automatisch zur Mitgliedschaft berechtigt.

C. FORSCHUNGSAKTIVITÄTEN UND -EINRICHTUNGEN

In Zusammenarbeit mit der 22. Ephorie in der Dodekanes hat das DIA einen arch. Survey in der Gegend um Kattavia auf dem südl. Rhodos durchgeführt. Von 1995–2001 führte das Inst. in Zusammenarbeit mit der 6. Ephorie in Patras Ausgrabungen im ant. Chalkis in Ätolien durch, in der Nähe des heutigen Ortes Kato Vasiliki. Die Feldarbeit wurde von der Consul-General-Gösta-Enbom-Stiftung finanziell unterstützt. Im J. 2001 startete das DAI in Kooperation mit der Griechischen Archäologischen Gesellschaft eine Kampagne im ant. Kalydon in Ätolien; die Ny Carlsberg-Stiftung übernimmt hier die Finanzierung der dänischen Seite des Projekts.

Das Inst. hat bereits mehrere Konferenzen auf dem Gebiet der Arch. und anderer geisteswiss. Disziplinen initiiert und veranstaltet: Byz. Musik, Übers. (Griech.-Dänisch), usw.

Zusammen mit den anderen nordischen Ländern Schweden, Finnland und Norwegen unterhält das DIA die gemeinsame Nordische Archäologische Bibliothek (eingeweiht im J. 1995), die in Kavalotti 7 im Stadtteil Makriyanni südlich der Akropolis untergebracht ist.

Dokumentationsmaterial zur Feldarbeit des DIA wird im Inst. aufbewahrt und kann dort zu Studienzwecken eingesehen werden.

D. PUBLIKATIONEN

Das DAI publiziert eine alle zwei J. erscheinende Zeitschrift: *Proceedings of the Danish Institute at Athens* (PDIA), in der die Ergebnisse der Feldarbeit des Inst., arch. Studien und gelegentlich auch Art. aus anderen Forschungsgebieten veröffentlicht werden. Drei Bände sind bisher erschienen (1995, 1998 und 2000). In der Monographienreihe des Dänischen Instituts in Athen (MDIA) sind 1997 zwei Bände erschienen.

1 Beretning 1992–1993. Det Danske Institut i Athen, 1994
2 Beretning 1994–1995. Det Danske Institut i Athen, 1996.

SØREN DIETZ/Ü: TINA JERKE

VI. DAS FINNISCHE INSTITUT IN ATHEN
A. GESCHICHTE B. AKTIVITÄTEN
C. PUBLIKATIONEN

A. GESCHICHTE

Wer zum ersten Mal den Wunsch aussprach, in Athen ein Finnisches Institut (FI) zu gründen, kann nicht mehr ermittelt werden. Fest steht allerdings, daß die Idee in Finnland bes. durch Prof. Nils Oker-Blom, ehemaliger Kanzler der Univ. von Helsinki, und in Griechenland durch Konstantin Lazarakis, finnischer Generalkonsul in Athen, stark gefördert wurde. Im J. 1984 wurde in Helsinki eine Stiftung gegründet mit dem Ziel, ein Inst. in Athen zu unterhalten, das im selben J. auch gegründet wurde. Die Gründung des Inst., inspiriert durch die erfolgreiche Existenz eines Finnischen Inst. in Rom (seit 1954), hatte interessante Folgen sowohl in Finnland als auch in Griechenland: Einerseits wurden nämlich bald nach der Gründung des athenischen Inst. von finnischer Seite mehrere ähnliche Inst. (u. a. in Berlin) gegründet, andererseits folgte in Athen bald nach der Gründung des FI, das nach der Gründung des schwedischen Instituts im J. 1948 das zweite nordische Inst. in Athen war, auch die wohl (wie wir gern annehmen) durch die Finnen inspirierte Gründung eines norwegischen und schließlich auch eines dänischen Instituts (siehe XI. und V.).

Wie schon oben bemerkt, wird das Inst. durch eine in Helsinki ansässige Stiftung unterhalten. Präsident der Stiftung ist z.Z. Prof. Lauri Saxén, auch er ehemaliger Kanzler der Univ. Helsinki; der Vorstand besteht aus Vertretern sowohl der akad. als auch der Welt der Wirtschaft. Seit 1992 ist das Inst. in einem neoklass., völlig renovierten zweistöckigen Gebäude untergebracht, das sich in der unmittelbaren Nähe des schwedischen Instituts und der Nordischen Bibliothek im Stadtteil Koukaki (südlich der Akropolis) befindet.

Zweck des Inst. ist, wiss. Forsch. mit Griechenland als Gegenstand zu betreiben und zu unterstützen; bisher lag der Schwerpunkt auf Aspekten des klass. Griechenlands, und zwar bes. auf Gebieten wie Arch., Epigraphik, Geschichte, Sprachwiss., doch ist eine eventuelle Beschäftigung mit späteren Phasen der griech. Geschichte keineswegs ausgeschlossen. Neben den wiss. Aktivitäten hat das Inst. auch ein bescheidenes Kulturprogramm, bestehend v. a. aus verschiedenartigen Ausstellungen und Vorträgen.

Zusammen mit den drei anderen nordischen Ländern betreibt das FI die sog. Nordische Bibliothek, eine für alle zugängliche wiss. Bibl. mit über 50 000 Bänden (Neuanschaffungen im J. 1999: über 1000 Bände), die sich in unmittelbarer Nähe sowohl des finnischen als auch des schwedischen Inst. befindet. Dem Inst. steht auch ein Wohnheim (für Forscher, Studenten usw.) zur Verfügung.

Das Personal des Inst. besteht aus einem Direktor, einem Assistenten und einer Sekretärin, wobei der Direktor und der Assistent selbständige Forscher sind. Die Ausgrabungen des Inst. werden von einem weiteren, nicht zum normalen Personal des Inst. gehörenden Forscher geleitet.

B. Aktivitäten

Die Aktivitäten des FI bestehen neben dem Kulturprogramm, neben den eigenen Forsch. des Personals und neben anderen Tätigkeiten (etwa Beratung finnischer Studenten und Wissenschaftler, die Forsch. in Griechenland planen), v. a. aus Kursen für finnische Studenten verschiedener Richtungen (Philologen, Historiker, Archäologen, Religionswissenschaftler usw.), aus Kolloquien und ähnlichen Forschertreffen (zuletzt im J. 1999: Kolloquium »The Greek East in the Roman Context«) und (seit 1999) aus der arch. Grabung an einer spätant. Stätte (eine frühchristl. Kirche mit Umgebung) in der Nähe des Dorfes Vrasná, etwa 80 km östl. von Thessaloniki.

C. Publikationen

Bisher wurden in der Schriftenreihe des Inst. *Papers and Monographs of the Finnish Institute at Athens* sechs Bände publiziert [1–6]. Weitere Bände befinden sich in Vorbereitung.

1 P. Castrén (Hrsg.), Post-Herulian Athens. Aspects of Life and Culture in Athens, A. D. 267–529, 1994 2 B. Forsén, G. Stanton (Hrsg.), The Pnyx in the History of Athens. Proceedings of an International Colloquium Organised by the Finnish Institute at Athens, 7–9 October 1994, 1996 3 P. Packanen, Interpreting Early Hellenistic Religion. A Study Based on the Mystery Cult of Demeter and the Cult of Isis, 1996 4 B. Forsén, Griech. Gliederweihungen. Eine Unt. zu ihrer Typologie und ihrer religions- und sozialgeschichtlichen Bed., 1996 5 A. Karivieri, The Athenian Lamp Industry in Late Antiquity, 1996 6 J. Frösén (Hrsg.), Early Hellenistic Athens. Symptoms of a Change, 1997.   OLLI SALOMIES

VII. Institutum Romanum Finlandiae
A. Geschichte und Hintergrund
B. Wissenschaftliche Tätigkeit

A. Geschichte und Hintergrund

Das Finnische Wissenschaftliche Institut in Rom (Institutum Romanum Finlandiae, IRF) nahm seine Tätigkeit 1954 auf. Bis zur Gründung des Finnischen Institutes in Athen (1984, siehe VI.) handelte es sich um das einzige wiss. Forschungsinst. Finnlands im Ausland.

Die Institutsgründung in Rom hatte eine lange Vorgeschichte. Wissenschaftler aus dem damals zum Schwedischen Reich gehörenden Finnland begaben sich bereits im 18. Jh. nach Rom, um Forsch. zur Ant. sowie zum MA anzustellen.

Der aus dem finnischen Turku stammende Carl Fredric Fredenheim kam 1783 als Mitglied der Delegation des schwedischen Königs Gustav III. nach Rom und kann als einer der ersten ausländischen Forscher angesehen werden, die Ausgrabungen auf dem Forum Romanum durchführten. Daneben gelang es ihm auch, sich aus dem damals noch für die Geschichtsforsch. unzugänglichen Vatikanischen Geheimarchiv eine Sammlung von mehreren Hundert Kopien päpstlicher Briefe zu verschaffen.

Als erster Anlauf zu einer Institutsgründung kann die »Expédition finlandaise« des finnischen Historikers Henry Biaudet angesehen werden. Er führte mit seiner Forschergruppe in den J. 1909–1915 im Auftrag der Finnischen Akademie der Wissenschaften ausgedehnte Unt. im Vatikanischen Archiv durch. Die polit. Umstände – Finnland war damals Teil des Russischen Reiches und Biaudet als Unabhängigkeitsaktivist *persona non grata* – sowie sein früher Tod im J. 1915 verhinderten jedoch eine eigentliche Institutsgründung in dieser Phase.

Nach der Erlangung der finnischen Unabhängigkeit (1917) nahmen Finnen in den 1920er und 1930er J. regelmäßig an den Kursen und Forschungsaktivitäten anderer röm. Inst., v. a. des 1926 gegründeten Schwedischen Institutes, teil (u. a. Emil Zilliacus, Gunnar Mickwitz, Torsten Steinby, Jaakko Suolahti).

Eine Stiftung zur Gründung eines finnischen Inst. in Rom wurde 1938 in Helsinki ins Leben gerufen und erhielt von der it. Regierung die Zusicherung eines Grundstückes neben dem Schwedischen Institut in der Valle Giulia. Die Kriegsjahre machten jedoch die Pläne zunichte.

Die Stiftung bestand allerdings weiterhin und hielt auch in den Kriegsjahren den Gedanken einer finnischen Institutsgründung aufrecht. 1948 eröffnete sich dann die einzigartige Gelegenheit zum Erwerb der auf dem Gianicolo-Hügel gelegenen Villa Lante, einer der wenigen vollständig erhaltenen Renaissancevillen Roms. Der Industrielle und Kunstmäzen Amos Anderson, der bereits bei der Stiftungsgründung 1938 eine treibende Kraft gewesen war, stellte dem Finnischen Staat das Geld für den Ankauf zur Verfügung. Nach mehrjähriger Renovation konnte die wiss. Tätigkeit am 29. April 1954 aufgenommen werden.

B. Wissenschaftliche Tätigkeit

Charakteristisch für das IRF war von Anfang an die Verknüpfung einer regelmäßigen Lehr- und Unterrichtstätigkeit mit der eigentlichen wiss. Forschung. Ein reines, nur der höheren wiss. Forsch. gewidmetes Inst. sah man für eine kleine Nation als zu einseitig an. Die jährlich abgehaltenen mehrwöchigen Einführungskurse in Kultur und Geschichte der Ant. sowie in die Top. Roms haben Hunderten von finnischen Studenten einen ersten tieferen und persönlichen Einblick in diese Wissenschaftsbereiche ermöglicht.

Die kurzen, in der Regel auf drei J. bemessenen Direktoratsperioden sowie die verfügbaren Mittel bestimmten von Anf. an die Ausrichtung der wiss. Tätigkeit. Der Altphilologe Henrik Zilliacus, der erste wiss. Direktor des IRF, leitete die bis h. bestehende Trad. der epigraphischen Forsch. ein; er bildete eine Arbeitsgruppe, die sich an die Unt. der frühchristl. Inschr. der Vatikanischen Museen machte. Die Resultate wurden 1963 im ersten Band der Publikationsreihe *Acta Instituti Romani Finlandiae* (AIRF) als *Sylloge inscriptionum christianarum veterum Musei Vaticani* veröffentlicht.

Diese epigraphische Forschungstrad. fand dann auch unter den Direktoren Veikko Väänänen (Paedagogium und Domus Tiberiana auf dem Palatin, vgl. AIRF 3–4, 1966, 1970), Heikki Solin (Latium und Campania) sowie Margareta Steinby und Anne Helttula (Isola Sacra) ihre direkte Fortsetzung. Im weiteren Rahmen dieser epigraphischen Forschungstrad. standen auch die Unt. der Ziegelstempel Ostias, die der Historiker Jaakko Suolahti von 1962–1965 durchführte, um daraus Informationen zur röm. Sozialgeschichte zu schöpfen (vgl. *Lateres signati Ostienses*, AIRF 7, 1977–78).

Weitere Forschungsthemen der Direktoren des IRF waren die Romanisierung Etruriens (Patrick Bruun, 1965–1968, vgl. *Studies in the Romanization of Etruria*, AIRF 5, 1975), die röm. Individualrechte (Unto Paananen, 1986–1989), die ökonomische Stellung der Frauen in der Kaiserzeit (Päivi Setälä, 1994–1997, vgl. *Female Networks and the Public Sphere in Roman Society*, AIRF 22, 1999), die urbane Infrastruktur und die Wasserversorgung Roms (Christer Bruun, 1997–2000), die frühesten Informationen zum europ. Norden in den ant. Quellen (Tuomo Pekkanen, 1969–1972), die Religionspolitik in der Spätant. (Veikko Litzén, 1982–1985), die Architektur der Ren. (Henrik Lilius 1972–1976, vgl. *Villa Lante al Gianicolo*, AIRF 10, 1981) sowie Kommunikation, Kontrolle und Alltag im MA (Christian Krötzl, 2000–2003).

Zudem hat sich das IRF seit den 1970er J. in Zusammenarbeit mit den lokalen Behörden sowie mit anderen röm. Wissenschaftsinst. an arch. Ausgrabungsprojekten in Rom sowie in der näheren Umgebung beteiligt. Das erste dieser Projekte waren die von den skandinavischen Inst. in Rom in den J. 1975–80 durchgeführten Ausgrabungen in der frühröm. Siedlung Ficana (zw. Rom und Ostia). Die Ausgrabungsbefunde sind in den Publikationen *Scavi di Ficana I, Topografia generale*, Roma 1990, sowie *Scavi di Ficana II, Il periodo protostorico e arcaico*, Roma 1996 erschienen. In den J. 1982–1985 konnte eine von Prof. Margareta Steinby geleitete Arbeitsgruppe Arch., Epigraphik, Sozial- und Kunstgeschichte des Lacus-Iuturnae-Areals auf dem Forum Romanum untersuchen. Resultate dieser Ausgrabungen sind u. a.

in *Lacus Iuturnae I* (*Lavori e studi pubblicati dalla Soprintendenza archeologica di Roma 12*), Roma 1991 erschienen.

Ein weiteres mehrjähriges skandinavisches Ausgrabungsprojekt wurde 1998 zur arch. Sicherung einer großen röm. Villa am Nemi-See eingeleitet.

Das Personal des IRF in Rom besteht neben dem Direktor aus einem Wiss. Assistenten, einem Administrator sowie einer Sekretärin. Neben Forschern, die sich jeweils für kürzere Perioden in Rom aufhalten, beherbergt das Inst. regelmäßig 3–4 Stipendiaten, die während 6–18 Monaten ihren Forsch. nachgehen.

CHRISTIAN KRÖTZL

VIII. Das Römische Institut der Görres-Gesellschaft

Die Gründung des Röm. Inst. der Görres-Gesellschaft (G.-G.) geht auf das J. 1888 zurück. Damals beschloß der Vorstand der Gesellschaft auf seiner Generalversammlung in Eichstätt die Errichtung des Instituts. Aufgabe sollte die Erschließung röm. Archivgutes sein. Der Vorstand bestellte eine Kommission, und diese berief sogleich den Luxemburger Priester Johann Peter Kirsch (1861–1941) zum Leiter. Dieser traf am 6. 12. 1888 in Rom ein. Damit nahm das Inst. seinen Anfang. Zu diesem Zeitpunkt hatte sich die 1876 auf dem Höhepunkt des preußisch-dt. Kulturkampfes gegründete Görres-Gesellschaft zur Pflege der Wissenschaft im katholischen Deutschland zwar schon konsolidiert, aber noch nicht ihr endgültiges Profil gefunden. Sie hatte sich zunächst auf die Herausgabe apologetischer Schriften und die Förderung katholischer Nachwuchskräfte konzentriert, sich dann aber immer mehr wiss. Arbeit im strengen Sinne zugewandt. Dem Wunsch nach Öffentlichkeitswirkung verdankte u. a. das *Staatslexikon* seine Entstehung (bis 1993 sieben Auflagen). 1878 konstituierte sich die Histor. Sektion unter Johannes Janssen (1829–1891). Seit 1880 erschien das *Historische Jahrbuch* (bis 2000 120 Jahrgänge). Die Förderung der histor. Forsch. bildet bis in die Gegenwart einen Schwerpunkt der Gesellschaft.

Schon vor der Gründung des Inst. hatte die Gesellschaft Verbindungen nach Rom geknüpft, wo Anton de Waal (1837–1917) 1876 beim Campo Santo Teutonico ein wiss. Priesterkolleg gegründet hatte, mit dem die G.-G. eine bis h. fruchtbare Zusammenarbeit aufnahm. Seit 1880 wohnten dort die Historiker Joseph Galland (1851–1893) und Anton Pieper (1854–1908) zu Forsch. im Vatikanischen Archiv. Weitere Stipendiaten und Forscher folgten, zumal Papst Leo XIII. (1878–1903) bald nach dem Beginn seines Pontifikates das Vatikanische Archiv für die histor. Forsch. öffnete. Daraufhin setzte aus allen europ. Kulturnationen ein Zustrom von Forschern ein, dem die Gründung entsprechender Inst. folgte, wodurch Rom neben einem Zentrum der arch. nun auch zu einem der histor. Forsch. wurde. Für das Priesterkolleg am Campo Santo und damit auch für das Inst. der G.-G. war es dabei von großer Bed., daß de Waal persönlich stark an der → Christlichen Archäolo-

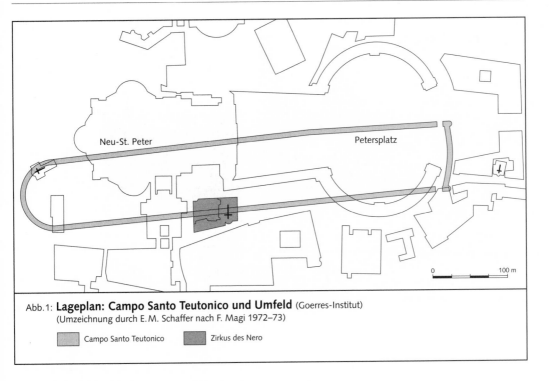

Abb. 1: Lageplan: Campo Santo Teutonico und Umfeld (Goerres-Institut)
(Umzeichnung durch E. M. Schaffer nach F. Magi 1972–73)

　Campo Santo Teutonico　　　Zirkus des Nero

gie interessiert war und in seiner langen Amtszeit (1872–1917) in engem Kontakt mit dem Begründer der modernen Christl. Arch. Giovanni Battista de Rossi (1822–1894) und dessen Freundeskreis im Priesterkolleg und damit im Inst. der G.-G. eine Begegnungsstätte für diese Disziplin schuf. 1884 begann der systematische Aufbau einer Fachbibl. (2000: 47 000 Bde.), und 1887 gründete de Waal die *Römische Quartalschrift für christliche Altertumskunde und Kirchengeschichte.* Im Titel dieses Organs kam also zum Ausdruck, daß das Priesterkolleg wie auch das in dessen Gebäude bestehende Inst. der G.-G. sich der ganzen Breite kirchengeschichtlicher Forsch. widmete, wie sie in Rom nahelag, nämlich den altchristl. Monumenten und den Schriftquellen in Archiven und Bibliotheken. Auch de Rossi hatte ja seine späteren Feldforsch. in der Vatikanischen Bibliothek durch das Studium der Schriftquellen vorbereitet. Die Breite dieses Ansatzes zeigte sich auch im Lebensweg des Institutsleiters Kirsch (1888–1890), der 1890–1932 in Freiburg/Schweiz als Professor für Patrologie und Christl. Arch. wirkte und 1925 Gründungsrektor des von Papst Pius XI. gewünschten Istituto di Archeologia Cristiana wurde, das er bis zu seinem Tode leitete. Kirsch hatte mit der Erforsch. der kurialen Finanzverwaltung im 13. und 14. Jh. begonnen, sich dann aber der Hagiographie, der frühchristl. Liturgie mit den Heiligenfesten und dem frühchristl. Kirchenbau zugewandt. Seine Veröffentlichungen sind z. T. bis h. nicht überholt.

Einen großen Vorteil für das Inst. bildete seine Lage im Gebäudekomplex des Campo Santo Teutonico über dem Zirkus des Nero, in dem das Martyrium röm. Chri-

sten im J. 64 lokalisiert wird (Abb. 1 und 2). Der Campo Santo befindet sich im Eigentum einer um 1450 gegr. Bruderschaft von Deutschen und Flamen, die dem Kolleg und dem Inst. die Räume zur Verfügung stellt. Das Inst. wird von der G.-G. unterhalten, deren Einkünfte größtenteils aus Spenden bestehen und die ihre Arbeit im wesentlichen mit ehrenamtlich tätigen Gelehrten und mit Stipendiaten leistet. Die Mitglieder des ersten Direktoriums waren zwar angesehene Gelehrte, lebten aber nicht in Rom, wo Kirsch als mäßig besoldeter Leiter saß. Dieser griff 1890 zu, als ihm ein Freiburger Ordinariat angeboten wurde. Sein Fortgang stürzte das Inst. in eine Krise, doch kam 1895 der Trierer Priester Stephan Ehses (1855–1926) als neuer Leiter nach Rom. In seinem langen Gelehrtenleben konzentrierte dieser sich auf die Erforsch. der Kölner Nuntiatur und auf die Ed. von Quellen zur Geschichte des Konzils von Trient (1545–1563). Das Inst. blieb also stark kirchengeschichtlich orientiert. Da aber das Priesterkolleg mittlerweile zu einem Zentrum christl.-arch. Forsch. geworden war, fand das auch seinen Niederschlag in den Arbeiten des Inst., zumal Joseph Wilpert (1857–1944), der 1884–1886 Kaplan des Kollegs gewesen war und Kirsch wie auch Ehses in lebenslanger Freundschaft verbunden blieb, zu einem hervorragenden Kenner der frühchristl. Kunst wurde. Deren Erforsch. wurde seine große Lebensleistung. 1900 beschloß der Vorstand der Gesellschaft daher die Gründung einer Sektion für Christl. Arch. und Kunstgeschichte beim Röm. Institut Sie war ganz auf Wilpert zugeschnitten und trat 1901 ins Leben. Die Gesamtleitung des Inst. blieb dagegen bei Ehses. Die Sek-

Abb. 2:
Gesamtansicht
des Campo
Santo
Teutonico

tion für Christl. Arch. erreichte nie die Aktivität der histor. Sektion, da Wilpert später dem Pontificio Istituto di Archeologia Cristiana angehörte. Er erschloß jedoch in zahlreichen Vorträgen, Kursen und Exkursionen einer kleinen Zahl von Teilnehmern, vornehmlich aus den Kollegien am Campo Santo und der Anima, die altchristl. Monumente Roms und regte sie zur Beschäftigung damit an. Unter den mehr als 123 Titeln seiner Bibliographie ragen die Standardwerke *Die Malereien der Katakomben Roms*, 2 Bde. (Freiburg i. Br. 1903), *Die röm. Mosaiken und Malereien der kirchlichen Bauten vom 4. bis zum 13. Jh.*, 4 Bde. (Freiburg i. Br. 1916) und *I sarcofaghi cristiani antichi*, 5 Bde. (Roma 1929–1935) hervor. Auch andere später bedeutende Gelehrte nahm de Waal in das Kolleg und damit in das Inst. auf, so Carl Maria Kaufmann (1872–1951), der 1905–1908 die Menasstadt ergrub, Joseph Sauer (1872–1949), Joseph Wittig (1897–1949) und Franz-Joseph Dölger (1879–1940), der Begründer des Inst. zur Forsch. zu Ant. und Christentum in Bonn (→ Franz-Joseph-Dölger-Institut) wurde. De Waals geistige Weite zeigte sich darin, daß er, der streng röm. orientierte Katholik, dennoch dem liberalen Kirchenhistoriker Franz Xaver Kraus (1840–1901) in enger Freundschaft verbunden war.

Das Inst. trieb bis zum Ersten Weltkrieg seine Projekte mit immer neuen Stipendiaten und mit wenigen langfristigen Mitarbeitern voran. Diese berichteten darüber oft auf den Generalversammlungen der G.-G. Ihren Niederschlag fanden ihre Arbeiten z. T. in der *Römischen Quartalschrift* (RQA) mit ihren Supplementheften sowie in den Institutspublikationen. So blieb die Geschichte des Inst. im wesentlichen eine Geschichte seiner Projekte und Publikationen und v. a. unlösbar mit dem Priesterkolleg verbunden, in dem die Stipendiaten wohnten, das zusammen mit dem Inst. die Bibl. unter-

hielt, und das unter der Leitung de Waals und mit Hilfe der Stipendiaten und Freunde im Laufe der J. eine bedeutende Sammlung altchristl. Kleinkunst anlegte. Auch beteiligte sich de Waal weiterhin aktiv an der Forsch., was sich in einschlägigen Veröffentlichungen zeigte. 1894 leitete er in Split den ersten internationalen Kongreß für Christl. Archäologie. Sein bes. Interesse galt der Erforsch. von S. Sebastiano an der Via Appia Antica, wo er 1892/93 und 1915/1917 graben ließ und die Verehrungsstätte von Petrus und Paulus aus dem 3. Jh. fand.

Eine tiefe Zäsur brachte der Erste Weltkrieg, der seit 1914 zu einer massiven Abwanderung von Deutschen aus Rom führte. Sogleich nach Kriegsausbruch ging die Leitung der Christl.-Arch. Sektion an den Luxemburger Kirsch über. 1915 verließ auch Ehses Rom. Seitdem setzten die Institutsmitglieder ihre Arbeiten in Deutschland bzw. der Schweiz fort.

Nach dem Tod de Waals (1917) und dem E. des Krieges gelang es, durch die Berufung des Kölner Priesters Emmerich David (1882–1953) 1920 den Fortbestand des Priesterkollegs und damit dem Inst. seinen Sitz zu sichern. Dessen Arbeiten kamen 1921 wieder in Gang, doch wurden sie angesichts der finanziellen Enge im wesentlichen von Gelehrten geleistet, die nur zu kurzen Besuchen nach Rom kommen konnten. 1926 trat Kirsch, obwohl Professor in Freiburg und inzwischen auch Rektor des Pontificio Istituto di Archeologia Cristiana, wieder an die Spitze des Instituts. Er konnte ihm seine Kraft natürlich nur eingeschränkt widmen, doch zählte es 1926/27 unter allen in Rom ansässigen wiss. Inst. die größte Zahl von Mitgliedern. Seine Publikationen konzentrierten sich damals fast ausschließlich auf kirchengeschichtliche Themen, darunter v. a. auf die große Ed. zum Tridentinum In den späten 30er J. wirkten sich die Devisenpolitik der NS-Regierung und seit 1939 der Krieg negativ aus. Dennoch konnten das Inst. aufrechterhalten und die Bibl. weitergeführt werden, auch als die G.-G. 1941 vom NS-Regime aufgehoben wurde. In Rom riß dagegen auch in den schlimmsten Kriegszeiten die wiss. Arbeit nie ab. Im Gegensatz zu den anderen wiss. dt. Instituten in Rom wurde das seit der Gründung des Vatikanstaates (1929) auf extraterritorialem Gebiet liegende Inst. der G.-G. beim Kriegsende weder beschlagnahmt noch geschlossen. Die RQA mußte dagegen, wie schon im Ersten Weltkrieg, 1942 ihr Erscheinen aus kriegswirtschaftlichen Gründen einstellen. Nach der Wiedergründung der G.-G. in Deutschland (1949) wurde das Inst. reaktiviert und der an der Gregoriana tätige Kunsthistoriker Engelbert Kirschbaum (1902–1970), der maßgebend an den Grabungen unter St. Peter mitgewirkt hatte, zum Direktor ernannt (1949–1960). Seitdem kamen neue Stipendiaten nach Rom. Neben den Forsch. gab es nun öffentliche Monatsvorträge, Führungen und wiss. Exkursionen. Seit 1953 erschien wieder die RQA, nunmehr im Auftrag des Priesterkollegs und des Inst. gemeinsam. Unter Kirschbaum, wie auch unter seinen Nachfolgern Ludwig Völkl (1960–1971), Ambrosius Eszer (1971–1975) und Erwin Gatz (seit 1975) lag der Hauptakzent auf dem Gebiet der Kirchengeschichte. Die Ed. der Quellen zum Konzil von Trient wurde abgeschlossen (1901–2001: 19 Bde.) und die der Kölner Nuntiatur weit vorangetrieben (1895–2000: 17 Bde.). Während ein von Völkl betriebenes Projekt über die altchristl. Basiliken nicht zu einer Veröffentlichung führte, beteiligte das Inst. sich durch Albrecht Weiland gemeinsam mit dem *Pontificio Istituto di Archeologia Cristiana*, dem Deutschen Archäologischen Institut Rom und der Mainzer Akademie der Wissenschaften an der Bearbeitung der röm. Katakombenmalerei: *Die Katakombe Anonima di Via Anapo* (Roma 1991); *Die Katakombe Commodilla* (Roma 1994 = *Roma Sotterranea Cristiana* Bde. IX, X). Neue Aktivitäten des Instit. bilden seit 1980 jährliche Symposien zu Fragen der Christl. Arch. und zur Kirchengeschichte. Ihre Referate werden in der RQA veröffentlicht.

→ Deutsches Archäologisches Institut

QU 1 Frühchristl. Kunst aus Rom. Ausstellungskat. der Slg. des Campo Santo Teutonico, Essen 1962 2 Jahresber. der G.-G., Köln 1888 ff.

LIT 3 E. ONNAU, Das Schrifttum der G.-G. zur Pflege der Wiss 1876–1976. Eine Bibliographie, 1980 4 Ders., Die Vorträge auf den Generalversammlungen 1876–1985. Ein Verzeichnis, 1990 5 E. GATZ, Anton de Waal (1837–1917) und das Campo Santo Teutonico, 1980 6 Ders., Das Röm. Inst. der G.-G. 1888–1988, in: RQA 83, 1988, 3–18 7 A. WEILAND, Verzeichnis der Direktoren, Stipendiaten, wiss. Assistenten (Sekretäre, wiss. Mitarbeiter) und Bibliothekare des Röm. Inst. der G.-G 1888–1988, in: RQA 83, 1988, 19–21 8 R. SÖRRIES, Joseph Wilpert. Ein Leben im Dienste der christl. Arch. 1857–1944, 1998. ERWIN GATZ

IX. Das Niederländische Institut in Athen
A. Geschichte B. Wissenschaftliche und kulturelle Aktivitäten C. Publikationen

A. Geschichte

Niederländische Altertumswissenschaftler haben seit dem 18. Jh. zur Erforsch. der griech. Ant. beigetragen. Reisen nach Griechenland waren jedoch während des 19. Jh., als auch in den Niederlanden der Philhellenismus florierte, noch die Ausnahme. Stattdessen zogen viele Gelehrte es vor, die Geschichte und Arch. des klass. Griechenland über Bücher und Illustrationen zu studieren. Dennoch wurden die ersten niederländischen Grabungen auf griech. Boden relativ früh von einem flämischen Oberst, B. E. A. Rottiers (1771–1857), durchgeführt: 1819 in Aixone bei Athen und 1825 auf Melos. Rottiers besuchte Griechenland nach der Etablierung der niederländischen Monarchie im J. 1815 mehrmals, einmal auf Geheiß des neuen Königs, Willem I., der den Erwerb von ant. Funden anregte, um die Vitrinen des neu gegründeten Nationalmuseums für Altertümer in Leiden zu füllen.

Zwar besuchte eine Anzahl niederländischer Altphilologen Griechenland bereits im späten 19. Jh., um die ant. Monumente und Artefakte *in situ* zu studieren, arch. aktiv aber wurden die Niederlande in Griechenland erst zu Beginn des 20. Jh. Zu dieser Zeit war die Klass. Arch. noch nicht offizieller Bestandteil des Lehrplanes niederländischer Universitäten. Man konnte es lediglich als Spezialfach studieren, bis 1921 ein Gesetz erlassen wurde, das eine Promotion in Klass. Arch. als Teil eines altphilol. oder kunstgeschichtlichen Studiums zuließ.

Viele europ. Länder hatten bereits gegen E. des 19./Anf. des 20. Jh. eigene arch. Inst. in Rom, Athen und andernorts eingerichtet. Einige niederländische Wissenschaftler setzten sich zwar für die Etablierung eines Inst. zum Studium der Geschichte, Kunstgeschichte und Ant. in Rom ein, aber Bestrebungen, eine ähnliche Einrichtung auch in Athen zu schaffen, ergaben sich erst viel später.

Dennoch waren niederländische Wissenschaftler in Griechenland aktiv. In den ersten Jahrzehnten des 20. Jh. unterstützte die niederländische Regierung offiziell die Auslands-Mitgliedschaft niederländischer Wissenschaftler bei der → École Française d'Athènes, was ein eigenes niederländisches Inst. überflüssig erscheinen ließ. Der erste Forscher, der eine solche Auslandsmitgliedschaft in Anspruch nehmen konnte, war C. W. Vollgraff (1876–1967). Von 1902 bis 1912 führte er fünf Ausgrabungen in Argos durch, zwei weitere dann noch einmal in den J. 1928 und 1932. Die Ausgrabungen wurden finanziert von A. E. H. Goekoop, seines Zeichens Spezialist für Homer, der bereits Dörpfelds Ausgrabungen auf Ithaka und diejenigen von S. Marinatos auf Kephalonia unterstützt hatte. Vollgraff unternahm noch weitere Ausgrabungen in Magoula Zerelia und Halos (1906).

Nach dem Ersten Weltkrieg übernahm der *Philologisch Studiefonds* die Finanzierung der Auslandsmitgliedschaften bei der École Française in Athen. Von 1923 bis 1932 hielten sich eine größere Anzahl niederländischer Gelehrter, unter ihnen G. H. Blancken, C. de Vogel und C. H. E. Haspels, für längere Zeit an der École auf. Wissenschaftler, die am Inst. tätig waren, mußten ledig sein, und Frauen war die Mitgliedschaft nicht gestattet. Die erste Frau an der École war signifikanterweise die niederländische Wissenschaftlerin M. van Leeuwen-Boomkamp, die 1926 als Auslandsmitglied zugelassen wurde. Niederländische Wissenschaftler, bes. solche mit Familien, kamen aber auch bei anderen Inst. unter, wie z. B. J. J. E. Hondius, der von 1921–22 an der British School at Athens (siehe III.) arbeitete. Fast kann man sagen, daß unter den etablierten Inst. in Athen ein reger Wettbewerb um die Zuteilung von ausländischen Mitgliedern herrschte.

Auf Grund der Wirtschaftskrise der 30er J. gab es in den Niederlanden keine Möglichkeit, eine eigene Grabungskampagne aus rein niederländischen Quellen zu finanzieren, noch viel weniger die Einrichtung eines Instituts. Trotzdem nahmen niederländische Forscher weiterhin an Grabungen anderer Inst. teil. Der spätere Professor an der Katholischen Univ. von Nijmegen, F. de Waele, leitete die amerikanischen Ausgrabungen in Korinth und Olynthos (1934); C. H. E. Haspels, die späte an der Univ. von Amsterdam lehrte, organisierte 1934 die Feldarbeit auf Delos.

Erst in den 1960er J. entwickelte Professor J. H. Jongkees von der Univ. Utrecht mit einigen seiner Kollegen Pläne zur Gründung eines arch. und historischen Inst. in der Peloponnes – einem Gebiet von reicher histor. und arch. Bed., das bisher kaum Beachtung gefunden hatte. 1967 waren diese Pläne bereits weit fortgeschritten, mußten dann aber wegen der polit. Situation in Griechenland fallen gelassen werden. Anfang der 1970er nahm die Univ. Utrecht ihre Feldarbeit in Griechenland wieder auf, konzentrierte sich dabei auf die Vermessung und Surveying ländlicher Siedlungen aus dem 4. Jh. v. Chr. und aus dem hell. Zeitalter. Eine Genehmigung für die Surveys zu erhalten wurde jedoch immer schwieriger, da die Niederlande kein eigenes Inst. in Griechenland unterhielten, weshalb 1976, hauptsächlich auf Initiative von Dr. S. C. Bakhuizen (†), die Archaelogical Survey School of Holland in Greece gegründet wurde.

Niederländische Archäologen konnten jetzt Lizenzen für Surveys beantragen, aber nicht für Grabungen, da die griech. Regierung für die Genehmigung von Grabungenaktivitäten ausländischer Forscher die Existenz eines vollwertigen Inst. in Athen voraussetzt. Aus diesem Grund wurde 1982 eine Foundation for the Archaeological School of the Netherlands in Greece ins Leben gerufen, und man nahm Verhandlungen mit der griech. Regierung auf, bei denen bes. Prof. Dr. G. J. M. J. te Riele für die Stiftung aktiv war. 1984 erklärte sich die griech. Regierung bereit, die Existenz

einer niederländischen arch. Schule anzuerkennen, unter der Voraussetzung, daß bestimmte Bedingungen erfüllt wurden. Die wichtigste von diesen war, daß die Schule ihr eigenes Anwesen in Griechenland haben mußte, mit Räumlichkeiten für eine Bibliothek und ein Fotoarchiv, weiterhin mußte sie eine eigene Zeitschrift herausgeben und der Direktor mußte ein erfahrener niederländischer Wissenschaftler mit Wohnsitz in Griechenland sein.

Das niederländische Ministerium für Bildung und Wiss. erklärten sich bereit, die Schule für eine begrenzte Zeit zu unterstützen, indem sie jährlich eine bescheidene Summe zur Begleichung der Kosten für die Unterbringung beisteuerten. Aus der Sicht des Ministeriums aber handelte es sich bei der Schule um eine akad. Einrichtung, und die reguläre Finanzierung der Schule wie auch ihres Personals sollte daher bei den niederländischen Univ. liegen. Obwohl mehrere Univ. sich interessiert zeigten, standen auf Grund stringenter Sparmaßnahmen in den 1980er J. nicht sofort die nötigen Finanzen zur Verfügung. Es war daher nicht möglich, einen permanenten Direktor zu ernennen. Von 1986 bis 1991 war es möglich, die Schule mit Hilfe engagierter Forscher zu führen, die bereit waren, für ein J. als *algemeen wetenschappelijk secretaris* (»Akad. Sekretäre«) nach Athen zu gehen. Zu diesem Zeitpunkt war die Schule in einem kleinen Apartment in der Alexandrou-Soutsou-Straße untergebracht.

Diese Situation war nicht ideal und wurde untragbar, als die Unterstützung des Bildungsministeriums 1991 auslief. Das Vorstand der Schule erkannte, daß die griech. Arch., selbst im weitesten Sinne, für die meisten niederländischen Univ. ein zu eng umrissenes Forschungsgebiet war, um die Einrichtung eines eigenen Inst. in Athen zu rechtfertigen, weshalb man beschloß, den Forschungskreis zu erweitern und alle Aspekte Griechenland-orientierter Studien miteinzubeziehen. Der Name der Schule wurde zu Nederlands Instituut in Athene (NIA) geändert. Zum Vorstand waren nun auch Mitglieder aus anderen Forschungsgebieten zugelassen, und man gründete eine Vereinigung der Freunde des NIA, um eine breite Basis für die Unterstützung bzw. Erhaltung des Inst. auch über die akad. Welt hinaus zu sichern. Eine Grundsatzerklärung, die die überarbeiteten und erweiterten Zielsetzungen des NIA darlegte, wurde 1991 veröffentlicht.

1992 erklärten sich fünf niederländische Univ. bereit, die finanzielle Trägerschaft des NIA zu übernehmen. Am 1. Januar 1994 wurde die Administration des NIA an die Univ. Amsterdam übergeben, und es wurden Vorbereitungen getroffen für die Umstrukturierung des Vorsitzes und die Einrichtung eines beratenden Komitees im Rahmen der mit den Univ. vereinbarten Richtlinien.

Ab 1993 sucht das NIA aktiv nach einer neuen und größeren Bleibe, was zur Anmietung mehrerer Büroräume im März 1994, und 1995 zum Erwerb eines neuen Gebäudes am Fuße der Akropolis führte. Dieses klassizistische Gebäude in der Makri-Straße, 1905 erbaut, wurde über einen Zeitraum von fünf J. sorgfältig restauriert und am 29. September 2000 eingeweiht. Das Inst. bietet nun Büroräume, Unterkünfte, eine Bibl. und einen Ausstellungsraum.

Die Gründung einer zweiten Vereinigung der Freunde des Inst. in Athen stärkte die Unterstützung für das NIA. Ab 1994 ernannte das NIA schrittweise neues Personal, z. B. für die Bibl., das Sekretariat oder die Verwaltung.

Im J. 2000 wurden alle Ziele erreicht, die sich das NIA in Bezug auf Unterbringung, Finanzierung und Personal einige J. zuvor gesteckt hatte. Das NIA ist nun in einem angemessenen Gebäude mit exzellenten Einrichtungen untergebracht, die langfristige Finanzierung ist gesichert, und das griech. Ministerium für Kultur hat das NIA auf Dauer anerkannt.

B. Wissenschaftliche und kulturelle Aktivitäten

Das NIA bemüht sich um die Förderung aller Arten wiss. Forsch., die die Beziehung zw. Griechenland und den Niederlanden betreffen. So bietet es Studenten die Möglichkeit, in Griechenland zu studieren und die Ergebnisse ihrer Forschungsarbeit vor Ort über Kolloquien, Seminare und Vorträge zu präsentieren. Die Unterkünfte stehen auch Studenten ausländischer Univ. zur Verfügung. Kurse für Studenten und Lehrer aus dem Bereich der Kunstgeschichte, der Klass. Philol. und der Geschichte werden jährlich angeboten. An den vielfältigen Forschungsprojekten der NIA nehmen Wissenschaftler und Studenten verschiedener Univ. teil.

Nach wie vor bleibt jedoch die arch. Forsch. ein wichtiges Betätigungsfeld für das NIA. Die folgenden Projekte wurden in den letzten drei Jahrzehnten unter der Schirmherrschaft des Inst. durchgeführt: Goritsa (1970–1975); Velouchovo (Kallion, 1976–1993) von S. C. Bakhuizen (†); Astros (1976–1979) von Y. Goester; Lavda (1978–1988) von G. J. M. J. te Riele und K. Feye; Strouza (1981–1985) und Ätolien (1985–) von B. Bommeljé und P. Doorn; Halos und die südliche Ebene von Almiros (1976) von H. R. Reinders und der 13. Ephorie Prähistorischer und klassischer Antiquitäten in Volos; Geraki (1995–) von J. C. Crouwel und M. Prent; Tanagra (2000–) von J. Bintliff.

Die kulturellen Aktivitäten des NIA sind auf die Unterstützung der akad. Interessen bzw. Forsch. ausgerichtet. Es fanden Ausstellungen statt zu *Niederländische Reiseberichte über Griechenland aus dem 15. bis 19. Jh.* (1995), *The Graphic Art of M. C. Escher* (1997/8) und *Greek Gods and Heroes in the Age of Rubens and Rembrandt* (2000–2001) in Zusammenarbeit mit der Nationalgalerie in Athen und dem Dordrecht Museum.

C. Publikationen

Seit 1988 publiziert das NIA im jährlichen Rhythmus einen Newsletter, seit 1993 unter dem Titel *Pharos*. In der Reihe *Studies of the Netherlands Institute at Athens* werden die Protokolle der Seminare und Kolloquien des Inst. veröffentlicht. Ausstellungskataloge werden vom NIA gesondert herausgegeben.

1 F. L. Bastet, De drie collecties Rottiers te Leiden (Engl.: Collections of the National Mus. of Antiquities at Leiden, Bd. 6), o.J. 2 K. Feye, Nederlands archeologisch onderzoek in Griekenland, in: Tijdschrift voor Mediterrane Archeologie 1, 1988, 4–13 3 G.-J. te Riele, W. Vollgraff, Helléniste Néerlandais (1876–1967), RA 9, 1969, 301–305 4 D. Viviers, Un enjeu de politique scientifique. La Section étrangère de l'École Française d'Athènes, in: BCH 120 (1), 1996, 173–190 (Numéro Spécial. Cent cinquantenaire de l'École Française d'Athéne). Margriet J. Haagsma/Ü: Tina Jerke

X. Das Niederländische Institut in Rom
A. Geschichte B. Organisation und Aufgaben C. Wissenschaftliche Tätigkeit D. Publikationen

A. Geschichte

Im ausgehenden 19. Jh. wird in der niederländischen wiss. Welt die Gründung eines Forschungsinstituts in Rom gefordert. Unmittelbarer Anlaß ist die Freigabe der Vatikanischen Archive (1880), die für die Erforsch. der nationalen Vergangenheit als unverzichtbar gelten. Darüber hinaus wird in ministeriellen Kreisen der Wunsch geäußert, die nationale Kulturpolitik zu intensivieren und in einem internationalen Rahmen zu gestalten. Schließlich ist der wachsende Einfluß der Emanzipation des katholischen Teiles der niederländischen Bevölkerung zu nennen: Die intellektuelle katholische Vorhut beansprucht erfolgreich die ihr gebührende gesellschaftliche Position und somit auch ihren Platz in der nationalen Geschichte. Infolge der gemeinsamen Bemühungen dieser Gremien wird im J. 1904 das Niederländische Institut (NIR) in Rom gegründet, wenn auch anfangs in sehr bescheidener Form.

Den Schwerpunkt bildet die histor. Wiss., was sich schon an der damaligen Benennung *Nederlands Historisch Instituut* ablesen läßt. Von Anfang an war ausdrücklich beabsichtigt, auch der Erforsch. des Alt. Platz einzuräumen, aber erst im J. 1920 nimmt diese Absicht Gestalt an, als der Altphilologe und Archäologe H. M. R. Leopold zum Verantwortlichen der neuen Abteilung Altertumswiss. ernannt wird.

Im J. 1933 wird das NIR in einem eigenen Gebäude an der Via Omero (Valle Giulia) untergebracht, in einem Gelände, das 1911 der Weltausstellung gedient hatte und das anschließend von den it. Behörden für den Bau ausländischer Akad. und Institute bestimmt worden war. Von diesem Moment an sind der Ausbau der Bibliothek und die Unterbringung von Stipendiaten möglich. Bis in die 60er J. gehören nicht nur Wissenschaftler, sondern auch Künstler zur Zielgruppe. Hauptaufgabe ist dennoch stets die wiss. Ausbildung und Forsch. gewesen, während des weiteren in bescheidenem Umfang kulturelle Veranstaltungen stattfinden, öfters in Zusammenarbeit mit der niederländischen Botschaft.

B. Organisation und Aufgaben

Das NIR ist ein interuniversitäres Forschungs- und Ausbildungsinstitut, das von Vertretern der niederländischen Univ. und Ministerien (Unterrichts- und Außenministerium) geleitet wird. Diese Organisationsform ist seit dem J. 1991 in Kraft, in dem das NIR von einer ministeriellen Institution in ein interuniversitäres Inst. umgewandelt wurde. Die Rijksuniversiteit Groningen trägt die Verantwortung für die Verwaltung. Altertumswiss., Kunstgeschichte und Geschichte bilden die Aufgabenbereiche, für die Wissenschaftler zuständig sind, während die allg. wiss. und organisatorische Leitung in Händen des Direktors liegt. Die wiss. Mitarbeiter sind an einer der niederländischen Univ. angestellt und werden drei bis sechs J. zum NIR abgeordnet.

Das NIR bietet Unterstützung und Unterkunft für Forscher, Doktoranden und Studenten von niederländischen Univ. und Forschungsinstituten, die über ein Thema arbeiten, für das ein Aufenthalt in Rom notwendig ist. Darüber hinaus hat das NIR eine wachsende Bed. in den Curricula der Fächer Arch., Geschichte und Kunstgeschichte. Das Angebot von Kursen *in situ* und Unterricht nach Maß für ausgewählte Studenten hat das Ziel, die Teilnehmer schon früh in ihrer wiss. Ausbildung mit den Monumenten und Quellen der Stadt Rom vertraut zu machen.

Die Bibl. enthält ca. 50000 Bände, wobei die Romabteilung, die niederländische Kunst sowie die Beziehungen zw. den Niederlanden und It. Schwerpunkte bilden. Die Bibl. steht auch Forschern anderer Inst. zur Verfügung. Der Bestand ist in den elektronischen Katalog und das Anschaffungssystem der *Unione Romana Biblioteche Scientifiche* (URBS) aufgenommen.

Für Studenten und Doktoranden besteht ein ausgedehntes Stipendienprogramm. Auch für andere Forscher ist ein Studienaufenthalt möglich. Exkursions- und Kursusgruppen stehen eigene Unterkunftsräume zur Verfügung.

C. Wissenschaftliche Tätigkeit

Die Altertumsforschung am NIR wird hauptsächlich von der Arch. bestritten. Für die Spätant. und das frühe MA besteht eine enge Zusammenarbeit mit der Abteilung Kunstgeschichte. Die Forschungsprojekte, die vom Inst. aus unternommen werden, spiegeln in direkter Weise die Kompetenz und das Interesse der jeweiligen Mitarbeiter wider und sind als solche eng mit den Forschungsgebieten der niederländischen Univ. und Forschungsinstitute verbunden.

Die arch. Forsch. sind vorwiegend auf Rom, Latium und Campanien ausgerichtet. Die einzige Ausnahme bildet die Periode 1964–1968, in der J.-W. Salomonson die Abteilung Altertumswiss. leitete und den Schwerpunkt nach Nordafrika verlagerte. In Mittelitalien (u. a. Rom, Satricum, Ostia, Pompeji) beziehen sich die Forschungsprojekte auf Architektur, Stadtplanung, Einrichtung und Dekoration von Gebäuden, Wand- und Deckenmalerei. Durch verschiedene Mitarbeiter des NIR sind auf diesen Gebieten Forschungsprojekte

durchgeführt worden, und zwar durch C. C. van Essen (1947–1963, Rom: S. Prisca; Ostia; Via Valeria), W. J. Th. Peters (1968–1970, Pompeji), C.M. Stibbe (1971–1986, Satricum), T. L. Heres (1987–1992, Ostia; Pompeji), E. M. Moormann (1992–1997, Pompeji; Rom: Domus Aurea, in Zusammenarbeit mit P. G. P. Meyboom, Univ. Leiden) H. Geertman (1998–, Rom: S. Sisto Vecchio; Pompeji) und S. T. A. M. Mols (1998–2000, Ostia).

Das niederländische Projekt in Satricum wurde bis zum J. 1991 unter den Auspizien des NIR durchgeführt. 1977 wurde das NIR in der Person von C. M. Stibbe, damals stellvertretender Direktor und verantwortlich für die Abteilung Altertumswiss., von dem *Comitato per l'Archeologia Laziale* eingeladen, Ausgrabungen in Satricum durchzuführen. Von diesem J. an haben niederländische Teams (Universiteit van Amsterdam, Rijksuniversiteit Groningen, Katholieke Universiteit Nijmegen) unterschiedliche Aspekte dieser ant. Stadt erforscht. Der der Mater Matuta geweihte Tempelkomplex auf der Akropolis wurde aufs neue ausgegraben und publiziert. Darüber hinaus hat man die Entwicklung der Stadt, die Nekropolen, die Votivdepots sowie die Tempeldekorationen untersucht; die bisherigen Ergebnisse wurden in mehreren Forschungsberichten und Monographien publiziert. Seit 1991 ist die Universiteit van Amsterdam für das Satricumprojekt zuständig.

Des weiteren wird vom NIR logistische, organisatorische und inhaltliche Unterstützung für Forschungsprojekte der verschiedenen Univ. in den Niederlanden geboten. Beispiele dafür sind die Ausgrabungen in Satricum der Universiteit van Amsterdam und der Rijksuniversiteit Groningen, die Projekte in dem Agro Pontino der Rijksuniversiteit Groningen, die Surveys und Ausgrabungen der Vrije Universiteit Amsterdam in Apulien und die Pompeji-Projekte der Universiteit Leiden und der Katholieke Universiteit Nijmegen. Auch individuelle Forsch., namentlich Promotionsprojekte, werden gefördert.

Regelmäßig werden wiss. Tagungen organisiert, häufig in Zusammenarbeit mit anderen it. oder ausländischen Instituten. Das NIR ist Mitglied der *Unione degli Istituti di Archeologia, Storia e Storia dell'Arte in Roma* und der *Associazione Internazionale di Archeologia Classica* (AIAC).

D. Publikationen

Im J. 1921 erschien das erste Heft der *Mededelingen van het Nederlands Historisch Instituut*, eine Reihe, die jetzt den Namen *Mededelingen van het Nederlands Instituut in Rome* trägt und jedes J. erscheint. Die Hefte sind abwechselnd der Arbeit der drei Fachbereiche des NIR gewidmet. In den letzten J. wurden namentlich die Akten der wiss. Tagungen in den *Mededelingen* publiziert; dabei wird versucht, jedem Heft einen thematischen Zusammenhang zu verleihen.

Monographien erscheinen regelmäßig in der Reihe *Scrinium*. Für die Arch. handelt es sich dabei um die

Publikation der Forsch. in Satricum, Pompeji und Apulien.

→ Ostia; Pompeji; Rom

1 http://www.nir-roma.it 2 Mededelingen van het Nederlands Instituut te Rome 49, 1989.

HERMAN GEERTMAN UND NATHALIE DE HAAN

XI. Das Norwegische Institut in Athen
A. Geschichte   B. Wissenschaftliche Tätigkeiten   C. Publikationen

A. Geschichte

Die Einrichtung eines Norwegischen Inst. für Klass. Phil., Arch. und Kulturgeschichte in Athen ist das Ergebnis von Bemühungen, die zeitlich weit zurückreichen: Die Gründung einer solchen Organisation erforderte nicht nur die Gewinnung der dazu nötigen Sponsoren sowie die Unterstützung der Körperschaften, unter deren Schirmherrschaft das Inst. operieren würde, sondern auch die Schaffung eines entsprechend positiven Klimas in der Bevölkerung. Die Klass. Ant. hat in der human. Ausbildung an norwegischen Schulen nie eine herausragende Rolle gespielt. Die Gründe hierfür sind vielfältig und reichen von der kulturellen und polit.-ökonomischen Marginalisierung Norwegens (das bis 1814 Teil Dänemarks war und bis 1905 unter schwedischer Hoheit stand), der Ablehnung, die man der klass. Bildung aufgrund ihrer Assoziation mit den dänischen Besatzern entgegenbrachte, der Betonung des Altnordischen durch die romantisch-nationalistischen Restauration des 19. Jh. bis hin zur bequemen Nähe zu Schweden und Dänemark, die beide eine lange klass. Trad. haben – was wiederum eine verminderte Übersetzertätigkeit aus dem Lat. oder dem Griech. ins Norwegische zur Folge hatte. Im 20. Jh. zeichnete sich allerdings ein Umschwung ab, angestoßen von einer kleinen Gruppe talentierter norwegischer Forscher, die durch ihre Arbeit internationale Beachtung fanden und erstmals auch das nationale Publikum aufhorchen ließen: S. Eitrem (Papyrologe, Religionswissenschaftler), H. P. L'Orange (Kunsthistoriker), L. Amundsen (Philologe), E. Skard (Philologe), H. Mørland (Philologe), K. Kleve (Papyrologe), H. Torp (Kunsthistoriker), P. J. Nordhagen (Kunsthistoriker).

Das Norwegische Institut in Athen (NIA) wurde am 8. Mai 1989 als die 14. »ausländische arch. Schule« eröffnet. Gegründet wurde das Inst. unter der Schirmherrschaft des Rates der Norwegischen Univ., und die Finanzierung und Verwaltung wurde zu gleichen Teilen von den vier Univ. Norwegens (Bergen, Oslo, Tromsø und Trondheim) übernommen. Ziel des Inst. sollte es sein, den kulturellen Austausch zw. Norwegen und Griechenland zu stärken und norwegischen Forschern eine Basis für ihre Tätigkeiten im Gastland zu bieten. Wie auch im Fall des Finnischen und des Dänischen Inst., half das Schwedische Inst. in Athen, dank seiner langen Erfahrung und durch seine Position als Anlaufstelle für skandinavische Forscher schon vor der Etablierung der jeweiligen Inst., unter der Leitung von R. Hägg bei der reibungslosen Einrichtung des norwegischen Instituts. Bis zum gegenwärtigen Zeitpunkt stand das NIA unter der Leitung dreier Universitätsprofessoren.

Dem ersten Direktor, dem Philologen Ø. Andersen (1989–1993), kam die Aufgabe zu, das NIA zu einer funktionierenen Institution mit Gebäuden, Personal und der entsprechenden Ausrüstung aufzubauen. Er konnte außerdem eine wichtige Sammlung von Büchern erwerben, die »Professor Johannes Triantyphyllopoulos Bibliothek«. Andersen setze sich während seiner Amtszeit für die Intensivierung des Dialoges mit der norwegischen Öffentlichkeit über die Notwendigkeit einer klass.-human. Komponente in der norwegischen Bildung ein und argumentierte für die mit einem erheblichen Prestigegewinn verbundene Einrichtung eines fachlich kompetenten und aktiven nationalen Inst. in Athens. Zur Unterstützung dieses »Gewöhnungsprozesses« regte er die Publikation einer Reihe von Büchern zu ant. Themen an, wie etwa ant. griech. Religion, die Reisen des Pausanias, das Leben im ant. Athen und den histor. und lit. Austausch zw. Griechenland und Norwegen. Parallel dazu organisierte das Inst. im Rahmen seines Bildungsangebotes für die allg. Öffentlichkeit Vortragsreihen und Symposien in Athen. Unter Andersons Leitung begann man darüberhinaus mit der Arbeit an zwei arch. Projekten in Tegea in Arkadien und in Petropigi in der Nähe von Kavala.

Unter dem zweiten Direktor, dem Archäologen E. Østby (1994–1998), richtete sich das Hauptaugenmerk des Inst. auf die arch. Ausgrabungstätigkeit. Seit 1990 selbst in Tegea aktiv, steht Østby nun kurz vor der Publikation seiner Arbeitsergebnisse. Die Ausgrabungen in Petropigi wurden ebenfalls fortgesetzt. In seinem letzten J. als Direktor gelang es ihm, das norwegische Engagement in Arkadien durch den »Norwegian Arcadia Survey« unter der Leitung von K. Ødegård zu stärken. Ein herausragendes Ereignis während Østbys Amstzeit war 1995 die Eröffnung der Nordischen Bibliothek, der gemeinsamen Bibl. der vier skandinavischen Länder, die urspr. auf den umfangreichen Beständen des Schwedischen Inst. beruhte. Jedes Inst. bewahrt einen Teil der Bücher, oft aus einem Nachlaß, in den eigenen Räumen auf.

Der dritte Direktor, der Philologe S. des Bouvrie (1999–), hat den Auftrag, die Aktivitäten des Inst. zu konsolidieren und gleichzeitig stetig zu erweitern. Diese Bestrebung findet ihren Ausdruck in der Organisation internationaler Symposien und Seminare, deren Themen zwar außerhalb der Grenzen einer eng definierten Altertumswiss. liegen mögen, aber durchaus dem Bildungsauftrag des Inst. entsprechen, so z. B. Mythen und Symbole, Mythen-Motive und der Austausch zw. den Mittelmeerländern. Die arch. Forschungtätigkeit des Inst. wurde bereichert durch den griech.-norwegischen *Deep-Water Archeological Survey* in Ithaka. Im J. 2000 wurde erstmals ein Intensivkurs »Neugriech.« für eine kleine Gruppe norwegischer Studenten angeboten.

Zur Zeit setzt sich das Personal des Inst. aus dem Direktor und drei Assistenten zusammen. Darüberhinaus gehören dem Inst. zwei wiss. Mitarbeiter an. Obwohl klein und nur mit einem begrenzten Haushalt ausgestattet, konnte sich das Inst. einen festen Platz im wiss. Leben sowohl von Athen als auch in ganz Griechenland sichern. Es spielt eine wichtige Rolle bei der Erforsch., der Vermittlung und der Publikation von neuen Erkenntnissen ›auf den Gebieten der Arch., Geschichte, Sprachen, Lit. und der kulturellen Trad. Griechenlands und des Mittelmeerraumes‹ (Aus den Statuten).

B. WISSENSCHAFTLICHE TÄTIGKEITEN

Trotz seiner relativen Jugend darf das Inst. bereits auf fast drei Jahrzehnte wiss. Tätigkeit zurückblicken. Als direkte Folge des Nichtvorhandenseins einer eigenen klass. arch. Tradition in Norwegen ist die Anzahl qualifizierter Archäologen extrem gering – so gering sogar, daß praktisch ein einzelner Wissenschaftler fast die gesamte Feldarbeit auf diesem Gebiet geleistet hat: der zweite Direktor des Instituts. Schon 1977 rief Østby ein bescheidenes Forschungsprogramm ins Leben, das sich auf die Erforsch., Dokumentation und Publikation kaum bekannter dorischer Tempel an den sekundären Fundstätten von Karthaia auf Keos, Perai in Thessalien und Tegea in Arkadien konzentrierte. 1984 kehrte Østby für ein Nachfolge-Projekt nach Arkadien zurück, um vier Tempel in Pallantion zu erforschen und im kleineren Rahmen Ausgrabungen durchzuführen. Diese fanden unter der Leitung des Schwedischen Inst. und in Zusammenarbeit mit der Scuola Archeologica Italiana di Atene statt. Schließlich wurde von 1984–1987 in Absprache mit und unter der Leitung der Archäologischen Gesellschaft Athen eine Tempel-Stätte in Sikyon in der Nähe von Korinthos untersucht; die Arbeiten werden demnächst abgeschlossen.

Mit der Einrichtung des NIA begann eine neue Phase der norwegischen arch. Tätigkeit in Griechenland. Bereits 1990 war es möglich, ein erstes Ausgrabungprojekt unter norwegischer Lizenz und unter norwegischer Leitung durchzuführen. Østby kehrte nach Tegea zurück, wo die → École Française d'Athènes schon in den J. 1900–1910 den Tempel der Athena Alea aus dem 4. Jh. v. Chr. freigelegt hatte, und wo die griech. Behörden 1976/7 Ausgrabungen durchgeführt hatten. Die neuen Arbeiten waren eine Kooperation zw. der 5. Ephorie für Prähistorische und Klassische Altertümer in Arkadien und Lakonien, unter der Leitung von T. Spyropoulos, und dem NIA, mit Østby als Grabungsleiter eines internationalen Teams. Zu Tage gefördert wurden die Überreste eines monumentalen früh-dorischen Tempels aus dem 7. Jh. v. Chr., der wahrscheinlich etwas früher datiert als der berühmte Hera-Tempel in Olympia, sowie zwei zeitlich eng beieinanderliegende primitive Kultgebäude, die aus dem späten 8. Jh. bzw. dem frühen 7. Jh. v. Chr stammen.

1992 bot der Direktor der 12. Ephorie für Byzantinische Altertümer in Kavala, Ch. Bakirtzis, dem Inst. eine kleine byz. Festung oder *statio* (später eine osmanische Karawanserei) in der Nähe des Dorfes Petropigi, ca. 20 km östl. von Kavala, als Ausgrabungsobjekt an. Ein fünfjähriges Feldarbeitsprojekt unter der Leitung von S. Sande wurde im J. 1993 begonnen; die Auswertung der Ergebnisse dauert bis h. an. Drei Hauptphasen, die bis in die byz. und die türk. Zeit (13.–15. Jh.) zurückreichen, wurden identifiziert.

Das Engagement des NIA in Arkadien ist 1998 um den »Norwegian Arcadia Survey« erweitert worden, eine multidisziplinäre Unt. unter der Leitung von K. Ødegård, die die Erforsch. der Wechselwirkung zw. menschlicher Siedlung, Vegetation und der natürlichen Umwelt im Gebiet um Tripolis und das ant. Tegea im Rahmen einer histor. Langzeitperspektive zum Ziel hat. Die Unt. gliedert sich in drei Komponenten: Der arch. Teil erfaßt die Funddichte und dokumentiert Siedlungsmuster; der botanische Teil bedient sich der Pollenanalyse an Hand von Bodenproben, um eine regionale Pollenkarte zu erstellen; der geologische Teil greift auf Georadar-Bilder und Probebohrungen zurück, um die Sedimentgeschichte des Gebietes zu bestimmen. Bisherige Forschungsergebnisse lassen den Schluß zu, daß die Ebene von Tegea über Jh. hinweg einer starken Sedimentation ausgesetzt war. Weiterhin steht fest, daß zwei große Heiligtümer – neben dem der Athena Alea – in diesem Gebiet nachgewiesen werden können.

1999 initiierte das Inst., zusammen mit der Abteilung für Unterwasser-Altertümer des griech. Kulturministeriums, den »Greek-Norwegian Deep-Water Archaeological Survey« unter der Leitung von K. Delaporta und M. Jasinski. Eine erste Bestandsaufnahme der nördl. Sporaden leitete die Kooperation ein. Im J. 2000 konzentrierte man sich für zunächst ein J. auf das Gebiet um Ithaka und Kephallonia. Die Gesamtdauer des Projekts wird auf drei J. veranschlagt. Das norwegische Team steuert die technisch aufwendige Unterwasserausrüstung, den Side-Scan Sonar und ein ferngesteuertes Fahrzeug bei, sodaß die Forscher in der Lage sind, große Gebiete bis in 300 m Tiefe zu beleuchten, ohne auf Taucher zurückgreifen zu müssen. Beide Regionen, in denen bisher gearbeitet wurde, können als zentrale Schauplätze des ant. Fernhandels charakterisiert werden: Kleine Inseln und geschützte Buchten boten Zuflucht bei Sturm, was durch eine Anzahl bekannter Schiffswracks belegt ist. Die zwei kurzen Einsätze haben bereits zur Entdeckung von drei neuen Wracks aus der späten Republik/frühen Kaiserzeit und dem byz. Zeitalter geführt.

Das Inst. hat eine Anzahl wiss. Symposien abgehalten zu so verschiedenen Themen wie Gender im ant. und mod. Griechenland; die Fiktion, Trad. und Realität der homer. Welt; die Welt der ant. Magie; die Rolle von Meinung, Medium und Macht in der Klass. Ant.; die Welt der Mythen und Symbole und die kulturelle Vernetzung des Mittelmeerraumes. 1999 veranstaltete das

NIA das 10. Jubiläumssymposium zu Heiligtümern und Spuren ant. Kultpraktiken. Das Inst. fungiert darüberhinaus als Gastgeber für Seminare und Diskussionsgruppen norwegischer Univ., die in Athen stattfinden.

C. PUBLIKATIONEN

Das NIA veröffentlicht drei verschiendene Reihen, die die unter der Schirmherrschaft des Inst. geleistete Arbeit dokumentieren werden. Die bereits genannten Werke, die sich an die norwegische Öffentlicheit richten, erschienen in der Reihe *Skrifter utgitt av Det norske institutt i Athen*; bisher sind fünf Bände erschienen. Vorträge und Symposien, die im Inst. stattgefunden haben, sind in den vier Bänden der *Papers from the Norwegian Institute at Athens* erschienen; weitere drei Bände befinden sich in Vorbereitung. Die Reihe *Monographs of the Norwegian Institute at Athens* wurde eingeführt, um auch norwegische Dissertationen und andere größere Studien publizieren zu können; zwei Bände sind bisher erschienen. Die Veröffentlichung der Abschlußberichte der Norwegischen Feldforschungsprojekte, ebenfalls mit dem Institutsimpressum, wird in Kürze erwartet.

MICHAEL WEDDE / Ü: TINA JERKE

XII. DAS ÖSTERREICHISCHE ARCHÄOLOGISCHE INSTITUT
s. Nachtrag

XIII. DAS ÖSTERREICHISCHE ARCHÄOLOGISCHE INSTITUT, ZWEIGSTELLE ATHEN
A. ALLGEMEINES, AUFBAU UND ORGANISATION
B. GESCHICHTE C. FORSCHUNG, GRABUNGEN
D. AUFGABEN DES INSTITUTS HEUTE

A. ALLGEMEINES, AUFBAU UND ORGANISATION

Das ÖAI ist eine Einrichtung der Bundesrepublik Österreich und untersteht direkt dem Bundesminister für Wissenschaft.

Die Aufgaben des Inst. umfassen u. a. Forsch. sowie Unterstützung österreichischer Stipendiaten bei ihren Studien und Reisen. Weiter werden österreichische Grabungen und Arbeitsprojekte verwaltungsmäßig betreut. Das wiss. Personal der Athener Zweigstelle bestand anfangs aus zwei wiss. Sekretären. Zw. 1921 und 1944 gab es nur mehr einen Leiter. Diese Lösung wurde seit der Reaktivierung des Inst. im J. 1964 beibehalten. In den J. 1992 und 1993 wurde der Stab um zwei wiss. Mitarbeiter vergrößert, so daß er jetzt einen Leiter und zwei wiss. Mitarbeiter umfaßt.

B. GESCHICHTE

Seit 1894 bestand in Athen eine wiss. Station zwecks Unterstützung von Stipendiaten, österreichischen Forschern, auch Gymnasiallehrern, bei ihren Reisen und Studien in Griechenland sowie Berichterstattung über neue Entdeckungen in Griechenland an die kaiserliche Akad. und das arch.-epigraphische Seminar der Univ. in Wien. Mit diesen Aufgaben war Adolf Wilhelm, der sich im selben J. in Epigraphik und Altertumskunde habilitiert hatte, beauftragt. Er sollte sich außerdem auf

Einladung der griech. Regierung ›an der (in Athen) in Angriff genommenen Inventarisierung und Bearbeitung griech. Inschr. als hervorragender Kenner beteiligen‹ (Schreiben des österreichischen Außenministeriums an den österreichischen Gesandten in Athen, vom 4. 9. 1894; Kopie im ÖAI Athen). Zwei J. später trat Wolfgang Reichel hinzu, der zusätzlich zu den allg. Aufgaben einen Kat. der myk. Funde des Nationalmus. zu erstellen hatte.

Mit der Gründung – am 31. Dezember 1897 – des ÖAI als einem arch. Forschungsinst. verwirklichte sein Gründer und erster Direktor, Otto Benndorf, Ordinarius für Klass. Arch. an der Univ. Wien, den Plan, neben dem Lehrbetrieb an der Univ. ein Inst. zu schaffen, das sich ausschließlich mit der Forsch. und mit Ausgrabungen im In- und Ausland befassen sollte. Die arch. Forsch. in Österreich blickte damals bereits auf zahlreiche Leistungen auf dem Sektor der Bodenforsch. sowohl in der Heimat als auch in den Kronländern, in Kleinasien und im Mittelmeer (Samothrake) zurück.

Mit der Gründung der Wiener Zentrale wurde die arch. Station in Athen zur Zweigstelle erhoben; zwei weitere Zweigstellen entstanden in Konstantinopel und Smyrna, wo ebenfalls seit 1894 »Beobachtungsposten« des Ministeriums für Cultus und Unterricht bestanden hatten. Von diesen drei Stellen besteht nur die Zweigstelle Athen bis h., und dies trotz zweimaliger, durch die Kriegsereignisse bedingter, Unterbrechung.

Adolf Wilhelm und Wolfgang Reichel waren die ersten »Sekretäre« der Zweigstelle. Reichel verstarb frühzeitig im J. 1900. Von 1904 bis 1909 war der vorherige Sekretär der Zweigstelle Smyrna und seit 1898 Leiter der Ephesos-Grabung, Rudolf Heberdey, erster Sekretär in Athen. Wilhelm nahm 1905 eine außerordentliche Professur für griech. Altertumskunde und Epigraphik in Wien an. 1908 traf Otto Walter am Inst. ein und blieb diesem durch viele J. verbunden, erst als Stipendiat, in der Folge als »Zweiter Sekretär«, schließlich als Direktor.

Die Zweigstelle war zw. 1901 und 1907 im ersten Stock des Hauses des Malers Emile Gilliéron in der Skouphastraße 43 untergebracht. Im J. 1900 wurde dem österreichischen Staat zum Zweck der Errichtung eines arch. Inst. vom Königreich Griechenland ein Grundstück an der Leophoros-Alexandras geschenkt. Ernst Ziller fertigte die Pläne des Hauses an und übernahm die Bauausführung, nachdem die österreichischen Architekten Wilhelm Wilberg, seit 1898 Institutsarchitekt, und Anton Fuchs Vorschläge für Modifikationen unterbreitet hatten. Der Bau wurde am 4. März 1908 feierlich eröffnet.

Das ÖAI hatte schwer unter den Folgen der beiden Weltkriege zu leiden. So mußte es zw. 1916 und 1921 aufgrund der Kriegsereignisse seine Tore schließen. Das Haus kam 1916 unter den Schutz der griech. Behörden. Walter kehrte erst 1921 an das Inst. zurück. Die polit. Ereignisse wirkten sich auch in den folgenden J. negativ auf die Aktivitäten des Inst. aus. Walter, der zugleich

Jurist war, gewährleistete das Fortbestehen des Inst., indem er gleichzeitig mit seiner Tätigkeit als Institutsleiter auch als österreichischer Konsul tätig war [3; 4].

Nach dem »Anschluß« Österreichs an das Deutsche Reich am 13. März 1938 wurde Walter zweiter Direktor des Deutschen Archäologischen Instituts Athen, behielt allerdings seinen Sitz im Inst. an der Leophoros-Alexandras bei. Walter stellte seine mutige Haltung unter Beweis, indem er das Inst. offen hielt für griech. und andere Kollegen, die während dieser Zeit das DAI nicht aufsuchen konnten: Nächtliches Studium in der Bibl. und Entleihen von Büchern waren selbstverständlich; der griech. Archäologe Kourouniotis und seine Frau fanden ab 1943 Unterkunft im ÖAI. In seiner Kapazität als zweiter Direktor des DAI verfaßte Walter lediglich die jährlichen Berichte über Grabungen und Funde in Griechenland (AA 1940, 1942 und 1943). Im August 1944 wurde angesichts der Kriegssituation die Photosammlung des DAI im Keller des ÖAI gelagert, die Fenster des Kellers und der Bibl. im Erdgeschoß wurden zugemauert. Beide Inst. wurden der griech. Antikenverwaltung unterstellt. Im September 1944 mußte Walter das Land verlassen. Nach seiner Ankunft in Wien erhielt er Weisung aus Berlin, die Geschäfte der Athener Zweigstelle vorläufig von Wien aus weiterzuführen und am 1. Februar 1945 die Erlaubnis, die Zweigstelle aus Sicherheitsgründen nach Salzburg zu verlegen, wo er ein Haus besaß; dazu kam es jedoch nicht mehr. Walter erlebte das Kriegsende in Wien [2]. Die finanzielle Situation Österreichs in der Nachkriegszeit verbot jegliche arch. Aktivität im Ausland; auch in Griechenland waren Institutsbetrieb und Ausgrabungen unterbrochen. Schwierigkeiten für Österreichs arch. Forsch. in Griechenland ergaben sich in der Folge auch im Zusammenhang mit dem Schicksal des Institutsgebäudes in Athen: Nach dem Krieg seitens des griech. Staates beschlagnahmt und zur Unterbringung von Flüchtlingen verwendet, wurde es 1947 Österreich zurückgegeben. Das österreichische Außenministerium übernahm es für die österreichische Gesandtschaft, anfänglich auf zwei J., verlängert auf zwei weitere, mit dem ausdrücklichen Hinweis seitens des damaligen Direktor der Wiener Zentrale, Professor Fritz Eichler, auf Wahrung des Status der zweckgebundenen Schenkung des Grundstückes. Anfangs war sowohl von griech. als auch von österreichischer Seite an eine Wiederaufnahme des vor dem Krieg gültigen Zustands gedacht, unter Beibehaltung der Doppelfunktion Walters als Direktor des Inst. und gleichzeitig als diplomatischer Vertreter. Dieser Plan wurde durch die Entsendung eines Beamten aus dem Außenministerium hinfällig.

Erst 20 J. nach Walters Abreise aus Athen, im Jahr 1964, wurde die Zweigstelle Athen reaktiviert, teilt jedoch h. das Haus mit der Botschaft, was die Abwicklung des Institutsbetriebs erschwert.

C. Forschung, Grabungen

Außer den oben bereits erwähnten Aufgaben der Ersten Sekretäre beteiligten sich auch die österreichischen Archäologen an der Erforsch. der griech. Altertümer. In den ersten J. standen Athen und Attika durchaus im Vordergrund der österreichischen Forsch., und der Beitrag der österreichischen Archäologen zur Erforschung der griech. Altertümer ist beachtlich, wie Monographien sowie Aufsätze v. a. in den JÖAI zeigen [5; 6; 7; 10; 11; 12], doch wandten sie ebenso ihr Interesse den Zentren in der Provinz zu [1; 8; 9; 13; 14; 15; 16].

Die ersten Ausgrabungen des ÖAI liegen in der Peloponnes: Wilhelm und Reichel führten 1898 und 1899 drei Kampagnen im Heiligtum der Artemis Hemera von Lousoi durch. Otto Walter gelangen 1916 und 1925 erste Entdeckungen in der über der Küste, im Norden von Achaia gelegenen Stadt Aigeira. Zw. 1910 und 1914, und später noch 1932, war Elis, die Hauptstadt der gleichnamigen Provinz, Ziel mehrerer Grabungskampagnen. Die Beweggründe, die zum Beginn der drei ersten Ausgrabungen führten, sind völlig unterschiedlich. Wilhelm wurde auf Zufallsfunde im Kunsthandel, die aus Lousoi stammten, aufmerksam und wandte anschließend dem Heiligtum sein Interesse zu, nicht zuletzt bedacht, den durch Raubgrabungen gefährdeten Platz vor der völligen Zerstörung zu retten. Aigeira wurde 1915 von Walter im Rahmen einer Küstenwanderung auf den Spuren des Pausanias entdeckt. Einzig für Elis stand die Wahl nach einer größeren Grabung, entsprechend denjenigen anderer Länder, im Vordergrund der Entscheidung, umsomehr als die Grabung in Ephesos gerade zum Stillstand gekommen war.

Die Kriegsereignisse sowie finanzielle Probleme als Folge der polit. Situation führten zu frühzeitigen Unterbrechungen der Grabungen in Elis und Aigeira. Die vielversprechend begonnenen Arbeiten, darunter die Entdeckung der Theater in Elis und Aigeira und der Fund des kolossalen Zeuskopfes des Eukleides in Aigeira, die Walter gelungen waren, konnten nicht weitergeführt und die geplanten Publikationen nicht abgeschlossen werden.

Mit Reaktivierung des Institutsbetriebes zu Beginn der 60er J. nahm Österreich die Grabungsaktivität in Griechenland wieder auf. Seitdem bilden die drei ersten Grabungsstätten weiterhin den Kern der feldarch. Interessen des ÖAI in Griechenland. Für das J. 1960 erteilte der griech. Antikendienst der Archäologischen Gesellschaft zu Athen die Genehmigung zur Ausgrabung in Elis ›in Zusammenarbeit mit dem österreichischen archäologischen Institut‹ (Königreich Griechenland, Direktion für Altertümer, Prot. 62982/3847 vom 23.6. 1960, Kopie ÖAI Wien und Athen). Diese Grabungen wurden bis 1981 gemeinsam durchgeführt. 1972 nahm das Inst., jetzt von der Zentrale in Wien aus, die Grabungen in Aigeira wieder auf. 1981 setzten die Arbeiten in Lousoi erneut ein. Die Grabungen in Aigeira und Lousoi laufen h. noch, während Österreich sein weiterbestehendes Interesse an der Elis-Forsch. regelmäßig durch wiss. Publikationen dokumentiert.

In den letzten J. traten weitere wiss. Unternehmungen hinzu, durchgeführt von verschiedenen österreichischen Trägern, für die das Athener Inst. gemäß dem griech. Gesetz für Arch. die Genehmigung beantragt. Auf Ägina, in Kolonna, gräbt seit 1976 das Institut für Klassische Archäologie in Salzburg. In Elateia, in der Provinz Phthiotis, wurde eine Gemeinschaftsgrabung zw. dem Institut für Alte Geschichte in Salzburg und der Ephorie in Lamia durchgeführt. Das Institut für Klassische Archäologie der Univ. Wien und die Ephorie in Patras untersuchten in einer Gemeinschaftsgrabung das ant. Pleuron. Ebenfalls in Gemeinschaftsarbeit, zw. der Ephorie in Theben und demselben Inst., findet die Unt. von Plataiai statt. Ein Survey seitens des Instituts für Klassische Archäologie in Wien erforscht ant. Stätten in Südostkreta. Das Institut für Alte Geschichte der Univ. Graz untersucht das ant. Straßensystem in der Nordostpeloponnes.

Die Forschungsschwerpunkte des Athener Inst. sind generell, durch die Grabungen bedingt, mit der Peloponnes verbunden. Dazu gehören Themen zur Urbanistik, Theaterforsch., Bearbeitung von Kleinfunden, Architektur usw. Ergebnisse der Peloponnesforsch. bildeten auch das Thema wiss. Treffen: Mit dem Kanadischen Inst. ein Symposium über Arkadien (1984); mit dem Zentrum für griechische und römische Antike ein Symposium über »Achaia und Elis in der Ant.« (Meletemata 13, 1991). 1998, anläßlich der 100–Jahr-Feier des Inst., fand ein Symposium über »Forsch. in der Peloponnes« statt (Akten in Vorbereitung). Ein Schwerpunkt liegt auf dem Gebiet der Keramikforschung. In den 80er J. veranstaltete das ÖAI gemeinsam mit dem Kanadischen Inst. in Athen »Round-Table-Treffen« zu »Keramik und Lampen hell. und röm. Zeit aus dem östl. Mittelmeerraum«.

Bereits die ersten Grabungen wurden sorgfältig und mit Methoden durchgeführt, die nach heutigen Kriterien noch als »modern« gelten. Die Archäologen hatten nicht nur eine vorzügliche Ausbildung auf dem Sektor der Kunstarch. sowie der Altertumswiss. erhalten. Exakte Vermessungen und Pläne, sowie sorgfältige Dokumentation charakterisieren die Feldarbeit und sind in den Unterlagen nachzuvollziehen, obwohl durch den Krieg Pläne und Aufzeichnungen teilweise verloren gegangen sind. Vier J. nach den ersten Grabungen in Lousoi lag der umfassende Bericht von Wilhelm und Reichel vor, der außer der Besprechung der Kleinfunde, der Inschr. sowie der ant. Autoren auch die Ergebnisse der Feldarbeit und der Architektur umfaßt. Die Grabungen in Elis und Aigeira wurden sorgfältig dokumentiert und in vorläufigen Berichten vorgestellt. Der Ausbruch des Ersten Weltkrieges verhinderte nicht nur eine Fortsetzung dieser Grabungen, sondern auch eine abschließende Publikation in Elis. Pläne von der Hand griech. Architekten demonstrieren die enge Zusammenarbeit der Kollegen in Athen. Von Panayotis Sour-

sos stammen Planaufnahmen von Lousoi und Aigeira; Anastasios Orlandos stellte eine top. Skizze von Elis her.

Die Einrichtung eines Lehrstuhls für Grabungstechnik an der Univ. Wien unter Hermann Vetters im J. 1969 hatte eine Intensivierung der Ausbildung auf diesem Gebiet zur Folge. Lehrgrabungen und Ausbildung auf dem Sektor der Kleinfundbearbeitung, v. a. der Keramik, gehören h. allg. zum Lehrplan, mit dem Ergebnis, daß Studenten, die an den österreichischen Grabungen in Griechenland teilnehmen, bereits über Grundkenntnisse bei Feldarbeit und Fundaufnahme verfügen.

D. AUFGABEN DES INSTITUTS HEUTE

Weiterhin gehört die Unterstützung von Stipendiaten und Fachkollegen aus Österreich zu den vordringlichen Aufgaben des Instituts. In Fortsetzung der Reisestipendien nach Griechenland, It. und Kleinasien, welche von 1885 bis 1914 vom österreichischen Staat an junge Studierende und Forscher aus Österreich vergeben wurden, wurde diese Einrichtung seit 1960, erst in kleinem Ausmaß, dann langsam gesteigert, weitergeführt. Zeitweise standen drei Jahresstipendien zur Durchführung von Forschungsprojekten in Griechenland, v. a. für Diplomarbeiten, Dissertationen und Habilitationsschriften zur Verfügung. Stipendien erhalten in erster Linie Archäologen, doch werden auch Studierende verwandter Richtungen, Altphilologen, Althistoriker, Byzantinisten usw. einbezogen. Fallweise und unter der Voraussetzung, daß Griechenland Schwerpunkt der Forsch. ist, wurde der Rahmen erweitert, auf Theaterwissenschaftler, Neogräzisten, Studierende mod. griech. Malerei usw. Für griech. Archäologen wurden und werden vom österreichischen Staat Stipendien zum Aufbaustudium an österreichischen Univ. vergeben.

Ein weiterer Aufgabenbereich umfaßt die Betreuung der Bibl., welche von Reichel und Wilhelm eingerichtet worden war. Die vorübergehende, doch fast 20 J. dauernde Schließung des Inst. verursachte eine kaum mehr behebbare Lücke im Bücherbestand. Seit 1960 steht der Bibl. wieder ein jährliches Budget zur Verfügung, mit dem grundlegende Werke angeschafft werden. Notgedrungen wird eine Auswahl nach bestimmten Kriterien getroffen, wobei auch danach getrachtet wird, einschlägige österreichische Publikationen dem Athener Kollegenkreis zugänglich zu machen. Heute umfaßt der Bestand etwa 12000 Bände. Das ÖAI ist an der Digitalisierung des allg. Bestandskataloges der arch. Bibl. in Athen im Rahmen des ARGOS-Projektes (ARGOS=ARchaeological Greek Online System) beteiligt.

Die Archive des Inst. umfassen die Unterlagen der alten und neuen Institutsgrabungen. Zu verwalten ist auch die Photothek, deren Kern das alte Glasplattenarchiv mit Aufnahmen der von Adolf Wilhelm bearbeiteten Inschr., der Reliefplatten aus dem Akropolis-Mus. (Otto Walter) sowie der Grabungen in Aigeira und Elis bildet.

Die Ergebnisse der Forsch. seit Wiederaufnahme der Institutsaktivitäten erschienen u. a. als Monographien oder Aufsätze in den Schriftenreihen österreichischer Univ., der Österreichischen Akademie der Wissenschaften und des ÖAI.

Die Tatsache, daß h. eine Tendenz zur Reduzierung der urspr. Großgrabungen zu beobachten ist, hat in der Art der österreichischen Grabungen kaum eine Veränderung verursacht, da diese Grabungen durch die Umstände bedingt stets Kleingrabungen waren. Doch auch im österreichischen Bereich steht h. das Bestreben zu multidisziplinären Unt., zur Durchführung von geologischen, geophysischen Surveys im Vordergrund. Forschungsergebnisse werden einem breiteren Publikum zugänglich gemacht. Die Konservierung und Pflege der Ruinenstätten ist vordringliches Anliegen.

1 F. EICHLER, Zu den Skulpturen des Heraions bei Argos, ÖJh 19/20, 1919, 15–153 2 K. FITTSCHEN, Von Athen nach Salzburg, in: [4], 57–60 3 M. KANDLER, G. WLACH (Hrsg.), 100 J. ÖAI 1898–1998, ÖAI Sonderschriften 31, 1998 4 V. MITSOPOULS-LEON (Hrsg.), Hundert J. ÖAI, 1898–1998 (1998) 5 C. PRASCHNIKER, Die Akroterien des Parthenon, ÖJh 13, 1910, 5–40 6 Ders., Parthenonstud., 1928 7 Ders., Neue Parthenonstud., ÖJh 41, 1954, 5–53 8 A. v. PREMERSTEIN, Griech.-Röm. aus Arkadien, ÖJh 15, 1912, 197–218 9 R. HEBERDEY, Die Reisen des Pausanias in Griechenland, Abh. des arch.- epigraphischen Seminars der Univ. Wien, Prag 1894 10 Ders., Altattische Porosskulptur, 1919 11 O. WALTER, Beschreibung der Reliefs im Kleinen Akropolis-Mus. in Athen, 1923 12 Ders., Athen, Akropolis, Führer durch Griechenland, 1929 13 A. SCHOBER, Zu den Friesen der delphischen Schatzhäuser, ÖJh 13, 1910, Beiblatt 81–84, 277–280 und ÖJh 14, 1911, Beiblatt 119–122 14 Ders., Athenastatuette aus Elis, ÖJh 14, 1911, Beibl. 117–119 15 Ders., Zu den elischen Bildwerken der Aphrodite, ÖJh 21/22, 1922–24, 222–228 16 F. TRITSCH, Die Agora von Elis, ÖJh 27, 1932, 64–105.
VERONIKA MITSOPOULOS-LEON

XIV. DAS SCHWEDISCHE INSTITUT IN ATHEN
A. GESCHICHTE   B. PERSONAL UND MITGLIEDER
C. FORSCHUNG, SYMPOSIEN UND VORTRAGSREIHEN
D. DOKUMENTATION   E. PUBLIKATIONEN

A. GESCHICHTE

Das Schwedische Institut in Athen (SIA) wurde am 10. Mai 1948 in Athen eröffnet. Es mag zunächst verwundern, daß Griechenland so kurz nach dem Zweiten Weltkrieg und noch vor dem E. des Bürgerkrieges die Einrichtung eines neuen arch. Forschungsinst. gestattete. Mehrere Faktoren spielten jedoch hierbei eine Rolle. Der wichtigste dürfte der Umstand gewesen sein, daß schwedische Archäologen schon in den 1920er und 1930er J. intensiv in Griechenland tätig und viele von ihnen während des Krieges an Hilfsaktionen des Roten Kreuzes beteiligt gewesen waren.

Am E. des 19. und zu Beginn des 20. Jh. war es für schwedische Altertumsforscher üblich, sehr eng mit ihren dt. Kollegen zusammenzuarbeiten. So kam die erste

schwedische Ausgrabung aufgrund einer durch das → Deutsche Archäologische Institut in Athen erworbenen Lizenz zustande. Diese Unt. fanden im J. 1894 auf der Insel Poros statt (Abb. 1) und wurden von Samuel Wide (1861–1918) und Lennart Kjellberg (1857–1936) durchgeführt. Wide war mit den dt. Archäologen Alexander Conze, Wilhelm Dörpfeld und Adolf Furtwängler eng befreundet. Furtwängler ermutigte Wide, sich mit arch. Forsch. zu beschäftigen und schlug vier mögliche Grabungsstätten vor: die athenische Agora, das Poseidon-Heiligtum auf Kalaureia (Poros), die prähistor. Siedlung in Aphidna im nördl. Attika und die myk. Zitadelle von Midea in der Argolis. Tatsächlich wurden die drei letztgenannten zu schwedischen Projekten.

Fast 30 J. nach Kalaureia richtete sich das Hauptaugenmerk der schwedischen Ausgrabungstätigkeit auf Asine in der Argolis. Die Initiative ging von Kronprinz Gustaf Adolf aus, der sich Zeit seines Lebens stark für Arch. interessierte. Er war der Überzeugung, daß sich Schweden den anderen europ. Nationen bei der Erforsch. unseres gemeinsamen kulturellen Erbes in Griechenland anschließen solle. Er selbst hatte in Schweden arch. Erfahrungen als Prähistoriker gesammelt. Da die Ausgrabungen nicht ausschließlich von klass. Philologen durchgeführt werden konnten, ernannte man zwei Direktoren zur Leitung der Arbeiten in Asine: Axel W. Persson (1888–1951) als Philologen und Otto Frödin (1881–1953) als erfahrenen Archäologen. Ein spezielles Asine-Komitee wurde gegründet, dem kein Geringerer als Oscar Montelius (1843–1921) als Berater zur Seite stand, der bereits zuvor das Gesicht der europ. Arch. entscheidend mitgeprägt hatte. Die Arbeiten begannen im J. 1922, und bis zum Ausbruch des Zweiten Weltkrieges war Persson die führende Persönlichkeit der schwedischen Arch. in Griechenland. Vor- und Frühgeschichte war in diesem Zeitraum sehr gefragt, was

Abb. 1: **Schwedische Ausgrabungen in Griechenland** Karte nach Attila Tóth

Abb. 2: Ausgrabungen auf der Akropolis von Asine 1922. Kronprinz Gustaf Adolf (links) beim Erdsieben in der Nähe des sog. Kronprinzenturms (Asine neg. C 7774)

Persson dazu veranlaßte, sich fast 20 J. mit der Erforsch. der prähistor. Argolis zu befassen. Die Ausgrabungen in Asine (Abb. 2) waren in methodischer Hinsicht ihrer Zeit weit voraus: Die Erde wurde gesiebt, um auch nicht die kleinsten Objekte zu übersehen; die Dokumentation wurde äußerst sorgfältig durchgeführt, und fast das gesamte Ausgrabungsmaterial wurde aufbewahrt. Heute stellen das Asine-Archiv und die Asine-Sammlung wahre Goldgruben für Prähistoriker wie auch für Klass. Archäologen dar. Die Asine-Sammlung umfaßt den größten Teil der Tonscherben, die in Asine gefunden wurden. Die Sammlung befindet sich h. an der Univ. von Upsala – ein Geschenk der griech. Regierung aus den 1930er J., als Gegengabe für eine umfangreiche Sammlung prähistor. Materials aus schwedischen Museen. Das Fotoarchiv, bestehend aus Glasnegativen, befindet sich im Archiv der Schwedischen Nationalkommission für Altertümer, die restlichen Dokumentationsmaterialien gingen in die Asine-Sammlung ein. Kopien der Tagebücher und Digitalversionen der Fotografien werden im Archiv des SIA aufbewahrt.

1926 erhielt Persson die Einladung, ein Tholos-Grab in Dendra freizulegen, und in den folgenden J. erforschte er eine Anzahl weiterer Kammergräber am selben Ort. Seine Arbeit an der Zitadelle von Midea im J. 1939 sollte seine letzte in Griechenland werden. Als die Ausgrabungen nach dem Krieg wieder aufgenommen werden konnten, war Persson bereits gestorben, und die Leitung der 1934 von ihm begonnenen Unt. in Berbati (östl. von Mykene) ging in den 1950ern an Åke Åkerström (1902–1991). Zwei von Perssons Studenten gruben in den 1920er und 1930er J. auch außerhalb der Argolis: Nathan Valmin (1898–1967) führte die Messenia-Expedition durch, mit Ausgrabungen an mehreren Stätten, v. a. in Malthi, und Erik J. Holmberg (1908–1997), der in Asea in Arkadien arbeitete.

Als Grabungslizenzen nach dem Krieg wieder ausgestellt wurden, hatte Schweden bereits sein eigenes In-

stitut. Die Anfänge waren bescheiden, und das SIA wurde aus privaten Mitteln finanziert. Sehr bald aber hatte es seine eigenen Räumlichkeiten im Athener Stadtteil Kolonaki. Seit 1976 ist es in einem klassizistischen, unter Denkmalschutz stehendem Gebäude südl. der Akropolis untergebracht, und seit Mitte der 50er J. finanziert es sich hauptsächlich über die schwedische Regierung. Dennoch ist das SIA, bes. was die am Inst. geleistete Forschungsarbeit betrifft, nach wie vor auf finanzielle Unterstützung von schwedischen Stiftungen und auf Spenden von Privatpersonen angewiesen. Der offizielle rechtliche Status des SIA in Schweden ist der einer privaten Stiftung. Die Statuten sind im Laufe der Zeit kaum überarbeitet worden; die Hauptbestandteile blieben unverändert, wenn auch der Fortbildungsaspekt gestärkt wurde. Für Doktoranden wird jährlich ein arch. Programm angeboten, Auffrischungskurse für Lehrer der Altertumswiss. und anderer verwandter Fächer finden ebenfalls auf regelmäßiger Basis statt.

Entsprechend den gesetzlichen griech. Bestimmungen muß das Hauptbetätigungsfeld eines arch. Inst. die arch. Forsch. sein, was sich nicht allein in der Grabungs- und Untersuchungstätigkeit erschöpft, sondern jede Art von wiss. Arbeit einschließt, die im Zusammenhang mit ant. Momumenten steht. Desweiteren müssen Forschungsaktivitäten und Bildungsangebote des Inst. ineinandergreifen. Die dritte, in den Statuten verankerte Aufgabe des SIA ist der Ausbau der kulturellen Kontakte zw. Schweden und Griechenland, was meist in Zusammenarbeit mit der schwedischen Botschaft geschieht. Das SIA verfügt über ein Gästehaus in Kavalla, das Künstlern und Schriftstellern offen steht, die in einer anregenden Umgebung arbeiten möchten. Das Gebäude ist im Bauhaus-Stil errichtet und steht ebenfalls unter Denkmalschutz.

Das schwedische Engagement nach dem Krieg konzentrierte sich hauptsächlich auf die alten Grabungsstätten aus den Vorkriegsjahren: Dendra/Midea wurde in

Abb. 3: Das Poseidon-Heiligtum in Kalaureia (Poros).
Der Tempel liegt außerhalb des linken unteren Bildrandes (Ballonfoto K. Xenikakis)

den 1960ern zu einem schwedisch-griech. Gemeinschaftsprojekt, wobei das schwedische Kontingent zunächst unter der Leitung von Paul Åström (1932–) stand und seit 2000 von Ann-Louise Schallin (1957–) geführt wird. Carl-Gustaf Styrenius (1929–) und Robin Hägg (1935–) haben Asine untersucht; neue Grabungsareale wurden außerdem auf Kreta und in Makedonien erschlossen. 1969 initiierte man die sog. Chania-Untersuchungen, wiederum in schwedisch-griech. Kooperation (mit Carl-Gustaf Styrenius als Leiter der schwedischen Seite), die beträchtlich zu unserem Wissen über die minoische Kultur im Westen Kretas beigetragen haben. In den 1970ern schließlich waren Pontus Hellström (1939–) und Erik J. Holmberg in Paradeisos tätig.

Seit dem E. der 1980er hat sich der Charakter der schwedischen Forschungstätigkeit in Griechenland verändert: Erste Vorstöße auf dem Gebiet der Landschaftsarch. wurden im Tal von Berbati (h. Prósimna) und in dem Gebiet um das weiter östl. gelegene Dorf Limnes unternommen. Und obwohl man schon bei früheren Grabungen, wenn auch recht zögerlich, naturwiss. Meß- und Arbeitsmethoden miteinzubeziehen begann, konnte sich die naturwiss. Analyse (Paläobotanik, Paläozoologie, Paläomagnetologie, Metallurgie, Holzanalysen, Rückstandsanalysen, Keramologie usw.) erst in den 1990er J. als unverzichtbarer Arbeitsschritt neben der traditionellen arch. Arbeit durchsetzen. Keine ernstzunehmende Feldforschungskampagne wird in Zukunft auf eine genaue wiss. Analyse der gefundenen Materia-

lien verzichten können. Die Arbeiten, die in und um Asea (Arkadien) unter der Leitung von Jeannette Forsén (1955–) ausgeführt wurden und die von Berit Wells (1943–) geleiteten Projekte in Berbati (Argolis) und Kalaureia (Poros) waren bereits nach diesem Modell als integrierte Projekte konzipiert, die den Einsatz mod. Techniken bei der arch. Feldarbeit und im Labor vorsahen. Darüber hinaus befaßt sich das SIA nicht mehr ausschließlich mit der prähistor. Zeit: Die Grabungstätigkeit (Asea, Berbati und Kalaureia) wie auch das allg. Forschungsinteresse haben sich zugunsten der histor. Epochen verlagert, und mit Kalaureia (Abb. 3) ist das SIA in ein großes und bedeutendes Heiligtum vorgedrungen, selbst wenn die gefundenen Überreste auf den ersten Blick nicht spektakulär erscheinen mögen.

B. Personal und Mitglieder

Zum gegenwärtigen Zeitpunkt besteht das wiss. Personal des SIA aus einem Direktor, der den Rang eines Hochschuldozenten bekleiden sollte, sowie einem Stellvertretenden Direktor (mit Promotion); beide müssen Klass. Archäologen sein. Bis 1985 war das SIA die einzige skandinavische Einrichtung in Athen und fungierte daher auch als Skandinavisches Institut. Die Mitglieder setzen sich zusammen aus Doktoranden und Wissenschaftlern schwedischer Univ., die sich mit dem ant. oder mod. Griechenland beschäftigen. Die Nationalität der Mitglieder spielt keine Rolle. Jährlich wird ein Stipendium an einen Doktoranden/eine Doktorandin vergeben, deren/dessen Promotionvorhaben einen längeren Aufenthalt in Griechenland erforderlich macht.

C. Forschung, Symposien und Vortragsreihen

Wie bereits oben erwähnt, steht die Forsch. im Zentrum der Aktivitäten des SIA. Das wiss. Personal ist dazu verpflichtet, Forschungsarbeit zu betreiben und Vortragsreihen sowie Seminare zu organisieren. In den 1980er J. und zu Beginn der 1990er veranstaltete das SIA eine Reihe großer Symposien zu Themen speziell der griech. Vor- und Frühgeschichte; z.Z. besteht die Tendenz zu kleineren Seminaren mit eingeladenen Spezialisten, die manchmal bes. auf die Interessen jüngerer Forscher zugeschnitten sind. Alle zwei J. richtet das SIA eine Vortragsveranstaltung zum Gedenken an den bedeutendsten schwedischen Altertumsforscher aller Zeiten, Martin P. Nilsson (1874–1967), aus. Ein Wissenschaftler oder eine Wissenschaftlerin, der/die durch bes. Forschungsleistungen auf dem Gebiet der griech. Religion auf sich aufmerksam gemacht hat, wird jeweils eingeladen, die Rede zu halten. Es bleibt anzumerken, daß zwar der Stiftungsvorstand in Schweden die Grundlinien für die Aktivitäten des SIA festlegt, die endgültigen Entscheidungen, was die Art und Richtung der wiss. Arbeit betrifft, aber von den Wissenschaftlern in Athen getroffen werden. Gegenwärtig stehen arch. Unt., Ausgrabungen und Landschaftsarch. im Vordergrund.

Das SIA verfügt über eine umfangreiche Bibl. (ca. 40 000 Bde.), die sich nun größtenteils in der 1995 eingeweihten Nordischen Bibliothek befindet. Hierbei handelt es sich um ein Gemeinschaftsunternehmen der Schwedischen, Finnischen, Norwegischen und Dänischen Inst. mit dem Ziel, die Resourcen der einzelnen Mitgliedsländer nicht nur zum Vorteil der eigenen Forscher zu konzentrieren, sondern sie auch für ausländische und griech. Kollegen leichter zugänglich zu machen. Eine Buchspende mit Werken speziell zur Byzantinistik ist zudem in den Räumlichkeiten des SIA untergebracht. Das Inst. unterhält ein ausgedehntes Austauschprogramm mit Partnereinrichtungen weltweit, wodurch wiederum eine breitgefächerte Sammlung von arch. Fachzeitschriften zustande kam. Das SIA und die Nordische Bibliothek sind Teil des Argos-Projektes, das die elektronische Vernetzung aller arch. Bibl. Athens über das Internet vorsieht.

D. Dokumentation

Es ist h. eine Grundvoraussetzung für jede vom SIA unternommene Grabungs- oder Forschungkampagne, sämtliche Dokumentationsmaterialien (Tagebücher, Pläne, Fotografien usw.) dem Inst. zu überlassen, sobald die Auswertung des Materials abgeschlossen und die Ergebnisse publiziert sind. Das Material muß derart aufbereitet sein, daß es auch für andere Wissenschaftler von Nutzen ist. Mit der zunehmenden Digitalisierung der neuen Projekte werden mod. Dokumentationen immer häufiger über das Internet abrufbar sein. Bei weiter zurück liegenden Unternehmungen wird die elektronische Verfügbarkeit allerdings von der finanziellen Lage des Inst. abhängen. Ein zusätzliches Problem besteht in der Tatsache, daß ältere Dokumentationsmaterialen aus der Zeit vor der Existenz des SIA und noch bis in die 1970er J. hinein als Eigentum der jeweiligen Forscher betrachtet wurden und die Materialen daher nach dem Tode der Ausgräber oft zusammen mit privaten Unterlagen in schwedische Bibl. gelangten.

Das SIA ist bemüht, den »Dokumentationsnotstand« zu lindern, und man hat inzwischen das umfangreiche Fotoarchiv der Asine-Grabung digitalisiert. Die vollständigen Materialien der Ausgrabungen aus den 30er und 50er J. am Mastos im Tal von Berbati befinden sich wieder im Inst. und sind bereits vorläufig systematisiert worden. Dies trifft auch für die Asine Karmaniola-Ausgrabungen der 1970er zu. Alle Original-Dokumente der laufenden Projekte in Berbati und Kalaureia werden h. im Archiv des SIA gelagert, mit Hinblick auf eine zukünftige Auswertung.

Die Leiter aller Grabungs- und Forschungskampagnen sind außerdem dazu verpflichtet, vollständige Bestandslisten der gefundenen Gegenstände zu erstellen und sie nach ihrer Publikation entsprechend ihrer Lagerung in den jeweiligen Mus. zu verzeichnen, so daß interessierte Wissenschaftler die publizierten Objekte dort in Zukunft leicht auffinden können. Die Bestandsaufnahme der Materialen im Mus. von Nauplion steht kurz vor der Vollendung. Alle publizierten und noch vorhandenen Objekte der alten Ausgrabungen in Asine, Berbati und Dendra/Midea sind nun leicht zugänglich. Die Inventarliste gibt an, ob sich ein Objekt im Mus. von Nauplion oder im Archäologischen Nationalmuseum in Athen befindet, oder ob es in dem o.g. Geschenk an Schweden enthalten war. Indirekt führt die Liste auch auf, welche Objekte im Krieg verloren gegangen sind.

E. Publikationen

Im J. 1950 beschloß der Vorstand des SIA, eine eigene Publikationsreihe für das Inst. ins Leben zu rufen; der erste Band erschien 1951. In der Tat ist die Publikation einer eigenen Zeitschriftenreihe seit geraumer Zeit Vorbedingung für die Anerkennung als ausländisches arch. Inst. in Griechenland. Die Reihe des SIA erscheint unter dem Titel *Acta Instituti Atheniensis regni Sueciae*. Sie erscheint in zwei Formaten, 4° und 8°. Bis 1996 widmete sich die großformatige Ausgabe der *Opuscula Atheniensia*, einer Sammlung von Art. schwedischer und ausländischer Forscher, sowie der Veröffentlichung von arch. Forschungsergebnissen in Monographie-Form (einschließlich der Publikation von Grabungs- und anderen Forschungseinsätzen und den Akten der zuvor erwähnten Symposien). Seit 1996 sind die *Opuscula Atheniensia* eine eigenständige Reihe mit der zusätzlichen Bezeichnung *Annual of the Swedish Institute at Athens*.

BERIT WELLS/Ü: TINA JERKE

XV. Die Schweizerische Archäologische Schule in Griechenland
A. Geschichte B. Ziele C. Die wichtigsten Arbeitsetappen D. Die Konservierung der Monumente und der Fundobjekte E. Aus griechischer Sicht F. Publikationen

A. Geschichte

Einzig aus der Geschichte der Schweizerischen Eidgenossenschaft ist zu verstehen, warum – trotz einer tiefen Verbundenheit mit dem vergangenen und dem heutigen Griechenland – die Schweiz nicht zu den Ländern zählt, welche bereits im 19. Jh. eine arch. Schule im eben erst unabhängig gewordenen Königreich gründeten. 1964 aber nahm schließlich eine ständige schweizerische arch. Mission in Griechenland ihre Tätigkeit auf.

Der Gründer der Schweizerischen Archäologischen Schule in Griechenland (SASiG) war der Basler Professor Karl Schefold (1905–1999). Ioannis Papadimitriou, Präsident des Griechischen Archäologischen Rates und Direktor der Altertümer, lud anläßlich eines Besuchs in Basel die Schweiz ein, an den Ausgrabungen in Eretria, auf der Insel Euböa, teilzunehmen (*Antike Kunst* 7, 1964, 102)

Im Herbst 1962 stimmte der Griechische Archäologische Rat dem Prinzip einer Schweizer Teilnahme an der Freilegung und Unt. der Ruinen des ant. Eretria bei. Der erste Spatenstich der damals noch griech.-schweizerischen arch. Mission erfolgte im Frühjahr 1964. Während der sieben J. der griech. Militärdiktatur (1967–1974) blieb der Status der Mission unverändert. Erst 1974, als die Demokratie wieder hergestellt war, beantragten die Verantwortlichen der Schweizer Mission bei den griech. arch. Behörden den Titel einer »Schule«, wie er für die meisten arch. Forschungsinst. in Griechenland üblich ist. Dieser Titel wurde ihr 1975 verliehen.

Während der ersten 18 J. ihrer Existenz (1964–1982) konnte die Mission, später die Schweizerische Archäologische Schule in Griechenland, ihre Funktion mit Hilfe der finanziellen Unterstützung durch den Schweizerischen Nationalfonds zur Förderung der wiss. Forsch. (NF) ausüben. Ein Wechsel in der Politik des NF hatte jedoch 1982/83 eine drastische Kürzung der Beitr. zur Folge.

Die Neuorientierung in der Politik des NF führte 1983 zur Gründung einer Stiftung nach Schweizer Privatrecht, der »Stiftung der SASiG«. Sie ist mit der Leitung des Unternehmens und der Suche nach zusätzlichen finanziellen Mitteln beauftragt. Dank der Stiftung kann die Schule auf die Unterstützung von Donatoren, Mäzenen, Stiftungen, Firmen und der Industrie zählen. Sie erhält bescheidene Zuschüsse von Seiten der Schweizer Univ. und einen substantielleren jährlichen Beitr. der Schweizerischen Akademie der Geistes- und Sozialwissenschaften. Die Univ. Lausanne, die der Schule seit 1982 als Schweizer Sitz dient, spielt eine wichtige Rolle in deren Organisation; der seit 1983 amtierende Direktor der Schule ist Professor an dieser Universität.

Die rechtliche Situation der Schule ist paradox. Während die griech. Regierung und ihr Ministerium für Kultur sie offiziell anerkennt und ihr denselben Platz einräumt wie den ältesten und größten ausländischen arch. Schulen in Griechenland, ist die Schweizerische Eidgenossenschaft aus verfassungsrechtlichen Gründen nicht in der Lage, deren Existenz formell anzuerkennen und demzufolge auch nicht imstande, sie finanziell zu unterstützen. Deshalb ist die Schule in Athen registriert, in der Schweiz hingegen besitzt einzig die oben erwähnte Stiftung juristischen Status. Die Schule wird mit einem Forschungsprojekt des NF gleichgesetzt, genau wie jedes andere Projekt, mit allen Konsequenzen, die eine solche Position mit sich bringt, insbes. der Unsicherheiten einer auf jeweils drei J. beschränkten Planung und Finanzierung.

In Griechenland gewährleistet ein Forscher mit dem Titel »Wiss. Sekretär« die ständige Anwesenheit eines Vertreters der Schule. Die arch. Unt. in Eretria werden von Professoren, Forschern und fortgeschrittenen Studenten der Schweizer Univ. durchgeführt. Außerdem dient der Schule als Vermittlerin zw. Schweizer Forschern, die in Griechenland auf den Gebieten Arch. und Alte Geschichte tätig sind, und den zuständigen griech. Behörden, um die benötigten Bewilligungen einzuholen.

B. Ziele

Seit Beginn der Mission ist ihr erstes Ziel die Freilegung, die Unt., die Veröffentlichung und die Erhaltung der Monumente und der Funde des alten Eretria. Karl Schefold war sich bewußt, daß die Mehrheit der heutigen Bewohner von Eretria nicht in ihrer Stadt verwurzelt sind. Das Städtchen wurde nämlich nach den Ereignissen von 1922 in der Türkei und stärker noch seit dem II. Weltkrieg durch mehrere Wellen von Einwanderern bevölkert. Gemäß dem Gründer der Schweizer Ausgrabungen ziemte es sich daher ›den Eretrianern zu zeigen, wie schön das ant. Eretria war‹. Solche Ansichten machen das hohe human. Ideal ihres Autors deutlich.

Paul Auberson, Wiss. Sekretär von 1964–1977, und Clemens Krause, Direktor von 1979–1982, beide urspr. Architekten, die erst später zur Arch. stießen, waren der Meinung, es genüge nicht, Ruinen freizulegen und zu studieren. In ihren Augen mußte das Ziel über eine rein arch. Mission hinaus reichen und auch der mod. Stadt dienen.

In diesem Sinne erfaßte eine Gruppe von Professoren für Architektur und Städtebau, Assistenten und Studenten der Eidgenössischen Technischen Hochschule Zürich (ETH) in den J. 1975 und 1976 zahlreiche Häuser des 19. Jh. zeichnerisch und regten an, diese zu konservieren. Ein Richtplan wurde erstellt und der Gemeindebehörde und der Regierung vorgelegt, anschließend auch eine Ausstellung konzipiert, die in Eretria und

718 NATIONALE FORSCHUNGSINSTITUTE

Athen gezeigt wurde. Seither hat das Projekt einer arch. Zone, die das Gebiet zw. dem Apollontempel und dem Mosaikenhaus umfaßt, sporadisch wieder an Interesse gewonnen. Bereits im Projekt von 1975 nahm das Quartier des Mosaikenhauses eine wichtige Stellung ein. Die Bed. dieses Viertels für die ant. Geschichte der Stadt wird mit jeder Grabung deutlicher, und die Schaffung einer arch. Zone ist für dessen Erhaltung und Erschließung von größter Wichtigkeit. Bis h. sind jedoch keine konkreten Maßnahmen getroffen worden. Die Schule hat erst kürzlich (1998) die Unt. des neuzeitlichen Eretria wieder aufgenommen.

In den Statuten der Stiftung der SASiG sind die Ziele folgendermaßen festgehalten:

a) Entwicklung der kulturellen Beziehungen zw. Griechenland und der Schweiz;

b) Unterstützung der arch. und histor. Forsch. Schweizer Wissenschaftler in Griechenland, insbes. in Eretria, auf der Insel Euböa;

c) Schutz, Unterhalt und Präsentation der freigelegten Monumente;

d) Förderung der Ausbildung junger Archäologen (Statuten vom 18. November 1983 der Stiftung der SASiG, Art. 3).

Ein weiteres offizielles Dokument der Stiftung der SASiG präzisiert, daß ›die Ausgrabungen in Eretria die wiss. Erforsch. der Vergangenheit von Eretria zum Ziel haben, insbes. die Freilegung der Ruinen, die Unt. der dabei gefundenen Objekte, die Erhaltung der Überreste auf dem Gelände und im Mus., ihren Unterhalt, ihre Erschließung für die Besucher und ihre Veröffentlichung‹ (Reglement der Schweizerischen Archäologischen Schule in Griechenland von 1984, Art. 3).

Die Rolle und Funktion der Schule sind damit genau definiert. Über ein allg. Ziel hinaus – Festigung der kulturellen Bande mit dem heutigen Griechenland –, strebt die Schule an, die wiss. Erforsch. von Eretria, die Erhaltung und die Präsentation der arch. Stätte und der Fundobjekte zu unterstützen. Die Schule gibt somit Professoren, Forschern, Diplomanden und Studenten der Schweizer Univ. die Möglichkeit, in direkten Kontakt mit der arch. und histor. Vergangenheit Griechenlands zu treten, aber auch mit der Wirklichkeit des heutigen Griechenland.

C. Die wichtigsten Arbeitsetappen

Die 36 J. schweizerischer Ausgrabungstätigkeit in Eretria (1964–2000) können in drei Etappen aufgeteilt werden: die erste von den Anf. bis 1982, die zweite von 1982 bis 1995, die dritte von 1995 bis 2000. Die erste Phase war die der großen Entdeckungen, die zweite diejenige der Konsolidierung, der Unt. am Fundmaterial und einer bescheideneren Ausdehnung im Gelände, wobei die Akropolis mit all ihren ant. Hinterlassenschaften und Spuren systematisch aufgenommen wurde. Die dritte Phase zeichnet sich durch einen neuen Elan in der Ausgrabungstätigkeit aus, die zur Erforsch. des Quartiers beim Mosaikenhaus und der Wiederaufnahme der Unt. im Heiligtum des Apollon Daphnephoros führte.

Die Entdeckungen der ersten J. waren oft spektakulär. Die Freilegung einer fundreichen Nekropole geom. Zeit, des sog. Heroon beim Westtor (E. 8./Anf. 7. Jh. v. Chr.), der Bauten unter den Fundamenten des Apollontempels aus dem 6. Jh. v. Chr. und der prächtigen Wohnhäuser des 4. Jh. v. Chr., dem Mosaikenhaus und der drei Häuser im Westquartier, zählen dazu.

Nach einer Unterbrechung von 1983 bis 1987 wurden die Ausgrabungen mit dem Ziel wieder aufgenommen, die Unt. im nördl. Teil des Apollonheiligtums und im Westquartier zu E. zu führen. Auf sie folgten Sondierungen auf der Akropolis und im Gymnasion. Sie waren zwar weniger aufsehenerregend, dafür war die wiss. Ausbeute umso reicher: die Ausgrabungen im nördl. Teil des Apollonheiligtums brachten einen Opferplatz mit zugehörigem Votivdepot zutage, im Westquartier wurden Läden und Werkstätten aufgedeckt, auf der Akropolis eine prähistor. Besiedlung, ein Gipfelheiligtum archa. Zeit und eine Zisterne mit Einrichtung zur Wasserfassung und -verteilung.

Die dritte Phase begann 1995. In der Region des Mosaikenhauses wurde 1999 ein Tempel für den Kaiserkult freigelegt (Abb. 1), zusammen mit Fragmenten von sieben Marmorstatuen, vier davon überlebensgroß. Andererseits wurde bei Sondierungen im Süden des Apollontempels in den J. 1998–2000 ein weiteres Gebäude von absidialem Grundriß aus geometrischer Zeit entdeckt (Abb. 2).

Abb. 1: Eretria. Tempel des römischen Kaiserkultes (1.–4. Jh. v.Chr.). Ausgrabungen 2000.
Luftaufnahme, Sommer 2000
(Schweizerische Archäologische Schule in Griechenland)

Abb. 2: Apollontempel mit Strukturen des 8.–6. Jh. v.Chr.
Luftaufnahme, Sommer 2000
(Schweizerische Archäologische Schule in Griechenland)

Diese Bilanz wäre unvollständig, würde hier nicht die große Menge, die Qualität und das wiss. Interesse der Fundobjekte aller Art aufgeführt.

D. Die Konservierung der Monumente und der Fundobjekte

Seit den ersten J. der Grabung wandten die Verantwortlichen der Mission der Erhaltung und Präsentation der freigelegten Ruinen große Aufmerksamkeit zu. Der größte Teil der zw. 1964 und 1999 von den Schweizer Archäologen ausgegrabenen Bauten ist h. restauriert und den Besuchern zugänglich.

Das Mosaikenhaus, benannt nach den Kieselmosaiken (Abb. 3), welche die Böden dreier Räume zieren, verlangte nach speziellen konservatorischen und museologischen Maßnahmen (*Eretria* VIII, 1993, 181–185). Erklärtes Ziel war es, die Mosaiken *in situ* zu belassen. Im Rahmen des Möglichen sollte die gesamte Struktur des Hauses aus dem 4. Jh. und des monumentalen Grabes, das zu einem späteren Zeitpunkt an jener Stelle errichtet worden war, respektiert werden; die Mosaiken sollten geschützt sein, zugleich aber sichtbar bleiben. Zu diesem Zweck wurde 1989/90 ein mod. Pavillon auf den ant. Fundamenten errichtet. Damit er sich in die bauliche Umgebung integriert, wurde er aus traditio-

nellen Baumaterialien erstellt, mit Holzgebälk, Ziegeln, in heller Farbe verputzten Mauern und Holzsäulen.

Das imposante Theater von Eretria war gleichfalls bereits Gegenstand mehrerer Unt. mit dem Ziel, Vorschläge zur Konservierung auszuarbeiten. Dabei sollten die Eingriffe so leicht wie möglich sein. Ziel ist es, das Theater den Besuchern zugänglich zu machen, ohne daß diese ein Sicherheitsrisiko eingehen noch Schäden am Bau selber entstehen. Der Untersuchungsbericht, der 1999 den griech. Behörden vorgelegt wurde, hat noch keine direkten Folgen gezeigt.

Unter den Arbeiten der Schule in Eretria ist auch die Restaurierung und Konservierung eines histor. Baus des 19. Jh. zu nennen, dem mitten im Dorf gelegenen ehemaligen Wohnsitz des Admirals Nikodimos, eines Helden des griech. Unabhängigkeitskrieges.

Ein dringliches Problem ist die Behandlung und die Konservierung der Fundobjekte. Das kleine Mus. von Eretria war 1958 vom Archäologischen Dienst erstellt worden. 1961/62 wurden technische Räumlichkeiten (Magazin, Atelier) angebaut, doch erwiesen sich diese schon bald als unzureichend. 1983 machten die arch. Behörden von Euböa die Fortführung der Ausgrabungen im Gelände von der Errichtung neuer Magazinräume abhängig. Nach mehreren J. der Vorbereitung konnte – dank Geldern aus der Schweiz – die Fläche der technischen Räumlichkeiten fast verdoppelt werden und 1988 der Betrieb aufgenommen werden. Gleichzeitig wurde der bestehende Ausstellungsraum des Mus. durch einen zweiten ergänzt. Vor etwas mehr als zehn J. erst vergrößert, ist das kleine Mus. von Eretria h. bereits wieder übervoll.

E. Aus griechischer Sicht

Wie wird die Anwesenheit einer arch. Mission in Eretria von den lokalen Behörden empfunden? Vom rein wirtschaftlichen Standpunkt gesehen, verschafften und verschaffen die Schweizer den Einwohnern Eretrias Arbeit, sei dies durch die Grabungstätigkeit, durch Bau- oder durch Unterhaltsarbeiten. Im Laufe der J. haben sich auf diese Weise enge Bande zw. Schweizern und Eretrianern entwickelt. Auch wenn die meisten Archäologen im Grabungshaus wohnen, stellt der Aufenthalt von einem Dutzend Personen während mehrerer Monate, und dies seit J., einen – wenn auch bescheidenen – Beitrag an die lokale Ökonomie dar.

Die griech. arch. Behörden auf nationaler Ebene haben die Schule immer unterstützt und ihr das Vertrauen ausgesprochen.

Die Ephorie der prähistor. und klass. Altertümer in Chalkis schließlich gewährt der Schule bei der Bearbeitung ihrer Gesuche (Erlaubnis zur Arbeit im Mus., Grabungsbewilligungen) großes Entgegenkommen, auch wenn die Anwesenheit einer ausländischen Mission für ein Amt, das mit enormen Aufgaben betraut ist, einen Mehraufwand bedeutet: Die Ephorie von Euböa deckt nicht nur eine Insel von fast 200 km Länge mit arch. Stätten aus allen Zeitperioden ab, sondern auch die nicht minder reiche Insel Skyros sowie das auf dem Festland gelegene Heiligtum der Artemis bei Aulis.

Abb. 3: Eretria. Thetis bringt Achilleus die Waffen. Kieselmosaik
(Mitte des 4. Jh. v. Chr.). Mosaikenhaus, Ausgrabungen 1975–1980
(Schweizerische Archäologische Schule in Griechenland)

Die Verantwortlichen der Schule haben von Beginn an den griech. arch. Behörden ihre Bereitschaft erklärt, alle Aufgaben zu übernehmen, die diese ihnen anvertrauen. Eine ausländische Mission ist nicht mit den administrativen Pflichten behaftet, die den Alltag des Griechischen Archäologischen Dienstes ausfüllen, sondern kann sich einzig auf die wiss. Tätigkeit konzentrieren und sich fast ausschließlich den Ausgrabungen und der Auswertung der Resultate widmen. Dennoch bilden die Interventionen der Schule bei Notgrabungen (Ausgrabungen zur Erteilung von Baubewilligungen) auf Anfrage der Ephorie der Altertümer aus Chalkis eine große Ausnahme.

F. PUBLIKATIONEN

Die Arbeiten der Schweizerischen Archäologischen Schule werden in der Serie *Eretria, Ausgrabungen und Forsch.*, veröffentlicht, von denen bis h. elf Bände erschienen sind (1968–2001):

I. P. Auberson, *Temple d'Apollon Daphnéphoros, architecture*, 1968

II. I. R. Metzger, *Die hell. Keramik in Eretria*, 1969

III. C. Bérard, *L'Hérôon à la Porte de l'Ouest*, 1970

IV. C. Krause, *Das Westtor, Ergebnisse der Ausgrabungen 1964–1968*, 1972

V. A. Hurst, *Ombres de l'Eubée?*; J.-P. Descoeudres, *Die vorklass. Keramik aus dem Gebiet des Westtors*; P. Auberson, *Le temple de Dionysos*, 1976

VI. J.-P. Descoeudres, *Euboeans in Australia*; C. Dunant, *Stèles funéraires*; I. R. Metzger, *Gefäße mit Palmetten-Lotus Dekor*; I. R. Metzger, *Die Funde aus den Pyrai*; C. Bérard, *Top. et urbanisme de l'Erétrie archaïque: l'Hérôon*, 1978

VII. I. R. Metzger, *Das Thesmophorion von Eretria, Funde und Befunde eines Heiligtums*, 1985

VIII. P. Ducrey, I. R. Metzger, K. Reber, *Le Quartier de la Maison aux mosaïques*, 1993

IX. K. Gex, *Rotfigurige und weißgrundige Keramik*, 1993

X. K. Reber, *Klass. und hell. Wohnhäuser des Westquartiers*, 1998

XI. D. Knoepfler, *Décrets érétriens de proxénie et de citoyenneté*, 2001

XII. D. Knoepfler et al., *Recueil des Testimonia antiques* (erscheint voraussichtlich 2002).

Zahlreiche weitere Bände sind in Vorbereitung. Die jährlichen Grabungsberichte sowie einzelne Art. erscheinen in der arch. Fachzeitschrift *Antike Kunst.*

PIERRE DUCREY / Ü: MONICA BRUNNER

Nationalsozialismus

I. NS-IDEOLOGIE UND DIE
ALTERTUMSWISSENSCHAFTEN

II. KUNST UND ARCHITEKTUR

I. NS-IDEOLOGIE UND DIE ALTERTUMS-WISSENSCHAFTEN

A. EINLEITUNG   B. DIE ENTWICKLUNG BIS 1939
C. DIE ENTWICKLUNG IM ZWEITEN WELTKRIEG

A. EINLEITUNG

In diesem Beitrag werden zunächst spezifisch natio-nalsozialistische Vorgaben für eine Auseinandersetzung mit der Ant. in verschiedenen Bereichen behandelt. Im Zentrum steht sodann die polit. Wiss.-Geschichte der dt. Althistorie mit Bezugspunkten zu anderen altertumswiss. Disziplinen. Über Personen, Institutionen und Konzeptionen soll auch über die Hochschulen hinausgehend die Bed. der Ant. für das NS-Geschichtsbild und der Beitrag, den das Fach Alte Geschichte in seiner Stellung zw. Geschichts- und Altertumswiss. dazu geleistet hat, herausgearbeitet werden. Im ersten Teil wird mit einem Schwerpunkt in der Phase der »Machtergreifung« die Entwicklung bis zum Ausbruch des Zweiten Weltkriegs untersucht. Im Zeitrahmen von 1939 bis 1945 stehen zunächst kriegsbedingte Einsatzformen der Altertumswiss. im Vordergrund. Abschließend werden dann die Hauptthemen nationalsozialistischer Antikerezeption erörtert.

B. DIE ENTWICKLUNG BIS 1939

I. HITLERS GESCHICHTSBILD UND DIE ANTIKE

Die Frage nach der nationalsozialistischen Auseinandersetzung mit der Ant. muß bei dem Geschichtsbild Hitlers ansetzen, das in *Mein Kampf* zu fassen ist. Sparta und Rom zählen zu seinen wichtigsten »fernen Vorbildern« (E. Nolte), die zweifellos Modellcharakter für eine nationalsozialistische Herrschaftsordnung besitzen. Im Unterschied zu Heinrich Himmler (1900–1945) und Alfred Rosenberg (1893–1946) stand Hitler den für das nationale dt. Geschichtsbild konstitutiven und zumeist verklärten Germanen im Grunde sehr distanziert gegenüber.

Hitlers Geschichtsbild folgt den Postulaten der Rassenlehre mit ihren bis ins frühe 19. Jh. zurückreichenden Traditionslinien. Darin spielen die »Arier« als die wichtigsten »Kulturbegründer«, denen das »parasitäre Judentum« als »Kulturzerstörer« gegenübersteht, die zentrale Rolle. Zu den prägenden Elementen dieses Geschichtsbildes gehören ferner die mit sozialdarwinistischen Vorstellungen verknüpften Perspektiven des »Kampfes«, etwa um »Lebensraum«, der mit dem »Sieg des Stärkeren und (der) Vernichtung des Schwachen« endet, schließlich auch der mit der Heldenverehrung korrespondierende Führerkult.

Wenn die ›Rassenfrage‹ Hitler den ›Schlüssel zur Weltgeschichte‹ lieferte [16. 372], so schloß der aus dem Geschichtsbild abgeleitete Herrschaftsentwurf die antisemitische Aktionsrichtung ebenso ein wie die Sorge für die Reinhaltung des Blutes mit allen Konsequenzen. Im Mittelpunkt ›einer künftigen Kultur- und Weltgeschichte‹ in der die ›Rassenfrage zur dominierenden Stellung‹ erhoben werden sollte, standen die ›kulturtragenden Nationen‹ [16. 317, 320, 468].

Einen Zugang zur Ant. fand Hitler über die griech. Baukunst, die seine architektonischen Träumereien anregte: So bezog er sich häufig auf den Aufbau der Akropolis. Albert Speer zufolge sah er ›in Perikles »eine Art Parallele« zu sich selber‹ [63. 724. Anm. 115, 525]. Mit den Reminiszenzen an das Klass. Alt. weckte Hitler intuitiv Emotionen bei Gebildeten und Halbgebildeten [92. 117]. Auch hinter Hitlers Architekturideen kann man über den Rahmen einer traditionellen Altertumsverehrung hinausgehende, durchaus relevante polit. Bezüge ausmachen.

Brisanter war zweifellos der rassenpolit. motivierte Zugang zum ant. Sparta, in dem Hitler den Prototyp einer rassisch hochwertigen Minderheit sah. Wenn er hier – so in einer Rede vom 4.8.1929 – den ›klarste(n) Rassenstaat der Geschichte‹ fand [20. 348], so ergab sich das aus den Zahlenverhältnissen von 6000 herrschenden spartanischen Familien und 340000 unterdrückten Heloten. Das galt ihm im II. Weltkrieg nicht nur als Beweis für die ›Großartigkeit dieses Blutes‹, sondern auch als ein Modell für die Herrschaftsordnung im Osten [18. 263, 279].

Auf Sparta als Vorbild ›planmäßiger Rasseerhaltung‹ in letzter Konsequenz für ›Vernichtung lebensunwerten Lebens‹ bezog sich Hitler zuerst in dem seinerzeit nicht veröffentlichten »Zweiten Buch« von 1928, dann aber, wie am 18.10.1928, auch in seinen Reden: ›Wir haben in der Weltgeschichte einen Staat gehabt, der eine Auslese seines Nachwuchses trieb. Das war Sparta. Die Natur läßt alles geboren werden und setzt es unter so schwere Not, daß ein Teil wieder zugrunde geht (...). Die Spartaner haben das Lebende, was nicht ganz gesund war, vernichtet. Das ist ein grausamer Standpunkt. Dadurch wurden die Nachkommen von vielen Krankheiten befreit und den wenigen Einwohnern ein leichtes Dasein ermöglicht‹ [19. 164].

Zur Spartavorstellung gehörte auch die mit der vielbeschworenen Schlacht an den Thermopylen verknüpfte Strategie des grandiosen Untergangs [63. 989], die unbedingte Pflicht zur Aufopferung im Kampf. Vor allem sah Hitler in Sparta ebenso wie im frühen Bauernstaat Rom den archa. Zustand der Rassenreinheit in einem agrarisch geprägten Gemeinwesen verwirklicht: Daß Rom ›im tiefsten Grunde ein Bauernstaat gewesen‹ sei [100. 72], ist für Hitler eine wesentliche Voraussetzung dafür, daß es zum ›Kristallisationspunkt eines Weltreiches‹ werden konnte [17. 129]. Daß wir in der röm. Weltreichsperspektive ›den polit. zweifellos wichtigsten Anknüpfungspunkt‹ von Hitlers Ant.-Rezeption fassen [74. 76], erscheint im Hinblick auf den rassepolitischen Modellcharakter fraglich. Die Bed. Roms als eines der zentralen »fernen Vorbilder« ist aber unbestritten. In diesem Kontext gehört die häufig zitierte Parole aus *Mein Kampf*: ›Insbesondere soll man im Geschichtsunterricht sich nicht vom Studium der Ant. abbringen lassen. Röm. Geschichte in ganz großen Linien richtig aufgefaßt, ist und bleibt die beste Lehrmeisterin nicht nur für heute, sondern wohl für alle Zeiten‹ [16. 469f.]. Diese eher konservative, traditionalistische Position wurde als willkommene Argumentationshilfe gegen die »Germanenideologen« bemüht.

Zum Vorbild Roms, zum Erscheinungsbild des Weltreichs, zu römischer Herrschaftsorganisation gehört auch wieder die monumentale Staatsarchitektur, die Hitler anzog: Mit dem Bauprogramm für Berlin bzw. für die Reichskanzlei wollte er nach einer Äußerung vom Oktober 1941 ›den einzigen Konkurrenten, den es gibt für uns, Rom, in den Schatten (...) stellen‹ [18. 101]. Daneben bewunderte Hitler, was im II. Weltkrieg nahelag, die zivile und mil. Infrastruktur, insbes. den Straßenbau als Teil röm. Herrschaftsorganisation [18. 125; 96. 22].

Hinter diesen Bezügen treten die Perspektiven der Rassenlehre freilich nur auf den ersten Blick zurück: im Prinzip bestimmen sie Aufstieg und Niedergang Roms, neben dem Kampf mit Karthago bes. ausgeprägt den Untergang der Weltmacht. Die ant. Städte, auch Rom, ›gingen zugrunde an der Verkennung und Mißachtung der sie bedingenden und damit tragenden Blutgesetze‹ [10. 765]. Für den Untergang des Röm. Reichs war die Beschränkung der Kinderzahl und die vom Christentum mitverantwortete ›Rassenmischung‹ ein wesentlicher Faktor. Nicht Germanen noch Hunnen, sondern das »jüd.-bolschewistisch« gesteuerte Christentum, hier zeigt sich der Einfluß A. Rosenbergs, hatte Rom ›gebrochen‹ [33. 171 und 168]. Einen eindrucksvollen Beleg dafür, daß die Ant. Hitlers Idealzeit war, liefert einer seiner Vergleiche zw. griech. und german. ›Kulturhöhe‹: Die an sich schon aussagekräftige grundsätzliche Feststellung, daß ›die eigentlichen Kulturträger nicht nur in den letzten Jt. vor Christus, sondern im 1. Jt. nach Christi Geburt (...) die Mittelmeerländer gewesen (seien)‹, wird im Bezug auf die Germanen erheblich verschärft: ›In derselben Zeit, in unsere Vorfahren die Steintröge und Tonkrüge hergestellt hätten, von denen unsere Vorzeitforscher soviel Aufhebens machten, sei in Griechenland eine Akropolis gebaut worden‹ [33. 446].

Hitler wandelte damit einen bekannten, abschätzigen Vergleich Mussolinis zw. german. Analphabeten und röm. Lit.-Entwicklung zur Zeit des Augustus ab, ohne die Tendenz zu verfälschen. Leitbildfunktion besaßen die Germanen für ihn im Hinblick auf überzeitliche Tugenden wie Tapferkeit, Kampfesmut oder Rassebewußtsein [74. 72]. Insgesamt hielt Hitler auf Distanz zu den »Germanenverehrern« verschiedenster Provenienz aus der völkischen Bewegung.

Die »fernen Vorbilder« Sparta und Rom, auf die Hitler zeitlebens fixiert war, besaßen – wie die damit verknüpften rassenpolit. Erwägungen und Weltreichsvorstellungen erkennen lassen – durchaus Relevanz für seinen Herrschaftsentwurf und letztlich auch seine

Herrschaftspraxis. Daß er damit eher den Traditionalisten nahe stand [54. 198], wird durch den Vergleich mit den Positionen anderer Vertreter der NS-Führungsschicht deutlich. Der traditionalistische Grundzug, der schon in *Mein Kampf* faßbar ist, zeigte sich auch im Zweiten Weltkrieg in einer bemerkenswerten Äußerung, die J. Goebbels am 23.4.1940 erstaunt notierte: ›Lobt – was mich sehr verwundert – die human. Bildung und klass. Schulung. Im klass. Alt. sei alles enthalten, was ein junger dt. Mensch wissen müsse‹ [74. 74. Anm. 241].

2. ANTIKE-BEZÜGE BEI A. ROSENBERG, H. HIMMLER UND R. W. DARRÉ

Alfred Rosenberg, der »Beauftragte des Führers für die Überwachung der gesamten geistigen und weltanschaulichen Schulung und Erziehung der Partei«, besaß im Machtgefüge des NS-Staates nicht die stärkste Stellung, seine Gedanken fanden aber im Dritten Reich eine weite Verbreitung und ein starkes kritisches Echo. Seine außerordentlich komplexe, rassenseelische Geschichtsschau, die er im *Mythus des 20. Jh.* (1930) entwickelte, kann hier nur ausschnittsartig skizziert werden.

Sein »Ant.-Erlebnis« ist nach einer Niederschrift von 1935 schon in seiner Schulzeit entscheidend durch Houston Stewart Chamberlains *Grundlagen des 19. Jh.* vermittelt worden: ›Eine andere Welt stieg vor mir auf: Hellas, Juda, Rom. Und zu allem sagte ich ja, und immer wieder ja (...). Und was Chamberlain über das Germanentum sagte, begründete bei mir, was ich beim Lesen german. Sagen erlebt hatte‹ [52. 21. Anm. 27, 29].

In seinem *Mythus* beschreibt Rosenberg den Kampf der hochwertigen nordischen Rasse gegen feindliche, minderwertige Mächte, v.a. verkörpert durch die ›asiatische Gegenrasse‹ der Juden. Die nordische Rasse breitete sich in drei großen ›Völkerwellen‹ aus: Auf die erste, der Indogermanen, den Schöpfern der ant. Kulturen, folgte mit der Völkerwanderung eine »german. Völkerwelle«, die den Grund für die europ. Nationalstaaten legte. Die ›Völkerwelle‹ der neuzeitlichen Kolonisation erfaßte schließlich den gesamten Erdkreis [97. 308f.].

Nordrassisch geprägt sind neben ›Alt-Indien‹ auch die ›Typen Alt-Griechenlands‹ und ›Alt-Roms‹, die von der Gefahr der ›Bastardierung‹ und des ›Rassenchaos‹ – dabei steht der ›Baugedanke‹ Chamberlains Pate – bedroht sind, in denen schon ›Indiens Schicksalslinie‹ endete [34. 29ff. u. 54ff.]. Das ›Völkerchaos‹, so benannte Chamberlain die Zeit, die sich ›zw. das alte nordisch betonte Rom und das neue german. bestimmte Abendland‹ einschob, bedrohte auch die »german. Völkerwelle«; eine Gefahr, die nur durch rassenpolit. Maßnahmen gebannt werden konnte [34. 82]. Ein Hauptträger des mittelmeerischen ›Rassenchaos‹ waren die ›entarteten Etrusker‹. Die Wesenszüge ihrer Priester fand Rosenberg in der katholischen Priesterschaft seiner Gegenwart wieder. Das war der histor. Hintergrund der sog. Romfrage, einem Stichwort für die Auseinandersetzung mit Katholizismus und dem (jüd. geprägten) Christentum, wobei sich die großen Amtskirchen mit der Forderung nach einer Regermanisierung des Christentums konfrontiert sahen [74. 143; 78. 22].

Rosenberg ist einer der Hauptvertreter der nach dem Vorbild Chamberlains gestalteten »german. Weltanschauung«. In seinem Umfeld gewann die »Germanenideologie« nahezu den Charakter einer Staatsreligion. Die Germanenverehrung steht auch in dem Muster der bekannten Römer-Germanen-Antithese und korrespondiert mit Rosenbergs ›Anti-Romhaltung‹ [81. 263; 97. 310]. Seine german. Perspektive ist ohne röm. Gegenwelten kaum denkbar. Demgegenüber hat Rosenberg im Rahmen seiner Konzeption wie Hitler ›griech.-german.‹ Kulturzusammenhänge, die Anf. der 30er J. häufiger betont wurden, gewürdigt [74. 131; 97. 307]. Seine Stichworte für ein neues Geschichtsbild, die ein starkes publizistisches Echo fanden, gewannen ihre bes. Brisanz dadurch, daß Rosenberg diese für »Kampagnen« und »Forschungsaufträge« nutzte [78. 22].

Auch für Heinrich Himmler stellte die Ahnen- und Germanenverehrung eine Art Religionsersatz dar. Wie sein Kontrahent auf dem Gebiet der Vor- und Frühgeschichtsforschung vertrat Himmler das Programm der »Germanisierung der dt. Geschichte«. Sein Germanenbild formte sich – um zunächst klass. Ansatzpunkte zu nennen – aus der Lektüre von Tacitus' *Germania*, Felix Dahns *Ein Kampf um Rom* und Schriften Gustav Freytags, aber auch aus völkischen und antisemitischen Kampfschriften. Mit dem griech.-röm. Altertum im engeren Sinne hat sich Himmler, das belegen auch seine Reden, nicht näher auseinandergesetzt [78. 23]. Zu seinen histor. Leitgrößen und Idealzeiten gehörten neben dem MA und Preußen gegen- und antichristliche Bewegungen aller Zeiten und Regionen [74. 237]. Himmlers Geschichtsbild trug einen utopischen Grundzug: Zu seinem »Zukunftsbild« gehörte die Absicht, einen »neugerman. Kriegerorden« zurückzuzüchten: Die für seine Konzeption zentralen Begriffe »Orden und Ordensstaat« korrespondieren mit der Vorstellung von einem german. Großreich, dessen rassische Elite die SS verkörperte.

In der Reihe der NS-Germanenideologen ist schließlich der »Reichsbauernführer« und Landwirtschaftsminister Richard Walter Darré (1895–1953) zu nennen, der als Diplomlandwirt von der ›Haustiergeschichte zur menschlichen Vorgeschichte und im bes. zur menschlichen Rassenkunde‹ gekommen war [9. 8] und einen in gewissem Sinne eigenständigen Zugang zur Ant. gefunden hatte: Darré war der »Verkünder der Idee von Blut und Boden«. In seinen Schriften *Das Bauerntum als Lebensquell der Nordischen Rasse* (1929) und *Neuadel aus Blut und Boden* (1930) idealisierte er ein vom ›Zerrbild eines schmarotzenden jüd. und mongolischen Nomadentums‹ abgehobenes »Bauerntum«. Mit dem Terminus »Neuadel« verband sich das Ziel der »Wiederaufnordung« des dt. Volkes [64. 23 ff.].

Darré war fest in der »Nordischen Bewegung« im Umfeld des Rasseforschers Hans F. K. Günther (1891–1968) verankert. Sein Versuch, die Positionen »Griechenbegeisterung« und »Germanenverehrung« miteinander zu vereinbaren, fand 1929 ein zwiespältiges Echo und verweist auf ein Grundproblem »völkischer« Ant.-Rezeption, das sich aus dem germanozentrischen Ansatz dieser Kreise ergibt [78. 24].

In seinem Werk *Das Bauerntum als Lebensquell der Nordischen Rasse* (1929) setzte sich Darré ausführlicher mit Sparta auseinander. Dabei führte er seine These vom urspr. bäuerlichen Charakter des Indogermanentums, den Sparta bes. lang bewahrt habe, breit aus. Die Frage nach den Gründen für den Untergang Spartas beantwortete Darré nicht in erster Linie von der Rassenlehre her. Er wies auch die These der »Entnordung« durch permanente Kriegsführung zurück. Wesentlicher war, daß sich die Spartiaten zu weit von ihren bäuerlichen Wurzeln, den »Erbhöfen«, dem Erbhofgedanken entfernt hätten. Sein »Bauern-Sparta«, das er dem spartanischen Militärstaat gegenüberstellte, lieferte ein Vorbild für die von ihm forcierte »Erbhofgesetzgebung« [61].

Scharf herausgestellt hat Darré den Gegensatz zw. einem dekadenten Rom und dem Idealbild german. Bauerntums: Im ›Zivilisationssumpf‹ des röm. Reiches, das die Germanen ›zertrümmerten‹, war das Bauerntum schon längst untergegangen [9. 72]. In den Reagrarisierungsvorstellungen Darrés sind utopische, antimodernistische und zivilisationskritische Akzente faßbar, die den Rückgriff gerade auf Sparta erklären können.

3. Pränazistische Antike-Konzeptionen

Die Distanz dieser Konzepte zur Alt.- und Geschichtswiss. ist ganz offensichtlich – das unterstreicht die Charakteristik des Nationalsozialismus als einer »hochschulfernen Bewegung«: Einen gemeinsamen Nenner finden sie in der Rassenlehre in einem Spektrum von »Rassenseelenkunde« bis zu primär biologisch ausgerichteten Ansätzen. Auf diesem Sektor besaß der bereits 1930 mit nationalsozialistischer Unterstützung als Professor für »Sozialanthropologie« nach Jena berufene H. F. K. Günther große Autorität. Seine Schrift *Platon als Hüter des Lebens. Platons Zucht- und Erziehungsgedanken und deren Bed. für die Gegenwart* (1928) zeigt, wie stark sozialdarwinistische und rassenhygienische Erwägungen die Diskussion der 20er J. bestimmten.

Für Günthers *Rassengeschichte des hellenischen und röm. Volkes* (1929) ist eine enge Verbindung von Rassen- und Agrarideologie charakteristisch, die auch den Dialog zw. ihm und Darré prägte. Das Schicksal Athens und Spartas ist der pessimistischen Konzeption Günthers entsprechend von den Leitbegriffen »Entnordung« und »Entartung« bestimmt. Die »vorwiegend nordische Herrenschicht« Spartas wird ein Opfer der »Ausmerze durch Kriege«, während in Athen ›innerpolit. Ausmerze‹ den Niedergang vorantreibt [15. 42].

In der Geschichte Roms ordnet Günther z. B. der frühröm. Bevölkerung bes. »Blutströme« oder »Beimischungen« zu [15. 75 f.], verfolgt in republikanischer Zeit das ›Hin und Her verschiedener rassenseelischer

Einwirkungen‹ auf ›Staatskunst‹ [15. 81] und die wichtigsten Politiker, die nach »nordischer Prägung« beurteilt werden [15. 102]. ›Zersetzend‹ im Sinne des antisemitischen Erklärungsmusters wirken Juden und Syrer auf das Imperium ein [15. 111]. Als Hauptgrund für den Untergang Roms nennt er ›die leibliche und seelische Entartung der Bevölkerung bei gleichzeitigem Aussterben der nordischen Rasse‹ [15. 130].

Auch wenn erhebliche sachliche Irrtümer der rassenkundlichen Phantasien Günthers herausgestellt wurden, zeigt das altertumswiss. Rezensionsecho am Beispiel Ulrich Kahrstedts (1888–1962) eindeutig, daß Rassenkonzepte eine starke Anziehungskraft besaßen [78. 44]. Die in Otto Seecks (1850–1921) *Untergang der ant. Welt* (1895) faßbare, vom Darwinismus beeinflußte bekannte These von der ›Ausrottung der Besten‹, ließ sich von Anhängern der Rassenlehre »vereinnahmen« oder popularisieren, auch wenn Seeck zentrale Annahmen derselben wie auch antisemitische Vorstellungen keineswegs teilte [76. 481]. Gleichwohl sind auch in der Altertumswiss. schon vor 1933 antisemitische Ausfälle ›politisierender Gelehrter‹ zu verzeichnen. [78. 29; 104. 72–83].

Günthers Ansatz, der nationalsozialistischen Vorstellungen von einer ant. Rassengeschichte am nächsten kommt, steht hier als ein Beleg für die ›pränazistische Integration‹ der Ant. [67. 41], deren Spuren in der lit. Ant.-Rezeption und im fachwiss. Rahmen nachweisbar sind. Zu ihren wichtigsten Merkmalen gehören die – dem ganz überwiegend konservativ geprägten polit. Profil der Altertumswiss. entsprechend – in Kaisergeburtstags- und Kriegsreden weit verbreiteten Bekenntnisse zu Monarchie, Führer- und Reichsgedanken oder zum Machtstaat. Diese gehen häufig mit aristokratisch-elitärer Selbsteinschätzung der im altertumswiss. Umfeld angesiedelten »Kreise« und Zirkel einher. Damit korrespondierte eine stark verbreitete »antidemokratische Grundhaltung«, die in dem Werk *Die verwirklichte Demokratie. Die Lehren der Ant.* (1930) des Klass. Philologen Hans Bogner (1885–1948) einen Höhepunkt fand.

4. »DIE ANTIKE UND WIR«: PROGRAMME NACH DER »MACHTERGREIFUNG«

Die Programmdiskussion über das Verhältnis von Nationalsozialismus und Ant. nach der Machtübernahme zeigte, wie leicht sich diese Dispositionen mit nationalsozialistischen Ant.-Vorstellungen verknüpfen ließen. Diese Diskussion stand zum einen unter dem Eindruck der von den Germanenideologen lautstark geforderten Totalrevision des Geschichtsbildes und war ferner von Befürchtungen über die zukünftige Rolle der Alten Sprachen an Schule und Univ. geprägt. Vor diesem Hintergrund suchte Werner Jaeger (1888–1961) (→ Dritter Humanismus) vergeblich, einen Brückenschlag zur NS-Bildungspolitik herzustellen [22. 43–49]: ›Unser Verhältnis zu Griechen und Römern‹, so begründete der führende NS-Pädagoge Ernst Krieck (1882–1947) seine Absage an Jaeger, ›wird realge-

schichtlich, staatlich und polit.‹ bestimmt sein. Krieck verwarf ebenso wie Alfred Baeumler (1887–1968) Begriffe wie Human., Humanität und das Konzept des »Dritten Humanismus« [26. 77 f.]. Jaegers Ansatz wurde als ›intellektualistisches Modell‹ abgelehnt [79. 54].

Dieser Position folgte auch der Althistoriker Helmut Berve (1896–1979) in seinem Beitrag *Ant. und nationalsozialistischer Staat*, der sich in erster Linie an Geschichtslehrer richtete. Der »Dritte Humanismus« blieb ihm zu ›gedanklich, zu wenig vital‹, er verlangte ein neues ›blutvolles Verhältnis zur Ant.‹ [2. 264 f.]. Berve unterstrich den Vorrang der polit. Geschichte. Zum Rassengedanken übergehend distanzierte er sich von ›Utopien über Rassenverhältnisse in grauester, schlechthin unbekannter Vorzeit‹, erkannte aber die ›Möglichkeit und Wirkung‹ von ›Rasseninstinkt, -politik und -zersetzung‹ im klass. Alt. an. Im mod. Rassengedanken faßte Berve den Ausdruck eines ›neuen Körperempfindens‹. Von dort zog er eine Verbindungslinie zum griech. Körperideal und verwies schließlich auf das enge Verhältnis Hitlers zur griech. Kunst [2. 268 f.].

Der Berliner Fachvertreter Wilhelm Weber (1882–1948) formulierte 1933 *Erwartungen und Forderungen des Professors* im Kontext der ›Nationalsozialistischen Revolution‹ an den Hochschulen und setzte dabei auf das ›Führerprinzip‹ [43. 2–11]. In einer Rede zum 30. Januar 1935 demonstrierte Weber ›german. Selbstbewußtsein‹ und beschwor den *furor teutonicus* und die ›viertausendjährige Geschichte unseres german.-dt. Volkes‹ [44. 10]. In der Programmdiskussion ergab sich – das gilt auch für Fritz Schachermeyrs (1895–1987) im April 1933 einsetzende Variationen zum Thema *Die Aufgaben der Alten Geschichte im Rahmen der nordischen Weltgeschichte* [78. 47] – eine Präferenz für das Griechentum [90. 348]. Diese Tendenz prägt unverkennbar auch den 1933 vom Teubner-Verlag herausgegebenen Sammelband *Human. Bildung im nationalsozialstischen Staate* [21], in dem Adolf Rusch ›Plato als Erzieher zum dt. Menschen‹ rühmt [21. 44–49] oder Schachermeyr ›das Wesen des nordischen Führertums im Hinblick auf die griech. Geschichte‹ beschreibt und eine »Linie« von Kleisthenes, Themistokles und Perikles zu Adolf Hitler zieht [21. 36–43]. Natürlich wurden dabei auch Belange des »Röm.« bzw. des Lateinunterrichts vertreten – aber dies erst an zweiter Stelle.

Die Distanz zu Rom fand ihren radikalsten Ausdruck im Beitrag *Die Ant. und wir* des Klass. Philologen Walter Eberhardt (1895–1981), der durch seinen Erscheinungsort parteioffiziösen Charakter erhielt [11. 115–127]. Eberhardt grenzte sich von den aktuellen Beiträgen zur Bed. des altsprachlichen Unterrichts deutlich ab. Eine ›Wiedergeburt der Ant.‹ war für ihn ›nur aus Blut, Instinkt und Urverwandtschaft‹ zu begründen [11. 115]. Vom rassischen Gesichtspunkt ausgehend begriff er das ›Phänomen des Röm.‹ als überwiegend fremdartig [11. 120]. Gegenüber der vielfach bewunderten ›großartigen Herrschaftsidee‹ Roms verwies er auf die Unterdrückung der freien Völker Germaniens. Die ›geistespolit. Macht‹ Roms verfiel der Ablehnung [11. 122f.]. Analog zu Rosenbergs Konzept der »Romfrage« verfolgte er die ›polit.-zivilisatorische‹ und die ›polit.-kirchliche‹ Entwicklungslinie Roms bis in die Gegenwart [11. 127].

Zumindest in dieser frühen, noch unübersichtlichen Phase programmatischer Stellungnahmen konnte der Eindruck einer stärkeren Gefährdung der Latinistik entstehen. Insofern haben die radikalen Forderungen Eberhardts weitere »Rettungsversuche« provoziert [79. 84].

Charakteristisch für die Bemühungen, die Relevanz der röm. Geschichte und des Lateinunterrichts zu verteidigen, ist der Rückgriff auf die traditionalistische Position Hitlers, die in der Rede von Rom als der »Lehrmeisterin jeder Politik« zum Ausdruck kam. So knüpft auch Joseph Vogt (1895–1986) an die Interessenslinien Hitlers an, wenn er die ›Autorität der monumentalen Architektur‹ anspricht [41. 13f.]. In dieser Diskussion spielen auch Rücksichten auf Mussolini, den »Achsenpartner« Hitlers, eine Rolle. Für den »erzieherischen Wert« der Ant., bes. in der Vermittlung durch den Lateinunterricht, argumentierte Hans Oppermann (1895–1982), einer der eifrigsten politisierenden Publizisten unter den Altertumswissenschaftlern. Ab 1933 verschärfte er den ihm aus der Weimarer Zeit vertrauten völkischen Gedanken zum rassistischen Leitbild [89. 519–543]; er reklamierte u.a. den Beitrag des Lateinunterrichts ›zur geistigen Züchtung des polit. Deutschen, des Trägers des neuen Reiches‹ [29. 58].

Unter den Autoren der Programmschriften gehört Oppermann wie seine Freiburger Kollegen Wolfgang Aly (1881–1962) und Bogner zur Gruppe der bei der Machtübernahme noch nicht etablierten Wissenschaftler. Das erklärt den ungewöhnlichen Bekenntniseifer und Einsatz für eine nationalsozialistische Alt.-Wiss. dieser drei Altphilologen zu einem Teil. Oppermann wies auch die »antiröm.« Position Eberhardts radikal zurück [89. 532. Anm. 75].

»Antirömischen« Angriffen sah sich auch das Archäologische Institut des Deutschen Reiches, v.a. die ihm eng verbundene, 1902 gegründete → Römisch-Germanische Kommission (RGK), ausgesetzt. Insbesondere für die Vertreter der auf das mittlere und östl. Deutschland konzentrierten german. Vorgeschichte war die der provinzialröm. Forsch. verpflichtete RGK ein Reizwort. Die Frontstellung zw. den ›Römlingen‹ und denen, die german. Vorgeschichte betont als ›hervorragende nationale Wiss.‹ (Gustaf Kossina) betrieben, bestand zumindest seit dem späten 19. Jh. und entsprach einer räumlichen und methodisch-ideologischen Trennung.

Nach der Machtübernahme eskalierte dieser Konflikt. Der von A. Rosenberg protegierte Prähistoriker Hans Reinerth (1900–1990) agitierte für die Errichtung eines von diesem abhängigen Reichsinstituts für Deutsche Vorgeschichte. Den Archäologen drohte die Demontage der RGK und die Beschränkung auf »volksfremde« Auslandsforschung. Der Konflikt fand mit

Schlagworten wie ›Kampf um die dt. Vorgeschichte‹ und ›Ausweitung des dt. Geschichtsbildes‹ bis in die Parteipublizistik breite öffentliche Resonanz [52].

Die Fachvertreter reagierten mit den für die Programmdebatte typischen Verhaltensformen. Dazu gehört die Instrumentalisierung von Hitlers Ant.-Begeisterung ebenso [90. 350], wie dem aus einer eher defensiven Haltung heraus entwickelten Programm, »german. Forsch.« breiteren Raum zu geben [69. 72ff.].

Neben diesem eher fachwiss. geprägten Diskurs in einer komplizierten Mischung aus Mitläufertum, Rettungsversuchen durch Anbiederung oder Sklavensprache [67. 20] war die griech.-röm. Ant. nach der »Machtergreifung« vielfach präsent: »Sparta« ist das Thema, das in breiteren Kreisen mit der Ant.-Konzeption des NS-Staates verbunden wurde. Das zeigt v.a. Gottfried Benns 1934 entstandenes Essay *Die dorische Welt*, die »Magna Charta« seines rasch erlöschenden Fanatismus’ für den NS-Staat [82. 338]. Gegenwärtig war die Ant. aber auch in nationalen, z.T. offiziös nationalsozialistischen Produktionen: Zu nennen sind hier nur die zahlreichen Auflagen von Mirko Jelusichs *Caesar* (1929), sein *Hannibal* (1934), Günter Birkenfelds *Augustus* (1934) oder Eberhard Wolfgang Möllers Stück *Der Untergang Karthagos* (1938).

Hitlers Bewunderung der griech. Baukunst und seine Architekturideen erklären den Rückgriff auf die auch bei der Olympiade 1936 deutlich erkennbare »ant. Formensprache« durch seine »neoklass.« beeinflußten Baumeister: Albert Speer wollte 1935 in Griechenland ausdrücklich die ›Zeugnisse der dorischen Welt‹ studieren [60. 298]. Präsent war auch – wiederum durch Hitler vermittelt und von Wissenschaftlern und Schulmännern stereotyp zitiert – die »Lehrmeisterfunktion« der röm. Geschichte, die sich aus dem Aufstieg des ›Weltreichs‹ ergab. Auch in dieser Hinsicht wirkte Hitlers Ästhetik ›stilbildend‹ [60. 298].

5. Verfolgung und Spuren des Widerstands

Während die Fachvertreter in der Diskussion über eine »nationalsozialistische Ant.« ihre Positionen markierten, war eine antisemitisch und polit. motivierte Verfolgungswelle angelaufen, die auch Altertumswissenschaftler aller Generationen aus dem Amt in die Emigration, in Gefängnisse und Konzentrationslager bis zur Vernichtung der physischen Existenz trieb. Die Reihe der »Verdrängten« und Verfolgten in den altertumswiss. Disziplinen ist lang und drang erst spät in das Bewußtsein der Fachöffentlichkeit [104. 181–219, 373–394]. An vier Beispielen sind Konsequenzen des »Emigrationsverlustes« anzudeuten: Zu den ersten Opfern der Vertreibung zählten an der Berliner Univ. die Althistoriker Elias Bickermann (1897–1981), Arthur Rosenberg (1889–1943) und Ernst Stein (1891–1945), die wie ihr aus Gießen stammender Kollege Fritz Heichelheim (1901–1968) Zuflucht im Ausland nahmen. Von dieser Gruppe war v.a. Bickermann fest im Judentum verankert; das schlug sich in der für ihn charakteristischen Verbindung von althistor. und judaistischen Stu-

dien nieder. Rosenberg rechnete zum radikalen sozialistischen Lager, wurde aber auch als jüd. Hochschullehrer verfolgt. Stein, ein bekannter Spezialist für die Spätant., entstammte einem Elternhaus aus dem östl. Teil der
Donaumonarchie, das von jüd., dt. und tschechischen
Trad. geprägt war. Der glühende Pazifist und erklärte
Gegner des Nationalsozialismus hetzte nach der Besetzung Belgiens und Frankreichs von Land zu Land. Mit
Heichelheim entließ man den Angehörigen einer um
die Univ. Gießen sehr verdienten jüd. Familie und einen Spezialisten für Wirtschaftsgeschichte.

Wenn, wie in diesen Fällen, die Wurzeln der persönlichen und wiss. Existenz in Deutschland ausgerissen
wurden, bedeutet das neben schwer vorstellbarem
menschlichem Leid einen Verlust an Forschungspoten-
tial, im Einzelfall mit schwerwiegenden Konsequenzen
für bestimmte Arbeitsgebiete: z.B. im Falle Bicker-
manns ergaben sich daraus Defizite in der Erforschung
der Geschichte des Judentums. Das Beispiel Heichel-
heims steht für einen Verlust an wirtschaftsgeschichtli-
cher Forschung. In diesen Ansatz einer wiss. Passivbi-
lanz lassen sich viele vergleichbare Fälle einfügen. Langfristig führte die Säuberungswelle auch zur ›Verengung
des weltanschaulichen Meinungspotentials‹ in den Altertumswissenschaften [49. 65]. Fragt man nach Reaktionen der Fachkollegen auf die Entlassungs- und
Verfolgungswelle, so sind nur wenige Beispiele von öffentlichem Protest, Solidarität und Hilfsbereitschaft zu
verzeichnen. Die kompromißlose Haltung des Rostok-
ker Gräzisten Kurt von Fritz (1900–1985), der den Füh-
rer-Eid verweigerte, blieb eine Ausnahme.

Frühzeitig reagierte der seit 1929 an der Karls-Univ.
in Prag lehrende Althistoriker Victor Ehrenberg (1891–
1976) auf die seit 1933 erkennbare NS-Geschichtspoli-
tik: Ehrenberg, der selbst stark in der klassizistischen
Sparta-Trad. der dt. Alt.-Wiss. verankert war, wies in
seinem Prager Rundfunkvortrag *Ein totalitärer Staat*
(1934) auf die Probleme der nationalsozialistischen
Spartaidealisierung hin: ›Das Schicksal Spartas‹, so
schloß er, ›bestätigt unsere Überzeugung, daß Zwang
und Gehorsam – obgleich notwendige Mittel im Leben
jedes Staates – niemals ein ausreichendes Ziel sein können für die Bemühungen der Menschen, ein wirkliches
Gemeinwesen aufzubauen. Sparta stellte nicht ein Vorbild auf, das wir nachahmen sollten; es warnt uns vielmehr vor den Gefahren, die wir vermeiden müssen‹
[12. 228].

Als jüd. Althistoriker verwahrte er sich gegen die
Angriffe von Berve, der sich auf eine ›jüd.-apologeti-
sche Tendenz‹ in Ehrenbergs Buch *Ost und West* (1935)
bezog [5. 655]. Ehrenberg hatte sich gegen rassenge-
schichtliche Ansätze und Berves rassisch begründetes
Plädoyer für die Ausgrenzung des Alten Orients aus der
Althistorie gewandt. Von Prag aus, von wo er 1939 vor
dem Einmarsch der dt. Truppen nach England emigrier-
te, leistete er möglichem nationalsozialistischem Gebrauch der Geschichte bewußten Widerstand, wobei
die Grenzen zw. einer Geschichtsschreibung mit dem

Charakter des Widerstandes und einer Geschichtsschreibung mit Affinität zum Nationalsozialismus
schwer zu ziehen sind [92. 231, 238 f.]. Unter dem Eindruck der ersten Kriegsjahre wurde sein Vortrag über
Alexander the Great (1941/1944) zu einer Abrechnung
mit Hitler [78. 42].

In Hinsicht auf Spuren des Widerstandes zählt das
Werk *Staat und Mensch in Hellas* (1940) von Bernhard
Knauss (1896–1980) als ein Widerspruch gegen die totalitäre Beanspruchung der attischen Demokratie zu den
Ausnahmen. Im Unterschied zur dominierenden Idealisierung des attischen Staates und seiner Führerpersön-
lichkeiten mit nationalsozialistischen und rassistischen
Akzenten rückte Knauss, der nicht dem engeren Kreis
der Fachwissenschaftler entstammte, die freie Entfaltung des Individuums gegen den staatlichen Machtan-
spruch in den Vordergrund [25. 255]. In zahlreichen lit.
Ausformungen ist die Ant. als »Medium der Opposti-
on« seit der »Machtergreifung« präsent: In demokratischen oder sozialistischen »Gegenentwürfen« aus dem
Exil wie z.B. in Lion Feuchtwangers (1884–1958) Romanen *Die Geschwister Oppermann* (1933) und *Der falsche
Nero* (1936) oder seiner *Josephus*-Trilogie (1932–45). Zu
verweisen ist ferner auf Werke wie Bertolt Brechts *Die
Geschäfte des Herrn Julius Caesar* (1937/38) und seine Lu-
kullus-Texte. Für die Autoren in Deutschland konnte
die ›mythische Ant. zum keineswegs unverbindlichen
Rückzugsgebiet‹ (→ Deutschland B.) werden, es finden
sich aber auch oppositionelle Ansätze *intra muros*: Die
Römer-Trilogie des von der Gestapo erschossenen Albrecht Haushofer (1903–1945) zeigte den verantwor-
tungsvollen Staatsmann *Scipio* (1934), den Tyrannen
Sulla (1938), der als »kultivierter Zyniker« gezeichnet
wird, und *Augustus* (1939), wobei mit stark ausgeprägter
Zeitkritik die Frage nach den Quellen und der Handhabung staatlicher Macht im Zentrum steht [75. 275].

In diese Reihe gehört das als Übers. aus dem Griech.
getarnte, im besetzten Holland erschienene dramatische
Gedicht *Tyrannis. Scene aus altgriech. Stadt* (1944) von
dem im KZ Neuengamme zu Tode gekommenen Percy
Gothein (1896–1944) [67. 21]. Das Thema Tyrannenmord und Freundesethos hatte deutliche Bezüge zum
George-Kreis, dem Gothein, wie die ebenfalls auf ant.
Vorbilder fixierten Brüder Stauffenberg, entstammte
[71. 109 f.].

6. DIE »WORTFÜHRER«

Die Gesamtentwicklung der Alten Geschichte wird
entscheidend von den »Wortführern« der Programmdebatte bestimmt, die, wie Berufungspolitik und Schulbildung ausweisen, eine Führungsrolle in dieser Disziplin übernahmen. Das gilt zunächst und bes. für Berve,
der sich in seinem Fach stark exponierte und schon früh
klar gemacht hatte, daß er nicht bei äußerlichen Kon-
zessionen stehen bleiben wolle [79. 64].

Berves Arbeitsschwerpunkt lag auf dem Gebiet der
Griech. Geschichte, sein histor. Interesse bezog sich in
hohem Maße auf große Persönlichkeiten. In der röm.
Geschichte würdigte er Sertorius (1929), Sulla (1931)

und Augustus (1934), im griech. Bereich *Fürstliche Herren zur Zeit der Perserkriege* (1936), Miltiades (1937) und den als »Führer« im nationalsozialistischen Sinne gezeichneten Perikles (1940) [60. 248; 92. 162]. Berve rückt damit die griech. Adelsgesellschaft und den adligen Einzelmenschen stark in den Vordergrund. Dieser Zug findet sich auch in der kleinen Spartamonographie von 1937 [6], dem Höhepunkt seiner Spartaidealisierung. Darin entwirft er das Bild eines aristokratischen Sparta, zu dem der Typus des Herrenmenschen gehört, das Ausdruck dorischer Stammesart ist und in dem »Rassengesetze« konsequente Anwendung finden [82. 340f.].

Wie stark Berves Veränderungswillen ausgeprägt war, zeigten die auf der Grundlage der Rassenlehre geführte Debatte über den ›artfremden Orient‹, die antisemitischen Ausfälle gegen V. Ehrenberg [56. 170f.; 4. 216–230] und eindeutige antisemitische Retuschen [53. 166]. Schließlich förderte Berve mit einem Thukydides-Band die Neuorientierung des altsprachlichen Unterrichts [7].

Die Bed. Berves läßt sich auch an seinem in den 30er und 40er J. etablierten Schülerkreis – darunter Hans Schaefer (1906–1961), Hans Rudolph (1907–1980), Alfred Heuß (1909–1995), Wilhelm Hoffmann (1909–1969) und Franz Hampl (1910–2000) – abschätzen. Die Genannten, die auf dem Weg zur Professur »polit.-weltanschauliche« Qualifikationen nachweisen mußten, traten nicht durch das bes. polit. Engagement ihres Lehrers hervor, das dieser auch in der akad. Selbstverwaltung zeigte, wobei sich Berve z.B. als Leipziger Rektor (1940–1943) auch für bedrängte Kollegen einsetzte [60. 246].

Nach 1933 wurde W. Weber zu dem wichtigsten Repräsentanten der Röm. Geschichte in Deutschland. Die Entwicklungslinien seines geistes- und universalgeschichtlich geprägten Ansatzes führen vom Kaiserreich in den Nationalsozialismus. Das belegt eindrucksvoll der 1936 erschienene *Princeps*, der als Teil einer seit 1918 konzipierten Geschichte der Monarchie in den 20er J. entstanden war und den Höhepunkt der Idealisierung des Augustus darstellt.

Das für ihn in hohem Maße charakteristische Konglomerat von konservativ- irrationalistischen Ideen – Blutsprinzip, Führergedanke, Messianismus und Glaube an schicksalhafte Mächte [99. 174] – war im Sinne der bekannten Affinitäten konservativer Gelehrter leicht mit der nationalsozialistischen Ideologie zu verbinden. So gewann Webers Bild des Augustus und der Kaiserzeit über mehrere Stufen in der *Neuen Propyläen Weltgeschichte* (1940) rassistische Züge [99. 180; 54. 219].

Als Fachgutachter des Amtes Rosenberg besaß Weber Einfluß auf die Personalpolitik in seiner Disziplin; er identifizierte sich auch – so im »Reichsberufswettkampf der Deutschen Studentenschaft« – mit Reformansätzen der NS-Hochschulpolitik [84. 103].

Neben den älteren Schülern V. Ehrenberg, Fritz Taeger (1894–1960) und J. Vogt, die bereits in der Wei-

marer Zeit Lehrstühle übernommen hatten, unterstützte Weber, wie die Beispiele von Paul L. Strack (1904–1941), Alexander Graf Schenk von Stauffenberg (1905–1964) und Johannes Straub (1912–1996) zeigen, erfolgreich seine jüngere Schülergruppe. Der wie sein Lehrer geistes- und universalgeschichtlich orientierte Vogt hat programmatisch insbes. die Gegenwartsbed. der röm. Geschichte verteidigt. Vogt engagierte sich, einer ähnlichen Disposition wie der Berves entsprechend, in der Hochschulselbstverwaltung. Die bei den Historikern der Weimarer Zeit faßbaren Spuren völkischen Rassedenkens, die man in Vogts *Geschichte der röm. Republik* (1932) aufgenommen hat [73. 105–112], stellen Voraussetzungen dafür dar, daß man völlig den Konzeptionen einer nationalsozialistischen Rassenlehre entsprechen konnte [56. 84]. Dies belegen Vogts primär schulorientierte Aufsätze *Bevölkerungsrückgang im röm. Reich* [39. 653–664] und *Rassenmischung im röm. Reich* [40. 1–11], in denen er auch die »Vorarbeiten« der »Rassentheoretiker« J. A. Gobineau, H. St. Chamberlain und H. F. K. Günther würdigte. Mit diesen Themen traten die »Wortführer« auch vor das Publikum der Tages-, Lokal- und Parteipresse [73. 313ff.]. Man liest die hier genannten Beiträge Vogts und entsprechende Oppermanns heute im Kontext der »schulpolitischen Umsetzung« der »Nürnberger Gesetze« von 1935 [73. 208; 89. 532]. Charakteristisch für Vogts Arbeiten in der NS-Zeit, zu denen auch herkömmliche wiss. Studien zählen, ist das ›Festhalten an einer idealistischen Reichskonzeption‹ [59. 262ff.].

Schachermeyr trat gegenüber den Regierungsstellen früh mit dem Anspruch auf, eine »Grundlegung« seines Faches auf der Basis der nationalsozialistischen Weltanschauung einzuleiten [79. 56]. So machte er aktenkundig, daß sein ›bes. Forschungsgebiet‹ die ›Geschichte des Alt. mit bes. Berücksichtigung der Beziehungen zur Vorgeschichte, zur Rassenkunde u. Kulturpolitik‹ sei [79. 63]. Dementsprechend fungierte er auch als Fachreferent für Alte Geschichte der Zeitschrift *Rasse*. Bei dem kongenialen Partner H. F. K. Günthers spielt der Begriff der »Entnordung« eine zentrale Rolle.

Seine Konzeption hat Schachermeyr 1940 in der Monographie *Lebensgesetzlichkeit in der Geschichte. Versuch einer Einführung in das geschichtsbiologische Denken* ausgeführt. Seinen erweiterten Rassebegriff kennzeichnet die Einbindung in die rassen- und staatstheoretische Rangordnung *Rasse – Volk – Staat* [92. 139]. Die Ausführung seiner »Rassentheorie« folgte 1944 in dem Werk *Indogermanen und Orient*. Die nicht von vornherein negativ gesehene Attische Demokratie gilt ihm als Ausprägung des ›nordischen Vereinsgedankens‹, die durch das von Perikles verkörperte ›Führertum‹ getragen wird [92. 142]. Die ›Verschmelzungspolitik‹ Alexanders d. Gr., die in einem ›Chaos des Blutes‹ endet, liefert ein gutes Beispiel für die konkrete Anwendung der Rasse-Ideen Schachermeyrs [48. 11].

Unabhängig von den unterschiedlichen Arbeitsschwerpunkten kann man ansatzweise eine Typologie bzw. ähnliche Dispositionen der »Wortführer« erkennen. Bis auf eine Ausnahme waren sie bereits vor der Machtübernahme in ihrem Fach etabliert. »Wortführer«, die zunächst in der Programmdiskussion hervortreten, übernehmen Führungspositionen in der akad. Selbstverwaltung vom Dekanat bis zum Rektorat (Berve, Vogt), sie sind in NS-Neugründungen wie dem Reichsinstitut für Geschichte des neuen Deutschlands vertreten (Vogt, Weber). Sie unterstützen auf lokaler und nationaler Ebene den NS-Dozentenbund (Drexler, Miltner, Oppermann, Vogt), arbeiten für die Neuorientierung des Unterrichts in Geschichte und Alten Sprachen (Berve, Drexler, Oppermann, Vogt), nehmen über staatliche Instanzen und Parteiorganisationen Einfluß auf die Personalpolitik (Berve, Schachermeyr, Weber), sie fördern neue Einsatzformen im Kriege, sie diskutieren und adaptieren in zahlreichen Facetten die Rassenlehre und argumentieren dabei auch antisemitisch (Berve, Oppermann, Schachermeyr, Vogt, Weber). Kurz, sie waren immer präsent, wenn es galt, Aufgaben nationalsozialistisch geprägter Alt.-Wiss. zu formulieren und zu erfüllen. Es ging, wie Schachermeyr E. 1933 an Taeger schrieb, nicht allein darum, aus Sorge um das Fach ›aufzuklären und entgegenzukommen‹ [78. 47]. Vielmehr liegen in dem Streben nach Einfluß im eigenen Fach ähnliche, persönliche Dispositionen vor. Ohne weitgehende Identifikation mit den Zielen nationalsozialistischer Politik bis in die Kriegszeit ist dieses Engagement kaum zu erklären.

7. ALTHISTORISCHER UND ALTSPRACHLICHER UNTERRICHT

Die Übernahme der neuen Ant.-Konzeption auf Grundlage der Rassenlehre erfolgte in der Unterrichtspraxis sehr zögerlich, obwohl bereits seit E. Juli 1933 H. F. K. Günthers *Rassengeschichte des hell. und röm. Volkes* (1929) die Vorlage für den althistor. Unterricht liefern sollte. In der lebhaften Diskussion über die Gegenwartsbed. der Alten Sprachen versuchte man, wie W. Jaeger »Brücken« zu bauen und bot bei Zurückhaltung gegenüber der Rassenlehre ein breites Spektrum nationaler, patriotischer und nationalistischer Interpretationen an [47. 348]. Offizielle »Interpretationshilfen« für die Ausrichtung des Unterrichts im Sinne Günthers lagen durchaus vor: Friedrich Walsdorffs Vortrag *Der Unterricht in der alten Geschichte und den alten Sprachen unter dem Gesichtspunkt der Erbpflege und Rassenkunde* erschien 1935 im Amtsblatt des Reichserziehungsministeriums [42. 27*–35*]. Die deutliche Zurückhaltung gegenüber der Rassenlehre änderte sich nur partiell, als der NS-Lehrerbund (NSLB) auch in Nachfolge des 1934 aufgelösten Altphilologen-Verbandes über Schulungen und Tagungen größeren Einfluß nahm. Erst die Einführung neuer Lehrpläne im J. 1938 schuf eine neue Lage: Alte Geschichte wurde nur noch in der sechsten Klasse (Untersekunda) unterrichtet, im Ergebnis auf ein Halbjahr bzw. eine Stunde reduziert und erreichte damit einen absoluten Tiefstand. Dem einher ging ein massiver Abbau des Lateinunterrichts. Das Griech. blieb auf etwa

zehn »Traditionsgymnasien« beschränkt. Die Griechisch- und Lateinlektüre und der Geschichtsunterricht stand unter der Forderung, die Ant. als ›Rassengeschichte‹ zu verstehen, in der die um ›Selbstbehauptung‹ ringende ›nordische Rasse‹ mit starken germanophilen Akzenten präsentiert wurde [47. 50].

Einzelne Stichworte verdeutlichen, wie stark die Lehrpläne den Spuren Günthers und Rosenbergs folgten: Rassenverfall des persischen Volkes; Gesetzgebung Spartas in ihrer rassischen, bevölkerungspolit., soldatischen und sozialistischen Ausrichtung; rassische Überfremdung Athens; Alexander als nordische Heldengestalt, verdunkelt durch einzelne orientalische Züge; der Hell. als kennzeichnende rassische Mischkultur; altröm. Bauerntum; rassische Bed. des Etruskertums für Rom; die punischen Kriege als Rassenkampf; hell., orientalische, jüd. Einflüsse in der Kaiserzeit; die röm. Kirche als Erbin des Weltreiches. Am Anf. der ›german.-dt. Geschichte‹ stand ›Armins Tat als Beginn des bis in die Gegenwart währenden german.-dt. Kampfes gegen mittelmeerische Überfremdung‹ usf. [13. 91–93]. Günthers Konzeption war hier zu einem stringenten Lehrgebiet verdichtet worden [51. 20]. Entsprechende Vorgaben galten in abgewandelter Form für den altsprachlichen Unterricht [13. 231–233].

Die Unterrichtspraxis bot einerseits die Möglichkeit rassistischer Indoktrination, konnte aber auch die Ant. als einen liberalen, human. und kosmopolit. Zufluchtsort erfahren [51]. Hier hing viel von der Position (z. T. auch der Generation) der Lehrpersonen ab. Daß diese Handlungsspielräume genutzt wurden, ist vielfach belegt.

8. ALTE GESCHICHTE IM UNIVERSITÄTSALLTAG

Auch wenn vergleichbare Einblicke in den altertumswiss. Vorlesungs- und Seminarbetrieb fehlen, so lassen sich die für die Schule geltenden Befunde z. T. auch auf die Univ. übertragen: Die sicher nur teilweise aussagekräftigen Vorlesungsankündigungen dokumentieren einen deutlichen Anpassungsprozeß: Schachermeyr kündigte 1934 ff. seinen Vorlesungszyklus vom Alten Orient bis zur Alexanderzeit als *Geschichte der nordisch-indogermanischen Völker I-IV* an. In Heidelberg las er 1937 neben ganz konventionellen Themen über *Die rassischen und erbbiologischen Grundlagen geschichtlicher Vorgänge*. Der Klass. Philologe und Volkskundler Eugen Fehrle (1880–1957), Träger des Goldenen Parteiabzeichens, steuerte in Heidelberg die Vorlesung *Volkstum und Rasse im griech. Alt.* bei. Der Lehrbeauftragte A. Hoffmann-Kutschke kündigte in Halle das Thema *Antisemitismus im Alt.* an. Im Programm J. Vogts von 1926–1945 kommen ab 1933 die »Germanen« und »Indogermanen« (ab 1935) ebenso wie Veranstaltungen zur »Bevölkerungspolitik« und –»geschichte« stärker zur Geltung [73. 207–312]. Die schon vor dem Aufstieg des Nationalsozialismus verbreitete dt.-nationale und wehrhafte Grundstimmung, die etwa das Lehrprogramm Franz Miltners (1901–1959) charakterisierte und leichte Übergänge zu NS-Themen ermöglichte, wurde im Zweiten Weltkrieg noch verstärkt [101. 51].

Aufs Ganze gesehen überwiegen freilich traditionelle Ankündigungen, was nicht für eine radikale Veränderung des Lehrangebots im Sinne der Rassenlehre spricht. Auch im Univ.-Bereich waren offenbar »Spielräume« zu nutzen. Aus der »Fachschaftsarbeit« gingen als Reformprojekte »wiss. Gemeinschaftsarbeiten« hervor, z. B. die von Hans Oppermann betreute *Volk, Geschichte, Dichtung. Schiller und Vergil* (Freiburg 1937) oder die über *Sparta* in Königsberg (WS 1936/37), welche in eine der Auseinandersetzung mit den Thesen Darrés verpflichtete Dissertation *Das Wesen der spartanischen Staatsordnung nach ihren lebensgesetzlichen und bodenrechtlichen Grundlagen* (1939) von Theodor Meier mündete. Diese Projekte kamen in der kurzen Regimephase über Ansätze ebenso wenig hinaus wie der Beitrag von 16 Althistorikern und Mediävisten aus Berlin, die mit dem Projekt *Das Vordringen des Römertums und Christentums im niedersächsischen Raum* im u. a. von Weber geförderten ›Reichsleistungskampf der dt. Studenten‹ die ›Reichssiegerarbeit‹ stellten. Der Führer dieser Kameradschaft, J. Straub, avancierte 1944 zum außerordentlichen Professor [84. 102 f.].

Bei den Dissertationen zeigt sich ein breites Spektrum: Neben Arbeiten, die stark der NS-Ideologie verpflichtet sind – darin wieder gelegentlich, wie in Rudolf Tolles *Unt. zur Kindesaussetzung bei den Griechen* (Würzburg 1941), »nichtarische« Forscher gesondert verzeichnet – stehen solche mit eher vordergründigen weltanschaulichen »Bekenntnissen«, man stößt aber auch nicht selten auf Beiträge ohne jeden Zeitbezug [62].

Die althistor. Habilitationsschriften entsprechen in der Mehrzahl herkömmlichen Qualifikationsmaßstäben. »Hoffnungsvolle« Ansätze im Sinne einer Rassengeschichte fand Weber in der Kieler Arbeit *Aufstieg der unterworfenen Völker in Roms Bürgertum und Herrenschicht* (1939) von Friedrich Vittinghoff (1910–1999). Das gilt auch für die Habilitationsschrift *Dareios I. Geschichte einer Führergestalt im Aufstieg der nordischen Welt* (Innsbruck 1940) von Peter Julius Junge (1913–1943) [78. 222]. Zusätzliche »Qualifikationen« waren im Rahmen der Habilitationsverfahren in den sog. »Dozentenlagern« zu erbringen, in denen sich freilich auch oppositionelle Stimmen artikulierten [80. 100].

Die Habilitation von Frauen war unerwünscht: Eine Bewerberin für das Fach Alte Geschichte wurde 1938 in Göttingen ›mit Hilfe der Rassenfragen, die im Vergleich zu anderen Habilitationskolloquien hier in bes. Breite abgefragt wurden‹, ausgeschlossen. Unter maßgeblicher Beteiligung von Ulrich Kahrstedt (1888–1962) fragte man nach ›der Bed. der Severerzeit für die Rassenvermischung im Reich und nach den rassischen Verhältnissen im Röm. Reich überhaupt‹, nach ›dem Eindringen von Kleinasiaten, Syrern und Semiten in die röm. Beamtenschaft und den Senat‹, zum Thema ›unterirdische Völkerwanderungen zur Kaiserzeit‹ oder ›Begriff der Juden zu verschiedenen Epochen der Kaiserzeit‹, der ›Rassenpolitik des heutigen It. im Raume

des Imperiums‹, zum ›Begriff der Rasse im Alt.‹, sowie nach dem Zusammenhang von ›Völkermischung und Zerfall des Röm. Reiches‹ [104. 238 f.]. Bezogen auf die »Rassengeschichte« des Röm. Reiches stellte man »Grundfragen« einer nationalsozialistischen Alt.-Wiss. – dies aber v. a., um eine unerwünschte Habilitation zu verhindern. Dabei griff man unverkennbar den »Fragenkatalog« H. F. K. Günthers auf, von dem man sich andernorts im Bedarfsfall deutlich distanzierte. Über die persönlichen und lokalen Bezüge hinaus vermittelt dieser höchst aufschlußreiche Vorgang eine bedrückende Vorstellung davon, mit welchen »Alltags-Strategien« Vorgaben nationalsozialistischer Wissenschaftspolitik »exekutiert« wurden.

9. Alte Geschichte zwischen Altertums- und Geschichtswissenschaft

Die Entwicklung des Faches Alte Geschichte in der NS-Zeit ist auch von seiner traditionellen Sonderstellung zw. Alt.- und Geschichtswiss. bestimmt. Anders als die Klass. Philologen, die mit breiterer, öffentlicher Resonanz mit dem Altphilologenverband kooperierten, besaß die althistor. Disziplin einen geringeren Organisationsgrad. Das Fach war seit der Machtergreifung durch Berve im Historikerverband repräsentiert. Er hielt als Fachberichterstatter auch Verbindung zu der Zeitschrift *Vergangenheit und Gegenwart*, dem Organ der Geschichtslehrer.

Im Unterschied zur Ma. und Neueren Geschichte wurde für die Alte Geschichte kein bes. »Reichsinstitut« eingerichtet. Engeren Kontakt zu dem 1935 von Walter Frank (1905–1945) gegründeten Reichsinstitut für Geschichte des neuen Deutschlands fand 1937 der Altphilologe H. Bogner, ein letzten Endes wenig einflußreicher ›Mittelsmann zur röm.-griech. Alt.-Wiss.‹ [65. 605]. Seine Beiträge *Die Judenfrage in der griech.-röm. Welt* (1937) und *Philon von Alexandrien als Historiker* (1937) belegen die Mitarbeit in der »Forschungsabteilung Judenfrage« des Reichsinstituts. Seit 1939 zählte auch Weber, ein Förderer W. Franks, zu den Mitgliedern des Instituts. Im Verbund der altertumswiss. Disziplinen fanden Althistoriker einen gewissen institutionellen Rückhalt im Archäologischen Institut des Deutschen Reiches und der RGK, damit standen sie prinzipiell auch in der Abwehrposition gegenüber den »german.« Ansprüchen der Rosenberg-Anhänger. 1936 schien die Einrichtung des umstrittenen Reichsinstituts für deutsche Vorgeschichte unmittelbar bevorzustehen. Daß das Projekt letztlich scheiterte, hat man z. T. dem »Kompetenzenchaos« des Dritten Reichs zu verdanken. Die Arch. gewann in Himmlers »Forschungs- und Lehrgemeinschaft ›Das Ahnenerbe‹« einen Verbündeten, der eigene Interessen auf dem Gebiet der Prähistorie gegenüber dem »Lager« Rosenbergs erfolgreich durchsetzen konnte. Für die enge Verbindung zw. prominenten Mitgliedern des Archäologischen Instituts und dem »SS-Ausgrabungswesen« stehen die Namen des mit den Olympiagrabungen eng verbundenen Hans Schleif (1902–1945) und des Prähistorikers Herbert Jankuhn

(1905–1990) [52]. Himmlers »Ahnenerbe« besaß erheblichen Einfluß auf das Berliner Ministerium, was auch der nicht ungeschickten Interessensvertretung des Archäologischen Instituts bei den staatlichen Instanzen zu Gute kam. Daß man sich gegenüber den »Reichsinstitutsplänen« letztlich behaupten konnte, mag man auch Hitlers bes. positivem Verhältnis zur Klass. Ant. und seinem Interesse an arch. Projekten verdanken: So nahm er an der Wiederaufnahme der Olympiagrabungen 1936 und am Ankauf einer Kopie des myronischen Diskuswerfers – das wurde für die Presse ins Bild gesetzt – persönlichen Anteil [92. 117f.].

Die Arch. stand nicht nur unter dem Druck der Germanenideologen: Mehrfach forderte man von dem Institut, verstärkt ›rassenbiologische Forsch.‹ z. B. in Griechenland voranzutreiben: Als Kernpunkt einer ›neuen Bevölkerungsgeschichte Griechenlands im Alt.‹ sollte der ›indogerman. Anteil am gesamtgriech. Phänomen‹ bestimmt werden. Dieses Anliegen wurde nach einem bewährten Argumentationsmuster zwar verbal unterstützt, man verwies aber gleichzeitig auf die Probleme rassenkundlicher Forsch. in »Gastländern«. Ähnlich, nämlich im Prinzip ablehnend, reagierte das Archäologische Institut auf den ›Vorschlag zur Errichtung eines Rassekundlich-Historischen Instituts‹ in Rom, den der Innsbrucker Althistoriker Franz Miltner unmittelbar nach dem Anschluß Österreichs in Berlin eingereicht hatte. Die Initiative zielte auf den ›einen exakten wiss. Ausbau der Rassenforschung‹. Wiederum betonte man das Interesse an der Rassenkunde, sprach sich aber entschieden gegen die Einrichtung von Konkurrenzinstituten aus. Zumindest Ansätze einer anthropologischen Rassenforschung – mit Feigenblattfunktion – wurden bei der Auswertung von Skeletten und Schädeln der Kerameikosgrabungen verwirklicht [69. 74]. Nicht immer konnte man sich den forschungspolit. Forderungen entziehen: Ein von Siegfried Fuchs (1903–1978), der als aktiver Nationalsozialist zum 2. Sekretär des Römischen Instituts aufgerückt war, in enger Kooperation mit dem »Ahnenerbe« 1936/37 entwickelter Plan zur ›Erfassung aller Lebenszeugnisse des Germanentums in It.‹ wurde zumindest bis zum Kriegsausbruch verfolgt. Bei diesem Projekt – es ging um Langobarden und Ostgoten – stieß man auf it. Seite auf starkes Mißtrauen gegenüber dem, so Ludwig Curtius, ›rassengermanischen Nationalismus‹ [69. 75]. Der Umgang des Archäologischen Instituts mit aktuellen Projekten läßt eine relativ erfolgreiche Politik der Selbstbehauptung erkennen.

Diesen Eindruck bestätigt auch der Verlauf des 6. Internationalen Archäologenkongresses, der kurz vor Ausbruch des Zweiten Weltkriegs in Berlin stattfand. Die von Rosenberg protegierten Anhänger des Reichsbundes für Deutsche Vorgeschichte waren davon praktisch ausgeschlossen. Dementsprechend kritisch fiel das Echo der parteiamtlichen Berichterstattung aus, in der insbes. moniert wurde, daß alle Epochen und Räume der Alten Geschichte – auch der Alte Orient – zum Arbeitsprogramm des Kongresses und der Alt.-Wiss.

zählten [78. 91ff.]. Die dt. Arch. präsentierte sich hier auch offensiv als eine Disziplin, die stärkeren Einfluß auf den Unterricht an Gymnasien suchte [1. 85f.].

10. ZWISCHENBILANZ

Eine Zwischenbilanz der Entwicklung bis zum Kriegsausbruch fällt zwiespältig aus. Das Beispiel der »Wortführer« zeigt die weit über verbale Anpassung hinausgehende Bereitschaft, höchst bedenkliche Konzepte einer nationalsozialistisch geprägten Alt.-Wiss. umzusetzen. Es bleibt zweifelhaft, ob etwa das Fach Alte Geschichte in der ganzen Breite diesen Parolen folgte, zweifelhaft auch, ob in einer sechsjährigen Regimephase ein grundlegender Wandel überhaupt erreichbar war. Der Jahreslagebericht des Reichssicherheitshauptamtes kam 1938 für Teile der Geschichtswiss. zu einer bemerkenswert nüchternen Einschätzung: ›Auf dem Gebiet der alten und ma. Geschichte sind keinerlei Vorstöße im Sinne eines nationalsozialistischen Geschichtsbildes zu verzeichnen. Die Forscher begnügen sich vielmehr, alte wiss. Enzyklopädien weiterzuführen und für die Aufhellung einzelner Epochen neue wiss. Beiträge zu liefern‹ [78. 178]. Dieser »Lagebericht«, der auch das Eingeständnis des Scheiterns parteiamtlicher Wiss.-Politik enthält, sollte nicht als vordergründige Entlastung der betreffenden Disziplinen verstanden werden. Hier wird aber ein in dem traditionellen Wiss.-Betrieb angelegtes Beharrungs- und Selbstbehauptungsvermögen erkennbar.

C. DIE ENTWICKLUNG IM ZWEITEN WELTKRIEG
1. DIE »LAGERARBEIT« DES NS-DOZENTENBUNDES

Der II. Weltkrieg setzte neue Impulse auch für die Geisteswiss. frei, die im »Kriegsdienst mit der Feder« »wehrgeistige« Themen besetzten und sich bemühten, ihre »Kriegswichtigkeit« nachzuweisen. Zu den bes. Ansätzen altertumswiss. Arbeit in der Kriegszeit zählen die Fachlager des Nationalsozialistischen Deutschen Dozentenbundes (NSDD). Die Kongresse alten Stils sollten durch die der Formel »Männerbund und Wissenschaft« (A. Baeumler) entsprechende zeitgemäße Arbeitsform des »Wissenschaftslagers« ersetzt werden. Träger der altertumswiss. Fachlager – im Januar 1941 fand die ›erste Zusammenkunft der Alt.-Wiss. seit 1933‹ in Würzburg statt, war zunächst der NSDD, später geriet die »Lagerarbeit« immer mehr unter den Einfluß des »Amtes Rosenberg« [78. 95]. Ganz bewußt wollte man einen »weltanschaulich« geschlossenen Teilnehmerkreis erreichen. H. Berve zählte ebenso wie W. Weber, über dessen Teilnahme diskutiert wurde, nicht dazu [78. 103].

Ziel des ersten Lagers war es, neue Perspektiven für die Alt.-Wiss. zu eröffnen. Zunächst beschäftigte man sich freilich mit einem Thema, das eigentlich schon der Vergangenheit angehören sollte: Der dem NSDD eng verbundene Latinist und spätere Rektor von Göttingen, Hans Drexler (1895–1984), der als Lagerleiter fungierte, sprach über das Thema: Der sog. Dritte Humanismus. Die

Diskussion machte deutlich, daß die Auseinandersetzung mit Jaeger keineswegs abgeschlossen war. Umstritten blieb auch die Frage nach dem Verhältnis zw. Alt.-Wiss. und Rassenkunde. Die einschlägigen Beiträge Schachermeyrs und des Grazer Archäologen Arnold Schober (1886–1959) stießen auf erhebliche Vorbehalte, die insbes. einer naturwiss. fundierten Rassenkunde galten; die Mehrzahl der Fachvertreter gab offenbar nur Lippenbekenntnisse zur Rassenlehre ab. Die Rede von der »Opposition des Augsburger Lagers«, einer Folgeveranstaltung im Juni 1942, zeigt, daß das Gesamtthema »Kultur und Politik in der griech. Lit.« kontrovers diskutiert wurde. Oppositionelle Stimmen artikulierten sich auch in dem »Nachwuchslager der Alt.-Wiss.« in Seefeld (Tirol) im Oktober 1942. Die grundsätzliche Attacke des Marburger Gräzisten Friedrich Müller (1900–1975) richtete sich nicht nur gegen Drexlers Kritik an Jaeger, sondern ›mit aller Energie gegen die Behandlung der Alt.-Wiss. vom idg. Standpunkt‹, was auf ein Plädoyer gegen die Rassenlehre hinauslief.

Die neuen »Wissenschaftslager« wurden demnach nicht von einem »Stoßtrupp der Alt.-Wiss.« beherrscht. Die Diskussion der Grundsatzfragen zeigte, daß hier weder der »Dritte Humanismus« noch die »Rassenfrage« systemkonform bewältigt worden waren [78. 109ff.].

Letzteres erfuhr F. Miltner, einer der Wortführer des NSDD, nicht erst auf dem Würzburger Lager, auf das er offensichtlich mit dem Beitrag *Die dt. Aufgabe der Alt.-Wiss.* reagierte [28. 2–11]: Sein 1939 erarbeiteter Vorschlag zur Errichtung eines Rassenkundlich-Historischen Instituts in Rom war damals weder bei dem Ministerium noch bei dem Archäologischen Institut auf positive Resonanz gestoßen. Noch 1941 forderte Miltner von den Archäologen, sich Problemen der Rassenkunde zuzuwenden [78. 132f.].

Daß Miltner als einer der wichtigsten Repräsentanten nationalsozialistischer Alt.-Wiss. galt, zeigt die an ihn ergangene Aufforderung des Sicherheitsdienstes, ›die Bed. der Alten Geschichte darzustellen und das Fach zu rechtfertigen‹. Er entledigte sich dieser Aufgabe im Juni 1941 in einem »Geheimpapier« und griff dabei auf Hitlers *Mein Kampf* und H.F.K. Günther zurück, beschwor die ›Einheit der Ant.‹ und setzte sich schließlich in dem Bemühen, die Alt.-Wiss. insgesamt zu verteidigen, für die Verbesserung der Studienmöglichkeiten auch durch Förderung des altsprachlichen Unterrichts ein [101. 54].

2. DER »KRIEGSEINSATZ DER ALTERTUMSWISSENSCHAFT«

Im deutlichen Kontrast zu der »Lagerarbeit« des NSDD stand die wohl an entsprechende Veranstaltungen in der Weimarer Zeit anknüpfende Fachtagung der Alt.-Wiss. in Berlin vom 2.–3. April 1941, deren Vorträge 1942 in dem zweibändigen Sammelwerk *Das neue Bild der Ant.* als erster altertumswiss. Beitrag zum *Kriegseinsatz der Geisteswiss.* erschienen.

Berve, der als »Kriegsbeauftragter der Alt.-Wiss.« und als Herausgeber fungierte, übertraf in seinem Vorwort noch den Bekenntniseifer von 1933/34, wenn er den ›leiblichen Sinn‹ der Gegenwart, den ›härtesten Realismus und reinsten Idealismus‹ des griech. Menschen und den ›Rasseninstinkt unseres Volkes‹ beschwor. Neu war die Rede vom ›europ. Charakter der Alt.-Wiss.‹, ein Indiz dafür, daß das Projekt, das insbes. von den staatlichen Stellen unterstützt wurde, in die offizielle Kriegs- und Kulturpropaganda eingebunden war [8. 8f.]. Nimmt man den im Titel ausgedrückten Anspruch des »neuen Bildes« und betrachtet das Werk als Gradmesser für den Entwicklungsstand im J. 1942, so fällt diese Bilanz eher nüchtern aus.

In diesem Sinne äußerten sich Aktivisten der Fächergruppe: Schachermeyr vermißte den konsequenten Bezug auf den Rassegedanken, für Oppermann, der auf die prinzipielle Schwierigkeit einer ›wiss. exakte(n), rassenkundliche(n) Grundlegung‹ in den Alt.-Wiss. verwies, dominierte die ›alte Wissenschaftshaltung‹ [31. 574f.]. Weber sah 1944 im ›Neuen Bild der Ant.‹ den ›klassischsten Beweis dafür, daß sich im Bereich der Alten Geschichte wenig geändert hatte‹. Lediglich Miltners Beitrag, *Die Ant. als Einheit in der Geschichte* [8. 2, 433–453], genügte aus der Sicht der Rassenkunde diesem Anspruch. Darüber hinaus waren nur einzelne ›positive‹ Ansätze wie der Schachermeyrs faßbar. Zumindest gedanklich näherte sich Vogts Beitrag *Raumauffassung und Raumordnung in der röm. Politik* [8. 2, 100–132] der Perspektive eines Kriegseinsatzes an [78. 111f.].

Auch das zweite ›mit neuer polit. Deutungsabsicht‹ im Rahmen des ›Kriegseinsatzes der Alt.-Wiss.‹ verfaßte Gemeinschaftswerk *Rom und Karthago* (1943), das Vogt in Konkurrenz zu Berve realisierte, blieb hinter den Erwartungen zurück [58. 505]. Mit der Formel »Rom und Karthago« sind schon im 19. Jh. Stereotype der Rassenlehre mit antisemitischen Akzenten verknüpft, entsprechend firmiert England in der dt. Propaganda des I. Weltkriegs als »mod. Karthago«, die Formel ist auch ein fester Bestandteil der histor. Vergleichsbildung Hitlers. Zumindest die Titel einzelner Beiträge signalisierten das Bemühen, sich auf die Leitfrage nach der Bed. des Rassengegensatzes einzulassen: *Karthago in rassengeschichtlicher Betrachtung* (Schachermeyr), *Völker- und Rassenkämpfe im Mittelmeer* (Taeger), *Der Rassengegensatz als geschichtlicher Faktor beim Ausbruch der röm.-karthagischen Kriege* (Gelzer). Die »Antworten« fielen freilich unterschiedlich aus: Neben dem bedenkenlosen Rekurs auf das arisch-nordische und das jüd.-semitische Prinzip steht das Ergebnis Matthias Gelzers (1896–1974), daß die ›Rasse‹ im röm.-karthagischen Konflikt ›nicht die geringste Rolle‹ gespielt habe [54. 208f.]. Angesichts dieser Interpretationsspielräume blieb das Ergebnis nach Einschätzung des *Völkischen Beobachters*, des von Rosenberg beeinflußten Parteiorgans, ›zweifelhaft und auffällig geringfügig‹ [78. 115]. Die Gemeinschaftsarbeiten *Das Neue Bild der Ant.* und *Rom und Karthago* sind gewichtige Zeugnisse der Selbstdarstellung der Alt.-Wiss.

im Kriege, und zwar in der gesamten Breite ihres Spektrums: Unverhüllt rassistische Interpretationen sind ebenso vertreten wie Zeugnisse einer oberflächlichen Anpassung an Erfordernisse nationalsozialistischer Geschichtsbetrachtung. Bis zu einem gewissen Grade dokumentieren diese Bände auch, daß in den Alt.-Wiss. ›die Kontinuität herkömmlicher Forschungsmethoden und Ansätze überwog‹ [54. 209].

Mit einem »Kriegseinsatz« anderer Art unterstützte Oppermann die nationalsozialistische Vernichtungspolitik: Für die vom Amt Parteiamtliche Lehrmittel der Dienststelle Rosenberg herausgegebene *Schriftenreihe zur Weltanschaulichen Schulungsarbeit der NSDAP* verfaßte er eine ›nur für den Dienstgebrauch‹ bestimmte Broschüre *Der Jude im griech.-röm. Alt.* (1943) [78. 225. Anm. 36]. In dieser antisemitischen Hetzschrift wurde jedes antisemitische Klischee erwartungsgemäß bedient. Die Beschreibung der ›parasitären Existenz‹ der Juden dürfte sich in das »Reichsschulungsthema« 1943/44 des Amtes Rosenberg ›Der Jude als Parasit‹ gut eingefügt haben [89. 539]. Zur »ant. Judenfrage« hatten sich vor Oppermann – auch das kennzeichnet seinen Beitrag – der *Blut und Rasse*-Spezialist Johannes von Leers und H. Bogner, letzterer im Rahmen seiner Tätigkeit für die schon erwähnte »Forschungsabteilung Judenfrage« des Reichsinstituts für Geschichte des neuen Deutschlands, geäußert [89. 538; 68. 261 f.].

3. DIE ERFORSCHUNG DER ANTIKE IN H. HIMMLERS »AHNENERBE« UND A. ROSENBERGS »HOHER SCHULE«

Im Zweiten Weltkrieg erschlossen sich für einzelne Aktivisten neue Aufgabenfelder, die Peter Julius Junge, ein Schüler F. Miltners, in dem Beitrag *Die Aufgabe der Alt.-Wiss. im Osten* beschrieb: Ihm ging es darum, den ›weite(n) Osten‹ des idg. Wirkungsbereiches‹ für Europa zurückzugewinnen [23. 581]. So boten sich auch für Alt.-Wissenschaftler Einsatzmöglichkeiten in den besetzten Gebieten. In der Planung, Einrichtung und Förderung dieser Unternehmen verbanden sich Anregungen und Zielvorstellungen Himmlers und Rosenbergs mit alt.-wiss. Arbeiten.

In Himmlers Lehr- und Forschungsgemeinschaft »Das Ahnenerbe«, die zunächst v. a. auf die ›Erschließung des german. Erbes‹ fixiert war, wurde schon 1937 eine Lehr- und Forschungsstätte für Klassische Alt.-Wiss. eingerichtet [70], die ›It. und Griechenland nach seinen idg.-arischen Zusammenhängen (...) studieren‹ sollte, letztlich ging es um den Nachweis der ›geistigen Weltherrschaft des arischen Germanentums‹ [78. 118 f.].

Zu den häufig mehr als kuriosen programmatischen Aussagen und Arbeitsaufträgen Himmlers bildete die praktische Arbeit der neuen Lehr- und Forschungsstätte einen starken Kontrast: Der Latinist Rudolf Till (1911–1979) untersuchte in den 40er J. den für die Überlieferung von Tacitus' *Agricola* und *Germania* wichtigen *Codex Aesinas*. Von der Arbeit des Graezisten Franz Dirlmeier (1904–1977) sind kaum Spuren zu fassen. Mit den beiden Klass. Philologen hatte Himmler junge, ange-

sehene Fachvertreter gewonnen, die an den Förderungsmöglichkeiten des »Ahnenerbes« interessiert waren. Dies geschah in einer Institution, die scheinwiss. Projekte förderte und gleichzeitig angesehene Wissenschaftler anzog, deren Name aber auch mit geheimen Menschenversuchen im II. Weltkrieg verbunden ist. Obwohl die urspr. geplante Abteilung für Alte Geschichte nicht eingerichtet wurde, avancierte Franz Altheim (1898–1976) ab 1937 zum »Althistoriker des Ahnenerbes«. Für Himmler war Altheims auch von Göring geförderte Runen- und Felsbildforsch. interessant. Altheim, ein bes. fruchtbarer Außenseiter, nutzte die Verbindung zum »Ahnenerbe« exzessiv für seine mit freiwilliger mil.-polit. Berichterstattung verbundenen Reisevorhaben – und bis in die letzten Kriegstage zur Förderung seiner Publikationen [78. 123–132].

Als Gradmesser für das Engagement dieser drei Altertumswissenschaftler dürfen ihre Gutachten zu dem bereits erwähnten von Miltner auch beim »Ahnenerbe« im Frühjahr 1939 vorgelegten Plan zur Errichtung eines Rassenkundlich-Historischen Instituts in Rom gelten. Eindeutig zu Gunsten des »rassekundlich-geschichtlichen« Ansatzes fiel allein die Antwort Altheims aus. Verhaltener äußerte sich der Gräzist Dirlmeier, der immerhin lohnende Aufgaben für eine *Rassengeschichte des griech.-röm. Volkes* sah. Till schließlich fand hier für Philologen kaum Arbeitsmöglichkeiten und begründete dies mit dem ›mangelnden Interesse der Ant. an Rassefragen‹ [78. 136]. So werden starke Vorbehalte gegenüber einem Projekt deutlich, das für nationalsozialistisch orientierte Altertumswissenschaftler Priorität besitzen mußte.

Einen hohen Stellenwert besaß die Erforschung der Ant. auch in der Konzeption Rosenbergs, der mit dem seit 1937 vorangetriebenen Aufbau der »Hohen Schule« in Konkurrenz zum »Ahnenerbe« eine Art »NS-Alternativ-Univ.« schaffen wollte. In diesem Rahmen gelang es ihm, in den 40er J. den Graezisten Richard Harder (1896–1957) in der Münchner Univ. und in München als Leiter eines Instituts für Indogermanische Geistesgeschichte, einer »Außenstelle« der »Hohen Schule«, zu etablieren. Mit ihm gewann Rosenberg einen angesehenen Gelehrten, einen Schüler Jaegers und den Redaktor des *Gnomon*, der in seinem Auftrag die Grundlagen einer ›wirklich rassenkundlichen Geistesgeschichte‹ erarbeiten sollte [78. 149].

Das erste Forschungsunternehmen dieses Instituts begann 1941 mit einem Einsatz in Griechenland: In einer Abteilung des wegen seiner Kunstraubaktionen berüchtigten »Einsatzstabes Reichsleiter Rosenberg« (ERR), führte Harder einen »Sonderstab Griech. Altertumskunde«, eine kleine Arbeitsgruppe, die sich mit inschriftlichen und siedlungsgeschichtlich-top. Arbeiten beschäftigte. Parallel dazu versuchte Rosenberg – letztlich vergeblich – mit einem »Sonderstab Vorgeschichte« in den traditionellen Arbeitsbereich des Deutschen Archäologischen Instituts in Griechenland einzubrechen [78. 153–167].

Über diesen Kriegseinsatz hinaus sind nur wenige Spuren der Institutsarbeit in München festzustellen. Dazu zählen »forschungsgeschichtliche« Projekte wie eine Würdigung Franz Bopps (1791–1867), des Begründers der idg. Sprachwiss., oder Arbeiten am Nachlaß Victor Hehns (1813–1890), mit denen Harder auch im Hinblick auf antisemitische Akzente ein ›Probestück‹ polit. Wiss.‹ liefern wollte. In der »geistigen Kriegsführung« wurde die abendländische Perspektive, die »Krise Europas« in den Vordergrund gerückt [78. 173].

Im Blick auf die sehr disparaten Neuansätze altertumswiss. Arbeit unter der Ägide Himmlers und Rosenbergs ist eine Bilanz schwierig, da diese Projekte mehr oder weniger in der Aufbauphase stecken blieben. Bei ihren Mitarbeitern sind unterschiedliche Grade der Kooperations- und Kompromißbereitschaft und bes. persönliche Dispositionen erkennbar. »Forschungsallianzen« mit Himmler und Rosenberg waren allein von deren »Ant.-Konzeptionen« äußerst problematisch. Für jüngere Wissenschaftler wie Dirlmeier und Till ging es zunächst einmal um Aufstiegschancen. Altheim und Harder lockten großzügige Förderungs- und Arbeitsmöglichkeiten. Beide gerieten in gefährliche Nähe zu den Trägern der Vernichtungspolitik des NS-Staates: Die Verbindung zu Himmlers Organisation gab Altheim die Möglichkeit, zur Rettung einer Tochter Karl Kerényis (1897–1973) aus Auschwitz beizutragen [86. 499ff.]. Harder sah sich im Februar 1943 in München mit einem Gutachten über die Flugblätter der »Weißen Rose« beauftragt [77].

Angesichts der Zielprojektionen Himmlers und Rosenbergs und der Arbeitsprogramme der mit ihnen verbundenen Alt.-Wissenschaftler erscheint (im Sinne ungeschehener Geschichte) eine mögliche Nachkriegsperspektive dieser Projekte außerordentlich beunruhigend.

4. ANTIKE UND NATIONALSOZIALISMUS: DIE HAUPTTHEMEN

Abschließend ist der Blick auf die wichtigsten Themen zu lenken, die im Bezugsrahmen Nationalsozialismus und Ant. hervortraten: Erkennbar ist eine eindeutige Präferenz für die griech. Geschichte. In einem breiten Spektrum, das über die Alt.-Wiss. hinausreicht, wird Sparta schon vor dem II. Weltkrieg zu einem Modell nicht nur für nationalsozialistische Erziehungskonzepte: ›Sparta hat sich‹, so bekannte der Althistoriker Ernst Kirsten (1911–1987), ›von der Wirklichkeit gelöst, ist zur Idee geworden, Spartiatentum ward Begriff, ward Wertung, ward Vorbild‹ [72. 385f.]. Die mit der Chiffre »Sparta« verbundenen Modellvorstellungen bezogen sich auf agrar- und bevölkerungs- bzw. rassenpolit. Positionen Hitlers und Darrés, der entsprechende Arbeiten förderte. Die Publikationswelle, in deren Mittelpunkt Berves Spartamonographie steht, reicht vom Quellenheft bis zur Habilitationsschrift [82. 339f.]. Sparta darf als wichtiges Vorbild der NS-Eliteerziehung gelten: Die verschiedenen Ansätze nationalsozialistischer Spartarezeption werden in einem Arbeitsheft der »Adolf-Hitler-Schulen« mit dem Titel *Sparta. Der Lebenskampf einer*

nordischen Herrenschicht zusammengeführt [38]. An der Beschwörung des Heldentums der Thermopylenkämpfer als Vorbild für die in Stalingrad eingeschlossenen Soldaten beteiligten sich neben Hermann Göring auch Alt.-Wissenschaftler wie Berve [55. 56f.].

Im Bereich der Röm. Geschichte ist offenkundig der aus der Konzeption Rosenbergs resultierende, starke »antiröm. Affekt«, der in der Programmdebatte nach 1933 erkennbar war, in der Gesamtentwicklung eher zurückgetreten. Man folgte mehr einer traditionellen Blickrichtung, die derjenigen Hitlers entsprach.

Ferner kommt aus der Perspektive der Rassengeschichte dem Themenkomplex »Rom und Karthago«, das zeigt allein schon der einschlägige Sammelband im Rahmen des »Kriegseinsatzes der Alt.-Wiss.«, Modellcharakter zu. In Verschärfung älterer Traditionslinien wurden in diesem Bezugsrahmen vielfach antisemitische Stereotype aufgenommen. Nach mit der Kriegslage wechselnden »Identifikationen« beschwor man in der Endphase des II. Weltkriegs das »Röm. Beispiel«: Der Kampf Deutschlands bzw. »Roms« galt nach der Katastrophe von Cannae, wie es im *Völkischen Beobachter* vom 20. September 1944 hieß, dem ›semitischen Händlervolk‹ der Karthager‹ bzw. ›dem Weltjudentum‹.

Deutlich wird auch, daß einem vertrauten Ansatz folgend große ›Einzelpersönlichkeiten‹ z. T. als ›nordische Führerfiguren‹ – von Perikles über Alexander d. Gr., Caesar, bis hin zu Augustus – vereinnahmt wurden. Im Einzelfall – so bei Alexanders rassisch bedenklicher ›Verschmelzungspolitik‹ oder aus ›german. Sicht‹ bei dem ›Machtmensch‹ Caesar – dem Gegenspieler Ariovists –, waren Modifikationen erforderlich. Zu den neuen Akzenten in der Kriegszeit gehört, daß Oppermann ›Caesars europ. Sendung‹ herausgestellt hat [89. 532]. Unverkennbar ist die Fortführung der traditionellen Caesar- und Augustusidealisierung, zumal ältere Gelehrte wie Ernst Kornemann (1868–1946) die Entwicklung vom vorbildlichen »Kaiser« zum »Führer« Augustus, der dann von Weber extrem überhöht und verklärt wurde, relativ leicht vollzogen [99. 187].

Die dt. Augustusbegeisterung wurde im Zeichen der Achsenpartnerschaft durch die von Mussolini inszenierte Zweitausendjahrfeier des Augustus (1937/38) (→ Faschismus) stimuliert. Der Sammelband *Probleme der augusteischen Erneuerung* enthält im Titel den wichtigsten Ansatz: Wesentlicher Teil der augusteischen Restauration sind die Bürgerrechtspolitik und die Ehe- bzw. »Sittengesetzgebung«, die als »Bevölkerungspolitik des Augustus« immer wieder – z.B. von H.F.K. Günther oder Oppermann rassenpolitisch erklärt und diskutiert wurde [15. 112f.; 30. 133]. Die seit 1938 verstärkt gewählte Rede von der »augusteischen Erneuerung« steht für die nationalsozialistische Ausbeutung des augusteischen Prinzipats, sie korrespondiert auch mit dem in der NS-Propaganda vielfältig gebrauchten Begriff »Erneuerung«: Die »völkische Erneuerung« unter Augustus (Joh. Stroux) wurde Paradigma für diejenige Hitlers [50. 54]. Daneben traten in diesem Kontext die »Rö-

mertugenden« und die »röm. und augusteische Staatskunst« bes. hervor. Augustus firmiert als ›Erhalter der
westl., idg. Kultur gegen den gewaltsamen Aufbruch
der östl. Kräfte des entarteten Hellenismus‹ [37. 5]. Als
»Gegenentwurf« zu faschistischer und nationalsozialistischer Augustusstilisierung entstand 1939 Ronald Symes *The Roman Revolution*.

In »german.« Akzentuierung verbindet sich die Füh-
rerverehrung v. a. mit Arminius [85. 424 f.]. F. Miltner
porträtierte eher im Duktus herkömmlicher Germanenverehrung *German. Köpfe der Ant.* (1938) von Ariovist
über Armin und Marobod, Civilis, Arbogastes, Stilicho
und Alarich bis zu Geiserich [27]. Angesichts der »Ger-
manomanie« Himmlers und Rosenbergs enthielt dieses
Thema erheblichen Konfliktstoff: Der Streit um die
»Kulturhöhe der Germanen« mobilisierte Mussolini und
die Kirchen; wiss.-polit. rang man um die Gewichts-
verteilung zw. »Klass. Alt.-Wissenschaft« und »Dt. Vorgeschichte«. Die radikalste Variante des »Germanen-
themas« stellt zweifelsohne das von Himmler anvisierte,
konsequent rassisch fundierte »Großgermanische
Reich« dar [74. 220 f.]. Mit den großen Führergestalten
war im II. Weltkrieg der im dt. Geschichtsbild ebenso
festverankerte und schon in der Machtergreifungsphase
aktualisierte [3; 44] Reichsgedanke leicht zu verbinden.
Der Vorrang der Reichs-Idee – ›Das Reich und Europa‹
war das Motto für den »Kriegseinsatz« der Mediävisten
und Neuhistoriker [95. 216] – galt, wie zahlreiche Vor-
tragsthemen und -reihen zeigen [102], auch für die Althistoriker: Taeger verglich 1940 auf den Spuren Eduard
Meyers (1855–1930) *Das Röm. und das Britische Weltreich.*
Berve würdigte in dem Beitrag *Das Imperium Romanum*
(1943) Augustus als seinen eigentlichen Schöpfer. Gelzer sprach über *Röm. Führungsordnung* (1942). Kornemann verknüpfte in dem Vortrag *Das Imperium Romanum. Sein Aufstieg und Niedergang. Ein Beitrag zur ersten
Großraum-Gestaltung* (1941) zwei Leitbegriffe der Geschichtsdeutung in Kriegszeiten. Er griff damit so wie
auch Vogt, der sich seit 1929 immer wieder mit dem
Reichsgedanken auseinandergesetzt hatte, in *Raumauffassung und Raumordnung in der röm. Politik* (1942) auf
Gedanken Friedrich Ratzels (1844–1904) und Karl
Haushofers (1869–1946) zurück. An der Aktualisierung
des Führer- und Reichsgedankens in der Anfangs- und
Schlußphase des Dritten Reichs wird klar, daß damit ein
nahezu klass. Thema besetzt, z. T. mit rassistischen Ideologemen verknüpft, aber der konservativen Disposition
der Zunft entsprechend eher »idealistisch« gefaßt wurde
[59. 274].

Weber rückte das Reichsthema in der Endphase des
Krieges, als die »Krise Europas« in der Kulturpropaganda
thematisiert wurde, konsequent in einen europ. Rahmen ein: In *Wille und Macht*, dem *Führerorgan der nationalsozialistischen Jugend*, verfolgte er E. 1943 den ›Le-
bensprozeß‹ Roms [46]. Rom, vom E. her gesehen eine
Art zeitloser ›Vorposten Europas im Kampf gegen Asi-
en‹, bot ein Beispiel ›echt europ. Energie, Lebenshaltung und Schöpferkraft‹ [46. 2]. Sein Lebenszyklus wur-

de von den Gesetzen des »Blutes« – Webers Synonym
für Rasse – diktiert: ›Europ. Blut und Wesen‹ ermöglicht den Aufstieg, als das alte Rom ›ausblutete‹, das
Reich in ›wirrem Völkergemisch‹ versinkt, folgt getragen von ›jungen Völkern‹ aus ›german. Blut‹ ein ›neuer
Akt zur Vereinheitlichung Europas aus den Kräften der
Mitte‹ [46. 21 f.]. Im Bezugsrahmen der NS-Europa-
ideologie kommt dieser Beitrag Webers genuin nationalsozialistischen Rom-Vorstellungen vermutlich am
nächsten [87. 234].

Am 1. März 1945 – damit sei dieser Katalog zentraler,
nationalsozialistischer Antikethemen abgeschlossen –
erhielt Propagandaminister Goebbels von Hitler den
Auftrag, das Beispiel der Punischen Kriege in der Presse
ausführlich zu behandeln. Goebbels sah, wie er in seinem Tagebuch schrieb, im Punischen Krieg mehr noch
als im Siebenjährigen Krieg ›das große Beispiel, nach
dem wir uns heute ausrichten können und ausrichten
müssen‹. Er setzte seine Hoffnung darauf, daß der ant.
Konflikt ›genau wie die heutige Auseinandersetzung
über Europa‹ nicht in einem Krieg entschieden wurde:
›Es kam auf die Tapferkeit des röm. Volkes und seiner
Führung an, ob die darauf folgende ant. Welt von Rom
oder Karthago geführt wurde‹ [14. 394]. Auch in der
verzweifelten Beschwörung des »Röm. Beispiels« in einer existentiellen Krise kommt am E. der Herrschaft
Hitlers noch einmal der traditionalistische Grundzug
seiner Ant.-Vorstellungen zum Ausdruck.

5. AUSBLICK

Wenn man auf den Spuren von Karl Christ die »Annalen der Griech. und Röm. Geschichte in Deutschland« durchmustert [60. 427–430; 54. 341–362], ist in
der Verengung auf den Zeitraum 1933 bis 1945 zunächst
auf die Fortführung des spezialisierten Fachbetriebs in
Gestalt zahlreicher wiss. Unternehmungen zu verweisen. ›Streng wiss.‹ Monographien von hohem Rang, die
›tief in traditionellen Methoden oder nicht primär in der
nationalsozialistischen Ideologie (wurzeln)‹ [54. 258],
stehen neben Werken mit wiss. Anspruch, die doch erhebliche Affinitäten zum Komplex »Führertum, Rasse,
Reich« auch in »germanophiler« Ausprägung erkennen
lassen.

Noch stärkere Gemeinsamkeiten mit der NS-
Ideologie entdeckt man in der »Relevanz-Lit.«, den
Programmschriften und Sammelwerken aus der Phase
der Machtübernahme bis hin zum »Kriegseinsatz der
Alt.-Wiss.«, die immer wieder die »Gegenwartsbed.«
dieser Fächer erweisen sollten und schließlich in der
»Vermittlungs-Lit.« für den Schul- und Erziehungsbe-
reich. Für Werke mit genuin nationalsozialistischen
Prioritäten liegen nur Ansätze (wie die Schachermeyrs)
vor. Auch wenn die Differenz zw. dem programmatischen Veränderungswillen aus der Zeit der Machtübernahme und dem, was davon realisiert wurde, beträchtlich ist, bleibt das Ergebnis nicht zuletzt im internationalen Vergleich von der Seite der althistor. »Produktion«
her bedrückend.

Die Aufgabe, ein Gesamtbild der Entwicklung der Alt.-Wiss. in der NS-Zeit zu entwerfen, bleibt. Neben der althistor. Disziplin, deren »Zeitgeschichte« als besser erforscht gelten darf, wären die Klass. Arch. und Philol., die Vor- und Frühgeschichte und die der Alt.-Wiss. benachbarte Kirchengeschichte stärker und in einem größeren Zeitrahmen einzubeziehen. Hier sei nur auf die Entwicklungslinien von prä- bis zu postfaschistischen Konzeptionen in der Griech. Geschichte [60. 300] oder das allein von der personellen Entwicklung her imponierende Ausmaß an Kontinuität in der bundesrepublikanischen Althistorie verwiesen [49. 73].

Der lange Weg von dem 1947 (!) erschienenen ersten Nachkriegs-Beitrag zum Thema *Nationalsozialismus und Alt.-Wiss.* von dem Leipziger Schulmann Theo Herrle [66] bis zu den Studien der 90er J. in denen eine jüngere Generation radikalere Fragen mit deutlichen »Konnotationen« stellt [58. 501], zeigt, daß die Arbeit an diesem Kapitel der Geschichte der Alt.-Wiss. weiter gehen muß. Gerade in vergleichender Perspektive und mit Blick auf die kurze Regimephase sollte sich erweisen, ob diese Disziplinen deutlich kritischer bewertet werden müssen, als dies in der Vergangenheit häufig geschah [100. 252].

QU **1** Bericht über den VI. Internationalen Kongreß für Arch. Berlin 21. – 26.8.1939, 1940 **2** H. Berve, Ant. und nationalsozialistischer Staat, in: Vergangenheit und Gegenwart 24, 1934, 257–272 **3** Ders., Die Erfüllung des Reiches, in: Wille und Macht 2, 1934, H. 56, 4–9 **4** Ders., Zur Kulturgesch. des Alten Orients, in: Archiv für Kulturgesch. 25, 1935, 216–230 **5** Ders., Rez. V. Ehrenberg, Ost und West, in: Philologische Wochenschrift 12.6.1937, 650–655 **6** Ders., Sparta, 1937, ²1944 **7** Ders., Thukydides, 1938 (Auf dem Wege zum nationalpolit. Gymnasium, H. 5) **8** Ders. (Hrsg.), Das Neue Bild der Ant., 2 Bde., 1942. **9** R. W. Darré, Das Bauerntum als Lebensquell der Nordischen Rasse, 1929 **10** M. Domarus (Hrsg.), Hitler, Reden und Proklamationen 1932–1945, kommentiert von einem Zeitgenossen, 1965 **11** W. Eberhardt, Die Ant. und wir, in: Nationalsozialistische Monatshefte 6, 1935, 115–127; auch als Einzelheft: Nationalsozialistische Wiss. H. 2 (Schriftenreihe der NS-Monatshefte) 1935 **12** V. Ehrenberg, Ein totalitärer Staat (1934), in: K. Christ (Hrsg.), Sparta, 1986, 217–228 **13** Erziehung und Unterricht in der Höheren Schule, Amtliche Ausgabe des Reichs- und Preußischen Ministeriums für Wiss., Erziehung und Volksbildung, Berlin 1938 **14** E. Fröhlich (Hrsg.), Die Tagebücher von Joseph Goebbels, Teil II, Bd. 15, 1995 **15** H. F. K. Günther, Rassengesch. des hellenischen und des röm. Volkes. Mit einem Anhang: Hellenische und röm. Köpfe nordischer Rasse, 1929 **16** A. Hitler, Mein Kampf, 444.–448. Aufl., 1939 (1. Aufl., 2 Bde., 1925–27) **17** Hitlers Zweites Buch. Ein Dokument aus dem J. 1928, hrsg. von G. L. Weinberg **18** A. Hitler, Monologe im Führerhauptquartier 1941–1944. Die Aufzeichnungen Heinrich Heims, 1980 **19** Ders., Reden, Schriften, Anordnungen. III, 1, hrsg. und kommentiert von B. Dusik et al., 1994 **20** Ders., Reden, Schriften, Anordnungen, III, 2, hrsg. und kommentiert von K. A. Lankheit, 1994 **21** Human. Bildung im

nationalsozialistischen Staate, 1933 (Neue Wege zur Ant., H. 9) **22** W. Jaeger, Die Erziehung des polit. Menschen in der Ant., in: Volk im Werden 1, 1933, 3, 43–49 **23** P. J. Junge, Die Aufgabe der Alt.-Wiss. im Osten, in: Deutschlands Erneuerung 16, 1942, 579–583 **24** E. Kirsten, Die Entstehung des spartanischen Staates, in: Neue Jb. für Wiss. und Jugendbildung 12, 1936, 385–400 **25** B. Knauss, Staat und Mensch in Hellas, 1940 **26** E. Krieck, Unser Verhältnis zu Griechen und Römern, in: Volk im Werden 1, 1933, 5, 77–78 **27** F. Miltner, German. Köpfe der Ant., 1938 **28** Ders., Die dt. Aufgabe der Alt.-Wiss., in: Deutschlands Erneuerung 25, 1941, 2–11 **29** H. Oppermann, Der erzieherische Wert des lat. Unterrichts, in: Human. Bildung im nationalsozialistischen Staate, 1933 (Neue Wege zur Ant. H. 9), 50–58 **30** Ders., Die Bevölkerungspolitik des Augustus, in: Neue Jbb. für Wiss. und Jugendbildung 12, 1936, 116–133 **31** Ders., Zur Lage der griech.-röm. Alt.-Wiss., in: Deutschlands Erneuerung 26, 1942, 574–579 **32** Ders., Der Jude im griech.-röm. Alt., 1943 (Schriftenreihe zur Weltanschaulichen Schulungsarbeit der NSDAP, H. 22) **33** H. Picker, Hitlers Tischgespräche im Führerhauptquartier 1941–1942, ²1965 **34** A. Rosenberg, Der Mythus des 20. Jh., 87.–90. Aufl., 1935 **35** F. Schachermeyr, Lebensgesetzlichkeit in der Geschichte. Versuch einer Einführung in das geschichtsbiologische Denken, 1940 **36** Ders., Indogermanen und Orient, 1944 **37** P. L. Strack (Hrsg.), Probleme der augusteischen Erneuerung, 1938 **38** O. W. v. Vacano (Hrsg.), Sparta. Der Lebenskampf einer nordischen Herrenschicht, 1940 **39** J. Vogt, Bevölkerungsrückgang im röm. Reich, in: Vergangenheit und Gegenwart 25, 1935, 653–664 **40** Ders., Rassenmischung im röm. Reich, in: Vergangenheit und Gegenwart 26, 1936, 1–11 **41** Ders., Unsere Stellung zur Ant., in: 110. Jahresbericht der Schlesischen Ges. für vaterländische Cultur, Breslau 1937, 13 f. **42** F. Walsdorff, Der Unterricht in der alten Gesch. und den alten Sprachen unter dem Gesichtspunkt der Erbpflege und Rassenkunde, in: Dt. Wiss., Erziehung und Volksbildung, Berlin 1935, 27*–35* **43** W. Weber, Erwartungen und Forderungen des Professors, in: Der dt. Student 1, 1933, 2–11 **44** Ders., Vom neuen Reich der Deutschen, 1935 (Festreden der Friedrich-Wilhelms-Univ.) **45** Ders., Princeps I, 1936 **46** Ders., Aufstieg und Untergang Roms, in: Wille und Macht 11, 1943, 1–22 (mit Quellenanhang 23–41)

LIT **47** H. J. Apel, St. Bittner, Human. Schulbildung 1890–1945. Anspruch und Wirklichkeit der altertumskundlichen Unterrichtsfächer, Stud. und Dokumentationen zur dt. Bildungsgesch. 55, 1994 **48** R. Bichler, Alexander d. Gr. und das NS-Geschichtsbild, in: [94] **49** Ders., Neuorientierung in der Alten Gesch.?, in: E. Schulin (Hrsg.), Dt. Gesch.-Wiss. nach dem II. Weltkrieg (1945–1965), 1989, 63–86 **50** G. Binder, Exkurs »Augusteische Erneuerung« – Alt.-Wiss. und altsprachlicher Unterricht in Deutschland 1933–1945, in: Ders. (Hrsg.), Saeculum Augustum I, 1987, 44–58 **51** St. Bittner, Die Entwicklung des althistor. Unterrichts zur Zeit des Nationalsozialismus, in: [94] **52** R. Bollmus, Das Amt Rosenberg und seine Gegner. Stud. zum Machtkampf im nationalsozialistischen Herrschaftssystem, 1970 **53** L. Canfora, Polit. Phil., 1995 (vollständig ist die ita. Ausg. 1989) **54** K. Christ, Röm. Gesch. und dt. Gesch.-Wiss., 1982 **55** Ders. (Hrsg.), Sparta,

1986 **56** Ders., Neue Profile der Alten Gesch., 1990
57 Ders., Gesch. und Existenz, 1991 **58** Ders., Homo
Novus. Zum 100. Geburtstag von Joseph Vogt, in: Historia
44, 1995, 504–507 **59** Ders., Reichsgedanke und Imperium
Romanum in der NS-Zeit, in: Ders., Von Caesar bis
Konstantin, 1996, 255–274 **60** Ders., Hellas. Griech. Gesch.
und dt. Gesch.-Wiss., 1999 **61** A. D'ONOFRIO, Ruralismo e
storia nel Terzo Reich. Il caso »Odal«, 1997 **62** H.-J.
DREXHAGE, Deutschsprachige Diss. zur Alten Gesch.
1844–1978, 1980 **63** J. C. FEST, Hitler. Eine Biographie,
1973 **64** F. GRUNDMANN, Agrarpolitik im Dritten Reich,
1979 **65** H. HEIBER, Walter Frank und sein Reichsinst. für
die Gesch. des neuen Deutschlands, 1966 **66** TH. HERRLE,
Nationalsozialismus und Alt.-Wiss., in: Aufbau 3,2, 1947,
29–32 **67** R. HERZOG, Ant.-Usurpationen in der dt.
Belletristik seit 1866, in: A&A 23, 1977, 10–27 **68** CHR.
HOFFMANN, Juden und Judentum im Werk dt. Althistoriker
des 19. und 20. Jh., 1988 (Stud. in Judaism in Modern Times
9) **69** K. JUNKER, Das arch. Inst. des Dt. Reiches zw. Forsch.
und Politik. Die J. 1929 bis 1945, 1997 **70** M. H. KATER, Das
»Ahnenerbe« der SS 1935–1945. Ein Beitr. zur Kulturpolitik
des Dritten Reiches, Stud. zur Zeitgesch. 6, München
²1997 (1. Aufl. 1974) **71** K. KLUNCKER, Percy Gothein.
Humanist und Erzieher. Das Ärgernis im George-Kreis,
²1986 **72** A. KNEPPE, J. WIESEHÖFER, Friedrich Münzer.
Ein Althistoriker zw. Kaiserreich und Nationalsozialismus.
Mit einem Schriftenverzeichnis von H.-J. Drexhage, 1983
73 D. KÖNIGS, Joseph Vogt: Ein Althistoriker in der
Weimarer Republik und im Dritten Reich, 1995 (Basler
Beitr. zur Gesch.-Wiss. 168) **74** F.-L. KROLL, Utopie als
Ideologie. Gesch.-Denken und polit. Handeln im Dritten
Reich, 1998 **75** U. LAACK-MICHEL, Albrecht Haushofer
und der Nationalsozialismus, 1974 **76** H. LEPPIN, Ein
»Spätling der Aufklärung«: Otto Seeck und der Untergang
der ant. Welt, in: Imperium Romanum. Stud. zu Gesch.
und Rezeption. FS für Karl Christ, 1998, 472–491
77 R. LILL (Hrsg.), Hochverrat? Die Weiße Rose und ihr
Umfeld, 1993 **78** V. LOSEMANN, Nationalsozialismus und
Antike. Stud. zur Entwicklung des Faches Alte Gesch.
1933–1945, 1977 (Histor. Perspektiven 7) **79** Ders.,
Programme dt. Althistoriker in der
»Machtergreifungsphase«, in: Quaderni di storia 6, n. 11
(1980) 35–105 **80** Ders., Zur Konzeption der
NS-Dozentenlager, in: M. HEINEMANN (Hrsg.), Erziehung
und Schulung im Dritten Reich, Teil 2: Hochschule,
Erwachsenenbildung, Veröffentlichungen der Histor.
Kommission der Dt. Ges. für Erziehungswiss. 4, 2, 1980,
87–109 **81** Ders., Aspekte der nationalsozialistischen
Germanenideologie, in: Alte Gesch. und Wiss.-Gesch. FS
Karl Christ, 1988, 256–284 **82** Ders., Die *Dorier* im
Deutschland der dreißiger und vierziger J., in: W. M.
CALDER III u. a. (Hrsg.), Zw. Rationalismus und Romantik.
K. O. Müller und die ant. Kultur, 1998, 313–348 **83** Ders.,
Nationalsozialistische Weltanschauung und
Herrschaftspraxis 1933–1935, in: K. MALETTKE (Hrsg.), Der
Nationalsozialismus an der Macht, 1984, 9–52 **84** Ders.,
Reformprojekte der NS-Hochschulpolitik, in: K. STROBEL
(Hrsg.), Die dt. Univ. im 20. Jh., 1994, 97–115 **85** Ders.,
Nationalistische Interpretationen der röm.-german.
Auseinandersetzung, in: R. WIEGELS, W. WOESLER (Hrsg.),
Arminius und die Varusschlacht, 1995, 419–432 **86** Ders.,
Die »Krise der Alten Welt« und der Gegenwart. Franz
Altheim und Karl Kerényi im Dialog, in: Imperium
Romanum. Stud. zu Gesch. und Rezeption. FS für Karl
Christ, 1998, 492–518 **87** Ders., The Nazi concept of
Rome, in: C. EDWARDS (Ed.), Roman Presences.
Receptions of Rome in European Culture, 1789–1945,
1999, 221–235 **88** W. LUDWIG, Amtsenthebung und
Emigration klass. Philologen, in: Berichte zur Wiss.-Gesch.
7, 1984, 161–178 (ebenfalls in den Würzburger Jbb. N. F.
12, 1986, 217–239) **89** J. MALITZ, Römertum im »Dritten
Reich«: Hans Oppermann, in: Imperium Romanum. Stud.
zu Gesch. und Rezeption. FS für Karl Christ, 1998, 519–543
90 S. MARCHAND, Down from Olympus. Archaeology and
Philhellenism in Germany, 1750–1970, 1996
91 E. MENSCHING, Nugae zur Philol.-Gesch., 9 Bde., Berlin
1987–1996 **92** B. NÄF, Von Perikles zu Hitler? Die
athenische Demokratie und die dt. Althistorie bis 1945, 1986
(Europ. Hochschulschriften, Reihe 3, 308) **93** Ders., Der
Althistoriker Fritz Schachermeyr und seine
Geschichtsauffassung im wiss.-geschichtlichen Rückblick,
in: Storia della Storiografia 26, 1994, 83–100 **94** Ders. unter
Mitarbeit v. T. KAMMASCH (Hrsg.), Ant. und Alt.-Wiss. in
der Zeit von Faschismus und Nationalsozialismus, 2001
95 K. SCHÖNWÄLDER, Historiker und Politik. Gesch.-Wiss.
im Nationalsozialismus, 1992 **96** A. SCOBIE, Hitlers State
Architecture. The Impact of Classical Antiquity, 1990
97 K. V. SEE, Barbar, Germane, Arier, 1994 **98** Ders., Dt.
Germanen-Ideologie vom Human. bis zur Gegenwart, 1970
99 I. STAHLMANN, Imperator Caesar Augustus. Stud. zur
Gesch. des Principatsverständnisses in der dt. Alt.-Wiss. bis
1945, 1988 **100** J. THIES, Architekt der Weltherrschaft. Die
»Endziele« Hitlers, ²1976 **101** CHR. ULF, Franz Miltner, in:
100 J. Alte Gesch. in Innsbruck, 1985 (Forsch. zur
Innsbrucker Univ.-Gesch. 13), 47–59 **102** J. v.
UNGERN-STERNBERG, Imperium Romanum vs. Europa.
Gedanken zu einigen Vorträgen dt. Althistoriker in den J.
1939–1942, in: [94] **103** M. UNVERZAGT, Wilhelm
Unverzagt und die Pläne zur Gründung eines Inst. für die
Vorgesch. Ostdeutschlands, Mainz 1985 (Das DAI, Gesch.
und Dokumente 8) **104** C. WEGELER, ›. . . wir sagen ab der
internationalen Gelehrtenrepublik‹. Alt.-Wiss. und
Nationalsozialismus. Das Göttinger Inst. für Alt.-Kunde
1921–1962, 1996 **105** M. WILLING, Die DDR-Althistorie im
histor. Kontext, in: Quaderni di storia 26, n. 52, 2000,
245–275 **106** H. H. WIMMER, Die Strukturforschung in der
Klass. Arch., 1996 (Europ. Hochschulschriften, Reihe 38,
60) **107** I. WIWJORRA, Die dt. Vorgeschichtsforsch. und
ihr Verhältnis zu Nationalismus und Rassismus, in:
U. PUSCHNER u. a. (Hrsg.), Hdb. zur ›Völkischen
Bewegung‹ 1871–1918, 1996, 186–207 **108** U. WOLF,
Litteris et patriae: das Janusgesicht der Historie, 1996
(Frankfurter Histor. Abh. 37). VOLKER LOSEMANN

II. KUNST UND ARCHITEKTUR
A. DIE ANTIKE UND DIE NATIONALSOZIALISTISCHE
IDEOLOGIE B. DIE ARCHÄOLOGIE IM POLITISCHEN
DIENST C. POPULÄRE MEDIEN D. KUNST
E. ANTIKES UND MODERNES

A. DIE ANTIKE UND DIE
NATIONALSOZIALISTISCHE IDEOLOGIE

Das Bild von der Ant., das die nationalsozialistischen
Machthaber hatten und an die Öffentlichkeit brachten,
war weniger von gründlichen Kenntnissen als von Interessen bestimmt. Zur polit.-ideologischen Verwer-

tung eigneten sich ant. Kunstmotive auf Grund ursprünglicher, traditionell zugeschriebener oder neu herstellbarer Bedeutungen. Sie sollten jetzt das NS-Regime aufwerten und seine Macht veranschaulichen. Das führte zu keinem einheitlichen offiziellen Gesamtbild der Ant., sondern zu einem Konglomerat aus einzelnen, zweckvollen Bezugnahmen, bei denen jeweils auf den Respekt vor dem ant. Erbe gerechnet wurde. Eine andere Wahl bestand für die Nationalsozialisten insofern nicht, als aus dem germanischen Kulturkreis keine annähernd so bildhaften und jahrhundertelang gerühmten Altertümer überliefert waren [48. Anm. 90–101].

Die Anknüpfung an die Ant. konnte – anders als in It. – nicht aus einer territorialen Kontinuität begründet werden. Die »Römerzeit« bot nationalistischem Denken nur das Bild einer Fremdherrschaft. Daß sie aus teils human., teils heimatkundlichem Interesse erinnert worden war, genügte als Grundlage eines spezifisch nationalsozialistischen Antikenbildes nicht.

Stattdessen wurden ethische und namentlich rassische Verbindungslinien gezogen: Griechen und Römer hätten wie die Germanen heroisch gedacht und gehandelt; sie seien ›den Germanen so nahe, weil alle ihre Wurzeln in einer Grundrasse zu suchen haben‹ [26. 66]. Zur Bezeichnung dieser »Blutsverbundenheit« dienten unpräzis verwendete und verknüpfte Bezeichnungen: »nordisch«, »arisch«, »idg.«, »german.« und – zur Anknüpfung an griech. Kultur – »dorisch« [51. 57; 56]. Als Ursprungsgebiet einer nach Süden vorgedrungenen »Herrenrasse« wurde entgegen der alten »Kaukasustheorie« und Josef Strzygowskis Hinweisen auf den Iran sogar von diesem selbst das nördl. Europa angenommen [22. 102], also auch eine geographische Nähe zum Boden des Deutschen Reiches proklamiert.

Noch angestrengter waren die Versuche, die Abwertung nicht arischer Rassen durch Erinnerungen an die Ant. zu beglaubigen. Längst waren die griech. und die röm. Kultur der Erscheinung und dem Verhalten der Juden gegenübergestellt worden, so durch Richard Wagner (1850) zur darstellenden, durch Houston Stewart Chamberlain (1899) auch zur bildenden Kunst [25. 4–5,47–48; 5. 45]. Alfred Rosenberg (1930) steigerte die Aggressivität solcher Polarisierungen. Gestützt auf einen Gegensatz innerhalb der ant. Myth. und Kunst selbst kontrastierte er den stets schönen Heros von »bestimmter rassischer Art« gegen den Satyr als »Symbol des Fremden« [18. 45–46, 280, 287]. Ebenso diffuse Sammelbegriffe, namentlich »vorderasiatisch«, dienten dazu, die rassistische Abwertung auf Juden zu konzentrieren [10. 32–36, 110, 112]. Ein anschaulich-direkter Rückbezug zu ant. Antijudaismus (→ Judentum) wurde gesucht, indem Eugen Fischer und Gerhard Kittel 1943 karikierende Kleinplastik in ihre Darstellung »ant. Weltjudentums« einbezogen [6]. Die »rassenkundlich« konstruierte Anknüpfung an die Ant. diente dazu, rassistischer Praxis den Anschein geschichtlicher Konsequenz zu verleihen. Judenfeindliche Äußerungen von Griechen und Römern wurden auf fundamental veränderte Verhältnisse übertragen.

Präferenzen für Griechen oder Römer ergaben sich weniger aus bedachter Überzeugung als aus den jeweiligen Situationen, in denen Antikes begegnete oder zu verwenden war. Zur publizistischen Vorbereitung und Verwertung der 11. Olympischen Spiele 1936 wurden griech. Trad. betont, auch in einer Rede, mit der Hitler das Heraufkommen eines sportlich gestählten neuen Geschlechts beschwor [30. 113]. Der Bündnispolitik gegenüber It. diente 1938 ein Staatsbesuch, bei dem Hitler interessiert oder demonstrativ ant. Bauten Roms besichtigte [55. 23–32]. Wo mil. Vorbilder angerufen werden sollten, wurde bald Rom, bald Sparta genannt [55. 2, 4, 131; 45. 455]. Sparta galt auch als vorbildlicher »Rassenstaat« [55. 14], Rom wurde für die Zerstörung des »semitischen« Karthago gerühmt [44. 143]. »Röm. Vorbildern« soll die Bautechnik der Staats- und Parteiarchitektur gefolgt sein, aber die hieran geknüpfte »Ruinenwerttheorie« ist eine nachträgliche Erfindung Albert Speers [46. 21, 24].

B. DIE ARCHÄOLOGIE IM POLITISCHEN DIENST

Beiträge zu der traditionsreichen Frage »Hellas oder Rom?« leistete unter anderem Gerhart Rodenwaldt, der Exponate für die Augustus-Ausstellung in Rom 1938 zusammenstellte und die NS-Architektur der röm. verwandt glaubte, grundsätzlich aber auf der größeren Nähe der Deutschen zur griech. Ant. bestand [55. 32–34; 29. 698]. Er sah hierin eine polit. motivierte Divergenz zw. dem nationalsozialistischen und dem faschistischen Antikenbild (→ Faschismus) [17]. »Das neue Bild der Ant.«, um das sich 1942 eine repräsentative Autorenschaft bemühte, sollte Römer und Hellenen gleichermaßen »in aufregende Nähe rücken«, aber auf »unbestechlichem Erkennen« beruhen [1. 6, 7]. Ein Teil der dt. Archäologen widmete sich jedoch der doppelten Aufgabe, an die griech. Kunst Härte, Kämpfertum und Rasseschönheit hervorzuheben, sodann das Bild der ant. mit dem einer entstehenden nationalsozialistischen Kunst verschwimmen zu lassen. Form- und strukturanalytische Vergleichskriterien galten dabei als entbehrlich, auf »Tiefe« [30. 116, 119–120] der Verwandtschaft sollte es ankommen. Als Zwischenstation einer vorgeblichen Kontinuität nordischen »Wesens« wurde v. a. der ma. Bamberger Reiter gefeiert, und selbst Albrecht Dürers Selbstbildnis von 1500 erlangte das Prädikat »griech.« [35. 31–33; 30. 49]. Solche Idolpflege setzte sich in den Schulen [40; 43] fort.

Praktische Beitr. der dt. Arch. zu einem nationalsozialistischen Antikenkult häuften sich 1936. Anläßlich der 11. Olympischen Spiele wurde verkündet, daß die dt. Grabung in Olympia wieder aufgenommen werde. Das Nationale Olympische Komitee stellte in Berlin »Sport der Hellenen« aus, der Kunstverein Frankfurt am Main »Olympia und der deutsche Geist«. Zur bildhauerischen Ausstattung des »Reichssportfeldes« gehörten Antikenkopien [38. 105]. In der Münchner Glyptothek benutzte Hitler 1938 den Ankauf des Diskobol Lancelotti zu einer Huldigung an die ant. Kunst [30. 104–105].

C. Populäre Medien

Solche Gesten wurden mittels der Fotografie bekannt gemacht. Die Produktion von Kunstpostkarten
blühte. Vor allem Walter Hege (1893–1955) prägte ein
markantes Bild griech. Kunst [41. 67–70]. In der Ein-
gangssequenz von Leni Riefenstahls Olympia-Film
(1938), an dem Hege als Kameramann mitwirkte, wurden Aufnahmen griech. Architektur und Skulptur von
solchen lebender Athleten überblendet [38. 135–144;
37. 233–234]. Auch traditionelle Arten der Antikenver-
arbeitung waren meist auf mediale Vermittlung angelegt. Hermann Kaspars Intarsien, die Hitlers Schreib-
tisch in der Neuen Reichskanzlei mit einem Mars-,
einem Medusen- und einem Minervahaupt zierten, erschienen alsbald in den Bildberichten von diesem farb-
fotogerecht konzipierten, 1936 bis 1939 errichteten Bau
Albert Speers [50. 237–238; 54. 42–69, 106–107].

In monumentalem Format – wenn auch ephemerem
Material – trat ein ant. Motiv bereits 1933 bei dem Festzug »Glanzzeiten dt. Kultur« (anläßlich der Grundsteinlegung zum »Haus der Dt. Kunst« von Paul Ludwig
Troost) in München auf: Eine etwa zweieinhalb Meter
hohe Nachbildung der Athena Parthenos auf dem »Wagen der Pallas Athene« feierte die Kunst [34. 255]. Bei
dem Festzug »Zweitausend Jahre Dt. Kultur« zur Einweihung desselben Ausstellungsgebäudes (1937) »ver-
körpert(e) der edle Riesenkopf einer Pallas Athene die
Zeit der dt. Klassik« [9. 43]. Im Schlußteil »Die neue
Zeit« dieses Festzuges fuhr ein Wagen, auf dem einem
Adler als Zeichen der Partei »die einander ähnlich gestalteten Gruppen ›Glaube‹ und ›Treue‹« [34. 282] folgten: kolossale, fackeltragende Jünglingspaare nach dem
Muster der »Tyrannentöter« [33. 64]. Dem ant. Motiv
war seine urspr. Bed. nicht nur genommen, sondern es
hatte in formalistischer Verkehrung eine Tyrannei zu
beglaubigen, die sich im gedruckten Festzugsprogramm
bereits als totalitär zu erkennen gab: »Ausgebürgert aus
allen Rechten wurden die artfremden Nutzer und die
sturen Verneiner des Neuen« [34. 282].

D. Kunst

1. Verbale und motivische Anknüpfungen

Antike Motive lösten sich auch dann von der trad.
Bed., wenn Worte wie »Tempel« das eher einer Stoa
ähnliche, giebellose »Haus der Deutschen Kunst« zur
Einweihung würdigen sollten (Abb. 1) . Wo Gemälde
[36] Namen wie *Das Urteil des Paris* tragen, fehlt eine
formale Bezugnahme auf ant.Malerei; Körper- und Ge-
sichtsbildungen orientieren sich in wenigen Fällen an
ant. Plastik. Nirgends findet sich der Nachklang eines
griech. Vasenbildes. Das Mäandermuster auf einem von
Gerdy Troost entworfenen Eßbesteck Hitlers sollte einem Detail des → Parthenonfrieses folgen [16. 334].
Die »grelle« Bemalung frühgriech. Tempel diente 1933
wenig einleuchtend zum Vergleich, als die rote Farben-
flut des Straßenschmucks zum Münchner »Tag der Dt.
Kunst« gerechtfertigt werden sollte [20. 575].

Zeitgenössische Benennungen oder nachträglicher
Vergleich lassen eine Reihe von Motivzitaten erkennen,

Abb. 1: Paul Ludwig Troost, »Haus der Deutschen Kunst«
in München, 1933–1937. Postkarte

mit denen sich die NS-Künstler teils auf ant. Werkty-
pen, teils darüber hinaus auf bestimmte einzelne Vorbilder bezogen.

Beides gilt für die drei architektonisch-skulpturalen
Ensembles, die als Entwicklungsschritte zu einer imperialen Formung großer Räume verstanden werden können: das »Reichssportfeld« in Berlin, das »Reichsparteitagsgelände« in Nürnberg und die geplante Anlage der
Nord-Süd-Achse für Berlin/»Germania«. Werner
March hat sein im Herbst 1933 entworfenes »Reichssportfeld« (Abb. 2) analog den Bauten des ant. Olympia

Abb. 2: Werner March u.a., »Reichssportfeld« in Berlin,
1933–1936, Luftaufnahme 1936. Landesbildstelle Berlin

erläutert und einen Antikenbezug auch durch Einzelformen sichtbar gemacht: mit dem elliptischen Stadion,
das in Material und Details (möglicherweise unter Beteiligung Speers) einen Grad antikenäher auftritt als seine zahlreichen neuzeitlichen Vorläufer, aber auch mit
den an röm. Kastelle erinnernden überdachten Türmen
des Schwimmstadions, die ein Leitmotiv späterer Kon-
zentrationslager-Architektur anregten [47. 105–108].
Westlich wurde der Anlage eine Freilichtbühne vom
Grundtyp eines griech. Theaters angegliedert. Adolf
Wampers Reliefstelen an deren Eingang knüpfen teilweise physiognomisch an griech. an (Abb. 3). Freiste-

Abb. 3: Adolf Wamper, Relief am Eingang zur ehemaligen »Dietrich-Eckart-Bühne« (Ausschnitt). Muschelkalk, 1936. Aufnahme des Verfassers

hende Skulpturen [31], unter denen Josef Wackerles *Rosseführer* und Willy Mellers *Deutsche Nike* über die Bezeichnungen hinaus an Antikes erinnern, halten Abstand zu den einzelnen Bauten des Sportgeländes, richten sich aber nach dessen weitgehend symmetrischer Anlage, ohne daß deswegen eine Anlehnung an hell. Foren festgestellt werden könnte. Die Axialität wurde in Speers Plänen für Nürnberg (Abb. 4) [59] zunächst nicht verstärkt, aber mit der »Großen Straße« zur Geltung gebracht, die vermutlich nicht erst nachträglich an den damals viel gelobten röm. Militär- und Straßenbau erinnert hat [32. 113]. Einen verständlicheren Antikenbezug demonstrierte Ludwig Ruffs schon 1933 konzipierte Kongreßhalle [19. 3; 21. 82], deren Bauruine bis heute oft »Kolosseum« genannt wird. Ein »Deutsches Stadion« sollte die Hufeisenform des 1896 erneuerten Athener Stadions aufgreifen [21. 76, 81]. Das »Märzfeld«, bei dessen Namen sein Entwerfer an den röm. Kriegsgott und an die Einführung der Wehrpflicht dachte [21. 80], erinnerte deutlicher als das Berliner »Maifeld« an röm. Militärlager, die kennzeichnenden runden Ecken wiederholten sich in der Umwallung weiterer Lagerbezirke. Der Mittelrisalit der Märzfeld-Tribüne sollte mit einer Figurengruppe Josef Thoraks

bekrönt werden, bei der die zeitgenössischen Bezeichnungen »Nike« und »Dioskuren« deutlicher auf Antikes verweisen als die Positionierung und die Form (Abb. 5) [48. Anm. 22]. Bei der Berliner Nord-Süd-Achse [53. 23–33] hätte das etwa sieben Kilometer lange, 120 Meter breite Mittelstück allenfalls an neuzeitliche Anlagen wie die von Hitler genannten Pariser Champs-Élysées erinnert. Das Gesamtbild Antikem anzunähern, war eine Aufgabe der großenteils baureif geplanten einzelnen Gebäude, namentlich des von Hitler um 1926 skizzierten, von Speer bis 1939 überarbeiteten Triumphbogens, der allerdings kein bestimmtes ant. Vorbild hat, und der »Großen Halle des Deutschen Volkes«. Sie sollte (wie später das von Hermann Giesler entworfene Mausoleum für Hitler [55. 116–117]) an das röm. Pantheon erinnern, aber mit einer Höhe von etwa 290 Metern etwas erst in der »neuen Zeit« Mögliches vor Augen stellen. Skulptur wäre an der Nord-Süd-Achse teilweise enger als vorher, aber wieder ohne Bezugnahme auf bestimmbare ant. Ensembles mit der Außenarchitektur verbunden worden; Brekers Modelle für kolossale Reliefs am Triumphbogen und an Wilhelm Kreis' »Soldatenhalle« basieren auf ant. Darstellungen von Reiterzügen und Kämpfergruppen. Wo bestimmte Vorbilder nachzuweisen sind, zeigt sich auch bei Thorak ein manchmal sinnverkehrender Gebrauch [30. 126–131]. In den meisten Fällen blieb es aber bei diffusen Ähnlichkeiten mit ant. Nacktheit, Muskel- und Gewandmodellierung.

Vergleichbar ist die Lage in der gesamten repräsentativen Regimearchitektur [24]. Ein Gegenbeispiel zur Anknüpfung an bestimmte ant. Gebäude war schon mit den beiden quadratischen Münchner Sepulkralbauten für sechzehn »Blutzeugen der Bewegung« entstanden: Der Bezeichnung als »Ehrentempel« entsprachen sie mit den kannelierten Pfeilern und dem Gebälk ohne Dach nur im allgemeinsten. Nachdem Ludwig I. und sein Baumeister Leo von Klenze den Namen »Propyläen« auf ein einzelnes Bauwerk des Königsplatzes (1848–1862) übertragen hatten, nannte Alexander Heilmeyer 1935 die ganze Anlage eine ›Acropolis Germaniae‹ [49. 25]. Der Einscheinungsweise des ebenen, mit Gra-

Abb. 4: Albert Speer u.a., »Reichsparteitagsgelände« in Nürnberg, begonnen 1933, Modell um 1936. Bildstelle des Hochbauamtes der Stadt Nürnberg

Abb. 5: Josef Thorak, »Sieg«-Gruppe zur Bekrönung der dortigen »Märzfeldtribüne«, Modell um 1941.
Die Kunst im Deutschen Reich 5, 1941, Ausgabe B, S. 100

nitplatten belegten Platzes kam die Benennung als ›Par-
teiforum‹ [57. 33] etwas näher. Ebenso verschwimmend
röm. konnotiert war die ebenfalls offizielle Bezeichnung der seit 1936 in Angriff genommenen »Gauforen«.
Das 1939 für Salzburg vorgesehene sollte eine Höhen-
lage wie die Akropolis von Athen erhalten [57. 868,
1126].

Speer wollte sich mit seiner Nürnberger Zeppelin-
feld-Tribüne (Abb. 6) auf den → Pergamonaltar beziehen, aber ob dies in Form umgesetzt wurde, bleibt zweifelhaft: Der Aufriß einschließlich der Pfeilerkolonnade
steht v. a. neuzeitlicher Tribünen- und Stadionarchitek-
tur nahe; die seitlich den Zuschauerbereich eingrenzen-
den Pylonen haben am Pergamonaltar keine Vorstufe,
und ohne auch nur annähernd vergleichbare Plastik
konnte die Gedankenverbindung zum Pergamonaltar
allenfalls verbal herbeizitiert werden. Widerlegt ist andererseits ein 1968 unternommener Versuch, das Gebäude von ägypt. und mesopotamischer Architektur
abzuleiten und die klass. Ant. generell von jeder Vorbildlichkeit für nationalsozialistische Architektur loszu-
sprechen [55. 59–60].

2. FORM- UND AUSDRUCKSSKALA

Seit solcher frühen Thesenbildung hat die Forsch.
ein Gesamtbild der NS-Architektur erarbeitet, in dem
deren »Neoklassizismus« nur eine Stimme unter mehreren ist. Der Geltungsbereich ant. Leitbilder war schon
dadurch begrenzt, daß urspr. ant. Motive zwar mit repräsentativen Aufgaben verbunden wurden, im Wohnungsbau dagegen nur reduziert auftraten, in weiten
Bereichen des Zweckbaus fast ganz außer Betracht blieben [47. 104]. Selbst in die monumentale Staats- und
Parteiarchitektur wurden Säulen- und Pfeilerordnun-
gen nicht etwa auf Grund eines näheren Studiums originaler Architektur aufgenommen; Grundlage war vielmehr der Formenbestand von Klassizismen um 1800

Abb. 6: Albert Speer, »Zeppelinfeldtribüne« in Nürnberg,
1935–1937. Die Kunst im Deutschen Reich 1, 1937, S. 80

und nach 1900 [42; 27. 41–42, 58–60]. Obgleich Speer
mit Breker und Thorak eine Studienreise nach Süd-It.
unternommen und selbst auch Griechenland besucht
hatte, blieben seine Vorstellungen von einer »dorischen
Welt« überraschend unpräzise [30. 105–108]. Sie reichten dazu aus, eine Außenarchitektur zu konzipieren, die
zwar einen Traditionsbezug suggerierte, aber weder in
der Anlage noch im Detail mit ant. verwechselt werden
könnte. Schon an den stilbildenden Münchner Gebäuden Troosts sind prinzipielle Abweichungen von ant.
Architektur zu beobachten und aus den ideologischen
Funktionen zu erklären. Das gilt am deutlichsten für die
Härte der Einzelformen und die Monotonie der Säu-
lenreihen; Militär-Assoziationen sind bezeugt [47. 104–
107].

Die weitere Entwicklung der Monumentalarchitek-
tur führte von der »dorischen Knappheit und Strenge«
[7. 282] der Münchner Bauten und des Reichskanzlei-
Außenbaus weg, folgte bei den Plänen für Ber-

lin/»Germania« vollends einer Tendenz, die Speer selbst nachträglich als »Neoempire« zu kennzeichnen versuchte [42. 150].

Auch die Bildhauer [23] griffen nur einen engen Sektor der Ausdrucksmittel auf, die aus der Ant. direkt bekannt oder durch neuzeitliche Kunst trad. waren. Weder die abgründigen noch die lustvollen Züge des Dionysos-Mythos wurden rezipiert, diesen Gott selbst interpretierte Breker 1937/38 mit der Statue für ein Militärgelände als einen angespannten Kämpfer [48. Anm. 26, 36]. Die Kritik an solchen Ausdrucksmomenten und ihrer Systemdienlichkeit ist wichtiger als der noch übliche Versuch, Defizite gegenüber ant. Vorbildern zu glossieren. Insofern besteht eine Entsprechung zw. dem vielbemängelten »Haus der Deutschen Kunst« und Brekers Reliefentwurf *Auszug zum Kampf* für die Soldatenhalle in Berlin (1939–1940) [4. 100; 58. 52]. Solange angenommen wird, Breker habe v. a. ant. Tempelfries- oder Sarkophag-Reliefs weiterentwickeln wollen, kann das Urteil entstehen, »eine schlüssige Komposition« sei verfehlt worden [30. 129–130]. Die Wiederholung der beiden gespreizten Schreitmotive wie auch das Links-Rechts-Links-Rechts-Links der Kopfwendungen lassen sich aber als antikisierende Metaphern des Gleichschritts, als Zeichen für eine militärförmige Monotonie verstehen; mit ihr demonstrierte das Regime vielfach eine Machtbasis, die auch in wirk-

Abb. 7: Arno Breker, »Die Wehrmacht« im Hof der Neuen Reichskanzlei Berlin. Bronze, 1938–1939. Die Kunst im Dritten Reich 4, 1940, S. 113

lichen Paraden mit pathetischen Gesten und flatternden Fahnen dekoriert wurde. Brekers Statue *Wehrmacht* (1938–1939 als Gegenstück zur *Partei*) für den Hof der Neuen Reichskanzlei (Abb. 7) ist dem polykletischen Doryphoros schon im Standmotiv unähnlich, wurde aber mit ihm verglichen [30. 113] und erinnerte dann mittelbar an die Vorgeschichte des nationalsozialistischen Kriegstotenkults, denn eine Nachbildung des Doryphoros war Hauptmotiv des 1922 eingeweihten Denkmals für die im I. Weltkrieg gefallenen Studenten der Münchner Univ.; vielfach waren nackte Schwertträger Kriegerdenkmal-Motiv [39. 96–97]. Auch unbewaffnete Figuren hatten nicht ant. Kunst um ihrer selbst willen fortzusetzen, sondern eine »autokratisch-distanzierte Hoheitsszenerie, (...) Dignität und Immunität« zu verbildlichen [58. 63]. Griech. Gesichtsschnitt mußte fast überall einer »Langköpfigkeit« weichen, die als germanisch galt. Nur implizit oder verschlüsselt – mehrmals durch Niederkämpfen von Schlangen – wiesen solche Bilder des ›Rassenadels‹ [13. 329] auf angebliche Untermenschen und »Rassenfeinde« hin. Deren Zerrbild zu verbreiten, war v. a. Aufgabe der Zeitungskarikatur.

Wie an der Architektur fällt auf, daß das skulptural errichtete Antikenbild nur diejenigen Stilphasen der ant. Kunst erfaßt, welche einem klassizistischen Geschmack zugänglich waren (obgleich dieser Begriff verbal vielfach zugunsten von »klass.« abgelehnt wurde [52. 568; 30. 133]. Vor allem Breker seit 1935, aber frühzeitig auch die Kunstpublizistik [48. Anm. 24] favorisierte eine Vorbildlichkeit frühklass. Kunst. Schwache Anklänge an Archaik zeigen sich in einer frontalen Stellung ohne Kontrapost z. B. bei Eugen Henkes *Schwimmerin* von 1937 [15. 20]. Seit 1941 verarbeitete Breker hell. Kunst, aber diese Erweiterung des Horizonts überschritt nicht den Rahmen der Antikenkenntnis, die schon um die Jh.-Wende mit Erwerb und Aufstellung des → Pergamonaltars in Berlin verbreitet worden war.

E. ANTIKES UND MODERNES

Künstlerisches Antikisieren diente nicht nur dazu, ein bildungsbürgerliches Publikum für das Regime einzunehmen. Auch Divergenzen innerhalb der Staats- und Parteiführung konnten durch ein allseits anerkanntes Antikenbild überbrückt werden. Goebbels, der zeitweise Vorschläge zu einer mod. orientierten Regimekunst geduldet hatte, verhielt sich zum Antikenkult bejahend, wenn auch nicht initiativ [43. 191]. Die deutschtümelnden »völkischen« Gruppierungen, deren anti-mod. Tendenz einer technokratischen Entwicklung hinderlich war, konnten sich nicht von einem akklamierenden Antikenverständnis ausschließen, zumal eine Suche nach noch brauchbaren german. Machtsymbolen vergeblich blieb [48. Anm. 90–101]; auch Rosenberg, ein Wortführer der »Völkischen«, hatte die Griechen als Vorbilder gefeiert [18. 34–54]. Die der griech. Kultur zugeschriebene Überzeitlichkeit sollte sich der Gegenwart mitteilen (vgl. [30. 110]). Wenn Derivate kämpferischer ant. Skulptur für diese »neue Zeit« (1937, s.o.) standen, dann bekräftigten sie auch anschaulich die im Sinne der Machtpolitik nötige Modernisierung des Staates, ausdrücklich ja die »seiner neugerüsteten Waffen« [34. 282].

Eine Synergie von künstlerischem Antikenkult und technischer Modernisierung fand direkten Ausdruck, indem an den Neubauten des »Hauses der Deutschen Kunst« und des Berliner Olympiastadions die Modernität nicht nur der Installationen, sondern zum Beispiel der stählernen Tragwerke betont wurde [11. 29]. Hoffnung, daß mittels einer Amalgamierung mit Griechischem doch noch Germanisches erstehen könne, verrät sich in Schlagworten wie »ewig-sachliche« Form [18. 382], »hell. Geist und german. Technik« [12. 318].

Statt einer »german. Tektonik« [14. 54] wurde allenfalls der Anschein einer röm. erreicht, wenn die Betonbögen ausgewählter Autobahnbrücken eine möglichst täuschende Werksteinverkleidung erhielten: »Streng und edel wie bei den Römern, aber größer im Schrittmaß. Alles harter Stein. Haltbar für Jt., wenn nicht menschlicher Zerstörungswahn Hand anlegt« (zu Friedrich Tamms' Saalebrücke von 1936–1938 bei Jena) [2. 74].

Der Fotograf Hugo Schmölz [50] versuchte ein auf mod. Technik basierendes Zweckbauwerk an die Ant. erinnern zu lassen (Abb. 8). Das Widerlager einer Autobahnbrücke über den Rhein-Herne-Kanal sollte die nobilitierende »Klassizität« einer Stahlbrücke [8. 206] bestätigen. Um Ähnlichkeit mit einem Tempel vorzutäuschen, suggerierte der Fotograf eine Flachgiebel-

Abb. 8: Autobahnbrücke bei Duisburg, 1939 publizierte Fotografie von Hugo Schmölz. Die Kunst im Dritten Reich 3, 1939, Ausgabe B, S. 349

und Triglyphenform, rief damit aber neue Widersprüche herauf, denn diese Architekturmotive dienten nicht einmal mehr an den neoklassizistischen Repräsentationsbauten des Nationalsozialismus als Ausdrucksmittel. Noch weniger eignen sich Giebel und Triglyphe dazu, etwas über die Konstruktion einer mod. Brücke zu sagen. Bertolt Brechts ungefähr gleichzeitige Notiz vom dt. Faschismus als dem »großen Formalisten« [3. 318] trifft auch zu, wo mod. Medien wie die Fotografie ein nationalsozialistisches Antikenbild realisieren sollten.
→ AWI Athena; Augustus; Dionysos; Dioskuroi; Polykleitos; Mars; Medusa; Minerva; Nike; Paris; Siegerstatuen; Stadion III; Triumphbogen

QU 1 H. BERVE, Das neue Bild der Ant., 1942 2 P. BONATZ, F. LEONHARDT, Brücken, 1951 3 B. BRECHT, Über den Realismus (1937–1941), in: Gesammelte Werke in acht Bd., Bd. 8, 1967, 285–382 4 A. BREKER, Im Strahlungsfeld der Ereignisse, 1972 5 H. S. CHAMBERLAIN, Grundlagen des Neunzehnten Jh., München 1899 6 E. FISCHER, G. KITTEL, Das ant. Weltjudentum, 1943 7 H. GIESLER, Symbol des Großdt. Reiches, in: Die Kunst im Dt. Reich 3, 1939, 282–289 8 Ders., Ein anderer Hitler, ³1978 9 P. GNUVA, Zweitausend J. dt. Kultur, in: Die Kunst im Dritten Reich 1, 1937, Heft 8, 42–43 10 H. F. K. GÜNTHER, Rassengesch. des hell. und des röm. Volkes, 1929 11 W. HESS, Technik im Dienste der Kunst, in: Die Kunst im Dritten Reich 1, 1937, Heft 8, 29–32 12 A. HITLER, Mein Kampf (1926), ³⁴1933 13 W. JAEGER, Paideia. Die Formung des griech. Menschen, 1944 14 H. KIENER, German. Tektonik, in: Die Kunst im Dritten Reich 1, 1937, 1. Halbband, 48–64 15 B. KROLL, Große Dt. Kunstausstellung. Plastik, in: Die Kunst im Dritten Reich 1, 1937, Heft 9, 6–30 16 H. PICKER, Hitlers Tischgespräche im Führerhauptquartier (1951), 1989 17 G. R(ODENWALDT), Arch. und Politik, in: Kunst der Nation 2, 1934, Nr. 15, 3 18 A. ROSENBERG, Der Mythus des 20. Jh. (1930), 157.–162. Aufl. 1939 19 E. RÜSTER, Die Monumentalbauten des Dt. Reiches, in: Dt. Wiss. Arbeit und Aufgabe, 1939, 3–4 20 M. SCHOEN, Festausschmückung am Tage der Dt. Kunst in München, in: Zentralblatt der Bauverwaltung 53, 1933, 574–575 21 A. SPEER, Erinnerungen, 1969 22 J. STRZYGOWSKI, Das idg. Ahnenerbe des dt. Volkes und die Kunstgesch. der Zukunft, 1941 23 K. L. TANK, Die Plastik unserer Zeit, 1942 24 G. TROOST, Das Bauen im Neuen Reich, 1938 25 R. WAGNER, Das Judentum in der Musik (1850), 1914 26 J. WULF, Die bildenden Künste im Dritten Reich (1966), 1983

LIT 27 K. ARNDT, Filmdokumente des Nationalsozialismus als Quellen für architekturgeschichtliche Forsch., in: Zeitgesch. im Film- und Tondokument, 1970, 39–68 28 K. BACKES, Hitler und die bildenden Künste, 1988 29 A. H. BORBEIN, Gerhardt Rodenwaldt, in: AA 1987, 697–700 30 G. BRANDS, Zw. Island und Athen. Griech. Kunst im Spiegel des Nationalsozialismus, in: B. BROCK, A. PREISS (Hrsg.), Kunst auf Befehl?, 1990, 103–136 31 M. BUSHART, Die Bildwerke auf dem Reichssportfeld in Berlin, in: A. TIETENBERG (Hrsg.), Das Kunstwerk als Geschichtsdokument, 1999, 129–143 32 Y. DOOSRY, »Wohlauf, laßt uns eine Stadt und einen Turm bauen…«. Formale und inhaltliche Aspekte der Antikenrezeption in der Architektur des Nationalsozialismus, in: Hephaistos 1, 1979, 109–122 33 B. FEHR, Die Tyrannentöter 1984

34 W. HARTMANN, Der histor. Festzug, 1976 35 B. HINZ,
Der Bamberger Reiter, in: M. WARNKE (Hrsg.), Das
Kunstwerk zw. Wiss. und Weltanschauung, 1970, 26–44
36 Ders., Die Malerei im dt. Faschismus, 1974 37 Ders.,
Aphrodite, 1998 38 H. HOFFMANN, Mythos Olympia, 1993
39 K. HOFFMANN-CURTIUS, Der Doryphoros als
Kommilitone. Antikenrezeption in München nach der
Räterepublik, in: Human. Bildung, Heft 8, 1984, 73–138
40 J. IRMSCHER, Altsprachlicher Unterricht im faschistischen
Deutschland, in: Jb. für Erziehungs- und Schulgesch. 5/6,
1965/66, 225–272 41 F. KESTEL, Walter Hege (1893–1950),
in: Fotogesch. 8, 1988, Heft 29, 65–75 42 G. F. KOCH,
Speer, Schinkel und der preußische Stil, in: K. ARNDT et al.,
Albert Speer. Architektur. 1933–1942, 1978, 136–150
43 V. LOSEMANN, Nationalsozialismus und Ant., 1977
44 Ders., Rassenideologien und antisemitische Publizistik in
Deutschland im 19. und 20. Jh., in: T. KLEIN et al. (Hrsg.),
Judentum und Antisemitismus von der Ant. bis zur
Gegenwart, 1984, 137–159 45 H.-E. MITTIG, Kunst und
Propaganda im NS-System, in: M. WAGNER (Hrsg.), Mod.
Kunst, Bd. 2, 1991, 443–466 46 Ders., Dauerhaftigkeit,
einst Denkmalargument, in: M. DIERS, Mo(nu)mente,
1993, 11–34 47 Ders., NS-Stil als Machtmittel, in:
Austellungs-Kat. Mod. Architektur in Deutschland 1900
bis 2000. Macht und Monument, Dt. Architekturmus.
Frankfurt 1998, 101–115 48 Ders., Antikebezüge
nationalsozialistischer Propagandaarchitektur und
-skulptur, in: B. NÄF (Hrsg.), Ant. und Alt.-Wiss. in der Zeit
von Faschismus und Nationalsozialismus, 2000
(Paginierung noch nicht definitiv) 49 H.-P. RASP, Eine
Stadt für tausend J., 1981 50 R. SACHSSE, Hugo Schmölz,
1982 51 K. SALLER, Die Rassenlehre des
Nationalsozialismus in Wiss. und Propaganda, 1961
52 W. SCHÄCHE, Nationalsozialistische Architektur und
Antikenrezeption. Kritik der Neoklassizismus-These am
Beispiel der Berliner Museumsplanung, in: Berlin und die
Ant. Aufsätze, 1979, 557–570 53 Ders., Architektur und
Stadtplanung (...), in: Ders., H. J. REICHARDT (Hrsg.), Von
Berlin nach Germania, ³1985, 9–34 54 A. SCHÖNBERGER,
Die Neue Reichskanzlei von Albert Speer, 1981
55 A. SCOBIE, Hitler's State Architecture. The Impact of
Classical Antiquity, 1990 56 K. VON SEE, Das »Nordische« in
der dt. Wiss. des 20. Jh., in: Jb. für Internationale
Germanistik 15, Heft 2, 1985, 8–38 57 H. WEIHSMANN,
Bauen unterm Hakenkreuz, 1998 58 K. WOLBERT,
Die Nackten und die Toten des Dritten Reiches, 1982
59 S. ZELNHEFER et al., Kulissen der Gewalt.
Das Reichsparteitagsgelände in Nürnberg, 1992.

HANS-ERNST MITTIG

Naturphilosophie. Die Nachwirkung der ant. N. entfaltet deren theoretische Implikate in der allmählichen
Wechselwirkung der verschiedenen Quellen ant. Na-
turdenkens. Denn der Naturbegriff der griech. und lat.
Philos. erstreckt sich sowohl auf die Phänomene der
sichtbaren Welt als auch auf eine Physis als steuernden
Hintergrund von metaphysischer Bedeutung. Dies
wurde in folgenden Hauptströmungen des Denkens auf
teilweise konkurrierende Weise formuliert: 1. In Platons
Modell des Timaios, in dem sowohl die Instanz eines
Demiurgen als auch eine Art Zahlenstruktur des Kos-
mos gedacht wird. 2. Durch Aristoteles' Konzept einer
Natur als Prinzip von Prozessualität, das metaphysisch

durch einen Unbewegten Beweger und empirisch
durch Auffinden dieses Prinzips in Naturdingen abgeschlossen wurde. 3. Mittels eines dezidiert unmetaphy-
sischen atomistischen Denkmodells durch Demokrit,
Epikur u. a. 4. In der Stoa als Idee einer Gesamtnatur, die
ontologische Differenzen überspielt und Anthropo-
morphismen zuläßt. 5. Schließlich können alle diese
Ansätze als Antworten auf vorsokratische Versuche gelesen werden, Natur zu verstehen.

In den ant. Platonismen und der peripatetischen
Trad. wurden die theoretischen Möglichkeiten solcher
Ansätze fortentwickelt; Cicero (v. a. De natura deorum),
Plinius der Ältere, Macrobius, Martianus Capella, u. a. –
aber auch Ps.-Dionysios Areopagita hinsichtlich des
neuplatonischen Hypostasendenkens – überlieferten
der westl. Welt die verschiedenen Denkmodelle zusammen mit dem Sachwissen von der Natur, da sie durch
das gesamte MA bis in die Ren. als autoritative Quellen
gelesen wurden, bevor sie durch die Entwicklung der
klass. Physik in den Bereich der antiquarischen Philol.
abgedrängt wurden.

Während von Aristoteles' N. und naturkundlichen
Schriften (phys., cael., de gen.an., de gen.corr., meteor.,
de plant., de animalibus, an., Parva naturalia, de motu
cordis) bis zum 12./13. Jh. so gut wie nichts bekannt
war, wurde Platons Timaios in der Übers. des Chalcidius
gelesen und rezipiert. Jedoch galt in christl. Perspektive
das Wissen um die Naturgeschichte ›nach Art der
griech. physici‹ als nicht heilsrelevant (Augustinus, Enchiridion 3,9). Deshalb behandelt Johannes Scotus Eriugena (De divisione naturae, 862–866) die Natur nach
der an Platon erinnernden formalen Unterscheidung
von geschaffen/ungeschaffen/schaffend/nichtsschaf-
fend, der Sache nach aber als Wort Gottes in der sinnlichen Welt, so daß sowohl eine Version von Immanenz
Gottes in der Schöpfung, als auch Inkarnation denkbar
werden (De divisione naturae V,25). Diese Schöpfungs-
philos. wird noch bei Thomas von Aquin (1225–1274)
und Nicolaus Cusanus (De docta ignorantia II; 1440)
variiert werden. Andererseits kam es im 12. Jh. bes. in
der sog. Schule von Chartres (Bernhard und Thierry
von Chartres, Wilhelm von Conches) gerade mithilfe
des platonischen Timaios zu einer naturtheoretischen
Lektüre der biblischen Genesis. Sie verlangte eine Neubewertung der Wissenschaftsfähigkeit der sichtbaren
Welt (mundus sensilis) und des Verhältnisses von Schöp-
fungstheologie, Naturwissen, Mathematik und Metaphysik (als natürlicher Theologie), bei der die Wissenschaftseinteilung nach Boëthius (De trinitate) revidiert
wurde [9]. Die sichtbare Welt wurde als Schöpfung
Gottes mit einer der menschlichen Vernunft zugänglichen Struktur aufgefaßt. In dieses Klima kam die lat.
Rezeption der Schriften des Aristoteles, angefangen mit
der Logica nova, in der auch die beiden Analytiken enthalten waren, welche den wiss. Standard der Theorie
der Natur bis hin zu Immanuel Kant bestimmen sollten.
Nach einem heftigen Streit um die Vereinbarkeit der N.
des Aristoteles mit der christl. Theologie, der v. a. in

Paris ausgetragen wurde und in einem Verbot von aristotelischen Thesen 1277 gipfelte, wurde die N. gleichbedeutend mit scholastischem → Aristotelismus. Zusammen mit der Durchsetzung des aristotelischen Wissenschaftsmodells verbreitete sich allerdings auch dessen arab. Rezeption, die wiederum platonische Denkformen und Theoreme mit sich brachte, die mit der christl. Physik und → Metaphysik unvereinbar waren, so v. a. die Ewigkeit der Welt und die Einheit des erkennenden Intellekts. N. bestand in den folgenden Jh. großenteils in der Lösung der daraus entstehenden philos. Probleme. Raimundus Lullus (1232–1316) interpretierte die Schöpfung als verendlichte Attribute des unendlichen Gottes und als dessen rational verstehbare Zeichengebung. Raimundus Sabundus (†1436) versuchte in seinem *Liber creaturarum* (gedruckt unter dem Titel *Theologia naturalis*) u. a. zu zeigen, daß das »Buch der Natur« auch ohne das »Buch der Offenbarung« lesbar, d. h. wiss. Naturerkenntnis autonom sei.

So ist die N. seit dem 14. und 15. Jh. mit der Frage nach ihrer Autonomie beschäftigt (auch unter dem Schlagwort von der »doppelten – philos. und theologischen – Wahrheit«). Vor allem der Neuplatonismus des Marsilio Ficino (1433–1499) half, Vernunftprinzipien zu formulieren, die als Hypostasen des Göttlichen die Natur ebenso steuern wie deren menschliche Erkenntnis. Als Weltseele, Weltgeist, Harmonie (Leon Battista Alberti, †1472, Leonardo da Vinci, †1519) und ähnliche Theoreme drückten sie das Postulat aus, daß die Prinzipien der Erkenntnis mit den Wirkmächten der Natur, und daß die Theorie des natürlichen Seienden mit dessen Struktur identisch sind. Hierbei half vermutlich auch die (unausgesprochene) Rezeption stoischen Denkens. Die Variationsmöglichkeiten schwankten zw. einer quasi-materialistischen Interpretation des Weltganzen einschließlich der Geister bei Pietro Pomponazzi (*De naturalium effectuum causis sive de incantationibus*, 1520) und einer durchgehenden *Spiritualisierung* der Natur [8; 11], die später als → Okkultismus rezipiert wurde (vgl. Heinrich Cornelius Agrippa von Nettesheim, *De occulta philosophia*, 1535).

Pomponazzi war ein Vertreter der Univ. Padua, an der Aristoteles mit Hilfe ant. Komm. (Alexander von Aphrodisias, Themistios u. a.) neu interpretiert und eine Wissenschaftslehre entwickelt wurde, die es förderte, daß eine Wiss. der Natur sich von einer metaphysisch und theologisch überhöhten Kosmologie abtrennen konnte – also die klass. Naturwiss. von Galileo Galilei (1564–1642) bis Isaac Newton (*Philosophiae naturalis principia mathematica*, 1687). Diese Entwicklung ist nicht mit der Entdeckung der Mathematik als Leitdisziplin gleichzusetzen, denn nicht nur mußte die Bed. der Zahlenproportionen neu gedacht werden, es mußten auch der ontologische und der epistemologische Status der Mathematik bestimmt werden. Symptomatisch ist hierfür, daß im Streit der Jesuiten um die Wissenschaftssystematik Christophorus Clavius (Komm. zu *Sphaera* von Johannes von Sacrobosco und zu Euklid, 1581/1591)

gegenüber Benedictus Pererius (*De communibus omnium rerum naturalium principiis et affectionibus*, 1576) unterlag, weil er sich zw. einer hypothetischen und einer pythagoreischen Auslegung der Mathematik nicht entscheiden konnte.

Zuvor wurden aber weitere Quellen aus der Ant. rezipiert [2]: Mit Ambrogio Traversaris lat. Übers. des Diogenes Laertios (1431) standen die Lehren der → Vorsokratiker zur Verfügung. Poggio Bracciolini entdeckte 1414 *De rerum natura* des Lucretius. Da die human. Abkehr vom scholastisch-peripatetischen Denken im 14./15. Jh. vorwiegend moralisch motiviert war, kamen die naturphilos. Implikationen erst zum Tragen, als auch in diesem Gebiet das Alter einer Lehre als Zeichen von Weisheit galt. Aus der Theologie der Schöpfung resultierte nun die ontologische Unterbestimmtheit des Menschen (z. B. in Giovanni Pico della Mirandolas Genesis-Komm. *Heptaplus*, 1486), und dieser entsprach die Äquivalenz aller Theorien (dessen *Conclusiones nongentae* mit Einleitung *De hominis dignitate*, 1486) – also → Eklektik oder Theoriensynkretismus. Hier knüpften die sog. Naturphilosophen der Ren. an: Bernardino Telesio (*De rerum natura*, ab 1565) und Tommaso Campanella greifen auf die vorsokratischen Naturprinzipien Wärme/Kälte zurück, Girolamo Fracastoro (*De sympathia et antipathia rerum*, 1555) auf den Sympathie-Gedanken bei Plinius [5]. Girolamo Cardano optiert für die Elementarqualitäten Feuchte/Wärme und löst das Weltseelenkonzept in den Strukturbegriff *Subtilität* auf (*De subtilitate*, 1550), Tommaso Campanella wiederum transformiert Telesios Naturprinzipien in das der universalen »Sinnlichkeit« (*De sensu rerum et magia*, 1620). Sie alle bereiten mit ihren Versuchen, die Realität solcher Prinzipien in Fallstudien nachzuweisen, das Projekt der Forsch. bei Francis Bacon (*Novum organum*, 1620) vor, das bei ihm auf einen Versuch zur Entmythologisierung der ant. Philos. folgte (*De sapientia veterum*, 1609). Der Gedanke der N. als Welt-Weisheit wurde durch die Wiederentdeckung der spätant. Chaldäischen Orakel (Georgios Gemistos Plethon, † 1452) [10] und der Ps.-Hermetischen Schriften [12], sowie durch christl. Rezeption der jüd. → Kabbalah (Johannes Reuchlin, *De arte cabalistica*, 1494) verstärkt. Francesco Patrizi trennt zwar genau platonische, aristotelische, hermetische und andere Quellen, vereinigt diese aber wiederum in einer universalen N., in der Kreativität, Licht, Raum usw. als Hypostasen und als Wissenschaftsbereiche gestuft sind (*Nova de universis philosophia*, 1591). Giordano Bruno verknüpft dieselben Quellen mit der → Atomistik des Lukrez, wodurch der Epikureismus auch naturphilos. wirksam wird (*De minimo, De monade, De immenso*, 1591). Die neuplatonische *monas* wird zur »Monade« als dem physikalischen und metaphysischen Baustein der Welt, und wird in diesem Sinne auch von Gottfried Wilhelm Leibniz († 1716) systematisch durchgeführt (*Monadologie*, 1720). Bei Bruno und Leibniz findet sich der Dynamismus des aristotelischen Substanzbegriffs mit der All-Einheitstheorie des

Anaxagoras in atomartigen Einzelsubstanzen verbunden. Natur wird als selbstregulierendes Ganzes gesehen, das immer im Sichtbaren manifest ist. Der wohl letzte Versuch dieser Art metaphysischen Atomismus' wurde von Alfred N. Whitehead unternommen. Der stoische Gedanke der Selbsterhaltung wird mit dem Atomismus Epikurs vermischt, so bei René Descartes (*Principia philosophiae*, 1644). Pierre Gassendi rehabilitierte den → Epikureismus nicht nur für die Ethik, sondern auch für die N. (*Syntagma philosophiae Epicuri*, 1649).

Vom 16. bis zum 18. Jh. wurde die neue Entwicklung der Naturwiss. immer wieder als Restauration der ant. Philos. gerechtfertigt, z.B. bei Copernicus (*De revolutionibus orbium caelestium*, 1543) und Bruno unter Berufung auf die Pythagoreer, bei Descartes auf Aristoteles (Principia IV, § 200 – vgl. J. J. Brucker, *Historia critica philosophiae*, 1744, VI 2). In der Sache kann man aber nach dem Erfolg von Empirismus und Rationalismus nicht mehr von N. sprechen, weil die Einheit von Erkenntnis und Naturprinzip nicht mehr intendiert wird. So fordert Robert Boyle die Entledigung des Naturbegriffs von allen animistischen Voraussetzungen (*A Free Enquiry into the Vulgarly Received Notion of Nature*, 1686). Allerdings wiederholt noch Georges-Louis Leclerc Buffon (*Histoire naturelle*, 1749 ff.) die ren.-philos. Definition der Natur als manifeste, lebendige Kraft Gottes, um eine quasi-mechanistische empirische Naturforschung zu begründen.

Nach Kants »kopernikanischer Wende« in der Erkenntnistheorie wurde die Koinzidenz des Verstehenden Ich und der organischen Prinzipien der Natur wieder denkbar. Friedrich Wilhelm Joseph Schelling stellte daher in mehreren Versuchen Natur als Einheit oder Identität von Wirkprinzip und Erkenntnisbedingung (Geist/Natur, Subjekt/Objekt) dar und postulierte somit wieder eine N. (*Ideen zu einer Philosophie der Natur*, 1797; *Erster Entwurf eines Systems der N.*, 1799), wobei er vermittels zeitgenössischer und frühneuzeitlicher Quellen (Bruno) an den Neuplatonismus anknüpfte [4]. Explizite Rezeptionen der ant. N. gibt es danach nur noch selten, auch wenn bestimmte Denkformen wie die pythagoreische Zahlenspekulation und der Atomismus wiedererkennbar sind, etwa bei Lorenz Oken (*Lehrbuch der N.*, 3. Aufl. 1843). Dies änderte sich erst in der zweiten H. des 20. Jh., als unter ausdrücklichem Rückgriff auf histor. gegebene Alternativen das wiss.-technische Naturverständnis historisiert und kritisiert wurde. Natur als System der Selbstorganisation und als Ganzheit (»Holismus«) wird in einer »ganzheitlichen« N. gedacht, die Denkformen der Stoa, des Platonismus und des Pythagoreismus wiederholt [1].

→ Aristotelismus; Naturwissenschaften; Stoizismus
→ AWI Natur; Naturphilosophie

LIT **1** K. GLOY, Das Verständnis der Natur, 2 Bde., 1995–1996 **2** A. GRAFTON, The availability of ancient works, in: CH. B. SCHMITT et al. (Hrsg.), The Cambridge History of Renaissance Philosophy, 1988, 767–791 **3** G. BÖHME (Hrsg.), Klassiker der N., 1989 **4** J. JANTZEN

(Hrsg.), Das ant. Denken in der Philos. Schellings, 2000 **5** M. KRANZ, s. v. Sympathie I., HWdPh 10, 751–756 **6** N. KRETZMAN et al. (Hrsg.), The Cambridge History of Later Medieval Philosophy, cap. VII, 1982 **7** L. SCHÄFER, E. STRÖKER (Hrsg.), Naturauffassungen in Philos., Wiss., Technik, 4 Bde., 1993–1996 **8** W. SCHMIDT-BIGGEMANN, Philosophia perennis, 1998 **9** A. SPEER, Die entdeckte Natur. Unt. zu Begründungsversuchen einer »scientia naturalis« im 12. Jh., 1995 **10** M. STAUSBERG, Faszination Zarathushtra: Zoroaster und die Europ. Religionsgeschichte der Frühen Neuzeit, 1998 **11** A. TARABOCHIA CANAVERO, Vorrei parlarti del cielo stellato, 1999 **12** F. A. YATES, Giordano Bruno and the Hermetic Tradition, 1964.   PAUL RICHARD BLUM

Naturrecht

A. ALLGEMEINES B. ANTIKE GRUNDLAGEN
C. MITTELALTER D. FRÜHE NEUZEIT
E. NATURRECHT IM 19. UND 20. JAHRHUNDERT

A. ALLGEMEINES

N. (*ius naturae, ius naturale*) ist Maßstab, Korrektiv, Geltungsgrund sowie permanente Kritik des positiven Rechts. Es stellt aus der Natur und der göttl. Ordnung für alle Geschöpfe bzw. vernunftbegabte Wesen abgeleitete Maßstäbe den herrschaftlich bzw. staatlich verordneten allgemeinverbindlichen Verhaltensregeln gegenüber, konstatiert die Diskrepanz zw. dem realen Rechts-/Verfassungszustand und dem von Gott bzw. der Natur vorgegebenen Ideal. Naturrechtliche Kritik fordert die Annäherung des positiven Rechts an den Idealzustand. N. ist eine Kategorie, die lediglich an die Existenz von Menschen gebunden und daher von Ort und Zeit unabhängig ist. Es lieferte zu allen Zeiten Argumentationen für die Begründung von Recht.

B. ANTIKE GRUNDLAGEN
1. ANTIKE PHILOSOPHIE

Schon die ant. griech. Philos. brachte die menschliche Ordnung mit der Natur in Verbindung. Natur wurde sowohl als gegenständlicher Rahmen menschlichen Verhaltens als auch als Quelle einer universalen Ordnung, aus der Verhaltensmaßstäbe ableitbar seien, gesehen. Am deutlichsten charakterisierte Aristoteles (384–322 v. Chr.) die naturteleologische Begründung des Rechts. Für ihn war das Zusammenleben von Mann und Frau in der auf Fortpflanzung gerichteten Geschlechtsgemeinschaft ebenso durch die Natur bedingt wie die Vereinigung vieler Menschen in einem Staatswesen (pol. 1252 a 24–30, 1252 b 30, 1253 a 3). Ein aus der Natur abgeleitetes N. regele das Verhalten aller Dinge in der Welt (eth. Nic. 1134 b 31–33). Die Vielfalt der Rechtsordnungen begriff er als Abweichungen von einer aus der Natur resultierenden idealen (und daher überall gleichen) Ordnung (eth. Nic. 1134 b 31 – 1135 a 6). Die Stoiker stellten insbesondere heraus, daß die Verbindlichkeit positiven Rechts von der Übereinstimmung mit dem aus der Weltordnung abgeleiteten N. abhängig sei. Von daher sei das N. in unterschiedlichem Maße schon den Rechtsordnungen der verschiedenen

Völker immanent. Das aus der Natur erwachsende Gerechte müsse aber unabhängig vom positiven Recht für alle Menschen gelten. Cicero (106–43 v. Chr.) sah in der Natur eine Erscheinung, der ein Gesetz (lex) innewohne. Dieses stehe im Einklang mit höchster Vernunft und verpflichte die Menschen zu rechtem Handeln nach diesem allumfassenden Gesetz, während es gleichzeitig das unrechte Handeln verbiete (leg. 1,6,18). Tugend erscheint als Verkörperung der vollkommenen Natur (leg. 1,8,25). In Abkehr vom strengen Personalitätsprinzip des positiven Rechts gelte dieses Gesetz als nicht vom Senat und Volk von Rom beeinflußbar und sei deshalb in Rom wie Athen gleichermaßen verbindlich (rep. III,22).

2. Römisches Recht

Gaius (um 120–180) lehrte, daß die Quelle des N. die menschliche Vernunft (naturalis ratio) sei. Daraus würden allen Menschen gemeinsame Rechtsgedanken und Gerechtigkeitsvorstellungen resultieren (Gai.inst. 1,1). Unter Berufung auf Ulpian (um 170–223) wurde in den *Digesta* festgeschrieben, daß das N. alle beseelten Wesen lehre, sich richtig zu verhalten (Dig. 1,1,1,3). Bezogen wurde diese generelle Aussage auf die Vereinigung von Mann und Frau sowie die Erziehung der Kinder. Überhaupt wurde als N. angesehen, was gut und gerecht war (Dig. 1,1,11). Unter den drei Erscheinungsformen des Rechts (Gai. inst. 1,2) erscheinen auch Regeln, die für alle Menschen in bezug auf Krieg und Freiheit gelten sollen. Sie rühren aus einem *ius gentium* her, welches geschaffen wurde, um die seit dem urspr. Naturzustand verlorenen Rechte (Freiheit, Gemeineigentum) zu ersetzen. Inwiefern diese Aussagen des *Corpus Iuris Civilis* der Qualität von N. entsprechen oder rhet. Elemente sind, ist nicht hinreichend geklärt.

C. Mittelalter

1. Christliches und scholastisches Naturrecht

Die christl. Auffassung nahm idealerweise keinen Gegensatz von Recht und Religion an. Allerdings waren in der gesellschaftlichen Realität permanent Divergenzen zw. rel. und staatlich gebotenen Verhaltensweisen vorhanden, beanspruchte doch die christl. Lehre im Zweifel vor der weltlichen Rechtsordnung den Vorrang. So konstatierte Aurelius Augustinus (354–430) bei der Theologisierung der auf die Stoiker zurückgehenden Weltvernunft, daß Gott die Welt geschaffen und durch seinen Willen bzw. seine Vernunft geordnet habe (Aug. civ XXII,1–2). Die so angenommene *lex aeterna*, das ewig göttl. Gesetz, sei ein immer und überall geltender Maßstab für das Verhalten der Menschen. Diese seien auf Grund ihres Gewissens und ihrer Vernunft aber nur begrenzt in der Lage, die göttl. Ordnung zu erkennen. Die unvollkommene Erkenntnis der *lex aeterna* stelle sich so bei den Individuen als *lex naturalis* (natürliches Gesetz) dar. Diesem N. sei die *lex positiva* (*lex humana*) als zeitliches Gesetz für die Menschen und damit auch der Staat untergeordnet. Thomas von Aquin (1224/25–1274) ging von der Schöpfung Gottes (ordo

Dei) aus, um den Ursprung des Rechts zu bestimmen. Durch die Gebote und Offenbarung Gottes erhalte der Mensch Kenntnis von der *lex aeterna*. Daraus leite dieser durch seine Vernunft das N., verstanden als Ordnung der Schöpfung, ab. Beide Ebenen, *lex aeterna* und *lex naturalis*, würden so menschliche (von gottgewollter Obrigkeit erlassene) Verhaltensregeln (*lex positiva, humana*) legitimieren und begrenzen. Differenzen zw. *lex positiva* und *lex aeterna/lex naturalis* disqualifizieren die erstere als einzuhaltendes Recht. Das positive Recht erscheint hier als Konkretisierung von *lex aeterna* und *lex naturalis*. Insofern waren Abweichungen von den übergeordneten Normensystemen ungültig. Der Wille Gottes (*lex aeterna*) fungierte somit als Quelle einer idealen/ natürlichen Ordnung, während die natürlichen Anlagen des Menschen den Rahmen für eine naturrechtskonforme Rechtsordnung vorgaben. Im Prolog des Sachsenspiegels (zw. 1220 und 1235) heißt es dementsprechend: Gott ist selber Recht, darum ist ihm das Recht lieb. Mit dem sog. Universalienstreit kündigte sich das E. der aristotelischen und thomistischen N.-Auffassung an. Die Diskussion beeinflußte auch das N.-Denken, was u. a. in einem veränderten Begriff des N. zum Ausdruck kam. So spezifizierte Johannes Duns Scotus (um 1265–1308) den N.-Begriff, indem er den göttl. Willen (*voluntas Dei*) zum Maßstab allen menschlichen Handelns erhob. Auf einen Zugang zur göttl. Vernunft und eine Übereinstimmung mit der menschlichen Natur kam es nicht mehr an. Daran anknüpfend lehrte Wilhelm von Ockham (um 1285–1348?), daß N. ein auf Erfahrung gegründetes und damit ein durchaus veränderliches Recht sei. Es habe den Menschen als Individuum zum Regelungsgegenstand, der auf Grund seiner Individualität nur Einzelaspekte seiner ihn umgebenden Wirklichkeit durch Erfahrung wahrnehmen könne.

2. Legistik und Kanonistik

Die ma. Legisten verknüpften die Natur als Teil der Schöpfung mit Gott. N. wurde damit zum göttl. Recht (*natura id est deus*), das zudem vollkommene Gerechtigkeit (*aequitas*) verkörpert. In Fortsetzung der Ansätze im röm. Recht unterschieden sie ein N., das alle Wesen gleichermaßen erfaßt (gelegentlich als Instinkt bezeichnet), und ein *ius gentium*, welches für alle Menschen als eine bestimmte Gruppe von Wesen allgemein gelten soll. Isidorus von Sevilla (um 560–636) hatte verschiedene Lehren des röm. Rechts mit dem N. in einen noch engeren Zusammenhang gebracht. Das geschah v. a. im Hinblick auf die Familie, aber auch auf allgemeine Freiheiten, Wiederherstellung von Recht und Vermeidung von Unrecht (Isid.orig. 5,4,1–2). Das *Decretum Gratiani* spiegelt diese Auffassungen wider (D. 1 c. 7). Für Gratian (gest. um 1150) war N. göttl. Recht und damit eine Art von Recht, welches sämtliches menschliche Tun bestimmt. Er führte N. auf viele Stellen des AT und des NT zurück (etwa Mt 7, 12; Apg 4, 32) und schrieb ihm den gleichen Wert zu, welcher den Evangelien für die Christen zukommt. Wie schon Cicero hervorhob war N. auch nach Gratian unabänderlich, unabhängig von und vorrangig vor allen anderen Rechtsnormen (D. 5 c. 1). N. gäbe es schon so lange, wie es vernunftbegabte Wesen gibt. Rufinus (gest. vor 1193) schrieb die Lehre des Gratian fort, indem er das N. als dem vernunftbegabten Menschen immanent auffaßte; deshalb könne er Recht und Unrecht unterscheiden. Aus dem N. wurden Gebote, Verbote und Schlußfolgerungen abgeleitet. Johannes Teutonicus (gest. 1245) gebrauchte wieder mehr legistische Kategorien zur Erfassung des N., darunter das instinktive und für alle Völker gleiche Recht.

D. Frühe Neuzeit

1. Spanische Spätscholastik

Die von Wilhelm von Ockham vorbereitete voluntaristisch geprägte Lehre vom N. wurde insbesondere von den Vertretern der span. Spätscholastik vor dem Hintergrund der Entdeckung Amerikas, der Kolonialisierung und der Koexistenz christl. wie nichtchristl. Völker aufgenommen und weiterentwickelt. Für die Rechtswiss. erlangte vor allem Fernando Vázquez de Menchaca (Vasquius) (1512–1569) Bedeutung. Er legte den Grundstein für ein profanes N.-System, indem er die für alle Menschen geltenden Verhaltensregeln auf N., und nicht mehr nur auf Religion, gründete. Diese sollten auch für die verschiedenen, polit. unantastbaren Staaten gelten (*ius gentium naturale*). Mit seiner Theorie von der Freiheit der Meere und vom subjektiven Recht trug er auch zur Ausbildung allg. Lehren des Privatrechts bei.

2. Säkularisierte und rationale Naturrechtssysteme

Durch die geogr. Entdeckungen, Entwicklung der Naturwiss. und kriegerischen Ereignisse am Beginn der frühen Neuzeit erhielt die von der span. Spätscholastik entscheidend vorbereitete Ableitung eines von allen Staaten und Herrschaftsträgern unabhängigen N. neuen Nährboden. Der Niederländer Hugo Grotius (1583–1645) leitete mit seinem Werk *De iure belli ac pacis* (Paris 1625) die Epoche des mod. N. ein. Die Ableitung von Verhaltensregeln für alle Individuen erfolgte nunmehr ausschließlich aus der angeborenen Vernunft des Menschen. Das N. wurde damit seiner göttl. Herkunft entrückt, aber nicht entzogen, denn das säkulare N. des Hugo Grotius schließt den Willen Gottes als unveränderliche Quelle ein. Danach habe der Mensch einen Geselligkeitstrieb (*appetitus societatis*) sowie eine Pflicht, Verträge zu erfüllen, Schäden wiedergutzumachen bzw. zu vermeiden und fremdes Eigentum zu achten. Demgegenüber sei alles naturgemäß, was den Geboten der Vernunft nicht zuwiderläuft und der menschlichen Natur gemäß erscheint (natürliches Privatrecht). Grotius gelang damit die Entwicklung einer Lehre vom Versprechen als Verpflichtungsgrund, welche eine ganz entscheidende Grundlage mod. Privatrechtsordnungen, aber auch der zwischenstaatlichen Beziehungen (Völkerrecht), werden sollte (Vertragsschluß, Eheschließung, Eigentumserwerb u. a.). Das N. nahm den Charakter eines aufgeklärten Vernunftrechts an.

2.1 Naturrecht und Gerichtspraxis

Die Konzeption eines von den jeweiligen staatlichen Regelungen unabhängigen N., welches sich auf die soziale Natur des Menschen und die damit verbundenen Prinzipien gründete, wurde zunächst mit der Rechtsprechung in Verbindung gebracht. Am Einzelfall wurde geprüft, inwieweit das zur Anwendung kommende gemeine Recht (*ius commune*) mit dem N. im Einklang stand. Eine grundlegende Frage der Rechtsanwendung betraf das Verhältnis verschiedener Rechtsquellen zueinander. So standen neben dem rezipierten röm. (gemeinen) Recht heimisches Gewohnheitsrecht und gesetztes Recht. Das N. diente hier als Kriterium für einen zeitgemäßen Umgang mit dem röm. Recht. Maßgebliche Repräsentanten der nach einem Werk von Samuel Stryk (1640–1710) benannten Richtung der Rechtswiss. (*Usus modernus pandectarum*) in Deutschland waren neben Stryk selbst Georg Adam Struve (1619–1692), Justus Henning Böhmer (1674–1749) und Augustin Leyser (1683–1752).

2.2 Naturrecht und Staat

Noch im christl. N. verhaftet, aber dennoch weiterführend, waren die Arbeiten der dt. Juristen Johann Oldendorp (um 1488–1567) und Johannes Althusius (1557 oder 1562/63–1638), welche vor dem Hintergrund der Reformation und Konfessionalisierung entstanden sind. Oldendorp trug mit seiner von protestantischer Sozialethik geprägten Staats- und N.-Lehre (*Eisagoge iuris naturalis*, Köln 1539) zur Etablierung eines säkularisierten N. bei, während Althusius (*Politica*, Herborn 1603) in Auseinandersetzung mit der Schrift des Franzosen Jean Bodin (1529/30–1596) über die Souveränität (*Les Six Livres de la République*, Paris 1576) eine eigenständige Lehre vom Gesellschaftsvertrag vorlegte. Danach basiere der Staat auf einem Herrschafts- und Gesellschaftsvertrag. Die Souveränität komme dem Volk zu, welches dem Herrscher widerruflich die Ausübung von Souveränitätsrechten übertragen habe. Die Vernunft wurde als Grundlage und Voraussetzung für die Fähigkeit der verschiedenen Individuen angesehen, um ihre Verhältnisse untereinander zu organisieren. Thomas Hobbes (1588–1679) nahm einen Urzustand der Menschen an, der durch einen Krieg der einzelnen Individuen gegeneinander gekennzeichnet sei. Durch einen Gesellschaftsvertrag sei dieser Naturzustand (*status naturalis*) zu beenden und eine bürgerliche Gesellschaft (*status civilis*) zu errichten. Die individuellen Interessen und Neigungen der Einzelnen bedürften jedoch einer zentralen Koordinierung, welche Konfliktvermeidung und -lösung einschließt. Als vernunftbegabte Wesen müßten die Menschen daher einen weiteren (unkündbaren) Vertrag schließen, in dem sie ihren Gesamtwillen einem faktischen Alleinherrscher übertragen (*Leviathan*, London 1651). Mit dieser naturrechtlichen Rechtfertigung des Gesetzespositivismus lieferte Hobbes eine ideale Staatskonzeption für den Absolutismus. Demgegenüber lehrte John Locke (1632–1704) ausgehend von der Gemeinschaftsbedürftigkeit des Menschen, welchem schon im Naturzustand bestimmte gottgegebene Rechte (Freiheit, Leben, Eigentum) zukämen, daß dieser sich zum gegenseitigen Schutz mit seinesgleichen vertraglich zusammenschließe. Der Staat habe die Pflicht, die Gesetze und die natürlichen Rechte der Menschen zu achten. Bei ungerechtfertigten Eingriffen des Staates hätten die Menschen ein Widerstandsrecht (so schon Marsilius von Padua in *Defensor Pacis*, 1324). Die Lehre vom Gesellschaftsvertrag gipfelte bei Jean Jacques Rousseau (1712–1778) in der Aussage, daß der Vertrag ausschließlich durch den allg. Volkswillen (*volonté générale*) zustande komme und auch den Staat binde. Das Verdienst der Vervollkommnung naturrechtlicher Theorien zu einem in sich geschlossenen Lehrsystem kommt Samuel von Pufendorf (1632–1694), dem ersten Inhaber eines Lehrstuhls für Natur- und Völkerrecht (an der Philos. Fakultät der Univ. Heidelberg), zu. Sein Hauptwerk *De iure naturae et gentium, Libri VIII* (Lund 1672) kennzeichnet die endgültige Herauslösung des N. aus der Theologie. Auf der Grundlage allg. Prinzipien leitete Pufendorf deduktiv nach dem mathematisch-mechanistischen Weltbild (*more geometrico*) Vernunftwahrheiten ab. Diese waren nach Auffassung Pufendorfs dem mit Vernunft und freiem Willen ausgestatteten, auf die Gemeinschaft angewiesenen und der Gemeinschaft verpflichteten Individuum einleuchtend und akzeptabel. Das N. fungiert hier als Pflichtenlehre. Gekennzeichnet ist diese von der Normbedürftigkeit menschlicher Natur (*imbecillitas*), der notwendigen Geselligkeit (*socialitas*) und der mit freiem Willen versehenen Person (*personalitas*). Von dieser Lehre aus erfolgte eine Durchbildung und Systematisierung des geltenden Rechts (etwa im Privatrecht die Herausarbeitung allg. Lehren und verschiedener Vertragstypen). Pufendorf legte damit wichtige Grundlagen für die Gliederung späterer Gesetzbücher in einen Allgemeinen und Besonderen Teil.

In Deutschland erhielt das N.-Denken v.a. an der 1694 gegründeten brandenburgisch-preußischen Reformuniversität Halle neue Impulse. Hier wirkte seit 1690 der Rechtslehrer und Philosoph Christian Thomasius (1655–1728). In seinem Hauptwerk *Fundamenta juris naturae et gentium* (Halle-Leipzig 1705) vollzog er die strikte und endgültige Trennung des N. von Theologie und Moral. Die rel. Normen seien danach kein positives Recht; sie würden nur das Gewissen verpflichten. Die *lex divina positiva* schied damit (wie schon von Grotius vorbereitet) aus dem Recht aus. Nach Thomasius' Auffassung ist N. in seinem Kern ein ethisches Gebot, das mittels der Vernunft aus der Erfahrung erschließbar sei. Es sei nicht erzwingbar und binde nur das Gewissen. Demgegenüber habe der Herrscher die Pflicht, seinen Untertanen Wohlfahrt und Frieden in seinem Staatswesen zu gewährleisten. Dazu diene die Gesetzgebung, welche das vom Herrscher gewollte, letztlich erzwingbare, positive Recht hervorbringt. Insofern erscheint N. hier als eine spezifische Form von Sozialethik. Der Weg zu einem glückseligen Dasein, aus

dem naturrechtliche Normen abzuleiten seien, führe nach Thomasius über eine umfassende Bildung, Erziehung und Aufklärung. Dem röm. Recht sprach Thomasius seinen Geltungsgrund ab und stellte diesem alte dt. Gewohnheiten gegenüber. Nur jene röm.-rechtlichen Sätze sollten weitergelten, die mit dem N. übereinstimmten, nachweislich rezipiert worden waren und den Anforderungen der Praxis entsprachen. Schließlich vollendete Christian (von) Wolff (1679–1754), Professor für Mathematik sowie Natur- und Völkerrecht in Halle (Vertreibung 1723–1740), das System des profanen N. Die Rechtsphilos. Wolffs sollte während des 18. Jh. das Rechtsdenken in Europa prägen. Seine Lehre vom N. zielte auf ein vollkommenes Rechtssystem. Für ihn stellte die Vernunft das Erkenntnismittel für die Bewertung menschlicher Handlungen sowie von Gesetzen der Natur und Moral im naturrechtlichen Sinne dar. Durch die konsequente Anwendung der mathematisch-demonstrativen Methode gelang ein begrifflich perfektes Aussagensystem, bestehend aus einer widerspruchsfreien Hierarchie von Prinzipien und daraus bis ins Detail abgeleiteten Sätzen. Danach sei N. unwandelbar, jedem Menschen von Geburt an eigen, von jeglicher Religion unabhängig, aus jeweils höheren Prinzipien abgeleitet und zwingend in allen Lebensbereichen der Gesellschaft zu verwirklichen. Wolff entsprach mit dieser Rechtslehre ganz dem aufgeklärten Absolutismus und dem damit verbundenen Wohlfahrtsstaat. Er ist deshalb zu Recht als Wegbereiter des mod. Rechtsstaates bezeichnet worden. Die Symbiose von Aufklärung, Absolutismus und Vernunftrecht hatte ein N. übergreifenden Charakters hervorgebracht. Auf Grund seiner Entwicklung war es traditionell mit der Theologie und Philos. verbunden. Durch seine sozialethische Komponente blieb diese Verbindung auch im 18. Jh. erhalten. Die Einbeziehung der mathematischen Methode (*mos geometricus*) machte es für die Naturwiss. relevant und interessant. Die Gegenüberstellung von N. und positiv geltendem Recht durchdrang die Methoden der Jurisprudenz und Judikatur. Schließlich sollte das N. zum Maßstab und Inhalt von Gesetzgebung werden, auch wenn der frz. Jurist und Sozialphilosoph Charles de Secondat Baron de la Brède et de Montesquieu (1689–1755) auf die mögliche Vielfalt in der Motivation der Gesetzgeber als Folge der jeweiligen gesellschaftlichen Situation hingewiesen hatte und damit das N. als einzig gültigen Maßstab für Verhaltensregeln in Frage stellte (*De l'Esprit des Lois*, 1748).

2.3 NATURRECHT UND KODIFIKATION

Das N. erfuhr durch Gottfried Wilhelm Leibniz (1646–1716) eine bes. Ausformung im Zusammenhang mit Bemühungen zur Verbesserung des geltenden (gemeinen) Rechts im Dt. Reich. Damit wird im Grunde genommen das Problem einer reichsweiten Kodifizierung des Privatrechts auf vernunftrechtlicher Basis aufgegriffen. Vor allem sollten sich Leibniz' Ideen, darunter die sozialethische Bindung der Staatsgewalt an das N., auf das Denken über den Staat auswirken. Die Berücksichtigung des N. in der Gerichtspraxis und die Konzeption von Leibniz, die schon im 17. Jh. auf die Schaffung eines reichsweit verbesserten Rechts orientiert war, deuteten in gewisser Weise die Umsetzung naturrechtlicher Prinzipien in der Gesetzgebung an. Alle N.-Systeme der frühen Neuzeit implizierten die Aufforderung an den Gesetzgeber, die vom N. bestimmten Rechtsregeln in positives Recht umzusetzen. Mit dem Höhepunkt und vorläufigen Abschluß der vernunftrechtlich bestimmten N.-Konzeptionen durch Christian (von) Wolff schien der Weg dafür geebnet. Das N. sollte jedoch nicht nur die Inhalte einer solchen Gesetzgebung liefern, sondern es begründete zudem die Kompetenz und Pflicht des Souveräns, durch Gesetze die Wohlfahrt seines Staatswesens zu organisieren. Das bedeutete eine radikale Abwendung von den ma. Rechtsvorstellungen, welchen der Erlaß von allgemeinverbindlichen Gesetzen durch den Herrscher im Grunde genommen fremd war. Unter Rückgriff auf das lat. Wort *Codex* im Sinne einer umfassenden, amtlichen schriftlichen und systematischen Fixierung des gesamten Rechts entstand die Idee der Kodifikation und deren Verwirklichung in Gestalt von Gesetzbüchern seit der Mitte des 18. Jh.

E. NATURRECHT IM 19. UND 20. JAHRHUNDERT
Rezipiert und fortentwickelt von der klass. dt. Philos. war das N. als Wiss.-Disziplin auch im 19. Jh. virulent. Es diente (in zunehmendem Maße als Teil der Rechtsphilos.) der Etablierung und Profilierung solcher juristischer Inst. wie des Lohnarbeitsvertrages, des geistigen Eigentums und der Menschenrechte. An den Univ. spielte es als Lehrfach nach wie vor eine Rolle. Zudem manifestierte es sich in einem Schrifttum von erstaunlich großer Dimension. Im 20. Jh. fungierten u. a. naturrechtliche Auffassungen als Begründung für die Bestrafung von Personen, deren Handeln im Prinzip vom positiven Recht her rechtmäßig war, aber dennoch gegen fundamentale Grundsätze des menschlichen Zusammenlebens verstieß. So war etwa eine Verurteilung der Kriegsverbrecher nach dem E. des Zweiten Weltkriegs auf Grund des geltenden Rechts zur Tatzeit kaum möglich. Gustav Radbruch (1878–1949) u. a. stellten vor diesem Hintergrund die Gerechtigkeit über das positive Recht, wenn der ›Widerspruch des positiven Rechts zur Gerechtigkeit ein so unerträgliches Maß erreicht, daß das Gesetz als »unrichtiges Recht« der Gerechtigkeit zu weichen hat‹ (G. Radbruch, Rechtsphilos., ⁸1973, 345). Auch im Zusammenhang mit der Bewältigung des Unrechts in der DDR (»Mauerschützen-Prozesse«) lag die Rekurrierung auf N. nahe: Entscheidungen des Bundesgerichtshofes in Strafsachen (BGHSt) 39, 15 f. Unabhängig davon hat der Bundesgerichtshof gelegentlich N. zur Begründung seiner Entscheidungen herangezogen (z. B. BGHSt 6, 46 ff.).
→ Gerechtigkeit; Kanonisten; Kodifizierung/ Kodifikation; Praktische Philosophie
→ AWI Aequitas; Codex; Corpus iuris; Gaius [2]; Gerechtigkeit/Recht; Ius; Lex, leges; Stoa

LIT 1 O. DANN, D. KLIPPEL (Hrsg.), N. – Spätaufklärung – Revolution, 1995 2 G. ELLSCHEID, s. v. N., in: Hdb. philos. Grundbegriffe, Bd. 2, 1973, 969–980 3 J. VAN ENGEN, N., in: LMA 6, 1050–1054 4 F. FLÜCKIGER, Gesch. des N. I, 1954 5 M. HEIMBACH-STEINS (Hrsg.), N. im ethischen Diskurs, 1990 6 K.-H. ILTING, N., in: Geschichtliche Grundbegriffe 4, 1978 (Ndr. 1993), 245–313 7 D. KLIPPEL, Polit. Freiheit und Freiheitsrechte im dt. N. des 18. Jh., 1976 8 Ders. (Hrsg.), N. im 19. Jh., 1997 9 R. LIEBERWIRTH, Die histor. Entwicklung der Theorie vom vertraglichen Ursprung des Staates und der Staatsgewalt, 1977 10 K. LUIG, s. v. Vernunftrecht, in: HWB zur dt. Rechtsgesch. 5, 781–790 11 W. MAIHOFER (Hrsg.), N. oder Rechtspositivismus?, ²1966 12 H. MITTEIS, Über das N., 1948 13 H. RÜPING, Die N.-Lehre des Christian Thomasius und ihre Fortbildung in der Thomasius-Schule, 1968 14 H. SCHLOSSER, Grundzüge der Neueren Privatrechtsgesch., ⁸1996, 75–122 15 H.-P. SCHNEIDER, Justitia universalis. Quellenstudien zur Gesch. des christl. N. bei Gottfried Wilhelm Leibniz, 1967 16 W. SCHNEIDERS, s. v. N./Vernunftrecht, in: Ders. (Hrsg.), Lex. der Aufklärung, 1995, 282–285 17 Ders., Wohlanständigkeit – Das Decorum bei Thomasius, in: H. LÜCK (Hrsg.), Recht und Rechtswiss. im mitteldt. Raum, 1998, 137–145 18 K. SEELMANN, Theologie und Jurisprudenz an der Schwelle zur Moderne – Die Geburt des neuzeitlichen N. in der iberischen Spätscholastik, 1997 19 M. SENN, Spinoza und die dt. Rechtswiss. 1991 20 F. WAGNER, s. v. N. II, in: TRE 24, 153–185 21 W. WALDSTEIN, Ius naturale im klass. röm. Recht und bei Justinian, in: ZRG 111 (1994), 1–65 22 R. WEIGAND, Die N.-Lehre der Legisten und Dekretisten von Irnerius bis Accursius und von Gratian bis Johannes Teutonicus, 1967 23 H. WELZEL, N. und materiale Gerechtigkeit, ⁴1962 24 F. WIEACKER, Privatrechtsgesch. der Neuzeit, ²1967, 249–347 25 D. WILLOWEIT (Hrsg.), Die Begründung des Rechts als histor. Problem, 2000 26 R. ZIPPELIUS, Gesch. der Staatsideen, ⁹1994 27 Ders., s. v. N., in: HWB zur dt. Rechtsgesch. 3, 933–939. HEINER LÜCK

Naturwissenschaften I. NATURBEGRIFF
II. PHYSIK ALS WISSENSCHAFT VON DER NATUR
III. ASTRONOMIE IV. MECHANIK V. ASTROLOGIE
VI. KOMETEN VII. CHEMIE/ALCHEMIE

I. NATURBEGRIFF (PHYSIS/NATURA)
A. ANTIKE B. MITTELALTER C. NEUZEIT

A. ANTIKE
Unter Aufnahme der frühgriech. Bestimmung des Wesentlich-Seins als Gewordensein [41; 19; 33; 55; 52] hatte Aristoteles die griech. Physis auf den Begriff gebracht und als das Werden und Wesen alles Seienden, das den Ursprung der Bewegung in sich selbst trägt, gedacht (metaph. Δ 4). Neben das materiale Substrat, aus dem das Werden hervorgegangen vorgestellt wurde, traten die Begriffe Form und Gestalt hinzu (*morphḗ* und *eídos*) als Ziel (*télos*) des natürlichen Werdens, wo Physis die Klammer zw. Gestalt und Urstoff (*hýlē*) bildete. Die Selbstbewegung war nicht nur bewirkt (Kausalität) sondern zugleich gerichtet (Finalität). Mit dieser Perspektive trat die Physis an die Stelle der platonischen Weltseele [65. 49 f.], womit eine Orientierung v. a. auf bio-

logische Erscheinungen erfolgte [66. 490]. Die einzelnen natürlichen Wesen standen im Gesamtzusammenhang des Wesens der Physis. Das Lebewesen kam zu seiner eigenen Natur in der Entelechie, wo sich Physis endgültig zeigte als Bauform und Wesensgestalt, Grundbeschaffenheit und Struktur.

In der Stoa, die das Ideal des naturgemäßen Lebens entfaltete, kam es zu einer Reduktion von Physis auf Logos, mit erheblichen ethischen Konsequenzen aus der Trennung zw. Vernunft und Leidenschaft. Unter Festhaltung des Grundsatzes *katá phýsin* (nach der Natur) wurde die animalische Natur des Menschen zur rationalen Natur erweitert und dabei von seiner individuellen zur allg. Natur übergegangen [28. 43]. Physis war damit nicht nur Kosmos und Fatum (*heimarménē*), sondern auch die Natur der Natur, das Prinzip, was alles lenkte und leitete, die alles durchwaltende Vernunft, der Logos, die die Welt als *pneúma énthermon* (eingepflanzte Wärme) durchdrang [65. 111] (→ Naturphilosophie). Während durch Hippokr. mit Physis die Beschaffenheit des menschlichen Körpers und der Zustand der Gesundheit gefaßt werden sollten und sich hier das erste Mal eine noch nicht antithetische und wertende Bestimmung findet [19; 17.; 36], bestimmte Gal. (De propr. plac. 13,7:CMG V 3,2, S. 108, 11–18) Physis als die dem Körper inhärenten Kräfte, von denen die Ausübung der Funktionen abhing und die sowohl Gesundheit, Leben, Wachstum und Ernährung erhielten als auch Krankheit beseitigten: Anziehung, Wandel, Retention, Exkretion (*dýnamis physikḗ*) [38]. Aus dem semantischen Feld des Wortes Physis abgeleitete Bed. wurden in der Wortgeschichte von Natur ebenso weitergebildet wie diejenigen, die ihm von seinem lat. Ursprung her eigentümlich waren [60; 53.; 13]: Natur als das Freie, Selbständige, Mächtige, Ursprüngliche, Gute, Vorbildliche. Unter dem Einfluß des Christentums verdankte sich die Ordnung der Natur (*ordo naturae*) dem bildenden Vermögen (*potentia fabricatoria*) Gottes. Der erste Beweger sollte nicht die Natur sein, sondern ihr Urheber. Damit bekam Natur das Prädikat der Selbsterhaltung (*conservatio sui*) [6. 157f.].

B. MITTELALTER

1. FRÜHES MITTELALTER

Die ma. Naturvorstellung war recht uneinheitlich, sie war im frühen MA von christl. und arab. platonisierendem Gedankengut geprägt, im hohen MA vom → Aristotelismus durchsetzt, und entwickelte sich in der Philos. der Spätzeit bis zur Mitte des 15. Jh. bereits auf die neuzeitliche Vorstellung hin. Wie schon in der Ant., war Physis universales Prinzip, als *natura universalis*, von der alles Geschehen abhing; die Erklärung aller Erscheinungen der Körper aus der Physis der Einzeldinge war die *natura particularis*. Eine vierfache Bed. der Physis wie bei Lukrez fand sich v. a. im frühen MA: (1) *natura universalis* oder *natura naturans infinita* als einzige, den Weltorganismus durchströmende und seinen einzelnen Teilen Leben und Bewegung mitteilende, einfache Kraft; (2) *natura universa* als die Welt; (3) *natura naturata*

als die körperlichen Einzelwesen; (4) *natura particularis* als die angeborene eigentümliche Veranlagung eines Einzelwesens. *Natura universalis* wurde für die christl. Platoniker zum obersten astronomischen Bewegungsprinzip.

2. HOHES MITTELALTER

Seit dem 12. Jh. wurden mit der allg. Entfaltung des Prinzips der wiss. Rationalität in Form einer dialektisch geschulten Vernunft, gegenüber der symbolischen und metaphorischen Bed., mehr Struktur, Konstitution, Eigengesetzlichkeit und »Verursachung« im Sinne realer Einwirkung von Bedeutung. Es entstand ein »reiner«, physisch-physikalischer Begriff von »Natur«, der die Bedingung für eine rationale, profane, auf Ursachen und Gründen allg. Art abgestellte und somit eigentlich wiss. Naturerkenntnis im Rahmen einer *scientia naturalis* abgab [35. 282–284]. Vier Leitideen, die aus dem N. dieser Trad. stammen, auf eine Mechanisierung des Weltbildes hinsteuerten und gleichzeitig einen Wandel des N. selbst einleiteten, lassen sich bestimmen: (1) Die Welt war ein *artificium naturae* und damit eine Konstruktion. (2) Mit der Arist.-Rezeption kam die Idee zum Tragen, daß die Welt eine *aggregatio corporum* (Körperverbindung) darstelle. (3) Die Idee der Geometrisierbarkeit der Welt war schon als Forderung, alle Wiss. einschließlich der Theologie *more geometrico*, als rationale Ableitung aus geometrischen Prinzipien zu betreiben, von Boëthius erhoben worden. (4) Natur, ob als kosmisches oder einzelkörperliches Prinzip, wurde als von Gottes Willen geschaffen und durch seine Gesetze bestimmt aufgefaßt. Da *natura universalis* in der platonischen Trad. das Prädikat einer Gesetzgeberin trug, wurde dieses Prädikat auf den N. als komplexe mathematische Beziehung übertragen und als Naturgesetzlichkeit mit mathematischem Charakter verstanden. Daneben bot die Natur Exempla zu rel. Kontemplation (*mirabilia*). Als gültige Parallele mit der Hl. Schrift und für die gesamte christl. Trad. fundamental wurde Natur zu einem von Gott verfaßten Buch, in dem auch der Ungebildete (*idiota*) die göttlichen Lehren zu lesen vermochte [7]. Mit der Rückführung der Natur auf den Willen Gottes waren alle Naturen als solche gut (Gn 1,31), das Böse und das Übel stellten einen Mangel (*privatio boni*) dar. Bedeutsam wurde ein symbolischer N., wofür sich als Zeugnisse Enzyklopädien (Isidor von Sevilla, gest. 636, Hrabanus Maurus, gest. 856) wie auch Lapidarien, Bestiarien und vielfältige Darstellungen in der bildenden Kunst finden [46].

C. NEUZEIT

1. 15.–17. JAHRHUNDERT

Im Rückgriff auf die griech. Ursprünge gelang die Entwicklung eines neuen N. als allmählicher Übergang von einem »kosmologischen« zu einem »technischen« Paradigma der Naturforsch. [44. 50] (→ Naturphilosophie). Aus einer Wendung gegen die aristotelische Physik kam es über Lukrez zunächst zu einer Freilegung frühester Entwürfe griech. Naturphilos. und ihrer Physis-Vorstellung. Als Metaphysik und Kosmologie entfalteten diese vorsokratischen Entwürfe ihre spekulative Kraft in der Verbindung des kopernikanischen Universums mit dem Enthusiasmus der Unendlichkeit beispielhaft bei Giordano Bruno (1548–1600) [73]. Die konstruktive Naturauffassung des hohen MA kam im 16. Jh. endgültig zum Tragen. War die Natur aristotelisch zunächst als *principium actionis* (Bewegungsursprung) der Dinge verstanden worden, so wurde sie für den Menschen zum Instrument technischer Veränderung und Vervollkommnung an ihr und damit an der Welt [49. 46] und allmählich zu einem *vehiculum actionis*, wobei *natura* statt Instrument göttlichen Handelns (*vehiculum actionis Dei*) nunmehr Instrument menschlichen Handelns (*vehiculum actionis hominis*) meinte. Unter der Bestimmung der *machina mundi* (Weltmaschine) als *aggregatio corporum* (Vereinigung von Körpern) mußte die Beantwortung der Frage, ob die Natur als universale Kraft, die transzendent oder immanent die Planetenbewegung und durch diese die Entstehung und die Vergänglichkeit im sublunaren Bereich lenke und bestimme, aufzufassen, oder ob sie in den einzelnen, belebten und unbelebten, Körpern zu suchen sei, unter dem Einfluß eines relationalen Weltbegriffes (Averroës) zugunsten der Einzelnaturen ausfallen.

Das vieldeutige Naturverständnis der beginnenden Neuzeit erreichte erst E. des 17. Jh. die erste konzise Formulierung durch die Naturforsch., wodurch der Begriff der Natur selbst in Frage gestellt wurde [67]. Leibniz brachte die neue Tendenz 1671 in der *Theoria motus concreti* (Ges. Werke ed. Gerhardt IV, 210 f.) zur Sprache: alle mod. Wissenschaftler trachten danach, die Naturerscheinungen mechanisch zu erklären. Unter der Vorstellung von Gott als Protomechaniker (H. de Monantheuil, *Aristotelis Mechanica Graeca*, Paris 1599, Dedicatio ad Principem) und Nutzung des Konstruierbarkeitsprinzips war man nunmehr in der Lage, die physikalische Welt (*physica*) ihrem urspr. Herstellungsmodus nach zu beschreiben, indem man sie geometrisch abbildete und mechanisch nachkonstruierte [18]. Die Natur als Welt, als Inbegriff der *physica*, war zur *machina* im Sinne eines zusammengesetzten Werkzeuges geworden, sie umfaßte alle Körper und alle die zw. diesen wirksamen Kräfte, welche sich aus ihren gegenseitigen Lageverhältnissen ergaben. Dabei bezog sich eine Erklärung durch Figuren und Strukturen sowohl auf die einzelne *physica* als auch die *machina mundi* als *systema corporum* im Ganzen. Die Ablösung des platonischen Taxisbegriffs, der Demiurgen und Weltseele voraussetzte, durch den aristotelischen markierte den Übergang vom organomorphen zu einem technomorphen Charakter der *machina mundi*. Drei Merkmale spielten eine bes. Rolle: geometrische Strukturierung, Komplexität und Instrumentalcharakter. Die eigentümliche Wandlung des *machina-mundi*-Begriffs betraf auch den frühneuzeitlichen N., da beide teilweise zusammenfielen (Rodolphus Goclenius, *Lexicon philosophicum*, Frankfurt 1613, Art. *natura*). Galilei begründete mit seiner Mechanik nicht nur eine neue Wiss., sondern auch ein neues

Selbstverständnis der technischen Leistungen des neuzeitlichen Menschen, die ›nun nicht mehr als erschliche Umgehung der Natur, sondern als legitime Teilnahme an ihrer Gesetzlichkeit‹ erschien. Technik ermöglichte die Einsicht in das Naturgesetz und beglaubigte, unter Berufung darauf, ihre Resultate [24. 20 f.].

Ende des 17. Jh. wurde zunächst die monadologische Konzeption von Leibniz wirkmächtig, daß jedem Körper eine *vis insita* (innewohnende Kraft) zukomme, aus der sich seine Eigentätigkeit ableiten ließ. Damit war der Übergang von der Statthalterin Gottes (*gubernatrix Dei*) zum *mechanismus cosmicus* eingeleitet. Die Vorstellung von *natura* als göttlichem Werkzeug (*instrumentum Dei*) hatte schon auf eine Mechanisierung des N. hingedeutet. Entschiedener wurde dieser Übergang von den Wortführern des neuzeitlichen Nominalismus verfolgt. War hier das Naturgesetz noch in Abhängigkeit von einer allg. Natur als Inbegriff positiver Ursprünge, von denen die Dinge dem Sein und der Sache nach abhingen, qualitativ gefaßt worden, so erfolgte die endgültige Mechanisierung des N. mit der Bestimmung von Natur quantitativ als *complexio causarum* (Verbindung der Ursachen). Bei Johannes Bohn (1640–1718) fanden sich die drei für die mechanistische Beschreibung der *physica* charakteristischen Prinzipien *motus, figura* und *magnitudo* (Bewegung, Gestalt, Größe) (*Dissertatio de arte naturae aemula*, Leipzig 1709), auf die nach dem Vorbild der → Atomistik die physischen Erscheinungen zurückgeführt werden sollten.

2. 18. JAHRHUNDERT

In der Anthropologie des 18. Jh. kam es zu einer Aufwertung der Natur [57. 1130 f.]. Lebensweltlich orientierte Disziplinen entdeckten den Menschen als Sinnenwesen, das selbst ein Teil der Natur war, die zu beherrschen er vorgab. Das Gefühl der Unterworfenheit wurde kompensiert durch das Bewußtsein, das Gott in die Natur einbezog. Trotzdem schieden sich hier die Wege der dem mathematischen Naturmodell verbundenen intellektualistischen Denkweise und der die Ohnmacht des menschlichen Intellekts und die Macht der menschlichen Sinne geltend machenden Skepsis. Der Mensch wurde zu einem bloßen Anwendungsfall der Naturgesetze, zu einer weiteren Manifestation der Naturnotwendigkeit [37. 125]. Dabei waren bes. der Übergang von der Theodizee zur »Anthropodizee« als auch die »Radikalisierung« des ant. Wissens, insbes. der Atomistik wirkmächtig, die zu einem Konzept zurückführte, wo Natur als eigene, autonome Wesenheit begriffen wurde, die weder eines Schöpfers noch des Eingreifens göttlicher Mächte bedurfte. Damit wurde die Konzeption eines Weltsystems sichtbar, in dem organischen Phänomenen des Naturprozesses und scheinbar davon getrennten Bewußtseins- und Kulturphänomenen ein einheitliches Modell der Genese zugrunde gelegt wurde, wie es erstmals Maupertuis (1698–1759) in seinem Versuch über die Bildung organischer Körper entworfen hatte (*Système de la nature*, 1751). Nach Denis Diderot (1713–1784) bestand die Konsequenz in der

Negation der Existenz eines geoffenbarten Gottes durch diesen allumfassenden Gesamtzusammenhang, der als Weltseele den Gottesbegriff in sich absorbierte (*De l'interprétation de la nature*, 1755, §§ L und LI). Wie in der Sophistik wurde Natur im 18. Jh. zu einem Emanzipationsbegriff (Paul Henri Thiry d'Holbach, *Système de la nature*, 1770). Die gleiche Bewegung wurde aber auch als ›Herausgehen des Menschen aus dem ethischen Naturzustand‹ bestimmt (Immanuel Kant, *Die Religion innerhalb der Grenzen der bloßen Vernunft*, Cassirer-Ausg. 6, S. 241), um Glied eines ethischen Gemeinwesens zu werden. Je nach dem, ob die bisherige Geschichte als Entfernung von der anfänglichen Natur oder als innerhalb dieser verbleibend gedacht wurde, erschien die Emanzipation als Rückkehr zur Natur oder als Heraustreten aus ihr. Beide Betrachtungsweisen waren möglich, galt doch Natur als Totalzusammenhang der Erscheinungen (Kant, *Metaphysische Anfangsgründe der Naturwiss.*, Cassirer-Ausg. 4, 369). Das 18. Jh. steckte in dieser Dialektik des N.: Befreiung der Natur – Befreiung von der Natur. Geprägt von einem einflußreichen theologischen N. wurde durch die Einfügung in einen heilsökonomischen Zusammenhang der N. selbst zu einem Moment der Geschichtstheorie [23]. Daneben wurde der N. durch den Gegensatz zum Übernatürlichen so ausgeweitet, daß er dort zum Begriff für die Totalität des Seins wurde, wo die Idee des Übernatürlichen dem kritischen Verdikt der Aufklärung verfiel, da er nun überhaupt kein Gegenüber mehr besaß. Natur wurde zur Substanz, die ohne Bezug auf einen anderen Begriff gedacht werden konnte: ›Deus sive natura‹ (Benedict Spinoza). Dabei blieben die konfessionellen Gegensätze virulent. Jean-Jacques Rousseau (1712–1778), der den N. der Aufklärung radikal zu E. gedacht hat, stand zw. dem katholischen geschlossenen frz. System der *natura pura* und den geschichtsphilos. Varianten der Sündenfalltheorie mit ihrer Vorstellung vom notwendigen Verlassen des Zustandes einer radikal bösen oder aber böse gewordenen Natur im protestantischen Idealismus (*Discours sur l'inegalité*, ed. Garnier, 1960).

3. 19. JAHRHUNDERT

Allmählich kam es zu einem Bedeutungswandel von Natur als Forschungsgegenstand, indem sie zu einem Sammelbegriff für alle jene Erfahrungsbereiche wurde, in die der Mensch mittels Naturwiss. und Technik eindringen konnte, unabhängig davon, ob sie ihm in der unmittelbaren Erfahrung als Natur gegeben waren. Bevor sich eine naturwiss. Konzeptuierung der Medizin durchsetzen konnte, wurde in Lebenswiss. und Biologie der 1. H. des 19. Jh. unter dem Kampfwort ›Physiologisch wollen wir alle sein‹ die Auseinandersetzung um die Physis als Debatte um die Physiologie des menschlichen Organismus fortgesetzt [5] und führte hier, wie schon 100 J. zuvor für Physik und Chemie, zu disziplinärer Abgrenzung, Differenzierung und Sättigung [70]. Auch die Naturbeschreibung wandelte sich von einer ein möglichst lebendiges, sinnfälliges Bild der Natur vermittelnden Darstellung zu einer möglichst präzisen,

kurzen, aber zusammenfassenden mathematischen Beschreibung der Natur. Diese Weiterung des N. galt auch für Kunst, Lit. und Philos. [42; 26.; 74].

Gegenüber einer schnellen Ausbreitung der physischen Forsch., wo der Geist der ›Masse der Einzelheiten‹ unterliegen könne, erinnerte Alexander von Humboldt (1769–1859) noch einmal an die ›erhabene Bestimmung des Menschen‹, den ›Geist der Natur zu ergreifen, welcher unter der Decke der Erscheinungen verhüllt liegt‹, um so die Natur als Ganzes zu verstehen und ›den rohen Stoff empirischer Anschauung gleichsam durch Ideen zu beherrschen‹ (*Kosmos. Entwurf einer physischen Weltbeschreibung*, Vorrede, 1844), was auf die Gleichzeitigkeit wiss. Objektivierung und ästhetischer Vergegenwärtigung im Verhältnis zur Natur hindeutet. Für Friedrich Schiller (1759–1805) (*Briefe zur ästhetischen Erziehung*) war der Verlust der umruhenden Natur die notwendige Bedingung der Freiheit des Menschen.

4. 20. JAHRHUNDERT

Ging das einfache Weltbild des Materialismus des 19. Jh. noch von den Atomen als dem eigentlich unveränderlich Seienden in Raum und Zeit aus, die durch Anordnung und Bewegung die bunten Erscheinungen der Sinnenwelt hervorriefen [75], so reichte diese Vorstellung zur Erklärung von Elektrizität und Radioaktivität nicht mehr hin. Mit der Quantentheorie [71] entstand eine Konzeption, die der Tatsache Rechnung trug, daß, so Niels Bohr (1885–1962), ›wir nicht nur Zuschauer, sondern stets auch Mitspielende im Schauspiel des Lebens sind‹ [32. 115]. Der Indeterminismus der Quantentheorie, obgleich sie zur Revision der Auffassung von Natur und der Anerkenntnis der generellen Beschränkung der naturwiss. Weltsicht führte, ist ein neuer Charakterzug des mod. Naturbildes [20; 114]. Sie zeigte aber auch eine Aufweichung der Unterscheidung zw. den beiden Bed. von Natur, da die objektive Beschreibung der Natur – in materieller Bed. – zugleich die Natur – in formeller Bed. – unseres Interesses an objektiv zwingender Erkenntnis zu fassen sucht, was den ungeheuren Erfolg der Technik im 20. Jh. begründete, einer Macht, deren Gefahren stärker als ihre Möglichkeiten zu sein scheinen. Dabei war dieses Naturverständnis immer ein technisches und technologisches, und die Technik selbst wieder Voraussetzung und Folge der Naturwiss., die tief in das Verhältnis des Menschen zur Natur eingriff durch eine in großem Maßstab vollzogene Umweltveränderung, was den naturwiss. Aspekt als Erweiterung der materiellen Macht des Menschen der Welt immer wieder vor Augen führte. Die Natur des Menschen wurde unter den Prämissen ihrer ökonomischen Effizienz diskutiert [58]. Das Naturbild der exakten Naturwiss., die nicht mehr Beschauer der Natur sondern Teil des Wechselspiels zw. Mensch und Natur ist, war zu einem Bild der Beziehungen des Menschen zur Natur geworden. Mit der Erkenntnis der Grenzen, ›daß der Zugriff der Methode ihren Gegenstand verändert und umgestaltet, daß sich die Methode also nicht mehr vom Gegenstand distanzieren kann‹, hörte das naturwiss. Weltbild auf, eigentlich naturwiss. zu sein [32. 125 f.]. Damit ist Natur in der Moderne in ihrer bloßen Widerständigkeit sichtbar geworden, da sie sich menschlicher Berechenbarkeit zu entziehen neigt. Da sie es liebt, nach Heraklit, sich zu verbergen, bleibt die Natur und ihre Sprache der Dinge ohne die menschliche Fähigkeit des Hinhörens, bleibt der unmittelbar Harmonie stiftende Logos der Physis, unverstanden (Diels/Kranz 22, B 123, 54, 1). Dabei scheint ein von der Rationalität des Menschen bestimmtes »zurück zur Natur!« unzureichend. Eine Rückkehr zur Physis beinhaltet den Dialog mit der Natur als Wechselverhältnis zweier im Diskurs aufeinander bezogener Partner, wobei damit ein Modell gewonnen ist, mit dem sich auch komplexe Interdependenzen im anthropologischen Bereich verstehen lassen [56]. Neben der Relativitätstheorie und den Chaostheorien, die darauf aufmerksam machten, daß die konkreten Merkmale der beobachteten Natur nur histor. verstanden werden können [2. 33], ist es der radikale Konstruktivismus, der zum Umsturz unseres von der klass. Physik geprägten Bildes der Wirklichkeit führte, was auch die Beschreibung des Seelischen und Geistigen auf naturwiss. Grundlage zu erlauben scheint [43]. Die neuen Kommunikationstechnologien entwirklichen die Physis, die ungreifbar wird und sich in der Mittelbarkeit von Bilderwelten verliert, die sie zugleich in ihr Zentrum stellen. Hochleistungsmedizin und Biotechnologie experimentieren an den natürlichen Grenzen unseres körperlichen Daseins (Reproduktion, Zeugung, Geburt und Tod) mit dem Ziel einer von Natur her möglichst unberührbaren Leiblichkeit. Cyberspacetechniken überschreiten den Körper in seiner fleischlichen Begrenzung im Sinne einer Transfiguration in eine andere Sphäre hinein, um dort wiederum in bestimmter, aber veränderter Form zu existieren. Diese neue Kulturtechnik vermag, uns in einer bestimmten Weise über lange Strecken des Tages oder auch der Lebenszeit von jenem Raum und jener Zeit, die Zeit und Raum unserer Physis sind, zu trennen [9; 10]. Physis erscheint anthropologisch absorbiert.

QU 1 G. SCHIEMANN (HRSG.), Was ist Natur? Klass. Texte zur Naturphilos., 1996

LIT 2 A. BARTELS, Das Naturverständnis der Relativitätstheorie, in: [99] 4, 13–34 3 F. L. BEERETZ, Die Bed. des Wortes φύσις in den Spätdialogen Platons, 1963 4 A. BLAIR, The Theater of Nature. Jean Bodin and Renaissance Science, 1997 5 J. BLEKER, ›Physiologisch wollen wir alle sein‹ – Die nosologische Methode und ihre Kritiker 1820–1845, in: Zschr. für ärztliche Fortbildung 85, 1991, 627–631 6 H. BLUMENBERG, Selbsterhaltung und Beharrung. Zur Konstitution der neuzeitlichen Rationalität, in: H. EBELING (Hrsg.), Subjektivität und Selbsterhaltung. Beitr. zur Diagnose der Moderne, 1996, 144–207 7 Ders., Die Lesbarkeit der Welt (1981), 1999 8 M. BOAS, Die Ren. der Naturwiss. 1450–1600, 1988 9 H. BÖHME, Natur und Subjekt, 1988 10 Ders., Die technische Form Gottes. Über die theologischen Implikationen von Cyberspace, in: Praktische Theologie 31, 1996, 257–261 11 Ders., Enthüllen und Verhüllen des Körpers, in: Paragrana 6/1, 1997, 218–247 12 D. BREMER, Von der Physis zur Natur. Eine griech. Konzeption und ihr Schicksal, in: Zschr. für philos. Forsch. 43, 1989, 241–264 13 L. BRISSON, s. v. Natur, Naturphilos., DNP 8, 2000, 728–736 14 J. COHEN, The Bible, Man, and Nature in the History of Western Thought: A Call for Reassessment, in: The Journal of Religion 65, 1985, 155–172 15 R. G. COLLINGWOOD, The idea of nature (1945), 1960 16 L. DASTON, How nature became the other: Anthropomorphism and Anthropocentrism in Early Modern Natural Philosophy, in: S. MAASEN et al. (Hrsg.), Biology as Society, Society as Biology: Metaphors 1995, 37–56 17 K. DEICHGRÄBER, Die Stellung des griech. Arztes zur Natur (1939), in: Ders., Der listensinnende Trug des Gottes. Vier Themen des griech. Denkens, 1952, 83–107, 149–151 18 E. J. DIJKSTERHUIS, Die Mechanisierung des Weltbildes (1956), Ndr. 1983 19 H. DILLER, Der griech. N., in: Neue Jb. für Ant. und dt. Bildung 2, 1939, 241–257 20 M. DRIESCHNER, Natur und Wirklichkeit in der mod. Physik, in: [61] 4, 65–121 21 E.-M. ENGELS, s. v. Lebenskraft, HWdPh 5, 122–128 22 A. FAIVRE, R. C. ZIMMERMANN, Epochen der Naturmystik. Hermetische Trad. im wiss. Fortschritt, 1979 23 F. FELLMANN, Natur als Grenzbegriff der Gesch., in: O. SCHWEMMER (Hrsg.), Über Natur. Philos. Beitr., 1991, 75–89 24 G. GALILEI, Siderus Nuncius (u. a.), hrsg. und eingel. von H. BLUMENBERG, 1965 25 J. GEYER-KORDESCH, Pietismus, Medizin und Aufklärung in Preußen im 18. Jh. Leben und Werk Georg Ernst Stahls, 2000 26 K. GLOY, P. BURGER (Hrsg.), Die Naturphilos. im Dt. Idealismus, 1993 27 R. und D. GROH, Weltbild und Naturaneignung. Zur Kulturgesch. der Natur, 1991 28 E. GRUMACH, Physis und Agathon in der alten Stoa (1932), Ndr. 1966 29 F. P. HAGER, T. GREGORY, A. MAIERÙ, G. STABILE, F. KAULBACH, s. v. Natur, in: HWdPh 6, 421–478 30 W. A. HEIDEL, περὶ φύσεως. A study of the conception of nature among the Pre-socratics, in: Proceedings of the American Academy of Arts and Sciences 45, 1910, 79–133 31 M. HEIDELBERGER, S. THIESSEN, Natur und Erfahrung. Von der ma. zur neuzeitlichen Naturwiss., 1981 32 W. HEISENBERG, Das Naturbild der heutigen Physik, in: Ders., Schritte über Grenzen. Gesammelte Reden und Aufsätze, 1973, 109–127 33 F. HEINIMANN, Nomos und Physis. Herkunft und Bed. einer Antithese im griech. Denken des 5. Jh. (1945), Ndr. 1987 34 K. HUFBAUER, The Formation of the German Chemical Community (1720–1795), 1982 35 W. KLUXEN, Der Begriff der Wiss., in: P. WEIMAR (Hrsg.), Die Ren. der Wiss. im 12. Jh., 1981, 273–293 36 J. KOLLESCH, Vorstellungen vom Menschen in der hippokratischen Medizin, in: R. MÜLLER (Hrsg.), Der Mensch als Maß der Dinge. Stud. zum griech. Menschenbild in der Zeit der Blüte und Krise der Polis, 1976, 269–282 37 P. KONDYLIS, Die Aufklärung im Rahmen des neuzeitlichen Rationalismus, 1986 38 F. KOVACIC, Der Begriff der Physis bei Galen vor dem Hintergrund seiner Vorgänger, 2000 39 R. ZUR LIPPE, Vom Leib zum Körper. Naturbeherrschung am Menschen in der Ren., 1988 40 G. E. R. LLOYD, Greek antiquity: the invention of nature, in: [72], 1–24 41 A. O. LOVEJOY, The meaning of physis in the greek physiologers, in: The Philosophical Review 18, 1909, 369–383 42 D. F. MAHONEY, Die Poetisierung der Natur bei Novalis. Beweggründe, Gestaltung, Folgen, 1980 43 H. R. MATURANA, F. J. VARELA, Der Baum der Erkenntnis. Die biologischen Wurzeln der menschlichen Erkenntnis, 1987

44 J. MITTELSTRASS, Leben mit der Natur, in:
O. SCHWEMMER (Hrsg.), Über Natur. Philos. Beitr., 1991,
37–62 45 Ders., Das Wirken der Natur. Materialien zur
Gesch. des N., in: F. RAPP (Hrsg.), Naturverständnis und
Naturbeherrschung. Philosophiegeschichtliche
Entwicklung und gegenwärtiger Kontext, 1981, 36–69
46 M. MODERSOHN, Natura als Göttin im MA.
Ikonographische Stud. zu Darstellungen der
personifizierten Natur, 1997 47 G. NADDAF, L'origine et
l'évolution du concept grec de phusis, 1993
48 M. NEUBURGER, An Historical Survey of the Concept of
Nature from a Medical Viewpoint, in: Isis 35, 1944, 16–28
49 H. M. NOBIS, Die Umwandlung der ma.
Naturvorstellung. Ihre Ursachen und ihre
wiss.-geschichtlichen Folgen, in: ABG 13, 1969, 34–57
50 Ders., Frühneuzeitliche Verständnisweisen der Natur
und ihr Wandel bis zum 18. Jh., in: ABG 11, 1967, 37–58
51 Ders., Die Bed. der Leibnizschrift *De ipsa natura* im
Lichte ihrer begriffsgeschichtlichen Voraussetzungen, in:
Zschr. für philos. Forsch. 20, 1966, 525–538 52 H. PATZER,
Physis. Grundlegung zu einer Gesch. des Wortes (1939), in:
Sitzungsber. der Wiss. Ges. an der
Johann-Wolfgang-Goethe-Univ. Frankfurt am Main, 30/6,
1993, 211–280 53 A. PELLICER, Nature. Étude sémantique et
historique du mot latin, 1966 54 A. PICHOT, Histoire de la
notion de vie, 1993 55 M. POHLENZ, Nomos und Physis, in:
Hermes 81, 1953, 418–438 56 I. PRIGOGINE, I. STENGERS,
Dialog mit der Natur, 1980 57 W. PROSS, Herder und die
Anthropologie der Aufklärung, in: Johann Gottfried
Herder, Werke, Bd. 2: Herder und die Anthropologie der
Aufklärung, 1987, 1128–1216 58 A. RABINBACH, The
Human Motor. Energy, Fatigue, and the Origins of
Modernity, 1990 59 E. ROTHACKER, Das »Buch der Natur«.
Materialien und Grundsätzliches zur Metapherngeschichte,
1979 60 K. SALLMANN, Stud. zum philos. N. der Römer mit
bes. Berücksichtigung des Lukrez, in: ABG 7, 1962, 140–284
61 L. SCHÄFER, E. STRÖKER, Naturauffassungen in Philos.,
Wiss. und Technik 1–4, 1993–1996 62 H. SCHIPPERGES, s. v.
Natur, in: Geschichtliche Grundbegriffe 4, 215–244
63 A. SEIFERT, »Verzeitlichung«. Zur Kritik einer neueren
Frühneuzeitkategorie, in: ZHF 10, 1983, 447–477
64 ST. SHAPIN, S. SCHAFFER, Leviathan and the air-pump.
Hobbes, Boyle, and the experimental life, 1985 65 H. und
M. SIMON, Die alte Stoa und ihr N. Ein Beitr. zur
Philosophiegesch. des Hell., 1956 66 F. SOLMSEN, Nature as
craftsman in greek thought, in: JHI 24, 1963, 473–496
67 R. SPAEMANN, Genetisches zum N. des 18. Jh., in:
ABG 11, 1967, 59–74 68 Ders., Das Natürliche und das
Vernünftige, in: O. SCHWEMMER (Hrsg.), Über Natur.
Philos. Beitr., 1991, 149–164 69 A. SPEER, Die entdeckte
Natur. Unt. zu Begründungsversuchen einer *scientia naturalis*
im 12. Jh., 1995 70 R. STICHWEH, Zur Entstehung des mod.
Systems wiss. Disziplinen. Physik in Deutschland
1740–1890, 1984 71 M. STÖCKLER, Umsturz im Weltbild
der Physik: Bemerkungen zur Interpretation der
Quantenmechanik und zu ihren Folgen für die
Naturauffassung der Gegenwart, in: [61] 4, 35–64
72 J. TORRANCE (Hrsg.), The concept of nature. The
Herbert Spencer Lecturers, 1992 73 H. VÉDRINE, La
conception de la nature chez Giordano Bruno, 1967
74 D. WANDSCHNEIDER, Die Stellung der Natur im
Gesamtentwurf der Hegelschen Philos., in: M. J. PETRI
(Hrsg.), Hegel und die Naturwiss., 1987, 33–64
75 A. WITTKAU-HORGBY, Materialismus. Entstehung und
Wirkung in den Wiss. des 19. Jh., 1998 76 J. H. ZEDLER, s. v.
Natur, Natur des Menschen und Natur des menschlichen
Cörpers, in: Grosses vollständiges Universal-Lexicon, 23,
1740, Ndr. 1995, 1035–1038, 1169–1191.

HANS-UWE LAMMEL

II. PHYSIK ALS WISSENSCHAFT VON DER NATUR
A. BEGRIFF UND INHALT DER PHYSIK IN DER TRADITION DER ANTIKE
B. HISTORISCHER ÜBERBLICK
C. DAS NEUE WELTBILD ALS VOLLENDUNG ANTIKER IDEEN (COPERNICUS/KEPLER)

A. BEGRIFF UND INHALT DER PHYSIK IN DER TRADITION DER ANTIKE

Die Wiss. von der Natur, Naturwissenschaft (N.)
oder »Physik« in engerem Sinne, bezieht sich nach Aristoteles und in seinem Gefolge bis ins 17. Jh. auf das
»natürliche« Verhalten von Körpern, soweit es deren
»Natur« entspricht, d. h. die verschiedenen spontanen
Veränderungen (»Bewegungen«) der natürlichen Dinge,
die nach aristotelischer Definition das Prinzip der (ihrer)
Bewegung in sich tragen, sowie diese Prinzipien als die
»Ursachen« der Veränderungen. Aristoteles' Maxime
›omne quod movetur ab aliquo movetur‹ gilt zwar weiterhin generell, doch gehört *causa movens* im Schema
der vier *causae* (c. materialis, c. formalis, c. movens, c. finalis)
von Natur aus oder von der Schöpfung an zu dem natürlichen Ding selbst und ist nur durch analytische Abstraktion von ihm zu trennen. Insofern bleibt die »Physik« eine aitiologische Wiss. der Bewegung, und unter
den Bewegungen (κίνησις) auch und vornehmlich der
Ortsbewegung (φορά) und ihrer Ursachen. Während
jedoch in der Trad. platonischer Physik diese Prinzipien
mathematischer Art sind (und damit in einem ideellen
Bereich der empirischen Wahrnehmung entrückt), bietet die Mathematik im Rahmen der aristotelischen Physik (Aristot. Phys. II, 12) als *scientia physica/naturalis*
(φυσικὴ ἐπιστήμη) keine Prinzipienerkenntnis, sondern
nur eine Beschreibung akzidenteller Eigenschaften bzw.
des bloßen Ablaufs einer Bewegung ohne deren Begründung (Erklärung). In diesem Sinne waren die mathematischen Disziplinen, v. a. die Astronomie und Optik, keine N., die ihre Prinzipien *a posteriori* gewinnen,
sondern von *a priori* gesetzten Prinzipien (Axiomen)
ausgehende »Künste«. Das galt dann selbstverständlich
auch für die mathematische Beschreibung von Bewegungen, die nicht spontan und auf »natürliche« Weise
durch »innere« Ursachen entstehen, sondern vom Menschen gewaltsam von außen und »gegen die Natur« des
Bewegten verursacht werden, etwa beim Wurf, und insbes. wenn ein solches Bewegen des Menschen »Kraft«
(Fähigkeit) überfordert und er sich zu ihrer Potenzie-
rung »künstlicher« Maschinen (μηχαναί, machinae) bedient. Auch die daraufhin Mechanik genannte Disziplin
angewandter Mathematik kann innerhalb ant. Trad.
nicht als N. gelten.

Eine Verknüpfung beider Bereiche, des die Realität wiedergebenden »physikalischen« und des die empirischen Erscheinungen im Sinne eines *apparentes salvare* wiedergebenden »mathematischen«, gleichsam der Standpunkte von Aristoteles und von Platon, strebte zwar bereits der aus Basra stammende und in Kairo wirkende große islamische Physiker Ibn al-Haitham (gest. nach 1039, latinisiert Alhazen [60. 187f.]) an [94], doch wirkte daraus eigentlich nur die Skepsis an der mathematischen Astronomie des Ptolemaios und die Anregung einer ihr gegenüber »physikalisch-mechanischen« Astronomie nach, die später zur Wiederbelebung aristotelischer Astrophysik führte (siehe III. C.). Erst die von Nicolaus Copernicus (1473–1543) durch die Reaktivierung der vorptolemäischen »physikalischen« Prinzipien innerhalb der mathematischen Astronomie angestrebte Erneuerung wurde im Zuge der Anerkennung der für ihn daraus resultierenden Heliozentrik in diesem Sinne erfolgreich und zog entsprechende Konsequenzen für die allg. Physik, v. a. die Schwere- und Bewegungstheorie, nach sich [53. 79; 58]. War hier jedoch Mathematik noch mit aristotelischer Physik vereint worden, so zwang die Notwendigkeit einer neuartigen Begründung der Planetenbewegungen durch in die Ferne wirkende Zentralkräfte Johannes Kepler (1571–1630) zu einer neuartigen, die in ihr wirkenden Kräfte mathematisch(-empirisch) ableitenden Physik. Bestandteil dieser Physik als Gesamt-N. war für ihn dann aber auch sowohl die neue Mechanik als die Wirkweise jetzt der »natürlichen« Kräfte beschreibende mathematische Disziplin wie auch die Optik, in der er erstmals die geom. Elemente physikalisch deutete, und neben der Astrologie mit neuer Aspektenlehre v. a. die Harmonik als die gesamte Natur durchwaltendes und sie durch Interaktionen und Korrelationen zusammenhaltendes »Band« [47; 54]. Für die erste bedurfte es dazu einer Umdeutung des Objektes (siehe IV. E.), für die letzte ist ihm die reduktionistische Physik der Neuzeit in der Regel nicht gefolgt.

Hiermit war die neuzeitliche (exakte) N. eingeleitet worden, die sich weitestgehend von den aristotelischen Prinzipien freimachen konnte – Kepler meinte allerdings, daß selbst Aristoteles seinen Ergebnissen hätte zustimmen müssen. Das Interesse an den exakten N. der Ant. wird weitgehend ein bloß histor., wenn auch etwa die astronomischen Beobachtungsdaten der Ant. noch lange zur Bestimmung säkularer Veränderungen herangezogen wurden, etwa bei der Eigenbewegung von Fixsternen – Edmond Halley (1656–1743 [60. 191–193]) und Johann Tobias Mayer (1723–1762 [60. 287–289]) – und der Bestimmung von Kometenbahnen. Der Einfluß der Biologie eines Aristoteles, Theophrastos und Plinius und die Auseinandersetzung mit ihr sind allerdings auch noch im 18. Jh. deutlich und anhaltend. Das hängt sicherlich auch mit der Affinität der biologischen Wiss. zum teleologischen Element der aristotelischen N. zusammen, das in der Physik sowohl als »interne« Finalität der Dinge (Aristoteles) wie auch als »externe«

Finalität oder Gesamtzweckmäßigkeit aller aufeinander bezogenen Glieder des Kosmos (Christl. Aristotelismus) [59. 13–31] schon seit dem ausgehenden 16. Jh. schrittweise verloren ging [51; 53. 33–51; 58], bevor Immanuel Kant den »teleologischen« Gottesbeweis als unangebracht entlarvte und damit die Epoche der Physikotheologie beendete. Diese zahlreichen Schriften des 18. Jh. zugrundeliegende Denkweise war entstanden, um die (anthropozentrische) Zweckbestimmung jedes einzelnen Geschöpfes und damit den göttl. Schöpfungsplan gegen die Ansprüche von rein mechanistischen Deutungen der exakten N. als empirisch bestimmbar zu erweisen [53. 75–97]. – Zur wissenschaftshistor. Wiederaneignung der Geschichte ant. N. aus den unterschiedlichen Motivationen heraus siehe [49; 57].

B. Historischer Überblick

1. Traditionswege antiker Naturwissenschaft

Während die Trad. naturwiss. Kenntnisse im griech.-sprachigen Ostrom und in Byzanz bis zur Eroberung von Konstantinopel ungebrochen war und hier neben der hsl. Tradierung griech. Klassiker weiterhin Gebrauchslit., in die auch Kenntnisse und Praktiken arab. Fachlit. eingingen, v. a. für den Hochschulunterricht durch unmittelbare Auswertung dieser Klassiker entstand, beschränkte sich das naturkundliche Wissen des lat. Westens bis um 1000 n. Chr. auf die spärlichen qualitativen Angaben in den spätant. Enzyklopädien von Isidorus von Sevilla (*Etymologiae, De rerum natura*) und Cassiodorus (*Institutiones*), deren naturkundliches Sachwissen auch bereits in eigenständige enzyklopädische Werke wie Bedas *De natura rerum* (frühes 8. Jh.) und des Hrabanus Maurus *De rerum naturis* (9. Jh.) einging, sowie ab der Mitte des 9. Jh. in Plinius' *Naturalis historia* und Martianus Capellas Darstellung der *artes* (dt. Übers. von Notker dem Deutschen, gest. 1022) [11; 22.; 23]. Seit dem ausgehenden 10. Jh. führten die Kontakte in Nordspanien [68; 90.; 101] zum → Arab.-islamischen Kulturgebiet (I.3.4 und II. C.2) nach und nach zur Kenntnis der dort ab Mitte des 3. Jh. durch persische und später syr. sowie ab der 2. H. des 8. Jh. durch arab. Übers. (unter Einbeziehung indischer Trad.) adaptierten griech. naturkundlichen und -wiss. Wissens [40; 73; 76; 96. Bde. III–VI; 100].

2. Vernunft und Glaube im Konflikt (Islam und Christentum)

Die ja nur in die arab. Sprache umgegossene griech. Wiss. war jedoch, soweit sie mathematische oder praktisch umsetzbare Aussagen überschritt, stets einem prinzipiellen Konflikt mit der islamischen Religion ausgeliefert gewesen, waren ihre Grundlagen doch unverändert die heidnischen – in der allg. Physik die aristotelischen, die aber bei Grundsatzfragen nur über den Neuplatonismus mit jüd., christl. und islamischen Glaubenssätzen hätten harmonisiert werden können, und in der Astronomie die der ptolemäischen Geozentrik eines unerschaffenen, ewigen, geschlossenen Universums. Deshalb wurde in der Phase der Aneignung griech. Wissens die Diskussion von Aussagen des *Korans* und der *Sunna* tangierenden Grundsatzfragen in der Regel vermieden, insbes. im islamischen Osten. Angestrebt wurde dagegen eine strikte Bewahrung des überlieferten technisch-mathematischen Wissens, allerdings in neuer systematischer Strukturierung und klarer enzyklopädischer Gliederung des Stoffes mit auf die praktische Verwendbarkeit abzielender Prägnanz. (Die dazu erforderlichen Vereinfachungen und Schematisierungen gegenüber den griech. Originalen bekämpften später die Ren.-Humanisten als verfälschenden »Arabismus«, v. a. in Medizin und Astronomie.) Das Wissen wurde auf diese Weise immer wieder in kleinen, für den Unterricht und die Praxis an den verschiedenen Zentren gedachten und in großen, das gesamte Wissen zusammenfassenden Synopsen dargestellt, die über Jh. die maßgeblichen Handbücher bildeten.

Auch im christl. Abendland hatte sich das vermittelte philos. und fachliche Wissen von Anf. an kirchlicher Skepsis und theologischem Mißtrauen ausgesetzt gesehen, obgleich die Neuorientierung aus dem Bedürfnis eines besseren Verständnisses der *Bibel* heraus erwachsen war. Dazu angeregt hatte die im 11. Jh. von Roscelin entfachte Universalienfrage, ob Allgemeinbegriffe (Ideen) tatsächlich existieren (Realismus) – dieses war die v. a. von Augustinus vertretene Position Platons und des Neuplatonismus auf der Grundlage der mathematisch-ideellen »Physik« des *Timaios*, von dem als der einzigen »naturwiss.« Schrift der Griechen eine lat. Übers. aus dem 4. Jh. vorlag – oder ob sie bloße, vom Menschen erfundene Begriffe und »Namen« sind (Nominalismus), die im Sinne des Aristoteles an das allein existierende Einzelding gebunden sind.

Daraufhin wandte sich das Interesse wieder mehr den individuellen materiellen Dingen in der Natur zu. Auf der Suche nach den in den Enzyklopädien und bei den Kirchenvätern als Quellen genannten Schriften war dann der engl. Scholastiker Adelard von Bath (gest. nach 1160) nach Salerno, Sizilien und Syrien gereist. Er wurde durch lat. Übers. und durch seine die Kenntnisse der Muslime verarbeitenden Schriften zum ersten gezielten Vermittler griech.-arab. Wiss. an das christl.-lat. Mittelalter – was dann insbes. in Spanien (Übersetzerschule in Toledo) und auf Sizilien eine rege Übersetzertätigkeit auslöste, die im Laufe des 12. Jh. sämtliche der arabischsprachigen Gelehrtenwelt bekannten griech. und die wichtigsten arab. Schriften (bis um 1250 sogar die zeitgenössische arab. Kommentarlit. zu Aristoteles) auch in lat. Sprache zugänglich machte (Übersicht in [14. 39–44]). In ungewöhnlich kurzer Zeit wurde so dem christl. Abendland, das aufgrund des in lat. Übers. des Boëthius zuvor allein zugänglichen *Organon* des Aristoteles »scholastisch«, also logisch und wiss.-philos. geschult war, eine ungeheure Wissensfülle übermittelt, zu deren Anhäufung zuvor mehr als anderthalb Jt. erforderlich gewesen waren. Mit ›Zwergen, die auf den Schultern von Riesen stehen‹ [41] charakterisierte Bernhard von Chartres im frühen 12. Jh. treffend das Bewußtsein vom da-

mit verbundenen Aufbruchs zu einem neuen, nicht mehr an den biblischen Wundern, sondern an den großen Leistungen der Griechen orientierten Natur- und Weltverständnis.

Einen zweiten Schritt bildete die in unterschiedlicher Form erfolgende Integration dieses Wissens in christl. Glaubensvorstellungen. Hatte sich für die Integration platonischer N. im 12. Jh. v. a. die Domschule von Chartres verdient gemacht, die als Hochburg einer nicht vom Klerus vertretenen christl. Wiss. ab etwa 1250 von den Univ.-Kollegien in Paris und Oxford abgelöst wurde, so unternahm erste Versuche einer vorerst selektiven Integration aristotelischer Lehren in die platonisch-augustinische Grundhaltung ebenfalls bereits im 12. Jh. der zur Übersetzerschule von Toledo gehörige Archidiakon von Segovia Dominicus Gundissalinus (gest. um 1190), indem er das Wissen der *artes* in die theoretische (Physik, Mathematik, Theologie) und praktische Philos. integrierte. Systematischer ging bereits Wilhelm von Auvergne (gest. 1249) vor, der an der Univ. Paris einen Lehrstuhl für Angehörige der neuen Bettelorden einrichtete, den sowohl Albertus Magnus (um 1193–1280) als auch dessen Schüler Thomas von Aquino (1225–1274) inne hatten [60. 7–9], der sämtliche Aristotelesschriften und -komm. von Wilhelm von Moerbeke neu oder erstmals aus dem Griech. übersetzen ließ. Diesen beiden Dominikanern ist durch die methodische Trennung der beiden Wissenskonzepte die weitgehende Umformung der aristotelischen N. zu einem »Christl. Aristotelismus« v. a. zu verdanken, nachdem 1231 Papst Gregor IX. eine Kommission einberufen hatte, um die dem Univ.-Unterricht zugrundegelegten aristotelischen Schriften in christl. Sinne zu revidieren.

Schon 1210 war auf der Pariser Synode das öffentliche und private Lesen aller naturphilos. Schriften des Aristoteles und der Komm. unter Androhung der Exkommunikation verboten worden. Dieses Verbot hatte zwar für England (Oxford) nie gegolten und war auch in Paris immer offener umgangen worden, so daß es 1255 aufgehoben wurde; doch waren um diese Zeit die Schriften des letzten großen Repräsentanten der Philos. und Wiss. des westl. Islams im span.-marokkanischen Maurenreich, des aus Cordoba stammenden Ibn Roschd (1126–1198, latinisiert Averroës [60. 32–34]), genannt der »Kommentator« (des Aristoteles), ohne große Zeitverschiebung in lat. Übers. zugänglich geworden. Averroës war der wichtigste Vertreter der unter den toleranteren Almoraviden von Ibn Baddsch (gest. um 1139; latinisiert Avempace) und anderen eingeleiteten arab. Aristoteles-Ren. des 12. Jh., die gegenüber einem zwischenzeitlich den Aussagen des Korans angepaßten Aristotelismus wieder auf den »echten« Aristoteles fußen wollte. Er wurde daraufhin von orthodoxen Theologen verfolgt, führte die Aristoteles entgegengebrachte Präferenz ihn doch zu dem Koran (und der Bibel) widersprechenden Lehren, indem er etwa die Allmacht und Willensfreiheit Gottes, einen Weltanfang als Schöpfung aus dem Nichts und den Untergang der

Welt, die Unsterblichkeit der menschlichen Seele u. a. leugnete. Zu den Aussagen des Korans wollte er aristotelisch-neuplatonische Lehren dadurch in Einklang bringen, daß er jenen einen mehrfachen Sinn unterlegte; die vor demselben Dilemma stehenden christl. Averroisten harmonisierten sie mit der Bibel durch die Vorstellung einer ›doppelten Wahrheit‹, die eine Aussage gleichzeitig wiss. richtig und theologisch falsch sein ließ. Averroës war daraufhin hier ebenso von Philosophen und Naturwissenschaftlern geschätzt und bei Theologen umstritten. Die averroistischen Lehren und bestimmte deterministische oder der Bibel widersprechende Lehrsätze des Aristoteles und seiner Kommentatoren wurden 1270/1277 erneut – und jetzt nördl. der Alpen generell – verboten [25]. Hochburg des Averroismus wurde daraufhin Padua.

Der Widerspruch zw. Wissen und Glauben, der durch diese Verbote des »vernünftigen« Wissens unbefriedigend gelöst wurde, bis die Theologen mit philos. Mitteln aufzeigten, wie sinnlos es sei, die Existenz Gottes und seine Eigenschaften und Handlungen beweisen zu wollen, mündete schließlich nach einer schon bei Albertus einsetzenden tiefgreifenden Erkenntniskritik im philos. Empirismus und Nominalismus des 14. Jh., die die Verbote unnötig machten. Diese hatten aber bewirkt, daß das in ihnen zum Ausdruck kommende Prinzip der Allmacht Gottes, dem eigentlich jeglicher Determinismus widerspricht, als spezifisch theologisches und ungemein stimulierendes Element der N. bis tief in die Neuzeit erhalten blieb. Erst das 17. Jh. sollte dem theologischen Argument der Omnipotenz aber mehr Gewicht einräumen als Aristoteles.

3. LICHTMETAPHYSIK UND OPTIK

Weniger Schwierigkeiten, Vernunft und Glauben zu vereinen, hatten dagegen die mehr augustinisch-neuplatonisch ausgerichteten Naturforscher, die das Licht als Analogon der göttl. Gnade und der Erleuchtung des menschlichen Geistes durch die göttl. Wahrheit ansahen und mit dieser Lichtmetaphysik ihre N. und Optik begründeten. Die ersten bedeutenden Vertreter waren Robert Grosseteste (1168–1253 [60. 178–180]) in Oxford und sein längere Zeit auch in Paris lehrender Schüler, der Franziskaner Roger Bacon (1219–1292 [60. 37 f.]), der allerdings dennoch ständig in Auseinandersetzungen mit seinem Orden stand. Grosseteste hatte eigens Griech. gelernt, um die ant. Schriften unter Umgehung (wenn auch nicht in Unkenntnis) der arab. Trad. studieren zu können. Bezeichnend ist aber auch, daß er eine erste systematische Theorie einer Erfahrungswiss. in einem Komm. zur *Zweiten Analytik*, in der Aristoteles seine eigene Wiss.-Theorie dargelegt hatte, entwickelte: Trotz aller strikt angewandten Methodik unter Einbeziehung der empirischen Bestätigung (*experimentum*) und der mathematischen Beschreibung könne die aitiologische »Physik« nie die Sicherheit der beweisenden Mathematik erreichen. Da die Basis aber die aristotelisch-neuplatonische Naturphilos. bleibt, verblieben trotz aller Modernität natürlich auch die »ex-

perimentellen Ergebnisse« in deren Rahmen: Das sich selbst erzeugende und vermehrende und sich instantan kugelförmig ausbreitende Licht (*lux*) sei die erste »körperliche Form«, die auch den Raum als Funktion seiner Wirkungsgesetze erst erzeuge. So entstünden aus dem Urlicht als Urprinzip der Bewegung und aller Wirkung durch seine Ausbreitung mittels Multiplikation der Wirkkraft (*species*) nicht nur die wahrnehmbaren Formen des Lichtes, sondern auch deren Trägerkörper und somit der gesamte Kosmos. Für die Erforsch. dieses göttl. »Lichtes« und seiner Ausbreitung schien dann natürlich das empirisch zugängliche sichtbare Licht die geeignetste Form zu bilden, so daß ein Studium der Astronomie, v. a. aber der Optik den besten Zugang für das Verständnis der Wirkungen in der physischen Welt liefern müßte.

Die das Verhalten des sichtbaren Lichtes beschreibende mathematische Optik konnte daraufhin – im Anschluß an die griech. geom. Optik zusammenfassende und weiterführende *Große Optik* Ibn Al-Haithams – zu einer mod. anmutenden Disziplin ausgeformt werden. Roger Bacon, der aus Schlesien stammende Mathematiker Witelo (gest. 1277), der britische Franziskaner John Peckham (gest. 1292) und andere Autoren bis hin zum dt. Dominikaner Dietrich von Freiberg (gest. um 1320) übernahmen Grossetestes Theorie der Multiplikation der *species* und trugen in der vergeblichen Hoffnung, nicht nur die Wirkungsweise des sichtbaren Lichtes, sondern auch das Wesen der Kausalität in der ›Multiplikation der *species*‹ aufzuklären, wesentliches zur mathematischen Optik und Physiologie des Sehorgans Auge bei.

4. KOMMENTAR- UND LEHRBUCH-LITERATUR

Da »Physik« im Gegensatz zu den mathematischen Disziplinen an Hand der dem Unterricht zugrundegelegten aristotelischen Schriften selbst gelehrt wurde, erfolgte die theologisch veranlaßte Auseinandersetzung mit bestimmten Lehren des Aristoteles vornehmlich in Komm. zu diesen Schriften (v. a. *Metaphysik, Physik, De caelo* und *De generatione et corruptione*.) – darin waren ihnen schon die Komm. des spätant. Christen Philoponos vorangegangen [52], und dadurch erklärt sich auch das ungebrochen große Interesse an den ant. und ma. Aristoteles-Komm. – und umgekehrt in Komm. zu den dem Theologieunterricht für Jh. zugrundeliegenden *Sentenzen* von Petrus Lombardus (12. Jh.) und zum Sechstagewerk der Schöpfung gemäß der *Genesis*. Hierfür bilden dann die Bemühungen der Jesuiten in den schon von der durch die Auswertung sämtlicher griech., arab. und lat. Vorgängerkomm. entstandenen Informationsfülle her unübertroffenen, mehrfach aufgelegten Aristoteles-Komm. der Coimbrenser aus dem ausgehenden 16. Jh. einen Höhepunkt, der keiner konfessionellen Beschränkung unterlag (*De caelo* 1592, *Physica* 1592/94). Seit dem ausgehenden 15. Jh. waren aber auch gerade für Unterrichtszwecke gegenüber den Komm. stark abgespeckte Übersichtswerke entstanden, die schon fast die Form von kurzgefaßten (aristotelischen) Metaphysik- und Physik-Lehrbüchern erhalten hatten, wie sie dann insbes. das 16. Jh. auf protestantischer Seite und die Barockscholastik des 16. und 17. Jh. im Zuge der Gegenreformation in großer Zahl hervorbrachte [67; 83.; 106]. War anfangs, bes. auch auf den Einfluß Martin Luthers und Philipp Melanchthons hin, hierin eine antiphilos., christologisch überhöhte Tendenz zu verspüren (die natürlich trotz aller Kritik die aristotelischen Grundlagen nicht zu verdrängen vermochte), so ermöglichte die strikte Trennung des Unterrichtsstoffs in *Mathematica* und *Metaphysica/Physica* (an den katholischen Univ. festgeschrieben durch die *Ratio studiorum* der Jesuiten von 1586 [61]) eine Entlastung der Physik-Lehrbücher von Mechanik und Experimenten sowie von den astronomischen Entdeckungen und der Diskussion um das richtige Weltbild, so daß die aristotelischen Grundlehren von der Substanz, der Bewegung, den Körpereigenschaften und den Prinzipien wieder deutlicher hervortreten und der »wiss. Revolution« noch eine Weile trotzen konnten [50. 75–128].

5. SYNKRETISTISCHES WELTBILD DER RENAISSANCE

Bedingt durch die Rückbesinnung auf die ant. Originalquellen kam es während der Ren. in Europa auf allen Gebieten menschlicher Kultur zu einem höchst fruchtbaren Synkretismus zw. alten, aus den Originalen wiedergewonnenen Vorstellungen und Kenntnissen ant. Denker, die als »klass.« gleichwertig neben Aristoteles gestellt wurden (auch eine verknüpfende *Versöhnung* von Platonismus und Aristotelismus war möglich geworden), und neuen, sowohl empirisch als auch durch konsequent weitergedachte ant. Ideen gewonnenen Erkenntnissen und Vorstellungen, wovon gerade auch die N. profitierte. Christlich umgedeuteter Neuplatonismus und Stoizismus gaben die Impulse für eine neue, sich nicht nur aus der räumlichen Anordnung ergebende Vorstellung von der Einheit der Schöpfung (anstelle des aristotelischen Dualismus von irdischer und himmlischer Welt mit einer je eigentümlichen Physik), in der plotinische, stoische, gnostische, islamische, jüd.-kabbalistische und hermetische Elemente auf christl. Basis mit platonischem und aristotelischem sowie hippokratisch-galenischem Gedankengut verschmolzen. Der Gesamtkosmos wurde nicht mehr hierarchisch in von einander getrennten, zur Erde hin absteigenden Stufen verstanden; durch eine Fülle von Analogien, Sympathien und Korrelationen zw. seinen Gliedern sowie zw. Makro- und Mikrokosmos erhielt er vielmehr eine trotz seiner für die Zeitgenossen ungeheuren Ausdehnung von 20 000 Erddurchmessern noch überschaubare, auf Gottes Vorsehung zurückgeführte pantheistisch-monistische Einheit, in der alle beseelten Teilwesen und Teile im Sinne einer Gesamtzweckmäßigkeit der Schöpfung (eine platonisch-stoische Idee, die schon den christl. Aristotelismus geprägt hatte) aufeinander bezogen waren. Als weiteres Mittel, die Glieder des Weltgebäudes zu einem einheitlichen Ganzen zusammenzufassen, hatte das christl. Hoch-MA in der von den Arabern übernommenen Astrologie gefunden, ohne allerdings die fatalistisch-deterministische *Astrologia judiciaria* zu billigen [56]. Die Mathematik lieferte schließlich mit ihrer Harmonie- und Proportionenlehre das alles zusammenhaltende Band [42] – das sich nicht nur in Platons geistig erfahrbarer Sphärenharmonie und -musik äußerte.

Genau das ist es aber auch, was die exakten N. im 16. und beginnenden 17. Jh. von den vorangegangenen und den späteren unterscheidet: Die Natur, das Universum, gilt hiernach als von Gott nach quantitativen, und zwar geom.-harmonikalen Prinzipien erschaffen, so daß sich auch die nachahmende Kunst dieser zu bedienen und der Naturforscher diese aufzufinden habe.

C. DAS NEUE WELTBILD ALS VOLLENDUNG ANTIKER IDEEN (COPERNICUS/KEPLER)

Johannes Kepler fühlte sich als Vollender der Idee Platons von einer Weltharmonik, die er in allen Teilen der Welt verwirklicht sieht und die ihn als aufzufindendes Ziel vom Beginn seines Forschens an stimuliert hatte [47; 59. 53–74, 135–163]. Und er war sich mit Galileo Galilei [26. VI, 226] darin einig, daß das »Buch der Natur« von Gott in ›mathematischen Lettern‹ geschrieben worden ist, so daß die Mathematik auch die reale Wirklichkeit beschreibt und das aus der Mathematik Folgende die Wirklichkeit ist – bei Galilei waren es die von den nicht erkannten Ursachen abstrahierten, die aristotelische Physik aber überhaupt nicht interessierenden Bewegungsabläufe auf der Erde, die mathematisch wiedergegeben werden können, bei Kepler die Wirkgrößen der Ursachen. Beide empfanden ihre Wiss. deshalb mit Recht als »neu« und titelten ihre Schriften entsprechend.

Demgegenüber hatte sich Nicolaus Copernicus noch als bloßen Restaurator (und damit ebenfalls als Vollender) ant. Astronomie gesehen [59. 150–155]. (Sein Hauptwerk *De revolutionibus orbium coelestium* ist denn auch bewußt ebenso aufgebaut wie die *Mathematikē Sýntaxis* des Ptolemaios.) Wie die Kunst der Ren. ihre Bilder, Statuen und Bauten zu einem den Makrokosmos nachahmenden geschlossenen (mathematischen) Konstrukt machte, in dem jedes Detail seinen unverwechselbaren Platz und seine dadurch in den Proportionen bestimmte Gestalt erhielt, so wollten auch die Kosmographen nicht mehr nur ein Bild der Ökumene, sondern der gesamten Erde gewinnen, und so wollte auch Copernicus das Planetensystem (statt des Bewegungsapparats eines einzelnen Planeten bei Ptolemaios) in allen seinen Details und Proportionen wieder aufeinander beziehen, um endlich die bislang überhaupt nicht gesuchte ›wahre Gestalt und die genaue Symmetrie der Teile‹ des Kosmos zu erkennen (*De revolutionibus*, praef. in [13. 4, 16ff.], [59. 150f.]). Dazu mußte er ganz im Sinne des Ren.-Weltbildes die alte, v. a. seit Ptolemaios bestehende Diskrepanz zw. mathematischer Astronomie und Himmelsphysik durch eine die Astronomie wieder vereinheitlichende Rephysikalisierung durch

Rückführung auf die (vorptolemäischen) ›wahren Prinzipien‹ aufheben. Seine Lösung dieses Problems bestand in einer Wiedergabe der ungleichförmigen Kreisbewegung des exzentrischen Deferenten (Äquant) bei Ptolemaios mittels zweier gleichförmig rotierender Epizykel auf einem konzentrischen Deferenten; und sie führte ihn schließlich mit den aus der Ant. stammenden mathematischen Elementen damaliger Astronomie fast zwangsläufig zu einem Vertauschen der Örter und Bewegungszustände von ehemals ruhender Erde und bewegter Sonne. In dieser heliostatischen Welt standen alle erscheinenden Bewegungen am Himmel in einer aus den Phänomenen abzuleitenden Beziehung zueinander, und bildeten alle bewegten Körper deshalb erstmals ein physikalisch-harmonisches »System«, in dem viele Bewegungserscheinungen als scheinbare Effekte des mit der Erde bewegten Beobachters zu deuten waren. Konsequenzen waren eine Mehrfachbewegung der Erde, ruhende Sonne und Fixsternsphäre, bestimmbare Entfernungen aller Planeten, aber wegen der fehlenden Parallaxe auch eine unermeßliche Entfernung der Fixsterne.

Literatur siehe III. am Ende   FRITZ KRAFFT

III. ASTRONOMIE
A. BEGRIFF UND INHALT IN DER TRADITION
DER ANTIKE
B. ÜBERNAHME UND AUSEINANDERSETZUNG
MIT DER TRADITION DER ANTIKE
C. KOSMOLOGISCHE PROBLEME UND WELTBILD

A. BEGRIFF UND INHALT IN DER TRADITION DER
ANTIKE
Wie urspr. im Griech. schwankt die Benennung der zum Quadrivium der sieben → Artes liberales zählenden mathematischen Disziplin zur Beschreibung und Vorhersage der Bewegungen der Gestirne während des MA zw. *astrologia* (ἀστρολογία) und *astronomia* (ἀστρονομία), die synonym verwendet werden; die h. übliche terminologische Trennung von Astronomie und Astrologie [37], wie sie bereits im 6. Jh. bei neuplatonischen Aristoteles-Kommentatoren zu belegen ist (Olympiodoros, Simplikios, Cassiodorus; siehe [37. 29f.]), setzt sich erst wieder seit der Spätren. durch. – Die Astronomie ist nach aristotelischem Verständnis eine mathematische Disziplin (die allerdings aufgrund der eng mit ihr verbundenen kosmologischen Fragestellungen immer wieder in Wechselwirkung zur N. tritt und deshalb hier dem Stichwort N. untergeordnet wird), während der Astrologie als aitiologischer »Wiss.« in MA und früher Neuzeit häufig der Rang einer oder gar der *Physica* zuerkannt wurde.

Neuzeitliche Astronomie entstand in stetiger Auseinandersetzung mit den empirischen und theoretischen Grundlagen der Griechen zur Beschreibung und Vorhersage von Himmelserscheinungen sowie zu ihrer ursächlichen Begründung; war doch die Astronomie bis

ans E. des 16. Jh. auch im wesentlichen eine Fortführung griech.(-röm.) Inhalte geblieben, sowohl (a) bezüglich des zugrundeliegenden geozentrischen Weltbildes und (b) der mathematischen Techniken zur Beschreibung der Himmelsbewegungen in Länge und Breite mittels exzentrischer Deferenten, Epizykel und Äquanten (auch kurz als *De sphaera*, *spera* und ähnlich bezeichnet) – auch den astronomischen Tafeln lagen ausschließlich oder überwiegend die (auf die neue Epoche umgerechneten) Daten ant. Tafelwerke (v.a. im *Almagestum* und in den *Handlichen Tafeln* des Ptolemaios) zugrunde, gelegentlich »korrigiert« durch abweichende neue Werte der Präzession (und Trepidation) und der Periodenlänge der Bewegungselemente einzelner Planeten (einschließlich Sonne und Mond) oder ergänzt (v.a. im arab. Kulturraum aufgrund dem Islam spezifischer Bedürfnisse) –, als auch (c) bezüglich der letztlich ebenfalls auf Ptolemaios (der in *Hypotheses planetarum* allerdings noch vorwiegend an ein nachzubauendes mechanisches Demonstrationsmodell dachte) zurückgehenden Umsetzungen der mathematischen Theorien in als »physikalisch« geltende Konstrukte aus mehr und mehr als fest und undurchdringlich gedachten Äthersphären (als *Theorica(e) planetarum* bezeichnet). Das erklärt zum einen das intensive und kritische Bemühen um die Tradierung der ant. Standardwerke – v.a. des Ptolemaios und der Ptolemaios-Komm. – im Original und in Übers. [63; 64] –, zum anderen aber auch das Entstehen immer wieder gleichartiger Kompendien in der Art des *Almagestum* und der astronomischen Tafeln (arab. Zīğ) des Ptolemaios (sog. *Handliche Tafeln*), in die dann abweichende Beobachtungsdaten und Konstanten eingearbeitet wurden.

Auch in ihren Aufgaben als Wiss. wurde die Astronomie der griech.-röm. Antike über ein Jt. weitergeführt: Da die Theorien der mathematischen Astronomie von der strengen Homozentrizität des unbestrittenen Systems der aristotelischen »Himmelsphysik« abwichen, ja es sogar gleichgültig war, ob die mathematische Beschreibung einer erscheinenden Bewegung(skomponente) mittels Exzenter- oder kinematisch gleichwertiger Epizykeltheorie erfolgte, galten sie insbes. physikalisch orientierten Denkern seit Aufweis dieser Alternative in Betonung der auf Aristoteles zurückgehenden Zweigleisigkeit als bloße mathematische Beschreibungen der akzidentellen Bewegungen (Hipparchos) und seit Poseidonios [60. 344f.] (nicht bereits seit Eudoxos bzw. Platon) auch in positivistischem Sinne als bloße Hypothesen, erstellt und benutzt, um die erscheinenden Bewegungen zu wahren, die ›Phänomene zu retten‹ (σῴζειν τὰ φαινόμενα, *apparentes salvare* [45; 53. 322–324]), um deren berechenbare Beschreibung und Vorhersage es schließlich in der Praxis ging. Die erscheinenden ungleichförmigen Bewegungen mußten als nur scheinbar »ungleichförmig« erwiesen werden; und das erfolgte bis hin zu N. Copernicus und darüber hinaus durch die Kombination verschiedener gleichförmiger Kreisbewegungen, die wenigstens den Prinzipien der Physik der rotierenden Äthersphären entsprechen mußten (Gleich- und Kreisförmigkeit sämtlicher Bewegungselemente, bei strengen Aristotelikern auch deren Konzentrizität). Die Phänomene als die Ungleichförmigkeiten (ἀν-ωμαλίαι, Anomalien) galten wegen ihrer Abweichung von den physikalischen Prinzipien als nicht der physischen Realität der Himmelskörper entsprechend, als dem Menschen auf der Erde bloß so erscheinende Resultante des Zusammenwirkens der Bewegungen ihm nicht sichtbarer Äthersphären. Als real galten dagegen allein diese kreis- und gleichförmig bewegten konzentrischen Äthersphären. [59. 191–209]

Von Copernicus wurde allein die Priorität im wiss. Bemühen um die Darstellung der Bewegungserscheinungen vertauscht: Das Berücksichtigen der »Anomalien«, also der empirischen Daten (der Phänomene), war ihm selbstverständlich; es ging ihm gegenüber dem älteren »Programm« vielmehr um die Rettung der Prinzipien, v. a. (gegen die ptolemäische Ausgleichsbewegung) der Gleichförmigkeit und Konzentrizität der Kreisbewegungen – welch letztere er allerdings später selbst wieder aufgab. Der eigentliche »Paradigmawechsel«, der die aristotelischen Prinzipien der Astronomie vollständig aufgeben wird, tritt dann allerdings erst bei Johannes Kepler ein. Er offenbart sich an dem Bedeutungswechsel des Begriffs »Anomalie«. Die »Ungleichförmigkeit« der Bahnbewegung eines Planeten ergibt sich nämlich für Kepler aus seiner neuartigen Physik. Sie ist die Realität, während die gleichförmige Vergleichskomponente eine nur rechnerisch zu ermittelnde, sog. mittlere Geschwindigkeit darstellt, eine bloße mathematische, fiktive Größe.

B. Übernahme und Auseinandersetzung mit der Tradition der Antike

Während die griech. Klassiker der Astronomie im griech.-sprachigen Ost-Rom und in Byzanz nach wie vor uneingeschränkt zur Verfügung standen (wie im lat. Westen und im hell. Osten der griech.-sprachigen Oberschicht) und hier neben der hsl. Tradierung griech. Klassiker noch bis hin zu Gemistos Plethon [98] und anderen Autoren Kompendien ptolemäischer Astronomie, astronomische Tafeln (offensichtlich nicht ohne arab. Einflüsse) mit Gebrauchsanweisungen und Anleitungen zum Bau von Beobachtungs- und Berechnungsgeräten in der griech. Trad. entstanden, beschränkte sich das astronomische Wissen des lat. Westens bis ins ausgehende 10. Jh. auf die spärlichen qualitativen Angaben bei Isidorus und Cassiodorus sowie in durch die Karolingische Ren. ab der Mitte des 9. Jh. wieder zugänglichen lat. Fachschriften von Aratos (Phaenomena in lat. Übers.), Plinius und Martianus Capella sowie in Macrobius' Komm. zu Ciceros Somnium Scipionis [24]. Erst seit dem ausgehenden 10. Jh. führten die Kontakte zum arab. Kulturgebiet in Spanien nach und nach zur Kenntnis des dort seit Jh. durch arab. Übers. astronomischer und trigonometrischer Schriften (unter Einbeziehung indischer Trad.) adaptierten griech. astronomischen Wissens [96. Bd. VI].

Zu den einflußreichsten frühen, dieses Wissen hand- und lehrbuchartig zusammenfassenden Werken gehören die Elemente der Astronomie des aus Turkestan stammenden Bagdader Astronomen Al-Farghani (gest. nach 861), v. a. aber das Astronomische Handbuch nebst Tafeln des zum Islam übergetretenen syr. Sabiers Al-Battānī [1] (latinisiert Albategnius, gest. 929 [60. 40 f.]), das in der 1. H. des 12. Jh. auch zweimal ins Lat. (Druckausgaben 1537 Nürnberg, 1645 Bologna) und im 13. Jh. auf Veranlassung Alfons X. von Kastilien ins Span. übersetzt wurde (hier sind die Schiefe der Ekliptik, die Präzession unter Verwerfung der Trepidationstheorie Thabits und die Elemente der Sonnenbahn neu bestimmt: Länge des tropischen Jahres: $365^d\ 5^h\ 46'\ 24''$), und in der Astrologie die Große Einführung des in Bagdad wirkenden Abu Maschar (787–886; lat.: Albumasar). Gefördert durch die islamische Neigung zum Fatalismus wird hierin im Anschluß an Al-Kindi (ca. 813–870), der die Entstehung der Weltreligionen auf bestimmte Planetenkonjunktionen zurückführte (Christentum: Merkur/Jupiter, Islam: Venus/Jupiter), das astrologische Regelwerk des Ptolemaios zu einer alle Lebensbereiche (deshalb v. a. auch die Medizin) umfassenden Astrologia judiciaria erweitert und zu einem leicht anwendbaren Schematismus perfektioniert.

Für die Astronomie hatte man im Islam stets eine gewisse theologische Berechtigung und damit auch fürstliche Förderung (Hofastronomen, Sternwarten) aus der Notwendigkeit ableiten können, mit ihrer Hilfe den Zeitpunkt der rituellen Gebete, des Anf. und E. der Fastenzeit, des Beginns der Monate im Mondkalender und des Aufbruchs der Pilgerkarawanen sowie die Gebetsrichtung nach Mekka (kibla) zu bestimmen. Die hierzu in mehreren Sternwarten eingesetzten Astronomen vervollkommneten aber nicht nur das von den Griechen übernommene Beobachtungsgerät (v. a. Armillarsphäre und das zu einem Universalbeobachtungsgerät und -analogrechner weiterentwickelte Astrolab), sondern beschäftigten sich dann auch über das Erstellen hierzu dienlicher und anderer Tafelwerke hinaus zweckfrei mit der ihrer Berechnung zugrundeliegenden Astronomie des Ptolemaios, deren Parameter sie durch genaue Beobachtungen der Planetenörter verbesserten oder ergänzten: Al-Farghani übertrug die Präzession der Fixsternbewegung auf die Planeten; der syr. Sabier und spätere Bagdader Hofastronom Thabit Ibn Kurra (826/836–901 [60. 400 f.]), der auch als Übersetzer und Kommentator griech. Fachlit. hervortrat, ergänzte die quantitativ unzureichende Präzession des Hipparchos, nachdem bereits Theon von Alexandria (4. Jh.) in seinem Kleinen Komm. zu den Handlichen Tafeln auf eine periodische Schwankung der Präzession (in Bezug auf den ungenauen Wert von Hipparchos) hingewiesen hatte, um eine vermeintliche »Trepidation«, für die er eine zusätzliche (neunte) Sphäre einführte (die noch einen wesentlichen Teil copernicanischer Astronomie bilden sollte [53. 302–304]); einen gegenüber dem hipparchischen erweiterten Sternkatalog, der die arab. Sternnamen auf die griech. Sternbilder bezieht, erstellte um 974 As-Sufi (903–986) am Hofe des Emirs von Isfahan (zur Trad. ptolemäischer Sternnamen und -bilder siehe [36; 64]). Auch wurden die mathematischen Grundlagen der Astronomie und Gnomonik, insbes. die ebene und sphärische Trigonometrie weiterentwickelt (Al-Marwazi, gest. um 870, führte den »Schatten«, den späteren Tangens, ein, Abul-Wafa, 940–997/98, den Sinus und Tangenssatz sowie Sekans und Konsekans; er berechnete Sinustafeln auf 4 Sexagesimalstellen); die erste systematische selbständige Abhandlung zur Trigonometrie stammt allerdings erst von Nasir Ad-Din At-Tusi in Maragha.

Überhaupt entwickelte sich an der in Maragha unter mongolischer Herrschaft entstandenen Astronomenschule eine gewisse Loslösung von den ptolemäischen Prinzipien. Zwar hatte bereits Ibn al-Haitham in seinem Bemühen, mathematische Theorie und physikalische Wirklichkeit im Anschluß an Aristoteles und Sosigenes wieder zu vereinen [47. 66; 88], die ptolemäische Ausgleichsbewegung kritisiert, doch entwickelte erst Nasir mathematische Verfahren, diese Ungleichförmigkeit ebenso wie eine geradlinige Bewegung als Resultante zweier gleichförmiger Epizykelbewegungen darzustellen, wie sie dann auch N. Copernicus anwenden sollte, der sich hierzu allerdings auf Proklos berief (*De revolutionibus* V, 25 [13. 406–408]).

Das Abendland wandte sich nach der erfolgreichen Aneignungsphase über die arab. Schrifttum während der Ren. überhaupt verstärkt wieder den Originalschriften der Ant. zu, aus der Überzeugung, daß die vermehrt bemerkten, weil angewachsenen Diskrepanzen zw. Theorie (der Tafelwerke) und Beobachtung auf »Verfälschungen« v. a. innerhalb der arab. Tradierung beruhten, so daß die in lat. Übers. zugänglichen arab. Kompendien und Fachschriften [9] kritischer benutzt wurden und die griech. Werke vermehrt neu aus den Originalen übersetzt wurden. Eine Erneuerung der Astronomie wurde durch diese Rückbesinnung auf die ant. Autoren nicht nur eingeleitet, sondern auch programmatisch erstrebt. Das konnte so weit wie bei Copernicus gehen, nach dessen Überzeugung der Zugang zur Astronomie jedem grundsätzlich verwehrt sei, der mod. und zeitgenössische Beobachtungen höher einschätze als die der ant. Astronomen (*Wapowski-Brief* in [53. 284f.]).

Die von Georg Peurbach (1432–1461 [60. 333–335]) in diesem Sinne verfaßte, aber unvollendet hinterlassene Kurzfassung des *Almagestum* wurde von seinem Schüler Regiomontanus (1436–1476 [60. 357f.]) unter Zugrundelegung des griech. Originals fertig gestellt, aber erst 1496 in Venedig als *Epytoma Joannis de monte regio In almagestum ptolomei* erstmals gedruckt. Dieses Ergebnis einer Rückbesinnung auf Ptolemaios selbst bildete fortan die Grundlage der Beschäftigung mit Astronomie, auch nachdem das *Almagestum* durch Druckausgaben lat. Übers. (arab.-lat. 1515, griech.-lat. durch Georg von Trapezunt 1528, griech. Editio princeps 1538) selbst zugänglich geworden war.

Das letzte sich an der »ant.« Astronomie orientierende Kompendium von Bed. und Einfluß, das sich im Aufbau zwar noch an das *Almagestum* des Ptolemaios anlehnte, aber in barocker Universalität sämtliche zwischenzeitlich erbrachten Daten und erstellten Theorien einschließlich der des N. Copernicus und J. Kepler einbezog, ist das voluminöse *Almagestum novum, Astronomiam veterem novamque complectens, observationibus aliorum et propriis, novisque theorematibus, problematibus ac tabulis promotam* (2 Bde., 1651) des Jesuiten Giambattista Riccioli [60. 359f.]. Gedacht als Handbuch für die jesuitischen Astronomie-Lehrer an den katholischen Univ., favorisiert es weiterhin die aristotelische Geozentrik und die mathematischen Elemente der ptolemäischen Astronomie sowie in abgewandelter Form ein Planetensystem, das Tycho Brahe [60. 73–75] als geozentrischen Kompromiß des heliozentrischen Systems von Copernicus entwickelt hatte, indem er die Sonne als Zentrum der Planetenbahnen ihrerseits wie den Mond um die im Zentrum ruhende Erde kreisen ließ [48. 328–334].

Als Studientext für den Unterricht im Rahmen der Artistenfakultät der Univ. des Abendlandes wurde auch zu dieser Zeit noch immer der vor 1250 entstandene *Tractatus de sphaera* zugrundegelegt, den der an der Pariser Univ. lehrende Johannes de Sacrobosco (1. H. 13. Jh.) auf der Basis des *Almagestum* verfaßt hatte, nachdem dort der Astronomie-Unterricht eingeführt worden war. Der Text ist Bestandteil des ma. *Corpus astronomicum* [79], zu dem v. a. auch die Anleitung zur Kalenderrechnung (*Computus*) des Sacrobosco gehörte, sowie ein aus derselben Zeit stammender anon. Traktat *Theoric(a)e planetarum*, der erst in den Druckausgaben Gerhard von Cremona (gest. 1187) zugeschrieben wurde. Der lat. Text ist allein im Rahmen dieses Corpus in Hunderten von Hss. und darüber hinaus auch in volkssprachlichen Übers. des MA (dt. durch Konrad von Megenberg und Konrad Heinfogel [53a], it., frz., span.) überliefert, sodann in zahlreichen Ausgaben unverändert bis ins 17. Jh. (allein im 16. Jh. mehr als 200 Drucke) und in Spanien bis ins 18. Jh. immer wieder gedruckt worden, häufig unter Beigabe von später auch gesondert gedruckten Komm., wie sie bereits im 13. Jh. entstanden waren. Sie vermitteln neben Kommentierungen für die Vorbereitung des Unterrichts relevante Neuerungen und übertreffen das kleine Werk umfangmäßig weit [99]. Der bei weitem umfangreichste, den der Jesuit Cristoph Clavius zuerst 1581 veröffentlichte, erfuhr auch selbst bis 1611 mehrere erweiterte Auflagen, in die auch neue Erkenntnisse wie die Fernrohrbeobachtungen Galileis und das allerdings abgelehnte Weltsystem des Copernicus eingingen; er blieb mit 25 Druckausgaben über 80 J. das Lehrbuch der Wahl für die (ptolemäische, geozentr.) Astronomie, v. a. an den katholischen Univ. (zu den Unterrichtsinhalten generell siehe [2; 18; 35; 70; 85] sowie speziell zur Astronomie [61; 93; 107. 263–287]).

C. Kosmologische Probleme und Weltbild

Das geozentrische, geschlossene Universum mit den jeweils in lückenlos aneinanderschließenden Sphären angeordneten vier wandelbaren Elementen (Erde, Wasser, Luft, Feuer) und sieben Planeten (Mond, Merkur, Venus, Sonne, Mars, Jupiter, Saturn), denen sich die Fixsternsphäre als Abschluß des Universums anschließt, entsprach weitgehend islamischen und christl. Vorstellungen und wurde als Grundlage für das eigene Weltbild übernommen. Nur galt die Welt jetzt nicht wie bei Aristoteles als ewig und unerschaffen, sondern (womit man sich Platon anzuschließen meinte) erhielt als Schöpfung einen Anf. und ein Ende. Anpassungen an Aussagen der Bibel erforderten allerdings für das christl. Weltbild Ergänzungen der Sphären, so einen Kristallhimmel (als Sphäre der ›Wasser über den Himmeln‹), ein »coelum empyreum« [72], das *Primum mobile* sowie Himmel als Wohnstatt der Heiligen und Seeligen, insgesamt bis zu 14 Sphären (Himmel), die allerdings teilweise auch zusätzliche astronomische Aufgaben zu erfüllen hatten (Präzession, Trepidation).

Als »Motor« des gesamten Weltgebäudes, später auch als »Weltmaschine« (*machina mundi*, siehe IV. F.) bezeichnet, galt nach Aristoteles der Erste Beweger, ein mit Gott identifiziertes, selbst notwendig unbewegtes reines Geistwesen, das »teleologisch« als das von jeder Sphäre angestrebte Ziel bewegt. Die Sphären hatten in der Regel als selbst-bewegt gegolten – soweit die Autoren sich überhaupt Gedanken über ihre Bewegungsursachen machten [102]. Kontrovers diskutiert wurde jedoch die auch bei Aristoteles bestehende Aporie, ob die »kreisbewegten Körper« des 5. Elements Äther wie die anderen Elemente eine naturgemäße Bewegungstendenz besitzen oder jeweils eines zugehörigen, teleologischen Bewegers bedürfen (Aristot., metaph. XII, 7/8 – die den Sphären hier als Bewegungsseelen zugewiesenen *intelligentiae* wurden im christl. MA auch als Engel identifiziert [103; 105], Anhänger und Gegner verzeichnet [87. Pars II, 247–270]). Hiergegen wurde aber, beginnend mit Philoponos (De opifice mundi I,12 [59. 29] und ebenfalls unter Berufung auf Aristoteles (De caelo II, 1), eingewandt, daß ein solch stupides gleichförmiges Bewegen göttl. Intelligenzen nicht angemessen sei. Ioannes Philoponos und dann (wohl unabhängig) die Nominalisten Johannes Buridanus und Nicole Oresme hatten daraufhin Gott bei der Erschaffung den Sphären einen sich nicht abschwächenden, die Rotation unterhaltenden Impuls (*impetus, vis impressa*) einpflanzen lassen. Diese im Ansatz schon in den *Quaestiones mechanicae* des Aristoteles und von Hipparchos für den Wurf entwickelte Impetus-Theorie (siehe IV. B. und [52; 104], speziell zum Sphären-Impetus [15; 52; 59. 46–51]) – der vom Menschen dem Wurfgeschoß mitgeteilte (»künstliche«) *impetus* soll sich im Gegensatz zu einem von Gott bei der Schöpfung eingeprägten (»natürlichen«) allerdings abschwächen – hatte sich als sinnvolle grundlegende Modifizierung aristotelischer Physik im 14. und

15. Jh. nach und nach durchgesetzt und eine weitere Diskussion erübrigt. Sie wurde meist unbegründet vorausgesetzt und tritt selbst bei Galilei noch als kreisförmige Trägheitsbewegung auch der Gestirne auf. Auch Isaac Newton denkt noch an eine *vis insita*.

Im Zuge der averroistischen Aristoteles-Ren. hatte Al-Bitrudschi (lat.: *Alpetragius*) im Anschluß an die von Ibn al-Haitham aufgegriffene entsprechende Kritik des Peripatetikers Sosigenes (2. Jh.), die aus den Exzerpten im *De caelo*-Komm. von Simplikios bekannt war [47. 66–73; 94. 15–63], 1185 in Córdoba den Versuch unternommen, sämtliche Himmelsbewegungen statt auf ptolemäische mathematische Epizykel, Exzenter und Äquanten wieder auf die allein als physikalisch korrekt geltenden gleichförmig rotierenden konzentrischen Äther-Sphären des Aristoteles zu gründen. Seine Schrift wurde bereits 1217 von Michael Scotus, dem Hofastronomen Friedrich II., ins Lat. übersetzt [5] und übte im Westen großen Einfluß aus, insbes., nachdem sie in einer 1528 nach einer hebräischen von 1259 angefertigten neuen Übers. 1531 auch gedruckt worden war, als aristotelische Astrophysik konzentrischer Sphären und die Kritik an den mathematischen Elementen der Astronomie des Ptolemaios wiederbelebt wurden und entsprechende homozentrische Sphärenmodelle von Giovanni Battista della Torre (um 1500), Giovanni Battista Amico (1536, 1537, 1540), Girolamo Fracastoro (1538) und Giovanni Antonio Delfino entwickelt wurden. – Copernicus sollte gleichzeitig eine andere Lösung der Diskrepanz suchen.

Ein kosmologisches Weltbild auf astronomischer Grundlage ging dann als Kompromißlösung nach und nach in die Trad. der anon. *Theoricae planetarum* des astronomischen Corpus des MA ein, in denen die »Planetentheorie« als Zusammenwirken der Elemente der mathematischen Astronomie eines jeden Planeten beschrieben wird, woraus dann zunehmend anschauliche physikalisch-mechanische Konsequenzen in Form von Äthersphären gezogen wurden. Vorbild war auch hierfür Ptolemaios gewesen, der in seiner Schrift *Hypotheses planetarum* sogar ein mechanisches Modell zum Nachbauen beschrieb. Der Traktat ist zwar vollständig nur in arab. Übers. erhalten [29], doch hat er Ibn al-Haitham zu ähnlichen Vorstellungen in seiner auch übersetzten Schrift *Liber de mundo et coelo* angeregt und sind Details daraus auch dem lat. MA bekannt gewesen.

Zu diesen Details zählt insbes. die von Ptolemaios nach folgendem Verfahren errechnete Größe des »Universums«: Die Entfernung des Mondes von der Erde läßt sich als einzige über dem Erdradius (der deshalb die Maßeinheit bildet) als Basis parallaktisch bestimmen (der Wert, den Ptolemaios erhält, dem aber nicht widersprochen wird, ist allerdings viel zu klein); hieraus ergibt sich über die Konstellation bei Finsternissen auch die Entfernung der Sonne. Da die Differenz der Radien beider Deferenten eine große Lücke zw. Sonne und Mond ergibt, ist die Annahme berechtigt (die Natur macht nichts umsonst, ein Vakuum ist ausgeschlossen), daß sich dort die »Sphären« von Merkur und Venus befinden – dieses ist das einzige Kriterium für die Anordnung als »untere« Planeten, da ihre siderische Umlaufperiode identisch mit der der Sonne ist. Die prinzipiell nur relativen Ausmaße ihrer Epizykel und exzentrischen Deferenten werden dadurch zu absoluten Größen, wobei unter »Sphäre« eines Planeten jeweils der (äthergefüllte) Raum verstanden wird, der von zwei konzentrischen Kugeln so begrenzt wird, daß das gesamte mathematische Gebilde aus exzentrischem Deferenten und Epizykel vom möglichen entferntesten bis zum möglichen nächsten Punkt des Epizykels oder gegebenerweise des äußeren Epizykels von ihnen umfaßt wird. An die »Sphäre« der Sonne werden lückenlos die in ihrer Dicke (Tiefe) nach derselben Methode bestimmten »Sphären« der äußeren Planeten in der sich hier eindeutig aus der Länge der Umlaufperioden ergebenden Reihenfolge angeschlossen. Ptolemaios erhält dadurch für die Entfernung (den Radius) der äußeren Begrenzungskugel der Saturnsphäre einen Wert von 19 865 Erdradien und gibt daraufhin dem Radius der den Kosmos jenseits der äußeren Begrenzung der Saturnsphäre begrenzenden Fixsternsphäre einen Wert von (gerundet) 20 000 Erdradien. – Nur an derartig konzentrisch begrenzte »Sphären« ist übrigens bei den schematischen Darstellungen des Welt- bzw. Planetensystems jeweils gedacht.

Die äthergefüllten Sphären müssen insgesamt fest und undurchdringlich sein, weil sie sonst die enthaltenen exzentrischen und epizyklischen Gebilde nicht mitzuführen vermögen. Die mathematischen Kreise der Exzenter und Epizykel müssen sich nämlich bei einer »Physikalisierung« ebenfalls auf ätherischen Sphärenkörpern befinden, die jedoch nicht auf beiden Seiten konzentrisch begrenzt sein können. Aber die Gesamtsphäre eines Planeten war durch zwei zum Erdzentrum konzentrische Kugeln begrenzt und erfüllte daraufhin für viele die Forderung der Prinzipientreue im Sinne der aristotelischen Physik (diese »Sphären« der Planeten sind dann lückenlos ineinandergeschachtelt). – Eine frühe (kaum die früheste) Darstellung dieses letztlich auf Alhazen zurückgehenden, seit dem 14. Jh. weitgehend anerkannten Modells findet sich in Roger Bacons *Opus tertium* [69. 281–284].

Die anon. *Theoricae planetarum* wurden zwar bereits von Zeitgenossen als ungenügend eingeschätzt und entsprechend kommentiert, doch kam es erst seit dem ausgehenden 15. Jh. vermehrt zu ergänzenden, aktualisierenden und das ältere Kompendium verdrängenden, meist ebenfalls mehrfach aufgelegten Schriften, die die ptolemäische Grundeinstellung nicht aufgaben, aber meist das skizzierte »physikalische« Grundgefüge einbezogen – so etwa von Georg Peurbach (*Theoricae novae planetarum*, 1472 postum von Regiomontanus herausgebracht, bis 1653 mehrfach neu aufgelegt) und Jacob Faber Stapulensis (1503 im Rahmen seines *Astronomicon*, ab 1517 auch gesondert). Spätere Autoren berücksichtigten auch die Daten und mathematischen Elemente des Copernicus, die ja in die Tafelberechnungen ein-

gegangen waren (zuerst in E. Reinholds *Prutenicae Tabulae*, 1551) mit, ohne damit allerdings das heliozentrische Weltbild anzuerkennen – wie Kaspar Peucer und Konrad Dasypodius (*Hypotyposes orbium coelestium quas appellant Theoricas planetarum, congruentes cum tabulis Alphonsinis et Copernici*, 1573), Albert van Leeuwen (*Theoria motuum coelestium referens doctrinam Copernici*, 1583) oder Giovanni Antonio Magini (*Novae coelestium orbium theoricae, congruentes cum observationibus N. Copernici*, 1608).

Die Annahme der Undurchdringlichkeit fester Äthersphären, v. a. aber der Unveränderlichkeit der Ätherkörper [33] (derzufolge veränderliche Erscheinungen am Himmel im Anschluß an Aristoteles stets als meteorologische Phänomene der Luftsphäre zugewiesen wurden) konnte erst durch Parallaxenmessungen am Kometen von 1577 und an der Nova von 1572/73 durch Tycho Brahe widerlegt werden [19; 48. 329f.] – er sah den Äther daraufhin als äußerst feines Fluidum an, das einer Bewegung wie der des vermessenen Kometen, die ungehindert durch die Planetensphären hindurch erfolgte, keinen Widerstand entgegensetzte, damit aber auch nicht einen Planetenkörper mitführen könne. Für Brahe konnten sich so die Deferenten von Sonne und Mars schneiden, wie seine Bahnbestimmungen fälschlich ergeben hatten. Die Bewegungsursache blieb bei ihm dann allerdings unerörtert. Aber J. Kepler suchte daraufhin erstmals nach einer anderen physikalischen Erklärung der Planetenbewegungen, die er aus dem im Gestirnskörper selbst erfolgenden Zusammenwirken (magnetisch gedachter) Fernkräfte resultieren ließ, statt sie durch die Kombination riesiger ineinandergeschachtelter, rotierender (fester) Sphärenkörper aus Äther, von denen einer jeweils den Gestirnskörper mitführt (siehe IV. F.: *machina mundi*), entstehen zu lassen.

Kepler ließ den Raum zw. dem (für ihn unmeßbar weit entfernten) Fixsternhimmel und der Erde aber weiterhin von Äther erfüllt sein, in dem als feinstem Medium die Planetenkörper schwimmen sollen, während William Gilbert [60. 174–176] nach dem Nachweis, daß die zw. Körpern über den Raum wirkenden magnetischen Kräfte keines körperlichen Mediums für die Kraftübertragung bedürfen, den Raum als leer deklariert hatte (*De magnete magneticisque corporibus physiologia nova*, 1600). Zwar war Kepler auch aufgrund der Dichteproportionen von Wasser zu Luft zu Äther zu dem Schluß gekommen, daß man annehmen müßte, der Raum sei leer – wenn die Physik diese Aussage denn erlaubte (Belege in [47. 84f.]). Die experimentelle »Bestätigung« durch Otto von Guerickes Luftpumpenversuche sollte ja noch fünfzig J. auf sich warten lassen [60. 180–182], womit dann aber auch die damals immer noch anerkannte Theorie des *horror vacui* widerlegt und durch die Wirkung des Luftdrucks ersetzt war, mit der Roger Bacon die Wirkung von Adhäsionsplatten und Hebern (später auch Saugpumpen) erklärt hatte, indem er sie dem finalen Bestreben der *natura universalis* zuwies, eine durch das Verhalten der *natura particularis* eines Einzeldinges entstehende Unordnung (wie ein Vakuum) zu vermeiden [59. 33–45].

LIT zu II und III: **1** AL-BATTANI, Opus astronomicum Arabice editum, Latine versum a C. A. Nallino, 3 Bde., 1899–1907 (Ndr. 1969) **2** B. BAUER (Hrsg.), Melanchthon und die Marburger Professoren (1527–1627), 1999 (2 Bde.) **3** W. BERGMANN, Innovationen im Quadrivium des 10. und 11. Jh. Stud. zur Einführung von Astrolab und Abakus im lat. MA, 1985 (= Sudhoffs Archiv, Beiheft 26) **4** G. BINDING, Der früh- und hochma. Bauherr als *sapiens architectus*, 1996 **5** AL-BITRŪJĪ, De motibus celorum. Critical Edition of the Latin Translation of Michael Scot by F. J. CARMODY, 1952 **6** D. BLUME, Regenten des Himmels. Astrologische Bilder in MA und Ren., 2000 – **7** L. BOEHM, Geschichtsdenken, Bildungsgesch., Wiss.-Organisation. Ausgewählte Aufsätze, 1996 **8** D. G. BURNETT, The Cosmogonic Experiments of Robert Fludd: A Translation with Introduction and Commentary, in: Ambix 46 (1999), 113–170 **9** F. J. CARMODY, Arabic astronomical and astrological sciences in Latin translation: A critical bibliography, 1956 **10** R. COLLISON, Encyclopaedias. Their History throughout the Ages, ²1996 **11** J. CONTRENI, The Cathedral School of Laon from 850 to 930, Its Manuscripts and Masters, 1978 **12** N. COPERNICUS, Erster Entwurf seines Weltsystems, übers. und erläutert von F. ROSSMANN, 1948 – 13 Ders., De revolutionibus libri sex, besorgt von H. M. NOBIS und B. STICKER, 1984 **14** A. C. CROMBIE, Von Augustinus bis Galilei. Die Emanzipation der N., 1964; urspr. engl.: Augustine to Galileo, 1952, ²1959, ⁴1979 (2 Bde.) **15** R. C. DALES, The De-Animation of the Heavens in the Middle Ages, in: Journal of the History of Ideas 41 (1980), 531–550 **16** U. DIERSE, Enzyklopädie. Zur Gesch. eines philos. und wiss.-theoretischen Begriffs, 1977 (Archiv für Begriffsgesch., Suppl. 2) **17** E. J. DIJKSTERHUIS, Die Mechanisierung des Weltbildes, 1956 **18** J. DOLCH, Lehrplan des Abendlandes. Zweieinhalb Jt. seiner Gesch., ³1971 **19** W. H. DONAHUE, The Dissolution of the Celestial Spheres 1595–1650, 1981 **20** J. L. E. DREYER, History of the planetary systems from Thales to Kepler, 1906 (Ndr.: A history of astronomy from Thales to Kepler, 1953) **21** P. DUHEM, Le système du monde. Histoire des doctrines cosmologiques de Platon à Copernic, 10 Bde., 1913–1959 (Ndr. 1971–1979) **22** B. S. EASTWOOD, Plinian Astronomy in the Middle Ages and Renaissance, in: R. FRENCH, F. GREENAWAY (Hrsg.), Science in the Early Roman Empire: Pliny the Elder, His Sources and Influence, 1986, 197–251 **23** Ders., Astronomy and Optics from Pliny to Descartes. Texts, Diagrams, and Conceptual Structures, 1989 **24** Ders., Astronomical Images and Planetary Theory in Carolingian Stud. of Martianus Capella, in: Journal for the History of Astronomy 31 (2000), 1–28 **25** K. FLASCH, Aufklärung im MA? Die Verurteilung von 1277, 1989 (excerpta classica, Bd. 6) **26** Le opere di G. GALILEO. Edizione nazionale, hrsg. von A. FAVARO, 20 Bde., 1890–1909 (u.ö.) **27** G. GALILEI, Schriften, Briefe, Dokumente, hrsg. von A. MUDRY, 2 Bde., 1987 **28** M. L. GILL, J. G. LENNOX (Hrsg.), Self-Motion, from Aristotle to Newton, 1994 **29** B. R. GOLDSTEIN, The Arabic version of Ptolemy's Planetary hyotheses, 1967 **30** E. GRANT (Hrsg.), A Source Book in Medieval Science, 1974 **31** Ders., Das physikalische Weltbild des MA, 1980 (urspr. engl. 1977) **32** Ders., J. MURDOCH (Hrsg.), Mathematics and Its Applications to Science and Natural Philosophy in the Middle Ages, 1987 **33** E. GRANT, Celestial Incorruptibility in Medieval Cosmology 1200–1687, in: S. UNGURU (Hrsg.), Physics, Cosmology and Astronomy, 1300–1700: Tension and Accomodation, 1991, 101–127 **34** Ders., Planets, Stars and Orbs: The Medieval Cosmos (1200–1687), 1994 **35** H. GRUNDMANN, N. und Medizin in ma. Schulen und Univ., 1960 (Dt. Mus., Abh. und Berichte, 28) **36** W. HÜBNER, Zodiacus Christianus. Jüd.-christl. Adaptionen des Tierkreises von der Ant. bis zur Gegenwart, 1983 **37** Ders., Die Begriffe Astrologie und Astronomie in der Ant., 1989 **38** E. IHSANOGLU, Osmanli Astronomi Literatürü Tarihi (Astronomische Lit. während der Ottoman. Periode), 1997 **39** D. A. KING, Islamic mathematical astronomy, 1986 **40** F. KLEIN-FRANKE, Die Klass. Ant. in der Trad. des Islam, 1980 **41** R. KLIBANSKY, Standing on the Shoulders of Giants, in: Isis 26 (1936), 147–149 **42** E. KNOBLOCH, Harmonie und Kosmos: Mathematik im Dienste eines teleologischen Weltverständnisses, in: Sudhoffs Archiv 78 (1994), 14–40 **43** J. KOCH (Hrsg.), Artes liberales. Von der ant. Bildung zur Wiss. des MA, 1959 **44** A. KOYRÉ, From the Closed World to the Infinite Universe, 1957; dt.: Von der geschlossenen Welt zum unendlichen Universum, 1969 **45** F. KRAFFT, Der Mathematikos und der Physikos. Bemerkungen zu der angeblichen Platonischen Aufgabe, die Phänomene zu retten, in: Alte Probleme – Neue Ansätze, 1965, 5–24 (Beitr. zur Gesch. der Wiss. und der Technik, Heft 5) **46** Ders., Dynamische und statische Betrachtungsweise in der ant. Mechanik, 1970 (Boethius, Bd. 10) **47** Ders., Johannes Keplers Beitr. zur Himmelsphysik, in: Internationales Kepler-Symposium Weil der Stadt 1971, hrsg. von F. KRAFFT, K. MEYER, B. STICKER, 1973, 55–139 (arbor scientiarum, Bd. 1) **48** Ders., Tycho Brahe, in: K. FASSMANN u. a. (Hrsg.): Die Großen der Weltgeschichte, Bd. 5, 1974 (u. ö.), 297–345; wiederabgedruckt in: Exempla historica – Epochen der Weltgesch. in Biographien, Bd. 27, 1984, 85–142 **49** Ders., Der Wandel der Auffassung von der ant. N. und ihres Bezuges zur mod. Naturforsch., in: O. REVERDIN (Hrsg.), Les études classiques aux XIXᵉ et XXᵉ siècles: Leur place dans l'histoire des idées, 1980, 241–304 **50** Ders., Das Selbstverständnis der Physik im Wandel der Zeit, 1982 **51** Ders., Zielgerichtetheit und Zielsetzung in Wiss. und Natur. Entstehen und Verdrängen teleologischer Denkweisen in den exakten N., in: Ber. zur Wiss.-Gesch. 5 (1982), 53–74 **52** Ders., Aristoteles als christl. Sicht. Umformungen aristotelischer Bewegungslehren durch Johannes Philoponos, in: J.-F. BERGER (Hrsg.), Zw. Wahn, Glaube und Wiss. Magie, Astrologie und Wiss.-Gesch., 1987, 49–83 **53** Ders., Nicolaus Copernicus. Astronomie und Weltbild an der Wende zur Neuzeit, in: H. BOOCKMANN, B. MÖLLER, K. STACKMANN (Hrsg.), Lebenslehren und Weltentwürfe im Übergang vom MA zur Neuzeit. Ber. über Kolloquien der Kommission zur Erforsch. der Kultur des Spät-MA 1983 bis 1987, 1989, 282–335 (Abh. der Akad. der Wiss. in Göttingen. Phil.-Hist. Klasse, 3. Folge, Nr. 179) **53a** Ders., Johannes de Sacrobosco, in: LMA, Bd. 5, 1991, 598 f. **54** Ders., The New Celestial Physics of Johannes Kepler, in: S. UNGURU (Hrsg.): Physics, Cosmology and Astronomy, 1300–1700: Tension and Accomodation, 1991, 185–227. **55** Ders., Human. – N. – Technik. Europa vor der Spaltung in zwei Kulturen des Geistes, in: G. KAUFFMANN (Hrsg.): Die Ren. im Blick der Nationen Europas, 1991, 355–380 (Wolfenbütteler Abh. zur Ren.-Forsch., Bd. 9) **56** Ders., Tertius interveniens.

Johannes Keplers Bemühungen um eine Reform der Astrologie, in: A. BUCK (Hrsg.): Die okkulten Wiss. in der Ren., 1992, S. 197–225 (Wolfenbütteler Abh. zur Ren.-Forsch., Bd. 12) **57** Ders., Wiss. – Mathematik – Technik: Ihre Wechselwirkung in der Ant., in: Ber. zur Wiss.-Gesch. 16 (1993), 129–149 **58** Ders., Zw. Aristoteles und Isaac Newton: Auf dem Wege zum Konzept einer Allg. Gravitation, in: Monumenta Guerickiana – Zschr. der Otto-von-Guericke-Ges. 6 (1999), 3–23 **59** Ders., ›...denn Gott schafft nichts umsonst!‹ Das Bild der N. vom Kosmos im histor. Kontext des Spannungsfeldes Gott – Mensch – Natur, 1999 (Natur – Wiss. – Theologie. Kontexte in Gesch. und Gegenwart, Bd. 1) **60** Ders. (Hrsg.), Vorstoß ins Unerkannte. Lex. großer Naturwissenschaftler, 1999 (mit aktuellen Lit.-Angaben) **61** A. KRAYER, Mathematik im Studienplan der Jesuiten. Die Vorlesungen von Otto Catenius an der Univ. Mainz (1610/11), 1991 **62** W. KULLMANN, Aristoteles und die mod. Wiss., 1997 (Philos. der Ant., Bd. 5) **63** P. KUNITZSCH, Der Almagest. Die *Syntaxis Mathematica* des C. Ptolemaeus in arab.-lat. Überlieferung, 1973 **64** Ders., Der Sternkat. des Almagest. Die arab.-ma. Trad., 1986–91 (3 Bde.) **65** H. LANG, Aristotle's Physics and Its Medieval Varieties, 1992 **66** M-P. LERNER, Le monde des sphères, 2 Bde., 1996–97 **67** E. LEWALTER, Span.-jesuitische und dt.-lutherische Metaphysik des 17. Jh., 1935 **68** D. C. LINDGREN, The Transmission of Greek and Arabic Learning to the West, in [69], 52–90 **69** Ders. (Hrsg.), Science in the Middle Ages, 1978 **70** U. LINDGREN, Die Artes liberales in Ant. und MA. Bildungs- und wiss.-geschichtliche Entwicklungslinien, 1992 **71** A. MAIER, Ausgehendes MA. Gesammelte Aufsätze zur Geistesgesch. des 14. Jh., 3 Bde. 1964–77 **72** G. MAURACH, Coelum Empyreum. Versuch einer Begriffsgesch., 1968 (Boethius, Bd. 8) **73** S. H. NASR, Science and Civilization in Islam, 1968 **74** W. NEWMAN, The Place of Alchemy in the Current Literature on Experiment, in: M. HEIDELBERGER, F. STEINLE (Hrsg.), Experimental Essays – Versuche zum Experimentieren, 1998 **75** J. NORTH, Viewegs Gesch. der Astronomie und Kosmologie, 1997 (engl. 1994) **76** I. OPEL, Griech. Philos. bei den Arabern, 1970 **77** N. ORESME, Le Livre du ciel et du monde, ed. by A. D. MENUT, A. J. DENOMY, 1968 **78** O. PEDERSEN, M. PIHL, Early Physics and Astronomy: A Historical Introduction, 1974 **79** O. PEDERSEN, The corpus astronomicum and the Traditions of Medieval Latin Astronomy, in: Colloquia Copernicana III, 1975, 57–96 (Studia Copernicana, Bd. 13) **80** Ders., The ecclesiastical Calendar and the Life of the Church, in: G. COYNE u. a. (Hrsg.), Gregorian Reform of the Calendar, 1983, 17–47 **81** Ders., In Quest of Sacrobosco, in: Journal for the History of Astronomy 16 (1985), 175–221 **82** F. E. PETERS, Aristotle and the Arabs: The Aristotelian Tradition in Islam, 1968 **83** P. PETERSEN, Gesch. der aristotelischen Philos. im protestantischen Deutschland, 1921 **84** A. PYLE, Atomism and Its Critics. From Democritus to Newton, 1997 (dazu C. LÜTHY in: Archives internationales d'histoire des sciences 48 (1998), 431–433) **85** G. QUARG, Naturkunde und N. an der alten Kölner Univ., 1996 **86** R. RASHED (Hrsg.), Encyclopedia of the History of Arabic Science, 3 Bde., 1996 **87** G. A. RICCIOLI, Almagestum novum, Astronomiam veterem novamque complectens, observationibus aliorum et propriis, novisque theorematibus, problematibus ac tabulis promotam, 1651 (2 Bde.) **88** A. I. SABRA, An Eleventh-Century Refutation of Ptolemy's Planetary Theory, in: E. HILFSTEIN u. a. (Hrsg.), Science in History. Studies in Honor of E. Rosen, 1978, 117–131 (Studia Copernicana, Bd. 16) **89** W. SALTZER, Zum astronomischen Weltbild der Jesuiten, in: Zeitsprünge – Forsch. zur Frühen Neuzeit 1:3/4 (1997), 585–601 **90** J. SAMSÓ, Islamic Astronomy and Medieval Spain, 1994 **92** G. SARTON, Introduction to the History of Science. 3 Bde. in 5, 1927–1948 (u.ö.) **93** C. SCHÖNER, Mathematik und Astronomie an der Univ. Ingolstadt im 15. und 16. Jh., 1994 **94** M. SCHRAMM, Ibn al-Haythams Weg zur Physik, 1963 (Boethius, Bd. 1) **95** K. SCHREINER, Laienbildung als Herausforderung für Kirche und Ges. Rel. Vorbehalte und soziale Widerstände gegen die Verbreitung von Wissen im späten MA und in der Reformation, in: Zschr. für Histor. Forsch. 11 (1984), 257 ff. **96** F. SEZGIN, Gesch. des arab. Schrifttums. Bd. 3: Medizin, Pharmazie, Zoologie, Tierheilkunde bis ca. 430 Hedschra, 1970; Bd. 4: Alchimie, Chemie, Botanik, Agrikultur bis ca. 430 Hedschra, 1971; Bd. 5: Mathematik bis ca. 430 Hedschra, 1974; Bd. 6: Astronomie bis ca. 430 Hedschra, 1978 **97** J. TEICHMANN, Wandel des Weltbildes. Astronomie, Physik und Meßtechnik in der Kulturgesch., 1980 (in späteren Ausgaben fehlt die Abb.) **98** A. TIHON, R. MERCIER, Georges Gémiste Pléthon, Manuel d'astronomie, 1998 **99** L. THORNDIKE, The Sphere of Sacrobosco and its Commentators, 1949 **100** M. ULLMANN, Die Natur- und Geheimwiss. im Islam, 1972 (Hdb. der Orientalistik, I. Abt., Ergänzungsbd. VI, 2) **101** J. VERNET, Die span.-arab. Kultur in Orient und Okzident, 1984 (mit älterer Lit., urspr. span. 1978) **102** R. WARDY, Chain of Change, 1990 **103** J. A. WEISHEIPL, The Celestial Movers in Medieval Physics, in: The Thomist 24 (1961), 286–326 **104** M. WOLFF, Gesch. der Impetustheorie. Unt. zum Ursprung der klass. Mechanik, 1978 **105** H. A. WOLFSON, The Problem of the Souls of the Spheres from the Byzantine Commentaries on Aristotle through the Arabs and St. Thomas to Kepler, in: Dumbarton Oaks Papers 10 (1961), 67–93 **106** M. WUNDT, Die dt. Schulmetaphysik des 17. Jh., 1939 **107** E. ZINNER, Entstehung und Ausbreitung der coppernicanischen Lehre, 1943, ²1988.   FRITZ KRAFFT

IV. MECHANIK

A. BEGRIFF UND INHALT IN DER TRADITION DER ANTIKE

B. NEUZEITLICHE MECHANIK ALS »PHYSIK«

C. TRADITIONSSTRÄNGE ZWISCHEN ANTIKE UND FRÜHER NEUZEIT

D. ARTES MECHANICAE

E. DIE NEUE SEHWEISE DER FRÜHEN NEUZEIT (G. GALILEI)   F. MACHINA MUNDI

A. BEGRIFF UND INHALT IN DER TRADITION DER ANTIKE

Das ant. Verständnis von Mechanik (M.) als μηχανική (zu ergänzen: τέχνη) und (*ars*) *mechanica* blieb bis zum Beginn der Neuzeit erhalten. M. war danach mehr ein Sammelbegriff denn eine Disziplin, der Heuristik, Ableitung und Anwendung »künstlicher« (in mod. Sinne: technischer) Produkte (»Maschinen«, »Künste«) und Verfahren zur »künstlichen« Erzeugung von Bewegungen (Geminos bei Proklos, in Eucl. p. 41: πᾶσα ἡ τῆς ὕλης κινητική; zu ergänzen: τέχνη), die in der Natur nicht von selbst und spontan (nicht »naturgemäß«: κατὰ φύσιν, *secundum naturam*) ablaufen, sowie die ihnen zugrundeliegende Theorie umfaßte (siehe neben Geminos bei Proklos Pappos, Collectio 8, prooem.; Tzetzes, Chiliades XI, 586–641: die Teile der M., für die Geometrie angewendet wird; [39. 36–42; 42; 43.137–139]). Nach mod. Verständnis wäre M. im praktischen Teil Technik (Mechanische Technik), im theoretischen Teil Technologie und Ingenieurwiss., in keinem Falle aber eine oder gar die »Naturwiss.« (*physica, philosophia naturalis*).

Grundvoraussetzung war die Überzeugung, daß eine andere als die naturgemäße, auf Grund eines inneren Triebes spontan ablaufende Bewegung einem Körper nur von außen gewaltsam aufgezwungen werden kann (Plat. Leg. X,8; Aristoteles, Problemata mechanika, prooem.). Folglich galt eine solche von außen verursachte Bewegung insgesamt als gegen das naturgemäße Verhalten dieses Körpers (παρὰ φύσιν, *contra naturam*) gerichtet, als ihm »naturwidrig«; und das blieb die naturphilos. Grundlage aller Betrachtungen zur M. bis ins frühe 17. Jahrhundert. Daraufhin war aber auch die Größe der für eine »künstlich« aufgezwungene Bewegung eines Körpers erforderlichen (Mindest-)»Kraft« (Gewicht) prinzipiell aus der Wirkung auf diesen Körper zu erschließen oder experimentell zu ermitteln.

Speziell von einer »mechanisch« erzeugten Bewegung sprach man immer dann, wenn die dem Menschen eigene »Kraft« oder Kunstfertigkeit allein für den erwünschten Effekt nicht ausreichte (z.B. um einen schweren Körper zu heben, weil Kraft : Last < 1), so daß er sich, um die »Natur« des Körpers zu überwinden, einer List bedienen muß, eines »Mittels« (μηχανή, über das dorische μαχανά zu lat. *machina*, im späten MA auch ersetzt durch *ingenium*, wofür der Ren.-Human. wieder *machina* setzte; dt. »Kunst«, »Gezeug«, »Maschine« u.ä.).

B. Neuzeitliche Mechanik als »Physik«

Zur Beschreibung, Erklärung und Begründung monokausal verursachter, nicht vom Menschen beeinflußter »natürlicher« Abläufe und damit zu einem Teilbereich der Physik als einer Wiss. von der Natur wurde die M. (abgesehen von praktischen Verwirklichungen in bestimmten »technischen« Produkten, die über diese Zäsur hinweg unverändert beibehalten wurden) erst seit dem ausgehenden 16. Jh., als die qualitative »Physik« des Aristoteles mit ihren den Körpern selbst innewohnenden (gleich bleibenden) Bewegungsantrieben nach und nach in eine quantitative Physik gewandelt wurde. In Anlehnung an das bislang nur in der M. und Technik angewandte Prinzip, Veränderungen des Ruhe- (im Verlauf des 17. Jh. auch des gleichförmigen Bewegungs-) Zustandes eines Körpers ausschließlich als durch von außen einwirkende »Impulse« verursacht aufzufassen, betrachtete die neue Physik solche Bewegungen statisch oder dynamisch, indem sie völlig davon absah, ob sie durch Kräfte anderer Körper »natürlich« oder vom Menschen »künstlich« verursacht werden, weil hierin keine Zäsur mehr gesehen wurde. Schon G. Galilei und J. Kepler faßten auch die »künstlich« und/oder instrumentell verursachten Bewegungen als für den bewegten Gegenstand »naturgemäße« und nicht mehr als ihnen gegen ihre Natur aufgezwungene, »naturwidrige« auf. – Ansätze dazu finden sich in der Impetus-Theorie des Ioannes Philoponos (6. Jh.) und der Nominalisten des 14. Jh. (v.a. Johannes Buridanus und Nicole Oresme), nur daß bei ihnen noch zw. dem von Gott bei der Schöpfung den Körpern eingepflanzten, ewig gleichbleibenden Impetus (für »natürliche« Bewegungen) einerseits und dem vom Menschen – etwa beim Wurf – eingeprägten, sich nach und nach abschwächenden Impetus (für »künstliche« Bewegungen) andererseits unterschieden worden war (so auch noch beim jungen Galilei in der Schrift *De motu*).

Gemäß dem Prinzip *actio* = *reactio* lassen sich daraufhin nicht nur bei in ant.-ma. Sinne »mechanischen«, sondern auch bei »natürlichen« Bewegungsveränderungen die – seit Keplers Schwerebetrachtungen in der *Introductio* zur *Astronomia nova* (1609) [46. 79–95] wechselseitig – wirkenden »Kräfte« aus den Effekten quantitativ bestimmen, wozu sich dann auch das in der ant.-ma. M. und Technik geläufige, bei physikalischen Unt. (natürlicher Prozesse) bislang aber gemiedene Experiment heranziehen ließ.

Damit ist dann endgültig der ant. Gegensatz M./Physik überwunden, und die M. wurde als ein Teil der Physik unabhängig von ant. Vorstellungen weiterentwickelt, die »Himmelsphysik« (so noch bei J. Kepler: *Astronomia nova* αἰτιολογηκος, *seu physica coelestis*, 1609) als »Himmelsmechanik«, welcher Begriff in vorneuzeitlicher Zeit schon ein Widerspruch in sich gewesen wäre. Von diesem Standpunkt aus spricht man in teleologischer Betrachtungsweise dann gern von der bei Isaac Newton zu einem vorläufigen Abschluß gekommenen »Mechanisierung des Weltbildes« [14].

C. Traditionsstränge zwischen Antike und früher Neuzeit

Voraussetzung für die neue statische und dynamische M. ist neben der völlig anderen Grundeinstellung zur Natur als einheitlicher Schöpfung und des Menschen Stellung in ihr sowie zur Wertigkeit der Handarbeit das Zusammenwachsen mehrerer, auf die Ant. zurückgehender Traditionsstränge angewandter Mathematik im ausgehenden 16. und frühen 17. Jh., ergänzt durch neue Sehweisen des MA (siehe C.5.) [8; 20].

1. Antike Ursprünge

Zu diesen Traditionssträngen zählen die Überlieferung und Rezeption der *Problemata mechanika* (*Quaestiones mechanicae*) des Aristoteles (zur Echtheit [43. 13–20, 78–96; 62]) sowie der mechanischen Traktate des Archimedes [16; 43. 97–128; 75. 35–43] und einiger seiner rein mathematischen Schriften, in denen an einer imaginären Waage als einer Art Gleichung um eine Dimension reduzierte mathematische Figuren und Körper gegeneinander aufgewogen werden, um mathematische Sachverhalte, die nachträglich eines geom. Beweises bedürfen, zu erkennen (Archimedes, Eratosthenes:

δύνασθαί τινα τῶν ἐν τοῖς μαθήμασι θεωρεῖν διὰ τῶν μηχανικῶν – angewandt etwa in *De planorum aequilibriis* mit dem »Beweis« des Hebelgesetzes und in *Quadratura parabolae* sowie ähnlich auf hydrostatischer Basis in *De corporibus fluitantibus*). Die dynamische Sehweise des Aristoteles und die statisch-axiomatische des Archimedes sind zusammengefaßt in der lehrbuchartigen Εἰσαγωγή (*Mechanika*) des Heron von Alexandria [17. 19; 45], die im Original verloren ist, also auch nicht in Byzanz rezipiert wurde, aber in einer arab. Übers. von Thabit ibn Qurra erhalten ist (1893 erstmals ediert). Da diese keine lat. Übers. erfuhr, wurde das Werk auch im Westen nicht rezipiert. Auf ihm beruht aber, so daß manche Passagen griech. erschlossen werden können, inhaltlich das 8. Buch der *Collectio* von Pappos von Alexandria (identisch mit den als Einzelschrift erwähnten Μηχανικαὶ εἰσαγωγαί), von dem unter dem Titel *Einführung in die Mechanik* auch eine etwas ausführlichere arab. Übers. existiert [77. 83–120], während die lat. Übers. der *Collectio* von F. Commandino erst 1588 erschien [65]; sie basiert auf der am Anf. und E. (von Buch 8) verstümmelten Abschrift im *Codex Vaticanus Graecus* 218 aus dem 10. Jh., der bereits vor 1300 in den Westen gekommen war und gelegentlich benutzt (Witelo), aber erst im zeitlichen Kontext mit der Übers. ab Mitte des 16. Jh. mehrfach kopiert wurde [39. 1–65]. Aus Herons *Mechanika* lassen sich, teils wörtlich, teils inhaltlich, ganze Passagen aus den verlorenen *Stoicheia mechanika* des Archimedes erschließen – mit den Büchern *Über den Schwerpunkt, Über Stützen, Über Waagen* –, welche nicht nur die Vorwürfe einer Unvollständigkeit der Beweisführung für das Hebelgesetz in der lediglich zusammenfassenden Schrift *De planorum aequilibriis* ausräumen, sondern auch verdeutlichen, daß selbst Archimedes (Heron, Mech. I,34 und II,7) vom Übergewicht des größeren zweier konzentrischer Kreisen ausging und den statischen Beweis dafür in seine Axiomatik einbezog, dann allerdings Aristoteles' dynamischen Standpunkt einer beliebigen kreisförmigen Verrückung der am Balken befestigten Gewichte im Falle der Waage widerlegte. Dazu faßte er die Kreise als feste Räder auf einer Welle auf und zeigte einerseits, daß Bewegung nur solange stattfinde, wie kein Gleichgewicht herrsche, andererseits aber durch Einführung eines potentiellen Hebelarmes, daß mit beliebig unterschiedlichen Gewichten ruhendes Gleichgewicht hergestellt werden könne. Diese Statik erwies sich vorerst als besser handhabbar, und auf ihrer archimedisch-heronischen Basis konnte sie durch ihre streng axiomatische Ausformung selbst in der streckenweise nur resumierenden Zusammenfassung auch das Muster für zahlreiche arab. und arab.-lat. Traktate über die Einfachen Maschinen und über Waagen, die teils nachträglich Archimedes oder Euklid zugewiesen wurden, liefern [33], die bis zur Wiederentdekung der *Mechanika* Herons stets als Weiterführung griech. Wiss. eingeschätzt worden waren, was aber wohl nur für des arab. schreibenden Griechen Abd ar-Rahmān al-Chāzini *Buch über die Waage der Weisheit*

(1121/22), das bemerkenswerteste Werk des MA über M. und Hydrostatik überhaupt, von teilweise enzyklopädischem Charakter (mit al-Birunis älteren Bestimmungen spezifischer Gewichte mittels hydrostatischer Wägung [3; 87]), und Ismail ibn ar-Razzaz al-Jazaris *Buch vom Wissen über den Bau mechanischer Gerätschaften* (1206) gilt, die beide ebensowenig wie al-Birunis Schriften im lat. und griech. Westen bekannt wurden [33; 72.; 88].

2. DAS »DYNAMISCHE GRUNDGESETZ«

Auch der *Liber Euclidis de ponderoso et levi* scheint nur einen eigenen Traditionsstrang darzustellen. Hierin wird eine Axiomatisierung des anachronistisch sog. »dynamischen Grundgesetzes« von Aristoteles (Problemata mechanika; De caelo II,8; Physik VII,5; [43. 48–78]) vorgenommen, wonach gleiche »Kräfte« Körper gleichen Gewichtes in derselben Zeit über eine gleiche Strecke (oder doppelten Gewichtes über die halbe Strecke bzw. in der doppelten Zeit über dieselbe Strecke) bewegen – wie bei Aristoteles handelt es sich auch hier nicht um absolute, sondern ausschließlich um relative Größen gemäß einem »mehr oder weniger«. Die Echtheit dieser kleinen Schrift ist zwar umstritten – die älteste Hs. stammt aus der 2. H. des 13. Jh., der Erstdruck von 1537 [8. 23–31] –; sie scheint aber aus der Ant. zu stammen, vermutlich sogar aus dem Umfeld der *Elemente der Mechanik* von Archimedes [43. 121 f.].

Bezogen auf mechanisch erzeugte Bewegungen besagt das Grundgesetz, daß in einem mechanischen System, das sich auf Waage oder Hebel (bzw. das Prinzip der ungleichen konzentrischen Kreise der *Problemata mechanika*) reduzieren läßt, das Verhältnis von bewegender »Kraft« zu bewegtem Gewicht umgekehrt wie ihre Geschwindigkeiten ist (die ihrerseits bei den synchronen Bewegungen vom Abstand vom Drehpunkt bzw. der Länge des Hebelarmes abhängt), verstanden als Verrückung längs der von ihnen beschriebenen Kreise – in einer noch unpräzisen Vorwegnahme des Prinzips der virtuellen Verschiebungen (J. (I) Bernoulli) für kreisförmige Bewegungen [22. Bd. I.5–9; 43. 36–38]. Dieser dynamische Grundsatz ist dann die Basis zweier weiterer, Euklid zugeschriebener arab. Traktate, die im lat. Westen unbekannt blieben [91]. Übersetzt wurde dagegen der *Liber karastonis* von Thabit ibn Qurra [8. 77–117] durch Gerhard von Cremona (gegenüber der erhaltenen arab. Fassung erweitert [8; 85]). Er behandelt auf dieser Basis die röm. Waage, wird ausdrücklich als Bearbeitung einer älteren, schwer verständlichen (griech.) Schrift bezeichnet und beruht möglicherweise auf einem Traktat Philons von Byzanz oder des Archimedes, dem dann erst Thabit eine dynamische (aristotelische) Erklärungsgrundlage gegeben haben müßte, wenn auch ein Fragment ähnlichen Inhalts wiederum Euklid zugeschrieben wird ([8. 281–283]. Generell zum arab. Euklid: [77. 83–120]).

3. ARCHIMEDES-TRADITION

Man kannte die streng axiomatisierte statische Betrachtungsweise von Archimedes zwar in der Ant. und im arab. Kulturkreis durch die Aufnahme in die Werke von Heron und Pappos, doch sind seine Schriften selbst in der Ant. außerhalb Alexandrias wohl nur indirekt bekannt gewesen; hier entstanden auch die Komm. von Eutokios (5./6. Jh.), u. a. zu *De planorum aequilibriis*. Eine erste Teilausgabe ist vor Isidoros von Milet und Anthemios von Tralles (6. Jh.) aber nicht nachweisbar, und auch in der Folgezeit wurden in Konstantinopel mehrere Ausgaben veranstaltet [10; 47. 898 f.], die umfassendste (ohne *De corporibus fluitantibus* und *Ephodos*, aber u. a. mit *Quadratura parabolae*, die Eutokios nicht kannte) durch Leon aus Thessalien (9. Jh.). Von dieser kam 1266 ein Exemplar in päpstlichen Besitz (nach 1564 verschollen), von dem sämtliche Ren.-Hss. stammen. Sie bildete mit einer weiteren, schon im frühen 14. Jh. verschollenen Ausgabe die Grundlage der lat. Übers. Wilhelms von Moerbeke [10. Bd. II]. Eine weitere byz. Ausgabe (mit allen für diesen Zusammenhang einschlägigen Schriften) ist durch einen 1906 entdeckten Palimpsest des 10. Jh. bekannt geworden, der als einzige Hs. die Methodenschrift *Ephodos* enthält. Seit dem 9. Jh. lassen sich auch arab., teilweise mehrfach redigierte Übers. u. a. von *De corporibus fluitantibus*, *Quadratura parabolae*, von nicht griech. erhaltenen und von Archimedes fälschlich zugeschriebenen, sich an griech. Vorbilder anlehnende Schriften (wie *De ponderibus Archimenidis sive de insidentibus in humidum* und *Über die (Wasser)uhr des Archimedes* [15. 36; 90]) nachweisen (Thabit ibn Qurra u. a. [77. 121–136]); sie prägten durch Übers. im 13. Jh. die Statik in Europa wohl deutlicher als die byz. Ausgaben. Um 1450 übers. dann Jakob von Cremona im Auftrag Papst Nikolaus V. die Leon-Ausgabe nochmals ins Lat.; hiervon erhielt Nikolaus von Kues eine Abschrift, eine andere brachte Regiomontanus 1468 nach Deutschland, wo sie Vorlage für die Basler griech.-lat. Ausgabe von 1544 wurde. Eine weitere lat. Übers. von Federigo Commandino wurde 1558 in Bologna gedr., seit dem frühen 16. Jh. erschienen aber auch einzelne Schriften in Moerbekes lat. und in it. Übertragung (N. Tartaglia, 1543) und bezeugen die intensive Beschäftigung mit den mathematischen Werken des Archimedes.

4. ARISTOTELES-TRADITION

Die selbständige Trad. der *Problemata mechanika* des Aristoteles verlief im MA dagegen weitgehend unbekannt; es läßt sich weder eine frühe lat. noch eine arab. Übers. in Hss. nachweisen, wenn auch der *Codex Parisinus* 2115 eine über die bloße Tradierung hinausgehende intensive redaktionelle und kommentierende Bearbeitung bezeugt. Umso überraschender ist die Erwähnung in Friedrich II. *De arte venandi* [28. fol. 24ʳ]: ›(...) quod dicit Aristoteles in libro de ingeniis levandi pondera dicens quod magis facit levari pondus maius circulus‹. Eine Kenntnis der Schrift und ihres »dynamischen« Prinzips setzen zu dieser Zeit des frühen 13. Jh. allerdings auch die Traktate aus der Schule von Jordanus

(wohl fälschlich genannt »de Nemore« bzw. »Nemorarius«) und der *Liber de motu* Gerhards von Brüssel voraus. Besonders die Jordanus-Traktate (*Elementa Jordani super demonstrationem ponderum*, *Liber Jordani de ponderibus*, *Liber Jordani de Nemore de ratione ponderis* [8. 121–227]) werden nur verständlich als Ergebnis einer kritischen Auseinandersetzung mit den aristotelischen Grundlagen der Kinematik und Mechanik, die in der Manier des Archimedes axiomatisiert werden, etwa mit dem »dynamischen Grundgesetz« für mechanische Bewegungen. Für dieses erbringt Jordanus einen formalen geom. Beweis, in dessen Verlauf er es im Hinblick auf das spätere Prinzip der virtuellen Verschiebungen (im Sinne virtueller Arbeit) weiter präzisiert: die »Kraft«, die ein gegebenes Gewicht in eine bestimmte Höhe heben kann, hebt ein k-mal schwereres Gewicht 1/k-mal so hoch (*Elementa*). Dieser Gedanke wird in *De ratione ponderis* auf Körper an einer schiefen Ebene erweitert: ›Wenn zwei Gewichte sich auf Ebenen unterschiedlicher Neigung abwärts bewegen und direkt proportional den Längen der schiefen Ebenen sind, besitzen beide Gewichte bei ihrer Abwärtsbewegung dieselbe bewegende Kraft‹ – was später Galilei und Simon Stevin beweisen sollten (auch schon Pappos, Coll. VIII,9). Hierzu zerlegte Jordanus in Weiterentwicklung der Zusammensetzung einer (irdischen, mechanischen) Kreisbewegung aus zwei geradlinigen Komponente bei Aristoteles die geradlinige Bewegung auf einer schrägen Fallbahn ebenfalls in eine »naturgemäße«, senkrecht gerichtete und eine gewaltsame (»naturwidrige«), horizontal gerichtete Komponente und nennt die erstere bewirkende »natürliche« Kraft *gravitas secundum situm* (»Schwere nach Position«) – sie ist um so kleiner, je schräger (näher der Horizontalen) die Fallbahn ist. So konnte die Neigung zweier Fallbahnen verglichen werden, während auf der schiefen Ebene die *gravitas secundum situm* überall gleich ist. In dieser Schrift wird auch das Problem des Winkelhebels ähnlich wie bei Archimedes durch die Einführung eines potentiellen Hebelarms gelöst. Eine völlig neuartige, nämlich axiomatische Behandlung erfahren zudem Fallbewegungen in unterschiedlichen Medien.

In der Ren. kannte man zwar die Jordanus-Schriften – schon Roger Bacon setzte sich mit Jordanus' Begriff des *gravius secundum situm* im Kap. *De motu librae* seines *Opus maius* (cap. XVI in: [2. 169–174]) kritisch auseinander [43. 34]; Arnold von Brüssel kopierte sich 1464 die *Elemente*; Druckausgaben besorgten P. Apian 1533 sowie N. Tartaglia 1546 (Paraphrase) und 1565. Doch scheint ihr Einfluß von der mod. Forsch. seit P. Duhem [22] stärker eingeschätzt worden zu sein als noch vom 16. Jh. selbst [19. 138 f.], das im Sinne der erstrebten Rückbesinnung auf die Ant. die direkte Beschäftigung mit deren Schriften vorzog, mit Archimedes und Pappos (F. Commandino verfaßte schon einen *Liber de centro gravitatis*, 1565), vornehmlich aber mit den *Problemata mechanika* des Aristoteles [55; 70], die ja auch technisch-mechanische Probleme behandelten, so daß sie zusammen mit Vitruvs *De architectura* das technische Grundschrifttum bildeten. Immerhin erklärte noch 1692 E. Chauvin [7. s. v. machina], daß die *Problemata mechanika* den überwiegenden Einfluß auf die M. ausgeübt hätten.

Eine Lizenz für die Ausfuhr von Büchern aus Bologna vom 18. August 1413, die ein *Reportorium super mechanica Aristotelis* nennt, bezeugt eine Rezeption, die sicherlich schon auf einer Übers. der Schrift beruhte, auf die ein *Liber mechanicorum* in einer Paduaner Bücherliste von 1401 hinweisen könnte. Die 1474 von Regiomontanus geplante Druckausgabe kam zwar nicht zustande, aus dem 15. Jh. stammen aber 18 der insgesamt 30 noch erhaltenen griech. Hss., wobei die 1457 für den technisch interessierten Kardinal Bessarion angefertigte die älteste ist, in der die *Problemata mechanika* Bestandteil des *Corpus Aristotelicum* sind; sie gingen deshalb auch in die darauf basierende erste gedr. Gesamtausgabe ein (Opera, Bd. 2, 1497). Das folgende Jh. ist dann geprägt durch zahlreiche Drucke von lat. und vorwiegend it. Übers., Paraphrasen und Komm. [20; 55.; 70], u. a. von R. Francesco (1490?), V. Fausto (1517), N. Leonico (1525 – diese Ausgabe besaß Galilei – und 1530; die lat. Übers. wurde bis 1654 mehrfach nachgedruckt), D. H. de Mendoza (span. 1545, erst 1898 gedruckt), N. Tartaglia (*Questi ed inventioni diverse*, 1546, 1554; zusammen mit Piccolominis Paraphrase und einem Jordanus-Text, 1565), A. Piccolomini (1547, 1565, it. 1582 [66]), A. Wechel (griech. 1566), F. Maurolico (1569, gedr. 1613), A. Guarino (1573), G. Ubaldo del Monte (1577 und 1615, it. 1581 [84]), B. Baldi (1582, der Komm. wurde erst 1621 mit einer dt. Paraphrase gedr.), G. B. Benedetti (1585, 1586, 1590), H. de Monantheuil (griech.-lat. 1599, 1600 [34; 61]), G. Biancani (1615), G. de Guevera (1627) und D. Mögling (1629 [60]). Nachweisbare Vorlesungen über die aristotelische Mechanik hielten P. Ramus 1554/1565 in Paris, P. Catena 1573–1575 und Galileis Amtsvorgänger G. Moleti 1581–1583 in Padua [55; 63.; 70], von denen sich dann Galilei mit seiner it. Vorlesung *Le mecaniche* (1593/94; engl. in [18], die Einleitung dt. in [30. Bd. I.68–72]) bewußt absetzte, die um 1600 noch einmal überarbeitet und erweitert wurde [29. Bd. II. 155–199] (die handschriftlich kursierende Schrift wurde zuerst 1634 in einer frz. Übers. M. Mersennes und 1649 it. gedr., zu den verschiedenen Ed. siehe [43. 164]).

5. Neuerungen des Mittelalters

Zu den nach der Ant., erst im lat. MA entstandenen Traditionssträngen zählt v. a. die neuartige quantitative Bewegungslehre der *Calculatores* der Merton-Schule [80] und der Nominalisten, die neben einer intensiven Beschäftigung mit der Mathematik (einschließlich Astronomie, Optik und M.) auch die Intensitäten und Veränderungen sekundärer Eigenschaften der aristotelischen *forma* (Farbe, Wärme, Güte, Liebe, aber auch Schnelligkeit einer Ortsbewegung) in funktionaler Abhängigkeit von der Fläche oder der Zeit graphisch (geom.) als »Formlatituden« darstellten. Es gibt danach gleichförmige und ungleichförmige Veränderungen

(Bewegungen), von denen letztere wiederum gleich- oder ungleichförmig erfolgen können. Während die gleichförmige Bewegung sich so als Rechteck über einer »Zeitachse« als »Länge« darstellt, ergibt die gleichförmig ungleichförmige (bei Galilei: gleichförmig wachsende, bei Newton: gleichförmig beschleunigte) Bewegung ein Dreieck über der »Länge«; die Breite entspricht dann der jeweiligen »Bewegungsintensität« (bei Galilei: (Momentan-)Geschwindigkeit), der Flächeninhalt der in der Zeit zurückgelegten Weglänge. Geometrische Manipulationen auf diesem Reduktionsniveau der Flächen erlauben dann die Vorstellung von einer »Durchschnittsgeschwindigkeit«, deren Größe durch die »Breite« des mit dem Dreieck flächengleichen Rechtecks über derselben »Länge« bestimmt wird. Dadurch wird zum einen die der aristotelischen Trad. fremde und unerlaubte, mehrdimensionale Größe »Geschwindigkeit« ($v = s \cdot t$) denkbar, und kann andererseits Bewegung völlig unabhängig von der Frage ihrer Verursachung und als ein Verlauf betrachtet werden. Beides sowie die Umrechnung in »Durchschnittsgeschwindigkeiten« benutzte Galilei, als er ab 1604 die Veränderung der Bewegung beim Freien Fall als mit der Zeit gleichmäßig erfolgend postulierte, woraus er dann sein Fallgesetz (ohne empirische Basis) abzuleiten vermochte, das er erst nachträglich an der Fallrinne bestätigte.

D. Artes mechanicae

Seit Cassiodor und Isidor von Sevilla wurde die im lat. Sprachgebrauch weitgehend verlorengegangene Bed. von μηχανικὴ τέχνη (als Bestandteil der *architectura*) für *ars mechanica* wieder übernommen, wobei im Anschluß an Varros *architectura* die M. neben dem Quadrivium, *astrologia* und *medicina* zu den sieben Fächern der *physica* zählte (Isidor, Aldhelm, Hrabanus Maurus u. a.), wenn wegen mangelnder mathematischer Lehrbücher der Inhalt auch auf den praktischen Teil beschränkt wurde und die Begründung des Nutzens der Geom. auch für die M. ein bloßer lit. Topos blieb. Seit dem 9. Jh. ist jedenfalls die *ars mechanica* nurmehr eine »Kunstfertigkeit«, das technisch-raffinierte Handwerk, so daß die M. danach aus den auf Isidor zurückgehenden Einteilungen der Wiss. (*scientiae*) verschwindet und an ihre Stelle neben der Gruppe der verbliebenen, jetzt höheren *artes* (→ Artes liberales) als zweite Gruppe *artes minores* treten (später auch *artes leviores* genannt), die allein körperliche Tätigkeiten (Handwerke) umfassen. Für diese wird schon 859 von Johannes Scotus Eriugena als zusammenfassende Bezeichnung *septem artes mechanicae* vorgeschlagen [25. 86 ff.], doch setzt diese sich erst seit dem 12./13. Jh. durch, als auch in der Urkundensprache die gegenüber dem Handel minderwertiger eingeschätzten und sozial niedriger eingestuften handwerklich-technischen Erwerbsformen damit bezeichnet wurden.

Schon zu Beginn des 12. Jh. spricht Honorius Augustodunensis die M., die alle Handwerke umfasse (*omnes artes, quae manibus fiunt*), als eine seiner zehn *civitates* (Wissensbereiche) an [Patrologia Latina, Bd.

CLXXII 1245 B], der rangmäßig nur noch die Ökonomie folge, während die sieben Freien Künste und die Medizin ihr vorangingen. Ähnlich ist die Einschätzung in der für die Folgezeit maßgeblich gewordenen Einteilung im *Didascalicon* [35] des Hugo von St. Victor (um 1130), wo die Rolle der M. als einer fremden unter den Wiss. und einer Außenseiterin damit erklärt wird, daß sie außerhalb der gegebenen, natürlichen Ordnung wirke ›quia extra naturalia in solis operibus hominum admissa peregrina, et velut adventitia participatione, in numerum earum que naturalem possident dotem disciplinarum pene culpanda accessit‹ [36. 112]), wenn hier auch bereits eine Aufwertung angestrebt wird; denn Hugo nennt die M. ausdrücklich *scientia* statt *ars*, weil sie neben der Praxis (*administratio*) der Theorie (*ratio*) bedürfe, wenn sie auch als vierte die anderen *principiales scientiae* (*logica*, *ethica* und *theorica*, die Physik, Mathematik und Metaphysik umfaßt) voraussetze und als »uneigentliche« (*adulterina*) Wiss. dem praktischen Nutzen diene, als solche aber für des Menschen Dasein notwendig sei – eine entsprechende theologische Rechtfertigung der die Schöpfung ja verändernden (nach manchen: verbessernden und vervollkommenden) Künste findet sich seit Augustinus (De civitate Dei 22,24) bis ins 17. Jh. immer wieder [79. 42–53, 60–92]. Hugo unterteilt dann die die Natur nachahmende M. nach dem Muster der *scientiae liberales* ebenfalls in sieben Gruppen, entsprechend deren Trivium und Quadrivium ebenfalls in einen nach außen und einen nach innen gewendeten Bereich: 1. *lanificium* (Verarbeitung flexibler organischer Stoffe), 2. *armatura* (Waffenbau, überhaupt jegliches technische Handwerk), 3. *navigatio* (Handel zu Wasser und zu Lande), 4. *agricultura* (Garten- und Landwirtschaft), 5. *venatio* (Nahrungsmittelerwerb jeglicher Art), 6. *medicina* und 7. *theatrica* (Ritterspiele).

Zeitlich parallel dazu werden von Dominicus Gundissalinus (Gundisalvo) die *artes fabriles* wieder auf die Werktätigkeiten beschränkt, alle werden jetzt aber als Anwendungsbereiche der Geom. verstanden, was über al-Fārābi auf hell. Vorstellungen von den Disziplinen der M. als Anwendungen der Mathematik bei Geminos und Proklos zurückgeht – weshalb auch die Abwertung gegenüber den Freien (mathematischen) Künsten unterbleibt, zu denen bei ihm neben dem Quadrivium eine *scientia de aspectibus* (Optik), eine *scientia de ponderibus* (Statik) und eine *scientia de ingeniis* (M. der sinnreichen Einrichtungen, Maschinen und Instrumente) zählen [32]. Um diese Einordnung im Westen mit Inhalten füllen zu können, hätte es allerdings der Kenntnis entsprechender mathematischer Schriften der Ant. bedurft, die um 1150 noch nicht vorlag. Bis zum Ausgang des 13. Jh. blieben deshalb diese Aufwertungsversuche erfolglos; es blieb bei der pejorativen Bewertung, meist graduell differenziert nach den für das menschliche Dasein notwendigen und den nur der Bequemlichkeit und dem Vergnügen dienenden Künsten. Dabei wird die M. einmal zusammen mit der Logik zu den praktischen Disziplinen gezählt (etwa bei Gottfried von St. Victor),

einmal als selbstständiges Gebiet außerhalb der *philosophia* angesiedelt (etwa von Bernhard Silvestris); betont wird aber jeweils der dienende, unfreie (*servilis*) und uneigentliche, nachahmende (*adulter*) Charakter, denn sie dienten nicht der Weisheit, der Gottes- oder Selbsterkenntnis, sondern Erwerbszwecken (so etwa bei Engelbert von Admont) bzw. der Wirkung im materiellen Bereich – so bei Albertus Magnus und Thomas von Aquin, die sich in der neuentstehenden Aristoteles-Trad. an dessen Unterscheidung von *actio*/Handeln und *factio*/Machen anlehnen und die Bereiche der M., zu denen für sie nur handwerkliche Künste zählten, als *scientiae factivae* und *operativae* bezeichnen. Nach Albertus bedient sich die M. der geistigen Kräfte auf ungeistigem, materiellem Gebiet und entfremdet dadurch den Geist sich selbst [1. 3 (I, 1)]; bes. bei Thomas ist damit dann auch eine soziale Abwertung als Handwerk und *artes serviles* verbunden. Raimundus Lullus verbindet daraufhin in seinem *Arbor imperialis* (Editio 1515, fol. 60 b) auch wieder eine wertende Rangfolge mit den sozialen Ständen: *milites*, *burgenses*, *mercatores* sind die handelnden, *populus* ist der fabrizierende.

Im Zuge der wieder auflebenden ant. Trad. werden die Gebiete der M. auch in den Wiss.-Einteilungen seit Anf. des 13. Jh. wieder und zunehmend ausschließlich *artes* (*mechanicae*) genannt. Vinzenz von Beauvais etwa differenziert um 1244 in dem Buch *De arte mechanica* innerhalb seines *Speculum maius* (Ed. 1624, Pars 2, 994), das mit einer Rechtfertigung der M. im Rückgriff auf die genannte Augustinus-Stelle beginnt, die *opera* als ›das Werk Gottes, der erschafft, was vorher nicht war; das der Natur, die hervorbringt, was verborgen schon vorhanden war; und das des Menschen als *artifex*, der Getrenntes (bereits Vorhandenes) verbindet und Verbundenes trennt. Menschenwerk schafft etwas, das in der Natur nicht vorkommt, ahmt darin aber die Natur nach (wenn auch nur unvollkommen: *deficienter*), weshalb es auch *mechanicum* genannt wird, das heißt *adulterinum*‹, wie ein illegitimes, minderwertiges Kind. Diese Einschätzung geht auf Hugo von St. Victor zurück; während A. Pierozzi in seinem bis ins 16. Jh. mehrfach aufgelegten *Repertorium totius Summae Aureae* [79. 131] das in diesem Sinne nicht mehr gebräuchliche *adulterinus* mit Hurerei in Verbindung bringt, da die *artes adulterinae* den Geist von dem ihm zukommenden Denken ablenkten und zu den *factibilia* verführten, und damit der älteren, erstmals in einem Glossar aus dem E. des 9. Jh. [56. 19] belegten etymologischen Ableitung von *mo(e)chus* »Ehebrecher« (weitere spätere Belege in [78. 90]) wieder annähert.

Unabhängig von der Bezeichnung bleibt aber die pejorative Einschätzung der fabrizierenden Handwerke und Künste vorerst bestehen: *mechanicus* war der Handwerker, der »bloß mechanisch« vorgeht, wenn auch die bereits von Hugo von St. Victor erhobene und von Albertus Magnus bekräftigte Forderung nach einer theoretischen Fundierung durch Gelehrte seit dem 13. Jh. aufgrund der aus dem Arab. übers. mathematischen

Schriften der Griechen allmählich Früchte trug. Nachdem die mechanische Technik, im Hoch-MA in den Klöstern zur Entlastung der Arbeitskraft zugunsten einer geistigen Betätigung entwickelt, in das städtische Gewerbe Eingang gefunden hatte, wurde die praktische Ingenieurtätigkeit, ausgehend vom it. Spät-Human., von Leonardo da Vinci über N. Tartaglia und G. Ubaldo del Monte bis G. Galilei, im 16. Jh. zum Ausweis ihrer Wissenschaftlichkeit unter den *artes* mit den mathematischen Inhalten der theoretischen Schriften zur M. aus der Ant. verknüpft. Schon die Künstler-Ingenieure der Ren. hatten das Streben nach sozialer Aufwertung ihrer *artes mechanicae* durch die Forderung und Einleitung einer »Verwissenschaftlichung« mittels methodischer und inhaltlicher Anlehnung an die mathematischen *artes liberales* des Quadriviums unterstützt und erreicht; zu nennen sind dafür neben Leonardo insbesondere L. B. Alberti, Michelangelo und A. Dürer.

Aus der damit verbundenen Aufwertung derjenigen ma. *artes mechanicae*, die bereits in der Ant. zur μηχανικὴ τέχνη (*architectura*) gehört hatten, wird dann aber auch das Bestreben des ausgehenden 16. und frühen 17. Jh. verständlich, nicht mehr jedes gewöhnliche Handwerk eine »mechanische« Kunst zu nennen, sondern diese Bezeichnung solchen Künsten vorzubehalten, in denen handwerklich-technische Geschicklichkeit mit theoretischem (und das heißt: mathematischem) Wissen verknüpft ist (vgl. [83. XXIV. 2]); und die an Wunder grenzende »Überlistung« der Natur mittels Maschinen, die von den in diesem Sinne »mechanischen« Künsten erdacht wurden, wird geradezu zu einem Gütesiegel der aufstrebenden Ingenieurkunst, so daß es lange über die Umformung der theoretischen M. in eine physikalische Disziplin hinaus noch im gesamten 17. und im 18. Jh. üblich sein sollte, sich gerade hierauf zu berufen [79. 36–102, 122 f.].

Die durch die technische M. bewirkte Nachahmung (*imitatio*) der Natur bzw. Schöpfung Gottes bleibt im 16. und 17. Jh. auch nicht mehr notwendig eine unvollkommene; die *artes* wetteifern (*aemulatio*) vielmehr mit der Natur und besiegen sie schließlich (*superatio*), wozu man sich gern wieder auf Aristoteles' *Problemata mechanika* beruft, daß man nämlich mit Maschinen besiege, was von Natur aus über einen obsiege (nicht nur [31] und [60], sondern auch [85. Widmung] und [76. 16]), oder mit ›künstlichen Machinationen‹ die Natur übertrifft [73. Widmung]. Dabei galt es nicht nur, die *natura naturata* (die Schöpfung) nachzuahmen, sondern auch die *natura naturans*, Gottes Schöpferkraft selbst (so schon bei Nikolaus von Kues [4. 268]), woraufhin völlige Neuschöpfungen durch den Menschen eine ähnliche theologische Rechtfertigung erfuhren wie die verbessernden Nachahmungen und Vervollkommnungen der Schöpfung Gottes durch den Menschen im Anschluß an Augustinus. Der damit verbundene Stolz eines inzwischen hochangesehenen Ingenieursstandes wird in den zahlreichen Maschinenbüchern des 17. Jh. häufig durch Archimedes' Maxime ›Gib mir einen Punkt und ich bewege die (unbewegliche) Erde (nämlich mittels einer Maschine)‹ als das höchste, erreichbare Ziel der Ingenieure schlagwortartig und bildlich untermauert [79. 130, Anm. 85].

E. Die neue Sehweise der frühen Neuzeit (G. Galilei)

Während noch bis hin zu Monantheuil trotz aller Hochschätzung für die M. Gottes, mit der er die Welt erschaffen habe, und des Menschen, der ihn darin nachahme, die M. als Kunst, mittels dazu erfundener Maschinen ›die Körper so viel wie möglich zu zwingen, sich ihren natürlichen Neigungen entgegen zu verhalten‹, und als Theorie der »künstlichen« Dinge, die Rechenschaft darüber gibt, weshalb die Maschinen so wirken [61. 9], eingeschätzt wurde, war G. Moleti in seiner Vorlesung schon soweit gegangen, die ›Überlegungen der Natur‹ als mechanische Überlegungen aufzufassen, so daß es keinen Gegensatz zw. Physik und M. gebe; vielmehr sei ›die Art und Weise, nach der die Natur die Erscheinungen hervorbringt, (...) wesentlich dieselbe, wie wir diese herzustellen versuchen, indem wir die Natur nachahmen‹ [63. 332]. Hier war somit der Boden für Galileis neue Sehweise, die er ebenfalls in Padua vorbrachte, vorbereitet.

Galilei übertrug die M. auf natürliche Prozesse, wobei er sowohl statisch (im Anschluß an die archimedische Axiomatisierung) als auch »dynamisch« vorging und die Hebelwirkung auf beide Weisen erklärte. Beide Male spricht er von einem *momento*; bei ersterem geht neben dem Gewicht nur dessen Abstand vom Dreh- bzw. Stützpunkt ein (entsprechend dem Statischen Moment der klass. Physik), bei letzterem die Geschwindigkeit des nach unten ziehenden Gewichtes, bei synchronen Bewegungen also die Länge des zurückgelegten Weges (1600: [29. Bd. II. 159, 164]; 1612/²1619: [29. Bd. IV. 68]) – und das erfolgte, wie er 1612 ausdrücklich bestätigte, im Anschluß an das »dynamische Prinzip« der *Problemata mechanika* [29. Bd. IV. 69; 43. 164–166]. Galilei faßt den »dynamischen« *momento* als die mehrdimensionale Größe »Arbeit« (*facità*) und kann damit zeigen, daß ein kleineres Gewicht für die zur Bewegung einer größeren Last erforderliche »Kraft« eben mehrfach (Teilung der Last) oder über einen längeren Weg (mittels Maschinen) eingesetzt werden müsse. »Gleichgewicht« herrscht demnach zw. den beiden, der Ant. noch nicht denkbaren mehrdimensionalen Größen Gewicht x Weg/Zeit. Was an »Leichtigkeit« (*facilità*) gewonnen werde, gehe proportional an Zeit bzw. »Langsamkeit« (*tardità*, also Geschwindigkeit) verloren. Die Natur werde demnach nicht, wie die Ingenieure fälschlich behaupteten, mittels des Hebels überlistet, heißt es zum Abschluß der Behandlung des Hebels schon in der frühesten Fassung (1594 [18. 273]): ›(...) und das wird bei allen anderen Instrumenten statthaben, welche ersonnen worden sind oder noch erdacht werden können‹.

Damit erhalten die seit der Ant. unveränderten Gegenstände und Vorgänge eine neue Deutung und Einordnung, die ermöglichten, die aus der Ant. stammenden und zwischenzeitlich präzisierten Erkenntnisse über »widernatürliche« Bewegungen mittels Maschinen (eine Korrespondenz zw. Geschwindigkeit und Versetzung fand sich schon in den *Problemata mechanika*) auch auf »natürliche« Bewegungen anzuwenden, so daß die seit Aristoteles und Archimedes relativ weit ausgebildete mathematische Wiss. von den Hilfsmitteln zur Überlistung der Natur (der Lasten), die M., zu einem Bestandteil der bis dahin weitestgehend qualitativen Wiss. von der Natur, der Physik, werden konnte und deren Werdegang entscheidend beeinflußte, ohne daß hierzu noch auf die Ant. zurückgegriffen zu werden brauchte – wenn auch damit die Vorstellung einer Überlistung der Natur v. a. aus der technischen Lit. nicht sofort verschwindet, und obgleich auch in F. Bacons *Novum Organum* (Buch 1, Aphorismus 3), mit welchem er die Methodik der neuen Naturwiss. konsolidiert, ausdrücklich erklärt wird, daß ›die Natur nur dadurch »besiegt« wird, daß man ihr folgt‹ (*Natura non nisi parendo vincitur.*). – Der aus dem Umkreis Galileis stammende G. A. Borelli übertrug dann erstmals die M. als Erklärung der »natürlichen« Wirkweise der Hebezeuge auch auf den Bewegungsapparat der Lebewesen (*De motu animalium*, postum 1680/81).

Antike M. bleibt im Rahmen der neuen Sehweise nurmehr histor.; zu ihrem Verständnis ist allerdings die Unterschiedlichkeit der Bed. der gleichlautenden Begriffe und die vorgalileische Trennung der seit Galilei zusammengeführten Bereiche der Mathematik, Physik und M. zu beachten [50; 53]. Lange erwies sich dafür als hinderlich, daß die *Problemata mechanika* als wegen des »niederen« Inhalts Aristoteles nicht würdig ihm aberkannt wurden (gelegentlich schon in der Ren.), was zur Folge hatte, daß man sich von philol.-histor. Seite gar nicht erst mit der Schrift beschäftigte (unerwähnt bleibt sie noch in der klass. Darstellung von I. Düring [23; siehe 24. 315; 26. 290, 320f.], obwohl er naturwiss. Fragestellungen gegenüber sehr aufgeschlossen war), ohne zu bedenken, daß die Schrift selbst im Falle der Unechtheit aus dem Umkreis des Aristoteles stammt und älter ist als jede andere aus der Ant. bekannte Abhandlung zur Mechanik. Im 19. Jh. waren es denn auch Ingenieure, die sich über das Urteil der Philologen hinwegsetzten und den für ihre Disziplinen im 16. und 17. Jh. noch wegweisenden Inhalt der Schrift wieder erfassen konnten [43. 13–20]; mit der Erschließung ma. Vorformen und Voraussetzungen galileischer Physik seit Beginn des 20. Jh. [22] wurde auch die Rolle der *Problemata mechanika* für Jordanus und andere »Dynamiker« des 13. und 14. Jh. nach und nach erkannt, wobei man dann aber häufig halbherzig die Schrift statt Aristoteles dem späteren Peripatetiker Straton von Lampsakos zuwies – allein, weil er sich auch anderweitig mit »physikalischen« Problemen beschäftigte und dabei von Aristoteles abweichende Lösungen vorgeschlagen habe.

F. MACHINA MUNDI

Auch der Begriff *machina mundi* hat eine nachträgliche Uminterpretation im Sinne neuzeitlicher M. erfahren. Gott sollte die Welt aber auch nicht als »Maschine« zur Überlistung der Natur geschaffen haben, sondern, v. a. in der platonischen Trad. des Baumeister-Schöpfers (δημιουργός, τεχνίτης, *architectus*), als »kunstvolles Gefüge« (so in den *Constitutiones* von Melfi, 1231) im Sinne von *machina* als »(Bau-)Gerüst«, Aufbau und tragende Struktur eines Gebäudes, des menschlichen Körpers (Albertus Magnus, siehe [59]), oder der Welt (Johannes de Sacrobosco, De sphaera, cap. 1; siehe [82. 28]: *universalis mundi machina*, entsprechend dem späteren Begriff *systema*) – gemäß Lucr. 5,96: *moles et machina mundi* (weitere Stellen aus der Ant. in [58. 1335f.]). Die Erfindung der gewichtsgetriebenen Räderuhr (mit Äquinoktialstunden) Mitte des 13. Jh. [86. 120–125] hatte dann für lange Zeit ein reales Modell für den metaphorischen Gebrauch einer funktionsfähigen »machina« geliefert, und die Anzeige von Planetenstellungen (nicht nur der Sonne, jetzt erstmals als Anzeiger gleichlanger, astronomischer Stunden) durch die Uhr ließ diese zum unvollkommenen Abbild der bewegten Planetenwelt und zum Symbol der Regelmäßigkeit und Ordnung werden. Schon Robertus Anglicus mutmaßte 1271 in seinem Komm. zur *Sphaera* Sacroboscos, der noch keine Uhren für gleichlange Stunden kennen konnte, daß die mod. ›Uhrmacher bestrebt seien, zu einem Rade oder einer Scheibe zu gelangen, die sich genau wie der Sternenhimmel bewege‹ [82. 180]. Pierre de Maricourt machte zur selben Zeit (1269) auch den Vorschlag, einen um eine Polachse drehbaren Kugelmagneten als Uhr zu benutzen, da er sich in tatsächlicher Interaktion nach dem himmlischen Magnetismus ausrichten müsse. In der 2. H. des 14. Jh. werden dann Uhr (als der Gipfel der Präzisionstechnik) und Welt metaphorisch gleichgesetzt, indem die Anordnung der Welt in einen kosmologischen Gottesbeweis uminterpretiert wird; 1377 zitiert N. Oresme bezüglich der bislang Engeln (statt den Intelligenzen bei Aristoteles) zuerkannten Bewegungsursache für die Himmelssphären, die er selbst als von Gott bei der Schöpfung eingeprägten Impetus sah: ›Wenn bei einer Uhr, die sich sehr regelmäßig bewegt, keiner sagen würde, daß sie zufällig und ohne vernünftigen Urheber gemacht worden wäre, wieviel begründeter trifft das für die Bewegungen des Himmels zu, die von einer Vernunft abhängen, die viel höher und größer ist als der menschliche Verstand‹ [64. 282].

Dieser Vergleich der »Anordnungen« (*machina*) des Uhrenmachers und Gottes trifft für Oresmes geozentrische Welt ebenso zu wie in der Mitte des 15. Jh. für Nikolaus’ von Kues Welt mit einer grundsätzlich bewegten Erde, die überall und nirgends Mittelpunkt und Peripherie haben soll (De docta ignorantia II,12, §162), und hundert J. später für das heliozentrische Weltsystem des N. Copernicus, dessen Ziel eine ›certior ratio motuum machinae mundi‹ (wofür wenig später *motus sphaerarum mundi* steht) war, aus der sich ›mundi forma ac partium eius certa symmetria‹ ergäbe (De revolutionibus, Praef., in: [11. 4,28 f./33/17]) – eben weil mit *machina mundi* über die kunstvolle Anordnung hinaus noch keine dynamische »Maschine« im neuzeitlichen Sinne gemeint war. Während Copernicus von der zentralen Sonne nur wie ältere Geozentriker seit Platon und den Stoikern (Belege in [46. 78]) als »Lampe der Welt«, als *mens, rector* und *gubernator* (De revolutionibus I,10) sprach, benannte G. J. Rhaeticus in seinem Abriß des copernicanischen Werkes die zentrale Sonne schon einmal als Quelle der Bewegung der Planeten (›Sol, a quo quis principium motus (...) esse dixerit‹ [40. Bd. I.105, 22 f.]), die dann aber erst Johannes Kepler 1596 im *Mysterium cosmographicum* rechnerisch erschließt. Erst Kepler sollte auch die Weltmaschine nicht mehr bloß als sinnreiche Anordnung (und darin einer Räderuhr vergleichbar) sehen, sondern im Hinblick auf das diese Räderuhr antreibende Gewicht als durch einen zentralen »Motor« mechanisch angetriebene Maschine; sein Ziel war, ›zu zeigen, daß die *coelestis machina* nicht eine Art göttl. Lebewesen, sondern eine Art Uhr ist (*non esse instar divini animalis, sed instar horologii*), insofern eine einzige ganz einfache magnetische Kraft eines Körpers (nämlich der Sonne) nahezu jede Bewegungsvielfalt verursacht, wie in einem Uhrwerk das ganz einfache Gewicht alle Bewegungen (antreibt) (*uti in horilogio motus omnes a simplicissimo pondere*)‹, was er rechnerisch und geom. aufzeige [40. Bd. XV. 146].

Die Anregung dazu ging von W. Gilbert aus, der durch die Gleichsetzung von tellurischem und kosmischem Magnetismus Versuche mit einem Magnetmodell der Erde zur Klärung des Erdmagnetismus als Ursache der Fallbewegungen anwenden konnte und diesen auch zw. den Himmelskörpern wirken ließ. Die dazu erforderliche Aufhebung des aristotelischen Dualismus Erde/Himmel ist auf Grund der christl. Forderung nach einer Einheitlichkeit der Schöpfung im Anschluß an die Schweretheorie Platons (so bereits bei Plutarch) auch schon vor der Heliozentrik N. Copernicus' gelegentlich vorgenommen worden, v.a. wenn die Erdartigkeit des Mondes oder die Planetenartigkeit der Erde (immer wenn sie bewegt wird) bzw. die Nichtexistenz eines elementaren Feuers postuliert wurde – so von den Nominalisten J. Buridanus und N. Oresme und von Nikolaus von Kues (De docta ignorantia II,12), von allen Copernicanern und nach den teleskopischen Entdeckungen Galileis (1610) auch von sämtlichen Geozentrikern [54].

Nachdem dann gezeigt worden war, daß *mechanische* Bewegungsabläufe den »natürlichen« entsprechen, konnten auch »mechanische« Gesetzmäßigkeiten zur Erklärung von Vorgängen in der irdischen und kosmischen Natur herangezogen werden. So läßt Kepler die Gesetzmäßigkeit, nach der sich die Geschwindigkeit der translatorischen Bewegungen der Planeten relativ zu ihrer Distanz vom zentralen »Motor« Sonne wandelt, als *libratio* durch die aristotelische dynamische Form der Hebelgesetze bestimmt sein (Epitome IV, 1620, III, 3

[40. Bd. VII. 332 f.] und V, 1621, I [40. Bd. VII. 365–371]). Daß die numerische Ableitung einer Zentralkraft aber vorerst auf Unverständnis stieß, zeigt das Vorgehen von Robert Fludd [27], der zur selben Zeit noch das Prinzip der einander obsiegenden ungleichen konzentrischen Kreise aus der Trad. der aristotelischen *Problemata mechanika* für einen (und das ist neu) durch mechanische Experimente untermauerten Beweis der Geozentrik einer vom *Primum mobile* von außen bewegten *universa machina* anführen kann, wonach ein Antrieb von außen, der am größten Kreis angreift (›motus ab exteriore‹, ›superficie‹, ›circumferentia‹), sie leichter bewegt als ein Antrieb von innen (›motus ab interiori‹) [27. Liber I, cap. I, regula I und cap. II, reg. IV; lib. V, cap. XV, experimentum I und II; 6. 146–154] – was ja schon Aristoteles selbst als Erklärung für die unterschiedlich schnell bewegten Äthersphären vorgebracht hatte (De caelo II,8 [43. 66–74]). Im Gegensatz zur teleologischen Verursachung durch Sphären-Intelligenzen bei Aristoteles denkt Fludd jedoch an eine mechanische Bewegung der Weltmaschine – wie sie im 14. Jh. (allerdings zur bloßen Veranschaulichung der Sphärenbewegung) in einer Miniatur auch einmal bildlich dargestellt worden war, in der Engel von außen mit je einer Kurbel das Firmament bewegen (London, BM, Ms. 4940, fol. 28 [81. 133]).

Eine nach »mechanischen« Gesetzen funktionierende Maschine im neuzeitlichen Sinne von M. (Dynamik) wird die Welt, der Makrokosmos, aber auch der Mikrokosmos Mensch [12. Bd. IX, 131; 13], dann v.a. im Gefolge der mechanistischen Betrachtungsweise eines R. Descartes, der, methodische Ansätze von Kepler und Galilei aufnehmend, durch die Beschränkung der Materie auf eine *res extensa* auch die Basis für eine mit mechanischen und geom. Mitteln deren Veränderungen beschreibende, mathematische Naturwiss. gibt: ›Es gibt in der M. keine Gesetze (*rationes*), die nicht auch in der Physik gelten würden, von der sie nur ein Teil oder eine Unterart (*pars vel species*) ist; und es ist daher der aus irgendwelchen Rädern zusammengesetzten Uhr ebenso natürlich, die Stunden anzuzeigen, wie es dem aus irgendeinem Samen aufgewachsenen Baum natürlich ist, diese Früchte zu tragen. So wie nun die, welche in der Betrachtung von Automaten geübt sind, aus dem Gebrauch einer Maschine und einzelner ihrer Teile, die sie kennen, leicht entnehmen, wie die anderen Teile, die sie nicht sehen, gemacht sind, so habe auch ich versucht, aus den sichtbaren Wirkungen und Teilen der natürlichen Körper zu ermitteln, wie ihre Ursachen und unsichtbaren Teilchen beschaffen sind‹ (Principia philosophiae, 1644, IV, § 203 [12. Bd. VIII, 1, 326]). Auf der Basis dieses M.-Verständnisses führt Isaac Newton dann den keplerschen Ansatz einer statt auf Stoßwirkungen beruhenden durch Zentralkräfte bewegten Welt fort und begründet damit die klass. Physik.

→ AWI Mechanik; Mechanische Methode

1 ALBERTUS MAGNUS, De natura et origine animae, in: Opera omnia, hrsg. von B. GEYER, 1951 ff., Bd. 12
2 R. BACON, The opus maius, hrsg. von J. H. BRIDGES, 1900, Bd. 1 3 H. BAUERREISS, Zur Gesch. des spezifischen Gewichtes im Alt. und MA, Diss. Erlangen 1914
4 H. BLUMENBERG, Nachahmung der Natur. Zur Vorgesch. der Idee des schöpferischen Menschen, in: Studium Generale 10 (1957), 266–283 5 F. BUCHNER, Die Schrift über den Qarastun von Thabit ben Qurra, in: Sitzungsber. der Physikalisch-medizinischen Soziät zu Erlangen 52/53 (1920/21), 141–188 6 D. G. FLUDD, The Cosmogonic Experiments of Robert Fludd: A Translation with Introduction and Commentary, in: Ambix 46 (1999), 113–170 7 E. CHAUVIN, Lexicon rationale, Rotterdam 1692 8 M. CLAGETT, The Medieval Science of Weights, 1952, ²1960 9 Ders., The Science of Mechanics in the Middle Ages, 1959 10 Ders., Archimedes in the Middle Ages, 5 Bde. in 13 Bden., 1964–1984 11 N. COPERNICUS, De revolutionibus libri sex, besorgt von H. M. NOBIS und B. STICKER, 1984 12 R. DESCARTES, Œuvres, hrsg. von CH. ADAM, P. TANNERY, 13 Bde., 1897–1926 (mehrere Ndr.) 13 Ders., Über den Menschen (1632) sowie Beschreibung des menschlichen Körpers (1648), hrsg. von K. E. ROTHSCHUH, 1969 14 E. J. DIJKSTERHUIS, Die Mechanisierung des Weltbildes, 1956 15 A. G. DRACHMANN, Ktesibios, Philon and Heron. A Study in Ancient Pneumatics, 1948 16 Ders., Fragments from Archimedes in Heron's Mechanics, in: Centaurus 8 (1963), 91–146 17 Ders., The Mechanical Technolgy of Greek and Roman Antiquity, 1963 18 S. DRAKE, Galileo Gleanings V: The Earliest Version of Galileo's Mechanics, in: Oriris 13 (1958), 262–290 19 Ders., I. E. DRABKIN (engl. Hrsg.), Galileo Galilei On Motion and On mechanics, 1960 20 Dies. (Hrsg.): Mechanics in the Sixteenth-Century Italy: Selections from Tartaglia, Benedetti, Guido Ubaldo and Galileo, 1969, s. hierzu [74] 21 R. DUGAS, La mécanique au XVIIe siècle, 1954 (engl. 1955) 22 P. DUHEM, Les origines de la statique, 2 Bde., 1905–06 23 I. DÜRING, Aristoteles, Darstellung und Interpretation seines Denkens, 1966 24 Ders., s. v. Aristoteles, in RE, Suppl. 11, 1968, 159–336 25 J. SCOTUS ERIUGENA, Annotationes in Marcianum, hrsg. von C. E. LUTZ, 1939 26 H. FLASHAR (Hrsg.), Ältere Akad., Aristoteles, Peripatos (Die Philos. der Ant., Bd. 3), 1983 27 R. FLUDD, Utriusque cosmi, maioris scilicet et minoris, Metaphysica, Physica Atque Historia, 2 Bde., 1617/1624 28 Das Falkenbuch Kaiser Friedrich II. Nach der Pracht-Hs. in der Vatikanischen Bibl., hrsg. von C. A. WILLEMSEN, 1980 29 Le opere di G. Galileo. Edizione nazionale, hrsg. von A. FAVARO, 20 Bde., Florenz 1890–1909 (mehrere Ndr.) 30 G. GALILEI, Schriften, Briefe, Dokumente. Hrsg. von A. MUDRY, 2 Bde., 1987 31 G. DI GUEVARA, In Aristotelis Mechanicas commentarii, Rom 1627 32 D. GUNDISSALINUS (Gundisalvo), De divisione philosophiae, hrsg. von L. BAUER, 1903 (Beitr. zur Gesch. der Philos. im MA IV, 2/3) 33 D. R. HILL, Engineering, in: [69. 751–795] 34 R. HOOYKAAS, Das Verhältnis von Physik und M. in histor. Hinsicht, 1963 (Beitr. zur Gesch. der Wiss. und der Technik, 7) 35 HUGO VON ST. VICTOR, Didascalion de studio legendi, hrsg. von CH. H. BUTTIMER, 1939 36 Ders., Epitome Dindimi in philosophiam, hrsg. von R. BARON, in: Traditio 11 (1956), 91–148 37 D. E. P. JACKSON, The Arabic Translation of a Greek Manual of Mechanics, in: Islamic Quarterly 16 (1972), 96–103 38 KH. JAOUICHE, Le livre du quarastun de Tābit ibn Qurra. Etudes

sur l'origine de la notion de travail et du calcul du moment statique d'une barre homogène, 1976 39 A. JONES (Hrsg.), Pappus of Alexandria, Book 7 of the Collection, 2 Bde., 1986 40 J. KEPLER, Gesammelte Werke, 20 Bde., 1937 ff. 41 F. KLEMM, Der junge Galilei und seine Schriften »De motu« und »Le mecaniche«, in: E. BRÜCHE (Hrsg.), Sonne steh still. 400 J. Galileo Galilei, 1964, 68–81 42 F. KRAFFT, Die Anf. einer theoretischen M. und die Wandlung ihrer Stellung zur Wiss. von der Natur, in: W. BARON (Hrsg.), Beitr. zur Methodik der Wiss.-Gesch., 1967, 12–33 (Beitr. zur Gesch. der Wiss. und der Technik, 9) 43 Ders., Dynamische und statische Betrachtungsweise in der ant. M., 1970 (Boëthius, 10) 44 Ders., Die Stellung der Technik zur Naturwiss. in Ant. und Neuzeit, in: Technikgesch. 37 (1970), 189–209, Ndr. in: [49. 37–74] 45 Ders., Heron von Alexandria, in: Die Großen der Weltgesch., Bd. 2, 1972, 332–379 46 Ders., Johannes Keplers Beitr. zur Himmelsphysik, in: Internationales Kepler-Symposium Weil der Stadt 1971. Hrsg. von F. KRAFFT, K. MEYER, B. STICKER, 1973, 55–139 (arbor scientiarum, 1) 47 Ders., s. v. Archimedes, in: LMA, Bd. I, 1980, 898 f. 48 Ders., s. v. Aristoteles B. III., in: LMA, Bd. 1, 1980, 941 49 Ders, s. v. Artes mechanicae, in LMA, Bd. 1, 1980, 1063–1065 50 Ders., Der Wandel der Auffassung von der ant. Naturwiss. und ihres Bezuges zur mod. Naturforsch., in: O. REVERDIN (Hrsg.), Les études classiques aux XIXᵉ et XXᵉ siècles: Leur place dans l'histoire des idées, 1980, 241–304 51 Ders., Das Selbstverständnis der Physik im Wandel der Zeit, 1982 52 Ders., M. – zur begrifflichen Bestimmung (Ant. und 17. Jh.), in: Österreichische Ingenieur- und Architekten-Zschr. 135 (1990), 470–477 53 Ders., Wiss. – Mathematik – Technik: Ihre Wechselwirkung in der Ant., in: Ber. zur Wiss.-Gesch. 16 (1993), 129–149 54 Ders., Zw. Aristoteles und Isaac Newton: Auf dem Wege zum Konzept einer Allg. Gravitation, in: Monumenta Guerickiana – Zschr. der Otto-von-Guericke-Ges. 6 (1999), 3–23 55 W. R. LAIRD, The Scope of Ren. Mechanics, in: Osiris (2) 2 (1986), 43–68 56 M. L. W. LAISTNER, Scholia Graecarum Glossarum. Notes on Greek from a Lecturer of the 9th Century Monastery Teacher, in: Bulletin of the Rylands Library 7 (1923) 57 C. LEWIS, The Merton Trad. and Kinematics in Late Sixteenth and Early Seventeenth Century Italy, 1980 58 T. LUCRETI CARUS, de rerum natura libri sex. Edited with Prolegomena, Critical Apparatus, Translation and Commentary by C. BAILY, 3 Bde., 1947 59 K.-H. LUDWIG, M. POPPLOW, s. v. Maschine, in: LMA, Bd. VI, 362 60 D. MÖGLING, Mechanischer Kunst-Kammer Erster Theil, Frankfurt/M. 1629 61 H. DE MONANTHEUIL (MONANTHOLIUS), Aristotelis Mechanica, Graeca, emendata, Latina facta, et commentariis illustrata, Paris 1599 62 H. M. NOBIS, Die wiss.-histor. Bed. der peripatetischen Quaestiones mechanicae als Anlaß für die Frage nach ihrem Verfasser, in: Maia, Neue Serie 18 (1966), 265–276 63 Ders., Über zwei Hss. zur frühneuzeitlichen M. in it. Bibl., in: Sudhoffs Archiv 53 (1969), 326–332 64 NICOLE ORESME, Le Livre du ciel et du monde. Hrsg. von A. D. MENUT, A. J. DENOMY, 1968 65 Pappi Alexandrini Mathematicae Collectiones, a F. Commandino Urbinate in Latinum conversae, et commentariis illustratae, Pesaro 1588 66 A. PICCOLOMINI, Aristotelis Quaestiones Mechanicae, cum pleniori paraphrasi, Venedig 1565 (it. von O. V. BIRINGUCCI, Rom 1582) 67 F. T. POSELGER, Über Aristoteles' Mechanische Probleme, Berlin 1831 (hrsg. von M. Rühlmann, Hannover 1881) 68 D. K. RAΪOS, Archimède,

Ménélaos d'Alexandrie et le *carmen de ponderibus et mensuris*, 1989 **69** R. RASHED (Hrsg.), Encyclopedia of the History of Arabic Science, 3 Bde., 1996 **70** P. L. ROSE, S. DRAKE, The Pseudo-Aristotelian Questions in Mechanics in Ren. Culture, in: Stud. in the Ren. 18 (1971), 65–104 **71** M. M. ROZHANSKAYA, M. im ma. Osten (russ.), Moskau 1976 **72** Dies., Statics, in: [69. 614–642] **73** W. H. RYFF (RIVIUS), Der furnembsten, notwendigsten, der gantzen Architectur angehörigen Mathematischen und Mechanischen Künst eygentlicher bericht (…) zu rechtem verstande der lehr Vitruvij, Nürnberg 1547 **74** C. H. SCHMITT, Rez. zu [20], in: Stud. in History and Philosophy of Science 1 (1970–71), 161–175 **75** I. SCHNEIDER, Archimedes, 1979 (Erträge der Forsch., Bd. 102) **76** K. SCHOTT, Mechanica hydraulico-pneumatica, Frankfurt/M. 1657 **77** F. SEZGIN, Gesch. des arab. Schrifttums, Bd. 5: Mathematik bis ca. 430 H., 1974 **78** P. STERNAGEL, Die artes mechanicae im MA. Begriffs- und Bedeutungsgesch. bis zum E. des 13. Jh., 1966 **79** A. STÖCKLEIN, Leitbilder der Technik. Biblische Trad. und technischer Fortschritt, 1969 **80** E. SYLLA, Medieval Quantifications of Qualities: The »Merton-School«, in: Archive of History of Exact Sciences 8 (1971), 9–39 **81** J. TEICHMANN, Wandel des Weltbildes. Astronomie, Physik und Meßtechnik in der Kulturgesch., 1980 (in späteren Ausgaben fehlt die Abb.) **82** L. THORNDIKE, The Sphere of Sacrobosco and Its Commentators, 1949 **83** G. TOLOSANUS, Syntaxes artis mirabilis, 1602 **84** G. UBALDO DEL MONTE, Mechanicorum liber, Pesaro 1577, Venedig 1615 (it. von F. PIGAFETTI, Venedig 1581) **85** J. J. WECKER, De Secretis libri XVIII, Basel 1629 **86** L. WHITE, JR., Medieval Technology and Social Change, 1962 (dt. 1968) **87** E. WIEDEMANN, Über das al-Berunische Gefäss zur spezifischen Gewichtsbestimmung, in: Verhandlungen der dt. physikalischen Ges. 10 (1908), 339–343 **88** Ders., Über die Kenntnisse der Muslime auf dem Gebiet der M. und Hydrostatik, in: Archiv für Gesch. der Naturwiss. 2 (1910), 394–398 **89** Ders., Die Schrift über den Quarastun, in: Bibliotheca Mathematica (3) 12 (1911/12), 21–39 **90** Ders., F. HAUSER, Uhr des Archimedes und zwei andere Vorrichtungen, in: Nova Acta Leopoldina 103 (1918), 163–203 **91** F. WOEPCKE, Notice sur des traductions arabes de deux ouvrages perdus d'Euclid, in: Journal Asiatique (4) 18 (1851), 217–232 **92** N. ZUCCHI, Nova de machinis philosophia, in qua paralogismis antiquis deletis explicantur machinarum vires, Paris 1646.

FRITZ KRAFFT

V. ASTROLOGIE

A. ANTIKE VORAUSSETZUNGEN
B. JUDENTUM   C. INDIEN UND CHINA
D. ARABISCH-ISLAMISCHE WELT   E. BYZANZ
F. LATEINISCHES MITTELALTER   G. RENAISSANCE
H. BAROCK UND GEGENREFORMATION
I. VOM 18. BIS ZUM 20. JAHRHUNDERT
J. DIE PRAKTIZIERENDE ASTROLOGIE
DER GEGENWART

A. ANTIKE VORAUSSETZUNGEN

Die im Zeitalter des Hell. aus babylonischen und ägypt. Elementen unter maßgeblichem Einfluß griech. Wiss. geformte astrologische Lehre hat in ihrer Mischform aus Mythos und Rationalität trotz aller Unrichtigkeiten und Widersprüche mit erstaunlicher Hartnäckig-

keit alle Zeiten überdauert. Sie gehört zu jenen Glaubenslehren der Ant., die auch h. noch lebendig sind, weil der Mensch nach einem einheitlichen, geschlossenen Weltbild verlangt, um sich im Universum geborgen zu fühlen. Die Faszination ihrer Kombinatorik war stets stärker als die Widerlegung ihrer falschen Lehren. Besonders in Krisenzeiten wurde sie immer wieder virulent. Die A. ist beeinflußt von pythagoreischer Zahlensymbolik, platonischen und aristotelischen Denkmodellen und bes. von Sympathie- und Mikrokosmosvorstellungen sowie dem strengen Fatalismus der Stoa. Sie fand Eingang in fast alle philos. Lehrsysteme außer dem epikureischen Atomismus, ferner in die ant. Religionen und Mysterienkulte (Orphik, Mithraskult, Isisreligion, Manichäismus) sowie in das gnostische und »hermetische« Schrifttum, verband sich mit der Alchemie und mit der Medizin (Iatromathematik). Lehrdichter behandelten die A. entweder aus rein fachlichem Interesse oder aus kosmologisch-panegyrischer Sicht. Ihren Höhepunkt erreichte sie im 1.–2. Jh. n. Chr. In der Spätant. griff der Neuplatonismus erneut auf sie zu. Die frühchristl. Kirche verbot sie zwar, doch finden sich im Anschluß an die Sternwunder der Bibel mancherlei Adaptationsversuche [26]. Auch der Völkerkatalog der Apostelgeschichte basiert auf der astrologischen Geographie [76]. Die Planetenwoche wurde übernommen und der *dies Solis* in den »Tag des Herrn« umgedeutet. Die A. diente auch der polit. und geistigen Auseinandersetzung. So wurden etwa die Juden aus feindlicher Sicht mit dem Planeten Saturn identifiziert [56. 111 f.].

B. JUDENTUM

Die Juden übernahmen die spätgriech. Lehre von den drakonitischen Mondknoten [21], stellten den astrologischen Tierkreis auf den Mosaikböden ihrer Synagogen dar, wie in Beth-Alpha, Doura-Europos und anderswo [61; 77] und erklärten in der Midrasch-Lit. das AT mit Hilfe der Astrologie. Sie parallelisierten die Tierkreiszeichen mit den zwölf Patriarchen (Jakobssöhnen) und den zwölf Stämmen Israels, wobei auch die Volksetymologie Hilfestellung zur Identifikation leistete, ferner mit den Propheten und verschiedenen biblischen Gestalten oder Situationen [26. 22–30, 61 f.; 64–68]. Im 12. Jh. wirkten der Arzt Maimonides und v. a. Ibn Ezra, dessen Werk Pietro D'Abano 1293 ins Lat. übersetzte. Ein später jüd. Text aus dem 15. Jh. integriert den Tierkreis in die Psalmenmagie [54].

C. INDIEN UND CHINA

Vom zweiten Jh. an faßte die A. auch in Indien Fuß. Das Hauptwerk des Sphujidhvaja (2. Jh.), *Yavanajātaka*, schließt sich eng an die griech. Lehre an; im 6. Jh. faßte der Astrologe Varāha Mihira in seinem Hauptwerk *Pantschasiddhantika* vier am E. des 4. Jh. verfaßte astrologische Lehrbücher zu einem »Fünfbuch« zusammen [40. 123–131]. Indischen Ursprungs ist die Lehre von den Mondstationen (die Zahl schwankt), die die Araber übernahmen, weil auch sie einen Mondkalender benutzen [40. 127; 69. 82]. Die Inder rechneten mit 27 Mondstationen, weil diese sich mit ihrer Einteilung der

Tierkreiszeichen in Neuntel à 3°20' vertrugen [69. 164]. Zu den Griechen drang diese Lehre erst in byz. Zeit. In Ostasien entwickelte sich der Tierkreis zu einer noch h. gebräuchlichen Form, die im Gegensatz zu seinem westl. Ursprung wirklich nur aus Tieren besteht [4. 319–333; 5]. China integrierte die A. in das universale, alle Bereiche der Welt erfassende quincunxförmige (d. h. in der Stellung der Fünf eines Würfels angeordnete) Fünfersystem [13], während die Azteken, Maias und Zuñi mit einem Vierersystem arbeiteten [40. 23–29].

D. Arabisch-islamische Welt

Einen weiteren Gipfel erreichte die A. bei den Arabern [40. 131–152], trotz des Widerstandes der orthodoxen Theologen und der Skepsis einzelner Wissenschaftler wie al-Farabi, Avicenna, al-Bīrūnī oder Averroes. Sie verband die griech. Lehre mit indischen, persischen, und syr.-jüd. Elementen und verbreitete sich etwa zw. 750 und 1550 (mit dem Höhepunkt E. des 8. und im 9. Jh.) auf das gesamte Herrschaftsgebiet über Indien, Indonesien, Persien, Armenien, ihr Ursprungsland Mesopotamien, Kleinasien, Syrien, Ägypten, Nordafrika und erreichte schließlich auch Südeuropa: Spanien, Südfrankreich, Sizilien und den Balkan. Die für den Westen einflußreichsten Astrologen waren Masha ʿallah, al-Battani, Alcabitius mit seiner weitverbreiteten *Einleitung in die Kunst der Sterndeutung*, bes. aber Abū Maʿšar (787–886 – wir kennen sein Horoskop) mit seinem Hauptwerk *Kitāb al-mudhal al-kabīr ila ʿilm ahkā an-nuǧūm* (*Liber introductorii maioris ad scientiam judiciorum astrorum*). Sein Geburtsort Balhī wurde im 15. Jh. zu dem Namen Πάλχος gräzisiert [51. 203f.]. Größere Verbreitung fanden in den Sammel-Hss. ein ins Mittelgriech. übers. Florilegium seiner Werke mit dem Titel *Mysteria* und einzelne Kap. daraus (Übersicht bei [25. 348–350]). Abū Maʿšar übernahm die Lehre von den großen Konjunktionen [47], entwickelte das System der Himmelslose (κλῆροι, *sortes*) und integrierte die Mondstationen in den Tierkreis, dem er eine höhere Bed. beimaß als den Planeten. Die wichtigste Quelle der arab. A. waren neben den (restriktiv gehaltenen) *Apotelesmatika* (Tetrabiblos) des Ptolemaios die Autoren Teukros von Babylon und der Lehrdichter Dorotheos von Sidon (diese über im sassanidischen Persien entstandene Pahlevi-Versionen) sowie Vettius Valens. Die Stadt Babylon wurde am 30. Juli 762 nach einer Katarche (Tagwahl) gegründet. Neuartig war die Berechnung langfristiger polit. Prognosen nach den drei langsamen Planeten Saturn, Jupiter und Mars. So bestimmte Theophilos von Edessa, der christl. Hofastrologe des Kalifen al-Mahdī, im 8. Jh. die Dauer des islamischen Reiches auf 960 J., al-Kindī auf 693 Jahre. Sein Schüler Abū Maʿšar periodisierte die Geschichte und charakterisierte die Weltreligionen nach Jupiter-Konjunktionen [47. 185–190]. Besonders ausgeprägt sind in der arab. Lit. Prognosen, die sich auf das Sexualleben beziehen: Zuerst bei Abū Maʿšar finden wir die Parallelisierung der Planeten mit den Schwangerschaftsmonaten [60], und der Zeitpunkt der Empfängnis verdrängt den der

Geburt. Hauptvertreter ist hier »Albubater« (Abū Bakr al-Hassan) im 9. Jh. [42].

E. Byzanz

Wenig bekannt ist das Fortleben der A. im griech. Osten [69. 93–97]. Einzelne astrologische Elemente überliefern Johannes Lydos, Kosmas von Jerusalem (Mitte 8. Jh.), der die dämonologische Sternlehre der Perser referiert, sowie die platonischen Philosophen Michael Psellos, Johannes Katrarios (der Verf. des Dialogs *Hermippos*) und Gemistos Plethon. Olympiodor schreibt einen Komm. zu dem Werk des Paulus Alexandrinus, ganze Lehren behandeln Rhetorios (7. Jh.), Theophilos von Edessa und Stephanos philosophos (8. Jh.) sowie Leon (um 900). Michael Komnenos (12. Jh.) versuchte Astrologie und Christentum miteinander zu versöhnen und geriet deswegen mit der orthodoxen Geistlichkeit in Konflikt. Im 12. Jh. entstanden die astrologischen Lehrgedichte des Johannes Kamateros, der aus Rhetorios schöpft, und des Theodoros Prodromos. Mehrere byz. Horoskope sind jüngst herausgegeben worden [12]; berühmt war das Gründungshoroskop von Konstantinopel (→ Horoskope). Der *Catalogus codicum astrologorum Graecorum* verzeichnet mehrere, teilweise noch nicht edierte Brontologien (Prognosen für Gewitter nach dem Stand der Sonne in den 12 Tierkreiszeichen), Seismologien (Prognosen für Erdbeben), Selenodromien (»Lunarien«, Prognosen nach der Stellung des Mondes), Menologien bzw. Kalandologien (Prognosen für alle Tage eines Monats) und bes. Zodiologien (Prognosen für den Stand der Sonne in den Tierkreiszeichen), die letztgenannten meist nach männlicher und weiblicher Geburt getrennt. Sie stellten den Tierkreiszeichen biblische Gestalten oder Heilige der Ostkirche an die Seite, wobei sich die alte Verbindung von den Göttertutelae und der Melothesie (Verteilung der Tierkreiszeichen auf die Glieder des menschlichen Körpers) fortsetzt [26. 191, 148–193]. Weiteres Material verspricht das seit 1983 erscheinende *Corpus des Astronomes byzantins*.

F. Lateinisches Mittelalter

Bis in die Spätant. hinein waren die Werke der A. in griech. Sprache geschrieben, wir kennen nur eine einzige Fachschrift in lat. Sprache: die *Mathesis* des Firmicus Maternus (4. Jh.). Sie hat sich erhalten, weil Firmicus später zum christl. Glauben übertrat. Danach fiel die A. der Verdammung durch die Kirche anheim; hinzu kam der Zusammenbruch der Bildung, insbes. der höheren Bildung des Quadriviums. Beides hatte zur Folge, daß die eigentliche A. vom Beginn des 6. Jh. bis zum 12. Jh. im Westen unbekannt war. Die frühen ma. Philosophen-Theologen und Enzyklopädisten schöpfen ihr astrales Wissen vornehmlich aus Seneca, Plinius maior, Calcidius, Macrobius und Martianus Capella, deren Werke wenig eigentlich Astrologisches enthalten. So entstand im MA auch kein astrologisches Lehrbuch. Die ikonographische Trad. der Sternbilder erhielt sich in den illuminierten Hss. von Germanicus' Arat-Übers. und zierte den Sternenmantel Heinrichs II. Zu beobachten sind immerhin einige Versuche, A., Judentum und Christentum miteinander zu versöhnen. Dies geschah zunächst bei den Juden vom AT aus. Als erster bezog Philon einen der Träume Josephs, in dem sich elf Sterne vor ihm verneigen (Gn 37,9), auf die zwölf Jakobssöhne und diese auf die zwölf Tierkreiszeichen. Priszillian, der 385/388 in Trier als Häretiker enthauptet wurde, erweiterte diese Parallelisierung im Sinne der zodiakalen Melothesie auf die Körperteile des Menschen. Seine Lehre fand so große Verbreitung, daß sie 563 auf dem Konzil zu Braga verurteilt wurde [26. 18f.]. Weitere Parallelisierungen der Tierkreiszeichen folgten seit dem Valentinianer Theodotos (2. Jh.) mit den zwölf Aposteln [26. 37–56]. Auch die vier Evangelistensymbole fand man im Tierkreis wieder, wenn auch Datierung und Art der Verteilung nicht genau zu fixieren sind [26. 57–60]. In Hss. vom 9. bis zum 15. Jh. findet man zodiakale Reihen biblischer Gestalten oder Situationen, die im einzelnen variieren; die bisher bekannten zehn Beispiele [26. 69–85, 194–209] sind kürzlich durch ein weiteres vermehrt worden [34]. Die Tierkreiszeichen wurden später auch in diesem Sinne mit den Mondstationen kombiniert [16; 68]. Einen Anknüpfungspunkt bot hier die Bibel selbst, zunächst einmal generell mit ihrer Typologie von AT und NT, dann aber auch in sachlichen Einzelheiten, wenn etwa Jonas' Walfisch (Mt 12,40) mit dem Wort κῆτος bezeichnet wird, dem Terminus für ein Paranatellon (Begleitsternbild) der Fische, mit denen das typologische Paar Jonas-Christus im Hinblick auf die Überwindung des Todes am E. des zodiakalen Jahres gleichgesetzt wird. Bereits im 4. Jh. hatte der Bischof Zeno von Verona in einer Taufpredigt aus neuplatonischem Geist (CCL 1,38) den gesamten Tierkreis christianisiert [23]. Diese Predigt wurde im 9. Jh. durch Pacificus von Verona versifiziert. Hatte schon die Ant. die den Tierkreis durchwandernde Sonne auf Herkules und seine zwölf Taten bezogen, so bezogen sie christl. Gelehrte später auf Christus, den *Sol iustitiae*, oder auf Thomas von Aquin [26. 120–128]. Seit dem 12. Jh. parallelisierte man auch Worte der Schrift, insbes. Psalmen, die man in zodiakale Medaillons oder Amulette einschrieb [26. 131–143]. Die Kunst verwendete Zodiakalfiguren in kosmologischen Rundfiguren und *Rotae fortunae* sowie in der Plastik an Kirchen und Kathedralen.

Doch dies alles ist noch keine Astrologie. Erst im 11. Jh. wurde Firmicus Maternus in Frankreich und England wieder gelesen. Damals war das Interesse für die Disziplinen des Quadriviums gewachsen, und man bemühte sich um die gesamte arab. Wiss., und zwar neben der A. gleichzeitig auch um die Astronomie. Es verdient hervorgehoben zu werden, daß weder in der Ant. [28] noch in der Zeit danach bis ins 17. Jh. eine begriffliche Trennung dieser beiden Wiss. im mod. Sinne existierte. Meinte man die A. im heutigen Sinne, sprach man meist von *astrologia divinatoria*, *astrologia superstitiosa* oder *astrologia iudiciaria*.

Auf zwei Wegen gelangte die Wiss. der Araber ins westl. Europa: zum einen über Sizilien und Kaiser Friedrich II. mit seinem Hofastrologen Michael Scotus (ca. 1175–1234), der die Paranatellonten um neue Figuren bereicherte [4. 439–449]. Der Kaiser selbst soll nach seinem Historiker sowohl bei dem Vollzug seiner Ehe 1235 als auch bei der Gründung der Stadt Victoria 1247 auf den Sternstand geachtet haben [69. 190f.]. Die andere Kontaktstelle war das 1085 eroberte Toledo. Dort wurden die meisten arab. und griech. Werke ins Lat. übersetzt. Die wichtigsten Übersetzer waren Gerhard von Cremona, Johannes Hispalensis und Plato von Tivoli, hinzu kommt Hermannus de Carinthia (Bibliographie in [69. 152]). Im 13. Jh. war dann das meiste der damals noch existierenden astrologischen Lit. nach einer Unterbrechung von 700 J. wieder verfügbar. Hinzu kam das von den Griechen erfundene, aber im Westen bis dahin unbekannte Beobachtungsinstrument des Astrolabs, mit einer reichen Lit. zur Verfertigung und zum Umgang mit diesem Gerät. Aus dem 12. Jh. stammen auch die ersten nachant. Horoskope (bekannt sind weniger als 20). Eine verstärkte Neugier provozierte im September 1186 die Konjunktion fast aller Planeten im Sternbild der Waage [17. 129] sowie die folgende große Konjunktion 1216.

Die neue Wiss. rief im 13. Jh. eine lebhafte Auseinandersetzung der Theologen und Philosophen um deren Anerkennung hervor. Sie wurde – zum Teil in Grenzen – verteidigt, insofern sie sich mit dem Aristotelismus vertrug und die Gedanken zu Gott lenkte: Roger Bacon nahm für die Geburt Christi im J. 6 v. Chr. eine große Konjunktion in den Fischen an und forderte sogar, die Kirche solle die Förderung der A. übernehmen, um die Autorität der heidnischen Sterndeuter zu vernichten. Guido Bonatti benutzt in seinem Hauptwerk *De astronomia tractatus X* (gedr. 1491) die inzwischen ins Lat. übersetzten arab. Autoren. Seit Thomas von Aquin unterschied man zw. einer zulässigen »natürlichen« A. und einer verbotenen *astrologia iudiciaria*. Diese Trennung setzte sich aber inhaltlich nicht durch, so daß sich Nikolaus Oresme († 1382) in seinen *Tractatus contra judiciarios astronomos* ebenso ambivalent verhalten konnte wie Pierre d'Ailly (geb. 1350), der versuchte, die A. mit der Trad. der Bibel in Einklang zu bringen. Mehr zur magischen Seite der A. neigte Arnaldus von Villanova in seinem Werk über Amulette (*De sigillis*). Die A. blieb weiter verbunden mit anderen Wiss. wie der Medizin, der Meteorologie und der → Alchemie. Bis ins 17. Jh. wurden von einem Arzt astrologische Kenntnisse erwartet. In Spanien wurde die A. von Alfons dem Weisen (1221–1284) so sehr gefördert, daß man ihm auch den Namen »Astrologus« gab. Die nach ihm benannten Tafeln wurden 1272 von zwei jüd. Gelehrten abgeschlossen, eine große Pracht entfaltet das für ihn geschriebene Steinbuch (*Lapidario*). Dante, der selbst verrät, daß er in den Zwillingen (einem Merkur-Zeichen) geboren wurde, hat in seine *Divina Commedia* kosmologisch-astrologische Elemente aufgenommen

[32; 78]. Das eigenartige Werk des avignonesischen Klerikers Opicinus de Canistris (1296–1352) zeigt, wie sich die Kombinationslust der Astrologen schließlich ins Unendliche verlieren kann [57; 26. 86–88]. Eine starke Wirkung entfaltete die Lehre Abū Maʿšars von der Abfolge der Weltreligionen nach den Jupiter-Konjunktionen bei Roger Bacon und Pierre d' Ailly und später [47]; Robert Holcott (gest. 1349) verfaßte eine universale zodiakal-christl. Weltgeschichte. Doch regten sich auch die Gegner: 1277 wurden in Paris alle okkulten Lehren, insbes. die von den großen Konjunktionen, verdammt, und 1327 wurde Cecco d'Ascoli in Florenz öffentlich verbrannt, weil er einen Einfluß der Sterne auf Christus angenommen und geschrieben hatte, das Geburtshoroskop habe Christus einen schmählichen Tod und dem Antichrist Glanz und Reichtum versprochen – wenn auch polit. Gründe nicht ausgeschlossen werden können [69. 193, 196]. Existenzielle Bed. erlangte die A. bei der verheerenden Pest, die 1347–1348 Europa erreichte und für die verschiedene Konjunktionen oder die Eklipse des J. 1345 verantwortlich gemacht wurden.

G. RENAISSANCE

Einen absoluten Höhepunkt erreichte die A. in Europa in den J. 1450–1650, als die Ren. über die Araber hinweg wieder auf die Quellen der klass., bes. der griech. Ant. zurückgriff. Zugleich mit der A. erwachte auch die typisch röm. Prodigienfurcht wieder. Dies hatte auch eine verschärfte ideengeschichtliche Auseinandersetzung zur Folge: Die A. wurde von Platonikern und Aristotelikern gleichermaßen entweder angegriffen oder verteidigt. Ihre Verwandtschaft mit der universalen Kosmologie kam dem Ideal des *uomo universale* und dem Geist vieler Gelehrter entgegen, die zur Polymathie neigten. Der Sinn für das Individuelle förderte das Interesse an persönlichen, aber auch an Städte-Horoskopen. Die Lehre blieb weiter mit der Medizin verbunden, die seit Ptolemaios als prognostische (stochastische) »Schwesterwiss.« galt, ferner mit der Physiognomik, Metoposkopie (Erstellung von Prognosen für die äußere Gestalt von Menschen nach den zwölf Tierkreiszeichen) und Chiromantie (Deutung der Linien der inneren Handfläche, Handlesekunst). Im Norden wurde die Iatromathematik bes. in Marburg, Wittenberg, Wien, Rostock und Krakau gepflegt. Zur Verbreitung der A. trug der Buchdruck erheblich bei, die lat. Originale oder lat. Übers. astrologischer Werke aus dem Griech. und dem Arab. gehören zu den frühesten Inkunabeln: Manilius (1474), ›the most popular authority in astrological matters in the fifteenth century‹ [69. 210], mit dem Komm. des Bonincontrius (1484); Firmicus Maternus (Buch 3–5: 1488, das ganze Werk 1497); Ptolemaios' *Apotelesmatika* (*Quadripartitum*) samt dem unechten *Centiloquium* (Καρπός), das in über 150 Hss. erhalten ist und allein im 12. Jh. sechs lat. Übers. erlebte, wurde vielfach kommentiert (zuerst von Giorgio Valla 1502, dann auch von Cardano 1554); die ersten griech. Editionen veranstalteten Joachim Camerarius (1535) und Philipp Melanchthon (1553); die teils wiss., teils populäre Lit. im Anschluß an dieses klass. Werk ist unübersehbar. Schon 1489 wurde auch die im 14. Jh. entstandene, einflußreiche *Compilatio de astrorum scientia* des Leopold von Österreich zum ersten Mal gedruckt. A. und Astronomie verbanden sich mit dem Hermetismus, der jüd. Kabbala und magischen Elementen des 1256 ins Span. und später ins Lat. übersetzten arab. Zauberbuchs *Picatrix*, bes. aber mit einem christl. gefärbten Neuplatonismus bei Marsilio Ficino (1433–1499) in seinen Werken *Theologia Platonica* (1482) und *De vita caelitus comparanda* (1489). Dagegen schrieb sein Schüler Pico della Mirandola die voluminösen *Disputationes adversus astrologiam divinatricem* (1494) in zwölf Büchern. Trotz der Gegnerschaft blieben viele Gelehrte weiter der A. verbunden, wie Cardano in seiner Autobiographie *De vita propria* (1542) und Tommaso Campanella, der in seinem späten Werk *De sensu rerum et magia* (1620) eine gemäßigte physische Himmelskunde vertrat, nachdem er die A. in seiner Jugend abgelehnt hatte. Umgekehrt bekannte sich Agrippa von Nettesheim im zweiten Buch seines Jugendwerkes *De occulta philosophia* (1510) zur A., um dies dann aber später zu widerrufen. 1545 schrieb Johann Schoener (Schonerus) ein großes Lehrbuch *De iudiciis nativitatum*, und der Däne Heinrich Rantzau verfaßte 1593 sein astrologisches Hauptwerk *Tractatus astrologicus de genethliacorum thematum iudiciis*. Francis Bacon propagierte, ähnlich wie Campanella, in seinem *Advancement of Learning* (1605) eine gereinigte, nur auf Naturgesetzen beruhende *astrologia sana*.

Giordano Bruno erklärte in seinem *Spaccio della bestia trionfante* (1585), daß die Sternbilder Monstren im Inneren der menschlichen Seele seien, ähnlich äußerte sich später der Arzt Paracelsus in seiner *Philosophia sagax* (1530), insbes. über den »schwarzen« Planeten Saturn. Eine bes. Rolle spielten hier die vier mit den vier Elementen und den Säften der Humoralpathologie gleichgeschalteten zodiakalen Triplizitäten [25. 238–260]. Ficino war von einer bis ins Hysterische gesteigerten Saturnfurcht besessen [45. 44]; mit seinem Kupferstich *Melencolia. I* (1514) versuchte Albrecht Dürer, der Saturnfurcht Kaiser Maximilians I. entgegenzuwirken (→ Melancholie II., Abb. 1).

Es gab Lehrstühle der *astrologia*, zu deren Kompetenzen auch die A. im mod. Sinne gehörte: Zentren waren in It. Bologna, Ferrara, Padua, Neapel und der von Leo X. Medici 1520 gestiftete Lehrstuhl an der päpstlichen Sapienza, außerhalb Italiens Paris und Krakau. Die ersten gedruckten Ephemeriden (Zusammenstellung von Planetenpositionen für bestimmte Tage oder auch kleinere Zeiteinheiten) brachte Regiomontanus in Nürnberg für die J. 1474–1505 heraus. Auch er erstellte Horoskope wie später Johannes Kepler. Man sammelte und beurteilte Horoskope von berühmten Persönlichkeiten oder Verwandten (Camerarius, Leowitz, Rantzau, Garcaeus [40. 216]), diskutierte sie im gelehrten Briefverkehr, veröffentlichte sein eigenes Horoskop in quadratischer Figur (J. J. Scaliger in seiner ersten Maniliusausgabe), als Prosatext (Cardano) oder nach ant. Vorbild als

Sphragis im Gedicht (Celtis, Lotichius). Auch die Katarchenhoroskopie (Wahl eines bestimmten Zeitpunktes für den Beginn (καταρχή) einer Handlung nach dem Sternstand) wurde gepflegt: bei der Grundsteinlegung zu seinem Palast beschäftigte Filippo Strozzi 1489 drei Astrologen, die Gründung der Univ. Wittenberg (zunächst 1502, dann 1536) erfolgte nach dem Sternstand. Der Konjunktionalismus wurde weiter verfolgt [8. Kap. VI,4], nicht nur in der Abfolge der Weltreiche und Religionen, sondern auch sonst [17. 118–140]: die Gefangennahme Bernabòs und seiner Familie durch seinen Neffen Giangaleazzo Visconti, die Syphilis des J. 1484 oder der Tod des Papstes Alexander VI. (1503). Cardano erklärte den Bruch Heinrichs VIII. mit der Kirche 1533 mit der Konjunktion von Jupiter, Mars und Merkur im Widder [47. 181]. Eine bes. Rolle spielten die Konjunktionen in den Tierkreiszeichen des Wasserdreiecks, diejenige 1583 wurde später auf die Vernichtung der Armada 1588 bezogen [17. 135–139]. Die große Flut, die man für den Februar des J. 1524 wegen der Konjunktion von sechs Planeten in den Fischen vorausgesagt hatte, trat allerdings nicht ein – man hat 56 Autoren und 133 noch existierende Schriften zu diesem Ereignis gezählt [70. Bd. V. 178–233].

Die beträchtliche Poetizität der A. beflügelte auch die Renaissancekünstler. Ihre universale Kosmologie befruchtete die an Arat und Manilius [24] orientierten Lehrgedichte des Basinio Basini, Lorenzo Bonincontri und Giovanni Gioviano Pontano in seiner *Urania* [64]; die beiden letztgenannten supplierten in diesen Gedichten die von ihren Vorbildern ausgesparten Planeten und schrieben auch astrologische Prosa. Die A. gehört ferner zum Inhalt von *Le Cinquième Livre* von Rabelais (1564). In räumlicher Anordnung zierten die Sternbilder den »Salone« zu Padua nach Angaben von Pietro d'Abano und Skizzen von Giotto, und zusammen mit den fremdartigen Paranatellonten die 1469 für Borso d'Este gestaltete »Sala dei mesi« des Palazzo Schifanoia zu Ferrara [3]. Der Bankier Agostino Chigi ließ sein eigenes Horoskop an die Decke seines Sommerpalastes (h. Villa Farnesina) malen [59]. Tierkreiszeichen oder Planeten (häufig auch beide zusammen, wenn die Planeten von ihren zodiakalen »Häusern« begleitet werden) wurden an Palästen und Kirchen in Skulpturen oder im Relief, ferner auf Holz- und Kupferstichen dargestellt. Den Ärzten wurden »Aderlaßmänner« an die Hand gegeben, die nach Art der zodiakalen Melothesie anzeigten, welche Tierkreiszeichen günstig, ungünstig oder indifferent waren [67; 25. 230–238]. Einen Sonderfall bilden die figürlichen Darstellungen der persischen, indischen und griech. Paranatellonten, die Abū Maʿšar (*Introductorium maius* 6,1) überliefert, bei Georgios Zothorus Zaparus Fendulus [4. 482–539; 58. Bd. III,1. 247–265; 62; 63].

Auch die seit den Babyloniern übliche Bindung der Astrologen an den Herrscherhof lebt wieder auf. Astrologiegläubige Kaiser, Könige und Fürsten hielten sich oder befragten Astrologen: in Deutschland etwa

Friedrich III., Maximilian I., Ferdinand I., Karl V., Maximilian II. und Rudolf II., für den Kepler die »Rudolfinischen Planetentafeln« verfaßte, in Frankreich Henri II, Henri III und Louis XIII, in England Eduard III., Henry V. und Henry VII., in Dänemark Friedrich II. oder in Ungarn Matthias Corvinus, dem Regiomontanus eine Zeitlang diente. Peter Apian widmete Kaiser Karl V. sein Lehrbuch *Astronomicon Caesareum* (1540), Leowitz dem Maximilian II. eine Prognostik über die große Konjunktion des J. 1564, in der er in protreptischer Absicht die Erweckung eines zweiten Carolus Magnus voraussah, und J.J. Scaliger seine erste Maniliusausgabe (1579) Henri III. Rantzau erstellte einen *Catalogus* von Herrschern, die die A. ausgeübt oder gefördert haben (1580). Im Zuge der Säkularisierung des Papsttums glaubten auch die Päpste an die A.: In seiner Krönungsrede bekannte sich Paul II. öffentlich zu ihr, Sixtus IV. und Alexander VI. hielten sich beamtete Astrologen, Julius II. ließ den Tag seines Amtsantrittes durch Astrologen bestimmen, Leo X. erlaubte dem neapolitanischen Astrologen Augustinus Niphus, das Wappen der Medici zu führen, Paul III. teilte seinen Tageskalender und seine Audienzen nach dem Sternstand ein. Mit alledem war die A. zu einem Instrument der Politik geworden, man gab falsche Horoskope durch Bestechung in Auftrag oder man beschönigte sein eigenes. Lucas Gauricus (1475–1558) fälschte im Auftrag der Kirche Luthers Horoskop [74]. Flugblätter (Einblattdrucke), »Praktiken« und »Prognostiken« astrologischen Inhalts dienten dem polit. Tageskampf. Unter der antipäpstlichen Lit. finden sich auch astrologische Schriften. Dabei substituierte man nicht selten die angegriffene Person oder auch Städte und ganze Völker mit einem Planeten oder Tierkreiszeichen [17. 168, 176]. Die A. wurde damit auch wieder gefährlich: in England war es unter den Tudors – wie im alten Rom – verboten, Horoskope für den Herrscher zu stellen; 1498 wurde Gerolamo Savonarola unter anderem wegen astrologischer Ketzerei in Florenz öffentlich verbrannt; Pandolfo Malatesta ließ seinen Astrologen Tiberius wegen ungünstiger Prognosen einkerkern [40. 225]; 1570 wurde Cardano eingesperrt, weil er das Horoskop Christi berechnet hatte. Schließlich verbot das Tridentinische Konzil die A. 1563, wenn dieses Verbot auch zunächst noch lax gehandhabt wurde; ein zweites Verbot erließ Sixtus V. 1586 im Zuge der gregorianischen Kalenderreform, weitere päpstliche Verbote der Lehre oder einzelner Schriften folgten 1631, 1688 und 1709.

H. BAROCK UND GEGENREFORMATION

Für den langsamen Verfall der A. waren interne und externe Gründe verantwortlich. Im Dienst der Politik lieferten die Astrologen schmeichelhafte oder betrügerische Prognosen, von außen wirkten die kopernikanische Wende und die Neuscholastik der Gegenreformation. Hinzu kam die verstärkte Beobachtung von Novae am E. des 16. und Anf. des 17. Jh., die zeigten, daß die supralunare Welt längst nicht unveränderlich war. Nikolaus Kopernikus hatte sein heliozentrisches

System 1514 in einem *Commentariolus* kurz vorgestellt, sein Hauptwerk *De revolutionibus orbium coelestium* in sechs Büchern erschien erst postum 1543. Einige Astrologen versuchten ohne dauerhaften Erfolg, das Deutungssystem auf die neue Lehre umzustellen [69. 225]. Um zw. dem geozentrischen und dem heliozentrischen Weltbild zu vermitteln, ersann Tycho Brahe ein Modell, in dem die Sonne samt den Planeten um die ruhende Erde kreist. Diesem System neigten bes. die Jesuiten zu, so auch der Polyhistor Athanasius Kircher, der bes. in seinem *Oedipus aegyptiacus* (1652–1654) unter allerhand obskuren Lehren auch die A. berücksichtigte. Scharf wandte sich der Jesuitenpräfekt von Rom, Alexander de'Angeli, gegen die Lehre. In Frankreich verbot Colbert 1666 den Mitgliedern der von ihm gegründeten Académie Française das Studium der A., 1682 König Louis XIV landesweit sämtliche astrologischen Kalender und Almanache. Mit Unterstützung der Kirche versuchte der Augsburger Rechtsgelehrte Julius Schiller in seinem *Coelum stellatum Christianum* (1627), einem mit finanzieller Unterstützung der Kirche prachtvoll mit Kupferstichen ausgestatteten Werk nach dem Vorbild der *Uranometria* (1603) seines Kollegen Johannes Bayer und mit dessen Mithilfe, den gesamten Sternhimmel mit allen seinen Sternbildern und Einzelsternen christl. umzutaufen – der gewaltige Versuch einer totalen Christianisierung, der zwar in Andreas Cellarius (1660), Philipp von Zesen (1662) und noch im 18. Jh. in Christian Gottfried Semler (1742) einige Nachfolger fand [30. 132–135], sich aber im ganzen nicht durchsetzen sollte [26. 52–54]. Wie sehr Schiller dabei trotzdem der heidnischen Myth. und A. verhaftet blieb, zeigt etwa seine Umdeutung Andromedas als *Sepulcrum Christi*, den Ort von Tod und Auferstehung in der Nähe der Frühjahrs-Tagundnachtgleiche, wo der Wechsel in Wiederkehr übergeht [26. 80f.]. Auf der anderen Seite führte man im 17. Jh. die spätant. und ma. Versuche fort, das Christentum mit der astrologischen Lehre zu versöhnen: Wilhelm Schickard in seinem *Astroscopium* (1623) [30], Jacob Bartsch in seinem *Planisphaerium stellatum* (1624), Philipp von Zesen in seinem *Coelum astronomico-poeticum* (1662) oder Gotthilf Treuer in seinem Werk *Deutscher Daedalus* (1675) [26. 88–98]. Der wichtigste Leitfaden der A. war in jenen kritischen J. Joseph Justus Scaligers Manilius-Komm. (3. Ausgabe postum 1655), während sein Antipode Claudius Salmasius (Saumaise) in seinem Werk *De annis climactericis et antiqua astrologia diatribae* (1648) auf über tausend Seiten das gesamte Lehrgebäude der hell. A. nur zu dem Zweck darstellt, sie zu verwerfen. Mit der A. beschäftigten sich selbst so skeptische Geister wie Pierre Gassendi (1592–1655) oder seriöse Wissenschaftler wie Johannes Kepler, der in seinen Hauptwerken *Mysterium Cosmographicum* (1596) und *Harmonice Mundi* (1619) in neupythagoreischer Trad. den Primat der Geom. (der platonischen Schwesterwiss. der Astronomie) vertrat [75. 30]. Er verdiente sich Geld mit Horoskopstellerei, führte vier neue Aspekte (Zentriwinkel) ein, untersuchte das Horoskop des Kaisers

Augustus, weil bei diesem – wie bei seinem Dienstherrn Rudolf II. – der Steinbock eine Rolle spielte, benutzte zur Periodisierung der Geschichte einen Konjunktionen-Zyklus von 800 J. und schrieb v. a. den *Tertius interveniens* (1610, in dt. Sprache), um zw. dem Befürworter Helisaeus Röslin und dem Gegner Philippus Feselius, die ihre Werke gleichermaßen 1609 dem Markgrafen Georg Friedrich von Baden gewidmet hatten, zu vermitteln. Manche der mod. Astrologen sehen in Kepler ihren Ahnherrn, seitdem der Astrologe Abdias Trew in seinem *Grundriß der verbesserten A.* (1651) versucht hatte, das System im Sinne der keplerschen Entdeckungen zu reformieren.

Die alte A. wurde bes. von zwei Gelehrten verteidigt: Didacus Placidus de Titis bekämpfte in seinem Hauptwerk *Physiomathematica sive coelestis philosophia* (1651) die kopernikanische Theorie und führte die astrologischen Prognosen auf physisch-reale Faktoren zurück; geozentrisch blieb auch Jean-Baptiste Morin de Villefranche in seiner gewaltigen *Astrologia Gallica* in 26 Büchern (postum 1661) mit 80 Horoskop-Beispielen. Morin soll bei der Geburt von Louis XIV. als Astrologe fungiert haben. Ihm sagte Gassendi den Tod für Juli/August 1650 voraus, doch er starb erst fünf J. später [69. 232]. Selbst im Ursprungsland der Aufklärung und des Empirismus blieb die praktische A. am Leben [75. 99f.], man gründete die Society of Astrologers, gab Almanache heraus [9], so daß vor einer »engl. astrologischen Ren.« im 17. Jh. gesprochen werden konnte [9. 187]. Nachdem William Parron am E. des 16. Jh. aus It. an den Hof von Henry VII. gekommen war und der Polyhistor John Dee (1527–1608) die A. gepflegt und Robert Fludd (1574–1637) eine magisch astrologische Medizin vertreten hatte, praktizierten dort die Astrologen John Booker (1603–1667), Elias Ashmole (1617–1692), George Wharton (1617–1681), den Cromwell 1648 einsperren ließ, John Gadbury (1627–1704) und William Ramesey (geb. 1616/1627) mit seinem Lehrbuch *Astrology restored* (1653), v. a. aber »der Ptolemäus der Nation«, William Lilly (1602–1681), nicht nur mit seinen Hauptwerken *Christian Astrology* (1647) und *Englands Propheticall Merline* (1664), sondern weil er, rivalisierend mit seinem royalistischen Kontrahenten George Wharton, seine Kunst entschieden auf der Seite des Parlaments im Kampf gegen den König Charles I. bis zu dessen Enthauptung (1649) einsetzte [40. 76; 17]. Sogar der königliche Astronom John Flamsteed notierte den Sternstand bei der Grundsteinlegung der Sternwarte von Greenwich (1675) [40. 282].

Auch in der Kunst lebte die A. weiter. Es gab astrologische Kartenspiele [7; 26. 97f.], und in den 80er J. schuf Erhard Weigel eine astrale Heraldik [26. 98–100]. Der ›sensus astrologicus‹ wurde zu einer neuen Sonderform des allegorischen Sinnbezugs in dem Bühnenstück von Tirso de Molina, *El burlador de Sevilla y convidado de piedra* (entstanden 1620, gedr. 1630), wo Don Juan als Sonnenheld die Tierkreiszeichen durchwandert, wie man das einst von Herakles, Christus oder Thomas von

Aquin behauptet hatte [20. 185–201]. Der astrologischen Methode der Substitution folgend gestaltete Grimmelshausen in seinem *Simplicissimus Teutsch* (1668) seine Romanfiguren als Planetentypen und ihre Begegnungen als Konjunktionen [20. 5–116].

I. VOM 18. BIS ZUM 20. JAHRHUNDERT

Das neue kopernikanische Weltbild hatte sich nur langsam durchgesetzt, doch die Aufklärung bewirkte, daß die A. umso gründlicher am E. des 17. Jh. aus den Univ. und dem allg. Bewußtsein verschwand. Ihre metaphorische, oft ambivalente Sprache stand in wesensmäßigem Widerspruch zu dem Anspruch auf Klarheit und Eindeutigkeit [17. 281 f.]. Im Bereich der Natur galt als Wiss. nur noch, was sich experimentell oder empirisch beweisen ließ. Diderots *Encyclopédie* enthält kein Lemma »A.«, auch s. v. »Astronomie« kommt das Wort A. nicht mehr vor. Gedruckt wurden im 18. Jh. nur noch einige Flugblätter und Almanache. Die A. wurde als Superstition oder ›Afterwiss.‹ verrufen und diente kaum mehr als dem Spott und der Satire. Man hat treffend von ihrem »zweiten Tod« gesprochen [69. 243, 175]. Dennoch war der Sieg des Rationalismus nicht total, die Geheimnisse der Natur behielten ihre Faszination. Die romantischen Dichter und Schriftsteller, die ihrem Wesen nach der A. zugeneigt waren, hatten aber nichts mehr, woran sie anknüpfen konnten. Ihre Hinweise auf den Sternhimmel blieben äußerst vage. Dies wird umso eindrücklicher, wenn man den gewaltigen Erfolg danebenhält, den die Erforsch. und Anwendung der in ihrer assoziativen Denkweise mit der A. eng verwandten Myth. im 19. Jh. gehabt hat. Nichts Astrologisches findet sich etwa in Ludwig Tiecks Novelle *Petrus von Apone* (1825), obgleich Pietro d'Abano ein berühmter Astrologe war, oder trotz des Titels in Verlaines *Poèmes Saturniens*. Wilhelm Raabe beklagt geradezu das allg. Nichtwissen in diesen Dingen. Der Erlanger Astronom und Mathematiker J. W. Pfaff, Übersetzer der *Apotelesmatika* des Ptolemaios, blieb eine Randerscheinung [38].

Gegen E. des 19. Jh. begann mit H. Usener, A. Bouché-Leclercq, F. Cumont und F. Boll die histor.-kritische Erforsch. der A., die im 20. Jh. etliche neue griech., indische und arab. Quellen zutage förderte. Die von A. Warburg am 28.8.1925 genau 25 J. nach Nietzsches Tod in Hamburg gegründete und 1934 nach London transferierte »Kulturwissenschaftliche Bibliothek Warburg« übernahm dabei zunächst die Führung. In der letzten Zeit läßt sich allenthalben ein verstärktes Interesse an der Geschichte der A. beobachten.

Besondere Fortschritte machte im 20. Jh. auch die Erforsch. anderer orientalischer Religionen und Kulturen. In Deutschland vertrat etwa zw. 1900 und 1914 der »Panbabylonismus« die abwegige, aber einflußreiche Ansicht, daß die altbabylonische Gestirnreligion Weltanschauung und Myth. nicht nur der vorderasiatischen Nationen, sondern sämtlicher älterer Kulturen beeinflußt habe [48. 138 f.; 26. 30–36]. Einen erneuten Eingang in die universitäre Forsch. fand die A. gegen E.

der 20er J. in Verbindung mit der ganzheitlichen Gestaltpsychologie, der Lehre von den Charakter- und Konstitutionstypen und bes. der Archetypenlehre C. G. Jungs, wonach die Sternbilder von der Menschheit als archetypische Urbilder unbewußt an den Sternhimmel projiziert wurden: So wird dieser zum »Bilderbuch der menschlichen Seele«. Bes. Augenmerk lenkte Jung auf die »Enantiodromie« der einander entgegengesetzten Fische [36]. Die Planetengötter wurden zu Symbolen psychologischer Grundfunktionen [65]. Auch die Lit. bemächtigte sich weiter der A.: Thomas Mann fand seine »hermetische« Natur in einem Horoskop bestätigt, und der Religionswissenschaftler K. Kerényi bestärkte ihn darin und nannte ihn einen »Doctor hermeticus«. Th. Mann übertrug diese seine Natur auf etliche seiner Romanfiguren sowie den amerikanischen Präsidenten Roosevelt [22], er knüpfte dabei auch an den Panbabylonismus an [2. 42–47]. Franz Werfel deutete in seinem Roman *Stern der Ungeborenen* (1946) die Planeten erneut christl. um [30. 135 mit Anm. 15]. In Frankreich gestattete sich Paul Valéry in seiner *Ode secrète* (1921) nur eine sehr diskrete Anspielung auf das Ineinander von *Serpens* und *Serpentarius* [44. 15–67], nach dem II. Weltkrieg gestaltete Michel Butor seinen Besuch auf der Harburg in Deutschland nach der Planetenwoche und stilisierte sich – auch angeregt durch seinen Ägyptenaufenthalt – als *vir Mercurialis* [27]. Später interpretierte er Werke von Rabelais, Flaubert und Beethoven planetar und bezog die alten und neuen Planeten sowie deren Monde in ein weltweites Beziehungsgeflecht ein [33. 24–47]. Andere entwickelten im Anschluß an die astrologische Geogr. der Ant. eine »Géographie sacrée« der Mittelmeerländer [35. 21 mit Anm. 13]. Selbst die Philol. deutete die Begegnung von Dido und Aeneas astral nach Mond und Sonne mit Hinweisen auf ähnliche Beispiele bei Goethe und Heine [55. 185–187], und in seinem Roman *Sonne und Mond* ersann Albert Paris Gütersloh zwei astrale Gestalten nach den beiden Luminaren (1962). Noch h. dienen die Siglen für Mars und Venus zur Kennzeichnung der beiden Geschlechter. Feministische Vertreter fordern gegen eine männliche Sonnen-Astrologie eine »Lunar Astrology« [69. 164 mit Anm. 15].

J. DIE PRAKTIZIERENDE ASTROLOGIE DER GEGENWART

Seit dem E. des 19. Jh. nahm die A. von England und Holland aus in Indien, den USA und in Deutschland seit den 30er J. einen enormen Aufschwung. Nachdem der Nationalsozialismus in Deutschland der A. zunächst wohlwollend gegenübergestanden hatte, wurde sie dann als ›jüd. Erfindung‹ verunglimpft [40. 355], wobei die zweifelhafte Ableitung des Wortes »Strolch« von *astrologus* wieder auflebte [28. 15]. Nach dem Kriege verstäkte sich ihr Einfluß seit den 60er Jahren. Politiker und Personalabteilungen von Firmen benutzen die A. neben der Graphologie zur Beurteilung von Menschen, eine bedeutende Rolle spielt die A. bei der Partnerwahl. Die ant. Iatromathematik lebt in der »Astromedizin« und das ant. *thema mundi* in der »Mundanastrologie« wieder auf. Elektronische Rechner erleichtern die differenzierter gewordene Berechnung, die Medien (Fernsehen, Tagespresse, Zeitschriften und Sachbücher) lassen regelmäßig Astrologen zu Wort kommen. Die Klein- und Gebrauchskunst verarbeitet die Ikonographie der Planetensymbole und bes. der Tierkreiszeichen. Die A. ist ferner ein beliebter Gegenstand geselliger Konversation, obwohl die astronomischen und astrologischen Grundlagen, etwa die Reihenfolge der Planeten der noch h. gebräuchlichen Planetenwoche, dem heutigen Durchschnittsgebildeten kaum geläufig sind.

Der Frage, ob die berufsmäßige Ausübung der A. strafbar sei, begegnen Astrologen-Vereinigungen, die sich zum Ziel gesetzt haben, das Ansehen der seriösen A. zu heben, mit nationalen und internationalen Kongressen, Periodika und Almanachen. Trotzdem praktizieren praktizierende Astrologen häufig unter Decknamen, wohl weniger zum Zweck der Mystifikation (wie bei den ant. Pseudonymen), als vielmehr aus Scham. Es haben sich einzelne Schulen herausgebildet, von denen drei die wichtigsten sind: die mehr esoterisch orientierte Geheimwiss., die rein empirisch-naturwiss. Statistik und die sich einfühlende psychologisch-symbolische Richtung [39; 40. 307–329]. Die ant. Methoden sind zwar verfeinert worden, grundsätzlich aber dieselben geblieben. Die Datenerhebung wird nach dem genauen Geburtszeitpunkt und der exakten geogr. Breite differenziert. Durch die Vermehrung der einzelnen Deutungsfaktoren wird die Mehrdeutigkeit der ohnehin schon komplexen Aussagen weiter gesteigert. Daß sich infolge der Präzession die Ekliptikzwölftel nicht mehr mit den Sternbildern des Tierkreises decken, wußten schon die ant. Astrologen. Sie haben daher die Tierkreisbilder durch abstrakte 30°–Sektoren ersetzt; die mod. Astrologen folgen ihnen darin, obwohl weiterhin viele Wirkungen von der alten Ikonographie der Sternbilder abgeleitet werden. Die neuentdeckten Planeten Uranus, Neptun und Pluto werden als Ausdruck höherer und differenzierterer Seelenmächte der mod. Menschheit verstanden [39. 62].

→ Kometen

1 D. C. Allen, The Star-Crossed Ren., 1941 2 W. R. Berger, Thomas Mann und die ant. Lit., in: P. Pütz (Hrsg.), Thomas Mann und die Trad., 1971, 52–100 3 M. Bertozzi, La tirannia degli astri. Aby Warburg e l'astrologia di Palazzo Schifanoia, ²1999 3a D. Blume, Regenten des Himmels. Astrologische Bilder in MA und Ren., 2000 (Stud. aus dem Warburg-Haus; 3) 4 F. Boll, Sphaera, 1903 5 Ders., Der ostasiatische Tierzyklus im Hell., T'oung Pao 13 (1912), 699–718 6 F. Boll, C. Bezold, W. Gundel, Sternglaube und Sterndeutung, mit einem bibliogr. Anhang von H. G. Gundel, 1966 7 H. v. Bronsart, Astronomische Kartenspiele, Die Sterne 40 (1964), 241–244 8 J. Burckhardt, Die Kultur der Ren. in It., 1860 9 B. Capp, Astrology and the Popular Press. English Almanacs 1500–1800, 1979 10 E. Chojecka, Astronomische und astrologische Darstellungen und Deutungen bei kunsthistor. Betrachtungen alter wiss.

Illustrationen des XV. bis XVII. Jh., 1967 11 F. Cumont et al. (Hrsg.), Catalogus codicum astrologorum Graecorum, 1898–1953 12 G. Dagron, J. Rougé, Trois horoscopes de voyages en mer (5ᵉ siècle après J.-C.), REByz. 40 (1982), 117–133 13 J. J. M. De Groot, Universismus, 1918 14 T. Fahd, La divination arabe, 1987 15 D. Feuchtwang, Der Tierkreis in der Trad. und im Synagogenritus, Monatsschrift für Gesch. und Wiss. des Judentums 59 (1915), 241–267 16 M. Förster, Vom Fortleben ant. Sammellunare im Englischen und in anderen Volkssprachen, Anglia 67/8 (1944), 1–171 17 A. Geneva, Astrology and the Seventeenth Century Mind, 1995 18 H. G. Gundel, Zodiakos, 1992 19 W. Gundel, Sterne und Sternbilder im Glauben des Alt. und der Neuzeit, 1922 20 K. Haberkamm, ›Sensus astrologicus‹, 1972 21 W. Hartner, The Pseudoplanetary Nodes of the Moon's Orbit in Hindu and Islamic Iconographies, Ars Islamica 5 (1938), 113–154 22 H. Heimann, Thomas Manns Hermesnatur, Publications of the English Goethe Society NF 27 (1957/8), 46–72 23 W. Hübner, Das Horoskop der Christen, Vigiliae Christianae 29 (1975), 120–137 24 Ders., Die Rezeption des astrologischen Lehrgedichts des Manilius in der it. Ren., in: Human. und Naturwiss., 1980, 39–67 25 Ders., Die Eigenschaften der Tierkreiszeichen in der Ant., 1982 26 Ders., Zodiacus Christianus, 1983 27 Ders., Michel Butor auf der Harburg, 1987 28 Ders., Die Begriffe A. und Astronomie in der Ant., 1990 29 Ders., Teukros im Spät-MA, IJCT 1 (1994), 45–57 30 Ders., Die Christianisierung der Sternbilder in Schickards Astroscopium, in: Zum 400. Geburtstag von Wilhelm Schickard, Friedrich Seck (Hrsg.), 1995, 131–150 31 Ders., Ant. in der A. der Gegenwart, in: Die Ant. in der europ. Gegenwart, 1993, 103–124 u. 179 32 Ders., Ant. Kosmologie bei Dante, Dt. Dante-Jb. 72 (1997), 45–81 33 Ders., Michel Butor y la Antigüedad, 1998 34 Ders., Verse über den Tierkreis in einem Zodiologion aus Gerona, MLatJb. 34,1 (1999), 77–99 35 Ders. (Hrsg.), Geogr. und verwandte Wiss., 2000 36 C. G. Jung, Aion, 1951 37 R. Klibansky, E. Panofsky, F. Saxl, Saturn and Melancholy, 1964 38 W. Knappich, J. W. Pfaff, der letzte dt. Astrologe, Zodiakus 2 (1910), 241–245 39 Ders., Die A. im Weltbild der Gegenwart, 1948 40 Ders., Gesch. der A., ²1988 41 M. L. W. Laistner, The Western Church and Astrology during the Early Middle Ages, The Harvard Theological Review 34 (1941), 251–275 42 H. Lemay, The Stars and Human Sexuality, Isis 71 (1980), 127–137 43 R. Lemay, Abū Maʿšar and Latin Aristotelism in the Twelfth Century, 1962 44 K. Maurer, Interpretationen zur späteren Lyrik Paul Valérys, 1954 45 W.-D. Müller-Jahnke, Astrologisch-magische Theorie und Praxis in der Heilkunde der Frühen Neuzeit, 1985 46 O. Neugebauer, The Exact Sciences in Antiquity, ²1957 47 J. D. North, Astrology and the Fortunes of Churches, Centaurus 24 (1980), 181–211 48 Ders., Horoscopes and History, 1986 49 W.-E. Peukert, A., 1960 50 D. Pingree, The Indian iconography of the decans and horās, JWI 26 (1963), 223–254 51 Ders., The astrological school of John Abramius, Dumbarton Oaks Papers 25 (1971), 189–215 52 Ders., Classical and Byzantine Astrology in Sassanian Persia, Dumbarton Oaks Papers 43 (1989), 227–239 53 F. Piper, Myth. der christl. Kunst, 1847–1851 54 M. Plessner, Verwendung at. Psalmen zu astrologischen Zwecken im span.-jüd. MA, OLZ 29 (1926), 788–791 55 V. Pöschl, Die Dichtkunst Virgils, ³1977

56 R. Reitzenstein, Poimandres, 1904 **57** R. Salomon, Opicinus de Canistris, 1936 **58** F. Saxl et al., Verzeichnis astrologischer und myth. illustrierter Hss. des MA, 1915–1966 **59** Ders., La fede astrologica di Agostino Chigi, 1934 **60** H. H. Schöffler, Zur ma. Embryologie, Sudhoffs Archiv 57 (1973), 297–314 **61** G. Stemberger, Die Bed. des Tierkreises auf Mosaikfußböden spätant. Synagogen, Kairos N. F. 17 (1975), 23–56 **62** E. Sniezynska-Stolot, Ikonografia znaków zodiaku i gwiazdozbiorów w recopisach Albumasara, Krakau 1997 **63** Dies., Ikonografia znaków zodiaku i gwiazdozbiorów w rękopisie monachijskim Abrahama ibn Ezry, Krakau 1998 **64** B. Soldati, La poesia astrologica nel Quattrocento, 1906 **65** H. A. Strauss, Psychologie und astrologische Symbolik, 1953 **66** K. Sudhoff, Iatromathematiker vornehmlich im 15. und 16. Jh., 1902 **67** Ders., Laßtafelkunst in Drucken des 15. Jh., Archiv für Gesch. der Medizin 1 (1908), 219–288 **68** E. Svenberg, Lunaria et zodiologia latina, 1963 **69** S. J. Tester, A History of Western Astrology, 1987 **70** L. Thorndike, A History of Magic and Experimental Science, 1923–1958 **71** Ders., Latin Treatises on Comets between 1238 and 1368 A. D., 150 **72** M. Ullmann, Die Natur- und Geheimwiss. im Islam, 1972 **73** L. Wächter, A. und Schicksalsglaube im rabbinischen Judentum, Kairos NF 11 (1969), 181–200 **74** A. Warburg, Heidnisch-ant. Weissagung in Wort und Bild zu Luthers Zeiten, 1920 **75** Ch. Webster, From Paracelsus to Newton: Magic and the Making of Modern Science, 1982 **76** St. Weinstock, The Geographical Catalogue in Acts II,9–11, JRS 38 (1948), 43–46 **77** Z. Weiss, E. Netzer, Promise and Redemption. A Synagoge Mosaic from Sepphoris, Jerusalem 1996 **78** K. M. Woody, Dante and the Doctrine of the Great Conjunctions. Dante Stud. with the Annual Report of the Dante Society 95 (1977), 119–134 **79** P. Zambelli (Hrsg.): Astrologi hallucinati, 1986. WOLFGANG HÜBNER

VI. Kometen

A. Antike Voraussetzungen   B. Mittelalter
C. Neuzeit   D. Gegenwart

A. Antike Voraussetzungen

Die K. (»Haarsterne«, *stellae crinitae, stellae caudatae*) wurden seit der Ant. häufig mit verwandten Erscheinungen wie Meteor(it)en oder Boliden verwechselt und erschienen im Gegensatz zu den regelmäßigen Sternbewegungen (siehe II.) plötzlich und unerwartet wie Finsternisse oder Parhelien. Sie weckten daher vor allem Furcht, günstige Wirkungen sind nur selten überliefert [8. 1149f. und 14. 135 Anm. 5]. K. waren die Jh. hindurch Gegenstand der wiss. Erforsch. ebenso wie der superstitiösen Deutung. Beides läßt sich nicht voneinander trennen.

Beobachtet wurden die K. von den Chinesen, die 240 v. Chr. als erste den K. Halley verzeichneten, von den Babyloniern, die denselben K. in den J. 164 und 87 v. Chr. beobachteten [18; 11. 12–51; 20. 42–28], sowie von den Griechen (eine Liste von 480 v. Chr. bis 595 n. Chr. bei [8. 1183–1193], vom 11. Jh. v. Chr. bis 1700 bei [20. 361–424]). Berühmt war der K. und Meteorit des Jahres 467 v. Chr. (Aristot. meteor. 1,7,9). Aristoteles siedelte die K. wegen ihrer Unregelmäßigkeit in der (oberen) sublunaren Sphäre an, wo er allein Veränderung für möglich hielt. Doch wurde diese Meinung in den äußerst verschiedenen Erklärungsversuchen [8. 1164–1174] auch bestritten. Eine weitere Folge dieser Unregelmäßigkeit ist die Tatsache, daß K. häufig am E. eines *descensus*, einer absteigenden Folge von kosmischen Erscheinungen, behandelt werden [10]: bei Ptolemaios am E. der beiden »katholischen« Bücher der *Apotelesmatika* (B. 1–2, mit überindividueller Horoskopie für Länder, Städte usw.), im pseudoptolemaeischen *Karpos* in den letzten beiden Aphorismen, ferner in der Dichtung mit finaler Wirkung am E. des ersten Buches von Vergils *Georgica* und von Manilius' *Astronomica* und von Ovid als letzte seiner *Metamorphosen*. Im übrigen waren die K. ein Motiv der Katasterismen und der epischen Dichtung im Anschluß an ein falsch als K. gedeutetes Ilias-Gleichnis (Hom. Il. 4,74–76).

Die ant. Naturwissenschaftler beobachteten Form, Farbe, Ort und Dauer der Erscheinung, Bahnrichtung und -geschwindigkeit oder die Ausrichtung des Schweifes. Selbst die periodische Wiederkehr wurde vertreten (Diod. 15,50,3). Entsprechend erstellte man eine Typologie der K., ordnete sie seit Nechepso-Petosiris nach ihrer Farbe den Planeten zu (die Quellen variieren stark [3. 26–28 und 8. 1156f. und 20. 86]) und gab ihnen Namen; die wichtigsten sind Hippeus, Xiphias, Lampadias, Kometes, Diskeus und Typhon. Bisweilen wurden sie auch in günstige und ungünstige eingeteilt. Die K. insgesamt charakterisierte Ptolemaios durch Mars und Merkur. Er entspricht damit der alten Auffassung, daß sie überschüssiges Feuer seien (man bezeichnete sie auch als λαμπάδες = *faces* = Fackeln). So sind nach Aristoteles ihre Wirkungen zunächst meteorologisch: Sie verheißen Trockenheit, Stürme, dann auch Erdbeben (diese bes. der K. Hippeus, möglicherweise wegen Poseidon) und Sturmfluten, Gewitter und Überschwemmungen. (Die Babylonier hatten neben einer guten Ernte, Preisverfall und Aufruhr auch Regen oder Hochflut prognostiziert.) Dazu kommen Tod oder Geburt eines Herrschers, Wechsel der Regierung oder des Säculums (so der etr. Haruspex Vulcanius anläßlich des K. von 44 v. Chr.), ferner Krieg mit allen seinen Wirren: Mord und Totschlag, Hungersnot, Feuersbrunst, Zerstörung von Städten, Vernichtung von Heeren bis hin zur Vernichtung des Weltganzen (bes. bei dem K. Typhon). Literarische Fiktion ist die erste Nachricht über die Pest als Wirkung von K.: Manilius hat am E. von Buch 1 seiner *Astronomica* die vergilischen *Georgica*-Bücher 1 und 3 in der Weise verschränkt, daß er die Pest am Ende von Buch 3 unter die Wirkungen des letzten Prodigiums für die Bürgerkriege am Ende von Buch 1, der K., subsumierte [9. 251]. Aus der Himmelsrichtung der Erscheinung und aus der Bahn der K. schloß man auf die betroffenen Länder.

Bei den Römern gehörten die K. zu den Staatsprodigien, die durch Prokurationen zu sühnen waren [19 und 13]. Prodigien galten als Offenbarung göttl. Zorns, und darum war die röm. Religion in diesem Punkt mit der der Juden und Christen kommensurabel. Kaiser Augustus nutzte den nach der Ermordung Caesars während der Leichenspiele erschienenen K. (der vielleicht eine andere kosmische Erscheinung war) propagandistisch aus: eines der wenigen Beispiele für eine positive Deutung; der K. wurde in einem Tempel verehrt [14]. Nero ließ einige vornehme Bürger hinrichten, um die K.-Gefahr zu bannen; Titus schrieb ein Gedicht auf den K. von 76; Vespasian dagegen witzelte, ein »Haarstern« könne ihn nichts angehen, da er ja kahlköpfig sei.

B. MITTELALTER

Im griech. Osten wurden die K. nicht nur innerhalb astrologischer Traktate behandelt (Hephaistion, Johannes Kamateros), sondern auch bei Johannes Lydos (nach Campestrius), innerhalb des *Corpus Hermeticum* oder in der *Apokalypse* des Propheten Daniel. Auch die arab. Astrologen berücksichtigten sie. Nach Abū Maʿšar bewirkt die martialische Natur der K. Krieg [7], nach seinen *Mysteria* haben große K. eine große und kleine K. eine geringe Wirkung (Apom. Myst. 2,69 CCAG V 1, 1904, 150). Einflußreich waren die K.-Beschreibungen des vermutlich im 10. Jh. entstandenen pseudoptolemaeischen *Karpos* (*Centiloquium*). Der Tod Mohammeds wurde mit der Erscheinung eines K. in Zusammenhang gebracht. Im lat. Westen übernahm Beda die ant. Prognosen. Den Tod des Märtyrers Egbert erklärte er mit dem K. von 729. Der 1066 bei der Schlacht von Hastings erschienene K. wurde auf dem Wandteppich von Bayeux und der K. Halley von 1301 von Giotto in der Cappella degli Scrovegni dargestellt. Neue Kenntnisse brachte die erste Übers. der *Meteorologica* des Aristoteles 1156 von Henricus Aristippus von Sizilien ins Lateinische. Nach Albertus Magnus sind die K. nur Zeichen, keine Ursachen schlimmer Ereignisse. Sein Schüler Thomas von Aquin nennt sie unter fünfzehn Zeichen, die die Wiederkunft Christi zum letzten Gericht ankündigen. Zwölf K.-Traktate zw. 1238–1368 [16] enthalten teilweise auch »Kometologien«, d. h. Listen über die Wirkungen der K. in den zwölf Tierkreiszeichen. Roger Bacon beobachtete den K. von 1264, der sich auf Mars zubewegte, und schloß daraus auf Zwietracht und Kriege. An demselben K. erkannte Aegidius von Lessines erstmalig, daß ein und derselbe K. zweimal, vor und nach seiner Parhelie, sichtbar ist.

C. NEUZEIT

Die Neuzeit entwickelte ein enormes Interesse an K., doch die wiss. Beobachtung entfernte sich zusehends von der Antike. Schließlich dienten die Beobachtungsdaten nur noch dazu, die periodische Wiederkehr einzelner K. zu erkennen. Weiter umstritten blieb v. a. die kardinale Frage, ob die K. zur sublunaren oder zur supralunaren Sphäre gehören; der autoritativen Lehre des Aristoteles folgten noch Peter Apian, Georg von Peurbach, Johannes Vögelin und Kopernikus. Es ist bes. die rel. und magische Superstition, die weiterlebt. Entsprechend traf man Maßnahmen der K.-Abwehr durch Glockenläuten, Gottesdienste, Bußtage oder die Erbauung von Kirchen und Klöstern. In der Ren. verband

sich die K.-Furcht mit dem gleichzeitig wiedererwachten Prodigienglauben röm. Prägung, bes. seitdem Lycosthenes (Wolfhart) die Prodigien, die Iulius Obsequens aus Livius epitomierte, wieder ans Licht gezogen hatte. Das Wenige, was Ptolemaios über die K. zu sagen hat, ergänzte man aus dem für echt gehaltenen *Karpos*. Ihren Höhepunkt erreichte die neuzeitliche K.-Deutung im 16. und 17. Jh. [20. 24–202 und 7. 84–97]; bes. im 17. Jh. führten die Gelehrten eine rege K.-Korrespondenz [20. 95–139]. Der Buchdruck ermöglichte eine Flut von K.-Beschreibungen und K.-Traktaten, teilweise mit prächtigen Illustrationen (Gemma, Hevelius, Riccioli, Lycosthenes), hinzu kommen Einblattdrucke (K.-Flugblätter, teilweise mit genauen Positionsangaben [6]; Übersicht bei [1. 79–89]), Holzschnitte, Kupferstiche und Medaillen.

Die wiss. Erforsch. begann bereits im 15. Jh. mit Paolo Toscanelli. Eine Typologie von K. in Anlehnung an Plinius versuchten Cardano, Dasypodius, Junctinus, Herlicius und Hevelius, dabei dienten teilweise auch die Planeten weiter als Raster [8. 1157 und 20. 86–88]. Viel beachtet und beschrieben wurde der K. Halley 1531: Peter Apian erkannte an ihm, daß der K.-Schweif stets von der Sonne abgewandt ist; Cardano schloß von der antisolaren Natur auf Trockenheit und Hunger. Luther bezog in einer Rede des J. 1522 die kreuzförmige Form eines K. auf Christus; später deutete man die K. als Warnungen vor menschlichen Sünden. Kaiser Karl V. soll von dem K. des J. 1555 in seinem Entschluß bestärkt worden sein, der Herrschaft zu entsagen. Erst an der außergewöhnlichen K.-Erscheinung von 1577 erkannte man definitiv ihre supralunare Natur; danach erhob sich die Frage, ob die K. oberhalb oder unterhalb der Saturnsphäre anzusiedeln seien. Tycho Brahe beschrieb den Kopf dieses K. als saturnfarbig und machte Voraussagen: Er schloß aus der Himmelsrichtung, daß der Westen betroffen sei, und leitete seine schlimme Prognose aus der Beobachtung ab, daß sich der K. im achten Haus (dem des Todes) zeigte [7. 139].

In seinem *Tertius interveniens* (1610) vertrat Johannes Kepler bei der Frage, ob man nach den K. Vorhersagen treffen könne, eine ›Mittelmeynung‹. Er beschäftigte sich mit dem K. Halley von 1607 und mit den drei K. des Jahres 1618, die man auch auf den Ausbruch des 30jährigen Krieges bezog. In England schloß William Lilly von ihnen aus auf den Tod des Königs Charles I. [7. 183; 214; 222], damit bekamen die K.-Prognosen eine erhebliche polit. Bedeutung. Ebenfalls in England deutete man die K. der J. 1664 und 1665 als Boten der Pest und des Brandes von London. John Gadbury leitete 1665 von einem schwertförmigen K. Krieg und von einem bartförmigen den Tod des Königs ab. Der K. von 1680, der erste, der durch ein Fernrohr entdeckt wurde, führte den K.-Glauben auf seinen Höhepunkt: Von 208 bekannten K.-Flugblättern betreffen allein 62 diesen K.; er soll den Tod von König Charles II. (1685) bedeutet haben. Aufgrund der falschen Annahme Halleys, daß dieser K. alle 575 J. wiederkehre, sagte William Whiston

1696 eine Flut für das J. 2255 voraus. Auch die Kunst verwendete weiter K.: John Milton gestaltete in *Paradise Lost* (1667) ein K.-Gleichnis im homer. Stil, ein K.-Medaillon von 1666 zeigt den Brand von London (abgebildet bei [17]), ein anderes eine K.-Darstellung zusammen mit einem Chronogramm des J. 1681.

Nachdem die periodische Wiederkehr schon vorher an falschen Beispielen vertreten worden war, sagte Edmond Halley, sich auf die Methode Isaac Newtons stützend, die Wiederkehr des 1682 beobachteten und mit den Beschreibungen von 1531 und 1607 verglichenen K. für das Ende des J. 1758 voraus [11]; am Weihnachtsabend dieses J. wurde er tatsächlich von Johann Georg Pallitzsch entdeckt [12. 258–260 und S. Koge bei 2. 29–53 sowie 20. 111–123; 132–136]. Damit war die Dämonie der K. gebrochen. Trotzdem gab es weiter schlimme K.-Prognosen. Für den 20. Mai 1773 erwartete man das Ende der Welt (wie später noch 1843 und 1857), worüber sich der alte Voltaire mokierte, und noch Napoleon soll in einem K. das Zeichen seines nahen Todes gesehen haben. G. H. Schubert schloß 1822 von K. auf vulkanische Ausbrüche. Man meinte weiter, daß die Temperatur der Erde durch K. erwärmt werde und schloß daher auf gute Weinjahrgänge in bestimmten J. zw. 1811 und 1911 [4. 51].

D. GEGENWART

K. wurden zu einem beliebten Objekt für professionelle und Amateurastronomen. Auf der K.-Jagd des 19. und 20. Jh. wurden – auch unter dem Einsatz neuer Methoden – 300–400 Beobachter fündig, von denen der erfolgreichste 37 K. entdeckte [12. 328]. Zu einer internationalen wiss. Kampagne und einem Medienspektakel ohnegleichen führte die Erscheinung des Halley 1985/1986: 50 astronomische Instrumente wurden eigens für ihn gebaut, sechs Sonden gestartet, man veranstaltete Kongresse und Tagungen mit Vorträgen auch für Laien, und es erschien eine Flut von Publikationen [20. 255–300]. Dabei griffen die Bemühungen um rückergänzende Identifikationen auch wieder auf die Beschreibungen der Ant. zurück (Überblick bei [11. 52–60]). Da man 1994 beobachtete, wie der K. Shoemaker-Levy mit den Planeten Jupiter kollidierte und einen Feuerball in Größe der Erde erzeugte, hat sich die alte K.-Furcht in anderer Weise wieder verstärkt.
→ AWI Astrologie, Campestrius, Nechepso-Petosiris, Planeten

1 F. S. ARCHENHOLD, Weltuntergangsprophezeiungen und der Halleysche K., ³1910 2 AUCTORES VARII, Gesch. der Kometenforschung, 1987 3 F. BOLL, Ant. Beobachtungen farbiger Sterne, 1916 4 F. BOLL, C. BEZOLD (bearb. W. und H. G. GUNDEL), Sternglaube und Sterndeutung, ⁵1966 5 A. BOUCHÉ-LECLERCQ, L'astrologie grecque, Paris 1899 6 J. CLASSEN, 15 Kometenflugblätter des 17. und 18. Jh., 1977 7 A. GENEVA, Astrology and the seventeenth Century Mind, 1995 8 W. GUNDEL, s. v. K., RE XI 1 (1921), 1143–1193 9 W. HÜBNER, Manilius als Astrologe und Dichter, in: ANRW II 32.1 (1984), 126–320 10 Ders., Der *descensus* als ordnendes Prinzip der *Naturalis historia* des Plinius, in: Der Wandel der Enzyklopädie vom Hoch-MA

zur frühen Neuzeit (Münstersche Mittelalter-Schriften, demnächst) 11 H. HUNGER, et al., Halley's Comet in History, 1985 12 G. W. KRONK, Comets, 1984 13 F. LUTERBACHER, Der Prodigienglaube und Prodigienstil der Römer, ²1904 14 J. T. RAMSEY, A. L. LICHT, The Comet of 44 B. C. and Caesar's Funeral Games, 1997 15 L. THORNDIKE, A History of Magic and Experimental Science, 1923–1958 16 Ders., Latin Treatises on Comets between 1238 and 1368 A. D., 1950 17 CH. WEBSTER, From Paracelsus to Newton, 1982 18 J. WILLIAMS, Observations of Comets from 611 B. C. to A. D. 1640, London 1871 (Ndr. Essex o. J.) 19 L. WÜLKER, Die gesch. Entwicklung des Prodigienwesens bei den Römern, 1903 20 D. K. YEOMANS, Comets: A Chronological History of Observation, Science, Myth, and Folklore, 1991.

WOLFGANG HÜBNER

VII. CHEMIE/ALCHEMIE
A. BEGRIFF UND INHALT DER CHEMIE
B. ANTIKE ELEMENTENLEHRE UND MODERNE THEORIEMODELLE   C. PRAKTISCHE CHEMIE ALS VORMODERNE CHEMIE   D. MODERNE CHEMIE
E. ALCHEMIE ALS VORMODERNE CHEMIE UND PARAWISSENSCHAFT

A. BEGRIFF UND INHALT DER CHEMIE

Unter Ch. versteht man die Wiss. von den Stoffen, ihren Eigenschaften, Zusammensetzungen und Umwandlungen sowie von deren Trennungen (u. a. durch Destillation, Extraktion, Filtration) und Reaktionen, die auf Verteilung und Umverteilung zw. Atomen bzw. Molekülen beruhen. Die Ch. beschäftigt sich mit der Unt. anorganischer und organischer Stoffe, die aus den 109 bekannten chemischen Elementen zusammengesetzt sind. Eine ihrer Hauptaufgaben ist die Bereitstellung von Stoffen, die in der Natur entweder überhaupt nicht oder nur schwer verfügbar sind. Mit dieser Aufgabe ist sie die Voraussetzung der praktischen Ch. Diese so definierte Ch. entstand am E. des 18. Jh. Epochale Bed. haben die Arbeiten von A. L. de Lavoisier (1743–1794), v. a. der 1789 publizierte *Traité élémentaire de chimie*, der das E. der bis in die Ant. zurückreichenden vormod. spekulativen Ch., der Alchemie, bedeutete und die mod. chemische Revolution einleitete (s. Abschnitt E.). Wie jede wiss. Revolution war aber auch diese nicht das Werk eines Einzelnen, sondern sie war vielfältig vorbereitet. So hatte bereits R. Boyle (1627–1691) in seinem *Sceptical Chymist* (1661) gegen die spekulativen Elemente der vormod. Ch. und für Empirie und Rationalität plädiert. Und selbst eine letztlich alchimistische Theorie wie die Phlogistontheorie (Verbrennungstheorie) [9. 177–199], die das chemische Denken des 18. Jh. bestimmte, wirkte wegen des Versuchs einer einheitlichen Deutung chemischer Vorgänge auf der Grundlage von Versuchen stimulierend auf die Entwicklung der mod. Ch.

Im Unterschied zur mod. Ch. mit einer durch Empirie gestützten konsistenten Theorie über Aufbau und Umwandlung von Stoffen war das vormod. chemische Wissen und Denken heterogen. Es zeigte sich in drei

Bereichen: in der Naturphilos., der praktischen Ch. und der Alchemie. Diese Bereiche standen trotz aller Heterogenität in Wechselwirkung miteinander; in ihnen hatten sich Trad. herausgebildet, die von der Ant. über das MA bis in die Frühe Neuzeit wirksam waren.

(1) Die Naturphilos., die von Platon und Aristoteles auf der Basis der Elementenlehre v. a. des Empedokles begründet worden war, hatte das Ziel, den Aufbau der Welt oder der Materie zu erklären. (2) Die praktische Ch. war darauf ausgelegt, Stoffe für den täglichen Bedarf zu produzieren und zu optimieren. (3) Die Alchemie, die eigentliche vormod. Ch., hatte einen naturwiss. und rel.-mystischen bzw. spirituellen Aspekt, die unlösbar miteinander verbunden waren.

Begrifflich sind »Alchemie« und »Chemie« in der Frühen Neuzeit nicht unterschieden. Der ältere Begriff ist »Alchemie« in der lat. Form *alchemia* oder *alchymia* (entstanden aus dem arab. Artikel *al* und einem etymologisch nicht ganz durchsichtigen arab. Substantiv *kīmiyāʾ*; vielleicht zu griech. *chéo* »gießen« oder zu griech. *chýma* »das Ausgegossene« bzw. »Metallguß«, möglicherweise sogar zu *chymeía/chemeía* »Kunst des Metallgießens«) die durch Weglassung des arab. Artikels *al* zu *chymia* wurde. Erst im Zuge der Herausbildung der mod. wiss. Ch. um 1800 wurden die Begriffe in der h. üblichen Weise verwendet: der Begriff »Chemie« zur Bezeichnung der mod. empirischen wiss. Ch., der Begriff »Alchemie« zur Bezeichnung einer mystisch-spekulativen Parawissenschaft.

B. Antike Elementenlehre und moderne Theoriemodelle

1. Der Begriff des Elements: naturphilosophisches Element und chemisches Element im Periodensystem

Elemente waren in der ant. Naturphilos. nicht weiter in unterschiedliche Stoffe zerlegbare unveränderliche natürliche Substanzen von grundsätzlich verschiedener Art, aus deren Zusammenfügung oder Trennung Werden und Vergehen der natürlichen Dinge erklärt wurden. Sie waren in Mischformen Bestandteil sämtlicher natürlicher Stoffe. Seit Empedokles waren die klass. Elemente Feuer und Wasser, Luft und Erde. Bis zum 18. Jh. war die ant. Elementenlehre Grundlage unterschiedlicher naturphilos. Systeme, die von einem ganzheitlichen Ansatz der Naturerklärung geprägt waren. Der traditionellen Elementenlehre war sowohl die Schwefel-Quecksilber-Theorie der Alchemisten als auch die alchemistische Lehre des Paracelsus von den drei Prinzipien Schwefel, Quecksilber und Salz verwandt.

Dieser klass. Elementenbegriff wurde im 18. Jh. abgelöst durch einen neuen spezifisch chemischen Elementenbegriff. Bei einem Element handelte sich nun um Stoffe, die durch chemische Verfahren nicht weiter zerlegbar waren. Dadurch konnten die traditionellen Elemente nicht als chemische Elemente definiert werden: Entweder waren sie zusammengesetzte Stoffe oder – wie das Feuer – überhaupt kein Stoff. Unter Verwen-

dung einer ersten Tabelle chemisch einfacher Substanzen von L. B. G. Morveau (1777) machte A. L. de Lavoisier in seinem *Traité élémentaire de chimie* (1789) die neue Elementenlehre zur Grundlage der mod. Chemie [9. 158–176].

Ohne Kenntnis ihrer chemischen Natur sind bis zum 18. Jh. zahlreiche chemische Elemente aus dem Periodensystem bekannt gewesen; in der Ant. waren es bereits sieben metallische und zwei nichtmetallische: Gold (Au), Silber (Ag), Kupfer (Cu), Eisen (Fe), Quecksilber (Hg), Blei (Pb), Zinn (Sn), Kohlenstoff (C) und Schwefel (Sulphur) (S) [8]; in der ersten Tabelle chemischer Elemente aus dem J. 1777 waren es insgesamt 22.

2. Elementenlehre als Theoriemodell

Indem Platon im *Timaios* ›die immaterielle Mathematik als Abbildungsbereich der Ideen‹ zur Interpretation der Elemente und ihrer Eigenschaften einsetzte [3. 979], konnte er die Qualitäten der Elemente auf Quantitäten (Gestalt und Größe) reduzieren und die vier Empedokleischen Elemente mit vier der fünf regulären Polyeder (den Platonischen Körpern) gleichsetzen: Feuer = Tetraeder, Luft = Oktaeder, Wasser = Ikosaeder, Erde = Hexaeder. Die von Empedokles als unveränderlich betrachteten vier Elemente konnte er so als ineinander umwandelbare Ausprägungen der Urmaterie ansehen.

Nicht nur in der frühneuzeitlichen Astronomie wurden die Platonischen Körper herangezogen, um den Aufbau des heliozentrisch vorgestellten Planetensystems zu erklären (J. Kepler), sondern auch in der mod. Ch. werden geometrische Figuren zur Erklärung von Phänomenen aufgeboten. In freier Nachempfindung nennt man in der organischen Ch. Ringsysteme und Käfigverbindungen, die ästhetisch reizvolle Strukturen von Platonischen Körpern haben, »Platonische Moleküle«. In der anorganischen Ch. sind Beispiele für alle Typen von Platonischen Molekülen z. B. als Komplexverbindungen bekannt (Abb. 1). Wegen der Vierbindigkeit des Kohlenstoff-Atoms lassen sich in der organischen Ch. nur drei der fünf Polyeder als Tetrahedran (Tetraeder), Cuban (Hexaeder) und Dodecahedran (Dodecaeder) realisieren.

Auch andere geometrische Figuren werden in der mod. Ch. zur Erklärung von Phänomenen herangezogen. So werden mit Hilfe der Wellentheorie und Theorie der Molekülorbitale laufend Verbesserungen zur Erklärung der chemischen Bindung gemacht.

Aristoteles erweiterte den geometrischen Ansatz [3. 979], indem er den umwandelbaren Elementen je zwei einfache »wesensgemäße« Qualitäten der Gegensatzpaare trocken – feucht und kalt – warm zuordnete: Feuer: warm und trocken, Luft: warm und feucht, Wasser: kalt und feucht, Erde: kalt und trocken. Die Umwandlung der Elemente konnte so durch die Veränderung ihrer Qualitäten durch äußere Einwirkung erklärt werden. Dieser Ansatz ermöglichte die Erklärung vieler Phänomene und der Reaktion von Stoffen untereinander.

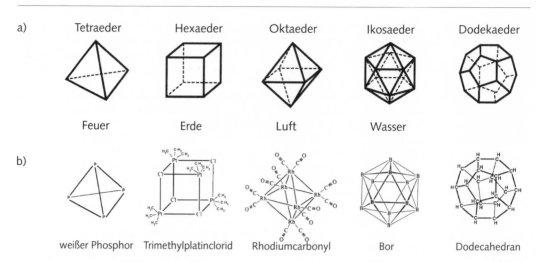

Abb. 1: a) platonische Körper, b) platonische Moleküle

Die Verknüpfung von Materie mit Eigenschaften findet sich auch in der heutigen Ch. So werden z. B. Säuren und Basen in hart und weich klassifiziert und zur Erklärung von Reaktionen verwendet.

Aristoteles nahm an (phys. 1,4), daß im Unterschied zu den Elementen bestimmte organische Substanzen, wie z. B. Fleisch, nicht unendlich in immer Gleichartiges geteilt werden können, sondern von einer bestimmten Grenze an zerstört werden. In der ant. und ma. Aristoteleskommentierung wurden diese »kleinsten Teile«, in die eine Substanz, ohne ihre spezifische Eigenart zu verlieren, geteilt werden kann, als die *minima naturalia* bezeichnet, die durchaus den Charakter von Molekülen hatten [3. 980].

Diese Hypothese war reine Spekulation; aufgrund von Experimenten wissen wir jedoch h., daß sich Reinsubstanzen nur bis zur Ebene des Moleküls teilen lassen, ohne deren chemische Eigenschaft zu verlieren; bei weiterer Spaltung wird das Molekül zerstört. Selbst die Spekulation, die am Anf. der ant. Naturphilos. steht, ist nicht ohne eine gewisse Plausibilität: es ist die Hypothese des Thales (6. Jh. v. Chr.), der als das »Prinzip (= Element) des Seienden« das Wasser bestimmte. Seine durch Empirie gestützte Hypothese ist so abwegig nicht, denn einige wirbellose Tiere bestehen zu 96–97% aus Wasser, und der menschliche Embryo des ersten Monats enthält 93% Wasser.

Die Leistung der ant. Naturwiss. besteht insgesamt in ihrer Verbindung von Theorie und Empirie/Experiment; darin liegt auch die Eigenart der mod. Naturwissenschaft. Viele Theorien, damals und h., sind Spekulationen, Postulate oder Hypothesen: Es genügt aber nicht, bekannte chemische Phänomene aus theoretischen Modellen herzuleiten. Vielmehr bedarf es immer der Unterstützung durch neue Experimente. Wenn dadurch neue Erkenntnisse erlangt werden, so müssen die Modellvorstellungen modifiziert oder fallengelassen

werden. Die höhere Leistungsfähigkeit der mod. Naturwiss. ist v. a. eine Folge der komplexen und differenzierten Entwicklung des Experimentes. In der Ant. konnten Experiment und Empirie häufig nicht eine Hypothese verifizieren oder falsifizieren, so daß viele Hypothesen letztlich den Status einer philos. Spekulation behielten (z. B. die Hypothese des heliozentrischen Systems). Zahlreiche ant. Hypothesen konnten so erst in der Neuzeit verifiziert werden.

C. Praktische Chemie als vormoderne Chemie

Eine Verwendung von apparativen Methoden und verschiedenen Chemikalien ist nicht davon abhängig, ob ein umfangreiches analytisches Verständnis des jeweiligen Prozesses oder der jeweiligen Verbindung vorliegt. Empirie diente von der Ant. bis zur Frühen Neuzeit, aber auch noch h. häufig dazu, verschiedene Prozesse und Substanzen für eine verbesserte praktische Verwendung zu kombinieren. Zum Teil haben sich die Anwendungsbereiche von bestimmten Substanzen über die Jh. nicht oder nur kaum verändert. Das praktische chemische Wissen wurde von Generation zu Generation weitergegeben und erweitert. Vieles aus der Ant. wird auch h. noch verwendet. Das gilt auch für eine große Zahl von Medikamenten aus chemischen Substanzen. Deren Kombinationen wurden klar beschrieben. Das Hauptproblem war jedoch, daß die Pharmakologen der Ant. nicht individuell jede einzelne Substanz, die in den Medikamenten verwendet wurde, zu unterscheiden, zu isolieren und erst recht nicht zu synthetisieren wußten.

Die Wege der Rezeption chemischer Verfahren und der Verwendung von Chemikalien im Übergang von der Ant. zum MA und in nachant. Zeit sind nicht immer eindeutig rekonstruierbar. Nicht selten gibt es klar erkennbare Kontinuitäten, wie z. B. im Falle der Glasherstellung und Bleigewinnung. In anderen Fällen sind difa)

b)

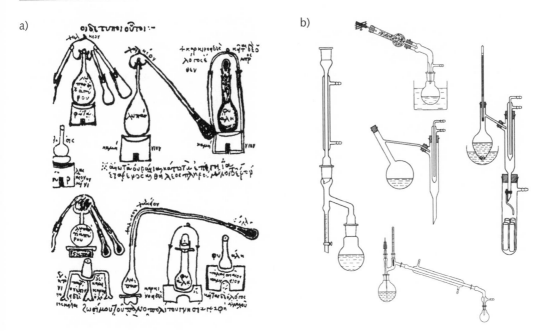

Abb. 2: a) antike Destillationsapparate, b) moderne Destillationsapparate

ferenzierte Verfahren zunächst in einfacherer Form in der Spätant. fortgesetzt worden, dann aber im MA durch Wiederaufnahme der komplexen ant. Technologien restituiert worden (Herstellung von Bronzen). Auf jeden Fall sind die Leistungen der praktischen Chemie der Ant. nur in wenigen Fällen völlig verlorengegangen. Nicht unbeteiligt ist daran die *Historia naturalis* des Älteren Plinius (1. Jh.), die vom frühen MA bis in die Frühe Neuzeit das vielfältige chemische Wissen der Ant. im lat. Westen immer präsent gehalten hat. Für den Bereich der Pharmakologie hat die Schrift *Perí hýlēs īatrikḗs* des Pedanios Dioskurides (1. Jh.) im byz. MA eine ähnliche Bed. gehabt – mit Ausstrahlungen in das lat. MA und den arab. Kulturkreis durch entsprechende Übersetzungen.

1. Apparate

Obgleich die ant. Alchemie – wie auch die nachant. Alchemie – einen spekulativ-mystischen Charakter hatte, wurde sie für die Entwicklung von Apparaten für chemische Verfahren bedeutsam. In den ma. byz. Hss. des Alchimisten Zosimos aus Panopolis (3. Jh.) sind genaue Darstellungen von Apparaten zur Destillation, Kristallisation und Ähnlichem überliefert (Abb. 2). Sie zeigen, daß die Formen der einzelnen Aufbauten die Jh. über ähnlich geblieben sind und auch h. noch in mod. Laboratorien eingesetzt werden.

2. Metalle

Eisen [1] spielte eine wichtige Rolle in der Geschichte der Technik und in der gesamten kulturellen Entwicklung der Menschheit. Da es in der Natur außer als Meteoreisen metallisch kaum vorkommt, mußte es durch Verhüttung von Eisenerz gewonnen werden.

Entwickelt von den Hethitern in Kleinasien, breitete sich die Eisentechnologie seit 1200 v. Chr. im Vorderen Orient und im östl. Mittelmeerraum aus und leitete nach Stein- und Bronzezeit die dritte vorgeschichtliche Periode, die Eisenzeit (seit 1000/800 v. Chr.) ein.

Die Verhüttung der Erze erfolgte in Schachtöfen. In diese Öfen wurde eine Mischung aus Eisenerz und Holzkohle gegeben, die durch Feuer und Wind auf 1000° bis 1200°C erhitzt wurde, so daß das Eisen durch chemische Reduktion entstehen konnte, indem die flüssige Schlacke abfloß. Die Kohle diente nicht nur als Reduktionsmittel, sondern bewirkte auch ein Härten des Eisens und kann mit heutigem Stahl verglichen werden. Dieses gehärtete Eisen ist als Eisen-Kohle-Damaskus-Stahl bekannt [5]. Ob diese Härtung allerdings für die Verwendung des Eisens als Werkstoff immer ausreichte, ist nicht sicher. Möglicherweise wurde die gewünschte Härte erst beim Schmieden im Holzkohlenfeuer durch Kohlenstoffanreicherung erreicht. Die damals entwickelte Technologie blieb in den Grundzügen bis in die Gegenwart gleich, wenn auch durch den Einsatz von Koks als Reduktionsmittel seit dem 18. Jh. höhere Temperaturen (1600°C statt 1200°C) [4] möglich wurden, wodurch eine bessere Verarbeitung des Eisens erreicht wurde. In der Frühen Neuzeit hat G. Agricola in seiner Schrift *De re metallica* (Basel 1556, Faks. 1967, Nachdr. 1981; dt. Vom Bergwerck, Basel 1557, Faks. 1985) das Wissen der Ant. (bes. aus der *Historia naturalis* des Älteren Plinius) und seiner Zeit über das Bergwerks- und Hüttenwesen gesammelt [6].

Blei ist neben Zinn das dem Menschen am längsten bekannte Metall. Nachdem es in der griech. Ant. zunächst wegen seines Silbergehaltes (bis zu 1%) für die Silbergewinnung größere wirtschaftliche Bed. hatte, wurde es in der röm. Ant. ein weitverbreiteter Werkstoff (Plin. nat. 34,156–178), der durch Schmelzen aus dem Bleierz (Bleiglanz) wegen der niedrigen Schmelztemperatur (327°C) relativ leicht gewonnen werden konnte. In vier Jh. produzierten die Römer 6–8 Millionen Tonnen Blei, mit einer jährlichen Spitzenproduktion von 60000 Tonnen; sie verwendeten es in großem Umfang für Wasserrohre; im MA wurde es u. a. auch für Dachbedeckungen eingesetzt. Die Technologien von Verhüttung und Verarbeitung von Blei haben sich von der Ant. bis zur Neuzeit nicht wesentlich verändert. Seine toxischen Eigenschaften beim Schmelzen und Verarbeiten waren seit der Ant. bekannt (Vitruv. 8,6,11; Plin. nat. 34,167), haben allerdings erst in der Gegenwart zu einer Reduktion der Verwendung geführt.

Bronze, v. a. als eine Legierung aus Kupfer und Zinn (Zinn-Bronze) oder aus Kupfer mit Zinn und Blei (Zinn-Blei-Bronze) gehörte zu den wichtigsten Werkstoffen der Ant. Sie war vor der Entwicklung der Eisentechnologie sogar der bedeutendste Werkstoff zur Herstellung von Geräten und Waffen, der der Zeit von 2500 – 1000/800 v. Chr. die Bezeichnung Bronzezeit einbrachte. Zur Bronzetechnologie, die seit dem 3. Jt. v. Chr. im Vorderen Orient entwickelt wurde, gehörte nicht nur die Verhüttung der entsprechenden Erze, sondern auch die Legierung der reinen Metalle und die Verarbeitung der Legierung, v. a. der Bronzeguß (neben Schmieden, Treiben und Prägen). Dabei war die Schmelztechnologie zum Legieren identisch mit derjenigen der Verhüttung. In Schachtöfen bzw. in ihren Vorformen wurden die Metalle durch Beigabe von Holzkohle geschmolzen. Der Schmelzpunkt der Bronze lag je nach Anteil der eingesetzten Metalle zwischen 1063°C für reines Kupfer und ca. 700°C für Blei-Bronze. Die ant. Bronze-Technologie (mit einer Übersicht über die verschiedenen Kupferlegierungen) ist von dem Älteren Plinius (nat. 34,1–137) beschrieben, v. a. die Herstellung von Bronzestatuen im Hohlgußverfahren. Zur hochentwickelten Technologie gehörte auch die Herstellung von lebensgroßen Bronzen in Teilgüssen, die durch Einsatz von Zinn-Blei-Bronze verlötet wurden. Da die Festigkeit von Bronze deutlich geringer als die von mit Kohlenstoff gehärtetem Eisen war, wurden z. B. Waffen seit dem Beginn des 1. Jt. v. Chr. primär aus Eisen hergestellt. Nachdem die Herstellung von Bronzegegenständen in der Spätant. wegen der komplexen Technologie aus wirtschaftlichen Gründen stark zurückgegangen war, wurde sie unter Karl d. Gr. (Gießhütte in Aachen) unter Verwendung der alten Technologie wieder aufgenommen und nach einer Blüte in romanischer Zeit zur Mode in der Renaissance. In welchem Umfang an der Erneuerung der Technologie die *Historia naturalis* des Älteren Plinius Anteil hatte, ist schwer abzuschätzen; bekannt war sie auf jeden Fall. Zumindest setzte sie die Maßstäbe für die Technologie.

Von den Edelmetallen Gold und Silber wurde nur Silber in einem chemischen Verfahren gewonnen, da es – im Unterschied zum Gold – in gediegener Form nur selten vorkommt [7]. Eine Ausnahme war nur die – freilich seltene – Gewinnung von Gold aus goldhaltigem Silber oder silberhaltigem Gold (Elektrum), die bis zum ausgehendem MA durch Einrühren v. a. von elementarem Schwefel in die Metallschmelze (Scheidung durch Guß und Fluß der Alchimisten) erreicht wurde. Seit dem 3. Jt. v. Chr. entwickelte sich eine Technologie zur Gewinnung von Silber (Plin. nat. 33,95–110), die bis in die Frühe Neuzeit hinein Bestand hatte [7]. Häufigstes Ausgangsmaterial war das Erz Bleiglanz, das neben einem hohen Bleigehalt etwa 1% Silbergehalt hat. Während die Aufschmelzung der Schlacken in Schachtöfen relativ einfach war, erforderte die Herauslösung des Silbers ein schwierigeres Verfahren. Im Holzkohlenfeuer wurde Bleiglanz erhitzt, wobei das unedlere Blei zu Bleiglätte oxidierte, die dann nach und nach abgeschöpft oder aufgeblasen werden konnte, bis nur noch reines Silber übrig blieb. Abgelöst wurde dieses Verfahren erst seit dem 16. Jh. durch das Amalgamationsverfahren, das eine rationellere Gewinnung ermöglichte und auch das wichtigste Goldgewinnungsverfahren wurde.

3. Salze und salzartige Verbindungen

Von den Calciumverbindungen [1] wurden in der Ant. die Bindemittel Gips und Kalk zur Herstellung von Mörtel eingesetzt. Gips als Bindemittel wurde durch Erhitzen des Minerals Gips ($CaSO_4 \cdot 2H_2O$, Calciumsulfat-Dihydrat) auf 130–160°C gewonnen und in dem trockenen Klima Ägyptens im Alten Reich für den Mauer- und Putz-Mörtel beim Pyramiden- und Tempelbau verwendet; wegen des feuchten Klimas in Griechenland und It. konnte sich Gips nicht durchsetzen, da es wenig widerstandsfähig war; an seine Stelle trat der feuchtigkeitsresistentere Kalk, der durch Erhitzen von Kalkstein ($CaCO_3$, Calciumcarbonat) auf über 900°C als »ungelöschter Kalk« (CaO) gewonnen wurde und seit dem 5. Jh. v. Chr. zunächst bei Hochbauten (Lange Mauern in Athen), dann in röm. Zeit bei Hoch- und Tiefbauten eingesetzt wurde. Zusammen mit der Entwicklung des Ziegelbaus erhielt er für die Bautechnik in Rom in der frühen Kaiserzeit eine überragende Bedeutung. Nach dem Niedergang der Bautechnik in der Spätant. begann seit der Zeit Karls d. Gr. die Ren. der Verwendung von Kalk-Mörtel und auch Gips-Mörtel sowie des Ziegelbaus, die an das ant. Wissen anknüpfen konnte.

Alaun (Kaliumaluminiumsulfat, $KAl(SO_4)_2 \cdot 12 H_2O$), v. a. aus Alaunschiefer gewonnen, wurde zum Färben von Wolle sowie zum Härten und Beizen unterschiedlicher Materialien eingesetzt; vielfältig wurde er auch als adstringierendes Medikament verwendet (z. B. zur Blutstillung, zur Behandlung von Geschwüren und zur Verminderung des Schweißgeruches). Die breite Verwendbarkeit des Alauns (Plin. nat. 35,183–190) hat sich bis in die Gegenwart gehalten – bisweilen aller-

dings in verwandten Verbindungen. Er ist in der Leder-
gerberei sowie zum Härten von Gelatine üblich; er ist
außerdem als Heilmittel anerkannt (z. B. als blutstillen-
des Mittel). Auch in Deodorants wird er verwendet.

Arsenverbindungen (Auripigment und Realgar)
wurden als Farben sowie als ätzende und adstringierende
Medikamente (z. B. zur Entfernung von Warzen und
Haaren sowie zur Behandlung von Geschwüren) eingesetzt. Ihre toxischen Eigenschaften waren zwar bekannt,
sie wurden aber nicht – wie in der Neuzeit – für die
professionelle Giftmischerei verwendet. Die ätzende
Wirkung der Arsenverbindungen wird bis in die Gegenwart genutzt (bei der Unkraut- und Schädlingsbe-
kämpfung sowie bei der Entblätterung von Baumwoll-
kapseln vor der Ernte). Die Verwendung in der Medizin
ist rückläufig.

Kochsalz (Natriumchlorid, NaCl) ist als wichtiger
Mineralstoff bei der Ernährung, als Würzmittel und als
Konservierungsmittel in der Ant. in großem Umfang
gewonnen worden. Die üblichen Verfahren waren Er-
hitzung und Verdunstung von Meerwasser und von
Wasser aus Solequellen. Außerdem wurde es als festes
Steinsalz bergmännisch abgebaut. Damit sind die Ver-
fahren entwickelt, die – bei Veränderung der Techno-
logie im Einzelnen – auch in der Neuzeit üblich blieben.
Seit dem 1. Jh. wurde Salz auch zur Reinigung von
Edelmetallen eingesetzt. Damit wurde die Elektrolyt-
wirkung ausgenutzt, die auch h. noch Grundlage für die
Reinigung von Metallen ist.

4. Nichtmetalle Kohlenstoff und Schwefel

Kohlenstoff – neben Schwefel das einzige in der Ant.
bekannte nichtmetallische Element – wurde bereits im
Alten Ägypten in der Form von Rußpulver zur Herstellung von schwarzer Tinte in einer Gummi- oder
Leimlösung als Binde- und Haftmittel verwendet. Gewonnen wurde Ruß durch unvollständige Verbrennung kohlenstoffreichen Materials; Ofenruß galt als
minderwertig. In verbesserter Form dominierte das
Verfahren zur Herstellung von Tinte bis zur Entwicklung der synthetischen Farbstoffe im 19. Jh. Als
Schwarzpigment für Druckfarben hat Kohlenstoff – in
Verbindung mit Gummiarabikum zur besseren Haftung
– bis in die Gegenwart seine Bed. behalten.

Schwefel (Plin. nat. 35,174–177) war der Ant. nur in
freier Form (gediegen) bekannt [8]; dabei handelte es
sich um vulkanischen Schwefel, der in der Nachbarschaft von meist noch tätigen Vulkanen vorkam (z. B. in
Sizilien am Ätna und auf den Liparischen Inseln am
Stromboli). Ursprünglich diente er durch Verbrennen
(Schwefeldioxid) zur magisch-rel. Reinigung (Hom.
Od. 22,481, nach dem Freiermord); er wurde auf diese
Weise auch zum Bleichmittel. Er wurde vielfältig in Sal-
ben eingearbeitet und als Heilmittel genutzt. Schwefel-
quellen galten als Heilquellen. Nicht nur zur Schäd-
lingsbekämpfung setzte man ihn ein, sondern auch zum
»Schwefeln« (als Mittel zur Desinfektion) des Weines.
Große Bed. erhielt Schwefel schließlich in der Alche-
mie. Wenn auch das Verwendungsspektrum von

Schwefel heute breiter ist, so sind doch gleiche oder
verwandte Anwendungsbereiche signifikant.

5. Silikatminerale

Glas, das durch Schmelzen einer Mischung von
Quarzsand (Siliciumdioxid, SiO_2) als Glasbildner und
von Soda (Natriumcarbonat) als Fließmittel (Schmelzpunkt bereits unter 850°C) hergestellt wurde, war in
Mesopotamien und im Alten Ägypten seit dem 16. Jh.
v. Chr. bekannt. Nachdem sich mit der weiteren Entwicklung des Formschmelzens und der Erfindung des
Glasblasens mit der Glasmacherpfeife (seit 1. Jh. v. Chr.)
differenzierte Verfahren durchgesetzt hatten (Plin. nat.
36,190–199; Strab. 17,1,23), bestimmte eine komplizierte Glastechnologie die Glasindustrie im Imperium
Romanum bis in die Spätant. hinein, die sich auch auf
die Herstellung von farblosen, durchsichtigen Fenster-
scheiben (einschließlich Butzenscheiben) konzentrierte. Die merowingisch-fränkische Glasproduktion nahm
die röm. Trad. auf bzw. setzte sie fort. Im arab.-islami-
schen Kulturgebiet wurden die örtlichen byz. Trad.
weitergeführt und durch eigene Formen erweitert.
Während der Schmelzprozeß für alle Glasarten auch h.
noch in ähnlicher Weise verläuft, haben sich die Arten
der Verarbeitung erweitert, wobei traditionelle Arten
(wie z. B. die Herstellung von Überfanggläsern in der
Biedermeierzeit) immer wieder erneuert wurden.

Tone sind durch ihren überwiegenden Anteil an Si-
likaten Rohstoffe bei der Herstellung von keramischen
Erzeugnissen (Töpferwaren, Ziegelsteinen), die durch
Brennen haltbar gemacht werden. Die Tontechnologie
gehört zu den ältesten Technologien der Menschheit,
die universell entwickelt wurden. Eine Optimierung
des Brennvorgangs garantierte die Entwicklung differenzierter Farbigkeit seit dem 7. Jh. v. Chr. (schwarzfi-
gurig/rotfigurig) durch chemische Prozesse; der Rot-
glanz der häufig reliefverzierten Terra sigillata war ebenfalls das Ergebnis eines chemischen Vorgangs durch den
Brand. Glasuren wurden in bestimmten lokalen Trad. in
einem zusätzlichen Brand für eine kräftige Farbgebung
eingesetzt. Auffällig ist, daß die hochentwickelte ant.
Keramiktechnologie in nachant. Zeit keine Fortsetzung
gefunden hat. Primär sind es die Gefäßformen gewesen,
die rezipiert wurden [2].

6. Kolloidale Systeme (disperse Systeme)

Kolloidale Systeme sind aus zwei oder mehreren
Phasen bestehende Stoffsysteme, bei denen ein Stoff
(die kolloidale bzw. disperse Phase) in einem anderen
(dem Dispersionsmittel) in feinster Form verteilt ist,
ohne etwa in eine chemische Reaktion überzugehen.
Sowohl die Teilchen der dispersen Phase als auch das
Dispersionsmittel können dabei fest, flüssig oder gas-
förmig sein. Solche Systeme können v. a. Suspensionen
(Verteilung von Teilchen in einer Flüssigkeit, so daß sie
darin schweben), Emulsionen (Gemenge aus zwei nicht
mischbaren, ineinander unlösbaren Flüssigkeiten) und
Aerosole (Verteilung schwebender fester oder flüssiger
Stoffe in Gasen, bes. in der Luft, z. B. Rauch, Nebel)
sein. Obwohl man die Natur dieser Systeme bis vor re-

lativ kurzer Zeit nicht wirklich verstanden hat, sind kolloidale Systeme und deren Eigenschaften bereits seit Beginn der Zivilisation beobachtet und genutzt worden, so zum Beispiel zur Herstellung von Käse, Butter, Joghurt und auch zum Brotbacken. Viele alte Technologien waren von Kolloiden und deren Eigenschaften abhängig: z. B. die Herstellung von Tonwaren, die Extraktion von Leim aus Knochen, auch die Herstellung von Tinte aus Gummiwasser und Farbpigmenten. Tatsächlich kann es nur wenige Bereiche im häuslichen Leben gegeben haben, die unabhängig von kolloidalem Verhalten waren (entweder wegen des natürlichen Vorkommens oder weil sie künstlich erzeugt wurden). Die Bandbreite reichte von der Beeinflussung des kolloidchemischen Verhaltens bei der Herstellung von Keramik bis zur feinfühligen Einstellung von kolloidalen Eigenschaften von Malschlickern zur Dekorierung von Vasen.

Kolloidchemische Kenntnisse waren notwendig zur Herstellung von Suspensionen für das Färben von Textilien, da nur so die Probleme bei der vollständigen Benetzung der Gewebe, beim Zermahlen und Dispergieren der Farbstoffe und bei der Adsorption der Farbstoffmoleküle an die Textilfasern gelöst werden konnten. Fast die ganze Farbtechnologie basiert auf dem Einsatz kolloidaler Systeme. Auch hier hat sich die Technik über Jh. empirisch weiterentwickelt.

Seit der Ant. wurden Emulsionen in der Kosmetik gebraucht. Bekannt war eine Öl-in-Wasser-Emulsion, wie sie h. immer noch für Cremes oder Lotions in der Kosmetik eingesetzt wird. Auch Medikamente wurden in der Form von Emulsionen angewandt – eine bis h. übliche Anwendung.

Heute ist die Kolloidtechnologie weitgehend wiss. fundiert. Sie hat viele Empirismen hinter sich gelassen, die für das Handwerk früherer Zeiten wegen seiner Abhängigkeiten von kolloidalen Materialien charakteristisch waren. Die Erforschung der Kolloide ist trotz ihrer langen Geschichte eine verhältnismäßig neue Entwicklung. Der langsame Fortschritt im Verständnis von kolloidalem Verhalten im Vergleich zu anderen Richtungen der Chemie und Physik hängt mit der Schwierigkeit zusammen, gut charakterisierte Materialien mit reproduzierbaren Eigenschaften herzustellen. Zum Teil lag es aber auch an den nicht vorhandenen theoretischen Grundlagen.

1 N. N. GREENWOOD, A. EARNSHAW, Ch. der Elemente, 1988 2 F. HABASHI, History of Chemistry, Metallurgy, and Civilisation, in: Interdisciplinary Science Reviews 23,4, 1998, 348–361 3 F. KRAFFT, Elementenlehre, in: DNP 3, 1997, 978–980 4 J. E. REHDER, Blowpipes versus Bellows in Ancient Metallurgy, in: Journal of Field Archaeology 21, 1994, 345–350 5 O. D. SHERBY, Ultrahigh Carbon Steels and Ancient Blacksmiths, in: Iron Steel Institute Japan International 39, 1999, 637–648 6 L. SUHLING, Georgius Agricola und der Bergbau. Zur Rolle der Ant. im montanistischen Werk der Humanisten, in: A. BUCK, K. HEITMANN (Hrsg.), Die Ant.-Rezeption in den Wiss. während der Ren., 1983, 149–165 7 R. F. TYLEOTE, History of Metallurgy, 1976 8 M. E. WECKS, Elements of the alchemists, in: H. M. LEICESTER (Hrsg.), Discovery of the Elements, ⁶1956, 91–119 9 W. P. D. WIGHTMAN, The Growth of Scientific Ideas, 1953.

KATHARINA LANDFESTER

D. MODERNE CHEMIE

Mit dem Namen A. L. de Lavoisier ist der Begriff der chemischen Revolution untrennbar verbunden. Sein 1789 publizierter *Traité élémentaire de chimie* kann als eine Epochenschrift bezeichnet werden [1]. Damit löst sich die Ch. endgültig aus der Bindung an die ant. Elementenlehre und die alchimistische Quecksilber-Schwefel-Salz-Theorie des Paracelsus, die zusammen noch die Theorie der Ch. der Frühen Neuzeit bestimmt hatten. Durch Paracelsus' Übertragung der alten alchimistischen Quecksilber-Schwefel-Theorie auf alle drei Reiche der Natur und ihre Erweiterung um das Salz als drittes Prinzip war die Bestimmung des Verhältnisses der vier aristotelischen Elemente Feuer, Wasser, Erde, Luft zu den drei Prinzipien zum wichtigsten theoretischen Problem der Chemie in der Frühen Neuzeit geworden [10]. Elemente bzw. Prinzipien wurden hier definiert als einfache Körper, aus welchen die *mixta* zusammengesetzt sind. Jedem Element war eine spezifische Qualitätskombination zugeordnet. Die Elemente galten als nicht in reiner Form isolierbar, doch sollte eine annähernde Analyse im Feuer oder durch Destillation erfolgen. Bekanntester Theoretiker einer korpuskular mechanischen Ch. war R. Boyle (1627–1691). Gegen E. des 17. Jh. hatte sich in der Ch. die Vorstellung einer korpuskular strukturierten Materie trotz des Fehlens einer hinreichenden empirischen Absicherung durchgesetzt. Anders als die Vertreter mechanischer Korpuskularphilos. (Boyle, Descartes) dachten die meisten Chemiker die Materiepartikel jedoch mit sinnfälligen Qualitäten ausgestattet [7].

Mit diesen Theorien brach die mod. Ch., wie sie am E. des 18. Jh. entstand. A. L. de Lavoisier formulierte den mod. Begriff des Elements als chemisch nicht weiter zerlegbaren Stoff. Zusammen mit C. L. Berthollet (1748–1822), A. Fourcroy (1755–1809) und anderen schuf er die Grundlagen der chemischen Nomenklatur, die, aus dem Lat. und Griech. abgeleitet, die Zusammensetzung einer Substanz aus ihrem Namen erkennen läßt [1]. Im einzelnen erkannte A. L. de Lavoisier die zusammengesetzte Natur des Wassers aus Wasserstoff und Sauerstoff; damit war Wasser kein Element mehr im mod. Sinn. Mit J. Daltons (1766–1844) *A New System of Chemical Philosophy*, 1808 und 1810 veröffentlicht, wurde der Atomismus erstmals von seinem prinzipiell spekulativen Charakter befreit. Das Gesetz der multiplen Proportionen stellte einen Zusammenhang zw. atomarer und makroskopischer Ebene her. J. Daltons Theorie brach mit der auf Demokrit zurückgehenden, korpuskularmechanischen Idee einer einheitlichen Grundmaterie ebenso wie mit der aristotelischen Vorstellung einer nur geringen Zahl von Elementen. Jedes Element besaß seine spezifische, anhand ihrer Masse charakterisierte Atomart [11].

Mit dieser Entwicklung hatte sich die mod. Ch. endgültig von der vormod. Elementen- und Atomlehre
emanzipiert. Obwohl weitere Gesetze und Hypothesen
theoretische Brücken zw. atomarer und Beobachtungs-
ebene lieferten, blieb der mod. Atomismus nicht unangefochten. Die im 19. Jh. einsetzende Skepsis gegenüber dem Atomismus stützte sich nicht mehr wie in der
Frühen Neuzeit auf rel. oder naturphilos., sondern auf
erkenntnistheoretische Argumente [11. 7]. Streitpunkte
waren das Verhältnis zw. physikalischem und chemi-
schem Atomismus (kleinste Elementeinheiten) sowie
die Bestimmung von Summenformeln. J. Liebigs (1803–
1873) Erfindung des Kaliapparats vereinfachte die
Elementaranalyse organischer Verbindungen und er-
leichterte die Unt. ihrer Reaktionen. Das Problem der
Konstitution und Struktur von Verbindungen stand
jahrzehntelang im Zentrum der Bemühungen organischer Ch. Meilensteine auf dem Weg seiner Lösung bilden die klassifikatorische Typentheorie J.-B. Dumas'
(1800–1884), A. Kekulés (1829–1896) Entdeckung der
Valenz, die allmähliche Herausbildung der chemischen
Formelsprache (Reaktionsgleichungen, Strukturfor-
meln, Molekülmodelle) und J. van't Hoffs (1852–1911)
Theorie des Kohlenstofftetraeders.

In der Frage der Systematisierung der im 19. Jh. beträchtlich gestiegenen Zahl bekannter chemischer Elemente gelang D. Mendelejew (1834–1907) auf der Basis
seines »Gesetzes«, demzufolge die Elemente, nach ihren
Atommassen angeordnet, Regelmäßigkeiten der Eigenschaften zeigen, um 1870 die Aufstellung des Perioden-
systems der Elemente, des fundamentalen Ordnungs-
systems der Ch. Die Veröffentlichung der unabhängigen Entdeckung L. Meyers (1830–1895) erfolgte kurze
Zeit später. Die Gültigkeit des Systems erfuhr glänzende
Bestätigung durch die Isolierung einer Reihe neuer Elemente, deren Existenz D. Mendelejew aus dem System
prognostiziert hatte [3].

Mit der Entwicklung neuer Subdisziplinen seit dem
letzten Drittel des 19. Jh. im Kontakt mit anderen Naturwiss. entstanden neue Fragestellungen und neue Erkenntnisse über die chemischen Stoffe. So war die physikalische Ch. nicht mehr an der Analyse und Synthese
neuer Verbindungen, sondern an den Beziehungen zw.
physikalischen Bedingungen und chemischen Eigenschaften sowie der Auffindung von Gesetzmäßigkeiten
chemischer Reaktion interessiert (S. Arrhenius, J. H.
van't Hoff, W. Ostwald). Die Entdeckung der Radioaktivität um 1900 durch H. Becquerel, M. und P. Curie
und ihre Deutung als Umwandlung von Elementen
durch F. Soddy und E. Rutherford widerlegte die Ele-
mentenkonstanz, ein Haupttheorem der Ch. des 19. Jh.
H. Moseleys Gesetz über den Zusammenhang von Ord-
nungszahlen und bestimmten Linien im Röntgenspek-
trum von Elementen (1913) lieferte eine Entschei-
dungsgrundlage über die wirkliche Zahl der Elemente
und ihre Position im Periodensystem [2]. Obwohl die
Ch. gerade im letzten Jh. eine starke Theoriebildung
entwickelte, blieb diese doch – anders als in der theo-

retischen Physik – immer von empirischen Daten abhängig.

1 B. BENSAUDE-VINCENT, Lavoisier, 1993 2 Dies.,
I. STENGERS, A History of Chemistry, 1996 3 W. BROCK,
Viewegs Geschichte der C., 1997 4 A. DEBUS, The
Chemical Philosophy, 2 Bde., 1977 5 A. DUNCAN, Laws and
Order in Eighteenth-Century Chemistry, 1996 6 B. GÖRS,
Chemischer Atomismus, 1999 6a) F. KRAFT, Gesch. der
(spekulativen) Atomistik bis John Dalton. Vorlesungen,
1992 (Marburg, Institut für Gesch. der Pharmazie)
7 C. MEINEL, Early Seventeenth-Century Atomism; in: Isis
79, 1988, 68–103 8 W. NEWMAN, L. Principe, Alchemy vs.
Chemistry, in: Early Science and Medicine 3, 1998, 32–65
9 M. J. NYE, Physics and Chemistry: Commensurate or
Incommensurate Sciences?, in: M. J. NYE, J. RICHARDS,
R. STUEWER (Hrsg.), The Invention of Physical Science,
1992, 205–224 10 W. PAGEL, Paracelsus, ²1982
11 A. ROCKE, From Dalton to Cannizzaro. Chemical
Atomism in the Nineteenth-Century, 1984 12 E. STRÖKER,
Theoriewandel in der Wiss.-Gesch., 1982.

JUTTA BERGER

E. ALCHEMIE ALS VORMODERNE CHEMIE UND PARAWISSENSCHAFT

1. DIE ARABISCHE ALCHEMIE

Nach dem Untergang des weström. Reiches im späten 5. Jh. n. Chr. wurde die Alchemie von den Byzantinern weitergepflegt, allerdings ohne daß damit eine
nennenswerte Fortentwicklung verbunden gewesen
wäre. Am Beginn der byz. Alchemie steht im 5. Jh.
Olympiodoros, sie kulminiert in den Schriften des Stephanos von Alexandria im 7. Jh. Charakteristisch für
diese Periode ist eine starke Betonung der mystisch-
metaphorischen Richtung, wie sie schon bei Zosimos
(um 300) angelegt ist, teils ergänzt bzw. überformt
durch christl.-biblische Bezüge und Allegorien. Die
praktische Alchemie tritt zugunsten eines meta-physisch
sowie auf Auslegung älterer Texte orientierten Verständnisses zurück. Die arab.-syrischen Gelehrten in den
von den Arabern im 7. Jh. eroberten Gebieten hatten
keine Scheu vor der Rezeption ant. Autoren und der
Auseinandersetzung mit deren Ideen. Sie wandten sich
u. a. auch der Alchemie zu, die jetzt als Al-kīmiyāʾ bezeichnet wurde. Diese arab. Rezeption gab ihr wesentliche neue Impulse. Von Balinas (auch bekannt als Ps.-
Apollonius von Tyana) im 9. Jh. stammt die folgenrei-
che Einführung der sog. Schwefel-Quecksilber-Lehre,
derzufolge sich die vier klass. Elemente nicht unmittelbar zu konkreten Stoffen formen, sondern erst eine
Zwischenstufe bilden, die als Schwefel (in dem sich Luft
und Feuer vereinigen) und Quecksilber (Erde und Wasser) bezeichnet werden. Erst daraus entstehen dann die
Stoffe, insbes. die Metalle. Schwefel und Quecksilber
sind in diesem Sinne ebenso als abstrakte Eigenschafts-
träger und nicht als konkrete Körper zu verstehen wie
die vier Elemente des Aristoteles. Sie sind Prinzipien,
keine Stoffe. Von großem Einfluß waren dann die sog.
Dschabir-Schriften. Ob sie einer histor. Person zuzuschreiben sind, ist unsicher. Sie enthalten neben der

Schwefel-Quecksilber-Lehre eine ziemlich komplexe Theorie der Gleichgewichte zw. diesen beiden Prinzipien, die auf einer der Kabbala nahestehenden Betrachtung von mit Zahlenwerten versehenen Buchstaben der arab. Namen für Metalle und chemischen Verbindungen basierte, die als inhärente Träger einer alchemischen Botschaft gedeutet wurden. Das Dschabir-Corpus ist spekulativ in dem Sinne, daß experimentell nicht nachprüfbare Annahmen hinsichtlich der Konstitution der Materie entwickelt wurden, es ist aber nicht mystisch-allegorisch angelegt. Der Wert und die Notwendigkeit von Experimenten und die Theorie-Praxis-Wechselbeziehung werden hervorgehoben, allerdings eingebettet in naturphilos. Spekulationen, die sich einer Nachprüfung entziehen. Der von der ant. Alchemie entwickelte und auf Aristoteles aufbauende Gedanke von der Möglichkeit der Umwandlung der Urmaterie in Gold bzw. von unedlen Metallen in edle Metalle (Transmutation) wird aufgenommen und insofern weiterentwickelt, als es nicht einen universalen Stein der Weisen (*Lapis philosophorum*), sondern viele Elixiere (abgeleitet von griech. *xērion*, d. h. Streupulver, arabisiert als al-iksīr und synonym mit *Lapis* gebraucht) geben sollte (eine Folge der Gleichgewichtslehre) und um die Annahme erweitert, daß auch organische Stoffe, sogar Organismen, perfektioniert werden können. Hier ist die Idee des Homunculus vorgezeichnet, des menschgemachten Menschen, und der Alchemist tritt an die Stelle des Demiurgen. Ferner entsteht hier der Keim der Idee von der Panacea, die bei Paracelsus weiter ausformuliert wird. War die Dschabir-Schule spekulativ-naturphilos. orientiert, begegnet uns in dem Perser Rhazes (Ar-Rāzī, ca.865–ca.925) ein Vertreter einer exoterischen, der Laborpraxis bes. verpflichteten Alchemie. Die Schwefel-Quecksilber-Lehre ergänzt er – hier ein Vorläufer von Paracelsus – um ein bisweilen auftretendes drittes Prinzip von salzartiger Natur und entwirft eine Korpuskularkonzeption der Materie. Demnach bestehen die Körper aus Atomen, deren unterschiedliche räumliche Verteilung die Eigenschaften greifbarer Substanzen bestimmt. Eine Transmutation hält auch er für möglich. Die dritte große Autorität der arab. Naturforsch. ist Ibn Sīnā (Avicenna, 980–1037) aus Buchara (heute Usbekistan). Neben Rhazes gilt er als der herausragendste Mediziner des islamischen MA. Der Alchemie stand er kritisch gegenüber und verneinte die Transmutation. Die unter seinem Namen erschienenen alchemischen Werke sind unterschoben. Avicenna übernimmt die Schwefel-Quecksilber-Lehre als Konzept des Materieaufbaus, leugnet aber, daß sich daraus die beliebige Veränderbarkeit von Körpern folgern läßt. Seiner Ansicht nach ist der Mensch nicht imstande, die Natur zu übertreffen oder auch nur zu erreichen. Die Alchemisten können zwar hervorragende Imitate fabrizieren, aber die Natur unedler Metalle nicht verändern.

2. Die Alchemie im europäischen Mittelalter

Im 12. Jh. beginnt die Alchemie auch in das europ. Geistesleben einzudringen. Der blinde Glaube an von der Kirche sanktionierte Autoritäten wurde erstmals von Adelard von Bath (um 1070–1146) zurückgewiesen, der nach eigener Aussage bei den arab. Gelehrten gelernt hatte, sich in wiss. Fragen auf die eigene Vernunft zu stützen. In der sog. Ren. des 12. Jh. führte ein neuerwachter Wissensdrang zu vielfältiger Übers.-Tätigkeit arab. oder griech. Texte. Dieser allg. geistige Wandel wurde nicht durch die Alchemie bewirkt, bezog sie aber mit ein. An der Wende des 13. zum 14. Jh. tritt der bedeutendste Alchemist des europ. MA in Erscheinung – Geber Latinus, dessen Identität unsicher ist. Das früheste und wichtigste der Werke Gebers ist die *Summa perfectionis magisterii*, die wohl gegen E. des 13. Jh. in Lat. verfaßt wurde. Weitere, in den gedruckten Ausgaben der Summa beigefügte angebliche Geber-Texte stellen spätere Unterschiebungen unbekannter Autoren dar. Nach Geber kann der Alchemist prinzipiell alles erzeugen, mit Ausnahme von Seele und Leben, da er die Primärqualitäten der Stoffe neu zu strukturieren vermag. Der bloße Handwerker sei dagegen nur fähig, die Sekundärqualitäten, etwa die Farbe, zu ändern. Dies ist eine deutliche Abkehr von der ant. Position, wonach das Wesen des großen alchemischen Werkes eine Umfärbung der Metalle sei. Geber verbindet die Schwefel-Quecksilber-Lehre von Dschabir und die Korpuskularkonzeption von Rhazes und entwickelt beide weiter. Die vier Elemente sind aus Korpuskeln aufgebaut, die sich zu größeren Korpuskeln – Schwefel und Quecksilber – zusammenlagern und nach erneuter Vereinigung zu noch größeren Einheiten die greifbaren Stoffe formieren. Die Schwefel-Quecksilber-Lehre wird bei Geber zur sog. reinen Quecksilber-Lehre modifiziert, wonach der Grundbestandteil aller Metalle das »Prinzip Quecksilber« ist, und das »Prinzip Schwefel« eher eine Kontamination. Nur im Gold ist die Verbindung von beiden nicht korrumpiert und perfekt. Die Mineralsäuren waren Geber Latinus ebenso unbekannt wie den arab. Alchemisten, Schwefel- und Salpetersäure tauchen jedoch in den späteren (unterschobenen) Teilen des Geber-Corpus auf. Auch die Darstellung von Alkohol durch Destillation von Wein wird nicht erwähnt; diese Entdeckung kommt Thaddaeus Alderotti aus Florenz (1223–1303) zu, der erstmals einen entsprechenden Destillationsapparat entwarf. Wie seine arab. Vorgänger und wie Vinzenz von Beauvais (um 1190–um 1264) und Roger Bacon (ca. 1214–20 – nach 1292), die sich beide ebenfalls mit Alchemie befaßten und die Transmutation bejahten, betont auch Geber den Wert des Experiments, der eigenen Erfahrung und der Vernunft. Geber wurde zur maßgeblichen Autorität der europ. Alchemie über das MA hinaus, auch wenn seine »reine Quecksilber-Lehre« schon im 15. Jh. wieder zugunsten der früheren Schwefel-Quecksilber-Lehre verlassen wurde.

3. Die Alchemie in der frühen Neuzeit

Der Übergang vom MA in die Neuzeit ist kulturgeschichtlich durch die Ren. gegeben. Die verstärkte Rezeption ant. Schriften führte zu einem Aufblühen des Neuplatonismus, was auch die Sicht der Alchemie. auf die Materie veränderte. Diese wurde nicht mehr vorrangig als unbelebt verstanden, sondern als mit geistigen Kräften ausgestattet. Überlegungen zur Materiestruktur verloren daher an Bed. gegenüber dem Nachdenken über Materiewirkungen. Für Theophrastus von Hohenheim (Paracelsus, 1493/94–1541) ermöglicht die Alchemie ein Eindringen in die »eigentliche« Natur der Körperwelt, die über das sinnlich Wahrnehmbare hinausreicht und auch deren geistige Wesensmerkmale einschließt. Die Vorstellung, der Alchemist könne kraft seiner Einsicht in das verborgene Sinngefüge der Natur auf diese vervollkommnend einwirken, bleibt erhalten. Aus dem komplexen und keineswegs widerspruchsfreien Gedankengebäude von Paracelsus seien nur zwei Aspekte erwähnt, die sich unmittelbar auf die Alchemie beziehen, die Lehre von den *Tria prima* und die Quintessenzen. Paracelsus ergänzte die zwei Prinzipien Schwefel (Sulphur) und Quecksilber (Mercurius) durch ein drittes Prinzip Salz (Sal). Darunter verstand er die unverbrennbaren und (mehr oder weniger) unschmelzbaren Substanzen – mod. ausgedrückt die Oxide. Die Einführung dieses dritten Prinzips ordnete auch die Rückstände einer Verbrennung einer Materiekategorie zu und ergänzte somit die bisherige Lehre, in der sich solche Rückstände (Caput mortuum, Totenkopf) weder dem Sulphur noch dem Mercurius sinnvoll zuweisen ließen. Seine Annahme einer mit geistigen Kräften ausgestatteten Körperwelt führte Paracelsus zu der, schon bei Johannes von Rupescissa im 14. Jh. nachweisbaren, Idee einer in den Stoffen enthaltenen Quintessenz, gleichsam eines das eigentliche Wesen und die pharmakologische Wirksamkeit eines natürlichen Stoffes in reiner Form repräsentierenden Extrakts. Die Quintessenz (von lat. *quinta essentia* »das fünfte Wesen«) ist nicht mehr, wie bei Aristoteles, ein als Äther in der Astralsphäre herrschendes, den vier irdischen Elementen übergeordnetes »Fünftes Wesentliches«, sondern ein Stoffspezifikum mit definierter Wirkung. Die ultimative Quintessenz ist für Paracelsus der Lapis, der zugleich das Allheilmittel, die Panacea, darstellt. Die Bereitung der Quintessenzen (prinzipiell einschl. des Lapis) lehrt die paracelsische *Ars spagyrica*, die Scheidekunst (des Wesentlichen vom Nebensächlichen). Gemäß der Annahme eines durchweg begeistigten Kosmos wirkte eine Quintessenz ebenso auf den Körper des Menschen wie auf seine Seele bzw. seinen Geist. Diese hier nur äußerst knapp umrissene Auffassung des Paracelsus von der Alchemie verschob deren Schwerpunkt von der Herstellung eines Transmutationsagens zu einer Hilfswissenschaft der Medizin (Chemiatrie, Iatrochemie), deren Ziel in der Darstellung neuer Arzneien bestand. Sowohl die Tria-prima-Lehre (Schwefel-Quecksilber-Salz-Lehre) als auch die Quintessenzen oder die Panacea

waren schon vor Paracelsus bekannt, sie bestimmten aber erst durch ihn die weitere Entwicklung der Alchemie. Die Betonung der eigenen Erfahrung gegenüber der Auslegung trad. Autoritäten, das paracelsische »Licht der Natur«, gehört ebenfalls einem breiten Überlieferungsstrom an (s.o. arab. Alchemie) und darf zudem nicht als Anwendung einer rationalen Theorie aufgefaßt werden. Paracelsus deutete seine Beobachtungen und Resultate im Rahmen seiner prinzipiell nicht rationalen Annahme eines Gefüges von mit geistigen Kräften begabter Materie. Sein Weg führte nicht zur naturwiss. Chemie, sondern zur Naturmystik – ganz im Sinne des Neuplatonismus. Die Lehren von Paracelsus stießen auf begeisterte Zustimmung ebenso wie auf herbe Kritik und waren insgesamt von enormer Wirkung auf die Medizin, die Alchemie sowie die Naturphilos. und beeinflußten sogar rel. Vorstellungen. Seine »ganzheitliche« Schöpfungsauffassung wirkt in manchen Bereichen bis h. nach, auch in der Weise, daß sein Name von esoterischen Gruppierungen rücksichtslos vereinnahmt wird.

4. Die Alchemie und die Anfänge der modernen Chemie

Im Gegensatz zu vielen Paracelsisten bemühte sich Andreas Libavius (nach 1555–1616) um eine nüchtern exoterische Darstellung seines (al)chemischen Wissens. Er fühlte sich nicht an die Geheimhaltungspflicht der Adepten gebunden, sondern gab sein Wissen offen bekannt und erweist sich (hier zusammen mit Basilius Valentinus) als führender Experimentator. Libavius legte mit seiner *Alchemia* (1597) das erste mod. Lehrbuch der Chemie vor, das bis zu Nicolas Lemerys (1645–1715) berühmtem *Cours de Chymie* (1675) unübertroffen blieb. Aus der Vielzahl paracelsistischer Arzt-Alchemisten sei noch Daniel Sennert (1572–1637) angeführt, der die Alchemie als eigenständige Wiss. betrachtete, deren Ziel in der Verfertigung neuer Arzneien und der Metallveredelung bestehe und deren Methode die Ermittlung von Naturgesetzen sei. Neben Pierre Gassendi (1592–1655) und Robert Boyle (1627–91) zählt er zu den wichtigsten Wegbereitern der mod. Atomistik.

Es gibt keinen abrupten Übergang von der Alchemie zur Chemie, sondern ein Fortschreiten auf einem Weg, der von Johann Joachim Becher (1633–1682) über Georg Ernst Stahl (1660–1734) zu Antoine Laurent de Lavoisier (1743–1794) führt und auch Robert Boyle und Isaac Newton (1643–1727) einschließt. Boyle lehnte die paracelsischen Prinzipien ab, vertrat eine streng korpuskulare Materietheorie und war mit seinem viel beachteten *Sceptical Chymist* (1661) von beträchtlichem Einfluß auf die Entwicklung der Chemie und der rationalen Naturforschung überhaupt. Bei aller Offenheit für die Denkweise der Aufklärung war Boyle jedoch mitnichten ein Gegner der Alchemie. Er stellte zahllose eigene Versuche an, stand in regem Kontakt mit anderen Alchemisten und war von der Möglichkeit der Transmutation überzeugt. Auch Isaac Newton, einer der größten Naturwissenschaftler überhaupt, war der Alchemie verbunden, wenn auch in anderer Weise. Boyles alchemischer Nachlaß umfaßt nahezu ausschließlich Berichte über eigene Beobachtungen bzw. eigene theoretische Überlegungen. Bei Newton finden wir dagegen hauptsächlich Kompilationen anderer Autoren. Dahinter steht ein unterschiedlicher Forschungsansatz: Während Boyle den Wert der eigenen Erfahrung, des Experiments und des Diskurses mit Fachkollegen favorisierte, glaubte Newton mehr an das gerade in alten Texten verborgene ursprüngliche Wissen (*prisca sapientia*), das er mit Hilfe umfangreicher Textvergleiche, gewissermaßen philol. anstatt experimentell, zu finden hoffte. Im Gegensatz zu Boyle stand Newton der Transmutation ziemlich skeptisch gegenüber, ohne aber deswegen den Sinn alchemischer Forsch. zu bezweifeln. Beide teilten die alte ethische Norm der Geheimhaltungspflicht wichtiger Erkenntnisse, und Newton, der seine alchemischen Arbeiten zu verheimlichen trachtete, machte Boyle diesbezüglich gelegentlich den Vorwurf zu großer Offenheit. Weder Boyle noch Newton verhielten sich hier also in der für ihre nichtalchemischen Arbeiten charakteristischen mod., offenen Art und Weise. Sie trauten der Alchemie nach wie vor eine enorme intellektuelle und soziale Sprengkraft zu, weshalb deren Einsichten keineswegs in falsche Hände gelangen durften. Ebenso sahen beide in der Alchemie ein Korrektiv gegenüber einer mechanistisch-rationalen und daher implizit atheistischen Weltsicht – die sie andererseits maßgeblich mitbegründeten. Für Newton bedeutete die Alchemie den Zugang zum Verständnis der physikalischen Naturkräfte, hinter denen er eine beständige und unmittelbare Wirkung Gottes zu erkennen glaubte. Der tiefreligiöse Boyle sah die Alchemie als Mittlerin zw. dem natürlich-mechanischen Reich der sinnlichen Wahrnehmung (dem Gebiet der rationalen Naturwiss.) und dem ebenso existenten Bereich des Übernatürlichen. Der Stein der Weisen war für ihn sowohl greifbare Substanz als auch »spiritueller Attraktor« für Geister oder Engel und somit ein Mittel zur Bekämpfung des Atheismus, er war physischer und metaphysischer Repräsentant jenes Grenzbereichs, in dem sich körperliche und übersinnliche Welt berühren. Persönlichkeiten wie Boyle und Newton sind ebenso markante Repräsentanten der sich entwickelnden mod. Naturwiss., wie sie deren Werden aus der Modifizierung älterer Denkmuster belegen, zu denen nicht zuletzt auch die Alchemie zählt.

5. DIE MYSTISCH-ALLEGORISCHE ALCHEMIE

Das Bild der histor. Entwicklung der Alchemie wäre indes unvollständig, wollte man nur deren Übergang zur mod. Chemie verfolgen. Die Alchemie war stets mehr als eine Proto-Chemie, sie war ein umfassendes Gedankensystem, das nicht zw. Subjekt (Mensch, Alchemist) und Objekt (Natur, Schöpfung) unterschied und letztlich den Sinn der Schöpfung und die Verbundenheit von Gott und Mensch zu erfassen trachtete. Als sich die Problematik einer realen Transmutation immer deutlicher abzeichnete (wenn sie auch rein theoretisch

immer noch denkbar blieb) und die Alchemie sich zunehmend als Pseudowiss. oder gar schlichter Betrug diffamiert sah, zogen sich jene, die am Gedanken der Einheit von Mensch und Schöpfung, an der inhärenten Verbundenheit von Makro- und Mikrokosmos festhalten wollten, zunehmend von der praktischen Labortätigkeit zurück und entwickelten eine mystisch-theosophisch orientierte, auf innere Schau und intuitives Erfassen der Schöpfungsgeheimnisse vertrauende Alchemie, deren Ziel nicht mehr vornehmlich in der Transmutation der Metalle, sondern in der des Alchemisten bestand. Diese esoterische Richtung knüpfte indirekt an die Gnosis, die Stoa, den Neoplatonismus, an Zosimos und die allegorisch-poetischen Verschlüsselungen der *Turba philosophorum* (eine arab. Adaption griech. Alchemie, im 9./10. Jh. entstanden, seit dem 12. Jh. in lat. Fassung vorliegend) an, zeigte sich aber konkret als Konglomerat von Human., Gesellschaftsutopie und protestantischem Dissidententum. Ihren markantesten Ausdruck fand diese esoterische Alchemie im sog. Orden der Rosenkreuzer.

6. DIE MODERNE ALCHEMIE

Die heutigen »Alchemisten« stehen eher, wie auch andere »Esoterik«-Gruppen, für eine generelle Abwendung von der Moderne und einer als zerstörerisch und sinnlos empfundenen Zivilisation. Von größerem Interesse für die Geschichte der Alchemie ist die zu Beginn des 20. Jh. von dem Psychoanalytiker Herbert Silberer (1882–1923) entwickelte psychologische Deutung alchemischer Prozesse und Symbole. Der verborgene Sinn alchemischer Traktate sollte entschlüsselt werden und Einblick in das menschliche Unbewußte ermöglichen. Das von Silberer 1914 erstmals praktizierte Verfahren wurde von Carl Gustav Jung (1875–1961) seit 1928 weiterverfolgt und gelangte zu beträchtlicher Berühmtheit (*Psychologie und Alchemie*, 1944). Jung erblickte in den Symbolen und Metaphern der Alchemie gewisse psychische Universalgrößen, die er als »Archetypen« eines »kollektiven Unbewußten« ansah. Es sollte nicht unbeachtet bleiben, daß Silberer, Jung und deren Anhänger sich damit in die klass. Trad. alchemischer Textexegese stellten. Ohne sich selbst als Alchemisten zu verstehen, glaubten sie wie diese an eine in den Schriften verschlüsselt enthaltene tiefere oder »eigentliche« Wahrheit, die naturwiss.-rational nicht zugänglich ist, und verzichteten ebenfalls auf eine Subjekt-Objekt-Trennung. Die Alchemie kommt in dieser Betrachtung einem chiffrierten Heilsweg durchaus nahe, denn durch die »richtige« (d. h. psychoanalytische) Deutung derselben ergab sich die Möglichkeit der Selbsterkenntnis und damit implizit der Selbstvervollkommnung.

Die Alchemie lebt also nach wie vor, lösgelöst von der Chemie und unbeeinflußt von dem naturwiss. Nachweis der Unmöglichkeit einer Metalltransmutation. Dies kann nur so verstanden werden, daß die Alchemie auf Befindlichkeiten des Menschen eingeht, die seit der Ant. oder noch länger existieren, wenn auch in stark variierenden konkreten Ausformungen, da der Mensch schon von jeher das Gefühl hatte, daß sich hinter der sichtbaren Realität eine nur dem Eingeweihten erkennbare Struktur verbergen müsse, die der Schöpfung ihren Sinn verleiht. Da die Alchemie nicht nur das »Wie« der Schöpfung, sondern auch deren »Warum«, ihren von Gott gesetzten Sinn und die Stellung des Menschen insgesamt wie des Individuums in einer fundamental sinnhaften, geordneten Welt zu erkennen trachtet, bleibt sie auch im zufallsgesteuerten Chaos der mod. Kosmologie für manche eine beruhigende Alternative.

QU 1 W. NEWMAN, The *Summa perfectionis* of Pseudo-Geber, 1991 2 J. RUSKA, Das Buch der Alaune u. Salze, 1935 3 Ders., Übers. u. Bearbeitung von al-Rāzīs Buch *Geheimnis d. Geheimnisse*, in: Quellen und Stud. zur Gesch. der Naturwiss. und der Medizin 4, 1935, 153–238 4 K. SUDHOFF (Hrsg.), Paracelsus, Sämtl. Werke, 1. Abt., Medizin., naturwiss. u. philosoph. Schriften., 14 Bde., 1922–1933

LIT 5 U. BENZENHÖFER (Hrsg.), Paracelsus, 1993 6 E. DARMSTAEDTER, Arznei und Alchemie, 1931 7 B. D. HAAGE, Alchemie im MA. Ideen und Bilder – von Zosimos bis Paracelsus, 1996 8 W. KAISER, A. VÖLKER (Hrsg.), Georg Ernst Stahl, 1985 – 9 H. KOPP, Die Alchemie in älterer und neuerer Zeit, 2 Tle., 1886, Ndr. 1971 10 E. O. V. LIPPMANN, Entstehung und Ausbreitung der Alchemie. Mit einem Anhange zur älteren Gesch. der Metalle, Bd. 1, 1919 11 W. PAGEL, Das medizinische Weltbild des Paracelsus, 1962 12 J. R. PARTINGTON, A History of Chemistry, Bd. 1, 1 (posthum), 1970, Bd. 2, 1961, Bd. 3, 1952, Bd. 4, 1964 13 C. PRIESNER, Johann Thoelde und die Schriften des Basilius Valentinus, in: CHR. MEINEL (Hrsg.), Die Alchemie in der europ. Kultur- und Wiss.-Gesch. (Wolfenbütteler Forsch., Bd. 32), 1986, 107–118 14 C. PRIESNER, K. FIGALA (Hrsg.), Alchemie. Lex. einer hermet. Wiss., 1998 15 G. ROBERTS, The Mirror of Alchemy. Alchemical Ideas and Images in Manuscripts and Books, 1994 16 H. SCHIPPERGES, Paracelsus. Der Mensch im Licht der Natur, 1974 17 F. A. YATES, The Rosicrucian Enlightenment, 1972 (dt. 1975).   CLAUS PRIESNER

Neapel, Archäologisches Nationalmuseum (Museo Nazionale Archeologico, Napoli)

A. ÜBERSICHT B. GEBÄUDE
C. SAMMLUNGSGESCHICHTE D. AKTUELLER STAND

A. ÜBERSICHT

Von herausragender Bed. sind die im Nationalmus. aufbewahrten Funde aus Pompeji und den anderen 79 n. Chr. verschütteten Vesuvstädten: insbesondere Wandgemälde, Mosaiken und Gegenstände des Alltagslebens. Weitere Schwerpunkte bilden die im 16. Jh. entstandene Sammlung Farnese mit größtenteils aus Rom stammenden Marmorskulpturen sowie die zahlreichen Vasen und Terrakotten aus Großgriechenland.

B. GEBÄUDE

Das h. an der Piazza Cavour gelegene Gebäude war 1585 als Reiterkaserne geplant worden. Bald danach änderte man die Bestimmung des Bauwerks: Es sollte nun als Palazzo degli Studi die neue Univ. aufnehmen. Diese konnte 1615 den Lehrbetrieb im von Giulio Cesare Fontana fertiggestellten Zentralbau und dem eingeschossigen Westflügel aufnehmen. Erst 1742 fügte Ferdinando Sanfelice den Ostflügel an. Von 1790–1820 wurde das Gebäude durch Pompeo Schiantarelli zum Mus. umgebaut und erhielt mit der Aufstockung der Seitenflügel seine heutige Gestalt (Abb. 1). Seit seinem Bestehen haben wiederholte Einquartierungen von Truppen (1680, 1701–1735), bauliche Erweiterungen ohne ausreichende Berücksichtigung statischer Probleme und v. a. Erdbeben (1688, 1737, 1805, 1930, 1980) dem Gebäude immer wieder erhebliche Schäden zugefügt. Der 1929 hinter dem Hauptgebäude errichtete Braccio Nuovo war wegen eindringender Feuchtigkeit nicht als Ausstellungsfläche nutzbar; nach der Renovierung ist er für die Restaurierungswerkstatt und für Mus.-Dienste vorgesehen. Die 1975 eingeleitete Sanierung des Nationalmus. umfaßte auch die Einrichtung von sicheren Magazinräumen, z. B. im Keller- und Dachgeschoß. Eine im 17./18. Jh.-Palast unerwartet mod. Mus.-Architektur (1995) bieten die über mehrere Ebenen verfügenden Säle der prähistor. Sammlung.

C. SAMMLUNGSGESCHICHTE

1. MUSEUM HERCULANENSE

Die ersten Ausgrabungen 1711 und seit 1738 in Herculaneum waren so erfolgreich, daß man 1748 in Pompeji und 1749 in Stabiae mit der Suche nach Antiken begann. Karl (III.) von Bourbon richtete daraufhin 1750 in der Villa Reale in Portici das Mus. Herculanense ein, das neben vielen Wandgemälden Statuen aus dem Theater von Herculaneum, 60 Bronzen und Papyri aus der Pisonenvilla/Villa dei Papiri aufnahm. Camillo Paderni als Direktor, Joseph Canart als Restaurator sowie Karls Minister Bernardo Tanucci waren die treibenden Kräfte bei der Gestaltung des Museums. Die 1755 gegr. Accademia Ercolanese gab mit den 1757–1792 erschienenen 8 Bänden der *Antichità di Ercolano* eine prachtvolle und in vieler Hinsicht vorbildliche Dokumentation zu den wichtigsten Stücken heraus.

2. MUSEO FARNESIANO

1734 erbte Karl die 1505 von Kardinal Alessandro Farnese (Papst Paul III.) begründete Antikensammlung. Sie umfaßte ca. 250 meist aus Rom stammende Skulpturen (z. B. Herakles Farnese, Farnes. Stier aus den Caracallathermen), eine auf Cosimo de' Medici und Kardinal Pietro Barbo (Papst Paul II.) zurückgehende Sammlung von ca. 1200 Gemmen und Kameen (1425 bzw. 1440 begonnen) sowie ca. 8000 Münzen. Einige der in Rom und Parma befindlichen Antiken wurden 1734–1739 nach Neapel überführt, die meisten Stücke folgten jedoch erst nach 1787 auf Veranlassung Ferdinands IV. von Bourbon, nach Restaurierungen durch Carlo Albacini. Für die angemessene Unterbringung hatte Karl 1738 mit dem Bau des Palazzo Reale in Capodimonte begonnen, der zum Sitz des Mus. Farnesiano werden sollte.

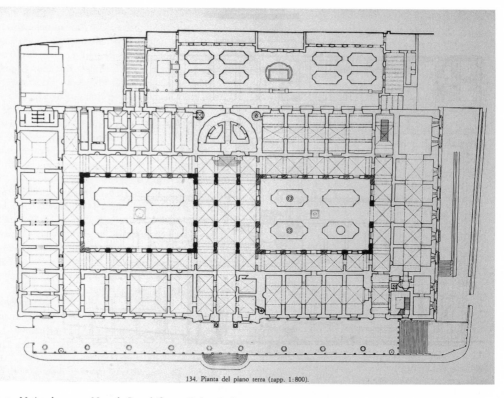

134. Pianta del piano terra (rapp. 1:800).

Abb. 1a: Nationalmuseum Neapel, Grundriß vom Erdgeschoß.
Im Ostflügel (rechts) sind die Skulpturen der Sammlung Fornese ausgestellt
(Da Palazzo degli Studi a Museo Archeologica, Ausstellung Neapel 1975 (1977), Abb. 134)

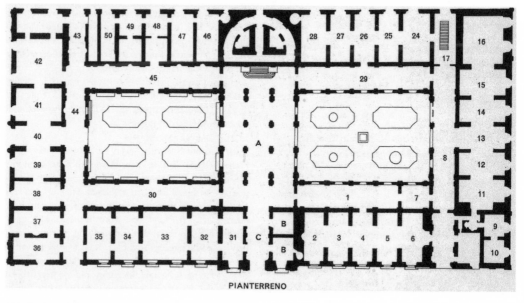

PIANTERRENO

Abb. 1b: Grundriß: schlechterer Plan bei B. Teolato Maiuri,
MN Napoli (1971) 18/19

Abb. 2: Das Gebäude des späteren Nationalmuseums noch ohne die Obergeschosse der Seitenflügel.
Im Vordergrund der fiktive triumphale Einzug der Fundstücke aus Herculaneum.
Seitenverkehrter Stich des Abeé de Saint-Non von 1778
(Foto 19.Jahrhundert: Archivio Soprintendenza Napoli n. 11.40–1644–7/905)

3. REAL MUSEO BORBONICO

Die Flut von Antiken aus Grabungen und Sammlungen führte zu dem Entschluß, ein zentrales Mus. zu schaffen. Die Wahl fiel auf den Palazzo degli Studi, der an der Fassade und im Innern bereits mit einigen 1606 auf den Phlegreischen Feldern gefundenen Marmorstatuen ausgestattet war. Von 1790–1820 wurde das Gebäude renoviert und erweitert, 1805 (die Abbildung bei Saint-Non von 1778 ist fiktiv) begann die Überführung der Antiken aus dem Mus. Herculanense, dem Mus. Farnesiano und aus dem Palazzo Cellamare (Abb. 2). Von 1814–1817 kamen die Sammlung des Kardinal Stefano Borgia aus Velletri (mit Aegyptiaca), die Sammlung Vivenzio (Vasen aus Nola), das Museo Palatino der Caroline Murat sowie die Sammlung Carafa hinzu. 1816 eröffnete Ferdinand offiziell das Real Museo Borbonico. Schon seit 1807 leitete Michele Arditi als Direktor das neu entstehende Mus., und von 1819–1823 wurden von Finati/Rossetti und Giustiniani/de Licteriis die ersten Mus.-Führer veröffentlicht. Die von den Wänden der Vesuvstädte abgenommenen Gemälde – seit dem E. des 19. Jh. beließ man sie in situ – wurden 1826 nach Themen geordnet. Das 1831 in der Casa del Fauno in Pompeji endeckte und sofort weltberühmte Alexandermosaik bereicherte 1843 das Mus. (Abb. 3); leicht übersehen werden dagegen die ebenfalls aus pompejanischen Häusern stammenden ornamentalen Mosaikfußböden der Ausstellungssäle. Ein interessantes Licht auf die Sit-

tengeschichte des 19. Jh. wirft das 1819 aus zunächst 102 (h. ca. 250) erot. Gemälden und Objekten gebildete Geheimkabinett, das 1849–60 gänzlich verschlossen blieb.

4. NATIONALMUSEUM

In der 2. H. des 19. Jh. gelangten weitere Privatsammlungen in die 1860 durch die Einigung It. zum staatlichen Nationalmus. gewordene Antikensammlung. Auf die 1856 erworbene Sammlung Gargiulo mit Vasen und ca. 600 Terrakottastatuetten aus Großgriechenland folgten 1861 die Funde aus den Grabungen des Leopold von Bourbon in Cumae (1853–1856). Diese Raccolta Cumana wuchs 1901 weiter an durch das Material aus den 1878–1896 von Emilio Stevens durchgeführten Grabungen. 1865 kamen die Vasen und Terrakotten der Sammlung Santangelo in den Besitz des Nationalmuseums.

Die aus unterschiedlichsten Grabungen und Sammlungen stammenden Bestände des Nationalmus. wurden 1863–1875 von Giuseppe Fiorelli systemat. nach Gattungen geordnet. In der Amtszeit Fiorellis wurde auch das große Pompejimodell angefertigt, das den Erhaltungszustand und den Stand der Ausgrabungen bis 1879 genau wiedergibt. An neuesten Forschungskriterien, insbesondere an der Herkunft bzw. den Kontexten der arch. Funde, orientierte sich die damals umstrittene Neuordnung durch Ettore Pais 1901–1904. In die gleiche Richtung weist die Aufnahme prähistor. Funde

Abb. 3: Nationalmuseum Neapel, Alexandermosaik. Die Darstellung des über den Perserkönig Dareios III. siegreichen Alexander geht auf ein griechisches Gemälde des späten 4. Jh. v. Chr. zurück

Abb. 4: Nationalmuseum Neapel, Saal mit *instrumentum domesticum*, den kleinen Objekten des täglichen Lebens, die uns in dieser Vielfalt nur aus den Vesuvstädten überliefert sind (Archivio Museo Nazionale Napoli n. B 1689)

1898–1904. Vittorio Spinazzola widmete sich besonders den Wandgemälden, deren traditionelle Anordnung nach Themen er durch das neue System nach den vier pompejanischen Stilen ersetzte. In die lange Amtszeit von Amedeo Maiuri fallen die Ausstellung der kampanischen Malereien und der hier einmalig in solcher Menge vorhandenen Zeugnisse der Alltagskultur (mehrere 10 000 Objekte) im 1. Stock (Abb. 4). Durch das Einziehen von Zwischengeschossen 1920 und v. a. durch die Auslagerung der seit 1801 bestehenden Nationalbibl. (mit den Papyri aus der Pisonenvilla) 1927 und der Pinakothek 1957 wurde Platz für die Antiken gewonnen. Das im Braccio Nuovo eingerichtete Mus. ant. Technik mußte wegen baulicher Mängel bereits 1939 wieder geschlossen werden. Wegen des Zweiten Weltkriegs lagerte man 1942 einen Teil der Sammlungen nach Montecassino aus. Von dort wurden die Stücke von der dt. Besatzung kurz vor der Zerstörung des Klosters in den Vatikan, zum Teil nach Berlin und Alt-Aussee geschafft. Alle Antiken kehrten unversehrt nach Neapel zurück.

D. AKTUELLER STAND

Mit der Neugestaltung des Saales der Villa dei Papiri begannen 1973 die Neuaufstellungen von Teilbereichen, die den ant. Kontext zu vermitteln suchen. 1975–80 entstanden 18 Säle mit Vasen und Funden aus Kampanien, seit 1990 wurden die aus den Caracallathermen stammenden Skulpturen der Sammlung Farnese, die Funde aus dem 1764 entdeckten Isistempel in Pompeji, die Gemmensammlung Farnese, die prähistor. Sammlung und die Großgriechenland-Abteilung neu präsentiert. Die jeweilige Ausstellung begleiten Informationen zur Forschungsgschichte, didaktische Erläuterungen und Modelle. Das berühmte, 1819 gegr. Geheimkabinett mit Erotica wurde im April 2000 neu eröffnet. Für die Ausstellung vorbereitet werden derzeit die vorröm. Fundkomplexe aus Kampanien, die Skulpturen und Portraits aus öffentlichen Gebäuden der Städte am Golf von Neapel sowie die Inschr.- und Mz.-Sammlungen.

Jeder Abteilung im Ausstellungsbereich des Nationalmus. entspricht ein Magazin; das Depot der Wandgemälde z. B. umfaßt mit ca. 1800 Stücken ungefähr die H. des Gesamtbestandes. Bis ca. 1920 war ein stetiger Zufluß von Funden zu verzeichnen, die erst seitdem vorrangig in die Regionalmus. wandern. Hervorzuheben sind das große Magazin pompejanischer Bronze-, Terrakotta- und Glasfunde und die überreichen Magazine mit Vasen und Terrakotten aus Großgriechenland. Die Sammlung von ca. 5000 Kupferstichen aus der Stamperia Reale Borbonica, erh. einschließlich der Druckplatten, ist von großem Wert für die Forschungsgeschichte.

→ Herculaneum; Pompeji

1 A. ALLROGGEN-BEDEL, H. KAMMERER-GROTHAUS, Das Museo Ercolanese, CronErcol 10, 1980, 175–217
2 Archivio Fotografico Pedicini (Hrsg.), Le collezioni del Museo Nazionale di Napoli I 1–2, 1986–89
3 R. CANTILENA, P. RUBINO (Hrsg.), Archeologia in Campania, Soprintendenza archeologica delle Province di Napoli e Caserta, 1985 4 Dies. (Hrsg.), La Collezione Egiziana del Museo Archeologico di Napoli, 1989 5 S. DE CARO (Hrsg.), Alla ricerca di Iside, 1992 6 Ders., Il Museo Archeologico Nazionale di Napoli, 1994 7 Ders., M. BORRIELLO (Hrsg.), La Magna Grecia nelle collezioni del Museo Archeologico di Napoli, Ausstellung Neapel, 1996 8 Corpus Vasorum Antiquorum Italia. Museo Nazionale di Napoli I–V, 1950–95 9 A. DE FRANCISCIS, Il Museo Nazionale di Napoli, 1963 10 Ders., Il Museo Archeologico Nazionale, in: Napoli e dintorni. Guida d'Italia del Touring Club Italiano ⁵1976, 172–225. 11 C. GASPARRI, Le Gemme Farnese, 1994 12 A. GIULIANO, Documenti per servire alla storia del Museo di Napoli, Rendiconti della Accademia di Archeologia Lettere e Belle Arti, Napoli 54, 1979, 93–113 13 M. JODICE, R. AJELLO, F. HASKELL, C. GASPARRI, Classicismo d'età romana. La Collezione Farnese, 1988 14 H. KAMMERER-GROTHAUS, Die erste Aufstellung der Antiken aus den Vesuvstädten in Portici, in: H. BECK u. a. (Hrsg.), Antikenslg. im 18. Jh., 1981, 11–19 15 D. KASPAR, Felix Urbium Restitutio – Le Antichità di Ercolano zw.

Mus. und Öffentlichkeit. Die ersten Nachr. der Grabungen am Golf von Neapel und die »Pompeji-Mode« im 18. Jh., in: H. BECK u. a. (Hrsg.), Antikenslg. im 18. Jh., 1981, 21–31 **16** Kunst- und Ausstellungshalle der Bundesrepublik Deutschland (Hrsg.), Unter dem Vulkan. Meisterwerke der Ant. aus dem Arch. Nationalmus. Neapel, Ausstellung Bonn, 1995 **17** A. MAIURI, Napoli. Museo Nazionale, in: EAA V, 1963, 334–339 **18** B. MAIURI, Il Museo Nazionale di Napoli, 1971 **19** I. C. MCILWAINE, Herculaneum: A Guide to Printed Sources, 1988, 523–553 **20** Ministero per i Beni Culturali e Ambientali, Soprintendenza Archeologica di Napoli (Hrsg.), Da Palazzo degli Studi a Museo Archeologico, Ausstellung Neapel 1975, 1977 **21** U. PANNUTI, Catalogo della collezione glittica del Museo Nazionale di Napoli I-II, 1983/94 **22** C. RIEBESELL, Die Slg. des Kardinal Alessandro Farnese, 1989 **23** Università degli Studi di Napoli »Federico II«. Dipartimento di Discipline Storiche (Hrsg.), Musei, tutela e legislazione dei beni culturali a Napoli tra '700 e '800, 1995 **24** T. WARSCER, Affreschi Pompeiani nel Museo Nazionale di Napoli, 1940–1942

Älteste Kat.: **25** Le antichità di Ercolano esposte I-VIII, Neapel 1757–92 **26** C. FAMIN, Peintures, bronzes et statues érotiques, Paris 1832/⁴76 **27** G. FINATI, Il Real Museo Borbonico I-III, Neapel 1819–23 **28** G. FIORELLI, Cataloghi del Museo Nazionale di Napoli, Neapel 1866–70 **29** E. GERHARD, T. PANOFKA, Neapels ant. Bildwerke I, Berlin, Stuttgart und Tübingen 1828 **30** L. GIUSTINIANI, F. DE LICTERIIS, Guida per lo Real Museo Borbonico, Neapel 1822 **31** T. MOMMSEN, Inscriptiones regni Neapolitani, Leipzig 1852 **32** A. MORELLI, Vues et descriptions des galeries du Musée Royal Borbon, Neapel 1835 **33** A. RUESCH, Guida illustrata del Museo Nazionale di Napoli, Neapel 1908.   JENS KÖHLER

Neohumanismus   A. GEGENSTANDSBEREICH
B. GEISTESGESCHICHTLICHE VORAUSSETZUNGEN
C. SOZIALGESCHICHTLICHE VORAUSSETZUNGEN
D. ENTFALTUNG DES NEOHUMANISMUS IN DER DICHTUNG UM 1900   E. WELTANSCHAULICHE AUSFORMUNGEN NACH 1900

A. GEGENSTANDSBEREICH

Der Begriff N. beschreibt die Wiederaufnahme und epochenspezifische Umformung der Ant.-Rezeption des → Neuhumanismus im späten 19. und frühen 20. Jh. in Deutschland. Der N. bezieht zentrale Theoreme aus F. Nietzsches (1844–1900) Schriften und grenzt sich damit gegen die etablierte Klass. Philol. der Epoche ab. Der N. beginnt als Bewegung im Rahmen des lit. Ästhetizismus und setzt sich fort in den weltanschaulichen Entwürfen des George-Kreises und anderer Dichter sowie z. T. in den Reformbewegungen nach der Jh.-Wende. Zugleich stellt der N. sozialgeschichtlich eine Reaktion auf generationenspezifische Krisenphänomene im Bildungssystem um 1900 dar. In diesem Zusammenhang wurde der N. mit dem Jugendmythos der Jh.-Wende verbunden. Der N. begreift sich nach der Jh.-Wende als Erziehungsbewegung, in deren Rahmen nicht nur individuelle Bildungs- und Erziehungsprozesse konzipiert, sondern auch Pläne für eine umfassen-

de Nationalerziehung entwickelt wurden. Im N. sind zwei Ebenen zu unterscheiden: a) die eigentliche Rezeption der Ant., b) der Versuch, die Ant. in der dt. Kultur zu wiederholen, d. h. die Ant. als ideelle Basis und strukturvermittelnden Rahmen eines dt. Kulturraums zu verstehen, der seine Trad. und gesellschaftlichen Organisationsformen letztlich aus der eigenen Geschichte und Kunst entnehmen sollte. Schließlich ist der N. auch mit einer geschlechtergeschichtlichen Dimension verbunden: Der N. entwickelte seine Reformvorstellungen im Zusammenhang mit männerbündischen Ideologemen, die u. a. als Abwehrreaktion gegen die Frauenbewegung und die Zulassung von Frauen zum Hochschulstudium nach der Jh.-Wende gedeutet werden können.

B. GEISTESGESCHICHTLICHE VORAUSSETZUNGEN
›So komm! daß wir das Offene schauen, / Daß ein Eigenes wir suchen, so weit es auch ist. / Fest bleibt Eins; es sei um Mittag oder es gehe / Bis in die Mitternacht, immer bestehet ein Maas, / Allen gemein, doch jeglichem auch ist eignes beschieden, / Dahin gehet und kommt jeder, wohin er es kann. / (…) Drum an den Isthmos komm! dorthin, wo das offene Meer rauscht / Am Parnaß und der Schnee delphische Felsen umglänzt, / Dort ins Land des Olymps, dort auf die Höhe Cithärons / (…) / Dorther kommt und zurük deutet der kommende Gott‹ [18. 374]. F. Hölderlin (1770–1843) formuliert in der ersten Fassung von Brod und Wein (1800–1801) eine grundlegende Denkfigur der Ant.-Rezeption des Neuhuman., die der N. aufnahm: die Rezeption der Ant. schafft Distanz zur eigenen Lebenswelt, ermöglicht den Einblick in eine der höchsten Stufen menschlicher Kultur und eröffnet damit deren reflexive Aneignung, durch welche in konstruktiver Nachahmung die eigene Epoche ebenfalls zu einer kulturellen Blüte geführt werden kann. Diese Denkfigur war ein wichtiger Impuls für die Entwicklung der Geisteswiss.: ›Für Hegel und die Neuhumanisten überhaupt bedeutet das Eintauchen in die Welt der Ant. eine Taufe, (…) eine Rückkehr in ein Paradies, aus dem der Menschengeist geläutert, gestärkt und geschmückt zu sich zurückkehrt. Es ist (…) die plastische, in Geschichte, Geogr., Recht, Lit., Kunst und Wiss. konkretisierte Welt der Griechen, die dementsprechend Objekt einer systematischen Altertumswiss. werden mußte, wenn man in diesem Paradies zu sich als Deutscher zurückfinden wollte‹ [38. 279]. Hölderlin schildert im letzten Vers zudem eine Dimension der Ant.-Rezeption, die für den N. von bes. Bed. wird: die Idee eines ›kommenden Gottes‹, eines neuen Mythos, der die Gegenwart sinnhaft erfüllen sollte [29. 13 ff.]. Der N. griff diesen Impuls auf, um in einer Abwehrbewegung gegen die erreichten wiss. Differenzierungen und die an der Ant. entwickelten und erprobten philol. Methoden die Ant. selbst zu mythisieren, d. h. sie als »große Erzählung« der Gegenwart normativ voranzustellen [29. 16 f.].

Durch den im Kaiserreich dominierenden → Historismus in den Geisteswiss. wandelte sich die Ant. im wiss. Feld zunehmend zu einer anderen Zeitaltern gleichgeordneten Epoche des wiss. Interesses. Mit dem Historismus verbunden waren ein zunehmender »Positivismus«, der sich in Spezialisierung, »Biographismus« und der Konzentration auf editorische Problemstellungen äußerte, und wiss.-theoretisch die Verpflichtung auf eine grundsätzlich histor. Herleitung kultureller und gesellschaftlicher Entfaltungen sowie auf den Entwicklungsbegriff allg. [27. 56 ff.]. Der Historismus löst sich dementsprechend von einer Darstellung der Ant. als Vorbildepoche der Gegenwart. Der Neukantianer und Platonspezialist P. Natorp (1854–1924) formulierte 1901 die wiss.-theoretischen Implikationen des Historismus in Bezug auf die Ant.: ›Nicht wie jene (Neuhumanisten) sehen wir die Vollendung menschheitlicher Kultur hinter uns, in dem verlorenen Paradies der Griechenwelt, sondern sie liegt, als die ewige Aufgabe des Menschengeschlechts, allzeit vor uns; aber die erzeugenden Kräfte dieser menschheitlichen Kultur (...) sind an keiner andern Epoche (...) in gleicher Reinheit und Ursprünglichkeit aufzuweisen (...) wie an der Kultur der Griechen‹ [22. 12].

F. Nietzsche hatte in seiner zweiten *Unzeitgemäßen Betrachtung: Vom Nutzen und Nachtheil der Historie für das Leben* (1874) eine Denkfigur konstituiert, die dem sich gegen den Historismus wendenden N. zusätzliche Impulse verlieh. Nietzsche diagnostiziert in seiner Gegenwart eine krisenhafte Verlagerung zur histor. Wissensakkumulation, von der keine Gestaltungsimpulse für Staat, Gesellschaft und Persönlichkeit mehr ausgehen. Die Griechen erscheinen demgegenüber als gebildetes Volk, weil ihre »plastische Kraft« zu einer harmonischen Versöhnung von Geschichte und »Leben« – in seinem Potential als unmittelbare, unhistor. Macht – in einer eigenständigen Kultur führt. Die Konsequenz muß nach Nietzsche eine radikale Neufassung gesamtgesellschaftlicher Bildungsprozesse durch eine neue Jugendelite sein, die noch nicht unter dem Gewicht der Historie steht. Durch einen an den Griechen geschulten »überhistor. Sinn«, der sich in der Erkenntnis des Typischen und Bedeutsamen äußert und in Religion und Kunst manifestiert, entsteht für Nietzsche durch die Jugend in der Zukunft eine neue gesamtgesellschaftliche Kultur [23].

C. Sozialgeschichtliche Voraussetzungen

Durch wirtschaftliche Hochkonjunktur, Bevölkerungszuwachs und soziale Dynamik seit den 90er J. des 19. Jh. wuchs die vorher verhältnismäßig kleine Schülerschaft der oberen Gymnasialklassen sprunghaft an. Die Gymnasialabsolventen aus dem alten und neuen Mittelstand drängten auf den Berufsmarkt und konkurrierten besonders in den sozial offeneren geisteswiss. Fächern mit den Söhnen des etablierten Bürgertums um akad. Berufspositionen. Verschärft wurde diese Situation durch eine Qualifikationskrise in den akad. Berufen seit den 80er J. des 19. Jh., d. h. durch ein Überangebot an qualifizierten Bewerbern [41]. Neben staatliche Steuerungsversuche wie die Ablenkung aufstiegswilli-

ger Bevölkerungsgruppen auf Realgymnasien und Oberrealschulen traten mentale, alle betroffenen Bevölkerungsgruppen erfassende Reaktionsschemata wie der Jugendmythos und bürgerliche Distinktionsstrategien, die der Abgrenzung von den aufstrebenden Bevölkerungsschichten dienten. Der Jugendbegriff, der als Mythos den Status eines höchsten Wertes erhielt, wurde gegenüber dem Bildungsbegriff, an dessen Stelle er z. T. trat, zu einem statischen Begriff. Das Erwachsenwerden war im Jugendmythos nicht vorgesehen, die berufliche Warteposition erhielt Eigenwert [28. 259 f.]. In vergleichbarer Weise konnte auch die Zugehörigkeit zu einer Elitegemeinschaft die Funktion der Stabilisierung eines über Berufspositionen nicht mehr einzulösenden Selbstverständnisses übernehmen. Die aus den bürgerlichen Oberschichten stammende Jugend, die dem Kreis um den Dichter S. George (1868–1933) angehörte oder sich diesem verbunden fühlte, konnte sich selbst als Bildungselite begreifen, ohne dies zunächst über Berufspositionen einlösen zu müssen. Für diese Jugendlichen stellte die Teilhabe am George-Kreis bzw. die George-Rezeption zusätzlich eine Möglichkeit kultureller Distinktion bereit. Neben dem George-Kreis übernahmen Dichter wie H. v. Hofmannsthal (1874–1929) und R. Borchardt (1877–1945) sowie weltanschauliche Gruppierungen wie die Jugendkulturbewegung um den Schulreformer Gustav Wyneken (1875–1964) in der Freien Schulgemeinde Wickersdorf eine vergleichbare Funktion.

D. Entfaltung des Neohumanismus in der Dichtung um 1900

Vor dem Hintergrund eines um 1870 noch weitgehend agrarisch strukturierten dt. Staatenkonglomerats hatte sich durch Industrialisierung und Verstädterung in kurzer Zeit für große Teile der Bevölkerung des dt. Kaiserreichs eine tiefgreifende lebensweltliche Veränderung vollzogen. Diese Veränderung warf Fragen nach der Lebensorganisation und Sinndeutung unter den neuen Verhältnissen auf und äußerte sich um 1900 zunächst in einem publizistischen Krisendiskurs. Der lit. Ästhetizismus thematisierte diese Fragen als Sprach- und Darstellungskrise in der Dichtung. H. v. Hofmannsthals sog. *Chandos-Brief* (1902) beschreibt im histor. Kostüm der Ren. die Entwicklung der Lit. von der Darstellung und Verklärung vorhandener Sinnsysteme zu einer krisenhaften Reflexion über die Möglichkeiten und Grenzen der Sprache. Im Schlußausblick des *Chandos-Briefs* wird die Möglichkeit einer neuen Autonomie der Lit. angedeutet, der nicht mehr die Funktion realistischer oder idealisierender Spiegelung, sondern autonom-schöpferischer Weltdeutung zukommt [19]. Renaissance und röm. Ant., bes. die Spätant., wurden aufgrund des Reichtums bürgerlicher und adeliger Repräsentation und der diesen Epochen zugeschriebenen Übergangssignatur zu Spiegelbildern und Reflexionsmedien des → Fin de Siècle-Empfindens der Ästhetizisten [36; 37].

Die Denkfigur von Krise, Reflexion und Re-Autonomisierung der Dichtung hatte S. George bereits in seinen *Algabal*-Zyklus (1892) eingeschrieben. Der spätant. Kaiser Heliogabalus lebt in einer hermetischen schwarzen Unterwelt, in der er, frei von gesellschaftlichen Normen, über das letzte Ziel seiner Kunst nachdenkt: die Befreiung der Kunst zur schöpferischen Souveränität. ›Mein garten bedarf nicht luft und nicht wärme · / Der garten den ich mir selber erbaut / Und seiner vögel leblose schwärme / Haben noch nie einen frühling geschaut. / (. . .) Wie zeug ich dich aber im heiligtume / – So fragt ich wenn ich es sinnend durchmaass / In kühnen gespinsten der sorge vergass – / Dunkle grosse schwarze blume?‹ [10. 63]. Die im Symbol des Unterreichs von George beispielhaft entwickelte Differenz zw. Alltagswelt und Reich der Poesie stellt die Voraussetzung für das nach der Jh.-Wende einsetzende Bestreben der Dichter dar, Dichtung wieder zum einheitstiftenden Mythos zu erheben [29. 11 f.]. Hofmannsthal schrieb: ›Wie der innerste Sinn aller Menschen Zeit und Raum und die Welt der Dinge um sie her schafft, so schafft er (der Dichter) (. . .) die Welt der Bezüge‹ [20. 68]. Das gestaltete Werk konnte vor diesem Hintergrund die Diversifizierung der Sinndeutung in der Moderne bearbeiten und als neues Feld der Sinnstiftung an die Stelle der Religion rücken.

Der Versuch einer Re-Mythisierung der Dichtung führte zu einem Wechsel in den Vorbildepochen. Die mit Dekadenzphänomenen (→ Décadence) assoziierte röm. Spätant. wurde von der griech. Ant., die mit der Jugendthematik verbunden wurde, abgelöst. Die griech. Ant. wurde dadurch zugleich zum Symbol einer Erneuerung der Kunst. Hofmannsthal beschrieb 1896 Georges *Hirten- und Preisgedichte* (1895) als ›erfüllt mit dem Reiz der Jugend‹ und bezog »Jugend« auch auf eine »Jugend der Kultur« in der griech. Ant.: ›Die lieblichsten Schüler des Sokrates schweben ungenannt vorüber: (. . .) Es ist fast keine Zeile in dem Buch, die nicht dem Triumph der Jugend gewidmet wäre‹ [21. 8]. Die knappe Darstellung und der nur schemenhaft gezeichnete histor. Raum sind für Hofmannsthal zugleich das Fanal einer neuen Darstellungskunst, verbunden mit der schöpferisch-intuitiven Erfassung der Historie [21. 12]. Als Ersatz für ein durch umfassende gesellschaftliche Säkularisierungstendenzen fragwürdig gewordenes christl. Jenseits werden »Jugend« und »Leben« in der Dichtung und weltanschaulichen Publizistik der Jh.-Wende zu Suggestivbegriffen, die von einem quasi-metaphysischen Diskurs begleitet werden. Der Engel wird im *Vorspiel* zu S. Georges *Teppich des Lebens* (1900) zum Sendboten des Lebens, das die Stelle des christl. Gottes übernimmt und dem lyr. Ich in einer mystischen Weihe die Fähigkeit des Dichtens verleiht. ›Das schöne leben sendet mich an dich / Als boten‹ [13. 10]. Das »schöne leben« wird im späteren George-Kreis konkretisiert in einer auf der Dichtung und der Nachahmung griech.-ant. Vorbilder aufbauenden Lebensführung [35. 113] und ist daher nicht nur als ästhetische

Kategorie, sondern auch als Utopie einer besseren Zukunft zu deuten [32. 43 f.]. Mit dieser Utopie verbunden war die programmatische Ankündigung einer Erneuerung der → Bildung durch die griech. Ant.: ›Dass ein strahl von Hellas auf uns fiel: dass unsre jugend jezt das leben nicht mehr niedrig sondern glühend anzusehen beginnt (. . .): dass sie schliesslich auch ihr volkstum gross und nicht im beschränkten sinne eines stammes auffasst: darin finde man den umschwung des deutschen wesens bei der jahrhundertwende‹ [8. 4]. Aufgenommen und weitergeführt wurde dieser Impuls von einer Vielzahl weltanschaulicher Gruppierungen, die über die Ant. Reformutopien in unterschiedlichsten Feldern entwickelten: in Staat, Gesellschaft, Wiss., Lebensführung und kultureller Praxis.

E. WELTANSCHAULICHE AUSFORMUNGEN NACH 1900

Nach der Jh.-Wende hatte sich ein Kreis junger Studenten und Dozenten um S. George zu sammeln begonnen, in welchem das »schöne leben« in einer neuen Lebensform konkretisiert werden sollte: angelehnt an eine idealisierende Rezeption der platonischen → Akademie sollte im Rahmen einer männlichen Freundesgemeinschaft Lesen, Dichten und wiss. Arbeiten als gemeinschaftskonstituierende Praxis mit dem Ziel einer Rekonstitution der Bildung als Zentrum der Lebensführung erprobt werden. Dieses Programm wurde im George-Kreis weltanschaulich untermauert. 1910 erschien das erste der drei *Jahrbücher für die geistige Bewegung*. K. Hildebrandt (1881–1966), Mediziner und Philosoph, schilderte dort Platon als Ursprung einer neubelebten, in George gipfelnden geistigen Bewegung: »Plato fehlt ganz die wahllosigkeit moderner wissenschaft, nur das schöne will er schauen und zeugen. (. . .) Mit blossem wissen ist ihm nicht beizukommen, wenn nicht die seele über jahrtausende hinweg zur seele spricht.‹ ›Dem priester und dichter, könig im reich der seelen und schöpfer einer welt, was wäre ihm das zufällige wissen gewesen!‹ [16. 111 f.]. 1911 formulierte Hildebrandt im zweiten *Jahrbuch* die Grundlage der Platondeutung des Kreises und die Zielvision der Erziehung, die vom Kreis ausgehen sollte: ›Nicht als denker, sondern als lebendige gestalt war er (Platon) begründer des geistigen reiches und die unterhaltungen auf der strasse (. . .) waren zugleich handlungen seines geistigen reiches. (. . .) In der Akademie schuf er sich den lebendigen geistigen staat‹ [17. 90 ff.]. Waren die »großen Menschen« der Ant. für die Georgeaner in Aufnahme kulturkritischer Theoreme noch Repräsentanten eines »Gesamtmenschentums« [15. 18] in einem sinnhaft geschlossenen kulturellen Zusammenhang, so kam vor dem Hintergrund zunehmender lebensweltlicher und geistiger Diversifizierung jetzt der herausragenden Einzelpersönlichkeit die Funktion einer erneuten Synthesebildung zu [30. 298]. Diese Synthesebildung faßten die Georgeaner, hier F. Gundolf (1880–1931), mit dem Begriff der Gestalt: ›In bestimmten heroen stellt sich die kultureinheit wieder her: an die stelle von gesamtkulturen treten menschen welche in sich kulturen sind und um sich her kultur schaffen (. . .): in ihnen wird das wort fleisch, das wesen gestalt‹ [15. 8]. Neben den wechselnden Epochen der Geschichte existierte für George und die Kreismitglieder ein unwandelbares ›reich des geistes‹ [12. 83], dessen Träger und Gestalter, die Philosophen und Dichter früherer Epochen, aufgesucht und deren Lebensmodelle und Deutungsangebote in der Gegenwart wiederbelebt werden sollten. Der durch Intuition und Inspiration Erkennende kann sich an der »Gestalt« der großen Künstler und Philosophen schließlich selbst zur »Gestalt« bilden und Gestalten schaffen. Diesem Bildungsanspruch wurde auch die Wiss., in Abgrenzung zu den wiss.-theoretischen Implikationen des Historismus, unterworfen. Sie war aufgefordert, und mit ihr die an den Hochschulen lehrenden Mitglieder des Kreises, große Heroen der Dichtung als Vorbilder der Lebensführung und Leitfiguren im Bildungsprozeß darzustellen.

In reflexiver Aufnahme der Individualisierungstendenzen der Moderne wurde dieses Konzept zugleich theoretisch gebrochen und die Mythisierung der Vergangenheit wie in E. Bertrams *Nietzsche*-Darstellung (1918) als voluntaristischer Akt gekennzeichnet: ›Ein großer, das ist »bedeutender« Mensch, ist immer unvermeidlich unsere Schöpfung, wie wir die seine sind. Gehen wir daran, das Bild eines Menschen uns zu verdeutlichen, so geschieht es in dem Bewußtsein, daß es nur heute, nur uns, nur als Augenblick so »erscheint«. Aber dies Bewußtsein, weit entfernt, zum histor. Skeptizismus und Agnostizismus zu verführen, erzieht uns vielmehr dazu, mit vertiefter Gewissenhaftigkeit eben diesen Augenblick der Legende festzuhalten und zu überliefern, der so nie wiederkehrt‹ [3. 5]. Der Mythos ist nach F. Gundolf Ausdruck eines in sich geschlossenen Sinnsystems, in dem das Dargestellte seine Deutung direkt aus dem Sinnzusammenhang der Epoche erhält: ›Wo aber Sicht und Sinn noch gemeinsam empfangen werden, da ist das Wort zugleich Bildgebung und Deutung, das heisst mythisch‹ [14. 9]. Die Dichtung als Ort der nicht-profanierten, zeitenthobenen Sprache konstruiert und bewahrt die »Legende« und stellt auf diese Weise die Einheit von »Sicht und Sinn« erneut her. Die Re-Mythisierung der Ant. in den Werken des Kreises und den Gedichten Georges ist daher die Voraussetzung für den Versuch, diese als Sozial- und Kulturmodell der Lebensführung innerhalb des Kreises zu erproben.

Vor dem Hintergrund der Mythenkonstruktion konnte auch die dt. Geschichte wieder ergriffen und zur bildenden »Gestalt«, zum Mythos, umgeformt werden. Mit der Vorgabe, daß von jedem Heros der dt. Geschichte, der zum Mythos erhoben werden konnte, die Ant. als normsetzendes Vorbild rezipiert worden sei, gestaltete George in *Goethes lezte Nacht in Italien* (1909) die Vision einer Wiedergeburt der griech. Ant. in der dt. Kultur durch deren Imitation: ›Dort an dem römischen Walle · der grenze des Reichs · / Sah ich in ahnung mein heimliches muttergefild.‹ ›Doch wohin lockst du und führst du · erhabenes Paar? .. / (. . .) Säulenhöfe seh ich mit bäumen und brunnen / Jugend und alter in gruppen bei werk und bei musse / Maass neben stärke .. so weiss ich allein die gebärden / Attischer würde .. die süssen und kräftigen klänge / Eines äolischen mundes. Doch nein: ich erkenne / Söhne meines volkes – nein: ich vernehme / Sprache meines volkes. (. . .) / Welch ein schimmer traf mich vom südlichen meer?‹ [11. 10f.].

Der Jugendmythos der Jh.-Wende fand im George-Kreis eine spezifische Umsetzung. In der idealistischen Verbindung von Ant., männlicher Jugend, Bildung und visionären Erneuerungsvorstellungen setzten George und die Kreismitglieder auf eine Zukunft im Zeichen einer durch sie erzogenen Jugendelite. Lehrgespräche mit dem »Meister« George, die gemeinsame Arbeit von Zöglingen und Mentoren an der persönlichen Bildung und die Bildung von Jünglingspaaren zur gegenseitigen Erziehung kennzeichnen den kreisinternen, der sokratischen Gesprächskultur nachempfundenen Erziehungsprozeß, in dem Erzieher und Zöglinge durch einen pädagogischen Eros aneinander gebunden sein sollten [30. 412ff.].

Eingebunden in das Bild der platonischen Akad. als der ›schule der erziehung‹ [9. 117] wurde die Gemeinschaft als ›philosophenzentrum des staates‹ [9. 121] zugleich zum Mittelpunkt einer möglichen gesamtgesellschaftlichen Erneuerung; das Konzept öffnete sich in den polit. Raum [39]. Im George-Kreis konkretisierte der Historiker F. Wolters (1876–1930) die möglichen Verbindungslinien von einer geistigen Wiedergeburt zu einer staatlichen Erneuerung [30. 213ff.]. In Wolters' Interpretation ist das »geistige Reich« dazu ausersehen, seine Herrschaft der gesamten gegenwärtigen Kultur aufzuzwingen: ›Denn die Herrschaft duldet nicht · dass irgend ein bild oder wesen auf den Ebenen des Reiches ein anderes wappen trage als das ihre‹ [24. 135]. Ziel wird die aktive Veränderung der Zeit, ›die Geistige Tat‹ [24. 136], für welche die Kreisgemeinschaft nur Ausgangspunkt, nicht aber bereits Erfüllung sein kann. Die Forderung nach einer aus der Dichtung Georges abgeleiteten Weltanschauung als Richtmaß auch des polit. Feldes führte zur Abwertung eigengesetzlichen Fortschreitens der Gesellschaft; die Bildungsgemeinschaft wird in Wolters' Fassung zur Herrscherelite, die neue platonische Akad. zur Schule der zukünftigen kulturellen und polit. Führer.

Die in Wolters' Reden aufgehobene Differenz von sozialer Praxis und »geistigem Reich« [30. 257ff.] erwies sich vor dem Hintergrund der krisenanfälligen Weimarer Republik für viele Schriftsteller als anschlußfähig. Das Postulat vom Dichter als Lebensführer wird sukzessive in den gesellschaftspolit. Raum verlagert und findet neben den Reden der Georgeaner einen Höhepunkt in H. v. Hofmannsthals und R. Borchardts Universitätsreden *Das Schrifttum als geistiger Raum der Nation* (1926) und *Die schöpferische Restauration* (1927). Weil die Poesie für Borchardt nicht Darstellung, sondern urspr. Ausdruck des Humanen selbst war, im Anschluß an G.

Herder ›Muttersprache des Menschengeschlechtes‹ [6. 122], war eine neue Welt nur aus der Poesie, d. h. aus der Substanz des Humanen und nicht aus dessen Akzidenzien, zu rekonstituieren [7. 249 ff.]. Borchardts Übers. ant. und fremdsprachiger Dichter stehen ebenso wie diejenigen Georges im Dienst eines Bildungsprogramms. Sie dienen nicht der Kenntnisnahme fremder Texte, sondern ausschließlich der Bildung in der Weise, daß fremde Kulturen und Lebensformen über die Texte in die dt. Bildung zu deren Formung eingefügt werden sollten – ein Programm, das sich am Konzept des Neuhuman. orientierte und dieses zugleich radikalisierte. Das ambitionierte Projekt einer neuen Bildungseinheit durch eine neu gestiftete Trad. wurde in Borchardts Anthologie *Ewiger Vorrat Dt. Poesie* (1926) in Angriff genommen. Borchardt orientierte sich dabei an der Überlieferung der griech. Lit.: ›Der Herausgeber hat sich einem so zerfallenen Wesen gegenüber zu etwas wie einer angenommenen Gerechtigkeit der Geschichte gemacht (...), wie uns der Zufall der Überlieferung, nicht eben ganz ein Zufall, selbst die größten griech. Lyriker hat gönnen wollen (...). Die Gedichte sind, dem Titel dieser Sammlung gemäß, nur wo sie unzerstörbar schwermütig in unserem Ohre haften und nur so weit gegeben, als sie gedichtet, und nicht in dem, worin sie zu Ende gefälscht sind‹ [4. 334]. Manche Gedichte werden nur noch fragmentarisch abgedruckt, um durch die Zerstörung erhaltener Überlieferungen eine neue Trad. zu erzeugen [25. 339 ff.]. Dadurch soll der Raum für die Dichtung in der Zukunft gesichert und der Dichter in die Mitte der zukünftigen nationalen Identität gestellt werden. Am Schluß der Rede *Die Neue Poesie und die Alte Menschheit* (1912) hatte Borchardt in diesem Zusammenhang bereits einen Freiheitsbegriff beschworen, der dem liberalen konträr gegenüberstand. Freiheit bedeutete ihm nicht mehr die Freiheit von Bindung, sondern die Freiheit zur Bindung [6. 121 f.; 26. 75]. Der sich an der griech. Ant. entfaltende Bildungsbegriff des Neuhuman. und der in ihm enthaltene Anspruch der Gestaltung einer freien Staatsbürgergesellschaft wird im N. weitgehend aufgegeben, die freie, in der Gesellschaft mitverantwortlich handelnde Persönlichkeit durch die sich in die Gemeinschaft integrierende und sich ihr unterordnende Person, wie in Borchardts Rede *Führung* (1931) polit. radikal antizipiert, ersetzt [5. 412 ff.].

G. Benn (1886–1956) führte diese Postulate im Medium der Ant.-Rezeption weiter. In *Dorische Welt* (1934) wechseln die Referenzepochen erneut von der griech. Ant. der klass. Zeit des vierten und fünften Jh. v. Chr. zur dorischen und archa. Zeit: ›An das kretische Jahrtausend (...) grenzt diese Welt, die in unsere Bewegungen hineinragt und auf deren Resten unsere gespannten, erschütterten, tragisch-fragenden Blicke ruhn: (...) Felsenschreie, äschyleischer Gram, doch Vers geworden, in Chöre gegliedert; (...) eine Ordnung, in der der Stoff der Erde und der Geist des Menschen noch verschlungen und gepaart, ja wie in höchstem Maße

einander fordernd, das erarbeitet, was unsere heute so zerstörten Blicke suchen: Kunst, das Vollendete‹ [1. 263 f.]. Benn verbindet wie der George-Kreis in Aufnahme kulturkritischer Theoreme eine idealisierte Vergangenheit mit Kategorien der Ganzheit und Einheit. Bei Benn erscheint die archa. Zeit als soldatische Welt des Männerbunds, als ›Antifeminismus‹ [1. 276], wodurch Männergemeinschaft und Kulturleistung miteinander verklammert werden. Geschichtsphilosophisch wird die archa. Epoche nicht als Vorstufe der klass. Zeit, sondern als in sich vollendete Hochzeit archa. Kultur interpretiert. Für Benn werden staatliche Macht und Gewalt zur Bedingung kultureller Entfaltung, ohne auf die Eigengesetzlichkeit künstlerischer Produktion Verzicht leisten zu wollen: ›der Staat, die Macht reinigt das Individuum, (...) schafft ihm Fläche, macht es kunstfähig‹ [1. 290]. In seiner *Rede auf Stefan George* (1934) formuliert Benn anschließend die Idee einer archa. konnotierten Wiedergeburt: ›Abendländischer Geist, der neue, wird sprechen aus jener Welt der ungeheuersten Klarheit, die sich (...) nähert, ihre Linien sind (...) feste bezwingende Gesetze (...) Klarheit, Unterschied, Tat. Eine Welt, die sich gegen das Mütterliche richtet, das Faustische, das Christliche, (...) es ist dorische Welt‹ [2. 476].

Die Reformbewegungen der Jh.-Wende bedienten sich der griech. Ant. v. a. bei der Propagierung einer neuen → Körperkultur. Insgesamt ging es den meisten Gruppen weniger um eine Imitation der ant. Kultur, als um die Rezeption spezifischer ant. Kulturelemente. Der Zusammenhang von Natur und Kultur war für die Reformbewegungen konstituierend, die zivilisatorische Entfremdung von der Natur sollte durch eine neue naturnahe Kultur aufgehoben werden. Unter dieser Perspektive lassen sich die vielfältigen Reformbewegungen nach der Jh.-Wende nicht nur verbinden, sondern auch ihr – z. T. nur schemenhafter – Bezug auf die Ant. interpretieren. Wie im George-Kreis wurden Jugendlichkeit und Naturnähe einerseits als für die ant. Kultur konstituierende Elemente gedeutet, andererseits als Epochenchiffren für die Ant. insgesamt verwandt. Deutlicher als in den eigentlichen Lebensreformbewegungen: Ernährungs- und Kleidungsreform, Naturheilbewegung, Siedlungs- und Gartenstadtbewegung, lassen sich in einigen kulturreformerischen Bewegungen wie der Tanz- und Theaterreformbewegung, einschließlich jedoch der lebensreformerischen Freikörperkultur und der Sexualreform, Einflüsse der Ant. nachweisen. In der Freikörperkultur waren es Zeitschriften wie *Deutsch-Hellas* (ab 1907/08) und *Die Schönheit* (ab 1901), in denen die griech. Kunst zum Vorbild neuer Körperästhetik ausgeformt wurde [33. 105]; die Sexualreform bezog ihre Vorstellung einer von gesellschaftlichen Zwängen und Tabus befreiten »natürlichen Sexualität« z. T. aus der griech. Ant. [33; 34]. Auch die Theater- und Tanzreform griff teilweise auf ant. Formen zurück. In der Inszenierung gemeinschaftsstiftender Festspiele wie durch E. J. Dalcroze (1865–1950) in der Gartenstadt Hellerau bei Dresden ab 1912 lassen sich ant. Vorbilder nachweisen, die sich jedoch stärker in der Organisationsform als in den aufgeführten Stücken wiederfinden [31; 40]. Den reformerisch-pädagogischen Hintergrund solcher Festspiele hat R. Borchardt beschrieben: ›Verschwunden ist die Arena von Olympia, von allen alten Festen, in denen die Menschheit ihr Menschlichstes entfaltete, sind uns nur kärgliche Reste geblieben, Massenfreude, Massenrausch, der Zusammenhang mit der Allgemeinheit im Gefühle haben überall aufgehört, von Institutionen umschlossen zu sein, und die Menschheit fällt auseinander‹ [6. 117]. Der Ausdruckstanz bezog sich in Kleidung und Bewegungsästhetik auf die Antike. Lose fallende Kleidung und natürliche, individuelle Ausdrucksformen des Körpers wurden dem als künstlich verstandenen Spitzentanz des klass. Balletts entgegengestellt. Isadora Duncans (1878–1927) und Mary Wigmans (1886–1973) Auftritte vollzogen ebenso wie R. von Labans (1879–1958) »Bewegungschor« auch in den Choreographien in den 20er J. Annäherungen an eine z. T. über F. Nietzsches Philos. rezipierte ant. Aufführungspraxis [40]. In den Reformbewegungen mischten sich vor dem Hintergrund neuer Natürlichkeit der Körper und der Lebensform die Referenzepochen Ant., german. Vorzeit und dt. MA jedoch häufig in ununterscheidbarer Weise.

Für die sich um 1900 organisierende Homosexuellenbewegung stellte die Ant.-Rezeption die Möglichkeit bereit, auf eine im öffentlichen Bewußtsein hochgeschätzte Epoche zu verweisen, in der homosexuelle Praxis nicht gesellschaftlich ausgegrenzt, sondern Teil der öffentlichen Kultur war. Die in diesem Zusammenhang in Wiederaufnahme des ant. Eros konzipierten Gemeinschaftsmodelle wie in H. Blühers (1888–1955) *Die Rolle der Erotik in der männlichen Gesellschaft. Eine Theorie der Staatsbildung nach Wesen und Wert* (1917) besaßen darüber hinaus einen sowohl pädagogischen als auch staatsreformerischen Anspruch.

QU **1** G. Benn, Dorische Welt. Eine Unt. über Kunst und Macht, in: Essays, Reden, Vorträge = Ges. Werke in 4 Bd., hrsg. von D. Wellershoff, 1. Bd., 262–294 **2** Ders., Rede auf Stefan George, in: Essays, Reden, Vorträge, 464–477 **3** E. Bertram, Nietzsche. Versuch einer Myth., ⁴1920 **4** R. Borchardt, Ewiger Vorrat dt. Poesie, in: Prosa III, hrsg. v. M. L. Borchardt unter Mitarbeit von E. Zinn, 1960, 322–352 **5** Ders., Führung, in: Reden, hrsg. von M. L. Borchardt u. a., 1955, 397–432 **6** Ders., Die Neue Poesie und die Alte Menschheit, in: Reden, 104–122 **7** Ders., Schöpferische Restauration, in: Reden, 230–253 **8** Einl. und Merksprüche, Blätter für die Kunst, 4. Folge, Bd. 1–2, 1897 **9** H. Friedemann, Platon. Seine Gestalt, 1914 **10** S. George, Algabal, in: Hymnen. Pilgerfahrten. Algabal = Sämtliche Werke in 18 Bd., Bd. 2, 1987 **11** Ders., Das Neue Reich, 1928 **12** Ders., Der Stern des Bundes = Sämtl. Werke in 18 Bd., Bd. 8, 1993 **13** Ders., Der Teppich des Lebens und die Lieder von Traum und Tod mit einem Vorspiel = Sämtl. Werke in 18 Bd., Bd. 5, 1984 **14** F. Gundolf, Anf. dt. Geschichtsschreibung von Tschudi bis Winckelmann, hrsg. u. bearb. von E. Wind, Neuausgabe mit einem Nachwort von U. Raulff, 1992 **15** F. Gundolf, Vorbilder, in: Ders., F. Wolters (Hrsg.), Jb. für die geistige Bewegung, Bd. 3, 1912, 1–20 **16** K. Hildebrandt, Hellas und Wilamowitz. Zum Ethos der Trag., in: F. Gundolf, F. Wolters (Hrsg.), Jb. für die geistige Bewegung, Bd. 1, 1910, 64–117 **17** Ders., Romantisch und Dionysisch, in: F. Gundolf, F. Wolters (Hrsg.), Jb. für die geistige Bewegung, Bd. 2, 1911, 89–115 **18** F. Hölderlin, Sämtliche Werke und Briefe, 3 Bd., hrsg. von M. Knaupp, Bd. 1, 1992 **19** H. v. Hofmannsthal, Ein Brief, in: Sämtliche Werke. Kritische Ausgabe, Bd. 31, Erfundene Gespräche und Briefe, hrsg. von Ellen Ritter, 1991, 45–55 **20** Ders., Der Dichter und diese Zeit, in: Reden und Aufsätze I, 1891–1913 = Gesammelte Werke in 10 Einzelbd., Bd. 8, 1979, 54–81 **21** Ders., Gedichte von Stefan George (1896), in: R. R. Wuthenow, (Hrsg.), Stefan George in seiner Zeit. Dokumente zur Wirkungsgesch., Bd. 1, 1980, 7–14 **22** P. Natorp, Was uns die Griechen sind. Akad. Festrede zur Feier des 200jährigen Bestehens des Königreichs Preußen, geh. am 18. Januar 1901, o. J. **23** F. Nietzsche, Vom Nutzen und Nachtheil der Historie für das Leben, in: Kritische Studienausgabe, hrsg. von G. Colli, M. Montinari, Bd. 1, ²1988, 244–334 **24** F. Wolters, Herrschaft und Dienst, in: Blätter für die Kunst, 8. Folge 1908/09, 133–138

LIT **25** N. Altenhofer, Die zerstörte Überlieferung. Geschichtsphilos. der Diskontinuität und Trad.-Bewußtsein zw. Anarchismus und konservativer Revolution, in: Th. Koebner (Hrsg.), Weimars Ende. Prognosen und Diagnosen in der dt. Lit. und polit. Publizistik 1930–1933, 1982, 330–347 **26** A. Assmann, Arbeit am nationalen Gedächtnis. Eine kurze Gesch. der dt. Bildungsidee, 1993 **27** H. W. Blanke, Historiographiegesch. als Historik, 1991 **28** P. Bourdieu, Die feinen Unterschiede. Kritik der gesellschaftlichen Urteilskraft, 1982 **29** M. Frank, Dionysos und die Ren. des kultischen Dramas, in: Ders., Gott im Exil. Vorlesungen über die Neue Myth., 1988, 9–104 **30** C. Groppe, Die Macht der Bildung. Das dt. Bürgertum und der George-Kreis 1890–1933, 1997 **31** A. Kaufmann, Theaterreform und Laienspiel, in: D. Kerbs, J. Reulecke (Hrsg.), Hdb. der dt. Reformbewegungen 1880–1933, 1998, 439–449 **32** P. G. Klussmann, Stefan George. Zum Selbstverständnis der Kunst und des Dichters in der Moderne, 1961 **33** R. Koerber, Freikörperkultur, in: Hdb. der dt. Reformbewegungen, 103–114 **34** U. Linse, Sexualreform und Sexualberatung, in: Hdb. der dt. Reformbewegungen, 211–226 **35** M. Nutz, Werte und Wertungen im George-Kreis. Zur Soziologie lit. Kritik, 1976 **36** W. Rasch, Die lit. Décadence um 1900, 1986 **37** L. Ritter-Santini, Maniera Grande. Über it. Ren. und dt. Jh.-Wende, in: R. Bauer, E. Heftrich u. a (Hrsg.), Fin de Siècle. Zu Lit. und Kunst der Jh.-Wende, 1977, 170–205 **38** W. Rüegg, Die Ant. als Begründung des dt. Nationalbewußtseins, in: W. Schuller, (Hrsg.), Ant. in der Moderne, 1985, 267–287 **39** E. E. Starke, Das Plato-Bild des George-Kreises, 1959 **40** A. Thiekötter, A. Brandstetter, Ausdruckstanz, in: Hdb. der dt. Reformbewegungen, 451–463 **41** H. Titze, Der Akademikerzyklus. Histor. Unt. über die Wiederkehr von Überfüllung und Mangel in akad. Karrieren, 1990.

CAROLA GROPPE

Neugriechische Literatur
A. Methodik und Abgrenzung
B. Osmanenzeit und Venetokratie
C. Aufklärung und Revolution
D. Im Nationalstaat E. Volksliteratur

A. Methodik und Abgrenzung

Wann und wie beginnt die n.L.? Die Beantwortung dieser Frage [33] überschreitet die üblichen chronologisch-methodischen Abgrenzungsschwierigkeiten zw. benachbarten Disziplinen, wobei hier das Verhältnis zur → Byzantinistik am schwierigsten ist. Die Vorgehensweise unserer Hdb., entweder die byz. Volkslit. von der hochsprachlichen gesondert zu behandeln (Problem bereits deutlich gesehen bei [5]) und dann alles, was nach 1453 in griech. Sprache verfaßt wurde, unter »n.L.« zu subsumieren, oder auch diese mit Digenis Akritas (s.u. E. und → Byzanz) oder den (trotz mancher Einwände) wohl doch von Theodoros Prodromos verfaßten vulgärsprachlichen *Ptochoprodromika* beginnen (so [49; 37]) zu lassen, ist verfehlt. Sie interpretiert zum einen das Moment der sprachlichen Abgrenzung (hochsprachlich/volkssprachlich; zur Diglossie vgl. → Griechenland) chronologisch (in Wirklichkeit blieb die spätbyz. lit. Diglossie bis weit ins 20. Jh. bestehen), indem sie dem »fatalen Datum« (H. G. Beck) 1453 eine zu große Rolle beimißt. Zum Scheitern verurteilt ist diese Vorgehensweise v. a. aber auch deswegen, weil sie ein schon in Westeuropa fragwürdiges Prinzip, das der Nationallit., retrospektiv auf einen Kulturraum überträgt, dem diese Kategorien bis weit ins 19. Jh. völlig fremd waren: die byz.-osmanisch geprägte Südostperipherie Europas. Die Besonderheiten des Osmanischen Reiches, dessen *millet*-System (→ Griechenland) die spätbyz. Entwicklung unter anderen Voraussetzungen perpetuierte, erfordert für die ngriech. Lit.-Geschichte eine bes. Behandlung, deren Prizipien im folgenden dargelegt werden sollen:

Durch die Inthronsation des Gennadios Scholarios als Patriarchen durch Mehmed II. wurde die orthodoxe Kirche [42], aufgrund der erneuten kirchlichen und damit schulischen Unterordnung aller orthodoxen Balkanvölker unter das Patriarchat und dem Verschwinden des byz. Kaiserhofes, zum wichtigsten Träger der byz.-griech. Kultur. Nach 1453 wurden die im Spät-MA staatlich/kirchlich (z. T. nur vorübergehend) unabhängig gewordenen Völker des Balkans (Serben, Makedonen, Bulgaren, Rumänen, Albaner usw.) wieder einer massiven griech.-ekklesiastischen Akkulturation unterzogen. Diese und die damit verbundenen osmanische Kulturbeeinflussung (die orthodoxe Kirche war organischer Bestandteil des osmanischen Verwaltungsapparates, ihre Amtsträger damit Teil der Machtelite) ist das gemeinsame kulturelle Erbe aller Balkanvölker; anders als bisher ist diesem Umstand auch lit.-geschichtlich Rechnung zu tragen.

Dadurch, daß zahlreiche Bewohner der Balkanhalbinsel eine griech. Schulbidung erhalten hatten, schrieben sie Griech., ohne »Griechen« zu sein. Bestes Beispiel ist der Ohrider Grigor Prličev im 19. Jh., der, selbst makedo-bulgarischer Muttersprache, mehrfach unter dem Namen »Grigorios Stavridis« den Preis der Athener Akad. (s.u.) für seine homerisierenden Gedichte erhielt, bis bekannt wurde, es handele sich um einen Slaven [22]. Zusätzlich schreiben auch nach der Konversion zum Islam aus alter Trad. zahlreiche Minderheiten Griech., auch wenn sie nicht dem *Rūm milleti* angehören: So finden wir in spätosmanischer Zeit zahlreiche Beispiele für n.L. von Moslems (»Türken«) und Juden, und zwar häufig in ihren milletspezifischen Alphabeten, aber griech. Sprache [30]. Diese – zahlenmäßig beachtliche und qualitativ nicht unwichtige – Produktion wird jedoch in den gängigen Lit.-Geschichten in der Regel verschwiegen (so neuerdings wieder [4]).

Auf der anderen Seite führt die osmanische Akkulturation von Gräkophonen, aber auch von Slaven und Albanern dazu, daß eine orthodoxe – also kirchlich geprägte – Lit. in türk. Sprache, aber griech., hebräischer oder armenischer Schrift entsteht, die h. in der Regel v. a. Sprachwissenschaftler interessiert, aber z. B. für die Entwicklung der türk. Lit. von großer Wichtigkeit war. Beispielhaft der Schelmenroman des Gr. Palaiologos (1839), der, von E. Misailidis in dieses sog. Karamanli-Türk. übersetzt, der erste türk. Roman wurde [12]. Die Christen und Juden des Osmanischen Reiches, unter denen die griech.-orthodoxen Phanarioten (s.u.) eine herausragende Stellung einnahmen, erweisen sich so als wichtige kulturelle »middlemen-minority«.

Erst mit der Genese des ngriech. Nationalsstaates im Gefolge der Aufklärung bahnt sich ein Wechsel an. Zwar bleiben die griech. Kulturinseln im Osmanischen Reich: Konstantinopel mit seiner großen Gemeinde und deren Kulturvereinen, um das Patriarchat zentriert, Smyrna, Alexandria usw. zunächst erhalten. Die blutige Durchsetzung nationalstaatlicher Konzepte in diesem Raum führt aber im 20. Jh. zur Zerstörung dieser Kultur, so daß die im 19. Jh. vom griech. Nationalstaat propagierte nationale Geschichtsschreibung, Lit. und Lit.-Geschichtsschreibung letztlich erfolgreich bleibt. Die Träger des nationalen »Erwachens« haben freilich seit dem 19. Jh. die balkanischen Vernetzungen und osmanischen Voraussetzungen der ngriech. Kultur systematisch verschüttet und ein Kontinuitätsdogma installiert, dessen extreme Vertreter eine Art Alleinvertretungsanspruch verkünden. Demnach sind nur Griechen in der Lage, adäquat über die als Einheit aufgefaßte griech. Kultur (seit der Ant.!) zu forschen.

Folgende Skizze versucht demgegenüber, im Lichte der neueren Forsch. ein anderes Bild der n.L. zu entwerfen; methodisch vorbildlich erwiesen sich dabei die Forschungsansätze seit den 90er J., Konzepte von Hybridität und postkolonialer Lit.-Wissenschaft, v. a. der Ansatz E. Saids [43]: Die Anwendung dieser Methodik auf die n.L. bleibt jedoch weitgehend Aufgabe für die Zukunft.

B. Osmanenzeit und Venetokratie

Das Verschwinden des Kaiserhofs, der Dynastie und eines großen Teiles der Bildungselite (die v. a. nach It. auswanderte [14]) brachte die spätbyz. Kulturblüte zum Erliegen. Für kurze Zeit schien es, als ob die ant. und byz. Trad., wie zahlreiche »gerettete« Mss. auch, nur im Westen gepflegt würden. So ist denn auch die *millet*-bedingte Konzentrierung der griech. Kultur auf das Patriarchat (das zahlreiche Titel des Kaiserhofs wie ὀφφικιάλιος und λογοθέτης übernahm) und seine Akad. in der Lit. v. a. an einem deutlichen Bruch erkennbar: Die seit der Spätant. (mit Ausnahme der »Dunklen Jh.«) ununterbrochene Trad. »pragmatischer« Historiographie in der Nachfolge Prokops, die in byz. Zeit Glanzlichter wie Anna Komnene und Niketas Choniates hervorgebracht hatte, kommt zu einen abrupten Ende. Auch der Versuch des Kritobulos Imbriotis, die Trad. der byz. Historiographie in die neuen Verhältnisse zu überführen, Mehmed II. zu einem byz. Kaiser zu machen (βασιλεὺς Ῥωμαίων), wurden, auch durch die veränderten Verhältnisse unter Bayezid II., Mehmeds Nachfolger, nicht fortgesetzt [27]. Was wir haben, sind chronikartige Zusammenstellungen der laufenden Ereignisse wie die *Historia politica Constantinopoleos*, die *Historia Patriarchica* (von M. Malaxos), die schon M. Crusius(1526–1607) in seiner *Turcograecia* (1584) veröffentlichte, oder die häufig abgeschriebene und »aktualisierte« Chronik des Dorotheos von Monemvasia [36]. Auffällig ist, daß, während in spätbyz. Zeit, bei Pachymeres und Gregoras, die zunehmend Raum beanspruchende Kirchengeschichte Teil der Profangeschichte ist, nunmehr die Profangeschichte in die ekklesiastische Historiographie integriert ist. Verfasser sind häufig Geistliche, der geistige Horizont wird häufig von lokalen Begebenheiten begrenzt. Manchmal handelt es sich nur um kurze Notizen ([32]; ähnliche Werke bei [44]; s. auch neuerdings [38]). Bis Mitte des 16. Jh. ist das Bildungsniveau allg. niedrig an den wenigen, zumeist kirchlichen Bildungsinstitutionen, so an der Patriarchatsakad., wird ant. Bildung nur sehr eingeschränkt gepflegt. Philosophisch dominiert der seit Gennadios Scholarios offiziöse Aristotelismus. Gegen E. des 16. Jh. bessert sich die Situation entscheidend: Ein neues Interesse an ant., biblischer und patristischer Lit. führte zur Blüte eines rel. Human., dessen beherrschendes Thema rasch die Auseinandersetzung mit der Reformation wurde [17]. Dabei spielte auch die kulturelle Blüte in den venezianischen Territorien eine Rolle (s.u.). Diese Bestrebungen gipfelten zum einen in der selbständigen Aneignung des Aristoteles durch Korydalleus [36; 15], v. a. aber in der Übers. des NT ins Griech., die der Mönch Maximos Kalliupolitis auf Anweisung von Patriarch Kyrillos Lukaris, der zum Kalvinismus übergetreten war, vornahm (gedr. Genf 1645). Schon vorher hatte Z. Gerganos in Wittenberg einen lutherischen Katechismus in ngriech. Sprache veröffentlicht (1622). K. Lukaris bezahlte den Mut zu seiner Konversion schon 1638 mit dem Leben, und die orthodoxe Kirche hat die Herausforderung durch die Reformation letztlich nicht angenommen – dies hätte auch ihre privilegierte Stellung gefährdet. Ihre starke Position im Osmanischen Reich führte so letztlich zu einer Zementierung spätbyz. Zustände: Zwar ist es nicht richtig, von einer grundsätzlichen Ablehnung der Volkssprache durch die Kirche auszugehen, wurden doch zahlreiche Werke der spätbyz. Zeit ins Ngriech. übersetzt (so auch die *Hexabiblos* genannte Rechtskodifiation des Richters K. Armenopulos aus Thessaloniki, die für die kirchlichen Gerichte, denen die Zivilrechtssprechung über die Orthodoxen von den Osmanen übertragen worden war, noch lange verwendet wurde – in Griechenland dann wieder bis 1947), doch findet sich ein entschiedenes Eintreten für die Volkssprache v. a. in katholischen oder gar reformierten Kreisen oder in solcher orthodoxer Lit., die davon, d. h. von it. Vorbildern, inspiriert ist (so I. Kartanos [23 (Ed.); 36. 99]). So hat die Notwendigkeit, die als wesentlich empfundenen Kräfte des *Rūm milleti* zu bewahren und nach außen zu verteidigen, zu einer weitgehenden Stagnation im osmanisch beherrschten Griechenland geführt, ähnlich wie bei Syrern und Melkiten, Kopten und Armeniern schon seit Jahrhunderten.

Ganz anders sah es in den venezianisch beherrschten Gebieten aus: Außer Kreta und den ionischen Inseln (v. a. Korfu und Zakynthos) gehörten hierzu zahlreiche Inseln des ägäischen Archipels und Zypern, nicht zuletzt auch Venedig selbst, wo seit dem späten MA eine große und kulturell sehr regsame Griechenkolonie bestand. Hier setzt sich die spätbyz. Kulturblüte, die die klass. Lit., das It. und die ngriech. Volkssprache pflegte, ungebrochen fort. Wer als junger Grieche eine gute Ausbildung erhalten wollte, ging nach Venedig; auch K. Lukaris stammte aus Kreta [34]. Die kretische Lit., in steter *aemulatio* mit den gleichzeitigen Trends in Venedig und damit der europ. Literatenwelt befindlich, ist denn auch der bedeutendste Ausdruck n.L. vor dem 19. Jh.; allerdings ist der spätere Rezeptionsbruch deutlich: Bedeutete die Eroberung Kretas 1669 das E. dieser Blütezeit, so daß die Trad. des it. *umanesimo volgare* nur auf den ionischen Inseln weiterlebten, war diese Lit., bis E. des 19 Jh. als Volkslit. marginalisiert, nicht Bestandteil des offiziell gepflegten Erbes. Die kretische Lit. [20] und ihre erfolgreichste Gattung, das Theater, sind eindeutig westlich inspiriert – eine direkte Anknüpfung an ant. Trad. ist nur selten gegeben: Wir finden demzufolge das Schauerstück (Chortatsis: *Erofili*, verfaßt E. des 16. Jh.; Vorbild ist *Orbecche* von Giraldi); Bearbeitungen von Tassos *Gerusalemme liberata* (die *intermedia* der *Erofili*); Petrarchismus (Zypern, ein Ms. [20]); Schäferidylle nach Guarini (πιστικὸς βοσκός/*pastor fido*; zwei ngriech. Übers. nachweisbar); rel. Drama (*Das Opfer Abrahams*, 1635); Kom. mit Anklängen an die *Commedia dell'arte* (*Katzourbos* von Chortatsis). So gelangten auch ant. Stoffe über it.-westl. Vorbilder in den griech. Raum, so etwa der Troja-Roman des Benoît de Saint Maure schon im 14. Jh. ins Ngriech. [Ed. 35]. Am berühmtesten sollte aber die Bearbeitung des spätaltfrz. Epos *Paris et Vienne* werden, die Vitzentzos Kornaros um die Mitte des 17. Jh. in byz. Fünzehnsilblern anfertigte: Als *Erotokritos* und in Venedig (1713) gedruckt, wurde es eine Art Nationalepos des mod. Griechentums und von islamisierten Kretern im 19. Jh. sogar ins Osmanische übersetzt. Ähnlich wie beim unbekannten Übersetzer des *Roman de Troie* ist das ant. Milieu, in das V. Kornaros den Ritterroman transponiert, eine sehr ma. Ant., doch sind auch spezifisch ngriech. Vorstellungen miteingeflossen:

Τσὶ περαζόμενους καιρούς, ποὺ οἱ Ἕλληνες ὁρίζα, / κι᾽ ὁποὺ δὲν εἶχε ἡ πίστη ντως θεμέλιο μηδὲ ρίζα / . . . / εἰς τὴν Ἀθήνα, πού 'τονε τσῆ μάθησης ἡ βρῶσις / καὶ τὸ θρονὶ τῆς ἀρετῆς κι᾽ ὁ ποταμὸς τῆς γνῶσης. (»In vergangenen Zeiten, als die Heiden/Griechen das Sagen hatten / und ihr Glaube weder Fundament noch Wurzel hatte / (...) / in Athen, welches damals war des Lernens Nahrung, / der Thron der Tugend und der Quell der Erkenntnis.«) Die alten Hellenen erscheinen hier, wie im Volksmärchen, als mythisches Urvolk, als Heiden mit dem falschen Glauben, byz. Sprachgebrauch entsprechend. Trotzdem: König Heraklis, der Vater der Heldin, residiert in Athen, der Quelle der Bildung – soviel wußte man noch. Standen zunächst die unmittelbar philol. Themen im Mittelpunkt der Erforschung der kretischen Lit., so treten in letzter Zeit eher lit.-soziologische Fragestellungen, die Verankerung dieser Lit. in der venezianisch geprägten Stadtkultur der Levante sowie komparatistische Elemente (Parallelen zum kroatischen Drama in Dubrovnik) in den Vordergrund [39]. Gedruckt wurde diese Lit., da lange nur die Juden das Druckprivileg im Osmanischen Reich besaßen, fast ausschliesslich in Venedig, das erst im 18. Jh. seine Stellung an Wien, z. T. auch Leipzig, verlieren sollte.

C. Aufklärung und Revolution

Die Sonderstellung des griech.-orthodoxen Elements im Osmanischen Reich bedingt die Besonderheiten der griech. Rezeption der Aufklärung [10]. Innerhalb des Osmanischen Reiches fungierten sie als »middlemen-minority«, die Zugang zu europ. Sprachen hatte. So war etwa das wichtige Amt des »Archidragoman«, des Oberdolmetschers, seit E. des 17. Jh. in griech. Hand. Seit Anf. des 18. Jh. wurden auch die nominell autonomen Fürstentümer Moldau (Hauptstadt Jaşi) und Wallachei (Bukarest) von griech. Familien der Hauptstadt als vom Sultan eingesetzten Temporärmonarchen beherrscht. Diese, in Konstantinopel angesiedelte, um den Sitz des Patriarchen im Phanar/Fener (daher »Phanarioten« benannt) konzentrierte Aristokratie konnte dort ein reges griech. Kulturleben entfalten, das auch Anregungen aus Mitteleuropa (Wien) und Russland aufgriff. Außerhalb des Reiches waren die Griechen in fast allen wichtigen Handelsstädten Mittel- und Osteuropas vertreten, aber auch in Amsterdam (wo Korais wenig erfolgreich im väterlichen Kontor arbeitete), Paris, Marseille und Triest. So hat Henrich noch unlängst die starke Verankerung unter den Auslands-

griechen, die die Aufklärung in ihrer Frühphase hatte, hervorgehoben [16]. Während auf den immer noch venezianischen Inseln die kretische Trad. weiterwirkte (Katsaitis: Ἰφιγένεια und Θυέστης (nach L. Dolce); Komödie Χάσης von Gouzelis, 1795, mit *miles gloriosus* Thematik), ergab sich für diejenigen griech. Intellektuellen, die sich mit der Aufklärung auseinandersetzten, ein entscheidendes Problem. Früher und gründlicher als alle christl. Balkanvölker kamen sie mit dem neuen Gedankengut in Berührung; aber eine Grundkonzeption der europ. Aufklärung, die Infragestellung des Christentums und seiner Stellung im Staat, die Vorstellung von und anschließend die Einforderung der bürgerlichen Rechte, wie sie sich in Auseinandersetzung mit der ant. Trad. seit dem 17. Jh. herausgebildet hatte, stieß im Osmanischen Reich auf Schwierigkeiten. Jedes Rütteln an der byz.-osmanischen Synthese von Orthodoxie und Osmanen mußte den Bestand des *millet* selbst gefährden. Eugenios Vulgaris [36] war beispielsweise Geistlicher, und obwohl er als einer der ersten ein südosteurop. Publikum mit Locke, Leibniz, Voltaire und Wolff konfrontierte, mußte er doch auf dem Boden der Orthodoxie bleiben und das neue Denken ablehnen. Obendrein stellten Antiklerikalismus und Antikult der Aufklärung das kulturelle Selbstbild der Griechen radikal in Frage. Nicht nur die Osmanen, sondern auch Byzanz hatte in der damaligen Lit. kein gutes Image (Gibbon), die Griechen sahen sich also zum ersten Mal mit der Alternative Ant. *versus* Byzanz konfrontiert – ein Gegensatz, der ihnen bis dahin, außer in seinem rel. Aspekt, fremd gewesen war. Wenn sie beanspruchten, die Nachfahren und Erben der alten Griechen zu sein, mußte die byz.-osmanische Zeitspanne von über tausend J. zu einem Problem werden. Ähnliches gilt für ein weiteres Zentrum aufklärerischen Denkens: Volksbildung und Erziehung, die Debatten des pädagogischen Jh. stießen nicht nur auf die Realität eines Reiches, wo nur die wenigsten, auch die Moslems, die Prestigesprachen ihrer Gemeinschaft schriftlich beherrschten; eines Reiches, das grundsätzlich kein Interesse daran hatte, eine einheitliche Nationalkultur zu schaffen. Somit erhob sich für die Griechen das Dilemma, ob die Volkssprache oder das Altgriech. zum Bildungsmittel der »Nation« erhoben werden sollte.

Dies sind die wichtigsten »Sollbruchstellen«, die drängendsten Probleme, mit denen sich alle griech. Aufklärer auseinandersetzen mußten. Beispielhaft verkörpern sich diese Diskussionen, v. a. nach 1789, in zwei ihrer hervorragendsten Vertreter: Rigas Velestinlis (1757–1798) und A. Korais (1748–1833) [10; 3; 21]. Korais lebt fast sein ganzes Leben in Paris, vorher in Amsterdam und Montpellier, wo er Medizin studiert. Rigas bekleidet zunächst verschiedene Stellungen in den rumänischen Fürstentümern und siedelt dann nach Wien über. Korais, der »Lehrer der Nation«, ist zunächst einmal klass. Philologe – zahlreiche seiner wichtigsten Schriften sind Prolegomena zu altgriech. Klassikern, die er in seiner Ἑλληνικὴ Βιβλιοθήκη (1807 ff.) herausgibt, so auch sein wichtigstes novellistisches Werk, der *Pa-patrechas* (1811), der seiner unvollendeten Homerausgabe vorgeschaltet ist. Für Korais ist Griechenlands Größe in der Ant. zu suchen – und nur die Ausrichtung an den ant. Mustern kann Griechenland, dessen *état actuel* er in einer berühmten Frz. geschriebenen Abhandlung beklagt (1803), aus seiner gegenwärtigen Misere führen. Liberaler Demokrat, emsiger Briefschreiber und mit fast allen bedeutenden griech. Intellektuellen in Briefkontakt, gerät er notgedrungen in Konflikt mit der orthodoxen Kirche (s.u.). Sprachlich steuert er einen mittleren Kurs: Weder die überkommene Hochsprache noch die Volkssprache können die Bildung des Griechentums leisten, sondern ein Kompromiß, der in gewissem Sinne am Beginn der Katharevusa steht. Korais erwartet, optimistischer Aufklärer, von einer intensiven Pflege und Verschönerung der Volkssprache mit Hilfe der ant. Normsprache die Lösung des damaligen Sprachkonflikts.

Rigas hingegen verkörpert die revolutionäre Seite der Aufklärung: Die Erfolge Napoleons in It. veranlassen ihn zu aktiver Unterstützung der Frz. Revolution und zur Abfassung von lange wirkenden Schriften: der zwölfteiligen Χάρτα τῆς Ἑλλάδος (Wien 1797), die mit dem expliziten Hinweis auf die ant. Vergangenheit und ihre Stätten den Aufruf zur Wiedergeburt verbindet, und seinem *Neuen polit. Statut* von 1797, das nicht nur eine Übers. der frz. Verfassungen von 1793 und 95 und der ›droits de l'homme et du citoyen‹ darstellt, sondern auch seinen berühmten Θούριος (vgl. Aischyl. Sept. 42; Pers. 72 und Hom. Il. 15,127), der die unterworfenen Balkanvölker – auch die Türken! – zum Aufstand gegen die Sultansherrschaft anstacheln wollte. Sprachlich vertritt Rigas die Volkssprache, polit. schwebt ihm ein revolutionärer Balkanbund unter griech. kultureller Führung vor, im Grunde ein erneuertes Osmanisches Reich mit weitreichender rel. Toleranz. Das *ancien régime* hüben und drüben reagierte auf Rigas nervös: 1798 verhafteten ihn die Österreicher in Triest und lieferten ihn an die Osmanen aus, die ihn noch im gleichen Jahr in Belgrad hinrichten ließen. Gegen die jakobinischen Strömungen und den »Atheismus« à la Rigas (der in der Tat vom ἀνώτατο ὄν, dem »höchsten Wesen« der Jakobiner gesprochen hatte) verfaßte A. Parios (1721–1813) unter dem Pseudonym des Patriarchen Anthimos von Jerusalem und unter Billigung Gregors, des Patriarchen von Konstantinopel, die διδασκαλία πατρική (1797, 2. Aufl. 1798, gedr. in Konstantinopel), worin er die orthodoxe Herde vor derartigen Umtrieben warnte und das Vorgehen gegen subversive Kräfte rechtfertigte [8]. Dagegen schrieb noch im gleichen J., freilich unter dem Deckmantel der Anonymität, Korais seine ἀδελφικὴ διδασκαλία, die Rigas rechtfertigte. An Gattungen pflegt die griech. Aufklärung die auch im Westen beliebten Gattungen: Essais (Korais, Katartzis, Moisiodax); Briefwechsel (Korais); die positiven Wiss. (Rigas beschäftigt sich mit Kartographie (s.o.), verfaßt eine Einführung in die Physik);

Geographie (Γεωγραφία νεωτερική von Philippides/Konstantas, Wien 1791; A. Psalidas verfaßt mit K. Thesprotos eine Geogr. Epiros' und Albaniens, 1830). Die Neigung der Zeit zu philos.-polit. Debatten à la Montesquieu spiegelt z.B. die anon. Ἑλληνικὴ νομαρχία (1806) wieder. Die schöne Lit. kommt da etwas zu kurz: Rigas übersetzt Restif de la Bretonne (σχολεῖον τῶν ντελικάτων ἐραστῶν), Nachahmungen türk. Liedlyrik erscheinen hier und in den anon. Ἔρωτος ἀποτελέσματα. Die Lyrik ist sonst wenig bedeutend: Bis zu Kalvos' Oden (1824/1826) bleibt die Anakreontik in ihrer it. Variante verpflichtend (Christopulos; Vilaras); selbst Solomos (s.u.) ist ihr anfänglich verpflichtet. Kalvos' auch innerhalb seines Œuvres singulärer Versuch, der stark an Pindar anknüpft, steht jedoch schon an der Schwelle zur Romantik. Drängend bleibt das Sprachproblem (→ Griechenland): Christopulos rechtfertigt seinen Gebrauch der Volkssprache mit dem Rückgriff auf die ant. Dialekte Äolisch und Dorisch, von denen das Ngriech. angeblich abstamme, bleibt also im »Antikediskurs«. Vilaras, am Hofe Ali Paschas in Jannina tätig, will die ant. Normsprache – selbst ihre Orthographie – ganz abschaffen. Singulär bleibt das Epos auf Ali Pascha, die *Alipasiada* des Chatzi Sechretis, der die Taten Alis in einem Versepos von vielen tausend Fünfzehnsilbern besang, deutlich muslimisch ausgerichtet und von der Volksdichtung inspiriert, aber doch nicht ohne homer. Reminiszenzen [30].

Einen Sonderfall stellt die kirchliche Aufklärung des späten 18. Jh. dar [36; 1]. Dieses Phänomen ist in seiner Bed. und Tragweite im einzelnen umstritten; unklar ist, ob überhaupt eine Dominanz aufklärerischen Gedankenguts außerhalb der Auseinandersetzung mit westl. Gedankengut vorliegt. Die bulgarische, makedonische und albanische Forsch. geht jedoch von solchen Tendenzen aus, die zu dieser Zeit die »nationale Wiedergeburt« ihrer Völker eingeleitet hätten. Sicher ist, daß die Rezeption der europ. Aufklärung durch den gräkophon gebildeten Klerus von einer verstärkten Hinwendung zu den eher ungebildeten Gruppen der orthodoxen Herde in der Provinz begleitet wird: Erneuerte Betonung des patristisch-asketischen Erbes (Φιλοκαλία des Makarios von Korinth und Nikolaos Hagioritis [36. 373 f.]; gedr. Venedig 1782, früh ins Slawische und Rumänische übersetzt); Bekämpfung von Synkretismus und »Ketzern« auf dem Lande (Kosmas Ätolos, 1714–1779 [36. 343 f.]); apokalyptische Visionen vom Zerfall des Osmanischen Reiches (Ἀγαθάγγελος des Theokletos Polyeides von 1751 [30. 336 f.], gedr. Athen 1837 und bis h. populär); v. a. aber Hebung der Volksbildung: So verfaßt Theodor Kavalliotis ein griech.-aromunisch-albanisches Glossar (gedr. Venedig 1770) [19], Daniel Moschopolites läßt 1794 (2. Aufl. 1802) in Venedig sein Λεξικὸν τετράγλωσσον drucken, in dem noch (West-)Bulgarisch hinzutritt. Die Freude der Sprachwissenschaftler und mod. Nationalphilol. an dieser Produktion darf über ihre Intention nicht hinwegtäuschen: Hier soll Aromunen, Bulgaren und Albanern das Griech. der Kirche vermittelt werden, nicht eine Förderung anderer Ethnien über ihre Sprache erreicht werden. Die sprachlich-ideologische Wiedergeburt der anderen Balkanvölker entsteht folglich zumeist als *Gegenreaktion* gegen das griech. dominierte ekklesiastische Schulwesen und die erneute Gräzisierung des Balkans im Rahmen der südost-europ. Aufklärung. Eigentlich aufklärerische Tendenzen sind in dieser von Geistlichen getragenen Produktion schwer auszumachen.

Somit erweist sich das Erbe der griech. Aufklärung als schwierig: In gewissem Sinne sägte sie an dem Ast, auf dem sie saß. Die brüderliche Befreiung der balkanischen Nachbarn unter griech. Führung mißlang, 1821 folgten die Rumänen dem Aufruf Ypsilantis' nicht – zu sehr waren die Griechen Teil des osmanischen Systems. Die einseitige Orientierung an der mit westl. Augen gesehenen Ant. – überdeutlich am Sprachenstreit – sollte das kulturelle Klima bis tief ins 20. Jh. prägen: Die antikisierende Regräzisierung Griechenlands durchzieht die folgenden Jahrhunderte. Ideologisch ist deutlich, daß sie die Herkunft der alten und – nach 1821 – neuen, phanariotischen Oberschicht aus dem Osmanischen Reich propagandistisch verdecken sollte. Osmanische Kultur wurde und wird seither in Griechenland nicht als Erbe verstanden, obwohl die orthodoxen Kirchen des Balkans in ihrer mod. Gestalt auf die osmanischen Verhältnisse zurückgehen und osmanische Folklore die Alltagskultur prägt (Rembétiko). Andererseits hat die Pflege der ant. Normsprache diese zum letzten Mal in der griech. Geschichte für die mod. Terminologie von Wiss. und Technik fruchtbar gemacht. Wörter der polit. Moderne wie σύνταγμα und κυβέρνησις sind Rückgriffe, die die damals längst populäreren Ausdrücke wie it. *guverno* usw. wieder ablösten. Manches davon gelangte auch zu den Völkern des Balkans.

D. IM NATIONALSTAAT

Bedeutete die Osmanenzeit in vielerlei Hinsicht die Perpetuierung spätbyz. Verhältnisse, stellt sich die Frage, inwieweit die n.L. nach dem Befreiungskrieg (1821 ff.) und der Gründung des Nationalstaats Fortsetzung oder Neubeginn ist: Ἕνας νέος κόσμος γεννιέται [7] oder ›Es muß sich alles ändern, damit alles so bleibt wie es ist‹? (G. T. di Lampedusa, *Der Leopard*). Entscheidende Frage ist dabei, ob die n.L. nunmehr und ab wann als Nationallit. verstanden werden kann, und welche Rolle der ngriech. Antikediskurs dabei spielt. Folgende Punkte sind beachtenswert:

Die Entstehung eines ngriech. Nationalstaates und die darauffolgende polit. Entwicklung bis ins 20. Jh. lassen sich als Prozeß begreifen, durch den einerseits zahlreiche Minderheiten auf dem Territorium des Staates massakriert (Moslems und Juden während des Befreiungskrieges), vertrieben (Türken nach Annexion Thessaliens 1881, Muslime im griech. Teil Makedoniens nach 1913) oder massiver Hellenisierung ausgesetzt waren (Albaner, Aromunen und Slawophone christl. Glaubens bis h.). Andererseits wurden zahlreiche Grie-

chen oder hellenisierte Angehörige des Osmanischen Reiches aus den dort entstehenden Ländern (Türkei, Bulgarien, Albanien, Ägypten) Pogromen ausgesetzt oder gewaltsam ausgesiedelt: antigriech. Ausschreitungen in Konstantinopel 1821, Aussiedlung von Griechen aus Rumelien seit den 1870er J., 1922/23 die systematische Vertreibung aus Kleinasien (über eine Million Menschen), 1956 antigriech. Ausschreitungen in Istanbul und Massenexodus aus Alexandria. Auch der Zypernkonflikt gehört letztlich hierher. Mit anderen Worten: In Südosteuropa führt die Durchsetzung des Nationalstaates letztendlich dazu, daß seit dem 20. Jh. (entscheidend: 1922/23) die Mehrheit der Griechen nunmehr in dem 1830 entstandenen Staat lebt. Das hat für die n.L. entscheidende Konsequenzen: Ihr Rezeptionsradius wird deutlich kleiner. War Griechisch um 1800 die zweite Sprache eines Weltreiches, die auch von vielen Moslems beherrscht wurde, so machten die genannten Prozesse, die freilich allmählich verlaufen und erst durch den Ersten Weltkrieg in ihre Endphase eintreten, aus dem ngriech. Lesepublikum und damit seiner Lit. eine periphere Kleinlit. am Südost-Rand der EU. Entscheidend dabei war auch die Dissoziierung griech. Sprache und Kultur vom Patriarchat: Die Gründung der griech. Nationalkirche durch die Bayern 1833 [25] und die Entstehung des bulgarischen Exarchats 1870 haben die Rolle des Griech. als Sprache der orthodoxen Kirchen stark reduziert.

So führt die Nationalisierung der n.L. zu einer gewissen Provinzialisierung, freilich nicht im Sinne eines hermetischen Abgeschlossenseins gegenüber westl. Strömungen oder permanenter Selbstbezogenheit, dem nur wenige Autoren fröhnen, sondern zu einem dauernden Schauen auch und gerade »nationaler« Autoren auf westl. Vorbilder. Nach 1821 folgt die n.L., gewöhnlich etwas verspätet, dem Rhythmus der europ., bis zum Zweiten Weltkrieg im allgemeinen dem der frz. Literatur. Die griech. Avantgarden stehen dabei in stetem Kontakt mit europ. Entsprechungen, leben häufig länger oder immer im Ausland und sind in der Regel mehrerer westl. Sprachen mächtig, hier die phanariotische Trad. fortsetzend. Übersetzungen nehmen einen großen Raum ein [31]; auch bedeutende »nationale« Schriftsteller betätigen sich darin (Papadiamantis, Kazantzakis). Die periphere Situation der ngriech. Nationallit. ist also auch an den Besonderheiten ihrer Rezeption im Ausland ablesbar: Der Rückgang der Griechischkenntnisse und die Durchsetzung der Volkssprache machen die Lektüre und Übers. n.L. seit dem 19. Jh. zu einer Sache der Spezialisten oder auslandsgriech. Kolonien. Dies führt zu manchen Verzerrungen und Einseitigkeiten (Kazantzakisrezeption).

Somit ist es nur auf den ersten Blick paradox, daß das Pochen auf Kontinuität im Sinne einer Nationallit. seit der Ant. an den Verlust dessen, was einst Ἑλληνισμός genannt wurde, gekoppelt ist. Hatte für Korais und Rigas der Antikebezug einen befreiungspolit. Aspekt, so ist dieser seit der griech. Romantik (s.u.) zu einer expansionistischen Ideologie geworden, der sich nur Wenige entziehen konnten. Literarisch bedeutet dies, daß die Verwendung ant. Themen, Anspielungen, Gattungen und Versatzstücke in der n.L. omnipräsent ist: Es ist schwierig, einen Autor zu finden, der sich dem verschlösse, und eine Aufzählung geriete leicht zu einem »Who is Who« der n.L. Schon die überwiegende Verwendung der ant. Normsprache auch für die Schöne Lit. bis ca. 1900, als Sprache von Wiss. und Bürokratie bis in die 80er J. des 20. Jh., der Kirche bis h., macht die Ant. und die byz. Trad. im gewissen Sinne allgegenwärtig und hat gerade dadurch eine tiefergehende Auseinandersetzung häufig vermieden. Dies gilt nicht nur für die hohe Lit.: Trivial-, Kinder – und Jugend-Lit., polit. Traktätchen und Agitationsschriften, nicht zuletzt die Schule, rekurrieren fast immer auf die Ant., wie zuletzt die »Wiedergeburt« Alexanders d. Gr. in den 90er J. gezeigt hat. Dies verleiht der n.L. in ihren besten Vertretern eine deutliche Tiefendimension: Anspielungen gehören hier zum Handwerk. Griechenland ist, stärker noch als It., das Land, wo Kenntnis der Ant. bis h. im lit. Betrieb am meisten verbreitet ist, und sei es in Parodie und Travestie: Die Diglossie ließ und läßt sich trefflich zu Zwecken der Satire und Travestie ausschlachten. Doch ist auch Vorsicht geboten: Die n.L. nur oder auch überwiegend unter ant. Aspekt zu betrachten, führt leicht in eine Sackgasse; das bloße Jagen nach Topoi verstellt, wie schon bei der byz. Lit., häufig den Blick darauf, welchen Stellenwert die Ant. im Werk dieses oder jenes Autors und seiner Epoche einnimmt. Hier ist eine funktionalistische Betrachtung angebracht, um eine bloße Liste zu vermeiden.

Die n.L. nach 1880 läßt sich zeitlich bequem in drei Perioden einteilen, ohne Zusamengehöriges allzusehr zu trennen: bis ca. 1880; bis zur »Kleinasiatischen Katastrophe« von 1922/23; Moderne. Bei letzterer wird im allgemeinen zw. der Generation von 1930, der ersten und der zweiten (»Generation von 1970«) Nachkriegsgeneration unterschieden, die deutlich von den J. der Junta (1967–1974) geprägt wurde. Diese Einteilung wird hier aus praktischen Gründen in etwa beibehalten.

1. ROMANTIK

Wie in It. auch, ist die griech. Romantik, die mit der it. durch zahlreiche, auch persönlich Bindungen verbunden ist (so war Kalvos 1812 – 17 Sekretär von Ugo Foscolo, die »heptanisiotischen« Dichter aus Korfu, Zakynthos usw., in venezianischer Trad. alle zweisprachig), sehr »klass.« ausgerichtet; ein Bruch mit der Ant. soll gerade vermieden werden. Allerdings sind die Ausgangsbedingungen der griech. Romantik andere als die des *risorgimento*: 1830 war ein winziger, polit. ohnmächtiger Staat entstanden, dem von den Großmächten eine fremde und katholische Dynastie oktroyiert wurde; daran änderte weder die konstitutionelle Monarchie von 1843, noch die Gewinnung der ionischen Inseln nach dem Dynastiewechsel (1864), noch die ersten Territorialgewinne (Thessalien) nach dem Berliner Kongress etwas. Die Hoffnungen der Kämpfer und jungen

Intellektuellen, die im Geiste Rigas' und Korais' angetreten waren, sahen sich bitter enttäuscht. Es herrschte ein erstickend illiberales Klima, und der revolutionäre Antikekult der Aufklärung wurde in ein ideologisches Gebilde überführt, das als Μεγάλη Ἰδέα die polit. und kulturellen Bestrebungen der Griechen zumindest bis 1922/23 beherrschen sollte: Aus der ant. Trad. und ihrer Wiederbelebung, verbunden mit den ersten Bestrebungen, die byz. Trad. zu reetablieren (s.u.), wurde der Anspruch abgeleitet, das Osmanische Reich als griech. Nationalstaat auf dem Balkan und Kleinasien zu beerben. Es ist klar, daß dieser irredentistischen Ideologie alle Züge einer Ersatzbefriedigung anhafteten, und einsichtige Zeitgenossen, wie N. Dragoumis, haben dies auch in voller Schärfe erkannt [11]: Die hymnische Verklärung der Ant. und die Identifizierung der Neugriechen mit ihren ant. »Vorfahren« waren lediglich Zeichen einer tiefen kulturellen Verunsicherung angesichts der Tatsache, daß die Befreiung von den »Türken« mehr Probleme geschaffen als gelöst hatte.

Kulturell führend im neuen Staat und Athen wurden bald die Phanarioten, die in den ersten fünfzig J. eine vielbeklagte kulturelle Hegemonie ausübten. Obwohl in ihrem Archaismus Korais bald weit überflügelnd, obwohl sprachlich und thematisch stark der Ant. verpflichtet, ist vor 1880 kein lit. Werk entstanden, in dem eine produktive Auseinandersetzung mit der Ant. zu einem bedeutenden Kunstwerk geführt hätte. Fast alle poetischen Werke dieser Zeit haben h. nur noch histor. Bed.: Die Brüder Alexandros (1803–1863) und Panayotis (1806–1868) Soutsos sind als Kritiker, Lyriker und Dramatiker tätig; A.R. Rangavis (1809–1892) mit seiner immensen Produktion deckt fast alle lit. Bereiche ab. In den Versuchen, das ant. Drama wiederzubeleben (A. Soutsos: Ὀρέστης, 1823, ed. M. Catica-Vassi; I.R. Neroulos, 1778–1849: Ἀσπασία, 1811; Πολυξένη, 1814; I. Zambelios: Τιμολέων 1818) – der starke Einfluß Alfieris ist überall zu spüren –, wird die Gleichsetzung der Helden von 1821 mit den ant. »Vorvätern« festgeschrieben. Ähnlich ist der Tenor in dem epischen Gedicht in vier Gesängen des A. Soutsos: Τουρκομάχος Ἑλλάς (1850). Rangavis läßt sich bei seinem antikisierenden Gedicht Διονυσίου πλοῦς (1864) nicht nur von der an. Lit., sondern auch von arch. Denkmälern des neuerstandenen »klass.« Athen beeinflussen (Lysikratesdenkmal). Inszenierungsplatz sind die jährlichen (seit 1851) Dichterwettkämpfe der Athener Univ., denen z.T. Rangavis vorsitzt (vernichtende Kritik bei E. Rhoidis, 1877, s.u.). Prämiert werden in der Regel hochsprachliche Gedichte patriotischen Inhalts und antikisierender Form; die kretische Lit. und die »Heptanesische Schule« werden abgelehnt. Eigene Wege geht hingegen die Prosa: Massive Übers. europ., v.a. frz. Romane [49. 261; 31] führen zur Entstehung des realistischen (*Th. Vlekas* von P. Kalligas, 1855), des Schelmen- (Gr. Palaiologos, s.o.) und des Histor. Romans in der Nachfolge W. Scotts. Aber gerade seine besten Vertreter wählen ein byz. (Ὁ αὐθέντης τοῦ Μωριᾶ, 1850, A.R. Rangavis) oder aktuelles Sujet (K. Ramphos). Die Gelehrsamkeit und patriotische Grundstimmung dieser Lit. führt gegen E. der Periode zu ihrer vielleicht gelungensten Parodie: der *Päpstin Johanna* (1866) von I. Rhoidis, dem Vorkämpfer für die Dimotiki, der doch stets in Katharevusa schrieb. Diese von Gelehrsamkeit strotzende Satire auf den Historismus und seine patriotischen Implikationen und die kirchlichen Autoritäten, die dem Autor einen Aufschrei dieser Mächte und einen Prozeß eintrug, wurde folgerichtig von A. Jarry (*Ubu Roy*) ins Frz. und L. Durell ins Engl. (*Pope Joan*) übertragen. Das Thema erfreut sich gerade neuerdings im Zeichen des Feminismus großer Beliebtheit [9]. Vorboten der folgenden Zeit sind die ersten Versuche, die byz. Vergangenheit, freilich national gefärbt, und die Volkstrad. wiederzuentdecken: So veröffentlichte Sp. Zambelios Volkslieder (1852) [18] und verfaßte Arbeiten zur byz. Geschichte (Βυζαντινὲς Μελέτες, 1857). K. Paparrhigopulos veröffentlichte seine vielbändige *Geschichte der griech. Nation/Volkes* zw. 1860 und 1872 (→ Griechenland). Seit den 60er J. kam es auch zu einer Wiederbelebung des ant. Dramas durch Aufführungen der ant. Klassiker (Charamanos). Allerdings behinderte das Sprachproblem lange Zeit eine volle Entfaltung: Noch 1908 kam es in der Hauptstadt zu Unruhen wegen einer, keineswegs in Dimotiki gehaltenen, Orestieaufführung; großen Erfolg hatte Μερόπη von Bernardakis (1866). Eigenständig, wenn auch nicht isoliert, blieb die »ionische Schule«, die nicht von den Moden der Athener »Szene« abhängig war; ihr Archeget, D. Solomos, schöpfte seine Inspiration, trotz des Antikekults von Lord Guilford (→ Griechenland) und bisweilen pindarischer Töne, in erster Linie aus der Volkspoesie und der kretischen Trad.; den Rahmen bildete für ihn die it. und dt. Romantik. Nach seinem Tod ist eine gewisse Erstarrung dieser Schule nicht zu übersehen, und manche seiner Schüler fanden nach 1864 den Weg in die Athener Lit., pflegten freilich die Dimotiki, so A. Valaoritis (1824–79). Das gelungenste Drama dieser Schule, Ὁ Βασιλικός von A. Matesis (1830), ist jedoch außer den lokalen v. a. den Trad. der *commedia dell'arte* und Goldoni verpflichtet und hat kein ant. Thema. Poetisch ist diese Epoche mit der bedeutenden Ausnahme Solomos', wenig bedeutsam; besser steht nur die Prosa da. Ideologisch hat sie dem jungen Staat freilich eine schwere Erblast hinterlassen, die bis h. nachwirkt: den Anspruch, die Ant. kontinuierlich und exklusiv fortzusetzen, unter nationalen Vorzeichen. Wenige Zeremonien sind dafür so deutlich wie die Überführung der Gebeine des Patriarchen Gregorios V., der die Schrift des A. Parios (s.o.) gegen Rigas, Liberalismus und Nationalstaat in der Patriarchatsdruckerei hatte erscheinen lassen, nach Athen im J. 1872 und die Aufstellung seiner Statue neben der des Rigas vor der Universität. Die Rezitation seines von der Univ. bestellten Festgedichts besorgte Valaoritis selbst, der König rief dreimal ›Es lebe die griech. Nation‹; so wurde das Denkmal eingeweiht [49. 253 f. m. Anm.].

2. Im Zeichen der »Grossen Idee«

Die nun folgende Epoche wird, v. a. von Vertretern der Dimotiki, gerne als Bruch mit der vorangehenden aufgefaßt [49; 37]. Dies ist jedoch nur z. T. gerechtfertigt: Zwar sind die Veränderungen im lit. Feld (i. S. P. Bourdieus) unübersehbar: Der Sprachenstreit erfährt durch den autobiographischen Reisebericht des Jannis Psycharis (Τὸ ταξίδι μου, 1888) in der Volkssprache eine Zuspitzung – der Autor, Archeget des δημοτικισμός, lebte zumeist in Paris. Die Dimotiki setzt sich nunmehr für die Dichtung, für die Kunstprosa nur zaghaft, durch; die byz. Vergangenheit und die mit dieser verbundene Volkstrad. rückten in den Rang eines anerkannten Vorbildes auf. Charakteristisch für die Epoche ist jedoch, daß ihre lit. Schlüsselfigur bis zum Ersten Weltkrieg kein Dichter (zu K. Palamas, s.u.) oder Prosaautor, keine Schule ist, sondern ein in Deutschland ausgebildeter Professor für Volkskunde, Nikolaos Politis (1852 – 1918). Außer einer fruchtbaren Sammel- und Editionstätigkeit auf allen Gebieten seines Faches, die auch die nichtgriech. Trad. des Balkan einbezog, stand er mit den wichtigsten Literaten seiner Zeit, v. a. K. Palamas, in engem Kontakt und hatte entscheidenden Einfluß auf die damalige Literaturszene. So verlieh er der neuentstandenen Gattung des ἐθνογραφικὸ διήγημα (*Erzählung aus dem Volksleben*) entscheidende Impulse duch Aussetzung eines Preises, der mit den etablierten Dichterkämpfen in Konkurrenz trat. Die Volkskunde ist denn auch die Schlüsselwiss. jener Jahre [18. 97 ff.]. Am deutlichsten sind ihre Spuren in der neuen Erzählgattung zu verfolgen, die bis Anf. des 20. Jh. die wichtigste Prosagattung bildete und die in ihren besten Vertretern die Realität des griech. Dorflebens schonungslos darstellte – am plastischsten wohl bei A. Papadiamantis (1851–1911), dessen φόνισσα von 1903 durchaus eine feministische Lektüre verträgt. Dabei stand ihr Autor, tiefrel. und von der Insel Skiathos stammend, ganz in der byz. Trad. und schrieb in Katharevusa. Dies tat auch G. Vizyinos (1849–1896), der aus dem damals türk. Thrakien stammte und die Grenzen des Genres bereits mehrfach überschritt. Einige seiner Novellen spielen in Konstantinopel, und seine Erzählung *Die Folgen der alten Geschichte* in Deutschland, wo der Autor selber von 1874–1882 studiert hatte; die dort gegebene Schilderung des dt. Professorenmilieus am E. des 19. Jh. mit den bildungsbürgerlichen Homerzitaten in dt. Aussprache (bei Vizyinos griech. transkribiert!) ist h. noch lesenswert. In jener Zeit (1911) entsteht auch einer der ersten ngriech. Jugendromane, Στὸν καιρὸ τοῦ Βουλγαροκτόνου (*In den Tagen des Bulgarentöters*, Basileios II.) von Penelope Delta (1874–1941). Seine Autorin, aus einer sehr reichen griech.-ägypt. Familie stammend und expansionistische Ziele vehement verfechtend, projiziert (in der Volkssprache) die damaligen Konflikte um Makedonien mit Bulgarien in die Zeit eines »national« verstandenen »griech.« MA und hatte damit enormen Erfolg. Gleichwohl nahm die Dichtung damals noch eine führende Rolle ein: K. Palamas (1859–1943) ist der erste in Athen lebende Dichter, der, konsequent die Anregungen der kretischen Lit. und der Schule Solomos' aufnehmend, die Volkssprache benützt und eine neue, produktive Auseinandersetzung mit der Trad., und zwar auch der ant., einläutet. Noch jung, schreibt er 1889 einen Hymnos an Athena, verfaßt für die olympischen Spiele 1896 in Athen das Festgedicht, in dem das Ἀρχαῖον Πνεῦμα herabgerufen wird, und beschwört v. a. in seinen späteren Sammlungen, *Die Flöte des Kaisers* (1910) und *Die Zwölf Reden des Zigeuners* (1907) die Einheit der ant., byz. und volkstümlichen Vergangenheit. Dabei verwendet er bewußt das byz. Versmaß, den 15-Silber. Trotz dieses »nationalen« Charakters von Palamas – der ihn ziemlich unübersetzbar macht – nahm er Anregungen vom frz. Parnassismus und Symbolismus auf. Einen weiteren Vertreter dieser Generation brachte der frz. Parnassismus und sein Antikekult dazu, nach einem Gedichtband in der Hochsprache nunmehr ausschließlich Frz. zu schreiben (Jean Moréas, alias J. Papadiamandopulos, 1856–1910).

Obwohl stark patriotisch ausgerichtet, kann Palamas nicht als simpler Chauvinist bezeichnet werden [49. 285]. Daß aber die intellektuelle und polit. Aufbruchsstimmung in der Lit. um 1890 und, nach der Niederlage gegen das Osmanische Reich von 1897, im Vorfeld der Balkankriege 1912/13 nicht isoliert gesehen werden darf, geht aus der Tatsache hervor, daß wichtige Intellektuelle der damaligen Zeit, wie Politis, Palamas, der Linguist G. Chatzidakis und der Historiker Sp. Lambros durch zahlreiche universitäre und außeruniversitäre Institutionen und Vereine miteinander verbunden waren, die eindeutig expansionistische Ziele in der Nachfolge der Μεγάλη Ἰδέα vertraten, als klar wurde, daß das Osmanische Reich früher oder später aufgeteilt werden würde [13]. Der Grundtenor dieser Lit. wurde auch an jüngere Dichter weitergegeben, die z. T. schon den Strömungen der europ. »décadence« verpflichtet sind: A. Sikelianos (1884–1951) stammte von den ionischen Inseln und verbrachte einige Zeit mit einer Gruppe von jungen Amerikanern am Fusse des Hymettos, die dort, entfernt den Bestrebungen des *monte verità* vergleichbar, das ant. Leben wiederzubeleben trachteten. Die Tänzerin Isadora Duncan lebte eine Zeitlang ebenfalls dort und hat in ihren Memoiren ein lebendiges Bild dieser Zeit um die letzte Jh.-Wende hinterlassen: Man trug altgriech. Kleidung, rezitierte ant. Lyrik, sang byz. Kirchengesänge, etc. Sikelianos, dessen Schwester den Bruder von I. Duncan heiratete, war davon tief geprägt: Ablehnung des mod. Rationalismus als Voraussetzung der Befreiung des zeitgenössischen Menschen unter Berufung auf eine schon nietzscheanisch gesehene Antike. So versuchte er, ganz in der Pose des *poeta vates*, das ant. Drama in Delphi wiederzubeleben (dort wurden 1927 »delphische Feiern« abgehalten, wo auch der *Gefesselte Prometheus* aufgeführt wurde). Eines seiner bedeutendsten Werke, Τὸ Πάσχα τῶν Ἑλλήνων, ist in den ersten drei Gesängen ganz »heidnisch« geprägt, danach wird dithyrambisch das Wirken der Gottesmutter und Jesu in Palästina besungen, wobei Sikelianos stark auf die apokryphe Evangelientrad. aus Byzanz zurückgreift. Sikelianos behielt diese Haltung stets bei, und verfaßte noch in der Besatzungszeit während des Zweiten Weltkriegs Lieder für den Widerstand. Auch N. Kazantzakis (1883–1957) gehört in seinen Anf. in diese Epoche, auch wenn seine Romane erst nach dem Zweiten Weltkrieg erschienen. Noch stärker als Sikelianos ist er den Einflüssen Nietzsches und Bergsons verhaftet; wie Sikelianos verfaßte er mehrere Dramen mit ant. Thematik (so eine Dreiteilige Promethie, 1945 ff.). Als sein Hauptwerk betrachtete er jedoch seine Ὀδύσσεια(1938), die Homers Werk an Umfang noch übertreffen sollte: Hier wird in über 33 333 Versen die Fortsetzung der ant. Odyssee erzählt, bis zum Tode des Helden. Das Ergebnis ist philos. interessant, freilich künstlerisch wenig geglückt. Sein Blick (der »kretische«) auf die griech. Trad. ist stark von seiner Beschäftigung mit der zeitgenössischen Philos., dem Marxismus und Buddhismus geprägt, so daß die Rezeption seiner Romane wie *Alexis Zorbas*, die diesen philos. Hintergrund reflektieren, im Westen als »typisch neugriech.« eher befremdlich erscheint.

Zusammenfassend läßt sich sagen, daß ein ideologischer Bruch mit der romantischen Epoche nicht gegeben ist: Zwar schreiben Palamas usw. in der Volkssprache, aber das romantische Pathos bleibt bestehen, und die volkstümelnde, im Grunde geschraubte Berufsdimotiki jener Zeit mit ihren zahlreichen Nominalkomposita und manchmal verkrampften Nachahmung der Volksdichtung erscheint bisweilen nicht weniger künstlich als die antikisierende Poesie der Soutsoi. Die – überfällige – Integration des byz. Erbes und der Volkstrad. verstärkte eher noch den Kontinuitätsmythos als ihn zu überwinden (und hatte Vorläufer). Lediglich scheinbar gaben die erfolgreichen Balkankriege dem patriotischen Tenor »recht«, wie sich später zeigen sollte. Nur ein Dichter entzog sich konsequent dem damaligen Athener Literaturbetrieb: K. Kavafis lebte Zeit seines Lebens (1863–1933), bis auf ein Intermezzo in England und Instanbul, in Alexandrien. Das Griech. war nur eine der zahlreichen Sprachen, die er, Abkömmling einer phanariotischen Familie, beherrschte. Die formale Schulung an der damaligen frz. Lyrik ist bei ihm denn auch deutlich, thematisch dominiert freilich die Antike. Allerdings gerade nicht als affirmative Kulisse, sondern die von ihm bevorzugte hell. Epoche Alexandrias und ihre lit. Gattungen dienen ihm als Hintergrund, um die Isolation des mod. Menschen und seine Verlorenheit in der Großstadt darzustellen. Seine Neigung zum »verbotenen« Genuß, beispielhaft am Thema der »skandalösen« Homosexualität behandelt, reiht ihn in die Reihe der Dichter der europ. »décadence« ein. Doch ist seine Sprache knapp, ohne Purismus, weder in Richtung Katharevusa noch programmatischer Dimotiki verbogen, und gerade daher h. lesbar; der Fünfzehnsilber ist aufgegeben. Erst gegen E. seines Lebens in Griechenland bekannter geworden (Palamas lehnte ihn ab), ist er sehr früh im frz. und engl. Bereich als einer der größten Dichter des 20. Jh. bekannt geworden, in England z.B. durch L. Durrell; in Deutschland ist seine Rezeption bis h. verzögert, wenn auch durch eine zweisprachige Gesamtausgabe inzwischen erleichtert [24].

3. Nach der nationalen Katastrophe

Die Vertreibung der gesamten griech.- orthodoxen (nicht gräkophonen!) Bevölkerung des Osmanischen Reiches (mit Ausnahme Konstantinopels/Istanbuls und der Inseln Imbros und Tenedos – dies wurde später »nachgeholt«) bedeutete den endgültigen Bruch mit dem polit. Ideal der »Großen Idee«. Es war daher kein Wunder, daß in den 20er J. mit ihren polit. Krisen und der Flüchtlingsproblematik zunächst allgemeine Resignation und Pessimismus herrschten. Literarisch nach ihrem Archegeten »Karyotakismos« benannt (nach K. Karyotakis 1896–1928), traten die Dichter der nun folgenden Generation, der γεννιά τοῦ 30, gegen diesen selbstverliebten Nihilismus an, mit dem sie sich gleichwohl auseinandersetzen mußten. Ihr bedeutendster dichterischer Vertreter ist zweifellos G. Seferis (Eig. Seferiadis, 1900–1971), dessen erste Gedichtsammlung Στροφή 1931 erschien. Sowohl in dem, was er der Trad. entnimmt, als auch in seinen Neuerungen, nicht zuletzt seiner Herkunft nach, ist er repräsentativ für seine Epoche: Er stammte aus Smyrna/Izmir, das in seiner Abwesenheit 1922 von den Truppen Atatürks in Brand gesetzt und zerstört, seine griech. und armenische Bevölkerung vertrieben oder massakriert wurde. Seferis wurde Diplomat und verbrachte lange J. im Ausland. Obwohl es falsch wäre, den Autor und sein Werk ausschließlich unter dem Gesichtspunkt der »Katastrophe« zu lesen, so hat das E. des kleinasiatischen Griechentums doch eine unbezweifelbare Wirkung auf ihn ausgeübt: Zwar ist Seferis in der gesamten griech. Trad. wohlbewandert, doch ist für ihn diese Trad. nicht mehr »national« oder gar nationalistisch verfügbar. Deutlich wird dies z.B. in dem Gedicht aus der Sammlung μυθιστόρημα (ι', Z. 12 ff., 1935): Ο τόπος μας είναι κλειστός. Τον κλείνουν / οι δυὸ μαύρες Συμπληγάδες. Στα λιμάνια / την Κυριακή σαν κατεβούμε να ανασάνουμε / βλέπουμε να φωτίζονται στο ηλιόγερμα / σπασμένα ξύλα απο ταξίδια που δεν τέλειωσαν / σώματα που δεν ξέρουν πια ν'αγαπήσουν. (»Unser Ort ist verschlossen. Ihn verschließen / Die beiden schwarzen Symplegaden. In den Häfen / Wenn wir sonntags hinuntergehen um aufzuatmen / Sehen wir, daß in der sinkenden Sonne beleuchtet wurden / Zerbrochene Hölzer von Reisen, die nicht endeten / Körper, die nicht mehr wissen zu lieben«).

Obwohl die Gedichtsammlung in homer. Trad. 24 Gesänge umfaßt, scheint der nationale Mythos bei Seferis zerbrochen, die Kontinuität des Griechentums nur noch in der ἀφή des dichterischen Subjekts erfahrbar oder kurz, an »entlegenen« Plätzen wie Zypern, die außerhalb des ngriech. Staates liegen und wohin Seferis seit 1953 mehrere Reise unternahm, die sich im *Logbuch Nr. 3* niederschlugen. Seferis nahm freilich auch Einflüsse der europ. Dichtung, wie P. Valéry oder T.S. Eliot auf, den er z.T. übersetzte. Dem Pathos und der Rhetorik Palamas' setzt er eine betont schlichte Sprache entgegen, der 15-Silbler ist, wie bei Kavafis, aufgegeben.

Die jüngeren Angehörigen der Generation von 1930 stehen dem Kontinuitätsmythos, durch die Erfahrung von Krieg, Besatzung, Widerstand und Bürgerkrieg hindurchgegangen, wieder affirmativer gegenüber: J. Ritsos und O. Elitis waren anders und direkter als Seferis in die Geschehnisse des Zweiten Weltkriegs verwickelt, erlitten die Verfolgungen und Unterdrückungen der Nachkriegszeit, schließlich die J. der Diktatur 1967–74 unmittelbarer als dieser, der dann aber 1970 mutig gegen das Regime protestierte. Ritsos (1909–90) ist der politischste von ihnen: 1936 verfaßte er seinen berühmten Ἐπιτάφιος auf die niedergeschossenen Demonstranten unter den Arbeitern von Saloniki, der neben ant. Reminiszenzen stark an die Volkstrad. des Klageliedes (μοιρολόγιον) und die Karfreitagsliturgie angelehnt ist. In seinem großen Gedicht Ῥωμιοσύνη (»Rhomäertum«, 1954) nimmt er wieder die gesamte Trad. als Folie, um das Überleben der Nation im Zweiten Weltkrieg dichterisch zu überhöhen. Elitis (1911–1996) darf als der Dichter bezeichnet werden, der am stärksten von der orthodoxen Kirche und ihrer Liturgie, die von den Vertretern der Dimotiki lange gemieden wurde, beeinflußt ist. Vor allem in seinem langen Gedicht von 1960 Tò ἄξιον ἐστί ist dieser Einfluß deutlich zu spüren: Aufbau und Untertitel sind bis ins Detail den termini technici der byz. Liturgie entnommen. Auch hier bei E. dienen wieder Krieg und Bürgerkrieg als Anlaß, die Mächte der Trad. zu beschwören (Ἄσμα ηρωικό και πένθιμο για τον χαμένο ανθυπολοχαγό της Αλβανίας, 1945). Daneben gibt es auch Dichter, die ganz in der byz. Trad. verbleiben wie T. Papatsonis (1895–1976). Ein Einzelgänger blieb A. Embirikos, der Begründer des ngriech. Surrealismus (Ὑψικάμινος, »Hochofen«, 1935). Obwohl mit Breton usw. bekannt und lange J. in Paris lebend, gab er der Katharevusa als Quelle von verfremdend eingesetzten Versatzstücken wieder Raum, nunmehr in satirischer Absicht (zuletzt in seinem mehrbändigen Roman Ὁ μέγας Ἀνατολικός). Auch in der Prosa bedeutet der Einschnitt um den Ersten Weltkrieg den Bruch mit der Trad., sei es mit der der volkskundlichen Novelle, sei es mit der des patriotischen Romans (der freilich in der Trivial- und Jugendlit. weiterlebt, so etwa in P. Deltas Spätwerk *In den Geheimnissen des Sumpfes* von 1937, das die Kämpfe in Makedonien zum Thema hat). Das Trauma von Krieg und Vertreibung wird zunächst von Autoren wie St. Myrivilis (1892–1969) und I. Venezis (1904–73) verarbeitet, und zwar, anders als von späteren Autoren, bemerkenswerterweise ohne Chauvinismus, obwohl Venezis in einem türk. Arbeitslager gewesen war. So ist denn auch sein vom Titel her patriotisch klingender Roman *Äolische Erde* (1943) von tiefer Melancholie und Trauer um das Verlorene geprägt, aber in seinem bewußt einfachen, fast volkstümlichen Stil ohne

Hass geschrieben. Myrivilis hingegen schuf nicht nur den bekanntesten Antikriegsroman der n.L. (*Das Leben im Grabe*, zuerst 1924, mehrfach umgearbeitet), sondern behandelt in seinem Roman *Die Muttergottes mit dem Fischleib* (1949) [6] auch die Flüchtlingsproblematik – hier wird die Einheit von heidnischem und christl. Griechentum durch die in einer Kapelle vor Lesbos gemalte Ikone einer Muttergottes mit dem Fischschwanz der heidnischen, im Volksglauben bedeutenden Gorgo symbolisiert – und solch eine hübsche »Gorgo« ist auch die Hauptheldin des Buches. Seferis vergleichbar in dem Gefühl, ein unheilbarer Bruch sei geschehen, ist der aus Konstantinopel/Istanbul stammende Kosmas Politis (1887–1974): In seinem frühen Roman – er fing spät an zu schreiben – *Eroica* (1938) ist die ant. Heldenwelt, v.a. die *Ilias*, mythischer Bezugspunkt für die Erzählung von einer Gruppe Jugendlicher in einer griech. Kleinstadt, deren Begegnung mit der Liebe und dem Tod das Thema bildet. Jedes patriotische Pathos fehlt, der homer. *sfondo* (Helmtragen, Wettspiele) dient auch höchstens einer leisen Ironisierung, keinem Spott, letztlich der Überhöhung des Geschehens. Die antik-volkstümliche Gorgona/Neraida bringt auch in seinem Spätwerk στοῦ Χατζιφράγγου (1963; frei übersetzt »In Alt-Smyrna«) dem Haupthelden den Tod – der hier symbolisch für den Untergang Smyrnas und damit des Zusammenlebens von Griechen, Türken und Juden steht. Das ant. Smyrna wird zwar in der Erzählung eines Schulausflugs beschworen, aber nicht affirmativ »besetzt«.

Der zuletztgenannte Roman von Politis erschien schon nach dem Welt- und Bürgerkrieg. Die Nachkriegsentwicklung hier erschöpfend zu schildern, ist aus Raumgründen unmöglich, so daß einige Andeutungen genügen müssen. Einer der wenigen gelungenen Romane mit ant. Vorwurf ist R. Rufos' Γραικύλοι (*Graeculi*) von 1967, der vordergründig im röm. beherrschten Griechenland der mithradatischen Kriege spielt – der aktuelle Hintergrund ist freilich der Bürgerkrieg und die Nachkriegszeit bis zur Krise in den 60er Jahren. Satirisch nimmt N. Tsiforos die Ant. und das ngriech. Selbstgefühl in seinen Werken aufs Korn, so in seiner vielgelesenen Ἱστορία τῆς Ἀθήνας (1979). Nach dem Fall der Diktatur 1974 erfolgte in Griechenland eine starke Politisierung in Richtung nach links; die Ant. tritt als selbstverständlicher Bezugspunkt nun auch in diesem Land allmählich zurück, nicht zum wenigsten im Schulsystem. Nicht unerwähnt bleiben darf aber, daß selbst ein Porträtist des Kleinbürgertums und der Unterwelt wie Kostas Tachtsis, selbsternannter *poète maudit* und Freund Genets (*Dreimal unter der Haube*, 1962), vier Aristophaneische Kom. für die Bühne (u.a. *Lysistrate* und *Frösche*) übersetzt hat. Das E. des Eisernen Vorhangs brachte dann auch für Griechenland eine Wiederbelebung »nationaler« Themen in der Lit., zumeist in der Form des histor. Romans. Beherrschten Figuren wie Alexander d. Gr. dabei eher die Sonntagsreden und Räume öffentlicher Symbolik (z.B. im neuen Flughafen Thessaloniki), wandte sich die Lit. dagegen eher der

weiterhin als national interpretierten byz. Vergangenheit zu: Zu nennen ist hier etwa Maro Dukas (*1947) Roman Ἕνας σκούφος απο πορφύρα (1995), der die Komnenzeit und Alexios I. zum Thema hat – vor dem Hintergrund der »neuen« nationalen Herausforderungen der 90er Jahre. Ähnlichen Vorgaben folgte der Theatererfolg *Theodora* von M. Ntenisi. Weiterhin gerne ausgespart wird hingegen die osmanische Vergangenheit – oder sie ist weiterhin der Anlaß für düstere Sagas orientalisierender Manier (I. Kapandai: *Sieben mal den Ring*, 1989; A. Fakinos: *Die Festung der Erinnerung*, 1993). Nachdenkliche Töne, die in der Nachfolge von K. Politis die Trad. des histor. Romans erzähltechnisch und gedanklich hinterfragen, sind selten: Zu nennen ist hier v.a. Rhea Galankis' (*1947) *Leben des Ismail Ferik Pascha* (1989), das sich gerade das Verhältnis von Griechen und Türken zum Thema macht und dabei auch auf die *Odyssee*, bezeichnenderweise die Nekyia, rekurriert [29].

E. VOLKSLITERATUR

Eine Geschichte der n.L. ist unvollständig ohne die Volkslit., nicht nur weil sie bis h. eine der wichtigsten Maßstäbe für poetisches Schaffen bildet, an dem sich viele Dichter immer noch oder wieder messen, sie bildet auch, und zwar auch im Bewußtsein der Griechen, eines der stärksten Kontinuitätsmomente zur ant. und byz. Vergangenheit. Eine Definition ist schwierig, Mündlichkeit ein wichtiges Kriterium – die allermeisten Texte wurden erst in der Philhellenenzeit gesammelt, und zwar zunächst von Ausländern wie Fauriel (1824/25; enthält im Anhang auch Rigas und Solomos) und Passow (1860). In Griechenland selber wirkte das Verdikt der Phanarioten, so daß erst Sp. Zambelios 1852 (s.o.) Volkslieder veröffentlichte. Aber Mündlichkeit kann nicht das einzige Kriterium sein: Zahlreiche Werke der byz. und postbyz. Lit. wurden bis ins 20.Jh. auf Jahrmärkten als ριμάδες oder φυλλάδια verkauft, darunter Werke wie der Erotokritos und der Alexanderroman. So ist es besser, die Volkslit., auch die verschriftlichte, als Teil der Volkskultur zu betrachten, die auch in Griechenland seit den 70er J. nach mod. Prinzipien untersucht wird – die romantisch/patriotische Phase ist im wiss. Diskurs längst vorbei [18; 41; 28]. Volkskultur ist nach dieser Auffassung eine dynamische Kultur, die Anregungen von überall aufnimmt: »Gesunkenes Kulturgut« aus dem Repertoire der Oberschicht, orientalische Einflüsse, balkanisches Geben und Nehmen (so die Parallelen zw. serbischer und ngriech. Heldendichtung, die auch Probleme der »oral poetry« betreffen [41. 259f.]). Besonders komplex ist dabei das Problem des Alters dieser Literatur. Komponiert, »verfaßt« wurden viele Werke, wie in der Volkskultur üblich, sicher erst beim Aufzeichnen oder der Überführung in die Schriftlichkeit. Andererseits ist bekannt, und auch im griech. Raum nachweisbar, wie konservativ mündliche Überlieferung sein kann: So gelang es M. Manusakas und W. Puchner, Fragmente einer schriftlich verlorenen kretischen Kom. des 17.Jh. in mod. mündlicher

Überlieferung auszumachen [26]. Sicher ist, daß sich in der Volkslit. heidnische, vorchristl. Vorstellungen gehalten haben, nicht nur im Sinne der alten Reliktforsch. [46] im Gefolge von B. Schmidt und J. C. Lawson, sondern auch in der Grundhaltung zahlreicher »heroischer« Balladen (παραλογές; vgl. zu dieser »Biophilie« [41. 11 ff.]): Der Tod ist im geistigen Universum dieser Lieder weiterhin das E., der Hades weder ein Paradies noch die Hölle, sondern ein trostloser Ort. Zahlreiche Trad. sind mit den Festen der orthodoxen Kirche verknüpft (vgl. [40] zu Lazarus). Doch auch diese, der Reformation und Gegenreformation fremd blieben (s.o.), ist heidnischen Trad. offener als Katholizismus oder gar Protestantismus. Sicher ist das Nachwirken apokrypher christl. Lit. in der Volksdichtung und das Weiterbestehen spätant. Gattungen und Lieder (wie das Lazaruslied); beim Übergang dieser Dichtungen aus dem liturgischen Kontext in die Folklore der nichtgriech. Balkanvölker ist häufig eine noch stärkere »Repaganisierung« festzustellen [46; 41. 89 ff.]. Alt ist sicher die Trad. des Klageliedes, μοιρολόγι genannt [2]: Hier überschneiden sich ant. Trad. des Threnos, byz. (so die Städteklage; doch sind hier auch die Klagelieder Jeremiae zu berücksichtigen) und balkanische Stränge. Dagegen sind die Klephtenlieder [47] sicher erst im 18. Jh., zum Teil sogar später entstanden, doch wird in ihnen sprachlich und lit. der heroische Kampf gegen die Türken in den Bergen an die byz. Trad. von Digenis Akritas (→ Byzanz), dem Kämpfer gegen die Araber angeschlossen. Zur Genese des »Digenis«-Stoffes verfügen wir aus byz. Zeit auch über eine schriftliche Überlieferung in Form eines Versromanes, der in mehreren Mss.-Varianten überliefert ist – die mündliche Überlieferung, die hier oft Altes bewahrt, bedient sich dann der Balladenform. Strittig in der Forsch. ist dabei das Verhältnis beider Überlieferungen [Ta. 48]. Sicher schriftliche Übermittlung liegt hingegen bei den »Volksbüchern« wie dem letztlich spätant. Alexander- und dem Äsoproman vor, die sich nunmehr seit anderhalb Jt. großer Beliebtheit erfreuen: Alexander ist inzwischen auch ins ngriech. Schattenspiel aufgenommen. Ähnliches gilt für orientalische Stoffe (Tausend und eine Nacht, griech. Τὰ παραμύθια τῆς Χαλιμᾶς; Syntipas) oder den schon mehrfach erwähnten Erotokritos. Häufig hat das Griech. diese über die halbe Welt verbreiteten Stoffe an die orthodoxen Balkanchristen weitergereicht (rumänische Bearbeitungen des Syntipas und Erotokritos), wie wir dies schon bei der liturgisch verankerten Dichtung festgestellt haben. Sicher orientalischer Herkunft und über das Osmanische Reich nach Griechenland gekommen ist hingegen das Schattenspiel um Karagöz/Karagiozis, bei dem Einführungszeitraum und -herkunft feststehen (sicher bezeugt erst 1841 in Athen, also nach der Unabhängigkeit). Erst später wurden Elemente der griech. Trad. eingeführt: So ist Karagöz in Griechenland eher der schlaue Grieche, der alle, Türken und Franken, übers Ohr haut, Elemente der ant. Myth. wurden eingebaut, usw.

Griechische Volkslit. erweist sich so als ein überaus vielschichtiges, ja schillerndes Gebilde, das Trad. zahlreicher Zeiten und Völker in sich aufgenommen hat. Ihre Sprache, je nach Gattung ein archa., bisweilen dialektgeprägtes Idiom mit zahlreichen Nominal- und Verbalkomposita, ist sicher mündlichen Ursprungs, wenn auch im einzelnen unklaren Alters – ant. Spuren sind aber nachzuweisen. Im heutigen Griechenland ist ihre Rolle bisweilen zum Folklorismus herabgesunken, wird sie außerhalb ihrer akad. Erforschung gelegentlich für Zwecke patriotischer Selbstvergewisserung ge- und mißbraucht, wie auch sonst in Europa. Ihre Rolle für die n.L. war im wesentlichen in der Nachkriegszeit abgeschlossen.

Die n.L. hat demnach auch in den 90er J. ihr spezifisches Doppelgesicht bewahrt: Sie ist, unzweifelhaft, eine typische sog. »Kleinlit.« in Europa, an Umfang des Leserpublikums der niederländischen vergleichbar. Doch kann sie ihre speziellen Voraussetzungen noch h. nicht leugnen, ja: nach 1989 ist eine Wiederentdeckung und neue Auseinandersetzung mit der Trad. festzustellen, v. a. mit Byzanz – selbst beim Thema »Osmanen« scheint sich ein Wandel anzubahnen. Und noch einer der neueren Filme von Theo Angelopoulos über in Monastir/Bitola (Republik Makedonien) verschwundene und gesuchte »griech.« Filmrollen der Brüder Manaki aus der Zeit vor den Balkankriegen heißt Der Blick des Odysseus. Man darf auf die neuen Entwicklungen gespannt sein und mit Mario Vitti sagen: Η ιστορία συνεχίζεται.

1 F. ADANIR, Die Schulbildung in Griechenland (1750–1830) und in Bulgarien (1750–1878): Im Spannungsfeld von Bewahrung der ethnisch-konfessionellen Identität, Entstehung der bürgerlichen Ges. und Herausbildung des Nationalbewußtseins, in: Revolution des Wissens, W. SCHMALE, N. DODDE (Hrsg.), 1991, 433–470 2 M. ALEXIOU, The Ritual Lament in Greek Tradition, 1974 3 P. BÁDENAS DE LA PEÑA, Le programme révolutionnaire de Rigas dans le poème Thourios, in: Akten des internationalen Kongresses »Rigas Velestinlis, 200 J. danach«, 1990 (ed. P. YANNOPULOS), 65–80 4 R. BEATON, A History of Modern Greek Literature, 1994 5 H. G. BECK, Hdb. der byz. Volkslit., 1971 6 K. CHRYSOMALLI-HENRICH, Erzähltechnik, Zeitgestaltung und ihr Einfluß auf die Gestaltbildung. Unt. zu Myrivilis, Venesis und Fakinu unter bes. Berücksichtigung der Frauengestalten, Diss. Hamburg 1995 7 E. CHRYSOS (ed.), Ένας νέος κόσμος γεννιέται, 1996 8 R. CLOGG, The Dhidhaskalia Patriki (1798): An Orthodox Reaction to French Revolutionary Propaganda, in: Middle Eastern Studies 5 (1969), 87–115 9 D. W. CROSS, Pope Joan, 1996 (dt. unter dem Titel: Die Päpstin, übers. von W. Neuhaus, 1996) 10 K. TH. DIMARAS, Νεοελληνικός Διαφωτισμός, 1977, ⁶1993 11 N. Δραγούμης, Ἱστορικαὶ Ἀναμνήσεις Bd. 2, 116 (Athen 1973) 12 S. FAROQUI, Kultur und Alltag im Osmanischen Reich, 1995, 293 ff. 13 E. GAZI, National ideology, scientific disciplines and intellectual fields in Greece (1880–1922), in: Südostforsch. 58, 1999, 247–65 14 D. J. GEANAKOPLOS, Greek Scholars in Venice, 1962 15 G. P. HENDERSON, The Revival of Greek

Thought 1620–1830, 1971 **16** G. St. Henrich, Die
neugriech. Aufklärung, in: Eugénios Búlgaris und die
griech. Aufklärung in Leipzig, Kat. zur Ausstellung, 1996
17 G. Hering, Reformation und Orthodoxie. Jb. der
österreichischen Byzantinistik 31/2 (1981), 823–74
18 M. Herzfeld: Ours Once more. Folklore, Ideology and
the Making of Modern Greece, 1982, zu Z. passim
19 A. Hetzer, Griech. in Südalbanien im Zeitalter der
Aufklärung, Münchner Zschr. für Balkankunde 4
(1981/82), 169–218 **20** D. Holton (ed.), Literature and
Society in Renaissance Crete, 1991 **21** C. Hopf,
Sprachnationalismus in Serbien und Griechenland.
Theoretische Grundlagen sowie ein Vergleich von Vuk
Stefanović Karadžić und Adamantios Korais, 1997
22 D. Kadach, Das lit. Werk des bilingualen Dichters G.
Prličev (Γρηγόριος Σταυρίδης), in: Zschr. für Balkanologie
13 (1977), 82–112 **23** Ι. ΚΑΡΓΑΝΟF, Παλαιά τε καὶ Νέα
Διαθήκη, ed. Ε. ΚΑΚΟΥΛΊΔΟΥ-ΠΆΝΟΥ, 1988
24 Konstantinos Kavafis. Das Gesamtwerk, übers. von
R. Elsie, 1997 **25** M. I. Konidaris, Η γένεση του
πολιτεύματος της αυτοκεφαλίας της Ελλάδος, in: [7], 207–222
26 M. I. Manusakas, W. Puchner, Die vergessene Braut.
Bruchstücke einer unbekannten kretischen Kom. des 17. Jh.
in den griech. Märchenvarianten, vom Typ AaTh313c, 1984
27 K.-P. Matschke, Der Übergang vom byz. Jt. zur
Turkokratie und die Entwicklung der südosteurop. Region,
in: Jb. für Gesch. und Kultur Südosteuropas 1 (1999), 11–38
28 M. G. Μερακλῆς, Σύγχρονος Ελληνικός πολιτισμός, ²1983
29 J. Niehoff-Panagiotidis, Intentionale Gesch. und lit.
Fiktion: Rhea Galanakis Roman »Das Leben des Ismail
Ferik Pascha« im ngriech. lit. Feld, in: Zschr. für
Balkanologie 34/1, 1998, 56–79 **30** Ders., Lit. im
Grenzbereich. Die *Alipasiada* des Chatzisechretis als Quelle
für die Geschichte Epiros' um 1800, in: Südostforsch. 58,
1999, 81–101 **31** ΣΟΦΊΑ ΝΤΕΝΊΣΗ, Μεταφράσεις
μυθιστορημάτων καὶ διηγημάτων 1830–1880, Εἰσαγωγή, μελέτη
καὶ καταγραφή, 1995 **32** Z. B. P. Odorico et al.: Conseils et
mémoirs de Synadinos, prêtre de Serrès en Macédoine
(XVIIe siècle), 1996 **33** N. Panayotakis (ed.), Αρχές της
νεοελληνικής λογοτεχνίας, 2 Bde., 1993
34 N. Panayotakis, The Italian Background of Early
Cretan Literature, Dumbarton Oaks Papers 49, 1995,
281–323 **35** M. Papathomopulos, E. M. Jeffreys (eds.), O
πόλεμος της Τρωάδος (The War of Troy), 1996
36 G. Podskalsky, Griech. Theologie in der Zeit der
Türkenherrschaft, 1988 **37** L. Politis, Ιστορία της
νεοελληνικής λογοτεχνίας, ⁴1985 (dt. 1984) **38** G. Prinzing,
Trapezuntia in Krakau. Über die Kleinchronik und andere
Texte im Cod. Berol. graec., in: Πολύπλευρος νοῦς. FS Peter
Schreiner, hrsg. von C. Scholz et. al., 2000, 290–310
39 Proceedings of the Symposion Η κρητική λογοτεχνία στο
κοινωνικό και ιστορικό της πλαίσιο, 1998, W. Bakker, A.
van Gemert (eds.) **40** W. Puchner, Stud. zum
Kulturkontakt der liturgischen Szene, 2 Bde., 1991
41 Ders., Stud. zum griech. Volkslied. Raabser
Volksliedreihe 10, 1996 (Aufsatzsammlung, gute
Einführung) **42** St. Runciman, The Great Church in
Captivity. A Study of the Patriarchat of Constantinople
from the Eve of the Turkish Conquest to the Greek War of
Independence, 1968 (dt. 1970) **43** E. Said, Culture and
Imperialism, 1993 **44** P. Schreiner, Die byz.
Kleinchroniken, 1975 **45** Th. Siapkara-Pitsillidis, O
πετραρχισμός στην Κύπρο. Ρίμες αγάπης, 1976 **46** Ch.
Stewart, Demons and the Devil. Moral Imagination in
Modern Greek Culture, 1991 **47** Το δημοτικό τραγούδι:
Κλέφτικα, A. Politis (ed.), 1981 (Auswahl) **48** E. Trapp,
Digenes Akrites. Synoptische Ausgabe der ältesten Version,
1971 **49** M. Vitti, Ιστορία της νεοελληνικής λογοτεχνίας,
²1987 (dt. 1972). 　　　Johannes Niehoff-Panagiotidis

Neuhumanismus

A. Bezeichnung und Begriff　B. Konzeption

A. Bezeichnung und Begriff

Der Ausdruck »N.« bezeichnet eine Konzeption von
Allgemeinbildung, die primär an der griech. Kultur des
5. und 4. Jh. v. Chr. orientiert ist. Er wurde zur Unterscheidung des dt. Human. des 19. Jh. vom internationalen lat. Ren.-Human. bzw. »alten Human.« des 15.
und 16. Jh. gebildet [23]. Das Ziel dieser Allgemeinbildung ist die Bildung des Individuums; sie ist der Zweck
von Bildung überhaupt. Während der Neuhumanis-
musbegriff als Epochenbegriff auf die Jahrzehnte von
ca. 1790 bis ca. 1840 begrenzt ist, wird er als Bildungsbegriff auch epochenunabhängig zur Bezeichnung einer Allgemeinbildung mit hohen Anteilen an Bildungs-
mitteln aus der griech. Ant. eingesetzt.

In den anderen Ländern Europas und den USA hat
die Rezeption der griech. Ant. für die Bildungstheorie
nur eine in der Regel marginale Bed. erhalten. Die vielfältige, allerdings recht diffuse Rezeption außerhalb
dieses Sektors seit der Mitte des 18. Jh. ist begrifflich
häufig als → Philhellenismus festgelegt [5. 359–368;
20; 28].

B. Konzeption

1. Grundlegung

Der Bildungstheoretiker des N. ist W. v. Humboldt
(1767–1835). Seine Griechen-Skizze *Über das Studium
des Alterthums, und des griech. insbesondere* (1793) [9. Bd.
2. 1–24] ist die Gründungsschrift des N. Obwohl sie nur
einem kleinen Kreis von Freunden vorgelegt wurde,
entfaltete sie doch über diese eine schnelle Wirkung (als
Ganzes ist sie erst 1896 publiziert worden). In Verbindung mit den *Ideen zu einem Versuch, die Gränzen der
Wirksamkeit des Staats zu bestimmen* (Teile 1792 veröffentlicht; als Ganzes erst 1851 publiziert) [9. Bd. 1. 56–
233] und der *Theorie der Bildung des Menschen* (geschrieben 1794/1795, publiziert 1903) [9. Bd. 2. 234–240]
entwickelt sie Humboldts Bildungstheorie. Sie erhält
durch F. Schillers Schrift *Über die ästhetische Erziehung des
Menschen in einer Reihe von Briefen* (geschrieben 1793,
veröffentlicht 1795), bes. durch den 6. Brief, eine radikale kulturkritische Imprägnierung [27].

Humboldts Ideen sind zunächst gewonnen in Auseinandersetzung mit der Krise des absolutistischen Staates und seiner Ständeordnung, wie sie durch die Frz.
Revolution sichtbar wurde, später auch in Reaktion auf
den Zusammenbruch der staatlichen Organisation
Deutschlands und Preußens durch die Napoleonische
Expansion. Zur Überwindung der Krisen wird eine
neue Bildung aufgeboten, da die alte Bildung versagt hat
und nicht therapierbar ist.

Humboldts Konzeption von Bildung erhält ihre bes. Bed. dadurch, daß Bildung im Sinne einer Allgemeinbildung der ›Zweck des Menschen‹ ist [9. Bd. 1. 64]. Damit erhält Bildung einen einzigartigen Rang. Ihre Merkmale und Aufgaben im einzelnen:

(1) Bildung des Individuums: Bildung ist Bildung des Individuums (in der Terminologie Humboldts: der ›Individualität‹) zur Autonomie. Sich in sich zu bilden ist der ›Zweck des Menschen im Menschen‹ [9. Bd. 1. 32]. Entgegengesetzt ist dieser Bildung die alte Bildung des ›Bürgers‹, die nur ›Berufs- und Standesbildung‹ ist. Mit der Forderung nach Bildung als Bildung des Individuums zur Autonomie knüpft Humboldt an die Botschaft von der ›Selbstbildung‹ und ›Selbstbestimmung‹ J.-J. Rousseaus [4. 126–143] an, die ihre ersten Wirkungen in unterschiedlichen Diskursen entfaltete.

(2) Bildung zur Humanität: Bildung der Individualität des Menschen ist ›die höchste und proportionirlichste Bildung seiner Kräfte zu einem Ganzen‹ [9. Bd. 1. 64] und damit zur Humanität. Dabei ist Humanität verstanden als die Summe dessen, was dem ›Charakter des Menschen überhaupt, welcher in jeder Lage, ohne Rücksicht auf individuelle Verschiedenheiten da sein kann und da sein sollte, am nächsten kommt‹ [9. Bd. 2.9].

(3) Bildung als ästhetisches Phänomen: Die Zentralformel ›proportionirlichste Bildung seiner Kräfte zu einem Ganzen‹ zeigt an, daß der Bildungsbegriff eine ästhetische Dimension hat, daß Bildung ›von Ideen der Schönheit geleitet‹ sein soll [9. Bd. 2. 14].

(4) Bildung durch Entwicklung ›mannigfaltiger Kräfte‹: Die Kräfte, die zu einem Ganzen geführt werden, müssen ›mannigfaltig‹ sein, d. h. es müssen die ›verschiedenen intellektuellen, empfindenden, und moralischen menschlichen Kräfte‹ entwickelt werden [9. Bd. 2. 2 f.]. Entwickelt werden können die Kräfte nur durch Objektivationen des menschlichen Geistes, der Kunst, der Philos. und der Sprache, denn der Mensch kann sich nur durch das bilden, was seinem Geist homogen ist.

Der ›Mannigfaltigkeit‹ der neuen Bildung steht die ›Einseitigkeit‹ der alten Bildung der Aufklärungspädagogik gegenüber. Dieser Gegensatz bestimmt auch Schillers Schrift *Über die ästhetische Erziehung des Menschen*, die vom Zustand des Menschen in der Gegenwart ausgeht: ›Ewig nur an ein einzelnes kleines Bruchstück des Ganzen gefesselt, bildet sich der Mensch selbst nur als Bruchstück aus; ewig nur das eintönige Geräusch des Rades, das er umtreibt, im Ohre, entwickelt er nie die Harmonie seines Wesens, und anstatt die Menschheit in seiner Natur auszuprägen, wird er bloß zu einem Abdruck seines Geschäfts, seiner Wiss.‹ [27. 323].

(5) Bildung durch Aneignung der griech. Ant.: Der Gegenstand, der ›Einheit und Allheit (= Mannigfaltigkeit)‹ der Bildung garantiert [9. Bd. 1. 237], ist die pagane griech. Ant. (in der Formulierung Humboldts: der ›Charakter der Nation der Griechen‹), denn allein dieser Charakter besitzt die geforderte ›Einheit und Allheit‹; repräsentiert wird er durch die ›Geistesprodukte‹ ›Ge-

schichte, Dichtung ... Kunst und Philos.‹ [9. Bd. 2. 10], die ›die reine Form der menschlichen Bestimmung unverbesserlich vorzeichneten‹ [9. Bd. 2. 69]. Ziel der Bildung ist also die Aneignung der griech. Antike. Die Einzigartigkeit der Griechen begründet ihre Rezeption. Hier ist Humboldt der Jünger J. J. Winckelmanns, der mit der schmalen kunsttheoretischen Abhandlung *Gedancken über die Nachahmung der Griech. Wercke in der Mahlerey und Bildhauer-Kunst* von 1755 [29] und seiner *Geschichte des Alterthums* von 1764 die Griechen neu entdeckt hat. Damit verdrängt das Griechen-Paradigma das aus dem Ren.-Human. stammende Paradigma, das die pagane hell.-röm. und zugleich die christl. Ant. als Einheit konstituiert hatte. Das neue Paradigma begründet einen doppelten Dualismus, der für die Geschichte des Human. und der klass. Philol. auf lange Zeit bestimmend wird, einerseits einen zw. paganem Griechentum und paganem Römertum, denn der ›Mannigfaltigkeit‹ oder ›Vielseitigkeit‹ der Griechen steht die ›Einseitigkeit‹ der Römer gegenüber, zum anderen einen solchen zw. paganer Ant. und Christentum, der die human. Bildung als Bildung zur Autonomie der christl. Bildung als Bildung zur Unmündigkeit gegenüberstellt.

(6) Bildung durch Sprache: Der ›Charakter einer Nation‹ prägt sich primär in ihrer Sprache aus. Die Sprache ist ›der Odem, die Seele der Nation selbst‹ [9. Bd. 2. 58], sie ist ›nichts anders, als das Complement des Denkens‹ [9. Bd. 2. 61]; sie ist ›das bildende Organ des Gedanken‹ [9. Bd. 3. 426]. ›Die Sprache ist gleichsam die äusserliche Erscheinung des Geistes der Völker; ihre Sprache ist ihr Geist und ihr Geist ihre Sprache‹ [9. Bd. 3. 414 f.]. An diesen Formulierungen zeigt sich, daß der Wechsel von der lat. zur griech. Sprache mehr als nur den Wechsel einer Sprache bedeutet; er ist auch ein Wechsel des Sprachbegriffs. Sprache ist nicht mehr als universelles Werkzeug (Organon) zur Mitteilung, sondern als individueller Ausdruck des jeweiligen Nationalcharakters verstanden. Sprache ist nicht Werkzeug in der schon sprachlich konstituierten Welt, sondern sie ist Konstitution von Welt. Humboldts Philos. der Sprache gehört zu jener klass.-romantischen Auffassung, die in der Sprache kein bloßes System von Zeichen, sondern vielmehr den Ausdruck einer allg. Sicht der Welt sieht. Letztes Ziel Humboldts ist der Nachweis, daß die Einzigartigkeit der griech. Kultur Ausdruck des Vorranges der griech. Sprache vor anderen Sprachen ist. Das versucht er an Hand ihrer Formen und ihres Aufbaus (= der inneren Sprachform) zu erweisen [9. Bd. 3. 463–473].

Humboldts Sprachbegriff ist folgenreich gewesen: Er bedeutet einmal die Vertreibung der Rhet. aus der neuen Bildung, denn die Rhet. hat es mit universellen Elementen zu tun. Solche universellen Elemente aber, v. a. die stilistischen Formen, wie sie die Rhet. entwickelt hat, sind ungeeignet für den Zugang zur Sprache, denn der individuelle Charakter der Sprache zeigt sich nur in ihrer rhet. nicht überformten »natürlichen« Gestalt. Zum anderen hat der Sprachbegriff dazu geführt, daß ein Zugang zum »Geist« einer fremden Nation oder

Kultur grundsätzlich nicht auf dem Wege der Übers. möglich erscheint.

(7) Gleiche Bildung für alle: Da die Bildung Humanitätsbildung ist, kann der ›gesammte Unterricht‹ (›Elementarunterricht, Schulunterricht, Universitätsunterricht‹) nur ›Ein und dasselbe Fundament‹ haben, ›denn der gemeinste Tagelöhner, und der am feinsten Ausgebildete muss in seinem Gemüth ursprünglich gleich gestimmt werden, wenn jener nicht unter der Menschenwürde roh, und dieser nicht unter der Menschenkraft sentimental, chimärisch, und verschroben werden soll‹ [9. Bd. 4. 189]. Es gibt also weder in der vertikalen Gliederung für die verschiedenen Unterrichtsstufen noch in der horizontalen Gliederung für die verschiedenen Formen des Schulunterrichts (Bürgerschulen, gelehrte Schulen) unterschiedliche Bildungsziele. In der Konsequenz bedeutet dies: ›Auch Griech. gelernt zu haben könnte … dem Tischler ebenso wenig unnütz seyn, als Tische zu machen dem Gelehrten‹ [9. Bd. 4. 189]. Gemeinsam für alle Stufen und Formen des Unterrichts ist, daß ›in dem Lernen das Gedächtnis geübt, der Verstand geschärft, das Urtheil berichtigt, das sittliche Gefühl verfeinert werde‹ [9. Bd. 4. 217].

(8) Allgemeinbildung als Nationalbildung: Die neue Allgemeinbildung ist zugleich verstanden als ›Nationalbildung‹; sie erhebt also den Anspruch, einen Beitrag zur nationalen Identität der Deutschen zu liefern. Der verführerische Gedanke von der »Wahlverwandtschaft« der Deutschen mit den Griechen in Sprache, Geist und Charakter bildet die Grundlage für diesen Anspruch [14]: ›Die Deutschen besitzen das unstreitige Verdienst, die Griech. Bildung zuerst treu aufgefasst und tief gefühlt zu haben; zugleich aber lag in ihrer Sprache schon vorgebildet das geheimnisvolle Mittel da ihren wohltätigen Einfluss weit über den Kreis der Gelehrten hinaus auf einen beträchtlichen Theil der Nation verbreiten zu können … Deutsche knüpft … ein ungleich festeres und engeres Band an die Griechen, als an irgend eine andere, auch bei weitem näher liegende Zeit oder Nation‹ [9. Bd. 2. 87].

(9) Individualbildung als Motor polit. und gesellschaftlicher Optimierung: Die neue Bildung ist nicht gleichgültig gegenüber Staat und Gesellschaft, im Gegenteil: sie ist Mittel ihrer Reform. Sie korrespondiert mit einer liberalen Staatsauffassung: Danach ist der Staat kein absolutistischer Regulierungsstaat, sondern er hat die Aufgabe durch die Gewährung von Freiheit, die ›Ausbildung der Individuen‹ zu sichern, durch die allein ›das Menschengeschlecht‹ sich ›höher emporschwingen‹ kann [9. Bd. 1. 105]. Sie garantiert dann die Reform von Gesellschaft und Staat, indem sie regionale, konfessionelle und schichtenspezifische Schranken aufhebt und so die Gleichheit der Bürger und eine ›wahre Verbesserung der Verfassung‹ [9. Bd. 1. 106] erreicht.

(10) Theorie der Bildung als Theorie der Kultur: Die Aneignung der griech. Ant. ist nicht nur ein Mittel zur individuellen Wesensverwirklichung in Unabhängigkeit, sondern sie ist auch Sache der produktiven Nachahmung, die zu einer neuen Kulturhöhe der dt. Nation führt. Durch die Rezeption der griech. Kultur wird die eigene Kultur nicht nur groß, sondern sie übertrifft dadurch auch alle mod. Kulturen [14. 208–211]. Die Deutschen sind die ›Griechen der Neuzeit‹, unter ihnen sind es namentlich J. W. v. Goethe, F. Schiller und F. Schlegel, denen die Bezeichnung »Grieche« zukommt. Durch diese Theorie wird die Weimarer Klassik, wie sie durch Goethe und Schiller zw. 1795 und 1805 geschaffen wird, primär als Rezeptionsphänomen gedeutet.

(11) Die neue Bildung als achristl. oder antichristl. Bildung: Durch ihren Gegenstand, das ant. pagane Griechentum, erhält die neue Bildung einen antichristl., zumindest aber einen achristl. Charakter. Das ist keine notwendige Konsequenz. Zwar prägt eine Spannung zw. der Bildung durch die pagane Ant. und derjenigen durch das Christentum die europ. Bildungsgeschichte seit dem 2. Jh., aber seit der Spätant. hat das Christentum die pagane Ant. durch Integration domestiziert, indem es sie als Propädeutik und *Praeparatio evangelica* vereinnahmte. Das Ergebnis ist ein christl. Human., der von Clemens von Alexandrien (ca. 150 – ca. 221) über das byz. und lat. MA bis zu Erasmus von Rotterdam (ca. 1469 – 1536) und zum 18. Jh. bestimmend ist. Erst der N. löst die pagane Ant. aus der Umklammerung des Christentums; er konstituiert die neue Bildung als Bildung zur Autonomie gegen die alte Bildung als Bildung zu Demut und Gehorsam [13. 43 f.]. Seine Protagonisten bezeichnen sich mit Vorliebe als »Heiden«.

2. Popularisierung und Institutionalisierung

Humboldts Ideen, wenig systematisch aufbereitet und häufig nur Freunden bekannt gemacht, werden schnell rezipiert, variiert und radikalisiert. Ihre Sternstunde kommt, als sie die Reform des Bildungswesens zu bestimmen beginnen. Philosophisch gebildeten Praktikern gelingt es, die öffentliche Diskussion zu bestimmen und von 1805 bis 1817 eine Bildungsreform im Geiste des N. einzuleiten. Die prominentesten Wortführer sind F. Ast [2], E. A. Evers [6], R. B. Jachmann [1; 10], F. Jacobs [11] und F. I. Niethammer [21]. In der – nicht selten grobschlächtigen – Antithese von Humanitätsbildung und Berufsbildung (= Bildung zur ›Brauchbarkeit‹ und ›Bestialität‹) erhält die Humanitätsbildung einen einzigartigen Vorrang und wird durch das Griechen-Paradigma heiliggesprochen [3. 1098–1102]. F. A. Wolf führt Humboldtsche Gedanken (v. a. aus der Griechen-Skizze) in die sich neu konstituierende Alt.-Wiss. ein, in dem er sie für seine *Darstellung der Alterthums-Wiss.* (Berlin 1807) [30] verwertet, ohne Humboldt zu nennen. Maßgeblich beteiligt an dem Erfolg der neuen Bildung ist dann Humboldt selbst, als es ihm von 1809 bis 1810 als Leiter der Sektion für Kultus und Unterricht im Innenministerium von Preußen gelingt, die neue Allgemeinbildung zur Aufgabe des reformierten Gymnasiums zu machen. Die Erneuerung Preußens wird zur Aufgabe des Bildungswesens. Was in Preußen beginnt, setzt sich in den anderen Ländern des Deutschen Bundes innerhalb kurzer Zeit fort [13. 30–55].

3. Geschichte

Das äußere Schicksal der neuhuman. Bildungskonzeption ist an das Schicksal des Gymnasiums gekoppelt. Als dieses 1900 endgültig sein Monopol für den Zugang zur Univ. einbüßt, verliert der N. seine einzigartige institutionelle Stellung. Der äußeren Erfolgsgeschichte entspricht aber nicht eine innere Erfolgsgeschichte, da die Bildungskonzeption des N. nur bis ca. 1840 identisch mit der Bildungskonzeption des Gymnasiums ist. Danach wird sie primär Bildungsrhet., der die Bildungswirklichkeit nur noch teilweise entspricht. Im einzelnen sind folgende Probleme signifikant:

Als Mittel seiner eigenen Erneuerung fördert der Staat, zunächst der Staat Preußen, die neue Bildung. Damit gerät die Bildung in die Obhut des Staates. Die Monopolisierung der neuen Bildung durch den Staat wird kaum als Mangel empfunden, da unter dem Eindruck der Philos. Hegels der Staat als Objektivation der geschichtlichen Vernunft verstanden wird und ein Gegensatz von Bildung und Staat nicht mehr möglich erscheint. Auch sichert die starke Protektion durch den Staat die Loyalität der Träger der Bildung, so daß die human. Bildung als eine Art Staatsbildung firmieren kann.

Die Versuche des Staates, im Zeichen der allg. rel. Erneuerung seit den 40er J. die Entfremdung von Human. und Christentum aufzuheben, führen im öffentlichen Bildungsdiskurs zu einer Annäherung, wenn auch die tatsächliche Annäherung kaum erreicht wird [13. 64–66; 88–93; 165–173]. Eine Radikalisierung des Gegensatzes bedeutet F. Nietzsches Abrechnung mit dem Christentum. Im Namen einer ›Wiedergeburt‹ der Ant. aus dem Geist der griech. Trag. im Werk R. Wagners wird seine Abrechnung zu einem ›Attentat auf zwei Jt. Widernatur und Menschenschändung‹ [22. 1111].

Seit Mitte des 19. Jh. setzt eine äußere und innere Erosion des N. als Humanitätsbildung ein. Bereits 1837 wird in Preußen das Griech. als Leitfach der neuen Bildung durch Reduktion des Stundenvolumens (von 50 auf 42 Stunden) zugunsten des Lat. (von 76 auf 86 Stunden) äußerlich geschwächt. Diese Reduktion und Verlagerung sind Ausdruck einer veränderten Bildungskonzeption: an die Stelle der Humanitätsbildung tritt mehr und mehr die formale Bildung (›Gymnastik des Geistes‹), die v. a. durch das Lat. geleistet wird. Sie wird zur erfolgreichen Bildung der 2. H. des 19. Jh. und verbindet sich auch mit dem Griechischen.

Die Humanitätsbildung wird außerdem ein Opfer der Altertumswiss., da diese, eingerichtet und gefördert, die unvergleichliche Humanität der griech. Ant. zu erforschen, nur die Durchschnittlichkeit der eigenen Zeit in der Ant. (Th. Mommsen, U. v. Wilamowitz-Moellendorff) entdeckt. Das Ergebnis: die Humanitätsbildung kann nur noch in der Bildungsrhet. überleben.

Mag auch die human. Bildungskonzeption am E. des 19. Jh. zu Ideologie und Rhet. verkommen sein, so wird sie doch noch mit der Bildungswirklichkeit verwechselt und massiv im Namen einer mod. nationalen Bildung bekämpft. Mit dem berühmt-berüchtigten Diktum Wilhelms II. aus dem J. 1890 ›Wir sollen nationale junge Deutsche erziehen und nicht junge Griechen und Römer‹ [13. 132–164, bes. 149f.] beginnen die Träger des Staates, die Protektion der neuhuman. Bildung abzubauen. Bei dem Versuch, den neuen Ansprüchen gerecht zu werden, dienen sich die Humanisten massiv dem monarchischen Staat an und versuchen, die alte individualistische Konzeption zu einer Bildung für den monarchischen Staat zu transformieren, um die Bildung auch institutionell umfassend zu sichern. Das gelingt jedoch nicht mehr. Zukunftsfähig war dieser Versuch auf keinen Fall.

Andere Lösungen, die Krise der neuhuman. Bildungskonzeption und der Gegenwart zu überwinden, bietet um 1900 der George-Kreis (→ Neohumanismus) und wenig später zu Beginn der Weimarer Republik W. Jaeger mit seinem Dritten Humanismus [15]. Hier gelingt es noch einmal, für kurze Zeit und mit begrenzter Reichweite, den Glauben an die Erneuerung der Gegenwart aus unterschiedlichen Konzeptionen des ant. Griechentums zu stärken.

→ Bildung; Dritter Humanismus; Humanistisches Gymnasium

1 Archiv Dt. Nationalbildung, hrsg. v. R. B. Jachmann, F. Passow, Berlin 1812 (Ndr. hrsg. v. H. J. Heydorn, 1969) 2 F. Ast, Über den Geist des Alterthums und dessen Bed. für unser Zeitalter, 1805 (Ndr. in: Dokumente des N. I, hrsg. v. R. Joerden, ²1962, 13–31 3 H. E. Bödecker, s. v. Menschheit, Humanität, Humanismus, in: Geschichtliche Grundbegriffe. Histor. Lex. zur polit.-sozialen Sprache in Deutschland, Bd. 3, 1982, 1063–1130 4 G. Bollenbeck, Bildung und Kultur. Glanz und Elend eines dt. Deutungsmusters, 1994 5 A. Buck, Humanismus. Seine europ. Entwicklung in Dokumenten und Darstellungen, 1987 6 E. A. Evers, Über die Schulbildung zur Bestialität, Aarau 1807 (Ndr. in: Dokumente des Neuhumanismus I, hrsg. v. R. Joerden, ²1962, 46–87 7 M. Fuhrmann, Der europ. Bildungskanon des bürgerlichen Zeitalters, 1999 7a Ders., Lat. und Europa. Gesch. des gelehrten Unterrichts in Deutschland von Karl d. Gr. bis Wilhelm II., 2001 8 E. Hojer, Die Bildungslehre F. I. Niethammers. Ein Beitr. zur Gesch. des N., 1965 9 W. v. Humboldt, Werke in fünf Bänden, hrsg. v. A. Flitner und K. Giel, Bd. 1, 1960; Bd. 2, 1961; Bd. 3, 1963; Bd. 4, 1964; Bd. 5, 1981 10 R. B. Jachmann, Über das Verhältnis der Schule zur Welt, 1811 (Ndr. in: Dokumente des N. I, hrsg. v. R. Joerden, ²1962, 88–110 11 F. Jacobs, Dt. Reden aus den Freiheitskriegen, hrsg. v. R. Ehrwald, 1915 12 K.-E. Jeismann, Das preußische Gymnasium in Staat und Ges., Bd. 1: Die Entstehung des Gymnasiums als Schule des Staates und der Gebildeten, 1787–1817, ²1996; Bd. 2: Höhere Bildung zw. Reform und Reaktion, 1817–1859, 1996 13 M. Landfester, Human. und Gesellschaft. Unt. zur polit. und ges. Bed. der human. Bildung in Deutschland, 1988 14 Ders., Griechen und Deutsche. Der Mythos einer »Wahlverwandtschaft«, in: H. Berding (Hrsg.), Mythos und Nation. Stud. zur Entwicklung des kollektiven Bewußtseins in der Neuzeit, Bd. 3, 1996, 198–219 15 Ders., s. v. Dritter Humanismus, in: DNP 13, 1999, 877–883 16 B. Liebrucks, Sprache und Bewußtsein, Bd. 2: Sprache. Wilhelm von

Humboldt, 1965 **17** S. L. MARCHAND, Down from
Olympus, Archaeology and Philhellenism in Germany,
1700–1970, 1996 **18** C. MENZE, Wilhelm von Humboldts
Lehre und Bild vom Menschen, 1965 **19** Ders., Die
Bildungsreform Wilhelm von Humboldts, 1975
20 N. MILLER, Europ. Philhellenismus zw. Winckelmann
und Byron, in: Propyläen Gesch. der Lit., Bd. 4, 1983,
315–366 **21** F. I. NIETHAMMER, Der Streit des
Philanthropinismus und Human. in der Theorie des
Erziehungsunterrichts unsrer Zeit, Jena 1808 (Ndr. hrsg. v.
W. HILLEBRECHT, 1968) **22** F. NIETZSCHE, Ecce homo,
1888, Die Geburt der Trag., geschrieben 1888, publ. 1913,
in: Ders., Werke in 3 Bde., hg. v. K. Schlechta, Bd. 2, ³1962
23 F. PAULSEN, Gesch. des gelehrten Unterrichts, 2 Bde,
³1919–1921 (1885) **24** U. PREUSSE, Human. und Ges. Zur
Gesch. des altsprachlichen Unterrichts in Deutschland von
1890–1933, 1988 **25** J.-J. ROUSSEAU, Émile ou De
l'éducation, Den Haag, Amsterdam 1762 **26** W. RÜEGG,
Die Ant. als Begründung des dt. Nationalbewußtseins, in:
W. SCHULLER (Hrsg.), Ant. in der Moderne, 1985, 267–287
27 F. SCHILLER, Über die ästhetische Erziehung des
Menschen in einer Reihe von Briefen, in: Schillers Werke.
Nationalausgabe, Bd. 21, 1962, 321–328 **28** O. TAPLIN,
Feuer vom Olymp. Die mod. Welt und die Kultur der
Griechen, 1991 (engl. Originalausgabe 1989) **29** J. J.
WINCKELMANN, Gedancken über die Nachahmung der
Griech. Wercke in der Mahlerey und Bildhauer-Kunst, in:
H. PFOTENHAUER u. a. (Hrsg.), Frühklassizismus. Position
und Opposition: Winckelmann, Mengs, Heinse, 1995, 9–50
30 F. A. WOLF, Darstellung der Alterthums-Wiss., Berlin
1807 (Ndr. in: KS in lat. und dt. Sprache, Bd. 2, hrsg. v.
G. Bernhardy, Halle 1869, 808 ff.; Ndr. hrsg. v.
J. Irmscher, 1985).   MANFRED LANDFESTER

Neulatein

I. SPRACHE   II. LITERATUR
III. PHILOLOGIE

I. SPRACHE

A. ZEITRAHMEN   B. OPPOSITION ZUM
MITTELLATEIN   C. WIEDERGEWINNUNG DER
SPRACHE   D. CHARAKTERISTIK   E. FUNKTIONEN
F. GESCHICHTE DER NEULATEINISCHEN SPRACHE

A. ZEITRAHMEN

Die lat. Sprache der Neuzeit, das N. [3], ist aus einer
Gegenbewegung gegen Erscheinungen der vorangehenden Sprachperiode, des → Mittellateins, entstanden.
Die Bewegung nimmt ihren Ausgang in der Kritik der
frühen it. Humanisten an den von der klass. Latinität
immer weiter entfernten ma., speziell scholastischen,
Sprachgewohnheiten. Als Zeitgrenze zw. Mittellatein
und N. gilt, nach dem Beschluß des 2. International
Congress of Neo-Latin Studies (Amsterdam 1973), etwa
das J. 1300.

B. OPPOSITION ZUM MITTELLATEIN

Der Widerspruch der frühen Humanisten ist zum
einen ästhetischer Natur. Er nimmt seinen Ausgang in
Petrarcas an Cicero geschultem Gespür für die Schönheit der Sprache. Eine scharfe Waffe im Kampf gegen
die ma. Entartungen der Sprache ist die Satire. Die *Epistulae obscurorum virorum* (1517) dürfen geradezu als
Kompendium mittellat. Eigenheiten dienen; daneben
sind das allegorische *Bellum grammaticale* des Andrea
Guarneri zu nennen sowie die beiden Kom. *Regnum
humanitatis* des Jesuiten Jakob Gretser (1585) [6]. Neben
dem ästhetischen Impuls wirkt ein national-röm., der
eine ruhmreiche Vergangenheit in der Sprache des alten
Rom sucht, die durch die Einfälle nordischer Barbaren
depraviert sei.

C. WIEDERGEWINNUNG DER SPRACHE

Dieser langwierige Prozeß führt von der intuitiven
Kritik Petrarcas zu einer immer intensiveren Orientie-
rung an den Zeugnissen der Autoren und der Inschriften. Schritte auf diesem Wege sind die Formung einer
Kanzleisprache durch die florentinischen Kanzler seit
Coluccio Salutati (1331–1406), dazu die fundierte
Sprachkritik Lorenzo Vallas, die auch die biblische Vulgata des Hieronymus nicht verschont (*De elegantiis linguae Latinae* 1444), und die Schaffung neuer Gramm.
von Niccolo Perotti (1468) bis Petrus Ramus (1559).
Dazu kommen die Handbücher der Rhet., Poetik und
Metrik: Sulpicius von Veroli (Rom 1490/ Leipzig
1503). Sie ersetzen nach und nach die ma. Lehrbücher,
für die Sprache v. a. den *Grecismus* Eberhards von Béthune und das *Doctrinale* Alexanders de Villa Dei, doch
währt der ›Kampf um das Doctrinale‹ [7. LXXXIII ff.] bis
ins 16. Jh.; es wird noch 1525 in Leipzig gedruckt.

D. CHARAKTERISTIK

Die Sprache der nlat. Autoren ist, nicht anders als die
der mittellat., Ergebnis einer Rückorientierung; doch
sind die Vorbilder andere geworden. Man findet sie
nunmehr in der goldenen (Cicero) oder der silbernen
(Seneca, Tacitus) Latinität. Daraus ergibt sich eine stilistische Vielfalt mit der Folge immer neuer Streitigkeiten
um die rechten Muster, v. a. um die Geltung Ciceros.
Damit ist die Geschichte der lat. Sprache der Neuzeit so
gut wie ausschließlich Stilgeschichte: ›Die Geschichte
der lat. Sprache hört damit endgültig auf, an die Stelle
tritt die Geschichte ihres Studiums‹ [5. 767]. Die sprachliche Verwirklichung eines erneuerten Lateins erfolgt
keineswegs so zügig, wie es nach den lautstarken Proklamationen der frühen Humanisten zu erwarten wäre;
sie sind noch lange von den ma. Lehrbüchern abhängig,
und ihre Gebundenheit an die Lit. des MA zeigt sich
nicht zuletzt auch in der Schätzung, der Ed. und der
Imitation solcher Texte; dazu gehört auch die Übertragung volkssprachiger Texte ins Lateinische [1].

E. FUNKTIONEN

Die Geltung des N. entspricht der des Mittellat.; al-
lerdings muß es eine Position nach der anderen zugun-
sten der Volkssprachen räumen. Das hat den inneren
Grund, daß die Fixierung auf den Sprachgebrauch ant.
Autoren, v. a. Ciceros, der Sprache ein beträchtliches
Maß an Flexibilität, an Aufnahmefähigkeit gegenüber
neuen Ideen und Realien nimmt. So liegen denn die
Schwerpunkte der lit. Produktion der Humanisten auf
Gebieten wie Popularethik, Historiographie, → Pan-
egyrik und Epistolographie. Hinzukommt als äußerer

Grund ein gesteigertes Bedürfnis der Laien nach Unterrichtung und Unterhaltung.

(1) Christl. Tradition: Etappen des Rückzuges der lat. Sprache aus diesem Gebiet sind die volkssprachigen Versionen der *Heiligen Schrift*, wie sie in Frankreich seit dem 12. Jh. für einzelne Teile, seit dem 13. auch für die Vollbibel entstehen. Die älteste dt. Fassung ist der *Codex Teplensis* (um 1400). Die Verbreitung der dt. Bibeln durch den Buchdruck, einsetzend mit dem hochdeutschen Druck des Johannes Mentelin (Straßburg 1466) und dem niederdeutschen des Heinrich Quentel (Köln 1478), findet ihren Höhepunkt in Luthers *Septembertestament* (1522) und der Vollbibel von 1534. Der Rückzug des Lat. aus der Liturgie beginnt mit hsl. Übersetzungen des *Missale* [2] seit dem 13. Jh. im Zuge einer neuen Laienfrömmigkeit (Drucke: München 1525, Leipzig 1529). Luther konzipiert noch 1523 eine lat. *Formula missae*, wendet sich aber 1526, beeindruckt von Thomas Münzers dt. Messe, der dt. Liturgie zu. Die röm. Kirche öffnete sich dem volkssprachigen Gottesdienst im 2. Vatikanischen Konzil 1965.

(2) Unterricht und Wiss.: Die Volkssprachen müssen die Fähigkeit zur Darstellung abstrakter und komplizierter Sachverhalte erst entwickeln; so manifestiert sich der Aufschwung der exakten Wiss. in der Neuzeit durchweg in lat. Schriften: 1543 Kopernicus und Vesalius, 1628 Harvey, 1687 Newton, 1801 Gauß, 1833 Bolyai. Gleichfalls wird die Kenntnis der ant. griech. Lit. in der Regel über das Lat. vermittelt. Auch vollzieht sich die gelehrte Kommunikation in Korrespondenzen, Vorlesungen und Disputationen bis zum E. des 17. Jh. ausschließlich lat.; erst Chr. Thomasius liest seit 1687 in Leipzig deutsch. Auf der anderen Seite finden sich noch 1796 ein Verleger und ein Übersetzer, die eine lat. Ausgabe von Kants Kritiken wagen [4].

(3) Staat und Recht: Die erste erhaltene deutschsprachige Kaiserurkunde wird 1240 unter Konrad IV. ausgefertigt; als Sprache der Diplomatie tritt seit dem 16. Jh. zunächst das Frz., dann das Engl. an die Stelle des Lat.; in Ungarn wird es als Amtssprache 1848 abgeschafft.

(4) Dichtung: Das Verhältnis von Muttersprache und Bildungssprache (»Vatersprache«) ist durch den Antagonismus zw. human. Verachtung volkssprachiger Barbarei und der Überzeugung von Wert und Würde der Muttersprache bestimmt. Bis in die Barockzeit gilt es als rühmenswert, in beiden Sprachen, wie z.B. Paul Fleming, zu dichten.

1 H.-J. BEHR, Polit. Realität und lit. Selbstdarstellung. Stud. zur Rezeption volkssprachlicher Texte in der lat. Epik des Hoch-MA, 1978 2 A. HÄUSSLING, s. v. »Missale« in: Die dt. Lit. des MA. VerfLex6, 1987, 607–612 3 J. IJSEWIJN, Companion to Neo-Latin Stud., Teil 1: History and diffusion of Neo-Latin literature, ²1990; Teil 2 (mit D. Sacré): Literary, linguistic, philological and editorial questions, ²1998 4 IMMANUELIS KANTII Opera ad philosophiam criticam latine vertit F. G. BORN, 1796–1798 5 NORDEN, Kunstprosa 6 F. RÄDLE, Kampf der Gramm.

Zur Bewertung ma. Latinität im 16. Jh., in: FS PAUL KLOPSCH, 1988, 424–444 7 D. REICHLING, Das Doctrinale des Alexander de Villa-Dei. Kritisch-exegetische Ausgabe, 1893 (Monumenta Germaniae Paedagogica 12).

PAUL KLOPSCH

F. GESCHICHTE DER NEULATEINISCHEN SPRACHE

Laut-, Formenlehre und Syntax der lat. Prosa und Poesie sind seit der Ren. bis auf wenige geringfügige Sonderfälle konstant geblieben, insofern ihre Regeln und Normen das gleiche einheitliche und zugleich vielfältige Bild wie in der klass. Ant. aufweisen.

Im Unterschied dazu ist das Vokabular im Laufe der letzten 7 Jh. notwendigerweise auf allen Gebieten unaufhörlich vermehrt worden, so daß die zahlreichen nlat. Namen und Begriffe den lat. Wortbestand erheblich erweitert und bereichert haben.

Als Cicero es als erster Römer unternahm, das Gesamtgebiet der Philos. in lat. Sprache darzustellen, schuf er fast aus dem Nichts eine neue philos. Lexik und stellte daher mehrmals den Grundsatz auf, daß für »neue Sachen« (*novae res*) stets »neue Wörter« (*nomina* bzw. *verba nova*) geprägt werden müssen (orat. 211; ac. 1,25; fin. 3,3; nat. deor. 1,44). Gemäß dieser prinzipiellen Forderung ist es Aufgabe auch jedes nlat. Autors seit der Ren. gewesen, alle vorher unbekannten Gegenstände und Begriffe, die – von der Erfindung der Buchdruckerkunst im 15. Jh. über die unzähligen weiteren Errungenschaften des rasanten technischen Fortschritts bis zu unserem Computerzeitalter – plötzlich auftauchten, jeweils mit dem treffendsten Ausdruck zu bezeichnen. Dieses generelle Ziel, jedem Gebiet der neuzeitlichen Geistes- und Naturwiss. sowie sämtlichen praktischen Bedürfnissen der mod. *vita cottidiana* ein angemessenes Vokabular bereitzustellen, hat die nlat. Philol. im Laufe der Zeit tatsächlich in kreativer und so wirkungsvoller Weise erreicht, daß von Lat. als einer »toten« Sprache überhaupt keine Rede sein kann. Zwar waren im Zuge der Rückbesinnung auf das klass. ant. Lat., wie sie Petrarca und Valla initiiert hatten, und in zu enger Anlehnung an ant. Modelle manche Humanisten bestrebt, Abweichungen speziell vom ciceronianischen Sprachgebrauch zu vermeiden; extreme Puristen vom Typ des Nosoponus, den Erasmus in seinem *Ciceronianus* ironisch beschreibt (um ihn schließlich von seiner geistigen Krankheit zu heilen), lehnten sogar jegliche Wortform ab, die im überlieferten *Corpus Ciceronianum* nicht belegbar war. Hätten sich aber die Humanisten allg. mit dem ant. und ma. Wörtermaterial oder gar dem eines einzigen lat. Autors begnügt, wäre die lat. Sprache insgesamt sicherlich bald ganz erstarrt und somit längst ausgestorben. Aber in konstruktivem Sinne haben die nlat. Autoren, ausgehend vom Fundus des ant. und ma. *thesaurus verborum*, ihn zugleich fortwährend unbegrenzt vergrößert und dabei eine zeit- und sachgemäße neue lat. Terminologie geschaffen, indem sie das Analogieprinzip ant. Sprachlehren jeweils auf die erforderlichen neuen lat. Wortbildungen übertrugen und diese Methode der Reihe nach auf alle Fachgebiete passend anwandten: zuerst auf die traditionellen *artes liberales* (mit dem Trivium Gramm., Rhet., Dialektik und dem Quadrivium Arithmetik, Musik, Geom., Astronomie), sodann die *artes mechanicae* (Handwerk, Kriegswesen, Erdkunde/Seefahrt/Handel, Landbau/Haushalt, Heilkunde, Hofkünste usw.) sowie die *artes occultae* (→ Magie, Mantik u. a.) und endlich auf alle wiss. Bereiche, die den Fakultäten jeder Univ. der Neuzeit jeweils zugeordnet sind, so daß es »bisher nichts gibt, was in lat. Sprache nicht ausgedrückt wurde oder werden könnte« (*nihil adhuc esse, quod Latine non sit expressum aut exprimi nequeat*). Kein Wunder also, daß das Lat., speziell das N., die morphologische und lexikalische Hauptquelle der mod. Wissenschaftssprachen bildet und bereits in der frühen Neuzeit einen derart starken Einfluß auf fast alle europ. Sprachen ausgeübt hat, daß – zumal in den Tochtersprachen der Romania – ein sämtliche Gebiete erfassender Prozeß der »Relatinisierung« einsetzte. So dient das Lat., bes. in seiner nlat. Ausprägung, bis heute ›als gemeinsame Überdachung für alle Sprachen (...), und so darf prognostiziert werden, daß das Lat. in der Evolution der westeurop. Sprachen eine zentrale Kraft bleiben und die Klammer bilden wird, die die Wissenschaftssprachen zusammenhält und ihre weitere Konvergenz fördert‹ [20. 1080].

Mit dem unbegrenzten Ausdehnungspotential des Wörtervorrates korrespondiert eine große Variationsbreite des Sprachstils der heterogenen Texte, wenn auch jeder nlat. Schriftsteller und Dichter einen stilistischen Idealtyp vor Augen hat, wie er sich vornehmlich in Werken ant. lat. Autoren manifestiert: Gemäß ihren beiden lit. Hauptprinzipien, *imitatio* und *aemulatio*, waren die Humanisten stets bestrebt, die Vorbilder, an deren Stil sie sich orientierten, jeweils nachzuahmen oder sogar zu übertrumpfen. Am meisten wurde der rhet. Stil Ciceros als Muster ausgewählt; andere entschieden sich für Seneca und Tacitus oder Apuleius und Petron (oft in Verbindung mit Plautus). Die Wahl des Musters hing dabei auch von der betreffenden lit. Gattung ab. So erklärt es sich, daß Giovanni Pico della Mirandola (1463–1494) seine berühmte Rede *De dignitate hominis* in schönen klass. Perioden verfaßte, seine gleichzeitig veröffentlichten philos. *Conclusiones sive theses DCCCC* dagegen in perfektem scholastischem Lat., während Justus Lipsius (1547–1606) nacheinander seinen lat. Stil änderte, indem er vom Ciceronianismus, den er als Schüler der Kölner Jesuiten gelernt hatte, zu Seneca (in seinen stoischen Studien) und dann zu Tacitus (in seinen textkritischen sowie histor. Schriften) wechselte. In neuerer Zeit hat sich jedoch die Erkenntnis durchgesetzt, daß eine ausgewogene Mischform der verschiedenen lat. Stilarten sowohl dem jeweils darzustellenden Thema als auch dem auszuprägenden Individualstil des nlat. Autors am ehesten entspricht: *Quot homines, tot stili*.

Ähnlich variationsreich ist auch die nlat. Verskunst [12. II. 427–433]. Nicht nur sind Versmaße üblich, die bei den augusteischen Dichtern (zumal bei Horaz als *numerosus*) auftreten, sondern auch solche der gesamten ant. lat. Poesie von ihren Anfängen bis zur Spätantike. Zwar war eine korrekte Kenntnis der Struktur sogar des daktylischen Hexameters, des am häufigsten vorkommenden Metrums, noch bis zum Beginn des 16. Jh. und außerhalb It. selten. Doch nachdem die Prinzipien der klass. lat. Metrik im Verlauf des 16. Jh. überall bekannt geworden waren, verschwanden Verstöße gegen ihre Regeln, v. a. prosodische Fehler (falsche Quantitäten und Silbenmessungen), nahezu völlig. So griffen die nlat. Dichter gleichmäßig auf sämtliche Versmaße zurück, die sie in den überlieferten Texten von Plautus bis Ausonius und Boethius vorfanden, und zwar gerade auch solche, die in den mod. Lehrbüchern zur röm. Metr. – abgesehen von dem fast unbekannten G. Martínez Cabello, *De arte metrica latina*, 1945 – kaum erwähnt werden, und variierten diese Formen derart, daß für manche Gedichte – wie z. B. die Ode III 5 des Matthias Sarbievius (1595–1640), des »polnischen Horaz« – kein ant. Modell ermittelt werden kann. Nachdem in der Romantik das MA wiederentdeckt wurde, erlebten auch die spezifisch ma. Versformen eine Ren., so daß z. B. auch die bei den Humanisten der frühen Neuzeit noch ganz verpönten Reimverse Eingang in die nlat. Poesie fanden; J. D. Fuss, auf den der Terminus *neolatinus* zurückgeht, war auch der erste, der den Reim als genuin lat. Kunstform in die nlat. Dichtung einführte mit der programmatischen *Dissertatio versuum homoeoteleutorum sive consonantiae in poesi neolatina usum commendans* (Lüttich 1824). Vor wenigen J. wurde sogar die uralte japanische Gedichtform des Haiku erstmals von lat. Poeten rezipiert und ist seitdem so beliebt, daß inzwischen in dieser fernöstlichen Manier viele *haicua Latina*, d. h. originelle nlat. *haicu carmina*, verfaßt und in Sammlungen herausgegeben wurden, gefördert v. a. durch die 1995 gegründete belgische Vereinigung *Harundine – Societas haicubus Latine pangendis* [7]. Mit ihrer Eingliederung, Erweiterung und Abwandlung ant., ma. und neuartiger metr. Strukturen übertrifft also auch die nlat. Dichtkunst insgesamt die lat. Poesie der früheren Hauptepochen an Breite und Vielfalt.

Allgemein bleibt festzuhalten, daß die Geschichte der nlat. Sprache mit dem Beginn des 3. Jt. keineswegs beendet ist. Vielmehr erlebt die *Latinitas*, das geistige Fundament der Entwicklung der europ. Sprachen und Lit. seit Spätant. und MA [16], gegenwärtig trotz mancher Gefährdungen in vielfacher Hinsicht eine neue Blütezeit (→ Lebendiges Latein; Terminologie).

1 S. ALBERT, Cottidianum vocabularium scholare, 1992
2 Dies., Imaginum vocabularium Latinum, 1998
3 A. BACCI, Lexicon vocabulorum quae difficilius Latine redduntur, [4]1963 4 C. EGGER, Lexicon recentis Latinitatis, 2 Bde., 1992–1997 (dt. Ausgabe: Neues Lat. Lex., 1998)
5 C. EICHENSEER, Latinitas viva. Pars lexicalis, 1981
6 Ders., Collectanea usui linguae Latinae dicata, 1999
7 HARUNDINE (Hrsg.), Haicu dum ludo, 1998 8 C. HELFER, Lex. Auxiliare. Ein dt.-lat. WB, [3]1991 9 Ders.,

Dissertationes Latinae, 1994 **10** Ders., Crater Dictorum.
Lat. Sprichwörter, Wahlsprüche und Inschr. des 15.–20. Jh.,
1995 **11** R. Hoven, Lexique de la prose latine de la Ren.,
1994 **12** J. Ijsewijn, Companion to Neo-Latin Stud., 2 Bde.
(Bd. 2 mit D. Sacré), ²1990–1998 **13** D. Liebs, Lat.
Rechtsregeln und Rechtssprichwörter, 1982
14 T. Mariucci, Latinitatis nova et vetera. De Romani
sermonis virtute, 1986–1991 **15** H. H. Munske,
A. Kirkness (Hrsg.), Eurolatein. Das griech. und lat. Erbe in
den europ. Sprachen, 1995 **16** K. A. Neuhausen, Latinitas
Europae fundamentum spiritale ab antiquis aetatibus atque
Caroli Magni saeculo ad praesentia pertinens tempora, in:
P. L. Butzer, M. Kerner, W. Oberschelp (Hrsg.), Artes
liberales, 1997, 521–548 **17** H. Nikitinski, De eloquentia
latina saec. XVII et XVIII dialogus, 2000 **18** S. Rizzo, Il
lessico filologico degli umanisti, 1984 **19** C. Schmitt, Zur
Rezeption ant. Sprachdenkens in der Ren.-Philol., in:
A. Buck, K. Heitmann (Hrsg.), Die Ant.-Rezeption in den
Wiss. während der Ren. 1983, 75–101 **20** Ders., Lat. und
westeurop. Sprachen, in: W. Besch u. a. (Hrsg.),
Sprachgesch. Ein Hdb. zur Gesch. der dt. Sprache und ihrer
Erforsch., 2. Teilbd. ²2000, 1061–1084 **21** A. Springhetti,
Lex. linguisticae et philologiae, 1962 **22** H. Tondini,
T. Mariucci, Lex. novorum vocabulorum, 1964
23 T. Tunberg, Humanistic Latin, in F. A. C. Mantello,
A. G. Rigg, Medieval Latin, 1996, 130–136 **24** Ders.,
G. Tournoy, On the margins of Latinity? Neo-Latin and
the vernacular languages, in: Humanistica Lovaniensia 45,
1996, 134–174.   KARL AUGUST NEUHAUSEN

II. Literatur
A. Begriff und Gegenstandsbereich
B. Aktuelle bibliographische Hinweise
C. Ursprung, Ausbreitung und Epochen
D. Thematik und Gattungen

A. Begriff und Gegenstandsbereich

Geschichte und Entwicklung der lat. Sprache und
Lit. insgesamt sind in drei Phasen gegliedert: Ant., MA
und Neuzeit. Die Grenzen zw. mittel- und nlat. Epoche
sind ebenso fließend wie die zw. Spätantike und frühem
MA. In engerem Sinne definierte man »N.« lange als das
»erneuerte« Lat. human. Prägung, d. h. die von den Humanisten der Ren. (14.–16. Jh.) vornehmlich mit
Rückgriff auf ant. Vorbilder entwickelte nlat. Sprache
und Lit.; ihrer Erschließung – der Latinität des Ren.-
Humanismus – widmet sich daher die »human. Philol.«
bzw. »filologia umanistica«. Seit dem zweiten Kongreß
der *International Association for Neo-Latin Studies* (Amsterdam 1973) und gemäß ihren Statuten, die seit ihrem
elften Kongreß (Cambridge 2000) in revidierter Fassung
vorliegen (Text in: *Humanistica Lovaniensia* 49, 2000,
505–510), versteht man aber unter »N.« in weitestem
Sinne alle lat. verfaßten Texte vom E. des MA bis zur
Gegenwart, und zwar in It. bereits seit ca. 1300, d. h. der
Frühren. und dem Zeitalter Petrarcas (1304–1374), des
»Vaters der Humanisten«; außerhalb It. dagegen beginnt
das N. später mit z. T. erheblicher Verzögerung (ab dem
15. bzw. 16. Jh.). Bis um 1600 übertraf die Anzahl der in
lat. Sprache abgefaßten – lit. und wiss. – Druckwerke

die Menge aller nationalsprachlichen Schriften. Noch
im 17. Jh. hielten sich in Europa lat. und volkssprachliche Buchpublikationen ungefähr die Waage. Erst seit
etwa 1750 treten die lat. Texte allmählich hinter denen
der Nationalsprachen zurück, ohne daß das N. in einigen Bereichen der Wiss., Kirche und Kultur seine dominierende Stellung bis h. verloren hat.

Der Begriff »nlat.« taucht freilich erst gegen E. des
18. Jh. auf. Als erster sicherer Beleg gilt der Titel des
Buches von A. Klose: *Nlat. Chrestomathie, enthaltend Anekdoten, Erzählungen, Briefe, Biographien und andere lat.
Aufsätze aus neueren Lateinern* (Leipzig 1795). Das Wort
entstand so offenbar durch eine Übers. des lat. Adjektivs
recens bzw. *recentior* (»neu«/»neuer«), das seit dem 15. Jh.
in der Verbindung *poetae* bzw. *auctores recentes* oder *recen-
tiores* im Gegensatz zu den ant. Dichtern und Prosaautoren, den *veteres* oder *antiqui*, verwendet wurde. Der
erste, der den neuen Begriff »nlat.« ins Lat. übersetzte
und mit *neolatinus* wiedergab, war J. D. Fuss mit seiner
Dissertatio de … poetis neolatinis (Köln 1822). Doch haben sich der Terminus »nlat.« und seine mod. Äquivalente nur langsam durchgesetzt, zumal da im It. und Frz.
le lingue neolatine bzw. *les langues néolatines* gewöhnlich
die romanischen Sprachen meint, d. h. die aus dem Lat.
abgeleiteten Nationalsprachen. So trug noch die große
Sammlung nlat. Dichtungen, die August Friedrich (von)
Pauly – der Begründer der *Real-Enzyklopädie der class.
Altertumswissenschaft* – 1818 in Tübingen veröffentlichte, bezeichnenderweise den konventionellen Titel *Anthologia poematum Latinorum aevi recentioris* (Anthologie
lat. Dichtungen der neueren Zeit); eine nahezu vollständige Liste der bisherigen – über 200 – nlat. Anthologien, in deren Reihe sich auch Paulys »Blütenlese«
befindet, lieferte B. Windau [18. 317–225]. Alle diese
Textsammlungen lassen erkennen, daß die lat. Dichter
und Prosaautoren der Neuzeit – von der Ren. bis zur
Gegenwart – zwar in der Trad. der ant. und ma. Latinität
stehen (wobei das ant. Erbe seit der Ren. überwiegt, der
Einfluß des MA jedoch erst nach dem 16. Jh. abnimmt),
sie aber schöpferisch weiterentwickelten, indem sie sowohl den lat. Wortschatz durch Neubildungen von Begriffen und Bedeutungsveränderungen erheblich erweiterten als auch die lat. Poesie und Prosa mit neuen lit.
Gattungen wesentlich bereicherten.

Während jedoch die Erforschung der lat. Sprache
und Lit. der Ant. seit über 200 J. – unter Mitwirkung
gerade auch von A. F. Pauly – im Kanon der Fachgebiete
der klass. Altertumswiss. fest verankert ist und auch die
Mittellat. Philol. schon vor mehr als 100 J. begonnen
hat, sich als eigenständige wiss. Disziplin zu etablieren,
hat hinsichtlich der Neolatinistik eine vergleichbare
analoge Entwicklung erst in der zweiten H. des 20. Jh.
eingesetzt. Die entscheidende Wende leitete der belgische Klass. Philologe Jozef IJsewijn (1932–1998) ein, der
als Begründer der nlat. Philol. gilt. Er richtete 1966 das
Seminarium Philologiae Humanisticae in Leuven ein, das
erste Institut für N. an einer europ. Univ., gab 30 J. lang
– von 1968 bis 1998 – die *Humanistica Lovaniensia – Jour-*

nal of Neo-Latin Studies heraus, die maßgebliche nlat. Fachzeitschrift, und veröffentlichte zahlreiche bahnbrechende Arbeiten zum Gesamtgebiet der nlat. Lit. (Editionen und Spezialstudien), und zwar v. a. den *Companion to Neo-Latin Studies* [4; 5], das unentbehrliche Handbuch für jede nlat. Untersuchung, dessen erste Auflage 1977 erschien (völlige Neubearbeitung in zwei Bänden 1990/1998); der Fortschritt der revidierten gegenüber der früheren Ausgabe läßt sich schon daraus ersehen, daß sie mit 933 Seiten fast das dreifache Volumen aufweist. Auf der Basis dieses bisher reichhaltigsten und bedeutsamsten – gleichwohl notwendigerweise z. T. noch sehr lückenhaften – Kompendiums lassen sich Quantität und Qualität der nlat. Texte insgesamt erstmals wenigstens approximativ ermessen. Da jedoch zahllose lat. Werke der Neuzeit noch nicht ediert oder ganz unbekannt sind und zudem ständig neue nlat. Schriften entdeckt werden, läßt sich das wahre Ausmaß dieses Riesengebietes nur schätzen. Nach W. Ludwig [9. 333] ist davon auszugehen, daß die Texte der nlat. Lit. an Umfang ›die überlieferten ant. lat. Texte um das Hundert- bis Zehntausendfache übertreffen‹.

B. AKTUELLE BIBLIOGRAPHISCHE HINWEISE

Angesichts der immensen und schier unendlichen Masse der nlat. Texte versteht man, warum es H. Hofmann [3] in seinem Bericht zum gegenwärtigen Stand der nlat. Studien für unmöglich hielt, ›auch nur die wichtigsten Aspekte eines so weiten und sich auf zahlreiche Gebiete erstreckenden Themas zur Sprache zu bringen und einen angemessenen Eindruck zu vermitteln vom lit. Reichtum, der ästhetischen Qualität und der gesellschaftlichen Bedeutung der nlat. Lit.‹. Tatsächlich würde allein schon eine bloße Aufzählung der nlat. Autoren und ihrer Werke etliche Bücher erfordern; so benötigte P. O. Kristeller (1905–1999) sechs Bände seines grundlegenden *Iter Italicum*, um die erhaltenen lat. Manuskripte der Humanisten zu erfassen [6]. Um daher den Zugang zur nlat. Lit. zu erleichtern, erscheint es hier zweckmäßig, einige aktuelle bibliogr. Hilfsmittel zu bieten. Die CD-ROM *Lateinische Bibliographie 15. Jahrhundert – 1999* liefert erstmals eine Bibliogr. des gesamten lateinsprachigen Schrifttums der letzten fünf Jh. aus rund 140 Ländern. Diese über 300 000 (!) Einträge lat. Titel aufweisende Bibliogr. erschließt theologische, philos., wiss. Abh. und Dissertationen, Werke des europ. Human., amtliche kirchliche Schriften, lat. Bibelübers., Werke der Kirchenväter, die Lit. des lat. MA und der röm. Antike. Das *Instrumentum bibliographicum Neolatinum*, das jedem Jahrgang der *Humanistica Lovaniensia* (HL) beigegeben ist (zuletzt: Vol. 49, 2000, 423–497), erfüllt eine ähnliche Funktion wie die *Année philologique* und die bibliogr. Beilagen des *Gnomon* für den Bereich der klass. Altertumswissenschaft. Die Angaben der HL zu den jeweils neuesten nlat. Publikationen sind demgemäß nach einem differenzierten festen Schema aufgeteilt: einer Anordnung der Neuerscheinungen unter sieben Hauptaspekten, aus denen sich – parallel zum Aufbau von IJsewijns *Companion* – die extrem hohe

Zahl der nlat. Autoren (Prosaschriftsteller und Dichter) sowie die Vielfalt und die Reichhaltigkeit der Themen, Motive und Gattungen der gesamten nlat. Lit. erschließen lassen: 1. *Generalia*, 1.1 *Bibliographica*, 1.2 *Historica* (mit Nennung der Länder bzw. Erdteile, auf die sich die nlat. Texte beziehen), 1.3 *Litteraria*, 1.4 *Linguistica*, 1.5 *Thematica* (mit Nennung der in nlat. Lit. rezipierten Autoren der griech.-röm. Ant.), 1.6 *Scientifica*, 1.7 *Ecdotica*, 1.8 *Didactica*, 2. *Poetica*, 2.1 *Generalia*, 2.2 *Poetae*, 3. *Scaenica* (Dramen: Trag., Kom. etc.), 3.1 *Generalia*, 3.2 *Scriptores scaenici* (Verf. von Dramen), 4. *Prosa oratio*, 4.1 *Generalia*, 4.2 *Auctores* (Prosaschriftsteller), 5. *Inscriptiones* (Inschr.), 6. *Latinitas novissima* (Lat. der Gegenwart), 7. *Opera incepta* (begonnene Werke). Abschließend folgt ein *Instrumentum lexicographicum* mit den Rubriken *Nova lexica* (neue nlat. Wörterbücher) und *Index verborum recentiorum* (Verzeichnis einzelner nlat. Wörter). Auf die vielen wichtigen nlat. Texte und Themen, die in IJsewijns *Companion* fehlen oder nur am Rande behandelt werden, macht R. Seidel in seiner ausführlichen Rezension [14] aufmerksam; noch unbeachtet bleibt dabei z. B. auch R. Wimmers erste Gesamtdarstellung des nlat. Theaters [17]. Die enormen Fortschritte, welche die nlat. Studien im letzten Viertel des 20. Jh. erzielt haben, schildert anschaulich Ph. Ford [2]; eine detaillierte Bestandsaufnahme – mit Ausblick auf die zukünftigen Aufgaben und Perspektiven der nlat. Philol. – enthält der materialreiche Beitrag von H. Hofmann [3]. Den geeignetsten kurzgefaßten systematischen Überblick über das Gesamtgebiet der nlat. Lit. vermittelt die konzise Darstellung von W. Ludwig [9]; sie beschreibt im Rahmen der ›Einleitung der lat. Philol.‹ die nlat. Lit. als die fünfte und letzte Phase der Geschichte der lat. Lit. – hinter der ma. und der in drei Epochen (republikanische Zeit, augusteische Zeit und Kaiserzeit) aufgeteilten ant. lat. Literatur. Tatsächlich betrachtet man seit einigen J. in zunehmendem Maße die nlat. Lit. als Aufgabenbereich der gesamten Latinistik, bes. der Klass. Philologie.

C. URSPRUNG, AUSBREITUNG UND EPOCHEN

Die nlat. Lit. insgesamt wird in vier Hauptperioden [9. 334–344] eingeteilt, die ungefähr folgenden Zeiträumen entsprechen. 1. 1300–1450, 2. 1450–1600, 3. 1600–1800 und 4. 1800–2000. Sie ›beginnt mit der Orientierung der verwendeten lat. Sprache an der klass. Ant. und mit dem Bestreben, spezifisch ma. Orthographien, Worte und Konstruktionen ebenso wie ma. lit. Formen auszumerzen‹. Die Humanisten vom 15. bis 18. Jh. sahen daher in Petrarca (1304–1374) den Begründer der neuen Richtung, weil er die Schönheit des ant. Lat. neu entdeckt und sich ihre Erneuerung zum Ziel gesetzt hatte. Zwar hatte Petrarca in den Paduanern Lovati (1241–1309) und Mussato (1261–1329) Vorläufer, da sie bereits ähnliche Interessen verfolgten. Aber Petrarca übte mit seinen lat. Schriften den stärksten Einfluß aus, und zwar weniger mit seinen Dichtungen wie dem Epos *Africa*, das er für sein Hauptwerk hielt, als mit Prosaschriften, und zwar v. a. seinen Briefen, die er – unter dem Eindruck der 1345 entdeckten Briefe Ciceros – in verschiedenen Sammlungen herausgegeben hatte. Überdies wandte sich Petrarca als erster den Disziplinen zu, die man seit ca. 1400 unter dem Schlüsselbegriff *studia humanitatis* zusammenfaßte: Gramm., Rhet., Poesie, Geschichtsschreibung und Moralphilosophie. Bis etwa 1450 blieben die *studia humanitatis* auf It. beschränkt (wobei die Prosaschriften überwogen); die berühmtesten Humanisten dieser ersten Phase der nlat. Lit. waren Boccaccio, Salutati, L. Bruni, Poggio und Valla, der mit seinen *Elegantiarum linguae Latinae libri* den Gebrauch des »richtigen«, d. h. des an den klass. Mustern der Ant. (vornehmlich Ciceros) orientierten Lat. propagierte. Seit etwa 1450 breitete sich die nlat. Lit. – dank den Initiativen in It. studierender Nicht-Italiener und begünstigt durch die Erfindung des Buchdrucks – von It., ihrem Ursprungsland, über ganz Europa aus: zunächst Frankreich, die deutschsprachigen Gebiete, die nördl. und südl. Niederlande, dann die iberische Halbinsel, Großbritannien und Irland, die Balkanländer (v. a. Kroatien) sowie alle skandinavischen Länder (Dänemark, Norwegen, Island, Schweden und Finnland) und die meisten Teile Osteuropas (bes. Tschechien, Polen, das Baltikum und Ungarn). Mit der Entdeckung der Neuen Welt (1492) und der übrigen vorher unbekannten Erdteile (seit dem Anfang des 16. Jh.) rückten auch die überseeischen europ. Kolonien und alle Kontinente (Amerika, Afrika, Asien, Australien und der Pazifik) in den Mittelpunkt der nlat. Lit.: War die gesamte ant. Lit. auf den Mittelmeerraum (mit den benachbarten Gebieten) und die ma. lat. Lit. auf Europa begrenzt, erstreckt sich die nlat. Lit. auf die gesamte Welt, den *orbis terrarum* nicht in ant., sondern in mod. Sinne, wie v. a. das betreffende ausführliche Kapitel ›Neo-Latin Lit.: Its History and Diffusion‹ in IJsewijns/Sacrés *Companion* [5. I, 39–328] eindrucksvoll verdeutlicht.

Bereits in ihrer zweiten Hauptepoche (1450–1600) entfaltete sich die nlat. Lit. zu voller Blüte. Zunächst (in der zweiten H. des 15. Jh.) nahm die Poesie gegenüber der Prosalit. in starkem Maße zu. Alle poetischen Gattungen der Ant. wurden erneuert, abgewandelt und erweitert, und zwar zuerst wiederum in It.; als Klassiker der nlat. Dichtung in dieser Zeit gelten Iohannes Iovianus Pontanus, Michael Marullus, Sannazarius, Fracastorius, Vida und Flaminius. Im 16. Jh. dagegen traten in fast allen Ländern Europas außerhalb It. zahlreiche lat. Prosaschriftsteller ebenso wie Dichter auf, die den it. Humanisten ebenbürtig oder überlegen waren [11]. Der produktivste und einflußreichste nlat. Autor überhaupt war Erasmus von Rotterdam (1467?–1536); neben ihm ragten jeweils als ausgezeichnete lat. Prosaautoren und/oder Poeten auch die meisten der übrigen exakt hundert Humanisten hervor, die mit Recht jüngst Aufnahme in den Kreis der repräsentativen Sammlung *Centuriae Latinae* [11] fanden. Was speziell den dt. Sprachraum betrifft [7], war von Celtis (1459–1508) bis Martin Opitz (1597–1639) ›die von den Gebildeten anerkannte Dichtung in weit überwiegendem Maße lat.‹ [9. 337];

unter den vielen nlat. Dichtern im Deutschland des 16. Jh. zw. Celtis und Opitz waren die meistgeschätzten Ulrich v. Hutten, Eobanus Hessus, Euricius Cordus, Georgius Sabinus, Petrus Lotichius Secundus, Melissus (Paul Schede) und Friedrich Taubmann.

Auch die Prosatexte des 16. Jh., des Zeitalters der Glaubensspaltung, sind in weit überwiegendem Maße lat. abgefaßt; dies gilt für Reformatoren wie Ph. Melanchthon und die Apologeten der katholischen Theologie ebenso wie für den Gesamtbereich der Lit. und Wiss. Dabei stieg die Epistolographie zur lit. Hauptgattung der Humanisten auf und war keineswegs auf die gelehrte Welt beschränkt, sondern diente auch der Kommunikation in der Privatsphäre, wie der von W. Ludwig 1999 mustergültig edierte lat. Briefwechsel des Arztes W. Reichart, genannt Rychardus, mit seinem Sohn Zenon (1520–1543) zuletzt exemplarisch veranschaulicht hat. Insgesamt ist festzuhalten, daß im 16. Jh. das Lat. gegenüber den Nationalsprachen Europas im allg. eine dominierende Stellung einnahm.

Auch im 17. und 18. Jh., ihrer dritten Periode, behielten nlat. Sprache und Lit. weitestgehend ihre Vorrangstellung vor den volkssprachlichen Texten, begünstigt v. a. durch die – auf das frühhuman. Programm der *studia humaniora* zurückzuführende – für den gymnasialen Schulunterricht sowie das Grundstudium der → Universitäten verbindliche Studienordnung (*ratio studiorum*), in deren Mittelpunkt fast nur lat. Sprache und Lit. standen und die – zumal in den von den Jesuiten propagierten Form – bis zum E. des 18. Jh. galt. So wurde das Lat. zwar seit ca. 1650 von den Volkssprachen – bes. der großen europ. Nationen – allmählich überflügelt. Aber in kleineren Nationen, deren Sprachen man anderswo kaum verstand, hielt es sich im allgemeinen länger. Als Wissenschaftssprache dagegen hatte Lat. überall nahezu ausschließliche Geltung; daher ist die wiss. Prosa, die alle Gebiete der klass. *artes liberales* einschloß, auch im 18. Jh. vorwiegend in Lat. verfaßt worden. Eine Wende bahnte sich erst um 1700 an, als im Universitätsunterricht erstmalig auch die dt. Sprache benutzt wurde (ohne daß man damit die lat. Sprache sofort aufhob). Doch wurden während des gesamten 18. Jh. in ganz Europa bedeutende wiss. Werke in allen Disziplinen – einschließlich der Naturwiss. – weiterhin in lat. Sprache veröffentlicht; erwähnt seien hier nur *doctissimi homines* wie I. Newton, L. Euler, C. Linné und K. F. Gauß. Umgekehrt konnte noch 1796–1798 G. Born seine lat. Übers. der philos. Hauptwerke Kants erscheinen lassen.

Im Bereich der Dichtung wurde Lat. im gleichen Zeitraum rascher zurückgedrängt. Aber obwohl die großen Anthologien nlat. Dichtungen (It., Frankreichs, der deutschsprachigen Länder und der Niederlande), die J. Gruterus am Anf. des 17. Jh. veröffentlichte, als eine Epochengrenze betrachtet werden dürfen, entstanden von ca. 1650 bis 1750 überall in Europa unzählige poetische Werke, die alle Gattungen (Lyrik, Epik, Trag., Kom., Satire, Epigrammatik, Emblematik sowie Lob-

und Reisegedichte und andere *carmina*) umfaßten; die lange Liste der *poetae clarissimi*, von denen hier nicht einmal die Namen aufgezählt werden können, reicht von John Owen bzw. Audoenus (1560–1622), dem »engl. Martial«, und dem Jesuiten Jacob Balde (1604–1668), einem der vielseitigsten und kreativsten lat. Dichter aller Zeiten, bis zu dem Benediktiner Simon Rettenpacher (1634–1706), der als Verfasser lat. Dramen und Oden Berühmtheit erlangte, und dem Kardinal Melchior de Polignac (1661–1741), dessen postum (1747) erschienenes Lehrgedicht *Anti-Lucretius sive de deo et natura libri novem* ein Bestseller wurde. Als letztes groß- artiges originelles Prosawerk der nlat. Lit. im 18. Jh. gilt das *Nicolai Klimii Iter subterraneum* (»Niels Klims unterir- dische Reise«) des norwegisch-dänischen aufgeklärten Theaterautors Ludvig Holberg (1684–1754). Dieser sa- tirische polit.-soziale Roman steht in der Trad. so be- kannter Werke wie der *Utopia* des Thomas Morus (1478–1535) und der *Argenis* des John Barclay (1582–1621) und wurde bezeichnenderweise deshalb in lat. Sprache veröffentlicht, weil diese dem Werk möglichst weite Verbreitung in der Welt sichern und den Verfasser zugleich vor der Zensur in der Heimat schützen sollte. Wie Holberg, der auch sieben Bücher lat. Epigramme publizierte, waren die meisten nlat. Autoren im 17. und 18. Jh. (lange vorher z. B. auch Sebastian Brant) in Per- sonalunion Dichter wie Prosaschriftsteller und trugen zugleich zur Entwicklung ihrer Muttersprache jeweils wesentlich bei; Zwei- oder gar Mehrsprachigkeit der *auctores* und ihre Beziehungen zu den *vernacular languages* gehören so ebenfalls zu den wichtigen Aspekten der lat. Sprache und Lit. der Neuzeit. Generell prägte das Lat. als inter- und supranationale Sprache bis zum E. des 18. Jh. die gesamte europ. Wiss., Lit. und Kultur und bildete somit weiterhin das gemeinsame geistige Fun- dament Europas.

In den vergangenen zwei Jh. (1800–2000), der vier- ten und bisher letzten Phase der Geschichte der nlat. Sprache und Lit., hat das Lat. zwar allg. seinen singulären Rang als lit. Erstsprache Europas und *lingua franca* der gesamten Wiss. weitgehend verloren. Aber trotz aller Wandlungen – insbes. nach ca. 1950 – ist die lat. Sprache bis h. auf vielfältige Weise lebendig geblieben, und so sind auch vom 19. Jh. bis zur Gegenwart hervorragende lat. Dichtungen und Prosaschriften entstanden. Der Philosoph A. Schopenhauer z. B. veröffentlichte noch 1830 seine nach Goethes Vorbild gestaltete Farbenlehre in lat. Fassung, damit diese (in kunstvollem Stil verfaßte) *Commentatio exponens theoriam colorum physiologicam ean- demque primariam* auch jenseits der dt. Sprachgrenze ver- standen und somit vor dem Untergang bewahrt werde. Ein anderer berühmter Zeitgenosse, A. W. Schlegel, ging noch erheblich weiter: Hatte er sich vorher als höchst gelehrter und geistreicher Interpret der großen europ. Nationallit. profiliert und bewiesen, daß er alle mod. Hauptsprachen Europas meisterhaft beherrschte, so verwendete er in den letzten Jahrzehnten seines Le- bens (1818–1845) als Professor der Indologie und Rek-

tor der Univ. Bonn in öffentlichen Vorträgen wie in wiss. Abhandlungen, sogar als Editor und Kommentator der indischen Epen, stets die lat. Sprache, da sie jeder anderen Sprache weit überlegen und zumal als Wissen- schaftssprache vorzuziehen sei [12]. Dementsprechend sind noch bis zum Anf. des 20. Jh. wiss. Arbeiten auf fast jedem Gebiet in lat. Sprache verfaßt worden. Seit der Mitte des 20. Jh. ist jedoch der Gebrauch des Lat. als aktueller internationaler Sprache der Wiss. – abgesehen vom Fachgebiet der Latinistik und der altgriech. Philol. – auf einen freilich zentralen Aspekt der Naturwiss. und verwandter Disziplinen beschränkt: Bei der Benennung der unendlich vielen neuen Phänomene (wie Viren, Bakterien, Gestirne usw.), die Biologen, Mediziner, Astronomen und andere Forscher nahezu täglich ent- decken, greift man vornehmlich auf das unerschöpfli- che Reservoir des lat. und griech. Wortschatzes zurück, so daß ständig neue lat. Namen und Begriffe (bzw. lat.- griech. Mischformen) – wie zuletzt »neutrinimicus« und »aerolatus« – geprägt werden.

Als offizielle Amtssprache dient das Lat. immer noch in der röm.-katholischen Kirche, deren Enzykliken in jede Weltsprache übersetzt werden müssen, sowie welt- weit auch an manchen Univ. und anderen akad. Ein- richtungen (z. B. zur Verleihung von Urkunden und ähnlichen Dokumenten). Aktuelle Nachrichten aus der ganzen Welt in lat. Sprache strahlt seit einigen J. (1989) Radio Finnland über Rundfunk bzw. via Internet und in Buchform (*Nuntii Latini*) aus, und zwar traditions- gemäß in der festen Überzeugung, daß sich auch als mod. Kommunikationsmittel keine Sprache besser eig- net als der *sermo Latinus*.

Als Sprache der Dichtung hat sich das Lat. seit 1800 ebenfalls in erstaunlicher Weise entwickelt und verbrei- tet. Fortgeführt wurde die Trad. origineller lat. Dich- tung in erster Linie durch das von Jacobus H. Hoeufft (1756–1843) gestiftete *Certamen Hoeufftianum* (Amster- dam), das von 1845 bis 1978 bestand und aus dem zahl- reiche preisgekrönte lat. Dichtungen hervorgegangen sind; eine Liste aller »carmina praemio ornata« bietet Vito R. Giustiniani, Nlat. Dichtung in It. 1850–1950, 1979, 99–108. Zu den berühmtesten *poetae laureati* dieses renommiertesten lat. Wettbewerbs des 19. und 20. Jh. gehören Giovanni Pascoli (1855–1912; zu ihm zuletzt: D. Sacré, *De Thallusa sive de Iohannis Pascoli cycneo cantu*, in: Vox Latina 36, 2000, 472–486) und Harry C. Schnur sive C. Arrius Nurus (1907–1978; *Pegasus claudus*, 1977: *Pegasus devocatus*, hrsg. von G. Tournoy und D. Sacré, 1992). Auch das seit 1950 in Rom regelmäßig veran- staltete *Certamen Capitolinum* hat glänzende lat. Dich- tungen sowie Prosatexte neuer Art hervorgebracht. Als prominente lat. Dichter des dt. Sprachraums im 20. Jh. seien genannt der *poeta trilinguis* Josef Eberle (1901–1986; *Viva Camena. Latina huius aetatis carmina*, 1961), Fidel Rädle (*De condicione bestiali vel humana*, 1993) und Anna Elissa Radke (*Musa exsul. Latina huius aetatis carmina*, 1982; *In reliquiis Troiae*, 1995; *Ars paedagogica*, 1998), die in der Nachfolge berühmter lat. Schriftstellerinnen steht

wie der Olympia Fulvia Morata, Elisabeth Jane Weston
und Anna Maria Schuurman (16. bzw. 17. Jh.). Die besten Überblicke über die lat. Poesie und Prosa des 19.
und 20. Jh. vermitteln − neben IJsewijns/Sacrés *Companion* und den Eintragungen in den *Humanistica Lovaniensia* − die rein lat. mod. Zeitschriften wie *Commentarii
Academiae Latinitati Fovendae* (Rom), *Latinitas* (Vatikan-
stadt), *Melissa* (Brüssel), *Retiarius* (Kentucky/USA) und
v. a. die seit 1965 in Saarbrücken erscheinende *Vox Latina*.

D. Thematik und Gattungen

Auf die Themen (Realien und Ideen, Motive und
Probleme) der nlat. Lit. trifft das gleiche zu wie auf die
universale Anwendbarkeit der lat. Sprache der Neuzeit:
Es gibt kaum einen Vorgang oder Gesichtspunkt der
Geschichte der vergangenen sieben Jh., der in der nlat.
Prosa und Poesie nicht zur Sprache gekommen ist und
in verschiedener Weise dargestellt, erläutert oder erörtert, gepriesen, beklagt oder abgelehnt wurde; dies gilt
für aktuelle Ereignisse der letzten beiden Jh. ebenso wie
für die Zeitalter des Ren.-Human., des Barock und der
Aufklärung. Mit dem steten Fortschritt der wiss. Erkenntnisse und dem damit einhergehenden ständigen
Zuwachs an aktuellen neuen Informationen, Stoffen
und Gedanken stieg auch die Zahl neuer nlat. lit. Gattungen. Hatte sich W. Ludwig [9. 344−353] aus Raumgründen noch auf wenige Beispiele der Poesie (Epos,
Lehrgedicht, Bukolik, Elegie, Heroidenbrief, Emblemata, Hendekasyllabi) und Prosa (Epistolographie und
narrative Prosa) beschränken müssen, unterschieden
gleichzeitig IJsewijn/Sacré im Kapitel ›Literary genres‹
[5. II, 1−376] sieben Hauptbereiche der nlat. Lit., indem
sie die Dichtung in 14 Gattungen (mit 21 Untergruppen) einteilten und überdies das Drama gesondert unter
sechs Aspekten kommentierten, ferner die lit. Prosa sieben Gattungen (mit 27 Gliederungspunkten) zuordne-
ten, die gelehrte und naturwiss. Fachprosa dagegen in 24
Teilgebiete zerlegten und zudem überall auf weitere
Varianten verwiesen. Zu den neuen nlat. *genera*, die der
Ant. fremd waren bzw. unbekannt sein mußten, gehören auch die zahlreichen kongenialen Ergänzungen ver-
schollener oder vermeintlich verlorener Teile ant. lat.
Prosawerke und Dichtungen wie die Supplemente zu
Curtius, Livius, Tacitus und anderen Historikern, zum
Roman des Petron (F. Nodot), zu Vergils *Aeneis*
(P. C. Decembrio, M. Vegio und J. van Foreest) oder zu
Juvenal (H. C. Schnur). Neu sind zudem lit. Bilder, wie
sie W. Ludwigs Beitrag *Der Ritt des Dichters auf dem Pegasus und der Kuß der Muse. Zwei neuzeitliche Mythologeme*
(1996) beschreibt, und andere nlat. Texte mit neuen Erfindungen [5. II, 15−20], wie sie zuletzt auch in verschiedenen Beiträgen des *Neulateinischen Jahrbuchs* (Bd.
1, 1999, bis Bd. 3, 2001) verzeichnet sind. So besteht
Grund zur Hoffnung, daß lat. Sprache und Lit. generell,
insbes. nlat. Prosa und Dichtung, auch im dritten
Jt. n. Chr. weiterleben werden.

1 D. Briesemeister, N., in: Lex. der Romanistischen
Linguistik, Bd. 2,1, 1996, 13−20 2 P. Ford, Twenty-five
years of Neo-Latin studies, in: Nlat. Jb. 2, 2000, 293−301
3 H. Hofmann, Nlat. Lit. Aufgaben und Perspektiven, in:
Nlat. Jb. 2, 2000, 57−97 4 J. IJsewijn, Companion to
Neo-Latin studies, 1977 5 Ders., Companion to Neo-Latin
studies, Teil 1: History and diffusion of Neo-Latin
literature, ²1990; Teil 2 (mit D. Sacré): Literary, linguistic,
philological and editorial questions, ²1998 6 P. O.
Kristeller, Iter Italicum. A Finding List of Uncatalogued
or Incompletely Catalogued Humanistic Manuscripts of the
Ren. in Italian or Other Libraries, Vol. I-VI, 1965−1992
7 W. Kühlmann, H. G. Roloff, F. Wagner (Hrsg.), Abh.
zum Rahmenthema XXXII »Literaturgesch., interkulturelle
Literaturwiss. und lat. Trad.«, in: Jb. für Internationale
Germanistik 29, 1997, bis 31, 1999, passim 8 W. Ludwig,
Litterae Neolatinae. Schriften zur nlat. Lit., 1989 9 Ders.,
Die neuzeitliche lat. Lit. seit der Ren., in: F. Graf (Hrsg.),
Einleitung in die lat. Philol., 1997, 323−356 10 Ders., Zum
Gedenken an Jozef IJsewijn und Paul Oskar Kristeller, in:
Nlat. Jb. 2, 2000, 5−23 11 C. Nativel (Hrsg.), Centuriae
Latinae. Cent et une figures Humanistes de la Ren. aux
Lumières offertes à J. Chomarat, 1997 12 K. A.
Neuhausen, Sermo Latinus quatenus philologorum scriptis
quorundam, qui quidem post renatas floruerint litteras, sit
excultus, in: Nlat. Jb. 2, 2000, 155−182 13 H.-G. Roloff,
Nlat. Lit., in: Propyläen Gesch. der Lit., Bd. 3: Ren. und
Barock (1400−1700), 1984, 193−230 14 R. Seidel,
Polyhistor nostri aevi literarius (Rez. von 5), in: Nlat. Jb. 2,
2000, 276−286 15 H. Wiegand, Hodoeporica − Stud. zur
nlat. Reisedichtung des dt. Kulturraums im 16. Jh., 1984
16 Ders., Der zweigipflige Musenberg − Stud. zum Human.
in der Kurpfalz, 2000 17 R. Wimmer, Le théâtre néo-latin
en Europe, in: Spectaculum Europaeum, 1999, 3−75
18 B. Windau, Somnus. Nlat. Dichtung an und über den
Schlaf. Stud. zur Motivik, Texte, Übers., Komm., 1998.

KARL AUGUST NEUHAUSEN

III. Philologie

A. Begriffsbestimmung   B. Etablierung
C. Bisherige Leistungen und zukünftige
Aufgaben

A. Begriffsbestimmung

Die N. P. (Neulateinische Philologie) setzt sich zum
Ziel, die nlat. Sprache und Lit. zu erschließen und zu
erforschen. Man muß sie demnach von der Human.
Phil. (insbes. in It. geläufig: *filologia umanistica*) genauso
unterscheiden wie nlat. von human. Lit., gleichwohl
aber auch die enge Verbindung zw. beiden Bereichen
beachten. Eine früher postulierte chronologische Abfolge von human. und nlat. Lit. (so [25] und [42]) wird
heute zurecht abgelehnt. Der Begriff »N.« beinhaltet
zwei Aspekte, die manchmal nicht auseinandergehalten
werden: er bedeutet einmal »Lat. von Petrarca bis zur
Gegenwart« (= Lat. der Neuzeit, rein chronologisch definiert), aber auch »erneuertes Lat.« (= human. Lat. oder
Lat. human. Prägung, funktional definiert im Sinne der
lit., pädagogischen und gesellschaftlichen Ideale des
Ren.-Humanismus). Im ersten Fall gehören alle lat.
Texte ab etwa 1350 bis zur Gegenwart ausnahmslos zur
nlat. Lit., im zweiten Fall beschränkt man die nlat. Lit.

(zumindest implizit) inhaltlich auf die Textbereiche der *studia humanitatis* (Gramm., Rhet., Poetik, Geschichte, Moralphilos.) und chronologisch auf die je nach Region verschieden einsetzende Epoche des Ren.-Humanismus und seiner Ausläufer im Frühbarock. Das Textcorpus, welches sich als Studienobjekt der N. P. anbietet, läßt sich daher nicht so einfach abgrenzen. In der breitest möglichen Auffassung von nlat. Lit. ist jeder in einem öffentlichen oder privaten Rahmen auf Lat. verfaßter Text, also auch z. B. die letzte päpstliche Enzyklika sowie die lat. Neujahrsgedichte, die Erwin Panofsky an seine Freunde schickte, Gegenstand der N. P.; aus praktischer Sicht konzentrieren sich die meisten nlat. Philologen hauptsächlich auf die urspr. mit den Interessen der Ren.-Humanisten verbundenen und später mit anderen fortgesetzten lit. Gattungen und Trad. (dazu auch die z. T. sehr umfangreichen Gelehrtenkorrespondenzen aus der Ren. und dem Barock), und zwar in Europa und den von Europa aus kolonisierten Gebieten auf anderen Kontinenten bis etwa 1800, weil ab diesem Zeitpunkt der Stellenwert des Lat. sich deutlich und drastisch verringert. Bis vor einigen Dezennien wurde sogar unter nlat. Lit. hauptsächlich Dichtung verstanden (symptomatisch [26]), und noch immer sind nicht nur die wiss. Fachprosa, sondern auch andere Prosagattungen viel weniger erschlossen als die Poesie. Dennoch soll betont werden, daß das Ende der nlat. Lit. theoretisch offen ist und auch heute noch nlat. Texte nicht lediglich aus Privatvergnügen verfaßt werden, sondern in gewissen Kontexten eine öffentliche Funktion erfüllen: Man denke an die päpstlichen Enzykliken, den *Codex Iuris Canonici* und die Entscheidungen der Rota im Vatikan, die Nomenklatur und Beschreibung neu entdeckter Phänomene in der Biologie sowie Urkunden an Universitäten. Der Terminus »N.« ist belegt seit 1795 [41], »Neolatinus« zuerst 1822 [30].

B. Etablierung

Schon in der Frühen Neuzeit gab es eine philol. Beschäftigung mit den nlat. Autoren, in der Form von Ed., Komm., Anthologien und sogar Ansätzen von Literaturkritik und Literaturgeschichte. Von der Klass. Philol. wird die nlat. Lit. etwa seit den 1960er J. systematisch erforscht, so daß nun N. P. weitgehend verstanden wird als Teildisziplin einer Latinistik, welche die lat. Lit. in ihrer Gesamtheit untersucht. Germanisten und Romanisten aber haben sich sogar früher als die Klass. Philologen der nlat. Lit. zugewandt und leisten auch weiterhin (selbstverständlich nebst Vertretern auch anderer Fächer) wesentliche Beiträge zu ihrer Erforschung. Das erste selbständige Forschungsinst. wurde 1966 in Leuven gegründet: Seminarium Philologiae Humanisticae. Nachdem einige Pioniere in programmatischen Aufsätzen versucht hatten, die N. P. zu profilieren [25; 20], erhielt die N. P. mit [38] ein grundlegendes und maßgebliches Handbuch, das zugleich auch eine Sprach- und Literaturgeschichte ist. Lange Zeit waren die traditionsreichen *Humanistica Lovaniensia* die einzige Zeitschrift, die sich ausschließlich der (*sensu lato* verstandenen) N. P. widmete; erst in letzter Zeit sind einige neue Periodika (jeweils mit verschiedener Ausrichtung) hinzugekommen: *Retiarius* (www.uky.edu/ArtsSciences/Classics/retiarius), *Neulateinisches Jahrbuch*, *Cahiers de l'Humanisme*, *Calamus Renascens*. Der erste internationale Fachkongreß wurde von Jozef IJsewijn 1971 in Leuven organisiert. Beim zweiten Kongreß (Amsterdam, 1973) wurde die International Association for Neo-Latin Studies (IANLS) gegründet. Weitere Kongresse folgten im Dreijahresrhythmus (der zwölfte wird in Bonn 2003 stattfinden). Inzwischen sind auch mehrere nationale Gesellschaften eingerichtet worden, so in Belgien, Deutschland, Frankreich und den Niederlanden. Als selbständiges Lehrfach hat sich die N. P. noch nirgends etablieren können; stattdessen wird sie immer einem Nachbarfach (meistens der Klass. Philol., manchmal der Germanistik oder Romanistik, in Deutschland zunehmend auch der Mittellat. Philol.) zugeordnet. Man kann sich aber fragen, ob eine Institutionalisierung als Lehrfach aus heutiger wissenschaftspolitischer Sicht nicht eher ein vergiftetes Geschenk wäre, würde doch eine autonome N. P. ständig den Gefahren des Orchideendaseins unterliegen.

C. Bisherige Leistungen und zukünftige Aufgaben

(1) Sammeln und verzeichnen: Da spezifische Arbeitsinstrumente für die N. P. nur in beschränktem Maße vorliegen, führt kein Weg an der Masse der vorhandenen Handschriften- und Druckkataloge vorbei. Dennoch gibt es für die Suche nach nlat. Texten auch schon einige bes. Hilfsmittel. Für hsl. überlieferte Texte bietet [43] eine monumentale Grundlage; zudem existieren einige umfassende Verzeichnisse für einzelne Autoren wie z. B. [16; 32.; 34]. Für gedruckte Werke sind bes. wertvoll u. a. Bibliogr. berühmter Verlagshäuser wie z. B. [39; 51; 52; 65], umfassende Druckverzeichnisse individueller Autoren wie z. B. [63] (enthält u. a. Erasmus und Lipsius), [19] und Verzeichnisse von Privatbibl. nlat. Gelehrter wie z. B. [50]. Selbst für Teilbereiche der nlat. Lit. fehlt ein Verfasserlex. (ergiebig immerhin [15]). Von großem Nutzen, wenn auch unvollständig und nicht fehlerfrei, ist die der Öffentlichkeit freigegebene persönliche Dokumentation einiger Forscher: [14; 22]. Ergebnis eines skandinavischen Forschungsprojektes und in jeder Hinsicht wegweisend für die Zukunft ist die elektronische *Database of Nordic Neo-Latin Literature* (www.uib.no/neolatin). Mediävistische Nachschlagewerke umfassen oft auch die lat. Lit. der Frühen Neuzeit, wie z. B. das neueste Verfasserlex. [45]. Philologiegeschichtlich orientiert ist [47].

(2) Kritisch edieren: Auch hier ist der Bedarf noch sehr groß, selbst im Falle von allg. als bes. wichtig anerkannten nlat. Autoren. Viele mögliche Strategien werden angewandt. Der Normalfall ist die vollständige kritische Ed., wobei die Methoden der Textkonstitution je nach Überlieferungslage unterschiedlich sind. Ein in der nlat. Lit. sehr verbreitetes Phänomen ist die (oft mehrfache) Überarbeitung eines Werkes durch den Autor

selbst (editorisch vorbildlich gelöst z. B. in [12]). Für mehrere Autoren sind noch *Opera omnia*-Ed. aus dem 16., 17. oder 18. Jh. maßgeblich (manchmal anastatisch nachgedruckt); neuere Beispiele solcher groß angelegter Editionsprojekte sind [2; 7], nebst Ausgaben der Korrespondenz human. Gelehrter (zuletzt begonnen: [8]). Eine lange Trad. haben Anthologien mit den unterschiedlichsten Auswahlkriterien; ein modellhaftes neueres Beispiel ist [4]. Andere Möglichkeiten einer Teiledition sind die Periochen-Ed. im Bereich des Dramas (konkret verwirklicht in [6]) und die selektive Ed. (theoretisch verteidigt in [35]). Mehr und mehr erscheinen auch elektronische Ed. (z. B. [3; 9.; 10]) und Textsammlungen (wichtig [11]). Mehrere Textreihen speziell für nlat. Autoren sind schon gegründet worden, häufig aber auch wieder eingegangen: die neuesten Initiativen sind [1] und [5]. Eine sprachliche Analyse nlat. Texte ist teils Voraussetzung für, wird aber auch teils erst ermöglicht durch kritische Editionen. Von einem umfassenden nlat. WB und einer nlat. Gramm. sind wir noch weit entfernt; Hilfsmittel werden aber allmählich geschaffen; wegweisend sind z. B. [37] und [67]. Auch hier gilt, daß mittellat. Arbeitsinstrumente auch für die N. P. wichtig sind. Die nlat. Sprache wurde allgemein analysiert in älteren Arbeiten wie [42; 48 (allerdings zu negativ); 49]. Neuere punktuelle Arbeiten, in denen ant. und ma. Komponenten sowie zeitgenössische Innovationen des nlat. Sprachgebrauchs dargelegt werden, werden systematisch erfaßt in *Retiarius*; exemplarische Arbeiten der maßgeblichen heutigen Spezialisten sind [53] und [61].

(3) Literaturkritisch interpretieren: Ein wesentlicher Aspekt der nlat. Stilistik und Rhet., bedingt durch das normative Ideal der klass. Latinität, ist das Verhältnis zw. Nachahmung und Neugestaltung, zw. Trad. und Originalität. Deshalb gilt es, Natur und Ausmaß des Einflusses der klass. Autoren zu untersuchen, wobei für die Prosa im Laufe der Zeit mehrere Autoren als allein verbindlich empfunden wurden und extreme stilistische Tendenzen ausgelöst haben (hauptsächlich Cicero [54], aber auch Seneca und Tacitus [23] oder Apuleius [24]). Grundsätzliches über die Möglichkeiten und Grenzen der nlat. Dichtersprache ist erörtert worden von [59] und [58]. Eine epochemachende Studie im Bereich der Rezeption klass. Dichter war [55]. Neulateinische Werke sind aber manchmal auch durch andere Bereiche der Latinität, wie das biblische (U. Foscolo, *Hypercalypsis*) oder scholastische Lat. (Pico della Mirandolas Plädoyer gegen Ermolao Barbaro), geprägt und stehen in einem vielschichtigen Verhältnis zu zeitgenössischen volkssprachlichen Traditionen. Nur dieser letzte Aspekt ist schon ausführlich und seit langem von der Forsch. gewürdigt worden (vgl. z. B. [21], mehr lit.; [62], mehr sprachlich). Damit verwandt ist das Phänomen der Mehrsprachigkeit vieler nlat. Autoren (dazu insbes. [28]). Ein weiteres Feld ist die Übersetzungsproblematik, die ins Spiel kommt bei der Wirkung eines Autors aus der von den Humanisten neuentdeckten griech. Lit. (modellhaft ist z. B. [56]).

(4) Literaturgeschichtlich einordnen: Aus dem oben Gesagten folgt, daß größere literaturgeschichtliche Studien häufig auf eigener Heuristik und eigenen Detailinterpretationen fußen müssen. Als Gattungsmonographie war [31] eine Pionierleistung. Ein meisterhaftes Beispiel von bibliographischer Erschließung, philol. Feinarbeit und literaturhistor. Kontextualisierung ist [66]. Aus dem oben genannten Forschungsprojekt floß eine exzellente nlat. Literaturgeschichte Skandinaviens [57]. Eine umfassende nlat. Literaturgeschichte wird schon aus rein quantitativen Gründen selbstverständlich immer eine Utopie bleiben. Der letzte Versuch, die Hauptmomente der nlat. Lit. sinnvoll in eine europ. Literaturgeschichte einzuordnen, ist [33]. Spätere Versuche einer Gesamtdarstellung der nlat. Lit. sind [13] und [64, nur die Ren.]. Eine nlat. Literaturgeschichte nach heutigen Erkenntnissen hätte, freilich mehr als diese älteren Arbeiten es tun, nicht nur rein lit. Probleme zu berücksichtigen, wie Art und Ausmaß der Vorbildlichkeit von ant. Autoren und Gattungen neben der Behandlung neuer Themen (z. B. konfessionelle Fragen) und der Schöpfung neuer Gattungen und Trad. (z. B. Emblemata, Alba amicorum), sondern auch den gesellschaftlichen Sitz im Leben, konkret etwa die steuernde Rolle von polit. und rel. Instanzen, den sozialen Status der nlat. Autoren (eine Pionierarbeit zu diesem Thema war [60]) sowie die Bildungsvoraussetzungen für die Produktion und Rezeption der nlat. Literatur. Herausragende neuere Beispiele einer solchen nlat. Literaturgeschichte sind [17; 29; 40; 44].

QU **1** J. Waszink u. a. (Hrsg.), Bibliotheca Latinitatis Novae, seit 1998 **2** Opera omnia Desiderii Erasmi Roterodami (ASD), seit 1969 **3** L. Holberg, www.kb.dk/elib/lit/dan/holberg/klim **4** W. Kühlmann u. a. (Hrsg.), Human. Lyrik des 16. Jh., 1997 **5** J. Hankins u. a. (Hrsg.), I Tatti Ren. Library, ab 2001 **6** E. M. Szarota (Hrsg.), Das Jesuitendrama im dt. Sprachgebiet. Eine Periochen-Ed., I-III, 1979–1983 (Indexband 1987) **7** The Yale edition of the complete works of St. Thomas More (CW), 1963–1997 **8** M. Dall'Asta u. a. (Hrsg.), Johannes Reuchlin, Briefwechsel, seit 1999 **9** L. IJsewijn-Jacobs (Hrsg.), Gianvittorio Rossi, Eudemia, in: Retiarius 1, 1998 **10** M. Riley (Hrsg.), John Barclay, Argenis, in: Retiarius 3, 2000 **11** D. Sutton (Hrsg), An analytic bibliography of on-line Neo-Latin texts: http://eee.uci.edu/˜papyri/homepage/nltexts.html **12** N. Thurn (Hrsg.), Ugolino Verino, Carlias, 1995

LIT **13** A. Baumgartner, Gesch. der Weltlit., V. Die lat. und griech. Lit. der christl. Völker, 1900, 571–689 **14** L. Bertalot, Initia humanistica, I-II, 1, hrsg. v. U. Jaitner-Hahner, 1985–1990 **15** P. G. Bietenholz u. a. (Hrsg.), Contemporaries of Erasmus, 1985–1987 **16** G. Billanovich † (Hrsg.), Censimento dei codici petrarcheschi, seit 1961 **17** J. W. Binns, Intellectual culture in Elizabethan and Jacobean England, 1990 **18** D. Briesemeister, N., in: Lex. der Romanistischen Linguistik, II, 1, 1996, 113–120 **19** E. Cockx-Indestege, Andreas Vesalius. A Belgian census, 1994 **20** K. O. Conrady, Die Erforsch. der nlat. Lit., in: Euphorion 49, 1955, 413–445 **21** Ders., Lat. Dichtungstrad. und dt. Lyrik

des 17. Jh., 1962 **22** M. E. Cosenza, Biographical and
bibliographical dictionary of the humanists, ²1962–1967
23 M. W. Croll, Style, rhetoric, and rhythm, hrsg. v. J. M.
Patrick u. a., 1966 (Aufsätze veröffentlicht zw. 1914 und
1924) **24** J. F. D'Amico, The progress of Ren. Latin prose:
the case of Apuleianism, in: RQ, 37, 1984, 351–392
25 G. Ellinger, Grundfragen und Aufgaben der nlat. Phil.,
in: German.-rom. Monatsschrift, 21, 1933, 1–14 **26** Ders.,
Gesch. der nlat. Lit. Deutschlands im 16. Jh., I–III, 1,
1929–1933 **27** E. Follieri (Hrsg.), La filologia medievale e
umanistica greca e latina nel secolo XX, 1993 **28** L. Forster,
The poet's tongues. Multilingualism in literature, 1970
29 M. Fumaroli, L'âge de l'éloquence, 1980 **30** J. D. Fuss,
Dissertatio de linguae Latinae usu deque poesi et poetis
neolatinis, Köln 1822 **31** W. L. Grant, Neo-Latin literature
and the pastoral, 1965 **32** L. Gualdo Rosa, Censimento dei
codici dell'epistolario di Leonardo Bruni, I, 1993
33 H. Hallam, Introduction to the literature of Europe
during the fifteenth, sixteenth and seventeenth centuries,
London 1837–39 (mehrere Neuaufl.) **34** J. Hankins,
Repertorium Brunianum, I, 1997 **35** F. R. Hausmann,
Selektive Ed., in: Zschr. für Literaturwiss. und Linguistik 5,
19/20, 1975, 160–169 **36** H. Hofmann, Nlat. Lit.:
Aufgaben und Perspektiven, in: Nlat. Jb, 2, 2000, 57–97
37 R. Hoven, Lexique de la prose latine de la Ren., 1994
38 J. Ijsewijn (mit D. Sacré), Companion to Neo-Latin
studies, I–II, ²1990–1998 (¹1977) **39** D. Imhof, Catalogue
of the works printed and published by Jan I Moretus
(in Vorbereitung) **40** J. Jansen, Brevitas, 1995 **41** E. Klose,
Nlat. Chrestomathie, Leipzig 1795 **42** O. Kluge, Die nlat.
Kunstprosa, in: Glotta 23, 1935, 18–80 **43** P. O. Kristeller,
Iter Italicum, I–VI, 1965–1992 (Indexband 1997)
44 W. Kühlmann, Gelehrtenrepublik und Fürstenstaat,
1982 **45** M. Lapidge u. a. (Hrsg.), Compendium Auctorum
Latinorum Medii Aevi, seit 2000 **46** W. Ludwig, Die
neuzeitliche. Lit. seit der Ren., in: F. Graf (Hrsg.), Einl.
in die lat. Philol., 1997, 323–356 **47** J.-F. Maillard u. a.
(Hrsg.), L'Europe des humanistes, ²1998; Europa
humanistica, seit 1999 **48** E. Norden, Kunstprosa, ³1915,
763–807 **49** L. Olschki, Gesch. der neusprachl. wiss. Lit., II.
Bildung und Wiss. im Zeitalter der Ren. in Italien, 1922,
64–111 **50** F. Palladini (Hrsg.), La biblioteca di Samuel
Pufendorf, 1999 **51** A.-A. Renouard, Annales de
l'imprimerie des Alde, Paris ³1834 **52** Ph. Renouard,
Bibliogr. des impressions et des oeuvres de Josse Badius
Ascensius, 1908 **53** S. Rizzo, Il latino nell'umanesimo, in:
A. Asor Rosa (Hrsg.), Letteratura italiana, V. Le questioni,
1986, 379–408 **54** R. Sabbadini, Storia del Ciceronianismo,
Torino 1885 **55** E. Schäfer, Dt. Horaz, 1976 **56** Th.
Schmitz, Pindar in der frz. Ren., 1993 **57** M. Skafte
Jensen, (Hrsg.), A history of Nordic Neo-Latin literature,
1995 **58** J. Sparrow, Latin verse of the High Ren., in:
E. F. Jacob (Hrsg.), Italian Ren. studies, 1960, 354–409
59 L. Spitzer, The problem of Latin Ren. poetry, in: Stud.
in the Ren. 2, 1955, 118–138 **60** E. Trunz, Der dt.
Späthuman. um 1600 als Standeskultur, in: Zeitschr. für
Gesch. der Erziehung und des Unterrichts 21, 1931, 17–53
61 T. Tunberg, Humanistic Latin, in: F. A. C. Mantello
u. a. (Hrsg.), Medieval Latin, 1996, 130–136 **62** Ders. (mit
G. Tournoy), On the margins of Latinity?, in: Humanistica
Lovaniensia 45, 1996, 134–175 **63** F. Van der Haeghen
u. a., Bibliotheca Belgica, Neuauflage hrsg. v. M.-T.
Lenger, 1964–1975 **64** P. Van Tieghem, La littérature latine
de la Ren., 1944 **65** L. Voet, The Plantin press at Antwerp,
1980–1983 **66** H. Wiegand, Hodoeporica, 1984
67 C. Zintzen (Hrsg.), Indices zur lat. Lit. der Ren., seit
1992.   MARC LAUREYS

Neuplatonismus s. Platonismus

Neuseeland s. Australien und Neuseeland

New York, Brooklyn Museum of Art

A. Einleitung B. Geschichte des Museums
und der ägyptischen Sammlung
C. Gegenwart

A. Einleitung

Das Brooklyn Museum of Art (BMA), bis vor kurzem
noch The Brooklyn Museum, beherbergt mehr als eine
Million Objekte, die viele Kulturen und Zivilisationen
repräsentieren. Das Mus. ist eine private gemeinnützige
Institution unter Aufsicht eines Kuratoriums. Das Gebäude des Mus. gehört der Stadt New York, die auch
einen Teil des Museumsbudgets trägt. Der übrige Teil
des Budgets stammt von anderen staatlichen und nicht-
staatlichen Einrichtungen, sowie von Stiftungen, individuellen privaten Zuwendungen und den eigenen Einnahmen des BMA.

Die ägypt. Sammlung des BMA ist berühmt für die
künstlerische Qualität und kunsthistor. Bedeutung ihrer
Ausstellungsobjekte. Ziel der Abteilung ist es unter anderem, die wichtigsten Errungenschaften der altägypt.
Kunst aus allen Epochen ihrer langen Geschichte auszustellen.

B. Geschichte des Museums und der ägyptischen Sammlung

Das BMA entstand im 19. Jh. aufgrund des Interesses
einer Gruppe von Bürgern am kulturellen Leben des
Dorfes Brooklyn, später der Stadt Brooklyn, die erst
1898 ein Stadtteil New Yorks wurde. Die Bibl., die sie
aufbauten, wuchs zum Brooklyn Institute of Arts and
Sciences, welches schließlich das Brooklyn Museum,
das Brooklyn Children's Museum (Kindermuseum), die
Brooklyn Academy of Music (Musikakademie) und den
Brooklyn Botanic Garden (Botanischer Garten) umfaßte. Alle diese Inst. sind jetzt getrennte Einrichtungen.

Die ägypt. Sammlung des BMA wurde zu Beginn des
20. Jh. ins Leben gerufen. Eine sehr frühe Quelle von
Objekten waren die Ausgrabungen des Mus. in Oberägypten, die 1906 begannen. Viele der aus diesen Grabungen stammenden Gegenstände sind immer noch
wichtig für das Studium der Kunst und Kultur der
prädynastischen Periode (Abb. 1). Zur selben Zeit begann das BMA eine Langzeitbeziehung mit dem britischen Exploration Fund (später die Egypt Exploration
Society), von dessen Ausgrabungen das BMA einen Anteil der an vielen Orten freigelegten Fundstücke erhielt.

Ebenfalls in der ersten Dekade des 20. Jh. erwarb das
BMA die erste private Sammlung von Armand de Potter,
die vornehmlich aus Objekten aus Theben bestand.

Abb. 1: Prädynastische weibliche Figur aus
bemaltem Terrakotta, ausgegraben 1907
in Ma'amirya in Oberägypten. Höhe 29 cm
(The Brooklyn Museum of Art, 07.447.505,
Museum Collection Fund)

Abb. 2: Statue einer Familiengruppe aus Kalkstein,
Altes Reich. Aus der Sammlung von H. Abbott.
Höhe 73,5 cm
(The Brooklyn Museum of Art, 37.17E,
Charles Edwin Wilbour Fund)

1916 erhielt das BMA eine noch wichtigere Privatsammlung. Zusammengetragen von dem frühen amerikanischen Ägyptologen Charles Edwin Wilbour
(1833–1896), enthielt sie sehr verschiedene Stücke aus
vielen ant. Orten, darunter einige gute Plastiken und
Reliefs. Die bedeutendste Hinterlassenschaft Wilbours
für die Ägyptologie und das BMA war jedoch seine
Sammlung von Papyri, darunter äußerst wichtige Quellen für unser Wissen über verschiedene Aspekte der altägypt. Zivilisation. Wilbours Sammlung wurde dem
Mus. in einzelnen Etappen, 1916, 1935 und 1947 übereignet. Die Schenkungen von Wilbours Erben an das
Mus. umfaßten neben seiner wiss. Bibliothek auch 1931
eine finanzielle Stiftung zu seinem Andenken. Letztere

machte einerseits die Einrichtung der ägyptologischen
Wilbour-Bibliothek möglich, die eine der besten Bibliotheken ihrer Art auf der ganzen Welt geworden ist;
andererseits den Aufbau einer eigenen Abteilung für
altägypt. Kunst.Unter dem Kurator John Cooney
(1938–1963) begann die ägypt. Abteilung bei Erwerbungen und Einrichtungen bes. Wert auf die ästhetische

Abb. 3: Der »Schwarze Kopf von Brooklyn«
(*Brooklyn Black Head*). Kopf eines Mannes aus
Diorit, Späte Ptolomäische Zeit. Höhe: 41,4 cm
(The Brooklyn Museum of Art, 58.30,
Charles Edwin Wilbour Fund)

Abb. 4: Quarzitstatuette eines Mannes namens
Senweseret-senebefy zusammen mit einer weiblichen
Verwandten, Mittleres Reich.
Früher in der Sammlung in Malmaison. Höhe: 68,3 cm
(The Brooklyn Museum of Art, 39.602,
Charles Edwin Wilbour Fund)

Qualität der Stücke und ihre Bed. für die altägypt.
Kunstgeschichte zu legen, obwohl das natürlich nicht
den Ankauf von Objekten ausschloß, die anderweitig
für verschiedene Aspekte der ägypt. Zivilisation von
Bed. sind. Ein solcher Fall war der Ankauf der ägyptologischen Sammlung der New York Historical Society
im J. 1948. Sie umfaßte mehr als 2000 Einzelstücke,
hervorgegangen aus verschiedenen älteren Sammlungen, unter denen die von Henry Abbott (1807–1859)
bes. hervorzuheben ist (Abb. 2). Mit dem Erwerb der
Objekte aus der New York Historical Society war das
BMA in der Lage, die lange Geschichte der altägypt.
Kunst von der prädynastischen bis hin zur sog. koptischen Kunst der röm. und byz. Zeit zu belegen. Seit
1948 wächst der Bestand der Abteilung hauptsächlich
durch den Erwerb einzelner Stücke am Kunstmarkt, aus
Privatsammlungen und bei Gelegenheit auch von anderen Mus., mit dem Ziel, die künstlerische Qualität
und Vielfalt der altägypt. Kunst in der Sammlung des
Mus. beständig zu erweitern. Viele dieser Erwerbungen
wurden unter der Leitung des Kurators (1963–1981)
und späteren Direktors Bernard V. Bothmer getätigt.
Unter seinen Ankäufen befanden sich eine Anzahl
wichtiger Werke aus der Spätzeit (1070 v. Chr. – 642/3
n. Chr.), ein Gebiet ägypt. Kunstgeschichte, in dem er
Bahnbrechendes leistete. Da Cooney ebenfalls mit die-

ser Periode verbunden war, besitzt Brooklyn eine herausragende Sammlung von ägypt. Spätzeitkunst (Abb.
3). Trotzdem waren beide, Cooney und Bothmer, auch
an anderen Perioden ägypt. Kunst interessiert (Abb. 4),
weshalb das BMA, um nur ein Beispiel zu nennen, auch
eine bes. wichtige Sammlung von Kunstgegenständen
aus der Amarnazeit (1345–1330 v. Chr., Abb. 5) aufzuweisen hat.

Bothmer erweiterte während seiner Zeit am BMA
auch die Aktivitäten der Abteilung auf dem Gebiet der
Forsch., einschließlich der arch. Forschung und der Pu-
blikation der Sammlung. Er organisierte eine Reihe von
Sonderausstellungen, sowohl von Exponaten aus dem
BMA als auch von Leihgaben aus aller Welt, insbes. Aus-
stellungen von ägypt. Spätzeitplastik und der Kunst der
Amarna-Zeit.

C. GEGENWART

In den letzten J. setzte die Abteilung die Enstehung
und die Zirkulation von Sonderausstellungen zur altägypt. Kunst fort; weiterhin unternimmt sie Forsch. zu

Abb. 5: Die »Wilbour-Plaque«: Das amarnazeitliche Modell
eines Bildhauers zur Herstellung von Bildern eines
Königs und einer Königin. Aus der Sammlung von
Charles Edwin Wilbour. Höhe: 15,7 cm
(The Brooklyn Museum of Art, 16.48,
Gift of the Estate of Charles Edwin Wilbour)

den Objekten der Sammlung und Publikation. Die
arch. Forschungen des BMA umfassen auch die Ausgrabungen im Tempelgebiet der Göttin Mut in Karnak,
die mit Restaurationen vor Ort einhergehen. Geschenke und Ankäufe fügen der Ausstellung weiterhin bed.
Objekte hinzu. Neuerwerbungen werden jedoch – und
das trifft für praktisch alle Mus. zu – aus verschiedenen
Gründen nur noch in kleinerem Maßstab getätigt. Aus-
schlaggebend hierfür ist v. a. der hohe Wertanstieg
ägypt. Kunst sowie veränderte Standards bezüglich der
Erwerbung bzw. dem Erhalt arch. Stätten und nationaler Kunstdenkmäler. Hinzu kommt, daß die Abteilung nun einen größeren Teil ihrer finanziellen Ressourcen der Erhaltung der bereits in der Sammlung
befindlichen Objekte widmet, um interessante und
wertvolle Stücke aus den Magazinen »wiederzubeleben«
und zur Ausstellung zu bringen. Die Neugestaltung der
ägypt. Säle wird weiter fortgesetzt, um die einzelnen
Kunstwerke in der für sie vorteilhaftesten Perspektive
auszustellen, nachdem 1993 die ersten neugestalteten
Räume der Öffentlichkeit zugänglich gemacht worden
sind. Mehr denn je legt das Museum h. Wert auf eine
bessere Zugänglichkeit der Sammlung für den Besucher
und ist bestrebt, durch die Neueinrichtung und andere
Projekte, wie z. B. die Herausgabe eines Museumsfüh-
rers, ein besseres Verständnis der altägypt. Kunst sowie
ihres histor. und kulturellen Kontextes zu fördern.
→ AWI Ägypten; Amarna; Mut

1 R. FAZZINI et al., Ancient Eyptian Art in The Brooklyn
Mus., 1989 2 L. FERBER, History of the Collections, in: THE
BROOKLYN MUS. (Hrsg.), Masterpieces in The Brooklyn
Mus., 1988, 8–23 3 S. KARIG, K.-TH. ZAUZICH, Ägypt.
Kunst aus dem Brooklyn Mus. (Ausstellungskat. Berlin,
Ägypt. Mus., 4. Sept. –31. Okt. 1976).
RICHARD FAZZINI/Ü: KRISTIN KLEBER

New York, Metropolitan Museum
I. KLASSISCHE ANTIKE II. ÄGYPTISCHE ABTEILUNG
III. VORDERASIATISCHE ABTEILUNG

I. KLASSISCHE ANTIKE
A. DIE INSTITUTION B. DAS GEBÄUDE C. DAS
DEPARTMENT OF GREEK AND ROMAN ANTIQUITIES
D. DIE SAMMLUNG E. PUBLIKATIONEN

A. DIE INSTITUTION
Träger des Metropolitan Museum of Art (MMA) ist
eine private Stiftung. Adresse: Fifth Avenue at New
York, NY 10028; Internet: http://www.metmu-
seum.org.

Das MMA gehört zu den weltweit größten Museen.
Seit seiner Gründung kurz nach dem amerikanischen
Bürgerkrieg wuchs es durch die systematisch betriebene
Einbindung großer Stifter und Geldgeber zu einem
wahren Sammlungs-Leviathan heran. Die Organisati-
onsstruktur ist die eines Privat-Mus., das sich durch gezielte Einnahmenmaßnahmen selbst zu finanzieren versucht. Seine Bestände, die auf zwanzig Abteilungen verteilt sind, zählen über zwei Millionen Objekte. Sie enthalten Kulturzeugnisse aus fünf Jt., von denen jedoch
nur ein minimaler Bruchteil jeweils ausgestellt ist. Hinter der Sammlungsbreite steht der bereits im Grün-
dungsdokument ausgesprochene, umfassende Anspruch
an das zu errichtende Museum: ›(Mit unseren Finanzmitteln) sollte es uns möglich sein, die Welt in all den
Märkten zu überbieten, in denen jene großen, unbe-
schreiblichen Kunstwerke angeboten werden, die zur
Bildung eines jeden Volkes notwendig sind‹ [17. 55].

Das MMA wurde durch ein Komitee kunstinteres-
sierter reicher New Yorker während des Wirtschafts-
booms, der dem amerikanischen Bürgerkrieg folgte, ins
Leben gerufen [30]. Dabei standen europ. Mus. Pate,
insbes. das British Museum (→ London, British Museum) und das Victoria & Albert Museum in London,
nach deren Vorbild ein »Museumsgulasch« [17. 54]. an-
gerichtet wurde, in dem Kunsthandwerk ebenso vertreten ist wie die »hohe« Kunst und die Völkerkunde,
Waffen neben Musikinstrumenten. Seit seinem Bestehen gehört das MMA unter seinen unterschiedlichen
Direktorenpersönlichkeiten kontinuierlich zu den
wichtigsten Käufern auf dem internationalen Kunstmarkt [14; 15; 16]. Das MMA versteht sich auch als For-
schungs- und Bildungsinstitution, dabei spielt die ihm
zugehörige und in den Apparat integrierte Bibl. eine
wichtige Rolle (Thomas J. Watson Library:
http//www.metmuseum.org/education/).

Wie das gleichzeitig enstandene Museum of Fine
Arts in Boston (→ Boston, Museum of Fine Arts), das
sowohl als Schwester-Mus. als auch als Rivalin betrachtet wird, beabsichtigte das Gründungskomitee des MMA
eine ›mehr oder weniger vollständige Sammlung zusammenzutragen, die die gesamte Kunstgeschichte von
den Anfängen bis zur Gegenwart darstellte‹ [30. 21.
Anm. 1]. Im gleichen J., 1870, registrierte das Landes-

parlament des Staates New York das Metropolitan Museum and Library unter öffentlichen Statuten, wodurch es den Status einer steuerbegünstigten Erziehungseinrichtung erhielt.

Kern des Museuminventars bildete eine Kollektion niederländischer Gemälde, mit denen das Mus. seine öffentliche Tätigkeit bereits 1872 begann. Typisch für die Geschichte dieser Institution und ihr Wachstum durch Stiftungen war das nächste Ereignis, denn der General Palma di Cesnola, amerikanischer Ex-Konsul auf Zypern, schenkte dem Mus. seine Sammlung von 6000 Skulpturen. Charakteristisch für den im Vergleich mit Europa sehr viel unmittelbareren Stil des Sammelns und der Mus.-Verwaltung ist die Tatsache, daß der General von 1879–1904 Direktor des MMA wurde, gefolgt von einem anderen wohlausgestatteten Sammler und Industriellen, J. Pierport Morgan [13. 16]. Die museale Sammeltätigkeit war so erfolgreich, daß knapp hundert J. später J. J. Rorimer, Direktor von 1955–1966, erklären konnte, er habe ›das größte Schatzhaus der westlichen Hemisphäre leiten können‹ [17. 57].

B. DAS GEBÄUDE

Das MMA zeigt sich von der Fifth Avenue architektonisch als Musentempel mit einem triumphbogenartigen Zentralteil. Dahinter verbirgt sich jedoch h., wie bei vielen etablierten großstädtischen Mus., eine komplexe Bauanlage, deren Labyrinth man sich sorgfältig erlaufen muß, da die histor. gewachsene Agglomeration der Teile keine klaren Achsen hat wachsen lassen [12. 66 f. Abb. 95–96]. Erste Entwürfe und eine Teilausführung stammen von C. Vaux, dem Gestalter des Central Park, von dessen Gelände aus das Mus. ursprünglich aus zu betreten war [12. 18. Abb. 19]. Dies erste Gebäude war Anfang einer langen, selten unterbrochenen Kette von Baumaßnahmen, durch die sich das MMA immer tiefer im Central Park verankerte. Nach zwei Erweiterungsphasen des Anfangbaues plante R. M. Hunt die nächste Erweiterung, einen fast zwei Hektar großen Palazzo im it. Stil, der vor den Bau C. Vaux' gesetzt wurde. Erst mit der Eröffnung 1902 erhielt die 5th Avenue die heutige Eingangsfront mit ihrer grandiosen Fassade. Bereits 1905 wurde die nächste Erweiterung in Szene gesetzt – seitdem erstreckt sich das MMA von der 80. bis zur 84. Straße.

Nach einer relativ ruhigen Zeit bis zum Zweiten Weltkrieg zwang das gewachsene Publikumsinteresse in den 60er J. – mit über zwei Millionen Besuchern pro J. – den Direktor Th. Hoving, eine umfassende Neuplanung in Angriff zu nehmen. Diese sollte Anbauten ebenso wie innerbauliche Veränderungen umfassen, außerdem die Umgestaltung der Straßenfassade einschließen (1967–1985). Zu den bemerkenswerten Anbauten zählen die Pavillons für die Sammlung R. Lehmann (1974), den Tempel von Dendur (1976), der M. C. Rockefeller Wing (1976), der American Wing, der Bookshop und die A. Meyer Galleries (1980) und schließlich der South West Wing (1985). Außerdem wurden einige Höfe durch Glasüberdachung mit einbezogen [12. 76.

Abb. 109], eine Form der Raumgewinnung für Mus., die bes. spektakulär im British Museum (→ London) und im Kopenhagener Nationalmuseum verwirklicht worden ist (→ Kopenhagen). Die heutige Ansicht an der 5th Avenue bietet eine klass. gehaltene Fassade über ihre ganze Länge, auch der neuen Teile. Erst die Stahl- und Glasrückseite zum Central Park verdeutlicht das Ausmaß und die Auswirkungen des Gesamtplanes der Architekten Roche, Dinkeloo & Associates für das MMA [12. 66. Abb. 96].

C. DAS DEPARTMENT OF GREEK AND ROMAN ANTIQUITIES

Die Konzeption des MMA schloß die Kunst der Ant. von Anf. an mit ein, beginnend mit einem röm. Sarkophag aus der Türkei. Das schnelle Wachstum der ant. Bestände wurde einmal dadurch gefördert, daß zwei der frühen Direktoren des MMA ant. Kunsthistoriker waren: Palma di Cesnola (1879–1904), selbst als Großsammler in Zypern aktiv, und E. Robinson (1910–1931). Zum anderen hilft seit Anf. des 20. Jh. eine Finanzstiftung des Industriellen J. S. Rogers der Abteilung als stete Einkommensquelle für Ankäufe. Einen frühen Teil seiner Sammlungen erhielt das MMA auch im Austausch für aktive Teilnahme an Grabungen (u. a. Sardis, Türkei).

Ein eigenständiges Department of Classical Art wurde allerdings erst 1909, mit der Ankunft E. Robinsons

Abb. 1: Krater, attisch-geometrisch, Hirschfeld-Maler, ca. 750 v. Chr. Ein freistehendes Grabmonument der homerischen Zeit
(The Metropolitan Museum of Art, Rogers Fund, 1914–14.130.15)

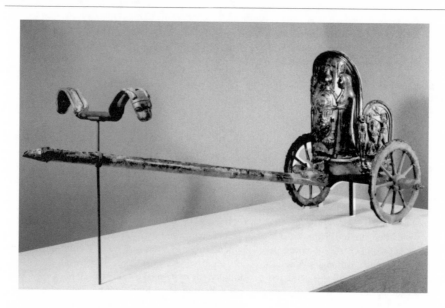

Abb. 2:
Bronzewagen
von
Monteleone,
etruskisch,
7. Jh. v. Chr.
Gefunden in
einem reichen
Grab (The
Metropolitan
Museum of Art,
Rogers Fund,
1903–03.23.1)

vom Museum of Fine Arts in Boston eingerichtet, das 1925 dann in Department of Greek and Roman Art umbenannt wurde [29]. Die Abteilung befindet sich in der Nähe des Haupteinganges im »klass.« Teil des Gebäudes und war lange Zeit auf relativ beschränktem Raume tätig. Die Ausstellungsaktivitäten der Abteilung sind jedoch vor kurzem durch die Umbauphase am E. des 20. Jh. erheblich verbessert worden. Denn nun verfügt die Antiken-Abteilung über ca. 6500 m² Ausstellungsfläche, ein Mehrfaches der vorherigen Möglichkeiten. Hier können die Galerien in einer mod. Konzeption jetzt Objekte nach Epochen im Kontext mit verschiedenen Werke der gleichen Epoche zeigen. Die Untergliederung in Prähistorie und frühe griech. Kunst, archa. und klass. Kunst, Kunst Zyperns, röm. Kunst, Großplastik etc. hält sich an bewährte Vorbilder. Auch das Führungssystem für Besucher ist gegenüber der früheren, verwirrenden Abfolge deutlich verbessert.

D. DIE SAMMLUNG

Wie für das MMA allg. gilt auch für das Greek and Roman Department, daß das Sammelinteresse auf die ant. Kunstgeschichte und deren Darstellung gerichtet bleibt, weniger auf die »Spaten-Arch.«. Besondere Stärken innerhalb der großen Bestände zeigen sich daher v. a. bei jenen Objekt-Gattungen, in denen kunstgeschichtliche Forsch. und Interpretation seit jeher intensiv betrieben worden ist. Ein Fokus liegt auf den griech. Vasen, insbes. den bemalten Gefäßen des 1. Jt. v. Chr. Darunter befinden sich so herausragende Gefäße wie der große geometrische Krater des athenischen sog. Hirschfeld-Malers (Abb. 1), dessen Œuvre sich an Funden aus der Athener Kerameikos-Nekropole detailliert verfolgen läßt. Besondere Bekanntheit – v. a. wegen seines erstaunlichen Ankaufspreises und seiner Erwerbungsgeschichte – hat in jüngerer Zeit der sog. Euphronios-Krater erlangt, ein signiertes Weinmischgefäß vom gleichnamigen Maler vom E. des 6. Jh. v. Chr.

[3. 37. Abb. 22, 23]. In großen und kleinen Vasenformen bietet die Sammlung einen detailreichen Überblick über die verschiedensten Zweige der Geschichte der griech. Vasenmalerei vom myk. bis in den frühen Hellenismus. Sie dient auch als Ausgangspunkt für wichtige Forschungsprojekte, so eine von dem damaligen Antiken-Kurator D. v. Bothmer 1985 initiierte Einzelausstellung zu dem Amasis-Maler [8], die erste monographische Werkschau für einen athenischen Vasenmaler überhaupt.

Keramik ist in der etruskischen Abteilung ebenfalls reich belegt, doch spielt sie neben den großen Prunkstücken anderer Objektkategorien eine geringere Rolle, zudem ist sie auch dem allg. Publikumsgeschmack weniger leicht verkäuflich. Dieses Sammelgebiet, d. h. die vorröm. Kunstgeschichte Mittel-It. wurde bes. durch die langjährige Kuratorin G. M. A. Richter (1882–1972) [18] vor und nach dem Zweiten Weltkrieg gefördert. So bieten die etruskischen Bronzen des MMA eine dichte Übersicht der wichtigen Typen, darunter ragen einige bes. Prunkstücke heraus, zu denen auch der Bronzewagen von Monteleone gehört (Abb. 2) Als etruskisch galten auch die spektakulären Terrakotta-Krieger, die die stets hochgerühmte etruskische Koroplastik verkörpern sollten. Sie entpuppten sich später jedoch als Produkt einer jüngeren Zeit [25; 6].

Aus dem röm. It. kommen auch die schönen Fresken aus der Villa von Boscoreale, eines der seltenen Beispiele eines größeren Fresken-Komplexes auf nicht-röm. Boden [24]. Sie sind in einem separaten Raum im Eingangsbereich rekonstruiert worden, der auf die Besucher gerade wegen seiner farbigen Eleganz der qualitätvollen Wandmalereien großen Eindruck macht.

Unter den griech. Skulpturen fällt eine für ein nichtgriech. Mus. ungewöhnlich reiche Gruppe griech. Grabdekorationen auf. Dazu gehört der frühe New Yorker Kuros, eine attische Marmorstatue, ca. 590

Abb. 3: Grabrelief, Marmor, Fragment
(Kopf eines Jünglings), ca. 520–500 v. Chr.
(The Metropolitan Museum of Art,
Rogers Fund, 1942–42.11.36)

v. Chr., aus der sog. Sunion-Gruppe [28. Abb. 25–32].
Anrührend ist das Fragment eines Knabenkopfes von
einer Stele aus Attika, ca. 525–500 v. Chr. (Abb. 3),
knapp 100 J. später setzt sich das Trauermotiv auf einer
Stele mit einem Mädchen fort (Abb. 4). Die künstlerische Spannweite und Qualität vieler klass. ant. Skulpturen des MMA tritt deutlich hervor. Neben diesen vertrauten visuellen Standards westl. Menschenplastik stehen der marmorne Leierspieler der Kykladenkultur, ca.
2500 v. Chr., und andere Beispiele der kykladischen
Bronzezeit, die eine Art Ikone der Moderne darstellen
(Abb. 5). Auch das Gebiet der griech. Vorgeschichte ist
mit z. T. großen Beispielen solcher Idole gut repräsentiert In diesen Skulpturen tritt deren Einfluß, den die
Kunst der Ant. auf die klass. Moderne (Brancusi, J. Arp)
ausgeübt hat, bes. gut vor Augen.

Die Skulpturensammlung des MMA repräsentiert
auch alle späteren Stufen der ant. Sichtveränderungen,
u. a. teilw. drastische Genredarstellungen, wie die der
hell. alten Marktfrau (Abb. 6), sowie zahlreiche Repliken röm. Zeit nach griech. Vorbild [26]. Beispiele röm.
Skulptur sind u. a. Porträts, die in dichten Reihen vorhanden sind, darunter nicht nur Marmorköpfe, sondern
auch solche aus weniger üblichem Material. Eine Bron-
zebüste der iulio-claudischen Zeit beeindruckt durch
ihre Erhaltung und ein Gesicht, dessen Erscheinungsform und Ausdruck durchaus amerikanischen Porträts
des frühen 20. Jh. entspricht. Daneben steht ein feines
Porträt des Augustus aus Elfenbein (Abb. 7), das in Größe und Finesse der zeitgenössischen hochentwickelten
Gemmenschneidekunst des frühen Kaiserreiches entspricht, welche ebenfalls gut vertreten ist.

Die verschiedenen Arten von Kleinkunst sind ein
anderes, breit vertretenes Gebiet des MMA. Die Schönheit ant. Originalplastiken zeigt sich gerade in den kleinen Bronzestatuetten, so der lebhaft dekorierte Stands-
piegel der frühen Klassik (Abb. 8). Der Bestand an
Bronzen ermöglicht einen Überblick der reichen Geschichte dieser Gattung [23; 19], die auch Gefäße ein-

Abb. 4: Grabstele, Marmor, Trauerndes Mädchen.
Eine Standardfigur des klassischen Repertoires.
Griechisch, spätes 5. Jh.
(The Metropolitan Museum of Art,
Rogers Fund, 1911–11.141)

schließt [5]. Auch an kostbarem Material, Gold und Silber, hat das MMA eine stattliche Kollektion von Gefäßen zusammengetragen [7]. Beim Schmuck hat sich
ebenfalls, angefangen mit der zyprischen Sammlung des
General Cesnola, bis h. eine sehr detailreiche Gold-
sammlung aufgebaut [1; 20]. Das wachsende Forschungsinteresse an ant. Gold zeigen zwei Ausstellungen, an denen die Antikenabteilung des MMA beteiligt
war [31; 2]. Gemmen sind ebenso zahlreich vertreten;
ihre Pflege geht auch v. a. auf G. M. A. Richter zurück,
die auf diesem Gebiet eine anerkannte Expertin war
[27]. Auch erste Arbeiten zur Glas-Sammlung des MMA
stammen aus ihrer Feder [22].

Abb. 5: Marmorskulptur, sitzender Leierspieler.
Frühe Bronzezeit, kykladisch, ca. 2500 v. Chr.
Musiker sind ein seltenes Motiv in dieser Zeit
(The Metropolitan Museum of Art,
Rogers Fund, 1947–47.100.1)

E. Publikationen

Im Zuge der sich rasch verändernden Arbeitsweise
der Mus., insbes. bei der Öffentlichkeitsarbeit, werden
verschiedene Publikationswege erprobt, mit denen ein
möglichst breites Publikum erreicht werden soll. Dazu
dienen der attraktive Auftritt des Mus. im Internet sowie die Herausgabe der für Kunst-Mus. typischen
»Meisterwerk-Führer« [11] in Buchform. Weiterhin erscheinen CD-Roms, die die Möglichkeiten von Mul-
timedia-Anwendungen nutzen, um das Publikum
besser ansprechen zu können. Forschungsarbeiten der
Antikenabteilung werden in diversen Monographien-
reihen und seit 1968 auch im *Metropolitan Museum Journal* vorgelegt. Hinzu kommen Kataloge zu Sonderausstellungen, neuerdings teilw. in engerer Zusammenarbeit mit anderen Groß-Mus. wie dem British Museum
oder der Eremitage in St. Petersburg [31; 2]. Ausgestellt
werden auch Privatsammlungen, deren Präsentation am
MMA eine lange Trad. hat, auch in der Hoffung, daß die
jeweilige Sammlung letzendlich auf Dauer in den Besitz
des MMA gelangen möge [10]. Zu den Privatsammlungen, die nach dem Zweiten Weltkrieg teilw. oder ganz
dem MMA zugeführt wurden, gehören die Sammlungen Baker und N. Schimmel [4; 21]. Bei den wiss.-
kunsthistor. Reihenwerken der Ant. nimmt das MMA
u. a. seit 1943 an dem Standardwerk *Corpus vasorum antiquorum* der Union Académie teil.

Abb. 6: Statue, Marmor, römische Kopie nach
hellenistischem Vorbild: Alte Frau mit Korb.
Ein Beispiel des hellenistischen Genre-Realismus
(The Metropolitan Museum of Art,
Rogers Fund, 1909–09.39)

1 C. Alexander, Jewelry – The Art of the Goldsmith in
Classical Times, 1928 2 J. Aruz, A. Farkus, A. Alekseev,
E. Korolkova, The Golden Deer of Eurasia: Scythian and
Sarmatian Treasures from the Russian Steppes. The State
Hermitage St. Petersburg and the Archaeological Mus., Ufa.
Ausstellungskat. New York, 2000 3 J. Boardman, Athenian
Red Figure Vases. The Archaic Period, 1975 4 D. V.
Bothmer, Greek, Etruscan and Roman Antiquities from

Abb. 7: Porträt, römisch, Elfenbein. Kopf des Augustus, der die Durchdringung auch der Kleinkunst mit Herrscherporträts zeigt. 1. Hälfte des 1. Jh. n. Chr. (The Metropolitan Museum of Art, Rogers Fund, 1923–23.160.78)

Abb. 8: Bronzespiegel mit weiblicher Griff-Figur - ein für den frühklassischen Stil charakteristischen Figurentyp. Griechisch, ca. 500–450 v. Chr. (The Metropolitan Museum of Art, Bequest of Walter C. Baker, 1971–1972.118.78)

the Collection of Walter C. Baker, Esq., 1950 **5** Ders., Bronze Hydriai, Metropolitan Mus. Bull., n. s., Bd. 13, no. 6, 1955 **6** Ders., J. V. Noble, An inquiry into the forgery of the Etruscan terracotta warriors, = MMA, Papers, No. 11, 1961 **7** Ders., A Greek and Roman Treasury, Metropolitan Mus. Bull., n. s., Bd. 42, no. 1, 1984 **8** Ders., The Amasis Painter and His World, Vase Painting in Sixth-Century B. C. Athens, 1985 **9** Ders., J. V. Noble, An inquiry into the forgery of the Etruscan terracotta warriors, = MMA Papers, No. 11, 1961 **10** Ders. (Hrsg.), Glories of the Past: Ancient Art from the Shelby White and Leon Levy Collection, 1990 **11** B. Burn (Hrsg.), Masterpieces of The MMA, 1993 'Nearly three hundred of the finest masterpieces in the Metropolitan's collection' **12** M. H. Heckscher, The MMA. An Architectural History, 1995 **13** H. Hibbard, The MMA, 1986 **14** Th. Hoving (Hrsg.), The chase, the capture: collecting at the Metropolitan. With essays by members of the staff, 1975 **15** Ders., King of the Confessors, 1981 **16** Ders., Making the Mummies Dance: in the MMA New York, 1993 **17** K. Hudson, Mus. of Influence, 1987 **18** J. R. Mertens, The Publications of Gisela M. A. Richter. A Bibliography. Metropolitan Mus. Journal, 17, 1982 **19** Dies., Greek Bronzes in the MMA in: Metropolitan Mus. Bull., n. s., Bd. 43, no. 2, 1985 **20** Dies., Ancient Art: Gifts from the Norbert Schimmel Collection, = Metropolitan Mus. Bull., n. s., Bd. 49, no. 4, 1992 **21** O. Muscarella (Hrsg.), The Schimmel Collection, 1975 **22** G. M. A. Richter, The room of ancient glass = Metropolitan Mus. Bull. Suppl. Bd. 6, 1911 **23** Dies., Greek, Etruscan and Roman Bronzes in the MMA, 1915 **24** Dies., The Boscoreale frescoes of the MMA = Art and Archaeology 7, 1918 **25** Dies., Etruscan terracotta warriors in the MMA,

with a report on structure and technique by Charles F. Binns, 1937 **26** Dies., Catalogue of Greek sculptures, 1954 **27** Dies., Catalogue of engraved gems: Greek, Etruscan, and Roman, 1956 (Überarbeitete Fassung von: Dies., Catalogue of engraved gems of the classical style, 1920) **28** Dies., Kouroi. Archaic Greek Youths, ²1960 **29** Dies., The Department of Greek and Roman art: triumphs and tribulations = Metropolitan Mus. Journal, Bd. 3, 1970 **30** C. Tomkins, Merchants and Masterpieces. The Story of the MMA, 1989 **31** D. Williams, J. Ogden (Hrsg.), Greek Gold: Jewelry of the Classical World, Ausstellungskat. London und New York, 1994.   WOLF RUDOLPH

II. ÄGYPTISCHE ABTEILUNG
A. BESCHREIBUNG DER SAMMLUNG
B. GESCHICHTE C. AUSSTELLUNGSKONZEPT
D. LAUFENDE FORSCHUNGSPROJEKTE UND SONDERAUSTELLUNGEN

A. BESCHREIBUNG DER SAMMLUNG

Kunst und Kunsthandwerk Altägyptens sind im New Yorker Metropolitan Museum of Art (MMA) mit einer der weltweit wichtigsten Sammlungen vertreten. Die rund 36 000 Werke repräsentieren die altägypt. Kultur vom Paläolithikum bis ins 4. Jh. n. Chr. Hauptschwerpunkte bilden die Kunst des Mittleren Reiches (MR, um 2040–1750 v. Chr.) mit einzigartigen Königsporträts, Reliefs, Schmuck und Kleinkunst, die Statuen der

Abb. 1: Bemalte Särge der Dritten Zwischenzeit und der Spätzeit, um 1070–525 v. Chr.
(The Metropolitan Museum of Art, MM 73021)

Königin Hatschepsut (um 1473–1458 v. Chr.) aus ihrem Tempel in Deir el-Bahri und Werke der späteren 18. Dyn. (um 1393–1295 v. Chr.), unter denen v. a. Porträts des Amenophis III., des Echnaton, Tutenchamun und Haremhab, sowie Kleinkunst aus Theben und Amarna zu nennen sind. Mehrere Serien von bemalten Särgen (Abb. 1), sowie eine goldene Statuette des Gottes Amun sind bedeutende Zeugen der Kunst der Dritten Zwischenzeit (um 1070–712 v. Chr.). Eine Reihe von qualitativ hochwertigen Statuen und Reliefs repräsentieren die Kunst der Spätzeit (712–332 v. Chr.). Die altägypt. Architektur ist u. a. durch zwei vollständige Grabkapellen des fortgeschrittenen Alten Reiches (AR, um 2400–2300 v. Chr.) sowie den Tempel und das monumentale Tor von Dendur (Nubien) aus der Zeit des Kaisers Augustus (um 15 v. Chr) vertreten (Abb. 2). Aus der röm. Kaiserzeit stammen eine Reihe wichtiger Mumienporträts. Werke des koptischen Ägypten sind seit kurzem Teil der byz./früh-ma. Sammlung des MMA.

B. Geschichte

Das 1870 gegründete MMA begann bereits wenige J. nach seiner Gründung neben griech. und röm. auch ägypt. Altertümer zu erwerben und zum Geschenk zu erhalten. Ein denkwürdiges Geschenk aus dem J. 1881 sind z. B. die beiden bronzenen Krabben, die in der Römerzeit die Ecken des 1880 von Alexandria nach New York verbrachten Obelisken (»Nadel der Kleopatra«) gestützt hatten. Als Spender zeichnete Comman-

der Henry H. Gorringe, der Leiter des Obeliskentransports. Im J. 1906 war dann das öffentliche Interesse an Altägypten so stark, daß die Museumsleitung beschloß, diesem Kulturkreis eine eigene Abteilung zu widmen. Vom damaligen Museumspräsidenten J. Pierpont Morgan energisch unterstützt, wurde gleichzeitig eine umfangreiche Ausgrabungstätigkeit in Ägypten in Gang gesetzt. Der als Ausgräber bereits bestens ausgewiesene Albert M. Lythgoe (1868–1934), vorher Kurator am Museum of Fine Arts, Boston, wurde zum leitenden Kurator der Sammlung und zugleich Grabungsleiter bestellt. Als Mitarbeiter und späteren Nachfolger gewann Lythgoe einen der bedeutendsten Ausgräber des alten Ägypten überhaupt, den genialen Herbert E. Winlock (1884–1950), der von 1932 bis 1939 schließlich das gesamte MMA als Direktor leitete.

Hauptgrabungsplätze der Ägypt. Abteilung waren die Pyramidenfelder im Norden von Kairo und die Nekropolen von el-Lischt in der Nähe der altägypt. Hauptstadt des MR, ferner die Oase Kharga mit dem Tempel von Hibis und reichen spätant. Resten, sowie im Süden des Landes, neben einem vorgeschichtlichen Friedhof in Hierakonpolis (zw. Luxor und Assuan), v. a. Theben (auf dem Westufer gegenüber dem heutigen Luxor). Dort führte das MMA im Palast König Amenophis III. von Malkata, an den Tempeln des Mentuhotep II. (11. Dyn., um 2061–1918 v. Chr.) und der Hatschepsut von Deir el-Bahri und in den ausgedehnten Friedhöfen des

Abb. 2: Tempel und Tor von Dendur im Metropolitan Museum of Art
(The Metropolitan Museum of Art, 68.154)

MR, des NR und der Spätzeit Ausgrabungen durch, die zum Teil noch bis 1936 andauerten. Durch Fundteilung gelangte eine Fülle bedeutender Kunstwerke und arch. Objekte aus diesen Grabungen in das MMA, so daß sich noch h. mehr als die H., wenn nicht sogar zwei Drittel der Ägypt. Sammlung aus Objekten zusammensetzen, die in dieser kontrollierten Grabungstätigkeit gewonnen wurden. Glanzstücke aus diesen Grabungen gingen auch an das Ägyptische Museum in Kairo (→ Kairo, Ägyptisches Museum), mit dem das MMA daher bes. eng verbunden ist. Beispiele bedeutender ausgegrabener Objekte sind die holzgeschnitzte Statue einer Gabenträgerin sowie die Modelle von Werkstätten und das eines Gartens aus dem thebanischen Grab des »Kanzlers« Mektire (um 1990 v. Chr., Abb. 3), die Statue mit Schrein einer Grabfigur mit königlichen Attributen aus dem Grab des Imhotep in Lischt (um 1929–1878 v. Chr.) und die oben bereits genannten Statuen der Hatschepsut aus Deir el-Bahri, die unter dem Nachfolger der Königin, Thutmosis III., zerschlagen und in einen Steinbruch geworfen worden waren. Winlocks Archäologenteam hat sie in mühsamer Kleinstarbeit aus unzähligen Fragmenten wieder zusammengesetzt. Die Grabungen in Lischt förderten unter vielem anderen auch Reliefs aus Pyramidentempeln des AR zutage, die König Amenemhet I. (um 1991–1962 v. Chr.) in den Ruinen dieser Tempel einsammeln und in seine eigene Pyramide einbauen ließ.

Neben den in eigenen Grabungen entdeckten Stükken wurden in den ersten Jahrzehnten des 20. Jh. vom MMA auch Werke erworben, die von der britischen Egypt Exploration Society ausgegraben worden waren, sowie weitere, die das Mus. direkt von der ägypt. Regierung ankaufte. Neben anderen Ankäufen sind auch einige bedeutende Privatsammlungen ganz oder zu einem großen Teil in den Besitz des MMA gelangt. Unter diesen ragen v. a. die Sammlungen des amerikanischen Geschäftsmannes und Ausgräbers Theodore M. Davis (bedeutendstes Stück: die Kanope aus Grab 55 im Königsgräbertal, Abb. 4), des Earl of Carnarvon (Porträt Sesostris III. (Abb. 5), das Kopffragment einer Amarnakönigin aus gelbem Jaspis und viele Werke der Kleinkunst von feinster Qualität) und einer guter Teil der Sammlung von Norbert Schimmel (Reliefs aus Tempeln von Amarna und weitere Werke der Kleinkunst) hervor. 1965 schenkte die ägypt. Regierung den Vereinigten Staaten in Anerkennung der bei der Rettung der nubischen Denkmäler von den USA geleisteten Hilfe Tempelhaus und Tor des südl. von Assuan in Unternubien errichteten Heiligtums von Dendur. Das Monument war zur Rettung vor Überflutung durch die vom Assuan-Staudamm aufgespeicherten Wassermassen Stein für Stein abgebaut worden. 1967 sprach die US-Regierung dieses zwar kleine, aber vollständige Beispiel eines ägypt. Tempels mit Tempeltor dem MMA zu. 1978 konnte das wiedererrichtete Bauwerk in einer eigens

Abb. 4: Deckel eines Kanopenkruges mit Kopf einer
Königin , Alabaster, um 1349–1336 v. Chr.
(The Metropolitan Museum of Art, 30.8.54)

erstellten, mit großer Glaswand versehenen Halle dem
Publikum zugänglich gemacht werden. Vor dem dem
wiedererstellten Tempel vorgelagerten und den Nil darstellenden Wasserbeckens wurden in den letzten J. mehrere monumetale Statuen aufgestellt, um den Besuchern
das urspr. Aussehen eines altägypt. Heiligtums noch ein-
drucksvoller zu vermitteln.

C. AUSSTELLUNGKONZEPT

Schon in seiner ersten umfassenderen Austellung
ägypt. Kunst im J. 1911 hatte sich das MMA für eine
chronologische Gliederung seines Bestandes entschieden. Dem gleichen Ziel einer von Periode zu Periode
fortschreitenden Betrachtung der Sammlung diente
auch das Standardwerk des ehemaligen Kurators der
Sammlung, William C. Hayes (1903–1963), *The Scepter
of Egypt. A Background for the Study of the Egyptian Antiquities in the Metropolitan Museum of Art,* dessen erster Teil
From the Earliest Times to the End of the Middle Kingdom
1953 und der zweite Teil *The Hyksos Period and the New
Kingdom (1675–1080 B. C.)* 1959 erschienen, und bis h. –
trotz mancher überholungsbedürftiger Passagen – als
wichtiges, die Sammlung erschließendes Katalogwerk
von Fachleuten und einem breiteren Publikum weiterhin gelesen und benutzt wird. Ein chronologisches
Grundprinzip liegt auch der gegenwärtigen Aufstellung
der Ägypt. Sammlung zugrunde, deren Konzept in den
1970er und 1980er J. unter der leitenden Kuratorin
Christine Lilyquist in Zusammenarbeit mit den Architekten der Firma Kevin Roche John Dinkello and Associates ausgearbeitet worden ist. Finanziert von Lila
Acheson Wallace, der Mitbegründerin von *Reader's Di-
gest,* wurde diese umfassende Neuaufstellung stufenweise in den J. 1976, 1978 und 1983 eröffnet. Das Konzept hatte neben der Darbietung der ägypt. Kunst in
chronologischer Folge ein weiteres wichtiges Ziel: Man

Abb. 3: Gabenträgerin aus dem Grab des Mektire
(The Metropolitan Museum of Art, Rogers Fund
and Edward S. Harkness Gift, 1920, 20.3.7)

Abb. 5: Kopf der Sphinx des Königs Sesostris III. aus Gneiss, MR, um 1878–1841 v. Chr.
(The Metropolitan Museum of Art, 17.9.2)

entschloß sich nämlich, die gesammte Ägypt. Sammlung des MMA ohne jede Magazinierung der Öffentlichkeit zugänglich zu machen. Um dies zu erreichen, wurde eine Unterteilung der vorhandenen Objekte in erstklassige Werke einerseits und Stücke von mehr arch. Wert oder nur fragmentarischer Erhaltung andererseits vorgenommen. Die erstklassigen Stücke sind in 31 Haupträumen so ausgestellt, daß der Besucher von Raum zu Raum schreitend die Gesch. der ägypt. Kunst in Meisterwerken nacherleben kann. An neun dieser Haupträume sind darüberhinaus Studienräume angegliedert, in denen die vorwiegend arch. interessanten Objekte in gedrängter Fülle (*open storage*) und mit weniger ausführlicher Beschriftung dargeboten werden. Hier ist der Besucher aufgerufen, selbst auf Entdeckung zu gehen, und der an Details Interessierte findet ohne langwierige Magazinbesuche sowohl Objekte, die er sucht, als auch Unbekanntes, das ihn anregt.

Das Konzept der 1970er und 80er J. hat sich bis h. im Ganzen gut bewährt. Seither vorgenommene Änderungen in der Austellungsanordnung hatten zwei Ziele: die Erlangung einer größeren Flexibilität in der Gegenüber- und Nebeneinanderstellung von Werken und die Einbeziehung auch inhaltlicher Themen bei der Anordnung der Exponate. Dem ersten Ziel dienten verschiedene Unterbrechungen der strengen zeitlichen Gliederung, wie z.B. die Ausstellung einer Reihe von monumentalen Skulpturen und architektonischer Reste im Bereich des Dendur-Tempels. Dem zweiten Ziel dient ein neu hinzugekommener Raum für temporäre Ausstellungen, in dem in lockerer Folge Stücke aus der Sammlung, z.T. bereichert durch auswärtige Leihgaben, unter bestimmten Themen (Steingefäße, Tierdarstellungen, usw.) ausgestellt werden. Eine durchgreifende Neuaufstellung zunächst der 1976 eröffneten

Räume ist zur Zeit in Planung, nachdem im J. 1996 bereits der Bereich der Kunst der späteren 18. Dyn. (Amenophis III., Echnaton, Tutanchamun und Haremhab) eine veränderte Raumgestaltung und eine stärker auf die wichtigsten Kunstwerke ausgerichtete Darbietung der Objekte erfahren hat.

D. LAUFENDE FORSCHUNGPROJEKTE UND SONDERAUSSTELLUNGEN

Die dreißigjährige Ausgrabungs- und Forschungtätigkeit des MMA in Ägypten bildete nicht nur den Hintergrund zu einem reichen Bestand an ausgegrabenen Kunstwerken, sondern hat auch zur Entstehung eines der reichsten arch. Archive über das Alte Ägypten geführt. Dieses enhält u.a. rund 26000 Glasnegative mit fotografischen Aufnahmen von Monumenten, Ausgrabungsbefunden und Objekten, darunter der zweite existierende Satz an Aufnahmen aller im Grab des Tutanchamun gefundener Gegenstände (der erste Satz befindet sich im Oxforder Griffith Institute) Detailbeschreibungen sind auf Tausenden von Karteiblättern festgehalten, und Zeichnungen und Pläne füllen Mappen und Schränke. Ein erheblicher Teil dieses unschätzbaren Dokumentationsbestandes ist bereits in wiss. und allgemeinverständliche Publikationen eingeflossen (z.B. bisher 26 Bde. der *Publications of the MMA Egyptian Expedition*), doch wird die Aufgabe der Nacharbeitung und evaluierenden Veröffentlichung der Ausgrabungen sicher noch mehrere Ägyptologengenerationen beschäftigen. Darüber hinaus hat das Department of Egyptian Art des MMA seit 1984 die Ausgrabungstätigkeit in Ägypten wieder aufgenommen. Ziel ist es nun nicht mehr, bedeutende Mengen an Objekten für die Sammlung zu gewinnen, sondern es geht darum, die bereits vorhandenen Objekte und ihren arch. Hintergrund besser zu verstehen. Die evaluierende Nacharbeitung der Grabungen von 1906–1936 findet so Hand in Hand mit der aktuellen Feldarbeit statt. Gegenstand der Forsch. ist traditionsgemäß, und dem Schwerpunkt der Sammlung entsprechend, das MR. Daher sind die Grabungsorte wiederum Lischt, die Nekropole der frühen 12. Dyn., und zusätzlich Dahshur, das in der fortgeschrittenen 12. Dyn. als königliche Nekropole gedient hat.

Ein anderer wichtiger Forschungsbereich des MMA wurde von Curator Emeritus Henry George Fischer geschaffen und bis h. weltweit vorbildlich vertreten: ägyptologische Ikonographieforschung. Auf detailliertesten ikonographischen Beobachtungen, vorwiegend auf Stücken des MMA aufbauend, ist es Fischer gelungen, in den verschiedensten Bereichen der ägypt. Kultur eine einmalige Einheit von Schrift und Kunst nachzuweisen (siehe H.G. Fischer, *The Orientation of Hieroglyphs, Part I. Reversals*, 1977 und Ders., *L'Écriture et l'art de l'Egypte ancienne*, 1986).

In neuester Zeit bietet das MMA neben den genannten kleineren Sonderausstellungen vorwiegend aus eigenem Bestand auch größere Austellungen ägypt. Kunst an, so die *Royal Women of Amarna* von 1997 und *Egyptian Art in the Age of the Pyramids* von 1999. Mit derartigen,

Abb. 1: Tontafel,
Ankauf von 1886
(The Metropolitan Museum
of Art, 86.11.111)

größtenteils der ägypt. Kunst geltenden Präsentationen wird bewußt an frühere, den Objekten der Sammlung geltende kunstgeschichtl. Arbeiten angeknüpft. Als bedeutendster Vertreter dieser Fachrichtung, der in der Vergangenheit mit der Ägypt. Sammlung des MMA in engstem Kontakt gestanden hat, ist der Brite Cyril Aldred (1914–1991) zu nennen, dessen wegweisende Studien zu den Porträts des MR im MMA oder zu wichtigen Einzelwerken der Sammlung, wie dem goldenen Amun der Dritten Zwischenzeit, bis h. richtungsweisend geblieben sind.

→ Ägyptologie; Berlin, Ägyptisches Museum; Chicago, Oriental Institute; Kairo, Ägyptisches Museum; London, British Museum II; Boston, Museum of Fine Arts

→ AWI Ägypten; Amarna; Amenophis III.; Amun; Augustus; Haremhab; Kanope; Nekropolen; Nektanebos; Pyramiden; Schrift; Sesostris (III.); Tutenchamun; Thutmosis III.   DOROTHEA ARNOLD

III. VORDERASIATISCHE ABTEILUNG

A. EINLEITUNG B. VORGESCHICHTE
C. GESCHICHTE D. SAMMLUNGSBESTAND
E. AUSSTELLUNGSKONZEPTION

A. EINLEITUNG

Das Department of Ancient Near Eastern Art (DANEA) wurde erst im Jahr 1956 gegründet, nachdem der Grundstein der Sammlung schon 1874 mit dem Erwerb von Rollsiegeln gelegt worden war. Setzten sich die Bestände, anders als in vergleichbaren Mus., anfänglich v. a. aus Ankäufen und Schenkungen zusammen, so gelangten arch. Objekte seit den 30er Jahren des 20. Jh. durch die Beteiligung an Grabungen im Vorderen Orient in die Sammlung. Heute gehört das DANEA zu den großen Mus. für altorientalische Kulturen und ist in Amerika das Bedeutendste seiner Art. Es befindet sich im zweiten Stock des Metropolitan Museum of Art an der Fifth Avenue in New York. Seine assyrischen Reliefs und die beeindruckenden Wächterfiguren aus Nimrud bilden eine der Hauptattraktionen.

B. VORGESCHICHTE

Die Entwicklung der New Yorker Sammlung altorientalischer Altertümer ist eng mit dem wachsenden Interesse einzelner Personen am Alten Vorderen Orient verbunden, deren Engagement die heutige Form der Sammlung bestimmt hat.

Das Metropolitan Museum of Art (MMA), anfangs noch nicht für die Öffentlichkeit zugänglich, befand sich noch in der Aufbauphase, als im Frühjahr 1879 Luigi Palma di Cesnola, der erste Direktor des Mus., sich dazu entschloß, eine Sammlung von Keilschrifttafeln aus dem Alten Vorderen Orient zu erwerben. Mit den am 21. Mai 1879 von einem Londoner Händler angekauften insgesamt 51 babylonischen Tontafeln und zwei Nebukadnezar II.-Zylindern legte er den Grundstock der neu zu formierenden Sammlung. Diese Tafeln wurden zunächst Teil der allgemeinen Museumssammlung, da zu dieser frühen Phase keine speziellen Abteilungen des MMA existierten.

Im Oktober 1883 beschlossen die Mitglieder der American Oriental Society es den Briten, Franzosen und Deutschen gleichzutun und ebenfalls Expeditionen in den Vorderen Orient zu entsenden. Finanziert wurde dieses Unternehmen von der New Yorkerin Catherine Lorilland Wolfe, nach der die erste Expedition benannt wurde. Mit Reverend William Hayes Ward als Leiter reiste die Gruppe im Winter 1884/85 in den Vorderen Orient, ohne jedoch die geplante Grabungstätigkeit in Mesopotamien aufnehmen zu können. Nachdem Ward vor Ort keinerlei Objekte ankaufen konnte, erwarb er auf seinem Rückweg nach New York auf den Londoner Antiquitätenmärkten eine eigene Tontafel- und Rollsiegelsammlung. Dieses 550 Objekte umfassende Korpus konnte das Mus. am 15. Sept. 1886 von Ward ankaufen und wurde damit das erste amerikanische Mus., mit einer derart beträchtlichen Anzahl von Tontafeln bzw. Fragmenten. Die Sammlung Ward bildet auch heute noch den Kern des Museumsbestandes an Keilschrifttexten (Abb. 1). Neben den Keilschrifttafeln galt Wards Interesse auch den Rollsiegeln, von denen er 1893 und 1899 weitere für das Mus. erwerben konnte. Diese Siegel wurden allerdings 1908 an die Pierpont Morgan Library verkauft. Interessierte und engagierte Sponsoren wie z. B. J. Pierpont Morgan und J. D. Rokkefeller bereicherten am Ende des 19. und zu Beginn des 20. Jh. die Sammlung um weitere Objekte. Die bemerkenswerten assyrischen Reliefs sowie zwei Monumentalskulpturen in Gestalt eines geflügelten Stieres und eines geflügelten Löwen aus dem 9. Jh. v. Chr. lassen sich dazu zählen (Abb. 2). Diese Beispiele der Großplastik regten zu weiteren Erwerbungen an. So konnte zum Beispiel 1931 ein Löwe aus glasierten Lehmziegeln von der berühmten Prozessionsstraße aus Babylon vom Vorderasiatischen Mus. Berlin im Austausch übernommen werden.

Abb. 2: Menschenköpfiger, geflügelter Löwe (Lamassu), Schenkung von John D. Rockefeller Jr., 1932 (The Metropolitan Museum of Art, 32.143.2)

In das Jahr 1931 fällt auch die Beteiligung des MMA an der zweiten Grabungskampagne in Ktesiphon, der im heutigen Irak gelegenen Hauptstadt der Parther und Sāsāniden. Die Grabung fand zusammen mit der → Deutschen Orient- Gesellschaft als Gemeinschaftsprojekt mit der Islamischen Abteilung der Berliner Museen statt und wurde vom MMA finanziert. Die Funde dieser Grabung wurden vereinbarungsgemäß der Sammlung des MMA überlassen. Diese Ausgrabung in Ktesiphon kennzeichnet den Beginn der Beteiligung des MMA an der arch. Grabungstätigkeit im Vorderen Orient und führte 1932 zur Errichtung des neuen Department of Near Eastern Art. Unter der Leitung von Maurice Dimand waren in dieser Abteilung noch vorislamische und islamische Altertümer vereint. Das Interesse der Abteilung galt nun zunehmend dem Iran und führte zu verschiedenen arch. Projekten, deren Ziel es war, die Grabungstätigkeit im Land voranzutreiben. Es folgten Grabungen unter anderem in Qasr-i Abu Nasr und Nišapur mit deren Materialfunden die Museumssammlung beträchtlich erweitert werden konnte.

Abb. 4: Elfenbeinarbeit aus Nimrud,
(The Metropolitan Museum of Art,
Rogers Fund, 1960, 60.145.11)

Abb. 3: Statue Ur-Ningirsu. Kopf: Rogers Fund,
1947 (The Metropolitan Museum of Art,
47.100.86/L. 1984.1); Körper: Musée du Louvre,
Départemant des Antiquités Orientales
(A.O.-Nr.: 9504)

1947 hatte das MMA die Möglichkeit aus dem Nachlaß Joseph Brummer elf qualitätsvolle Objekte zu erwerben. Unter diesen befand sich auch der Kopf einer
Statue des sumerischen Herrschers Ur-Ningirsu (2123–
2119 v. Chr.). In Kooperation mit dem Musée du Louvre (→ Paris, Louvre), in dessen Abteilung der Körper
der Statue aufbewahrt wurde, konnten die Teile zusammengefügt und die Statue der Öffentlichkeit in einem
wechselnden Jahresturnus in Paris oder New York vollständig präsentiert werden (Abb. 3).

Angeregt durch die Grabung in Ktesiphon wandte
das Mus. sein Interesse aber weiterhin auch dem Irak zu.
So konnte die Abteilung ab 1952 an der Grabung von Sir
Max Mallowan in Nimrud (Kalḫu) teilhaben und einige
spektakuläre Elfenbeinarbeiten aus dem sog. Fort Salmanassar für die Sammlung erwerben (Abb. 4).

C. GESCHICHTE

Aufgrund des mittlerweile enorm angewachsenen
Sammlungsbestandes vorislamischer Altertümer wurde
1956 das Department of Ancient Near Eastern Art

(DANEA) gegründet, welches ausschließlich der Kunst
und Kultur der vorislamischen Zeit gewidmet ist. Leiter
der Abteilung wurde Charles K. Wilkinson, seine Stell-
vertreterin war zunächst Joan Lines (später Joan Oates)
und nachfolgend Vaughn E. Crawford, zuvor Direktor
der Bagdad School of the American Schools of Oriental
Research. Ihm ist es zu verdanken, daß das Mus. 1957
und 1960 an den Ausgrabungen des Oriental Institute
der Univ. von Chicago in Nippur im heutigen Irak teilnehmen konnte. Für die Sammlung des DANEA bedeutete diese Teilnahme einen beträchtlichen Zugewinn an
Material aus dem 4. und 3. Jt. v. Chr.

In den nachfolgenden Jahrzehnten bis heute konnte
die Abteilung durch Ankäufe, Nachlässe, Schenkungen
oder durch die Teilnahme an weiteren Grabungen Keil-
schrifttexte aber auch weitere arch. Objekte erwerben
oder Leihgaben für die Sammlung bzw. Sonderausstellungen gewinnen. Eine Schenkung, die den Charakter
der mod. Ausstellung entscheidend mitgeprägt hat,
stammt von dem New Yorker Privatsammler Norbert
Schimmel. 1989 überließ er der Abteilung insgesamt 45
arch. Objekte aus den unterschiedlichsten Zeiten und
Regionen des Alten Vorderen Orients. Ein herausragendes Beispiel ist dabei ein silberner Rhyton in
Hirschform, wohl aus dem 15.–13. Jahrhundert v. Chr.
(Abb. 5).

Unter den vielfältigen Aufgaben des Departments
bilden die Sonderausstellungen einen Schwerpunkt, mit
denen die Kulturen des Alten Vorderen Orients einer
breiteren Öffentlichkeit nähergebracht werden sollen.
Demselben Ziel dienen die zahlreichen Kataloge und
Bildbände über die Museumsbestände oder Sonderaus-

Abb. 5: Hirsch-Rhyton, Leihgabe von Nobert Schimmel,
1983 (The Metropolitan Museum of Art, L.1983.119.1)

stellungen. Darüber hinaus bemüht sich das DANEA um
weitere Kooperation mit Forschungseinrichtungen und
Museen sowie um eine breitere Öffentlichkeitsarbeit,
u. a. unter Verwendung der Neuen Medien.

D. SAMMLUNGSBESTAND

Zur Sammlung des DANEA gehören mehr als 7000
arch. Objekte, aus einem Zeitraum vom Neolithikum
um 8000 v. Chr. bis zum Beginn der islamischen Zeit
um 651 n. Chr. Das Herkunftsgebiet der Objekte erstreckt sich im Norden bis zum Schwarzen und Kaspi-
schen Meer, umfaßt im Süden die arab. Halbinsel, im
Westen Kleinasien und erreicht im Osten Pakistan bzw.
Indien. Ein Großteil der Bestände stammt aus Ankäufen, Schenkungen oder Nachlässen sowie aus der Teilnahme der Abteilung an den Grabungen zum Beispiel
im Irak und im Iran. Neben den assyrischen Reliefs und
den Wächterfiguren aus dem Nordwestpalast Assurnasirpals II. (883–859 v. Chr.) in Nimrud verdienen bemerkenswerte Elfenbeinarbeiten ebenfalls aus Nimrud,
die wohl als Möbelverzierungen gedient haben, besondere Erwähnung. Zu den weiteren Höhepunkten zählen ferner sumerische Skulpturen, darunter die einzige
in den USA befindliche vollständige Statue des neusu-
merischen Herrschers Gudea von Lagasch (2144–2124
v. Chr.) sowie ein Löwe aus glasierten Lehmziegeln von
der Prozessionsstraße aus Babylon, anatolische Elfenbeinarbeiten, iranische Bronzearbeiten (Abb. 6), Me-
tallarbeiten aus dem bronzezeitlichen Baktrien (heutiges
Afghanistan und Turkmenistan) sowie Gold- und Sil-
berarbeiten aus dem Iran, die in die achaimenidische,
sāsānidische und parthische Zeit zu datieren sind. Das
Mus. verfügt außerdem über einen großen Bestand an
Roll- und Stempelsiegeln sowie über eine Sammlung
von mehr als 600 Keilschrifttexten beziehungsweise
Fragmenten, von sumerischen Wirtschaftstexten aus
dem 24. Jh. v. Chr. bis zu babylonischen astronomischen Dokumenten des 1. Jh. n. Chr. In Kooperation
mit Mus. ähnlicher Ausrichtung (z. B. → Berlin, Vorderasiatisches Museum; → London, British Museum)
konnte das Spektrum der Ausstellungsgegenstände aufgrund von großzügig angelegten Leihverträgen erweitert werden.

E. AUSSTELLUNGSKONZEPTION

Ein Prinzip der Ausstellungskonzeption des DANEA
ist die Präsentation der Objekte gemäß ihrer Bedeutung
im Altertum wie auch ihrer Beziehungen zur Kunst benachbarter Kulturen. Dem wurde bei der im Oktober
1999 abgeschlossenen Renovierung und Neuinstallati-
on des Departments durch eine Einteilung der Säle nach
zeitlichen und geogr. Regionen Rechnung getragen.
Ein Schwerpunkt der neuen Gestaltung ist der mittlere
Teil der sog. Raymond und Beverly Sackler Galerie für
assyrische Kunst, wo versucht wurde mit einer möglichst originalgetreuen Rekonstruktion den Audienzsaal
aus dem Nordwestpalast Assurnasirpal II. wiederauf-
hen zu lassen. Darüberhinaus sollen arch. Objekte benachbarter Regionen verstärkt in die Ausstellung integriert werden. So zeigen die neuen Galerien z. B. auch

Abb. 6: Kopf eines Herrschers
(The Metropolitan Museum of Art, Rogers Fund,
1947, Sammlung Brummer, 47.100.80)

Objekte aus Ägypten und dem westl. Zentralasien, die
in die sāsānidische und nachsāsānidische Zeit datieren
(3. bis 9. Jh. n. Chr.).
→ Altorientalische Philologie und Geschichte; Berlin,
Vorderasiatisches Museum; Chicago, Oriental Institute
Museum; Deutsche Orient-Gesellschaft; London, Bri-
tish Museum, Vorderasiatische Abteilung; Paris, Louv-
re, Vorderasiatische Abteilung; Philadelphia, University
Museum; Vorderasiatische Archäologie
→ AWI Assyrien; Babylon; Baktria;
Elfenbeinschnitzerei; Iran; Kalḫu; Keilschrift;
Ktesiphon; Mesopotamien; Nimrud; Nippur;
Nischapur; Parther; Reliefs; Rhython; Rollsiegel;
Sāsāniden

1 Ancient Art: Gifts from The Norbert Schimmel
Collection, Bull. of the MMA, Spring 1992 2 Ancient Near
Eastern Art, The MMA, 1984 3 V. E. CRAWFORD, P. O.
HARPER, H. PITTMAN, Assyrian Reliefs and Ivories in The
MMA, 1980 4 P. O. HARPER, Past and Present: Ancient Near
Eastern Art at the MMA, in: B. SALJE (Hrsg.), 100 Jahre
Vorderasiatisches Mus., Gestern-Heute-Morgen, 2001
5 Dies., E. KLENGEL-BRANDT, J. ARUZ, K. BENZEL (Hrsg.),
Assyrian Origins. Discoveries at Ashur on the Tigris.
Antiquities in the Vorderasiatisches Museum, Berlin, The
MMA, 1995 6 The MMA – Egypt and the Ancient Near East,
1987 7 I. SPAR, Cuneiform Texts in the MMA. Tablets,
Cones and Bricks of the Third and Second Millennia B. C.,
1988.   BARBARA FELLER

Nida-Frankfurt A. Das »CASTRUM HADRIANI«
B. Der »NOVUS VICUS« IM 19. JAHRHUNDERT
C. NIDA UND FRANKFURT
D. NIDA UND DIE TRABANTENSTÄDTE
»RÖMERSTADT« UND »NORDWESTSTADT«
E. STADTPLANUNG CONTRA BODENARCHIV

A. DAS »CASTRUM HADRIANI«
Das röm. Nida, unter dem heutigen Frankfurter
Stadtteil Heddernheim gelegen, ist ab 75 n. Chr. zuerst
Garnisonsort und im 2. und 3. Jh. Hauptort eines Ver-
waltungsbezirkes (civitas taunensium) in Obergermanien
[4]. Nach der Aufgabe der rechtsrheinischen Gebiete
260 n. Chr. durch Rom verfällt der Ort zum Ruinen-
feld. Eine Weiterbesiedlung in der Spätant. und im frühen MA ist arch. nicht nachweisbar. Das östlich gelegene
Dorf »Hetterenheim« wird zuerst 802 (?), sicher aber
1132 genannt [10]. Das einstige ant. Stadtgebiet innerhalb der noch als Schuttwall gut erkennbaren Stadtmauer wird im MA landwirtschaftlich genutzt, wobei nach
den Urkunden seit dem 14. Jh. immer wieder »röm.
Altertümer« an die Oberfläche kommen. In den folgenden Jh. verzeichnen die Baumeisterbücher Frankfurts
gezielten Steinraub in der »Heidernburg«. Ab 1711 findet der offenbar ergiebige röm. Fundplatz Eingang in
Chroniken und Ortsbeschreibungen. Dabei wird auch
der Versuch gemacht, den Platz mit ant. Ortsnamen
gleichzusetzen (›Artaunum‹ bei Ptolemaios 2,11,12;
›praesidium in monte Tauno‹ bei Tacitus Ann. 1,56;
›munimentum traiani‹ bei Ammianus 17,1,11). Eine erste, zusammenfassende Beschreibung der bis zu diesem
Zeitpunkt zahlreichen Funde und Befunde nimmt J.
Fuchs 1771 vor, der hier ein röm. Militärlager vermutet,
das er castrum hadriani nennt [1]. Es sind v. a. die ›habgie-
rigen und bausteinsüchtigen Ackerbesitzer und Colonen‹, die in diesen Jahren auf dem »Heidenfeld« Funde
aufsammeln oder ausgraben und weiter veräußern.

B. DER »NOVUS VICUS« IM 19. JAHRHUNDERT
Auch wenn Landgraf Friedrich II. 1779 in Kassel eine
erste ›Verordnung, die im Lande befindlichen Monumente und Alterthümer betreffend‹ erließ, war an eine
gezielte Denkmalpflege in Deutschland in diesen Jahren
noch nicht zu denken. Das vom klassizistischen Zeitgeist getragene Interesse an der Ant. sorgt dafür, daß sich
die neugegründeten Geschichtsvereine auch den röm.
Monumenten und Funden in Deutschland zuwenden.
Vor allem die zw. 1719 und 1749 entdeckten Vesuvstädte und die schon bald darauf erfolgten Publikationen
röm. Denkmäler und Funde aus It. (Winckelmann u. a.)
entfachen nördlich der Alpen rasch ein breites Interesse
an der röm. Antike. 1812, endgültig 1821 konstituiert
sich in Wiesbaden der Verein für Nassauische Altertumskunde und Geschichtsforschung, der es sich nicht

zuletzt zur Aufgabe macht, die röm. Altertümer zu erforschen. F. G. Habel, der dabei eine treibende Kraft ist,
publiziert 1827 einen ersten ›Plan der röm. Ruinen bei
Heddernheim‹ und eine Zusammenfassung des Forschungsstandes [3]. Jetzt ist auch die zivile Stellung des
Platzes erkannt, der nach zwei Weihinschriften für
Strassengenien die Bezeichnung *novus vicus* erhält. Die
Qualität und die Menge der Funde, v. a. der Steindenkmäler, veranlassen Frhr. v. Gerning 1830 von einem
›teutschen Pompeji‹ zu sprechen. Die Funde dieser Zeit
gelangen vorwiegend in das Museum Wiesbaden, denn
Heddernheim und das benachbarte Praunheim, die bis
dahin zu Kurmainz gehörten, werden nach der territorialen Neuordnung Napoleons 1803 zu Nassau geschlagen; Heddernheim wird damit von Wiesbaden aus
verwaltet. Im Gegensatz zum benachbarten Hessen-
Homburg wird dort keine Denkmalpflege betrieben, so
daß, abgesehen von sporadischen Aktionen des Vereins,
keine gezielte Erforschung des Heidenfelds stattfindet
und das Areal weiterhin der Schatzgräberei preisgege-
ben ist. Dies ändert sich erst, als das Großherzogtum
Nassau 1866 an Preußen fällt und Heddernheim dem
neu gebildeten Landkreis Frankfurt zugeordnet wird.
Trotzdem bleibt der *novus vicus* ein Stiefkind der staatlichen arch. Forschung, da sich Berlin vorwiegend den
röm. Baudenkmälern zuwendet, die es in Köln und
Trier in reichem Maße vorfindet. Zudem steht schon
bald das nahegelegene Saalburgkastell im Mittelpunkt,
wo es den Verantwortlichen gelungen war, das Interesse
des Kaiserhauses zu wecken, das in Bad Homburg gerne
die Sommermonate verbringt.

C. NIDA UND FRANKFURT

Eine intensive wiss. Auseinandersetzung mit dem
röm. Fundplatz bei Heddernheim beginnt 1878 mit der
Gründung des Historischen Museums in Frankfurt. Die
arch. Abteilung des Instituts übernimmt in Übereinstimmung mit den beteiligten Einrichtungen die Übernahme und die Ankäufe des von dort stammenden
Fundguts und leitet in den 80er J. planmäßige Ausgrabungen der mil. Anlagen, in der Zivilsiedlung und den
Gräberstrassen ein (Abb. 1). Die Ergebnisse werden vorwiegend in den eigens aufgelegten sechs Bänden der
Mittheilungen über römische Funde in Heddernheim zw.
1894 und 1918 vorgelegt; 1915 publiziert G. Wolff die
Grabungen in den Militärlagern [12]. Nida – der Orts-
name ist inzwischen durch zwei Inschr. belegt – wird
damit erstmals gezielt vom nahegelegenen Frankfurt aus
betreut; die Eingemeindung von Heddernheim erfolgt
erst 1910 (Abb. 2).

D. NIDA UND DIE TRABANTENSTÄDTE »RÖMERSTADT« UND »NORDWESTSTADT«

Der Erste Weltkrieg beendet diese ergiebige Forschungstätigkeit. In den 20er J. gerät Nida zum ersten
Mal in das Blickfeld der Stadtplaner. Die akute Woh-
nungsnot in Frankfurt v. a. als Folge des Krieges (über
26000 Wohnungssuchende) forciert die kommunale
Bautätigkeit. 1925 wird Ernst May Stadtbaurat, der es als
seine moralische Pflicht sieht, durch sachliche, ästhe-

Abb. 1: Ausgrabung der Badeanlagen des Prätoriums
im Jahre 1911
(Archiv Museum für Vor- und Frühgeschichte
Frankfurt am Main)

tisch hochwertige Architektur den ›Weg zum neuen
Menschen‹ mitzugestalten. Das bis dahin unbebaute
Areal nördlich der Nidda bietet für die Errichtung eines
in sich geschlossenen Siedlungstyps ideale Voraussetzungen. Zwischen 1927 und 1929 wird die »Römerstadt« als Teil des »Niddatalprojekts« errichtet. Dabei
nehmen die Bauherren keine Rücksicht auf die unter
Wiesen- und Ackerland gelegenen, bekannten arch.
Spuren. Weder in zeitgenössischen Darstellungen des
Projekts noch in der Sekundärliteratur finden sich Hinweise auf eine ernsthafte Auseinandersetzung mit der
röm. Vergangenheit des Platzes. Nur der Siedlungsname
und die Strassen (Hadrianstrasse, Am Forum) erinnern
an die ant. Stadt. Die Diskussionen damals wie heute
kreisen um die gesellschaftspolit. Aspekte und die technische, hygienische und ästhetische bauliche Umsetzung der zweifellos in vielerlei Hinsicht mustergültigen
Trabantenstadt [5; 7.; 11]. Die Verwirklichung sozialer
Gleichheit und das ›Wohlgefühl in der Stadt‹ im Grünen
diktieren die Planungen. Während der Baumaßnahmen
für die 1220 Wohneinheiten ist nur eine unzureichend
dokumentierte Baugrubenarchäologie möglich – nach
drei Jahren ist die ant. Substanz in der Südhälfte N. zerstört.

Mangelnder Wohnraum v. a. für ›finanziell leistungs-
schwache Familien‹ ist auch die Ursache für das Bau-

Abb. 2: Postkarte aus
Heddernheim mit
archäologischen Motiven,
um 1905/1910
(Institut für Stadtgeschichte
Frankfurt am Main)

vorhaben, das ab 1961 das röm. N. endgültig und fast vollkommen auslöscht. Dabei spielen zwei große Baugesellschaften eine entscheidende Rolle, die nach dem Wiederaufbau der Innenstadt neue Betätigungsfelder suchen. Trotz des Widerstandes der zahlreichen Grundstückseigentümer und einer gegenläufigen überregionalen Verkehrsplanung beschließt die Stadtverordnetenversammlung 1959 nördlich der »Römerstadt« die Errichtung der »Nordweststadt« für 25 000 Bewohner. Auch jetzt ignoriert das ›Planen auf jungfräulichem Boden‹ (!) die ant. Substanz vollkommen. In wenigen J. entsteht eine »Raumstadt« der Architekten Schwagenscheidt und Sittmann mit ansprechender Wohnqualität, aber ohne große künstlerische Ansprüche [2; 6.; 9]. Das Frankfurter Mus. für Vor- und Frühgeschichte, als zuständige Instanz vom Gesetzgeber alleine gelassen (das Hessische Denkmalschutzgesetz wird erst 1974 verabschiedet), kann in diesen J. trotz nachhaltigen Protestes nur wenige Befunde und Funde wiss. dokumentieren. Das meiste fällt unbeobachtet den Baumaschinen zum Opfer; an Wochenenden graben oft dutzende von privaten Altertumsfreunden und Raubgräber unkontrolliert auf dem Baugelände.

E. STADTPLANUNG CONTRA BODENARCHIV

Ein engagiertes Eintreten für den einst größten arch. Fundplatz Hessens blieb kurzfristige Episode im Kaiserreich. Die wechselnden Machtverhältnisse ließen kein gewachsenes, histor. Bewußtsein für den Ort entstehen. Für die Lokalgeschichte Frankfurts ist N. ohne Bed., da sich die Handels- und Messestadt auf dem alamannisch/fränkischen Ansiedlung auf dem Römerberg an der wichtigen Mainfurt entwickelte. So war es möglich, daß der Fundplatz im Norden Frankfurts, kulturhistor. weitgehend unbeachtet, in den J. nach den beiden Weltkriegen raumpolitischer Spielball sozialer und ökonomischer Interessen wurde und dabei als röm. »Bodenarchiv« vollkommen vernichtet wurde; die Politik sah solange zu, bis es zu spät war [8]. Nur die Informationstafeln eines »Arch. Rundwegs« erinnern heutzutage an das Vergangene und jetzt stehen die noch wenigen, nicht überbauten Flächen auch unter der Kontrolle des Denkmalschutzes. Die Chance, eine der wenigen, im MA in der BRD nicht überbauten röm. Städte komplett freizulegen und zu erforschen, ist jedoch vertan [13].

→ AWI Nida, Saalburgkastell

→ Klassizismus

1 J. FUCHS, Alte Gesch. von Mainz, Mainz 1771, I 12.101; II 13.263 2 A. GLEININGER-NEUMANN, Vom Bauen für die »Offene Gesellschaft« – Die Nordweststadt in Frankfurt am Main, in: W. PRIGGE, H.-P. SCHWARZ (Hrsg.), Das neue Frankfurt. Städtebau und Architektur im Modernisierungsprozess 1925–1988, 1988, 113–144 3 F. G. HABEL, Annalen des Vereins für Nassauische Alterthumskunde und Geschichtsforsch. 1, Wiesbaden 1827, 45–86 4 I. HULD-ZETSCHE, NIDA – Eine röm. Stadt in Frankfurt am Main, 1994 (Zusammenfassend mit der wichtigsten Lit.) 5 G. KÄHLER, Wohnung und Stadt. Hamburg, Frankfurt, Wien. Modelle sozialen Wohnens in den zwanziger J., 1985, 183–280 bes. 194ff.; 204ff. 6 H. KAMPFFMEYER, Die Nordweststadt in Frankfurt am Main, 1968 7 H. LAUER, Leben in neuer Sachlichkeit, 1990, bes. 66ff. 8 G. MÜHLINGHAUS, Nachr. vom Untergang des teutschen Pompeji, in: P. FASOLD, Ausgrabungen im teutschen Pompeji, 1997, 45–52 9 H.-R. MÜLLER-RAEMISCH, Frankfurt am Main. Stadtentwicklung und Planungsgesch. seit 1945, 1996, 128–135 10 A. RIESE, Mittheilungen über röm. Funde in Heddernheim 2, Frankfurt am Main 1898, 5–30 11 H. RISSE, Frühe Moderne in Frankfurt am Main 1920–1933, 1984, 271–277 12 G. WOLFF, Das Kastell und die Erdlager von Heddernheim, in: E. FABRICIUS (Hrsg.), Der obergermanisch-rätische Limes des Römerreiches, Nr. 27, 1915 13 Ab 1973 erscheinen Grabungsergebnisse und Fundvorlagen in der Schriftenreihe des Museums für Vor- und Frühgesch. Frankfurt am Main, Bd. 2, 3, 5, 8, 10, 13–17; seit 1993 auch in den Beitr. zum Denkmalschutz in Frankfurt am Main Bd. 7, 9. PETER FASOLD

Niederlande und Belgien

A. Das Gebiet und die Wissenschafts- und Unterrichtslandschaft

Das Gebiet der heutigen Benelux-Staaten bildet erst unter den burgundischen Herzögen des 14. Jh. eine gewisse geogr., polit. und kulturelle Einheit aus. Der frz. Königssohn Philipp der Kühne, seit 1363 Herzog von Burgund, heiratete 1369 die Erbprinzessin der Grafschaft Flandern. Sein Enkel Philipp der Gute (†1467) erwarb außer Burgund, Flandern und anderen Erbländern auch die Herzogtümer Brabant, Limburg, Luxemburg und die Grafschaften Henegouwen, Holland und Zeeland hinzu. Dessen Sohn Karl der Kühne (†1477) erbte diese Länder und wurde dazu noch Herzog von Gelre und Lothringen; sein Einfluß in den von seinem Gebiet umschlossenen Bistümern Lüttich und Utrecht war stark. Nach dem Tode Karls des Kühnen wurde das Herzogtum Burgund vom frz. König annektiert, aber die Zusammengehörigkeit der nördl. Länder konsolidierte sich in den Siebzehn Provinzen unter ihren gemeinschaftlichen Fürsten und ihren Generalstaaten. Das gesamte Gebiet wurde als die N., lat. *Germania Inferior*, bezeichnet oder auch – bes. von den Humanisten – als *Belgium*, wie die weit verbreitete geogr. Karte *Leo Belgicus* ausweist.

Der wirtschaftliche und kulturelle Schwerpunkt des Gebiets lag von alters her im Süden mit seinen zahlreichen blühenden Städten und reichen Klöstern. Das Lat., das die Römer eingeführt hatten, blieb während der ersten Jh. unserer Zeitrechnung die offizielle Sprache. Keine Zeugnisse sind jedoch erhalten, die bestätigen können, daß die Sprache für lit. Zwecke verwendet wurde. Sidonius Apollinaris weist in diesem Zusammenhang auf die vernichtende Rolle der Germanen (epist. IV,17,2: ›Sermonis pompa Romani (...) Belgicis olim sive Rhenanis abolita terris‹, »Die glänzende röm. Sprache ist in den »belgischen« oder rheinischen Ländern seit langem beseitigt«). Es hat Jh. gedauert, bevor das Lat. wieder eine bedeutende Rolle spielen konnte. Einer der ersten bedeutenden Figuren war Radbod von Utrecht, der an der Hofschule in Aachen studiert hatte und dessen Gedichte eine große Vertrautheit mit der klass. Lit. aufweisen. In Maastricht dichtete Hendrik van Veldeke seine *Eneide* (1170–1190), eine umfangreiche Bearbeitung des frz. *Roman d'Eneas*, für die nicht nur Vergil, sondern auch Ovid den Stoff geliefert hatte. In Flandern und Zeeland schrieb Jacob van Maerlant *Alexanders yeesten* (1257–60) nach der *Alexandreis* des Gautier de Châtillon und die *Historie van Troyen* (um 1264). Die burgundischen Herzöge und die später mit ihnen verschwisterten Habsburger pflegten einen begeisterten Trojakultus. Der 1430 von Philipp dem Guten gegründete, ungeheuer einflußreiche Ritterorden des Goldenen Vlieses griff gleichfalls auf die klass. Myth. zurück. Neben einer solchen indirekten, auf volkssprachlichen Schriften basierenden Kenntnis einer klass. Überlieferung fehlen aber auch die direkten Quellen der ant. Kultur nicht.

Das bekannteste lit. Zeugnis, das die Präsenz der lat. Lit. bezeugt, verdanken wir Francesco Petrarca, der mehrfach seinen Fund einer Hs. von Ciceros *Pro Archia poeta* in Lüttich im J. 1333 erwähnt (fam. 13,6,23; Sen. 16(15),1). Ergiebige Auskünfte über die frühere Periode liefern außer einzelnen Hss. die erhaltenen Bibliotheks-Kat. einiger Klöster. Klassische Autoren waren zahlreich anwesend, v. a. weil sie für den Unterricht verwendet wurden [3]. Im Kloster Sint-Truiden wurden im 9. Jh. die *Quaestiones Hebraicae* des Hieronymus kopiert, wobei die griech. Buchstaben ohne Verständnis nachgezeichnet wurden [7. 137–139]. Der Ire Sedulius Scotus, der sich Mitte des 9. Jh. in Lüttich niederließ, zeigt sogar eine gute Kenntnis des Griechischen. Er kopierte ein griech. Psalterium, kommentierte Priscian und Donat und verfaßte ein biblisch-klass. Florilegium. Die Schriften des Ratherius (um 890–974; Mönch des Klosters Lobbes und zeitweilig Bischof von Verona und Lüttich) zeigen eine solide klass. Bildung und Bekanntschaft mit den sonst unbekannten Gedichten Catulls. Eine Schulbibl. in Lüttich besaß im 12. Jh. eine ganze Reihe lat. Autoren von Cicero bis Boëthius [4. Bd. II. 114–118]. Die Abtei Kloosteraade bei Roermond hatte schon um 1220 ein fast 100 Bände umfassendes Verzeichnis von *libri artium liberalium et Philosophorum et Auctorum et Poetarum* (→ Artes liberales), darunter – oft in mehreren Exemplaren – Terenz, Vergil, Horaz, Ovid, Sallust, Lucan, Juvenal, Persius, daneben auch lat. Übers. des Aristoteles und Platon [24. 63–76]. Auch andere Klöster wie Stavelot, Villers (bei Lüttich), Park (bei Löwen), Gembloux und Nieuwlicht (Utrecht) besaßen Hss. verschiedener klass. Autoren [24; 15].

Viele hsl. Schätze wurden aber kaum gelesen oder für den Unterricht benutzt. Petrarca schreibt, daß er nach seinem Fund der Rede *Pro Archia poeta* in Lüttich kaum Tinte fand, um die Rede zu kopieren. Im 15. Jh. fertigte der Kanoniker Jan Ricoul aus Lüttich in It. eine Kopie von Quintilians *Institutio oratoria* an, die dann 1463 nochmal in Lüttich selbst für seinen Kollegen Antonius Esternel abgeschrieben wurde [24. 38]. Schon 1438 wurde in Löwen für den Löwener Professor Antonius Haneron in human. Schriftart ein Sallustfragment kopiert [8. 215]. Unter den datierten Mss. aus B. und den N. findet man zwar nicht sehr zahlreiche Texte verschiedener ant. Autoren [13; 14]. Es gibt jedoch mehrere Hinweise darauf, daß man in den Klöstern die Texte auch tatsächlich im Unterricht verwendete. Die Chronik der Abtei Mariëngaard in Hallum (Friesland) erwähnt um 1230 einen Klosterbruder namens Magister Frederik, der mit seinen Schülern, jungen Mitbrüdern wie wohl auch Knaben aus der Umgebung Vergil, Horaz, Ovid, Juvenal und Persius las. In späterer Zeit aber beschränkte er sich allerdings nur noch auf christl. Dichter und ma. Autoren [19. 151, 158]. Die Klosterschulen scheinen aber in den N. eine weniger wichtige Rolle gespielt zu haben als im übrigen Europa. Wichtiger waren die Dom- und Kapitelschulen. Die alten N. waren verteilt über die Bistümer Lüttich, Tournai (Doornik), Terwaan (Thérouanne), Arras (Atrecht), Kamerijk (Cambrai) und Utrecht und das Erzbistum Köln. Die Domschulen dieser Diözesen hatten eine große Blüte, solange es noch keine Univ. in der Nähe gab. Außerdem gab es Kapitelschulen um die zahlreichen Kapitelkirchen herum. In Städten und auch in größeren Dörfern, die nur eine einfache Pfarrkirche besaßen, wurden Pfarrschulen gegründet. Viele dieser Kapitel- und Pfarrschulen wurden im 14. und 15. Jh. von den städtischen Behörden übernommen und bekamen eine gewisse Monopolstellung in der Stadt, bes. für den Lateinunterricht. Daher heißen sie oft »Große Schule« oder auch »Lateinschule«. Die Verbindung mit der Pfarrkirche hielt sich bis in die Reformationszeit, da die Schüler unter Leitung des Rektors mit ihrem Gesang dem Sonntagsgottesdienst Glanz verleihen sollten. Im Unterrichtsprogramm der Lateinschulen änderte sich bis zum E. des 15. Jh. wenig. Als Texte wurden außer den wichtigsten christl. Gebeten bes. die *Disticha Catonis* und die *Ecloga Theoduli* gelesen. Die Handbücher blieben nach wie vor das *Doctrinale* des Alexander de Villa Dei und der in der Nachfolge Vallas von Erasmus (Epist. 26) gerügte *Graecismus* des Eberhardus von Béthune (in den späteren Burgundischen N.).

Wichtig für das Schulwesen ist ab etwa 1400 die von Geert Grote gegründete *Devotio moderna* gewesen. Die Mitglieder dieser spirituellen Bewegung befaßten sich meistens nicht direkt mit dem Unterricht, sondern mit der christl. Erziehung der Schüler im allgemeinen. Zu diesem Zweck stifteten sie »fraterhuizen«, Brüderhäuser, in der Nähe der Schulen, in die sie auch Schüler aufnahmen, oder auch spezielle Häuser, *domus clericorum* und *domus pauperum*, in denen sie den Schülern Obdach boten. Im späteren 15. Jh. standen viele Rektoren unter dem Einfluß der *Devotio*, und allmählich übernahmen die Brüder auch selbst den Unterricht. Erasmus verbrachte seine Schuljahre an solchen Schulen in Gouda, Deventer und 's-Hertogenbosch, und bes. über die letzte Schule, die er besuchte, urteilte er später sehr negativ. Dennoch hatte er an der Deventer Schule des Alexander Hegius das erste ›Rauschen eines neuen Windes‹ (Compendium vitae, Allen I, S. 48, 36 f.) gespürt. Es mag sein, daß die Lektürepraxis und die Bücherkultur der Brüder der *Devotio* (*cum libello in angello*, »mit dem Buch im Winkelchen« war das Motto des berühmtesten, Thomas a Kempis), wie R. Pfeiffer [17] bemerkt hat, das Bedürfnis an bereinigten Ausgaben förderte und damit ein günstiges Klima für die Philol. und den Human. vorbereitete. Die große Anregung dafür stammt jedoch aus Italien.

Inzwischen hatte das Herzogtum Brabant und dessen vormalige herzögliche Residenzstadt Löwen dem Gebiet der Siebzehn Provinzen eine eigene Univ. gegeben. Am 9. Dezember 1425 hatte der Papst Martinus V. auf Bitte des Herzogs, des Kapitels und der Stadt mit seiner Bulle *Sapientiae immarcessibilis* die Eröffnung eines Studium generale für den Unterricht der Artes, des kanonischen und des Zivilrechts und der Medizin gestattet. 1432 kam Theologie dazu. An der Artes-Fakultät lehrte 1430–1438 Antonius Haneron, dessen um 1475 in Utrecht erschienener *Tractatus de coloribus verborum* sich insofern vom *Doctrinale* unterschied, als Haneron niederländische Übers. hinzufügte. Dasselbe sieht man in der Löwener Ed. von Perottus' *Regulae grammaticales* (1485) wie auch noch im Raubdruck der von Erasmus angefertigten *Paraphrasis* der *Elegantiae* Vallas (Köln 1529). Ab 1477 gab es in Löwen eine Professur für Poetik. Diese Einrichtung ist ein klares Zeichen des aufkommenden Humanismus. Nachdem Agricola das Angebot dieser Professur ausgeschlagen hatte, wurde sie bis zum E. des Jh. von Italienern besetzt [26]. Sofort nach der Jh.-Wende begann Johannes Despauterius mit seinem lat. Unterricht im *Paedagogium Lilii* (Die Lilie). Seine Lehrbücher waren epochemachend, und sein Name wurde fast zum Synonym für Gramm., genau wie Donat dies seit dem MA gewesen war.

›Dans son college un écolier / Peu studieux et n'aimant guère / À feuilleter Clénard et Despautère / S'ennuyait d'être prisonnier‹ (Henri Richter, 1748, zitiert nach [26a. 130]): In ähnlicher Weise epochemachend wie Despauterius' Lehrbücher für Lat. waren diejenigen des etwas jüngeren Nicolaus Clenardus (1493/4–1542) für Griechisch. Für die Kenntnis der griech. Lit. war im hohen MA Willem van Moerbeke (um 1215–1286), Ordensbruder des Thomas von Aquin, ungeheuer wichtig gewesen wegen seiner lat. Übers. des Aristoteles, Archimedes, Hippokrates u. a. Der Geistliche Radulphus de Rivo (aus Breda, um 1345–1403) lernte nach eigener Aussage um 1380 in Rom Griech. von Simon Atumanus, Bischof von Theben, und kam mit wichtigen griech. Hss. in die N. zurück. Seine Hs. des NT wurde später von Erasmus für seine zweite Ed. (Basel 1519) herangezogen (jetzt Wien, Österreichische Nationalbibliothek). Erasmus übersetzte die griech. Gramm. des Theodorus von Gaza (Löwen 1516). Erstaunlich erfolgreich aber waren Clenardus' *Institutiones in linguam Graecam* (Löwen 1530) und *Meditationes Graecanicae* (Löwen 1531) mit insgesamt über 500 Ausgaben und Bearbeitungen.

B. DIE BLÜTE DES HUMANISMUS

Obwohl Petrarca schon früh die N. bereiste und den Limburger Ludovicus Sanctus oder Heyligen (van Beringen) unter dem Namen Socrates zu seinen besten Freunden rechnete, erfolgte die erste Bekanntschaft mit dem Human. an den it. Univ. erst ab etwa 1400. Um diese Zeit studierte Arnoldus Geilhoven aus Rotterdam gleichzeitig mit Pier Paolo Vergerio zu Padua unter Francesco Zabarella. Sein *Somnium doctrinale* skizziert einen allegorischen Traum, worin Phronesis ihn zum *studium poetarum*, dem Studium der Dichter, auffordert und ihn auf die Dichter Homer, Euripides, Menander, Ennius, Statius, Plautus, Terenz, Vergil, Horaz, Ovid, aber auch Dante, Petrarca und Boccaccio hinweist. Trotz dieses schönen Dichterkatalogs und der zahlreichen Hinweise auf die Werke Petrarcas hat sich Geilhoven nicht zu einem Humanisten entwickelt. In der zweiten H. des Jh. aber begegnen wir unter den It.-Reisenden sofort einer wirklichen Koryphäe des nordeurop. Human., Rudolph Agricola aus Baflo bei Groningen (1444–1485). Seine Begabung als Latinist zeigte er schon während seiner Studienzeit in Pavia und Ferrara in seinen Reden, darunter einer Lobrede auf Petrarca. Seine Gedichte und Briefe bestätigten seinen Ruf. Außerordentlich erfolgreich waren seine auch schon in Ferrara angefertigten lat. Übers. der *Progymnasmata* des Aphthonius mit mehr als 100 und der *Paraenesis ad Demonicum* (»Sendschreiben an Demonikos«) des Isokrates mit fast 100 Ausgaben. In anderer Weise erfolgreich war die Übers. des pseudo-platonischen Dialogs *Axiochus de contemnenda morte*, die schon zu Lebzeiten des Agricola herausgegeben wurde und später sogar Ficinos Übers. aus dem Corpus seiner Schriften verdrängt hat [25]. Weitere Übers. aus dem Griech. sind Isokrates' *Ad Nicoclem* (»Sendschreiben an Nikokles«) und zwei kleine Schriften Lukians. Agricola reihte sich mit dieser Arbeit in die starke italienische human. Trad. ein [9], setzte aber zugleich Akzente für eine ähnliche Trad. in seinem Vaterland. Erasmus von Rotterdam (um 1467–1536) übersetzte in Zusammenarbeit und im Wettbewerb mit Thomas Morus verschiedene Werke Lukians. Eine große Leistung in dieser Hinsicht lieferte Erasmus aber mit seiner Übers. zweier Trag. des Euripides, der *Hekabe* und *Iphigenie in Aulis*, die er anfertigte, um seine Kenntnis des Griech. zu verbessern (Epist. 1, S. 4). Wie er schreibt, ist er dabei nicht immer dem Text der von Aldus Manutius gedruckten *editio princeps* des Marcus Musurus gefolgt (Epist. 209,9–15). Der letzte Herausgeber, J. H. Waszink, hat festgestellt, daß Erasmus in dieser Weise in seiner Übers. gleichsam seine eigenen Emendationen versteckte, die nicht selten die von späteren Philologen vorgeschlagenen Emendationen vorwegnahmen [28. 21]. Durch derartige lat. Übertragungen kam nach den Trag. Senecas jetzt auch die griech. Trag. und Kom. ins Blickfeld des westl. Humanismus. Erasmus fand Nachfolger im schottischen Dichter George Buchanan und in mehreren Niederländern wie Georgius Ratallerus (1518–1581; Trag. des Sophokles), Gulielmus Canterus und dem unübertroffenen Hugo Grotius (Euripides' *Phönizierinnen*). Der aus Brügge stammende Lehrer Hadrianus Chilius übersetzte 1533 Aristophanes' *Plutos* ins Lat., der Holländer Lambertus Hortensius (1500–1571) folgte ihm später mit Übers. des *Plutos*, der *Wolken*, *Ritter* und *Frösche*.

Erasmus übersetzte noch verschiedene andere griech. Texte, z. B. Libanius, Galen, die Gramm. des Theodorus von Gaza, zahlreiche Werke Plutarchs und einige kleinere Werke griech. Kirchenväter. Am einflußreichsten, aber auch heftig umstritten war seine lat. Übers. des NT (1516). Im Hinblick auf die Autorität des auf Hieronymus zurückgehenden Vulgata-Textes, der durch eine tausendjährige Verwendung in der kirchlichen Liturgie und die täglichen Gebete der Gläubigen sanktioniert worden war, war Erasmus sich des riskanten Charakters des Unternehmens durchaus bewußt. Er konnte sich aber auf einen Vorgänger berufen, Lorenzo Valla, der anhand griech. Hss. viele nicht ganz genaue Übers. oder auch wirkliche Fehler in der Vulgata nachgewiesen hatte. Erasmus hatte selbst 1503 die Hs. mit Vallas *Annotationes* in der Prämonstratenserabtei Park bei Löwen wiederentdeckt und 1504 bei Badius in Paris herausgegeben. Zur Rechtfertigung seiner neuen Übers. fügte er auch eigene sprachliche Bemerkungen hinzu. Damit wurde das *Novum Instrumentum*, wie Erasmus seine Ausgabe nannte, mehr noch als die Euripides-Übers. eine philol. Meisterleistung. Um es seinen Lesern zu ermöglichen, seine Übers. kritisch zu lesen und zu überprüfen, ließ Erasmus einen vollständigen griech. Text aufnehmen. Mit dieser Ausgabe, die zwar nur auf wenigen und nicht sehr guten Hss. basierte, erwarb sich Erasmus das Verdienst, der Herausgeber der *editio princeps* des NT zu sein. Seitdem beschäftigte Erasmus sich sein Leben lang mit dem NT. Noch vier neu revidierte Textausgaben, die immer mehr Bemerkungen und Erklärungen enthielten, folgten. Außerdem publizierte er in den nächsten J. ausführliche Paraphrasen des ganzen NT mit Ausnahme der *Apokalypse*.

Mit seiner *editio princeps* des NT hat Erasmus sich 1516 als kritischer Herausgeber ant. Texte ausgewiesen. Im selben J. bestätigte er seinen Ruf als Herausgeber und Kommentator mit seiner wichtigen Ausgabe der Briefe des Hieronymus (im Rahmen der Gesammelten Werke, 1516, 1524–1526). Viele andere Textausgaben, mit denen sein Name verbunden ist, sollten folgen, darunter die vollständigen Werke der Kirchenväter Ambrosius (1527), Augustinus (1528–1529), Basilius (1532), Chrysostomus (1530), Cyprianus (1520), Hilarius (1523, 1535) sowie des Aristoteles (1531), Livius (1518, 1531), Plinius Maior (1525), Seneca (1515, 1529) und Terenz (1532), bei dem er die Verseinteilung vornahm. Man muß allerdings beachten, daß die Mitarbeit des Erasmus an diesen Ausgaben sich bisweilen nur auf eine Praefatio beschränkte und daß, wenn schon Drucke existierten, von ihm und seinen Mitarbeitern nur selten neue Hss. herangezogen wurden. Eine Ausnahme war vielleicht der aus Valencia stammende, aber in Brügge lebende Juan Luis Vives (1492/3–1540), der auf Anregung des Erasmus Augustinus' *De Civitate Dei* in Angriff nahm, eifrig Hss. aufzuspüren suchte und das Werk mit einem ausführlichen Komm. versah (Basel 1522). In die Gesamtausgabe des Augustinus jedoch nahm Erasmus Vives' Komm. nicht mit auf. Ohne Zweifel hat Erasmus'

Tätigkeit als Herausgeber ungeheuer viel zur Verbreitung der ant. und patristischen Texte in den Ländern diesseits der Alpen beigetragen.

Nicht nur mit Textausgaben hat Erasmus die Kenntnis der klass. Sprachen zu verbessern versucht, sondern auch mit einer Reihe aus seiner eigenen Feder stammenden Traktaten und anderen Schriften, v. a. seinen unermeßlich erfolgreichen *Colloquia*. Philologischen oder sprachlichen Unterricht hat er selbst nicht gegeben. Erwähnenswert ist aber, daß er in die Stiftung und Einrichtung des Collegium Trilingue einbezogen war, das 1517 in Löwen dank des Vermächtnisses von Erasmus' Freund Hieronymus Busleiden gegründet wurde. Wie die Monographie des Henry de Vocht [27] beweist, war dieses Inst. epochemachend für die Entwicklung des Human. und eine Pflanzstätte, aus der fast alle Philologen und viele Gelehrte der nächsten Generationen in den N. hervorgegangen sind. Genau wie Erasmus das *Ad fontes* für die Theologie befürwortet hatte (*Ratio verae Theologiae*), wurde dieses Motto zum Leitfaden auch der anderen Wiss. wie Jurisprudenz oder Medizin. Die Fruchtbarkeit der neuen Methode bewiesen die hervorragenden Juristen Gabriel Mudaeus und Fr. Baudouin (Balduinus), der Orientalist Andreas Masius, die Botaniker Rembertus Dodonaeus und Carolus Clusius, die Kartographen Gemma Phrysius und Gerardus Mercator, der Entdecker des *Monumentum Ancyranum* Augerius Busbequius und der Epigraphiker Martinus Smetius. Die ersten Professoren des Collegium Trilingue waren außerordentlich erfolgreiche Lehrer. Der Latinist Hadrianus Barlandus (1485–1538) schrieb seine eigenen Handbücher für den Unterricht und organisierte Aufführungen ant. Dramen, wie der *Hekabe* des Euripides in der Übers. des Erasmus. Auch Cornelius Valerius van Auwater (bei Utrecht; 1512–1578) war in erster Linie Lehrer großer Philologen wie der o.g. Gulielmus Canterus, Andreas Schottus und Justus Lipsius. Er war der Nachfolger des produktiven Petrus Nannius (1500–1557), des Herausgebers der *editio princeps* des Athenagoras und Übersetzers griech. Autoren (Demosthenes, Aischines, Plutarch), darunter bes. von Kirchenvätern (Athanasios, 4 Bde., basierend auf drei griech. Hss.). Seine Vorlesungen führten zu zehn Büchern *Miscellanea* (1548) über lat. Autoren, bes. Terenz (1, 2), Horaz (3, mit der Erstausgabe der zu Recht Sueton zugeschriebenen *Vita Horatii*; 4), Livius (5), Vergil (6, 7), Cicero (9) und zu Sonder-Komm. zu diesen Autoren [18]. Auf professionell philol. Ebene bewegte sich der vielleicht vorzüglichste niederländische Gräzist des Jh., der aus Utrecht stammende, in Löwen lebende Gulielmus Canterus (1542–1575) mit seinem *De ratione emendandi Graecos auctores syntagma*. Seine Expertise fand ihren Niederschlag in den *Novae Lectiones* (Erstausgabe 1566; erweitert 1571), in einflußreichen Ausgaben des Euripides (1571), Sophokles (posthum 1579) und Aischylos (1580) sowie anderen Ausgaben, oft mit lat. Übers. (Lykophron, Aristoteles' *Peplos*).

Barlandus, Valerius und Nannius stammten aus den nördl. N. Nannius war zuerst Schulrektor in seiner Geburtsstadt Alkmaar, wo er in Johannes Murmellius (1479–1517), selbst Autor verschiedener Lehrbücher und Florilegia für die Lateinschule, einen bekannten Vorgänger hatte. Im Norden, wo es keine Univ. gab, wurde die Philol. von solchen Schulrektoren getragen. Zu den wichtigsten gehören der schon genannte Aristophanesübersetzer Lambertus Hortensius, der Komm. zu sechs Büchern der *Aeneis* und zu Lukan herausgab, und der vielseitige Stadtarzt in Haarlem, Hadrianus Junius (1511–1575), der in It. studiert hatte und zeitweilig in Frankreich, England und Dänemark tätig war. Als Herausgeber von *Adagia*, *Emblemata*, *Animadversa*, Textausgaben griech. (oft mit lat. Übers.) und lat. Autoren, darunter die Ausgabe des Nonius Marcellus, war er mit seinem oft nachgedruckten und bearbeiteten *Nomenclator octilinguis* sehr erfolgreich.

Wie Erasmus ließen auch Hortensius und Junius in Basel verschiedene Werke drucken. Dies bedeutet jedoch nicht, daß es in den N. nicht schon eine alte Ausgabentradition bes. klass. Texte gab. Ganz am Anf. stehen der im südl. Aalst tätige Buchdrucker Dirk Martens (1450–1534), der seinen Beruf bei seinem in Treviso tätigen Landsmann Gerardus de Lisa gelernt hatte, und Jan van Westfalen. Unter ihren frühen Drucken findet man Werke it. Humanisten wie Enea Silvio Piccolomini (*De duobus amantibus*, 1473) und Baptista Mantuanus. Martens druckte später in Antwerpen und Löwen, wo er eine Reihe Schriften it. Humanisten, bes. aber auch Werke des Erasmus, Vives und anderer nördl. Humanisten herausgab. Ab 1491 verfügte Martens als erster Drucker in den N. über griech. Typen [5. 110]. In Löwen gab Jan van Westfalen 1476 Vergils *Aeneis* und 1483 Agricolas schon genannte Übers. des *Axiochus* heraus. Im selben J. erschien dort auch die *editio princeps* von Lorenzo Vallas *De vero bono*. Als Martens sich 1529 als Drucker zurückzog, übernahm sein früherer Korrektor für griech. Ausgaben, Rutger Rescius, ab 1518 auch Professor am Collegium Trilingue, Martens' Tätigkeitsbereich und stellte mit anderen zusammen einige Dutzend Ausgaben klass. Autoren her. Ein nördl. Zentrum bes. für Schulausgaben klass. Autoren wurde Deventer, wo bes. unter dem Rektor Alexander Hegius (um 1439/40–1498), dem Freund des Agricola und Lehrer des Erasmus, die Lateinschule aufblühte. Hegius wohnte im Hause Richard Pafraets, der seit 1477 als Drucker in Deventer tätig war und eine Reihe Schulausgaben klass., darunter auch griech. Autoren herausgab. Dasselbe tat sein vermutlich vormaliger Schüler Jacob van Breda. Andere nördl. Städte mit frühen Buchdruckern waren Utrecht, Gouda und Delft [5].

Dirk Martens war 1493–1497 und 1502–1512 in Antwerpen als Drucker tätig. Dieses blühende wirtschaftliche Zentrum wurde noch vor der Jh.-Wende das wichtigste Buchdruckzentrum der N. Nicht weniger als 66 der damaligen 133 Drucker in den südl. und nördl. N. waren dort tätig. Zu den wichtigsten gehören Gerard

Leeu, der vorher in Gouda in Holland volkssprachliche Texte gedruckt hatte, aber 1484 nach Antwerpen übersiedelte, und Michiel Hillen van Hoogstraten. Johannes Grapheus publizierte um 1527–1569 über 300 Ausgaben in sieben Sprachen, darunter viele griech. und lat. Texte. Über ihn und die zahlreichen anderen ragt aber nach der Mitte des Jh. der aus Touraine stammende Christophe Plantin mit fast zweieinhalb Tausend Ed. weit hinaus. Für die fast 300 Ausgaben klass. Texte arbeitete er mit verschiedenen Korrektoren, die auch neue Texte für den Druck anfertigten, unter denen verdienstvolle Philologen wie der Lexikograph Cornelius Kilian, Theodorus Pulmannus, Victor Giselinus, Gerardus Falkenburgius (*editio princeps* des Nonnos Panopolitanus, 1569). Fast alle wichtigen niederländischen Philologen der Epoche wie Hadrianus Junius, Gulielmus Canterus, Hubertus Giphanius (1534–1604; Lucretius 1566) und viele Ausländer fanden ihren Weg zur *Officina Plantiniana*. Sein eindrucksvollstes Unternehmen war wohl die fünfsprachige *Biblia Polyglotta*, die er unter Mitarbeit des span. Theologen Benito Arias Montano und vieler anderer Gelehrter, darunter seines Schwiegersohnes, des Orientalisten Franciscus Raphelengius (1539–1597), 1569–1573 in acht Bänden herausgab [16. 87 ff.]. Im J. 1569 druckte Plantin auch das Erstlingswerk eines 22jährigen Latinisten, der das Gesicht und die Ausrichtung der klass. Philologie sowohl in den südl. wie in den nördl. N. ändern sollte und dessen erstes Meisterstück und größte Leistung, eine Tacitus-Ausgabe mit zahllosen seitdem einstimmig akzeptierten Emendationen, fünf J. später auch bei Plantin erschien. Diese Schlüsselfigur der Philol. in den alten N. war Justus Lipsius (1547–1606). Nach einer kurzzeitigen Professur in Jena und in Löwen wurde er bald der Archeget der klass. Philol. in Leiden, von wo er 1592 nach Löwen zurückkehrte [23].

1 P. N. M. BOT, Humanisme en onderwijs in Nederland, 1955 **2** F. CRAMER, Gesch. der Erziehung und des Unterrichts in den N. während des MA, Stralsund 1843 **3** A. DEROLEZ, The Place of the Latin Classics in the Late Medieval Library Catalogues of Germany and the Southern Low Countries, in: C. LEONARDI, B. MUNK OLSEN (Hrsg.), The Classical Trad. in the Middle Ages and in the Ren., 1995, 33–46 **4** Ders., B. VICTOR (Hrsg.), Corpus catalogorum Belgii, I (West Flandern), ²1997; II (Lüttich, Luxemburg, Namur), 1994; III (Ost-Flandern, Antwerpen und Limburg), 1999 **5** De vijfhonderdste verjaring de boekdrukkunst in de Nederlanden, Ausstellungs-Kat. 1973 **6** H. W. FORTGENS, Meesters, scholieren en grammatica uit het middeleeuwse schoolleven, 1956 **7** Hss. uit de abdij van Sint-Truiden, Ausstellungs-Kat. 1986 **8** J. IJSEWIJN, The Coming of Humanism to the Low Countries, in: H. A. OBERMAN, T. A. BRADY JR. (Hrsg.), Itinerarium Italicum. The Profile of the Italian Ren. in the Mirror of its European Transformations. Dedicated to Paul Oskar Kristeller on the occasion of his 70th birthday, 1975, 193–301 **9** Ders., Agricola as a Greek scholar, in: F. AKKERMAN, A. J. VANDERJAGT (Hrsg.), Rodolphus Agricola (1444–1485). Proceedings of the International Conference at the Univ. of Groningen 28–30 October 1985, 1988, 21–37 (überarbeitete

Fassung: Gli studi greci di Rodolfo Agricola, in: J. IJSEWIJN, Humanisme i literatura neolatina, hrsg. v. L. BARONA, 1996, 65–86) **10** Ders., Humanism in the Low Countries, in: A. RABIL (Hrsg.), Ren. Humanism. Foundations, Form and Legacy, Bd. II, 1988, 156–215 **11** TH. KOCK, Hss.-Produktion, Lit.-Versorgung und Bibl.-Aufbau im Zeitalter des Medienwechsels, Die Buchkultur der Devotio Moderna, 1999 **12** A. H. VAN DER LAAN, Anatomie van een taal. Rodolphus Agricola en Antonius Liber an de wieg van het humanistisch Latijn in de Lage Landen (1469–1485), 1998 **13** G. I. LIEFTINCK, Manuscrits datés conservés dans les Pays-Bas, 1964 **14** F. MASAI, M. WITTEK, Manuscrits datés conservés dans la Belgique, 1968–1991 **15** K. O. MEINSMA, Middeleeuwsche bibliotheeken, 1903 **16** F. DE NAVE, Antwerpen, het verhaal van een metropool, 1993 **17** R. PFEIFFER, History of Classical Scholarship 1300–1850, 1976, 69–70 **18** A. POLET, Une gloire de l'humanisme belge: Petrus Nannius, 1936 **19** R. R. POST, Scholen en onderwijs in Nederland gedurende de Middeleeuwen, 1955 **20** D. REICHLING, Das Doctrinale des Alexander de Villa-Dei, 1893 **21** E. RUMMEL, Erasmus as a Translator of the Classics, 1985 **22** F. SASSEN, De middeleeuwsche bibliotheek der abdij Kloosterade, in: Nederlandsch Archief voor Kerkelijke Geschiedenis N. S. 29, 1937, 19–76 **23** M. DE SCHEPPER, F. DE NAVE (Hrsg.), Ex Officina Plantiniana. Studia in memoriam Christophori Plantini (ca. 1520–1589), 1989 **24** P. THOMAS, Catalogue des manuscrits de classiques latins de la Bibliothèque Royale de Bruxelles, Gand 1896 **25** G. TOURNOY, Marsile Ficin, Agricola et leurs traductions de l'Axiochus, in: F. AKKERMAN, A. J. VANDERJAGT (Hrsg.), Rodolphus Agricola (1444–1485), in: Proceedings of the International Conference at the Univ. of Groningen 28–30 October 1985, 1988, 211–218 **26** Ders., Gli umanisti italiani nell'Univ. di Lovanio nel Quattrocento, in: L. SECCHI TARUGI ROTONDI (Hrsg.), Rapporti e scambi tra l'Umanesimo italiano e l'Umanesimo europeo, 2001, 39–50 **26a** G. TOURNOY, J. TULKENS, M. ILEGEMS (Hrsg.), Nicolaes Cleynaerts (1493–1993). Van Diest tot Marokko, (De Brabantse Folklore en Geschiedenis, Nummer 278–79 (1993), 106–296) **27** H. DE VOCHT, History of the Foundation and the Rise of the Collegium Trilingue Lovaniense, 1517–1550, 1951–1955 **28** J. H. WASZINK, Einige Betrachtungen über die Euripides-Übers. des Erasmus und ihre histor. Situation, in: A&A 17, 1971, 70–90.

C. L. HEESAKKERS UND G. TOURNOY

II. DIE NÖRDLICHEN NIEDERLANDE NACH 1575

A. 1575–1675 B. 1676–1815
C. 1815–1945 D. 1945–2000

A. 1575–1675

1. DIE UNIVERSITÄT DER PROVINZ HOLLAND ZU LEIDEN

›In Batauos transfer nunc precor Italiam‹ (»Zu den Batavern bringe nun, bitte, Italien«): Die Prozession, mit der am 8. Februar 1575 die Leidener → Universität eröffnet wird, zeigt nicht nur Professoren und provinziale, städtische und kirchliche Verwalter, sondern auch Reiter, bezeichnet mit den Namen der zu lehrenden Wiss. und ihrer ant. Repräsentanten, darunter Cicero und Vergil. Am Ende des Kanals Rapenburg wird der Zug mit lat. Distichen von Apollo, Neptun und den neun Musen begrüßt, die in einem Schiff sitzen. Als erste werden die *Artes sive Humanitatis studia* von Apollo angesprochen. Der ganze Zug und die deklamierten Verszeilen enthalten ein Lehrprogramm, das human. Geist bezeugt [34. 2]. Hinter diesem Programm steht zweifelsohne der einzige begeisterte Humanist, der als Mitglied der Gründungskommission unmittelbar an der Stiftung der Univ. beteiligt ist, Janus Dousa van Noordwijk (1545–1604), der ehemalige Stadtkommandant, ein adliges Staatenmitglied, lat. Dichter und Philologe. Er hatte in Löwen, Douai und Paris studiert und 1569 seine erste Sammlung von Dichtung herausgegeben. Möglicherweise beeinflußt von seinem älteren Freund Hadrianus Junius, an dessen Martialausgabe er mitarbeitete, wendet er sich mit der Zeit immer mehr der Philol. zu. Zwei Monate nach der Eröffnung verschafft er der noch studenten- und fast professorenlosen Univ. mit seinen *Nova Poemata* ein *monumentum aere perennius*, (»ein Monument, dauerhafter als Erz«, Hor. carm. 3,30,1), versehen mit dem selbstsicheren Impressum ›In nova academia nostra Lugdunensi excusum. Anno 1575‹ (»In unserer neuen Leidener Univ. gedruckt«). Hauptthema der Dichtung ist die Belagerung Leidens (Mai-Oktober 1574) und die Stiftung der Universität. Als einziger Gelehrter in der Verwaltung, der drei *Curatores* (Verwalter) und vier Bürgermeister der Stadt angehören, spielt er die Hauptrolle in der Anwerbung renommierter Professoren. Seinen größten Erfolg verbucht er, als er 1578 seinen Freund Justus Lipsius (1547–1606) für Leiden gewinnt. Mit diesem seit seiner Tacitusausgabe (1574) international anerkannten Latinisten besitzt die noch unbedeutende, winzige Univ. eine Koryphäe der Philologie. Sofort steigt die Studentenzahl. Von Lipsius animiert, gibt Dousa eine Reihe textkritischer *Praecidanea* zu verschiedenen röm. Dichtern heraus (1580–1587) und hat damit einen wesentlichen, wenn nicht gar den größten Anteil an den Textausgaben seiner Söhne Janus (1571–1597; Plautus ed. 1589, 1594) und Franciscus (1577–1639; Lucilius ed. 1597). In seinen insgesamt sieben Bände umfassenden Dichtungen regt Dousa die Studenten zur lat. Poesie an. Eine Reihe von Widmungen eigener Dichtungen gibt Zeugnis von der Hochschätzung, die die Studenten dem Meister entgegenbrachten (Benedicti, *Epitaphia*, 1587; Gruterus, *Harmosyne*, 1587; Adr. Blyenburchius, *Poemata*, 1588; Dam. Blyenburgius, *Veneres*, 1600; Heinsius, *Nordowicum*, 1602; Jacobus Susius, *Carmina*, 1590). Sogar das Ausland beteiligt sich: 1587 gibt Posthius in Heidelberg *Encomia Dousana*, eine Art Festschrift für Dousa heraus.

Lipsius' und Dousas Antwerpener Herausgeber Christoffel Plantijn eröffnet 1583 in Leiden einen Verlag und schenkt der Univ. eine Reihe von Büchern. Hierauf wird Dousa als erster Leidener Bibliothekar eingestellt. Plantijns Verlag, seit 1585 unter der Leitung seines Schwiegersohns Raphelengius, legt den Grundstein für ein ruhmreiches Verlagswesen. Hier publiziert Lipsius seinen Bestseller *De constantia* (1583–84), mit dem er den Neustoizismus einführt und seine nicht we-

niger folgenreichen *Politica* (1589) sowie eine Ausgabe der *Inscriptiones* des Martinus Smetius (1588) nach der von Dousa in England für die Bibliothek gekauften Handschrift. Lipsius' Ausgabe mit seinem eigenen *Auctarium* (darin das *Monumentum Ancyranum*) wird zum Fundament für die späteren Ausgaben des Gruterus (1602) und markiert gewissermaßen den Beginn der Epigraphik. Das Material spricht Lipsius' Interesse an röm. Historiographie und Altertumskunde an, Gebiete, die seither einen festen Platz in der philol. Trad. der N. einnehmen [12; 26].

Nach Lipsius' Ausscheiden aus der Univ. 1591 gelingt es den Verwaltern durch großzügige Bedingungen Josephus Scaliger (1540–1609) für Leiden zu gewinnen. Dieser führt dort seine textkritischen Unt. (Neuausgabe des Manilius, 1599–1600) sowie seine Studien über die Chronologie (*Opus de emendatione temporum*, 1598; *Thesaurus temporum*, 1606) fort. Letztere bedeuten eine Erweiterung des philol. Blickwinkels bis in den Bereich der altorientalischen Zeit. Das Studium von Eusebius' *Chronikon* in der Bearbeitung des Hieronymus veranlaßt ihn zu der Folgerung, daß im griech. Original ein Buch I vorausgegangen war, dessen Rekonstruktion ihm anhand des Werkes des Byzantiners Georgius Syncellus gelingt. Erst zwei Jh. später belegt der Fund einer aramäischen Übers. des Eusebius Scaligers These. Scaligers Begabung zur histor. Rekonstruktion, seine intensive Bemühung um die Chronologie und seine ungemein scharfe Einsicht in die Textüberlieferung führen ihn auch zur Erkenntnis, daß für das Verständnis des NT eine Bekanntschaft mit der profanen Lit. notwendig sei und daß eine textkritische Auseinandersetzung, die Konjekturalemendation eingeschlossen, mit dem NT, dessen *textus receptus* sich auf eine einseitige byz. Überlieferung stützt, unabdingbar sei. Auch das Studium des NT wird zu einem festen Bestandteil der niederländischen Philol. [10; 23. 118; 17. 22].

Fast zahllos sind die Leidener Professoren und Studenten, die Ausgaben klass. Autoren publizieren. Bonaventura Vulcanius (1538–1614) ist v. a. Gräzist mit einer Vorliebe für hell. (Kallimachos, Moschos, Bion, 1584) und byz. Autoren (Agathias, 1594; Theophylaktos u. a., 1597; Jornandes, 1597). Paulus Merula (1558–1607), der nicht unumstrittene Herausgeber der Fragmente von Ennius' *Annales* (1595), liefert mit seiner Ausgabe der got. Paraphrase des *Hohen Liedes* Willirams (1598) einen frühen Ansatz der german. Studien. Auch Professoren außerhalb der Artes-Fakultäten sind als Herausgeber tätig, wie Heurnius (1543–1601) mit seinen Hippokratesausgaben mit lat. Übers. (1597, 1603). Des weiteren edieren die Raphelengii Neuauflagen Pindars (1590), Caesars (1586, 1593), der Briefe Ciceros (1599), von Horaz (1594, 1597, Cruquius-Dousa), Lukrez (1595, Giphanius) und von Boëthius' *Consolatio* (1590, Pulmannus). Unter der Obhut von Lipsius und Scaliger tritt auch bald eine vielversprechende Generation von Studenten in Erscheinung, die sich bereits frühzeitig durch philol. Publikationen hervortut. Als

Beispiele seien genannt Popma, Meursius und v. a. Hugo Grotius sowie Daniel Heinsius (1580–1655), der schnell zum Professor befördert wird. Selbst ein verdienter holländischer, griech. und lat. Dichter befaßt er sich mit verschiedenen ant. Autoren und erarbeitet etliche Textausgaben. Seinen Ausgaben griech. Autoren fügt Heinsius hervorragende lat. Übers. hinzu. Seine Ovidausgabe (1692) ›has lasting value‹ ([23. 129], dagegen [32. 169]). Besonders wichtig ist sein Beitrag zur Dichtungstheorie mit seiner einflußreichen Schrift *De tragoediae constitutione* sowie seinen Ausgaben der Poetiken des Aristoteles und Horaz. Wie Grotius beschäftigt sich Heinsius auch ausführlich mit der Sprache des NT. Dabei postuliert er eine *lingua Hellenistica* (*Aristarchus sacer*, 1639) oder *dialectus Hellenistica* (*Sacrae Exercitationes*, 1639), d. h. eine Sprache, die äußerlich griech., dem Sinn und Gedanken nach jedoch hebräisch und aramäisch sei und ausschließlich im NT Verwendung gefunden habe. Dieser These wird von Claudius Salmasius (1588–1653) heftig widersprochen, der seit 1633 eine vergleichbare Position wie zuvor Scaliger an der Leidener Univ. innehat. Salmasius (u. a. *De Hellenistica commentarius*, 1643) bestreitet eine isolierte Position des nt. Griech. innerhalb der hell. Welt, ohne übrigens hebräischen Einfluß zu verneinen, den er jedoch aus der Zweisprachigkeit vieler Juden oder aus hebräischen Vorstufen der Texte herleitet [17. 32–38].

Neben Heinsius lehrt der bereits erwähnte Meursius seit 1610 griech. Sprache und Geschichte. Als er 1625 Leiden verläßt, erklärt er selbstbewußt, er habe innerhalb seiner vierzehn Lehrjahre mehr griech. Autoren als erster ediert als alle bisherigen Leidener Professoren zusammen. Zu diesen *editiones principes* gehören Aristoxenos' *Elementa Harmonica* (1616) und bes. spätant. und byz. Autoren. Meursius' Jugendwerk *Criticus Arnobianus* (1598) wird von den modernen Herausgebern (Orelli, Marchesi) gepriesen, seine Ausgabe des *Chalcidius* (1617) hingegen gerügt (Wrobel, Waszink). Wilamowitz spricht von wertloser Thesaurusphilologie. Meursius' zahlreichen Monographien, von denen viele in die *Thesauri antiquitatum* (s. u.) aufgenommen werden, bilden ›auch heute noch eine reichhaltige Fundgrube antiquarischen und literarhistorischen Wissens‹ [11. 198]. Sein *Graecia feriata* (1619) wird als Nachschlagewerk erst 1906 durch Nilssons *Griech. Feste* ersetzt. Nach einer dreibändigen Ausgabe *Opera selecta* (1724) wird Meursius 1740 seitens des Florentiner Bibliothekars G. Lami die für einen Philologen außerordentliche Ehre einer zwölfbändigen Gesamtausgabe zuteil [13. 23]. Der große Polyhistor Leidens ist Gerardus Joannes Vossius (1577–1649), Autor einer Reihe bes. erfolgreicher Handbücher für Gramm., Rhet. und Poetik, die bis ins 19. Jh. wieder aufgelegt werden. Seine Literaturgeschichte der griech. (1623) und lat. (1627) Historiker ist ›die erste wiss. und lange Zeit grundlegende Darstellung der klass. Historiographie‹ [11. 198; 25].

Während Heinsius' lang währender Amtszeit als Professor sind auch weniger renommierte Kollegen kürzere oder längere Zeit, und ohne große Beachtung zu finden, philol. tätig. Hier seien die Dichter Dominicus Baudius (1561–1613) und Caspar Barlaeus (1584–1648) sowie der Gräzist Lambertus Barlaeus (1595–1655) genannt, ebenso wie der Jurist Petrus Cunaeus (1586–1638), der erfolgreich mit seinen Reden und seiner menippeischen Satire *Sardi venales* (1612) ist, der Historiker Marcus Zuerius Boxhornius (1612–1653), der verschiedene lat. Autoren ediert oder kommentiert, und der Antiquar Antonius Thysius (1603–1665), der mehrere Variorumeditionen, also Zusammenstellungen verschiedenen Kommentare anderer Gelehrter, publiziert, darunter Senecas Tragödien und Arnobius d. Ä., dessen Text auf Salmasius zurückgeht. Drei Jahre nach Heinsius' Tod ruft die Univ. ihren vormaligen Schüler Johann Friedrich Gronovius (1611–1671) aus Deventer zurück. Obwohl er als Professor der griech. Sprache angestellt ist, widmet dieser ›hervorragendste Latinist Hollands‹ [11. 200] seinen textkritischen Scharfsinn fast ausschließlich der röm. Lit. und → Numismatik (*De sestertiis*, 1643). Schon früh (1637) formuliert er sein philol. Credo, aus dem man Lipsius herauszuhören glaubt: Gestützt auf die Kenntnis von Sprachen, ant. Riten, Geschichte und Philos. liest man die Texte mit *ingenium* und *iudicium* mit äußerster Genauigkeit und ist so imstande, selbst zu urteilen, in den Genius des Autors einzudringen, dessen Intention und eine oft tief verborgene Systematik zu entdecken, seinen Stil zu erfassen und die verdorbenen Stellen zu korrigieren [18. 58]. Unter seinen zahlreichen Textausgaben sind die der Tragödien Senecas (1661) bedeutend aufgrund ihrer Berücksichtigung des *Codex Etruscus*. Gronovius' Hauptinteresse gilt den Historikern Livius, für dessen Ausgabe (1645) er zahlreiche Hss. verwendet, und v. a. Tacitus (1672), der schon in den drei Büchern *Observationes* (1639) eine bedeutende Rolle spielt [6].

Auch im Umfeld der Leidener Univ. blüht die Philologie. Die drei *Curatores* (Verwalter) unterstützen Philippus Cluverius (1580–1623), ›bis auf unser Jahrhundert fast den einzig nennenswerthen Vertreter‹ der alten Geogr. [21. 18] bei seinen Forsch. (*Germania*, 1619; *Sicilia*, 1619; *Italia*, 1624). Hugo Grotius (1583–1645) hatte Leiden schon verlassen, als er als Sechzehnjähriger seinen Martianus Capella (1599) und die *Phainomena* Arats nach der schönen Leidener Hs. (1600) herausgibt. Trotz seiner amtlichen Karriere folgen verdienstvollen Ausgaben des Lucan (1614) und Silius Italicus (1636), der *Dicta poetarum* aus Stobaios mit lat. Übers. (1623) und eine glänzende lat. metr. Übers. der *Phönizierinnen* des Euripides (1630) sowie der *Anthologia Graeca* (erst 1795 publ.) [11. 199]. Unter den *Annotationes* sind bes. die zum NT einflußreich (1641–1650; elf weitere Ausgaben folgen bis 1834). Mit zahlreichen Leidener Philologen befreundet ist der Latinist Petrus Scriverius (1576–1660), der außer ant. Autoren (Martialis, 1619 und öfter; Seneca Tragicus, 1621; Apuleius 1623; Scriptores de re militari, 1633, *Disticha Catonis*, 1646) auch neulat. Dichter herausgibt (Dousa, 1609; Janus Secundus 1619 und öfter). Der größte Kritiker röm. Poesie aber ist Nicolaus Heinsius (1620–1681), der Sohn von Daniel Heinsius und Freund des Gronovius. Eine Stelle an der Univ. strebt er jedoch nie an. Auf seinen zahlreichen Reisen in viele Länder, oft im Auftrag der Königin Christina von Schweden, besucht er zahlreiche Bibliotheken und kollationiert mehr Hss. als jemand zuvor. Mit deren Hilfe und seinem einzigartigen philol. Scharfsinn fertigt er ausgezeichnete Ausgaben verschiedener lat. Dichter an (Ovidius, 1652; Vergilius 1664 und öfter; Prudentius, 1667). Sein Text des Claudian (1650) ist grundlegend für alle späteren kritischen Editionen [23. 129]. Aufgrund seiner *Adversaria* und seiner sonstigen Sammlungen textkritischer Bemerkungen macht er sich auch um andere Autoren wie Catull, Properz und Tacitus verdient [4; 18. 57–63]. Wie Heinsius ist auch Isaac Vossius (1618–1689), der Sohn des Gerardus Johannes Vossius, einige Zeit am schwedischen Hofe tätig. Er beschäftigt sich mit Justin und Pomponius Mela, seine Bekanntheit verdankt er jedoch v. a. seiner riesigen Handschriftensammlung, den *Codices Vossiani* der Leidener Universitätsbibliothek. Als letzter sei noch der Schwager von G. J. Vossius, Franciscus Junius F. F. (1589–1677) genannt und dessen Schrift *De pictura veterum* (1637; 1638 in eigener engl. und 1641 in niederländischer Übers.). Als Erzieher und Bibliothekar im Hause des engl. Grafen Arundel, eines erfolgreichen Sammlers griech. und röm. Antiquitäten und Hss., katalogisiert er diese Altertümer und verfaßt, dadurch veranlaßt, eine Abh. über die ant. Malerei. Seine philol. Tätigkeit widmet er aber bald fast ausschließlich der got. Sprache. Seine diesbezüglichen Werke (*Observationes in Willirami Francicam Paraphrasin*, 1655; *Caedmonis Paraphrasis*, 1655; *Glossarium ulphila-gothicum*, 1671, u. a.) machen ihn zu einem der Begründer der alten Germanistik.

Trotz starken Widerstandes der Leidener Univ. gründet Amsterdam 1632 ein Athenaeum Illustre, eine Art Hochschule, der jedoch das *ius promovendi*, das Recht, die Doktorwürde zu verleihen, fehlt. Offenbar wünscht sich die Stadt als wirtschaftliche Metropole der Provinz Hollands ihr eigenes akad. Institut. Der Umzug von Vossius nach Amsterdam bedeutet einen weiteren Rückschlag für die Univ. Leiden. In Amsterdam nimmt dieser zusammen mit dem wegen seines Remonstrantismus aus Leiden entlassenen Caspar Barlaeus den Unterricht auf. Obwohl das Athenaeum wegen des Mangels eines vollständigen akad. Curriculums nie eine ernsthafte Konkurrenz für Leiden darstellt, trägt es dazu bei, daß Amsterdam zum unbestrittenen Zentrum des kulturellen und lit. Lebens Hollands wird. Die Amsterdamer Herausgeber drucken nicht nur die zahlreichen Werke von Vossius, sondern auch die seines Freundes Grotius und vieler anderer, darunter sogar Werke Leidener Professoren.

Von Anf. an strebt die Leidener Univ. eine größere Vereinheitlichung des Lateinunterrichtes in den Schulen Hollands an. Erst nach fast einem halben Jh. entwirft ein Statut der Staaten Hollands (die »Hollandse Scholordre«) ein einheitliches Programm, zu dessen Einhaltung eine Gramm. und 23 weitere Textausgaben (darunter Erasmustexte) revidiert und den Lateinschulen vorgeschrieben werden [19. 86–7]. Die publizistische Tätigkeit der Rektoren dieser Schulen scheint allmählich abzunehmen. Einen Cornelis Schonaeus (1541–1611), der sich mit seinen 18 Dramen den Ehrennamen Terentius Christianus erwirbt, sucht man nach 1625 vergebens. Als herausragender Philologe wäre Thomas Muncker (1642–1680) zu nennen (Ausgabe der *Mythographi Latini*, 1681). Dagegen sind die zahlreichen ›früher weit verbreiteten‹ Schulausgaben des Jan Minellius (1625–1683) der verdienten Vergessenheit anheimgefallen‹ [24. 177].

Ein Rückblick auf die philol. Leistungen des Leidener Kreises zeigt, daß sich Textkritik ebenso wie die Auslegung der Texte am meisten auf die röm. Dichter von Plautus bis Claudian konzentrieren und erst in zweiter Linie auf die Historiker, darunter bes. auf Tacitus. Unter den weniger zahlreich herausgegebenen griech. Autoren, denen zumeist eine lat. Übers. beigegeben wird, sind die lyr. Dichter und Aristoteles und mehr noch die Byzantiner zu nennen. Christliche Schriftsteller stoßen auf wenig Interesse. Zu den Ausnahmen gehören Clemens Alexandrinus (verdienstvolle Ausgabe des D. Heinsius, 1616 [32. 171]) und der für die Kenntnis der ant. Religion wichtige Arnobius. Besonders erfolgreich schließlich ist die nt. Philologie.

Zur Aufgabe der damaligen Philologen gehört auch die kreative Anwendung der lat. Sprache für eigene Schriften. Zahlreiche von ihnen bringen wichtige Beitr. für die Altertumswiss. hervor, und dies nicht nur in Form von Ausgaben und Komm., sondern auch von einflußreichen Monographien. Viele wagen es außerdem, durch ihre *imitatio* etlicher ant. Genres die neulat. Lit. zu bereichern. Die Pflege der → Gelegenheitsdichtung ist dabei einfach unumgänglich. Der Umfang der Epigrammatik ist immens, und selbst an griech. Epigrammen fehlt es nicht. Zahlreich sind die Satiren, Epithalamia, Oden und *Epistolae Heroidum*. Auch die Emblematik ist stark vertreten. Das Wirken der Nassauer führt zur Beschäftigung mit der epischen Gattung (Georgius Benedicti, 1563–1588; Jacobus Eyndius, 1571–1616; die *Mauritias* in zwölf Büchern (1647) des Franciscus Plante, 1613–1690, über Johann Moritz von Nassau-Siegen; und sogar ein griech. Epos über die Belagerung Haarlems des Nicolaes Wassenaer, um 1570–1630) und veranlaßt die Entstehung von Dramen, für deren Inhalt jedoch immer noch die Bibel die meisten Stoffe liefert. Zur Gelegenheitsprosa zählen die zahlreichen Rektorats- und Antrittsreden wie auch Promotionsansprachen. Die → Leichenrede ist in Leiden seit dem Tod des Raphelengius (1597) ein fester Brauch. Dort ist weiterhin die *Satyra Menippea* bes. beliebt. Der wichtigste Beitrag zur neulat. Prosa ist aber wohl die Historiographie (Dousa in Dichtung und Prosa; dessen Sohn Janus, Baudius, D. Heinsius, Meursius, Grotius, Barlaeus, Boxhornius, Eyndius). Selbstverständlich blüht die Epistolographie, aber Ausgaben des eigenen Briefwechsels scheinen nach Lipsius seltener zu werden.

2. DIE UNIVERSITÄTEN DER ANDEREN PROVINZEN

Die Leidener Univ. gehört zur Provinz Holland, der polit. und wirtschaftlich zwar wichtigsten, aber dennoch nur einer der Sieben Vereinigten Provinzen, die nach der Abschwörung ihres Landesherrn, des Königs Philipp II. von Spanien, die Republik der N. bilden. Obwohl bald Studenten aus allen Provinzen nach Leiden ziehen, strebt allmählich jede Provinz ihr eigenes Inst. für akad. Bildung an. Zehn Jahre nach Holland gründet Friesland seine Univ. in Franeker und beruft zwei Leidener Professoren, den Gräzisten Petreius Tiara (1514–1586) und den Hebräisten Johannes Drusius (1550–1616), bekannt wegen seiner ausführlichen *Annotationes* zum NT (1612). Noch bedeutender für die nt. Studien wird Franeker unter dem 1626 aus Herborn stammenden Georg Pasor (1570–1637), dem ›Begründer der Lexikographie wie der Gramm. des griech. NT‹ [17. 30], wegen seiner lexikographischen Repertoria und Abh. zur griech. Sprache des NT. Seine *Grammatica Graeca sacra* erscheint erst lange nach seinem Tod (1655) [17. 30f.]. Zu den wenigen philol. Leistungen der Nachfolger des bald verstorbenen Tiara zählt die allzu sehr kritisierte Ausgabe der lat. Übers. von Jamblichus' *Protreptikon* und der *Vita Pythagorae* des Johannes Theodoretus (1538–1604). Außerhalb der Univ. ist Ausonius Popma (1563–1613) mit seinen sprachlichen Studien (*De differentiis verborum*; *De usu antiquae locutionis*, 1606) erfolgreich.

In der Provinz Gelre/Gelderland wird 1599 die Lateinschule zu Harderwijk zum Gymnasium Illustre erhoben. Ihre bekanntesten Professoren sind Johannes Isaac Pontanus (1571–1639), Herausgeber des Macrobius und Autor lat. Geschichtswerke über Amsterdam, Gelre und Dänemark, und der Theaterdichter Jacobus Zevecotius (1596–1642). 1648 wird das Gymnasium zur Univ. erhoben. Die Provinz Groningen gründet 1614 ihre Univ. unter der Führung des Ubbo Emmius (1547–1626), der auch ihr erster Rektor wird. Er schreibt über Chronologie, das alte Griechenland und die *Historia Rerum Frisicarum*. Janus Gebhard (1592–1632) ist für große Leistungen zu kurz in Groningen tätig. In Overijssel eröffnet die Stadt Deventer 1630 ein Athenaeum Illustre; 1640 gewinnt man mit J. F. Gronovius einen erstklassigen Philologen, der aber 1658 nach Leiden geht. Utrecht errichtet 1634 ein Gymnasium Illustre und erhebt dieses bereits 1636 zur Universität. Großes wird hier vorerst nicht geleistet.

B. 1676–1815

Ab etwa 1670 scheint der → Altsprachliche Unterricht abzunehmen. Trotz der Neustrukturierung der → Lateinschule wird 1670 in einer Notiz des Leidener Senats über ›den Niedergang der Studien‹ geklagt, d. h. über die allzu geringe Kenntnis der Alten Sprachen bei den Studenten. 1671 stirbt der große Gronovius, im nationalen »Notjahr« 1672 gerät die Republik in den Krieg

mit England, Frankreich und den Bischöfen von Köln und Münster. Trotz einiger mil. und polit. Erfolge kündigen die Ereignisse das E. des Goldenen Zeitalters Hollands an. Nach dem Tode des N. Heinsius tritt bald eine Epoche der Reproduktion sowie der an Gruterus' *Lampas* (1602–1612) erinnernden Sammelwerke ein. Johann Georg Graevius (1632–1703), 1658 Gronovius' Nachfolger in Deventer und seit 1662 an der Utrechter Univ. tätig, gibt 1694–1699 seinen *Thesaurus antiquitatum Romanarum* in 12 Bänden heraus und 1704–1725 seinen *Thesaurus antiquitatum et historiarum Italiae* in zehn Bänden, die sein Kollege Petrus Burmannus (1668–1741) um sechs Bände und einen *Catalogus* (1712) erweitert. Graevius und bes. Burmannus produzieren weiter eine ganze Reihe *Editiones cum notis variorum* (Ausgaben mit Zusammenstellungen der verschiedenen Komm. anderer Gelehrter). Solche Ausgaben dienen zwar der Dokumentation, führen jedoch dazu, den Schwierigkeiten der Textkritik auszuweichen [32. 165].

In Leiden wird 1672 für die Stelle des Gronovius Theodorus Ryckius (1640–1690) angestellt, dessen Tacitusausgabe sich auf die wichtige Kollation früherer Hss. des ihm durch N. Heinsius bekannten *Liber Agricolae* stützt. Sein Nachfolger wird 1693 der aus Franeker kommende Jacobus Perizonius (1651–1715), der, in erster Linie Historiker und Altertumswissenschaftler, ›in seinen *Animadversiones historicae* (1684) zum ersten Male an der ältesten röm. Geschichte Kritik übt‹ [20. 103]. In seiner Aelian-Ausgabe (1701) löst er endgültig viele histor. Probleme und seine Annahme eines griech. Originals des *Dictys Cretensis* wird 1907 durch einen Papyrusfund bestätigt. Nach Perizonius' Tod wird Burmannus aus Utrecht nach Leiden berufen, wo er seine »Variorumausgaben« mit Quintilian, Ovid und anderen lat. Autoren weiterführt. Mit seiner *Sylloge epistolarum* (5 Bände, 1723–1727) schafft er eine unerschöpfliche Fundgrube für die Gelehrtengeschichte der Niederlande. Nur kurze Zeit als Gräzist eingestellt ist Jacobus Gronovius, Johann Friedrichs Sohn, seit 1679 in Leiden tätig und Herausgeber des *Thesaurus Antiquitatum Graecarum* in 13 Bänden (1697–1702). Unter seinen zahlreichen Textausgaben ist die des Herodot (1715) zu nennen, die sich bes. auf den von ihm in Florenz konsultierten *Codex Mediceus* stützt. Sein Nachfolger Siegbertus Haverkamp (1684–1742) demonstriert mit seiner *Sylloge scriptorum de linguae Graecae pronunciatione* ›die ganze kritische Urteilslosigkeit des Sammlers‹ (Drerup. Zitiert in: [9. 193]). Für seine Lukrez-Ausgabe zieht er erstaunlich geringen Nutzen aus den seit kurzem in der Leidener Bibl. vorhandenen Hss. O und Q. Noch zu Lebzeiten bekommen Burmannus und Haverkamp 1740 als ihre Nachfolger Tiberius Hemsterhuis (1685–1766) und Franciscus Oudendorpius (1696–1751). Letzterer steht mit seiner Lucan-Ausgabe *cum notis variorum* (1728) in der Sammlertradition. Ganz anders verhält es sich mit Hemsterhuis, der trotz nur weniger Publikationen zum Begründer der holländischen Hellenistenschule wird [11. 202]. Als Neunzehnjähriger in Amsterdam angestellt, schließt er dort auf Graevius' Empfehlung – nach einem Briefwechsel mit Bentley – die von Lederlin begonnene Ausgabe des *Onomastikon* des Pollux (1706) ab. Bald folgt eine Auslese aus den Dialogen Lukians (1708), die J. F. Reitz später in die Ausgabe der *Opera* (1743) aufnimmt. Seit 1717 ist Hemsterhuis in Franeker tätig, bis er dann 1740 nach Leiden kommt. An eigenen Werken folgt in Leiden nur noch die Ausgabe des *Plutos* des Aristophanes (1743), in die auch die Scholien aufgenommen und kritisch analysiert werden. Hemsterhuis bettet Textkritik und Interpretation in höherem Maße als seine Vorgänger in den Gesamtkomplex der Altertumswiss. ein. Die Philol. soll von Anf. an die Geschichte der Sprachen und der Völker, die Arch. und die Literaturgeschichte, die Kultur, bes. die Philos. und schließlich die Erklärung und Emendation der Schriftsteller umfassen [9. 126]. Dabei ist das Verständnis des Ursprungs und des Verhältnisses der Sprachen wesentlich. Kenntnis des Vokabulars, d. h. der Lexikographie, sowie das Prinzip der Analogie führen zu einem solchen Verständnis, das unentbehrlich für die weitere textkritische Praxis ist. Hemsterhuis macht v. a. durch seinen Unterricht und weniger durch seine Schriften Schule. Er legte größten Wert auf das Selbststudium, wobei der Schüler von Anf. an nicht viele Texte flüchtig, sondern wenige gründlich lesen, alles Auffällige notieren und alles Ähnliche vergleichen soll; dadurch soll kritischer Scharfsinn geweckt und gefördert und Material für eigene Publikationen gesammelt werden. Der schriftliche Nachlaß seines größten Schülers Caspar Lodewijk Valckenaer (1715–1785) ist ein eindrucksvolles Zeugnis für diese Methode [9. 197–302].

Nicht nur in Franeker (1740), sondern später auch in Leiden (1765) wird Valckenaer Hemsterhuis' Nachfolger. Wie sein Lehrer beginnt Valckenaer seine wiss. Veröffentlichungen mit der Lexikographie (Ammonius, *De differentia*, 1739) und einer Scholienausgabe (Homer, *Ilias* XXII, dem *Virgilius Illustratus* beigegeben, 1747). Als seine Glanzleistung gilt Euripides: die *Phönizierinnen* (mit Grotius' lat. Übers. und mit den Scholien, 1755), *Hippolytos* (mit der lat. Übers. von Ratallerus und ausführlichem Komm. in sprachlicher, stilistischer, religionsgeschichtlicher und philos. Hinsicht, 1768), und seine *Diatribe in Euripidis perditorum dramatum reliquias* (Abh. zu den verlorenen Stücken des Euripides, 1767). An die Stelle des Leidener Latinisten Oudendorpius rückt 1761 der zweite glänzende Schüler des Hemsterhuis und dessen Biograph (*Elogium Hemsterhusii*, 1768), David Ruhnkenius (1723–1798). Schon 1749 erscheint seine Valckenaer gewidmete *Epistola Critica* über die homer. Hymnen und Hesiod (1749). 1751 folgt eine Ernesti gewidmete *Epistola Critica II* über Kallimachos und Apollonios Rhodios. In beiden Werken spielt die Lexikographie eine große Rolle. Seiner Ausgabe des Rutilius Lupus (1768) fügt Ruhnkenius seine *Historia Critica Oratorum Graecorum* an [15].

Wie Hemsterhuis durch seinen Schüler Ruhnkenius, so erhält Ruhnkenius selbst, den F. A. Wolf 1795 in seinen epochemachenden *Prolegomena ad Homerum* als *Princeps Criticorum* ehrt, durch seinen Schüler und Nachfolger Daniel Wyttenbach (1746–1820) eine vorzügliche Biographie. Wyttenbach, der wie Ruhnkenius mit einer *Epistola Critica* (1796) debütiert, widmet sich bald mehr dem Komm. und der ant. Philos. als der Textkritik. Die riesige Ausgabe der *Moralia* Plutarchs mit lat. Übers. und *Animadversiones* zählt zu seinen Hauptleistungen. 1809–1817 ist er Herausgeber einer eigenen Zeitschrift *Philomathia*.

Bis zu seinem Umzug nach Leiden ist Wyttenbach am Amsterdamer Athenaeum tätig (1779–1799). Unter seinen dortigen Vorgängern sei der produktive Dichter und Redner Petrus Francius (1645–1704) erwähnt, der sich fast ausschließlich dem Rhetorikunterricht widmet. Er läßt seine Schüler Reden Ciceros auswendig lernen und dann vortragen und publiziert die Rede *Pro Archia poeta* und *Pro Marcello* mit einem Komm., der ausschließlich die deklamatorischen Aspekte berücksichtigt. Sein Freund, der Offizier und begabte Dichter Janus Broukhusius (1649–1707), gibt neben den Werken des Palearius und Sannazaro die Gedichte des Properz (1702) und Tibull (1708) in hervorragender Weise heraus. Vorgänger des Francius ist der 1670 entlassene Marcus Meibomius (1638–1710), Herausgeber der *Antiquae musicae scriptores* (1652) und des Diogenes Laertius mit lat. Übers. (1692). Im Todesjahr des Francius wird Hemsterhuis angestellt, allerdings um Philos. und Mathematik zu lehren. Dessen weitgereister Schüler Jacques Philippe d'Orville (1696–1751) wird 1730 mit dem Griechischunterricht betraut. Er gründet mit Petrus Burmannus die Zeitschrift *Miscellaneae Observationes Criticae* (1732–1751; ab Band 4 wird *Criticae*, ab 1742 *Criticae Novae* hinzugefügt). 1750 veröffentlicht er die *editio princeps* des Romans Charitons mit einem ›ungenießbar‹ [21. 75] umfangreichen Komm. sowie eine vorzügliche Schrift mit dem Titel *Sicula* über die Altertümer Siziliens. Als er sich bereits 1742 zurückzieht, tritt Burmannus' Neffe Petrus Burmannus Secundus (1713–1778) an seine Stelle. Dieser gibt neben verschiedenen Werken seines Onkels die *Poetae Latini Minores* unter dem seitdem eingebürgerten Titel *Anthologia Latina* heraus (1759–1773) sowie eine monumentale Claudianausgabe (1760). Selbst ein begabter lat. Dichter, ediert er die neulat. Dichtung des Petrus Lotichius (1754) und kommentiert die Dichtung des Janus Secundus (Ausgabe des Pieter Bosscha, 1821) [30].

Vor seiner Tätigkeit als Professor am Athenaeum lehrt Wyttenbach acht J. am Amsterdamer Remonstrants Seminarium. Für beinahe ein halbes Jh. ist dort der aus Genf stammende, vielseitige Gelehrte Joannes Clericus (Jean le Clerc, 1657–1736) tätig. Seine *Ars critica* (1696–1700) ist die früheste ausführliche systematische Abh. zur Textkritik. In den *Canones* findet man zum ersten Mal das Prinzip *difficilior lectio potior* (»die schwierigere Lesart ist vorzuziehen«) als wesentliches Prinzip der Textkrititk formuliert; ebenfalls wird betont, daß die einzelnen Hss. bei der Herstellung eines Textes verschiedene Geltung besitzen. Weniger geschätzt sind Clericus' zahlreiche Textausgaben (Hesiod, Livius, die Apostolischen Väter), doch seine *Opera Omnia* des Erasmus (1703–1706) sind nach drei Jh. immer noch unersetzlich.

Nach dem bescheidenen Anfangsstadium tritt die Philol. an der Univ. Utrecht ins volle Licht mit dem bereits erwähnten, 1662 aus Deventer berufenen Graevius. Zu seinen Leistungen gehören die Ausgaben der *Inscriptiones* des Gruterus (1707) und der Briefe Ciceros sowie die Fortsetzung der Kallimachos-Ausgabe seines verstorbenen Sohnes Theodorus (1669–1692) unter Mitarbeit von Ezechiel Spanheim und Richard Bentley, ›a work which set a standard not to be surpassed until modern times‹ [18. 115]. Seinen Schüler und späteren Kollegen Burmannus verliert Utrecht 1715 an Leiden. Dessen Nachfolger Arnoldus Drakenborch (1684–1748) hinterläßt eine monumentale Livius-Ausgabe (1738–1746) [18. 40, 49; 28. II. 447]. In dieser finden sich auch Beiträge seines Kollegen Carolus Andreas Duker (1670–1752), eines Schülers des Perizonius, der sich bes. mit dem Juristenlatein beschäftigt und die Historiker Thukydides (1731) und Florus (1722) herausgibt [28. II. 447]. Aus Franeker beruft Utrecht 1735 einen anderen Herausgeber griech. Historiker, den damaligen Kollegen des Hemsterhuis, Petrus Wesseling (1692–1764). Seine Ausgabe der *Bibliotheca* des Diodorus Siculus (1746) und sein Herodot (1763) zeigen – ganz im Sinne des Hemsterhuis [27] – eine musterhafte kritische Benutzung der vorhandenen Handschriften. Johann Friedrich Reitz (1695–1778), der die von Hemsterhuis begonnene Lukian-Ausgabe abschließt, publiziert kaum etwas während seiner Tätigkeit als Professor in Urtrecht (1748–1778) [28. II. 450, 453]. Christophorus Saxius (1714–1806) verdankt seinen Ruf fast nur seiner Bibliogr. *Onomasticon Literarium* (1775–1803). Der begabte Literat Rijklof Michael van Goens, Herausgeber von Porphyrius' *De antro nympharum*, ist nur kurze Zeit in Utrecht tätig.

Franeker verliert in diesem Jh. seine herausragenden Gelehrten an Leiden und Utrecht, konnte aber auch verdiente Philologen behalten. Nicolaus Blancardus (1625–1703) gibt die Lex. des Harpokration (1683) und Thomas Magister (1690) heraus. Mit letzterem beschäftigt sich auch Blancardus' Nachfolger Lambertus Bos (1670–1717), Autor einer sehr erfolgreichen Monographie über die Ellipse (1700). Seine Schriften über die Etymologie und die griech. *Antiquitates* (1714) nehmen beinahe die von seinem Nachfolger Hemsterhuis entwickelte philol. Methode vorweg. Franeker hat das Unglück, 1766 nach Valckenaer zwei vielversprechende, aber frühzeitig verstorbene Schüler von Hemsterhuis anzuziehen, zum einen Gisbert Koen (1736–1766), der Herausgeber von Gregorius Metropolita, *De dialectis* (1766), und nach ihm Johannes David von Lennep (1724–1771), der für seine postum von Valckenaer herausgegebenen Phalarisbriefe nicht nur eine lat. Übers. dieser Briefe, sondern auch einiger Abh. von Bentley

angefertigt hatte. Nach seinem Tod wird der Griechischunterricht zeitweilig dem Kollegen und ›ingeniösesten Latinisten der Niederländer im 18. Jh.‹ [21. 101], Johannes Schrader (1722–1783), anvertraut. Schrader erweist sich mit seinen *Emendationes* (1766) als wahrer Schüler von Hemsterhuis.

Die Groninger Univ. weist auch in dieser Periode kaum hervorragende Philologen auf, außer den schon genannten J. D. van Lennep, der jedoch nach Franeker wechselte, und dessen Nachfolger Jacobus de Rhoer (1723–1813). Der bekannteste Philologe Harderwijks, das 1656–1679 mit Nijmegen wegen einer Hochschulgründung in Konkurrenz steht, ist Theodorus Janssonius ab Almeloveen (1657–1712), der Herausgeber Strabons (1707) und der Korrespondenz von Isaac und Meric Casaubon (1709). Dem Deventer Athenaeum gelingt es nicht, seine fähigen Professoren (J. F. Gronovius, Graevius, J. de Rhoer, Wassenbergh) von einer Abwanderung nach Leiden oder anderswohin abzuhalten, während der Numismatiker und Archäologe Gisbertus Cuper (1644–1716) seine Professorenstelle für das Bürgermeisteramt aufgibt, aber dennoch Wichtiges über teilweise bis zu dieser Zeit unbekannte ant. Monumente publiziert (*Harpocrates*, 1676; *Apotheosis Homeri*, 1683).

In nur geringem Maße wird die Philol. außerhalb der Akad. betrieben, bes. von Schulrektoren und Ärzten wie Friedrich Ludwig Abresch (1699–1782), der sich mit Aischylos, Thukydides und Aristainetos beschäftigt, Johannes Stephanus Bernard (1718–1793), der medizinische Schriften der Byzantiner herausgibt (Theophanes Nonnos, 1794) und für seine Ausgabe des Thomas Magister Hemsterhuis' Material benutzen kann [8], und Jacob Tollius (1630–1696), der Herausgeber des Longinus, ab 1679 Professor in Duisburg.

Was der nordniederländischen Philol. in der Periode seit 1675 am meisten fehlt, ist eine rigorose Systematik und ein wiss. Programm. Die Textkritik geht v. a. *ope ingenii* vor, teilweise weil Hss. fehlen und man auf eklektische Kollationen anderer angewiesen ist. Erst mit Nic. Heinsius, der mehr Hss. kennt als jemand vor ihm, strebt man nach Vollständigkeit, bevor eine Gliederung der Hss. vorgenommen wird. Der Erwerb der *Codices Vossiani* (1690) bietet den Leidener Philologen neue Möglichkeiten, die aber erst allmählich völlig genutzt werden. Zugleich verstärkt dies die dominante Position Leidens, die ohnehin für die anderen Univ. von Nachteil ist. Während die lat. Philol. gewissermaßen bei ihrer Sammelarbeit verharrt, wächst das Interesse für die Alte Geschichte und die ant. Realien, darunter auch die griech. sprachlichen Zeugnisse, die sich in der ant. und byz. Lexikographie finden lassen. Aus dem Studium dieses Materials erwachsen neue Einsichten in die Sprachentwicklung, die auch bei der Konstitution lit. Texte behilflich sein können. Zugleich fördert es neue Fragmente zutage. Besonders die *Schola Hemsterhusiana* fördert und nutzt diese Entwicklung und zieht viele junge Philologen, besonders aus dem dt. Sprachgebiet, nach Holland.

C. 1815–1945

Die Nachwirkung der Französischen Revolution auf die N. ist tiefgehend. Unter Napoleon verliert die Republik ihre Selbständigkeit. 1806 wird sie unter Napoleons Bruder zum Königreich, bevor 1810 das Land von Frankreich annektiert wird. Bereits 1811 werden die Univ. Franeker und Harderwijk aufgehoben, Utrecht und Groningen sowie die verschiedenen Athenaea werden zu »école secondaires«, Leiden wird kaiserliche Universität. Nach der Schlacht bei Leipzig (16.–19. Oktober 1813) ziehen sich die Franzosen aus den N. zurück. Nach der Anerkennung des Erbprinzen Willem als souveräner Fürst wird das Land zusammen mit B. ein neues Königreich. Ein »Organischer Beschluß« (1815) sieht drei Univ. vor: Leiden mit einer Sonderstelle in Rang und Mitteln, Utrecht und Groningen und zwei Reichsathenaea, Franeker, das aber 1843, und Harderwijk, das schon 1818 endgültig geschlossen wird. Deventer und Amsterdam werden Gemeinde-Athenaea. Deventer, wo Pieter Bosscha (1789–1871) die lat. Eloquenz und – bes. mit seiner Ausgabe des Janus Secundus – die nlat. Poesie fördert, wird 1878 aufgehoben, Amsterdam wird 1877 zur Univ. erhoben. Die reformierte Kirche gründet 1880 in Amsterdam ihre eigene *Vrije Universiteit* (VU), und die katholische Kirche errichtet 1923 die *Katholieke Universiteit Nijmegen* (KUN).

Eine Neustrukturierung des Unterrichts begünstigt mehr als die vorangehende frz. Schulordnung die altsprachliche Bildung. In Leiden ist Wyttenbach noch immer der unumstrittene Verfechter der Altphilol. als Grundlage einer ethisch-philos. Bildung. Ihm tritt 1815 sein Schüler John Bake (1787–1864) zur Seite, der bald die Bekanntschaft engl. Gelehrter aus der Schule Porsons macht. Unter deren Einfluß bekommt für ihn die Altphilol. eine andere Zielsetzung: Sie soll ihre Schüler zu einem reinen Geschmack und zur Sensibilität für sprachliche Eleganz bringen. Textkritik soll auf der Grundlage dieses Sprachempfindens und der Einsicht in die Persönlichkeit des Autors und dessen spezifischen Sprachgebrauch stattfinden. Solche Prinzipien führen Bake dazu, die erste *Catilinarische Rede* Ciceros und die Reden *Pro Archia poeta* und *Pro Marcello* als unecht zu betrachten. Dennoch sind seine Textemendationen in der Ausgabe von Ciceros *De Legibus* (1842) und in den *Scholica hypomnemata* (1837–1862) immer noch wertvoll [21. 107]. Eine ähnliche Subjektivität kennzeichnet die textkritische Arbeit von Bakes Kollegen Petrus Hofman Peerlkamp (1786–1865). Mit seiner Belesenheit und seinem sprachlichen Scharfsinn schafft er sich ein Kriterium »poetischer horazischer Vollkommenheit«, das ihn zwingt, in seiner Ausgabe der *Oden* des Horaz (1834) etwa ein Viertel des Textes als »unhorazisch« und deshalb als interpoliert zu betrachten. Die Welle der Kritik an seinem Verfahren, das auch seine Ausgabe von Vergils *Aeneis* (1843) kennzeichnet, bedeutet zugleich eine große Anregung der Horazforschung. Seine Übersicht der nlat. Dichter aus den N. ist noch immer unentbehrlich [21. 112ff.]. Ein scharfsinniger Kritiker ist auch der damalige Bibliothekar Jacob Geel (1789–1862), Autor der ersten Monographie über die Sophisten (1823) und Herausgeber der *Phönizierinnen* des Euripides (1846) und von einigen Schriften aus Hemsterhuis' und Ruhnkenius' Nachlaß [9. 75]. Nach dem Rücktritt des vierten Leidener Altphilologen dieser J., Guilelmus Leonardus Mahne (1772–1852), wird Carel Gabriel Cobet (1813–1889) als Extraordinarius für röm. Altertümer angestellt, der kurz zuvor von einer Auslandsreise zurückgekehrt war, die ihm aufgetragen worden war, um die Hss. des Simplikios zu kollationieren. Frucht dieser Reise sind Kollationen zu verschiedenen griech. Autoren sowie eine bisher unbekannte paläographische Fähigkeit. Cobet widmet seine Unt. fast ausschließlich der Textkritik und der Alten Geschichte. In seiner beinahe unglaublichen Kenntnis des Griech. entwickelt er eine Vorliebe für die att. Sprache, die für die Beurteilung abweichender hsl. Lesungen zur Norm erhoben wird. Allzu leichtfertig qualifiziert er derartige Abweichungen von der Norm als ungriechisch und als der Unwissenheit der Kopisten zuzuschreibende Fehler, manchmal zu Unrecht, wie spätere Papyrusfunde beweisen. Er weigert sich, von der bes. in Deutschland sich entwickelnden Methodik der strengen *Recensio* Kenntnis zu nehmen (Beurteilung, Gliederung und Wahl der Hss., Feststellung gegenseitiger Abhängigkeit usw.), um die älteste ermittelbare Vorlage zu erreichen. Seine zahllosen Emendationen publiziert er in den *Observationes* (1840), *Commentationes* (1853), *Variae* (1854) und *Novae Lectiones* (1859), *Miscellanea* (1876) und *Collectanea* (1878). Vieles davon erscheint auch in der lange von ihm geleiteten Zeitschrift *Mnemosyne*. Als Lehrer ist Cobet sehr erfolgreich, und seine Schüler haben bald für lange Zeit beinahe die gesamten niederländischen klass. Professuren inne [18. 117–124; 31; 29]. Nachdem H. van Herwerden die Übernahme der Stelle Cobets abgelehnt hatte, wird Jan van Leeuwen (1850–1924) der neue Gräzist Leidens [22. 67, 70]. Seine Unt. gelten Homer und bes. dem griech. Komödiendichter Aristophanes, dessen elf erhaltene Komödien er kommentiert (1893–1906), sowie Menander. Seit 1913 lehrt in Leiden der Stesichoros-Herausgeber (1919) Julius Johannes Gerardus Vürtheim (1868–1928), bis 1928 Bernhard Abraham van Groningen (1894–1987) an seine Stelle tritt.

Hinter Cobet, ›einem der hervorragendsten Hellenisten der Gegenwart‹ [7. 928], bleiben die Nachfolger Bakes im Schatten. Willem George Pluygers (1812–1880) publ. über Homer und Cicero, ist aber v. a. Bibliothekar [22. 142ff.]. Sein Nachfolger Jan Jacob Cornelissen (1839–1891) befürwortet anfangs eine breit angelegte Altertumswiss. nach dt. Stil [29. 210], zurück in Leiden arbeitet er jedoch nach der engen textkritischen Vorgabe Cobets. Ihm folgt Jacobus Johannes Hartmann (1851–1924), ein begeisterter Verfechter und Verbreiter der ant. Lit. und Herausgeber der *Analecta Xenophontea* und *Analecta Tacitea*, bes. aber der Schulausgaben und volkssprachlicher Bücher über Plutarch und Horaz. Sein Nachfolger Frederik Muller Jzn (1883–1944) publiziert ein *Altitalisches Wörterbuch* (1926) und außerdem ein erfolgreiches Lat.-Niederländisches Wörterbuch. Seine Antrittsrede, dem Kirchenvater Augustin gewidmet, beweist, daß auch in Leiden die christl. Latinität an Aufmerksamkeit dazugewinnt. Die Dissertation seines bekanntesten Schülers (Jan Hendrik Waszink, 1908–1990) ist eine Ausgabe von Tertullians *De Anima* (1933).

Trotz des seit Bake wieder fast ausschließlichen Interesses für den rein lit. Nachlaß des Alt. erhält Leiden, das schon seit 1745 eine Art Antikenmuseum besitzt, 1818 einen Professor für Arch., Caspar Jakob Christiaan Reuvens (1793–1835), der aus Harderwijk gekommen war. Nach seinem frühen Tod gibt es jedoch keinen Ordinarius, bis 1896 Antonie Ewoud Jan Holwerda (1845–1922) [22. 282] für Arch. und Geschichte berufen wird. Diese kombinierte Professur erhält auch Alexander Willem Byvanck (1884–1970), dem aber 1930 Johannes Hendrik Thiel (1896–1974) zur Seite tritt. Die Bibliothekare Willem Niklaas du Rieu (1829–1896) und Scato Gocko de Vries (1861–1931) beginnen 1897 mit der Arbeit an der umfangreichen Reihe der *Codices Graeci et Latini photographice depicti*, in der die wichtigsten griech. und lat. Hss. in Facsimileausgaben dokumentiert werden sollen.

Utrecht, die zweitgrößte Univ., gewinnt mit Wyttenbachs Schüler Filip Willem van Heusde (1778–1839) einen begabten Philologen, für den aber das Studium der Ant. und bes. Platons ganz im Dienste einer philos., ethischen Bildung steht [21. 103; 29]. Ähnliches gilt für seinen Schüler Simon Karsten (1802–1864), der aber die Notwendigkeit eines weit gefaßten Philologieverständnisses anerkennt, wie seine Ausgaben einiger Vorsokratiker und Aischylos' *Agamemnon* (1855) beweisen. Mit dem produktiven Gräzisten Henricus van Herwerden (1831–1910), der zahlreiche textkritische Arbeiten über Thukydides, die Tragiker und andere Autoren und ein *Lexicon Graecum suppletorium et dialecticum* (1902) herausgibt, kommt ein großer Schüler Cobets nach Utrecht [29. 330; 22. 431]. Seine Nachfolger sind Johann Christoph Vollgraff (1848–1920) und ab 1917 dessen aus Groningen berufener Sohn Carl Wilhelm Vollgraff (1876–1967), der seine Veröffentlichungen bes. der Arch. von Argos widmet. Nach der Einstellung des 1877 aus Groningen zugezogenen späteren Herausgebers einer monumentalen Lucan-Ausgabe (1896–7), Cornelis Marinus Francken (1820–1900), für lat. Lit. besitzt auch Utrecht zwei Altphilologen [29. 446–463]. An Franckens Stelle tritt 1891 wieder ein Schüler Cobets, der Apuleius-Herausgeber Joannes van der Vliet (1847–1902), dessen Nachfolger Pieter Helbert Damsté (1860–1943) der letzte Schüler Cobets genannt wird. Der Theologe Jan Hendrik Holwerda (1805–1885) bewährt sich als Kritiker des Flavius Josephus und des Philon. Ab 1915 wird Alte Geschichte durch Hendrik Bolkestein (1877–1942) gelehrt, dessen Monographie über das wirtschaftliche Leben in Griechenland (1923), da es auf Niederländisch geschrieben ist, ein beschränkter, seinem Buch *Wohltätigkeit und Armenpflege im vorchristl. Altertum* (1939) dagegen umso größerer Widerhall zuteil wird.

Einen vielseitigen Philologen bekommt Groningen erst mit Petrus van Limburg Brouwer (1795–1847). Er hatte verschiedene dt. Univ. besucht und in Lüttich gelehrt. Seine Werke zeugen von seiner Kenntnis der dt. Altertumswissenschaft. Ihn interessiert bes. das Verhältnis zw. Religion und Moral bei den verschiedenen griech. Dichtern, wie seine riesige *Histoire de la civilisation morale et religieuse des Grecs* (1833–1842) belegt. Rein textkritisch sind die wenigen, bes. Euripides gewidmeten Arbeiten des nur kurze Zeit in Groningen lehrenden Johannes Lenting (1790–1843). Zu erwähnen sind auch die *Commentationes Callimacheae*, mit denen 1842 Alfons Hecker (1820–1869), ›ingeniosissimus omnium criticorum Callimacheorum‹ (R. Pfeiffer. Zitiert in: [1. 1]), sein Studium abschließt. Nach Leiden übergesiedelt läßt er 1843 eine vorzügliche Rekonstruktion des Prologs der *Aitia* des Kallimachos folgen. In seiner Groninger Zeit publiziert der später nach Utrecht wechselnde Francken seine bedeutenden *Commentationes Lysiacae* (1865). Mit Lysias beschäftigt sich auch Franckens Nachfolger Tjalling Joostes Halbertsma (1829–1894), der sich auf das Griech. beschränken kann, sobald ihm der Herausgeber der *Poetae Latini Minores*, Emil Baehrens (1848–1888), für Lat. angestellt wird. Später zieht man noch für den Bereich der Alten Geschichte Ursel Philipp Boissevain (1855–1930) hinzu, den Herausgeber einer großen Ausgabe des Cassius Dio (1896–1901) [29. 211 und öfter]. In dem Bereich der Alten Geschichte ist ab 1917 der Appian-Herausgeber Antoon Gerard Roos (1877–1953) tätig. Die Gräzisten nach Halbertsma sind Herman Jozef Polak (1844–1908) [29. 233], der 1917 nach Utrecht übersiedelnde C. W. Vollgraff und Petrus Groeneboom (1874–1963). Die Nachfolger von Baehrens sind Jacobus Samuel Speyer (1849–1913) und nach dessen Anstellung für Sanskrit in Leiden (1903) Jacob van Wageningen (1864–1923), der 1907 seine *Scaenica Romana* herausgibt. Ab 1924 wirkt Hendrik Wagenvoort (1886–1976) als Latinist, bis er 1930 nach Utrecht überwechselt und die Stelle P. J. Enk (1885–1963) zufällt.

Ab 1799 erfreut sich das Amsterdamer Athenaeum für ein halbes Jahrhundert des begeisterten Unterrichts des Dichters und Nachfolgers Wyttenbachs David Jacob van Lennep (1774–1853), dessen konservative Ausgabe des Hesiod jedoch überschätzt wurde [3]. Johan Cornelis Gerard Boot (1811–1901), der 1851–1870 und ab 1877, nachdem das Athenaeum zur Univ. erhoben worden war, weitere vier J. lehrt, verteidigt gegen Bakes Schüler Simko Heerts Rinkes die Authentizität der ersten *Catilinaria* Ciceros und gibt Ciceros Briefe an Atticus heraus, beschäftigt sich aber auch mit der nlat. Literatur. Cobets Schüler Samuel Adrianus Naber (1828–1913) hatte, als er 1871 Boot nachfolgt, schon sein *Photii Lexicon* herausgegeben (1864–65). 1898 folgt ihm Koenraad Kuiper (1854–1922), der Verf. der *Studia Callimachea* (1896–1898), dessen Sohn und Nachfolger Walter Everard Johan Kuiper (1883–1951) den Zusammenhang zw. der griech. und röm. Komödie erforscht. Ihm zur Seite tritt 1921 für Lat. der spätere Linguist Albert Willem de Groot (1892–1963). Zu diesen kommt 1879 der Archäologe Allard Pierson (1831–1896) hinzu [29. 210]. Der adlige Jan Six (1857–1926), Sohn des großen Numismatikers und Historikers Jan Pieter Six (1824–1899), übernimmt 1896 die Stelle Piersons. Auch für Alte Geschichte wird 1879 ein Ordinarius angestellt, Isaac Marinus Josué Valeton (1850–1911), dessen Nachfolger der aus Groningen berufene Boissevain wird. 1926 tritt David Cohen (1882–1967) an seine Stelle.

1880 wird zu Amsterdam eine zweite konfessionelle *Vrije Universiteit* gestiftet. Weil die theologische Bildung der eigenen Pfarrer der Reformierten Protestanten der Hauptgrund der Stiftung ist, beginnen die übrigen Disziplinen zunächst nur bescheiden, darunter auch die Altphilol., auch wenn deren besonderer Nutzen für die Interpretation der altchristl. Schriften evident ist. Lange Zeit wird der gesamte Unterricht von einem einzigen Dozenten betreut, bis schließlich 1924 eine Professur für die altchristl. Lit. hinzukommt. Ab 1933 hat Alexander Sizoo (1889–1960) diese Stelle inne.

Der Organisator, der hinter der Gründung (1923) der katholischen Univ. von Nijmegen steht und ihr erster Rektor ist, ist Jozef Karel Frans Hubert Schrijnen (1869–1938), der zuvor als Linguist und Kenner des altchristl. Lat. in Utrecht tätig gewesen war, dort jedoch als katholischer Priester nur geringe Perspektiven gehabt hatte. Mit seiner fundierten Kenntnis des altchristl. Lat. gelingt es ihm, die Univ. zu einem zentralen Studienort der christl. Latinität zu machen, bes. weil seine äußerst begabte Schülerin Christine Andrina Elisabeth Maria Mohrmann (1903–1988) ihm nach Nijmegen folgt, wo sie aber als Frau im J. 1938 noch nicht als seine Nachfolgerin in Betracht kommt. Mit seiner *Charakteristik des Altchristl. Latein* (1923) eröffnet er die Reihe *Latinitas Christianorum Primaeva*. Im ganzen erhält die klass. Abteilung eine größere Besetzung als an den anderen Universitäten. Griech. lehrt der dt. Homerkenner Julius Philipp Engelbert Drerup (1871–1942), der in Nijmegen sein Werk *Die Schulaussprache des Griech. von der Ren. bis zur Gegenwart* (1930–1932) schreibt. A. P. H. A. Slijpen (1884–1940) ist Nijmegens erster Latinist.

Abschließend noch eine Bemerkungen zur allg. Charakteristik dieser Periode: Nach einem neuen Unterrichtsgesetz aus dem J. 1876 setzt sich eine Ausbreitung der Disziplinen und Lehrstühle an den Univ. der N. durch. Die Zahl der Promovenden wächst, und ihre Studienobjekte weisen ab 1920 zunehmend enge Zusammenhänge und eine gewisse Verwandtschaft auf. In Utrecht betreut Bolkestein mehrere Dissertationen über die Semantik der griech. rel. Terminologie. Stimuliert von allgemeinen Arbeiten wie G. van der Leeuws *Phänomenologie der Religion* (1933) widmen sich Schüler der Altphilologen Wagenvoorts (Utrecht) und David Cohens (Amsterdam) verschiedenen Themen der griech. und röm. Religionen. Die Zahl der Dissertationen auf dem Gebiet des christl. Lat. wächst nicht nur an der *Vrije Universiteit* (unter Sizoo) und der jungen *Katholieke Uni-*versiteit Nijmegen (unter Schrijnen), sondern auch in Leiden (unter Muller) und Amsterdam (Kuiper, A. W. de Groot). Besonders an Tertullian (Cornelius Brakman, 1861–1936) und Augustinus besteht Interesse. Diese Tendenz setzt sich nach 1945 weiter durch. Schließlich erscheinen Lex. verschiedener klass. und altchristl. Autoren, von denen einige sogar als Dissertationen vorgelegt werden.

Ein wichtiges Ereignis ist die Gründung der niederländischen philol. Zeitschrift *Mnemosyne* im J. 1852 von den Lehrern E. J. Kiel, E. Mehler und dem bereits genannten Naber. Bald wird die Publikationssprache lat. und Cobet zu einem wichtigen Autor. Ab 1860 leitet er die Zeitschrift, die aber 1862 erlischt. 1873 findet ihre Wiedergeburt statt. In der Folgezeit füllt Cobet viele hundert Seiten mit seinen *Miscellanea* [29. 128]. Sein Schüler H. van Herwerden versieht die Zeitschrift sogar mit beinahe zweieinhalbtausend Seiten textkritischen Erörterungen. Seitdem gehört die Zeitschrift immer noch zu den wichtigen internationalen Publikationsmöglichkeiten altphilol., insbes. textkritischer Beiträge. Seit 1928 steht mit *Hermeneus* auch eine mehr popularisierende Zeitschrift Lehrern, Schülern und sonstigen an der Ant. Interessierten zur Verfügung.

D. 1945–2000

Der Zweite Weltkrieg bedeutet eine tiefe Zäsur für das akad. Leben der N. Nachdem die Protestrede des Dekans der juristischen Fakultät Leidens gegen die Entlassung des großen jüd. Rechtsgelehrten Meijers im November 1940 einen allg. Streik der Studenten zur Folge hatte, wird die Univ. geschlossen. Versuche der Besatzer, mit Hilfe der Univ. Köln in Leiden eine »German. Univ.« zu gründen, scheitern. Die anderen Univ. passen sich der neuen Situation mehr oder weniger an. Als 1943 von allen Studenten eine Loyalitätserklärung gefordert wird, die aber nur mit etwa 14 % geleistet wird, schließen die beiden konfessionellen Univ., während die anderen mühsam den Lehrbetrieb aufrecht zu erhalten versuchen, der 1944 schließlich ganz zum Erliegen kommt. Im Herbst 1945 werden die Univ. wieder geöffnet, vakante Stellen werden rasch besetzt. Die Differenzierung der Disziplinen setzt sich weiter durch. Dabei verlieren Textkritik und -kommentierung gewissermaßen ihre Dominanz, verbreiten sich aber zugleich über die neuen Gebiete der altchristl., mittellat. und nlat. Literatur. Seit 1988 gibt es in Amsterdam das bis heute leider nicht sehr stark frequentierte Studienfach Latinistik, das die lat. Lit. vom Alt. bis in die Neuzeit umfaßt.

Wichtige Beiträge für die griech. Textkritik und die Interpretation betreffen u. a. die Epik, Theognis, Pindar, die Tragödie (Komm. zu Sophokles von J. C. Kamerbeek, 1953–1984), Platon, Aristoteles, Kallimachos und Plotin. Zu erwähnen ist auch die Ausgabe *Eusthatii Commentarii ad Homeri Iliadem pertinentes* (1971–1987) von M. H. A. L. H. van der Valk. Für die → Papyrologie geben M. David (1898–1986) und B. A. van Groningen 1940 das damals noch niederländisch redigierte *Papyro-*

logical Primer heraus und ab 1941 erscheint die Reihe *Papyrologica Lugduno-Batava*. Einen größeren Bereich umfaßt die 1972 begründete Reihe *Studia Amstelodamensia ad Epigraphicam, Ius Antiquum et Papyrologicam pertinentia*. Von den lat. Autoren werden Lukrez, Cicero (darunter das Amsterdamer Projekt *De oratore*), Properz, Statius, Fronto, Apuleius (und der ant. Roman insgesamt, Projekt Groningen; Groningen Colloquia on the Novel), Ammianus Marcellinus (Projekt Amsterdam und Utrecht) ediert, kommentiert und interpretiert. Ab 1948 erscheinen Komm. zu Gaius in der Reihe *Studia Gaiana*. Für textkritische Ausgaben altchristl. Autoren gibt es die Reihen *Scriptores Christiani Primaevi* (ab 1946) und *Stromata Patristica et Mediaevalia* (ab 1950), für Sonderstudien die Reihe *Philosophia Patrum*. Bevorzugte Kirchenväter sind noch immer Tertullian und Augustin. Zahlreich sind die Dissertationen über diese und andere Autoren, die bes. von Mohrmann und Waszink angeregt werden. 1947 wird die internationale Zeitschrift *Vigiliae Christianae* gegründet. Schließlich soll als Sonderleistung noch Waszinks Ausgabe *Timaeus a Calcidio translatus commentarioque instructus* genannt werden, die alle früheren entbehrlich machte.

Das Studium der ant. Rhet. spiegelt das international stark gewachsene Interesse an der Geschichte der Rhet. wider. Die Forsch. W. J. W. Kosters zur griech. und A. W. de Groots zur lat. Metrik werden von anderen weitergeführt. Letzterer widmet sich bes. der Linguistik, die seitdem an verschiedenen Univ. bes. erfolgreich gepflegt wird. Hauptwerke im Bereich der Alten Geschichte sind die Monographien des schon genannten J. H. Thiel über die röm. Seemacht (1946, 1954). Zur Geschichte der ant. Religionen wird Wesentliches geleistet vom ebenfalls bereits genannten H. Wagenvoort und seinen Schülern. Die orientalischen Religionen in der Römerzeit stehen im Zentrum der Forsch. des Maarten Jozef Vermaseren (1918–1985), der ein *Corpus cultus Cybelae Attidisque* (sechs Bände) und ein *Corpus cultus Iovis Sabazii* (drei Bände) herausgibt und an der Ausgrabung eines Mithräums unter der Kirche Santa Prisca in Rom sowie an weiteren Ausgrabungen in Satricum beteiligt ist. Außer den genannten textkritischen Beiträgen über verschiedene Philosophen sei zur ant. Philos. noch C. J. de Vogels *Greek Philosophy* (1963) erwähnt.

Die Königliche Akademie der Wissenschaften ermöglicht die Ausgabe eines *Lexicon Latinitatis Neerlandicae medii aevi*, das bald fertig gestellt sein wird. Nach und nach richten die Univ. Lehrstühle für → Mittellatein ein, deren Vertreter Altphilologen sind, die die relevanten Texte kritisch edieren. Andere Altphilologen beteiligen sich an der Ausgabe des *Aristoteles Latinus*. Zu den Sonderthemen der Mediävistik gehört das Nachleben des Alt. (Groningen). Das Interesse der Altphilologen für die nlat. Lit. setzt sich erst später durch. Ein aus dem Fachbereich der niederländischen Literaturgeschichte entstandenes nlat. Inst. in Amsterdam wird später wieder aufgehoben. Erst im J. 1989 wird in Leiden eine Professur für nlat. Philologie eingerichtet. Inzwischen liegen jedoch an allen Univ. etliche Dissertationen über nlat. Autoren, bes. aus den N., aber auch aus It. (Petrarca, Valla), und über sich an dieses Fachgebiet anschließende Themen vor. Vorzüglich sind die vom Grotius-Institut der Akad. herausgegebenen Bände über lat. Poesie und andere Schriften des Hugo Grotius. Seit 1969 gibt die Erasmuskommission der Königlichen Akademie der Wissenschaften die *Opera omnia* des Erasmus heraus. Seit 1992 sind beide Institute in die Abteilung Ren. des Constantijn-Huygens-Instituts eingegliedert. Eine Sonderleistung der Groninger Latinisten und Neulatinisten sind drei den Anf. des niederländischen Human. gewidmete Kongresse. Schließlich soll noch bemerkt werden, daß auch das Fortleben des Klass. Alt. in der plastischen Kunst sowie in der volkssprachlichen Lit. sich des Interesses verschiedener Altphilologen erfreut.

Obwohl das klass., human. Gymnasium gewissermaßen immer noch blüht, zieht die klass. Bildung immer weniger Schüler an. Des weiteren ist auch der Raum für den → altsprachlichen Unterricht innerhalb des Schulprogramms stark eingeschränkt und parallel dazu auch die Stellenvergabe für Lehrer der klass. Sprachen stark reduziert. Darüber hinaus streben immer weniger Doktoranden eine Stellung innerhalb des Schuldienstes an. Deshalb ist die im Rahmen einer Reorganisation erfolgte Aufhebung der Abteilung für Altphilol. der Univ. Utrecht umso bedauerlicher. Die sinkenden Gymnasiasten- und Studentenzahlen führen zu einer Rückläufigkeit in Forsch. und Publizistik. Die Gründung der Zeitschrift *Lampas* im J. 1967 hat die Stärkung der Position der Altphilologie an Schulen und Univ. und eine intensivere Zusammenarbeit zw. den beiden Inst. zum Ziel. Das Bedürfnis nach stärker organisierter und zusammenhängender interuniversitärer Forsch. und besserer Ausbildung künftiger Forscher führte erst vor kurzem zur Gründung einer Forschungsschule mit dem Namen *Oikos*.

→ Neulatein

1 G. BENEDETTI, Il Prologus Aetiorum di A. Hecker, in: M. A. HARDER u. a. (Hrsg.), Callimachus, 1993, 1–15 **2** G. BENEDETTI, Il sogno e l'invettiva. Momenti di storia dell'esegesi callimachea, 1993 **3** W. VAN DEN BERG, David Jacob van Lennep (1774–1853). Geliefd leermeester zonder volgelingen, in: Athenaeum Illustre. Elf studies over de Amsterdamse Doorluchtige School 1632–1877, hrsg. v. E. O. G. HAITSMA MULIER u. a., 1997, 137–198 **4** F. F. BLOK, Nicolaas Heinsius in dienst van Christina van Zweden, 1949 **5** J. BRABERS, O. SCHREUDER, Proeven van eigen cultuur. Vijfenzeventig jaar Katholieke Universiteit Nijmegen 1923–1998, 1998 **6** S. E. W. BUGTER, J. F. Gronovius en de Annales van Tacitus, 1980 **7** C. BURSIAN, Gesch. der class. Philol. in Deutschland, München 1883 **8** S. DOUMA, Johannes Stephanus Bernard Medicus en philoloog, 1939 **9** J. G. GERRETZEN, Schola Hemsterhusiana. De herleving der Grieksche studiën aan de Nederlandsche universiteiten in de achttiende eeuw van Perizonius tot en met Valckenaer, 1940 **10** A. GRAFTON, Joseph Scaliger. A Study in the History of Classical Scholarship, 2 Bde.,

1983–1993 **11** A. GUDEMAN, Grundriß der Gesch. der klass. Philol., 1909 **12** C. L. HEESAKKERS, Twins of the Muses: Justus Lipsius and Janus Dousa Pater, in: Juste Lipse (1547–1606), hrsg. v. A. GERLO 1988, 51–68 **13** Ders., Te weinig koren of alleen te veel kaf? Leidens eerste Noordnederlandse filoloog Johannes Meursius (1579–1639), in: Miro fervore, hrsg. v. Collegium classicum c. n. M. F., 1994, 13–26 **14** Ders., An Lipsio licuit et Cunaeo quod mihi non licet? Petrus Francius and Oratorical Delivery in the Amsterdam Athenaeum Illustre, in: Ut granum sinapis. Essays in Neo-Latin Literature in honour of Jozef IJsewijn, hrsg. v. G. TOURNOY, D. SACRÉ, 1997, 324–351 **15** E. HULSHOFF POL, Studia Ruhnkeniana. Enige hoofdstukken over leven en werk van David Ruhnkenius (1723–1798), 1953 **16** H. J. DE JONGE, The Study of the New Testament, in: Leiden Univ. in the Seventeenth Century. An Exchange of Learning, hrsg v. TH. H. LUNSINGH SCHEURLEER, G. H. M. POSTHUMUS MEYJES, 1975, 65–109 **17** H. J. DE JONGE, De bestudering van het Nieuwe Testament aan de Noordnederlandse universiteiten en het Remonstrants Seminarie van 1575 tot 1700, 1980 **18** E. J. KENNEY, The Classical Text. Aspects of Editing in the Age of the Printed Book, 1974 **19** E. J. KUIPER, De Hollandse »Schoolordre« van 1625. Een Studie over het onderwijs op de Latijnse scholen in Nederland in de XVIIe en XVIIIe eeuw, 1958 **20** W. KROLL, Gesch. der klass. Philol., 1908 **21** L. MÜLLER, Gesch. der class. Philol. in den N., Leipzig 1869 **22** W. OTTERSPEER, De wiekslag van hun geest. De Leidse universiteit in de negentiende eeuw, 1992 **23** R. PFEIFFER, History of Classical Scholarship from 1300 to 1850, 1976 **24** W. PÖKEL, Philol. Schriftsteller-Lex., Leipzig 1882 **25** C. S. M. RADEMAKER, Life and Work of Gerardus Joannes Vossius (1577–1649), 1981 **26** S. RIDDERBOS, De philologie aan de Leidsche universiteit gedurende de eerste vijfentwintig jaren van haar bestaan, 1906 **27** J. ROELEVINK, Gedicteerd verleden. Het onderwijs in de algemene geschiedenis aan de universiteit te Utrecht 1735–1839, 1986 **28** J. E. A. SANDYS, History of Classical Scholarship, 1908 (1958) **29** D. C. A. J. SCHOUTEN, Het Grieks aan de Nederlandse universiteiten in de negentiende eeuw, bijzonder gedurende de periode 1815–1876, 1964 **30** P. H. SCHRIJVERS, Petrus Burmannus Secundus (1713–1778) Latinist, geleerde en dichter, in: Athenaeum Illustre, Elf studies over de Amsterdamse Doorluchtige School 1632–1877, hrsg. v. E. O. G. HAITSMA MULIER u. a. 1997, 137–171 **31** C. M. J. SICKING, Cobet, in: Een universiteit herleeft. Wetenschapsbeoefening aan de Leidse Universiteit vanaf de tweede helft van de negentiende eeuw, hrsg. v. W. OTTERSPEER, 1984, 26–37 **32** J. H. WASZINK, Classical Philology, in: Leiden Univ. in the Seventeenth Century. An Exchange of Learning, hrsg. v. TH. H. LUNSINGH SCHEURLEER, G. H. M. POSTHUMUS MEYJES, 1975, 161–175 **33** U. v. WILAMOWITZ-MOELLENDORFF, Gesch. der Philol., in: Einl. in die Altertumswiss. Bd. 1, hrsg. v. A. GERCKE, E. NORDEN, 1927, 1–80 **34** J. J. WOLTER, Introduction, in: Leiden Univ. in the Seventeenth Century. An Exchange of Learning, hrsg. von TH. H. LUNSINGH SCHEURLEER, G. H. M. POSTHUMUS MEYJES, 1975, 1–19.

CHRISTIAAN LAMBERT HEESAKKERS

III. DIE SÜDLICHEN NIEDERLANDE NACH 1575
A. EINLEITUNG B. 1575–1700
C. 18. JAHRHUNDERT
D. ANFANG DES 19. JAHRHUNDERTS
E. 1830 BIS IN DIE GEGENWART

A. EINLEITUNG

Es ist kein Topos rhet. Bescheidenheit, zu behaupten, daß es mit Rücksicht auf den heutigen Stand der Unt. ein heikles Unternehmen ist, eine Übersicht der Geschichte der lat. und griech. Philol. in den südlichen Niederlanden (S. N.) von 1575 bis in die Gegenwart abzufassen.

Derartige Zusammenstellungen wurden schon früher mit Erfolg versucht für die nördl. Niederlande, ebenso auch für Frankreich, Deutschland, It. und andere europ. Gebiete; für die katholischen Niederlande gibt es sie nicht.

Dieser Zustand hat viel zu tun mit dem intuitiven Bewußtsein, daß die Klass. Philol. nach dem Tode von Justus Lipsius (1606) in einen Zustand des Verfalls geraten ist, von dem sie sich erst seit der holländischen Zeit (1815–1830) erholt hat. In den Standardwerken von Sandys, Pfeiffer und Graf [25; 22.; 7] werden die späteren Leistungen der südniederländischen Philol. nicht behandelt. Die vorliegende Zusammenstellung kann daher nur vorläufig sein.

Die S. N. umfassen ein Gebiet, das im Laufe der hier zu behandelnden Periode weiter geschrumpft ist. Im J. 1575 bildeten die Niederlande *de iure* noch eine Einheit; während des 17. Jh. vollzieht sich nicht nur die Scheidung der protestantischen nördl. von den katholischen S. N., sondern obendrein mußten die katholischen Niederlande einen nicht unerheblichen Teil ihres Territoriums an ihren nördl. Nachbarn und an Frankreich abtreten. So fielen die nordbrabantischen Städte 's-Hertogenbosch (1629) und Breda (1621) an den Norden, während im südl. Hennegau, in Artois, der Wallonie und Frz.-Flandern in der Zeit von 1650–1680 Zentren wie Atrecht/Arras (1659), Rijsel/Lille (1667), Kamerijk/Cambrai (1677), Cassel/Kassel, Saint-Omer/Sint-Omaars (1677), Béthune/Bethuin, Bailleul/Belle (1678), die Universitätsstadt Douai/Dowaai (1667) und viele andere Frankreich einverleibt wurden.

Im Vergleich mit dem selbständigen Norden, der im 17. Jh. eine große Blüte erfuhr, verlief die Entwicklung im Süden verhaltener. Er eroberte seine Selbständigkeit erst im 19. Jh. (1830) zurück, nachdem er zunächst die span., später die österreichische Herrschaft (1713), dann die frz. Regierung (1792/1794–1814) erduldet hatte und zum Schluß in das vereinigte Königreich der Niederlande (1815–1830) aufgenommen worden war. Der Übergang von der span. zur österreichischen Herrschaft hatte kaum Folgen für die Pflege der Wiss.: In der frz. Zeit erhielt sie, trotz einzelner Versuche, keine neuen Impulse. Vor allem holländische Initiativen lagen bei der kulturellen und wiss. Wiederbelebung im Süden zugrunde, die, was die Klass. Philol. betrifft, im späten 19. Jh. angesetzt werden muß.

Jahrhundertelang waren die S. N. der Schauplatz, auf der größere Nationen ihre Rivalitäten ausfochten, was den Süden ökonomisch benachteiligte. Unter diesen Umständen konnte die Wiss. nur schlecht gedeihen. Der gegenreformatorische Geist, der im Süden im 17. Jh. herrschte, brachte darüberhinaus eine Werteskala hervor, auf der die reine, um ihrer selbst willen gepflegte Wiss. nicht allzu sehr glänzte. Die akad. Philol. war dabei das Opfer und geriet in den Würgegriff einer konservativen Einstellung: Es kann als typisch gelten, daß, während im Norden neue Univ. ins Leben gerufen wurden, die S. N. nach 1575 eine von zwei Univ. (Douai, 1667) an Frankreich verloren, ohne daß bis zum 19. Jh. neue gegründet wurden.

Die Entwicklung der Klass. Philol. nach 1575 kann in mehrere Abschnitte eingeteilt werden. Eine erste Phase wird eingeleitet durch das Auftreten von Justus Lipsius (1547–1606) und anderen Schülern von Cornelius Valerius (1512–1578) in Löwen (v. a. ab 1592); mit dem Tode des Antwerpener Humanisten Caspar Gevartius (1593–1666) kann sie als beendigt betrachtet werden. Während dieser Jh. erfuhr die Philol. noch eine relative Blüte. Eine Phase steilen Niedergangs (1666–1830) setzte dann ein und wurde nur teilweise aufgehalten durch die pädagogischen und wiss. Reformen unter der holländischen Regierung. Durch den Beitr. von Franzosen, Niederländern und Deutschen blühte die Klass. Philol. im jungen Belgien ab dem letzten Viertel des 19. Jh. auf in einer Landschaft universitärer Expansion; nach 1945 spielt die belgische Philol. eine vollwertige Rolle im internationalen Wissenschaftsbetrieb.

B. 1575–1700

Im letzten Viertel des 16. Jh. nahm die Univ. von Löwen noch eine herausragende Position im intellektuellen Leben der Niederlande ein. Dies verkehrte sich in eine tiefe Krise infolge des Bürgerkrieges und des dadurch bedingten schweren ökonomischen Rückschlages. Selbst das Prunkstück der Artes-Fakultät, das mehr oder weniger autonome Collegium Trilingue (1517), wurde eine Zeitlang geschlossen. Die heikle Lage, in der sich die Gegend befand, bewirkte einen merkwürdigen *brain drain*: Viele talentierte Philologen wichen – nicht nur aus Glaubensgründen – in den Norden aus, der nun seine eigene Hochschule besaß.

Der Brügger Bonaventura Vulcanius (1538–1614) wurde der erste Professor des Griech. an der Leidener Universität. Sein Landsmann Adolphus Mekerchus (1528–1591) flüchtete erst nach Holland und ließ sich dann in London nieder: Er arbeitete über hell. Dichter und schrieb ein verdienstvolles Werk über die Aussprache des Griechischen. Der Westflame Franciscus Nansius (1525–1595) gab Lektionen in Leiden und Dordrecht und machte sich gleichfalls als Gräzist verdient mit seinem Werk über die Bibelparaphrasen des Nonnus (dessen Hss. u. a. von Daniel Heinsius erworben und bearbeitet wurden). Der Genter Carolus Utenhovius (1536–1600) lehrte in Paris, befreundete sich dort mit den Dichtern der Pléiade, siedelte später in

England und zuletzt in Deutschland. Als Gräzist beschäftigte er sich mit Aesop (1578) und Kallimachos. Ein anderer Genter, Jacobus Zevecotius (1596–1642), ein Neffe und glühender Bewunderer von Daniel Heinsius, lehrte anfangs als Augustiner im Süden, bekannte sich dann zu den Reformierten und wurde schließlich Professor der Rhetorik in Harderwijk, wo er u. a. Suetons Caesar-Biographie mit einem Komm. versah (1630). Ein weiterer Genter, Balduinus Ronssaeus (1525–1597), wirkte nach seinen Studien in Löwen in Veurne in Westflandern und danach als Stadtarzt in Gouda; er besorgte dort eine Ed. des Celsus (1592). Der Antwerpener Janus Gruterus (1560–1627) ließ sich schließlich als Professor der Geschichte in Heidelberg nieder, wo er als Bibliothekar mit ansehen mußte, wie die Palatinischen Hss. zunächst verschleppt und dann in den Vatikan verbracht wurden; sein Name bleibt verbunden mit zahlreichen »nationalen« Anthologien nlat. Dichter und mit seiner umfangreichen Sammlung ant. Inschr. (*Inscriptiones antiquae*, 1602). Der Alstener Henricus Smetius (1537–1612), der Heilkunde studiert hatte, ließ sich in Antwerpen nieder und später in Deutschland, wo er in Heidelberg zum Professor ernannt wurde; er war der Autor einer äußerst populären lat. Prosodie. Der Antwerpener Henricus Chifellius (1583 – nach 1651) brachte es (1619) zum Professor an der Sapienza-Univ. in Rom, wo er sich mit den Märtyrern des frühen Christentums beschäftigte. Der Venloer Erycius Puteanus (1574–1646) war Professor an der Mailänder Hochschule, ehe er als Nachfolger von Lipsius in seine zweite Heimat Löwen zurückkehren konnte. In Mailand trug er seinen Anteil zu Federico Borromeos Gründung der Bibliotheca Ambrosiana bei. Auch der jung verstorbene Genter Justus Rycquius (1587–1627), dessen antiquarische Studie über das Kapitol (1617) zu dem Ehrentitel *civis Romanus* führte, versuchte sein Glück in It. und brachte es zum Professor in der Beredsamkeit in Bologna. Die Alleinherrschaft von Lat. als Gelehrtensprache machte diese Umzüge in fremdsprachliche Gebiete problemlos.

Die umgekehrte Bewegung, vom calvinistischen Norden in den katholischen Süden, kam auch vor, aber in nur geringem Maße. Johannes Hemelarius aus Den Haag (1570? – 1655) trat unter dem Einfluß von Lipsius zum Katholizismus über; in Antwerpen, wo er sich niedergelassen hatte, publizierte er über Numismatik. Petrus Bertius (1565–1629) aus Beveren lehrte anfangs an der Hochschule in Leiden, schwor aber dem Calvinismus ab und wurde Professor der Rhetorik und Mathematik in Paris, wo er wie viele Löwener Humanisten den Titel eines »Königlichen Historiographen« führte; seine Forsch. galt u. a. Ptolemäus.

Die letzte große Blütezeit des Human. an der Löwener Univ. und im weiteren in den S. N. hatte viel dem vortrefflichen Unterricht und der wiss. Einstellung von Cornelius Valerius (1512–1578) zu verdanken. Nach seinem Tode schrieb Andreas Schottus (1552–1629) an den berühmten Drucker Plantin (1514? –

1589), man habe mit ihm den Lehrmeister der ›gelehr-testen Forscher und verständigsten Leute, die aus Löwen hervorgetreten waren, wie die edlen Helden, die aus dem Trojanischen Pferd hervorgetreten waren‹ [31. 406 f.] verloren. Die kritische Einstellung, die Valerius den Jüngeren mitgab, wirkte sich auch auf andere, nicht philol. Wissenschaftszweige aus. Ein Löwener Hochschullehrer wie Jan Baptist van Helmont (1577–1644), Autor von Komm. zu Hippokrates, stürzte sich auf die experimentelle Anatomie und nahm resolut Abstand von Galen, geriet aber in Streit mit den Traditionalisten. Aber auch andere hervorragende Philologen und Humanisten wurden von Valerius geprägt. Einer seiner besten Schüler war Godeschalcus Stewechius (ca. 1556–ca. 1590), der 1578 nach Frankreich und Deutschland auswich; sein kommentierter Arnobius (postum herausgegeben 1606) wurde häufig gedruckt. Der Westflame Franciscus Modius (1556–1597), der schließlich in Ariën (Aire-sur-la-Lys) landete, erntete Ruhm mit seinen *Novantiquae Lectiones* (1584) und seinen kommentierten Ausgaben von Vegetius (1580), Livius (1588) und anderen histor. Autoren oder Fachschriftstellern. Sein Landsmann Ludovicus Carrio (ca. 1547–1595) gab neben anderen Ed. und Emendationen (*Antiquae lectiones*, 1576) eine bedeutende Ausgabe von Censorinus heraus (1583); er brachte es zum Professor der Rechte in Löwen.

Der berühmteste Schüler von Cornelius Valerius war natürlich Justus Lipsius. Seine Rückkehr aus Leiden und seine Professur in Geschichte und Lat. in Löwen (1592–1606) verliehen der Löwener Alma mater Glanz, die auch von der neuerlichen Würdigung der Wiss. und Kultur seitens des Erzherzogpaares Albert und Isabelle (1598–1621) profitierte. Der Einfluß von Lipsius reichte bis weit über die Löwener Univ. hinaus und dauerte nach seinem Tod noch gut ein halbes Jh. fort. Lipsius festigte seinen Ruhm mit kritischen und kommentierten Ed. nicht-klass. Autoren wie Seneca (1605) und Tacitus (letzte revidierte Ed. postum 1607); mit antiquarischen Abhandlungen wie *De cruce* (1593); *De Vesta et Vestalibus* (1603); *De bibliothecis* (1602), ein wegweisendes und inspirierendes Werk (von Aubertus Miraeus, 1573–1640, und Valerius Andreas, 1588–1655, fortgesetzt) über ant. Bibl., *Admiranda sive de magnitudine Romana* (1598). In seinen stoisch inspirierten moralphilos. (*Manuductio ad Stoicam philosophiam*, 1604, und *Physiologiae Stoicorum Libri*, 1604) und polit. Schriften (*Monita et exempla politica*, 1605), trachtete er die Schriftsteller der Kaiserzeit für die Nöte seiner eigenen Zeit in Dienst zu nehmen und verteidigte die zeitgenössische Monarchie. Als Stilist erntete er für einige Generationen Beifall als »attischer« Schriftsteller, der seine Vorbilder in Seneca und Tacitus, aber z. B. auch in Plautus, anstelle von Cicero, sucht. Zur Zeit von Lipsius wurde der Humanist viel mehr ein Gelehrter als ein Belletrist. Lipsius regte durch sein Vorbild das antiquarische und textkritische Studium, insbes. nachklass. Autoren, an. Er übte die damals traditionelle Form von Textkritik und Komm. so-

wohl in der Form literarisch eingekleideter Gelehrtengespräche und Sammlungen von Anmerkungen (während seiner jungen J.), als auch in der Form vollständiger, kritischer Ed. oder Autoren (während seiner reiferen J.). Schließlich stellte er sein Werk in den Dienst der Gegenreformation, manchmal mit Traktaten, die ausländische Gelehrte die Stirn runzeln ließen (Marienwunder in *Diva Virgo Hallensis*, 1604, und *Diva Sichemiensis*, 1605). Für die griech. Lit. zeigte er deutlich weniger Interesse als für die lateinische. Der Historiographie galt sein spezielles Augenmerk, was sich auch auf seine Umgebung auswirkte – man denke nur an seine Freundschaft mit dem nach Deutschland ausgewanderten Stephanus Pighius (1520–1604). Letzterer befaßte sich z. B. mit Valerius Maximus (1567), der dann von Lipsius selbst in Angriff genommen wurde (*Breves notae*, 1585), und schrieb auch bedeutende histor.-antiquarische Studien (*Annales magistratuum et provinciarum SPQR*, 1599).

Lipsius' Nachfolger in Löwen, Erycius Puteanus (1574–1646), profilierte sich als Lipsianer, hatte aber nicht das Format seines Meisters. Auch dank seiner virtuosen Beherrschung des Lat., wobei er eine Synthese zw. der lipsianischen Gedrängtheit und ciceronianischer Grandeur anstrebte, blieb er der Mittelpunkt eines europ. Gelehrtennetzwerkes mit einer bes. umfangreichen und oft sehr genußvollen Korrespondenz. Als angesehener Universitätslehrer wußte er mit seiner Initiative der *Palaestra bonae mentis* (1610) viele ausländische Studenten, insbes. aus Polen, nach Löwen zu locken; allerdings räumte er hier im Sinne der Jesuitenpädagogik der Verwendung des schönen lat. Wortes und der moralischen Belehrung einen größeren Stellenwert ein als dem wiss. Studium der ant. Autoren. In der Nachfolge von Lipsius verlegte sich Puteanus in seinen jüngeren J. auf die Emendationen lat. Autoren (Censorinus und Apuleius), schickte sich an, seinem Lehrmeister auf antiquarischem Gebiet zu folgen (*Reliquiae convivii prisci*, 1598; *De stipendio militari*, 1620; *Pecuniae Romanae ratio*, 1620, usw.), verlegte sich dann aber in der Trad. von Scaliger auf die Chronologie und die Problematik der lat. Interpunktion (*Facula distinctionum*, 1610). Auf histor. Gebiet studierte er die ant. und früh-ma. Geschichte der Lombardei (*Historia Insubrica*, 1614), die Geschichte der Märtyrerin Flavia Domitilla (1629), und beschäftigte sich ferner mit der ma. (*De Begginarum institutione*, 1630) und zeitgenössischen Geschichte, die er mit stilistischer Verve auseinanderzusetzen wußte. Als Gräzisten hatte Puteanus neben sich Petrus Castellanus (1585–1632), der mit stärkerem wiss. Ehrgeiz als sein berühmter Latinistenkollege antiquarische Studien über das griech. Alt. veröffentlichte (*Eortologion*, über die griech. Feste, 1617; *Vitae illustrium medicorum*, 1617, die auch Biographien ant. Ärzte enthielten).

Trotz des heftigen Streites zw. den nördl. und den S. N. blieben die Gelehrten auf beiden Seiten der Demarkationslinie miteinander in Kontakt, auch vor und nach dem Zwölfjährigen Waffenstillstand (1609–1621).

Ab dem Westfälischen Frieden (1648), der die Trennung der Niederlande definitiv besiegelte (die S. N. blieben gleichwohl weiter in ihrem Streit mit Frankreich verwickelt), waren diese Kontakte augenscheinlich problemlos. Puteanus führte die Korrespondenz mit seinem alten Kommilitonen, dem holländischen Hochschullehrer Gerardus Joannes Vossius (1577–1649), fort. Die westflämischen Jesuiten Hosschius und Wallius unterhielten allerbeste Beziehungen zu Daniel Heinsius und dessen Sohn Nicolaus. Hosschius (1596–1653) hatte Nicolaus Konjekturen und Emendationen für seine geplante Ed. von Ovid in Aussicht gestellt. Der Unterschied im Ansatz beider Philologen war auffällig: Heinsius war bestrebt, so viele Hss. wie möglich einzusehen; Hosschius vertraute auf die uralte *divinatio*, aus einer innigen und lebenslangen Vertrautheit mit der Dichtung Ovids heraus.

Nach Puteanus ließ die Einfluß des Collegium Trilingue und der Klass. Philol. an der Löwener Univ. nach, doch blieben dort verdienstvolle Lehrer am Werk. Übereinstimmend mit dem Geist der Gegenreformation, der herrschenden Pädagogik der Jesuiten und dem Vorbild von Puteanus, verlagerte sich das Interesse der nachfolgenden Generation hauptsächlich auf Rhet. und Literatur. Der über ganz Europa bekannte, im Stil von Seneca schreibende Dramatiker Nicolaus Vernulaeus (1583–1649) überlebte Puteanus lediglich um drei J., konnte sich aber mit dem Titel des seit Lipsius oft an Dozenten des Collegium Trilingue verliehenen Hofhistoriographen schmücken. Vernulaeus verfaßte eine Geschichte der Löwener Univ. (1627), und sowohl seine lat. Dramen als auch die mehrfach aufgelegten lat. Modellreden seiner Schüler im Kolleg Het Varken (1614) brachten ihm Ruhm ein.

Auf Vernulaeus folgte Bernardus Heymbachius (ca. 1620–1664), der sowohl die Arbeit von Vernulaeus (Dramen), als auch die des älteren Lipsius und Puteanus (Erzählung von Marienwundern) fortsetzte. Sein Nachfolger Christianus a Langendonck (1630–1672) betrieb wie Vernulaeus die Universitätsgeschichtsschreibung. Die folgenden Professoren – Johannes Baptista de Schuttelaere (1638–1683), Dominicus Snellaerts (1650–1720) u. a. – publizierten kein Werk von Bed. mehr. Die Publikationen des »Vielschreibers« Gerardus Joannes Kerkherdere (1677–1738) konnten mit wenig Beifall rechnen; er wurde aber häufig um lat. Gelegenheitsdichtung ersucht und hinterließ eine Zusammenfassung der lat. Gramm. mit einem Anhang über die Aussprache des Lat. (1706). Im J. 1768 wurde der Lehrstuhl für Lat. aufgelöst, der für Griech. blieb bis zur Auflösung der Löwener Alma mater im J. 1797 bestehen.

Selbstverständlich war das Collegium Trilingue nicht allein für die Aufarbeitung der Ant. in den S. N. verantwortlich. Auch in den verschiedenen Kollegien und in der Theologischen Fakultät wurde manches bedeutende Werk produziert. Wir verweisen hier nur auf den Theologen Joannes Molanus aus Lille (1533–1585), Professor der Theologie in Löwen, der von ca. 1570 an die Vorbereitungen der großen Augustinus-Ed. einleitete, die 1576–77 in der *Officina Plantiniana* in Antwerpen gedruckt wurde, und auf Joannes Baptista Gramayus (1580–1635), Professor in Rhet. und Recht, der seiner *Asia* (1604) und seiner *Africa illustrata* (1622) eine Übersicht der ant. Kenntnis über die Gebiete hinzufügte.

Die zweite Univ. der Niederlande, in Douai, erlebte anfangs eine Periode relativer Blüte, aber sie fiel 1667 zusammen mit der Stadt in frz. Hände und wurde im 18. Jh. aufgegeben. Sie rekrutierte ihre Gelehrten aus frz.-sprachigen Regionen in den Niederlanden, zog aber bes. auch Jüngere aus Ost- und Westflandern an. Als deutlich gegenreformatorisch gesinnte Hochschule stand sie dem Jesuitenorden nahe, der dort mehrere Kollegien führte; obendrein war das Noviziat der gallobelgischen Jesuiten in Douai angesiedelt. An der Univ. wurden unter dem Einfluß von Lipsius antiquarische Studien betrieben, und es entstand ein Interesse für die Historiographie. Genannt sei hier nur Andreas Hoius (1551–1635), der nach seinen Studien in Löwen anfangs in seiner Geburtsstadt Brügge lehrte, dann in Arras (Atrecht) und Béthune (Bethuin). Auch in diesen relativ unbedeutenden Zentren blühte an den Lateinschulen der Humanismus und die Philologie Hoius unterhielt gute Beziehungen zu dem Arzt und Dichter Federicus Jamotius (ca. 1530–ca. 1619), der als ehemaliger Student von Auratus (Jean Dorat, gest. 1588) nicht nur Pindarische Oden herausbrachte, sondern auch eine kommentierte Ed. vom Werk des Galen mit der Paraphrase von Erasmus publizierte (1583), ferner zu den Dichtern Iohannes Sylvius (1543– ca. 1612), Antonius Meierus (ca. 1527–1597), Gislenus Bultelius (1555–1611) und Franciscus Moschus (ca. 1550–1609), der 1598 die *editio princeps* des ma. Autoren Jacobus Vitriacus besorgte. 1593 wurde Hoius Hochschullehrer für Lat. und Griech. in Douai, nicht zuletzt durch die Fürsprache seines früheren Gönners, des Brügger Kanonikers und Humanisten Jacobus Pamelius (1536–1587), an dessen maßgeblicher Ed. von Tertullian (1579, ²1584) er mitgewirkt hatte. Er war dabei noch voller Begeisterung für Lipsius, mit dem er korrespondierte, zu dessen *Somnium* (ein Pamphlet über Textkritik) er eine Art Fortsetzung (1598) schrieb, dessen Vorliebe für nichtklass. Schriftsteller er teilte und in dessen Geiste er ein kleines Werk über die Aussprache des Lat. verfaßte (*Orthoepeia*, 1620). Letzten Endes schlug er, wie viele Autoren jener Tage (Gerardus Mercator, 1512–1594, *Chronologia*, 1569, usw.), den Weg der Geschichtswiss. ein und veröffentlichte ein Kompendium der Weltgeschichte (*Historia universa sacra et profana*, 1629). Hoius hat recht bedeutende Philologen und Antiquare geprägt, unter ihnen Modius (noch in Brügge), Valerius Andreas, Antonius Sanderus, Petrus Castellanus und Justus Rycquius. Daneben hatte er ein nicht unerhebliches lit. Talent, wie seine lat. Dramen und Versen zeigen. Im Norden war die Klass. Philol. oft Familientrad; Hoius war einer der wenigen Fälle im Süden: Er wurde von seinem Sohn Timotheus (1585? – nach 1640) abgelöst.

In der Tat begann sich das Zentrum des Human. und der Philol. schon seit dem letzten Viertel des 16. Jh. nach Antwerpen zu verlagern. Diese Stadt konnte sich keiner Univ. rühmen, aber als Wirtschaftsmetropole und als Bollwerk der Gegenreformation verfügte sie dank ihres Druckbetriebs über einen wichtigen Trumpf: Plantin hatte hier 1555 mit seiner Druckerei begonnen und entwickelte sich zu einem human. Drucker und Herausgeber, dessen Bed. kaum geringer war als die des Geschlechts der Manuzi in Venedig. Plantin verstarb 1589, aber seine Nachfolger konnten das Ansehen der Druckerei noch einige Zeit bewahren, so sein Schwiegersohn Johannes Moretus (bis 1610) und dessen Sohn Balthasar I. Moretus (bis 1641), der für zahlreiche Prachtausgaben den Maler Peter-Paul Rubens gewinnen konnte.

Erst unter Balthasar II. Moretus verblaßte auch der Ruf der *Officina Plantiniana*, und sie schrumpfte zu einer regionalen Druckerei. Aufgrund ihrer technischen Möglichkeiten eignete sie sich jedoch bes. zum Kartendruck. Antwerpen wurde im späten 16. Jh. zu einem Zentrum der Kartographie, und es sei an dieser Stelle nur darauf verwiesen, daß der Antwerpener Abraham Ortelius (1527–1597), ein Freund Mercators, ab 1579 seinem ersten Weltatlas (*Theatrum orbis terrarum*, 1570) systematisch Beilagen hinzugefügt hat, darunter ein *Parergon* mit von ihm selbst entworfenen Karten von Rom. Ortelius kann daher als der Urvater des histor. Atlas betrachtet werden.

Der hervorragende Lexikograph Cornelius Kilianus (1528/9–1607) war als Setzer, Übersetzer und Korrektor eng mit der *Officina* verbunden. Nach seiner Mitwirkung an der *Biblia polyglotta* (1568–1572), einem kollektivem Projekt unter der Leitung von Benedictus Arias Montanus, war er seit den 60er J. auf Wunsch seines Arbeitgebers mit Lexikographie beschäftigt und verfertigte nach dem Vorbild des Franzosen Robertus Stephanus mehrere ausführliche und kurzgefaßte lat. Wörterbücher.

Ab dem letzten Viertel des 16. Jh. bis ungefähr 1660 drückte Lipsius dem plantinischen Hause und dem blühenden Antwerpener Human. seinen Stempel auf. Lipsius war gut mit Plantin befreundet, der sein ausschließlicher Drucker wurde; er hatte sogar sein eigenes Zimmer im Hause Plantin. Johannes Moretus übersetzte Arbeiten von Lipsius, und Balthasar I. Moretus, selbst ein guter Latinist, war in Löwen bei Lipsius in die Lehre gegangen. Die *Officina* hielt bis zur Mitte des 17. Jh. die Erinnerung an das Lipsianische Erbe wach, was sich u. a. mit einer Prachtausgabe von Lipsius' gesammelten Werken (1637) niederschlug. Es ist übrigens typisch für die Lipsiusverehrung in Antwerpen, daß Erycius Puteanus, Lipsius' Nachfolger, dort nie zu voller Anerkennung gelangte.

Zahlreiche Mitstudenten, Freunde und Schüler von Lipsius sahen ihre Werke durch die *Officina* veröffentlicht. Über die »großen« Autoren des Alt. wurde weniger gearbeitet, die Vorliebe galt den kleineren und späteren Autoren, den griech. Schriftstellern und, im Geiste der Gegenreformation, den Kirchenvätern. Auch die antiquarischen Studien, insbes. die Numismatik und verwandte Gebiete blühten. Philippus Rubenius (1574–1611), der Bruder des Malers und der Lieblingsschüler von Lipsius, gab Konjekturen und antiquarische Detailstudien in seiner *Electa* (Antwerpen 1608) heraus; seine Ed. mit lat. Übers. von Homilien des Asterius erschien postum (1615). Albertus Rubenius (1614–1657), ein Sohn des Malers, stieg in der Kanzlei in Brüssel auf; seine Studie über die Kleidertracht der Alten erschien postum in Antwerpen (*De re vestiaria*, 1665). Johannes Woverius (1576–1635) besorgte mit anderen die postumen Ed. von Lipsius in Antwerpen. Er war in der Scheldestadt zu den höchsten Stufen der Verwaltung aufgestiegen und setzte die alte Trad. fort, laut der sich Antwerpener Stadtmagistrate intensiv mit dem Human. und dem Studium der Ant. beschäftigten. Noch zwei andere Antwerpener Magistrate verdienen hier Erwähnung. Rubens' Schwiegervater Johannes Brantius (1559–1639) war bis 1630 Sekretär der Stadt und veröffentlichte Komm. zu Caesar (1606) und Apuleius (1621). Der letzte in der Reihe und gleichzeitig der letzte Vertreter des späten Human. in den S. N. war Casperius Gevartius (1593–1666), ein Schüler von Puteanus und bestens vertraut mit frz. und nordniederländischen Humanisten. Seine philol. Werke – eine Ed. von Statius' *Silvae* mit Komm. (1616) und *Electa* (1619), sowie Noten zu Cicero, Claudian, Lukrez und anderen lat. Schriftstellern erschienen vor seinem 35. Lebensjahr. Als Gevartius 1662 nach 40 J. seinen Abschied als Kanzleidirektor einreichte, hofften Graevius und andere im Norden, daß er mit neuen wiss. Resultaten aufwarten würde, aber Gevartius war inzwischen zu alt und der Textkritik und Hermeneutik entwachsen: Sein Leben lang hatte er lat. Verse und Texte redigiert.

Gevartius hatte bei den Antwerpener Jesuiten die Schule besucht. Neben dem plantinischen Hause bildeten die Antwerpener Jesuitenhäuser – das Kolleg und das Professenhaus – ein anderes wichtiges Zentrum wiss. Forsch. in Antwerpen. Als in den S.N. eine Bibliothek von Touristen besucht wurde, da war es nicht die Bibl. der Löwener Univ., sondern die des Brüsseler Jesuitenkollegs und mehr noch die Antwerpener Bibliothek des Professenhauses, die mit außerordentlichen Sammlungen von Petrus Pantinus (1556–1611), dem Jesuiten Andreas Schottus (1552–1629), Johannes Livineius (1546?–1599) und anderen bereichert wurde. Während das Ansehen der Löwener Univ. verblaßte, stieg der Stern des Ordens von Ignatius und seines Wissenschaftszentrums, des Professenhauses. Die Kollegien der Gesellschaft verbreiteten sich rasch über das Land und boten einen Unterricht, der auf der Kenntnis der Alten Sprachen beruhte und der gleichwohl nicht so sehr das wiss. Studium der alten Texte beabsichtigte, als vielmehr die Jüngeren zu Eloquenz und Pietät zu bilden. Die Jesuitenschulen haben die Form des Unterrichts im Land bis zur Auflösung des Ordens im letzten Viertel des 18. Jh. und darüber hinaus dauerhaft bestimmt und die Vorherrschaft der alten Sprachen gefestigt. Ihr klass.-human. ausgerichteter Schulunterricht war stark vereinheitlicht: Alle Kollegien mußten gemäß derselben *ratio studiorum* (1599) vorgehen und dieselben Handbücher verwenden. Trotz des guten Rufs, den die lat. Gramm. von Despauterius und Verepaeus in den Niederlanden genoß, mußte man z. B. doch diejenige des portugiesischen Jesuiten Emmanuel Alvarez (1526–1582) verwenden.

In Antwerpen wurde die *Officina Plantiniana*, die eng mit dem Orden zusammenarbeitete, die Druckerei der Jesuiten und für die Jesuiten. Die Jesuiten ließen auch das human. Schuldrama fortdauern und haben bis zur Frz. Revolution hunderte von lat. Theaterstücken produziert; sie reflektierten auch über das Genre (Martinus Antonius Delrio, *Syntagma tragoediae Latinae*, 1593; zahllose Handbücher von in- und ausländischen Jesuiten, doch selten von dem Niveau dessen, was im Norden auf diesem Gebiet veröffentlicht wurde); man übte das Schreiben von Versen und Emblemen, wovon die besten jährlich veröffentlicht wurden; darüberhinaus waren viele Patres literarisch tätig und haben verdienstvolle, natürlich v. a. religiöse lat., manchmal auch griech. Poesie veröffentlicht. Es würde zu weit führen, diesen Aspekt der Rezeption der Ant. darzustellen, aber allg. kann behauptet werden, daß die belgischen lat. Jesuitendichter des 17. Jh., allen voran die westflämische Trias, der elegische Dichter Hosschius (1596–1653), der heroische Dichter Wallius (1599–1690) und der Eklogendichter Becanus (1608–1683), einen dauerhaften internationalen Erfolg erfahren haben und nicht ohne Einfluß auf die volkssprachige Lit. geblieben sind.

In der Nachfolge der Jesuiten haben auch andere rel. Orden sich für den Schulunterricht eingesetzt und die Erziehung betrieben: V. a. die Augustiner (mit berühmten Kollegien in Brüssel, Antwerpen und Löwen) haben hier Verdienste erworben, obwohl sie in den katholischen Niederlanden nicht dieselbe kulturelle Stroßkraft hatten wie die Jesuiten. Im Rahmen des Unterrichts wurden Schulbücher von hohem Niveau produziert, die über Generationen hinweg in Gebrauch waren. Vor allem das Lat. wurde gefördert: Es wurde vorausgesetzt, daß die Kinder sich allein dieser Sprache in der Schule bedienten. Eventuelles Ungemach, wie die Tatsache, daß Erasmus auf den Index der verbotenen Bücher gelangt war, fingen sie auf ihre eigene Weise auf: Der Jesuit Antonius Van Torre (1615–1679) z. B. plagiierte die unverzichtbaren *Colloquia* des großen Rotterdamers schamlos in seinen vielbenutzten *Dialogi familiares* (1657). Die Jesuiten waren zu Recht stolz auf ihren Unterricht im Griech. (die Gramm. des schwäbischen Jesuiten Jacobus Gretser, 1562–1625, von 1593 wurde hier verwendet), doch blieb er hinter dem Lat. zurück. Andere Schulen boten aber oft kein Griech. an, so z. B. die Augustiner, die sonst viel von den Jesuiten übernahmen. Für die Lehrmittel der Augustiner sei hier nur beispielhaft die viel verwendete lat. Phraseologie (1617) des Dichter-Lehrers Nicasius Baxius aus Antwerpen (1581–1640) genannt.

Während der Norden sich v. a. auf die Ed. und Kommentierung profaner Schriftsteller verlegte, legte der katholische Süden verständlicherweise den Akzent auf die frühchristl. Autoren. Claudius Dausquius (1566–1640) aus Doornik/Tournai gab einzelne Homilien von Basilius mit Übers. und Komm. heraus (1604), kommentierte ausführlich Silius Italicus (1618) und publizierte ein solides Traktat über die lat. Orthographie (1632). Der in Brüssel und Wien lehrende Jesuit Balthasar Corderius (1592–1650) gab Pseudo-Dionysius Areopagita, die *Catena Patrum Graecorum* (1630) und andere Kirchenväter heraus. Der Vielschreiber Antonius Sanderus (1586–1664) publizierte die *Censoria* von Salvianus von Marseille (1647). Der Historiker und Astronom Godefridus Wendelinus aus Herk-de-Stad (1580–1667), ein guter Freund von Puteanus, befaßte sich mit den Clemens-Briefen und den Pseudo-Clementinen. Der Tieltener Petrus Pantinus (1556–1611), der über ein Jahrzehnt Griech. in Toledo lehrte, besorgte nach seiner Rückkehr in die S. N. (1596) einzelne *editiones principes* griech. Kirchenväter (Homilien von Johannes Chrysostomus und anderen, 1604; auch die lat. Übers. von Reden des Themistius, 1611). Der aus Antwerpen stammende und in Douai, Lüttich, Graz und Salamanca lehrende Jesuit Martinus Antonius Delrio (1551–1608), der v. a. durch seine Studien über das Theater Senecas (*Syntagma tragoediae Latinae*, 1593) bekannt ist, besorgte die *editio princeps* mit Komm. von Orientius' *Commonitorium* (1600). Schulausgaben – hauptsächlich in Antwerpen gedruckt – boten oft mehr als nur allein die Texte, wurden manchmal mit lat. Interlinearversionen und Anmerkungen versehen. Genannt sei *S. Joannis Chrysostomi homilia de orando Deo. Cum versione interlineari et investigatione thematum difficiliorum. Accedit plenior notitia verborum anomalorum ex grammatica Gretseriana* (1699).

Doch zurück zum Antwerpener Professenhaus: Ab dem frühen 17. Jh. bis kurz nach der Auflösung des Ordens im J. 1773 hatte das Projekt der *Acta Sanctorum* dort seine Basis. Das noch immer laufende Projekt (seit 1837 von den Bollandistenpatres im Collège Saint-Michel in Brüssel fortgeführt) war 1603–1607 von Heribertus Rosweydus (1569–1629) lanciert worden, unter Verwendung von Materialsammlungen von Laurenz Surius u. a.: Rosweydus kam allerdings nicht weiter als bis zu einem Entwurf und einzelnen Präliminarien zum Werk. Es lag in seiner Absicht, kritische und kommentierte Ed. von Heiligenviten, geordnet nach ihrem Festtag (pro Monat) zu veröffentlichen. Eine konkrete Gestalt wurde dem Projekt von dem tüchtigen Wissenschaftler, Lehrer und Schriftsteller Joannes Bollandus (1596–1665) verliehen – der der Sozietät seinen Namen gab – und von Godefridus Henschenius (1604–1681), und in einer späteren Phase, von dem vorzüglichen Latinisten und Forscher Daniel Papebrochius (1628–1714). Später folgten u. a. Joannes Baptista Sollerius (1669–1740), Conrad Janninck (1650–1723), Franciscus Baertius (1651–1719), Petrus Boschius (1686–1736), Joannes Pinius (1678–1749), Joannes Stiltingus, Constantinus

Suyskens, Cornelius Byeus und Josephus Ghesquierus. Die ersten Volumina der *Acta Sanctorum* kamen 1643 heraus. Als wiss. Meisterleistung wurden sie auch von Nichtkatholiken geschätzt. Das in ihnen zusammengetragene Wissen gründete sich auf zahlreichen Auslandsaufenthalten, der Unterstützung des Papstes und einem Netzwerk gelehrter Korrespondenten.

Die Antwerpener Jesuitenkultur leistete jedoch noch mehr. Andreas Schottus (1552–1629), ein Schüler von Cornelius Valerius in Löwen, lehrte Griech. in Toledo und Saragossa, bevor er den Jesuiten beitrat, nach Rom umzog und sich ab 1607 in Antwerpen niederlassen konnte, wo er, dank der reichhaltigen Bibl. und einem Kreis gelehrter Freunde, eine beneidenswerte Sammlung von Emendationen, Komm., lat. Übers. und Ed. veröffentlichen konnte. Seine Ausgabe von Seneca dem Älteren (1604) war bis ins 19. Jh. richtungsweisend. Weiterhin publizierte er die *editio princeps* von Pseudo-Aurelius Victor (1577–1579), von der *Chrestomathia* des Proclus und von den *Res Gestae* des Augustus (1579), dessen Text mehr als 20 J. vorher von seinem Freund Busbequius (1522–1591) in Ankara entdeckt worden war – eine Publikation, über die Lipsius begreiflicherweise sehr begeistert war.

Schottus' Aktivitäten wirkten wie ein Magnet im Antwerpischen; er beeinflußte z. B. seinen Freund und Schüler Pantinus, unterrichtete Nicasius Baxius und Valerius Andreas (1588–1655). Gemäß der Mode der Zeit veröffentlichte dieser in Douai ein Traktat über Orthographie und Interpunktion, um kurz darauf Hebräisch und Recht in Löwen zu unterrichten, wo er neben seinen rechtskundigen Forsch. und seiner Geschichte der Löwener Univ. auch noch einen Komm. über den *Ibis* von Ovid publizieren sollte (1618). Mit dem Antwerpener Jesuitenkolleg blieb auch der Name des Jesuiten Carolus Scribani (1561–1629) verbunden, ein glühender Anhänger von Lipsius, der während seines Rektorats am Antwerpener Kolleg (1598–1614) die *Antverpia* und *Origines Antverpiensium* (1610) veröffentlichte, zwei histor.-enkomiastische Werke über Antwerpen, die nicht allein auf der Linie der von Lipsius beeinflußten Geschichtsforsch. lagen, sondern auch, wie Lipsius' *Lovanium* (1605), die Stadt nach mod. Maßstäben übertrieben lobten, wenn auch Scribani sich eines viel barockeren Stiles bediente als Lipsius.

Vergleichbar mit diesen Stadtgeschichten, die oft bis in die röm. Zeit zurückgriffen, waren u. a. *De insulis in civitate Lovaniensi existentibus* des Löwener Professors für Mathematik und Medizin Joannes Sturmius (1559–1650), *Hasseletum* (1663) von Joannes Mantelius (1599–1676), *De Teneramunda* (1612) von David Lindanus (ca. 1570–1638) und *Belgium Romanum ecclesiasticum et civile* (1655) des Atrechter Jesuiten Aegidius Bucherius (1576–1665), ein Versuch der Synthese der Geschichte der S. N. von Caesars Zeit bis zum 6. Jh. Wie dem auch sei, man begreift, daß die flandrobelgische Jesuitenprovinz 1640 allen Grund hatte, sich mittels eines lat. Jahrhundertfestbuches (*Imago primi saeculi*), eines glänzenden

Beispiels neulat. Lit., als die Bewahrerin des Lat. zu feiern, als Hüterin der lat. Eloquenz und Poesie, als Vorkämpferin der Wiss. im Dienste von Gott, Papst und Fürst.

Auch eine andere Gruppe von Antwerpener Geistlichen leistete das Ihre zur Verbreitung des Humanismus. Erwähnt sei hier lediglich als Kanoniker Laurentius Beyerlinck (1578–1627), dessen systematische Enzyklopädie *Magnum theatrum vitae humanae* von Theodorus Zwinger (1565) inspiriert war, und Aubertus Miraeus (1573–1640), ein Schüler und Bewunderer von Lipsius und eifriger Publizist v. a. histor. Werke. Er machte sich verdient um die in Antwerpen gedeihende Numismatik, die in den S. N. durch Hubert Goltzius (1526–1583) und seinen *Vivae omnium fere imperatorum imagines* (1557) und später den postum herausgegebenen *Romanae et Graecae antiquitatis monumenta e priscis numismatibus eruta* (1645) vertreten war und anfangs v. a. Abbildungen besorgte . In direkter Folge des Interesses, das Lipsius und Torrentius (1525–1595) für Sueton gezeigt hatten, publizierte Livinus Hultius (gest. 1605) Bildnisse der zwölf Kaiser (1605), und der Antwerpener Humanist und Lipsiusverehrer Franciscus Sweertius (1567–1629) ließ seine *XII Caesarum Romanorum imagines* (1603) nicht nur mit Anmerkungen in Prosa versehen, sondern auch auf typisch human. Weise durch Verse aus der Hand des Antwerpener Druckers Balthasar Moretus (1574–1641) und des Stadtsekretärs Johannes Bochius (1555–1609) begleiten ließ.

Kurz erwähnt sei an dieser Stelle nur, daß der Schwiegersohn von Joannes Moretus, der Künstler Theodorus Gallaeus (1571–1633), nach einer Studienreise, die ihn nach It. und zu Fulvio Orsini führte, seine Skizzen von dessen ant. Mz., Gemmen und Büsten in seinen *Illustrium imagines* (1598) verewigte. Der gerade erwähnte Sweertius lieferte auch einen bescheidenen Beitr. zur Epigraphik. Auf diesem Gebiet war auch Lipsius' Freund Stephanus Pighius (1520–1604), der schließlich nach Xanten gelangte, aktiv gewesen. Ein anderer großer Name auf dem Gebiet der Epigraphik war Martinus Smetius (1525–1578), der unter Mitwirkung des Brügger Marcus Laurinus (1530–1581) sein epigraphisches Material aus It. geordnet hatte: Es wurde mit einem Supplement von Lipsius herausgegeben (1588) und noch im ersten Teil des *Corpus Inscriptionum Latinarum* erwähnt.

Eine bes. Erwähnung verdient Laevinus Torrentius (1525–1595), ein verdienstvoller Philologe, Buch- und Kunstsammler und einer der besten religiösen lat. Dichter des 16. Jh., Berater von Lipsius und Freund der Jesuiten. Er war der Mittelpunkt human. Zirkel in mehr als einer Stadt. Von 1557 bis 1585 stand er im Dienst des Fürstbischofs von Lüttich, konnte aber genügend Zeit für seine human. Studien aufwenden. Sein Komm. zu den Kaiserviten des Sueton (1578) war u. a. wertvoll durch die Verwendung von Material aus Hss., die er persönlich eingesehen hatte. Sein Horaz-Komm. wurde postum veröffentlicht (1608). In Lüttich hatte Torrentius selbstverständlich regelmäßigen Kontakt mit dem Sekretär des Fürstbischofs, Dominicus Lampsonius (1532–1599), dem Dichter und hervorragenden Kenner von ant. und zeitgenössischer bildender Kunst. Torrentius hatte zwei Neffen mit human. Neigungen, um die er sich kümmerte. Der erste, Andreas Papius (1542–1581), wurde Kanoniker in Lüttich. Seine Ed. von Dionysius Periegetes – griech. Text, lat. Übers. von Priscian, (textkritischer) Komm. – erschien 1575. Ein zweiter Neffe, Joannes Livineius (1546?–1599), folgte auch den Spuren von Torrentius; er wurde erst Kanoniker in Lüttich und siedelte später mit Torrentius (der 1585 zum Bischof von Antwerpen berufen wurde) in die Scheldestadt über. Er befaßte sich intensiv mit dem Text von Catull, Properz und Tibull; seine Anmerkungen gelangten zu Schottus und landeten schließlich bei Joannes Gebhardus, der sie in seiner Ed. der drei Dichter (Frankfurt 1621) verwendete. Daneben hatte Livineius auch Gregor von Nyssas *De virginitate* mit lat. Übers. herausgegeben (1574) und einen interessanten Komm. zu den *Panegyrici Latini* (1599) veröffentlicht.

Brügge, von Lipsius nicht zu Unrecht als Perle in der Krone des Human. bezeichnet, brachte in der Spätzeit des Human. eine große Zahl human. gesinnter Gelehrte und Schreiber hervor: Dichter wie Anselmus Opitius Adurnus (1570–1630), Hubertus Audeiantius (1574–1615) – eine Zeitlang Sekretär von Lipsius – und v. a. Janus Lernutius (1545–1619), in der Brügger Stadtmagistratur tätig, ein Intimus von Lipsius und ein international geschätzter Nachfolger von Janus Secundus (1511–1536).

Auch der Brügger Stadtarzt Victor Giselinus (1543–1591), der noch eine Zeitlang Korrekturleser bei Plantin in Antwerpen gewesen war, gehörte zu den Intimi von Lipsius. Der Name des bereits 1584 verstorbenen Jacobus Cruquius (geb. ca. 1520) bleibt verbunden mit seinem Werk über Horaz – er kannte den seitdem verlorenen *Codex Blandinianus* von Horaz – : aber noch 1582 erschien von ihm in Antwerpen ein Komm. zu *Pro Milone* von Cicero. Goltzius (1526–1583) wurde schon erwähnt als herausragender Numismatiker: Speziell für seine Ausgaben gründete er 1563 seine eigene Druckerei, die bis zu seinem Tode bestehen blieb. Der Brügger Jesuit Nicolaus Susius (1572–1619) plädierte in seinen postum (1620) erschienenen *Opuscula litteraria* für eine Rückkehr zur ciceronianischen Norm in der lat. Prosa und läutete den Niedergang von Lipsius' unklass. Stilmodell ein. Dem Interesse von Marcus Laurinus (1530–1581) für Numismatik entsprang ein Werk über die Geschichte von Sizilien und Großgriechenland (*Sicilia et Magna Graecia sive historia urbium et populorum*, 1576 und 1618). Oliverius Vredius (1596–1653), der von 1614 bis 1621 der Societas Jesu angehörte, war in die Verwaltung seiner Stadt eingebunden und verlegte sich auf die ma. Geschichte von Flandern. Sein Mitarbeiter Lambertus Vossius (1602?–1648) war ein nicht unbedeutender lat. Dichter.

C. 18. JAHRHUNDERT

Oben wurde bereits angedeutet, daß die Klass. Philol. in den S. N. ab dem letzten Viertel des 17. Jh. keine Werke mehr hervorbrachte, die einem Vergleich mit den Leistungen des Nordens standhalten konnten. Weiterhin angesprochen wurden die Fortführung des altsprachlichen Unterrichts am Collegium Trilingue in Löwen sowie das von den Antwerpener Jesuiten am sog. Professenhaus erarbeitete und zum E. des 18. Jh. ununterbrochene Projekt der *Acta Sanctorum*. Aber auch andere Arbeiten wurden von dort aus von den Bollandisten in Angriff genommen. Erwähnt seien lediglich die ab 1702 redigierten, aber erst im 19. Jh. publizierten *Annales Antverpienses ab urbe condita* von Daniel Papebrochius; hiermit vergleichbar ist die großangelegte Kirchengeschichte von Antwerpen, *Antverpia Christo nascens et crescens* (1747–1763) von Joannes Carolus Diercxsens (1702–1779).

Sporadisch erschienen noch Studien über Lokalgeschichte mit Berücksichtigung der Ant. und über Numismatik. Erwähnt seien nur Martin-Jean De Bast aus Gent (1753–1825), der 1804 in Gent ein *Recueil d'antiquités romaines trouvées dans la Flandre* veröffentlichte. Antiquarisch war auch die Studie des Jesuiten Donatien du Jardin (1738–1804) über die Geschichte Belgiens vor dem 7. Jh. (Brüssel, 1774). Der Löwener Professor P. L. Danes brachte 1776 die erste Ed. eines vielbenutzten Kompendiums über Welt- und Kirchengeschichte (*Generalis temporum notio*) heraus. Im Unterricht herrschte gleichwohl eine große Kontinuität. Die Jesuiten veränderten wenig an ihrer *ratio studiorum*. Die Übungen in lat. Verskunst aus dem 18. Jh., wovon einige in handschriftlicher Form überliefert sind, unterscheiden sich thematisch und im Niveau kaum von denen des vorausgegangenen Jh.; zahlreiche Dramen und poetische Übungen aus dieser Zeit wurden sogar wiederverwendet. Aus dem Jesuitenmilieu traten noch einige gute Dichter hervor, wenn auch weniger häufig als in den nördl. Niederlanden. Erwähnenswert sind v. a. Aloysius Hardevuyst (1645–1715) mit seinen Versparaphrasen von Horaz und der vielseitige ovidianische Dichter Livinus Meyerus (1655–1730). Auch im letzten Viertel des 18. Jh. erfuhr die lat. Poesie in den nördl. Niederlanden kaum eine Beeinträchtigung; im Süden hatte die Auflösung der Gesellschaft Jesu erkennbar negative Folgen. Der beste Beweis hierfür ist die Tatsache, daß kein einziger Preisträger des Certamen Hoeufftianum, des 1843 in Amsterdam begründeten Wettbewerbs in lat. Poesie, aus Belgien stammte.

Die Löwensche Alma mater hatte ihre Gelegenheitsdichter, wie den Latinisten des Trilingue, Gerard-Jan Kerkherdere (1677–?), zu Beginn und den Iren Franciscus O'Hearn (1753–1801) am E. des 18. Jh. Ab dem 17. Jh. hatte sich im Lande ein Typ von Poesie entwickelt, der nur im technischen Scharfsinn wurzelte und dadurch manchmal ma. anmutete. Schulbücher blieben unverändert, der Unterricht selbst erlebte einige »Aggiornamenti«. Der aus Rotterdam stammende Gräzist vom Collegium Trilingue, J. H. J. Leemput, gab 1782 seine *Institutiones Linguae Graecae* heraus, die wegen ihrer klareren Darlegung der Morphologie bis tief ins 19. Jh. geschätzt wurde.

Allgemein gesprochen war das wiss. Niveau in den S. N. im 18. Jh. betrüblich niedrig. Dies wird ersichtlich aus der Tatsache, daß noch unter Österreichs Verwaltung 1769 die Einrichtung einer *Société littéraire* (Brüssel) für nötig befunden wurde, unter Berücksichtigung der ›espèce d'engourdissement dans lequel les belles-lettres se trouvent actuellement aux Pays-Bas‹ [16a]. Zur Förderung der Klass. Philol. scheint diese am E. des 18. Jh. gegründete *Société* wenig beigetragen zu haben. Die Löwener Alma mater geriet in den Mahlstrom polit. Veränderungen: 1789 wurde sie nach Brüssel verlegt, 1789–1790 wiederhergestellt, 1797 aber von den Franzosen aufgelöst. Nach der Gründung der Université impériale durch die Franzosen wurden einzelne Fakultäten, darunter die lit., an der Académie in Brüssel untergebracht. Hier lehrte der Pariser Auguste Baron (1794–1862), der später zur Brüsseler und zuletzt zur Lütticher Univ. wechselte. Er besorgte verschiedene Ed. lat. Historiker und gab ab 1829 in Brüssel eine Reihe kommentierter Textausgaben heraus (*Scriptorum classicorum collectio*).

D. ANFANG DES 19. JAHRHUNDERTS

Unter dem Vereinigten Königreich der Niederlande wurden in den S. N. durch königlichen Beschluß von 1816 drei Reichsuniv. nach holländischem Modell eingerichtet: in Lüttich, Gent und Löwen. Der bedauernswerte Zustand, in dem sich der höhere Unterricht inzwischen befand, zeigte sich in dem Umstand, daß man Dozenten von außerhalb Flanderns und der Wallonie anwerben mußte; manche hatten noch in der frz. Zeit in Brüssel gelehrt. Das Lat. behauptete sich als Universitätssprache in allen Disziplinen. In Lüttich lehrte der dt. Joannes-Dominicus Fuss (1782–1860) die lat. Fächer: Er mag als Klassiker etwas abseits gestanden haben, für die Förderung der Neolatinistik hat er sein Bestes gegeben. Er soll den Begriff »neolatinus« als erster in einem lat. Text verwendet haben. In Löwen gab der dt. Gräzist G. J. Bekker (1792–1837) – später auch Professor in Lüttich – eine Reihe von Texten für den Schulgebrauch heraus; sein Landsmann G. J. Dumbeck gab drei Dialoge über Geschichte und Geschichtsschreibung (1819) heraus. In Gent erwies sich W. L. Mahne (1772–1852) als ein würdiger Schüler von Wyttenbach. Die ausländischen Dozenten im holländischen System brachten die drei belgischen Univ. gegen 1830 allmählich auf internationales Niveau; ein bes. Inst. für Lehrerausbildung (in Lüttich seit 1820) schien die Kontinuität im Hinblick auf die mittlere Unterrichtsebene zu garantieren.

E. 1830 BIS IN DIE GEGENWART

Die Revolution von 1830 bedeutete einen erneuten Rückschlag für die Klass. Philol. in den S. N. Zum ersten waren zahlreiche ausländische Dozenten im jungen Belgien nicht mehr willkommen; zum zweiten wurden die Univ. für einige J. geschlossen; zum dritten wurde nach der Wiedereröffnung der Hochschulen (Reichs-

Univ. Lüttich und Gent 1835; Katholische Univ. Löwen in Mechelen 1834, erneut in Löwen seit 1835) noch vielfach improvisiert. So wurde erst per Gesetz von 1876 der Mißwirtschaft ein E. gesetzt, die zum Nichtbesuch der Kollegien ermunterte, aber es wurde auch möglich, sich ohne ein zuvor erworbenes Zeugnis an der Univ. einzuschreiben.

Inzwischen war Lat. als universitäre Leitsprache kurz nach der Unabhängigkeit aufgegeben worden. Erst im Laufe der zwei letzten Jahrzehnte des 19. Jh. wurden innerhalb der lit. Fakultäten die spezialisierten Grade die spezialisierten Grade eingeführt, wodurch die Klass. Philol. eine autonome Disziplin wurde (vorher war die Lit. Fakultät wie die alte Artes-Fakultät v. a. eine propädeutische Fakultät), und es wurde die Studiendauer von zwei auf vier J. verlängert. Sofort wurde das Niveau der Studien gehoben und die wiss. Forschung stimuliert. Das universitäre Vakuum der ersten J. nach der Unabhängigkeit und der Zeit ideologischer Widerstände führte zur Gründung von freien Univ. oder Fakultäten. So begannen die Jesuiten 1831 in Namur mit der Einrichtung einer Hochschule (Notre-Dame de la Paix), woraus sich die Facultés Universitaires Notre-Dame de la Paix entwickeln sollten. Ähnlich wie das 1858 entstandene Institut Saint-Louis (seit 1969 Facultés Universitaires Saint-Louis) in Brüssel, ebenfalls eine Initiative der Sozietät, boten sie, was die Klass. Philol. betraf, Unterricht auf dem Niveau des Grundstudiums. Als Reaktion auf die Wiedereröffnung der Katholischen Univ. Löwen wurde in Brüssel 1834 die Université Libre de Belgique (seit 1842 Université Libre de Bruxelles) aus der Taufe gehoben; unter den Professoren fanden sich vielseitige Dozenten wie (seit 1841) der Franzose Louis-Vincent Raoul (1770–1848), der vorher an der Reichsuniv. Gent gelehrt hatte.

Eine letzte Welle universitärer Expansion hat in den 60er J. des 20. Jh. stattgefunden. Auf der einen Seite wurde der Unterricht des ersten Zyklus in der Klass. Philol. durch die Löwener Alma mater auch im westflämischen Kortrijk eingerichtet und – wiederum auf Initiative der Jesuiten – in Antwerpen (Universitaire Faculteiten Sint-Ignatius, 1965, in die der berühmte Gräzist E. de Strycker, 1907–1978, eingebunden war), aber sowohl in Kortrijk als auch in Antwerpen wurde die Studienrichtung Klass. Philol. inzwischen wieder aufgegeben. Auf der anderen Seite führte seit dem Beginn des 20. Jh. der wachsende Widerstand der niederländischsprechenden Welt gegen die frz. Vorzugssprache an den Univ. zu der (vormals oft schon in der Praxis bestehenden) Zweiteilung von Anstalten und Studieneinrichtungen. Die Reichsuniv. Gent, jetzt Univ. Gent, wurde 1930 einsprachig niederländisch. 1936 wurde die Katholische Univ. vollständig zweisprachig; sie wurde mit dem Umzug der Université Catholique de Louvain nach Louvain-la-Neuve 1979 in zwei einsprachige Univ. aufgespalten (1968). Die Univ. Libre de Bruxelles ereilte das gleiche Schicksal: 1969 wurden die Vrije Universiteit Brüssel und die Univ. Libre de Bruxelles zu selbständigen Einrichtungen.

Die Situation der Klass. Philol. war in den S. N. unmittelbar verbunden mit der Situation der Alten Sprachen in der Mittelstufe. Obschon es gefährlich ist zu verallgemeinern, umso mehr, da der flämische und der wallonische Landesteil in Sachen Unterricht eigene Wege gehen, kann doch nicht geleugnet werden, daß die Alten Sprachen seit den Unterrichtsreformen der 70er J. schwere Schläge einstecken mußten; insbes. die Situation des Griech. in den Gymnasien ist jetzt sehr prekär. Was die Univ. betrifft, waren die letzten J. des 20. Jh. gekennzeichnet durch einen Rückgang des akad. Personals (wovon ein Teil an die Studentenzahl gekoppelt ist) einerseits und eine Zunahme des spezialisierten Fachpersonals im Rahmen der Projektforschung andererseits.

Wie schon angedeutet, erlebte die Klass. Philol. ab dem letzten Jahrzehnt des 19. Jh. eine erneute Blütezeit; sie unterstand dem starken Einfluß der dt. Philologie. Die ersten wiss. Zeitschriften – ungeachtet der Universitätsjahrbücher, insbes. aus holländischer Zeit – erblickten das Licht der Welt, so z. B. *Musée belge* (1897–1932), begründet durch den Löwener Professor Willems und seinen Lütticher Kollegen Waltzing. Allgemeiner gehalten war die *Revue de l'Instruction publique en Belgique* (1858–1914), die lange von dem Genter Professor Paul Thomas (1852–1937) geleitet wurde, der sich auch verdient machte als Herausgeber von Manilius (1888–1892) und als Pfleger der klass. lat. Hss. der Königlichen Bibliothek in Brüssel. Im J. 1929 erschien zum ersten Mal in den S. N. eine wiss. Zeitschrift für Klass. Philol. in niederländischer Sprache, *Philologische Studiën* (1929–1943), geleitet vom Löwener Latinisten Cochez, (1884–1956). Nach wie vor bestehen die Zeitschriften *Revue belge de philologie et d'histoire* (1922) und *L'Antiquitäté classique* (1932), gegründet u. a. von dem Professor Franz Cumont, einem herausragenden Kenner der Religionsgeschichte, und J. Bidez, einem Spezialisten für Julian Apostata, dessen Werk er in der Budé-Reihe herausgegeben hat) und die verdienstreiche Zeitschrift *Latomus*, an deren Wiege u. a. der ingeniöse Brüsseler Professor L. Herrmann stand. Daneben seien die Zeitschriften *Les Études Classiques* (1932) auf wallonischem und *Kleio* (1971) auf flämischem Gebiet erwähnt, die sich an eine größere Öffentlichkeit, Lehrer und Interessenten der alten Kulturen richten.

Auf praktisch allen Gebieten der Klass. Philol. haben belgische Gelehrte ihren Beitr. zum wiss. Betrieb geleistet: Texted., Übers., Hilfsmittel, Hermeneutik usw. Belgische Gelehrte haben wichtige Texted. in namhaften Reihen, wie der *Collection des Universités de France* und der *Bibliotheca Teubneriana* erstellt. Exemplarisch sei hier der Minucius Felix von Waltzing bei Teubner genannt (1912), der *Seneca tragicus* von Herrmann bei Budé (1925–1927) und die von Paul Thomas bei Teubner (1908) herausgegebenen philos. Werke des Apuleius. Was Übers. betrifft, mag ein Verweis auf die frz., in die *Bibliothèque de la Pléiade* aufgenommene Bearbeitung des Euripides durch die Lütticher Philologin M. Delcourt

(1962) genügen; was Indices betrifft, auf das Vorbild des *Index verborum* zu Quintus Serenus *Liber medicinalis* von dem Genter Professor Van de Woestijne (1941).

Internationale Reputation genießen die Ausgaben des *Corpus Christianorum* (Brepols), dessen *Series Latina* auf Initiative von Dom E. Dekkers (Abtei von Steenbrugge) seit 1953 herausgegeben wird, die *Series Graeca* seit 1976. Die griech. Reihe ist rund um die Löwener Alma mater konzentriert, die lat. (mit der *Continuatio mediaevalis*) hat noch immer die Abtei von Steenbrugge als Ausgangsbasis, wird aber von einer interuniversitären Gruppe begleitet. Die hagiographische Unt. der Bollandisten (mit der Zeitschrift *Analecta Bollandiana*, 1882) kam schon zur Sprache. Die Genter Univ. hat eine Trad. auf dem Gebiet der lat. Epigraphik (G. Sanders). An der Löwener Univ. liegt ein Schwerpunkt auf papyrologischen und hell. Studien, der die Initiative von W. Peremans (1907–1986) viel zu verdanken hat – hier wird auch die Zeitschrift *Ancient Society* (1970) herausgegeben –, daneben gilt die Löwener Alma mater auch als eine Hochburg für Plutarchstudien. Das dortige Zentrum De Wulf-Mansion bürgt für den Aristoteles Latinus. Die frz.-sprachigen Univ. ergriffen anregende Initiativen anläßlich der neuen technischen Möglichkeiten. 1961 machte die Lütticher Univ. einen Anf. mit dem Laboratoire d'analyse statistique des langues anciennes (LASLA); einige J. später folgte das Centre de traitement électronique des documents (CETEDOC) der frz.-sprachigen Löwener Univ., das auf lexikographischem Gebiet Bedeutendes verwirklichen konnte (*Index formarum*, etc.).

Eine bes. Erwähnung verdienen die zahlreichen Leistungen auf dem Gebiet der human. und nlat. Studien, die an verschiedenen Univ. der S. N. eine lange Trad. haben. In Lüttich wurde diese Trad. von Fuss durch den vielseitigen Bormans (1801–1878) fortgesetzt; Erasmus erfuhr seit dem Zweiten Weltkrieg eine reges Interesse durch u. a. L.-E. Halkin und M. Delcourt. Der Genter Professor Alphonse Roersch lieferte viel Kompilationsarbeit und schrieb einen interessanten Überblick über den belgischen Human. (1910 und 1933), nebst einer anregenden Studie über Clenardus. Sein Vater, der Lütticher Professor Louis Roesch (1831–1891), leitete lange Zeit die *Revue de l'instruction publique en Belgique* und gab einzelne Ed. lat. Autoren heraus. Vor allem die Löwener Alma mater erwarb sich auf diesem Terrain Verdienste: De Reiffenberg (1795–1850), der erst in Löwen, dann in Lüttich lehrte, arbeitete u. a. über Lipsius. Der Löwener Rektor De Ram (1804–1865) bezeugte Interesse für Erasmus und den Löwener Human.; der Philologe Namèche (1811–1893) verlegte sich auf Vives; sein Kollege Nève (1816–1893) war der Autor einer noch immer unverzichtbaren Studie über das Collegium Trilingue (1856); H. de Vocht (1878–1962) studierte v. a. den Human. des eigenen Landes [30]; Jozef IJsewijn (1932–1998) brachte die Neolatinistik im weiten Sinne mit verschiedenen Standardwerken in Gang (*Companion to Neo-Latin Studies*, 1977–1998). Die human. und nlat.

Studien werden jetzt v. a. an der Brüsseler (*Interuniversitair instituut voor de studie van de Ren. en het Humanisme*, 1960, u. a. von dem Erasmusspezialisten A. Gerlo, 1915–1998, gegründet) und der Löwener Univ. (*Seminarium philologiae humanisticae*, 1966; Zeitschrift: *Humanistica Lovaniensia*, 1968) betrieben; sie sind ebenfalls nicht wegzudenken aus den Univ. von Louvain-la-Neuve und Lüttich. Die Königliche Akademie ist Schirmherrin einzelner Projekte, wie der kritischen Ed. von Justus Lipsius' Briefwechsel (seit 1978).

1 L. BAKELANTS, La vie et les œuvres de Gislain Bulteel d'Ypres 1555–1611. Contribution à l'histoire de l'humanisme dans les Pays-Bas, ed. G. CAMBIER, Latomus 97, 1968 2 G. BRAIVE, Histoire des facultés universitaires Saint-Louis des origines à 1918, Travaux et recherches 3, 1985 3 R. DEMOULIN, Liber memorialis. L'Université de Liège de 1936 à 1966. Notices historiques et biographiques 1, 1967 4 G. VAN DIEVOET et al., Lovanium docet. Geschiedenis van de Leuvense rechtsfaculteit, 1988 5 CTE GOBLET D'ALVIELLA, 1884–1909. L'Université de Bruxelles pendant son troisième quart de siècle, 1909 6 R. GODDING, Gli studi agiografici sul medioevo negli ultimi trenta anni in Belgio, Hagiographica 6, 1999, 137–152 7 A. W. GRAFTON, G. W. MOST, Philol. und Bildung seit der Ren., in: F. GRAF (Hrsg.), Einl. in die lat. Philol. (. . .), Einl. in die Altertumswiss., 1997, 35–48 8 L. HALKIN, Liber memorialis. L'Université de Liège de 1867 à 1935. Notices biographiques, I: Faculté de Philosophie et de Lettres. Faculté de Droit, 1936 9 Het Belgisch humanisme na Erasmus. Het geestesleven in de Zuidelijke Nederlanden ten tijde van Plantin en Rubens. Tentoonstelling ingericht ter gelegenheid van de nationale Erasmus-herdenking, 1969 10 Histoire de la Belgique contemporaine (1830–1914), Bd. III, s. v. Philologie classique, hrsg. von A. ROERSCH, 1930, 187–197 11 M. HOC, Le déclin de l'humanisme belge. Étude sur Jean-Gaspard Gevaerts philologue et poète (1593–1666), 1922 12 J. IJSEWIJN, Humanism in the Low Countries, in: A. RABIL JR. (Hrsg.), Ren. Humanism. Foundations, Forms, and Legacy. Bd. 2, Humanism beyond Italy, 1988, 156–215 13 M. JACOB, Étude comparative des systèmes universitaires et place des études classiques au 19%eme siècle en Allemagne, en Belgique et en France, in: Philologie und Hermeneutik im 19. Jh., Bd. II., Édité par MAYOTTE BOLLACK, HEINZ WISMANN et rédigé par THEODOR LINDKEN, 1983, 108–153 14 J. LABARBE, Belgique. La philologie grecque et latine, in: La filologia greca e latina nel secolo XX. Atti del Congresso Internazionale. Roma, Consiglio Nazionale delle Ricerche, 17–21 settembre 1984, Bd. II, Biblioteca di studi antichi 56, 1989, 763–788 15 M. LAUREYS, Leuven als Zentrum des niederländischen Human., Gymnasium 103, 1996, 354–374 16 A. LE ROY, Liber memorialis. L'Université de Liège depuis sa fondation, Liège 1869 16a E. MAILLY, Histoire de l'Académie impériale et royale des sciences et Belles-Lettres de Bruxelles, Bruxelles 1883 17 M. A. NAUWELAERTS, Humanisme en onderwijs, in: Antwerpen in de XVIde eeuw, 1975, 257–300 18 F. DE NAVE, M. DE SCHEPPER (Hrsg.), De geneeskunde in de Zuidelijke Nederlanden (1475–1660). Tentoonstelling Mus. Plantin-Moretus, 1 september – 25 november 1990, 1990 19 F. NÈVE, Mémoire historique et littéraire sur le Collèges des Trois-Langues à l'Université de Louvain, Bruxelles, 1856 20 Ders., La Ren. des Lettres et l'essor de l'érudition ancienne en Belgique, Louvain, 1890 21 P. PEETERS, L'œuvre des Bollandistes (. . .) Subsidia hagiographica 24a, 1961 22 R. PFEIFFER, History of Classical Scholarship from 1300 to 1850, 1976 23 Rijksuniversiteit te Gent, Liber memorialis 1913–1960. Uitgegeven onder de hoofdredactie van TH. LUYCKX, Bd. 1, Faculteit der Letteren en Wijsbegeerte, 1960 24 A. ROERSCH, L'Humanisme belge à l'époque de la Ren Études et portraits. Première-Deuxième série, 1910–1933 25 J. E. SANDYS, A History of Classical Scholarship, Bd. II, From the Revival of Learning to the End of the Eighteenth Century in Italy, France, England, and the Netherlands, 1908 26 J. VAN DER STOCK (Hrsg.), Antwerp: story of a metropolis. 16th–17th century, 1993 27 Univ. de Gand, Liber memorialis. Notices biographiques, I: Faculté de Philosophie et Lettres. Faculté de Droit, 1913 28 L. VANDERKINDERE, L'Université de Bruxelles (1834–1884), Bruxelles, 1885 29 Van »Vicus Artium« tot nieuwbouw. 550 jaar faculteitsgeschiedenis, 1975 30 H. DE VOCHT, History of the Foundation and the Rise of the Collegium Trilingue Lovaniense 1517–1550, Humanistica Lovaniensia 10–13, 1951–1955 31 Ders. (Hrsg.), Cornelii Valerii ab Auwater Epistolae et carmina. Published from the Original Drafts, Humanistica Lovaniensia 14, 1957.   DIRK SACRÉ / Ü:
VOLKER DALLMANN

IV. KUNST UND ARCHITEKTUR

A. EINLEITUNG B. MITTELALTER
C. RENAISSANCE
D. REFORMATION UND BAROCK
E. NEOKLASSIZISMUS-MODERNE
F. SAMMLUNGEN UND MUSEEN

A. EINLEITUNG

Da es in den N. und B. kaum sichtbare bauliche Überreste der Ant. gibt (Limeskastelle, Oppida, Städte oder Villen), hat die Pflege bzw. Vernichtung ant. Bauten wenig Anlaß zur Rezeption geboten. Die arch. Forsch. beschränkte sich seit dem 17. und 18. Jh. auf Einzelfunde, z. B. in Nijmegen (Noviomagus) den Fluß Waal entlang (s. u.), Domburg (Altäre eines der german. Göttin Nehalennia gewidmeten Heiligtums), am Meer bei Katwijk (Reste eines Limeskastells, »Brittenburg«). Röm. Überreste auf der »Roomburg« (interpretiert als Römerburg) in Leiden wurden als Reste einer ant. Siedlung angesehen. In den südl. Regionen wurden Maastricht, Tongeren und Arlon schon früh erforscht. Objekte und Bauwerke, die unter der ma. Stadtstruktur gefunden wurden, sind als Beweis des röm. Ursprungs angesehen worden.

B. MITTELALTER

Die niederländische Kunst und Lit. folgt internationalen Vorbildern, die meistens nicht auf ant. Schriftquellen, sondern auf ma. Fassungen wie dem *Ovide moralisé* und dem *Alexanderroman* basieren. In der Dichtung herrschen die Werke Jacob van Maerlants vor, in der Kunst geht es vielfach um Miniaturen [15. 17–21].

Um 1300 entwickelt sich in den südl. N. das Thema der »Neun Guten« (»Neuf Preux«), mit Hektor, Alexander dem Großen und Caesar als Repräsentanten des

Altertums [1]. Das Gedicht *Van neghen den besten*, das Jacob van Maerlant zugeschrieben wird, steht am Anf. dieses Motives [1. 67–73]. Es breitet sich schnell über ganz Europa aus und wird durch Schriften, Stiche und monumentale Kunstwerke bekannt. In mehreren Städten, wie Brüssel und Gent, gehören die neun Vertreter der rechten Weltordnung zum festen Kanon der Prozessionen und anderer feierlicher Begehungen. In der öffentlichen Darstellung der städtischen Mächte finden sich die Neun, mit Alexander neben Karl dem Großen, um 1400 am Rathaus in Kampen (1933–1938 durch eine Serie J. Polets ersetzt) und auf steinernen Konsolen einer Holzdecke des Rathauses von Mechelen 1384–1385 von Jan van Mansdale [29. 14–19]. Zeichnungen von Maarten van Heemskerck um 1560 gehen vielleicht auf einen Umzug in 's-Hertogenbosch zurück; in der Graphik wurden die »Neun Guten« ebenfalls oft reproduziert [15. 22, Abb.2]. Im Haus Noordeinde in Den Haag ist der Statthalter Prinz Maurits um 1600 als »zehnter Guter« dargestellt worden.

Auch in der Monumentalkunst wurde sehr oft auf ant. Themen zurückgegriffen. Vergil erscheint mit Lorbeerkranz neben David und at. Propheten auf der *Anbetung des Lammes Gottes* von Jan und Hubertus van Eyck (Gent, S. Baafskathedrale, 1432). Rogier van der Weyden stellt die Weissagung der tiburtinischen Sibylle an Augustus (nach der *Legenda Aurea*) auf seinem Bladelin-Altar (1434–1444) dar (Berlin, Staatliche Museen, Preußischer Kulturbesitz, Gemäldegalerie) und malt um 1430 für das Brüsseler Rathaus *Trajan und die arme Witwe* (verschollen, zum Thema vgl. [26. 689]), das in der Form eines Wandteppichs aus Tournai um 1450 (Bern, Historisches Museum) erhalten geblieben ist. Deckengemälde in der Walburgiskirche in Zutphen aus dem späten 15. Jh. zeigen Hermes Trismegistes, Mercurius (getrennt!), zwei Sibyllen und Vergil als Prophet. Kyros bekommt 1484 als Befreier der Juden in Babylon eine Stelle in einem dem *Speculum humanae salvationis* (bekannt in Übers. als *Spiegel der menschelike Behoudenisse*) folgenden Zyklus in der S. Pankraskirche in Enkhuizen. Der Hof Philipps des Guten bestellte in Tournai 1459 eine Reihe Alexanderteppiche, die ihn als guten Fürsten darstellen soll. Für das Rathaus von Brügge schuf Gerard David 1498 zwei Pendantpanele mit Kambyses als Symbol der Justiz nach Valerius Maximus (6,3): Auf dem einen wird der korrupte Richter Sisamnes ertappt und gerichtet, auf dem zweiten ist der geschundene Marsyas dargestellt [26. 377f.; 29; andere Bsp. 15. 23].

C. RENAISSANCE

[11; 21] Rogier van der Weyden war schon 1450 als Pilger in Rom bei der *Annus-sanctus*-Feier anwesend, ohne als Künstler Eindrücke mitzubringen. Jan Gossaert, genannt Mabuse, machte im Zug Philipps von Burgund 1508–1509 eine Bildungsreise nach Rom. Sein Mäzen beauftragte ihn, ant. Ruinen zu zeichnen. Nach einer Audienz bei Papst Julius II. dokumentierte er Statuen im Belvedere (→ Apoll von Belvedere). Wieder in Flandern fertigte er die ältesten myth. Gemälde der nie-

derländischen Kunst an: *Neptun und Amphitrite*, 1516 (Berlin, Staatliche Museen, Preußischer Kulturbesitz, Gemäldegalerie), *Herkules und Deianira*, 1517 (Birmingham, The Barber Institute of Fine Arts, The University of Birmingham) und *Venus und Amor*, 1521 (Brüssel, Koninklijke Musea voor Schone Kunsten). Abgesehen vom Thema stehen die Bilder noch in der nordeurop. Tradition. Jan van Scorel war 1521 aus eigenem Antrieb nach Rom gekommen und zeichnete im Belvedere. Er ließ sich vom it. Kunstgeschmack beeinflussen und brachte als erster südl. Stilkennzeichen in die niederländische Kunst ein. Dabei spielte die Anfertigung der Apostelteppiche nach Kartons (Zeichnungen in Großformat, die als Model für Teppichmacher dienten) von Raffael in Brüssel eine bedeutende Rolle: Die Künstler in der Heimat konnten ihnen unbekannte Kompositionen kennenlernen.

Der wichtigste Vertreter der neuen Künstler ist Maarten van Heemskerck [34; 15. 39f., 131f.], Schüler von Scorel. Seine Skizzenbücher (Berlin, Staatsbibl.) zeigen, wie er die Ant. wiedergab: Gebäude und Statuen stehen nicht als Teil einer (Stadt-) Landschaft da, sondern werden aufgrund ihres eigenen Interesses gewertet. Heemskerck zeichnete während seiner Romzeit 1532–1537 ant. Statuen und Skulpturen von mehreren Ansichten. Sein Gemälde *Die Entführung Helenas* 1535–1536 (Baltimore, The Walters Art Gallery) ist eigentlich mehr eine Sammlung ant. und antiquarischer Themen (z. B. eine Evozierung des Kolosses von Rhodos) als eine Erzählung des ant. Stoffes. Die Landschaftsdarstellung steht in der nördl., von den Italienern hochgeschätzten Tradition.

Besuche der *Domus Aurea* u.a. von Heemskerck, Hermanus Posthumus und Karel van Mander hinterließen ihre Spuren in Graffiti sowie in kurzen Erwähnungen im *Schilder-Boeck* (s.u.), übten aber kaum einen nennenswerten Einfluß auf die Ornamentik der niederländischen Maler aus. Insoweit die Grotesken motivisch angewendet wurden, waren sie der neuen it. Bildersprache, v. a. den Loggen von Raffael im Vatikanischen Palast entnommen.

Die Ant. galt in der Folge der it. human. Bildung als Paradigma, aber zugleich wurde sie als die vergangene Zeit im Sinne der *vanitas* (Vergänglichkeit) interpretiert. Van Heemskerck porträtierte sich 25 J. nach seiner Rückkehr aus Rom stolz vor einem stärker als in Wirklichkeit verfallenen Colosseum, wo er auch noch als Zeichner abgebildet ist (1553, Cambridge, Fitzwilliam Museum). Ein Romcapriccio von Posthumus trug den Titel *tempus edax* (1536, Vaduz, Sammlung des Regierenden Fürsten von Liechtenstein): Die Altertümer regten zu einer Reflexion über das eigene Schicksal an (N. Dacos in [11. 283f.] [15. 26, Abb. 6]).

Die im 16. Jh. allmählich wachsende Zahl der nach It. reisenden Künstler, die im 17. Jh. *Bentvueghels* oder *Bamboccianti* genannt wurden, brachte neue, durch die Renaissancekunst beeinflußte Stoffe nach Hause. Stolz hielten die Künstler die neuen Themen und Motive in

Zeichnungen und Stichen fest und benutzten sie in ihren Gemälden. Die erste kommerzielle Verwendung ist seit 1551 durch Hieronymus Cock nachweisbar, der auch den ersten professionellen Kunstverlag betrieb. Zum einen geht es um die Einlage ant. Ruinen in Landschaften und figürliche Darstellungen – Christi Geburt im Pantheon oder ähnliches –, oder capriccioartige Zusammenstellungen echter und phantastischer Gebäude, des weiteren um myth. und – seltener – histor. Stoffe. Stiche förderten die schnelle Verbreitung der it. Themen und stellten für die Sammler eine Anregung dar, Künstler mit der Darstellung derartiger Geschichten zu beauftragen. Wichtige Beispiele sind Cornelis Cort, Hendrick Goltzius und seine Schüler Jacob Matham und Jan Saenredam, und Aegidius Sadelaer [15. 38–42, 129–147].

Pieter Coecke van Aelst brachte von seiner Italienreise 1524–1526 neue Kenntnisse über die Architektur mit: Er bearbeitete 1539 Teile Vitruvs und Serlios in der niederländischen, dt. und frz. Sprache: ›Die inventie der colommen met haren coronementen ende maten.‹ Obwohl die Ornamentik Hauptsache war, benutzte er auch die klass. Fassadeneinteilung u. a. in Utrecht (Haus Hazenburg) [5].

D. Reformation und Barock

[6; 11; 30; 31; 32; 15; 18] Die wichtigsten Änderungen im Interesse der Auftraggeber sind Folgen der Reformation in den nördl. N. In der Malerei sieht man gerade nach dem öffentlichen Rückgang des Katholizismus und dem Verschwinden reicher Auftraggeber ebenso wie der Kirchen und Klöster ein Wechsel der Bildthemen. Vor allem der »Bildersturm« 1566 gab die Anregung, neue Themen zu suchen: Ein radikaler biblischer und heiligenikonographischer Ikonoklasmus drohte, den Malern, die oft katholisch geblieben waren, Auftragswerke für Kirchen und Klöster zu nehmen (Ausnahmen bilden z. B. die bemalten Türen der monumentalen Orgeln). Viele Maler wanderten nach Italien aus, wo ein reger Kunstmarkt Arbeitsperspektiven bot. Auftraggeber in den N. waren öffentliche Instanzen und reiche Bürger; sie fragten nicht nur nach Veduten der röm. Altertümer und Landschaften nach dem Vorbild Van Heemskercks, auch die histor. Malerei, traditionell die am höchsten angesehene und deshalb am besten bezahlte Gattung, fand Anklang. Myth. und ant. Themen wurden jetzt als typisch für diese neue bürgerliche Gesellschaft betrachtet. Zwei Perioden zeichnen sich wegen der bes. Häufigkeit solcher Themen ab: 1590–1620 und 1650–1690 [30; 31]. Im Laufe der Zeit nimmt die moralische Deutung der Themen ab [15. 43–63].

Die Ruinenzeichnungen entwickelten sich vom Studienblatt zu eigenständigen Veduten, in denen die alte flämische Landschaftstradition Eigenes beisteuerte. Bilder dieser Art waren nicht nur beim heimischen Publikum gefragt, sondern auch in Rom fanden Maler wie Matthijs und Paul Brill großen Anklang [11. 90–111]. Die Bilder sind meistens kleinformatig, d. h für den Privatkonsum bestimmt. Es geht dabei allerdings nicht (nur) um billige Aufträge: Künstler wie Adam Elsheimer waren mit auf Kupfer gemalten Feinarbeiten sehr beliebt.

Auch auf dem Gebiet der Lit. steuerten einige Künstler Wichtiges bei. Karel van Mander war 1574–1576 in It., v. a. in Rom. In der Nachfolge der *Vite* von Vasari publizierte er 1604 das *Schilder-Boeck*, in dem das Leben der niederländischen Künstler beschrieben wird, v. a. derer, die in It. gewesen waren. Rom galt als Hauptziel einer Italienreise, an zweiter Stelle kam Venedig. Neben der ant. galt die mod. Kunst (Raffael, Michelangelo) als paradigmatisch, v. a. für die Darstellung menschlicher Figuren. Solche Regeln formulierte er auch im Theoriehandbuch *Den Grondt der Edel vry Schilder-const*, 1604. Die Bildthemen untersuchte Van Mander in seinem *Wtleggingh op den Metamorphosis*, die er den *Viten* als Appendix beigab. Hier war Ripas *Iconologia* (1592 in Rom publiziert) maßgeblich. In der Theorie spielten Hubert Goltzius (1526–1583) und Franciscus Junius (1589–1677) [7] eine Hauptrolle, der erste dank seiner numismatischen und antiquarischen Forsch., der zweite mit *De pictura veterum libri III* (1637), das er 1638 ins Engl. und 1641 ins Holländische (*De Schilder-konst der ouden*, 1641) übersetzte und so den niederländischen Künstlern zugänglich machte. Das Werk stellte nicht nur eine Pionierarbeit über ant. Malerei dar, sondern war auch eine für Künstler und Auftraggeber epochale Arbeit, in der die Ant. als Quelle für die Moderne dargestellt wurde: Die ant. Malerei wurde definitiv auf den ersten Platz gestellt und als Imitationsziel der Künstler festgelegt. Ovid gelte als Vorbild einer idealen Ekphrasis: Seine Mythenerzählungen seien wie Gemälde komponiert [15. 45, 149–156; 32. 23–69].

Die Mythen werden Ovids *Metamorphosen*, die Van Mander als Malerbibel bezeichnet hat, entnommen [30; 31]. Van Mander mißt allen Geschichten moralische Deutungen bei: Auch eine auf den ersten Blick eindeutige Erzählung verberge etwas Besonderes. Der Mythos wird als Warnung vor einem übermäßigen Genuß des Lebens interpretiert: Keuschheit, Vorsicht, Bescheidenheit und Treue solle man von den meistens schlecht endenden Geschichten lernen. Dank dieser Optik sind einige Episoden speziell in den N. beliebt gewesen. Solche Deutungen wurden auch durch popularisierende Emblembücher von Volksdichtern wie Dirck Volckertszoon Coornhert und Jacob Cats in weiteren Kreisen bekannt [31; 15. 140–144]. Vor allem die Frauen wurden als gefährlich dargestellt. In der sehr beliebten Aktaiongeschichte [31. 103–112] interpretierte man die Jagd als Trieb: Der Mann sehnt sich nicht nach Beute allein, er ist persönlich schuldig an seiner Vernichtung, weil er den Göttern zu nahe kommt. Als weibliches Pendant galt die Entdeckung der Schwangerschaft Kallistos: Rembrandt [31. 112–118; 15. 87–105] brachte beide »Frevler« sogar auf ein Gemälde zusammen (1634, Museum Wasserburg Anholt, Sammlung Fürst zu Salm-Salm). Die mit ihren Nymphen badende Diana war auch wegen der Gelegenheit, Akte darzustellen, populär [15. 47–49, 55–58]. Das in der ganzen westl. Welt beliebte Paris-Urteil interpretierte Van Mander als Paris' Vernachlässigung seiner Verpflichtungen dem Vaterland gegenüber, da er Unkeuschheit (Venus) über Weisheit (Minerva) und Reichtum (Juno) stellt. Wie in It. waren Adonis und Venus (vermutlich nach Tizian 1553–1554, Madrid Museo del Prado) beliebt, um in den N. junge Leute vor einer allzu starken Neigung zu Abenteuer und Lust zu warnen (Jagd als sexuelle Metapher, wie bei Aktaion und Kallisto); auch enthält das Motiv einen Aufruf zur Keuschheit, da Adonis als Opfer der jugendlichen Vermessenheit gesehen wird [31. 133–142]. Vertumnus und Pomona (Ov. met 14,623–771), ein Thema, das außerhalb der N. kaum dargestellt worden ist, wurden positiv als glückliche Verbindung zw. Personen verschiedenen Alters gesehen, negativ als die Verführung eines unschuldigen Mädchens, das sich zögernd gibt und deshalb als Symbol der Keuschheit gilt; die alte Frau ist an sich schon ein pejoratives Element, und ihr Stock bekommt einen phallischen drohenden Ausdruckswert [31. 143–154; 32. 70–85]. Wie das Vertumnusthema waren Io, Mercurius und Argos v.a. nach 1640 beliebt. Eine positive, nationale Interpretation bekam die Andromedageschichte im Achtzigjährigen Krieg mit Spanien (1568–1648), die u.a. 1583 durch einen Stich von Hubert Goltzius nach Vasaris Bild (um 1570, Florenz, Galleria degli Uffici) und in allegorischen Bühnenspielen bekannt wurde: Das gefesselte Mädchen ist die holländische Magd, Perseus, ihr Befreier, der Statthalter Maurits, und das Seeungeheuer Spanien. Eine berühmte Fassung, in der nur das Mädchen gezeigt wird, ist die von Rembrandt (um 1630, Den Haag, Mauritshuis [15. 89–91; 32. 48–61]). Es bleibt allerdings in vielen Fällen unklar, ob diese ikonographisch nicht immer einfach zu deutenden Bilder von jedem Betrachter verstanden wurden. Dabei spielt die meistens unbekannte Ausstellungsumgebung eine wichtige Rolle.

Auch im sehr beliebten Genre der Porträtmalerei sind klass. Themen eingeführt worden, die sog. »Portraits historiés« [15. 62–63]. Als Selbstdarstellung eines Künstlers war das Thema des Apelles, wie er Kampaspe malt, geeignet [26. 80; 15. 214]. Liebes- und Ehepaare konnten sich als berühmte Partner der Ant. (Odysseus und Penelope, Paris und Helena) abbilden lassen, indem Kinder nicht selten in allegorischen Darstellungen festgehalten wurden [15. 166, 174, 176, 184, 250].

Themen der ant. Geschichte wurden v.a. im öffentlichen Bereich angewandt [4; 8]. Als wichtigstes Gesamtkunstwerk des holländischen Barock darf das Rathaus von Amsterdam (1648–1655, seit 1808 Königlicher Palast) angesehen werden [4; 13.; 14]. Die Bürgermeister wollten nach dem Frieden von Münster (1648) nicht nur den Machthabern der neuen Republik der Sieben Provinzen, sondern auch den ausländischen Gästen imponieren. Jacob van Campen schuf einen Bau, der nach den Regeln Vitruvs entworfen war [5; 28]. Das Innere enthielt eine allegorische Ausstattung, in der Myth. und

ant. Geschichte die Hauptrolle spielten [13; 14]: Bestimmte Götter standen für besondere Qualitäten der Stadt, und bestimmte Geschichten dienten als Mahnung oder Illustration des rasch aufsteigenden Bürgertums. Ein Marmorrelief des Antwerpener Bildhauers Artus Quellinus zeigt Amphion und Zethos während der Konstruktion der Stadtmauer Thebens: Wie Theben war Amsterdam nicht nur mit physischen Kräften (Zethos) gebaut worden; die Vernunft des Sängers Amphion stand für Diplomatie, Künste und Wissenschaften. Ein Relief des gleichen Künstlers über dem Eingang des »Desolate Boedelkamer«, wo Konkurse eröffnet wurden, enthält den Fall des Ikarus. Im Bürgermeisterzimmer wurden 1656 Malereien von Ferdinand Bol und Govert Flinck mit moralischen Sprüchen versehen: Bols *Pyrrhus und Fabricius* symbolisiert die Beharrlichkeit der Bürgermeister, Flincks *M' Curius Dentatus weist die Geschenke der Samniten ab* ihre Unbestechlichkeit. Im Gerichtssaal (»Vierschaar«) wurden Richter durch Reliefs mit strengen, aber gerechten Vorgängern vor Fehlspruch gewarnt: Salomon, Zaleukos und Brutus. Die Lokalgeschichten der Ant., die Bataveraufstände des 1. Jh. n.Chr., wurden z.B. von Rembrandt im *Schwur des Claudius Civilis* (1661, Stockholm, Statens konstmuseer) verewigt; das Gemälde wurde wegen der Komposition nicht angenommen und durch eine Arbeit gleichen Themas von Jurriaen Ovens ersetzt. Das Konzept dieser Zyklen war von Van Campen oder anderen entworfen worden. Im Admiralitätsgebäude ließen die gleichen Amsterdamer Kaufleute Bol *Aeneas' Austeilung der Prämien bei einer Regatta* (nach Verg. Aen. 5,244–267) und die *Imperia Manliana* (Urteil des T. Manlius Torquatus) malen [26. 431–433].

Leider sind einige gleichzeitige Dekorationsprogramme in Residenzen der Statthalter [8; 15. 58–60; 18. 23f., 26], wie das im abgerissenen Jagdschloß in Honselaersdijk des Statthalters Willem II., nicht erhalten geblieben (u.a. jagende Diana von Gerard van Honthorst 1672). Im Haus Ten Bosch in Den Haag enthält der »Oranjezaal« (1645–1652) die Verherrlichung des Statthalters Frederik Hendriks in der Gesellschaft der olympischen Götter und der Musen auf der Suche nach dem Geburtsstern des Statthalters (Jan Lievens um 1650). Der Entwurf des Programms stammt von Constantijn Huygens [18. 178]. Für das Jagdschloß Soestdijk malte Gerard de Lairesse Dianathemen: Für ein Schlafgemach Endymion (1677–1680), für einen anderen Saal die badende Jagdgöttin (1686, jetzt Amsterdam, Rijksmuseum) [18. 324–329]. Die Gastfreundschaft symbolisierte er im Kirkethema um 1682 (Amsterdam, Rijksmuseum). Für die Ausstattung der Räume der Friedensverhandlungen in Nijmegen (1678) wurden flämische Teppiche mit Aeneis- und Metamorphosenzyklen nach dem Entwurf Giovanni Romanellis angekauft (jetzt Rathaus Nijmegen). Sogar im katholischen südniederländischen Raum fand man manchmal ant. Themen, z.B. eine Reihe Brüsseler Dariusteppiche für die S. Peterabtei in Gent am E. des 17. Jh. [15. 65–85].

Vitruv blieb dank der *Architectura* von Hans Vredeman de Vries zw. 1565 und 1606, Stichen desselben
Künstlers, der niederländischen Übers. von Charles de
Donk 1599 und Anm. bei Van Mander bekannt [5; 28].
Konkretes wurde in dieser Zeit in den Arbeiten des
Amsterdamer Architekten Hendrick de Keyser bekannt,
sei es nur in der Ornamentik der Fassaden, einer Aus-
druckweise, die sich bei Van Campen und dessen Schü-
ler Philips Vingboons wiederfindet, und zwar in der
Umsetzung der Ordnungen in die Bauform (z. B. Häu-
ser der Familie Cromhout, Amsterdam, 1660, z.Zt. Bij-
bels Museum). Huygens entwarf sein Haus am Plein in
Den Haag 1637 (abgerissen 1876) erst nach einer aktiven
Auseinandersetzung mit dem röm. Traktat.

E. Neoklassizismus-Moderne

[16; 22] Der Neoklassizismus, der in Frankreich
durch die Salons die Anfertigung zahlloser Gemälde mit
histor. Themen forderte (David usw.), hat in den N.
kaum Auswirkungen gehabt. Was die ästhetischen, meistens von J. J. Winckelmanns Schriften beeinflußten
Ideen angeht, ist durchaus eine deutliche Nachfolge der
internationalen Moden festzustellen. Theoretiker wie
Ploos van Amstel benutzten die Schriften Winckelmanns, die den Grand-Tour-Reisenden durch Auszüge
in ihren Reiseführern vertraut geworden waren [12; 15;
16; 22; 35]. Von einer »Antikomanie« ist in Holland
während dieser Epoche kaum die Rede. In der Einrichtung der bürgerlichen Wohnung fanden sich zwar Elemente der pompejanischen oder etr. Mode (→ Etrus-
kerrezeption) aber ihre Zahl ist vermutlich gering geblieben (Beispiele: Keetje Hodsonhuis, Haarlem um
1780, Umgestaltung des Amsterdamer Rathauses durch
König Louis-Napoleon 1806–1808). Im Schloß Biljoen
bei Arnheim ließ Baron Johan Frederik Willem van
Spaen van Biljoen 1780–1782 Veduten in Stuck nach
Stichen von Piranesi anfertigen [16].

Im Kunstunterricht blieb die Klassik die Regel, so
daß die Malerei bis ins späte 19. Jh. von ihren Formen
geprägt blieb und sich nur schwer von ihr loslöste, um
der neuen, frz. Mode zu folgen. Klassische Themen
wurden allerdings nur sparsam benutzt (z. B. Ary Schef-
fer, Joseph-Desiré Odevaere, Antoine-Joseph Wiertz,
Lourens Alma Tadema). Auch im 20. Jh. hat sich auf
diesem Gebiet wenig ergeben. Ein Deckengemälde mit
Ikaros im Treppenhaus des klassizistischen Mauritshuis
in Den Haag von Ger Lataster 1987 ist eine interessante
Ausnahme.

F. Sammlungen und Museen

Anders als in England und Deutschland wurde in den
N. wenig Antikes gesammelt (→ Antikensammlung) [9;
16.; 35]. Die Reisenden brachten meist bescheidene
Kleinobjekte mit, die sich in den heutigen Museums-
beständen nur schwer auffinden lassen [12; 22]. Der
Maler Peter Paul Rubens war einer der besten Kenner
des Alt. seiner Zeit [25; 27]; ihm kam im 17. Jh. vermutlich nur Poussin gleich. Nach einem langen Aufenthalt in It. 1600–1608 kehrte er nach Antwerpen zurück,
wo er als *pictor doctus* den Mittelpunkt intellektueller und

gesellschaftlicher Kreise bildete. Er stellte eine Sammlung ant. und mod. Kunst zusammen. Im Traktat *De
imitatione statuarum* mahnte er die Künstler, ant. Motive
nur zurückhaltend und mit Vorsicht zu verwenden. Die
Ausstattung seines Hauses war mit Hinweis auf ant.
Quellen wie Cicero und Plinius d. J. erfolgt [27]. Der
Rubenskameo (Konstantins Dezennalien 315 feiernd),
ein Hekataion und ein mit einer Inschr. des Papstes
Marcellus IV. versehener Sarkophag gelangten letztendlich in die Leidener Sammlungen [3; 27]. Die Brüder Jan
und Gerard Reynst hatten als mächtige Amsterdamer
Kaufleute in der ersten H. des 17. Jh. gute Verbindungen mit Venedig und kauften um 1630 eine beträchtliche Anzahl ant. Skulpturen, v. a. von Andrea Vendra-
min [23; 3. IX–X]. Über Gerard van Papenbroek kamen
17 der 121 aus einem zeitgenössischen Katalog bekannten Stücke im sog. *Legatum Papenbroekianum* nach Leiden, wo sie im Hortus Botanicus 1744 aufgestellt wurden und somit die älteste öffentliche Antikensammlung
in den N. bildeten.

Jacob de Wilde in Amsterdam und die protestantischen Pfarrer Smetius, sowohl Vater als auch Sohn, trugen in Nijmegen beträchtliche Münzen- und Medail-
lensammlungen zusammen. Die letztere zählte etwa
10000 Mz. und 4500 andere Gegenstände; die Mz. wurden 1704 Wilhelm Kurfürst von der Pfalz verkauft [10;
19]. Auch die Statthalter legten v. a. Münz- und Me-
daillensammlungen an, in denen auch geschnittene Steine Platz fanden (Dactyliothecae). Das Koninklijk Mun-
ten Penningkabinet in Leiden (ehem. Den Haag) ist
1816 als öffentliche Sammlung gestiftet worden [24].
Wichtige Sammlungen des 18. Jh., welche in diese eingegliedert wurden, gehörten dem Grafen Thoms und
dem Sohn des Gräzisten Tiberius Hemsterhuis, Frans.
Thoms war Freund und Mitarbeiter von Philipp von
Stosch gewesen.

Die arch. Wiss. bekam 1818 einen starken Impuls mit
der Einrichtung einer Professur für Arch. in Leiden, auf
die als erster Caspar David Reuvens (1793–1835) berufen wurde. Wichtig war auch die Stiftung eines arch.
National-Mus. (Rijksmuseum van Oudheden) in derselben Stadt [3]. König Willem I. spendete mehrmals
Gelder für den Erwerb einzelner Sammlungen und Objekte. Die Funde niederländischer Ausgrabungen wurden ins Mus. gebracht, das als nationales Zentraldepot
diente. Die klass. Abteilung wuchs nicht durch große
Grabungen, wie die des Louvre, des British Museum
oder der Mus. in → Berlin und → München, sondern
dank Erwerbungskampagnen von J. E. Humbert in Tunesien und It. (u.a. Museo Corazzi, Cortona) und
B. E. A. Rottier in der Ägäis [17; 2]. Reuvens hatte als
Professor und Direktor alles in einer Hand wie auch
seine Nachfolger Jansen und Leemans. 1877 wurde in
Amsterdam eine Professur für Kunstgeschichte und
klass. Arch. eingerichtet (Allard Pierson war der erste
Lehrstuhlinhaber; 1894 Jan Six). Die Privatsammlung
des Bankiers C. W. Lunsingh Scheurleer in Den Haag
konnte 1934 zum größten Teil von der Amsterdamer

Universität gekauft und in dem neu gestifteten Allard Pierson Museum mit dem Universitätsinstitut verbunden werden.

Nijmegen war bei Lokalforschern immer als alte Römer- und Bataversiedlung bekannt geblieben, und es wurden mehrere Grabungen am Ufer des Waal gemacht; die Smetii forschten aktiv [10]. Einige im Rathaus befindliche Objekte blieben am Ort. Nijmegener Bürger wie J. in de Betouw und J. van Schevichhaven legten im 18. Jh. neue Sammlungen an, die als städtische Sammlung öffentlich wurde. Der Kaufmann G. M. Kam ermöglichte 1922 die Stiftung eines richtigen Römer-Mus. (Rijksmuseum G. M. Kam, später Provinciaal Museum G. M. Kam, jetzt mit der Stadtsammlung Provinciaal Museum Het Valkhof) [33].

In B. kennt man wichtige Lokal-Mus. in Arlon (ant.: Orolaunum) und Tongeren (ant.: Atuatuca Tungrorum). Als Nationaldepot galten immer die Musées Royaux d'art et d'histoire in Brüssel, die 1922 diesen Namen bekommen haben und aus älteren Kollektionen aufgebaut worden sind. Einiges entstammt der alten fürstlichen Sammlung in Brüssel ab etwa 1500, einer lokalen Jesuitensammlung des 18. Jh. und von dem Gelehrten Gisbert Cuperus (1644–1716), während die belgischen Grabungen in Apameia (Syrien) 1933 die Einrichtung einer Spezialabteilung ermöglichten. Das Musée Royal de Mariemont geht auf die Privatsammlung des Industriellen Raoul Warocqué (1870–1917) zurück, der u. a. von Franz Cumont beraten wurde.

→ AWI Apameia; Domus Aurea; Manlius; Nehalennia
→ Berlin; London, British Museum; München; Paris, Louvre; Münzsammlungen

1 W. van Anrooij, Helden van weleer. De Negen in de Nederlanden (1300–1700), 1997 2 F. L. Bastet, De drie collecties Rottiers in Leiden, o.J. (1987) 3 Ders., H. Brunsting, Corpus signorum classicorum Musei antiquarii Lugduno-Batavi, 1982, IX–XXIV 4 A. Blankert, Kunst als regeringszaak in Amsterdam in de 17ᵉ eeuw (Ausstellungskat., Amsterdam 1975) 5 A. Bodar, Vitruvius in de Nederlanden, Leids Kunsthistorisch Jaarboek 1984 (= FS J. J. Terwen 1985), 55–104 6 A. de Bosque, Mythologie et maniérisme dans les Pays Bas 1570–1630, 1985 7 R. Bremmer (Hrsg.), Franciscus Iunius and his Circle, 1996 8 B. Brenninkmeijer-de Rooij, »Aensien doet ghedencken.« Historieschilderkunst in openbare gebouwen en verblijven der stadhouders, in: God en de goden, 1980 (= Gods, Saints & Heroes, Dutch Painting in the Age of Rembrandt), 65–75 9 H. Brunsting, Geschiedenis van het verzamelen in Nederland, in: Klassieke kunst uit particulier bezit, Nederlandse verzamelingen 1575–1975, 1975 10 Ders., Johannes Smetius als provinciaal-Romeins archeoloog, 1989 11 Fiamminghi a Roma 1508–1608. Artistes des Pays-Bas et de la Principauté de Liège à Rome à la Renaissance, (Ausstellungskat. Brüssel/Rom 1995; auch in it. und niederländischer Sprache) 12 A. Frank-van Westrienen, De Groote Tour, Tekening van de educatiereis der Nederlanders in de zeventiende eeuw, 1983 13 K. Fremantle, The Baroque Town Hall of Amsterdam, 1959 14 E.-J. Goossens, Schat van beitel en penseel. Het Amsterdamse stadhuis uit de Gouden Eeuw, 1996 15 Greek Gods and Heroes in the Age of Rubens and Rembrandt (Ausstellungskat. Athen/Dordrecht 2000–2001; auch in griech. und holländischer Sprache) 16 F. Grijzenhout, C. van Tuyll van Serooskerken (Hrsg.), Edele eenvoud. Neo-classicisme in Nederland 1765–1800 (Ausstellungskat. Haarlem 1989) 17 R. B. Halbertsma, Le solitaire des ruines. De archeologische reizen van Jean Emile Humbert (1771–1839) in dienst van het Koninkrijk der Nederlanden, 1995 18 Hollands Classicisme in de zeventiende-eeuwse schilderkunst (Ausstellungskat. Rotterdam/Frankfurt 1999–2000; auch in dt. Sprache) 19 A. V. M Hubrecht, Die Slg. Johannes Smetius, Vater und Sohn, in Nijmegen, 1618–1704, in: Festoen, FS A. N. Zadoks-Josephus Jitta, 1975, 335–342 20 D. Koster, To Hellen's Noble Land. Dutch accounts of travellers, geographers and historians on Greece (1488–1854), 1995 21 Kunst voor de beeldenstorm (Ausstellungskat. Amsterdam 1986) 22 R. de Leeuw (Hrsg.), Herinneringen aan Italië (Ausstellungskat. 's-Hertogenbosch, Heino, Haarlem 1984) 23 A. S. Logan, The »Cabinet« of the Brothers Gerard and Jan Reynst, 1979 24 M. Maaskant-Kleibrink, Catalogue of the Engraved Gems in the Royal Coin Cabinet The Hague, 1978, 11–64 25 M. van der Meulen, Petrvs Pavlvs Rvbens Antiqvarivs. Collector and copyist of Antique Gems, 1975 26 E. M. Moormann, W. Uitterhoeve, Lex. der ant. Gestalten mit ihrem Fortleben in Kunst, Dichtung und Musik, 1995 27 J. M. Muller, Rubens: The Artist as Collector, 1989 28 K. Ottenheym, Vitruvius in de Gouden eeuw, in: R. Rolf (Hrsg.), Vitruvius-Congres Heerlen-Maastricht 1995, 1997, 45–51 29 J. H. A. de Ridder, Gerechtigheidstaferelen voor schepenhuizen in de zuidelijke Nederlanden in de 14ᵈᵉ, 15ᵈᵉ en 16ᵈᵉ eeuw, 1989 30 E. J. Sluijter, De uitbeelding van mythologische thema's, in: God en de goden, Amsterdam 1980 (= Gods, Saints & Heroes, Dutch Painting in the Age of Rembrandt), 45–63 31 Ders., De »heydensche fabulen« in de schilderkunst van de Gouden Eeuw. Schilderijen met verhalende onderwerpen uit de klassieke mythologie in de Noordelijke Nederlanden, ca. 1590–1670, 2000 (= Diss. 1986) 32 Ders., Seductress of Sight. Stud. in Dutch Art of the Golden Age, 2000 33 L. J. F. Swinkels, Een prachvol exemplaar. Vijfenzeventig jaar Museum G. M. Kam 1922–1997, 1997 34 I. M. Veldman, Maarten van Heemskerck and Dutch Humanism in the sixteenth century, 1977 35 De wereld binnen handbereik. Nederlandse kunst- en rariteitenverzamelingen 1585–1735 (Ausstellungskat. Amsterdam 1992).　　　　　Eric M. Moormann

V. Die Literatur in den Niederlanden

A. Einleitung　B. Mittelalter
C. Renaissance　D. Klassizismus
E. Romantik　F. Achtziger und Neunziger
G. Die Zeit zwischen den Kriegen
H. Nachkriegsliteratur

A. Einleitung

Die Geschichte der niederländischen Lit. umfaßt ca. acht Jh., ausgehend von der *Probatio Pennae* eines flämischen Mönchs im frühen 12. Jh. bis zu dem postmod. Spiel mit Zitaten und Verweisen eines Mulisch, Claus oder Claes. Im folgenden wird sie nur insoweit behandelt, wie sie Spuren der klass. Lit. aufweist in Übers.,

Imitation, *aemulatio* oder Parodie. Dabei werden »Norden« und »Süden«, die heutigen N. und Flandern, als Einheit verstanden, was sie sehr lange (bis 1830) waren. Auch danach gibt es noch viele Berührungspunkte in der Lit. beider Gebiete, doch offensichtliche Unterschiede rechtfertigen eine getrennte Behandlung etwa von Beginn des 19. Jh. an.

B. MITTELALTER

Das älteste faßbare Stückchen niederländischer Lit. bilden zwei Zeilen: ›hebban olla vogala nestas hagunnan hinase hic / enda thu wat unbidan we nu‹, glossiert, wie man h. allg. annimmt, durch das lat. ›quid expectamus nunc / (h)abent omnes volucres nidos inceptos nisi ego et tu‹, also in der richtigen Reihenfolge: ›hebben alle vogels nesten begonnen behalve ik en jij: waar wachten we nu op‹ (›Haben alle Vögel begonnen, Nester zu bauen, außer dir und mir: Worauf warten wir noch?‹). Die Zeilen schrieb ein westflämischer Mönch, der in ein Kloster in Rochester eingetreten war, auf die letzte Seite eines Predigtbuches, als Federprobe. Die Bed. dieser Zeilen ist umstritten, da ein Kontext fehlt. Als wahrscheinlichste Erklärung bietet sich an, daß es sich um ein Minneliedchen handelt, das um 1100 entstanden ist und von dem Mönch in seine neue Heimat »mitgenommen« wurde [24. 1–3]. Daß das Lat. hier nicht den Quellentext darstellt, ist atypisch für die Beziehung zw. ant. und volkssprachlicher Literatur.

Ebenso viele Fragen wirft die erste wirkliche Form schöpferischer Rezeption auf: der *Eneasroman*, auch *Eneide* oder *Eneit*, des maasländischen Hendrik van Veldeke, vollendet im letzten Viertel des 12. Jh. Wir besitzen davon eine mhdt. Fassung nach dem Vorbild des anon. frz. *Roman d'Eneas* (ca. 1155). Es ist gut möglich, daß Veldekes urspr. Entwurf, der ihm 1174 entwendet wurde [24. 6–11], im Dialekt der Region abgefaßt war. Charakteristisch für die Gestaltung der *Aeneis* als Roman ist die auch bei Veldeke betonte Rolle der Lavinia, die sich mit ihrem Gefühl für das rechte Maß deutlich von der unbeherrschten Dido abhebt.

Ebenfalls über Frankreich (den *Roman de Troie* von Benoît de Sainte-Maure) findet das Troja-Buch der *Aeneis* Eingang in die niederländische Lit.: in der um 1263 verfaßten *Historie van Troyen* des sehr produktiven Jacob van Maerlant (ca. 1230–1296), worin auch Ovid und die *Achilleis* des Statius verarbeitet sind. Ebenso gilt für *Alexanders geesten* (»geesten« = *gesta*, »Taten«), daß ein ant. Stoff über Frankreich in die Niederlande gelangt. Van Maerlant schrieb außerdem zahlreiche (natur)wiss. Werke, in denen (selbstverständlich) ant. Material verarbeitet ist.

Stark didaktisch orientiert ist der auch dem holländischen Hof verbundene Dichter und Prosaautor Dirc Potter (ca. 1400), der während einer Romreise *Der minnen loep* (1412) in vier Büchern verfaßte, eine *ars amandi* sehr frei nach Ovid (bes. den *Heroides*). Gerade wegen seiner internationalen Kontakte und dem persönlichen Engagement in seinem didaktischen Werk siedelt man Potter h. auf der Grenze zw. (spätem) MA und (früher)

Ren. an [24. 92–96]. Eine Übergangsfigur stellt auch der Rederijker (s. u.) Cornelis van Ghistele (1510–1573) dar, Verfasser von Dramen wie *Van Eneas en Dido* (1551), bedeutend v. a. durch seine Übers. klass. Texte, u. a. der *Aeneis* (1556), der Kom. des Terenz (1555) und der *Antigone* des Sophokles (1556).

C. RENAISSANCE

Ein echter Ren.-Dichter, der mit der wenig auf die Klassik ausgerichteten Poesie der Rederijker (einer Gilde zur Ausübung der Dichtkunst nach vorgegebenen Regeln, ca. 1450–1570) brach, war Jan van der Noot in Antwerpen (1540–1595), der 1570 die Gedichtsammlung *Het Bosken* (vgl. Statius, *Silvae*) veröffentlichte mit Sonnetten, Hochzeitsgedichten und Oden. Der Inhalt ist stark vom Platonismus geprägt, von K. Bostoen charakterisiert als ›die Liebe, die zur Tugend führt, das Erhalten von Einsichten in die höhere Wirklichkeit durch Visionen, den Ewigkeitswert, den die Dichtung ihrem Schöpfer und dem von ihm Besungenen verleiht, das Streben nach elitärer Qualität‹ [24. 172]. Van der Noot widmete sich auch den in der klass. Trad. beheimateten Gattungen der Epik und Emblemata-Literatur.

Dirck Volckertsz Coornhert (1522–1590) wurde der Vater des nordniederländischen Human. genannt, wohl aufgrund seiner toleranten Auffassungen von Religionsfreiheit und im allg. von Normen und Werten. Nachdem er noch relativ spät Lat. gelernt hatte, übersetzte er wichtige ethische Texte wie Ciceros *De officiis* (1561), Senecas *De beneficiis* (1562) und Boethius' *De consolatione philosophiae* (1585). 1581 veröffentlichte er *Zedekunst*, die erste Ethik in einer europ. Landessprache. Coornhert steht auch am Anf. einer langen niederländischen Trad. von Homer-Übersetzern: 1561 erschien *De dolinghe van Ulysse*, eine Übertragung der ersten zwölf Bücher der *Odyssee*. Seine eigenen Dialoge über Philos. und Theologie sind formal, bes. aber auch – wie M. F. Fresco deutlich gemacht hat – inhaltlich platonisch [8. 52–71]. Eng verbunden mit Coornhert ist H. L. Spiegel (1549–1612), dessen postum edierter *Hert-spieghel* (1614) ebenfalls stark platonisch gefärbt ist [8. 72–93].

Das 17. Jh. heißt in der niederländischen (Kultur-) Geschichte das »goldene«, weil neben der Wirtschaft auch Künste und Wiss. eine vorher nicht gekannte Blüte erreichten. Das drückt sich bes. in der wechselseitigen *aemulatio* einer großen Zahl von Talenten aus wie Pieter Cornelisz. Hooft (1581–1647), Samuel Coster (1579–1665), Gerbrand Adriaensz. Bredero (1585–1618), Joost van den Vondel (1587–1679) und Constantijn Huygens (1596–1687). Sie betätigten sich in zahlreichen Gebieten der Lit.: im Kurzgedicht, Epos, v. a. im Drama, in der wiss. Abhandlung; dabei dienten klass. Autoren – jetzt meistens ohne »Zwischentext« – als Vorbilder: Homer, die griech. Tragiker, Terenz, Plautus, Vergil, Horaz, Ovid, Seneca, Lukrez und Tacitus. Die genannten niederländischen Autoren waren auch fleißige Übersetzer, wenngleich sie beispielsweise das Lat. nicht alle so beherrschten wie Huygens und der noch nicht erwähnte Philologe Daniel Heinsius (1580–1655), die v. a. durch ihre lat. Gedichte und Dramen internationalen Ruhm erlangten.

Zu nennen sind hier Hoofts Dramen *Achilles ende Polyxena* und *Theseus ende Ariadne* (beide in sehr jungen J. geschrieben, aber erst 1614 gedruckt); sie sind stark von Seneca und Ovid beeinflußt [26. 61–64]. In seiner Kom. *Warenar* (1617) ist die *Aulularia* des Plautus ›naar 's lands gheleghentheyt verduytscht‹. Als Autor des Werks *Nederlandsche historien* (1642) folgt Hooft Tacitus, dessen *Opera omnia* er auch übersetzte (ediert 1684). Die erwähnte Kom. *Warenar* stellt den typischen Fall einer *aemulatio* mit einem Kollegen, nämlich Bredero, dar, der 1615 den *Eunuchus* des Terenz als Kom. *Moortje* in Amsterdamer Dialekt umgedichtet hatte, die durch mancherlei Hinzufügungen des Autors die doppelte Länge des Originals erhielt [26. 66–67]. Neben Dramen schrieb Bredero Lyrik; sein *Groot lied-boeck* (1622 postum erschienen) enthält unter anderem Liebeslieder, die durch Vermittlung des Petrarkismus »ant. Wurzeln« haben [24. 204].

Das älteste klass. Trauerspiel der niederländischen Lit. ist *Ithys* (1615); es ist verfaßt von dem Amsterdamer Arzt Samuel Coster auf der Grundlage der Erzählung von Tereus und Prokne in Ovids *Metamorphosen*. Sein Stück *Iphigeneia* (1617) ist histor.-allegorisch: In griech. Maskierung prangert es die rel. Streitereien und den fanatischen Eifer der calvinistischen Prediger an [24. 201].

Ähnlich verfuhr Vondel (geboren in Köln, in Amsterdam als Strumpfhändler tätig; angesichts seiner Produktion beinahe ein »full-time-Schreiber«) in seinem Stück *Palamedes of vermoorde onschuld* (1625): ›Die falsche Beschuldigung des integren Palamedes und seine Verurteilung durch den Kriegsrat des griech. Heeres vor Troja verwiesen in vielen Einzelheiten nur zu deutlich auf das unlängst geschehene wirkliche Drama des 1619 hingerichteten Oldenbarnevelt (des höchsten holländischen Ratsbeamten)‹ [26. 85]. Anspielungen auf Aktuelles, nun aber kontrastierend, begegnen in Vondels bekanntestem Stück *Gysbreght van Aemstel* (1637), einer vollständigen Übertragung von Vergils Bericht über den Untergang Trojas [11; 18. 14–22]. Nicht nur »klass. Trag.« zeigen also Intertextualität mit ant. Werken, sondern auch solche Stücke, die histor. Stoffe des eigenen Landes behandeln wie *Gysbreght* (ein Amsterdamer Edelmann im 13. Jh.), oder biblische Dramen: *Hierusalem verwoest* (1620) z.B. ist nach dem Vorbild von Senecas *Troades* konzipiert [26. 84], einer damals sehr geschätzten Tragödie. Die *Troades* (1626) wurden ebenso wie *Phaedra* (1628) von Vondel übersetzt unter den Titeln *De Amsterdamsche Hecuba* bzw. *Hippolytus of Rampsalige kuyscheyd*. Von Seneca, der auf Vondel und andere Dramatiker im 17. Jh. sehr großen Einfluß hatte [26; 31], aber erst h. wieder von einem Autor wie Claus als Tragiker mehr geschätzt wird, wandte sich Vondel E. der 30er J. den Griechen, Senecas Vorbildern, zu: 1639 übersetzte er Sophokles' *Electra*, 1660 *Oedipus Rex*; wichtiger ist allerdings, daß er griech. Dramen als Muster für biblische Trag. verwendete wie *Koning David in ballingschap* (1660).

Von den röm. Dichtern, die Vondel beeinflußten, wurde Vergil schon genannt: Er war für den Dichter »der Poeeten Vorst«; dies bestätigt auch seine vollständige Übers. der *Opera omnia*, erst in Prosa (1646), später in Versen (1660). Die Übers. des Dichters besaß, so mangelhaft sie in mancher Hinsicht auch war [9; 25], lange Vorbildcharakter. Auch Ovids Werke nahm Vondel in Angriff: 1641 übersetzte er die *Heroides* (Geerts [9] hält sie für ›völlig mißlungen‹, ein ziemlich hartes Urteil), die *Metamorphosen* erschienen 1671 unter dem Titel *Herscheppinge*. Interessant ist Vondels Vorwort dazu: Er bediente sich zeitgenössischer Komm. in eklektischer Weise und zeichnete so ein gefälliges Bild der damals geltenden moralistischen Exegese. Vondels Art der Erklärung unterscheidet sich ein wenig von der des Karel van Mander (1548–1606), der seinem *Schilder-boeck* eine Auslegung der *Metamorphosen* hinzugefügt hatte, die auf bildende Künstler seiner Zeit starken Einfluß ausübte (zu den Unterschieden [21. 77ff.]). Vondels *Faeton* (1663), ein offenbar sehr leicht aktualisierbares Stück – die »verbrannte Erde« war ein gespenstisches Bild der Nachkriegszeit! –, basiert auf einer intensiven Lektüre des Anf. von *Metamorphosen II*. Oden und *Ars poetica* des Horaz brachte Vondel in einer Prosaübersetzung heraus, doch daß er die *Ars* sehr gut kannte, war schon in seiner poetologischen Abhandlung *De Aenleidinge ter Nederduitsche Dichtkunste* (1650), ›eine Reihe praktischer Winke‹ [24. 223], deutlich geworden. Anspielungen auf das Werk der drei augusteischen Dichter in Vondels *Werken* registrierte P. Maximilianus in umfangreichen Artikeln [15. 3–88, 89–117, 119–164].

Huygens schließlich gilt als der *poeta doctus* par excellence des goldenen Zeitalters. Seine Dichtung ist, wie man es von einem »Mann von Welt« (Huygens stand als Sekretär im Dienst mehrerer Oranier) erwarten darf, ingeniös und scharfsinnig, mitunter (zu) düster, im Stil Martials, von dem er ebenso einige Epigramme übersetzte, wie Partien aus Vergils *Aeneis* und Lukans *Pharsalia*, aufgenommen in die Gedichtsammlung *Korenbloemen* (1658). Mit dem Preislied auf seinen Landsitz *Hofwijck* (1651–1653) lieferte er das Beispiel eines neuen Genres [20], des »Hofgedichtes«, das als Bearbeitung von Horaz, *Epoden II* (›Beatus ille‹), und der Gartenpassage in Vergils *Georgica IV* anzusehen ist.

D. KLASSIZISMUS

Nach der Ren.-Lit. begegnen wir der niederländischen Variante des (frz.) Klassizismus, die theoretisch von Andries Pels, der tonangebenden Figur der Gesellschaft *Nil volentibus arduum*, begründet wurde mit der Bearbeitung der *Ars poetica*: *Q. Horatius Flaccus dichtkunst, op onze tyden én zeden gepast* (1677), die man als Antwort auf die poetologische(n) Schrift(en) Vondels betrachten darf. Pels war ein verdienter Dramatiker (z.B. *Didoos doot*, 1668, nach Vergils *Aeneis IV*), wird aber in dieser Gattung weit übertroffen von Balthasar Huydecoper (1695–1778) und Lukas Rotgans (1653–1710). Ersterer war Autor des klass. Dramas *Achilles* (1719), das von der Affäre des griech. Helden mit Briseis handelte. Rotgans verfaßte zwei Trag. dieser Art: *Scilla* (1709), basierend auf der Erzählung Ovids (*Metamorphosen*) von König Minos und der in ihn verliebten Scilla, und *Eneas en Turnus* (1705). Letzteres gilt h. als Höhepunkt des klassizistischen Schauspiels; den Stoff dazu liefert die zweite H. der *Aeneis*, v. a. Buch XII. Rotgans gestattete sich ›ein paar notwendige Freiheiten und Ergänzungen‹, wie er im Vorwort schreibt. Hierzu gehört – anders als bei Vergil – z. B. die zeitliche Verschiebung des Selbstmords der Königin Amata auf einen Zeitpunkt nach dem Tod des Turnus. Dadurch gewinnt ihr Tod an Wahrscheinlichkeit – ein wichtiger Punkt für die Klassizisten – und das E. des Stücks an Dramatik, fällt ihr Tod dann doch zusammen mit dem Triumph des Aeneas und dem Glück ihrer Tochter Lavinia [18. 11–12; zum Klassizismus ferner 24. 308–313]. Durch die Ant. inspiriert zeigt sich auch der »bukolische« Dichter Hubert Kornelisz. Poot (1689–1733), der mit dem Vers ›Hoe genoeglyk rolt het leven des gerusten landmans heen‹ eine der wenigen Zeilen schrieb, die jeder (gebildete) niederländische Leser kennt. Diese Eingangsworte von ›Akkerleven‹ entstammen dem schon erwähnten ›Beatus ille‹ des Horaz. Reminiszenzen an Horaz und an die erotische Dichtung Ovids finden sich in den *Mengelgedichten* (1716). Übrigens verwendete Poot gern Zwischentexte, nämlich die Übers. Vondels [24. 314–318].

E. ROMANTIK

An der Schnittstelle von Klassizismus und Romantik steht das umfangreiche Werk (seine gesammelte Poesie allein zählt 15 dicke Bände) des Willem Bilderdijk (1756–1831), eines intellektuellen Nimmersatt, wie sich nicht leicht ein zweiter findet. Die ant. Lit. diente ihm als Quelle der Inspiration für Übers./Bearbeitungen und bei seinen unermüdlichen Lobgesängen auf die Segnungen des Todes (›Ich sehne mich nach dem Grab‹), den er ziemlich spät erleiden sollte. Sein Lieblingsautor war Horaz. Dessen *Ars poetica* arbeitete er 1810 um zu dem Werk *De kunst der poezy*, worin er Abschied vom starren Klassizismus nahm und die Freiheit der romantischen Phantasie begrüßte [24. 413–418]. Aber er fand bei den ant. Autoren viel mehr, was seinem Geschmack entsprach, wie aus der imposanten Liste von Veröffentlichungen auf diesem Gebiet deutlich wird. Es fällt auf, daß er nicht nur die kanonischen Autoren ganz oder teilweise übersetzte, sondern auch die Grenzen überschritt: Es finden sich Übertragungen von *Anacreontea* (1779), der *Argonautica* des Apollonius Rhodius, von Ausonius, der *Batrachomyomachia* (ein parodistisches Epos in homer. Stil) aus dem J. 1821, des Zeus-Hymnus des Kleanthes (1795), des euripideischen Satyrspiels *De cycloop* (1828), von Hadrians Abschied vom Leben (von Bilderdijk beträchtlich erweitert, 1826), Iuvenals (1820), des Moschos (1779), des *Pervigilium Veneris* (1791), von Theokrit (diverse Publikationen) und Tyrtaios. Eine inventarisierende und bewertende Unt. zu Bilderdijk und seines Verhältnisses zum klass. Alt. ist ein Desiderat ersten Ranges, umso mehr als sein Einfluß auf die niederländische Lit. allg. bis in un-

sere Zeit andauert. Dabei müßte auch der Einfluß des Platonismus auf sein Dichten und Denken zur Sprache kommen (seine Behandlung fehlt in einem kürzlich erschienenen Hdb. [8. 28]). Im Fall des Philologen Jacob Geel (1789–1862), Verfasser des »sokratischen« Dialogs *Gesprek op den Drachenfels* (1835), worin der Gegensatz zu klass. und romantisch thematisiert wird, ist dieser Einfluß definiert [8. 123–140].

Eine Übergangsfigur, die von Leidenschaft für das Alt. beseelt war, stellt auch der Jurist Carel Vosmaer (1826–1888) dar: Er war praktisch der einzige Literat des 19. Jh., der von den »neuen Dichtern« (den Achtzigern) geschätzt werden sollte. Seine Romane *Amazone* (1880) und *Inwijding* (1888) zeugen von dieser Begeisterung – die Lebensweisheit des Horaz spielt darin übrigens eine wichtige Rolle in Gestalt zahlreicher Zitate. Aber Vosmaer verdankt seinen (inzwischen etwas verblaßten) Ruhm v. a. seinen lebendigen Homer-Übertragungen in Hexametern, die sich relativ lang behaupteten: *Ilias* (1880), *Odyssee* (postum 1889).

F. ACHTZIGER UND NEUNZIGER

Als Geburtsstunde der mod. Lit. gilt allg. das Erscheinen der ersten Ausgabe der Zeitschrift *De nieuwe gids* (1885). Das »Neue« sollte v. a. in der gefühlsbetonten und bilderreichen Sprache zum Ausdruck kommen gegenüber der abgenutzten Rhet. der dichtenden Pfarrer der vorhergehenden Jahrzehnte. Eine wichtige Funktion erfüllten dabei epische Gedichte und Fragmente der »Achtziger«: Willem Kloos (1858–1938), Albert Verwey (1865–1937) und Herman Gorter (1864–1927). Kloos, »Kandidat« in den klass. Sprachen, verfaßte die episch-dramatischen Fragmente *Rhodopis* (1880), *Ganymedes op aarde* (1885) und *Sappho* (1893), die auf einer ›griech. Lebensvision‹ fußten, in der Gefühl und Geist zusammenfanden, Harmonie und Heiterkeit herrschten [19. 15–30; 20. 77–85]. Er übersetzte u. a. die *Antigone* des Sophokles (1918), die *Alcestis* des Euripides und lieferte einige enthusiastische Essays – z. B. über Pindar und Kallimachos – für den von ihm herausgegebenen *Nieuwe Gids*. Wetteifernd mit Kloos verfaßte sein »Schüler« Verwey *Persephone* (1883) und *Demeter* (1885); letzteres Werk blieb unvollendet, erst 1983 erschienen unter dem Titel *Dichtspel* früher nicht in einem Band vereinigte Fragmente [20. 87–96]. Die wechselseitige, erotisch gefärbte Beziehung zw. Kloos und Verwey kommt »allegorisch« in ihren Epen zum Ausdruck.

Der größte Achtziger war vielleicht Herman Gorter (1864–1927), der v. a. durch sein allegorisch gefärbtes Epos *Mei* (1889) bekannt ist. Im Erscheinungsjahr dieser bahnbrechenden Dichtung wurde Gorter mit der Arbeit *De interpretatione Aeschyli metaphorarum* promoviert, mit der er seine Amsterdamer Ausbildung abschloß. Neben *Mei* verdient auch sein Epos *Pan* (1912–1916) wegen seiner klass. Motive Erwähnung ([27. 71–161], fortgesetzt in [19. 73–88]). Die Liebe zur klass. Lit. durchzieht das ganze Leben Gorters, wie in seiner postum veröffentlichten Studie auf marxistischer Grundlage *De groote dichters* (1935) v. a. in den Kap. über Aischylos und Vergil deutlich wird [18. 25–26].

Die Dichter und Altphilologen J. H. Leopold (1865–1925) und P. C. Boutens (1870–1943) gehören zur Generation der »Neunziger«. Der erstgenannte, der 1892 in Leiden mit einer Arbeit über den Horaz-Herausgeber Peerlkamp promoviert wurde, war der einzige unter den Literaten der Achtziger und Neunziger, ›der auch als Philologe tätig war und sich als solcher auszeichnete‹ (W. J. W. Koster in [8. 39]). Dies betrifft seine Studien zu Epikur, Marc Aurel und zur Latinität Spinozas. Die von diesen Autoren ausgehende Inspiration entdeckt man v. a. in dem »Epyllion« *Cheops* (1915), aber auch in einer Reihe von Gedichten und Übers., die oft nur fragmentarisch geblieben waren und erst 1952 zusammengestellt wurden. Eine Übersicht über die zahlreichen Leopold-Studien der letzten J. bietet Wim Hottentot [19. 90–105].

Boutens, der nach dem Studium der Klass. Phil. in Utrecht mit einer Arbeit über die Aristophanes-Scholien (1899) promoviert wurde, war seinerzeit ein gefeierter Übersetzer der Klassiker und ein verehrter Dichter. Sein Werk ist vom Geist Platons durchdrungen [23; 6. 53–58; 8. 34–39], dem er ein *Spel van Platoon's leven* (1908) widmete und dessen Werk er zum Teil übersetzte; auch Homers Epen übertrug Boutens in Ausschnitten (*Odyssee* 1937). Neben Platon verehrte er Sappho – in *Carmina* (1912) findet sich eine ›Ode aan Sapfo‹ – und die Tragiker (Gesamtübers. des Aischylos: zum *Agamemnon* [12]). Zur Zeit hat die Wertschätzung von Boutens sowohl hinsichtlich seines eigenen Werks als auch seiner Übers. sehr abgenommen [19. 107–120].

Der Ruhm eines anderen (Leidener) Philologen, des exzentrischen Dichter-Philosophen J. A. dèr Mouw (1863–1919), begann erst nach seinem Tod: Die *Forum*-Autoren betrachteten ihn aufgrund des »parlando« in seiner postum erschienenen Brahman-Poesie als ihren Vorläufer. Als Höhepunkte seines von der Ant. inspirierten Werkes gelten *Sleetocht*, *Orpheus* und *Xerxes*. Dèr Mouw verfaßte auch lat. und griech. Gedichte [7; 19. 53–70] und ist damit das letzte Glied einer reichen niederländischen Tradition.

›Auf keinen anderen niederländischen Schriftsteller und auf nur wenige bedeutende Vertreter der mod. Weltlit. (...) übten Griechenland und Rom eine größere Anziehungskraft und einen tiefer gehenden Einfluß aus als auf Louis Couperus, den Holländer mit der lat. Seele, der sich selbst zuweilen als die Reinkarnation eines alten Römers der Kaiserzeit betrachtete‹ [1. 7]. Auch Couperus (1863–1923) begann als Dichter, doch wurde sein poetisches Werk weit in den Schatten gestellt von seiner Prosa: Erzählungen, Romane, Reisebeschreibungen, Kolumnen, die in der Tat häufig Bezüge zur Ant. zeigen. Größte Bewunderung genießen zur Zeit seine Ant.-Romane, die teils myth., teils histor. abwechselnd in der griech. und röm. Welt angesiedelt sind: *Dionyzos* (1904); *De berg van licht* (1905/6), über den Kinderkaiser Heliogabal; *Antiek toerisme* (1911), über eine Seelenreise durch Ägypten; *Herakles* (1913); *De komedianten* (1917), Handlungsort ist der Hof Do-

mitians; *De verliefde ezel* (1918), eine freie Bearbeitung von Apuleius' Eselsroman; *Xerxes of de hoogmoed* (1919); *Iskander* (1920), Alexander d. Gr. gewidmet. Daneben sind seine Erzählungen (Sammlung 1980) und Novellen wie *Psyche* (1898), ebenfalls (sehr) frei nach Apuleius, und *De ode* (1919) über Pindar zu erwähnen. Seine Beschreibungen Roms und anderer it. Städte (*Reis-impressies*, 1894) wie auch Nord-Afrikas (*Met Louis Couperus in Afrika*, 1921) gelten noch immer als Perlen journalistischer Prosa. Couperus übersetzte auch einige klass. Texte: Die *Menaechmi* des Plautus (1916) und zwei *Idyllen* Theokrits (1918).

Wir besitzen ein zusammenfassendes Werk über Couperus und die Ant. [1] sowie eine Dissertation über seine ant. Romane und Erzählungen bis 1913 [13]; ferner gibt es Einzelstudien zu *Xerxes* und *Iskander* [29] und dem Roman *De komedianten*, in dem heidnische und christl. Welt aufeinandertreffen, einem sog. Konfrontationsroman [14; 20. 29–41], zu Couperus' Bearbeitungen von Apuleius und Petronius [17. 11–28; 20. 62–66], darüber hinaus eine Reihe von Publikationen in Zeitschriften (Erwähnung in [13]), zum Teil angeregt durch die kürzlich erschienene wiss. fundierte Neuausgabe seines Gesamtwerks.

G. Die Zeit zwischen den Kriegen

Diese Periode gilt als Blütezeit der niederländischen Lit. des 20. Jh. v. a. auf dem Gebiet der fiktionalen und essayistischen Prosa. Den Brennpunkt bildet die Zeitschrift *Forum* (1932–1936) unter der Leitung der Kritiker Ter Braak und Du Perron. Zu dieser Generation gehört der vielseitigste und produktivste Schriftsteller der mod. Lit., Simon Vestdijk (1898–1971). Zunächst betätigte er sich hauptsächlich als Dichter, doch bald entwickelte er sich zum Romancier und Essayisten auf vielen Gebieten. Auffallend ist die große Zahl histor. Romane über sehr divergierende Perioden von der prähistor. Zeit Griechenlands bis zum Frankreich des 19. Jh. Drei dieser Romane spielen im ant. Griechenland: *Aktaion onder de sterren* (1941), *De verminkte Apollo* (1952) und *De held van Temesa* (1962), alle an einer Nahtstelle der Epochen angesiedelt [16. passim]. Ein vierter »Antikeroman«, *De nadagen van Pilatus* (1938), ist am Hof Kaiser Caligulas situiert und bietet ein Beispiel des Konfrontationsromans [17. 29–45]. Auch verschiedene »zeitgenössische Romane« Vestdijks zeigen übrigens ant. Intertextualität, z. B. *Else Böhler, Duitsch dienstmeisje* (1935), eine Paraphrase des Mythos von Perseus und Andromeda [20. 105–120], und *Ivoren wachters* (1951), worin die klass. *Oresteia* des Aischylos durchscheint. Vestdijks gesammelte Poesie, die erst spät Beachtung fand, weist viele myth. Gedichte auf, u. a. eine Folge von 48 griech. Sonetten in der Sammlung *Gestelsche liederen* (1949). Die Reihe umfaßt viermal zwölf Gedichte, die sowohl »horizontal« wie »vertikal« verbunden sind [21. 84–97]. Besondere Aufmerksamkeit verdient auch die »Apollinische Ode« (1938), die für eine Standortbestimmung von Vestdijks Thematik sehr wichtig ist.

Eng verwandt mit Vestdijk ist F. Bordewijk (1884–1965), der ebenfalls viele Genres pflegte, aber offensichtlich nicht in allen Erfolg hatte. Ausgesprochen klass. ist nur *Plato's dood* (1948), der Text zu einer Sinfonie seiner Frau Joh. Roepman. Kürzlich erschien allerdings eine eingehende Unt. über seine berühmten Kurzromane *Blokken* (1931) und *Bint* (1934), die plausibel macht, daß die Beschreibung der Staatsform bzw. des Schulsystems auf den polit. Theorien Platons basiert [8. 169–186].

Die Altphilologin und Dichterin Ida Gerhardt (1905–1997) vertritt am ausgeprägtesten die klass. Trad. in der Lit. des 20. Jh.: Als begeisterte Lehrerin verteidigte sie engagiert die klass. Bildung innerhalb wie außerhalb ihres Werkes. Ihre Doktorarbeit stellt ein Unikum dar: *Lucretius, De natuur en haar vormen* (1942), eine Übers. von *De rerum natura* I und V. Neben Lukrez übersetzte Gerhardt auch Vergils *Georgica* (1949) und einige griech. Epigramme (1963). In all ihren Gedichtsammlungen finden sich ant. Motive und Anklänge [19. 122–138]. Zahlreich sind Verweise auf Platon [8. 199–219], griech. Lyriker, Vergil [5. 159–185] und ihren geliebten Lukrez.

H. Nachkriegsliteratur

Die Lit. der Nachkriegszeit wird beherrscht von »den großen Drei«, Autoren, deren Qualität rasch von den Kritikern anerkannt wurde, die bei einem breite(re)n Publikum jedoch erst in den 60er J. Erfolg verbuchen konnten: W. F. Hermans (1921–1995), G. K. van het Reve (geb. 1923) und Harry Mulisch (geb. 1927). Bei Gerard Reve (wie sich der Autor seit den 70er J. nennt) ist die ant. Intertextualität sehr gering und sind die spärlichen Bezüge auf das Alt. fast immer ironischer Art. Bei Hermans und Mulisch liegt die Sache anders: Beide verwenden z. B. myth. Motive in ihren Erzählungen und Romanen als Substrat, benutzen ant. Motive jedoch auch als Ausgangspunkt für Dramentexte. In seinem Roman *Nooit meer slapen* (1966), der allg. als ein Höhepunkt der fiktionalen Prosa der Nachkriegszeit gilt, gibt es wichtige Anspielungen auf die *Aeneis* [5. 144–148]. Eine interessante Variante des Orpheus-Motivs bietet die Novelle *Geyerstein's dynamiek* (1982). Stoff aus Herodots *Historien* bearbeitete Hermans in seinem 1975 erstmals ausgestrahlten Fernsehspiel *Periander* [17. 46–62].

Auch Mulisch schrieb ein Herodot-Stück für das Fernsehen: *Volk en vaderliefde* (1975), über die Thronbesteigung des Darius. Wichtiger ist seine eigene Version des Ödipus-Mythos in dem Schauspiel *Oidipous Oidipous* (1972), in dem er eine spezielle Rolle für den (blinden) Tiresias schuf. Außer diesem »Königsmythos« ist auch die Erzählung von Orpheus und Eurydike von großer Bed. für Mulischs Werk [20. 121–133]: Man begegnet ihr in dem kleinen Roman *Het zwarte licht* (1956), der kurzen Erzählung *Paralipomena Orphica* (1967), dem Roman *Twee vrouwen* (1975) wie auch dem Essay *Grondslagen van de mythologie van het schrijverschap* (1987). Auch in den jüngsten Romanen *De ontdekking van de hemel* (1992), der internationale Anerkennung er-

langte, und *De procedure* (1998) begegnet man Orpheus neben anderen Figuren der griech. und ägypt. Mythologie. Ein früher Höhepunkt auf dem Gebiet des »Jonglierens« mit ant. Texten stellt der Roman *Het stenen bruidsbed* (1959) dar mit überraschenden homer. Parallelen [20. 18–20].

Internationale Anerkennung fanden auch Hella S. Haasse (geb. 1918) und Cees Nooteboom (geb. 1933): erstere v. a. für ihre histor. Romane, eine von ihr mit neuem Leben erfüllte Gattung [24. 769–776]; Noteebooms weltweiter Erfolg stellte sich nach der sehr positiven Aufnahme der dt. Übers. seiner Novelle *Het volgende verhaal* (1991) ein, die reich ist an Platon- und Ovid-Motiven [3. 152–182]. Dadurch wurde auch das Interesse an seinen Reisebüchern geweckt, in denen die ant. Kultur stets thematisch wiederkehrt, an seinen Gedichten und seinen Romanen *Rituelen* (1980) und *Allerzielen* (1998), die als Erzählungen der inneren Suche einen ant.-epischen Hintergrund besitzen [3. 97–110].

Hella S. Haasse, die zweifellos bedeutendste Autorin der mod. niederländischen Lit., verfaßte den histor. Roman *Een nieuwer testament* (1966) über das Leben des Claudius Claudianus, des letzten paganen Dichters der Römer, und das »myth.« Schauspiel *Een draad in het donker* (1963). *Geen bacchanalen* (gedruckt 1985) ist ein zweites »klass.« Stück des Typs »play within a play«: In einem Gymnasium wird ein Theaterstück aufgeführt über das aus Livius bekannte *senatus consultum de bacchanalibus* (189 v. Chr.), das stark auf das Schulleben (sprich: die Gesellschaft) Bezug nimmt. Denselben Stoff verwendete Haasse auch in ihrem Roman *Huurders en onderhuurders* (1971). Romane mit myth. Substrat sind *De verborgen bron* (1950) mit Verweisen auf Arethusa und *De wegen der verbeelding* (1983), worin das Orpheus-Motiv dominiert.

Haasse wie auch Nooteboom haben in Essays und Interviews explizit auf den Bildungswert der klass. Lit. hingewiesen, auch oder gerade in einer postmod. Gesellschaft.

Literatur s. VI. am Ende   R.TH. VAN DER PAARDT

VI. Die Literatur in Flandern
A. Ausgangslage
B. Um den Ersten Weltkrieg
C. Die Zeit zwischen den Kriegen
D. Reaktionen auf den Zweiten Weltkrieg

A. Ausgangslage

Im 18. Jh. erlebte die Lit. im Süden eine deutliche Zeit des Niedergangs: Nach dem Fall von Antwerpen (1585) hatte ein Exodus in den Norden stattgefunden und die alleinige Lit. der Rederijker (→ Niederlande und Belgien IV) bedeutete auf lange Sicht eine Periode der Stagnation. Lediglich in der Zeit der Österreicher (1713–1792) wurden die ersten Schritte auf dem Weg zu kultureller Mündigkeit und nationalem Bewußtsein getan, doch während der J. der frz. Besetzung (1792–1814) sollte das Niederländische noch von der Ausmerzung bedroht sein. Erst im Rahmen der Politik Willems I. wurden in der holländischen Phase (1815–1830) strukturelle Maßnahmen getroffen, um dem kulturellen Rückstand auf dem Gebiet von Unterricht und Sprache entgegenzuwirken. Die Entstehung der niederländischen Lit. in Flandern muß somit als spätes und mühsames Phänomen gelten. Das ganze 18. und 19. Jh. hindurch sind die Verweise auf die klass. Lit. eher sporadisch, oft didaktisch und moralisierend, manchmal schwer zu trennen von der Bewunderung für die Helden der german. Frühzeit. Ein gutes Beispiel dafür bietet das Werk des Prudens Van Duyse (1804–1859): Inhaltlich sind die Verweise auf die Ant. neoklassizistisch, der Form nach herrschen kleinere Genrestücke wie ein Rederijker-Thema (*De zang des Germaenschen Slaefs binnen Rome*, Dichterwettstreit 1849), »stimmungsvolle« Gedichte (*Actéon en Diana*), Pasticcio (*De geboorte van Venus, Diana's sluier*) und »Reimeinfälle« (*Prometheus*) (erschienen nach seinem Tod 1883 bzw. 1884 bzw. 1885 in *Nagelaten Gedichten* 1882–1885).

B. Um den Ersten Weltkrieg

Schufen die »Achtziger« eine Poetik, von der die Lit. im Norden stark bestimmt werden sollte (als Ausnahme gilt der flämische Achtziger Pol de Mont, 1857–1931, von der Ant. beeinflußt in seinen *Idyllen*, 1882, und *Iris*, 1894), so stellten die »Neunziger« die tonangebende Bewegung im Süden dar. Das → Fin de siècle erlebte die Geburt der Zeitschrift *Van Nu en Straks* (1893–1894; 1896–1901), an der in ihren jungen J. Karel van de Woestijne (1878–1929) und Herman Teirlinck (1879–1967) mitarbeiteten. In einer Landschaft, die stark vom Naturalismus (Buysse, Streuvels) und vom westflämischen Katholizismus (Gezelle, Verriest, Rodenbach) bestimmt wurde, sollte van de Woestijne der erste sein, der in ausgesprochen symbolischem Sinn ant. Symbole besang. In seiner Gedichtsammlung *De Terug-Tocht* (1912) widmete er einen Zyklus ganz der Suche des Orpheus nach Eurydike. In seinen epischen Gedichten *Interludien* I und II (1912–1914) wie auch in *Zon in den rug* (*Interludien* III, 1914–1924) illustrierte die Aufnahme ant. Myth. vollauf seine metaphysische und symbolische Gedankenwelt, und bald fand der Dichter seine Entsprechung in Helena oder Orpheus, bald seinen Antipoden in Diomedes oder Herakles [10]. Die katholische Inbrunst von Guido Gezelle (1830–1899) bediente sich sowohl eines ausgesprochen romantisierenden und idealisierenden Griechenland- und Homer-Bildes (*Rond den Heerd*, 1866) als auch Platons Freundschaftslehre und seines Schönheitsideals. Auf ein gleiches idealisierendes Bild der griech. Kultur traf man auch in der zweiten, Aphrodite gewidmeten, *Zeesymphonie* von Cyriel Verschaeve (1874–1949) aus dem J. 1911 und in seinen Essays über die *Antigone* des Sophokles (1925, vgl. auch *De tempel te Paestum*, 1930).

C. Die Zeit zwischen den Kriegen

Der flämische Expressionismus hatte wenig Affinität zu ant. Modellen. Dichter der Zeitschrift *'t Fonteintje* (1921–1924) mieden jeden Versuch der Selbstüberhebung und kultivierten eine Philos. von Relativismus und Ironie. Sie orientierten sich wieder an klassizistischer Sprache und Versform, scheuten manieristische Formexperimente und wollten aufs neue eine humanistische Sicht von Mensch und Leben schaffen. Eine Ausnahme bildete Raymond Herreman (1896–1971), der oft einen stark relativierenden Ton (*Van achter de koe uit*, in: *De Roos van Jericho*, 1931; s. auch die Gedichte über *Eurydice* und *Pegaas*) mit dionysischem Lebensgefühl verband (vgl. seine Sammlung *Dionysisch*, in: *Wie zijn dag niet mint zal ten onder gaan*, 1940; *Vergeet niet te leven*, 1944). Allmählich wurde die Lockung des Rausches zu einem echten Human. gemildert, der oft von der Weisheit der Vorsokratiker zeugte. War bei Bert Decorte (geb. 1915) noch dionysische Lebenslust zu spüren in *Germinal* (1937, s. das Gedicht *Arion*), so wurde diese bezwungen in *Orfeus gaat voorbij en andere gedichten* (1940), einem Werk, das zu einer intensiven Gewissenbefragung führte und den Dichter zur Endlichkeit des Daseins zurückbrachte.

D. Reaktionen auf den Zweiten Weltkrieg

Der neue Roman nach dem Zweiten Weltkrieg bot auch neue Möglichkeiten des Umgangs mit der Antike. Marnix Gijsen (1899–1984) bediente sich reichlich ant. Themen, um die existentielle Krise seiner Figuren darzustellen: Sein zweites Ich hieß oft Odysseus (*Telemachus in het dorp*, 1948), und Homer bildete eine unerschöpfliche Quelle der Inspiration (*Lucinda en de Lotoseter*, 1959; *De diaspora*, 1961). Frauen der Myth. wie Eurydike (in *Klaaglied om Agnes*, 1951), Helena (*Helena op Ithaka*, 1968), Aglae (in *De groote god Pan*, 1973) beschworen ständig archetypische Bilder. In dem Roman *De verschijning te Kallista* (1953) von Raymond Brulez (1895–1972) erzählte der Autor dem Anschein nach ein Märchen, das in der Zeit Alexanders d. Gr. spielt (mit Antigone-Motiv), doch eine Philos. des Bösen verlieh dem Werk einen tragischen Unterton. Herman Teirlinck (1879–1967) verfaßte 1946 eine mod. Version der *Oresteia* und richtete sie 1956 für das Theater ein. Gleichen Einfluß von Modernismus kennzeichnete seine Trilogie *Versmoorde goden* (1961), in der er den Ödipus-Komplex verarbeitete und die Rolle der Iokaste völlig umschrieb (*Jokaste tegen God*, 1961).

Die Reaktion auf den Zweiten Weltkrieg ließ die Autoren verschiedene Positionen einnehmen, und dabei stellte der Antikebezug ein wichtiges Kriterium dar. Anton van Wilderode (1918–1998) beschrieb die ant. Welt seiner Phantasie in elegischen und arkadischen Bildern in *Najaar in Hellas* (1947), *De overoever* (1981) und *Een tent van tamarinde* (1984); in leicht archaisierendem Stil übersetzte er auch Vergils Gesamtwerk (1962–1975) [18. 12; 29–30; 19. 156–173; 24. 786]. In zwei Zyklen *De gelieven* (1951) und *Metamorfosen* (1956) verfaßte Urbain van de Voorde (1893–1966) elf klass. Liebesbriefe (vom Typ *Venus tot Adonis; Diana tot Endymion*; ...). Diese Art Dichtung begegnete schon früher in dem langen Gedicht *Endymion* (in *Het donker vuur*, 1928). Umfangreiche klassizistische, romantisierende und idealisierende Lit. dieser Art konnte die Sehnsucht nach dem traditionellen Bild von Griechenland und Rom nicht verbergen: Die klass. Wurzeln sollten für viele flämische Autoren exemplarisch menschlich bleiben, unberührt von welchem Weltenbrand auch immer.

Gefühle von Melancholie und vitaler Ohnmacht waren andererseits charakteristisch für manche »Fünfziger«. So schrieb sich Clem Schouwenaars (1932–1993) in *De vrouwelijke verzen* (1960) die Rolle des »gutgläubigen Orpheus« zu. In einem romantischen Versuch, der Wirklichkeit zu entrinnen, unternahm er manch eine Irrfahrt hin zum Unerreichbaren, die ihn stets zu der Frau führt, die er bald Leda (*Leda of het herleven*, 1970), bald Livia (in seinem Roman *De seizoenen*, 1972) nennt. Als Beschwörung und stoische Bejahung des Todes, ebenso als existentialistische Antwort auf einen fundamentalen Zweifel am Leben verfaßte Herwig Hensen (1917–1989) die Gedichtsammlungen *De cirkel tot Narkissos* (1938), *Daidalos* (1948) und *Orpheus in dit Avondland* (1955) sowie die »ant.« Theaterstücke *Polukrates* (1946), *Agamemnoon* (1948) *Tarquinius* (1950) und *Alkestis* (1952). In seiner Sammlung *Ellende van het woord* (1946, darin bes. die Gedichte *Medea* und *Sibylle*) schrieb Jos de Haes (1920–1974) über die Entartung von Mensch und Welt; das existentiell aufgeladene Wort war völlig verloren gegangen, ein Thema, das wieder aufgenommen wurde in *Azuren holte* (1964). Aus seinen archaisierend-manieristischen Übers. von Pindar (*Pythische Oden*, 1945) und Sophokles (*Philoktetes*, 1959) sprach dieselbe Stimmung, in der so manches seiner Gedichte schwelgte [19. 174–190]. Auch Albe (Ps. für Renaat Antoon Joostens, 1902–1973) beklagte den Verlust von authentischen Gefühlen in der mod. Zeit. In seinem lyr. Roman *Orpheus* (1950) mußte die Musik den existentiellen Verlust kompensieren; in *Seizoenen om Orpheus* (1964) wurde erneut die spirituelle Verarmung der Mod. konstatiert. In dem Roman *Droomgezicht in Epidauros* (1965) entdeckte der Protagonist die wohltuende Kraft einer Heilung in dem griech. Wallfahrtsort wieder.

Nach dem Zweiten Weltkrieg zeigten einige Autoren auch einen Fluchtreflex in den magischen Realismus. Johan Daisne (1912–1978), ein leidenschaftlicher Essentialist und Gegner des Existentialismus, siedelte viele seiner Werke zw. der Unvollkommenheit der Wirklichkeit und der idealen und spirituellen Dimension der Traumwelt an; er ließ sich dabei von vielen Facetten des platonischen Dualismus leiten (*De Trap van Steen en Wolken*, 1942; *De Man die zijn haar kort liet knippen*, 1947; *Lago Maggiore*, 1957) [21. 108–117; 30. 160–181]. In der Blütezeit des flämischen Romans machte sich Hubert Lampo (geb. 1920), ein »Realist auf der Grenze von Traum und Tat«, auf die Suche nach dem Übernatürlichen und der »anderen Welt«. Zahlreiche

seiner Werke verbinden Motiv oder Figuren der griech. Myth. mit C. G. Jungs Lehre vom kollektiven Unbewußten. So findet sich in *De Geliefden van Falun* (1959) wie auch in dem Roman *De goden moeten hun getal hebben* (1969), erschienen als *Kasper in de onderwereld* (1974), das Orpheus-Thema. In den Romanen *Terugkeer naar Atlantis* (1953) [30. 182–192], *De komst van Joachim Stiller* (1960), *Hermione betrapt* (1962), *De heks en de archeoloog* (1967) begegnet die archetypische Suche im Aufspüren des Ariadne-Fadens. Die Novelle *Idomeneia en de Kentaur* (1951, die »Doppelerzählung aus Nord und Süd«, ergänzt durch die Antwort von Ben Van Eysselstein), war eine frühe Suche nach der vollkommenen Welt und der Liebe. In dem Werk *Toen Herakles spitte en Kirke spon* (1957) begibt sich Lampo auf eine andere Suche: auf die nach der »République des Champs-Elysées« oder die nach der geistigen Heimat Westeuropas.

Ebenso wie in zahlreichen anderen Ländern schrieben viele flämischen Autoren seit den 60er J. die kanonischen klass. Motive in kritischer Weise um. Viele lenkten die Aufmerksamkeit auf die zum Schweigen gebrachte Frau des Alt. und fochten damit das ideologische Bild an, das der Westen von ihr entworfen hatte. Paul Lebeau (1908–1982) zeichnete in seiner *Xanthippe* (1959) ein neues (und damals provozierendes) Bild der starken Frau, eine späte Ehrenrettung der Frau, die einzig aus dem Blickwinkel des Mannes konzipiert war. In vielen histor. Novellen und Romanen schuf Rose Gronon (1901–1979) psychologische Porträts, die sich oft mit der Rolle der Frau befaßten und ihr (und ihrer Göttlichkeit) neue Glaubwürdigkeit verliehen: *De Ramkoning* (1962), *De roodbaard* (1965), *Persephone* (1967), *Pentheus* (1969), *Iokasta* (1970), *Ishtar* (1974), *De heks* (1978). Die klassizistisch anmutende Form, in der Christine D'haen (geb. 1923) ant. Themen besang, darf nicht darüber hinwegtäuschen, daß inhaltlich manche Figur aus einem stark erneuerten weiblichen Bewußtsein konzipiert wurde (s. ihre Sammlungen *Onyx*, 1983; *Mirages*, 1989; *Merencolie*, 1993; *Morgane*, 1995) [24. 787].

Auch Willy Spillebeen (geb. 1932) stellte sich ein Alt. mit einem sehr viel weniger idealisierten Antlitz vor. Der Mythos von Medea lieferte den Rahmen für eine Abrechnung mit dem Flandern der Zeit zw. den Weltkriegen (*De varkensput*, 1985); in seinem Roman *Aeneas of De levenreis van een man* (1982) [18. 37–39] wurde Aeneas ein Antiheld, dessen Leib im Schmerz verging. Mit machtgierigen Politikern wurde abgerechnet in *Thersites of Het bordeel van Troje* (1997).

Die modernistische Poetik von Hugo Claus (geb. 1929) bildete die Grundlage für seinen eigenwilligen Umgang mit den ant. Autoren. Sein »geistiger Vater« Antonin Artaud und dessen »théâtre de la cruauté« brachten ihn mit Seneca in Berührung und veranlaßten eine stark »ritualisierte« Bearbeitung von dessen Trag. *Thyestes* (1966) [22. 9–22] und *Oedipus* (1971) [22. 23–73]; Senecas *Phaedra* (1980) [17; 20. 147–163] mündete einige J. später in ein eher illusionsloses Drama [24. 783–786]. Spott über Mensch und Gott kennzeichneten seine Bearbeitung des euripideischen *Orestes* (1976), Gesellschaftskritik durchzog sein Drehbuch *Het huis van Labdakos* (1977). Unter seinen Händen wurde die *Lysistrate* des Aristophanes (1982) wieder zu dem, was sie einst gewesen war, eine obszöne Posse. Überraschend respektvoll war dagegen seine Übers. *In Kolonos* (1986). Als zentrale Metapher im Werk von Hugo Claus kann das ödipale Verhalten der Protagonisten verstanden werden (*De hondsdagen*, 1952; *De verwondering*, 1962; *Omtrent Deedee*, 1963) [20. 165–167]. Ehrfurcht vor dem klass. Text und der myth. Botschaft fehlt also vollends: Der mod. Dichter eignet sich Materialien an, transformiert sie und stellt sie in Frage. Das mythische Modell wird seiner Kraft beraubt, eine Erlösung oder Auferstehung ist nicht zu erwarten. Je tiefer jedoch der Antikebezug zeitlich zurückreicht, umso mehr Affinitäten ruft dieser bei dem Dichter wach, gefesselt wie er ist von den primitiven und vitalistischen Kräfte in der Natur. In seinem Werk *De mot zit in de mythe* (1984) [4; 20. 168–172] gibt Paul Claes (geb. 1943) eine Übersicht über alle Verweise auf das Alt. in Claus' Werk und lenkt die bes. Aufmerksamkeit auf dessen Verwendung der Vegetationsmythen und der großen Muttergöttin (in: *Oostackerse gedichten*, 1955; *De verwondering*, 1962; *Vrijdag*, 1969; s. auch *Het schommelpaard*, 1988). In *Claus-reading* (1984) und *Claus Quadrifrons* (1987) untersuchte Claes dieses Material methodologisch noch detaillierter. Claes schrieb selbst zahlreiche literaturwiss. Werke, in deren Zentrum klass. Texte stehen (*Het netwerk en de nevelvlek*, 1979; *Echo's Echo's*, 1988). Alexandrinisches Gefühl für Raffinement und Verspieltheit dominieren seine Gedichtsammlungen *Rebis* (1989) und *Feux* (1993) und die gesammelten Erzählungen *Het laatste boek* (1992, darin das Pasticcio *De Bloomiade*). Im Roman *De sater* (1993) kehrte er zurück zu den Wurzeln der ant. Form der Milesischen Novelle. In seinen Übers. (*Catullus*, 1995; eingestreute klass. Texte in *De liefste. Onsterfelijke liefdesgedichten*, 1990; *De Griekse liefde: honderd vijftig epigrammen*, 1997) beherzigte er das Wort von Ezra Pound ›Make it new!‹. Als erster hatte jedoch in Flandern Johan Boonen (geb. 1939) diesen modernistischen Übersetzungsgrundsatz auf klass. Trag. angewandt und aus ihnen perfekt spielbare mod. Texte gemacht: Von Aischylos übersetzte er *Agamemnoon* (1974), von Sophokles *Oedipoes, tiran van Thebe* (erster Entwurf 1969, Publikation 1972), *Antigone* (1975), *Oidipoes te Kolonos* (1985), *Ajax/Antigone* (1991), von Euripides *Medea* (1989), *Elektra* (1990) und *De Trojaanse Vrouwen* (1996). Mit *De bokken* (1974) und *Medea* (1982) verfaßte Boonen zwei originale Dramen [19. 230–239].

1 TH. BOGAERTS, De antieke wereld van Louis Couperus, 1969 2 S. BRINKKEMPER, I. SOEPNEL, Apollo en Christus. Klassieke en christelijke denkbeelden in de Nederlandse renaissance-literatuur, 1989 (mit weiterer Lit.) 3 D. CARTENS (Hrsg.), Der Augenmensch Cees Nooteboom, 1995 4 P. CLAES, De mot zit in de mythe, 1984 5 K. ENENKEL u. a. (Hrsg.), Zoals de ouden zongen, 1998 6 S. VAN FAASSEN (Hrsg.), De Tachtigers en de klassieken, 1980 (mit weiterer Lit.) 7 M. F. FRESCO, De dichter Dèr Mouw en de klassieke oudheid, 2 Bde., 1972 8 Ders., R. VAN DER PAARDT (Hrsg.), Naar hoger honing? Plato en platonisme in de Nederlandse literatuur, 1998 (mit weiterer Lit.) 9 A. M. F. B. GEERTS, Vondel als classicus bij de humanisten in de leer, 1932 10 W. VAN HEMELDONCK, Antieke en bijbelse metaforiek in de moderne Nederlandse letteren (1880 – ca. 1914), 1977 (mit weiterer Lit.) 11 A. HERMANN, Joost van den Vondels Gysbrecht van Aemstel in seinem Verhältnis zum zweiten Buch von Vergils Aeneis, 1928 12 A. HOEKSTRA, De vertaling van Aeschylus' Agamemnon door P. C. Boutens, 1940 13 W. J. Lukkenaer, De omrankte staf. Couperus' antieke werk, Bd. 1: van Dionysos t/m Herakles, 1989 14 Ders., De komedianten van Couperus, 1995 15 P. MAXIMILIANUS, Vondelstudies, 1968 16 R. VAN DER PAARDT, Over de Griekse romans van Simon Vestdijk, 1979 17 Ders., Antieke motieven in de moderne Nederlandse letterkunde, 1982 18 Ders., De goddelijke Mantuaan. Vergilius in de Nederlandse letterkunde, 1987 (mit weiterer Lit.) 19 Ders. (Hrsg.), Klassieke profielen, 1988 (mit weiterer Lit) 20 Ders., Mythe en metamorfose, 1991 21 Ders., Een vertrouwd gevoel van onbekendheid. Opstellen over antieke intertekstualiteit, 1996 22 Ders., F. Decreus, Dodelijke dikke wolken, 1992 23 A. REICHLING, Het Platonisch denken bij P. C. Boutens. Poging tot verklaring van Boutens' wijsgeerig denken, 1925 24 M. A. SCHENKEVELD, VAN DER DUSSEN (Hrsg.), Nederlandse literatuur, een geschiedenis, 1993 (mit weiterer Lit.) 25 W. A. P. SMIT, Kalliope in de Nederlanden, 3 Bde., 1975 ff. (mit weiterer Lit.) 26 MIEKE B. SMITS-VELDT, Het Nederlandse renaissance toneel, 1991 27 G. STUIVELING (Hrsg.), Acht over Gorter, 1978 28 P. A. F. VAN VEEN, De soeticheydt des buyten-levens, verghelselschapt met de boucken, 1960 29 E. VISSER, Couperus, Grieken en barbaren, 1969 30 J. WEISGERBER, Aspecten van de Vlaamse roman 1927–1960, ³1973 31 J. A. WORP, De invloed van Seneca's treurspelen op ons tooneel, 1892.

F. DECREUS/Ü: EDITH BINDER

Nietzsche-Wilamowitz-Kontroverse

A. EINLEITUNG   B. ULRICH VON WILAMOWITZ-MOELLENDORFF (22.12.1848–25.9.1931)
C. FRIEDRICH NIETZSCHE (15.10.1844–25.8.1900
D. DER STREIT   E. DAS NACHSPIEL

A. EINLEITUNG

Die häufige Erwähnung der Nietzsche-Wilamowitz-Kontroverse darf nicht darüber hinwegtäuschen, daß diese sich auf das kurze Intermezzo zweier J. und auf den sehr kleinen Kreis von vier Beteiligten beschränkte, während die überwiegende Mehrheit der Fachkollegen dem Schlagabtausch distanziert und kopfschüttelnd gegenüberstand. Aus ihrer Sicht hatten sich zwei vorlaute Anfänger zu Wort gemeldet, die man in der Welt der Zunftgenossen nicht ernst nehmen konnte und durfte, zumal beide ihre in vielfacher Hinsicht undeutlichen Positionen mit den Jugendsünden überbordender Polemik und unhaltbarer wiss. Behauptungen belasteten. Wenn auch die ablehnende Haltung der Kollegen wegen fachlicher Mängel berechtigt gewesen sein mag, so muß doch ein weiterer Grund für das einstimmige Desinteresse darin vermutet werden, daß gerade der provozierende Vorstoß Nietzsches bei den Philologen eine Verunsicherung auslöste, der man sich zunächst durch die abwehrende Geste des Schweigens entzog, bevor man sich in späteren J. dem Denkanstoß doch öffnete und aufgrund der gestiegenen Bed. von Nietzsche auch nicht mehr entziehen konnte. Der anfänglichen Zurückhaltung der Fachwelt entspricht der Beobachterposten, auf den sich Nietzsche zurückzog, und das merkwürdige Lavieren, mit dem die anderen Protagonisten in ihren Streitschriften dem eigentlichen Stein des Anstoßes auswichen und ihren Kampf auf vielen Nebenschauplätzen führten; dieses Zusammenspiel von harscher Polemik und vagem Aneinandervorbeireden, von spontaner Verweigerung und allmählicher Annahme zwingt dazu, die Positionen der Kontrahenten gesondert vorzustellen, sie in einigen Punkten anhand der jeweils nachfolgenden Schriften zu erhellen und sich dem Streitpunkt nicht nur auf der Grundlage der sachlichen Äußerungen zu nähern, sondern auch über die Frage, weshalb das Nichtgesagte in so auffälliger Weise nicht gesagt wurde, weshalb der Streit zunächst ergebnislos bleiben mußte und sich erst mit der Verzögerung von ca. 50 J. als ein wichtiger Markstein auf der Suche nach einem neuen Philologieverständnis erweisen sollte [5].

B. Ulrich von Wilamowitz-Moellendorff
(22.12.1848–25.9.1931)

W. gilt als derjenige, der die Klass. Philol. endgültig aus der Zwangsjacke der Textkritik befreite, auf die sie sich nach dem bald vergessenen umfassenden Philologieverständnis von A. Böckh (→ Böckh-Hermann-Auseinandersetzung) zumindest in der Praxis wieder zurückgezogen hatte [7. 97; 11. 156ff.], obwohl sich das Fach im Zuge des Historismus als Geschichtswiss. verstand und ein erweitertes Aufgabenfeld, die Erkundung des gesamten Alt., beanspruchte (zur führenden Rolle von Theodor Mommsen vgl. [7; 15]). Andererseits ging durch den neuen Maßstab der Objektivität der human. Bildungsauftrag verloren, auf den das Selbstverständnis des Faches wesentlich ausgerichtet war – und auch weiterhin ausgerichtet blieb: Denn in Festreden wurde die Idealität der Ant. weiterhin verkündet und blieb bewußt oder unbewußt im Herzen vieler Philologen verankert. Mehrere Brüche durchziehen somit zur Zeit des W. die Klass., nicht mehr Klass. und doch noch Klass. Philol.: Die Lehrpraxis an Schule und Univ. wurde häufig weder den wiss. Methoden des Historismus noch den Idealen des Klassizismus gerecht, sondern zog sich auf den begrenzten Bereich der formalen Philol. (gramm. Interpretation und Kritik) zurück. Die neue wiss. Methode des Historismus wurde zwar erfolgreich praktiziert, jedoch stimmte gerade die enorme Erweiterung des Aufgabengebietes die Philologen nicht euphorisch, sondern ließ sie vielmehr die Kälte des wiss. Großbetriebes und die Beschränkung auf Wissensvermittlung als einen schmerzlichen Verlust empfinden: Ausgerechnet jenes Fach, das bislang durch die Idealität

seines Gegenstandes keiner weiteren Rechtfertigung bedurfte, mußte nun die Unterscheidung von Relevantem und Irrelevantem aufgeben und lief Gefahr, sich an die Erforsch. des Einzelnen zu verlieren. Die stolze, heroische Vergangenheit des Faches ist nach dem Bewußtsein vieler Philologen durch das Zeitalter der Epigonen abgelöst worden [11. 159].

Der Zwiespalt einer doppelten Ausrichtung durchzieht auch das Werk von W.: Er vertrat in seinen Forsch. den gesamten Bereich der ant. Kultur (zur Bed. von A. Böckh und Th. Mommsen: [11. 164ff.]), trieb den Prozeß der Historisierung voran, betrachtete die Philol. als Geschichtswiss. [9], distanzierte sich von dem Begriff des Klass., bemühte sich bei der Vergegenwärtigung des ant. Lebens um realistische (nicht idealisierte) Darstellungen und war von der Objektivität seiner Forschungsergebnisse überzeugt [22. 225f.]. Neben diesen Kennzeichen seiner historistisch-positivistischen Ausrichtung und ohne Bezug zu seinem Forschungsprogramm [7. 105f.] blieb er dem klassizistischen Bild einer in ihrer Idealität normativen Ant. verpflichtet und wollte – auch wenn er sich hierzu nur an wenigen Stellen äußerte – den pädagogischen Bildungsauftrag gewahrt wissen (zu seiner Wertschätzung der preußischen Tugenden und Verehrung des Bismarckstaates: [11. 179]). Als Markenzeichen (das weder dem Historismus noch dem Klassizismus zugerechnet werden kann) gilt sein biographisch-psychologischer Forschungsansatz: ›Die Ant. setzt sich für W. zunächst einmal aus in sich geschlossenen Individualitäten zusammen‹ [11. 171]. Die seelischen Regungen, die Frage nach dem Denken und Fühlen des künstlerischen Individuums auf den einzelnen Stationen des jeweiligen Kunstproduktes standen im Mittelpunkt des Interesses, während das Kunstwerk als Ganzes, der gesamte Bereich der Ästhetik aus dem Blickfeld rückte [4. 147ff.]. Dieser Forschungsansatz, der von einer zeitlos gleichbleibenden Menschennatur ausgeht und keinerlei erkenntnistheoretische Skrupel zeigt, ob es überhaupt möglich ist, sich in das fremde Individuum hineinzuversetzen und ob eine solch exzessive Vergegenwärtigung nicht doch mit der geforderten wiss. Objektivität in Konflikt gerät [8. 55], wurde von einer ausgeprägten Methoden- und Philosophiefeindlichkeit (ein allg. Charakteristikum des Historismus [8. 48ff.; 11. 163 Anm. 24]) begleitet. All diese teilweise einander widerstrebenden Merkmale seines Philologieverständnisses (sein historistisch-positivistisches Forschungsprogramm, sein am Winckelmannschen Klassizismus orientierter Glaube an die Idealität der Ant., seine ablehnende Haltung gegenüber philos. und ästhetischen Fragestellungen) spielten bei der Auseinandersetzung mit N. bereits eine Rolle, auch wenn das hermeneutische Konzept zu diesem Zeitpunkt seiner Laufbahn noch nicht deutlich zu fassen ist.

C. Friedrich Nietzsche
(15.10.1844 – 25.8.1900)

Nietzsches Karriere als Klass. Philologe verlief außergewöhnlich: Nachdem er an der Univ. Bonn (ab

1864) und Leipzig (ab 1865) Klass. Philol. studiert hatte [2. 12 ff.] und in seinen ersten Publikationen, die seine Bevorzugung des Griech. bereits erkennen ließen, bewiesen hatte, daß er das Handwerk der histor.-kritischen Methode souverän beherrschte, erhielt er nach nur sechs Fachsemestern und ohne Habilitationsschrift den Ruf nach Basel als Prof. extraordinarius der Klass. Philol. und als Lehrer am dortigen Pädagogium. An diesen rasanten Aufstieg schließt unmittelbar jene Entwicklung, die von den einen als ein qualvoll sich dahinschleppender Prozeß bedauert wird, in dessen Verlauf der Philosoph sich allzu spät vom Hemmschuh der Philol. befreite, während andere einen wichtigen Auslöser für die Entwicklung zum Philosophen in der ablehnenden Haltung der philol. Fachkollegen sehen, die N. indirekt aus der Zunft verwiesen.

Ein neues, revolutionäres und provozierendes Philologieverständnis kündigte sich zwar bereits während seiner Studienzeit an [2. 1–21], wurde jedoch erst durch Kontakte und Studien der frühen Baseler Zeit gefördert und geformt: Das Bekanntwerden mit Johann Jakob Bachofen (beschäftigte sich insbes. mit Symbolen und der Myth. der Ant.; beklagte die Vulgarisierung und Industrialisierung der Wiss.; gilt als der Entdecker des Mutterrechtes) und mit dem Kunst- und Kulturhistoriker Jacob Burckhardt (bot in seinem *Cicerone* eine Einweisung in die Kunstbetrachtung und in den Kunstgenuß; vertrat eine pessimistische Kulturkritik) führte dazu, daß N. den Philologiebetrieb als steril, einengend und verknöchert empfand. Die gleichzeitig aufgenommene intensive Lektüre Arthur Schopenhauers, dessen Konzept der Willensverneinung und der Ästhetik einer interesselosen Kunst ihn in seinen Bann zog (zur lebensbejahenden Umdeutung des Schopenhauerschen Willensbegriffes: [13. 79 ff.]), und die Freundschaft mit Richard Wagner, den er als größten Genius dieser Zeit glorifizierte, formten in den entscheidenden Punkten sein philos.-ästhetisches Philologieverständnis. Hatte er bereits in seiner Antrittsvorlesung 1869 (*Über die Persönlichkeit Homers*; veröffentlicht unter dem Titel *Homer und die Klass. Philol.*) die historistisch-positivistische Wiss. und deren Überzeugung von der Allmacht des Wissens angegriffen [7. 109 ff.] und auf eine Bildung gedrungen, die der Selbstverwirklichung und Selbststeigerung des Menschen dient [19. 142], und die enge Verbindung von Philol. und Philos. gefordert, hatte er schon damals neben der wiss.-analytischen Erkenntnisform diejenige der Anschauung betont [20. 25 ff.], legte er 1871 mit seiner Schrift *Die Geburt der Trag. aus dem Geiste der Musik* eine geschlossene und provokative Trag.- und Kunsttheorie vor.

Die Streitfrage, ob diese Schrift von dem Philologen N. oder dem Philosophen N. verfaßt wurde, ob sie an die Adresse des einen oder des anderen Faches gerichtet war, muß zugunsten der Philos. entschieden werden. Die Entfremdung von der Klass. Philol., die zunehmend stärkere Hinwendung zur Philos. – N. hatte sich bereits 1871 für den Lehrstuhl der Philos. in Basel beworben

[2. 33 ff.] – weisen in jene Richtung, die von der Schrift selbst bestätigt wird. Stellte allein schon die äußere Form (der Verzicht auf jegliche Fußnoten und Belege) einen Affront gegen die wiss. Methode der Klass. Philol. dar, so legte sich N. mit dem Ton und der Durchführung des Themas endgültig fest: Hier spricht der Philosoph, der Ästhetiker, der Wagnerbegeisterte, der sich an die Eingeweihten wendet [17. 100], zur Nachfolge aufruft und die Erlösung durch die Kunst predigt.

Das Begriffspaar apollinisch/dionysisch [20. 58 ff.], das bis in die Frühromantik (Fr. Schlegel) zurückreicht und das auch die Klass. Philol. für die Entstehung der griech. Musik und der griech. Trag. fruchtbar machte (so in der Literaturgeschichte von O. Müller [16. Kap. 21], die N. eingehend studiert hat), bildet den Ausgangspunkt, von dem aus N. seine Trag.- und Kunsttheorie entwickelt: Demnach wirken in der Natur zwei Kräfte: 1. Das Dionysische, das sich als rauschhafte, elementare Kraft in maßlosen, machtvollen, zerstörerischen, aber auch schöpferischen Regungen äußert und als irrationaler Weltwille, als Wille zur Macht das eigentliche Agens des Lebens darstellt; 2. das Apollinische, das als notwendiges Korrelat zum Dionysischen die empirische Erscheinungswelt erst ermöglicht, indem es die entfesselten Kräfte des Dionysischen durch maßvolle Begrenzung bändigt und im schönen Schein umfängt [13. 30]. Diese ›geheimnisvollen Quellen‹ [17. 39] erfährt der Mensch im Traum (die apollinische Welt des schönen Scheins) und im ekstatischen Rausch (die dionysische Welt des entfesselten Lebens), und auf diesem dualistischen Konzept basiert auch die Kunst als ästhetische Schöpfung des Menschen (Schaffensästhetik): Der künstlerisch erregte Mensch erleidet die ebenso grausame wie schöpferisch-beglückende Welt des Dionysischen (zur Umdeutung der resignativen Daseinsauffassung Schopenhauers [13. 71]) und deutet diese unter dem ›Walten des Schönheitstriebes‹ [17. 127], des Bildnergottes Apoll, im Kunstwerk. Die ›ganze Welt der Qual‹ ist eine notwendige Voraussetzung, damit ›durch sie der Einzelne zur Erzeugung der erlösenden Vision gedrängt werde‹ [17. 125]. Allein die wahre Kunst vermag aus den Qualen des Daseins zu erlösen, allein im Schöpfertum vollendet sich das wahre Menschsein; und diejenige Kunstschöpfung, die am vollkommensten die beiden Kräfte vereinte, stellt ›durch einen metaphysischen Wunderakt des hell. »Willens« (...) das ebenso dionysische als apollinische Kunstwerk der att. Trag. dar‹ [17. 111]. Dieses in den Werken der Großen faßbare Griechentum ist das vorbildliche Paradigma des großen Menschen und elementaren Lebens [13. 27]. Doch bereits im 5. Jh. v. Chr. setzt insbes. durch das aufklärerische Wirken des Sokrates und des Euripides und deren einseitige Betonung des apollinischen Elementes die kulturelle Dekadenz ein (zu der sehr subjektiven Bevorzugung der archa. Epoche und zu den sich daraus ergebenden Problemen: [2. 48]), das Zeitalter des wiss. Menschen, ›der Fanatiker der Logik‹, ›die unerträglich wie Wespen‹ [17. 58] sind. Dieses Zeitalter dauert bis in die Gegenwart und kann allein durch die Hingabe an das dionysische Leben und durch eine Wiedergeburt der griech. Trag. überwunden werden, ja ist in einem ersten Schritt bereits überwunden worden: Denn R. Wagner (zu der späteren Distanzierung von Wagner und zu den unterschiedlichen Phasen seiner Kunstauffassung: [13. 68; 82 ff.; 17. 105]) verehrte N. als Vorkämpfer, der in seinem Musikdrama den lange verschlossenen ›hell. Zauberberg‹ [17. 214] wieder öffnet und dem dt. Volk auf der Suche nach seiner Selbstfindung den ›notwendigen Genesungstrank‹ [17. 215] reicht.

D. Der Streit

Diese Trag.- und Kunsttheorie mußte den Widerspruch der Philologen provozieren, von denen sich jedoch nur einer zur Reaktion genötigt sah: Mit der Schrift *Zukunftsphilologie! eine Erwiderung auf Friedrich Nietzsches »Geburt der Trag.«* – ein Titel, der auf die Zukunftsmusik Wagners anspielte [17. 518] – protestierte Wilamowitz (ausgerechnet jener Philologe, den N. zum Mitstreiter hatte gewinnen wollen [18. 6]) in kaum zu überbietender Schärfe. Seine Kritik richtete sich zum einen dagegen, daß der ›metaphysiker und apostel N.‹ [6. 30] zwar über ein philol. Thema schrieb, aber ›seine weisheit auf dem weg der intuition‹ [6. 29] erlangte und ›die wenigstens im princip wiss. gemeingut gewordene histor.-kritische methode‹ [6. 31] ignorierte. Den größten Teil seiner *Zukunftsphilol.* widmete W. dem kleinteiligen Nachweis einzelner fachlicher Fehler, die jenem unwiss. Ansatz entsprangen. Zum anderen empörte sich W. über die gesamte Tendenz der *Geburt*, die ihn in seiner klassizistischen Auffassung von der Ant. verletzte: Mit dem Verweis auf Winckelmann [6. 32] schwärmte er in einem ähnlichen Predigtton wie der getadelte Prediger N. von jenem ›einzig unvergänglichen, welches die gunst der musen verheißt, und in der fülle und reinheit allein das classische altertum gewähren kann‹ [6. 55], von dem ›wohldenkenden, gesunden menschen‹, der in der Kunst den ›erbauenden genuß‹ sucht und sich mit Widerwillen von N. und dessen ›verwaschenen pessimismus‹ [6. 134] abwendet. Die Kritik von W. trägt deutlich die Spuren seiner sowohl historistischen als auch klassizistischen Ausrichtung: Als Forscher verwirft er die unwiss. Arbeitsmethode, als Klassizist entsetzt ihn die Bejahung des Leides und der dionysischen Wildheit als Sakrileg. Doch gerade dieser zentralen Aussage, der Zusammengehörigkeit von Leiderfahrung und Kunstentstehung, setzt W. keine Widerlegung, keine andere Theorie (s. sein Desinteresse an philos.-ästhetischen Überlegungen und Theoriebildungen), sondern lediglich polemische Ausfälle entgegen. Und W. war sich durchaus bewußt, daß seine Gegenschrift dann nichts nutzen würde, wenn sich N. mit seiner ›traum-rausch-weisheit‹ [6. 115] auf den Standpunkt des Philosophen und Ästheten zurückzöge und schließt mit der Empfehlung ›ergreife er den thyrsos, ziehe er von Indien nach Griechenland, aber steige er herab vom katheder‹ [6. 55].

N. sah sich durch die Attacken von W. nicht zum Gegenangriff aufgefordert – offenbar aus der Überzeugung, daß eine Auseinandersetzung mit einem dieser ›philol. Biedermänner‹ [18. Bd. 4. 139] nicht verlohnt. Allerdings sandte er die Schrift von W. an R. Wagner. Dieser spottete zwar über W. als einen ›vom Biere zum Schnaps taumelnden Berliner Eckensteher‹ [6. 61], bestätigte sehr allgemein und äußerst knapp die Mißstände der Bildung und die Notwendigkeit einer Umorientierung, vermied es jedoch, sich als Vorkämpfer jener Ideen Nietzsches zu bekennen. Nach dieser eher ernüchternden Reaktion Wagners nahm N. das ›Freundschaftsgeschenk‹ [18. 70] von E. Rohde dankend an. Dieser verteidigte in einer Schrift mit dem perlenden Titel *Afterphilologie* N. Auch seine ebenfalls äußerst bissige Kritik beschränkt sich auf die Widerlegung im Detail und klammert den philos.-ästhetischen Kern aus. Gegen den Vorwurf, W. habe mit seiner gedankenlosen Unwissenheit ›eine Parodie auf alle ächte Philol.‹ geliefert, ›eine wahre Afterphilologie‹ [6. 75], verteidigte sich W. mit der *Zukunftsphilologie II*; von dem gelungenen Schachzug abgesehen, daß er die Diskrepanzen innerhalb der Positionen von Rohde und N. herausarbeitete und beide so gegeneinander ausspielte, führte auch diese Schrift das Gefecht auf vielen Nebenschauplätzen und verlor sich in der philol. Kleinarbeit. Wiederum reagierte N. nicht. Und auch W. war nicht mehr bereit, seine ›zeit und kraft an die albernheiten und erbärmlichkeiten von ein paar verrotteten hirnen zu verschwenden‹ [6. 134]. Lediglich mit der Idealgestalt eines Herakles (*Euripides Herakles*, 1889), der das dorische Männerethos von Mannestugend und Ehre verkörpert und der Menschheit das Evangelium von Leben und Arbeit verkündet (zu der Übereinstimmung des dorischen mit dem preußischen Wertekatalog [23]), richtete sich W. – allerdings nur indirekt und ohne N. im mindesten zu erwähnen – gegen die Verherrlichung der Dionysosgestalt. N. seinerseits entfernte sich zusehends von der Philol., wie es die *Geburt der Tragödie* als Vorbotin bereits angekündigt hatte, widmete sich der kritischen Philos. und der Kulturkritik, bis er 1879 aus gesundheitlichen Gründen seinen Baseler Lehrstuhl aufgab. Fortan beschäftigte sich N. mit philol. Themen ausschließlich unter philos. Fragestellungen. Somit endete die Kontroverse, die sich nur indirekt ereignet hatte, ergebnislos und scheiterte sogar als Kontroverse an der unüberbrückbaren Kluft unterschiedlicher Ansätze.

E. Das Nachspiel

Zahlreiche berühmte Philologen zählen zu den Schülern von W. In erster Linie faszinierte und verpflichtete sein universaler Wissensbegriff, während seine wiss. Methode – ein ausgearbeitetes Modell lag ohnehin nicht vor – nur bedingt übernommen wurde und sein Verzicht auf den Bereich der Ästhetik schnell als eine Lücke empfunden wurde [11. 180].

Unbestritten stärker waren die Impulse, die von dem Werk N. ausgingen: Als Philosoph bereitete er die Themen und Fragestellungen der Lebensphilos., der Fun-

damentologie, des Existentialismus und des nomadisie-
renden Denkens der frz. Avantgarde vor [13. 154]. Als
ein Artist der Sprache, der mit seinen Dithyramben, seinem mitreißenden Hymnenstil begeisterte, als messia-
nischer Prediger einer schöpferischen Existenz und der
Einheit von Kunst und Leben, als herber Kritiker der
Gegenwart und als ästhetischer Opponent avancierte N.
zum Musageten der dt. Lit. von Stephan George über
Thomas Mann bis hin zu Gottfried Benn [13. 157].
Auch die Entwicklung der Klass. Philol. beeinflußte N.
in hohem Maße: Seine Konzeption einer wilden,
schöpferischen und charismatischen Dionysosgestalt
und deren Siegeszug in der gegenwärtigen Kunst regte
die Forsch. dazu an, den Bereich des Irrationalen in der
Ant. zu entdecken. Noch stärker waren die Impulse, die
von seiner Kultur- und Wissenschaftskritik ausgingen.
Das allg. Krisenbewußtsein nach dem Ersten Weltkrieg
ließ den Ruf nach Relevanz und Menschlichkeit, die
Frage nach dem Sinn der Existenz laut werden und verstärkte jene schon lange andauernde Unzufriedenheit
einer Philol., die im Zuge des Historismus auf den human. Bildungsauftrag verzichtete. Und so beriefen sich
jene Philologen, die ihr Fach aus der Totenstarre erwecken wollten, auf N. (insbes. auf seine »Unzeitgemäßen Betrachtungen«), der gegen einen sinnentleerten
Wissenschaftsbetrieb eiferte. Für W. war diese Wende
in der Philol., die sich in den 20er J. beschleunigte, mit
vielen Enttäuschungen verbunden: Einige seiner Schüler waren mit dem Georgekreis (→ Neuhumanismus),
in dem N. geradezu kultisch verehrt wurde, eng verbunden und den Bestrebungen gegenüber aufgeschlossen, die Ant. in ihrer Idealität zu rehabilitieren und das
Band zw. Philol. und Philos. enger zu knüpfen. Und
ausgerechnet W. Jaeger, den W. unter seinen Schülern
favorisierte, leitete eine antimodernistische Bewegung
ein, rief programmatisch zur Erneuerung der Klassizität
der Ant. auf und entwickelte sich zum Vorkämpfer des
sog. → Dritten Humanismus.

1 W. W. BRIGGS, W. M. CALDER III (Hrsg.), Classical
Scholarship. A Biographical Encyclopedia, 1990
2 H. CANCIK, Nietzsches Ant. Vorlesung, 2000
3 H. FLASHAR (Hrsg.), Altertumswiss. in den 20er J. Neue
Fragen und Impulse, 1995 4 H. GÖRGEMANNS, W. und die
griech. Trag., in: W. M. CALDER III, H. FLASHAR, TH.
LINDKEN (Hrsg.), W. nach 50 J., 1985, 130–150
5 C. GROPPE, Die Macht der Bildung. Das dt. Bürgertum
und der George-Kreis 1890–1933, 1997 6 K. GRÜNDER, Der
Streit um Nietzsches Geburt der Trag. Die Schriften von E.
Rohde, R. Wagner, U. v. Wilamowitz-Moellendorff, 1969
7 A. HENTSCHKE, U. MUHLACK, Einführung in die Gesch.
der Klass. Philol., 1972 8 A. HORSTMANN, Die Forsch. in der
Klass. Philol. des 19. Jh., in: A. DIEMER (Hrsg.), Konzeption
und Begriff der Forsch. in den 19. des 19. Jh. Referate
und Diskussionen des 10. wiss.-theoretischen Kolloquiums
1975, 27–57 9 Ders., Die Klass. Philol. zw. Human. und
Historismus. Friedrich August Wolf und die Begründung
der mod. Altertumswiss., Athenaion 1978, 1, 51–70
10 M. LANDFESTER, Human. und Ges. im 19. Jh., 1988
11 Ders., Ulrich von Wilamowitz-Moellendorff und die
hermeneutische Trad. des 19. Jh., in: H. FLASHAR,
K. GRÜNDER, A. HORSTMANN (Hrsg.), Philol. und
Hermeneutik im 19. Jh. Zur Gesch. und Methodologie der
Geisteswiss., 1979, 156–180 12 J. LATACZ, Fruchtbares
Ärgernis: Nietzsches Geburt der Trag. und die gräzistische
Trag.-Forsch., Baseler Univ.-Reden 94, 1998 13 TH.
MEYER, N. und die Kunst, 1993 14 Ders., Nietzsches
Kunstauffassung und Lebensbegriff, 1991 15 TH.
MOMMSEN, Antrittsrede in der Akad. vom 8. Juli 1858, in:
Ders., Reden und Aufsätze, 1905, 37 ff 16 K. O. MÜLLER,
Gesch. der griech. Lit., Breslau 1857 17 F. NIETZSCHE, Die
Geburt der Trag. Schriften zu Lit. und Philos. der Griechen,
hrsg. und erl. von M. LANDFESTER, 1994 18 Ders., Sämtliche
Briefe. Krit. Studienausgabe in 8 Bd., hrsg. von G. COLLI,
M. MONTINARI, 1975 ff., hier: Bd. 4 (1986) 19 V. PÖSCHL,
N. und die Klass. Philol., in: H. FLASHAR, K. GRÜNDER,
A. HORSTMANN (Hrsg.), Philol. und Hermeneutik im
19. Jh., 1979, 141–155 20 B. VON REIBNITZ, Ein Komm. zu
Friedrich Nietzsche, Die Geburt der Trag. aus dem Geiste
der Musik (Kap. 1–12), 1992 21 U. v.
WILAMOWITZ-MOELLENDORFF, Euripides Herakles, Berlin
1889 22 Ders., Erinnerungen 1848–1914, 1928
23 C. ZELLE, Der Abgang des Herakles, N.-Studien 23,
1944, 200–225.　　　　　　　CLAUDIA UNGEFEHR-KORTUS

Nobilitas

A. DEFINITIONEN   B. ERFORSCHUNG
HISTORISCHER FORMEN DES ADELS IM ALTERTUM
C. HISTORISCHE ERFORSCHUNG DES PHÄNOMENS
»ADEL« IN DEN ÜBRIGEN EPOCHEN
D. ADEL IN DER NEUZEIT UND DER UMGANG MIT
DEM WISSEN VON DER ANTIKE IN DER NEUZEIT

A. DEFINITIONEN

Der Adel und seine Herrschaft sind ein bestimmen-
des Element in den Gesellschaften zahlreicher Kulturen.
Bei der Definition von Adel werden jeweils verschiedene Dimensionen berücksichtigt: Sie umfassen Besonderheiten in einer bestimmten histor. Epoche sowie
Strukturmerkmale, welche über die Zeiten hinweg
gleich oder doch zumindest vergleichbar geblieben sind.
Zu letzteren zählen: Abstammung und Zugehörigkeit,
synchron zu Sippen und diachron zu Geschlechtern;
erbliche Privilegierung; Besitz; Funktion der Angehörigen dieser privilegierten Personengruppe als einzelne
wie als Ganzes im polit. System, in der Gesellschaft und
in der Kultur; sodann ihr Verhalten im einzelnen wie als
Kollektiv; ihr Bewußtsein; ihre Repräsentation und ihre
Legitimation [12; 17; 19; 30; 38; 49; 68].

Einer der immer wieder verwendeten Begriffe zur
Bezeichnung dieses histor. Phänomens ist »Aristokratie«, die Herrschaft der *aristoi*, der Besten. Weil das
Nachdenken über Politik und Gesellschaft in der griech.
Ant. eine Reihe von klass. Texten hat entstehen lassen,
allen voran des Aristoteles und des Platon, ist die gelehrte Rezeption dieses Begriffes ein wichtiges Phänomen
(→ Mischverfassung; → Politische Theorie; → Verfassungsformen).

Bei den ebenso wichtigen Begriffen der N. und der
nobiles sind die ant. Texte, auf welche später Bezug genommen worden ist, breiter gestreut. Es ist kaum mög-

lich, von einem Kanon zu sprechen. Das gilt für die Ant. wie die Rezeption. Immerhin sind in der Ant. schriftlich fixierte Äußerungen etwa von Cicero, Sallust, Vergil, Valerius Maximus oder Augustin, aber auch eines Hesiod oder Homer später durchaus häufig zitiert worden, wenn von Adelsvorstellungen die Rede war. Weitere Referenztexte sind aber ähnlich wichtig. Allerdings ist es auffällig, wie oft ihnen Bibelstellen vorgezogen wurden. Die Dimensionen bereits der ant. Adelsvorstellungen – in den lit. Texten wie in anderen Quellenzeugnissen – sind vielfältig. Diachron und regional besitzen sie unterschiedliche Ausprägungen. Vorstellungen der N. (von *noscere*, »kennen«) berücksichtigen indes durchweg den Aspekt des Bekanntseins. Der *nobilis* ist nicht nur der Edle vornehmer Herkunft, der durch Privilegien und Statuspräsentation hervortretende Adlige, der Angehörige eines höheren Standes, einer Oberschicht oder Elite mit Macht, Besitz und einem bestimmten Verhalten: Er ist zugleich derjenige, der als *nobilis* bekannt ist und dadurch soziale Schätzung, ja Ehre besitzt. So hielt es Isidor von Sevilla noch in seiner Definition zu Beginn des 7. Jh. fest: ›Nobilis, non vilis, cuius et nomen et genus scitur‹ (orig. 10,184). Dieser Vorstellung, daß jemand, der einen Namen habe und dessen Familie man kenne, edel oder adlig sei, ist immer wieder Ausdruck gegeben worden. Vielfach wurde Isidor auch wörtlich zitiert. Allerdings ist das Bekanntsein zu allen Zeiten ebenso eine Folge der öffentlichen Funktion, der Macht, des Verhaltens, des Standesbewußtseins, der Repräsentation oder des rechtmäßigen Status. Die Gewichtungen sind immer wieder unterschiedlich gewesen. Feststellbar sind dabei regelmäßig eine Hierarchisierung des Adels sowie ein Streben, adlige Eigenschaften in ihrer höchsten Ausprägung zu aktualisieren und gleichzeitig zu übertreffen.

B. ERFORSCHUNG HISTORISCHER FORMEN DES ADELS IM ALTERTUM

Die histor. Formen des Adels im Alt. als eigenes Thema sind in der Geschichts-Forsch. erst in jüngerer Zeit behandelt worden. Das liegt teils am erst spät aufgekommenen Interesse für Sozialgeschichte, teils an der Einschätzung, beim Adel handele es sich um eine traditionsgebundene, konservative Elite, welche den fortschrittlichen Kräften jeweils im Wege gestanden habe. Ein Historiker mit deutlich konservativen Präferenzen wie Jacob Burckhardt scheute sich hingegen nicht, in seiner *Griechischen Kulturgeschichte* eine Sympathien bezeugende Skizze des altgriech. Adels zu zeichnen. Dieser Adel sei ›nicht nur eine polit., sondern auch eine soziale Macht‹ gewesen, die noch lange im späteren Griechentum gewirkt habe. Sein ›großes Vermächtnis‹ sei die Kalokagathie gewesen, ›jene ganz untrennbare Verschmelzung einer moralischen, einer ästhetischen und einer materiellen Überzeugung‹ [11. Bd. 1. 163], ›der Einheit von Adel, Reichtum und Trefflichkeit‹ [11. Bd. 4. 84]. Auch die Demokratisierung der griech. Gesellschaft habe dieser Anschauung kein Ende setzen können: ›Alle schönen Reden von einer Wohlgeboren-

heit durch bloßen inneren Wert schlugen nicht durch. Der Glaube an das Geblüt behauptete sein Recht‹ [11. Bd. 1. 163]. Noch in jüngster Zeit konnte ein Buch über Adelskultur und Polisgesellschaft konstatieren, eine umfassende Gesamtschau des griech. Adels sei eigentlich seit Burckhardt nicht mehr versucht worden [62. 8]. Immerhin hat die Adelswelt bei Homer oder in der archa. Zeit in der Forsch. wiederholt Aufmerksamkeit gefunden, so wenn die fortschreitende Ausdifferenzierung der polit. Institutionen und der Rechtsordnung behandelt wurde, oder wenn es um die Entwicklung von Wirtschaft, Gesellschaft und Kultur sowie das Aufkommen der Tyrannis ging.

Häufig wird davon ausgegangen, es habe in der griech. Welt schon immer einen Adel gegeben. Bereits Homers Formulierung ›Immer der Beste zu sein und ausgezeichnet vor den anderen‹ (Hom. Il. 6, 208; 11, 784) verweise auf ein Charakteristikum des griech. Adels: den Wettstreit. Ohne daß sich gentilizische Strukturen und ständische Geschlossenheit nachweisen lassen würden (so insbes. die Forsch. von Félix Bourriot, der dabei ausführlich die Historiographie des 19. u. 20. Jh. kritisiert, und Denis Roussel, beide 1976 publ.), stoße man doch immer wieder auf dieses Sich-Messen und die stolze Demonstration der Zeugnisse für die Bewährung: Ruhm im Kriege, aber auch in Agonen verschiedener Art, Besitz, körperliche Fähigkeiten, Schönheit, ostentative Muße, vorbildlicher Lebensstil, Gastfreundschaft, Bildung von Gefolgschaften, Feste und Feiern. Zur Hauptsache stützen sich solche Darstellungen des Adels auf lit. Quellen [1; 22–23; 41; 61; 62], doch sind arch. Befunde wie Kriegergräber gerne als Zeugnisse der Adelsgesellschaft gedeutet worden.

Wesentliche Anstöße erhielt die Forsch. durch die im 19. Jh. verbesserten Kenntnisse über Personen und Familien, wie sie sich in der seit 1892 in steter Folge erscheinenden *Realencyclopädie* und der Prosopographie, etwa auch der hervorragenden *Prosopographia Attica* (1901–1903) Johannes Kirchners niederschlugen. Ein späteres Standardwerk wie Helmut Berves *Tyrannis bei den Griechen* (1967) wäre ohne solche methodischen Grundlagen nicht denkbar. Die Tyrannen werden hier verstanden als in der Adelswelt verwurzelte rücksichtslose Machtmenschen, die trotz ihres Herkommens gegenüber allem Neuen aufgeschlossen waren und so Wesentliches zu den großen Veränderungen in ihrer Zeit beitrugen. Die Erforsch. von Kollektiven, in denen Adelscharakteristika wichtig sind, ist aber nur ein Weg, welcher von der Prosopographie aus weitergeführt hat, und – aus einsichtigen Gründen – keineswegs der am häufigsten beschrittene (immerhin für Athen: [39]). Schon Helmut Berves prosopographische Unt. des Alexanderreiches (1926) – seine Erstlingsarbeit, eine Pionierleistung und noch immer ein Standardwerk – geben dem Adelskonzept keinen bes. Raum. John K. Davies wiederum konzentriert sich in seinem umfangreichen Buch *The Athenian Propertied Families* (1971) auf die Athener, welche – v. a. im 4. Jh. v. Chr. – Liturgien an den Staat erbracht haben. Das von P. M. Fraser und E. Matthews herausgegebene *Lexicon of Greek Personal Names* (1987 ff.) verzeichnet selbstverständlich ohne Bevorzugung der Oberschichten alle Personennamen, nicht anders die *Persons of Ancient Athens* von John S. Traill (1994 ff.).

Der Weg von den prosopographischen Daten zu einer Sozialgeschichte, welche sich mit dem Adel beschäftigt, ist bei der Röm. Geschichte kürzer. Schon in der Mitte des 19. Jh. hatte Wilhelm Drumann die röm. Geschichte nach Persönlichkeiten und Geschlechtern dargestellt. 1897 bis 1898 gaben Theodor Mommsens Mitarbeiter Hermann Dessau, Elimar Klebs und Paul von Rohden eine dreibändige *Prosopographia imperii Romani saec I, II, III* heraus, welche die Führungsschicht des röm. Reiches von 31 v. Chr. bis zur Herrschaft Diocletians 305 n. Chr. erfaßte. Eine sozialgeschichtliche Deutung der Fakten und ein in sich geschlossenes Bild der röm. Nobilität schuf der fünfundzwanzigjährige Matthias Gelzer in seiner 1912 erschienenen *Die Nobilität der röm. Republik.* Theodor Mommsen hatte den röm. Adel von der Magistratur und deren Ehrenrechten her verstehen wollen. Gelzer zweifelte als Gesellschaftshistoriker daran, daß alle die gleichen Möglichkeiten haben sollten, Magistrat zu werden, und beschrieb die Formen der Hierarchisierung sowie die Patronage-, Klientel- und Freundschaftsverhältnisse, welche stärker als rechtliche Einrichtungen polit. Macht zuteilten. Friedrich Münzers *Röm. Adelsparteien und Adelsfamilien* (1920), Arthur Steins *Der röm. Ritterstand* (1927) oder Ronald Symes *The Roman Revolution* (1939) führten solche Ansätze erfolgreich weiter.

Da die Beschäftigung mit dem Alt. in der Neuzeit regelmäßig auch eine Auseinandersetzung mit aktuellen Fragen der Politik und der Gesellschaft einschloß, sind immer wieder Vergleiche zw. den vielfältigen Formen der ant. Eliten und neuzeitlichen Gesellschaftsverhältnissen angestellt worden. Barthold Georg Niebuhr stellte sich bei seiner Darstellung der röm. Ständekämpfe zu Beginn des 19. Jh. auf die Seite der röm. *plebs* und kritisierte die rücksichtslosen, bornierten Patrizier, welche ihn an den Adel seiner Zeit erinnerten. Im 20. Jh. freute sich der kommunistische dt. Althistoriker Arthur Rosenberg in *Demokratie und Klassenkampf im Alt.* (1921) über den angeblichen Zusammenbruch der Adelsherrschaft in Athen 545 und 287 v. Chr. in Rom: ›Im J. 287 eroberte dann die Klasse der kleinen Bauern durch eine große Revolution die polit. Macht und schuf so die röm. Demokratie. Aber in Rom hat die arme Bevölkerung nicht so durchgegriffen wie in Athen‹ [57. 89, 21].

Als Ausdruck positivistischer Wissenschaftlichkeit gelten dagegen die grundlegenden prosopographischen Arbeitsinstrumente wie die *Prosopographia Imperii Romani* (1. Aufl. hrsg. v. H. Dessau, E. Klebs u. P. von Rohden, 1897–98; 2. Aufl. hrsg. von E. Groag, A. Stein, E. Stein, L. Petersen u. K. Wachtel 1933 ff.), die *Prosopography of the Later Roman Empire* (hrsg. von A. H. M.

Jones, J. R. Martindale u. J. Morris, 1971–92), die *Prosopographie chrétienne du Bas-Empire* (begründet von H.-I. Marrou u. J.-R. Palanque, hrsg. von A. Mandouze sowie Ch. Pietri u. L. Pietri, 1982 ff.), die *Prosopographie der mittelbyzantinischen Zeit* (1998 ff.) und das *Prosopographische Lexikon der Palaiologenzeit* (erstellt von E. Trapp et al., 1976–1995), für welche in einem gewissen Sinne übrigens schon Pionierarbeiten in den *Familiae augustae byzantinae* des Charles du Fresne Du Cange (Paris 1680) namhaft gemacht werden könnten. Doch auch diese *instrumenta studiorum* sind von der Gegenwart beeinflußt, und allein schon ihre Geschichte würde es verdienen, wissenschaftsgeschichtlich dargestellt zu werden (bisher: [15; 53–54]). Was ihre Konzeption angeht, so wird man sagen können, daß die Prosopographien zwar die Führungsschichten, und damit die *nobiles*, anteilsmäßig stärker berücksichtigen, aber eben nur mit einigen ihrer Personendaten und ohne das Phänomen Adel generell zu erschließen: Sie sind so durchaus Kind der beiden letzten Jahrhunderte.

Wesentliche Anstöße erhielt die prosopographische Forsch. durch Ronald Syme (1903–1989) [2; 16. 188–247], der seine klass. Bildung einer Erziehung in Neuseeland verdankte. Für Syme waren aristokratische Familien der Inbegriff der Geschichte: ›The lower class had no voice in government, no place in history.‹ [65. 443]). Die röm. Eliten, welche Offiziere und Verwaltungsbeamte stellten, galten ihm als die regierende Klasse (*governing class*), welche das röm. Reich – ob Republik oder Monarchie – über Jh. zusammenhielt. Nicht der Staatsgedanke, sondern die hinter ihm versteckt wirkende Oligarchie interessierte Syme. Er analysierte das Handeln der Männer aus den Kreisen der *nobiles*, die eifersüchtig die Zulassung zum Senat und den Zutritt zum Konsulat bewachten. In kraftvoller Sprache wußte er die Ergebnisse darzulegen: Die »Revolution« der J. 60 v. Chr. bis 14 n. Chr. löschte durch schonungsloses Blutvergießen die alten Adelsfamilien und Adelsparteien weitgehend aus. Das Prinzipat des Augustus gründete auf neuen Eliten. Es besaß breite Zustimmung durch raffinierte Propaganda und die Einrichtung einer öffentlich-rechtlichen Ordnung. Augustus hatte in der Auffassung Symes eine Partei im oligarchischen Kampf um die Macht in eine dauerhafte Regierung verwandelt.

Die prosopographische Forsch. zur röm. Kaiserzeit, wie sie sich nach dem Zweiten Weltkrieg insbesondere durch den Einfluß etwa des Italieners Guido Barbieri, des Briten Eric Birley, des Franzosen André Chastagnol, des 1933 nach Paris emigrierten dt. Juden Hans-Georg Pflaum, sowie in Deutschland des Ungarn Géza Alföldy und Werner Ecks entwickelte (einen Eindruck geben: [3; 18; 24; 37; 48]), erforschte die Führungsschichten als Teil von Verwaltung und polit. System. Die Begriffe »N.« und »Adel« blieben zweitrangig. Vielmehr ging es um Ämter und ihre Besetzung durch den Kaiser, Tätigkeitsbereiche, Karrieren, regionale und soziale Zusammensetzung der Eliten oder hierarchische Abgrenzungen – etwa der Senatoren gegenüber den Rittern. Solche Themen wurden an Hand der ant. Überlieferung, insbes. der Inschr., umfänglich dokumentiert und ausgewertet. Oft berücksichtigen solche Arbeiten sozial-, mentalitäts- oder geschlechtergeschichtliche Aspekte, letztere allmählich auch so reflektiert, wie es das aktuelle Theorieangebot zu fordern scheint (noch ohne diese Theorien: [52]), ja sie stellen diese sogar in den Mittelpunkt.

Die Grenzen von auf Materialaufbereitung ausgerichteten Methoden – wie sie bei der Erforsch. der kaiserzeitlichen Eliten wichtig sind – wurden wiederholt aufgezeigt; die mangelnde Erklärungskraft prosopographischer Datensammlungen hat man wiederholt kritisiert. So kam es immer wieder zu Versuchen, mit Hilfe generalisierender Konzepte das Studium der röm. N. griffiger zu machen und die allgemeinere Bed. der Ergebnisse zu erschließen. Durch Paul Veyne und seinen Ansatz einer histor. Soziologie wurde das Phänomen des »Euergetismus« bekannt: Das großzügige Verhalten der Wohlhabenden, die Schenkung von Lebensmitteln, die Stiftung von Festen und Spielen oder die Errichtung von Bauwerken gehörten – motiviert u. a. durch das Vorbild des *princeps* – zum typischen Sozialverhalten der Eliten. Max Webers Begriff der Honoratioren ist von Friedemann Quaß aufgegriffen und zur Analyse des Verhaltens der Eliten in den Städten verwendet worden [50]. Für die Geschichte der Städte- und Eliten so wichtige Arbeiten wie diejenigen von Claude Lepelley (*Les cités de l'afrique Romaine au Bas-Empire*, 1979–1981) oder Michael Wörrle (*Stadt und Fest im kaiserzeitlichen Kleinasien*, 1988) hingegen ziehen es vor, solchen Begriffen nicht vergleichbares Gewicht zu geben.

In zahlreichen Studien zu Einzelthemen von althistor., philol. oder arch. Seite werden Aspekte der Adelsthematik behandelt: aristokratischer Lebensstil (etwa beim jüngeren Plinius), Bildung, Namengebung (Studien v. a. von I. Kajanto oder H. Solin), Wohnweise, *patrocinium* und Klientelwesen, Symbole der magistratischen Repräsentation (J. Ronke, 1987) wie die *fasces* (Th. Schäfer, 1989), Selbstdarstellung der Eliten, Wertvorstellungen, Selbstverständnis, die wichtigen *imagines* [25], Namengebung, Familienpolitik oder Besitzverhältnisse (vgl. für weitere Hinweise: [24; 37]).

Mit guten Gründen ist es üblich geworden, trotz der übergreifenden und immer wieder zu Tage tretenden strukturellen Gemeinsamkeiten der N. nicht mit einem uniformen Adelskonzept zu arbeiten. N. findet sich in vielfältiger Ausprägung bei Kaisern, Senatoren, Rittern, Angehörigen der Mittelschichten und lokalen Oberschichten, und sie spielt eine Rolle für das Selbstverständnis der aufkommenden christl. Eliten. Im weiteren gibt es zahlreiche regionale Besonderheiten, und es sind auch diachrone Unterschiede feststellbar. Wenn in der Forsch. eher selten von einem röm. Adel per se gesprochen wird, so liegen die Gründe hauptsächlich hier, zugleich aber auch unausgesprochen im Bewußtsein der Unzeitgemäßheit des Begriffes im 20. Jahrhundert. Einen festen Platz in Spezialforsch. und Synthesen haben die Angehörigen der N. aber auf jeden Fall (so: [3; 18] wie auch die zahlreichen »Röm. Geschichten«).

Bereits für die hohe Kaiserzeit, erst recht aber für die sog. Spätant. haben Autoren immer wieder von der Dekadenz der Oberschichten, ihrem sagenhaften Reichtum, egoistischem und ausbeuterischem Verhalten, ihrer borniertem Rückwärtsgewandtheit und Eitelkeit sowie von den dadurch entstandenen sozialen Spannungen gesprochen. Die Themen finden sich zum Teil schon in Edward Gibbons klass. Werk *The History of the Decline and Fall of the Roman Empire* (1776ff.), ja sogar schon früher, und sie werden noch immer erörtert. Gewiss gehören sie zumeist – und gerade auch bei Gibbon – in eine reichere und nuanciertere Argumentation (z. B. ›symptoms of the decay and ruin of the Roman government‹ am E. von Kapitel 35 [28. Bd. 3. 479f.]), aber von der Tendenz her sind die spätröm. Oberschichten doch mit wenig Sympathie geschildert worden, auch wenn die Schuld am Untergang des Imperiums letztlich weniger bei ihnen als vielmehr beim despotischen polit. System gesehen wird, wobei unter den angegebenen Gründen für den Fall Roms insbesondere das Eindringen der Germanen in den Vordergrund gerückt wird.

Die Erforsch. der Eliten der Spätant. ist im 20. Jh. etwas später als diejenige der hohen Kaiserzeit vorangekommen. Auf den durch die Prosopographie sowie die Analyse des polit. Systems und einzelner Ämter gelegten Grundlagen wurde es allmählich möglich, auch übergreifende Aspekte des spätröm. Adels zu behandeln, wobei einzelne frühe Pionierarbeiten z. B. von Samuel Dill [20] oder Karl Friedrich Stroheker [64] diesen Weg bereits gebahnt hatten. Bei aller Vielfalt der damals vorhandenen Eliten kann doch gesagt werden, daß der spätröm. *ordo senatorius* auch nach seiner rechtlichen Neukonstituierung im 4. Jh. und trotz der einschneidenden Veränderungen seiner Zusammensetzung schon in der Krise des 3. Jh. einen Adel bildet, der noch immer sein – freilich mehr und mehr fiktives – Zentrum im Senat besaß, und für den die Ausübung von Ämtern im Wechsel mit *otium* auf Landgütern ebenso üblich blieb wie die Schätzung traditioneller Bildung [31. Bd. 1; 5; 26; 40; 43; 59; 64]. Wenigstens die Familie der Acilii und die mit ihr verbundenen Anicii lassen sich bis in republikanische Zeit zurückverfolgen [21], bei anderen Familien war es zwar üblich, republikanische Herkunft zu beanspruchen, es gibt aber keine Belege dafür, daß es auch tatsächlich möglich war, solche Stammbäume konkret zu rekonstruieren.

C. HISTORISCHE ERFORSCHUNG DES PHÄNOMENS »ADEL« IN DEN ÜBRIGEN EPOCHEN

Die hohe Zeit des Adels beginnt im Hoch-MA. In Spät-MA und früher Neuzeit stoßen wir sodann auf wieder neue Formen der Adelskultur. Eine Kernfrage betrifft das Problem der Adelskontinuität. Bei dieser Frage muß der spätröm. Zeit und dem Übergang ins Früh-MA bes. Beachtung geschenkt werden, d. h. den Forsch. über die Führungs- und Oberschichten in den german. Nachfolgestaaten Roms, aber auch in Byzanz.

In der Forsch. ist die Frage, ob es in den diversen german. Nachfolgestaaten Roms eine Kontinuität zw. spätröm. Senatoren, im spätröm. senatorischem Adel verwurzelten Bischofsfamilien, spätröm. Militäradel und den neuen Führungs- bzw. Oberschichten gegeben hat, höchst umstritten. Eine klare Antwort ergibt sich noch für das ostgotische It., wo die senatorische N. ein einflußreicher Faktor bis zur »Wieder«-Eroberung It. durch Justinian blieb [58]. Für das Merowingerreich (zur Forschungsgeschichte Irsigler [32. 39–81; 34. 96–99]) hat Karl Ferdinand Werner für Kontinuität plädiert [67; 69; 70]. Nicht nur gebe es verwandtschaftliche Verbindungen: Dadurch, daß der fränkische König als *princeps* und Nachfolger des Kaisers in den den *nobiles* vorbehaltenen Dienst berief, sei die röm. N. als Institution erhalten geblieben. Für Werner ist der *princeps* ›das Rückgrat aller Adelsgeschichte. Als *fons honorum* hat er Amt wie Rang (*honor* und *dignitas*) vergeben‹ [44. 454]. Die Grundideen und Strukturen des europ. Adels überhaupt seien römisch. Sowohl was das Merowinger- als auch das Frankenreich angeht, sind freilich gegen eine solche Sicht der Kontinuität wiederholt Einwände vorgebracht worden, ja es ist sogar überhaupt bestritten worden, daß wir es in dieser frühen Zeit mit einem Adel zu tun hätten. Stärker tritt die Kontinuität zw. Ant. und MA dagegen in Erscheinung, wenn die Funktion von Heiligen und Bischöfen untersucht wird. Die Koinzidenzen mit dem Phänomen von N. und Adel sind freilich nicht immer klar. Wie Adaption, Umformung und Bruch Hand in Hand gehen, hat die Forsch. bes. am reichen Material aus Gallien herausgearbeitet [so u. a. 29].

Die byz. Aristokrate des 7. Jh. hat kaum mehr etwas mit den alten, stark auf Grundbesitz gestützten spätröm. senatorischen Oberschichten v. a. des Westens zu tun, aber schon unter Justinian sind die rechtlichen Rahmenbedingungen für die Konstituierung des Senatorenstandes so stark verändert worden, daß es gerechtfertigt ist, von einem epochalen Einschnitt zu sprechen [4; 13–14; 26; 35; 46–47; 71]. Es war allerdings gerade ein Element der Kontinuität, nämlich die Abhängigkeit der Aristokratie vom Kaiser, welche es Justinian gestattete, solche Neuerungen einzubringen. Ebenfalls ein eindrückliches Zeugnis für Dauerhaftigkeit ist die Existenz des Senats bis zum Fall Konstantinopels, aber auch hier haben wir es mit einer innerlich ebenso veränderten Einrichtung zu tun wie dem ma. Senat in Rom, dem bis ins 20. Jh. als *senatus* geltenden Kollegium der Kardinäle oder den zahlreichen Versammlungen, die sich als »Senat« bezeichnen und so am vornehmen Glanz des röm. *ordo amplissimus* entfernt teilhaben.

Immerhin zeigt sich in der Bezeichnung »Senat« für polit., kirchliche und akad. Versammlungen oder richterliche Kollegien ein Anknüpfen an röm. Ideen, wie es für die Entwicklung der polit. und gesellschaftlichen Ordnungen der westl. Welt charakteristisch ist. Zu fixen Mustern und Antworten hat die Orientierung am polit. und gesellschaftlichen Modell Rom dennoch nie geführt. Mitte des 12. Jh. besannen sich röm. Adelsfamilien auf ihre formale Zugehörigkeit zu einem Senat. Die *Renovatio Senatus* stützte eine frühe kommunale Bewegung gegen die Dominanz des hohen Adels und des Papsttums, aber auch gegenüber dem Kaiser. In der *altera Roma* Venedig diente der Senat der Oligarchie. Die amerikanischen *Founding Fathers* sahen für ihre Verfassung ein Zweikammersymstem vor, in welchem der Senat die Vertreter der Staaten umfaßte [31].

Die Erforsch. des ant. Senates setzte im Human. ein. Sie ist bisher wissenschaftsgeschichtlich aber nur unzureichend untersucht worden [45]. Einflußreich waren die Werke des späteren bed. polnischen Staatsmannes Jan Zamoyski, eines Schülers von Carlo Sigonio (*De Senatu Romano libri duo*, Venetiis 1563) und des Paolo Manuzio (*Antiquitatum romanarum Paulli Mannucci, liber de senatu*, Venetiis 1581). Doch hat die Lit. des 19. Jh. frühere Studien weitgehend in Vergessenheit geraten lassen. Für J. B. Mispoulet begann mit dem Senat der Parlamentarismus. Theodor Mommsen sah den Senat, Zentrum der Nobilität, neben Magistratur und Volksversammlung als eine der drei Hauptinstitutionen des röm. Staates an, der weniger ein Parlament als vielmehr eine oberste Verwaltungs- und Regierungsbehörde sei.

Das Interesse für die röm. Einrichtungen nach der frz. Revolution lag kaum einmal primär beim Suchen nach möglichen Wurzeln europ. N. Auch das Anliegen histor. Adelsbildung im Vergleich zu behandeln, ist meist als nicht sinnvoll betrachtet worden. Zu groß seien die Unterschiede der verschiedenen Epochen, zu vage »Adel«, N. und ähnliche Begriffe als analytische Konzepte. Ansätze finden sich etwa in Oswald Spenglers *Der Untergang des Abendlandes* (1923). Die durch den → Marxismus vorübergehend zum Kanon erhobene Einteilung in die verschiedenen sozioökonomischen Formationen hat solche Vergleiche eher behindert als gefördert, galt die Sklavenhaltergesellschaft doch als etwas grundlegend anderes als die Welt des Feudalismus.

Nach dem Zweiten Weltkrieg versuchte Otto Brunner in seinem Buch *Adeliges Landleben und Europäischer Geist* (1949) darzulegen, welche Verbindungen zw. dem Ethos und der kulturellen Welt der europ. Nobilität und dem ant. Erbe bestehen würden. Das Wiederheraufholen dieses ant. Erbes sei wesentlich für die konstante aristokratische Grundstruktur Europas. So hätten ant. Texte über das Landleben und die Lehre vom Haus (Ökonomik) innerhalb ethischer und philos. Konzeptionen über die Jh. hinweg bis zu dem von Brunner speziell untersuchten österreichischen Gutsherrn und Autor einer *Georgica curiosa* Wolf Helmhard von Hohberg (1612–1688) und noch weiter gewirkt.

Im Blick auf die europ. Geschichte und aus der Erfahrung eines reichen Forscherlebens hat Karl Ferdinand Werner die Ursprünge des Adels in röm. Zeit und deren weitere Entfaltung in seinem Buch *Naissance de la noblesse* (1998) skizziert. Kritisch setzt er sich mit Positionen auseinander, welche auf die Human. zurückgehende Mythen aufgreifen, so die Auffassung, Rom sei dort nicht mehr, wo das Latein Ciceros fehle. Ein ebenso unhistor. Verständnis habe der juristische Positivismus des 19. Jh. in die Welt gesetzt, wenn er – bestärkt durch zahlreiche große Historiker noch im 20. Jh. – ein E. Roms und des röm. Adels behauptet habe, so Paul Guilhermoz in seinem *Essai sur l'origine de la noblesse en France au Moyen Âge* (1902). Solche Vorstellungen seien auch unter dem Einfluß der nationalsozialistischen Germaneneuphorie bestärkt worden. Als kaum weniger geschichtsvergessen betrachtet Werner die nach dem Zweiten Weltkrieg dominant werdenden Vorstellungen über die Konstituierung von Eliten. Für Werner unterscheiden sich die *nobiles* von den mod., auf Leistung orientierten Eliten durch ihre *dignitas* und *civilitas*, welche fest in einer langen Geschichte und in wirksamen Normen gründen, wie sie der röm. Prinzipat möglich und notwendig machte. Der Prinzipat finde sich in allen röm. Epochen bis hin zum christl. Imperium, und er sei in seiner Grundstruktur von den Nachfolgestaaten übernommen worden: In Europa regierten die *principes*, die *nobiles* aber übernahmen die öffentlichen Aufgaben.

Solche vergleichenden Synthesen sind, wie gesagt, selten. Dagegen ist die Adels-Forsch. im einzelnen äußerst breit und kaum mehr zu überschauen. Sie ist in bezug auf die behandelten Epochen und Perspektiven sehr verschiedenartig (eine Übersicht zu geben versucht [49]). Auch die Erforsch. des Adels im MA besitzt zahlreiche Traditionsstränge und beschreitet unterschiedliche Wege (zur Forsch.: [6; 27; 44; 55]).

Eine direkte, biologische Herkunft des europ. Adels aus dem Alt. ist so gut wie nicht zu belegen. Bemerkenswerterweise kümmerten sich auch die Adligen der verschiedenen Epochen kaum je wirklich um sorgfältige Dokumentationen, sondern begnügten sich mit der Fabrikation von Mythen: Bei der Legitimation von Adelsherrschaft spielte die Ant. regelmäßig eine Rolle [8; 42; K. Schreiner in: 44; 60]. Heraldiker verwiesen auf adlige Römer und fühlten sich durch die Weisen der Ant., wie Cicero, Lucan oder Seneca, bestätigt. Vor allem Aristoteles wurde zitiert: Als adlig könne nur gelten, wer auch Tugend habe. In der gleichen Argumentationsabsicht sind ebenso Kirchenväter und noch mehr die Bibel herangezogen worden. Für die Begründung des Rittertums und der *militia* spielten u. a. Vegetius und Stellen aus den röm. Rechtstexten eine Rolle. Bei den Theorien über die Ursprünge der Ritterschaft finden sich so seltsame Konstruktionen wie diejenige der Herkunft von Romulus, Saturn oder Dionysos/Bacchus [9].

Es ist nicht zu übersehen, daß die Legitimation von Adel mit der Kritik eines als schlecht beurteilten Adels einhergeht und daß in den verschiedenen Epochen regelmäßig versucht wurde, über die Auseinandersetzung mit dem Alt. auf die Bildung der Werte in der Gegenwart Einfluß zu nehmen. So sind ant. Äußerungen zur *urbanitas* bei der Modellierung höfischer Kultur benützt worden [72]. Die Formel von der *generositas virtus non sanguis* deutet darauf hin, wie notwendig es war, zu vorbildlichem Verhalten aufzurufen. Immer wieder galt es,

adlige Streit- oder Jagdlust zu tadeln oder etwa an die Notwendigkeit und den Wert von Bildung zu erinnern (dazu auch das klass. Werk von L. Stone [63. 622 ff.]). Schließlich ist mit Hilfe der ant. Texte auch versucht worden, Argumente für eine Gesellschaft mit mehr Gleichheit zu finden. Im 2. Buch seiner *Utopia* (1516) beispielsweise entwarf Thomas Morus Grundzüge einer nicht-aristokratischen Gesellschaft.

Die Legitimation von Adel durch zumeist fiktive und auf die Römer zurückführende Genealogien war so bekannt, daß ein spät-ma. Beobachter meinte, die vornehmeren Geschlechter Deutschlands würden ihre Abstammung ausnahmslos von den Römern herleiten [44. 411 f.; vgl. auch 8; 42]. Ebenso wichtig konnten spätröm. Heilige sein, wobei in diesen Fällen der Bezug auf Röm. gänzlich im Hintergrund steht. Die in adligen Kreisen gepflegte Bildung verdankte vieles der ant. Tradition. Allerdings war diese Bildung nicht gerade die Hauptdomäne des Adels, der hier eher von den Leistungen der Klöster, der Kirche und einzelner Intellektueller profitierte. Wichtiger als die ant. heidnischen *exempla* und Stoffe, wie die Helden der trojanischen Kriege, Alexander oder Cäsar, war jedenfalls die Bibel, auf die sich aber auch jenes geflügelte Wort bezieht, das auf den sozialrevolutionären Prediger John Ball zurückgeht: ›Als Adam grub und Eva spann, wo war denn da ein Edelmann?‹ [44. 389] Bei der Kommentierung ant. Rechtstexte, etwa des 12. Buches des *Codex Justinianus* durch den berühmten Rechtsgelehrten des 14. Jh., Bartolus von Sassoferrato, wurde ebenfalls an den zeitgenössischen Adel gedacht.

Bei Sassoferrato wird ein Bedürfnis nach Orientierung in einer stark differenzierten und vielfältigen europ. Adelswelt spürbar [44. 383–387]. Spät-ma. Autoren, v. a. aus Florenz, begannen Antworten in Auseinandersetzung mit ant. Texten zu suchen. Es entstand eine Debatte über das Wesen des Adels. Adel, so die immer wieder herausgearbeitete Hauptthese, sei in erster Linie eine Sache der Tugend, und nicht der Herkunft. Bereits bei Dante, Petrarca und Boccaccio, dann bei Coluccio Salutati, Enea Silvio Piccolomini, Poggio Bracciolini, Cristoforo Landino oder dem Zürcher Felix Hemmerli entfaltet sich eine intensive Debatte [33; 51]. Auswirkungen auf das Ethos der adligen Eliten sind nicht auszuschließen, aber primär gehört die genannte Lit. in die intellektuellen Kreise der Renaissance.

D. ADEL IN DER NEUZEIT UND DER UMGANG MIT DEM WISSEN VON DER ANTIKE IN DER NEUZEIT

Auch die polit. Theorie der Neuzeit ist dadurch vorangebracht worden, daß Adlige wie Montaigne oder Montesquieu in Auseinandersetzung mit der Ant. Bücher verfaßten, und zwar Bücher, welche die Welt des *Ancien Régime* trotz der Verwurzelung in ihr überdauert haben [36]. Adlige Gelehrte, adlige Humanisten wie Ulrich von Hutten, Adelsschulen und Ritterakad. sind im übrigen durchaus ein beachtenswertes Phänomen, aber doch nicht ein Hauptantrieb für die Entwicklung von Bildung und Wissenschaft. Gerade die Welt der Wiss. kann nicht einfach mit derjenigen des Adels gleichgesetzt werden. Sie ist letztlich durch eigene Regeln bestimmt. Wenn sich das Gelehrtentum am E. des 16. Jh. als eigener Stand etablierte, so drückte sich das bald auch in der selbstbewußten Stilisierung als *n. literaria* aus, aber diese N. war doch von der *n. generis* unterschieden. Gewisse Bereiche der Gelehrsamkeit ließen sich indes mit adligem Lebensstil verbinden [66]. Dazu gehören das kultivierte Gespräch über ant. Lebensordnung in Stadtpalästen und Landhäusern. Charakteristisch sind Studierzimmer mit Bildern, Sinnsprüchen und Bibliotheken. Sammlungen mit Inschr., Gemmen und Statuen zeugten nicht nur von Wissen und Geschmack, sondern sollten auch beweisen, daß die Besitzer Reichtum und Macht in eine attraktive Lebensform umzusetzen wußten. Zu einer solchen Lebensform gehörten auch Reisen an Orte, wo Antiken besichtigt werden konnten, und ein lebendiges Mäzenatentum. Antikenverehrung diente immer wieder der Adelsrepräsentation. Oft standen hier Adlige in Konkurrenz mit Fürsten, Bürgern und Vertretern der Kirche. Die Grenzen zw. bürgerlicher, adliger, fürstlicher und gelehrter Antikenkultur sind fließend. In ihnen allen ist spürbar, daß Antiken an höchster Eleganz und wahrer N. teilhaben ließen. Im Wettkampf um die eindrücklichsten Sammlungen mögen dann freilich die frz. Könige oder die röm. Päpste erfolgreicher gewesen sein. Die Beteiligung des Adels bei der Erschließung der Ant. bleibt dennoch fundamental: Adliges Mäzenatentum förderte wesentlich die Entwicklung altertumskundlicher, antiquarischer Gelehrsamkeit – z. B. im Falle J. J. Winckelmanns –, und ohne den vornehmen Glanz, den die Beschäftigung mit dem Alt. verlieh, hätten sich möglicherweise auch manche mit diesem Erbe nicht beschäftigt, die aus Überzeugung eine egalitäre Gesellschaft heraufbringen wollten [7; 10.; 56].

1 A. ADKINS, Merit and Responsibility, 1960
2 G. ALFÖLDY, Sir Ronald Syme, Die röm. Revolution und die dt. Althistorie, SHAW philos.-histor. Kl. 1983, 1, 1983
3 Alföldy, RG 4 M. ANGOLD (Hrsg.), The Byzantine Aristocracy IX to XIII Centuries, British Archaeological Reports, International Series 221, 1984 5 M. T. W. ARNHEIM, The Senatorial Aristocracy in the Later Roman Empire, 1972 6 M. AURELL, La noblesse en Occident (V^e-XVe siècle), 1996 7 PH. AYRES, Classical Culture and the Idea of Rome in Eighteenth-Century England, 1999
8 R. BIZZOCCHI, Genealogie incredibili. Scritti di storia nell'Europa moderna, Annali dell'Istituto storico italo-germanico, Monografia 22, 1995 9 L. BÖNINGER, Die Ritterwürde in Mittel-It. zw. MA und Früher Neuzeit: mit einem Quellenanhange: Päpstliche Ritterernennungen 1417-1464, 1995 10 D. BOSCHUNG, H. V. HESBERG (Hrsg.), Antikenslg. des europ. Adels im 18. Jh. als Ausdruck einer europ. Identität. Internationales Kolloquium in Düsseldorf 7.2.-10.2.1996, Monumenta Artis Romanae 27, 2000
11 J. BURCKHARDT, Griech. Kulturgesch., 4 Bde. (= J. B.-Gesamtausgabe 8-11), hrsg. von F. STÄHELIN und S. MERIAN, 1930-31 (1. Aufl. o.J. 1898-1902) 12 M. BUSH, The European Nobility, vol. 1, Noble Privilege, 1983, vol. 2, Rich Noble, Poor Noble, 1988 13 J.-C. CHEYNET, Fortune et puissance de l'aristocratie (X^e-XIIe siècle), in: Hommes et richesses dans l'empire byzantin, II, hrsg. v. V. KRAVARI, J. LEFORT, C. MORRISSON, 1991, 199-213
14 Ders., Aristocratie et héritage (XIe-XIIIe siècle), in: La transmission du patrimoine. Byzance et l'aire méditéranéene, hrsg. v. J. BEAUCAMP, G. DAGRON, 1998, 53-80 15 K. CHRIST, RGG 16 Ders., Neue Profile der Alten Gesch., 1990 17 W. CONZE, CH. MEIER, Adel, Aristokratie, in: O. BRUNNER, W. CONZE, R. KOSELLECK (Hrsg.), Geschichtliche Grundbegriffe, Bd. 1, 1972, 1-48
18 W. DAHLHEIM, Gesch. der Röm. Kaiserzeit, Oldenbourg Grundriß der Gesch. 3, 2. überarbeitete und erweiterte Aufl. 1989 19 J. DEWALD, The European Nobility, 1400-1800, 1996 20 S. DILL, Roman Society in Gaul in the Last Century of the Western Empire, 1898
21 M. DONDIN-PAYRE, Exercice du pouvoir et continuité gentilice: Les Acilii Glabriones du IIIe siècle av. J.-C. au Ve siècle ap. J.-C., Collection de l'École française de Rome 180, 1993 22 W. DONLAN, The Aristocratic Ideal in Ancient Greece. Attitudes of Superiority from Homer to the End of the Fifth Century B.C., 1980 23 Ders., The Aristocratic Ideal and Selected Papers, 1999 24 W. ECK (Hrsg.), Prosopographie und Sozialgesch., 1993 25 H. I. FLOWER, Ancestor Masks and Aristocratic Power in Roman Culture, 1996 26 P. GARBARINO, Contributo allo studio del senato in età giustinianea, Univ. di Torino, Memorie dell'Istituto Giuridico, ser. 4, mem. 2, 1992 27 L. GENICOT, La noblesse médiévale: encore!, in: Revue d'histoire ecclésiastique 88, 1993, 173-201 28 E. GIBBON, The History of the Decline and Fall of the Roman Empire, Hrsg. von J. B. BURY, 7 Bde., 1896-1900 29 M. HEINZELMANN, Bischofsherrschaft in Gallien. Zur Kontinuität röm. Führungsschichten vom 4. bis zum 7. Jh. Soziale, prosopographische und bildungsgeschichtliche Aspekte, Beih. der Francia 5, 1976
30 A. HUBER, Aristokratie, in: E. CH. WELSKOPF (Hrsg.), Soziale Typenbegriffe und ihr Fortleben in den Sprachen der Welt, Bd. 5, Das Fortleben altgriech. Typenbegriffe in der dt. Sprache, 1981, 78-106 31 Il senato nella storia, 1997-98 32 F. IRSIGLER, Unt. zur Gesch. des frühfränkischen Adels, Rheinisches Archiv 70, 2. Aufl. mit Nachtrag, 1981 (¹1969) 33 T. JORDE, Cristoforo Landinos De vera nobilitate. Ein Beitr. zur N.-Debatte im Quattrocento, Beitr. zur Altertumskunde 66, 1995
34 R. KAISER, Das röm. Erbe und das Merowingerreich, Enzyklopädie dt. Gesch. 26, 1993 35 A. P. KAZHDAN, S. RONCHEY, L'aristocrazia bizantina dal principio del XI alla fine del XII secolo, 1997 (erweiterte Fassung der urspr. russ. Version 1974) 36 A. M. KINNEGING, Aristocracy, Antiquity and History. Classicism in Political Thought, 1996 37 J.-U. KRAUSE, J. MYOLNOPOULOS, R. CENGIA, Bibliogr. zur röm. Sozialgesch., Bd. 2, HABES 26, 1998 38 H. KUHN, R. WENSKUS, K. WÜHRER, G. AUTHÉN-BLOM, in: RGA 1 (1973) 58-77 39 P. MACKENDRICK, The Athenian Aristocracy 399 to 31 B.C., 1969 40 J. MATTHEWS, Western Aristocracies and Imperial Court, A.D. 364-425, 1975, 2. Aufl. mit Postskript 1990 41 M. MEIER, Aristokraten und Damoden. Unt. zur inneren Entwicklung Spartas im 7. Jh. v. Chr. und zur polit. Funktion der Dichtung des Tyrtaios, 1998 42 G. MELVILLE, Vorfahren und Vorgänger. Spät-ma. Genealogien als dynastische Legitimation zur Herrschaft, in: P.-J. SCHULER (Hrsg.), Die Familie als sozialer und histor. Verband, 1987, 203-309 43 B. NÄF, Senatorisches Standesbewußtsein in spätröm. Zeit, Paradosis 40, 1995

44 O. G. Oexle, W. Paravicini (Hrsg.), N. Funktion und
Repräsentation des Adels in Alteuropa, Veröffentlichungen
des Max-Planck-Instituts für Gesch. 133, 1997
45 A. Ormanni, Il regolamento interno del senato romano
nel pensiero degli storici moderni sino a Theodor
Mommsen. Contributo a una storia della storiografia sul
diritto pubblico romano, Univ. di Napoli, Quaderni della
Facoltà di Scienze Politiche 35, 1990 **46** G. Ostrogorsky,
Pour l'histoire de la féodalité byzantine, 1954 **47** Ders.,
Observations on the Aristocracy in Byzantium, in:
Dumbarton Oaks Papers 25, 1971, 1–32 **48** H.-G. Pflaum,
Les progrès des recherches prosopographiques concernant
l'époque du Haut-Empire durant le dernier quart
de siècle (1945–1970), in: ANRW II, 1, 1974, 113–145
49 J. Powis, Der Adel, 1986 (engl. 1984) **50** F. Quass, Die
Honoratiorenschicht in den Städten des griech. Ostens.
Unt. zur polit. und sozialen Entwicklung in hell. und röm.
Zeit, 1993 **51** A. Rabil, Knowledge, Goodness, and Power:
The Debate over Nobility among Quattrocento Italian
Humanists, Medieval & Ren. Texts and Stud. 88, 1991
52 M.-Th. Raepsaet-Charlier, Prosopographie des
femmes de l'ordre sénatorial (Ier–IIe s.), 2 Bde., 1987 **53** St.
Rebenich, Mommsen, Harnack und die Prosopographie
der Spätant., in: Studia Patristica 29, 1997, 109–118
54 Ders., Theodor Mommsen und Adolf Harnack. Wiss.
und Politik in Berlin des ausgehenden 19. Jh., 1997
55 T. Reuter (Hrsg.), The Medieval Nobility. Stud. on the
Ruling Classes of France and Germany from the Sixth to the
Twelfth Century, Europe in the Middle Ages, Selected
Stud. 14, 1978 **56** Röm. Antiken-Slgg. im 18. Jh., hrsg. im
Auftrag der Winckelmann-Ges. von M. Kunze, 1998
57 A. Rosenberg, Demokratie und Klassenkampf im Alt.
Roter Leitfaden durch die röm. Gesch. v. F. E. Hoevels,
hrsg. und eingeleitet v. P. Priskil, 1997 (Erstdruck 1921)
58 Ch. Schäfer, Der weström. Senat als Träger ant.
Kontinuität unter den Ostgotenkönigen (490–540 n. Chr.),
1991 **59** D. Schlinkert, Ordo senatorius und N. Die
Konstitution des Senatsadels in der Spätant., Hermes ES 72,
1996 **60** K. Schreiner, Zur biblischen Legitimation des
Adels. Auslegungsgeschichtliche Stud. zu 1 Kor, 26–29, in:
Zschr. für Kirchengesch., 85, 1974, 316–57 **61** Chr. G.
Starr, The Aristocratic Temper of Greek Civilization, 1992
62 E. Stein-Hölkeskamp, Adelskultur und Polis-Ges.,
Stud. zum griech. Adel in archa. und klass. Zeit, 1989
63 L. Stone, The Crisis of the Aristocracy, 1558–1641, 1965
64 K. F. Stroheker, Der senatorische Adel im spätant.
Gallien, 1948 **65** R. Syme, Die röm. Revolution, dt. v.
F. W. Eschweiler, H. G. Degen, T. Wedemeyer, hrsg. v.
W. Dahlheim, 1992 (engl. 1939) **66** G. Walther, Adel und
Ant. Zur polit. Bed. gelehrter Kultur für die Führungselite
der Frühen Neuzeit, in: HZ 266, 1998, 359–385 **67** K. F.
Werner, Bedeutende Adelsfamilien im Reich Karls d. Gr.
Ein personengeschichtlicher Beitr. zum Verhältnis von
Königtum und Adel im frühen MA, in: Karl d. Gr.
Lebenswerk und Nachleben, hrsg. W. Braunfels, Bd. 1,
1965, 83–142 **68** Ders. et al., Art. Adel, in: LMA, Bd. 1
(1980), 118–141 **69** Ders., Du nouveau sur un vieux thème.
Les origines de la noblesse et de la chevalerie, in: Académie
des Inscriptions et des Belles-Lettres. Comptes rendus, 1985,
186–199 **70** Ders., Naissance de la noblesse. L'essor des élites
politiques en Europe, 1998 **71** F. Winkelmann,
Quellenstud. zur herrschenden Klasse von Byzanz im 8. und
9. Jh., Berliner Byzantinistische Arbeiten 54, 1987
72 Th. Zotz, Urbanitas. Zur Bed. und Funktion einer ant.

Wertvorstellung innerhalb der höfischen Kultur des hohen
MA, in: J. Fleckenstein (Hrsg.), Curialitas. Stud. zu
Grundfragen der höfisch-ritterlichen Kultur,
Veröffentlichungen des Max-Planck-Instituts für Gesch.
100, 1990, 392–451.   BEAT NÄF

Norwegen   A. Allgemeines
B. Einzelgebiete, besonders Literatur
C. Wissenschaftsgeschichte

A. Allgemeines

Inschriften im älteren Runenalphabet ab ca. 200
n. Chr. sind frühe Zeugnisse der Fernwirkung der
griech.-röm. Kultur auf norwegischem Gebiet; zahlreiche Fundstücke (Münzen, Glas etc.) aus der »röm. Eisenzeit« (1.–4. Jh.) und der Zeit der Völkerwanderung
zeugen von wohl indirekten Beziehungen zur röm.
Welt. Schon früher und zunehmend in der Wikinger-
Zeit (bis etwa 1050) waren neben den Beziehungen
nach Westen die Verbindungslinien über Novgorod und
Kiev nach Konstantinopel (Miklagard) und der Mittelmeerwelt wichtig; sie sollten nicht unterschätzt werden.
Sagas sowie byz. Lit. berichten von der weitgehend aus
N. rekrutierten Garde der Waränger am byz. Kaiserhof
und vom Dienst des späteren Königs Harald des Harten
unter Michael IV. und Konstantin IX. (etwa in den J.
1035–42). König Sigurd Jorsalfare hat auf dem Kreuzzug
1107 → Byzanz besucht, ebenfalls in der folgenden Generation der spätere König Erling Skakke.

Ab dem 11. Jh. wurde N. allmählich in die christl.-
lat. Kultursphäre einbezogen; Trondheim (Nidaros, lat.
Nidrosia) mit dem Grab des im J. 1030 gefallenen hl.
Olav wurde wichtiger Wallfahrtsort. Der Usurpator
Sverrir (König 1177–1202), ein *clericus*, hat eine lat.
Grabinschr. bekommen. Übersetzungslehnwörter und
Latinismen unterwanderten die norwegische Literatursprache; schon die Landesgesetze und noch mehr die
schließliche Redaktion des gesamtnorwegischen Kodex
durch König Magnus Lagabøte (im J. 1274) sind wohl
mehr vom röm. Recht geprägt, als manchmal angenommen wurde.

In der Zeit N. als Nordseegroßmacht im 13. Jh. entwickelte sich eine höfische Kultur nach kontinentalem
Muster. Doch geschwächt u. a. durch den Schwarzen
Tod (1349), trat N. im 14. Jh. in eine dynastisch-polit.
Union ein und wurde allmählich de facto eine Provinz
von → Dänemark. Erst 1814 wurde N. wieder ein eigener Staat (bis 1905 in Personalunion mit Schweden).
Die geogr. Ferne von den klass. Kulturgebieten in Verbindung mit andauernder kultureller und polit.-öko-
nomischer Marginalisierung hat entschieden dazu beigetragen, daß die Wirkungsgeschichte der Ant. in N.
eher karg ist und daß die klass. Bildung nie tiefer verwurzelt wurde. Das wenig urbanisierte N. besaß weder
Hof noch Adel; Schulwesen und Buchhandlung waren
rudimentär; es gab keine → Universität. In den kritischen J. um 1814 hat sich jedoch die nationale Elite
weitgehend in der Nachfolge der Römer rhet. hoch-

gespielt [1]; der bekannte klass. orientierte Schulmann Lyder Sagen (1777–1850) hatte 1801 seine Mitbürger mit einer Tyrtaios-Übers. angefeuert; der erste Professor für Griech. an der 1813 eröffneten Osloer Univ., Georg Sverdrup (1770–1850), hat in der verfassunggebenden Versammlung auf Eidsvold 1814 führend mitgewirkt.

Im J. 1814 gab es vier höhere Schulen in N. (Kristiania/Oslo, Kristiansand, Bergen, Trondheim) mit insgesamt etwa 200 Schülern. Die erste H. des 19. Jh. war die (relativ) hohe Zeit der klass. Bildung in N., doch die Lage war prekär. Im höheren Schulwesen wurde während des 19. Jh. Lat. (und Griech.) schrittweise zurückgedrängt, teils von den Realfächern, teils vom Altnordischen und allgemein von einer national orientierten und romantisch geprägten Restauration, bis 1896 Lat. (und Griech.) tatsächlich aus der Schule ganz entfernt war. Wirksames Mittel der Säuberung war Alexander Kiellands Angriff auf die Ziele und die Praxis des Lateinunterrichts im Roman *Gift* (1883), der einen sehr nachhaltigen, bis h. spürbaren Eindruck machte. Schon Anf. des 20. Jh. ist Lat. in der Schule wieder gelehrt worden, aber nur als Wahlfach für eine zeitweise sehr kleine Minderheit. Demzufolge gab es stets nur ganz wenige Studenten der alten Sprachen, und sie wurden immer weniger. Die alten Sprachen sind jedoch vertreten an allen vier Univ. N. (Oslo, Bergen, Trondheim, Tromsø). Als Propaedeuticum für Studenten der hist.-philol. Fakultäten ist das Latinum in den 1970er J. weggefallen.

Bedingt durch die schlechte Lage der alten Sprachen und der klass. Trad., aber auch durch die bequeme Nachbarschaft zum Dänischen und Schwedischen, fehlen auf vielen Gebieten Übers. der klass. Lit.; so sind z. B. weder Aischylos noch Euripides ganz ins Norwegische übersetzt, Cicero und Tacitus nur teilweise. Beliebt sind P. Østbyes (1855–1943) Übers. von Homer, Sophokles u. a. Dichtern; in den 1980er J. brachte Egil Kraggerud (geb. 1939) eine vollständige Übers. der *Aeneis* heraus, die mit ihren reichen Beigaben ihresgleichen in jeder anderen Sprache sucht. Vasen und Originalskulpturen aus der Ant. gibt es in N. nur ganz wenige; es existiert kein Antiken-Mus. oder desgleichen.

B. EINZELGEBIETE, BESONDERS LITERATUR

Altnordische Myth. und Lit. wurden bes. seit Sophus Bugge [2] immer wieder mit Klassischem und Christlichem in Verbindung gebracht. In der Skaldendichtung mögen Einzelheiten, auch vielleicht der Typus des Schildgedichts, auf Klassisches zurückgehen. Werke wie *Sverrirs Saga*, *Konungs Skuggsjá* (*Speculum Regale*, ca. 1250) zeugen verschiedentlich in Stil und Geist von klass. und kontinentalem Einfluß; Klass. wurde in der ganzen nordischen Welt auch durch Werke wie die *Trójumanna Saga* und durch Übers. – z. B. der *Dicta Catonis* – bekannt.

Von der wenig umfangreichen lat. Lit. des MA sind außer kirchlicher Gebrauchslit. und Diplomen v. a. die wohl vom nidrosensischen Erzbischof Eysteinn verfaßte *Passio Olavi* (ca. 1180) zu nennen, mit zahlreichen Zi-

taten aus und Allusionen zu Vergil und anderen klass. Texten, sowie die gelehrte *Historia de antiquitate regum Norvagiensium* von Theodoricus Monachus (ca. 1180).

Die weitgehend in Rostock ausgebildeten Osloer Humanisten um 1600 haben auf verschiedenen Gebieten zur neo-lat. Lit. beigetragen, so der Bischof Jens Nilssøn u. a. mit seinem *Elegidion* und die führende Kraft an der Osloer Schule Halvard Gunnarsøn mit seiner sog. *Acrostichis*, dem ersten norwegischen Hirtengedicht, und dem *Chronicon regum Norvegiae* in 2710 Versen.

Ludvig Holberg (1684–1754), der in N. geboren war und in Dänemark seit seinem 22. Lebensjahr wirkte, u. a. als Professor für Lat., ist eine Gestalt von europ. Format als Gelehrter, Denker, Historiker, Essayist und Dichter, berühmt v. a. für seine Kom., sein satirischutopisches, lat. geschriebenes Epos *Niels Klim* und für seine von klass. Vorbildern und aufklärerischem Geist geprägten Briefe, Essays und Fabeln.

Chr. B. Tullin (1728–1765) war ein Vertreter der antikisierenden Pastorale. Von klass. Dichtern und vom frz. → Klassizismus geprägt war die in den letzten Jahrzehnten des 18. Jh. sehr aktive Norwegische Gesellschaft in Kopenhagen. Ihr Motto war »Vos exemplaria Graeca«; Übers., Pastichen und Imitationen gehörten zum lit.-gesellschaftlichen Betrieb. Diesem auch für das Erwachen eines norwegischen Nationalbewußtseins wichtigen Kreis verdanken wir z. B. sowohl die Trag. *Hermione* des Claus Fasting (1745–1791) als auch die die konventionelle klassizistische Trag. parodierende *Liebe ohne Strümpfe* des Johan Hermann Wessel (1742–1785), die in N. weitgehend das populäre Bild des Klassizismus geprägt hat.

Die überragende Dichtergestalt der jungen Nation, Henrik Wergeland (1808–1845), war mit der ant. Geisteswelt vertraut, berührte sich in seiner teils überschwenglichen Odendichtung mit Horaz und Pindar, in den Komödien mit Aristophanes, und ließ sich v. a. in seinem Weltgedicht *Die Schöpfung, Der Mensch und Der Messias* von neuplatonischen Gedanken anregen. Sein Antagonist, der Dichter und Philosoph Johan Sebastian Welhaven (1807–1873), hat mehr Distanz zur Ant.; in einigen Gedichten (z. B. *Sisyphos, Protesilaos, Kalkhas*) werden klass. Figuren zu Trägern von einer teils zeittypischen, teils stark persönlichen, ziemlich düsteren Lebenshaltung gestaltet.

Henrik Ibsen (1828–1906) hat seine Dichterlaufbahn mit dem histor. Drama *Catilina* (1850, damals nicht aufgeführt) angefangen, in dem der Titelheld die Ibsensche Problematik des Rufes verkörpert. Das »weltgeschichtliche Drama« *Kaiser und Galiläer* (1873) spielt am Hof Julians und beruht auf ausgiebigem Lesen der Sekundär-Lit.; das Stück thematisiert den Konflikt zw. einen christl.-asketischen und einer heidnisch-dionysischen Lebenshaltung. Ibsen hat es sein Hauptwerk genannt. In *Gespenster* (1881) klingt das Ödipusmotiv nach. Es gibt auch sonst bei Ibsen ant. Allusionen, und man hat in der strengen Konfliktstruktur der späten Dramen ein Pendant zur Sophokleischen Trag. gesehen.

Bjørnstjerne Bjørnson (1832–1910) hat sich v. a. in *Über die Kraft* (1883) der dramatischen Ökonomie und der ernsten Tragik des klass. Dramas genähert. Aasmund O. Vinje (1818–1870) und Arne Garborg (1851–1924), zwei Dichter und Publizisten, die zur sprachlich »neunorwegischen«, anti-dänischen Bewegung gehörten, haben entscheidende Impulse von der klass. Trad. empfangen und eine Art Verwandtschaft zw. dem echt Norwegischen und dem Klassischem heraufbeschworen. Garborg hat auch Griech. gelernt, um eine Übers. der Odyssee (1918) herzustellen. Ernstlich, und nicht nur mit positivem Vorzeichen, hat sich der Dichter und Essayist Hans E. Kinck (1865–1926) mit ant. Lebenswerten und klassizistischen Tendenzen auseinandergesetzt.

In der Lit. des 20. Jh. hat die Ant. nur vereinzelt Niederschlag gefunden – und meistens in recht oberflächlicher Weise (Buchtitel, Allusionen, histor. Romane). In der Zwischenkriegszeit haben v. a. die beiden großen Lyriker Olaf Bull (1883–1933) und Claes Gill (1910–1973) aus der Welt der klass. Figuren und Motive geschöpft. Später haben bes. Modernisten wie Paal Brekke (1923–1993) und Stein Mehren (geb. 1935) ant. Stoffe wiederbelebt, neben Ragnvald Skrede (1904–1983), Åse-Marie Nesse (geb. 1934) u. a.

In der bildenden Kunst läßt sich die Rosenmuster-Malerei der Volkskunst letzten Endes auf das ant. Akanthus-Motiv zurückführen. Ant. Szenen und Figuren gibt es wenige, wohl aber klass. Stilideale, bes. bei Bildhauern wie Hans Michelsen (1789–1859), Julius Middelthun (1820–1886) und Ingebrigt Vik (1867–1927). Mathias Skeibrok (1851–1896) hat mit den erst im J. 1894 abgeschlossenen Pedimentskulpturen am Hauptgebäude der Univ. Oslo, einer von Prometheus und Athene beherrschten Szene mit Moiren, Eros usw., ein für N. einzigartiges und viel umstrittenes Werk geschaffen. Klassizistische Architektur ist in Oslo durch das königliche Schloß (1823–1848, H. D. F. Linstow, 1787–1851), die Börse (1826–1828) und die Univ. (1838–1854, Chr. H. Grosch, 1801–1865) vertreten; der letztgenannte Gebäudekomplex wurde erst nach Gutheißung durch Schinkel ausgeführt. Daneben sind zu nennen etliche von klass. Bauelementen geprägte stattliche Gutshauptgebäude des 19. Jh. in Stein, aber v. a. in Holz. Die Immanuelskirche in Halden (1826–1833, Chr. H. Grosch) ist ein Hauptwerk des Klassizismus auf sakralem Gebiet.

C. WISSENSCHAFTSGESCHICHTE

Die Univ. Oslo, bis 1946 die einzige des Landes, brachte im 19. Jh. zur Erforsch. der alten Welt wenig hervor, was internationale Beachtung fand. Von Grund auf erneuert wurden die klass. Studien in N. im Sinne der Altertumswiss. durch Samson Eitrem (1872–1966), der 1914–1945 als Professor für Klass. Philol. wirkte. Eitrem hat sich mit vielen Aspekten der alten Welt beschäftigt, v. a. mit Myth., Rel. und Magie (u. a. *Die göttl. Zwillinge bei den Griechen*, 1902, *Opferritus und Voropfer der Griechen und Römer*, 1914). Eitrem veröffentlichte auch eine Reihe von Übers. und Büchern in norwegischer Sprache.

Die Osloer Universitäts-Bibl. verdankt Eitrem eine beachtliche Papyrussammlung; er hat intensiv an der Herausgabe gearbeitet (*Papyri Osloenses I-III*, 1925–36; die beiden letzteren Bände in Zusammenarbeit mit seinem Schüler und Nachfolger Leiv Amundsen, 1898–1988, herausgegeben). Die Papyrologie wurde späterhin u. a. durch die Arbeit Knut Kleves (geb. 1926) an den herkulanensischen Papyri vertreten. Sonst gibt es in N. kaum Trad. für Editionsarbeit. Philol. und interpretatorische Arbeiten verschiedener Art lieferten Eiliv Skard (1898–1979) und Henning Mørland (1903–1989). Der erstgenannte hat sich auch durch geistesgeschichtlich orientierte Beitr. hervorgetan, der letztgenannte durch eine lange Reihe von Übers. ant. Prosawerke. Die Klass. Philol. wird zunehmend als Gräzistik bzw. Latinistik organisiert mit entsprechend mehr Gewicht auf nachklass. Epochen. Die Univ. Bergen hat eine Professur für Lat. des MA. Als Professor für ant. Geistesgeschichte hat Egil A. Wyller (geb. 1924) auf breiter Front gewirkt. Alte Geschichte ist durch eigene Stellen an den Univ. Oslo und Bergen vertreten; sie ist teils auf Polit. und Chronologisches, teils mehr auf Anthropologisches ausgerichtet.

Nach früheren Ansätzen verhalf v. a. Hans Peter L'Orange (1903–1983) der klass. Arch. im Sinne der ant. Kunstgeschichte zu einer festeren Position an der Univ. Oslo (u. a. *Studien zur Geschichte des spätant. Porträts*, 1933, *Der spätant. Bildschmuck des Konstantinsbogens*, 1939). L'Orange wird auch die Gründung des Norwegischen Inst. in Rom verdankt (1959). Seit dem J. 1989 existiert auch ein norwegisches Inst. in Athen.

Ab 1922 erscheint die Zeitschrift *Symbolae Osloenses*, auch mit Supplementsbänden, die die gesamte Altertumswiss. umfaßt.

→ Humanismus

1 Ø. ANDERSEN, A. AARSETH (Hrsg.), Antikken i norsk litteratur, 1993 2 R. H. BANG, Antikken i Norge 1814–1950. En bibliografi, 1952 3 S. BUGGE, Stud. über die Entstehung der nordischen Götter- und Heldensagen, 1889 (norwegisch 1879) 4 C. W. SCHNITLER, Slegten fra 1814, 1911 5 S. SKARD, Classical Trad. in Norway, 1980.

ØIVIND ANDERSEN

Notar A. FORSCHUNGSDISKUSSION
B. ANTIKE BIS 6. JAHRHUNDERT C. MITTELALTER

A. FORSCHUNGSDISKUSSION

Während bislang die Ansicht überwog, das ma. (und das darauf basierende mod.) Notariat sei eine Neuschöpfung des 11./12. Jh. nach dem Vorbild des altröm. Tabellionats [14], wird neuerdings aufgrund prosopographischer Forsch. und vertiefter Kenntnis des röm. Urkundenwesens die Kontinuität zw. Spätant. und Früh-MA stärker betont [12].

B. ANTIKE BIS 6. JAHRHUNDERT

Dokumente wurden sowohl von Privatpersonen als auch von Amts- und Berufsschreibern verfaßt, wobei man gewöhnliche Schreiber (*scribae* u. ä.) und Stenographen (*notarii, exceptores*) unterscheidet. Die Kenntnis der Schnellschrift (*nota*, »Tachygraphie«) ist dabei das wesentliche Kriterium. Bis zum E. des 3. Jh. blieben die Begriffe *notarius* und *exceptor* austauschbar. Nach der Tetrarchie wurde *notarius* zur Bezeichnung des Stenographen im kaiserlichen Dienst (oft mit einem Doppeltitel wie *tribunus et notarius*), seit dem 5. Jh. auch im Dienst der Kirche (*notarius ecclesiasticus*), während die Schnellschreiber der Zivilverwaltung *exceptores* hießen. Seit der Mitte des 4. Jh. gehörten die *notarii* zur *schola notariorum* (Körperschaft der *notarii*), der ein *primicerius* vorstand und in der die *matricula* den Rang eines jeden Mitglieds festlegte. Die Zugehörigkeit des *notarius* zur *schola* war lebenslang (Cod. Theod. 6,10,1). Die *notarii* protokollierten im Consistorium und überbrachten kaiserliche Schreiben. Sie nahmen im 5. und 6. Jh. auch leitend oder beobachtend an Kirchensynoden teil.

Über die soziale Herkunft der Schnellschreiber ist wenig bekannt. Vermutlich waren sie im frühen Prinzipat Sklaven oder von niederem Stand. Für das 4. Jh., als die Informationen reichlicher fließen, gilt dies mit Bestimmtheit nicht mehr. 367 führten die *notarii* den Titel *vir perfectissimus*, seit 381/4 jenen des *vir clarissimus*. Sie genossen also senatorischen Rang [9. 50].

Der Begriff *tabellio*, der erstmals bei Ulpian vorkommt (Dig. 48,19,9), geht auf die hölzerne Wachstafel (*tabula*) zurück, die in der Antike als gesiegelte Doppelurkunde neben dem Papyrus der gebräuchlichste Schriftträger für Dokumente war. Die siegelnden Zeugen erscheinen auf den zahlreichen Militärdiplomen über Jahrzehnte hinweg, so daß die Vermutung, es handle sich dabei um Rechtskundige, ›die im Besitz einer Konzession des röm. Staates waren‹ und die ›bei der Erstellung bestimmter Dokumententypen röm. Bürger siegeln‹ durften, naheliegend ist [10. 467]. Das Siegeln der Zeugenurkunden dürfte die urspr. Aufgabe der *tabelliones* gewesen sein, worauf auch die zitierte Stelle bei Ulpian verweist. Später erscheinen die *tabelliones* als Urkundenschreiber, was für sie als des Schreibens Kundige nahe lag [6]. Schreiber, die ihre *statio* auf dem Forum hatten, hießen *forenses*. Auch sie waren in einer *schola* organisiert [6. Bd. 1. 376].

Man unterscheidet zwei Arten von Urkunden: die in der dritten Person abgefaßte Zeugenurkunde (*testatio*) und das Chirographum, die zeugenlose, eigenhändig geschriebene und durch die Handschrift beweiskräftige subjektiv stilisierte Erklärung. Dazwischen gibt es zahlreiche Mischformen. Chirographa wurden seit dem 4. Jh. immer häufiger mit Hilfe eines *tabellio* erstellt, der seit Iustinian durch einen Eid gebunden war (Nov. 73,7,1).

Beschreibstoff für Dokumente waren Papyrus (*charta*), Pergament (*membrana*), Wachs- oder Bronzetafeln (*tabulae*) sowie Stein- und Tonplatten. Geschäfte, Vorgänge, Tatsachen, Erklärungen oder Abschriften (etwa von kaiserlichen Edikten), deren Richtigkeit Zeugen durch ihre Anwesenheit und durch das Anbringen ihrer Siegel garantierten, hielt man in der Form einer Zeugenurkunde (*testatio*) fest, die als Beweismittel vor Ge-

richt anerkannt war. Für diese Urkundenform waren Di- oder Triptychen auf Holz- oder Bronzetafeln bes. geeignet. Die *testatio* war eine Doppelurkunde, die denselben Text zweimal enthielt. Der erste Text (*scriptura interior*) war mit den Siegeln der meist sieben Zeugen verschlossen und so vor Fälschungen geschützt; der zweite (*scriptura exterior*) war mit der Innenschrift identisch und referierte den Inhalt der Urkunde. Wurden die Siegel der Zeugen verletzt, verlor das Dokument seine Rechtsgültigkeit [5. 22–28]. Es gab auch Doppelurkunden mit Zeugensiegelung auf Papyrus, der gefaltet und gerollt und danach zusammengeklebt wurde (Abb. 1) [3. Bd. 3 Nr. 17, 132 und 138; 6. Bd. 1 Nr. 6].

Die Urkundenformulare zeigen im wesentlichen folgende Bestandteile: Angabe des Ortes des Geschehens (*actum*), des Zeitpunkts (*datum*) und gegebenenfalls des Schreibers, die Einzelheiten des Geschäftes, Garantien, allg. Klauseln, die Unterschrift oder das *signum* des Ausstellers und allenfalls des Schreibers sowie die Unterschriften und Siegel der Zeugen. Die iustinianischen Normen ändern daran nichts Grundlegendes (Cod. Iust. 4,21,17).

Übertragungen von Eigentum durch Schenkung oder Verkauf mußten seit 323 (Cod. Theod. 8,12,3) durch Urkunden dokumentiert werden, die danach dem Provinzialstatthalter (*iudex*) oder den Munizipalbehörden zur öffentlichen Beurkundung und Eintragung in die Akten (*gesta*) vorzulegen waren (Insinuation) [11. Bd. 2. 81]. Die doppelte Schriftlichkeit bei Kauf, Schenkungen, Emanzipationen und Testamenten durch die Urkunde und die Akten der Behörden war ein Wesensmerkmal des röm. Vulgärrechts [8. 34–36].

C. MITTELALTER

Die Insinuation fiel im langobardischen Italien weg. Der jüngste Beleg stammt von 625 [6. Bd. 1 Nr. 21, Bd. 2 Nr. 56]. Der Titel *exceptor* ist noch bis 730 bezeugt [2. Bd. 1 Nr. 48]. Damit endete die Dokumentation von Eigentumswechseln bei einer von den Vertragsparteien unabhängigen Instanz. Fortan war die vom Käufer aufbewahrte Urkunde der einzige Nachweis für derartige Geschäfte, was sich in der strengen Norm des Edikts von Rothari (643) gegen Urkundenfälscher widerspiegelt [4. 98 f. § 243]. Liutprand bestimmte 724 ergänzend, daß, wer wissentlich falsche Urkunden als Zeuge oder Aussteller unterschreibe oder jemanden dazu anstifte, das Wergeld zu zahlen habe [4. 228 f. § 63]. Weil es im Anschluß an Verkaufsgeschäfte häufig zu Betrügereien kam, entschied Ratchis (744–749), daß im Beweisverfahren gegen eine von einem *scriba publicus* geschriebene und von Zeugen mitunterzeichnete Verkaufsurkunde kein Eid zugelassen sei, sofern die Urkunde bestimmte Formalitäten erfülle [4. 348 § 8]. Das Recht der Urkunden änderte sich also, als der bürokratische Apparat des ant. Staates zerfiel. Ludwig der Fromme versuchte um 822/823, die durch den Untergang der Munizipalbehörden entstandene Lücke zu stopfen, indem er für bestimmte Akte eine mündliche Veröffentlichung vorschrieb [1. Bd. 1 Nr. 158 § 15]. Ob diese Regelung in

Abb. 1: Eine Papyrusurkunde aus Ravenna aus dem 6./7. Jh.
Der Priester Octavius der faventinischen Kirche unterschreibt den Vertrag,
mit dem er einen Teil eines Hauses mit Garten verschenkt
(seine Unterschrift beginnt am Ende der ersten ganz erhaltenen Zeile nach dem +)
(Archivio di Stato di Milano, Cimeli, b. 1)

der Folge eingehalten wurde, ist wegen der schmalen und einseitigen Überlieferung unklar. Sobald die Quellen wieder reichlicher fließen, setzen eindeutige Hinweise auf öffentliche Bekanntmachung bestimmter Kategorien privater Verträge ein. Möglicherweise überdauerte die Initiative Ludwigs des Frommen die »Dunklen Jh.« in regional unterschiedlicher Form. Der früheste konkrete Hinweis stammt aus Genua, wo die Konsuln 1144 beschlossen, Testamente seien von geschworenen Zeugen mitzuunterschreiben. Die Statuten von Como (1200/01) lassen Schenkungen *inter vivos* nur gelten, wenn sie in *presentia potestatis Cumarum* geschahen. Ähnliche Bestimmungen finden sich in anderen oberital. Städten. In Lucca sind mündliche Verkündigungen (*denuntiationes*) von Grundstücksschenkungen und Emanzipationen vor den kommunalen Gerichten seit 1225 belegt. In Venedig hinterlegte man seit 1226 Kaufverträge über Grundstücke bei den Prokuratoren von San Marco. Die umfassendste Lösung fand Bologna, das im Frühjahr 1265 ein unter amtlicher Aufsicht geführtes Register für Privatrechtsgeschäfte, die sog. *libri memoriali*, schuf. Die Insinuation erlebte also im 13. Jh. in den ober- und mittelit. Kommunen in unterschiedlicher Form ihre begriffliche und sachliche Renaissance [12].

Nach dem Untergang Westroms erstellten Privatleute weiterhin Urkunden, wie das 773 eigenhändig und im eigenen Namen geschriebene Testament des Davit aus Lucca bezeugt [2. Bd. 2 Nr. 287]. Im Herzogtum Benevent verbot Adelchis im Jahr 866 Schreibkundigen, Beweisurkunden (*breve*) selber zu schreiben, weil dies Fälschungen erleichtere, und bestimmte, daß nur noch N. Breven schreiben dürfen [4. 400ff. § 8]. Im *Regnum Italiae* setzte diese normierende Tendenz schon

unter Karl dem Großen ein. Das *Capitulare missorum* von 802 trug den Sendboten (*missi*) die Ernennung von N. auf [1 Bd. 1 Nr. 40 § 3]. Lothar I. wiederholte 832 diese Bestimmung unter Einschluß der Richter (*iudices*), die ebenfalls von den Sendboten bestellt wurden [1. Bd. 2 Nr. 202]. Seit dem späten 9. Jh. schrieben auch Richter Urkunden. Die karolingische Gesetzgebung band also die N. und Richter explizit an die kaiserliche Autorität. Während in der Ant. die *tabelliones* staatlich lizenziert Dokumente beglaubigten, wurden fortan die Urkundenschreiber durch den Herrscher oder seine Delegaten autorisiert. Als Folge davon setzte sich im 9. Jh. im Regnum die einheitliche Bezeichnung der öffentlichen Urkundenschreiber als *notarius* durch [12. 73]. Waren die Urkundenschreiber Geistliche, fügten sie die neue Berufsbezeichnung ihrem Weihegrad an (*clericus/subdiaconus et notarius*). Noch bis ins 8. Jh. hatten sich die Urkundenschreiber – dem antiken Vorbild folgend – nach ihrem Stand oder ihrer Funktion als *scriptor, clericus, monacus, acolitus, subdiaconus, diaconus, presbiter* oder als *vir devotus, religiosus* bzw. *clarissimus*, die Schreiber der langobardischen Könige als *notarius regis* bezeichnet.

Diese Vereinheitlichung ist eine Folge des Kapitulars von 802. Die damals im Regnum aktiven Schreiber übernahmen den neuen Titel *notarius*, nachdem sie von den *missi* ernannt bzw. vereidigt worden waren. In der Bezeichnung *notarius* spiegelt sich das in der kaiserlichen und kirchlichen Verwaltung der Spätant. übliche Vorbild, wobei festzuhalten ist, daß sich der ant. Stenograph inzwischen zum Urkundenschreiber gewandelt hatte. Außerhalb des Regnums blieben für N. andere Bezeichnungen in Gebrauch. In Amalfi hießen sie *scriba*. Röm. N. nannten sich anfänglich *tabellio*, um später zu

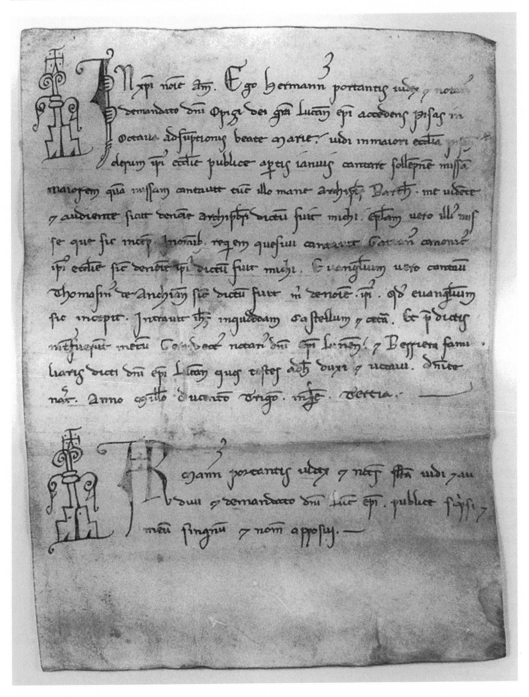

Abb. 2: Eine Pergamenturkunde von 1230. Die Redaktion der Urkunde obliegt nun
völlig dem Notar, der sie mit seinem Handzeichen und seiner Unterschrift authentisiert.
Die Pergamente wurden gerollt aufbewahrt

dem aus der päpstlichen Kanzlei stammenden Titel *scriniarius* überzugehen. In Ravenna und der Pentapolis war die Bezeichnung *tabellio, tabellius* bzw. *tabularius* üblich, und Bologneser N. wechselten im späten 11. Jh. ihre Titulatur von *notarius* zu *tabellio*.

Die N. im Dienst der Grafen, Bischöfe und Äbte wurden in den normativen Quellen seit Lothar I. (817–855) *cancellarii* genannt. Sie wurden aus den ortsansässigen N. ausgewählt. Der Kanzlertitel setzte sich langfristig nicht durch [12. 74].

Unter den Ottonen schränkte sich das Recht, N. zu ernennen, auf die Grafen von Lomello (als Pfalzgrafen von Pavia), den Bischof von Parma (als Erzkanzler von It.) und die Familie der Leo, später der Advocati in Lucca (Königsboten in der »Hauptstadt« der Toskana) ein. Seit Friedrich I. (1152–1190) wurde das nunmehr pfalzgräflich genannte Recht, N. zu ernennen, als Regal an weitere Kreise verliehen. Zudem beanspruchte seit der Mitte des 11. Jh. auch der Papst dieses Recht. Ihm folgten im 13. Jh. andere europ. Herrscher [12. 43].

War in der Ant. Kenntnis der Schnellschrift Voraussetzung, um in die öffentliche Verwaltung aufgenommen zu werden, betonte das MA die Rechtskenntnisse der N. Die älteste Norm über die Ausbildung der N. ist ein Gesetz Liutprands von 727, das von den Urkundenschreibern Rechtskenntnisse verlangt [4. 256 § 91]. Das ital. Kapitular von 832 ermahnte die *missi* nicht nur, auf Bildung der Richter (*sapientes et Deum timentes*) und der N. (*legibus eruditi et bonae opinionis*) zu achten sowie Ungeeignete aus dem Amt zu entfernen, sondern es bezeugt auch erstmals den vom N. zu leistenden Eid, die Amtspflichten treu zu erfüllen und keine falschen Tatsachen zu beurkunden. Die Richter schworen, gerecht und unbestechlich zu urteilen [1. Bd. 2 Nr. 202].

Als Beschreibstoff löste das Pergament den Papyrus (in It. für Privaturkunden noch bis in die 2. H. des 8. Jh. belegt) und die Wachstafeln ab. Damit verschwand auch die klass. Doppelurkunde.

Unsicher ist, ob die Berufsverbände (*scholae*) überdauerten. In Piacenza ist 879 ein *archinotarius* erwähnt, was ein Hinweis auf ein Notarskolleg oder eine Notarschule sein könnte. Im byz. It. und in Rom [7] ist das Weiterleben klarer erkennbar, ist doch 1127 *Ugo tabellio Ravennatensis et primicerius atque magister notariorum sancte Ravennatensis ecclesie* nachzuweisen. Der erste konkrete Hinweis auf ein Notarskollegium im Regnum stammt aus Siena und datiert von 1176. Die Belege mehren sich zu Beginn des 13. Jh. Damals kamen auch die Notarsmatrikeln auf.

Die Handzeichen der N. und Richter, die sich urspr. aus Reminiszenzen an tironische Noten und aus dem Invokationszeichen zusammensetzten, haben kein ant. Vorbild, denn das *protocollum* auf den Papyri war eine Herstellermarke. Als im 11./12. Jh. die Kenntnis der Tachygraphie endgültig verlorenging, ersetzte man die bedeutungslos gewordenen Schnörkel durch andere Zeichen. Das persönliche, individuell gestaltete Notarszeichen entwickelte sich in regional unterschiedlicher

Weise (Abb. 2). Die damals entstandenen Formen wirkten noch lange nach [12]. Zur gleichen Zeit löste die karolingische Minuskel die älteren kursiven Schriften ab, und das → Römische Recht mit seiner präzisen Begrifflichkeit floß erneut und verstärkt in das Urkundenformular ein.

Die Urkundenlehre unterteilt die früh- und hochma. Notarsurkunden idealtypisch in die subjektiv gefaßte Geschäftsurkunde (*carta*), in der der Aussteller vor Zeugen ein Rechtsgeschäft abschloß und danach das vom N. verfaßte Dokument dem Empfänger übergab (Abb. 3), und in die objektiv stilisierte Beweisurkunde (*breve* oder *notitia*), in der der N. den vollzogenen Vorgang mitteilte. Dabei stützt sie sich auf die vom N. in seiner Unterschrift gemachten Angaben (*Ego ... hanc cartam/hoc breve scripsi*). Unbeachtet blieb bisher, daß sich diese Formel urspr. auf den Beschreibstoff (*charta*, »Papyrus«) bezog.

Die ma. *carta* hat ihr Vorbild im iustinianischen Dokument. Wie dieses besteht es aus 1. *Invocatio vel salutatio*, 2. *Arenga*, 3. *Manifestatio et dispositio*, 4. *Rogatio*, 5. *Traditio*, 6. *Annus imperii, mensis*, 7. *Locus*, 8. *Subscriptio auctoris*, 9. *Roboratio testium*, 10. *Completio*. Die zehn Bestandteile decken fünf Funktionen ab: *Invocatio* und *Arenga* rufen die Gottheit an und formulieren einen Glückwunsch; Orts- und Zeitangabe situieren das Dokument in Raum und Zeit; *Traditio, Subscriptio auctoris, Roboratio testium* und *Completio* verleihen ihm Glaubwürdigkeit; *Manifestatio, Dispositio* und *Rogatio* erläutern seinen Rechtsinhalt. Das *breve* ist ohne ant. Vorbild und hat eine einfachere Struktur als die *carta*. Im *breve* hielt der N. den von den Vertragsparteien vor Zeugen gemachten Vorgang in objektiver Form fest. Die erzählende Struktur des *breve* geht auf die langobardische Gerichtsurkunde (*notitia iudicatus*) zurück. Auch Breven wurden oft von Aussteller und Zeugen unterschrieben.

Im 11./12. Jh. verschmolzen *carta* und *breve* zu einem allgemein einsetzbaren Urkundentyp (ohne Aussteller- und Zeugenunterschriften), an dessen Entstehen einzig der N. beteiligt war. Die Zeitgenossen bezeichneten die neue Form mit dem aus dem röm. Recht entliehenen Begriff *instrumentum*. Das Notariatsinstrument wurde entweder wie eine *carta* subjektiv oder wie ein *breve* objektiv stilisiert. Damals gingen die ober- und mittelit. N. auch dazu über, ihre in Anwesenheit der Parteien und Zeugen gemachten Notizen, die sie auf Wachstafeln oder seit 739 (erster Beleg) als sog. Dorsualnotizen auf der Rückseite des zu beschreibenden Pergaments festgehalten hatten, als dauerhaft zu betrachten. Zu diesem Zweck schrieben sie die Urform des notariellen Aktes auf spezielle Faszikel aus Papier oder Pergament, die sie danach zu Büchern oder Rotuli zusammenfügten und bei sich aufbewahrten. Sie nannten diese Urschrift Imbreviatur (*imbreviatura, rogatio* oder *scheda*). Seit dem frühen 12. Jh. waren sich N. und Vertragsparteien einig, daß die Imbreviatur als Beweismittel oft genüge und sich die Ausfertigung auf Pergament (*mundum*) erübrige. Das Imbreviaturbuch oder Notarsregister bot den

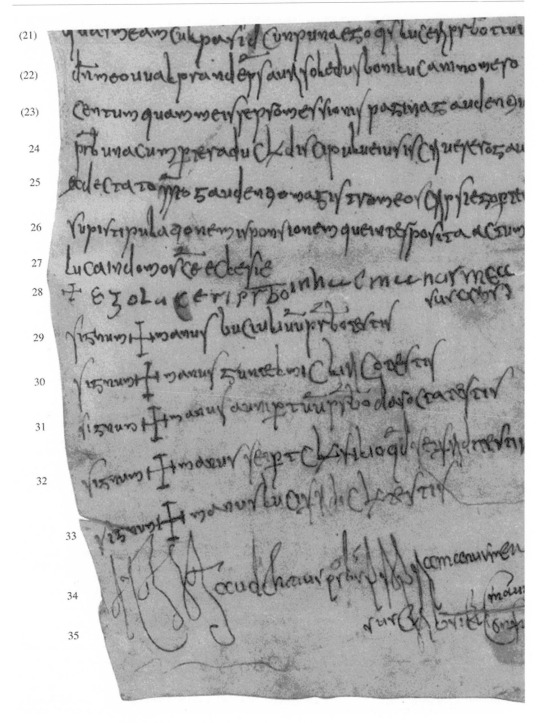

Abb. 3: Eine frühmittelalterliche Pergamenturkunde.
Deutlich sind die eigenhändigen Unterschriften des Schreibers Perterad (Z 25),
seines Lehrmeisters Gaudentius (Z. 34f.) und des Zeugen Luceri (Z. 28) zu erkennen
(Lucca, 746 [ChLA n. 924])

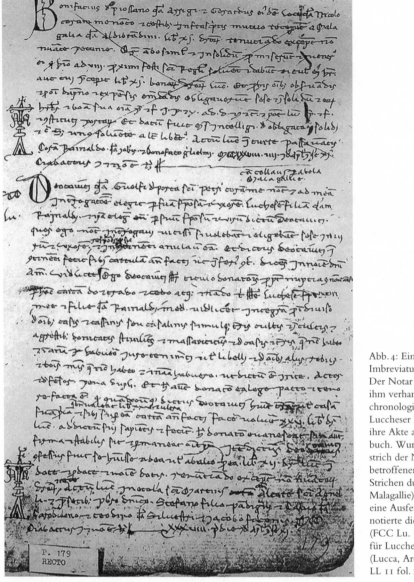

Abb. 4: Eine Seite aus einem Imbreviaturbuch von 1238. Der Notar protokolliert die vor ihm verhandelten Geschäfte chronologisch in sein Amtsbuch. Luccheser Notare authentisieren ihre Akte auch im Imbreviaturbuch. Wurde ein Geschäft hinfällig, strich der Notar es auf Bitten der betroffenen Partei mit schrägen Strichen durch (cancellavi parabola Malagallie). Verlangte eine Partei eine Ausfertigung auf Pergament, notierte dies der Notar am Rand (FCC Lu. = Feci cartam Ciabattus, für Lucchese [Z. 3]) (Lucca, Archivio Capitolare, LL 11 fol. 179r)

Zeitgenossen genügend Garantien gegen Fälschungen. Es brachte zudem den Vorteil zurück, den einst die Insinuation geboten hatte, die Überprüfung des schriftlich fixierten Sachverhalts anhand einer zweiten Überlieferung (Abb. 4).

Das Imbreviaturbuch ist eine genuin ma. Erfindung, auch wenn die → Glossatoren im 13. Jh. meinten, im Gesetz *Contractus* von 528 (Cod. Iust. 4,21,17) den ant. Vorläufer der Imbreviaturen gefunden zu haben. Ihnen waren eben die röm. Doppelurkunden unbekannt [12. 143–145].

Die N. authentisierten die Imbreviaturen in der Regel seiten- oder faszikelweise durch Unterschrift und Handzeichen. Sie konnten anderen N. das Ausfertigen von Urkunden aus ihren Akten erlauben, da die Imbreviaturbücher ihr Eigentum waren. Die Register waren aber auch von öffentlichem Interesse, weil die Akten aus Gründen der Rechtssicherheit bei vorübergehender Abwesenheit sowie nach dem Tod des Notars verfügbar bleiben sollten, besonders da sich die Vertragsparteien aus Kostengründen oft mit der Imbreviatur begnügten. Der N. wurde dadurch zum Archivar seiner Kunden. Deshalb verboten die Kommunen den Handel mit Imbreviaturbüchern. Sie oder die Notarskollegien wiesen die Akten abwesender oder verstorbener N. Berufskollegen zur Aufbewahrung zu und erlaubten die weitere Benutzung der Register. Standortverzeichnisse erleichterten (nachweislich seit 1264) das Auffinden der Register verstorbener N. In Genua schuf man im 14. Jh. eine mehr oder weniger zentrale Depotstätte für private und öffentliche Notarsakten. Eigentliche Notariatsarchive entstanden erst seit dem 15. Jh.

Das Notariat verbreitete sich seit dem 13. Jh. über das lat. Europa hinaus nach Deutschland, England und Skandinavien.

→ AWI Consistorium, Exceptor, Gesta, Instrumentum, Notar, Tachygraphie, Testament

QU 1 Capitularia regum francorum 1–2, ed. A. BORETIUS, V. KRAUSE, Hannover 1883–1897 2 Codice diplomatico longobardo 1–2, ed. L. SCHIAPARELLI, 1929–1933 3 Fontes iuris romani antejustiniani 3: Negotia, ed. V. ARANGIO-RUIZ, 1943 4 Die Gesetze der Langobarden, ed. F. BEYERLE, 1947 5 M. A. SPEIDEL, Die röm. Schreibtafeln von Vindonissa, 1996 6 J.-O. TJÄDER, Die nichtlit. lat. Papyri Italiens aus der Zeit 445–700, 2 Bde., 1955–1982

LIT 7 C. CARBONETTI, Tabellioni e scrinari a Roma tra il IX e XI secolo, Archivio della Società romana di storia patria 102 (1979) 77–156 8 P. CLASSEN, Fortleben und Wandel spätröm. Urkundenwesens im frühen MA, in: Ders. (Hrsg.), Recht und Schrift im MA, 1977, 13–54 9 R. DELMAIRE, Les institutions du bas-empire romain de Constantin à Justinien, 1995 10 R. HAENSCH, Die Verwendung von Siegeln bei Dokumenten der kaiserlichen Reichsadministration, in: M. F. BOUSSAC, A. INVERNIZZI (Hrsg.), Archivi e sigilli nel mondo ellenistico, 1996, 449–496 11 M. KASER, RPR, Bd. I, 231–234, Bd. 2, 75–82 12 A. MEYER, Felix et inclitus notarius, 2000 13 H. C. TEITLER, Notarii and exceptores, 1985 14 A. WOLF, Das öffentliche Notariat, in: H. COING (Hrsg.), Handbuch der Quellen und Lit. der neueren europ. Privatrechtsgeschichte 1: MA, 1973, 505–514.

ANDREAS MEYER

Numismatik A. BEGRIFFSBESTIMMUNG. B. GESCHICHTE DER DISZIPLIN C. AUSWAHL WICHTIGER SCHATZFUNDE UND FUNDGRUPPEN D. AUSBLICK

A. BEGRIFFSBESTIMMUNG

Die ant. N., d. h. die wiss. Erforschung griech. und röm. Mz., ist ein Teil der → Altertumskunde. Abgeleitet vom griech. Wort νόμισμα = gesetzmäßiges Zahlungsmittel über das lat. numisma, im späteren Sprachgebrauch gleichbedeutend mit »alte oder ausländische Münze«, kam die frz. Bezeichnung numismatique im 18. Jh. in allg. Gebrauch. Goethe spricht 1787 von ›Numismatick‹ (An v. Fritsch, 27.10.) und von ›Münzwiss.‹ (An Herder, 25./27.1.) im gleichen Sinne [14. 610, 612]. Die gängige Definition als »Münzkunde« im Sinne von Beschreibung, Bestimmung und systematischer Ordnung des Münzmaterials ist zu erweitern um die Aufgabenbereiche der Münzgeschichte, Geldgeschichte und Methodenlehre [11. 19]. Nur auf diese Weise wird die N. über die bloße Sammeltätigkeit hinaus zu einer histor. Wiss., die sich bezieht auf ›die umfänglich-

ste, vielseitigste und aussagekräftigste einheitliche Objektgruppe aus der gesamten materiellen Kulturhinterlassenschaft der Menschheit‹ [12. 24]. Ihr Charakter als einer ganz spezifischen Denkmälerwiss. bleibt dabei durchaus erhalten. Die bes. Nähe zu dem weitverbreiteten Geschichtsdenkmal »Mz.« hat dazu geführt, daß es sehr früh zu einer ›richtig forschenden Beweisführung mit Mz.‹ [3. 5] gekommen ist, lange vor der sog. systematischen wiss. N.

B. GESCHICHTE DER DISZIPLIN

1. GRIECHISCHE ANTIKE

Die Beachtung und Interpretation von Geld- und Münzdenkmälern in der Ant. beginnt mit der Entstehung der Wiss. im kleinasiatischen Ionien des 6./5. Jh. v. Chr. als integraler Bestandteil der umfassenden kulturgeschichtlichen Historie, vertreten durch Autoren wie Hekataios von Milet, Herodotos von Halikarnassos und Xenophanes von Kolophon. Man fragt nach den Anf. und den Erfindern des Münzgeldes und registriert bes. Formen und Gattungen von Zahlungsmitteln in den Tempelschätzen und fürstlichen Schatzkammern. Xenophanes und Herodot stimmen darin überein, daß sie den Lydern die Priorität in der Ausprägung von Gold und Silber zusprechen: ›Als erste Menschen, von denen wir wissen, prägten und gebrauchten sie eine Mz. aus Gold und Silber‹ berichtet Herodot (1,94), bestätigt durch das noch ältere Zeugnis des Xenophanes (frg. B 4 Diels). Prämonetäre Geldformen und Zahlungsmittel fand Herodot unter den Weihgeschenken in Delphi. Da waren bemerkenswert die eisernen Bratspieße, die im 6. Jh. v. Chr. von der Hetäre Rhodopis als Zehntel ihres Vermögens geweiht und noch im 2. Jh. n. Chr. zu sehen waren (Herodot 2,135, Plutarch De Pythiae oraculis 14, 400F), oder die von Kroisos gestifteten 117 ziegelförmigen Gold- und Elektronbarren, die zusammen mit dem sie bekrönenden goldenen Löwen 250 Talente gewogen haben (Herodot 1,50). Die entsprechenden Weihgeschenke für Didyma (Herodot 1,92) hatte Hekataios im ionischen Aufstand 500 v. Chr. als Geldreserve empfohlen (Herodot 5,36), nach der Niederlage Milets 494 v. Chr. wurden sie von den Persern geplündert (Herodot 6,19). Das von Herodot erwähnte Waschgold vom Tmolosgebirge fand sich dann im Schatzhaus des Kroisos in Haufen von Goldstaub aufgeschüttet (Herodot 1,93; 6,125).

Nach einer Phase derartiger Einzelbeobachtungen im Rahmen einer ganzheitlichen Kulturgeschichtsbetrachtung entwickelte sich dann im 4. Jh. in der peripatetischen Schule im Zuge der Herausbildung der Einzelwiss. offensichtlich auch eine systematische, beschreibende und interpretierende numismatische Sammeltätigkeit. Zur griech. Polis gehörte die Polismünze. Entsprechende Materialsammlungen fanden Eingang in die unter dem Namen des Aristoteles laufenden 158 *Staatsverfassungen* (*Politeiai*), die uns, von der *Athenaion Politeia* abgesehen, nur in kümmerlichen Fetzen erhalten sind. Immerhin haben uns daraus Informationen über die Goldmünzen von Kyrene, Münzwerte und

Abb. 1: Das »Demareteion«. Silbernes Dekadrachmon von Syrakus, um 470 v. Chr. (Foto Hirmer)

Münznamen in Sikyon, Akragas und Himera, Angaben und Interpretationsversuche zu den Münzbildern von Tarent (Delphinreiter) oder Tenedos (Doppelkopf und Doppelaxt) erreicht. Diese Ansätze zu einer wiss. N. im Peripatos wurden von den alexandrinischen Gelehrten weiter ausgebaut. Leider ist auch hier die Überlieferungssituation ungünstig; wir sind ganz auf die zerstreuten Nachrichten der Grammatiker angewiesen, die ihnen noch vorliegende Spezialarbeiten nach ihren spezifischen Interessen ausgebeutet haben. Hauptquelle ist für uns das *Onomastikon* des Julius Pollux aus der 2. H. des 2. Jh. n. Chr., v. a. die zusammenhängende Passage 9,51–93. Dessen Interesse gilt ganz dem Wortschatz und der Worterklärung nach Sachgruppen, nicht der Münzkunde als solcher. Dennoch läßt sich aus seinem Text die Existenz solcher Studien erschließen, wenn er es für seine Zwecke für übertrieben ehrgeizig erklärt, ›den Logos über die Mz. zu erforschen‹ (9,83) oder die Unt. für Wichtigtuerei erklärt, ob die Mytilenäer die Sappho auf ihre Mz. prägen, die Chier den Homer, die Bürger von Iasos einen Knaben auf dem Delphin, die von Dardanos einen Hahnenkampf, die von Aspendos Ringer, die von Rhegion einen Hasen, die Kephallenier ein Pferd, die Thasier einen Perser, oder die Argiver eine Maus: ›Diese Wichtigtuerei entspricht nicht der Thematik meines Buches, und außerdem haben schon andere derartige Materialien gesammelt‹ (9,84). Es gab also kontroverse wiss. Unt. (λόγοι) über die Anf. der Münzprägung, die auf Pheidon von Argos, die Kymäerin Demodike, Frau des Phrygerkönigs Midas, die Athener Erichthonios und Lykos, die Lyder (nach Xenophanes) oder die Naxier (nach Aglaosthenes) zurückgeführt wurden, wie auch Sammelwerke über die verschiedenen Münztypen, die nach den aufgeführten Beispielen bis in die Zeit nach Aristoteles hinabreichen müssen. Münznamen wie Kroiseioi, Philippeioi, Dareikoi, Berenikeion, Alexandreion, Ptolemaikon oder Demareteion nimmt Pol-

Abb. 2: Calenische, sog. »Arethusa-Schale«. Innenmedaillon mit Abdruck nach Silbermünze des Euainetos wie Abb. 3. Campanien, um 300 v. Chr. Antikenslg. Inst. f. Klass. Archäol. Tübingen, nach Foto d. Instituts

lux in seinen ὀνομάτων κατάλογος auf, (9,85) wobei er glaubt, die Namensgeberin des Δημαρέτειον νόμισμα und die damit verbundene Geschichte näher erklären zu müssen: ›Demarete war die Frau Gelons, die ihm im Krieg gegen die Karthager aus der Geldknappheit half, indem sie den Schmuck der Frauen requirierte, ein-

Abb. 3: Dekadrachmon von Syrakus, signiert vom Meistergraveur Euainetos, um 400 v. Chr. (Foto Hirmer)

schmelzen und als Mz. ausprägen ließ‹. Über das *Demareteion* berichtet auch der Lexikograph Hesychios im 5. Jh. n.Chr. (Lexicon 1, A-Δ ed. Latte, Kopenhagen 1953, Δ 823), doch die zeitlich und räumlich nächste, ausführlichste und zuverlässigste Nachricht finden wir bei dem sizilischen Historiker Diodor im 1. Jh. v.Chr. (Bibliotheca historica 11,26,3). Aus den in sich divergierenden Nachrichten läßt sich bei sorgfältiger Interpretation wiederum ein vom konkreten Münzdenkmal ausgehendes Stück ant. N. erschließen. Offensichtlich fanden sich auch auf Sizilien noch lange in Tempelschätzen oder fürstlichen Sammlungen auffällige Mz. aus der Zeit Gelons, die wegen ihrer bes. Größe und ihrem hohen Gewicht, aber auch dem auffälligen Motiv des bekränzten Frauenkopfes eine histor. Erklärung verlangten (Abb. 1). So entstanden die sich allmählich verselbständigenden Hypothesen vom Goldkranz oder Schmuck der Demarete und der Streit darüber, ob es sich um eine Gold- oder Silbermünze gehandelt habe, mit dem sich auch noch die neuzeitliche N. auseinandersetzen mußte.

Einen Anhaltspunkt dafür, in welcher Weise das Münzmaterial tradiert wurde, geben die erhaltenen Tempelinventare, etwa von Athen, Delphi oder Delos [29. Nr. 131–286], aber auch die arch. Gattung der sog. »Calenischen Schalen« (Abb. 2). Bei diesen in Cales bei Capua produzierten reliefgeschmückten Tongefäßen finden sich im Zentrum Abdrücke hochklass. sizilischer Mz., v.a. der berühmten Dekadrachmen von Syrakus (Abb. 3). Es ist klar erkennbar, daß wir dabei keramische Imitationen kostbarer Silbergefäße vor uns haben, die als Embleme eingelassene Originalmünzen enthalten haben. Auf diese Weise, aber auch sonst als Schmuckanhänger oder Brosche gefaßt, wurden alte Mz. tradiert, zur Schau gestellt und immer wieder numismatischer Erklärung zugeführt.

2. RÖMISCHE ANTIKE

Neben den entsprechenden Sammlungen der Ptolemäer, Seleukiden und Attaliden erregten v.a. die Schätze Mithradates' VI. (Plin. nat. 35,132) Aufsehen, als sie bei den Triumphzügen des Lucullus und Pompeius in Rom vorgeführt wurden. Von Mz. ist dabei nicht die Rede, doch von Augustus wird ausdrücklich berichtet, daß er Altertümer und Raritäten (›rebusque vetustate ac raritate notabilibus‹) sammelte und bei Festlichkeiten unter anderem auch Mz. jeglicher Prägung, auch alte, königliche und ausländische (›nummos omnis notae, etiam veteres regios ac peregrinos‹) zu verschenken pflegte (Suet. Aug. 72,3 und 75). Wie im griech. Bereich war also auch in Rom die ständige Präsenz älterer und fremder Mz. sowohl im umlaufenden Geld, wie auch als Beuteweihung und Sammelgegenstand in Heiligtümern und privaten Haushalten gegeben. Anschauungsmaterial für antiquarisch-numismatische Forsch. war also auch hier vorhanden, doch münzgeschichtliche Überlieferung auch in lat. Sprache ist äußerst lückenhaft. So sind aus den Schriften des M. Terentius Varro, der seine 41 Bücher *Antiquitatum rerum humanarum et divinarum* dem Pontifex Maximus Caesar gewidmet hatte, nur wenige numismatische Aussagen erhalten [38. 19–48]. Einzeldaten überliefern auch hier wiederum Grammatiker, wie etwa im 3. Jh. n.Chr. Sex. Pompeius Festus, der Epitomator des Antiquars Verrius Flaccus, in seinem Werk *De verborum significatu*. Wichtigste zusammenhängende Quelle bleibt der ältere Plinius, der in seiner *Naturalis Historia* anläßlich der Behandlung der Metalle auch über das röm. Münzwesen gehandelt hat (Plin. nat. 33, 42–47). Anschaulicher jedoch werden für uns einzelne, bei Dichtern, Rednern und Historikern zerstreut erhaltene Beispiele »angewandter N.«. Sueton berichtet von Augustus, er habe sein Gestirnszeichen, den Capricorn, auf Silbermünzen prägen lassen (Suet. Aug. 94,127), von Nero, er habe sich auch auf Münzen als Kitharoeden darstellen lassen

(Suet. Nero 25,2). Noch ausführlicher überliefert Dio Cassius (47,25,3) zum J. 42 v. Chr.: ›Brutus prägte auf die von ihm geschlagenen Mz. sein eigenes Bild, sowie die Freiheitsmütze und zwei Dolche. Er verdeutlichte damit und mit der Aufschrift, daß er das Vaterland befreit habe.‹ Plutarch, der schon in seiner Alexanderbiographie auf die Münzbildwahl Philipps II. von Makedonien (Rennpferd und Zweigespann) angespielt hatte (Alexandros 3 und 4), hat offensichtlich jene von Dio nicht wörtlich zitierte Aufschrift ›EID MAR‹ vor Augen, wenn er den Brutus sagen läßt ›An den Iden des März gab ich mein Leben dem Vaterland‹ (Plut. Brutus 40,8 f.) [42. 295 mit Anm. 157 zur Diskussion]. Die Gegenwärtigkeit und Verfügbarkeit derartiger histor. bedeutsamer Münzprägungen beweist die Wiederaufnahme der Brutusprägung im Dreikaiserjahr 68 n. Chr. [28. 49 f.]. Es handelt sich dabei um eine beziehungsreiche Interpretation und Umdeutung des Münztyps, mit Libertasbüste auf der Vorder-, Pileus und Dolchen auf der Rückseite, und der auf beide Seiten verteilten Legende ›LIBERTAS PR RESTITVTA‹. Wenn wir sehen, wie dieser überaus eindringliche Münztyp auch in der Ren. wieder aufgenommen wird, bei Lorenzino de Medici [17. 493] im Florenz des 16. Jh., so begegnen wir damit dem Phänomen der numismatisch-antiquarischen Binnentrad. der Münzprägung, die uns gerade in nachrichten- und traditionsarmen Zeiten Aufschlüsse über Präsenz, Wahrnehmung, Interpretation und Rezeption histor. Münzdenkmäler vermittelt. In der griech. Münzprägung wird dieses Phänomen besonders deutlich bei den sog. »Ahnenmünzen« der baktrischen Könige Antimachos I. und Agathokles zw. 175 und 165 v. Chr., wo nicht nur die realen Porträts früherer Herrscher kopiert werden, sondern durch Zitat und Umbenennung des Heraklesbildes der Alexandermünzen als ›Alexander, Sohn Philipps‹ ein Stück numismatischer Interpretation histor. Mz. faßbar wird [11. Taf. 110, 2244–2248).

In der röm. Kaiserzeit gibt es neben zahlreichen polit. beziehungsvollen »Zitaten« früherer Münztypen (v. a. solcher des Augustus unter Vespasian) [27. 964 m. Anm. 112] die Serien der sog. Restitutionsprägungen, v. a. die typenreiche Emission Trajans um 107 n. Chr. Hier wurde eine histor. repräsentative Reihe von Silbermünzen aus der Zeit zw. 225 und 12 v. Chr. originalgetreu nachgeprägt mit dem Zusatz ›Imperator Caesar Traianus Augustus Dacicus Pater Patriae restituit‹. Die Auswahl der restituierten Typen dient nicht nur dazu, das Andenken wichtiger Persönlichkeiten der Vergangenheit lebendig zu halten, wie frühere Restitutionen unter Titus, Domitian und Nerva. Vielmehr ist die Tendenz klar erkennbar, eine zusammenhängende Deutung der röm. Geschichte von der Republik zur frühen Kaiserzeit zu geben, gemäß der von Tacitus auf Nerva und Trajan bezogenen Politik (Tac. Agr. 3), die quasi unvereinbaren Erscheinungen, Prinzipat und Freiheit zu vereinigen. Es würde nun sicher zu weit gehen, in Trajan einen der ersten Numismatiker zu erkennen (vgl. RIC II, 303), aber es wird doch deutlich, daß man in der Ant. den

Fundus der lange umlaufenden älteren Mz. als ein histor. Bilderbuch betrachten konnte, das man studierte und interpretierte und gelegentlich auch zu renovieren suchte. Daß unter Trajans Restitutionen auch Fehlinterpretationen vorkommen, wie die offensichtliche Verwechslung der republikanischen Münzmeister M. Tullius und C. Marius mit dem Redner Cicero und dem Feldherrn Marius, kann man dieser »praenumismatischen Forsch.« nicht übelnehmen. Kurzschlüsse, Mißverständnisse und vorschnelle Kombinationen gehören zur Wiss., und auch die neuzeitliche N. hat lange gebraucht, bis sie sich von oft grotesken Irrtümern befreit hat.

Der Spätant. ging die unmittelbare Anschauung der alten Mz. mehr und mehr verloren, sie zehrte v. a. von dem schon erwähnten, bei Grammatikern und Lexikographen angehäuften und in seiner Zuverlässigkeit sehr unterschiedlichen Wissensvorrat. Immerhin finden wir im 4. Jh. n. Chr. in der *Historia Augusta* (SHA quatt. tyr. 2,1, Flavius Vopiscus) eine geradezu klass. numismatische Beweisführung: Anläßlich eines Historikerstreits, ob der Usurpator Firmus zur Zeit des Kaisers Aurelian ein echter Prinzeps gewesen sei, wird die Frage offenbar auch durch die Vorlage von Mz. mit dem Augustustitel entschieden. Schließlich hat dann Cassiodor, der Minister Theoderichs d. Gr., einen Appell an den verantwortlichen Münzbeamten überliefert, der das Verhältnis der Ant. zur Mz. als Geschichtsdenkmal nochmals zusammenfaßt und der Nachwelt gleichsam als Vermächtnis weitergibt: ›Monetam facis de nostris temporibus futura saecula commonere‹ – ›die Münze soll künftige Jahrhunderte an unsere Epoche erinnern‹ –, durch die aufgeprägten Bilder der Fürsten (*figura vultus, imago principum*) wird an deren fortwirkende Politik erinnert (Cassiod. var., 6,7: ›Formula comitis sacrarum largitionum‹). Cassiodors eigener Lebensgang verdeutlicht zugleich den weiteren Gang der Tradition: Er ging von den Ostgoten zu den Byzantinern über und zog sich in sein selbstgegründetes Kloster Vivarium zurück, und gerade Byzanz/Ostrom und die kirchlichen Institutionen waren es vornehmlich, die staatliche und gelehrte Überlieferungen an das MA weitergaben. Der Faden der Überlieferung ist zwar dünn, aber doch niemals ganz abgerissen.

3. Mittelalter

Die Kenntnis alter und zeitgenössischer Mz. und die Auseinandersetzung mit den durch sie transportierten Botschaften ist für uns immer wieder in histor. und lit. Einzelnachrichten, v. a. aber auch indirekt in der »numismatischen Binnentrad.« zu fassen. Das biblische ›numisma census‹, der *denarius* mit *imago* und *superscriptio Caesaris* (Mt 22, 17–22; Mk 12, 15–17; Lk 20, 24–27) ist Vorbild und Gegenstand des histor. Interesses zugleich. Antike, v. a. röm. und keltische Mz., kamen immer wieder in Einzel- und Schatzfunden ans Tageslicht und erregten teils abergläubische, teils naiv-histor. Assoziationen. Mehr oder weniger kunstvoll gefaßt, gehenkelt oder gelocht, wurden sie als Schmuck oder Talisman getragen oder auch als Botschaft mit ins Grab gegeben, wie uns völkerwanderungszeitliche Gräberfelder lehren. Barbarische Nachahmungen solcher Schmuck- und Zaubermünzen entwickeln sich weiter zu den kunstvollen Neuschöpfungen der nordgerman. Brakteaten, deren Darstellungen den reitenden Kaiser als Wotan oder Baldur mit Fohlen interpretieren und wie Illustrationen zu den Merseburger Zaubersprüchen erscheinen. Eine gute Zusammenstellung dieser Aspekte geben H. Mauè und L. Veit in ihrem Nürnberger Ausstellungskat. *Münzen in Brauch und Aberglauben*, 1982.

Neben dieser mehr volkstümlich-magischen gibt es jedoch auch eine eher wiss.-ideologisch bestimmte num. Traditionslinie durchs MA. Die Porträtmünzen Karls d. Gr. [35. 15–23] zeigen sehr deutlich, daß hier ant. Kaisermünzen als Vorbilder zur Verfügung standen, die durchaus kreativ interpretiert und adaptiert wurden, ähnlich wie etwa Einhard in seiner *Vita Caroli Magni*, cap. 22, sein lit. Porträt des Frankenherrschers in schöpferischer Weiterbildung entsprechender Partien im Kaiserbiographien Suetons gezeichnet hat. Nach Ludwig dem Frommen tritt der unmittelbare Einfluß des ant. Münzvorbilds zurück; stattdessen entwickelt sich auch in Mittel- und Westeuropa eine eigenständige und selbstbewußte Münzbildprogrammatik, wie sie die weitverbreiteten byz. Gepräge längst entwickelt und festgehalten hatten.

Daß man auch im MA die Botschaften der umlaufenden oder importierten Mz. wahrgenommen und interpretiert hat, zeigt die lebendige Schilderung byz. Goldmünzen in dem zur Zeit Kaiser Heinrichs III. um 1050 im Kloster Tegernsee entstandenen mittellat. Versroman *Ruodlieb*: Der Dichter spricht dort von den ›Denaren, die der Goldschmied als »Bizantes« kennt, Mz. aus geläutertem Gold, benannt nach der Stadt Byzanz, mit griech. Umschrift und den eingravierten Bildern der göttlichen Majestät/Maiestas, die vor der königlichen Potestas steht und ihr segnend die Hand auflegt‹ (v. 313–326). Wir haben damit eine geradezu numismatisch exakte Münzbeschreibung der Rückseite eines Goldhistamenon des byz. Kaisers Romanus III. (1028–1034), wo die Gottesmutter Maria dem im vollen Ornat dargestellten Kaiser die Hand auflegt. Die im *Ruodlieb* sich anschließende detaillierte Schilderung kostbarer Schmuckstücke in Anlehnung an den Mainzer Goldschmuck der Kaiserin Gisela zeigt, daß wir uns mit derartigen Trad. im Bereich der fürstlichen und kirchlichen Schatzkammern und der für sie arbeitenden Werkstätten befinden: Hier wurden auch jene alten, teils kostbaren, teils merkwürdigen Münzdenkmäler aufbewahrt, an denen sich Gelehrsamkeit und Aberglaube entfalten konnten. So erscheinen in ma. Chroniken und Inventarverzeichnissen angebliche Porträtmünzen von Patriarchen des Alten Testaments, Goldmünzen aus dem Geschenk der Heiligen Drei Könige (also wohl umgedeutete röm. Kaisermünzen) sowie zahlreiche »Silberlinge« aus dem Judaslohn (Mt 26,15) – offensichtlich Mitbringsel aus den Kreuzzügen, die bes. fremdartig wirkten oder die fromme Phantasie anregten. Im Kirchenschatz der Kathedrale von Sens befand sich ein »Judaspfennig« in Gestalt eines arab. Dirhem des 13. Jh., in sieben anderen Fällen lassen sich griech. Silbermünzen aus Rhodos identifizieren, deren frontaler, oft strahlenbekränzter Helioskopf auf der Vorderseite, sowie das Bild einer sprossenden Rosenblüte auf der Rückseite auf Christus bezogen wurden, und in einem Münzkat. des 19. Jh. (Rollin et Feuardin 1862, Nr. 1768; [5. 1,1 Sp. 77–80]) wurde eine der berühmten Syrakusaner Dekadrachmen angeboten (Abb. 3), die sich durch die auf einer goldenen Ringfassung angebrachte Deutung ›Quia pretium sanguinis est‹ als Blutgeld des Judas auszuweisen suchte. Daneben gab es natürlich noch die verschiedenartigsten Phantasie-»Silberlinge«, wie sie etwa auf dem Tafelgemälde der *Gregoriusmesse* (Nürnberg, German. Nationalmus., [39. Taf. VI]) erscheinen.

Neben solcher oft phantastischen Reliquiengläubigkeit lief jedoch seit den Zeiten Karls d. Gr. auch jene wiss. seriöse Linie weiter, die sich v. a. auf röm. Kaisertrad. berief, ant. Mz. richtig zu lesen und als Vorbilder für neue Adaptionen bereitzustellen verstand. Das wichtigste Monument einer derartigen Ren. ist der goldene »Augustalis« Friedrichs II. von Hohenstaufen: Weder für dessen lorbeerbekränzte Kaiserbüste noch für den Adler der Rückseite hat sich ein direktes ant. Münzvorbild finden lassen. Wie bei den Denaren Karls d. Gr. ist es das verbindliche ant. Modell im weiteren Sinne, das hier gewirkt hat; zweifellos können wir eine Präsenz ant. Kaisermünzen, aber auch sizilischer Prägungen mit dem Motiv des Adlers im Umkreis Friedrichs II. voraussetzen, ebenso wie wir die Existenz einer kaiserlichen Kameensammlung erschließen können [21. 477f.].

4. Renaissance und Barock

Als großen Gemmen- und Münzensammler kennen wir auch Kaiser Karl IV. (1346–1378) [21. 503], und in seinem Umkreis finden sich nun auch die ersten Zeugnisse für ein vertieftes numismatisches Interesse. Francesco Petrarca (1304–1374), »der erste mod. Mensch«, kaufte und entzifferte in Rom die von den Bauern gefundenen Gold- und Silbermünzen der röm. Caesaren, und einige der Kostbarkeiten seiner Sammlung schenkte er dem Kaiser, wie er selbst in einem Brief berichtet, ›unter denen auch ein Porträt des Augustus Caesar war, beinahe atmend, und ich sagte dazu: Hier siehst du, Caesar, deine Vorgänger, die du nachahmen und bewundern mußt, nach deren Beispiel und Vorbild du dich richten mußt. Keinem außer dir hätte ich sie gegeben, nur dein Rang hat mich dazu veranlaßt: Ich selbst mag ja ihren Charakter und Namen und ihre Handlungen kennen, aber an dir ist es, sie nicht nur zu kennen, sondern ihnen nachzufolgen, dir also waren sie geschuldet.‹ (Brief an Lello di Pietro Stefano dei Tosetti, 25. Februar 1355, in: Francesco Petrarca, Opere, ed. Sanoni 1975, Familiarum rerum XIX, 3,1004). Bei Petrarca finden wir also bereits die Nähe zu den originalen ant. Denkmälern, eifrige Sammeltätigkeit und antiquarische Kennerschaft verbunden mit der Fähigkeit, das Einzelmonument in die lit. Trad. und die Geschichte einzuordnen, und all dies unter einem normativen Gesichtspunkt. Nicht nur die künstlerische Form der lebensvollen Münzporträts, sondern auch der polit. und ethische Gehalt der ant. Zeugnisse wird zum verpflichtenden Vorbild. Damit ist nicht nur der Grundimpuls der Ren. überhaupt, sondern zugleich auch die Rolle der N. im Rahmen des neuzeitlichen Geschichtsverständnisses umschrieben.

Die Einzelelemente der bei Petrarca zu beobachtenden numismatischen Praxis erfuhren in den folgenden Jh. eine gewaltige Ausweitung, wobei durchaus unterschiedliche Interessensschwerpunkte gesetzt wurden. Man hat daher von einem Ikonologischen, Ikonographischen, Antiquarischen und schließlich Universalen Zeitalter der neuzeitlichen N. gesprochen und eine Entwicklung von der selektiven Behandlung des Einzelstücks zur Unt. der Serie bis hin zur großen Materialsammlung und den ersten Ansätzen zu einer umfassenden Systematik hervorgehoben. Bei genauerem Zusehen zeigt sich jedoch, daß immer eine gewisse Vielschichtigkeit in den Einzelansätzen vorhanden ist. Außerdem richten sich die Fragestellungen und materiellen Möglichkeiten numismatischer Forsch. durchaus (und das bis in die unmittelbare Gegenwart!) nach der jeweiligen geistigen und polit. Umwelt. Als Denkmälerwiss. par excellence gedeiht die N. vornehmlich im Umkreis privater und öffentlicher Münzsammlungen, die gewöhnlich in die Bibl. integriert waren. Sammlungs- und Wiss.-Geschichte sind daher hier enger verbunden als irgendwo sonst. Einige wichtige Stationen der Entwicklung können dies verdeutlichen: 1481 erschien in Basel die Weltchronik (*Fasciculus temporum*, zu deutsch *Eyn bürdin oder versamlung der zyt*) des Kölner Karthäusermönchs Werner Rolevinck. Die Namen aller Regenten »von Anf. der Welt« erscheinen darin in Doppelkreisen, die geradezu dazu auffordern, sie mit entsprechenden Originalmünzen oder wenigstens Abbildungen davon auszufüllen. Tatsächlich hat dann der württembergische Graf Eberhard im Bart in seinem Handexemplar des Buches eigenhändig eingetragen ›welcher Namen Münz ich hab‹ [22]. Schon bald gab es denn auch förmliche Bildergalerien, wie etwa Andrea Fulvio, *Illustrium imagines: Imperatorum et illustrium virorum vultus ex antiquis numismatibus expressi ...*, Rom 1517, oder Johannes Huttich *Imperatorum Romanorum libellus, una cum imaginibus ...*, Straßburg 1525, die eine weite Ausstrahlung, ja fast Popularität gewonnen haben. So hat Hans Sachs *Der Keiser, Künige und anderer fürtrefflichen beder geschlecht personen kurze Beschreibung und ware conterfeytung ...*, Frankfurt 1538, herausgegeben, mit Kopien von Huttichs Münzabbildungen und jeweils einem erläuternden dt. Vierzeiler. Bis ins 18. Jh. hinein wirkte dann v. a. in immer neuen Auflagen, Bearbeitungen und Übers., das Werk von Fulvio Orsini *Imagines et elogia virorum illustrium et eruditorum ...*, Rom 1570, als freilich nicht immer zuverlässiger Abbildungslieferant [7. 13–18].

Bei den Humanisten entstand bei der Lektüre der ant. Autoren zunehmend das Bedürfnis nach Sachinformation zu den dort erwähnten Begriffen aus dem Mz.- und Geldwesen. Guillaume Budé gebührt das Verdienst, mit seinem immer wieder aufgelegten Buch *De Asse et partibus eius*, Paris 1522, den Anstoß gegeben zu haben. Der bayrische Prinzenerzieher Johannes Turmair, gen. Aventinus (1477–1534), bezog in den *Annales ducum Boiariae* (1519–22) auch das Zeugnis der Fundmünzen in sein Geschichtsbild ein. Philipp Melanchthon hatte 1529 in Nürnberg einen Traktat über die sprachlichen Ausdrücke des Münzwesens publiziert, und ebendort rechnete dann der Humanist Willibald Pirckheimer die Kaufkraft ant. Mz. in gängige Nürnberger Währung um, eine Studie, die von seinem aus Rottenburg am Neckar stammenden Famulus Andreas Rüttel 1533 in Tübingen zum Druck befördert wurde. Ebenfalls in Tübingen publizierte der Professor für Alte Sprachen und spätere Biograph Melanchthons, Joachim Camerarius, schon 1539 seine *Historia rei nummariae sive de nomismatis Graecis et Latinis*, die dann 1556 in Leipzig, 1598 in Antwerpen in zweiter und dritter Auflage herauskam [7. 12]. Bereits in ihren Anf. zeigte die neu sich entwickelnde Wiss. also unterschiedliche Schwerpunkte, je nachdem, ob sie den eher polit. Interessen der geistlichen und weltlichen Fürstenhöfe oder den stärker sachbezogenen Tendenzen der Reformatoren und bürgerlichen Humanisten näherstand. Im weiteren Verlauf der Entwicklung bündelten sich die verschiedenen Tendenzen mehr und mehr zu einer »Universal-N.«, die sich um eine Verbreiterung der Materialbasis, und zu deren Gliederung um eine gegenstandsadäquate Systematik bemühen mußte. Der Niederländer Hubert Goltz (1526–1583) soll in seinem Werk *De re nummaria antiqua* (nach 1557) die Bestände von über 800 europ. Münzsammlungen verarbeitet haben, der Wiener Arzt Wolfgang Lazius (1514–1565) entwickelte das monströse Programm eines Corpus von rund 700000 Mz., von dem er allerdings nur als »Vorgeschmack« ein bescheidenes Beispiel des Riesenwerks *Commentariorum vetustorum numismatum maximi scilicet operis ... specimen exile*, Wien 1558, an den Tag brachte.

Wiederum zwei numismatisch interessierte Ärzte waren es dann, die im 17. Jh. diese Bemühungen weiterführten, Jean Vaillant (1632–1707) und Charles Patin (1637–1693). Inzwischen war ja Paris auch zum kulturellen Zentrum Europas geworden; der »Sonnenkönig« Ludwig XIV. hatte schon als Dauphin durch Jean Varin, den Münzstempelschneider am Hofe seines Vaters, numismatische Unterweisung in Form eines Fürstenspiegels erhalten (Abb. 4). Zur Bereicherung der königlichen Sammlungen reisten seine Agenten nach It., Griechenland und Nordafrika. Im J. 1674 wurde Jean Vaillant bei Algier mit seiner Ausbeute an ant. Mz. beinahe von Seeräubern gefangen. Um wenigstens die kostbarsten Goldstücke zu retten, soll er sie in der Eile verschluckt und eines davon, einen Aureus des Kaisers Otho, nach der Rückkehr in Marseille, noch in seinen

Abb. 4: Numismatik als
Fürstenspiegel. Jean Varin zeigt
dem jungen Ludwig XIV. eine
angebliche Münze des Alkibiades.
Gemälde um 1643 im Pariser
Cabinet des Médailles,
Foto nach J. Porteous, Münzen.
Erlesene Liebhabereien, 1969,
Abb. 144

Eingeweiden und vor dem natürlichen Abgang, an einen Interessenten verkauft haben ... [5. Sp. 137 f.]. Vaillants Arbeiten zu den röm. Mz. der Republik und des Kaiserreichs, einschließlich der Kolonie- und Städteprägungen mit lat. und griech. Legenden, sowie den Serien der Ptolemäer, Seleukiden und Parther zeichnen sich denn auch durch bes. Materialnähe aus: Er beschreibt nur Mz., die er selbst gesehen hat, und gerade für die hell. Königreiche gibt er jeweils eine *Historia ad fidem numismatum accomodata*, eine auf das verläßliche Zeugnis der Mz. angewandte histor. Darstellung. Vaillants Zeitgenosse Charles Patin, geboren in Paris, dann jahrzehntelang im Exil durch Europa wandernd, und schließlich gestorben als Professor in Padua, hat ein ähnlich umfangreiches Oeuvre hinterlassen [7. 39]. Von bes. Einfluß war seine *Introduction à l'histoire par la connaissance des medailles*, Paris 1665, die auch ins Lat. und It. übersetzt und damit in ganz Europa die für ein Jh. verbindliche Einführung in die angewandte N. wurde: Noch im J. 1795/96 diente sie Goethe zur Vorbereitung seiner zweiten it. Reise. Ebenfalls ein Emigrant, der ehemalige Verwalter der Pariser Sammlung, Andreas Morell (1646–1705), wurde dann zum Betreuer des kurfürstlichen brandenburgischen Münzkabinetts in Berlin, wo sich durch die Tätigkeit von Patin und Ezechiel Spanheim (1629–1693) ein neues Zentrum entwickelt hatte [5. Sp. 159–161].

5. ECKHEL UND DIE KLASSIK

Morell wurde durch sein freilich unvollendetes Unternehmen eines *Thesaurus Morellianus* aller ant. Mz. zu einem Vorläufer von Joseph Hilarius Eckhel, mit dem nicht nur Wien zum Zentrum der N. aufsteigt, sondern ein ganz neues Zeitalter, das der mod. Münzwiss. beginnt. Der Jesuitenpater aus Enzesfeld bei Wien (1737–1798) vereinigte in sich alle Tendenzen und Errungenschaften seiner Vorgänger aus Ren. und Barock und durchdrang sie mit dem neuen kritischen Rationalismus

des Aufklärungszeitalters: Nähe zum authentischen Einzelstück und Beherrschung voluminöser Materialmassen, Verbindung der numismatischen Dokumentation mit der gesamten sonstigen Überlieferung zur gegenseitigen Interpretation verstanden sich inzwischen fast von selbst. Aber noch immer war viel Dilettantismus und Stoffhuberei mit im Spiel, und ihre Auswüchse sezierte und gliederte Eckhel mit unerbittlicher Kritik und einer den Phänomenen adäquaten Systematik. Nach einem längeren Studienaufenthalt in It. war er 1774 von Maria Theresia zum Direktor des kaiserlichen Münzkabinetts und 1775 zum Professor für »Altertümer und histor. Hülfsmittel« an der Wiener Univ. ernannt worden. Durch die Ordnungsarbeit an Sammlungskatalogen und methodische Spezialstudien, die er ›specimen artis criticae numariae‹ nannte, erwarb er sich das Rüstzeug für sein epochales Hauptwerk, die *Doctrina numorum veterum*, in 8 Bd. 1792–1798 erschienen, in dem sich Methodik und Systematik des gesamten Fachgebiets in geradezu klass. Weise verbinden. Damit wurde er zum Carl Linné der Numismatik, das »Eckhel'sche System« zu einem Gegenstück des »Systema naturae« . Noch 100 J. später konnte Ernest Babelon die *Doctrina* charakterisieren als ›le grand ouvrage ... qui est toujours notre grammaire‹ [5. Sp. 188], doch für die Zeitgenossen war es mehr als ein Grammatikbuch: Goethe bewunderte in einem Brief an W. v. Humboldt ›Eckhels fürtreffliches Werk‹ und hob mit Freude daran ›breite Erfahrung, schön geordneten Vortrag, große Redlichkeit zum Geschäft, durchgängige Treue‹ hervor [14. 615]. Vor allem die griech. Prägungen waren es, die für die Ästhetik der dt. und europ. Klassik gleichsam neu entdeckt wurden. ›Weiter, als diese Münzen, kann der menschliche Begriff nicht gehen‹ sagte Johann Joachim Winckelmann (1717–1768) schon in seiner Frühschrift *Erinnerung über die Betrachtung der Werke der Kunst* von 1759. Er meinte damit jene prachtvollen hochklass. Zehndrachmenstükke von Syrakus mit den Signaturen der Meistergraveure Kimon und Euainetos (Abb. 3), die bereits in der Ant. hochbewundert und zum Schmuck von Silber- und Tongefäßen verwendet wurden (s. o.). Sie fanden sich auch in den großen europ. Sammlungen der Zeit, und die vielfach aufgestellte Behauptung, Winckelmann habe doch kein einziges griech. Kunstwerk im Original gekannt, ist zumindest vom Standpunkt der N. aus zu korrigieren.

Goethe selbst hatte sein großes Erlebnis während der it. Reise am 12.4.1787 im Medaillenkabinett des Prinzen Torremuzza: ›Welch ein Gewinn, wenn man auch nur vorläufig übersieht, wie die alte Welt mit Städten übersäet war, deren kleinste, wo nicht eine ganze Reihe der Kunstgeschichte, wenigstens doch einige Epochen derselben uns in köstlichen Mz. hinterließ. Aus diesen Schubkasten lacht uns ein unendlicher Frühling von Blüten und Früchten der Kunst, eines in höherem Sinne geführten Lebensgewerbes und was nicht alles noch mehr hervor. Der Glanz der sicilischen Städte, jetzt verdunkelt, glänzt aus diesen geformten Metallen wieder frisch entgegen‹ [14. 611]. Der Prinz und Sammler, Gabriele Lancilloto Castelli, hatte schon 1781 eine Monographie über die ant. Mz. Siziliens verfaßt, die bis ins 20. Jh. nicht ersetzt wurde. Ein anderer Abbé und Zeitgenosse Eckhels, Jean-Jacques Barthélemy (1716–1795) hat dann ein Jahr nach Goethes Besuch in Palermo ein siebenbändiges, romanhaftes Werk publiziert, das weit über die N. hinaus das europ. Geistesleben beeinflußt hat. In der *Voyage du jeune Anacharsis en Grèce* lernt der junge, aus Herodot, Platon und v. a. Lukian bekannte Thraker Anacharsis, später einer der Sieben Weisen, die Städte und Kultur des ant. Griechenlands kennen, nicht zuletzt durch ihre Mz. und Kunstwerke. Barthélemy machte das Pariser Cabinet des médailles zu einem Orakel der Gelehrsamkeit; noch im Jahr seines Todes berief er dorthin mit Théodore-Edme Mionnet (1770–1842) den Mann, der das Anschauungsmaterial zu Eckhels *Doctrina* bereitstellen sollte [5. Sp. 188–202]. Als Gegenstück zu der Sammlung von Abdrücken ant. Gemmen in Philipp Daniel Lipperts sog. *Daktyliothek* entwickelte und vertrieb er eine *Suite* von bis zu 20000 Abformungen ant. Mz. in modellierbarer Schwefelpaste, begleitet von einem zuletzt 16bändigen Kat. mit über 52000 Münzbeschreibungen, dessen noch immer anerkannte Nützlichkeit durch den 1972 erfolgten kompletten Nachdruck bezeugt wird. Auch Goethe bemühte sich in den J. 1800–1802 darum, die »Mionnetischen Pasten« als »Numismatischen Talisman« nach Weimar zu bekommen [14. 614]. Nachdem ihm sein Verleger Cotta schließlich diese »Acquisition« ermöglicht hatte, diente sie ihm jahrelang als Grundlage abendlicher »Münzbelustigungen«. Die hohe Wertschätzung für ant. Mz. in den gebildeten Ständen brachte dann auch einen Meisterfälscher hervor, den Hofrat Karl Wilhelm Becker aus Offenbach [16], der auch mit Goethe verkehrte, ›nicht abgeneigt, dem Liebhaber eins und das andere Wünschenswerthe zu überlassen‹ [14. 622].

6. MODERNE ZEIT

Im 19. Jh. wiederholte sich das Phänomen, daß auf einen geistesgeschichtlichen und methodischen Neuansatz in der N. eine Epoche der Fleißarbeit, der großen Materialsammlungen und systematischen Corpora folgte, nun freilich unter den mod. positivistischen und histor. Aspekten. Dazu gehörte v. a. auch eine rationellere Organisation der Sammeltätigkeit, Sammlungspublikation, der Forschungsaktivitäten und der wiss. Kommunikation. An die Stelle des privaten Briefverkehrs zw. den Gelehrten oder der von Johann David Köhler (1684–1755) in Göttingen wöchentlich herausgegebenen *Histor. Münz-Belustigungen*, Nürnberg 1729–1750, die man noch im Goethekreis eifrig studiert hatte [14. 621], traten regelmäßig erscheinende wiss. Zeitschriften, wie z. B. *Revue Numismatique*, Paris 1836 ff., *The Numismatic Chronicle*, London 1838 ff., *Revue Belge de Numismatique*, Brüssel 1842 ff., *Rivista Italiana di Numismatica*, Mailand 1888 ff., *Schweizerische Numismatische Rundschau*, Genf/Bern 1891 ff. Getragen wurden diese Publikationsorgane meist von den nationalen numismatischen Gesellschaften, wie der Société Française de Numismatique, der britischen Royal Numismatic Society oder der Schweizerischen Numismatischen Gesellschaft. Das im 19. Jh. polit. zersplitterte, im 20. Jh. durch Katastrophen erschütterte Deutschland konnte eine entsprechende Konzentration und Kontinuität nicht entwickeln. Immerhin gab es Ansätze dazu v. a. in Berlin und München, wo die fürstlichen Münzkabinette zu bedeutenden staatlichen Sammlungen ausgebaut wurden, die im Wettstreit mit den altehrwürdigen, führenden Institutionen in London, Paris und Wien auch wiss. Ausstrahlung entwickeln konnten. Der mehr und mehr vorherrschende universelle Anspruch der Wiss. rückte die großen Kabinette ins Zentrum des Interesses: Die Münzkat. des Britischen Museums wurden für lange Zeit die verbindliche Materialvorlage und zugleich Ansporn für noch umfassendere Bestandsaufnahmen im Sinne eines quasi vollständigen *Corpus Nummorum*.

Die zw. 1873 und 1927 erschienenen 29 Bände des *Catalogue of the Greek Coins in the British Museum* (BMC Greek Coins) von »Italy« bis »Cyrenaica« geben die geogr. Anordnung des Eckhel'schen Systems wieder, im Uhrzeigersinn, beginnend im Nordwesten, rund ums Mittelmeer. Von dieser empirischen Basis aus konnte dann Barclay V. Head, Direktor des Londoner Münzkabinetts und einer der wichtigsten Autoren des Münzkat., ein *Handbuch der griech. N.* vorlegen, seine *Historia Numorum*, die er ausdrücklich, im Abstand von rund einem Jh., dem Vorgänger Eckhel widmete. Die erste Auflage des »Head« von 1887 erfuhr eine grundlegende Umarbeitung nach dem neuesten Forschungsstand im J. 1910. Diese zweite Auflage, 1963 nachgedruckt, ist zwar veraltet, aber als Ganzes immer noch nicht ersetzt. Der dreibändige BMC *Coins of the Roman Republic* von H. A. Grueber, London 1910, sowie der BMC *Coins of the Roman Empire*, bisher 6 Bände von Augustus bis Balbinus und Pupienus, London 1923–1962, hatten sich bereits bemüht, im Interesse eines Gesamtbildes auch in London nicht vorhandene Münztypen aus anderen großen Münzkabinetten mit einzubeziehen. Dies ermöglichte dann die Erarbeitung umfassender, dem Anspruch nach vollständiger Zitierwerke zur röm. Reichsprägung, für die Republik durch E. A. Sydenham, *The Coinage of the Roman Republic* (CRR), London 1952, inzwischen weitgehend abgelöst durch M. H. Crawford, *Roman Republican Coinage* (RRC), Cambridge 1974, und für die Kaiserzeit durch das von H. Mattingly, dem Autor der ersten fünf BMC Empire-Bände, begonnene und von anderen abgeschlossene Standardwerk *The Roman Imperial Coinage* (RIC) in 10 Bänden, London 1923–1994.

Diese heute maßgeblichen Typenkat. haben die älteren Monographien von E. Babelon zur Republik und H. Cohen zur Kaiserzeit abgelöst, nicht zuletzt wegen der dort noch angewandten alphabetischen Anordnung nach Münzmeisternamen und Rückseitenlegenden. Für die rasche Erstbestimmung einer Mz. ist eine solche Katalogabfolge zwar praktisch, doch für das histor. Gesamtbild erzeugt sie heillose Verwirrung. Neuerdings bemüht sich das von R. Göbl in der Nachfolge der von K. Pink begründeten Studien der »Wiener Schule« zur Rekonstruktion des »Aufbaus der röm. Münzprägung in der Kaiserzeit« initiierte Unternehmen »Moneta Imperii Romani« (MIR), Wien 1984ff., um eine der ant. Prägeorganisation noch stärker angemessene Systematik. Gegenüber dem RIC wird dieser interpretatorische Vorzug freilich durch eine komplizierte Handhabung erkauft.

Als Gemeinschaftsunternehmen der Münzkabinette in London und Paris erscheint seit 1992 das Katalogwerk *Roman Provincial Coinage* (RPC), ein lange gehegtes Desiderat, das als Ergänzung und Gegenstück zum RIC die gesamte autonome und halbautonome Münzprägung im röm. Kaiserreich zu erfassen sucht. Dieses überaus schwierige, schwer zu überblickende Gebiet der ant. Münzprägung war zuvor als Teil der griech. N. behandelt worden: Schon bei Goethe fanden wir die Vision ›wie die alte Welt mit (münzprägenden) Städten übersäet war ...‹ (s. o.). Insgesamt kennen wir heute rund zweitausend Städte, Stämme und Fürsten, die rund ums Mittelmeer und bis Britannien und Indien hunderttausende verschiedener Münztypen geprägt haben. Für das enzyklopädische Zeitalter der Altertumswiss. war dies eine bes. Herausforderung. Theodor Mommsen (1817–1903) hatte bereits 1860 seine monumentale *Geschichte des röm. Münzwesens* publiziert. Für das so zersplitterte griech. Münzwesen bedurfte es zuerst einer mod. Sammlung und Sichtung des Materials. Mommsen initiierte daher als Parallelunternehmen zu dem von ihm herausgegebenen *Corpus Inscriptionum Latinarum* ein ähnlich umfassendes *Corpus Nummorum*. Die Preußische Akad. der Wiss. betraute mit dessen Leitung den Schweizer Numismatiker Friedrich Imhoof-Blumer (1838–1920), der, von seinen umfangreichen eigenen Sammlungen ausgehend, bereits epochemachende Publikationen und Entdeckungen vorgelegt hatte [5. Sp.

262–264]. Das gewaltige Unternehmen kam jedoch in den J. 1898–1935 über insgesamt sechs Bände zu den ant. Mz. Nordgriechenlands und Mysiens nicht hinaus. Etwa gleichzeitig hatte Ernest Babelon in Paris seinen ähnlich umfassenden *Traité des monnaies grecques et romaines* in Angriff genommen. Aber auch als Ein-Mann-Projekt war die Riesenaufgabe nicht zu bewältigen; zw. 1901 und 1932 sind nur der theoretische Teil mit einer bis heute nicht ersetzten ausführlichen Geschichte der N. [5. Sp. 66–325], sowie vier Bände des histor. Mz. bis zum 4. Jh. erschienen. Das *Corpus Nummorum* wurde nach dem Zweiten Weltkrieg in Ostberlin wieder aufgenommen und durch einige Städtemonographien fortgeführt, inzwischen befindet es sich unter dem Namen *Griechisches Münzwerk* in der Obhut der Berliner Akad. der Wissenschaften.

Angesichts der organisatorischen Schwierigkeiten hatte sich die Forsch. zunächst überschaubareren Aufgaben zugewandt. Einerseits bemühte man sich, durch die Publikation wichtiger öffentlicher und Privatsammlungen nach dem Vorbild des BMC die Materialbasis zu verbreitern, andererseits durch Monografien einzelner Prägestätten und Prägedynastien um wiss. und methodische Vertiefung. Als Parallelunternehmen zum *Corpus Vasorum Antiquorum* (CVA) entstand seit 1931 die internationale *Sylloge Nummorum Graecorum* (SNG), in deren Rahmen die Bestände europ. und amerikanischer Sammlungen auf Bildtafeln mit knappem Text zugänglich gemacht wurden, am umfassendsten bisher die Sammlung des Dänischen Nationalmus. in Kopenhagen. In welcher Weise dieses aufwendige Verfahren einer eher vorläufigen, ungleichen und bisweilen auch eintönigen Materialvorlage von oft typengleichen Einzelstücken zugunsten eines nach wie vor zu fordernden einheitlichen, vollständigen, bebilderten Typenkat. mit Hilfe der neuen Hilfsmittel von EDV und Internet endgültig abgelöst werden kann, wird erst die Stabilisierung und Standardisierung der rasanten technischen Entwicklung zeigen.

Die tiefer eindringende Spezialforsch. schärfte gleichzeitig die methodischen Werkzeuge zur Auswertung des neu zugänglichen Materials. Philologische und metrologische Analyse der Schriftquellen hatte Karl Otfried Müller (1797–1846) im J. 1828 zu der Erkenntnis gebracht, daß es sich bei jenem schon in der Ant. diskutierten »Demareteion« aus der Zeit Gelons (485–478 v. Chr., s. o.) nicht um eine Goldmünze, sondern ein silbernes Zehndrachmenstück handeln müsse. Honoré d'Albert Duc de Luynes (1802–1867) war dann 1830 durch stilkritische Einordnung zu der einleuchtenden Erkenntnis gekommen, daß hier nicht die prunkvollen hochklass., sondern nur die überaus seltenen frühklass. Großsilbermünzen von Syrakus gemeint sein konnten (Abb. 1). Für die griech. N. und darüber hinaus die gesamte Kunstarchäologie war damit ein gut datierter chronologischer Fixpunkt gewonnen, der später nur noch wenig modifiziert wurde [37; 25]. Eine Zusammenfassung der numismatischen Stilgeschichte unternahm dann Kurt Regling in seinem Buch *Die ant. Mz. als Kunstwerk* (1924).

Neben der nicht immer zuverlässigen und oft auch von subjektiven Kriterien beeinträchtigten Stilbetrachtung entwickelte sich die von Imhoof-Blumer seit 1878 eingeführte Methode der Stempeluntersuchung [18]. Durch die minutiöse Beobachtung aller Vorder- und Rückseitenstempel und ihrer Kombinationen innerhalb einer Prägereihe läßt sich eine allein durch den technischen Ablauf bedingte und objektiv gesicherte relative Chronologie entwickeln, die sich im Idealfall an über Jahrzehnte laufenden Stempelketten verfolgen läßt. Die Verknüpfung mit der absoluten Zeitrechnung wird dann durch die Einbeziehung äußerer Geschichtsdaten, aber auch zusätzlicher Informationen durch Bild und Schrift auf den Mz. selbst möglich. Auch diese Methode hat Regling in seiner Monographie über die Mz. von Terina exemplarisch vorgeführt [31]; zu einem bes. monumentalen Vorbild wurde das Buch von Erich Boehringer, *Die Mz. von Syrakus* (1929), weitere Monographien zur griech. Münzprägung sind v. a. in den Reihen *Nomisma* (12 Hefte, Berlin 1907–1923), *Numismatic Notes and Monographs* (NNM) sowie *Numismatic Studies* (NS) der American Numismatic Society, New York seit 1920, *Ant. Mz. und Geschnittene Steine* (AMUGS) des Deutschen Archäologischen Instituts, Berlin seit 1969, *TYPOS* der Schweizerischen Numismatischen Gesellschaft seit 1975 oder auch in Zeitschriften erschienen. Bei der Unt. der röm. Massenprägung wurde die stempelvergleichende Methode weniger angewendet. Von Bed. wird sie hier v. a. für die Beurteilung der Genese des jeweiligen Münzporträts und damit für die arch. Porträtforsch. überhaupt; genannt seien die Arbeiten von Colin Kraay über Galba, Andreas Alföldi über Caesar und Hans-Martin von Kaenel über Claudius [23; 2; 19].

Kunstgeschichtlich bes. bedeutsam wurde die Entdeckung und Unt. von Künstlersignaturen auf griech. Mz., die v. a. Rudolf Weil [40] vorangetrieben hat. Die konkrete Abfolge der signierten Meisterwerke innerhalb einer Prägestätte wurde dann von Lauri Tudeer festgelegt in seiner Stempeluntersuchung über *Die Tetradrachmenprägung von Syrakus in der Periode der signierenden Künstler* (1913), Joseph Liegle hat die einfühlsame Werk-Monographie über einen dieser Künstler, Euainetos, vorgelegt [26], und in dem prachtvollen Tafelwerk von Giulio Emanuele Rizzo, *Monete greche della Sicilia* (1946) erfuhr der Aspekt der Künstlersignaturen bes. Aufmerksamkeit. Der auf diese Weise in seiner Bed. gestiegene Beitrag der N. zur Kunstgeschichte und Porträtforschung erfuhr schließlich eine bes., auch internationale Breitenwirkung durch die von Max Hirmer mit Beteiligung namhafter Numismatiker herausgegebenen Bildbände *Die griech. Mz.* (1964) und *Die röm. Mz.* (1973).

Für die histor. Auswertung der Münzdenkmäler gewann neben der ideologiekritischen Interpretation der in ihrer Relevanz nicht unumstrittenen polit. Aussagen der Münzbilder und Münzlegenden [27. 920–928] die organisatorisch und methodisch intensivierte und verfeinerte Auswertung der Fundmünzenkomplexe und Schatzfunde immer stärkere Bedeutung. Den Zugang zu den griech. Schatzfunden vermittelt das *Inventory of Greek Coin Hoards* [58], für die umfassende Aufnahme aller röm. Münzfunde auch in anderen Ländern wurde das Corpus der *Fundmünzen der Römerzeit in Deutschland* vorbildlich. Neuerdings werden auch die röm. Fundmünzen Ostmitteleuropas erfaßt, im Rahmen des von der Mainzer Akademie der Wissenschaften und Literatur betreuten Projekts »Fundmünzen der Ant.« (FdA).

Auch die naturwiss. Auswertung des Münzmaterials mit den Mitteln der modernsten Technik konnte wichtige Beiträge v. a. zur Wirtschaftsgeschichte erbringen. Eine Einführung gibt der Band von E. T. Hall und D. M. Metcalf (Hrsg.), *Methods of Chemical and Metallurgical Investigation of Ancient Coinage* (1972). Den Versuch einer Zusammenfassung unternehmen Hasso Moesta und Peter Robert Franke, *Ant. Metallurgie und Münzprägung* (1995). Bei der Erarbeitung dieser Erkenntnisse der mod. N. zeigte sich wieder der intensive Materialbezug dieser Wissenschaft. Neben den großen öffentlichen Münzkabinetten und den num. Gesellschaften waren es auch Münzhandel und Münzsammler, die die Forsch. vorangetrieben haben. In den USA war es v. a. Edward T. Newell, der im engsten Kontakt mit der American Numismatic Society, bis hin zur Übereignung seiner Sammlungen, v. a. die Erforschung der hellen. Münzserien gefördert hat (zusammenfassend: *Royal Greek Portrait Coins*, 1937). Die Schweizerische Numismatische Gesellschaft genoß bei ihren Publikationen bes. die Förderung durch die großen Münzhandlungen des Landes, wie die Mz. und Medaillen AG Basel (Herbert A. Cahn) und die Numismatische Abteilung der Bank Leu in Zürich (Leo Mildenberg).

An den Univ. waren für numismatische Forsch. und die Vermittlung ihrer Ergebnisse an die Nachbarwiss. nur selten günstige Voraussetzungen in der Form von Münzsammlungen und Spezialbibl. vorhanden. Eine bevorzugte Stellung konnten dabei Oxford und Cambridge einnehmen, wobei sich die Einheit von Museumsarbeit, Forsch. und Lehre als bes. fruchtbar erwiesen hat. Während in Cambridge der Schwerpunkt auf der röm. N. lag, hat sich in Oxford Colin M. Kraay bes. um die griech. N. verdient gemacht. Sein Handbuch *Archaic and Classical Greek Coins* von 1976 [24] bildet den Abschluß und die Krönung seiner Forschungen. Das als Gegenstück für den Hell. gedachte Werk des Kopenhagener Numismatikers Otto Mørkholm ist wegen dessen frühem Tod ein Fragment geblieben: *Early Hellenistic Coinage*, Cambridge 1991 [30]. Als Gesamtdarstellung der röm. Münzprägung liegt jetzt nach Max Bernhards *Handbuch zur Münzkunde der röm. Kaiserzeit* (1926) und Harold Mattingly's *Roman Coins* von 1928 (²1960) das v. a. histor. orientierte Buch von Reinhard Wolters *Nummi Signati. Unt. zur röm. Münzprägung und Geldwirtschaft* (1999) vor, bei dessen Entstehung das Numisma-

tische Inst. der Univ. Wien wichtige Hilfestellung geleistet hat. Für den deutschsprachigen Raum wurde
Wien zur wichtigsten akad. Pflegestätte der N., seit Robert Göbl dort die Trad. Eckhels erneuert und einen
gleichberechtigten Lehrstuhl und Studiengang für N.
eingerichtet hatte. Die Ernte seiner langjährigen Lehr-
und Forschungsarbeit konnte Göbl dann in seine grundlegenden Publikationen, *Ant. Numismatik* (1978) und
Numismatik. Grundriß und wiss. System (1987) [11; 12]
einbringen. Als zweites Zentrum der N. in Mitteleuropa
entwickelte sich die Univ. Frankfurt am Main durch die
forschende und organisatorische Tätigkeit von Konrad
Kraft und Maria R.-Alföldi, deren *Ant. Numismatik*,
ebenfalls 1978 erschienen, durch den Sammelband *Methoden der ant. Numismatik* (1989) ergänzt wurde [3; 4].
Daneben bleiben Berlin und München mit den größten
Münzkabinetten in Deutschland nach wie vor Schwerpunkte, München v. a. auch durch die Präsenz der
»Kommission für Alte Geschichte und Epigraphik des
Deutschen Archäologischen Instituts«, mit ihrer Zu-
ständigkeit auch für die N.

C. Auswahl wichtiger Schatzfunde
und Fundgruppen

Neben den ihre Epoche bestimmenden und neue
Akzente setzenden Wissenschaftlern wie Petrarca, Eckhel, Mommsen waren es immer wieder bedeutende
Neufunde, die einer so außerordentlich materialbezo-
genen Disziplin wie der N. zusätzliche Gebiete erschlossen und die Methoden zu ihrer Auswertung verfeinert haben. Im folgenden werden einige dieser Komplexe beispielhaft in der Reihenfolge ihrer Entdeckung
vorgestellt:

Im J. 1693 wurden in Perscheid bei Oberwesel »588
Stück goldener Heidenköpfe« gefunden, das heißt röm.
Goldmünzen (Aurei) der Kaiser Nero bis Commodus
(54–192 n. Chr.). Der Trierer Kurfürst Johann Hugo
von Orsbeck ließ den größten Teil der gut erhaltenen
Porträtmünzen durch den Goldschmied Peter Boy in
Frankfurt in acht goldene Münzgefäße einarbeiten, wobei die Reihenfolge jeweils die Kaiserchronologie, sowie einen regelmäßigen Wechsel von männlichen und
weiblichen Porträts beachtet [49. 83–112] (Abb. 5).
Derartige Pokale, Becher und Schalen, mit entsprechendem Fundvermerk versehen, konnten an der fürstlichen Tafel Anlaß zu gelehrten Gesprächen geben, und
zugleich sorgten sie für die weitgehende Erhaltung des
Fundkomplexes, der damit nicht wie die meisten frühen
Funde zerstreut oder eingeschmolzen wurde. Dieses
Schicksal widerfuhr auch einem der größten Funde keltischer Goldmünzen (sog. »Regenbogenschüsselchen«),
der 1751 in Gaggers bei Dachau zum Vorschein kam.
Von den rund 1400 Stück kamen nur wenige ins
Münzkabinett in München oder andere Sammlungen,
die meisten wurden in der kurfürstlichen Münzstätte
eingeschmolzen. Nur ein zeitgenössischer Kupferstich
mit einer Auswahl der verschiedenen Typen ist für uns
heute noch wiss. verwertbar [53. 171 f.]. Etwas besser
erging es dem zweiten der großen bayrischen Kelten-

Abb. 5: Fund von Perscheid, Josephpokal mit
römischen Goldmünzen, auf dem unteren Rand:
HAEC NVMISMATA VETERVM IMPERATORVM
ANNO 1694 IN AGRO WESALIENSI
PROPE PERSCHEID INVENTA…
Foto nach Classen [49. Abb. 92]

schätze, der 1858 in Irsching bei Pfaffenhofen gefunden
wurde. Auch er enthielt über 1000 Regenbogenschüsselchen. Immerhin konnte der Münchener Konservator
Franz Streber sich ausgiebig mit dem Material beschäftigen und eine erste Feingruppierung und Typologie
entwickeln [53. 157].

Für das bes. schwierige Gebiet der griech. Münzchronologie hat eine Reihe von »Schlüsselfunden« die
Diskussion immer wieder belebt: Um das J. 1839 hatten
sich im Bereich des Athos rund 300 persische Golddareiken und 100 attische Tetradrachmen aufgefunden.
Eine histor. Beziehung zum Kanalbau des Xerxes und
damit eine Datierung der Mz. vor das J. 480 v. Chr.
lagen zunächst nahe. Erst die erweiterte Erfahrung und
das Methodenbewußtsein des 20. Jh. ermöglichte eine
Korrektur des Vergrabungsdatums, und damit des Terminus ante für die Münztypen auf die Zeit um 400
v. Chr. [58. Nr. 363]. Etwas zuverlässiger als der »Fund
vom Athoskanal« erwies sich im Hinblick auf histor.
Querverbindungen der sog. »Akropolis-Fund«. 1886

Abb. 6: Fund von Beaurains, Goldmedaillon des Constantius Chlorus
mit Ankunft des Kaisers in London.
Münzstätte Trier, um 296–298 n. Chr. (Foto Hirmer)

hatten sich im sog. »Perserschutt« auf der Akropolis von
Athen 63 attische Silbermünzen vom Typus der »Wappenmünzen« und der frühen Athena/Eule-Mz. gefunden. Der Terminus »477/478 v. Chr.« dürfte einigermaßen Bestand haben, allerdings ist die Datierung der
frühen Münzprägung Athens noch nicht unumstritten
[58. Nr. 12]. Den noch immer bedeutsamsten Aufschluß für die Anf. der lydisch-griech. Münzprägung
überhaupt lieferten die Funde aus dem Artemision von
Ephesos. Die britischen Ausgrabungen hatten dort 1905
insgesamt 93 frühe typenlose und bildtragende Elektronprägungen in zwei Komplexen ergeben, dem
»Foundation deposit« und dem »Pot hoard« [58. Nr.
1153 f.]. Der arch. Kontext legte ein Vergrabungsdatum
um 600–590 v. Chr. nahe, die neueren österreichischen
Grabungen scheinen auf die Zeit vor dem Kroisos-
Tempel von 560 v. Chr. hinzudeuten.

Das J. 1922 brachte dann mit dem gemischten
Schatzfund von Beaurains bei Arras einen bedeutsamen
Materialzuwachs für die röm. N., obwohl auch er ein
unglückliches Schicksal hatte. Neben Goldschmuck,
Barren und Silbergeräten enthielt er Gold- und Silbermünzen des ersten bis vierten Jh. vor Christus, darunter
eine Reihe prachtvoller großer Goldmedaillons aus der
Zeit der Tetrarchie. Eine zusammenfassende Publikation von 1977 versuchte, den sofort nach der Auffindung
in alle Winde zerstreuten kostbaren Inhalt wieder zu
vereinigen [44]. Auf diese Weise ließen sich insgesamt
472 Prägungen wieder beibringen, mit zwei Schlußmünzen aus dem J. 315 n. Chr., die den etwaigen Vergrabungszeitpunkt markieren können. Der Schwerpunkt lag bei den Emissionen aus dem Reichsteil des
Constantius Chlorus mit der Münzstätte Trier. Das
künstlerisch und histor. bedeutsamste Münzdenkmal
des Fundes ist das Multiplum zu 10 Aurei aus dem J. 297
n. Chr., geprägt auf die Wiedereroberung Britanniens:

Constantius erscheint hier der knienden Stadtgöttin von
London als ›REDDITOR LVCIS AETERNAE‹, der
›Rückbringer des ewigen Lichts‹ (Abb. 6). Der Silberschatz von Kaiseraugst, mit dem zum Jahreswechsel
1961/62 ein vergleichbares Ensemble aus der späten
Kaiserzeit ans Licht kam, erlaubte dann doch eine raschere und auch präzisere Dokumentation [47]: Auch
hier handelte es sich um einen Zufallsfund anläßlich von
Planierarbeiten innerhalb der Kastellmauer, doch konnte durch Nachgrabungen und Absuchen des Aushubs
wohl der größte Teil des Bestandes gesichert und vorbildlich publiziert werden. Insgesamt gesichert wurden
65 Silbergerätschaften, drei Silberbarren und 186 Medaillons und Mz., meist aus den westl. Reichsteilen.
Nicht nur eine sehr präzise Datierung der Vergrabungszeit zw. Januar 350 und September 351, sondern auch
Informationen über Aufbau und Abfolge der Silberemissionen in der Regierungszeit der Söhne Konstantins d. Gr., sowie über die ehemaligen Besitzer ließen
sich interpretatorisch gewinnen.

Für die von Winckelmann seinerzeit so hoch gepriesenen sizilischen Dekadrachmen brachte der 1925 entdeckte Schatzfund von Naro bei Agrigent wichtige
Aufschlüsse. Er enthielt etwa 88 Silbermünzen, davon
28 Zehndrachmenstücke, 2 von Agrigent und 26 von
Syrakus aus der Hand der Meistergraveure Kimon und
Euainetos. Leo Mildenberg hat nachgewiesen, daß diese
Prachtprägungen erst in die Zeit des Tyrannen Dionysios I. gehören und der Schatz wohl um 398 v. Chr.
auf einem Kriegszug gegen Karthago versteckt wurde
[54]. Auf der größten der Prinzeninseln im Marmarameer, Büyük Ada (Prinkipo), wurde 1930 ein Goldschatz geborgen, der bes. wichtig wurde für das Umlaufverhalten der griech. Gold- und Elektronprägung
im Bereich der Meerengen. Von den über 200 Elektronstateren von Kyzikos und den mindestens 47 Gold-

stateren von Philipp II. von Makedonien, Pantikapaion auf der Krim und Lampsakos kamen zum Glück 207 ins Münzkabinett des nahen Istanbul. Kurt Regling hat alle erreichbaren Exemplare publiziert und einen Vergrabungszeitpunkt um 335/334 v. Chr., also im Vorfeld des Alexanderzugs, wahrscheinlich gemacht [57]. Im J. 1933 war es wiederum eine »Grundsteinweihung«, die eine Querverbindung zu histor. Daten ermöglicht hat. Im Thronsaal Dareios' I. in Persepolis fanden sich goldene und silberne Inschrifttäfelchen mit einer Königstitulatur aus den J. 516 bis 511 v. Chr. Die darunter deponierten Mz., vier archaische griech. Silberstücke und acht goldene Kroisos-Statere, mußten vor diesem Datum geprägt sein. Als argumentum e silentio ließ sich folgern, daß die achämenidischen Golddareiken damals noch nicht geprägt wurden [58. Nr. 1789]. Ein völlig neues Licht auf die Münzprägung, und damit das Selbstverständnis der lykischen Dynasten im 4. Jh. v. Chr. hat der 1957 entdeckte Schatz von Podalia (h. Elmalı in der Südtürkei) geworfen. Unter den rund 700 Silbermünzen des Fundes fanden sich eine große Anzahl von bisher völlig unbekannten Typen, v. a. auch bes. eindrucksvolle Porträtprägungen der etwa gleichzeitig zw. 380 und 365 v. Chr. regierenden Fürsten Mithrapata und Perikles, die den starken Einfluß der sizilischen Münzkunst im fernen Lykien dokumentieren. Ein Zusammenhang der Vergrabung des Horts mit dem Satrapenaufstand vor 360 v. Chr. konnte wahrscheinlich gemacht werden [55].

Der für die gesamte frühe griech. Münzprägung des Mittelmeerraumes wichtigste Schatzfund wurde 1969 bei Asyut, dem ant. Lykopolis in Mittelägypten entdeckt [56]. Die rund 900 in ihm enthaltenen Silbermünzen stammten aus etwa 100 verschiedenen Münzstätten rund ums Mittelmeer, von Metapont in Unter-It. bis in die Kyrenaika. Obwohl das Gros des Fundes durch den Münzhandel in alle Welt zerstreut wurde, konnten doch 873 Mz. und Barren-Fragmente wiss. erfaßt und publiziert werden. Das Material wurde im silberarmen Ägypten zum Einschmelzen gehortet, wie schon die zahlreichen Prüfhiebe der Mz. beweisen. Da ein Schlußdatum nach den Perserkriegen, um 475 v. Chr., naheliegt, müssen alle darin enthaltenen Mz. vorher geprägt und mehr oder weniger gleichzeitig entstanden sein, wobei allein der Grad der Abnutzung Hinweise darauf geben kann, welcher Abstand zw. Präge- und Verbergungsdatum besteht. Für die Synopse und Synchronisierung der verschiedenen Prägeserien und Prägevolumina, v. a. der wichtigsten von Aigina, Athen und Korinth, ergaben sich so unschätzbare Hinweise, wenn auch manche Anfangsdaten noch strittig bleiben. Als Beispiel für einen gut publizierten, umfassenden Fund von Großsilbermünzen der hell. Königreiche sei der *Trésor de Meydancıkkale* von 1980 aufgeführt [50]. Bei einer regulären Ausgrabung in der Nähe des südtürk. Gülnar wurden drei Tongefäße mit insgesamt 5215 Silbermünzen im Gewicht von 66 kg = zweieinhalb Talenten entdeckt. Die Zusammensetzung des Fundes, der

v. a. makedonische Prägungen des Alexandertyps und Mz. der drei ersten Ptolemäer, aber auch solche von Demetrios Poliorketes, Antigonos Gonatas, Lysimachos sowie der Seleukiden und Attaliden enthält, erlaubt eine Fülle von Erkenntnissen, nicht zuletzt eine vergleichende Chronologie für die Zeit vor dem anzunehmenden Vergrabungsdatum zw. 240 und 235 v. Chr. Im gleichen J. 1980 wurde in Randazzo nordwestl. des Ätna ein Hort von über 539 Tetradrachmen entdeckt, der neben 10 Prägungen von Rhegion nur Mz. sizilischer Griechenstädte enthält und daher von höchster Bed. für das Studium von Münzumlauf und Münzchronologie der Insel sein mußte. Leider gelangte er sogleich in die Kanäle des Münzhandels, so daß der arch. Kontext und die Frage der Vollständigkeit des Fundes unklar blieben. Dank der Mithilfe von wiss. interessierten Sammlern und Händlern konnte dennoch ein Großteil des Bestandes zusammengetragen und mustergültig publiziert werden, so daß wenigstens ein Teil der numismatischen Ernte eingefahren werden konnte [43]. Der durch die Randazzo-Mz. repräsentierte Zeitraum zw. 510 und 450 v. Chr. umfaßt die Epoche der sizilischen Tyrannis, den Übergang zur Demokratie und den Aufstand der Sikeler unter Duketios. Als bes. wichtiges Ergebnis zeigt sich, daß die von E. Boehringer vorgeschlagene Chronologie von Syrakus um etwa zehn J. gesenkt werden muß, was auch das so viel diskutierte »Demareteion« (Abb. 1) und sein Schlüsseldatum 480/79 v. Chr. betrifft. Ein noch bedauerlicheres Schicksal hatte der wohl spektakulärste griech. Münzfund der letzten Jahrzehnte: 1984 tauchten mehrere Gruppen meist prägefrischer griech. Silbermünzen im internationalen Münzhandel auf. Offensichtlich gehörten sie zu einem Schatz von über 1700 Prägungen, der irgendwo in der Südtürkei entdeckt und widerrechtlich außer Landes gebracht worden war. Der Verkauf der Mz. wurde gestoppt, und es ist zu hoffen, daß nach endgültiger Klärung der Rechtsverhältnisse eine eingehende wiss. Auswertung erfolgen kann. Die vorläufige Diskussion des Fundes bei einem Oxforder Symposion [48] hat gezeigt, daß dieser sogenannte »Dekadrachmon-Hort« ein einzigartiges monetäres Monument des Delisch-attischen Seebundes darstellt: Er umfaßt fast ausschließlich Prägungen aus dem athenischen Machtbereich von Nordgriechenland bis Lykien, darunter 187 von Athen selbst, und zwar nicht weniger als 14 jener äußerst seltenen, 43 Gramm schweren Zehndrachmenstücke, die man früher als Siegesprägungen für die Schlacht von Marathon oder Salamis interpretiert hatte. Jetzt zeigt sich, daß sie als reguläres Geld in einer attischen Kriegskasse vorkommen, die im Zusammenhang mit Kimons Feldzug in Südkleinasien und dem Sieg am Eurymedon um 465/462 v. Chr. vergraben sein mag: Im zeitlichen Anschluß an den gesamtgriech. Komplex von Asyut liefert sie eine histor. Momentaufnahme der polit.-wirtschaftlichen Verhältnisse in der Ägäis unter der Führung Athens.

Auch die röm. N. wurde durch Münzfunde weiterhin gefördert. Reguläre Ausgrabungen im spätröm. Kastell Vemania bei Isny ergaben zwei vollständig erhaltene soldatische Barschaften, insgesamt fast 1000 »Folles« aus der Zeit der Tetrarchie vor 305 v. Chr., die in zwei methodisch äußerst instruktiven Publikationen 1988 und 1998 vorgelegt und minutiös ausgewertet wurden [46. 51]. Von bes. histor. Interesse ist der Fundmünzenkomplex von Kalkriese bei Osnabrück. Frank Berger hat das gesamte Fundmaterial einschließlich der Grabungsfunde zusammengestellt und interpretiert [45]; der Zusammenhang mit den Germanenkriegen unter Augustus und Tiberius ist eindeutig, und es scheint keine Mz. dabei zu sein, die nach dem J. 9 n. Chr. geprägt wurde. Dennoch bleibt ein direkter Zusammenhang mit der »Varusschlacht« immer noch umstritten. Genau 300 J. nach den »goldenen Heidenköpfen« von Perscheid wurde schließlich 1993 in Trier der größte jemals bekanntgewordene Goldmünzenfund der röm. Kaiserzeit entdeckt, mindestens 2500 Aurei im Gewicht von rund 18 kg, die im Bereich eines ant. Kellers in einem Bronzegefäß geborgen waren. Obwohl zunächst unbemerkt und vom Bagger angeschnitten und zerstreut, konnte der Fund dann doch wieder fast vollständig zusammengebracht werden und im Trierer Münzkabinett der Wiss. erhalten bleiben [52]. Unter den zw. 63 und 196 n. Chr., also von Nero bis Septimius Severus, geprägten Mz. befanden sich allein 60 bisher unbekannte Typen und Varianten. Das Ganze war offensichtlich ein Depot, das wie andere Münzschätze im Bürgerkrieg des Severus gegen Albinus im J. 196 verborgen wurde.

D. AUSBLICK

R. Göbl hat 1987 im Anschluß an L. Breglia von der ›Krise der Numismatik‹ gesprochen [13]. Er sieht die Grundprobleme dabei auf den Gebieten Forsch., Lehre, Kommunikation und Organisation und bemängelt das Fehlen einer ›Gesamtkonzeption des Faches‹, obwohl gerade er selbst am meisten für diese Konzeption getan hat. Seine Handbücher liefern durchaus die allg. Information und Motivation für alle vielleicht ›in ihrem Schneckenhaus gefangenen Forscher‹. Letztlich sind es aber doch, wie der histor. Überblick gezeigt hat, die einzelnen Forscherpersönlichkeiten, die das Fach als solches geschaffen und methodisch vorwärtsgebracht haben. Entscheidend bleibt die Grundkonstellation, daß gerade aktuelle Aufgaben, wie die Problematik der ausgewählten Schatzfunde verdeutlicht, den möglichst vielseitigen, altertumswiss. geschulten Wissenschaftler fordern und auch das Methodenbewußtsein schärfen. M. R.-Alföldi hat daher zurecht in ihrer wichtigen Einleitung zu dem Sammelband *Methoden der ant. Numismatik* [4] davor gewarnt, die N. zum Selbstzweck werden zu lassen, und H.-M. von Kaenel empfiehlt in seiner Frankfurter Antrittsvorlesung *Die ant. Numismatik und ihr Material* [20] die Rückkehr zu den eigentlichen Quellen, den Mz. selbst, unter konsequenter Ausschöpfung aller Möglichkeiten der neuen technischen Entwicklung und mit besonnener Bekämpfung illegaler Raubgrabungen und verantwortungsloser Handelspraktiken. Eine personelle Stärkung der N. an den Münzkabinetten, den altertumswiss. Instituten der Univ. und v. a. auch bei den arch. Ausgrabungen vor Ort ist freilich die Voraussetzung dafür, daß das Material vollständig erfaßt und ausgewertet werden kann. Eine weitgehende organisatorische Abstimmung zentraler numismatischer Einrichtungen in Deutschland, wie der »Kommission für Alte Geschichte und Epigraphik des Deutschen Archäologischen Instituts«, des »Griechischen Münzwerks«, der »Numismatischen Kommission der Länder«, des »Verbands der deutschen Münzenhändler« oder der »Deutsche Numismatische Gesellschaft, Verband der Deutschen Münzvereine«, würde öffentliche Wahrnehmung und Wirksamkeit der N. stärken, auch im Rahmen der entsprechenden internationalen Vereinigungen. Eine repräsentative gesamtdeutsche, wiss. Zeitschrift für N. ist immer noch ein Desiderat, um der Sprache der Mz. weiteres Gehör zu verschaffen, ganz im Sinne von Heinrich Heine, der 1831 angesichts des spektakulären Einbruchdiebstahls im Pariser Münzkabinett, Romantik und Realismus ironisch vereinigend, erkannt hatte: ›Die alte Geschichte klänge wie ein Märchen, wären nicht die damaligen Geldstücke, das Realste jener Zeiten, übriggeblieben, um uns zu überzeugen, daß die alten Völker und Könige, wovon wir so Wunderbares lesen, wirklich existiert haben [52a].

→ AWI Münzfälschung; Münzfüße; Münzfunde; Münzgesetze; Münzherstellung; Münzprägung; Geld, Geldwirtschaft

Allgemein (Kap. A und B): **1** R. ALBERT, R. CUNZ (Hrsg.), Wissenschaftsgesch. der N., 1995 **2** A. ALFÖLDI, Caesar in 44 v. Chr. I.II. (Antiquitas Reihe 3, Bde. 16 u. 17), 1985, 1974 **3** M. R.-ALFÖLDI, Ant. N. I. II., 1978 **4** Dies. (Hrsg.), Methoden der ant. N. (Wege der Forsch. Bd. 529), 1989 **5** E. BABELON, Traitè des monnaies grecques et romaines, 1901 ff. (unvollendet) **6** F. BERGER, Die Gesch. der Ant. N., in: P. BERGHAUS, Der Archäologe, 1983, 18–23 **7** P. BERGHAUS (Hrsg.), Numismatische Lit. 1500–1864, 1995 **8** K. CHRIST, Ant. N. Einführung und Bibliographie, ²1972 **9** E. E. CLAIN-STEFANELLI, Numismatics – an ancient science. A survey of its history, 1965 **10** Dies., Numismatic Bibliography, 1984 **11** R. GÖBL, Ant. N. I. II., 1978 **12** Ders., Numismatik. Grundriß und wiss. System, 1987 **13** Ders., Eckhelianum I. Die Krise der N., in: Studi per Laura Breglia, 1987, 19–37 **14** E. GRUMACH, Goethe und die Ant. Eine Slg. I.II., 1949 **15** B. V. HEAD, Historia Numorum. A manual of Greek numismatics, ²1910 **16** G. F. HILL, Becker the counterfeiter, 1924, Ndr. 1955 **17** Ders., G. POLLARD, Renaissance medals from the Samuel H. Kress collection at the National Gallery of Art, 1967 **18** F. IMHOOF-BLUMER, Die Mz. Akarnaniens, in: NZ 10, 1878, 1–180 **19** H. M. v. KAENEL, Münzprägung und Münzbildnis des Claudius, in: Ant. Mz. und geschnittene Steine 9, 1986 **20** Ders., Die ant. N. und ihr Material, in: SM 44, H. 173, 1994, 1–12 **21** R. KAHSNITZ, Staufische Kameen, in: Die Zeit der Staufer V, hrsg. R. HAUSHERR, C. VÄTERLEIN, 1979 **22** U. KLEIN, Graf Eberhard im Bart als Münzsammler, in: Eberhard und Mechthild. Unt. zu Politik und Kultur im ausgehenden MA, hrsg. von H.-M. MAURER, 1994, 83–94 **23** C. M. KRAAY, The »Aes« coinage of Galba,

Numismatic Notes and Monographs 133, 1954 **24** Ders.,
Archaic and classical Greek coins, 1976 **25** E. LANGLOTZ,
Zur Zeitbestimmung der strengrotfigurigen Vasenmalerei
und der gleichzeitigen Plastik, 1920 **26** J. LIEGLE, Euainetos
(101. Winckelmannsprogr. Berlin), 1941
27 D. MANNSPERGER, ROM. ET AVG. Die Selbstdarstellung
des Kaisertums in der röm. Reichsprägung, in: ANRW II, 1,
1974, 919–996 **28** P. H. MARTIN, Die anon. Mz. des J. 68
n. Chr., 1974 **29** J. R. MELVILLE JONES, Testimonia
Numaria. Greek and Latin texts concerning ancient Greek
coinage I: Texts and translations, 1993 **30** O. MØRKHOLM,
Early Hellenistic coinage, 1991 **31** K. REGLING, Terina (66.
Winckelmannsprogr. Berlin), 1906 **32** Ders., Münzkunde,
in: Einl. in die Alt.-Wiss. 2,2, 1930, 1–37 **33** A. H. F. v.
SCHLICHTEGROLL, Gesch. des Studiums der alten
Münzkunde, Gotha 1811 **34** E. SCHÖNERT-GEISS, 100 J.
»Griech. Münzwerk«, in: Klio 73, 1991, 1, 298–303 **35** P. E.
SCHRAMM, Karl d. Gr. im Lichte seiner Siegel und Bullen
sowie der Bild- und Wortzeugnisse über sein Aussehen, in:
Karl d. Gr. I, Persönlichkeit und Gesch., hrsg. H. BEUMANN,
1965, 15–23 **36** F. v. SCHRÖTTER, WB der Münzkunde, 1930
37 W. SCHWABACHER, Das Demareteion (Opus Nobile 7),
1958 **38** R. THOMSEN, Early Roman coinage I-III,
1957/1961 **39** L. VEIT, Das liebe Geld. Zwei Jt. Geld- und
Münzgesch., 1969 **40** R. WEIL, Die Künstlerinschr. der
sicilischen Mz., 1884 **41** Ders., Zur Gesch. des Studiums der
N., in: ZfN 19, 1895, 245–262 **42** R. WOLTERS, Nummi
Signati. Unt. zur röm. Münzprägung und Geldwirtschaft
(Vestigia Bd. 49), 1999

Fundgeschichte (Kap. C und D): **43** C. ARNOLD-BIUCCHI,
The Randazzo hoard 1980 and Sicilian chronology in the
early fifth century B. C. (Numismatic Studies 18), 1990

44 P. BASTIEN, C. METZGER, Le trésor de Beaurains (dit
d'Arras), 1977 **45** F. BERGER, Kalkriese 1. Die röm.
Fundmünzen (Röm.-germ. Forsch. 55) 1996
46 H. BÖHNKE, Beitr. zu Münzwesen und Prägetechnik der
Tetrarchie. Beobachtungen am Schatzfund Isny II, in:
Fundber. Baden-Württemberg 22/1, 1998, 459–581
47 H. A. CAHN (Hrsg.), Der spätröm. Silberschatz von
Kaiseraugst (Basler Beitr. zur Ur- und Frühgesch. Bd. 9)
1984 **48** I. CARRADICE (Hrsg.), Coinage and administration
in the Athenian and Persian empires (British Archaeological
Reports International Series 343), 1987 **49** C.-W. CLASEN,
Peter Boy. Rheinischer Goldschmied und Emailmaler der
Barockzeit und der Schatzfund von Perscheid, 1993
50 A. DAVESNE, G. LE RIDER, Le trésor de Meydancikkale
I. II., 1989 **51** J. GARBSCH, P. KOS (Hrsg.), Das spätröm.
Kastell Vemania bei Isny I. Zwei Schatzfunde des frühen
4. Jh., 1988 **52** K.-J. GILLES, Der große röm.
Goldmünzenfund aus Trier, in: Kurtrierisches Jb. 34, 1994,
9*–24* **52a** H. HEINE, Werke 12, Hrsg. R. Pissin,
V. Valentin, 90: Frz. Zustände, Art. 3, 10.2.1832 **53** H.-J.
KELLNER, Die Münzfunde von Manching und die keltischen
Münzfunde aus Südbayern (Die Ausgrabungen in
Manching 12), 1990 **54** L. MILDENBERG, Über Kimon und
Euainetos im Funde von Naro (1989), in: Vestigia Leonis,
hrsg. U. HÜBNER, E. A. KNAUF, 1998, 116–126
55 N. OLÇAY, O. MØRKHOLM, The coin hoard from
Podalia, in: NC 1971, 1–29 **56** M. PRICE, N. WAGGONER,
Archaic Greek coinage. The Asyut hoard, 1975
57 K. REGLING, Der griech. Goldschatz von Prinkipo, in:
ZfN 41, 1931, 1–46 **58** M. THOMPSON, O. MØRKHOLM,
C. M. KRAAY, An inventory of Greek coin hoards, 1973.
DIETRICH MANNSPERGER

O

Odenkomposition, metrische. Bei der m. O. handelt
es sich um den Versuch, Längen und Kürzen ant. Vers-
metren musikalisch im Verhältnis 2:1 zu übertragen.
Vorläufer der m. O. finden sich in It. im improvisierten
Odenvortrag zur Begleitung der *lira da braccio* (F. Niger,
Grammatica brevis, 1480) und Kompositionen aus
Petruccis Frottoledrucken (z. B. B. Tromboncino, *As-
picias utinam*); auch Festmotetten auf Texte human.
Preisoden von Dufay, Obrecht und Ockeghem enthalten zum Teil eine metrische Satzweise. In Deutschland
vertonte P. Tritonius im Auftrag seines Lehrers, des berühmten Humanisten C. Celtes, für dessen Ingoldstäd-
ter Poetikvorlesungen (1492–1495) Horaz-Oden im
vierstimmigen *contrapunctus simplex*-Satz zur Verdeutli-
chung der Quantitäten (*Melopoiae sive harmoniae*, 1507).
Diesen ersten »Humanistenoden« folgten rasch weitere
Vertonungen (L. Senfl, *Varia carminum genera*, 1534; P.
Hofhaimer, *Harmoniae poeticae*, 1539, von Senfl vollendet; P. Nigidius (Hrsg.), *Geminae undeviginti odarum*,
1551/52, Sammeldruck). In der Theorie beschäftigte

sich mit der Vertonung von Oden neben Cochlaeus
(*Tetrachordum musices*, 1511) und Gaffurius (*De harmonia
musicorum*, 1518) bes. Glarean (*Dodekachordon* II, 1547),
der einen einstimmigen, je nach Textinhalt zu variierenden Vortrag der Oden vorschlägt. Ab der Mitte des
16. Jh. wurden die m. O. zunehmend auch mit geistlichen Texten unterlegt und blieben so bis ins 18. Jh. fester Bestandteil des Schulunterrichts. Auf den Kantio-
nalsatz des frühen 17. Jh. und den frz. *Vers mesurés* hatten
sie einen bislang weitgehend unerforschten Einfluß.
→ Humanismus; Verslehre
→ AWI Horatius [7]; Ode

1 J. DRAHEIM, G. WILLE, Horaz-Vertonungen vom MA
bis zur Gegenwart, 1985 **2** K. G. HARTMANN, Die human.
O. in Deutschland. Vorgesch. und Voraussetzungen, 1976
3 R. v. LILIENCRON, Die Horazischen Metren in dt.
Kompositionen des 16. Jh., in: Vierteljahrsschrift für
Musikwiss. 3, 1887, 29–91 **4** TH. SCHMIDT-BESTE, Oden II.
Die human. Oden, in: MGG². Sachteil 7, 1997, Sp. 562–567.
ULRIKE ARINGER-GRAU

Österreich I. Mittelalter bis 18. Jahrhundert
II. 19. und 20. Jahrhundert

I. Mittelalter bis 18. Jahrhundert
A. Zum Begriff Österreich B. Severin und das
Nicht-Ende des Römischen Reiches
C. Salzburg als Zentrum der frühmittel-
alterlichen Kultur D. Hochmittelalter
E. Spätmittelalter
F. Reformation und Gegenreformation
G. 17. und 18. Jahrhundert

A. Zum Begriff Österreich
Die für die mod. Bezeichnung Ö. namengebende
Form *ostarrichi* findet sich zum ersten Mal schriftlich belegt in einer Urkunde Ottos III. für das Bistum Freising
vom 1. November 996 und bezeichnete ein kleines Gebiet um Neuhofen/Ybbs im westl. Niederösterreich;
daneben begegnen aus den nächsten Jahrzehnten auch
lat. Entsprechungen wie *terra* (*marchia, plaga, regio*) *ori-
entalis*. Die den mod. Bezeichnungen im Englischen
und in den romanischen Sprachen zugrundeliegende
Form *Austria* begegnet zum ersten Mal schriftlich in einer Urkunde Konrads III. für Klosterneuburg vom 25.
Februar 1147. Mit dem Aufstieg der Habsburger zur
Herrscherdynastie etablieren sich Bezeichnungen wie *domus Austriae, casa d'Austria* (»Haus Österreich«) [23. 43].

B. Severin und das Nicht-Ende des Römischen Reiches
1. Die Nordgrenze des Römischen Reiches
Vor dem Hintergrund des Endes der Vormachtstel-
lung der Römer und der Vorboten der Völkerwande-
rung erscheint in den drei auf heute österreichischem
Gebiet gelegenen Provinzen Rätien, Noricum und
Pannonien der *homo omnino Latinus* Severin († 482).
Wohl vornehmer röm. Herkunft, steht er in Kontakt
mit den Mächtigen seiner Zeit (Odoacer) und sorgt in
Krisenzeiten für das seelische und körperliche Wohl der
Bewohner entlang der Donaugrenze. Sein häufigster
Aufenthaltsort ist Favianis, das heutige Mautern an der
Donau in Niederösterreich. Das *Commemoratorium vitae
sancti Severini*, verfaßt 511 von Eugippius, Mönch und
Schüler Severins, stellt eine für die Erforschung der aus-
gehenden Spätant. im Donau- und Ostalpenraum ex-
zeptionelle Quelle dar [21; 30.; 31].

2. Kontakte zum Binnenreich
Enge, mil. bedingte Zusammenarbeit gab es nicht
nur zw. den einzelnen Kastellen am Donaulimes. Vor
allem die ökonomische Abhängigkeit der Randgebiete
des Röm. Reiches vom Binnengebiet bedingte ständige
Kontakte. Das Unterbinden und Ausbleiben dieser
führte zu Notsituationen. Trotz der Evakuierung der
Donauprovinz durch Odoacer im Jahre 488 blieb ein
Teil der romanischen Bevölkerung im Land und gab die
kulturelle Tradition der Ant., aber auch die christl. Lehre zum Teil an die ein- und durchwandernden *gentes* der
Völkerwanderungszeit weiter. Ungebrochene Kontinuität bis ins 6. nachchristl. Jh. zeigt sich in Binnenno-
ricum am Beispiel der röm. Stadt Teurnia (heute St.
Peter in Holz, Kärnten), die als *metropolis Norici* Bischofsitz wurde. Das von einem *vir spectabilis Ursus* und
seiner Frau *Ursina* gestifte Fußbodenmosaik der ehemaligen Friedhofskirche vereinigt in den Motiven an-
tik-heidnische Einflüsse und auf den *Physiologus* zurückgehende christl. Darstellungen. Aus unmittelbarer
Nähe zu Teurnia stammt die letzte datierte röm. Grabinschrift des gesamten österreichischen Raumes, der
Stein des Diakons Nonnosus († 532) aus Molzbichl [9;
21; 30; 31].

C. Salzburg als Zentrum der frühmittelalterlichen Kultur
1. Die Frage der romanischen Kontinuität
In den Wirren der Völkerwanderungszeit war das
Gebiet des heutigen Ö. Durchzugsgebiet und zeitlich
begrenzter Aufenthaltsort verschiedener *gentes* (Hunnen, Awaren, Langobarden, Rugier) [24]. Neben Resten dieser Stämme besiedelten v. a. die Bajuwaren vom
Nordwesten sowie die Slawen vom Südosten die von
den Romanen zum Teil aufgegebenen Gebiete. Dieses
Nebeneinander verschiedener Bevölkerungsteile spiegelt sich auch in den Ortsnamen wider, wobei allerdings
die Romanisierung bereits vorromanisch existenter Toponyme zu berücksichtigen ist. Diese Frage nach Kontinuität läßt sich deutlich am Beispiel von *Iuvavum*/Salz-
burg, aber in ähnlicher Weise auch von *Lauria-
cum*/Lorch (bei Enns, Oberösterreich) aufzeigen, das
zur Zeit Severins Bischofsitz war, zur Zeit Ruperts von
Salzburg († 715/16) aber durch seine Lage an der Awa-
rengrenze am Fluß Enns zu exponiert schien für die
Wiedererrichtung eines Bischofsitzes [6; 30]. Im salz-
burgischen Einflußbereich an Salzach und Inn stellten
die zahlenmäßig starken *Romani tributales* eine persönlich freie, aber wirtschaftlich abhängige Sondergruppe
dar, deren Angehörigen eine Statusverbesserung offen-
stand [31. 295–297]. Romanische Kontinuität gab es
auch im von Salzburg aus missionierten karantanischen
Gebiet (heute Kärnten, Steiermark) sowie in den Do-
naugebieten des heutigen Ober- und Niederösterreich,
wie zahlreiche Toponyme beweisen [29].

2. Äbte und Bischöfe
Unter den ersten Äbten und Bischöfen des um 700
von Rupert gegründeten Klosters in St. Peter entwikkelte sich Salzburg nicht nur zum Partner der agilolfin-
gischen Bayernherzoge, sondern auch zu einem geistlichen wie geistigen Zentrum [19a].
2.1 Karolingische Reform
Salzburg hatte sich schon vor dem Einsetzen der Reformen Karls zu einem kleinräumigen Zentrum der ma.
Lit. entwickelt, sowohl durch eigene Schöpfungen als
auch als Anreger und Bewahrer von ant. und christl.
Latinität. Wichtigster Nachfolger Ruperts war der Ire
Virgil (746/47–784), auf dessen Anregung wohl das älteste hagiographische Denkmal aus Ö. zurückgeht, eine
Vita Ruperti aus der Mitte des 8. Jh., heute in zwei Fassungen erhalten (*Gesta Hrodberti; Conversio Bagoariorum
et Carantanorum* cap. 1) [19]. Virgil regte auch Arbeo von

Freising zu lit. Tätigkeit an. Eine eigene Produktion Virgils liegt vielleicht im sog. *Aethicus Ister* vor, dessen irisch gefärbter Stil auf Virgil deuten könnte [26]. Irischinsularer Einfluß ist auch im Cutbercht-Evangeliar aus dem Ende des 8. Jh. ersichtlich, das mit dem *Codex millenarius maior* aus Kremsmünster (um 800) die berühmteste Hs. aus dem österreichischen MA darstellt [31. 130]. Virgil gab auch den Anstoß zum Bau des ersten Salzburger Doms. Nach einem Brand unter Erzbischof Konrad III. am Ende des 12. Jh. entstand dort einer der größten romanischen Dombauten nördl. der Alpen.s. Solari errichtete schließlich 1614–1628 nach dem Vorbild von Il Gesù in Rom den heutigen frühbarocken Dom.

2.2 DIE ERHEBUNG ZUM ERZBISTUM
Virgils 785 geweihter Nachfolger Arn pflegte enge Kontakte zum Hof Karls d. Großen und zu Karl selbst. Dies war mit ein Grund für die 798 erfolgte Erhebung Salzburgs zum Erzbistum. Die Bedeutung Salzburgs als Träger der karolingischen Reform wird ersichtlich aus dem Briefwechsel Arns mit Alkuin. Es erfolgte ein reger Austausch von Schülern und Hss. zw. Salzburg und dem Hof sowie Klöstern auf fränkischem Boden (St. Amand, Tours). In der Zeit Erzbischofs Arn konnte die Schreibschule von St. Peter um 150 Bände erweitert werden [3; 8]. Arn war auch Namengeber und Initiator von zwei Güterverzeichnissen, in denen die enorme wirtschaftliche Bedeutung des Klosters zum Ausdruck kommt. In die erste Hälfte des 9. Jh. fällt die Abfassung und Sammlung lat. Dichtungen, die heute unter der Bezeichnung *Carmina Salisburgensia* zusammengefaßt sind und ein Beispiel karolingischer Gebrauchsdichtung darstellen [12. 32; 19a. 116–119]. Hervorzuheben sind zwei Monatsgedichte, die auf ant. und spätant. Vorbilder zurückgehen und die lit. Ausformung eines Bildzyklus darstellen, der in einem Salzburger Codex (heute Nationalbibliothek Wien, cvp. 387) erhalten ist. Letztes Denkmal für die frühma. lit. Produktion in Salzburg ist der wohl echte Brief Erzbischofs Theotmar an den Papst, in dem er und der bayerische Klerus sich gegen Eingriffe in das Salzburger Missionsgebiet verwehren [19]. Theotmar stirbt in oder kurz nach der Schlacht bei Preßburg gegen die Magyaren 907. Diese Niederlage und die folgenden Wirren der ersten Hälfte des 10. Jh. stellen einen deutlichen Einschnitt in der kulturellen Produktion auf heute österreichischem Gebiet dar [12. 36].

2.3 SCHULBILDUNG
Salzburg und andere Klöster wie Mondsee (gegr. 748) und Kremsmünster (gegr. 777, kunsthistor. bedeutend der Kelch seines Stifters Tassilo, ältester erhaltener Abendmahlkelch des süddt. Raumes) waren Zentren der Mission und damit verbundenen Maßnahmen im Bildungsbereich. Diese Verbesserung der Ausbildung war v.a. wegen der mangelnden Lateinkenntnisse der Geistlichen und daraus resultierenden Problemen (z.B. Streit um die Gültigkeit einer Taufformel *in nomine patria et filia* zw. Virgil und Bonifatius) notwendig geworden [30. 255–257]. Bis zum 8. Jh. war auf österreichi-

schem Boden nur eine Elementarausbildung möglich gewesen. Rupert hatte in St. Peter eine Schule eingerichtet, zunächst die *schola interior* (*interna*) zur Ausbildung der Mönche, später eine *schola exterior* (*externa*) für Jünglinge aller Stände, vornehmlich Adeliger. Virgil wandelte im Sinne der Pastoralinstruktion, daß jeder Bischof in seiner Stadt eine Schule zu gründen habe, die benediktinische → Klosterschule von St. Peter in eine Domschule (*schola ecclesiae cathedralis*) um. Die geogr. Herkunft der Schüler weist auf ein großes Einzugsgebiet hin und steht in Zusammenhang mit der von Salzburg ausgehenden Mission im Südosten des Reiches. Über den Lehrgang an der → Domschule ist nichts erhalten, jedoch dürfte man den besonderen Aufgaben der Slawenmission Rechnung getragen worden sein [7. Bd. 1. 101–105]. Um 870 entsteht ein folgenreicher Konflikt zw. Salzburg und Methodius, der mit seinem Bruder Cyrillus im Zuge der Lehrtätigkeit und durch die Entwicklung und den Einsatz der slawischen Schrift (Glagolica) Salzburger Interessen getroffen hatte. Auch die Entstehung der »Freisinger Denkmäler« (älteste Quelle der slowenischen Sprache aus der 2. H. des 10. Jh.) wird in Zusammenhang mit Salzburg gesehen [12. 34].

D. HOCHMITTELALTER
1. DIE OTTONISCHE REFORM
Trotz des Sieges gegen die Magyaren auf dem Lechfeld im Jahre 955 und der 976 erfolgten Belehnung der Babenberger mit der Mark im Osten blieben die Reformbestrebungen der ottonischen Zeit in den Diözesen Salzburg und Passau, das neben dem Erzbistum ab dem 9. Jh. verstärkt Träger der Mission v.a. auf heute ostösterreichischem Gebiet war, nahezu wirkungslos [12. 49]. Wiederum ist festzuhalten, daß sich im Besitz der aus dem Alt. überkommenen Rudimente spätröm. Bildungsgrundlagen diesseits der Alpen auch nach dem 9. Jh. v.a. die Kleriker befanden, die dank der Kenntnis der lat. Sprache ein intellektuelles Übergewicht erlangen konnten. Ihre Ausbildung erfolgte wie schon zur karolingischen Zeit in Dom- und Klosterschulen, dazu traten am Ende des 12. und Anfang des 13. Jh. bereits Pfarrschulen [7. Bd. 1. 110]. Der Bildungsgang ist aus Handschriftenverzeichnissen rekonstuierbar, wobei allerdings mit Verlusten zu rechnen ist. Ein anschauliches Bild der Lehrinhalte und -methoden gibt das *ad collegas urbis Salinarum* Liutfrid, Benzo und Friedrich gerichtete erste Buch der metrischen *Vita sancti Christophori* des Walther von Speyer (sog. »Scholasticus«, 982/83). Man kann davon ausgehen, daß der darin genannte Kanon von Werken und Autoren (*Ilias Latina*, Martianus Capella, Horaz, Persius, Juvenal, Boethius, Statius, Terenz, Lucan, Vergil, Porphyrius, Plato, Cicero) auch in Salzburg zur Anwendung kam, so die entsprechenden Handschriften zur Verfügung standen [12. 36, 43].

2. DIE ZEIT DES INVESTITURSTREITES
Die innerkirchlichen Reformen und die Auseinandersetzung zw. weltlicher und geistlicher Macht im 11. und 12. Jh. führte auf dem Gebiet des heutigen Ö. zu

zahlreichen Klostergründungen (Lambach 1040/1056, Gurk 1043/1123, Admont 1074, Reichersberg/Inn 1080/1084, Göttweig 1083/1094, Melk 1089, Millstatt 1080/1090, St. Paul im Lavanttal 1091, Klosterneuburg 1100/1133, Rein 1129, Heiligenkreuz 1133, Zwettl 1138, Seckau 1140, Wilhering 1146, Wien/Schottenkloster 1150, Vorau 1163, Lilienfeld 1202). Auch diese Gründungen wurden zu Zentren des kulturellen Lebens und der lit. Produktion in lat. Sprache [12]: Reichersberg durch die Werke Gerhohs; Admont mit Predigten, Bibelkommentaren und hagiographischer Prosa; Göttweig mit einer für die Entstehung des Landesbewußtseins und auch für die Kenntnisse ant. Mythologie bedeutenden *Vita Altmanni*; noch im 11. Jh. entsteht eine erste Fassung der Vita des irischen Pilgers Koloman, der 1012 im heutigen Niederösterreich das Martyrium erlitt und vom Babenberger Markgraf Heinrich I. nach Melk überführt und zum ersten Landesheiligen wurde, ab 1485 zusammen mit dem heutigen Landespatron von Wien, Nieder- und Oberösterreich, Leopold III., der ihn erst 1663 endgültig ablöste. Weitverzweigt in ihren Abhängigkeiten ist die österreichische Annalistik. Kleinere Stücke von Versdichtung sind nachweisbar. Eine Sonderstellung nehmen die *Carmina Runensia* (nach dem Zisterzienserstift Rein in der Steiermark, Hs. 20) ein, sechs Stücke von 93 Versen mit ausführlicher Benutzung ant. und spätant. Vorbilder, die in Rein selbst entstanden sein könnten. Der Umgang mit den klass. lit. Vorbildern und ihr Inhalt läßt sie in die Nähe der Goliardenliteratur rücken [12. 89 f.].

3. Von der Erhebung zum Herzogtum bis zum Beginn der Habsburgerherrschaft (1156–1278)

Mit der Verlagerung der Residenz in den Osten des Herrschaftsgebietes durch die babenbergischen Markgrafen erfolgte auch dort ein Aufschwung der kulturellen Aktivitäten. Durch das sog. *Privilegium minus* wurde Heinrich I. »Jasomirgott« am 17. September 1156 zum *dux Austriae*, »Herzog von Ö.«, erhoben [1]. Über diesen Vorgang berichtet auch Otto von Freising, der um 1112 geborene Sohn des Babenberger Markgrafen Leopold III., in der Geschichte seines Neffens, des Kaisers Friedrich I. Barbarossa (Gesta Friderici 2,54 f.). Otto, nach seinem Studium in Paris seit 1138 Bischof von Freising, beruft sich darin wie in den geschichtsphilos. Passagen seines durch Augustinus beeinflußten Werkes *Chronica sive Historia de duabus civitatibus* auch namentlich auf ant. (Cicero, Vergil, Lucan) und spätant. Autoren, seine Schriften gehören trotz mancher Kritik in den Kreis der österreichischen kirchlichen Geschichtsschreibung [35. 104]. Im südösterreichischen Raum (Seckau in der Steiermark, Kärnten) oder im angrenzenden Südtirol entstand in der 1. Hälfte des 13. Jh. die Sammlung der *Carmina Burana* [12. 407 f.].

E. Spätmittelalter
1. Die ersten Habsburger

Im Jahre 1246 erlosch mit Friedrich II. der babenbergische Mannesstamm, und die Gebiete des heutigen Nieder- und Oberösterreich sowie Teile der Steiermark (1192 durch die sog. Georgenberger Handfeste an die Babenberger gefallen) gelangten zunächst unter die Herrschaft des Böhmenkönigs Otakar II. Přemysl, 1278 nach der Schlacht auf dem Marchfeld an Rudolf von Habsburg, der 1282 seine Söhne Albrecht I. und Rudolf II. mit den österreichischen Ländern belehnte und damit die bis 1918 dauernde Herrschaft der Habsburger begründete. Durch den Erwerb von Kärnten (1335) und Tirol (1363) konnte aus dem »Haus Habsburg« das »Haus Österreich« (*domus Austriae*) werden.

1.1 Das Privilegium maius

Als Reaktion auf die Nichtaufnahme unter die Kurfürsten in der »Goldenen Bulle« seines Schwiegervaters, Karls IV., aus dem Jahre 1356 ließ der Habsburger Rudolf IV. in seiner Kanzlei 1358/59 einige Urkunden fälschen (Sammelbezeichnung seit Mitte des 19. Jh. *Privilegium maius* als Erweiterung zum *Privilegium minus*), mit denen er besondere Vorrechte für sein Haus forderte. Als histor. Beweis für die seit altersher bestehende Sonderstellung von Ö. ließ er in ein gefälschtes Diplom Heinrichs IV. aus 1058 zwei Briefe Caesars und Neros inserieren [14]. Diese wurden von Petrarca in einem von Karl IV. angeforderten Gutachten als plumpe Fälschung aufgedeckt [22]. Die Bestimmungen des *Privilegium maius* erlangten dennoch unter dem habsburgischen Kaiser Friedrich III. Mitte des 15. Jh. Bestätigung und führten u. a. zur Etablierung des von Rudolf als Gegenstück zur Rangbezeichnung Kurfürst erfundenen Titels »Erzherzog« für die Habsburger [20. 138]. Die kurios anmutende Berufung auf Caesar steht in einer langen Tradition: So führte man den Ortsnamen Melk/Medelicha auf die Caesar zugeschriebene Bezeichnung *Mea dilecta* zurück. Eine ähnliche Volksetymologie existiert auch für den Namen Wien, wo sich Caesar ein *biennium* aufgehalten haben soll [27. 144]. Caesar führt auch die Reihe der wirklichen und fiktiven Ahnen der Habsburger an, wie z. B. die Figuren am Maximiliansgrab in Innsbruck dokumentieren [27. 309]. Auch mit dem Anspruch auf Herrschertugenden wie der *clementia* (»Milde«) sahen sich die Habsburger in der Nachfolge der Kaiser des julisch-claudischen Hauses [27. 129].

1.2 Die Gründung von Universitäten

Die Gründung der → Universität Prag durch seinen Schwiegervater Karl IV. im Jahre 1348 veranlaßte Rudolf IV., auch in Wien eine Landesuniversität zu stiften. Nach dem Vorbild und unter Mithilfe von Gelehrten der Pariser *Sorbonne* wurde 1365 die *Alma mater Rudolphina* eingerichtet. Doch erst durch die zunächst vom Papst abgelehnte Errichtung einer theologischen Fakultät im Jahre 1384 und durch den verstärkten Zuzug von Professoren der *Sorbonne* gewann die neugeschaffene Univ. gegen Ende des 14. Jh. an Ansehen und Zulauf. Lehr- und Lernmethoden entsprachen dem Anliegen der Scholastik [7. Bd. 1. 203–215]. Die klerikal ausgerichteten Statuten hatten fast 170 Jahre lang Gültigkeit, erst durch die *Nova reformatio* Kaiser Ferdinands I. vom

1.1.1554 wurde sie stärker staatlichen Zielsetzungen unterworfen [7. Bd. 2. 349–373]. Auch in Salzburg stand man schon im 15. Jh. vor der Gründung einer Univ., die dann erst 1622 durch Fürsterzbischof Paris Lodron eröffnet wurde. Schon 1585 hatte Erzherzog Karl II. von Innerösterreich die Univ. Graz gegründet und sie dem Jesuitenorden übertragen. Auch die 1669 durch Kaiser Leopold I. gegründete Univ. Innsbruck stand bis 1773 unter dem Einfluß der Jesuiten.

1.3 Der Übergang zum Humanismus

Noch im Spannungsfeld zw. alten scholastischen und neuen, dem Human. verpflichteten Ideen vollzog sich das reichhaltige und vielseitige Schaffen des Thomas Ebendorfer von Haselbach (1388–1464) [15]. Nach dem Studium an der artistischen und theologischen Fakultät war er Lehrer, Dekan und Rektor der Univ. Wien, wurde 1421 zum Pfarrer geweiht, nahm am Konzil von Basel und verschiedenen Reichstagen teil. Sein lit. Œuvre umfaßt neben theologischem Schrifttum v. a. Historiographie (*Cronica Austrie*, *Cronica regum Romanorum*) und läßt große Gewandtheit im Umgang mit der lat. Sprache erkennen [15. 97–123]. Als Wegbereiter des Human. auf österreichischem Boden darf der aus toskanischem Adel stammende Enea Silvio Piccolomini (1405–1464) gelten. Er kam 1437 an den Hof Kaiser Friedrich III., der ihn 1442 zum *poeta laureatus* krönte. Neben Reden, Briefen und Dichtungen verfaßte auch Piccolomini histor. Werke, unter denen die *Historia Austrie (Australis) seu Friderici III.* einen wichtigen Beitrag zur Zeitgeschichte darstellt. 1455 verließ er den Kaiserhof, wurde ein Jahr später Kardinal und 1458 als Pius II. zum Papst gewählt [20. 382–385]. In Tirol war der bedeutende Frühhumanist Nikolaus von Kues (Cusanus) als Bischof von Brixen polit. Widersacher Herzog Sigmunds des Münzreichen. Unter Maximilian I. (Kaiser 1493–1519) gelang es, bedeutende Humanisten ins Land zu holen: Konrad Celtis (1. Vorlesung über Tacitus' *Germania* in Wien), Johannes Cuspinianus, Konrad Peutinger: Die nach letzterem benannte *Tabula Peutingeriana*, eine 6,82 m lange und 34 cm breite Kopie einer zuletzt im 5. Jh. redigierten Straßenkarte des Röm. Reiches, 1720 von Prinz Eugen angekauft und nach dessen Tod von der Nationalbibliothek Wien erworben, stellt eine einzigartige Quelle zur Topographie Ö. dar [28]. Maximilian selbst wurde nicht nur in seiner Lebensbeschreibung »Weiß Kunig«, deren stilistisches Vorbild die *Commentarii* Caesars waren, sondern auch in der *Austrias* des Riccardo Bartolini (ca. 1475–1529), einem an klass. Vorbildern wie Vergil und Homer orientiertem Epos, verherrlicht [10; 11].

F. Reformation und Gegenreformation

1. Die Erweiterung des Weltbildes

Die Ausdehnung der habsburgischen Territorien im 16. Jh. und die human. Bestrebungen förderten das Interesse an fremden Kulturen. Eine Gesandtschaft Ferdinands I. an den Hof der Osmanen, den polit. Gegenspielern der Habsburger, zweimal (1529 und 1683) vor Wien mil. geschlagen, entdeckte unter Führung des Flamen Giselin van Busbeck im Jahre 1555 im heutigen Ankara das *Monumentum Ancyranum*, eine Kopie der *Res gestae* des Augustus [35. 240]. Eng mit Ö. (Graz, Linz; die dortige Univ. ist nach ihm benannt) ist das naturwiss. Werk Johannes Keplers (1571–1630) verknüpft. V. a. am Hof Rudolfs II. (1552–1612) in Prag widmete man sich alchimistischen Studien. Villach, Salzburg, Innsbruck, Wien und Klagenfurt waren Stationen im Leben des umstrittenen Arztes und Naturforschers Theophrastus Bombastus von Hohenheim, genannt Paracelsus († 1541).

2. Die neuen Orden

Das Erziehungswesen des 16. und 17. Jh. war in Ö. geprägt durch die rel. Auseinandersetzungen, aus denen die Gegenreformation als Sieger über den Protestantismus hervorging. Die Bedeutung des 1534 gegründeten Ordens der Jesuiten auf österreichischem Gebiet liegt zunächst im Bildungsbereich. Dem Ziel einer elitären Ausbildung dienten die von ihnen eingerichteten Schulen, die sich zu einer hochorganisierten Schulform im Sekundarbereich, dem Gymnasium, entwickelten [7. Bd. 2. 137]. Zweitens gewannen sie durch das Jesuitentheater, in dem Aufführungen lat. Schulstücke klass. und zeitgenössischer Autoren geboten wurden, großen Einfluß auf die Entwicklung der Bühnenkunst in Ö. Einer ihrer Vertreter, Nikolaus Avancinus (1611–1686), der prunkvolle Bühnenstücke (*ludi Caesarei*) für das Kaiserhaus schrieb, verfaßte auch Parodien auf klass. Vorbilder wie Horaz [32. 1181–1189]. Der Schulorden der Piaristen (*Patres scholarum piarum*), 1597 von Joseph von Calasanz gegründet, leitete ab der 2. Hälfte des 17. Jh. in Ö. zahlreiche Schulen. Im Unterschied zu den Jesuiten legten die Piaristen aber größeren Wert auf die Elementarerziehung [7. Bd. 3. 25–28, 34–38].

G. 17. und 18. Jahrhundert

Mit dem → Barock erreichte die höfische Kultur unter den Kaisern Leopold I. (1658–1705), Joseph I. (1705–1711) und Karl VI. (1711–1740) in vielen Sparten einen Höhepunkt, den die Bauwerke eines Johann Bernhard Fischer von Erlach, Lukas von Hildebrandt, Jakob Prandtauer oder Josef Munggenast noch heute sichtbar machen.

1. Barockdichtung

Die lat. geschriebene, der ant. Tradition verbundene und meist von Ordensleuten geschaffene Dichtung des Barock stand ebenfalls oft im Dienste des Herrscherhauses. Als bedeutender und äußerst produktiver Vertreter kann der Benediktiner Simon Rettenbacher (1634–1706) mit seinen ca. 6000 lat. Gedichten und seinen Dramen (*Demetrius, Atys, Perseus, Ulysses*) angesehen werden [7. Bd. 3. 19]. Großen Zulaufs unter der Bevölkerung, v. a. wegen seiner Sprachgewalt und seines Wortwitzes, erfreute sich der Augustinermönch Abraham a Santa Clara (Johann Ulrich Megerle, 1644–1709).

2. Die Reformen Maria Theresias

Unter der Regierung Maria Theresias (1740–1780) kam es zu einschneidenden Änderungen auf dem Gebiet der Bildung. 1760 wurde die Studienhofkommission als Zentralstelle für Univ. und Gymnasien, später für das gesamte Unterrichtswesen eingerichtet. Das Schulwesen sollte dem Einfluß der katholischen Kirche entzogen und in die staatliche Verwaltung eingebunden werden. Der 1774 nach Wien gerufene Johann Ignaz von Felbiger (1724–1788) ordnete mit der Allgemeinen Schulordnung das österreichische Elementarschulwesen völlig neu (Einführung der allgemeinen Schulpflicht in Ö.). Das Schulnetz wurde ausgebaut und regionalen Bedürfnissen stärker angepaßt. An den Normal- und Hauptschulen wurde die lat. Sprache nur noch für jene gelehrt, die den Beruf des Wundarztes oder Apothekers anstrebten und für jene, die in ein Gymnasium übertreten wollten [7. Bd. 3. 102–118].

→ AWI Odoacer

1 H. Appelt, Privilegium minus. Das staufische Kaisertum und die Babenberger in Ö., 1976 2 R. und M. Bamberger, E. Bruckmüller, K. Gutkas, Ö. Lexikon, 2 Bde., 1995 3 B. Bischoff, Die südostdt. Schreibschulen in der Karolingerzeit 2: Die vorwiegend österreichischen Diözesen, 1980 4 E. Bruckmüller, Sozialgeschichte Ö., 1985 5 K. Brunner, Herzogtümer und Marken. Österreichische Gesch. 907-1156, 1994 6 H. Dopsch, H. Spatzenegger, Gesch. Salzburgs. Stadt und Land, 1983 7 H. Engelbrecht, Gesch. des österreichischen Bildungswesens, Bd. 1–3, 1982–1984 8 K. Forstner, Die karolingischen Hss. und Fragmente in den Salzburger Bibl., Mitt. der Ges. für Salzburger Landeskunde, 3. Ergänzungsbd., 1962 9 F. Glaser, Teurnia. Römerstadt und Bischofsstadt, 1992 10 E. Klecker, Kaiser Maximilians Homer, in: Wiener Stud. 108, 1995, 613–637 11 Dies., Impius Aeneas – pius Maximilianus, in: Wiener Human. Blätter 37, 1995, 50–65 12 F. P. Knapp, Die Lit. des Früh- und Hoch-MA. Gesch. der Lit. in Ö., Bd. 1, 1994 13 K. Lechner, Die Babenberger. Markgrafen und Herzoge von Ö. 976–1246, 1985 14 A. Lhotsky, Privilegium maius. Die Gesch. einer Urkunde, 1957 15 Ders., Thomas Ebendorfer. Ein österreichischer Geschichtschreiber, Theologe und Diplomat des 15. Jh., Schriften der MGH 15, 1957 16 Ders., Quellenkunde zur ma. Gesch. Ö., Mitt. des Instituts für Österreichische Geschichtsforschung Ergänzungsbd. 19, 1962 17 Ders., Österreichische Historiographie, 1962 18 Ders., Aufsätze und Vorträge 1, hrsg. von H. Wagner, H. Koller, 1970 19 F. Lošek, Die Conversio Bagoariorum et Carantanorum und der Brief des Erzbischofs Theotmar von Salzburg, MGH Stud. und Texte 15, 1997 19a Ders., Die Auswirkungen karolingischer Politik und Reformen im Südosten des Reiches, in: Karl d. Gr., hrsg. von F.-R. Erkens, 2001, 111–121 20 A. Niederstätter, Das Jh. der Mitte. Österreichische Gesch. 1400–1522, 1996 21 R. Noll (Hrsg.), Eugippius, Das Leben des Heiligen Severin, 1981 22 P. Piur (Hrsg.), Petrarcas Briefwechsel mit dt. Zeitgenossen, 1913 23 R. G. Plaschka, G. Stourzh, J. P. Niederkorn, Was heißt Ö.? Inhalt und Umfang des Österreichbegriffs vom 10. Jh. bis heute, 1995 24 W. Pohl, Die Awaren, 1988 25 G. Scheibelreiter, s. v. Ö., in: LMA 6, 1993, Sp. 1520–1525, 26 K. Smolak, Notizen zu Aethicus Ister, in: Filologia mediolatina 3, 1996, 135–152 27 K. Vocelka, L. Heller, Die Lebenswelt der Habsburger. Kultur- und Mentalitätsgesch. einer Familie, 1997 28 E. Weber, Tabula Peutingeriana. Codex Vindobonensis 324, 1976 29 P. Wiesinger, Antik-romanische Kontinuitäten im Donauraum von Ober- und Nieder-Ö. am Beispiel der Gewässer-, Berg- und Siedlungsnamen, in: Denkschriften der Österreichischen Akad. der Wiss., philos.-histor. Klasse 201, 1990, 261–328 30 H. Wolfram, Salzburg Bayern Ö., Mitt. des Instit. für Österreichische Geschichtsforschung Ergänzungsbd. 31, 1995 31 Ders., Grenzen und Räume. Österreichische Gesch. 378–907, 1995 32 H. Zeman, Die österreichische Lit. Ihr Profil von den Anfängen bis ins 18. Jh., 1986 33 E. Zöllner (Hrsg.), Die Quellen der Gesch. Ö., 1982 34 E. Zöllner, Der Österreichbegriff. Formen und Wandlungen in der Gesch., 1988 35 Ders., Gesch. Ö. Von den Anfängen bis zur Gegenwart, ⁸1994.

FRITZ LOŠEK

II. 19. Jahrhundert und Ausblick

A. Österreichischer Klassizismus
B. Literarischer Josephinismus
C. Habsburger Mythos
D. Wiener Volkstheater   E. Ausblick

A. Österreichischer Klassizismus

Fast gleichzeitig erschienen eine Studie und ein Drama über die griech. Lyrikerin Sappho: 1816 Friedrich Gottlieb Welckers *Sappho von einem herrschenden Vorurtheil befreyt* [20] und 1818 Franz Grillparzers Blankverstragödie *Sappho* (Uraufführung: 21.4.1818; Erstdruck 1819 bei J. B. Wallishausser in Wien), deren Reinschrift bereits seit August 1817 vorlag [9. 730ff.]. Der Niederschrift der Trag. ging kein gründliches Quellenstudium voraus. Den größten Teil seiner Kenntnis vom griech. Leben und Denken bezog Grillparzer (1791–1872) zu dieser Zeit noch aus der Lektüre der Werke von Christoph Martin Wieland: *Geschichte des Agathon* (Agathon zw. der alternden Priesterin Pythia und der jungen Psyche) und *Aristipp* (Lais verliebt sich mit 40 Jahren in einen jungen Thessalier, der sie mit Phryne betrügt). Lediglich das Gedicht an die Liebesgöttin in Grillparzers Drama (I,6) ist eine freie Nachdichtung eines Sappho-Fragments [21. 4ff., Nr. VI]. In Grillparzers Trauerspiel vollzieht sich eine Verbürgerlichung des klass. Kunstideals, obwohl die äußere Gestaltung eine Nähe zu Goethes *Iphigenie auf Tauris* glauben machen soll. Sapphos Künstlerrolle wird einem Wandel unterworfen, der den Forderungen biedermeierlicher Glücksvorstellungen Rechnung trägt: Ihr Gesang soll nur noch der Preisung der ›häuslich stillen Freuden‹ (v. 96) gewidmet sein. Hinter der ant. Kostümierung verbergen sich Wiener Bürger des frühen 19. Jh. Sapphos Ende, der Sturz vom Leukadischen Felsen, dementiert jedoch die Verfallenheit ans gewöhnliche Leben und setzt das urspr. Kunstideal, die Zugehörigkeit des Dichters zum Göttlichen, wieder in Geltung.

Lord Byron befand das Trauerspiel ›großartig und erhaben‹, Grillparzer sei ›groß, ant., nicht ganz so einfach wie die Alten, aber sehr einfach für einen Modernen‹ [6. 46f.]. Im Gegensatz dazu parodierte das Wiener Volkstheater sofort das erfolgreiche Burgtheaterdrama: Franz Xaver Told (von Toldenburg) in einem ›komischen Melodram‹ mit dem Titel *Seppherl* [7. 46f.]. Welcker hat insbes. Sapphos Haus als Musenschule und Mädchenpensionat behandelt [20. 58ff.] und Ulrich von Wilamowitz-Moellendorffs *Sappho und Simonides. Unt. über griech. Lyriker* (Berlin 1913) beeinflußt. Anlaß für Welckers Studie war sein ›Erstaunen über die unsägliche Gemeinheit, welche sich oft, vordem und neuerlich, über die Sappho ausgesprochen hat‹ [20. 6]. Welcker zitiert Platon, der die Dichterin die zehnte Muse nannte, und andere, die sie als weiblichen Homer beschrieben. Vor allem aber ging es ihm um eine Rehabilitierung, indem er dem Eros der Sappho das Skandalöse nahm, das durch die Alte Komödie als Karikatur in Umlauf gebracht worden ist. Dem Freundschafts- und Schönheitskult um Sappho entspricht auf ihrer Seite eine Liebe ohne Begehren, was auch durch ihre gesellschaftliche Reputation bestätigt werden kann.

Mit seiner Ruinenelegie *Campo vaccino* (1819) geriet Grillparzer in die Mühlen der Zensur: Das Gedicht mußte aus allen erreichbaren Exemplaren des Taschenbuchs *Aglaja*, in dem es 1820 veröffentlicht wurde, entfernt werden. Der konservative Grillparzer galt von da an bei Hofe als »Jakobiner«, hatte er in dem Gedicht doch das Zeichensystem der Ant. gegen die christl. Symbole ausgespielt.

In Grillparzers dramatischem Werk fokussiert sich die Rezeption der Ant. im 19. Jh. in Ö. exemplarisch. Die Dramatisierung der Argonautensage und des Hero- und-Leander-Mythos verdeutlicht seine Rezeptionshaltung sowie seine durchgängige Psychologisierung des Mythos, indem Prozesse der Transgression und Abwehrhaltungen der Limitation einander bestreiten [1]. In der Bearbeitung der Argonauten-Sage in der Trilogie *Das goldene Vließ* (*Der Gastfreund, Die Argonauten, Medea*) von 1820/21 wird der Stoff zu einer geschichtsphilos. Trag. des Humanitätsideals umgeschrieben. Das geschichtliche Handeln der Figuren wird einem Urteil unterworfen, das sich vor der Weisheit des Gottes in Delphi zu rechtfertigen hat: Delphi als Ursprungsstätte der Humanitätsidee und Apollon als das göttl. Zeichen und Schutzmacht der Humanitas [16]. Wenn sich Medea nach ihrer Tat entschließt, das Vlies nach Delphi zu bringen und sich dort dem Richterspruch der Priester zu stellen, so unterwirft sie alles Handeln der apollinischen Gottheit, der Verpflichtung zur Humanität, auch wenn sich geschichtliches Wirken oft von diesem Ideal entfernt. Grillparzers Epigramm über den *Weg der neuern Bildung* (1848) wird später seinen Pessimismus auf die Formel bringen: ›Von Humanität durch Nationalität zur Bestialität‹ [9. 808]. In der *Medea*-Tragödie wird dieser Weg bereits beschrieben: Delphi, dann der Gegensatz zw. Griechen und Kolchern, schließlich der Kindermord. Das Vlies stellt äußerlich die Einheit zw. den Teilen der Trilogie her, und es hat die Funktion eines Leitmotives oder eines gleitenden Signifikanten. Die Vlies-

Trilogie ist auch eine Trag. der Wörter, weil durch ihre Fehldeutung die Katastrophe angebahnt wird. Anders als bei der *Sappho* betrieb Grillparzer für die Trilogie ausgedehnte Vorstudien. Erste Anregungen kamen wiederum von Wieland (*Novelle ohne Titel* in *Hexameron von Rosenhain*). A.W. Schlegels Kritik an der *Medea* des Euripides in seinen Vorlesungen *Über dramatische Kunst und Lit.* veranlaßte Grillparzers Lektüre der griech. Tragödie. Antike Quellen waren: die Medea-Stoffbearbeitung durch Seneca, die Argonautenepen von Valerius Flaccus und Apollonius Rhodius, dann Auszüge aus Strabo und Hyginus, sowie Ovids *Metamorphosen* (7. Buch) und die *Heroides* (u.a. Medeas Brief an Jason). Grillparzer kannte die *Medea*-Bearbeitungen von Julius von Soden und von Friedrich Wilhelm Gotter, die 1815 und 1817 das Burgtheater zur Aufführung gebracht hatte, schließlich die *Medea*-Oper von Luigi Cherubini. Zusammenhängende Stoffkenntnis bezog er von dem *Myth. Lex.* von Benjamin Hederich (Ausgabe 1770), das er im Sommer 1818 las.

Grillparzers Trauerspiel *Des Meeres und der Liebe Wellen* (1831) kreist um die Identität des Liebespaares Hero und Leander. Heros Wort vom ›Glück des stillen Selbstbesitzes‹ (v. 392) benennt das Hauptthema des Dramas: die Fähigkeit zur Selbstbewahrung. Hero flieht aus der bedrängenden Enge ihrer Familie, um im Dienste der Göttin zu sich selbst zu finden. Und Leander löst sich durch die Liebe zu Hero aus einer erstarrten Mutterbindung, denn im Gedenken an die tote Mutter war ihm jeder andere Lebenssinn verlorengegangen. Letztlich sind es das Liebesverbot der Priesterschaft und das Liebesverlangen, die den tragischen Konflikt auslösen. Dem Tragischen ist nur dann zu entgehen, wenn die »Sammlung«, gleichsam zu Grillparzers Urworten gehörend, zur Maxime der Lebenspraxis wird. Das Diffuse der Lebensäußerungen soll in der Sammlung zusammengefaßt werden und zu einem sicheren und zielgerichteten Dasein verhelfen. Äußerlich dominiert auf der Bühne Heros Turm als Zeichen des Plastischen und Begrenzten, des Männlich-Phallischen gegenüber dem Meer als dem Flutenden, Ozeanischen, Weiblichen. Die Personen werden innerhalb einer Poetik des Raumes auf je gegensätzliche Weise mit der Szenerie verschränkt: Heros Heimstatt ist der Turm, Leanders Grab wird das Meer. Grenzüberschreitungen und -verletzungen gehören wesentlich zum Handlungsgeschehen in dieser spätromantischen Liebestragödie. Die Handlung geht auf die alexandrinische Fabel von Hero und Leander zurück, die Parallelen zum Mythos von Amor und Psyche aufweist. Als Quellen dienten Grillparzer: Ovids *Heroides* (Brief 17 und 18), das Epos des Musaios *Hero und Leander*, Euripides' *Ion*, Schillers Ballade und Christopher Marlowes fragmentarische Verserzählung über Hero und Leander, ebenso das Volkslied *Es waren zwei Königskinder*.

B. Literarischer Josephinismus

Autoren wie Grillparzer bezeichneten sich selber gerne als »Josephiner«, also als aufgeklärten Kopf und dem Wirken Kaiser Josephs II. verpflichtet. Der Übergang der Herrschaft von Maria Theresia auf ihren Sohn Joseph II. (1765–1790) bezeichnete in der österreichischen Literaturgeschichte die Ablösung der barocken Dichtung und das Hervorbrechen der Aufklärungsliteratur: Witz, Satire, Travestie, Kritik, eine polemische oder fragende Lit. war kennzeichnend für diese Zeit [5]. Stellvertretend kann die Travestie von Vergils *Aeneis* durch Aloys Blumauer (1755–1798) von 1782/1788 genannt werden, die den Stoff der röm. Dichtung parodistisch auf den Ursprung der röm. Kirche und ihre Opposition zum Kaisertum übertragen hatte (*Abenteuer des frommen Helden Aeneas oder Virgils Aeneis travestiert*). Blumauers Aeneas gründet nicht nur Rom, sondern auch den Vatikan. Er fährt mit dem Schiff an feuerspeienden Bergen vorbei, die Kapuzen, Rosenkränze, Folterwerkzeuge und Scheiterhaufen sowie verbranntes Menschenfleisch ausspeien. Seine Höllenfahrt führt zu Begegnungen mit Luther, Hus und Rousseau und mitten in die Lasterhöhlen der Päpste. Die gesamte Travestie ist ein Angriff auf die katholische Kirche, das Papsttum und den Jesuitenorden aus der Haltung der josephinischen Aufklärung. Dabei verliert der Held Aeneas alles Heldenhafte, was sich etwa in der Begegnung mit Dido zeigt, der er als Gastgeschenk den Unterrock der Helena mitbringt. Blumauers unvollendetes komisches Versepos knüpft an Wielands *Komische Erzählungen* (1765) an, die vom Geiste Lukians inspiriert sind [4; 15].

C. Habsburger Mythos

An der Entstehung des Habsburger Mythos nach den histor. Veränderungen von 1806 ist der »Österreichische Plutarch« von Josef von Hormayr (1781–1848) maßgeblich beteiligt. Zwischen 1807 und 1812 erschien sein *Österreichischer Plutarch oder Leben und Bilder aller Regenten und der berühmtesten Feldherren, Staatsmänner, Gelehrten und Künstler des österreichischen Kaiserstaats* in 20 Teilen, der die einzelnen Länder der Donaumonarchie auf das Habsburger Haus bezieht und Geschichte als das Zusammenwirken der Völker mit der Dynastie beschreibt. Vor allem die Dichtung soll solche markanten Berührungspunkte und Wechselbeziehungen aufgreifen. Sein Werk möchte deshalb Beispiele und Material zu einer derartigen österreichischen Dichtung bieten. Die Parallelbiographien in der Trad. Plutarchs wollten zur Herausbildung eines gesamtösterreichischen Kulturverständnisses und Selbstbewußtseins beitragen. Angeregt zu diesem biographischen Werk wurde Hormayr durch Johannes von Müller, den eidgenössischen Historiker, der nach 1800 Kustos der Wiener Hofbibliothek geworden war. Hormayr selbst war seit 1808 Direktor des Geheimen Staats-, Hof- und Hausarchivs in Wien; 1816 erfolgte die Ernennung zum Reichshistoriographen durch Kaiser Franz II. Der Band 15 des »Österreichischen Plutarchs« enthält die Geschichte des Böhmenkönigs Přemisl Ottokar II., die zur wichtigsten Stoffanregung für Grillparzers Ottokar-Drama wurde. Hormayrs wie Grillparzers Werk sind auch Auseinandersetzungen mit Napoleon [19].

Der Dramatiker Heinrich Joseph von Collin (1771–1811), der Verfasser ›barocker Staatsdramen‹ [9. 637], feierte seine Erfolge als rhetorisch-klassizistischer Bühnenautor. In seinen Schauspielen hat Collin die Staatsgesinnung des österreichischen Kaisertums in antikisierendem Gewand zum Ausdruck gebracht: Ö. sollte als Staat seine Beständigkeit aus der Vielheit seiner Völker, orientiert an dt. Bildung und röm. *virtus*, erhalten. In einer lit. Debatte mit Josef Schreyvogel hatte Collin ganz im Sinne Schillers und der Romantiker die Auffassung vertreten, daß das Trauerspiel in seiner Handlung den Sieg der Freiheit über die Naturnotwendigkeit erhelle und das Publikum als Vertretung der Menschheit dabei erhoben werde durch die Triumphgefühle seiner Würde. Sein Stück *Regulus* (1801) begründete seinen damaligen Ruhm als »österreichischer Corneille« [17]. 1802 wurde sein *Coriolan* am Burgtheater aufgeführt. Seine Quelle waren Plutarchs *Lebensbeschreibungen*, die auch Shakespeare für seine *Tragedy of Coriolanus* benutzt hatte. Coriolan steht vor Gericht, weil er den Willen des Volkes mißachtet habe. Verurteilt, zerreißt er haßerfüllt alle Bindungen an Herkunft und Vaterland und stellt sich in den Dienst der Feinde Roms, die ihn durch einen Eid an sich binden. Der Konflikt zw. Eid und der wiedererwachenden Vaterlandsliebe lassen ihn zerbrechen und als ›Fremdling auf der Erde‹ den Tod suchen. Beethovens *Coriolan-Ouvertüre* (1807) wurde für Collins Trauerspiel als Introduktion komponiert. Collins Wertschätzung und Einstellung zum klass. Alt. dokumentiert sein Trauerspiel *Die Horazier und Curiatier*, das er zum Namenstag des Kaisers verfaßte [12].

D. Wiener Volkstheater

Durch den Theatererlaß vom 22. März 1776 hatte Kaiser Joseph II. versucht, das Wiener Theaterwesen neu zu ordnen. Er legte fest, daß das Burgtheater zum Hof- und Nationaltheater, das Theater am Kärntnertor jedoch zur Spielstätte für wandernde Schauspieltruppen und zur Volksbühne werden sollte. Dies war die Vorbereitung der Scheidung in Sprech- und Musiktheater. Wesentlich blieb der Gegensatz von Burg- (Metropole) und Vorstadttheater als kulturelle Differenzierung: An der Burg wurden die klass. Sprechstücke gegeben, die dann auf den Bühnen der Vorstädte parodiert wurden. Das Wiener Volkstheater lebte von diesem Gegensatz und zählte neben den barocken Besserungsstücken und den Lokalpossen die Parodie zu seinen Hauptgattungen [13; 14]. Die ant. Stoffe wurden mit aktuellen Anspielungen versehen, der Zauberapparat und die Allegorien des Volkstheaters gingen mit der Trad. frei um. Bei den Autoren Adolf Bäuerle, Joseph Alois Gleich und Karl Meisl bis zu Ferdinand Raimund und Johann Nestroy finden wir antikisierende Elemente, Allegorien (oft die Göttin Fortuna), nach Wien eingebürgerte ant. Helden sowie Komisierungen, die dem zumeist kleinbürgerlichen Publikum gefallen mußten [7]. Exemplarisch sind die in Wien lokalisierten »Mythologischen Karikaturen« von Karl Meisl und darunter *Orpheus und Euridice* (1813) hervorzuheben [7. 198–238].

E. Ausblick

Antike Stoffe haben österreichischen Autoren im 19. Jahrhundert dazu gedient, anhand der Opposition von Antik und Modern ihr eigenes Traditionsbewußtsein zu analysieren oder die Selbstreflexion voranzutreiben. Psychologisierung des Mythos oder Parodie ant. Versatzstücke gehören mit in die Rezeptionsgeschichte. Im Rahmen histor. Legitimationsprozesse wurde die griech. und röm. Lit. zum Beleg einer zeitlosen Wahrheit herangezogen. Die Berufung auf die Alte Welt konnte jedoch auch zum Signal einer kritischen Distanz zur Gegenwart werden. Einige dieser Rezeptionseinstellungen finden sich auch bei österreichischen Autoren des 20. Jahrhunderts ausgeprägt und fortgeschrieben. Dafür seien die griech. Dramen Hugo von Hofmannsthals genannt [11] oder Hermann Brochs Roman *Der Tod des Vergil* [18; 10]. Egon Friedells *Kulturgeschichte des Altertums* (1936) dokumentiert die ironische Subjektivität einer letzten Gesamtschau. Schließlich hat in jüngster Zeit Christoph Ransmayr mit seinem Ovid-Roman *Die letzte Welt* (1988) eine originelle Gegenwart der Ant. herbeizitiert [8; 2.; 3].

1 H. Bachmaier (Hrsg.), Franz Grillparzer, 1991 (mit Auswahlbibliogr. zu den Werken) **2** P. Bachmann, Die Auferstehung des Mythos in der Postmoderne. Philos. Voraussetzungen zu Christoph Ransmayrs Roman »Die letzte Welt«, in: Diskussion Deutsch, 21. Jhrg., 1990, 639–651 **3** K. Bartsch, ›Und den Mythos zerstört man nicht ohne Opfer‹. Zu den Ovid-Romanen *An Imaginary Life* von David Malouf und *Die letzte Welt* von Christoph Ransmayr, in: Lesen und Schreiben (FS Manfred Jurgensen), hrsg. v. Volker Wolf, 1995, 15–22 **4** B. Becker-Cantarino, Aloys Blumauer and the Literature of Austrian Enlightenment, 1973, 63–75 **5** L. Bodi, Tauwetter in Wien. Zur Prosa der österreichischen Aufklärung 1781–1795, 1977 **6** Briefe und Tagebücher des Lord Byron, Bd. 4, Braunschweig 1832 **7** M. Dietrich, Jupiter in Wien oder Götter und Helden der Ant. im Altwiener Volkstheater, 1967 **8** H. Gottwald, Mythos und Mythisches in der Gegenwartsliteratur. Stud. zu Chr. Ransmayr, Peter Handke, Botho Strauß, George Steiner, Patrick Roth und Robert Schneider, 1996 **9** F. Grillparzer, Werke in 6 Bde, Bd. 2, hrsg. v. Helmut Bachmaier, 1986 **10** J. Heizmann, Ant. und Moderne in Hermann Brochs »Tod des Vergil«. Über Dichtung und Wiss., Utopie und Ideologie, 1997 **11** W. Jens, Hofmannsthal und die Griechen, 1955 **12** W. Kirk, Die Entwicklung des Hochstildramas in Ö. von Metastasio bis Collin, 1978 **13** V. Klotz, Bürgerliches Lachtheater, 1980 **14** O. Rommel, Die Alt-Wiener Volkskomödie. Ihre Gesch. vom barocken Welt-Theater bis zum Tode Nestroys, 1952 **15** E. Rosenstrauch-Königsberg, Freimaurerei im josephinischen Wien. Aloys Blumauers Weg vom Jesuiten zum Jakobiner, 1975, 116–155 **16** W. Schadewaldt, Der Gott von Delphi und die Humanitätsidee, 1975 **17** P. Skrine, Collins *Regulus* Reconsidered, in: Brian Keith-Smith (Hrsg.): Bristol Austrian Studies, 1990, 49–72 **18** O. Tost, Die Ant. als Motiv und Thema in Hermann Brochs Roman »Der Tod des Vergil«, 1996 **19** L. Chr. Türkel, Das publizistische Wirken des Josef Freiherrn von Hormayr, 1980 **20** Fr. G. Welcker, Sappho von einem herrschenden Vorurtheil befreyt, Göttingen 1816 **21** Joh. Chr. Wolf, Sapphus, poetriae Lesbiae fragmenta et elogia, Londini 1733.   Helmut Bachmaier

Okkultismus   A. Begriffsbestimmung: Okkultismus und Esoterik   B. Hermetik und Hermetismus   C. Mysterienkulte   D. Orpheus und Orphizismus

A. Begriffsbestimmung: Okkultismus und Esoterik

Mit »O.« (von lat. *occultus* »verborgen, geheim«) werden gewöhnlich jene Strömungen und Gemeinschaften bezeichnet, die von der Geheimhaltung ihrer Lehren geprägt sind bzw. die den Sinnen verborgenen Bereiche der Wirklichkeit zum Ausgangspunkt ihres Interesses machen. Darunter fallen sog. »Psi-Phänomene« wie Telekinese, Teleportation, automatisches Schreiben etc. (Überblick bei [29; 107.; 88]). Auch wenn bereits Agrippa von Nettesheim von der *occulta philosophia* sprach [1], wurde der Begriff »O.« erst im 19. Jh. geprägt (nicht zuletzt durch die Theosophische Gesellschaft, s. [20; 5; 6]), und zwar in Auseinandersetzung mit der mod. Naturwiss., deren Methoden z. T. auf die »unsichtbare Welt« übertragen wurden ([10; 72]; dazu kritisch: [70]; Amerika von 1900 bis h.: [81]). Als systematischer religionswiss. Begriff ist »O.« mißverständlich, da er oft pejorativ gebraucht wird im Sinne von »Pseudo-Wiss.«, »Para-Wiss.« oder (gefährlichen) »Geheimkulten« (beispielhaft: [74], vgl. auch [79]). Um die Bedeutung dieser Strömung für die europ. Religions- und Geistesgeschichte aufzudecken, wird deshalb seit einiger Zeit der Begriff der Esoterik (von griech. *esōteros* »innen, Inneres«) bevorzugt, dessen Abgrenzung von »O.« allerdings schwierig ist. Der Vorschlag Tiryakians, »O.« solle ›intentional practices, techniques, or procedures‹ bezeichnen, »Esoterik« dagegen ›religiophilosophical belief systems‹ [125. 498 f.], konnte sich trotz einiger Zustimmung [56. 36] nicht durchsetzen, weil O. selbst theoretische Konzepte entwickelte, Esoterik ihrerseits immer auch praktische Disziplinen einschließt (richtig deshalb [65. 216]). Der O. – gerade jener des 19. Jh. – geht daher im allgemeineren Begriff der Esoterik auf, dem aus diesem Grunde der Vorzug zu geben ist.

Dabei hat sich die von A. Faivre ins Gespräch gebrachte Auffassung durchgesetzt, daß »Esoterik« keineswegs eine bestimmte Religion bezeichnet, sondern eine spezifische *Denkform*, die durch vier bzw. sechs Charakteristika bestimmt ist [54. 10–15]: (1) Das *Denken in Entsprechungen* ist als Grundkonstitutivum jeder Esoterik zu betrachten, nämlich die Annahme, die verschiedenen Ebenen oder »Klassen« der Wirklichkeit (Pflanzen, Menschen, Planeten, Mineralien etc.) bzw. die sichtbaren und unsichtbaren Teile des Universums seien

durch ein Band der Entsprechungen miteinander verbunden. Diese Verbindung ist nicht kausal, sondern
symbolisch zu verstehen, im Sinne des hermetischen
»wie oben, so unten«. Das Universum ist gleichsam ein
Spiegeltheater, indem alles Hinweise auf anderes enthalten kann. Veränderungen geschehen parallel auf allen
Ebenen der Wirklichkeit [122. 71–76]. (2) Die Idee der
lebenden Natur faßt den Kosmos als komplexes, beseeltes
System auf, das von einer lebendigen Energie durch-
flossen wird. Sowohl in der *magia naturalis* (→ Magie),
als auch in der Naturphilos. ist dieses Modell vorherrschend. (3) *Imagination* und *Mediationen* (Vorstellungskraft und Vermittlungen) weisen darauf hin, daß das
Wissen um die Entsprechungen hohe symbolische Vorstellungskraft erfordert bzw. durch spirituelle Autoritäten (Götter, Engel, Meister, Geistwesen) offenbart
wird. Auf diese Weise werden die »Hieroglyphen der
Natur« entziffert. (4) Die *Erfahrung der Transmutation*
stellt eine Parallele her zw. äußerem Handeln und in-
nerem Erleben; in Analogie zur Alchemie geht es der
Esoterik darum, den Menschen auf seinem spirituellen
Weg zu läutern und eine innere Metamorphose zu ermöglichen. Neben diesen vier Grundzügen kommen
zuweilen noch zwei weitere Elemente hinzu: (5) Die
Praxis der Konkordanz bemüht sich darum, einen gemeinsamen Nenner oder »Urgrund« verschiedener
Lehren zu finden, der sich in verschiedenen histor. Epochen lediglich in einem anderen Licht zeige. (6) *Transmission* oder *Initiation durch Meister* ist ein soziologisches
Element der Esoterik, denn häufig wird die Lehre durch
spirituelle Autoritäten weitergegeben und die Transformation des Gläubigen durch Einweihungsrituale äußerlich sichtbar gemacht.

Die Ursprünge jener Denkform liegen in der Antike
Das dargestellte systematische Instrumentarium ist in
besonderer Weise geeignet, die Rezeption ant. Seman-
tiken trotz ihrer disparaten histor. Zusammenhänge als
ein durchlaufendes Konstitutivum europ. Geistesgeschichte sichtbar zu machen. Die wichtigsten Elemente
eines solchen esoterischen Diskurses (neben → Magie,
Alchemie und Astrologie, s. auch → Gnosis; → Kabbala)
sollen im Folgenden beschrieben werden.

B. HERMETIK UND HERMETISMUS

I. BEGRIFFSKLÄRUNG

Das esoterische Offenbarungsgeschehen ist seit der
Ant. eng mit dem Namen Hermes Trismegistos (dem
»dreimal größten Hermes«) bzw. – in Anlehnung an die
ägypt. Gottheit – Hermes-Thot verbunden (s. [90]; zur
Wirkungsgeschichte insgesamt s. [58; 55.]; 36]; komm.
Bibliographie bei [55. 181–201]). Von der eigentlichen
ant. Hermetik zu unterscheiden ist die Rezeptionsgeschichte dieser rel.-philos. Strömung, die deshalb oft
mit dem Neologismus »Hermetizismus« (englisch: *hermeticism*) bezeichnet wird, eine Unterscheidung, die je
nach Sprache künstlich erscheint (kritisch ist deshalb
[52. 293]; dennoch Faivres Plädoyer für *hermetism* vs.
hermeticism in [36. 109f.]). Im Folgenden steht Hermetismus für die Rezeption ant. Hermetik.

2. MITTELALTER UND »TABULA SMARAGDINA«

Hermes ist in der Geschichte der europ. Esoterik
omnipräsent als göttlicher Lehrer und Offenbarer absoluter Weisheit. Die spätant. Trad. wurde zunächst v. a.
über islamische Schriften überliefert (Überblick bei
[114. 1–299; 128. 145–426]; wichtig dazu [44; 45]; vgl.
[46. 33–59; 47. 125–128]), etwa im berühmten *Picatrix*,
einer spanisch-arab. Sammlung des 12. Jh., die von späteren Autoren wie Agrippa von Nettesheim und Ca-
valliere Giambattista della Porta benutzt wurde [106;
124. Bd. 2. 813–824; 100; 98; 99. 37; 128. 385f.; 15].
Danach war Hermes der erste, der magische Bilder verwendete, er war der Gründer der legendären ägypt.
Stadt Adocentyn und wird als dreifache Autorität beschrieben: ägypt. Priester, Philosophen-Magier und
König bzw. Offenbarer (weitere ma. Beispiele bei
[128. 359–393; 114; 52. 295]).

Geradezu kanonischen Status erlangte eine noch ältere Schrift: die alchemistisch-esoterische *Tabula Sma-
ragdina* (s. [80a; 109. 138f.; 100; 128. 170–172]; zur Naturphilos. [116. 64–70]; zum islamischen Kontext [46]).
Der Text, welcher der Legende nach im Grab des Hermes Trismegistos von Balinus (arab. Bulunyûs), d. h.
Apollonius von Tyana (1. Jh. n. Chr.), unterhalb einer
ägypt. Hermes-Statue gefunden wurde oder auf andere
Weise im Verborgenen überliefert wurde, enthält in
Kurzform die o.g. esoterischen Prinzipien. Arabische
Mss. stammen aus dem Hoch-MA (Bibliotheken von
Paris, Leiden, Leipzig, Uppsala und Gotha), waren aber
vermutlich schon dem Alchemisten Geber (Jâbir ibn
Hayyan, wohl 8.–9. Jh.; s. [47. 128–133]) bekannt. Sicher belegt sind lat. Übers. des 12. Jh., allen voran des
spanischen Bischofs Hugo Sanctelliensis *Liber Apollonii
de principalibus rerum causis, et primo de caelestibus corporibus
et stellis et plantis, et etiam de mineriis et animantibus, tandem
de homine* sowie jene des frz. Mönches Hortulanus (Or-
tholanus oder Garlandius), die fiktiv auf 1040 datiert
wird, tatsächlich aber aus dem 14. Jh. stammen dürfte.
Dieser Komm., der 1541 bei Johann Petreus (Nürnberg)
als Teil des Sammelbands *De Alchemia* erstmals gedruckt
wurde, diente Autoren wie Albertus Magnus als Vorlage
[109; 63. Bd. 1. 81–88]. Die Lehren der *Tabula* tauchen
in den alchemistischen Schriften des Arnaldus de Villanova (1235–1311) und des Raymundus Lullus (1235–
1315) auf und lassen sich deutlich weiterverfolgen bei
den älteren Rosenkreuzern, in der hermetischen Maurerei und bei den Gold- und Rosenkreuzern der Neuzeit. Isaac Newton verfaßte Ende des 17. Jh. einen
Komm. zur *Tabula*, der allerdings ungedruckt blieb und
als Manuskript im King's College Cambridge aufbewahrt wird [91. 182–191] (zu esoterischen Anteilen in
Newtons Werk s. [51; 133.; 61]). Auch heute dient die
Tafel als Referenzpunkt esoterischer Weltdeutung [2.
Bd. 2. 115; 3. 28–31].

3. Die Entdeckung des »Corpus Hermeticum« in der Renaissance

Im 14. und 15. Jh. kam es zu einer neuen Blüte hermetischer Konzepte, wobei die ant. Quellen im Zuge der Ren. in synoptischer Weise verwendet und neuplatonisch überformt wurden. Während vom *Corpus Hermeticum* im MA wohl nur der *Asclepius* in einer lat. Version bekannt war – auch wenn Psellos (1018–1078) schon die ganze Sammlung erwähnt –, änderte sich dies, als 1463 eine griech. Sammlung des *Corpus* in Mazedonien entdeckt wurde. Der Text wurde zu Cosimo de' Medici nach Florenz und in die dortige platonische Akademie gebracht. Der junge Marsilio Ficino (1433–1499) erhielt den Auftrag zu einer lat. Übersetzung, und zwar noch vor der Fertigstellung seiner Plato-Übers., weil man davon ausging, daß Hermes Trismegistos deutlich älter sei als Plato und sogar als Moses. 1471 erscheint die lat. Übers. und erfährt bis zum Jahre 1641 nicht weniger als 25 Neuauflagen und Ausgaben, zusammen mit Übers. in andere Sprachen. Auf diese Weise entdeckte die Ren. die sog. *philosophia perennis*, also die »Ewige Philos.«, die als gemeinsamer Nenner von ägypt., griech., jüd. und christl. Religion galt [68].

Von den wichtigen Autoren des 16. Jh., die auf das *Corpus Hermeticum* rekurrieren, seien Ludovico Lazzarelli, Symphorien Champier [43a], Nikolaus Kopernikus, Francesco Giorgi von Venedig, Henricus Cornelius Agrippa von Nettesheim, John Dee, Francesco Patrizi und Giordano Bruno [136; 116. 77–112] genannt; im 17. Jh. sind v.a. zu erwähnen Robert Fludd, Ralph Cudworth (s. u.) und Athanasius Kircher sowie die Vertreter der christl. Kabbala Giovanni Pico della Mirandola, Johannes Reuchlin, Pietro Galatino, Guillaume Postel und Christian Knorr von Rosenroth (Überblick bei [52. 295–301]; → Kabbala). Der sagenhafte Ruf der hermetischen Dokumente blieb erhalten, obwohl der Genfer Protestant Isaac Casaubon schon 1614 den Beweis geführt hatte, daß jene Dokumente nicht älter sind als die ersten christl. Quellen (als Beispiel s. Abb. 1).

4. Neuzeit: Hermes als Begründer einer »Ewigen Wissenschaft«

Innerhalb der westl. Esoterik war Hermes Trismegistos als Offenbarer der alchemistischen und magisch-naturphilos. Weisheiten weiterhin eine wichtige Autorität (Abb. 2 zeigt den ant. Gott mit der *Tabula Smaragdina* in der einen Hand und die Weltkugel mit dem Zodiakalkreis in der anderen). Bes. in den sich herausbildenden Geheimgesellschaften wurde das ant. Material allenthalben für Ursprungslegenden der eigenen Trad. sowie für das Initiationsgeschehen der Gruppierungen in Anspruch genommen.

Bereits die Anfänge der Rosenkreuzer-Bewegung, die mit ihren Manifesten *Fama Fraternitatis* (1614) und *Confessio* (1615/1616) den öffentlichen Raum betreten hatte ([97; 110; 132; 69]; zur Vorgeschichte [66; 67]), verklärten den legendären Begründer Christian Rosenkreutz als einen Adepten, der das »Buch der Welt« (*liber mundi*) gelesen habe [19. 176] und in die Trad. des Her-

mes und der *Tabula Smaragdina* eingeweiht gewesen sei [63. Bd. 1. 146; 59. 191–200; 75. 114]. Die Legende um die Öffnung seines Grabes 1604 ähnelt außerdem der Auffindung der ant. Schriften im Grabmal des Hermes Trismegistos.

Auch die Handwerkslegenden der Freimaurer (früheste Spuren im Regius-Gedicht um 1390; Cooke-Ms. ca. 1430–1440) und ihre ältesten Konstitutions-Hss. (ab der Mitte des 15. Jh.) griffen auf die ant. Baumeister von Henoch bis Salomo zurück; Hermes erscheint hier als der Ratgeber der Isis und Erfinder der Geometrie. Im Cooke-Ms. wird berichtet, wie Hermes Trismegistos nach der Sintflut eine der beiden in der freimaurerischen Symbolik wie in der Kabbala so wichtigen Säulen (*Jachin* und *Boaz*) fand und gemeinsam mit Pythagoras, welcher der Entdecker der zweiten gewesen sei, die darauf verzeichneten Wiss. zu lehren begann. Jene Wiss. dienen in der Maurerei in erster Linie der Läuterung, Transmutation und Veredlung des Menschen. In manchen Logen, etwa der sog. hermetischen Maurerei, deren Schwerpunkt in Frankreich und dem dt. Sprachraum lag, ging es neben dieser eher theosophisch-pansophischen Ausrichtung auch um die praktische Herstellung des »Steins der Weisen« bzw. eines universellen Lebenselixiers [63. Bd. 1. 209–214]. Was die Grade der Initiationsstufen anbelangt, so übernahmen die Rosenkreuzer vielfach die ersten drei Grade der Freimaurerei (Lehrling, Geselle, Meister), entfalteten dann indes diverse eigene Reihungen bis zum siebten bzw. neunten Grad, entsprechend den Hochgradlogen auch höher (zur Dynamik der Grade s. [59. 145–190]). Stellvertretend sei hier der Orden der Gold- und Rosenkreuzer genannt, der nach seiner Reform 1777 den höchsten neunten Grad (*Magus*) mit der allumfassenden Weisheit der ant. Autoritäten umschreibt – ›ihnen ist nichts verborgen, sie sind Meister über alles, wie Moses, Aaron, Hermes und Hiram Abif‹ (nach [63. Bd. 1. 369]).

Insgesamt kann man feststellen, daß der Religionsstifter Hermes, der auch von Christen und Muslimen als Vorläufer der eigenen Religion verehrt wurde, zur Integrationsfigur der Neuzeit wurde, ›zum Hoffnungsträger und Schutzpatron einer von Bibel und Koran unabhängigen Wiss. Hier gab es zudem einen Weg, der überall verbindlichen aristotelisch-scholastischen Philos. zu entkommen‹ ([75. 197]; vgl. die Beiträge in [95]).

5. Theosophische Gesellschaft, »Hermetic Order of the Golden Dawn« und die Esoterik des 20. Jahrhunderts

Die esoterisch-okkulte Trad. wurde in der zweiten Hälfte des 19. Jh. erneut systematisiert und mit den wiss. Erkenntnissen der Zeit in Einklang gebracht (zur Romantik s. [127]). Neben den freimaurerisch-rosenkreuzerischen Gruppen waren es insbesondere die Schriften der 1875 von H. P. Blavatsky u. a. gegr. *Theosophischen Gesellschaft* (TG), welche die Rezeption ant. Hermetik im 20. Jh. prägten. In Blavatskys offenbarter *Secret Doctrine* (1888, Bd. 3 posthum 1897) ist Hermes der »dreimal große Initiierte«, dessen Lehre im Text des *Poimandres*

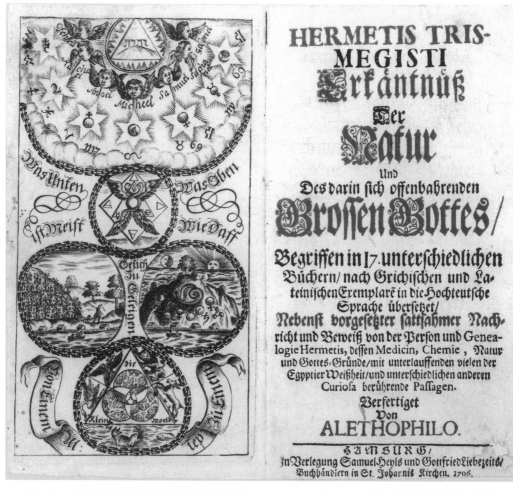

Abb. 1: »Alethophilo«, Hermetis Trismegisti Erkäntnüß der natur und Des darin sich offenbarenden Grossen Gottes …, 1706, Titelblatt (Bibliotheca Philosophica Hermetica, Amsterdam)

nur ein kümmerlicher Rest der ursprünglichen – vorbiblischen – Weisheit sei. Hermes und die anderen Meister (Henoch, Orpheus etc.) seien unsterblich; ›sie leben noch und sind die ersten Initiatoren in die Mysterien, und sind deren Begründer‹ [2. Bd. 2. 280]. Die histor. Einordnung der überkommenen Quellen wird nicht geleugnet, doch deren Bedeutung auf eine andere Ebene gehoben: Die hermetischen Bücher ›mögen Hermetische Werke sein, aber nicht Werke, die von einem der beiden Hermes geschrieben wurden – oder eigentlich, von Thot Hermes, der leitenden Intelligenz des Weltalls (mit Verweis auf *Totenbuch* Kap. XCIV), oder von Thot, seiner irdischen Inkarnation, genannt Trismegistos, vom Rosettastein‹ [2. Bd. 1. 738]. Der kosmische Hermes ist ein Garant für die absolute Gültigkeit der theosophischen Lehre, die zwangsläufig als ›Universallehre‹ [2. Bd. 3. 222] erscheint.

Ein wichtiger Vertreter des mod. Hermetismus ist der in den 1880er Jahren gegr. *Hermetic Order of the Golden Dawn*, der sich sowohl auf freimaurerische und rosenkreuzerische Trad., als auch auf Lehren der TG zurückführen läßt (zur Geschichte [76; 82.; 102]). In seinem Namen verbindet sich die hermetische Autorisierung mit dem Begriff der ›Morgenröte‹, welcher in theosophischer Semantik schon bei Paracelsus [91. 302–310], Böhme u. a. als Ausdruck für die Heraufkunft einer neuen Stufe der Menschheits- und Religionsentwicklung begegnet. Erwähnt sei eine unter dem Pseudonym Dominicus Gnosius (!) 1610 erschienene Schrift, die 1700 nachgedruckt wurde unter dem Titel *Hermes Trismegisti Regis Graecorum, ex aurora (= Morgenröte) consurgente Tractatus vere aureus de Lapidis philosophici secreto …* (weitere Nachweise bei [63. Bd. 2/2. 357–361]). Neben Hermes-Thot werden im *Order of the Golden Dawn* alle ant. Gottheiten, vorwiegend ägypt. Provenienz, rezi-

Abb. 2: Hermes Trismegistos, Malerei auf Holz.
Um 1740 in der Innsbrucker Hofapotheke zwischen
Hippokrates und Aesculap,
jetzt Pharmazie-Historisches Museum Basel
(Foto des Museums)

piert und in magisch-theosophischen Kontexten verwandt [16] (s.u.).

Aus der gleichen Zeit stammen lit. Adaptionen wie
der phantastische Roman *Das grüne Gesicht* von Gustav
Meyrink ([13], s. dazu [55. 117–119]). Wie präsent hermetische Geschichtskonstruktionen auch heute noch
sind, zeigt schließlich ein Blick auf esoterische Publikationen wie die »Smaragdtafeln von Thoth dem Atlanter« der *Brotherhood of the White Temple* [4]. Im Vorwort
zur dt. Ausgabe heißt es programmatisch: ›In ihren Händen halten Sie eines der ältesten und geheimsten Werke
der alten Weisheit, verfaßt vom großen spirituellen Lehrer Thoth, bei dem viele der jetzt inkarnierten Lichtar-
beiter in diversen atlantischen und ägypt. Inkarnationen
persönlich studierten und von dem sie, wenn es soweit
war, Einweihungen empfingen. Für viele heutige Le-
serinnen und Leser bedeuten diese Texte somit ein Wie-

dersehen und Wiedererkennen eigenen alten Wissens‹
[4. 5].

C. MYSTERIENKULTE

1. EINLEITUNG

Die Beschreibung von Mysterienkulten, also von
Vereinigungen und rituellen Handlungen, die auf den
Geheimnischarakter der Lehren und die Initiation ihrer
Mitglieder abhoben (vgl. Definition und Überblick bei
[137]; zur rel. Bedeutung von »Geheimnis« [33; 83.;
135]; zum »Geheimnis« bei den Freimaurern [89. 43–
49]), war in der europ. Rezeptionsgeschichte seit jeher
von zeitgenössischen christl.-theologischen Konstruktionen geprägt, was zu einer erheblichen Verzerrung der
ant. Wirklichkeit auch und gerade im Rahmen akad.
Konzeptionalisierung führte (wichtig dazu [117]).
Einerseits versuchte man, die christl. Lehre als öffentliche Offenbarung künstlich von paganen Mysterienkulten zu trennen, umgekehrt war man vom Geheimnis
jener Kulte fasziniert und suchte nach dem verborgenen
Kern auch der christl. Überlieferung, der dann als die
»wahre« und »authentische« Offenbarung der kirchlichen Doktrin entgegengehalten wurde.

Abgesehen davon, daß Initiationsrituale, wie sie in
der Ant. bekannt waren, auch im MA und der frühen
Neuzeit weiter gepflegt wurden – etwa im gnostisch-
esoterischen Kontext –, erlebte die Rezeption erst in der
Ren. und durch die Bildung der neuzeitlichen Geheimgesellschaften einen neuen und bedeutenden Schub.
Allen voran waren es die Mysterien von Eleusis und jene
um Isis und Osiris, welche die Phantasie entsprechend
entfachten, daneben wurden die Kulte um Kybele, Dionysos und Mithras adaptiert. Da diese Rezeption in einen breiten Kontext von Ägyptosophie und Helleno-
philie eingebunden ist (s. [24; 25.; 75]), können hier nur
punktuell wichtige Stationen der europ. Beschäftigung
mit den ant. Mysterien genannt werden.

2. RENAISSANCE UND FRÜHE NEUZEIT

Durch die Wiederentdeckung des *Corpus Hermeticum*
und seine Übers. durch Marsilio Ficino (s.o.) wurde
auch die Rezeption weiterer ant. »Weisheitsschulen« angestoßen (ausführlich dazu [134]; s. auch [84]). Beispiele
für ägypt. Textsammlungen sind der *Pymandre* des François Foix de Candale (1679) oder die *Hieroglyphika* des
Horapollon Niliacus (1505); dem Zoroaster zugeschriebene Lehren wiederum publizierte u.a. Francesco Pa-
trizzi (*Nova de Universis philosophia*, 1591). Die Auseinandersetzung mit den ant. Geheimkulten wurde im
17. Jh. deutlich intensiviert, v.a. durch Ralph Cudworth, einem führenden Mitglied der sog. »Cambridge
Platonists«, dessen 1678 erschienene Schrift *The True Intellectual System of the Universe* nachfolgende Generationen maßgeblich beeinflußte (1737 vom späteren Göttinger Theologieprofessor Johann Lorenz von Mosheim
ins Dt. übersetzt). In diesem Werk, das sich gegen Spinozas und Thomas Hobbes' »Atheismus« wendet und in
Ergänzung zu John Spencers »sichtbarer Religion« der
Ägypter deren »geheime Theologie« entfaltet, liefert
Cudworth Argumente für geheime Mysterien des Nil-

landes, in die auch Mose und spätere Initianden eingeweiht gewesen seien. Dabei war es ›die Formel, auf die
Cudworth die »Arkantheologie« der Ägypter gebracht
hatte, die die dt. und englische Frühromantik in ihren
Bann schlagen sollte. Diese Formel lautete *Hen kai pan*,
Eines und Alles oder das All-Eine‹ [25. 119]. Auf diese
Weise stieß Cudworth eine erregte Debatte an, die sich
später um den Begriff des »Pantheismus« entwickeln
sollte.

Anschließend war es der Bischof von Gloucester,
William Warburton (1698–1779), der mit seiner zw.
1737 und 1741 erschienenen Schrift *The Divine Legation
of Moses Demonstrated* wichtige Akzente setzte. Gegen
Deisten und Freidenker wie Spinoza bestand Warburton darauf, daß Moses Offenbarungen göttlichen Ursprungs seien und sich einer Mysterieninitiation verdankten, wie sie aus Griechenland und Ägypten bekannt seien. Konsequent entwickelt er das Konzept der
»doppelten Religion«, also einer »offenen« und einer
»geheimen« Linie ant. Religionen. Ägypten verkörpert
dabei das »natürliche Stadium« der Religion, in dem die
Grundlagen des Monotheismus gelegt wurden in Form
eines esoterischen Pantheismus, die zweite Stufe bildet
das »systematische Stadium« in Griechenland, während
das »synkretistische Stadium« von den die Lehre verfälschenden Hermetika bis zum Spinozismus reicht
[25. 133–170; 95. 283 f.]. Die Auffassung, daß die wahre
Lehre nur jenseits der öffentlich institutionalisierten
Religion tradiert werden könne, hat stark eingewirkt
auf die rel. wie polit. Haltungen der sich formierenden
Geheimgesellschaften.

3. Initiation bei Freimaurern und Rosenkreuzern

In allen freimaurerischen und rosenkreuzerischen
Gemeinschaften, die z. T. wiederum auf ma. Strömungen rekurrieren, hat die Initiation im Stile der ant. Mysterienkulte eine herausgehobene Stellung inne (allg.
[85]; daß dies auch für den 1776 gegr. Illuminatenorden
gilt, zeigt [92]). Grundsätzlich (wenn auch nur grob)
unterschieden werden muß dabei zw. christl. orientierten Gesellschaften wie der Strikten Observanz und dem
Rektifizierten Schottenritus, die – mit einem temple-
rischen und ritterlichen Einschlag – auf Jerusalem und
das Heilige Land fokussiert waren, und den eher paganen (vgl. [101]) bzw. ägypt. Riten [54. 78–80], allen
voran der Ägypt. Maurerei mit ihrem im 18. und frühen
19. Jh. gebildeten Memphis- und Misraim-Ritus (vgl.
[63. Bd. 2/2. 135–221], Abb. 3 zeigt das Titelblatt der
Crata Repoa genannten Konstitution des von Karl
Friedrich Köppen in den 1770er Jahren gegr. Afrikani-
schen Ordens).

Wie man sich die Aneignung der ant. Mysterien vorzustellen hat, sei beispielhaft an einem Ende des 18. Jh.
praktizierten Initiationsritus der an der ägypt.-alchemi-
stischen Hochgradmaurerei orientierten »Magier von
Memphis oder der wahren Freimaurerei« erläutert
(Text bei [18]; vgl. [63. Bd. 2/2. 149–157]; Bibliographie von Ritualen im 18. Jh. bei [59. 177 f.]). Die In-

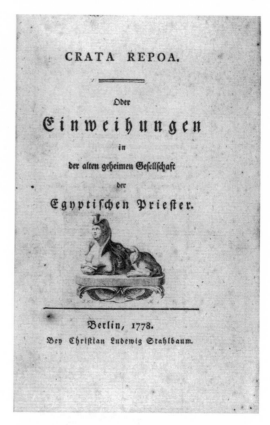

Abb. 3: K.F. Köppen, Crata Repoa.
Oder Einweihungen in der alten geheimen Gesellschaft
der Egyptischen Priester, Berlin 1778
(Bibliotheca Philosophica Hermetica, Amsterdam)

itiation in den ersten Grad wird in einem »Sanctuarium«
durchgeführt, dessen Wände mit rotem Damast ausge-
kleidet und mit Abbildungen des Saturn, des Osiris, der
Isis, des Horus und des Harpokrates (als Gott des
Schweigens) versehen sind. Während des Aufnahmeri-
tuals steigt der »Redner« aus einem Sarg empor und in-
struiert den Initianden über die geistige Herkunft des
Rituals und sein hohes Alter. Bei den Einweihungen in
die höheren Grade werden die zu bestehenden Prüfungen – Fesselung, symbolische Tötung, Befreiung durch
Losungsworte etc. – und die Herrichtung des Tempels –
etwa mit Hilfe von weiteren Särgen und Totenköpfen –
entsprechend der jeweiligen Stufe variiert, wobei die
sog. »Vier-Elemente-Probe«, das Herabsteigen in geheime Gemächer und das Öffnen verriegelter Tore eine
wichtige Rolle spielen.

4. Adaptionen im 19. und 20. Jahrhundert

Initiatische Gesellschaften sind auch im 19. und
20. Jh. in Europa und Nordamerika anzutreffen [63;
54. 102–104]. Die wichtigsten bis heute praktizierenden
Freimaurergruppen umfassen den Rektifizierten Schottenritus, den Alten und Angenommenen Schottischen
Ritus und die Memphis-Misraim-Richtung. Daneben

Anwärter

Dritter
Adept

Zweiter
Adept

Abb. 4: Tempelanordnung für den »Zweiten Punkt« der
Initiation zum Grad des Adeptus Minor
im rosenkreuzerischen Ritual des »Golden Dawn«
(Falcon Press)

fanden Rosenkreuzer-Trad. in vielfältiger Weise Eingang in mod. Gemeinschaften. Genannt seien die *Societas Rosicruciana in Anglia* (gegr. 1865), der Anfang des
20. Jh. gegr. O. T. O. (*Ordo Templi Orientis*), der ägypt.
Hochgradmaurerei fortsetzte [93], das 1924 von Jan Le-
ene alias Jan van Rijckenborgh in Haarlem (Niederlande) gegr. *Lectorium Rosicrucianum* und schließlich der zu
den wichtigsten Wegbereitern der mod. Esoterik zu
rechnende AMORC (*Antiquus Mysticus Ordo Rosae Cru-
cis*), der 1915 von Harvey Spencer Lewis gegr. worden
war und bei dessen Tod 1939 bereits mehrere Millionen
Mitglieder zählte.

    Auch der oben genannte *Hermetic Order of the Golden
Dawn* kann als Melange von Ägyptenbegeisterung,
christl. Kabbala und rosenkreuzerischer Initiationspraxis
betrachtet werden. Dies zeigt sich etwa in der Einweihung zum Grad des Adeptus Minor, der von allen genannten Trad. Gebrauch macht (Abb. 4): Im Tempel,
der als Grab stilisiert ist, liegt der Hauptadept auf dem
Rücken, um »C. R. C.« (Christian Rosenkreutz) darzustellen. ›Er ist in volles Ornat gekleidet, auf seiner
Brust hängt von einem doppelten Phönixkragen das
vollständige Symbol des Rosenkreuzes. Seine Arme
sind auf der Brust gekreuzt (als Zeichen des Osiris), er
hält Krummstab und Geißel. Zwischen denselben liegt
das Buch T. Der Deckel des Pastos ist geschlossen, der
runde Altar steht darüber. Die anderen Adepten befin-

den sich außerhalb des Grabes. Auf dem Altar liegen
Rosenkreuz, Weinkelch, Kette und Dolch‹ [16. Bd.
2. 890].

    Es verwundert nicht, daß auch im Kontext der
Theosophischen Gesellschaft entsprechende Rezeptionen vorzufinden sind. An dieser Stelle sei jedoch die
spätere Weiterentwicklung bei Rudolf Steiner (1861–
1925) und seiner Anthroposophischen Gesellschaft angeführt [75. 146–159]. Im September 1908 hält Steiner
acht Vorträge in Leipzig, auf denen er die »mystische
Wahrheit« der ant. Mysterien Ägyptens erläutert [22].
Erneut begegnet Hermes Trismegistos als großer Initiator, Moses als Schüler der ägypt. Mysterien, Isis und
Osiris wiederum als geistige Entitäten von zeitloser Lebendigkeit. Das damit einhergehende Einweihungsge-
schehen inszenierte Steiner auch in seinen Mysterien-
dramen. Im vierten und letzten – *Der Seelen Erwachen* –
spielt die Handlung des siebten und achten Bildes in
einem ›Tempel etwa nach ägypt. Art. Die Stätte einer
weit in der Zeit zurückliegenden Initiation. Drittes Kul-
turzeitalter der Erde‹ [21. 72]. Das äußere Geschehen
spiegelt dabei die Transmutation der Seele des Initianden wider, vom Eintauchen in die Dunkelheit des Todes bis zur Wiedergeburt in geistigen Welten.

D. ORPHEUS UND ORPHIZISMUS

1. EINLEITUNG

Die Gestalt des Orpheus, der mit Hilfe seiner Laute
bzw. Leier die wilden Tiere besänftigt, seine Geliebte
Eurydike aus der Unterwelt zu befreien sucht und dabei
tragisch endet, ist ebenso mythenumrankt wie die orphischen Mysterien, die sich an seine Person anlagerten
(s. auch [137. 506–509]). Insofern gehören schon die
ant. lit. Konstruktionen des Vergil und Ovid eigentlich
zur Rezeptionsgeschichte dieses Helden. Die fehlende
histor. Faßbarkeit des Orpheus hat eine nach den Bedürfnissen der Zeit ausgerichtete Aneignung seines Mythos bis heute stimuliert, wobei einige zentrale Aspekte
immer wieder variiert wurden: Orpheus als ekstatische
Gottheit, welche den Kult des Dionysos, von Thrakien
herkommend, prägte; seine Fähigkeit, die Rohheit der
Natur mit Hilfe der Musik zu zähmen; Orpheus als
Meister der Unterwelt und des Totenreiches; und
schließlich Orpheus als Chiffre für eine Liebe, die den
Tod nicht scheut. Besonders seine Verbindung mit Musik und Kunst führte dazu, daß es häufig lit. und ästhetische Produktionen waren, die Orpheus als ihren mystischen Helden beschworen [112; 103. Bd. 2. 773–801;
120], doch auch in Philos. und Religion zieht sich diese
Spur quer durch die Jahrhunderte, schien Orpheus doch
das Mysterium einer den Sinnen verborgenen Welt zu
verkörpern, die gleichwohl als Ort der »eigentlichen
Wahrheit« angesprochen werden konnte.

2. RENAISSANCE UND FRÜHE NEUZEIT

War Orpheus für die christl. Denker Byzanz' in erster
Linie ein Meister der frommen Todesüberwindung –
zur ikonographischen Identität von Orpheus und Christus [64. 38–85; 73. 170f.] –, ein Heiler durch Liebe
[64. 146–210] und ein Beherrscher der Archonten (allg.

[131. 51–83]), so änderte sich die Perspektive im 14. Jh. allmählich, und Human. und Ren. konzipierten Orpheus als Vorbild der künstlerisch-esoterischen Welterkenntnis [37]. Schon Boccaccio, *De genealogia deorum* (5,12) sprach davon, daß Orpheus nicht nur wilde Tiere, sondern analog dazu ›blutrünstige und räuberische Menschen (zähme), die durch kunstvolle Sprache (*eloquentia*) zu Freundlichkeit und Menschlichkeit (*humanitas*)‹ geführt würden [55. 26]. Das Projekt der Zivilisierung des Wilden durch die Kunst wurde bald in eine größere Vision integriert, als Denker wie Marsilio Ficino Orpheus in guter neuplatonischer Manier zum Vertreter der *prisca theologia* aufbauten, also neben Abraham, Hermes Trismegistos, Moses, Zoroaster, Pythagoras, Plato etc. in die Linie der esoterischen »Urväter« einreihten. Diese enge Verbindung zeigt sich etwa bei Gafurio, *De harmonia musicorum instrumentorum* (1,4; Mailand 1512) der davon berichtet, daß Orpheus die Leier von Merkur/Hermes bekommen habe und sie dann an Pythagoras weitergegeben habe. Die Leier symbolisiert die Harmonie der Sphären, ihre sieben Saiten die sieben Planeten, wobei dies mehr ist als ein Symbol – die Leier ist die Mikrostruktur des gesamten Kosmos wie auch der menschlichen Seele. Vor diesem Hintergrund ist es nur ein Schritt zur magischen Dimension orphischer Musik, und Marsilio Ficino selber wurde als *Orpheus redivivus* gefeiert, der mit Hilfe seiner Musik die Wirklichkeit zu verändern vermochte (z. B. von Naldo Naldi und von Lorenzo de' Medici, vgl. [131. 85–110]).

Diese Einschätzung findet sich deutlich in den Werken von Edmund Spenser und John Milton [38. 145–163; 131. 207–230], doch auch in der Kunst vollzog sich im 15. Jh. ein Wechsel von der biblischen zur klass.-myth. Rezeption des Orpheus [131. 111–162]. So zeigt schon das 1439 fertiggestellte Bildnis der »Musik« von Luca della Robbia einen kosmisch-spirituellen Zug orphischer Kunst, der von der histor. Person zum mythischen Wesen aller Kunst abstrahiert. Ähnliches läßt sich in den ersten drei Opern der Musikgeschichte nachweisen, die alle Orpheus gewidmet waren: Jacopo Peri, *Euridice* (1600); Giulio Caccini, *Euridice* (1600); und Claudio Monteverdi, *Orfeo* (1607, nach dem Libretto *Favola d'Orfeo* von Angelo Poliziano). Alle drei waren von der Idee getragen, daß die musikalische Umsetzung dem Text folgen müsse, wofür Orpheus als der große Initiator kosmischer Harmonie der beste Garant war [131. 163–181].

3. Philosophie und Literatur der Aufklärung

Im Laufe des 18. Jh. verschob sich der orphische Diskurs in zweierlei Richtungen: Zum einen führte die Aufklärung zur Hinterfragung christl. Ansprüche auf allumfassende Welt- und Geschichtserklärung, zum anderen machten europ. Gelehrte aufgrund von missionarischen und ethnologischen Reiseberichten zunehmend Bekanntschaft mit außereuropäischen Kulturen, die scheinbar noch im »Urzustand« der Menschheit waren. Dies hatte erhebliche Auswirkung auf die Haltun-

gen gegenüber Orpheus. So waren es frz. Aufklärer wie Denis Diderot, die Nachrichten aus der russ. Provinz über schamanische Praktiken mit ihren Kenntnissen der ant. Orphik in Verbindung brachten [62. 117–131]. Daran anknüpfend kommt auch Johann Gottfried Herder in seiner Schrift *Aelteste Urkunde des Menschengeschlechts* (1774) im Abschnitt »IV. Aegyptisch-Orphische Politie« auf die frühesten philos.-rel. Hintergründe der orphischen Mysterien zu sprechen. Er beschreibt den ant. Helden mit folgenden Worten: ›Orpheus, der Prophet und Gesetzgeber und Erfinder des Griechischen Alterthums – welch ein Wundermann! Genau eben derselbe als der Aegyptische *Hermes*. Eben dieselben Prädikate, Schriften, und Erfindungen, die man jenem zuschreibt: die *Buchstaben*, die *Musik*, die Leier mit sieben Saiten, die *Naturkunde, Magie* und *Weissagung*, die *Astrologie* und *Weltenkänntniß*, insonderheit aber *Theologie, Poesie*, und *Gesetzgebung* – alles findet sich bei *Orpheus* wieder‹ [7. 397]. Und weiter: ›Die Wiege des Menschlichen Geschlechts stand verdeckt. Die Geschichte jeder Wiss. auch unter den Griechen, war ohne Kopf, oder verbarg ihn – wohin? *unter den Barbarn*! da geh und suche‹ [7. 400]. Im Gegensatz zu manchen Kollegen aber suchte Herder nicht nach einer bloßen Gegenfolie für das Projekt europ. Aufklärung, sondern sah in den »orphischen Priestern« schamanischer Kulturen einen notwendigen Typus von Religion, denn nur unter Hinzunahme des Phänomens des Enthusiasmus wird »wahres Sein« vollkommen [62. 132–149].

Ähnliche Gedankengänge flossen auch in das Werk Johann Wolfgang von Goethes ein, der v. a. im *Faust* allenthalben die Verbindung zw. orphischer Unterweltreise, *magia naturalis*, Naturverbundenheit und Kunst hervorhob (vgl. [62. 166–207], mit z. T. unhaltbaren Argumenten; zum esoterischen Gesamtbild grundlegend dagegen [138]; vgl. [116; 56]). Damit stellt Goethe ein Bindeglied dar zur romantischen Konzeption des Orpheus als Künstler und Virtuosen der Wahrheit.

4. Von der Romantik ins 20. Jahrhundert

Kunst und Lit. der Romantik waren – sowohl in Deutschland und Frankreich, als auch in anderen europ. Ländern – an Orpheus insofern interessiert, als dieser zum Inbegriff einer heldenhaften Liebe aufgebaut werden konnte, der durch sein tief beseeltes Laierspiel wilde Tiere und Unterweltgötter zu besänftigen vermochte, um seine Eurydike aus dem Totenreich zu befreien (vgl. etwa Novalis' Versdichtung *Orpheus* [121. 20–49]). Mehr noch: Er hatte sich der Liebe so sehr hingegeben, daß er tragisch scheitern mußte. Das Verbot, sich nach Eurydike umzudrehen, konnte er nicht halten, und Orpheus verlor seine Geliebte dadurch ein zweites Mal. Daneben rückte ein anderer Aspekt in den Mittelpunkt des Interesses: Orpheus als *Reisender* und *Seher*. Besonders im Umfeld Victor Hugos (1802–1885) und der frz. Romantik läßt sich dies nachweisen [105; 80; 121. 50–139], etwa in Hugos Konzeption der »zwei Welten«: ›Das Reich der Poesie ist unendlich. Unter der realen Welt gibt es eine ideale Welt.‹ [9. Bd. 1. 265]. Die neuplatonisch inspirierte Esoterik der Romantik konzeptionalisierte eine verborgene Welt der Poesie nicht nur, sie sakralisierte sie zugleich. Die orphische Mystik, die letztlich nichts anderes ist als sakrale Kunst, läßt den Menschen die eigentliche und hl. Welt hinter dem Materiellen spüren, und emphatisch ruft der Dichter aus: ›Dichter, hier ist das geheimnisvolle Gesetz: schreite hinüber‹ [8. 309]. Transgression und Transformation sind mit keinem anderen Mythologem so eng verbunden wie mit dem orphisch-dionysischen, und so wird Orpheus zum Inbegriff des Sehers in der anderen Welt, zum Reisenden ins Jenseits, der nach der Rückkehr den Mitmenschen Bericht erstattet von den Geheimnissen des Lebens [105. 26].

Daß in der Tat die Orpheus-Rezeption des 19. Jh. in die Geschichte der Esoterik gehört, läßt sich auch am Werk Pierre-Simon Ballanches nachweisen, dessen *Orphée* nachfolgende Generationen prägte [80. passim]. Auch für Ballanche stellt die Leier die Verbindung zw. den kosmischen und den irdischen Ebenen des Seins her, wobei er an ant. Vorstellungen der Musen und an die Sage des mythischen Sängers Thamyris anknüpft, eine Verbindung, die schon Marsilio Ficino gezogen hatte. ›Ballanche hat uns drei Vergleichspunkte mit dieser Tradition geliefert: die Persönlichkeit des Orpheus, das Ideal des seherischen Dichters, die Initiation des Thamyris.‹ [80. 284]. Der Initiationscharakter wird dabei ebenso deutlich wie der transformatorische Aspekt der Orpheus-Esoterik, der in der Erkenntnis der wahren Wirklichkeit gipfelt: ›Durch die Vereinigung mit Orpheus und der Leier wird die Schau der erhabenen Wahrheit geboren, die Kraft der Prophetie.‹ [80. 284].

Die Orpheus-Rezeption im 20. Jh. schließlich ist mit keinem Dichter so eng verbunden wie mit Rainer Maria Rilke (1875 – 1926), dessen 1904 geschriebenes Gedicht *Orpheus. Eurydike. Hermes* und dann der 1922 entstandene Zyklus *Sonette an Orpheus* aus den vielen mod. Adaptionen herausragen (Überblick bei [87; 113. 155–198; 120; 73. 182–193], zu Rilke v.a. [121. 140–217; 113. 118–154]). *Orpheus. Eurydike. Hermes* ist eine mod. lyrische Nacherzählung des ant. Stoffes; wie schon Vergil und Ovid es getan hatten, stellt auch Rilke den entscheidenden Fehler Orpheus', sich nach der Geliebten umgedreht zu haben, in den Mittelpunkt des Geschehens. Allerdings ist nicht Orpheus die Hauptperson des Gedichts, sondern Eurydike, womit eine bewußte Veränderung der Perspektive erreicht wird. Das äußere Geschehen wird darüber hinaus in einen inneren Vorgang transformiert, was dazu führt, daß die Seele das eigentliche Thema des Gedichts ist.

In den 55 *Sonetten an Orpheus* wird dieses Thema auf komplexe Weise erweitert, und Rilke nimmt einige Akzentverschiebungen vor. Orpheus' Fähigkeit, wilde Tiere zu besänftigen, wird hier nicht als eine machtvolle Demonstration seiner Überlegenheit dargestellt, sondern als die Herstellung eines Einklangs, einer Harmonie zw. den Wesenheiten, die aus Liebe und Poesie geboren wird. Aus diesem ›einigen Glück von Sang und Leier‹ ging Eurydike hervor ›und machte sich ein Bett in meinem Ohr / Und schlief in mir. Und alles war ihr Schlaf‹ (Sonett I/2, [17. 675]). Damit ist erneut die verborgene Wirklichkeit gemeint, die schon in *Orpheus. Eurydike. Hermes* beschrieben wurde und die von Eurydike verkörpert wird: ›Sie schlief die Welt‹ (ebda.). Die mystische Einheit zw. den Welten wird auch am Beispiel der Tiere deutlich, die von Orpheus nicht bezwungen, sondern durch seinen Tod auf paradoxe Weise erst zum Leben geführt werden (I/26 [17. 691 f.]). Durch die Verbindung mit der Leier, d.h. mit Kunst, Musik und Poesie, werden die Menschen als »Hörende« und als »Mund der Natur« der einstigen Harmonie teilhaftig, die nur scheinbar zerstört ist, in Wahrheit jedoch in jedem Stein, in jedem Baum und jedem Vogel weiter klingt. Es ist deswegen die Natur selber gemeint, nicht allein der Dichter, wenn Rilke sagt: ›Ein für alle Male / ist's Orpheus, wenn es singt‹ (I/5 [17. 677]).

Auch der Themenkomplex »Tod – Initiation – Transformation« kommt in den Sonetten zur Sprache. Die Welten des Todes und des Lebens gehören untrennbar zusammen, und nur durch die Überschreitung der Grenze werden die Menschen der Ganzheit teilhaftig (II/5 und II/6). In den Sonetten II/12 und II/13 gewinnt jene Initiation Aufforderungscharakter, ruft doch der Dichter aus: ›Wolle die Wandlung. O sei für die Flamme begeistert‹ [17. 702], und danach heißt es: ›Sei immer tot in Eurydike –, singender steige, / preisender steige zurück in den reinen Bezug. / Hier, unter Schwindenden, sei, im Reiche der Neige, / sei ein klingendes Glas, das sich im Klang schon zerschlug‹ [17. 703]. Der Tod als die andere Seite des Lebens ist das große Geheimnis der Kunst; Orpheus und Eurydike sind die Mystagogen eines esoterischen Initiationsgeschehens, die Spezialisten des Jenseits, die den mit ihnen verbundenen Menschen mit der Zerstörung konfrontieren und zugleich – und allererst – in die Ganzheit des Kosmos einweihen.

→ Gnosis; Kabbala; Magie; Naturwissenschaften VII. Alchemie; Naturwissenschaften V. Astrologie

→ AWI Ägypten; Hermes; Hermetische Schriften; Isis; Mysterien; Orpheus; Orphistik; Orphische Dichtung; Osiris

QU **1** AGRIPPA VON NETTESHEIM, De occulta philosophia libri tres, 3 Bde., Amsterdam 1531 **2** H. P. BLAVATSKY, Die Geheimlehre, Die Vereinigung von Wiss., Religion und Philos., 3 Bde., Den Haag o.J., dt. Erstausgabe 1899 **3** T. DETHLEFSEN, Schicksal als Chance. Das Urwissen zur Vollkommenheit des Menschen, 1976 **4** DOREAL, Die Smaragdtafeln von Thoth dem Atlanter, Eines der ältesten und geheimsten der großen Werke der alten Weisheit, Aus der Ursprache übertragen und interpretiert von Doreal, 1998 **5** D. FORTUNE, Gesunder O., 1985 **6** F. HARTMANN, Andere Dimensionen des Denkens, Wissen und Erkenntnis, Eine Einführung in die Geheimwiss., ²1986 **7** J. G. HERDER, Aelteste Urkunde des Menschengeschlechts (1774), in: Sämtliche Werke VI, Ndr. der Ausgabe von 1883, 1967 **8** V. HUGO, Promontorium Somnii, hrsg. R. JOURNET, G. ROBERT, 1961 **9** Ders., Œuvres poétiques, hrsg. von P. ALBOUY, 1967 **10** C. KIESEWETTER, Gesch. des Neueren

Occultismus, Geheimwiss. Systeme von Agrippa von Nettesheym bis zu Carl du Prel, ²1909 **11** Ders., Der O. des Alt., Leipzig 1896 **12** H.-D. LEUENBERGER, Das ist Esoterik, Eine Einführung in esoterisches Denken und die esoterische Sprache, 1986 **13** G. MEYRINK, Das grüne Gesicht, 1916 **14** PARACELSUS (THEOPHRASTUS BOMBASTUS), De occulta philosophia, Köln 1570 **15** D. PINGREE (Hrsg.), Picatrix, The Latin Version of the Ghayat Al-Hakim, 1986 **16** I. REGARDIE, Das magische System des Golden Dawn, 3 Bde., ³1996 **17** R. M. RILKE, Die Gedichte, ¹¹1999 **18** O. SCHAAF (Hrsg.), Zwei Hochgrad-Rituale des 18. Jh. (Das Freimaurer-Mus., Archiv für freimaurerische Ritualkunde und Geschichtsforsch. 2), 1926 **19** R. SCHERER (Hrsg.), Alchymia, Die Jungfrau im blauen Gewande, Alchemistische Texte des 16. und 17. Jh., 1988 **20** R. STEINER, Die Geheimwiss. im Umriß, 1910 **21** Ders., Der Seelen Erwachen, Seelische und geistige Vorgänge in scenischen Bildern, 1922 (1913) **22** Ders., Ägypt. Mythen und Mysterien, Zwölf Vorträge, 1931

LIT **23** R. AMADOU, L'Occultisme, Esquisse d'un monde vivant, ²1987 **24** J. ASSMANN, Ägypten, Eine Sinngesch., 1996 **25** Ders., Moses der Ägypter, Entzifferung einer Gedächtnisspur, 1998 **26** J. BALTRUŠAITIS, La Quête d'Isis, Essai sur la légende d'un mythe, 1985 **27** J. P. BAYARD, L'occultisme, 1984 **28** H. BENDER, Umgang mit dem Okkulten, 1984 **29** Ders. (Hrsg.), Parapsychologie, Entwicklung, Ergebnisse, Probleme, ⁴1976 **30** W. D. BERNER, Initiationsriten in Mysterienreligionen, im Gnostizismus und im ant. Judentum, Diss. Göttingen 1972 **31** U. BERNER, s. v. Mysterien/Mysterienreligion, in: HrwG 4 (1998), 169–173 **32** M. BIDDISS, M. WYKE (Hrsg.), The Uses and Abuses of Antiquity, 1999 **33** K. W. BOLLE (Hrsg.), Secrecy in Religions, 1987 **34** F. BONARDEL, L'Hermetisme, 1985 **35** N. L. BRANN, Trithemius and Magical Theology, A Chapter in the Controversy over Occult Studies in Early Modern Europe, 1999 **36** R. VAN DEN BROEK, W. J. HANEGRAAFF (Hrsg.), Gnosis and Hermeticism from Antiquity to Modern Times, 1998 **37** A. BUCK, Der Orpheus-Mythos in der it. Ren., 1961 **38** Ders. (Hrsg.), Die Rezeption der Ant., Zum Problem der Kontinuität zw. MA und Ren., 1981 **39** Ders. (Hrsg.), Die okkulten Wiss. in der Ren., 1992 **40** A. BUCK, K. HEITMANN (Hrsg.), Die Ant.-Rezeption in den Wiss. während der Ren., 1983 **41** W. BURKERT, »Griech. Myth. und die Geistesgesch. der Moderne«, in: Les études classiques aux XIXe et XXe siècles: leure place dans l'histoire des idées, 1980, 159–199 **42** H. CANCIK, s. v. Mysterien/Mystik, in: HrwG 4 (1998), 174–178 **43a)** B. COPENHAVER, Symphorien Champier and the Reception of the Occultist Trad. in Ren. France, 1978 **43b)** Ders., »The Occultist Trad. and its Critics«, in: The Cambridge History of the Seventeenth-Century, vol. 1, 454–512 **44** H. CORBIN, En Islam Iranien, aspects spirituels et philosophiques, 5 Bde., 1971–1972 **45** Ders., L'Homme et son ange, Initiation et chevalerie spirituelle, 1983 **46** Ders., Die smaragdene Vision, Der Licht-Mensch im persischen Sufismus, 1989 **47** Ders., History of Islamic Philosophy, 1993 **48** J. S. CURL, Egyptomania, The Egyptian Revival, 1994 **49** A. G. DEBUS, M. T. WALTON (Hrsg), Reading the Book of Nature, The Other Side of the Scientific Revolution, 1998 **50** M. DESSOIR, Vom Jenseits der Seele, Die Geheimwiss. in kritischer Betrachtung, 1917 **51** B. J. T. DOBBS, The Janus Faces of Genius, The Role of Alchemy in Newton's Thought, 1991 **52** A. FAIVRE, s. v.

Hermetism, in: Encyclopedia of Religion 6 (1987), 293–302 **53** Ders., s. v. Occultism, in: Encyclopedia of Religion 11 (1987), 36–40 **54** Ders., Access to Western Esotericism, 1994 **55** Ders., The Eternal Hermes: From Greek God to Alchemical Magus, 1995 **56** Ders., »Les lectures théosophiques du jeune Goethe d'après Poésie et Vérité«, in: J.-M. VALENTIN (Hrsg.), Johann Wolfgang Goethe: L'un, l'Autre et le Tout, 2000, 491–505 **57** Ders., Theosophy, Imagination, Trad., Stud. in Western Esotericism, 2000 **58** Ders. (Hrsg.), Présence d'Hermès Trismégiste, 1988 **59** A. FAIVRE, W. J. HANEGRAAFF (Hrsg.), Western Esotericism and the Science of Religion, 1998 **60** A. FAIVRE, J. NEEDLEMAN (Hrsg.), Modern Esoteric Spirituality, 1992 **61** J. FAUVEL et al. (Hrsg.), Newtons Werk, Die Begründung der mod. Naturwiss., 1993 **62** G. FLAHERTY, Shamanism and the Eighteenth Century, 1992 **63** K. R. H. FRICK, Die Erleuchteten, Gnostisch-theosophische und alchemistisch-rosenkreuzerische Geheimges. bis zum Ende des 18. Jh. – ein Beitr. zur Gesch. der Neuzeit, T. 1, 1973, T. 2 »Licht und Finsternis« (2 Bde.), 1975/1978 **64** J. B. FRIEDMAN, Orpheus in the Middle Ages, 1970 **65** P. GERLITZ, s. v. O. I. Religionsgeschichtlich, in TRE 25 (1995), 216–221 **66** C. GILLY, Adam Haslmayr, Der erste Verkünder der Manifeste der Rosenkreuzer, 1994 **67** Ders. (Hrsg.), Cimelia Rhodostaurotica, Die Rosenkreuzer im Spiegel der zw. 1610 und 1660 entstandenen Hss. und Drucke, 1995 **68** Ders., Marsilio Ficino e il ritorno di Ermete Trismegisto, 1999 **69** C. GILQUIN, Hermetisme et Rose-crois, fama fraternitatis, confessio fraternitatis, 1998 **70** P. GRIM (Hrsg.), Philosophy of Science and the Occult, ²1990 **71** W. J. HANEGRAAFF, New Age Religion and Western Culture, Esotericism in the Mirror of Secular Thought, 1996 **72** A. HELLWIG, O. und Wiss., unter bes. Berücksichtigung der Telekinese und der Materialisationen, 1926 **73** H. HOFMANN, »Orpheus«, in: Ders. (Hrsg.), Ant. Mythen in der europ. Trad., 1999, 153–198 **74** S. HOLTHAUS, Theosophie, Speerspitze des O., 1989 **75** E. HORNUNG, Das esoterische Ägypten, Das geheime Wissen der Ägypter und sein Einfluß auf das Abendland, 1999 **76** E. HOWE, The Magicians of the Golden Dawn, A Documentary History of a Magical Order 1889 – 1923, 1972 **77** M. INTROVIGNE, Il Cappello del Mago, I nuovi movimenti magici dallo spiritismo al satanismo, 1990 **78** E. IVERSEN, The Myth of Egypt and its Hieroglyphs in European Trad., 1961 **79** W. JANZEN, s. v. O. II. Praktisch-theologisch, in: TRE 25 (1995), 221–230 **80** B. JUDEN, Trad. orphiques et tendances mystiques dans le romantisme français (1800–1855), 1971 **80a** DIEDIER KAHN, Hermès Trismégiste, La »Table d'Emeraude« et sa tradition alchimique, 1994 **81** H. KERR, C. L. CROW, The Occult in America: New Historical Perspectives, 1983 **82** F. KING, Ritual Magic in England, 1887 to the Present Day, The Golden Dawn and Other Magical Orders, 1970 **83** H. G. KIPPENBERG, G. G. STROUMSA (Hrsg.), Secrecy and Concealment, Stud. in the History of Mediterranean and Near Eastern Religions, 1995 **84** R. KLIBANSKY, The Continuity of Platonic Trad. During the Middle Ages, 1939 **85** H.-R. KÖNEKE, Freimaurerlogen, Die letzten Mysterienbünde, 1998 **86** D. M. KOSINSKI, Orpheus in 19th Century Symbolism, 1989 **87** E. KUSHNER, Le Mythe d'Orphée dans la littérature française contemporaine, 1961 **88** M. KYBER, Einführung in das Gesamtgebiet des O. vom Alt. bis zur Gegenwart, ²1923 **89** P. C. LUDZ (Hrsg.),

Geheime Gesellschaften, 1979 **90** J.-P. Mahé, s. v. Hermes Trismegistos, in: Encyclopedia of Religion 6 (1987), 287–293 **91** I. Merkel, A. G. Debus (Hrsg.), Hermeticism and the Ren., 1988 **92** M. Meumann, Zur Rezeption ant. Mysterien im Geheimbund der Illuminaten: Ignaz von Born, Karl Leonhard Reinhold und die Wiener Freimaurerloge »Zur wahren Eintracht«, in: [95. 288–304] **93** H. Möller, E. Howe, Merlin Peregrinus, Vom Untergrund des Abendlandes, 1986 **94** M. Neugebauer-Wölk, Esoterische Bünde und Bürgerliche Ges., Entwicklungslinien zur mod. Welt im Geheimbundwesen des 18. Jh., 1995 **95** Dies. (Hrsg.), Aufklärung und Esoterik, 1999 **96** W.-E. Peuckert, s. v. O., in: H. Bächtold-Stäubli (Hrsg.), HWB des dt. Aberglaubens 6, 1935, 1224–1235 **97** Ders., Die Rosenkreutzer, Zur Gesch. einer Reformation, 1928 **98** Ders., Pansophie, Ein Versuch zur Gesch. der weißen und schwarzen Magie, ²1956 **99** Ders., Gabalia, Ein Versuch zur Gesch. der magia naturalis im 16. bis 18. Jh., 1967 **100** M. Plessner, »Neue Materialien zur Gesch. der Tabula Smaragdina«, in: Der Islam 16 (1927), 77–113 **101** M. Raoult, Les Druides, Les sociétés initiatiques celtiques contemporaines, 1983 **102** I. Regardie, My Rosicrucian Adventure, ²1971 **103** J. D. Reid, The Oxford Guide to Classical Mythology in the Arts, 1300 – 1990s, 2 Bde., 1993 **104** P. Riffard, L'Occultisme, Textes et recherches, 1981 **105** H. B. Riffaterre, L'orphisme dans la poésie romantique, Thèmes et style surnaturalistes, 1970 **106** H. Ritter, Picatrix, ein arabisches Hb. hell. Magie, Vortr. der Bibl. Warburg 1921–22, 1923 **107** D. S. Rogo, Parapsychologie, Hundert Jahre Forsch., 1976 **108** E. Runggaldier, Philos. der Esoterik, 1996 **109** J. Ruska, Tabula Smaragdina. Ein Beitr. zur Gesch. der hermetischen Lit., 1926 **110** H. Schick, Die geheime Gesch. der Rosenkreuzer (= Das ältere Rosenkreuzertum, Ein Beitr. zur Entstehungsgesch. der Freimaurerei), 1942, Ndr. 1980 **111** J. Schmidt, Tarot und O., Eine religionswiss. Studie, 1990 **112** J. Schondorff (Hrsg.), Orpheus und Eurydike: Poliziano, Calderón, Gluck, Offenbach, Kokoschka, Cocteau, Anouilh, 1963 **113** C. Segal, Orpheus, The Myth of the Poet, 1989 **114** F. Sezgin, Gesch. des arab. Schrifttums, Bd. IV, 1971 **115** W. Shumaker, The Occult Sciences in the Ren., A Study in Intellectual Patterns, 1979 **116** M. Sladek, Fragmente der hermetischen Philos. in der Naturphilos. der Neuzeit, Histor.-kritische Beitr. zur hermetisch-alchemistischen Raum- und Naturphilos. bei Giordano Bruno, Henry More und Goethe, 1984 **117** J. Z. Smith, Drudgery Divine, On the Comparison of Early Christianities and the Religions of Late Antiquity, 1990 **118** E. Staehelin, »Zum Motiv der Pyramiden als Prüfungs- und Einweihungsstätten«, in: S. Israelit-Groll (Hrsg.), Stud. in Egyptology Presented to Miriam Lichtheim, 1990, II, 889–932 **119** E. Staehelin, B. Jaeger (Hrsg.), Ägypten-Bilder, 1997 **120** W. Storch (Hrsg.), Mythos Orpheus, Texte von Vergil bis Ingeborg Bachmann, 1997 **121** W. A. Strauss, Descent and Return, The Orphic Theme in Modern Literature, 1971 **122** K. von Stuckrad, Das Ringen um die Astrologie, Jüd. und christl. Beitr. zum ant. Zeitverständnis, 2000 **123** L. E. Sullivan (Hrsg.), Hidden Truths, Magic, Alchemy and the Occult, 1989 **124** L. Thorndike, A History of Magic and Experimental Science, 8 Bde., 1923–1958 **125** E. A. Tiryakian, »Toward the Sociology of Esoteric Culture«, in: American Journ. of Sociology 78 (1972), 491–512 **126** R. G. Torrens, The Secret Rituals of the Golden Dawn, 1973 **127** E. L. Tuveson, The Avatars of Thrice Great Hermes, An Approach to Romanticism, 1982 **128** M. Ullmann, Die Natur- und Geheimwiss. im Islam, Hdb. der Orientalistik, Ergbd. VI, 2, 1972 **129** D. P. Walker, The Ancient Theology, Stud. in Christian Platonism from the Fifteenth to the Eighteenth Century, 1972 **130** Ders., Spiritual and Demonic Magic from Ficino to Campanella, 1975, ²2000 **131** J. Warden (Hrsg.), Orpheus, The Metamorphoses of a Myth, 1982 **132** G. Wehr, Die Bruderschaft der Rosenkreuzer, 1984 **133** R. S. Westman, J. E. McGuire, Hermeticism and Scientific Revolution, 1977 **134** E. Wind, Pagan Mysteries in the Ren., 1958 (dt. 1988) **135** E. R. Wolfson (Hrsg.), Rending the Veil, Concealment and Secrecy in the History of Religions, 1999 **136** F. A. Yates, Giordano Bruno and the Hermetic Trad., 1964 **137** D. Zeller, s. v. Mysterien/Mysterienreligionen, in: TRE 23 (1994), 504–526 **138** R. C. Zimmermann, Das Weltbild des jungen Goethe, 2 Bde, 1969.

KOCKU VON STUCKRAD

Olympia   A. Rezeption
B. Forschungsgeschichte

A. Rezeption
1. Antike und frühbyzantinische Zeit

Das Kultfest von O. respektive die in diesem Zusammenhang abgehaltenen Agone erfuhren bereits in der Ant. eine erste Rezeption. Allein in den östl. Provinzen des Röm. Reichs wurden in mindestens 38 Städten *Olympien* oder *Isolympien* begangen. Auch wenn manches dieser Feste nicht auf den olympischen Agon, sondern allg. auf den Kult des Zeus Olympios oder speziell auf die gleichnamige hadrianische Institution Bezug nahm, ist für manche Orte eine unmittelbare Angleichung an die Regeln, Wettbewerbe und Preise des in O. abgehaltenen Agons gesichert [15]. Eine scharfe Trennung zw. ideellen Intentionen und dem an wirtschaftlichen Interessen und Prestigedenken ausgerichteten Handeln der Städte ist für diese Zeit nicht möglich. Bemerkenswert ist das für einige Orte bezeugte Festhalten an den *Olympien* über das 426 n. Chr. von Theodosius II. erneuerte Verbot paganer Kulte hinaus [13. 15]. In O. selbst hatten die Wettkämpfe möglicherweise bis weit in das 6. Jh. hinein ein Nachleben am Rande des in eine christl. geprägte Landgemeinde umgewandelten Kultplatzes [25].

2. Mittelalter und frühe Neuzeit

Über ma. Hss. und frühneuzeitliche Druckausgaben der Texte des Pausanias und des Pindar fand die kontinuierlich bewahrte Kenntnis von O. zunächst Eingang in die Lit. und Lexikographie [13. 22–23]. In den erstmals im J. 1612 veranstalteten *Olimpick Games upon Cotswold-Hills* des Robert Dover ist die früheste neuzeitliche Anknüpfung an die Olympischen Agone bezeugt [21]. Das Programm verband traditionelle gymnische und musische Aktivitäten mit volkstümlicher Belustigung wie z B. Froschhüpfen, Stockfechten, Tanz, aber auch mit charakteristischem Zeitvertreib des engl. Adels: Ha-

Abb. 1: Robert Dover und die »Cotswold Games«.
Holzschnitt aus dem Jahr 1933

senjagd, Schach, Windhundrennen. Bei aller zeitgenössischen Prägung bestand ein Bezug zur Ant. jedoch darin, daß es sich im Wortsinne um eine *Panegyris*, d. h. um
eine »festliche Versammlung des ganzen Volkes« handelte. Dieser populären Verwurzelung verdankten die
»Cotswold Games« ihre – mit einigen Unterbrechungen
– bis in das J. 1852 währende Tradition (Abb.1).

Aus der Kenntnis der »Cotswold Games« heraus etablierten sich im ausgehenden 18. Jh. im Fürstentum An-
halt-Dessau die »wiederauflebenden Olympischen
Spiele« am Drehberg bei Wörlitz. Innerhalb des von
J. B. Basedow unter dem Einfluß J. J. Winckelmanns am
Dessauer *Philantropin* verwirklichten reformpädagogi-
schen Konzepts stellten sie ein wesentliches Element dar
[8. 138–143]. Um den erzieherischen Wert des Sports
hervorzuheben, suchte man auch bei den 1857–1859
jährlich veranstalteten Turnfesten des »Allgemeinen
Turnvereins in Leipzig« den Bezug zu den Wettkämpfen des ant. O. [13. 190–191]. Ähnlich verhielt es sich
auch bei den turnerischen Festspielen ›im Geist der Hellenen‹ anläßlich des Münchner Oktoberfestes in den J.
1835 und 1836 [13. 172] und den von einem »Olympischen Verein« 1834 und 1836 in Ramlösa bei Helsing-
borg veranstalteten gymnastischen Spielen [13. 153–
154]. Daneben sind »Olympische Spiele« für zahlreiche
weitere Städte in Mittel- und Nordeuropa bezeugt
[10. 81³].

3. Die »Olympischen Spiele der Neuzeit«

Die Anf. der bis h. begangenen »Olympischen Spiele
der Neuzeit« liegen nicht im J. 1896 und gehen nicht auf
Baron de Coubertin zurück. Bereits im Vorfeld des
griech. Unabhängigkeitskampfes reifte unter griech.
Patrioten, unter ihnen der Nationalheld Rigas Ferraios,
die Idee einer an der ant. Trad. orientierten Bildung und
Pädagogik. In diesem auf den Ionischen Inseln entwickelten Gedankengut nahm der Plan einer Wiederbelebung der Olympischen Spiele breiten Raum ein
[10. 13–37]. Als Griechenland 1829 seine Unabhängigkeit wiedererlangt hatte, sollte ein Nationalfest nach Art
der *Panegyris* des ant. O. das Zusammengehörigkeits-
gefühl der Hellenen stärken. Am griech. Königshof,
aber auch in dem Ort Letrinioi bei O. wurden dazu
detaillierte Pläne für solche *Olympia-Spiele* ausgearbeitet, deren Umsetzung wohl aber nicht erfolgte [10. 37–
44].

Dieser Durchbruch gelang erst Evangelis Zappas, der
mit Beharrlichkeit und dem Einsatz seines Vermögens
1859 erstmals die Abhaltung von »Olympien« in Athen
ermöglichte. Die Teilnehmer kamen nicht allein aus
dem neuen griech. Staat, sondern auch aus den seinerzeit noch dem Osmanischen Reich zugeordneten
griech. Orten. Im Sinne einer ant. Panegyris sah das
Programm neben athletischen Wettkämpfen auch eine
Darbietung der intellektuellen Leistungen sowie eine
Messe der agrarischen und industriellen Produkte vor.
Unter deutlich verbesserten organisatorischen Bedingungen wurden die Olympien in den J. 1870, 1875 und
1888/89 wiederholt [10. 45–79]. Dafür stand neben
dem von Zappas finanzierten, 1888 fertiggestellten
Messegebäude (*Zappaion*) auch das nach den Ausgrabungen bereits weitgehend wieder hergestellte ant. Stadion zur Verfügung [4. 126–128].

Die für das J. 1896 geplanten 5. »Olympien« standen
bereits unter der Ägide des 1894 in Paris konstituierten
Internationalen Olympischen Komitees, dessen erster
Präsident der in Paris lebende Grieche Dimitrios Vikelas
war [10. 105–354]. Coubertins Konzept, die Olympischen Spiele fortan außerhalb Griechenlands im örtlichen Wechsel auszurichten, evozierte einen Zwist mit
Vikelas. Ein Kompromiß sah die Durchführung von jeweils in Athen ausgetragenen »Zwischenspielen« vor.
Im J. 1906 erlebte Athen mit solchen »Zwischenspielen«
ein letztes Mal »Olympien« in der Trad. des 19. Jahrhunderts [30].

Gegen den zuletzt völlig unglaubwürdig gewordenen Anspruch des IOC, mit der Ausrichtung der Olympischen Spiele der Neuzeit ein in ant. Trad. verwurzeltes
Ethos in die Gegenwart zu transferieren, sind in jüngerer Zeit pädagogische Modelle entwickelt worden,
die ohne idealistische Verzerrungen an zeitgenössischen
Anforderungen orientiert sind, sich dabei aber Erfahrungen der ant. Agonistik zunutze machen [19].

B. Forschungsgeschichte

1. Wiederentdeckung und erste Erschliessung

Die Nachricht von der sicheren Identifizierung der Ortslage O. hat der Engländer Richard Chandler 1766 nach Mitteleuropa getragen [3. 294]. Sein lokaler Informant war der in Gastuni ansässige Aga Muláh. Chandlers Beschreibung der Ortslage führte in der Folgezeit zahlreiche Forschungsreisende nach Olympia. Ausgehend von dem Text des Pausanias (V 7, 1 – VI 21, 3) entstanden aus der Autopsie erste – sehr hypothetische – Versuche einer top. Rekonstruktion der Antikenstätte (u. a. 1787/88 von L. Fauvel und Barbié du Bocage [1]). 1799 identifizierte F. Pouqueville die Kladeos-Ufermauer [20, 306]. 1806 führten E. Dodwell und Gell eine kleine Grabung am Zeustempel durch und lieferten damit die Grundlage für einen ersten, von W. Wilkins gezeichneten Grundplan des Tempels [5. 334; 28.74]. 1813 erstellten Lord Spencer Stanhope und Allason auf Anregung von Quatremère de Quincy eine Karte O. auf trigonometrischer Grundlage [24]. Unmittelbar vor dem Eintreffen der frz. Expedition, an der teilzunehmen er sich geweigert hatte, studierte Ch. Lenormant 1829 die Ruine des Zeustempels [14. 20].

2. Ausgrabungen und deren Vorgeschichte

Der früheste Nachweis für die Idee umfassender Ausgrabungen in O. stammt von B. de Montfaucons. 1723 empfahl er dem im selben J. zum Bischof von Korfu berufenen Kardinal Quirini, die in seinem Amtsbereich gelegene Antikenstätte von O. aufzuspüren und dort Ausgrabungen durchzuführen. Unter Berufung auf den Text des Pausanias verhieß er ihm eine ›reiche Ernte‹ an Siegerstatuen, Reliefs und Inschriften [13. 41–42]. Mit dem Hinweis auf den Zugewinn an Kenntnissen über die Kunst- und Geistesgeschichte des ant. Griechenland warb J. J. Winckelmann seit 1759 für Ausgrabungen in Olympia. Erstmals wurde nun auch der Verbleib der Funde thematisiert: Das von Winckelmann in einem Brief vom 13.1.1768 an Chr. Heyne erwogene Finanzierungsmodell sah eine Aufteilung der Funde an die privaten Sponsoren gemäß der Höhe ihrer Einzahlungen vor [13. 47–48; 29. 84]. Winckelmanns Projekt einer durch Subskription finanzierten Freilegung O. rief 1821 F. Sickler in Erinnerung. Er verband dies mit einem Plädoyer für den Zusammenhalt aller Funde, die in einem zu Ehren Winckelmanns errichteten Mus. griech. Kunst auf dt. Boden gezeigt werden sollten [22]. Zur gleichen Zeit wurden in England Vorbereitungen für Ausgrabungen in O. zugunsten des Mus. in Cambridge getroffen, durch den aufkeimenden griech. Unabhängigkeitskampf aber vereitelt [2. 58].

Sein mil. Engagement in der Peloponnes nutzte Frankreich, um nach der Befriedung der Halbinsel im J. 1829 einer wiss. Expedition den Weg auch nach O. zu eröffnen. Eine sechswöchige Kampagne, deren Leitung sich der Archäologe Dubois und der Architekt Blouet teilten, führte zu einer weitgehenden Freilegung des Zeustempels und des Innern der frühbyzantinischen Kirche [2. 59–60; 13. 127–140; 27. 103–104]. Die Bergung mehrerer Fragmente vom Skulpturenschmuck des Zeustempels bestärkte die Hoffnung auf einen reichen kunsthistor. Ertrag einer großflächig angelegten Grabung. Die Ursachen für die vorzeitige Abreise der frz. Expedition liegen im dunkeln. Wahrscheinlich war sie durch griech. Einschreiten gegen die Ausfuhr der Funde verursacht [2. 60–61] (Abb.2).

Ein im Mai 1834 in Griechenland erlassenes Gesetz erklärte alle im Lande geborgenen Antiquitäten als »gemeinsames Nationalgut aller Hellenen«. Dem hatten fortan alle Bemühungen um den Erwerb einer Grabungserlaubnis Rechnung zu tragen. In einem 1836 von Fürst Pückler-Muskau entwickelten Plan fand diese Vorgabe ihren Niederschlag in dem Vorschlag, die Funde am Rande des als → Archäologischer Park gestalteten Grabungsareals in einem vor Ort errichteten Mus. zu präsentieren [13. 158–163].

Die konsequente Orientierung an diesem Artikel des griech. Antikengesetzes bildete eine der Voraussetzungen für die Aufnahme der Grabungen des Dt. Reichs im J. 1875. Noch wesentlicher für die erfolgreiche Vertragsunterzeichnung am 25. April 1874 war aber das Zusammenwirken von Wiss. und Politik auf dt. Seite [27. 105–115]. Die persönlichen Verbindungen der Archäologen Ludwig Ross und Ernst Curtius zum preußischen Königshaus respektive zum Kaiser und zum Kronprinzen vermochten innerhalb Deutschlands die Widerstände zu überwinden, die sich gegen die Finanzierung eines kostspieligen Projekts richteten, dessen Ertrag an Kunstwerken nicht dt. Museen zugutekommen sollte. In der auch im Reichstag vollzogenen Diskussion behielten schließlich jene Argumente die Oberhand, die die Uneigennützigkeit wiss. Arbeit ansprachen. Die Befürworter setzten sich mit ihrer Überzeugung durch, daß der Altertumskunde neben den Naturwiss. und der zeitgeschichtlichen Forsch. eine gleichwertige Unterstützung zuzubilligen sei. Ihr erfolgreiches Plädoyer schloß speziell auch den Hinweis auf die Notwendigkeit der Herausbildung einer fachspezifischen arch. Methodik ein, für die eine Grabungspraxis unerläßlich sei. Großes Gewicht hatte das Argument, daß dem neugegründeten Dt. Reich durch die Grabung in O. ein Profil auf kulturellem Gebiet erwachse [2. 68–69].

Heinrich Schliemanns Ansinnen, bei der Vergabe der Grabungslizenz an ihn, die Funde zunächst in privatem Besitz zu belassen und sie erst nach seinem Tod dem griech. Staat in einem nach ihm benannten Mus. zu übergeben, fand zwar im griech. Parlament viele Befürworter, wurde im Kabinett aber verworfen [13. 201–203].

Die grundlegende Forschungsarbeit in O. begann am 4. Oktober 1875 und fand mit der Vorlage der fünfbändigen Publikation *Olympia. Die Ergebnisse der vom Deutschen Reich veranstalteten Ausgrabung* 1897 ihren vorläufigen Abschluß. Die eigentliche Grabungstätigkeit beschränkte sich auf sechs jeweils in den Wintermonaten

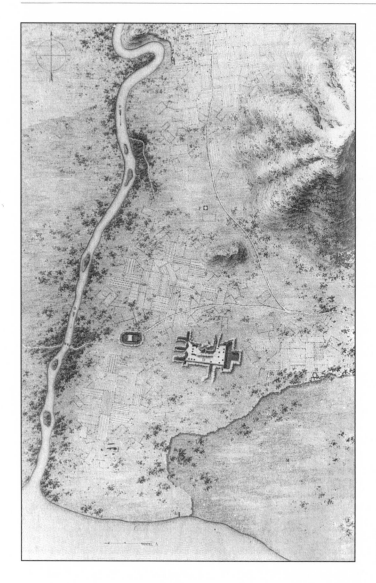

Abb. 2: Olympia nach den
französischen Ausgrabungen
im Jahr 1829

durchgeführte Kampagnen in den J. 1875/76–1880/1. Eine 1884/85 von der Griech. Arch. Gesellschaft zu Athen vorgenommene Nachgrabung in der Palästra kam ergänzend hinzu. In einer organisatorischen Meisterleistung wurde das gesamte Zentrum des Heiligtums zumeist bis zum »gewachsenen Boden« untersucht. Der wesentliche Ertrag lag im Bereich der Top. und Baugeschichte. Nahezu 1000 Inschr. gewährten zudem Einblick in die Organisation und histor. Einbindung Olympias. Die meist wörtliche Übereinstimmung der Inschr. und Künstlersignaturen an den Siegerstatuen mit den bei Pausanias überlieferten Abschriften war für die philol. Forsch. von Bedeutung. Der kunsthistor. Ertrag hingegen blieb weit hinter den hohen Erwartungen zurück. Die marmorne Hermesstatue des Praxiteles, die Statue der Nike des Paionios, der Kopf der Bronzestatue

eines Faustkämpfers und die Marmorskulpturen des Zeustempels milderten die in den zeitgenössischen Berichten unverkennbare Enttäuschung [2. 49–74; 16. 6–14; 27. 101–154]. Unter dem Aspekt der Grabungsmethodik verdient die sorgfältige Dokumentation aller Funde und Befunde hervorgehoben zu werden; das gilt insbesondere auch für die seinerzeit gering geachteten Zeugnisse der frühbyz. Epoche [26]. Dank der Stiftung des athenischen Bankiers Syngros konnten die Funde in dem 1888 fertiggestellten Mus. in Sichtweite der Antikenstätte präsentiert werden [16. 11].

Im offenen Disput endete diese Forschungsperiode über der Frage nach dem Alter Olympias. Während A. Furtwängler aus der stilistischen Analyse der Bronzefunde einen Beginn des Kultbetriebs erst im frühen 1. Jt. konstatierte [9], hielten E. Curtius und W. Dörpfeld an ihrer zunächst eher emotional begründeten Auffassung fest, daß O. eine bis in die myk. Epoche zurückreichende Bed. gehabt haben müsse [6].

Seine Position als Erster Direktor der Athenischen Abteilung des → Deutschen Archäologischen Instituts nutzte W. Dörpfeld im Zeitraum von 1906 bis 1929 für wiederholte Grabungen in Olympia. Dabei glaubte er am Heraion, am Pelopion mit den benachbarten Apsidenhäusern sowie am sog. »kahnförmigen Monument« westl. des Kronoshügels die Existenz eines myk. Kultplatzes nachweisen zu können [7]. Seine Deutungen hielten späteren Nachforschungen nicht stand (s.u.).

Ausgelöst durch die in Berlin ausgetragenen Olympischen Spiele des J. 1936 wurden in O. unter dem Patronat der seinerzeitigen Reichsführung 1936/37 neue Grabungen aufgenommen, ohne daß die Wissenschaftler in ihrer Fragestellung oder Analyse – wie andernorts geschehen – Vorgaben der nationalsozialistischen Ideologie ausgeliefert hätten. Die 1938 E. Kunze und H. Schleif in leitender Funktion übertragene Arbeit galt formal der vollständigen Freilegung des zuvor nur ansatzweise aufgedeckten Stadions. Der Ertrag dieser mit der kriegsbedingten Unterbrechung (1943–1951) bis 1966 andauernden Grabungsperiode liegt im wesentlichen im Bereich der griech., orientalischen und etr. Bronzefunde, um deren wiss. Erschließung sich neben E. Kunze insbes. H.-V. Herrmann verdient gemacht hat [16. 20–26].

Die unermeßliche Zahl der Neufunde aber auch die Notwendigkeit einer Aktualisierung der Beurteilung alter Funde und Befunde führte 1966 zu einer Konzentration auf die Publikation aller wichtigen Fundgattungen und mehrerer architektonischer Monumente [16. 24–26]. Zur Gewinnung zusätzlicher Informationen sowie im Hinblick auf restauratorische Maßnahmen wurden unter der Leitung von A. Mallwitz seit 1973 vereinzelt Nachgrabungen und kleinere Sondagen vorgenommen [11; 16. 26–28]. Aus diesen Arbeiten ist u.a. die wichtige Klärung der Baugeschichte des Heratempels (Gründung bald nach 600 v.Chr.) durch A. Mallwitz hervorgegangen [17]. Vornehmlich der Klärung top. Fragen galten die 1977 im Südosten und Südwesten des Antikengeländes aufgenommenen Grabungen. Als besonderer Erfolg kann die Aufdeckung spätklass. Schanzgräben gelten, die mit der von Xenophon Hell. VII 4 beschriebenen, während der 104. Olympiade (364 v.Chr.) ausgefochtenen Schlacht in der Altis in Verbindung zu bringen sind; sie erlaubten eine sichere Identifizierung des Hestiaheiligtums und des Theatron und erhellten zugleich die Baugeschichte des Stadions [18].

Bei der Übernahme der Grabungsleitung durch H. Kyrieleis wurden 1985 zwei programmatische Schwerpunkte gesetzt. Kyrieleis selbst griff mit Grabungen im Westen des Kronoshügels und im Bereich des Pelopion die alte Frage nach den Anfängen des Kultbetriebs von O. erneut auf. Erstmals in der über hundertjährigen Grabungsgeschichte wurde dieses so heftig umstrittene

Thema unter Einbeziehung eines Vor- und frühgeschichtlichen Archäologen (J. Rambach) in Angriff genommen [12]. Parallel zu den der Frühgeschichte des Platzes gewidmeten Studien begann 1985 ein zweites, von U. Sinn geleitetes Forschungsprojekt, das sich auf die Entwicklung O. während der röm. Kaiserzeit und Spätant. konzentriert und konsequenterweise in Zusammenarbeit mit einem Provinzialröm. Archäologen (Th. Völling) durchgeführt wurde [23].

1 ABBÉ BARTHÉLEMY, Voyage du jeune Anacharsis, 1788 2 A. BOETTICHER, O., Das Fest und seine Stätte ²1886 3 R. CHANDLER, Travels in Greece, 1776 4 W. DECKER, G. DOLIANITIS, K. LENNARTZ, 100 Jahre Olympische Spiele. Der neugriech. Ursprung, 1996 5 E. DODWELL, A classical and topographical tour through Greece II, 1819 6 W. DÖRPFELD, Das Alter des Heiligtums von O., in: MDAI(A) 31, 1906, 205–218 7 W. DÖRPFELD, Alt-O. I. II, 1935 8 J. EBERT (Hrsg.), O. Von den Anf. bis zu Coubertin, 1980 9 A. FURTWÄNGLER, Die Bronzefunde aus O. und deren kunsthistor. Bed., 1879 10 K. GEORGIADIS, Die ideengeschichtliche Grundlage der Erneuerung der Olympischen Spiele im 19. Jh. in Griechenland und ihre Umsetzung 1896 in Athen, 2000 11 K. HERRMANN, A. MALLWITZ, H. VAN DE LÖCHT, Ber. über Restaurierungsarbeiten in O., AA 1980, 351–367 12 H. KYRIELEIS, Neue Ausgrabungen in O., in: Antike Welt 21, 1990, 177–188 13 K. LENNARTZ, Kenntnisse und Vorstellungen von O. und den Olympischen Spielen in der Zeit von 393–1896, 1974 14 CH. LENORMANT, Sculptures d'Olympie, in: Bulletino dell' Inst. di corrispondenza archeologica, 1832 15 W. LESCHHORN, Die Verbreitung von Agonen in den östl. Provinzen des Röm. Reiches, in: Stadion XXIV, 1998, 31–57 16 A. MALLWITZ, Ein Jh. dt. Ausgrabungen in O., in: MDAI(A) 92, 1977, 1–31 17 A. MALLWITZ, Das Heraion von O. und seine Vorgänger, in: JDAI 81, 1966, 310–376 18 A. MALLWITZ, Neue Forsch. in O., in: Gymnasium 88, 1981, 97–122 19 N. MÜLLER, M. MESSING, Auf der Suche nach der Olympischen Idee, Kassel 1996 20 F. POUQUEVILLE, Voyage dans la Grèce, 1820, IV 21 J. K. RÜHL, Die »Olympischen Spiele« Robert Dowers, 1975 22 F. SICKLER, in: Cotta's Kunst-Blatt 1821, Nr. 2. 3. 4 23 U. SINN, Ber. über das Forschungsprojekt »O. während der röm. Kaiserzeit«, in: Nikephoros 5, 1992, 75–84 24 LORD SPENCER STANHOPE, O. or Topography Illustrative of the Actual State of the Plain of O., and of the Ruins of the City of Elis, 1824 25 TH. VÖLLING, O. in frühbyz. Zeit, in: OlF 31 (im Druck) 26 TH. VÖLLING, Neuer Most aus alten Löwenköpfen. Ein frühbyz. Gemach der alten Grabung in O., in: MDAI(A) 111, 1996, 391–410 27 R. WEIL, Gesch. der Ausgrabung von O., in: E. CURTIUS, F. ADLER (Hrsg.), Die Ergebnisse der von dem Dt. Reich veranstalteten Ausgrabung I, 1897, 101–154 28 W. WILKINS, Antiquities of Magna Graecia, 1807 29 J. J. WINCKELMANN, Gesch. der Kunst des Altertums, 1767 30 D. C. YOUNG, Modern Greece and the Origins of the Modern Olympic Games, in: W. COULSON, H. KYRIELEIS (Hrsg.), Proceedings of an International Symposium on the Olympic Games 1988, Athen 1992, 175–184 31 D. C. YOUNG, The Modern Olympics. A Struggle for Revival, 1996. ULRICH SINN

Onomastik A. Allgemeines
B. Namenrepertoires, Namensysteme
C. Historische Onomastik
D. Namenslandschaften als Zeugen
verlorener Sprachen E. Von der Antike
bis zum Sammelwerk »Namenforschung«

A. Allgemeines

»O.« (Namenforschung) ist die sprachwiss. Disziplin zur Erforschung der Namen. Namen (Eigennamen, griech. *onómata*) sind in ihrer gewöhnlichsten Form eine Subklasse von Subst., die jede Sprache der Welt verwendet, um Individuen im Gegensatz zu Klassen, zu denen diese gehören, zu bezeichnen: Φίλιππος in Φίλιππος βασιλεύς, *Garganus* in *Garganus mons*, *Ebro* in *río Ebro*. Benannt werden können Individuen aus zahlreichen Klassen von konkreten oder fiktiven Gegebenheiten: Gottheiten, Personen, Familien, Völker, Tiere, Siedlungen, Flüsse, Berge und vieles andere mehr. Im Folgenden sollen jedoch nur Personennamen (PN) und Namen von Siedlungen (Ortsnamen, ON) besprochen werden, da für sie die reichsten und am weitesten verbreiteten Belege aus ant. Zeit vorliegen.

B. Namenrepetoires, Namensysteme

Das synchrone Studium von Namen erkundet Namenrepertoires und Namensysteme, die zu einer gegebenen Zeit einer bestimmten, sprachlich und/oder kulturell definierbaren Bevölkerungseinheit (Volk, Stamm, Staat) eigen sind, und ist damit seit Beginn der neuzeitlichen Alt.-Wiss. Teil der Beschreibung von Sprachen und Sozialstrukturen der Antike.

1. Personennamen

Im Bereich der griech. Sprache stehen die homer. Epen mit dem wohlklingenden Namenschatz ihres Kriegeradels am Anfang [16]. Seit der Entzifferung der Linear-B-Texte ist dieses Repertoire durch Namen aus dem Personenkreis der myk. Palastverwaltung und von deren Handelspartnern erweitert worden [12]. Aus beiden Quellen kann das Fragment eines griech. PN-Repertoires für die Zeit etwa ab 1400 v. Chr. zusammengesetzt werden. Erst in der 2. H. des letzten Jt. v. Chr. gibt es dank der reichen Lit. und Epigraphik ein voll repräsentatives Bild der PN, die der griech.-sprechenden Bevölkerung damals zur Verfügung standen: ein breit gefächertes Repertoire aus Nachkommen homer. Trad., Kurznamen, Spitznamen und Fremdnamen [9; 25]. Die Erfassung und Beschreibung dieses Materials durch A. Fick und F. Bechtel [8; 9; 3; 6. 703] gehört zu den Pionierleistungen der Philol. des 19. Jh.

Für das Lat. besteht ein früher Querschnitt, etwa vom 5. bis zum 3. Jh. v. Chr., fast nur aus den Namen aristokratischer Familien, überliefert v. a. von den Historiographen. In der 2. H. des letzten Jh. v. Chr. beginnen epigraphische und lit. Zeugnisse für die enorme Fülle von Namen im multikulturellen Rom und anderen Städten der Halbinsel. Etwa zwei Jh. vorher kulminiert die etr. Epigraphik mit ihrem ungewöhnlich reichen PN-Repertoire [29]. Epigraphische Denkmäler

der letzten drei Jh. v. Chr. informieren uns über die PN der oskisch-umbrischen Sprachgemeinschaften [23]. Zu seiner Zeit aufsehenerregend, h. nur noch mit Einschränkungen brauchbar ist der Versuch W. Schulzes [33], die Dominanz des etr. Einflusses in der ital. Gentilnamengebung zu beweisen – übrigens bis h. die einzige umfassende Monographie über die röm. PN-Gebung.

PN haben sich als grundlegend wichtig für die sprachliche und histor. Erschließung lückenhaft bezeugter Sprachen der Alten Welt erwiesen, u. a. für das Venetische und für das Messapische in It. [41; 39], für das Gallische, greifbar v. a. bei Caes. Gall. und in gallischen und lat. Inschr. aus Norditalien, den Alpenländern, Frankreich, Deutschland und England [7], und für die Sprachen des vorröm. Hispanien [40. III 1, 195–238, IV 420–434].

2. Patronymika, Familiennamen

PN-Systeme werden durch Regeln sichtbar, nach denen eine Gesellschaft die geordnete, möglichst eindeutige Benennung ihrer Mitglieder gestaltet. Die Identifikation des Individuums über seinen Individualnamen (IN) hinaus geht in allen ant. Sprachen vom Namen des Vaters aus. Im Phönizischen, Iberischen, Griech., teilweise auch im Gallischen ist dieser der einzige Zusatz, syntaktisch untergeordnet als Genitivattribut oder durch Zweitstellung. Daneben kennen das älteste Griech. und das Gallische Patronymika, mit dem IN kongruierende adjektivische Ableitungen vom IN des Vaters (griech. Τελαμώνιος Αἴας, gallisch *Koisis Trutiknos* = lat. *Coisis Druti f.* [24. 41–52]). In vielen Gesellschaften gibt es erbliche Familiennamen, fast immer entstanden durch Erstarren eines Patronymikons (in It. meistens mit Suffix *-io-*), das damit zum Verweis auf einen wirklichen oder imaginären Familiengründer umgedeutet wird: in Rom (als *nomen gent.*), bei den Etruskern, Samniten, Umbrern, Venetern und Messapiern [30]. Die Keltiberer bilden einen Familiennamen mit Suffix *-ko-*, der im Gen. Pl. dem IN folgt [11].

3. Ortsnamen

Im ON-Bestand alter Kulturräume mit einer überwiegenden Zahl vorgegebener ON sind die Begriffe Repertoire und System nicht anwendbar, außer bei gelegentlichen mit polit. Expansion zusammenhängenden Wellen von Neugründungen, wie die Dynastennamen im Alexanderreich (*Alexandria, Seleukia, Laodicea* usw.) oder lat. Namen vom Typ *Valentia, Pollentia, Fidentia* [42]. Nur bei vorwiegend neuen Benennungen in einer überschaubaren Zeitebene kann ein begrenztes Repertoire und eine Systematik der Bildungsweisen zustandekommen, so im vorröm. Gallien die Kompos. von *-dunum, -magus, -briga, -ritum* usw. [31] mit einer größeren, aber nicht unbegrenzten Zahl von Vordergliedern wie *Eburo-, Nemeto-, Sego-* usw.

C. Historische Onomastik

In der histor. O. geht es darum, im Namencorpus einer Sprache Herkunft und Alter der Bestandteile zu bestimmen und auszuwerten. Es sind Beobachtungen wie die, daß sich das ON-Corpus des heutigen Frankreich aus german. (*Dunquerque*), romanischen (*Château-rouge*), lat. (*Orléans*), gallischen (*Limoges*), iberischen (*Béziers*), aquitanischen (*Oloron*) und griech. (*Antibes*) Namen zusammensetzt, die Kolonisationen, Eroberungen und ansässige Bevölkerungen bezeugen.

Bei den komponierten griech. PN ist die immer wieder aufgegriffene Bemühung erwähnenswert, in ihnen direkte Nachkommen einer idg.-ursprachlichen PN-Gebung zu sehen [35. 111–134], was zweifellos für die lexikalischen Elemente zutrifft, aus denen sie bestehen (die, wie der griech. Wortschatz auch sonst, weitgehend auf die idg. Grundsprache zurückzuführen sind). Demgegenüber ist das Verfahren der Komposition und deren »heroische« Ideologie keine idg. Besonderheit: Es ist im alten Mittelmeerraum völlig gleichartig auch in nicht-idg. Sprachen wie dem Phönizischen und Iberischen anzutreffen.

In der Ant. stößt man allenthalben auf ON-Schichten, die nicht sicher in die Sprachen einzuordnen sind, in denen sie verwendet werden. Im griech. Stammland gehören alle nicht-griech. ON einer oder mehreren Sprachen an, von denen sonst nichts erhalten ist (grundlegend [22]). Auch im röm. It. rechnet man mit ON, die ihren Ursprung in einer frühen, anderweitig nicht bezeugten Sprache haben und sogar mit den vorgriech. Namen zusammen für eine weit verbreitete »mediterrane« Substratsprache reklamiert werden [1; 14]. In It. ist aber zu beachten, daß es hier trümmerhaft überlieferte Sprachen gibt, die man nicht gut genug kennt, um sagen zu können, daß ein gegebener ON mit Sicherheit keiner von ihnen zugeordnet werden kann. Dasselbe gilt für Gallien, Hispanien, Nordafrika und Kleinasien. Die vorgriech. ON in Griechenland bleiben somit ein ausschließlich für ihr Gebiet zureichend abgesicherter Sonderfall [17. 39–97]. Als Etikett für diese ON-Sprache verwendet man gern den Namen der Pelasger, den griech. Historiker für vorgriech. Bewohner der Halbinsel überliefern.

D. Namenlandschaften als Zeugen verlorener Sprachen

Im gesamten Balkangebiet, in Illyricum, Pannonien, zw. Alpen und Donau, in den german. Provinzen, in Aquitanien, im Nordwesten Hispaniens sind im griech. oder lat. Kontext erhaltene Namen die einzigen Quellen für Sprachen, die vor der Ausbreitung der griech. und lat. Sprache gesprochen wurden. Will man von diesen Quellen aus zum Nachweis und zu Beschreibungselementen konkreter Sprachen gelangen, müssen bestimmte Bedingungen erfüllt sein: Sie müssen geogr. relativ eng eingrenzbare Merkmale aufweisen – nur unter speziellen histor. Voraussetzungen dehnen sich Sprachen so weit aus wie das Griech. im Alexanderreich oder das Lat. im Imperium Romanum. Wenn sich mehrere Charakteristika – markante Einzelnamen, Suffixe, Lautkombinationen usw. – als Eigenheiten eines abgrenzbaren Gebiets erkennen lassen, kann man dieses als Namenlandschaft bezeichnen. Unter günstigen Umständen kann diese sich mit einem anderweitig beschriebenen ant. Bevölkerungsareal decken und damit dessen Namen übernehmen, z. B. in Istrien, Aquitanien und Galicien. Andernfalls muß man rein geogr. Termini verwenden, wie »Brescianer Gebiet« oder »Mitteldalmatien«. Gefährlich ist es, organisatorische Gebietseinteilungen damaliger Großmächte als Garantie für die Homogeneität der darin bezeugten PN und ON anzusehen: ein Beispiel hierfür ist die erste Phase der Illyrierforschung, die alle einheimischen ON und PN in der röm. Provinz Illyricum, die die spätere Provinz Dalmatia und Teile von Pannonien umfaßte, als Zeugnisse einer »illyrisch« zu nennenden Sprache ansah [18; 19]; das Konzept wurde von H. Krahe selbst später revidiert [20. V-VII]. Das so gewonnene Corpus war so heterogen, daß man in ganz Westeuropa ähnliche Namen und damit »Illyrier« entdeckte [27]. Heute ist, v. a. dank der Arbeiten von R. Katičić [17. 154–188], das alte Illyricum in mehrere verschiedene, korrekt definierte Namenlandschaften aufgeteilt, deren nur eine mit dem kleinen Stamm der ›Illyrii proprie dicti‹ (Plin. nat. 3,144) identifizierbar ist.

Auch die Suche nach Sprachverwandtschaft zw. solchen Namenlandschaften untereinander oder mit anderen, besser bezeugten Sprachen unterliegt engen methodischen Restriktionen: Verglichene Elemente müssen substantiell genug sein (Segmente wie *am-, kar-, tur-* und dergleichen gibt es überall), und es muß gefragt werden, ob die Gemeinsamkeiten eine Identität der Sprachen nahelegen, die in den Namenlandschaften in Erscheinung treten, oder ob es sich um Erbgut aus einer gemeinsamen Grundsprache handelt. Eben an diesen Einwänden ist das Konzept einer alteurop. Hydronymie (die sich auf der Ant. bezeugte, v. a. aber auf aus mod. Flußnamen rekonstruierte Formen gründet) gescheitert. Sie schien eine West- und Mitteleuropa umfassende vorhistor. Sprache sichtbar zu machen; ihre Belege bilden aber zu viele Teilareale, die sich ohne Weiteres als Zeugen für Einzelsprachen verstehen lassen, in denen grundsprachliche Bildungsmuster für Flußnamen jeweils unabhängig voneinander beibehalten wurden [32].

E. Von der Antike bis zum Sammelwerk »Namenforschung«

Schon in der Ant. fragte man nach der Bed. von Namen und nach dem Zusammenhang zw. Namen und Namensträgern: Hom. Od. 19,407–9 (: *Odysseus*); Hes. theog. 207–10 (: *Titanen*); Aischyl. Ag. 1080–2 (: *Apollon*) [21]; Plat. Krat. 400d–408d [2; 4]; Varro ling. 5,67 (: *Iuno*). Solches Interesse an Namen ist auch im MA nachzuweisen [6. 351] und besteht weiterhin fort [26; 6. 360, 463]. Die wiss. Betrachtungsweise, von G. W. Leibniz vorausgeahnt [6. 3, 1692], brach sich im 19. Jh. Bahn. Eine Gesamtschau über die inzwischen verfeinerte und weit aufgefächerte O. versucht jetzt das Sammelwerk *Namenforschung* [6], mit Art. über Namen in vielen Sprachen der Welt; über Namenarten; über den Namen in der Sprache allgemein, in der Kultur, Gesellschaft und Wiss.; u. a. Hier sind auch die für die O. unentbehrli-

chen, z. T. schon älteren Namensammlungen verzeichnet [5; 10; 13; 26; 28; 34; 36; 37 Bd.1–2; 38].
→ AWI Onomastik

1 C. Battisti, Sostrati e parastrati nell' Italia antica, 1959 2 T. M. S. Baxter, The Cratylus, 1992 3 Bechtel, HPN 4 J. Derbolav, Der Dialog Kratylos, 1953 5 F. Dornseiff, B. Hansen, Rückläufiges WB der griech. EN, 1957 6 E. Eichler (u. a. Hrsg.), Namenforschung – Name Studies – Les noms propres, 3 Bde., 1995–96 7 Evans 8 A. Fick, Die griech. PN nach ihrer Bildung erklärt, mit den Namensystemen verwandter Sprachen verglichen und systematisch geordnet, Göttingen 1874 9 Fick/Bechtel 10 E. Forcellini, Totius Latinitatis lex.; Onomasticon (von V. de Vit, J. Perin), 1940 11 M. C. González Rodríguez, Las unidades organizativas del area indoeuropea de Hispania, 1986 12 S. Hiller, O. Panagl, Die frühgriech. Texte aus myk. Zeit, ²1986 13 Holder 14 J. Hubschmid, Mediterrane Substrate, 1960 15 Kajanto, Cognomina 16 Kamptz 17 R. Katičić, Ancient Languages of the Balkans, 1, 1976 18 H. Krahe, Die alten balkanillyrischen geogr. Namen, 1925 19 Ders., Lex. altillyrischer PN, 1929 20 Ders., Die Sprache der Illyrier, 2. Bd., 1964 21 M. Kraus, Name und Sache, 1987 22 P. Kretschmer, Einl. in die Gesch. der griech. Sprache, Göttingen 1896 23 M. Lejeune, L'anthroponymie osque, 1976 24 Ders., Textes gallo-étrusques, in: RIG II 1 25 LGPN 26 Pape/Benseler 27 J. Pokorny, Zur Urgesch. der Kelten und Illyrier, 1938 28 H. Reichert, Lex. der altgerman. Namen, 2 Bde., 1987–90 29 H. Rix, Das etr. Cogn., 1965 30 Ders., Zum Ursprung des röm.-mittelital. Gentilnamensystems, in: ANRW I 2, 700–58 31 Ders., Zur Verbreitung und Chronologie einiger keltischer ON-Typen, in: FS P. Goessler, 1954, 99–107 32 W. P. Schmid, Alteuropäisch und Idg., 1968 33 Schulze 34 Solin/Salomies 35 F. Solmsen, E. Fraenkel, Idg. EN als Spiegel der Kulturgesch., 1922 36 D. Swanson, The names in Roman verse, 1967 37 ThlL 38 ThlL, Onom. 39 J. Untermann, Die messapischen PN, in: H. Krahe [20], 153–213 40 Ders., Monumenta linguarum Hispanicarum, 4 Bde., 1975–97 41 Ders., Die venetischen PN, 1961 42 H. J. Wolf, Zum Typus *Valentia – Pollentia – Potentia*, in: BN 3, 1968, 190–8

Zeitschriften: BN (seit 1949/50); Names (seit 1953); La nouvelle revue d'onomastique (seit 1983); Onoma (seit 1950)

JÜRGEN UNTERMANN UND BERNHARD FORSSMAN

Oper A. Frühzeit – Allgemeine Charakteristik B. 17. Jahrhundert C. Die Opera seria bis zur Opernreform Glucks D. Tragédie lyrique E. Richard Wagner F. Spätes 19. und 20. Jahrhundert

A. Frühzeit – Allgemeine Charakteristik

Die Frage nach der Rezeption des ant. Dramas in der neuzeitlichen O. richtet sich weniger auf das Fortleben ant. Gattungen in der Mod. als auf eine lange Reihe wechselnder Vorstellungen und Projektionen, die die Geschichte der O. begleitet und ihre Entwicklung mehrfach entscheidend beeinflußt haben; eine Verbindung zum ant. Drama liegt aber weder histor. noch gat-tungsspezifisch vor. Als sich um 1600 einige Dichter und Musiker um den Florentiner Grafen Giovanni Maria dei Bardi versammelten (»Camerata«) und über Möglichkeiten der musikalischen Durchdringung von Bühnenwerken nach dem Vorbild der att. Tragödie diskutierten, dachte niemand an die Schöpfung einer völlig neuen Gattung. Dementsprechend wurde der mod. (unscharfe) Begriff O. (von it. *opera*, »Werk«) auch nicht in jener Zeit neu geprägt; er konnte im 16. und frühen 17. Jh. zunächst jede Art von Bühnenwerken umschreiben, zu denen auch Formen mit mehr oder weniger umfangreichen musikalischen Passagen gehörten. In der h. gebräuchlichen Bed. als Sammelbezeichnung für ein heterogenes Konglomerat verschiedener miteinander verwandter Gattungen findet der Begriff ohnehin erst seit dem 2. Drittel des 19. Jh. Verwendung.

Von den unterschiedlichen dramatischen Formen, die um 1600 zur Ausstattung höfischer Feste gepflegt wurden, eignete sich v. a. die Pastorale (Hirtendrama) aufgrund ihrer Sujets, die vorwiegend ant. Stoffe behandelten, für die Zwecke der Camerata. Mit dem heute verlorenen Pastoraldrama *Dafne* (1597) von O. Rinuccini (1552–1621, Text) und J. Peri (1561–1633, Musik) läßt man im allgemeinen die Geschichte der O. beginnen. Die Orientierung am att. Drama ist dabei unverkennbar. Bereits 1585 hatte A. Gabrieli für eine Aufführung des sophokleischen *Oidipous Tyrannos* vier Chöre komponiert [17. 27ff.]. G. B. Doni, seit 1640 Univ.-Professor in Florenz, bezeugt in seiner zw. 1635 und 1639 entstandenen Schrift *Della musica scenica* die Bemühungen des Camerata-Kreises um das ant. Drama, die v. a. auf eine Unterordnung der Musik unter den Text und eine streng monodische Ausdrucksform zielten, die man aufgrund ant. musiktheoretischer Texte postulieren zu dürfen glaubte (zit. und übers. bei [23. 15ff.]). Im J. 1600 wurde anläßlich der Hochzeit des frz. Königs Heinrich IV. mit Maria de' Medici eine *Euridice* (Rinuccini/Peri) aufgeführt. Es folgten rasch weitere Werke, so eine von G. Caccini (um 1550–1618) vertonte *Dafne* (1602) und – als erster Höhepunkt der O.-Geschichte – der *Orfeo* (1607) von C. Monteverdi (1567–1643), in dem bereits Elemente der Tragödie mit denen der Pastorale verschmelzen. Als Bezeichnungen waren *favola, tragedia, dramma in musica* u. a. geläufig [18. 11ff.; 32; 28].

Trotz aller Bemühungen um die Wiederbelebung der ant., insbesondere der att. Tragödie, deren Musik ohnehin unbekannt war, sind bereits in diesem Frühstadium der O. entscheidende Unterschiede zw. beiden Gattungen erkennbar, die in der Folgezeit mehrfach zu Reformversuchen der O. geführt haben: Der ant. Chor mit seinen vielfältigen Funktionen ist in der O. kaum umsetzbar (vgl. [9]); Stichomythien sind nur schwer komponierbar; während in der Tragödie Ereignisse in der Regel außerszenisch ablaufen und lediglich berichtet oder reflektiert werden, steht in der O. die Bühnenhandlung im Vordergrund. Der epische Charakter der meisten ant. Dramen ist daher kaum mit den dramatur-

gischen Anforderungen der O. zu vereinbaren; das bis
E. des 18. Jh. nahezu obligatorische *lieto fine* (glückliches
Ende) zwang zu gravierenden Eingriffen in die ant.
Textvorlagen mit erheblichen Konsequenzen für deren
Struktur und dramatischen Ablauf. Dazu kamen ästhetische Probleme: Die Äußerung von Affekten in musi-
kalisch-gesanglicher Form wurde als extrem gewöh-
nungsbedürftig empfunden und war zunächst nur in der
entrückten Phantasiewelt der Pastorale denkbar (vgl.
dazu [13. 231 f., 237–239]). Hingewiesen sei zudem darauf, daß die frühe O. ein höfisches Ereignis war, das der
Ausschmückung adliger Feste diente, während zumindest die att. Tragödie vor den versammelten Bürgern der
Polis aufgeführt wurde und eine feste Institution im polit.-sozialen Alltag darstellte.

B. 17. Jahrhundert

Die ersten allg. zugänglichen Opernhäuser wurden
erst seit 1637 in Venedig eröffnet [27. 29 ff.]; das venezianische *Dramma per musica* (so der Begriff, der sich seit
Mitte des 17. Jh. allmählich einbürgert; seltener sind
»Dramma musicale«, »Melodramma«, »Opera regia«
u. a.), das Elemente verschiedenster zeitgenössischer
Bühnengattungen (Tragödie, Komödie, Tragikomödie,
Pastorale) integrierte, prägte bis E. des 17. Jh. maßgeblich die Geschichte der O. und förderte ihre weitere
Verbreitung. Vorbild und Maßstab der Werke blieb zunächst weiterhin die ant. (griech./röm.) Tragödie (wie
z. B. an der anfänglich häufigen Beteiligung ant. Götter
an der Handlung erkennbar ist), doch erwies sich ihre
Nachahmung auf der mod. Bühne als schwierig; die
meisten Sujets, deren Inhalte vielfach auf ant. Mythen
(bes. Ov. met. [36]) und histor. Gestalten oder Ereignisse des Alt. (erstmals F. Busenello/C. Monteverdi,
L'incoronazione di Poppea, 1643) zurückgingen, ließen
sich nicht eindeutig dem tragischen oder komischen
Genre zuordnen, sondern verbanden beides miteinander; der häufige Wechsel von Bühnenbildern wider-
sprach grundsätzlich den Normen des ant. Dramas, und
die zunehmende Anpassung der Werke an den Publikumsgeschmack vergrößerte die Distanz zur Tragödie.
Überdies ist es im 17. Jh. nicht zur Ausbildung einer
speziellen Theorie zum Verhältnis von O. und ant. Drama gekommen, so daß keine festen Maßstäbe existierten.

C. Die Opera seria bis zur Opernreform Glucks

Erst seit Beginn des 18. Jh. begann man strikter zw.
ernstem und komischem Inhalt von O. zu unterscheiden, was um die Jh.-Mitte zur Ausdifferenzierung der
Gattung in die »Opera seria« (»ernste O.«, die eigentliche Fortsetzung des »Dramma per musica«) und die
»Opera buffa« bzw. das »Dramma giocoso per musica«
(»komische O.«) führte (hinzu kam im späten 18. Jh. die
»Mischform« der »Opera semiseria«). Ausgangspunkt
dieser Differenzierung war grundsätzlich die aristotelische Poetik, die zw. Tragödie und Komödie unterscheidet. Sie wurde hauptsächlich über die frz. Tragö-
dien-Theorie- und Praxis (P. Corneille, J. Racine) re-

zipiert und v. a. von den Dichtern A. Zeno (1668–1750)
und P. Metastasio (1698–1782) umgesetzt, die aus ihr das
Postulat einer moralisch-erzieherischen Komponente
der O. ableiteten ([27. 81 f.] vgl. [35]). Als wesentliches
Unterscheidungsmerkmal zw. Tragischem und Komischen galt weniger der Inhalt, als der soziale Status der
beteiligten Figuren. Allgemein wurde nun mehrfach die
Beachtung von Regeln, die aus der ant. – d. h. aristotelischen – Theorie gewonnen wurden, gefordert (z. B.
Einheit von Ort, Zeit und Handlung), doch konnten
sich diese Stimmen nie gänzlich durchsetzen. Seit Beginn des 18. Jh. wurde die O. darüber hinaus zum Ziel-
punkt allgemeiner Kritik; sie galt u. a. als Entartung der
griech. Tragödie, v. a. deshalb, weil Gesang auf der Bühne unnatürlich sei (J. Chr. Gottsched [6. 361–387]).
Andere warfen der O. dramaturgische Schwächen vor,
bemängelten die unausgewogene Verbindung von Tragischem und Komischen und richteten sich gegen Auswüchse der Aufführungspraxis wie das Kastraten- und
Primadonnenwesen. Etwa seit 1760 setzte eine Gegenbewegung ein, die zunächst primär versuchte, die kommerziellen Exzesse des Opernbetriebes abzustellen. Ihr
Hauptvertreter, Chr. W. Gluck (1714–1787), der zuvor
erfolgreich O. im it. Stil komponiert hatte, geriet bald
unter den Einfluß des antikebegeisterten Dichters R.
Calzabigi, der eine klassizistisch geprägte Rückkehr zu
den archa.-reinen Formen des ant. Theaters forderte.
Dazu sollte der Primat des Textes über die Musik wiederhergestellt werden, die Ouvertüre auf die Handlung
Bezug nehmen, der Gegensatz zw. Secco-rezitativ
(Sprechgesang) und Arie durch das Accompagnato gemildert werden, der Gang der Handlung einfach und
geradlinig gestaltet sein und das Werk insgesamt echte
Gefühle, nicht nur typisierte Affekte in Form von arti-
fiziell übersteigerten Arien zum Ausdruck bringen. Ergebnis dieser Bemühungen waren die sog. Reformopern *Orfeo ed Euridice* (Wien 1762), *Alceste* (Wien 1767)
und *Paride ed Elena* (Wien 1770). Nachdem Gluck 1770
den Dichter F. du Roullet kennengelernt hatte, kam es
auch in Paris zu Aufführungen seiner Werke (*Iphigénie
en Aulide* – basierend auf Racine, 1774; *Armide*, 1777;
Iphigénie en Tauride, 1779; *Écho et Narcisse*, 1779; ferner
Neubearbeitungen des *Orfeo* und der *Alceste*), die zu
scharfen Kontroversen zw. den Anhängern der älteren
frz. *tragédie lyrique* und den Befürwortern ihrer neuen
Ausgestaltung durch Gluck führten [27. 188–231;
31. 292 ff.; 19]. Freilich bedeuteten weder die Wiener
noch die Pariser Reformopern einen wirklichen Bruch
mit den älteren Traditionen [13. 241; 12].

D. Tragédie lyrique

Die *tragédie lyrique* (bzw. *tragédie en musique*) war in
Frankreich als Sonderentwicklung der O. um die Mitte
des 17. Jh. entstanden (erstmals 1673: *Cadmus et Hermione* von Ph. Quinault/J.-B. Lully, 1632–1687); im Gegensatz zum *Dramma per musica* durfte sie auch tragisch
enden. Es gab in ihr keine Sprechpassagen, um so aus-
gefeilter mußten die Bühnenmaschinen und technischen Raffinements sein. Die *tragédie lyrique* war zu-

nächst eng mit der monarchischen Selbstrepräsentation des absolutistischen Frankreich verbunden und wurde strikt auf das ant. Vorbild, vermittelt durch Corneille und Racine, bezogen; ihre kathartische Wirkung sollte derjenigen des att. Dramas entsprechen [31. 80 ff.; 20; 21]. Insofern bedeutete die *tragédie lyrique*, deren Sujets vorzugsweise dem ant. Mythos entnommen waren, zumindest konzeptionell wieder eine Annäherung an die ant. Tragödie, doch wurde ihr feierlich-erhabener antikisierender Stil, den insbesondere J. Ph. Rameau (1683–1764) pflegte, seit Mitte des 18. Jh., als man in Paris auch den it. *buffo*-Stil kennengelernt hatte, bald als drückend empfunden; der sich hieraus entwickelnde Streit zw. Befürwortern und Gegnern der *tragédie lyrique* (Buffonistenstreit) bereitete den Boden für die Erneuerung dieser Gattung durch Gluck (s.o.) [27. 183–188], dessen Vorstellungen freilich wieder aufgegeben wurden, als die *tragédie lyrique* in den 20er J. des 19. Jh. in der »Grand Opéra« aufging, in der die von Gluck angestrebte Einfachheit der Handlung in Verbindung mit echtem Gefühlsausdruck durch allerlei Ausschmückungen und prunkvolles Beiwerk wieder aufgelöst wurde. Als Beispiel für die nachrevolutionäre frz. O. sei die *opéra comique* (d.h. eine Oper mit gesprochenen Dialogen) *Médée* (1797) von L. Cherubini (1760–1842) genannt, in der das euripideische Drama bewußt auf seine Elemente des Grauens reduziert wurde und so die Vorlage für die Ausgestaltung einer Handlung bot, in der die Akzente auf dem Schrecklichen lagen (vgl. [13. 247–253; 16. 116–120; 4]).

E. Richard Wagner

Eine Neuorientierung der O. an der Ant. erfolgt dann erst wieder im Werk R. Wagners (1813–1883), der – ausgehend von dem Irrtum, die O. sei ein direkter Nachfahre des att. Dramas – sein seit 1847 entwickeltes Konzept vom Kunstwerk der Zukunft ganz auf die Tragödie ausrichtete. In ihr sah Wagner die Möglichkeit zur Veränderung polit. Verhältnisse durch ästhetische Erfahrung vorgebildet, weshalb sein Kunstwerk der Zukunft gleichsam an die Stelle der Politik treten sollte. Mit Bezug auf die griech. Tragödie entwickelte Wagner daher folgende Forderungen: 1. Das Drama muß zur rel. Feier werden, in der alle Zuschauer (d.h. die Bürger) ihre Einheit als Kultgemeinschaft zelebrieren (hieraus resultiert der Festspielgedanke). 2. Der Stoff des Dramas ist dem Mythos zu entnehmen, denn dieser stellt die Urweisheit eines Volkes dar (dies begründet die Wahl der german. Heldensage als Opernstoff im *Ring des Nibelungen*, 1876). 3. Dichtung, Musik und Tanz haben zu einer Einheit zu verschmelzen. [5; 7; 8; 29]

Die Umsetzung dieser Prämissen im Spätwerk Wagners führte zu Innovationen, die die Operngeschichte entscheidend beeinflußten: So ging aus dem Versuch, die vermeintlichen Funktionen des ant. Chores (Reflexion der Handlung, Aktionen auf der Bühne, Repräsentation des lyr. Elements) in verschiedene Bestandteile aufzulösen und somit auch für die mod. O. zu erhalten, u.a. die Leitmotivtechnik hervor, mit deren Hilfe die Bühnenhandlung durch das Orchester kommentiert werden konnte (so kann z.B. der Trauermarsch nach Siegfrieds Tod in der *Götterdämmerung* (1876) als orchestrales Chorlied verstanden werden). Ihre Einführung erlaubte wiederum eine Reduktion des dramatischen Elements zugunsten des Epischen, womit Wagner versuchte, insbesondere Aischylos nahezukommen, den er vor allen Tragikern verehrte (während sonst seit Gluck in der Regel Euripides bevorzugt wurde) [25]. Wagners Verständnis der griech. Tragödie, das F. Nietzsche aufgriff und wiss. zu untermauern versuchte (*Die Geburt der Tragödie aus dem Geiste der Musik*, 1872), besitzt somit eine kaum zu überschätzende Bed. für die nachfolgende Operngeschichte, die grundsätzlich in (affirmativer oder kritischer) Auseinandersetzung mit seinem Werk zu sehen ist.

F. Spätes 19. und 20. Jahrhundert

Auch Wagners energischer Versuch einer Restitution der griech. Tragödie in der O. scheiterte jedoch letztendlich an den weiterhin unüberbrückbaren Unterschieden zw. beiden Gattungen. Insofern ist insbesondere denjenigen späteren O., die sich strikt an Wagners Vorstellungen orientierten, ohne aber dieselbe Originalität zu besitzen, nur eine kurze Lebensdauer beschieden gewesen. Bis zur Jh.-Wende entstanden zahlreiche solcher epigonaler Werke (z.B. *Guntram* von R. Strauss, 1892/93, rev. 1940). Sieht man von diesen Ausnahmen ab, so gab es nach Wagner jedoch keine programmatischen Versuche mehr, die O. nach dem Vorbild ant. Tragödie umzugestalten, u.a. weil die Unterschiedlichkeit der beiden Gattungen allmählich erkannt und akzeptiert wurde, was freilich das eine oder andere Experiment nicht ausschloß (vgl. z.B. I. Strawinsky (1882–1971), *Oedipus Rex*, 1927; G. Enescu (1888–1955), *Oedipe*, 1936; C. Orff (1895–1982), *Antigonae*, 1949 [33]). Dennoch waren auch im späten 19. und frühen 20. Jh. Sujets, die entweder dem ant. Mythos oder der Geschichte des Alt. entstammten, beliebt (allgemein vgl. dazu die Beitr. in [11]). Insbesondere R. Strauss wählte gerne Texte aus dem Bereich der Ant., doch waren diese in der Regel lit. Schöpfungen eigenen Ranges namhafter Autoren wie Oscar Wilde, Hugo von Hofmannsthal und J. Gregor, in denen die ant. Vorlagen nur noch in mehrfacher Brechung erscheinen (*Salome*, 1905; *Elektra*, 1909; *Ariadne auf Naxos*, 1912; *Die ägypt. Helena*, 1928; *Daphne*, 1938; *Die Liebe der Danae*, 1952 postum) [22; 11. 111–193; 34]. Einen interessanten Versuch der Annäherung von Tragödie und O. unternahm in jüngerer Zeit freilich noch einmal W.H. Auden/ H.W. Henze (*Die Bassariden*, 1966) [13. 258–266; 30], doch stellt auch dies ein einmaliges Experiment ohne das Ziel einer grundlegenden Reform der O. dar.

Der wiederholte Versuch, zu den vermeintlichen Wurzeln der O. in der ant. Tragödie zurückzukehren, erwies sich somit als wichtiger Impulsgeber für die Entwicklung der O., näherte diese aber nicht dem ant. Drama an, sondern förderte vielmehr ihre Konturierung als eigenständige Kunstform. Ernsthafte Bemühungen, zur ant. Kom. zurückzufinden, gab es demgegenüber im Bereich der *buffo*-Opern, die ohnehin erst seit der 1. H. des 18. Jh. als eigene Gattung empfunden wurden, nicht; so blieben Einzelwerke wie *Die Vögel* (1920) von W. Braunfels (1882–1954) – nach Aristophanes – Episode.

→ Griechische Tragödie; Musik; Vertonung antiker Musik

1 A. A. ABERT, Gesch. der O., 1994 2 Dies., Der Geschmackswandel auf der Opernbühne, am Alkestis-Stoff dargestellt, in: Die Musikforsch. 6, 1953, 214–235 3 M. VON ALBRECHT, W. SCHUBERT (Hrsg.), Musik in Ant. und Neuzeit, 1987 4 L. BELLONI, Tre Medee: Euripide, Cherubini, Grillparzer, in: Lexis 16, 1998, 63–75 5 U. BERMBACH, Der Wahn des Gesamtkunstwerks. Richard Wagners polit.-ästhetische Utopie, 1994 6 J. UND B. BIRKE (Hrsg.), Johann Christoph Gottsched. Ausgewählte Werke, Bd. VI.2, 1973 7 D. BORCHMEYER, Das Theater Richard Wagners, 1982 8 D. BREMER, Vom Mythos zum Musikdrama. Wagner, Nietzsche und die griech. Trag., in: D. BORCHMEYER (Hrsg.), Wege des Mythos in der Mod. 1987, 41–63 9 M. BRUNKHORST, Das Experiment mit dem ant. Chor auf der mod. Bühne, in: P. RIEMER, B. ZIMMERMANN (Hrsg.), Der Chor im ant. und mod. Drama, 1998, 171–194 10 P. BURIAN, Tragedy Adapted for Stages and Screens: Renaissance to the Present, in: P. E. EASTERLING (Hrsg.), The Cambridge Companion to Greek Tragedy, 1997, 228–283, bes. 261–271 11 P. CSOBÁDI, G. GRUBER u. a. (Hrsg.), Ant. Mythen im Musiktheater des 20. Jh, 1990 12 C. DAHLHAUS, Trag., Tragédie, Reformoper, in: A. GIER (Hrsg.), Oper als Text, 1986, 95–100 13 Ders., Euripides, das absurde Theater und die Oper, in: ders., Vom Musikdrama zur Lit.-Oper, 1989, 228–266 14 N. DUBOWY, R. STROHM, MGG² 2, 1995, 1452–1500, s. v. Dramma per musica (mit umfangreicher Lit.) 15 E. FISCHER, MGG² 7, 1997, 635–641, s. v. O. (Lit.) 16 J. M. FISCHER, »Die Wahrheit des weiblichen Urwesens«. Medea in der Oper, in: H. FLASHAR (Hrsg.), Trag., 1997, 110–121 17 H. FLASHAR, Inszenierung der Ant., 1991 18 D. J. GROUT, A Short History of Opera, ²1965 19 K. HORTSCHANSKY (Hrsg.), Christoph Willibald Gluck und die Opernreform, 1989 20 C. KINTZLER, De la Pastorale à la Tragédie lyrique, in: Revue de Musicologie 72, 1986, 67–96 21 Dies., La tragédie lyrique, in: J.-P. VAN DIEREN (Hrsg.), La tragédie lyrique, 1991, 51–64 22 E. KRAUSE, Richard Strauss, 1988 23 H. KRETZSCHMAR, Gesch. der O., 1919 24 S. KUNZE, Die europ. Musik und die Griechen, in: M. SVILAR, S. KUNZE (Hrsg.), Ant. und europ. Welt, 1984, 281–314 25 M. MEIER, Chöre und Leitmotive in den Bühnenwerken Richard Wagners: Von der griech. Trag. zum Musikdrama, in: M. BAUMBACH, (Hrsg.), Tradita et inventa: Beitr. zur Rezeption der Ant., 2000, 389–406 (= Bibl. der klass. Alt.-Wiss., Reihe 2; N. F., Bd. 106) 26 G. NESTLER, Gesch. der Musik, ⁴1990 27 W. OEHLMANN, O. in vier Jhh., 1984 28 B. RUSSANO HANNING, Glorious Apollo: Poetic and Political Themes in the First Opera, in: Renaissance Quarterly 32, 1979, 485–513 29 W. SCHADEWALDT, Richard Wagner und die Griechen I–III, in: Ders. (Hrsg.), Hellas und Hesperien II, ²1970, 341–405 30 W. SCHOTTLER, Die Bassariden von Hans Werner Henze, 1992 31 U. SCHREIBER, Opernführer für Fortgeschrittene, 1988 32 Ders., Sinnvermittlung im Singen. Über die Entstehung der O., in: U. BERMBACH, W. KONOLD (Hrsg.), Der schöne Abglanz, 1992, 45–64 33 W. THOMAS, »In entwurzelter Zeit...«. Die Ant. im Musiktheater Carl Orffs, in: [3. 213–247] 34 J. VOGEL, Priesterin künstlicher Kulte. Ekstasen und Lektüren in Hofmannsthals Elektra, in: H. FLASHAR (Hrsg.), Trag., 1997, 287–306 35 P. WEISS, Metastasio, Aristotle, and the Opera Seria, in: Journal of Musicology 1, 1982, 385–394 36 H. CH. WOLFF, Ovids Metamorphosen und die frühe O., in: Quadrivium 12, 1971, 89–107 37 R. ZINAR, The Use of Greek Tragedy in the History of Opera, in: Current Musicology 12, 1971, 80–95. MISCHA MEIER

Optik s. Naturwissenschaften II. Physik

Oratio Funebris s. Leichenrede

Oratorium. Mit dem Begriff O. werden sehr unterschiedliche musikalische Werke bezeichnet, deren Gemeinsamkeit sich wie folgt fassen läßt: Größere vokale Kompositionen mit instrumentaler Begleitung, die eine Handlung mit in der Regel geistlichen Sujets darstellen und die zu nichtszenischer, außerliturgischer Aufführung bestimmt sind. Unter dem Aspekt der Antikenrezeption sind drei Momente von Belang: Die Frühzeit des O. in It. im 17. Jh., Reformbestrebungen im 18. Jh. sowie die – allerdings seltene – Wahl von ant. Stoffen.

Der Begriff O. leitet sich von der kirchenlat. Bezeichnung für Betraum ab und benennt in It. im 17. Jh. insbes. das einer Kirche angegliederte öffentliche Bethaus. Dort wurden im Rahmen von Laienorganisationen getragenen Andachten musikalische Werke aufgeführt, auf die dann die Bezeichnung O. übertragen wurde [8]. Wichtig waren die von Filippo Neri (1515–1595) im Zuge gegenreformatorischer Bestrebungen eingeführten Andachten in Rom, woraus sich 1575 die *Congregatio presbyterorum et clericorum saecularium de Oratorio* (Oratorianer) entwickelte. Eine zeitgenössische Beschreibung (Cesare Baronio, zit. in [10. Bd. I.49]) sieht in der dort gepflegten Mischung aus Lesungen, Predigten und Gebeten, die durch das Singen einer Lauda ergänzt wird, die apostolische Art wiederhergestellt [6].

Am Beginn des musikalischen O. steht die in einem röm. Oratorio im Februar 1600 aufgeführte *Rappresentazione di anima, et di corpo* [1] von Emilio de' Cavalieri (ca. 1550–1602), die – noch vor der Aufführung der ersten Oper – im neuen Stil des »recitar cantando« mit Sologesängen und kommentierenden Chorpartien komponiert ist. Hintergrund bilden zum einen die von Florentiner Bruderschaften szenisch aufgeführten Sacri *rappresentazioni*, zum anderen die in human. Kreisen unternommenen Versuche einer Wiederbelebung ant. Musik [5]. Ausgehend von der auf Girolamo Mei (1509–1595) zurückreichenden Erkenntnis, daß die ant. Tragödie gesungen wurde, sucht man jetzt nach einem Ausgleich zw. Textdeklamation und Gesang, der zur Monodie, d. h. zum generalbaßbegleiteten Sologesang führt, wie er auch für die Oper zur Voraussetzung wird. Vergleichbare Werke, also für nichtszenische Aufführung in O. bestimmte Musik mit Stoffen aus der Bibel, zunehmend auch aus der Hagiographie und in Form von Allegorien gestaltet, werden ab 1640 explizit als O. (auch »Dialogo«) bezeichnet und entwickeln sich parallel zur Gattung → Oper. Unterschiede bestehen hinsichtlich der fehlenden Szene, der Präsenz eines Testo, der die Handlung erklärt, sowie des stets geistlichen Sujets. Gestützt auf Postulate der aristotelischen Dramentheorie und dem Vorbild der Tragödien Senecas fordert Arcangelo Spagna (ca. 1636–1720) die Streichung des Testo [2, 9], was von den stilprägenden Librettisten Apostolo Zeno (1668–1740) und Pietro Metastasio (1698–1742) umgesetzt wird [9].

Über diese antikisierenden Ansätze hinaus gehen im 17. Jh. Experimente mit ant. Modi und Genera (bes. Chromatik und Enharmonik). Diese avantgardistischen Werke – *La Madalena* (vor 1638) von Domenico Mazzochi (1592–1665), *Oratorio della purificazione* (1640) [3; 7], *Dialogo di Ester* (1640) und *Dialogo di Luys Camies* (1649) von Pietro della Valle (1586–1652) – erfordern zur Begleitung spezielle Musikinstrumente zur Realisierung der Tonfolgen mit Mikrointervallen (Cembalo triarmonico, Violone panarmonico etc.) [4]. Die den ant. Genera zugeschriebene Wirkungsmächtigkeit scheint für die Aufgabe des O., zur Buße aufzurufen und zu läutern, bes. geeignet; doch verhindern aufführungspraktische Schwierigkeiten den Erfolg.

Dem christl. Charakter des O. gemäß finden sich selten ant. Stoffe: Im 17. Jh. konnte bislang nur ein Titel, *Le Sirene* von Luigi Rossi (1597–1653), nachgewiesen werden. Erst als das O. auch im Konzertsaal benutzt wird, gibt es einige wenige allegorisch aufgefaßte O., die dem Stoff nach oftmals aus der Herkules-Thematik oder aus Ovid geschöpft sind: Georg Friedrich Händel (1685–1759), *Alexander's Feast* (1736), *Semele* (1744), *Hercules* (1745), *The Choice of Hercules* (1751); Jean Joseph Cassanéa de Mondonville (1711–1772), *Les Titans* (1761); Johann Heinrich Rolle (1716–1785), *Orest und Pylades* (1768), *Die Taten des Herkules* (1770); Max Bruch

(1838–1920), *Odysseus* (1872), *Achilleus* (1885); Niels Wilhelm Gade (1817–1890), *Psyche* (1882); Igor Strawinsky (1882–1971), *Oedipus Rex* (1927).

QU **1** E. DE' CAVALIERI, Rappresentazione di anima, et di corpo, Rom 1600 **2** A. SPAGNA, Oratorii overo Melodrammi sacri, Rom 1706 **3** P. DELLA VALLE, Oratorio per la festa della santissima purificazione, Ms. in Rom, Biblioteca Nazionale, Fondi Minori, Mus. 123

LIT **4** P. BARBIERI, Gli strumenti poliarmonici di G. B. Doni e il ripristino dell'antica musica greca (c. 1630–1650), in: Analecta Musicologica 30/I, 1998, 79–114 **5** J. W. HILL, Oratory Music in Florence, I: Recitar cantando, 1583–1655, in: Acta Musicologica 51, 1979, 108–136 **6** A. MORELLI, Il tempio armonico. Musica nell'oratorio dei Filippini in Roma (1575–1705), 1991 **7** R. A. RASCH, The Greek tones in Pietro della Valle's Oratorio per la Festa della Santissima Purificatione (1640), in: Jaarboek van de Huygens-Fokker-Stichting 1994, 124–138 **8** E. REIMER, s. v. O., in: Hdb. der Musikalischen Terminologie, 1972 **9** A. SCHERING, Neue Beitr. zur Gesch. des it. O. im 17. Jh., in: Sammelbde. der Internationalen Musikgesellschaft 8, 1906/7, 43–70 **10** H. E. SMITHER, A History of the Oratorio, 1977–1987.   MARTIN KIRNBAUER

Orchomenos   A. EINLEITUNG
B. ARCHÄOLOGISCHE ERFORSCHUNG

A. EINLEITUNG

Das boiotische O. (Abb. 1) ist der wiss. Welt erst durch die Berichte der europ. Reisenden des frühen 19. Jh. bekanntgeworden [1. 1 ff.; 13. 295]. In dichter Folge wurde der Ort besucht von E. D. Clarke (1801, Ber. erschienen 1816), E. Dodwell (1805, Ber. erschienen 1819), W. M. Leake (1805, Ber. erschienen 1835), Colonel Squire (Ber. bei R. Walpole, publ. 1818) und Ch. R. Cockerell (1813, Ber. erschienen erst 1903). Wer das von Pausanias (IX 36, 5–6; 38, 2) so überschwenglich gepriesene »Schatzhaus des Minyas« identifiziert hat, von dem damals (nach einem nur bei Leake erwähnten

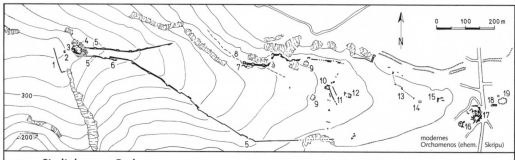

Abb.1: **Stadtplan von Orchomenos** (1997, nach H. Birk)

1 Sperrmauer	8 antiker und neuzeitlicher Weg nach Abai/Opus	13 östliches Diateichisma
2 Zisterne		14 Kirche des Ag. Charalambos
3 Graben	9 neuzeitliche Wasserkastelle	15 sog. archaischer Tempel
4 Kastro	10 Turm im wstlichen Diateichisma	16 mykenische Tholos
5 Pforten	11 Rest einer älteren (mykenischen?) Mauer	17 Theater
6 ältere, nicht einbindende Mauer		18 Rest des mykenischen Palastes
7 Tor	12 sog. Asklepios-Heiligtum	19 Klosterkirche der Panagia

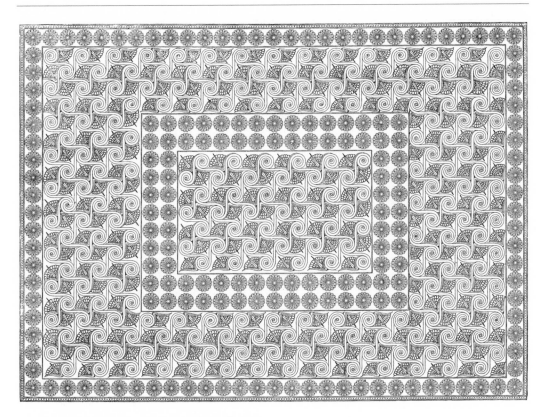

Abb. 2: Decke der Grabkammer des »Schatzhauses des Minyas«

Freilegungsversuch durch Lord Elgin in den J. zw. 1801 und 1803, vgl. [20]) nur der gewaltige Türsturz zu sehen war, ist unklar (Clarke oder, nach Walpole, John Twedell 1769–1799). K. O. Müller waren bei Abfassung seines 1820 erschienenen Jugendwerkes *Orchomenos und die Minyer* zur Stadt selbst nur die bei Walpole mitgeteilten Informationen zugänglich [14. 34, 234–235], er mußte seine Rekonstruktion der Geschichte des mythischen Volkes der Minyer fast ausschließlich auf die lit. Überlieferung stützen. Er hat den Ort am 9. Juli 1840 auf seiner Griechenlandreise besucht, einen Plan der Stadt angefertigt und die damals sichtbaren Reste der »Schatzkammer« gezeichnet, sich in der Nacht zuvor in den Sümpfen der Kopais aber auch die Infektion zugezogen, an der er drei Wochen später starb [2. 267]. Müllers Grundannahme, daß O. das Zentrum einer ausgedehnten, reichen prähistor. Kultur gewesen ist, wurde von der folgenden Forsch. bestätigt. Daß diese (myk.) Kultur schließlich nicht nach dem Volk der Minyer benannt worden ist, war auch die Folge von Schliemanns so erfolgreichen Grabungen in Mykene. (Der Begriff »minysch« wird von der Forsch. nur noch für die Kennzeichnung einer unverzierten grauen oder rötlichen Keramikgattung aus mittelhelladischer Zeit verwendet.)

B. Archäologische Erforschung

Die arch. Erforsch. von O. beginnt erst im letzten Drittel des 19. Jh. H. Schliemann grub, unter Assistenz von W. Dörpfeld, das von der Forsch. inzwischen als Grabbau erkannte »Schatzhaus des Minyas« aus (1881 und 1886 [16–19]), entdeckte dabei die bis dahin unbekannte Grabkammer mit ihrer berühmten Decke (Abb. 2, restauriert von A. Orlandos 1914 [15]) und führte auch noch an anderen Stellen Sondagen durch. 1893 legte A. De Ridder einen auf Asklepios bezogenen Tempel wohl aus dem 4. Jh. v. Chr. frei [3]. Systematische Ausgrabungen wurden 1903 und 1905 von A. Furtwängler und H. Bulle im Auftrag der Bayerischen Akad. der Wiss. durchgeführt [1], die v. a. der Klärung der vorgeschichtlichen Besiedlungsphasen von O. dienten. Obwohl die Grabung nicht wirklich abgeschlossen wurde und auch die Publikation bis heute unvollständig geblieben ist (es fehlt noch die Vorlage der Funde aus mittelhelladischer Zeit und aus den histor. Perioden von der geometrischen Zeit an), haben die von E. Kunze [9–10] publ. stratigraphischen Unt. für die Grundlegung der Keramikchronologie Griechenlands vom Neolithikum bis zum E. des 3. Jt. große Bed. erlangt. In den siebziger J. des 20. Jh. wurde durch den griech. Antikendienst (Th. Spyropoulos [21–22]) das frühhell. Theater freigelegt und Teile des myk. Palastes (mit Resten von Wandmalereien) bei der Klosterkirche der

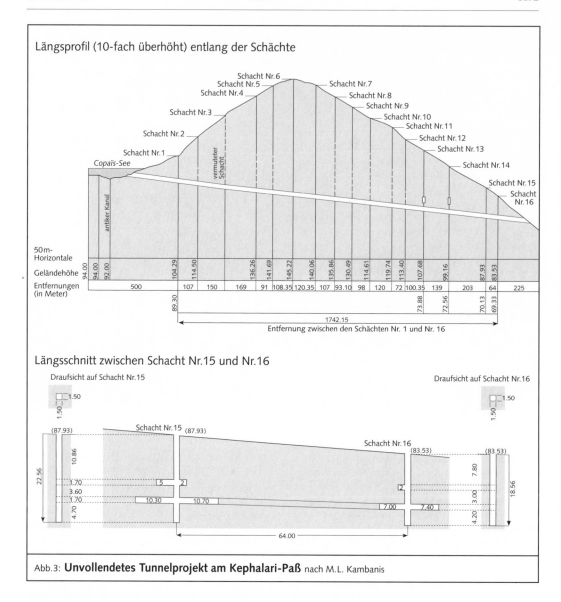

Abb.3: **Unvollendetes Tunnelprojekt am Kephalari-Paß** nach M.L. Kambanis

Koimesis Theotokou ausgegraben, wo schon Bulle Sondagen angelegt hatte. Noch immer nicht gefunden ist dagegen das wichtigste Baudenkmal der Stadt, der Tempel der Chariten (Paus. IX 38,1), der gewöhnlich bei der Klosterkirche lokalisiert wird.

Aus der Blütezeit von O. in der myk. Epoche ist außer dem Kuppelgrab und den bisher nur spärlichen Resten des Palastes wenig bekannt. Das gilt noch mehr für die histor. Perioden [4. 13]. Ein Teil der ant. Siedlung ist durch den mod. Ort O. (früher Skripu und Petromagula) überbaut, das Übrige entweder unausgegraben oder dem Steinraub aller Zeiten bis in die Gegenwart zum Opfer gefallen. Das bedeutendste noch sichtbare Monument aus histor. Zeit ist die Stadtmauer mit der Gipfelfestung, die – wie das Theater – aus der Zeit stammt, als O. – nach der Zerstörung von Theben durch Alexander d. Gr. – vorübergehend Hauptort des Boiotischen Bundes geworden war.

Mit O. verbunden ist die Geschichte der wiederholten Versuche, das bis in das 19. Jh. n. Chr. von einem See wechselnden Umfangs bedeckte Kopaisbecken trokkenzulegen. Diese bestanden darin, die natürlichen Abflußöffnungen (Katavothren) freizuhalten oder zu erweitern, die Flußläufe des Kephissos und des Melas zu kanalisieren, geeignete Flächen durch Eindeichung trockenzuhalten oder ganz neue Abzugskanäle künstlich herzustellen. Erstmals beschrieben von G. Wheler (1676, publ. 1682 [13. 45–47]), ist das System seit der endgültigen Trockenlegung des Kopaisbeckens am E. des 19. Jh. n. Chr. genauer bekannt [2; 5], aber erst in den siebziger und achtziger J. des 20. Jh. gründlicher erforscht worden [6–8. 11]. Obwohl die Chronologie einzelner Teile noch umstritten ist, steht fest, daß die Grundzüge des Entwässerungssystems in späthelladische oder gar mittelhelladische Zeit zurückreichen. Entwässerungsmaßnahmen aus histor. Zeit haben sich derselben Methoden bedient oder sind unvollendet geblieben (Tunnel durch den Kephalari-Paß nach Larymna, Abb. 3, offener Graben zum Iliki-See [2. 270; 8. 244–245]).

1 H. BULLE, O. I. Die älteren Ansiedlungsschichten (Abh. der Bayerischen Akad. der Wiss. XXIV 2, 1907)
2 E. CURTIUS, Die Deichbauten der Minyer. Gesammelte Abh. I, Berlin 1894, 266–280 3 A. DE RIDDER, Fouilles d' Orchomène, in: BCH 19, 1895, 137–224 4 J. M. FOSSEY, Topography and Population of Ancient Boiotia, 1988, 351–359 5 M. L. KAMBANIS, Le dessèchement du lac Copais par les anciens, in: BCH 16, 1892, 121–137; 17, 1893, 322–342 6 J. KNAUSS, Die Melioration des Kopaisbeckens durch die Minyer im 2. Jt. v. Chr. (Kopais II). Inst. für Wasserbau und Wasserwirtschaft und Versuchsanstalt für Wasserbau, Ber. 57, 1987 7 Ders., Wasserbau und Gesch. Minyische Epoche – Bayerische Zeit (Kopais III). Ber. 63, 1990 8 J. KNAUSS, B. HEINRICH, H. KALCYK, Die Wasserbauten der Minyer in der Kopais – die älteste Flußregulierung Europas (Kopais I). Ber. 50, 1984 9 E. KUNZE, O. II. Die neolithische Keramik (Abh. Akad. München N. F. 5, 1931) 10 Ders., O. III. Die Keramik der frühen Bronzezeit (Abh. der Bayerischen Akad. der Wiss. N. F. 8, 1934) 11 S. LAUFFER, Top. Unt. im Kopaisgebiet 1971 und 1973, in: AD 29, 1973/74, Chronika II, 1979, 449–454 12 Ders., Kopais. Unt. zur histor. Landeskunde I, 1986 13 Ders., s. v. O., RE Suppl. XIV, 1974, 290–333 14 K. O. MÜLLER, O. und die Minyer, Breslau ²1844 15 A. K. ORLANDOS, in: AD I, 1915, Parartema (»Anhang«) 51–53 16 G. PERROT, CH. CHIPIEZ, Histoire de l' art dans l' antiquité VI, Paris 1894, 434–447 17 H. SCHLIEMANN, O. Ber. über meine Ausgrabungen, Leipzig 1881 = Exploration of the Boeotian Orchomenos, in: JHS 2, 1881, 122–163 18 Ders., Ausgrabungen in O. und Kreta, Zschr. der Ethnologie 18, 1886, 376–379 19 C. SCHUCHHARDT, Schliemann's Ausgrabungen in Troja, Tiryns, Mykenä, O., Ithaka, Leipzig ²1891, 352–359 20 A. H. SMITH, Lord Elgin and his Collection, in: JHS 36, 1916, 232 u. 238 21 T. SPYROPOULOS, Εἰδήσεις ἐκ τονοιωτίας, in: AAA 6, 1973, 392 ff. 22 Ders., Τὸ ἀνάκτορον του Μινύου εἰς τον Βοιωτικὸν Ὀρχομενόν, in: AAA 7, 1979, 313–325.

KLAUS FITTSCHEN

Orden s. Medaillen

Orient-Rezeption I. ÄGYPTEN
II. VORDERASIEN/KUNST
III. VORDERASIEN/LITERATUR

I. ÄGYPTEN
A. EINLEITUNG B. MITTELALTER
C. RENAISSANCE D. BAROCK UND ROKOKO
E. KLASSIZISMUS
F. REVOLUTIONSZEIT UND EMPIRE

A. EINLEITUNG

Als mit der Spät-Ant. das Abendland als kultureller Raum erste Konturen annahm, ging die Geschichte des Alten Ägypten zu Ende. Mit der Christianisierung des Niltales wurden die letzten praktizierten Formen der Jahrtausende alten altägypt. Religion vernichtet, mit der Eroberung Ägyptens durch den Islam im Jahre 642 die vormals engen Beziehungen Ägyptens zur europ. Nordküste des Mittelmeeres weitgehend abgeschnitten [7]. Bis zum ausgehenden 18. Jh. bildeten von nun an v. a. die Zeugnisse der ant. Ägyptenrezeption, die sich im röm. Reich, insbes. in Rom selbst, seit der Schlacht von Actium 31 v. Chr. angesammelt hatten, die dingliche Grundlage der Rezeption altägypt. Kunst – ägypt. und ägyptisierende Kultobjekte [47] ebenso wie transformierte Monumentalskulpturen und Obelisken [32; 44] oder nach ägypt. Anregungen entstandene Grabpyramiden (Abb. 1).

B. MITTELALTER

Das Ägyptenbild des europ. MA war geprägt von den Berichten der Kirchenlehrer und der Bibel. Ägypten erschien als Wirkungsbereich Josephs, als Ort der Knechtschaft des israelitischen Volkes und ihres Anführers Moses sowie als Land, das der hl. Familie Schutz geboten hatte. Bildliche Darstellungen zu diesen Themen wurden mit den zeittypischen Bildformeln dargestellt. Nur selten finden sich genuin ägypt. Elemente in der ma. Ikonographie [26]. Zu den auffälligsten Darstellungen zählen ägyptisierende Sphingen aus dem 13. Jh. in mittel-it. Kreuzgängen, unter anderem in dem

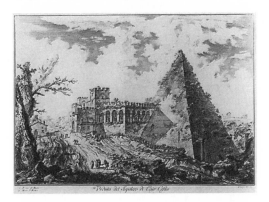

Abb. 1: Giambattista Piranesi, Pyramide des Gaius Cestius (errichtet nach 12 v. Chr.),
Radierung aus *Veduta di Roma*, 1755 (Privatsammlung)

von S. Giovanni in Laterano in Rom. Die Berichte europ. Palästinapilger, die auf ihren Reisen zu biblischen Stätten und koptischen Wallfahrtsorten bis nach Oberägypten gelangten, hinterließen keine erkennbaren Spuren in der zeitgenössischen Kunst [43].

C. RENAISSANCE

Die erste Phase der abendländischen Ägyptenrezeption wurde durch das 1419 von Christoforo Buondelmonte auf der Insel Andros gefundene Manuskript des *Corpus Hermeticum* eingeleitet. Diese ps.-ägypt. Schrift der Spät-Ant. beeinflußte unmittelbar die Philos. der Frührenaissance. 1463 durch den Philosophen Marsiglio Ficino im Auftrag Cosimo il Vecchios in Florenz ins Italienische übertragen, wurde sie erstmals 1471 in gedruckter Form verbreitet. Die von ihr beeinflußte hermetische Philos., in der das Vermächtnis arkaner Weisheit des ägypt. Wunderlandes vermutet wurde, wirkte prägend auf die neoplatonischen Zirkel der zweiten Hälfte des 15. Jh. Weitere lit. Quellen für die sich fühlbar entwickelnde philol. und ästhetische Ägyptenrezeption bildeten die Schriften Herodots, Platons, des Diodorus Siculus, Strabons, Plinius', Plutarchs und Apuleius' [35]. Angeregt von den Offenbarungen des Hermes-Trismegistos setzte die Ausdeutung der Hieroglyphen ein. Gleichzeitig entwickelte sich in den human. Kreisen das Interesse an Impresen und Devisen [1; 31]. Als Erste jener sehr persönlichen Hieroglyphenerfindungen ist das seit 1450 nachweisbare geflügelte Auge des Architekten und Kunsttheoretikers Leon Battista Alberti anzusehen. Ebenso wie Alberti beschäftigte sich der zeitgenössische Architekt Filarete in Architekturtraktaten mit der lit. überlieferten monumentalen Erscheinung altägypt. Baukunst. Für seine fiktive Idealstadt Sforzinda plante Filarete die mod. Kopie eines ägypt., mit Hieroglyphen geschmückten Obelisken, der von dem einzigen, damals aufrecht stehenden Obelisken an der Seite des ma. Petersdomes in Rom beeinflußt wurde und die städtebaulichen Konzepte der folgenden Jh. prägte [32]. Die monumentale Wirkung ägypt. Bauformen erkannte auch der Illustrator einer 1499 in Venedig gedruckten Erbauungsschrift, der *Hypnerotomachia Poliphili*, in dem sich symbolhafte Pyramidengebäude, Obelisken und Hieroglyphen auf vielen der qualitätvollen Holzschnittillustrationen finden [52]. Diese Bildvorlagen beeinflußten bis ins 17. Jh. die künstlerische Auseinandersetzung mit Ägypten (u. a. Bernini).

Alexander VI. Borgia war der erste Papst, unter dem die künstlerische Ägyptenrezeption konkrete Formen annahm. Die aus der Toskana, dem ehemaligen Etrurien, stammende Familie der Borgia führte ihren Stammbaum bis auf den ägypt. Gott Osiris zurück und ließ deshalb die Beziehung zw. Ägypten und den Etruskern von Annius von Viterbo [45. 184] belegen [5; 11]. Das Deckenfresko der zw. 1493 und 1495 von Pinturicchio für Alexander VI. ausgemalten Sala dei Santi in den Appartamenti Borgia im vatikanischen Palast schildert die auf Diodorus zurückgehende Legende der Isis und des Osiris in der ikonographischen Tradition der Hochre-

naissance [8]. Der von Annius von Viterbo aufgestellten Theorie einer Verbindung der etruskischen mit der arkanen ägypt. Kultur verpflichtet war auch der zw. 1558 und 1564 durch Vicino Orsini angelegte Garten von Bomarzo (unter Einfluß der *Hypnerotomachia Poliphili*, → Park VI.), in dem sich ein Isis-Heiligtum befand [33]. Zudem wurden die Besucher durch zwei Sphingen empfangen, die als früheste belegte Gartensphingen angesehen werden können. Diese Wächter verwiesen durch ihre Vielbrüstigkeit auf die generativen Kräfte der Urnatur, einem Symbolgehalt, das der Sphinx künftig zugewiesen werden konnte [17].

Ebenso wie die Borgia zuvor führte auch die Adelsfamilie der Colonna ihre Abstammung bis in die ägypt. Vorzeit zurück, indem sie davon ausgingen, daß der Gott Apis ihr Ahne sei. Eine Seite des in den 30er Jahren des 16. Jh. wohl im Auftrag des Kardinals Pompeo Colonna entstandenen *Colonna-Missale* verdeutlicht diese genealogische Herleitung [50; 58]. Das Blatt, das die Messe Johannes des Täufers einleitet, enthält ein umfangreiches Kompendium ägypt. und ps.-ägypt. Formen. Die dargestellten Motive gehen zum Teil direkt auf eine in den ersten Jahrzehnten des 16. Jh. ausgegrabene spätant. Bronzetafel zurück, die als *Mensa Isiaca* bekannt wurde. Das spätant. Kultobjekt wurde auch nach einem ihrer Besitzer, dem im Dienste des Papstes stehenden Humanisten Pietro Bembo, als *Tabula Bembi* bezeichnet [49]. Da man in dieser Tafel eine authentische Quelle zur ägypt. Religion gefunden zu haben glaubte, wurde sie bis weit ins 18. Jh. zu einer der wichtigsten Inspirationsquellen der künstlerischen Auseinandersetzung mit Ägypten. Auf Enea Vicos erste darstellende Beschreibung der *Mensa Isiaca* aus dem Jahre 1559 folgten eine Vielzahl von Deutungsversuchen, bis hin zum *Fragment über die Isische Tafel* von Gotthold Ephraim Lessing im Jahre 1792.

Julius II., der Nachfolger Alexanders VI., ließ hieroglyphenartige Inschriften, die von der *Hypnerotomachia Poliphili* beeinflußt wurden, durch Bramante im Belvedere-Hof des Vatikans anbringen. Im Auftrag seines Nachfolgers Papst Leos X. malte Raphael 1515–1517 die Stanza dell'Incendio im vatikanischen Palast aus, in die auch Darstellungen monumentaler ägypt. Skulpturen als Trägerfiguren eingefügt wurden. Sie gehen auf die kolossalen Stützfiguren zurück, die als »Telamone« bezeichnet wurden und wahrscheinlich aus der Villa des Kaisers Hadrian stammten und vielleicht schon unter Pius II. (1458–1464) am Kardinalspalast von Tivoli aufgestellt wurden [24].

Die intensive Auseinandersetzung mit ägypt. Kunstformen in der röm. Kunstszene der Jahre nach 1500 belegen die Aufnahme von Zeichnungen ägypt. Skulpturen und Inschriften in den Skizzenbüchern Giuliano da Sangallos, Pirro Ligorios, Balthasare Perruzis, Maerten von Heemskercks u. v. a. m. Raphael entwarf gegen 1515 auch das erste pyramidenförmige Wandgrab der Neuzeit, das in der um 1520 vollendeten Capella Chigi in Sta. Maria del Popolo aufgestellt wurde [45]. Dieses architektonisch schlichte Monument führte die genuin ägypt. Architekturform wieder in die Sepulkralarchitektur ein. Pyramiden und Obelisken wurden schon wenige Jahrzehnte später insbes. in Frankreich in die Begräbnissymbolik übernommen. Typologisch mit dem Chigi-Grab verbundene Pyramidenmonumente sind insbes. aber auch die wandgebundenen Pyramidengräber des 18. und 19. Jahrhunderts.

Auch die Sphinx wurde zu Beginn des 16. Jh. Teil der Grabmalsikonographie, so in dem 1550 von Vincenzo de' Rossi für Angelo Cesi geschaffenen Grab in der Cesi Kapelle von Sta. Maria della Pace in Rom. Der weibliche Todesdämon der griech. Ödipussage erlebte damit in ägypt. Formen eine human. Umdeutung. Die vielfältige Verwendung der Sphinx als weiblicher Genius belegen dessen gleichzeitig beginnende Differenzierung in der Garten- und Sepulkralikonographie [15]. Ägyptisierende Mischwesen fanden zudem als symbolhafter Schmuck von Gebäuden Verwendung. Einen der frühesten Belege hierfür bildet ein Sphingenpaar, das im ersten Drittel des 17. Jh. vor dem Hôtel de Sully in Paris aufgestellt wurde. Sie verbinden den ihnen traditionell zugesprochenen Symbolwert einer Bewahrerin der Geheimnisse mit dem Sinnbild der Klugheit [21].

Gegen Ende des 16. Jh. erschienen zwei bedeutende Werke, die sich mit Formen und Inhalten ägypt. Überlieferungen auseinandersetzten: Vincenzo Cartaris 1596 in Venedig gedrucktes, vielgelesenes Werk *Imagines degli dei delli antichi* und der *Thesaurus Hieroglyphicarum*, ein um 1610 in München herausgegebener Götterkatalog des Georg Johann Herwart von Hohenberg [26].

D. BAROCK UND ROKOKO

1614 veröffentlichte Michael Maier, der Leibarzt Kaiser Rudolfs II., unter dem Titel *Arcana Arcanissima hoc est Hieroglyphica Aegypti-Graeca* seine Erkenntnisse über die Beziehungen ägypt. Geheimwissens zu den alchemistischen und astrologischen Welttheorien. Maier war auch ursächlich an der Stiftung des protestantisch geprägten Geheimbundes des Rosenkreuzerordens beteiligt. Mit seiner Schrift wurde die Bedeutung altägypt. Symbole innerhalb arkaner Geheimgesellschaften in neuer Form weiterentwickelt.

Von katholisch-jesuitischer Seite befaßte sich der Polyhistor und Naturkundler Athanasius Kircher mit dem arkanen Wissen Ägyptens [38]. Als bedeutendster Ägyptenforscher des 17. Jh. trug er eine reiche Sammlung ägypt. Kunstwerke und kultureller Zeugnisse zusammen und legte mit seinen Forsch. den Grundstein zu einer koptischen Gramm. (1636) [20]. Zeit seines Lebens befaßte er sich zudem auf Grundlage des Rebusgedankens der Ren. mit der Entzifferung altägypt. Hieroglyphen (*Lingua aegyptiaca restituta*, 1644, *Oedipis aegyptiacus*, 1676 (Abb. 2), *Sphynx mystagoga*, 1676, *Turris Babel*, 1679). Mit seinen Abh. *Obeliscus Pamphilius* (1650) und *Obeliscus Chigi* (1666) begleitete er zwei spektakuläre Wiederaufrichtungen von Obelisken, die er als monumentale Träger hieroglyphischer Weisheit ansah [23]. Papst Innozenz X. und sein Nachfolger Alexander VII.

Abb. 2: Athanasius Kirchner (1602–1680), *Oedipus Aegyptiacus. Hoc est universalis hieroglyphicae veterum doctrinae temporum iniuria abolitae instauratio (...)*, Bd. 3. Aufgeschlagen: Obelescus Ramesseus sive Lateranis (Seite 160), Rom 1654 (Berlin, Universitätsbibliothek der Freien Universität Berlin)

hatten sich mit ihren Obeliskenerrichtungen in eine Folge eingereiht, die unter Papst Sixtus V. 1586 begann. Zunächst wurde durch den Architekten Domenico Fontana der einzige noch aufrecht stehende Obelisk von der Seite vor die Fassade des Petersdomes umgesetzt. 1588 ließ Sixtus V. einen restaurierten Obelisken vor der Lateransbasilika aufstellen. 1589 folgte der Obelisk auf der Piazza del Popolo [32].

Zeitgleich mit Athanasius Kircher setzte sich in Rom Nicolas Poussin, der wichtigste Vertreter des frz. *classicism* in mindestens 13 Gemälden mit dem ägypt. Sujet auseinander [16]. Durch Versatzstücke wie Palmen, Pyramiden und Obelisken wurden von ihm Historienbilder mit Darstellungen der Kindheitsgeschichte Moses oder der Flucht der hl. Familie nach Ägypten nach Maßgabe der Zeit histor. genau dargestellt. Poussin wurde darin u. a. durch das »Nilmosaik« von Praeneste bei Palestrina beeinflußt, das bis ins frühe 19. Jh. als authentische Quelle für das tägliche Leben im alten Ägypten galt.

Über Poussin fand das ägypt. Sujet Zutritt in die akad. → Historienmalerei des Barock in Frankreich. Neben den genannten biblischen Themen entwickelte sich auch das Leben der Kleopatra zum Bildinhalt. Gleichzeitig wurde auf ägyptisierende Motive (u.a. Sphinx, ägypt. Hermen, Göttersymbole) in der prägenden Ornamentik Jean Berains d.Ä. sowie als figuraler Schmuck bei Möbelentwürfen und Kleinmöbeln einflußreicher Ebenisten (u.a. André-Chalres Boulle) zurückgegriffen.

In der höfischen Ikonographie unter Louis XIV. entwickelte insbes. die Sphinx eine heute noch nicht exakt bestimmte Bedeutung. Als frühestes Beispiel läßt sich das Sphinxpaar im Schloßgarten von Versailles (1668, Lerambert und Houzeau) bestimmen, dessen strenger, an den ägypt. Vorbildern orientierter Darstellungsmodus einen weitverbreiteten Typus klassizistischer Sphingen des 18. Jh. prägte [51]. Im Sinne der *Prudentia* verwendete Sphinxdarstellungen finden sich an hervorgehobener Stelle im Spiegelsaal von Versailles (entworfen von Charles Lebrun, ausgeführt 1678–1686 durch die Werkstatt des Antoine Coysevox) oder in der Schatzkunst. Nahezu zeitgleich publizierte Jacques-Benigne Bossuet 1681 den *Discours sur l'histoire universelle*, in dem der ägypt. Vorzeit und ihren baulichen wie kulturellen Leistungen ein Vorbildcharakter für die absolutistische Staatsform zugeschrieben wurde.

Zwischen 1719 und 1724 erschien mit der zehnbändigen *L'Antiquité expliquée et representé en figure* des Benediktinerpaters Bernhard de Montfaucon ein Antikenkompendium, in dem alle damals bekannten, mit dem alten Ägypten verbundenen Artefakte und Kunstwerke bildlich vereint wurden. Neben Skulpturen, Werken der Kleinkunst und Glyptik zeigen mehrere Tafeln zudem phantasievolle Ansichten ägypt. Großbauten. Das monumentale Tafelwerk wurde zu einer häufig benutzten Bildquelle für die Kunst des 18. Jh.

Unmittelbaren künstlerischen Einfluß hatten die sorgfältigen Abbildungen in Montfaucons Publikation auf den zw. 1724 und 1731 entstandenen »Apis-Altar« (Abb. 3) des sächsischen Hofjuweliers Johann Melchior Dinglinger [54]. Das großformatige Werk ist eine der ersten und zugleich glanzvollsten Auseinandersetzungen mit dem Totenkult und der Kunst der Pharaonen. Es blieb ein singuläres Meisterwerk der abendländischen Kunst. Zeitgleich erlebte unter August dem Starken die Ägyptenrezeption durch Gartensphingen, ägyptisierende Porzellane der frühen Meißner Manufaktur und ein im Schloß von Wilanow bei Warschau eingerichtetes Kabinett mit ägyptisierenden Themen und Ornamenten einen Höhepunkt.

Mit dem beginnenden 18. Jh. wuchs das Bedürfnis nach Verifizierung der ant. Überlieferungen zu Ägypten [18]. Dies geschah insbes. durch gedruckte Reiseberichte, die zum Teil reich illustriert waren (Lucas, 1714; Maillet, 1735; Pococke, 1743; Norden, 1751). Vor allem die Beschreibungen Pocockes und Nordens besaßen eine Genauigkeit, die von keiner damaligen Beschreibung Griechenlands erreicht wurde [51].

Abb. 3: »Apis-Altar«; Höhe 195 cm, Breite 102,2 cm (Grünes Gewölbe, Staatliche Kunstsammlung Dresden)

Das wachsende Interesse an den Großbauten des ägypt. Altertums schlug sich auch in dem 1721 erschienen *Entwurff einer historischen Architektur* des Johann Bernhard Fischer von Erlach nieder. Seine Phantasieentwürfe beeinflußten noch die klassizistischen Visionäre des späten 18. Jh., der Text zu den Kupferstichen gehört zu den Gründungsschriften der Architekturgeschichtsschreibung. Den reichen, den Gartenarchitekten des Spätbarock zur Verfügung stehenden Typenschatz an Sphingen vermitteln 20 derartige großformatige Figuren in der zw. 1714 und 1721 von Lucas von Hildebrand für den Prinz von Savoyen geschaffen Gartenanlage zw. dem Oberen und dem Unteren Belvedere in Wien. Sie wurden von Bildhauern des Rokoko, etwa Ferdinand Dietz um 1768 im Park von Veitshöchheim bei Würzburg, übernommen und weiterentwickelt.

E. KLASSIZISMUS

Der um die Mitte des 18. Jh. beginnende europ. → Klassizimus brachte nicht nur den histor. Rückgriff auf die als vorbildhaft angesehene griech.-röm. Ant., sondern auch eine künstlerische Reflexion vorhergehender Epochen, insbes. Ägyptens, mit sich. Einer der bedeutendsten Theoretiker des Frühklassizismus, der Comte de Caylus, publizierte in seinen zw. 1752 und 1767 erschienenen siebenbändigen *Recueils d'antiquités* eine große Zahl ägypt. Kunstwerke, die er eingehend beschrieb [51]. Die monumentale Kunstgesinnung und die ewigkeitsbezogene Qualität ägypt. Kunst dienten ihm als beispielhafte Zeugnisse eines aufgeklärten Absolutismus der Vergangenheit, den er auch in den frz. Akad. propagierte. Caylus stand dabei im deutlichen Gegensatz zu dem heute als Theoretiker des Klassizismus dominierenden Johann Joachim Winckelmann (*Geschichte der Kunst des Altertums*, 1764). Caylus' Theorien waren jedoch zunächst in Frankreich künstlerisch von größerem Einfluß. Sie wurden durch Edmund Burkes 1757 erschienene Schrift *A philosophical inquiry into the Origin of our Ideas of the Sublime and Beautiful*, die der visionären Architekturästhetik des späten 18. Jh. vorausging, gestützt.

Von besonderer Bedeutung für die Ägyptenrezeption des Klassizismus wurde zunächst die röm. Kunstszene. In der 1748 eröffneten Schausammlung ägypt. bzw. ägyptisierender Kunst auf dem Kapitol konnte die monumentale Wirkung ihrer Skulptur physisch erlebt werden [39]. Die Schüler der in Rom wirkenden *Académie de France*, insbes. Hubert Robert und Jean Honoré Fragonard, prägten eine um 1760 in Rom einsetzende Ägyptenmode, die sich durch gemalte Architekturphantasien und in Kupferstich übertragene Entwürfe nachweisen läßt. Ihr Einfluß erstreckte sich auch auf andere frz. Künstler, so Cherpitel (1762, Zeichnung eines ägypt. Tempels), Vincent (1772, Zeichnung der Verehrung einer ägypt. Gottheit) oder Desprez (1780, Aquatintaradierungen mit ägypt. Themen).

Robert wie auch die Stichsammlung Caylus' beeinflußten zudem die zw. 1764 und 1769 von Giovanni Battista Piranesi geschaffenen Kaminentwürfe und sein Raumensemble des Caffè degli Inglesi (Abb. 4), die Piranesi 1769 in der Stichfolge der *Diverse maniere d'adornare i cammini* veröffentlichte [25; 41; 57]. Die Rezeption dieser ägyptisierenden Entwürfe Piranesis setzte erst in den letzten beiden Jahrzehnten des 18. Jh. ein [59]. Ägyptisierende Motive und malerische Architekturansichten finden sich seit den Jahren um 1760 auch

bei anderen it. Künstlern, insbes. im Bereich der Theater- und Operndekoration sowie im Werk des Architekturmalers Mauro Tesi aus Bologna (*raccolta di disegni originali*, Bologna 1787), die später in Aquatintaradierungen veröffentlicht wurden.

Wie intensiv sich selbst klassizistische Künstler um 1760 mit der ägypt. Kunst auseinandersetzten, belegen Gemälde des damals in Rom lebenden Anton Raphael Mengs. 1759 und 1760 schuf er zwei Bilder mit der Darstellung der Begegnung der Pharaonin Kleopatra mit ihrem Bezwinger Octavian (Abb. 5) [48]. Er unternahm darin eine weitgehend »arch.« genaue Verbindung klass.-ant. mit ägypt. Motiven. Zwischen 1771 und 1773 stattete Mengs einen Raum im vatikanischen Palast für die Papyrussammlung des Papstes Clemens XIV. aus [46]. Der noble Sammlungsraum erhielt eine Wandverkleidung mit kostbaren Hartgestein. Die Decke der *stanza dei papiri* wurde von Mengs und Unterberger mit einem Bildprogramm gefüllt, das christl. und altägypt. Motive und Formen miteinander verband. Wenige Jahre später, zw. 1778 und 1782, entstand in der Villa Borghese ein weiterer Raum im ägypt. Stil, die *stanza egizia*. Erneut wurden härteste exotische Gesteinsarten mit einer Decken- und Wandbemalung mit ägypt. Themen vereint. Das ikonographische Thema des von dem Architekten Asprucci für die Aufstellung ägypt. und ägyptisierender Skulpturen konzipierten Raumes war die Liebesgeschichte der Kleopatra und des Marcus Antonius.

Ebenso wie in Rom entwickelte sich kurz nach 1760 auch in Frankreich eine klassizistische Ägyptenmode [9]. Die in Rom geschaffenen Gemälde des Ruinenmalers Robert, die unter anderem »erhabene« Pyramidenansichten zeigen, gelangte in frz. Sammlungen. Bereits 1768 hatte der Ornamentstecher Neufforge eine Entwurfssammlung veröffentlicht, die auch Beispiele für Uhren und Möbelappliken in ägyptisierenden For-

Abb. 4: G.B. Piranesi, Dekoration für das Caffè degli Inglesi; in: *Diverse maniere d'adornare i camini* (...), o.O. 1769 (Kunstbibliothek, Staatliche Museen Preußischer Kulturbesitz, Berlin)

Abb. 5: Augustus und Kleopatra.
Anton Raphael Mengs (1728–1779),
Öl aud Leinwand, 1759, 59,5×45 cm
(Augsburg, Städtische Kunstsammlungen,
Deutsche Barockgalerie im Schaezlerpalais, 12634)

Abb. 6: Pyramide in Monceau, 1779,
entworfen von Carmontelle für den Besitz des
Herzogs von Chartres in Monceau

men enthält. Eindrucksvolle Beispiele für diese Ägyptenmode sind zudem die mit Porphyrplatten belegten Tische des Duc d'Aumont, deren bronzene Stützen von Gouthière nach einem Entwurf des Architekten Belanger als ägypt. Hermen gebildet waren [51]. Diese Prunktische wurden etwas später durch ein Paar Jaspistische mit ähnlichen ägypt. Formen ergänzt und 1782 in der Nachlaßauktion ihres Auftraggebers von Louis XVI. und Marie-Antoinette ersteigert.

Die frz. Königin hatte die Sphinx zu diesem Zeitpunkt als eines ihrer persönlichen Symbole erwählt. Sphingen empfingen die Gattin Louis XVI.' bereits bei ihrer Ankunft in Versailles als stuckierte Skulpturen an der Decke ihres 1770 neugestalteten Paradeschlafzimmers. Als nach 1780 die Neumöblierung der königlichen Gemächer durchgeführt wurde, ließ Marie-Antoinette mehrere Sitzmöbel und Wandtäfelungen ihrer Privatgemächer (bis 1788) mit ägyptisierenden Sphingen versehen (in Versailles: *chambre, boudoir, chambre doré*, in Fontainbleau: *boudoir* und *salon de jeu*, in Saint Cloud: *chambre* und *cabinet de toilette*) [5]. Das modische Vorbild der Königin beeinflußte die Hofgesellschaft. Ägyptisierende Pyramiden (Abb. 6) und Sphingen finden sich in mehreren der hochmodernen Landschaftsgärten Frankreichs (Bagatelle und Monceau bei Paris, Désert de Retz, Maupertuis) auf Möbeln, an Leuchtern, Kaminböcken und Uhren.

Außerhalb Frankreichs wurde die extravagante Luxusmode ebenfalls übernommen. »Ägyptische« Porzellane produzierten die Manufakturen in Meißen, Wien, Berlin und Neapel, »ägypt.« Steingut die englische Firma Wedgwood und Steitz in Kassel [2; 3; 53]. Der Architekt Holland und sein Schüler Tatham entwarfen ägyptisierende Möbel für Carlton House des Prince of Wales. 1793 schuf der Architekt Playfair einen Billardraum im ägypt. »Stil« für Cairness House in Schottland. Ägyptisierende Räume finden sich als Dekorationsvorschläge zudem in dt. Modejournalen (*Magazin für Freunde des guten Geschmacks*, Bd. 1, Hft. 4, Tfl. 3, 1795, Joseph Friedrich Freiherr zu Racknitz, *Darstellung und Geschichte des Geschmacks* (...), Hft. 1, Leipzig 1796, *Ideenmagazin für Liebhaber von Gärten* (...), Leipzig 1796, Hft. 9, Nr.1) [56].

Mehrfach werden diese Raumdekorationen in Zusammenhang mit dem Geheimorden der Freimaurer gebracht. Die 1791 uraufgeführte *Zauberflöte* Wolfgang Amadeus Mozarts setzte die seit dem Grafen Cagliostro bekannt gewordene »ägypt.« Freimaurerei in populärer Form um [42].

In den letzten Jahren vor der frz. Revolution befaßten sich auch Architekten, insbes. der Akademieprofessor Etienne-Louis Boullée in Paris, mit der Erhabenheit und Monumentalität ägypt. Bauformen und machte sie zu einem bestimmenden Moment seiner Architekturvisionen [13, 34].

F. Revolutionszeit und Empire

Das in dieser sog. »Revolutionsarchitektur« wirksame konservative Ägyptenbild Frankreichs wurde während der frz. Revolution einer Neubewertung unterzogen [6]. Ägyptische Formen erschienen nunmehr als Symbole der Schöpferkraft der Natur und Zeugnisse einer unverdorbenen Urkultur [55]. In diesem Sinne bekrönte den für das Fest der Einheit und Unteilbarkeit am 10. August 1793 auf dem Platz der ehemaligen *Bastille* errichteten Brunnen eine Darstellung der lebenschenkenden Isis in ägyptisierenden Formen (*Fontaine de la Régéneration*, Abb. 8). Eines der wenigen erhaltenen künstlerischen Zeugnisse dieser Umbruchzeit sind zwei mit ägyptisierenden Sphingen geschmückte Bänke (1794) im *Jardins des Tuileries* in Paris. Als Siegeszeichen der Revolution (Thionville, Lothringen) und als für die

Abb. 7: Zuckerdose (aus einer Serie von zwei),
32,4 × 11,8 × 18,5 cm. Nach Denon,
Taf. 115.2, Nr. 24 (Der Henkel ist eine adaptierte
Version eines in der Viyage de l'Égypte, Antiquités,
Bd. III, Taf. 66, Nr. 15 abgebildeten Henkels).
Aufschrift in Rot: de Sèvres 1811
(London, Apsley House, The Wellington Museum,
Trustees of The Victoria and Albert Museum)

Ewigkeit bestimmte Grab- und Denkmäler entstanden zugleich zahlreiche Obelisken und Pyramiden aus zumeist vergänglichem Material [27]. Die revolutionäre Möbelmode übernahm unmittelbar die bekannten Typen der Sphingen und ägyptisierende Hermen als »neufrz.« Geschmack (C. A. Böttiger, *Zustand der Künste in Frankreich*, Bd. 2, 1796, 130f.).

Die Besetzung Ägyptens durch die frz. Armee unter Führung des Generals Napoleon Bonaparte (Mai 1798 – August 1799) beeinflußte zunächst nicht die schon vorhandene Auseinandersetzung mit der ägypt. Kunst in Frankreich, sondern löste vielmehr im siegreichen England eine Ägyptenmode aus [10; 37; 22]. Die Forschungsergebnisse der frz. Gelehrten wurden erst 1809 (bis 1829) in einer repräsentativen Publikation veröffentlicht [30]. Die faktische Niederlage deutete Napoleon propagandistisch um und führte nach seinem Staatsstreich 1799 zum Empirestil, in dem Weiterentwicklungen ägyptisierender Dekorationsformen in großer Zahl an Möbeln, Uhren, Kaminböcken und Porzellanen zu finden sind [19]. Die monumentalsten Zeugnisse der napoleonischen Ägyptenmode sind zwei umfangreiche Porzellanservice der Manufaktur von Sèvres (1810–1812, Abb. 7), in Paris das heute nicht mehr vorhandene Denkmal für General Desaix auf der Place des Victoires, der Fellachenbrunnen in der Rue de Sèvres, das Brunnendenkmal für die Große Armee auf der Place de Châtelet, das Eingangsportal des Hôtel Beauharnais und im Landschaftsgarten von Saint-Leu-la-Forêt die Grabkapelle für Charles Bonaparte [29]. Als populäres Zeichen der napoleonischen Ägyptenmode entstand kurz nach 1800 die Fassade der ersten überdachten Passage in Paris, der Passage de Caire.

Die Ägyptenmode des frz. Empire mündete in die sich bereits formulierenden Kunstideale des → Historismus [40]. Dieser konnte auf die zunehmend wachsenden arch. Kenntnisse über die altägypt. Kunst zurückgreifen. In der Malerei wurden dabei neben den Historiensujets der Bibel und der ant. Autoren verstärkt die symbolhafte Ausdrucksfähigkeit ägypt. Kunst zum Thema [4; 50] (Abb. 9).

→ AWI Apis; Corpus Hermeticum; Hieroglyphen; Isis; Obelisk; Osiris

1 Don C. Allen, Mysteriously Meant. The Rediscovery of Pagan Symbolism and Allegorical Interpretation in the Ren., 1970 2 H. Allen, Egyptian, Egyptian influences in Wedgwood Design, in: Akt. des Colloquiums The Seventh Wegdwood International Seminar, 1962, 65–85 3 Ders., Egyptian Wedgwood, in: Akt. des Colloquiums The Twenty-Sixth Wedgwood International Seminar, 1981, 42–71 4 Ausstellungskat., Ägyptomanie. Ägypten in der europ. Kunst 1730– 930, Wien (Kunsthistor. Mus.) 1995 5 J. Baltrusaitis, La Quête d'Isis: Essai sur la légende d'un mythe. Introduction à l'égyptomanie, 1967 (Neuauflage 1985) 6 F. Baumgart, Ägypt. und klassizistische Baukunst. Ein Beitr. zu den Wandlungen architektonischen Denkens in Europa, in: Human. und Technik, Bd. 1, Heft 2, 1953 7 Fr. W. Freiherr von Bissing, Der Anteil der ägypt. Kunst am Kunstleben der Völker, 1912 8 M. Calvesi, Il mito

La Fontaine de la Régénération.
Sur les débris de la Bastille, le 10 août 1793.

Abb. 8: Der Brunnen der Erneuerung auf den Ruinen der Bastille, 10. August 1793.
Charles Monnet (1732– nach 1808); Graviert von Helman (1743–1806? 1809?), Stich 1797, 267×435 mm
(Paris, Musée de l'Armée, Cabinet des Estampes, 07802)

dell'Egitto nel Rinascimento – Pinturicchio, Piero di Cosimo, Giorgione, Francesco Colonna, 1988 **9** J.-M. CARRÉ, La connaissance de l'Egypte en France au XVIIIᵉ siècle, in: Chronique d'Egypte, Januar 1933, 33–43 **10** R. G. CARROTT, The egyptian revival. Its sources, monuments and meaning. 1808–1858, 1978 **11** P. CASTELLI, I geroglifici e il mito dell'Egitto nel Rinascimento, 1979 **12** J. COIGNAR, L'Égypte rêvée ou les tentations de l'Orient, in: Gazette des Beaux-Arts, CXI, April 1993, 58–68 **13** J. St. CURL, The Egyptian Revival as a Recurring Theme in the History of Taste, 1982, ²1994 **14** Ders, Du Nil à la Seine, in: Connaissance des Arts, Nr. 2, Mai 1986, 80–85 **15** H. DEMISCH, Die Sphinx. Gesch. ihrer Darstellung von den Anf. bis zur Gegenwart, 1977 **16** CH. DEMPSEY, Poussin and Egypt, in: The Art Bulletin, Bd. XLV, Nr. 2, Juni 1963, 109–119 **17** A. DESSENNE, Le Sphinx. Étude iconogaphique, Bd. 1, 1957 **18** F. B. DE VRIES, Egypte, bereisd, beroofd, bewaard, beschreven, in: Phoenix, Bd. 29, 1983 **19** É. DRIAULT, L'Égypte et Napoléon, in: Rev. des Ét. napoléonienne, Nr. 184, März-April 1940 **20** J. GODWIN, Athanasius Kircher: A renaissance man and the quest for lost knowledge, 1979 **21** J. GUILLAUME, Fontainbleau 1530: le pavillon des Armes et sa Porte égyptienne, in: Bull. Monumental, Bd. 137, Nr. 3, 1979, 225–240 **22** L. HAUTECOEUR, L'Expédition d'Égypte et l'art français, in: Rev. des Ét. napoléoniennes, Januar-Februar 1925, 81–87 **23** W. S. HECKSCHER, Bernini's Elephant and Obelisk, in: The Art Bull., Bd. XXIX, Nr. 3,

1947, 155–182 **24** H. HONOUR, The egyptian taste, in: The Connoisseur, Bd. CXXXV, Nr. 456, 1955, 242–246 **25** E. HUBALA, Diverse Maniere. Bemerkungen zu G. B. Piranesi's ägypt. Kaminen, in: FS H. SEDLMAYR, 1956 **26** Ders., Egypten, in: Reallex. zur dt. Kunstgesch., Bd. 4, 1958, 750–775 **27** J.-M HUMBERT, Les Obélisques de Paris, projets et réalisation, in: Rev. de l'art 23, 1974, 9–29 **28** Ders., L'Égyptomanie, source, thèmes et symboles. Étude de la réutalisation des thèmes décoratifs empruntés à l'Égypte ancienne dans l'art occidental du XVIᵉ siècle à nos jours, thèse de doctorat d'État, Paris 1987 – Lille 1990 **29** Ders. L'Egyptomanie dans l'art occidental, 1989 **30** Ders., Napoléon et l'Égypte ou l'osmose de deux mythes, in Ausstellung Figeac 1990, l'Égypte, Bonaparte et Champollion, 31–37 **31** E. IVERSEN, The Myth of Egypt and its Hieroglyphs in European Tradition, 1961 **32** Ders., Obelisks in exile, Bd. 1, The obelisks of Rome, 1968 **33** B. JAEGER, L'Egitto antico alla corte dei Gonzaga (La loggia delle Muse al Palazzo Te ed altre testimonianze), in: Akt. des internationalen Kongr., Bologna 1991, L'Egitto fuori dell'Egitto (26.–29.03.1991), 233–253 **34** J. St. JOHNSON, Egyptian Revivals in the Decorative Arts, in: Antiques XC, Nr. 4, 1966, 489–494 **35** M. KAISER, Ägypten in »Utopia«. Herodot, Diodor und Thomas Morus, in: Zeitschr. für ägypt. Sprache und Altertumskunde 99, 1973, 103–108 **36** J. KÉRISEL, La pyramide à traverse les âges, 1991 **37** O. LEFUEL, L'influence de la Campagne d'Égypte sur l'art français, in: Souvenir Napoléonien, Nr. 255, 197, 26–29

Abb. 9: Der Befrager der Sphinx.
Elihu Vedder (1836–1923), 1863, Öl auf Leinwand,
91,5 ×106,7 cm, signiert und datiert rechts unten:
Elihu Vedder / 1863
(Boston, Boston Museum of Fine Arts, Inv.-Nr. 06.2430)

38 E. LEOSPO, Athanasius Kircher und das Museo
Kircheriano, in: G. SIEVERNICH, H. BUDDE (Hrsg.), Europa
und der Orient, Berliner Festspiele 1989, 56–71
39 W. LIEBENWEIN, Der Portikus Clemens XI. und sein
Statuenschmuck. Antikenrezeption und Kapitolsidee im
frühen 18. Jh., in: H. BECK u. a., Antikenslgg. im 18. Jh.,
Berlin 1981, 73–118 **40** J. LORING, Egyptomania.
The Nile Style, in: Connoisseur, Bd. CC, 1979, 114–121
41 M. G. MESSINA, Piranesi: l'ornato e il gusto egizio, in:
Kongr.-Akt., Piranesi e la cultura antiquaria gli antecedenti
e il contesto (14.–17.11.1979), 1983, 375–384
42 S. MORENZ, Die Zauberflöte, eine Stud. zum
Lebenszusammenhang Aegypten – Ant. Abendland, in:
Münsterische Forsch., Bd. 5, Nr. 2, 1952 **43** Ders., Die
Begegnung Europas mit Ägypten, 1969 **44** C. D'ONOFRIO,
Gli obelischi di Roma, 1967 **45** N. PEVSNER, S. LANG, The
Egyptian revival, in: N. PEVSNER, Stud. in Art, Architecture,
Design, 1968, Bd. 1, 213–235 **46** ST. RÖTTGEN, Das
Papyruskabinett von Mengs in der Biblioteca Vaticana.
Ein Beitr. zur Idee und Gesch. des Mus. Pio-Clementio, in:
Münchner Beitr. zur Kunstgesch. 31, 1980, 189–246
47 A. ROULLETT, The Egyptian and Egyptianizing
Monuments of Imperial Rome, 1972 **48** M. SAABYE,
Augustus og Cleopatra. Dokumentation Omkring et
Malerei af Anton Raphael Mengs, in: Kunstmuseets
Arsskrift 63, 1976, 12–38 **49** E. SCAMUZZI, La Mensa Isiaca
del Regio museo di antichità di Torino, 1939
50 G. SIEVERNICH, H. BUDDE (Hrsg.), Europa und der
Orient, 1989 **51** D. SYNDRAM, Ägypten-Faszination. Unt.
zum Ägyptenbild im europ. Klassizismus bis 1800, 1990
52 Ders., Das Erbe der Pharaonen: Zur Ikonographie
Ägyptens ind Europa, in: G. SIEVERNICH, H. BUDDE (Hrsg.),
Europa und der Orient, Berliner Festspiele 1989, 18–35
53 Ders., Rätselhafte Hieroglyphen – Porzellane des 18. Jh.
mit ägyptisierendem Dekor, in: Jb. des Mus. für Kunst und
Gewerbe Hamburg, Bd. 6/7, 1988, 149–162 **54** Ders., Die
Ägytenrezeption unter August dem Starken. Der
»Apis-Altar« Johann Melchior Dinglingers, 1999
55 H. VOGEL, Ägyptisierende Baukunst des Klassizismus, in:

Zeitschr. für bildende Kunst 62, 1928/29, 160–165
56 L. VOLKMANN, Ägypten-Romantik, 1941
57 R. WITTKOWER, Piranesi's and Eighteenth century
Egyptomania, in: Stud. in the Italian Baroque, 1975,
259–273 **58** Ders., Egypte and Europe, in: P. REYNOLDS
(Hrsg.), Selected Lectures of R. Wittkower. The Impact of
Non-European Civilizations on the Art of the West, 1989,
36–59 **59** Ders., Piranesi's Contribution to European
Egyptomania, in: P. REYNOLDS (Hrsg.), Selected Lectures of
R. Wittkower. The Impact of Non-European Civilizations
on the Art of the West, 1989, 127–144.   DIRK SYNDRAM

II. VORDERASIEN/KUNST
A. SPÄTANTIKE BIS ROMANIK
B. GOTIK BIS BAROCK
C. 19. JAHRHUNDERT
D. 20. JAHRHUNDERT

A. SPÄTANTIKE BIS ROMANIK

Eine bedeutende Aufnahme altorientalischer Motive
und Ornamente in Europa erfolgte in der Spätant. im
Zuge der Christianisierung [23]. Im MA gelangten sie
vermehrt über die Vermittlung der sasanidischen Kultur
zunächst in die byz. und islamische Kunst. Hier spielen
Mischwesen, Doppeladler, Tierkämpfe und Jagdszenen
eine wichtige Rolle, die auf Keramik, Seidenstoffen,
Elfenbeinkästen, Olifanten u. a. überliefert sind. Durch
die islamischen Eroberungen in Europa (iberische Halbinsel, Sizilien und Süd-It.) und die byz. Herrschaft in It.
und auf dem Balkan fanden sie danach den Weg in das
ma. Europa [55]. Die Kreuzzüge verstärkten diese Rezeption noch, da vermehrt Kunstobjekte aus den islamischen Ländern und dem byz. Reich durch Handel
oder als Beute nach Europa kamen. Die Regionen mit
der bedeutendsten Verbreitung rezipierter Motive sind
Nordspanien, Süd- und Südwestfrankreich sowie Itali-
en. Als Motivträger fungieren insbes. kunstgewerbliche
Gegenstände, Stoffe, Buchmalerei, Reliefs und Skulpturen. Ein Schwerpunkt der Motivübernahme zeigt sich
beim Baudekor der sakralen Architektur der Romanik.

Ein Hochrelief am Westportal der Abteikirche Santa
María in Ripoll (span. Pyrenäen) zeigt einen Tierkampf,
bei dem ein Löwe auf einem Beutetier steht. Kapitell-
reliefs mit dem Tierbezwinger gibt es beispielsweise in
San Pedro de la Nave bei Zamora (Kastilien-Léon) und
im Kreuzgang des Klosters Santa María del Estany (Ka-
talonien). Die Säulenkapitelle des Kreuzgangs der Benediktinerabtei Saint Pierre in Moissac (Südwestfrankreich) sind mit Doppeladlern, Tierkämpfen, Greifen
und dem Tierbezwinger verziert. Eine Gewölbemalerei
der romanischen Krypta des Doms zu Clermont-Fer-
rand zeigte Doppeladler über gegenständigen Tieren. In
It. sind Kanzelpulte mit heraldischen Adlern über Beu-
tetieren bes. häufig. Insbesondere in Ober-It. sind Säu-
lenbasen oft als Beutetiere schlagende Löwen gearbeitet. Am Hauptportal des Doms von Verona ist es jedoch
ein Greif, der ein Tier überfällt [5; 9.; 55].

In der europ. Kunst werden altorientalische Motive
konsequenterweise Bestandteil der christl. Ikonogra-

phie, wie zum Beispiel der Tierbezwinger, der nun als Daniel in der Löwengrube interpretiert wird [24]. Eine Sonderstellung nimmt der Turm zu Babel als biblische Metapher ein. In der bildenden Kunst kann er seit dem 6. Jh. nachgewiesen werden [36. 237–238].

B. Gotik bis Barock

Mit der Gotik endete in der bildenden Kunst die Verbreitung von Motiven altorientalischen Ursprungs bis auf Ausnahmen wie jenes des Heiligen oder Herrschers auf Tieren stehend. In der Heraldik dagegen hatten einige altorientalische Motive ihren festen Platz gefunden. Dazu gehören der heraldische Adler, der über die Römer vermittelt worden war, und der Doppeladler [39].

Der Turm zu Babel, der in der Miniaturmalerei vom 12. Jh. [36. 238] an eine große Verbreitung fand und zunächst weitgehend die Gestalt der damaligen Wehr- und Kirchtürme hatte [1. 54–55, Abb. 32, 33; 20. Abb. 91, 92; 37. Taf. I; 61. Taf. 2a], wurde in der Tafelmalerei und Buchillustration seit dem 16. Jh. in Anlehnung an Herodot [34. 181–182] abgestuft, zumeist rund [1. Abb. 35–36, 39–40; 20. 8, Abb. 94–96, 98; 37. Abb. II, 2, 4, 5, 8; 61. Taf. 2c, 3a, 4a, 5a], seltener eckig [20. Abb. 93, 97; 37. Abb. 1; 61. Taf. 3b, 5b] dargestellt. Die Kuppellaterne der von Francesco Borromini erbauten Kirche San Ivo alla Sapienza (1642–1650) in Rom wird mit einem spiralförmigen Turm zu Babel [1. 68, Abb. 42] bekrönt.

C. 19. Jahrhundert
1. Bildende Kunst

Die ersten wirklichkeitsnahen Abbildungen von Ruinen im Nahen Osten stammen von Cornelis de Bruin. Er besuchte Persepolis 1704/05 und fertigte Zeichnungen an, die er 1711 veröffentlichte [20. 474, 476–477, Kat.Nr. 1/188, Abb. 566–572]. Karsten Niebuhr stellte um 1760 Kopien der Trilingue Darius I. und der Reliefbilder von Persepolis her, die 1774–1778 publiziert wurden [20. 478–479, Kat.Nr. 1/190, Abb. 574]. Solche Zeichnungen von Reisenden blieben bis zu Beginn der Ausgrabungen in Mesopotamien in der Mitte des 19. Jh. für die bildende Kunst eine wichtige Vorlage.

Der Graphiker und Dichter William Blake griff bei der Illustration zu seinem 1804–1818 entstandenen Gedicht *Jerusalem* das Motiv des menschenköpfigen Stiers auf; vermutlich geht dieses Motiv auf die Publikationen von de Bruin oder Niebuhr zurück [42. 93].

Auch der Maler John Martin, der die Gemälde *Der Untergang von Babylon* (1819), *Das Gastmahl des Belsazar* (1820) und *Der Untergang Ninives* (1828) schuf, die als Mezzotinto-Reproduktionen weite Verbreitung fanden [10. 371, Anm. 63], scheint auf die Illustrationen von Reiseberichten und die Beschreibung des Alten Orients (A.O.) in histor. Werken zurückgegriffen zu haben. So stellte er den von Herodot beschriebenen achtstufigen eckigen Turm dar, jedoch griff er in denselben Darstellungen auf den Spiralturm der im 16. Jh. begründeten europ. Trad. zurück [42. 97–100]. Seine Architekturdarstellungen sind ansonsten aber eher ägyptisierend und klassizistisch.

Das 1827 von Eugène Delacroix gemalte Bild *Der Tod des Sardanapal* geht auf Lord Byrons Theaterstück *Sardanapalus* zurück. Auf diesem Gemälde hat Delacroix verschiedenartige Artefakte unterschiedlicher Kulturen und Epochen willkürlich gemischt, um das Bild eines grausamen, luxuriösen und exotischen Orients darzustellen. Die einzigen Elemente, die als altorientalisch identifiziert werden können, sind die kappenartige Kopfbedeckung Sardanapals sowie die Barttracht des Herrschers und des Dieners. Vermutlich sind sie den Illustrationen von Achille Deveria aus der frz. Ausgabe des *Sardanapalus* von 1825 entlehnt. Deveria wiederum bezog sich auf die Zeichnung eines Reliefs aus Persepolis von de Bruin [21; 42. 96–97].

Kurz vor der Mitte des 19. Jh. begannen die Ausgrabungen in Assyrien durch den Franzosen Emile Botta und den Engländer Henry Austen Layard, was einerseits zur Eröffnung der assyrischen Abteilungen 1847 im Louvre und 1851 im Britischen Museum sowie andererseits zu Publikationen führte [14; 44.; 45]. Den Künstlern standen von nun an Beispiele neuassyrischer Kunst als Originale in den Mus. und in Form arch. Zeichnungen zur Verfügung. Die achämenidische Kunst, v. a. die Architektur von Persepolis, fand durch das Werk *Voyage en Perse* von Eugène Flandin und Pascal Coste Verbreitung [26]. Weitere Ausgrabungsberichte und Publikationen mit Abbildungen von Originalen und Rekonstruktionen altorientalischer Architektur sollten folgen [42. 292–321].

Bei einem Entwurf zur Innenausstattung des Pantheon in Paris, der 1848 an Paul Chenavard in Auftrag gegeben wurde, und der die *Philos. der Geschichte* darstellt, verband dieser Beispiele aus der Kunst verschiedener Kulturkreise und Epochen [31; 42. 100–102]. Im zentralen Motiv griff er bei den Mischwesen-Protomen auf Formen aus Persepolis zurück; außerdem wird der at. König Melchisedek in der Art eines sasanidischen Herrschers dargestellt. Im Entwurf eines »Tempelprojekts für den Montparnasse« (Abb. 1) benutzte er bei der doppelläufigen Freitreppe eine Form, die von den Apadana-Treppen in Persepolis bekannt war. Die gleiche Herkunft hat auch die Doppelprotomen-Kapitellform über dem Eingang in der Mitte. Der Tierkampf, mit dem die Außenseite der Freitreppe rechts geschmückt ist, lehnt sich jedoch an eine Darstellung auf dem »Schwarzen Obelisken« aus Nimrud an, der 1848 in der Zeitschrift *Illustrated London News* abgebildet war [42. 88] und von dem Layard 1849 eine Zeichnung veröffentlichte [45. Plate 53]; die Darstellung links und die umlaufenden Friese sind neuassyrischen Reliefs nachgebildet. Auch die beiden Lamassus, die den Eingang flankieren, sind neuassyrischen Ursprungs. Chenavard selbst gab an, die Stiere im Louvre als Vorlage für die Zeichnung benutzt zu haben [42. 102]. Gustave Doré übernahm 1866 bei einigen seiner Holzstiche zum AT Motive aus Khorsabad und v. a. aus Persepolis. Diese hatte er den Werken von Botta und Coste mit Zeichnungen Flandins entlehnt [14; 26.; 54].

Abb. 1: Paul Chenavard,
Tempelprojekt für den Montparnasse

Nachweislich kopierte Gustave Moreau Objekte des assyrischen Saales im Louvre [13. 347–348]. In seinem Werk treten auch vereinzelt altorientalische Motive auf. Auf dem Gemälde *Die Freier* [47. 119], 1852–1896 entstanden, sind als Wanddekoration neuassyrische Lebensbäume zu sehen; *Jupiter und Semele* [47. 177, 416, Abb. 120] von 1894/95 zeigt in einem Formgemisch aus Motiven verschiedener Kulturen auch altorientalische Elemente. Bei den Kapitellformen lehnt sich Moreau an Persepolis an. Das Gemälde *Jupiter und Europa* [47. 57, 309] von 1868 zeigt Jupiter als Stier mit dem Kopf eines bärtigen Mannes, der starke Anklänge an die Köpfe der neuassyrischen Lamassus hat. Noch deutlicher wird dies bei zwei Entwürfen für Emaillearbeiten mit dem Titel *Europa* [47. 412, 422, Abb. 463, 464] von 1897.

Auf dem 1891 entstandenen Gemälde *Der Fall Babylons* von Georges Rochegrosse [69. 67–69] sind Lamassus, neuassyrische und achämenidische Reliefs zu sehen. Bei der Bildkonzeption zeigt sich auch der Einfluß eines Bühnenbildes von Charles Kean, das dieser 1853 für das Theaterstück *Sardanapalus* von Lord Byron entworfen hatte, welches *The Hall of Nimrod* darstellt. Kean bemühte sich bei den Kulissen und Kostümen um histor. Authentizität und hielt sich dabei an die Illustrationen Layards. Er löste damit eine Welle assyrisch inspirierter Bühnenbilder aus [40], die sich bis zur Sardanapalus-Pantomime 1908, mit Entwürfen des Ausgräbers von Assur, Walter Andrae, in Berlin verfolgen läßt. Auch bei einer Kulisse des 1916 in den USA entstandenen Films *Intolerance* von David Warth Griffith zeigt sich diese Wirkung [22. 212, Abb. 164].

In der bildenden Kunst Englands sind insbes. zwei Gemälde zu nennen, bei deren Gestaltung neuassyrische Reliefs rezipiert wurden. 1871 malte Ford Madox Brown *Der Traum des Sardanapal*. Die dargestellte Handlung geht auf Byrons *Sardanapalus* zurück [12. 642; 13. 349–351, Abb. 10]. Das 1875 von Edwin Long ge-

schaffene Gemälde *The Marriage Market, Babylon* zeigt ein Interieur mit glasierten Wandfliesen und Männer mit assyrischem Bart [13. 351–353, Abb. 12; 20. 358, Abb. 430].

2. ARCHITEKTUR

In England wurde der A.O. im Crystal Palace, dem ehemaligen Ausstellungspavillon der Weltausstellung von 1851, rezipiert. Als dieser 1854 in Sydenham bei London wieder aufgebaut wurde, versah man ihn mit einem *Nineveh Court* (Abb. 2), in dem Nachbildungen in Assyrien gefundener Skulpturen aufgestellt waren, während die Säulen auf achämenidische Vorbilder aus Persepolis zurückgingen. Die Entwürfe stammten von James Fergusson [10. 422–443; 42. 88–90; 59. 117, Abb. 95].

Bei der Weltausstellung 1889 in Paris waren kleine, von Charles Garnier entworfene Pavillons zu sehen, die die Baugeschichte der Welt repräsentieren sollten [43. 132–147, Fig. 79, 93,6]. Ein Bau im assyrischen Stil, der die Torarchitektur des Sargon-Palastes von Khorsabad wiedergab, ging auf Rekonstruktionen von Félix Thomas [57. Bd. I, Taf. 19, Bd. III, Taf. 20] zurück. Beim persischen Pavillon wurden die 1885 veröffentlichten Rekonstruktionen zweier sasanidischer Paläste von Marcel Dieulafoy zusammengefaßt, die dieser jedoch als achämenidisch angesehen hatte [17. Taf. VIII, XVII; 42. 91–92].

D. 20. JAHRHUNDERT

1. ARCHITEKTUR

1.1. USA

Entsprechend der ab 1916 in New York geltenden Set-Back-Verordnung (Zoning Law) fertigte Hugh Ferriss in Zusammenarbeit mit dem Architekten Harvey Wiley Corbett eine Serie von Musterskizzen für Hochhäuser an, deren Baukörper nach oben abgestuft sind und die 1922 in *The New York Times Magazine* als Illustrationen des Artikels *The New Architecture* veröffentlicht wurden [67. 34; 73. 158]. 1923–24 zeichnete Ferriss Corbetts Rekonstruktionen von *König Salomos Tempel und Zitadelle*, bei denen Corbett Archäologen der Columbia University zu Rate zog, die sich mit altorientalischer Architektur beschäftigt hatten. Das Resultat für den Tempelentwurf war ein zikkuratartiger, massiver Turm mit zehn Abstufungen von 300 Fuß Höhe [25. 99; 73. 160–161]. Corbett bezeichnete in einem Art. in der Zeitschrift *Architectural Record* 1924 das Werk von Perrot und Chipiez [56] mit Rekonstruktionen »chaldäischer« und »assyrischer« Architektur als Standardwerk für Architekten [73. 164, Anm. 73].

Ferriss' Zeichnungen, von denen er eine *Hanging Gardens*, eine weitere *Modern Ziggurats* betitelte und im Begleittext die »assyrische Zikkurat« als Vorbild für das mod. New York benennt [25. 96–99], hatten einen entscheidenden Einfluß auf die Entwicklung der Wolkenkratzerarchitektur in den zwanziger J. und machten die altorientalischen Tempeltürme zu mythischem Vorbild und Vision. Die Bezeichnung »Zikkurat« wurde zum Synonym für die zurückgestaffelten Wolkenkratzer [64. 198].

Abb. 2:
Sydenham,
Niniveh-Court
im Crystal
Palace

Ebenso einflußreich als Norm für die Wolkenkratzer war der 1922 im Wettbewerb für den Tribune Tower in Chicago auf den zweiten Platz verwiesene Entwurf des finnischen Architekten Eliel Saarinen [18. 31]. Dieser Entwurf zeigt gleichermaßen zikkuratähnliche Abstufungen des Baukörpers. Zeichnungen New Yorker Hochhäuser von Wiacheslav K. Oltar-Jevsky wurden unter dem Titel *Contemporary Babylon* veröffentlicht [53]. Jedoch ist festzuhalten, daß die Affinität zur Zikkurat bei den Musterskizzen und Entwürfen deutlicher ist als bei den ausgeführten Bauten.

Als eine der ersten architektonischen Umsetzungen dieses Konzepts gilt das *Barclay-Vesey Building*, erbaut von Ralph Walker 1923–26 [18. 34–35; 50. 36–37; 67. 565–567, Abb. 570] in New York City. Weitere Beispiele in Manhattan sind neben vielen anderen das *Paramount Building* von Rapp & Rapp 1926 [50. 34–35; 67. 248–249, 532–533], das *New Yorker Hotel* von Sugarman & Berger 1930 [67. 202–203] und das Gebäude *120 Wall Street* von Ely Jacques Kahn 1930 [50. 70–71]; letzteres zog weitere Bauten dieser Art am südl. East River nach sich [50. 96–97; 67. 600] (Abb. 3).

Auf einer Reise nach New York hatte Fritz Lang die Inspiration zu seinem Film *Metropolis*, den er 1925–26 mit Kulissen von Erich Kettelhut realisierte. Im Mittelpunkt der »Stadt der Zukunft« steht ein riesiger Turmbau, der »Neue Turm Babel« [51. 81–85, Abb. 53–57].

Einen Hinweis auf den A. O. gab Frank Lloyd Wright auf einer Skizze von 1943 zum Guggenheim-Museum. Unter die umgekehrte Spirale setzt er die Worte »Ziggurat« und »Zikkurat« [27. Abb. 140].

Auch in der zweiten H. des 20. Jh. wurden stufenturmartige Hochhäuser, jetzt meist mit Glasfassaden, gebaut.

1.2. EUROPA

In Deutschland waren die Ausgrabungen in Babylon (seit 1899) und Assur (seit 1903) formbildend für Entwürfe von zahlreichen monumentalen Denkmälern, die eine Affinität zum Zikkuratbau zeigen, wie z.B. der Entwurf zu einem Bismarck-Nationaldenkmal aus dem J. 1911 von Ernst Weinschenk [52. 400, Nr. 996].

1923 zeichnete Adolf Loos einen Entwurf für ein Hotel an der frz. Mittelmeerküste, das er *Grand Hotel Babylone* nannte. Die Skizze zeigt zwei Stufentürme von großer Ähnlichkeit mit dem Doppeltempel des Anu-Adad in Assur, wie ihn Walter Andrae 1908 rekonstruiert hatte [2. Taf. VIII, IX; 42. 158–159, Abb. 474–475].

Bereits 1909 veröffentlichte Otto Kohtz in seinem Buch *Gedanken über Architektur* Skizzen von zikkuratähnlichen Hochhäusern [38. 32; 52. 416, Nr. 1001]. Zudem am amerikanischen Hochhausbau orientiert entstanden in Europa abgestufte Hochhäuser wie die Entwürfe von Kohtz für das Scherlhaus in Berlin 1925 [35. Abb. 13–15; 52. 416, Nr. 1003], bei dessen baulicher Umsetzung die Analogie zum Zikkuratbau allerdings weniger deutlich ist. Auch für das Reichsbüro am Königsplatz in Berlin hatte er Stufentürme vorgesehen [52. 406–407, Nrn. 1002, 1004]. Bei dem Entwurf von 1921 stellt die Anzahl der acht Stufen eine Beziehung zur Beschreibung der Zikkurat in Babylon von Herodot [42. 150–151] her. 1932 plazierte Kohtz den ›neuzeitlichen Turm zu Babylon in strenger Axialität an einen mit Seitenflügeln flankierten Ehrenhof‹ [52. 407, Nr. 1004].

Le Corbusier zeichnete 1929 bei seinem Entwurf für ein Weltmuseum (*Musée Mondial*) in Genf eine sechsstufige Zikkurat mit einem spiralförmigen Aufgang. Der Bau hat Ähnlichkeit mit der von Victor Place re-

Abb. 3: Blick
über den
East River
auf Lower
Manhattan in
den 30er
Jahren
des 20.
Jahrhunderts

konstruierten Zikkurat von Khorsabad, die im Werk
von Perrot und Chipiez [56. Bd. II. 405, Abb. 186] veröffentlicht worden war, welches Le Corbusier bekannt
war [64. 195, Abb. 10–11]. Auch die 1935–1937 in Mailand von Alessandro Rimini erbaute *Casa Torre* ist in
ihren oberen Geschossen zikkuratartig dreifach abgestuft [30. 217, 225, Nr. 287].

Bei der Planung zur Erweiterung der Berliner Mu-
seumsinsel 1940/41 entwarf Wilhelm Kreis neben anderen Mus. das Ägyptische Museum, in dem auch die
Vorderasiatische Abteilung untergebracht werden sollte.
Seine Fassade zeigt neben ägyptisierenden auch meso-
potamische Architekturelemente [19. 11–39]. Die assyrische Stadtarchitektur sollte sich in zwei blockhaften,
mit Zinnen bekränzten Türmen und in der Aufnahme
stilisierter assyrischer Motive und Ornamentik manifestieren [60. 566, Abb. 12].

Skizzen und Modell, welche 1919–20 zu dem in
Moskau geplanten »Denkmal der III. Internationale«
von Wladimir Tatlin erstellt wurden, zeigen eine Spi-
ralkonstruktion [3. Fig. 14; 49. 150–180, Abb. 149, 152,
159; 65. Abb. 170–171, 174–175, 177–178, 181], die in
der europ. Kunst-Trad. der Darstellungsweise des
Turmbaus zu Babel steht. Dies gilt auch für den 1929
entstandenen Entwurf für den Sitz der Komintern in
Moskau von Lidia Komarova [70. 97, Abb. 31], den sie
als Spiralbau, der sich jedoch noch unten verjüngt, gestaltet hat. Das 1930 von Alexej Schtschussew in Moskau erbaute Lenin-Mausoleum weist deutliche Anklänge an das Kyros-Grab in Pasargadae auf [42. 145, Abb.
429–430]. Hier zeigte der erste Entwurf, der von
1929/30 datiert, eine starke Übereinstimmung mit Zik-
kurat-Rekonstruktionen [3. 82–83, Abb. 55, 57].

2. Architekturdekor

Die senkrechte Wandgliederung mancher Bauten
der zwanziger J. mit ihren Vor- und Rücksprüngen
wurde von den neu ausgegrabenen Baudenkmälern des
A. O. inspiriert. Das gilt auch für die Baukeramik, wie
sie im Jugendstil und Art Deco existierte, bei der auch
die Ornamentformen zum Teil Anlehnungen an den
A. O. aufweisen [42. 136–142].

Bei dem 1926–27 von Ives and Sloane & Robertson
in Manhattan errichteten Fred French Building sind
Motive des Fassadendekors, der zentralen Innenräume
und Türlaibungen der altorientalischen, insbes. der mit-
tel- und neuassyrischen sowie spätbabylonischen Kunst
entnommen [68. 72–73, 79–80; 67. 597; 50. 38–39].
Daneben sind ägyptisierende Formen zu finden. Das
1927 in New York als *Pythian Temple* (Abb. 4) von Thomas W. Lamb erstellte Gebäude zeigt bei der Fassade
und im Vestibül die gleiche Stilmischung [7. 15;
67. 197–198]. Hier sind die Lamassu der Fassade Nach-
empfindungen der beiden Originale, die sich ab 1924 im
University Museum Philadelphia befanden und seit
1933 im Metropolitan Museum New York zu sehen
sind [59. 140, 168–169]. Allgemein gilt, daß in synkre-
tistisch-esoterischen Kreisen des 19. und 20. Jh. immer
wieder altorientalische Motive Verwendung fanden [15;
16. 89; 11. 257, Fig. 5; 50. 39].

Am Chicagoer Hotel Intercontinental, ursprünglich
Medinah Athletic Club, das 1927–1929 von Walter W.
Ahlschlager erbaut wurde [63. 137], sind an der Außenseite Reliefs angebracht, die zum großen Teil Figuren
aus der neuassyrischen und achämenidischen Kunst zeigen. Die Fassade des 1929 von Morgan, Walls & Cle-
ments erbauten *Samson Tire Company Building* in Los

Abb. 4: New York,
Pythian Temple
(Foto B. Pedde)

Angeles ist in Anlehnung an neuassyrische Tempel bzw. Paläste in Vor- und Rücksprünge gegliedert und mit abgestuften Zinnen bekränzt; zusätzlich ist sie mit Lamassus und Reliefs geschmückt, die ebenfalls auf Formen dieser Epoche zurückgehen [4. 6, Abb. 18–21; 7. 15, 121; 12. 643].

3. BILDENDE KUNST

Jacob Epstein diente ein Lamassu aus Khorsabad als Modell für die Skulptur eines fliegenden Genius, die er 1909–1912 für das Grab von Oscar Wilde auf dem Friedhof Père Lachaise in Paris schuf [66. 22–23, Kat.Nr. 40]. 1934 stellte John Duncan in seiner Zeichnung *Ödipus und die Sphinx* letztere mit einer assyrischen Hörnerkrone dar [32. 96, Abb. 34].

Eine Lithographie des Tierplastikers und Graphikers August Gaul zeigt eine Löwin, die er in starker Anlehnung an das Relief einer *Sterbenden Löwin* aus dem Palast Assurbanipals in Ninive [58. Abb. 78] gestaltete. Sie erschien auf dem Titelblatt der Zeitschrift *Der Bildermann* vom 20. Mai 1916 [12. 642]. Einige seiner Reliefs, wie *Vier schreitende Rehe*, *Vier springende Rehe* von 1914/15 und ein *Schafrelief* aus Bronze von 1919 sind Siegelabrollungen nachempfunden [71. 196–197, Abb. 57, 73, 75].

Max Ernst nimmt in seinen Gemälden *Die versteinerte Stadt* von 1935 und *Die ganze Stadt* von 1935 und 1936/37 einen zikkuratartigen Bau als Formel für die Stadt. Der Turm zu Babel dient hier als Metapher für Gesellschafts- und Zivilisationskritik [48. 156, Abb. 108–110]. Seine 1948/1964 entstandene Plastik *Steinbock* erinnert an vorderasiatische Kultfiguren [41. 45].

In den vierziger J. schuf Willi Baumeister Reliefs mit altorientalischen Themen, v.a. aus dem Gilgamesch-Epos. Die schemenhaft angedeuteten Formen und der Aufbau sind von Rollsiegelbildern inspiriert. Baumei-

ster fand insbes. durch die Publikationen von Leonard Woolley Interesse am A. O.; auch war er in Besitz einiger Rollsiegel [6. 12].

Ernst Fuchs hat sich bei der 1961 entstandenen Radierung *Roi Mage* auf den akkadzeitlichen *Kopf des Naramsin* bezogen. Er verwendet diesen Typus wiederholt in seinem Werk [42. 129; 72. Abb. 65, 82]. Die Radierung *Samson zündet die Füchse an* von 1962 [72. Abb. 67] zeigt einen Doppeladler über zwei gegenständigen Tieren; dieses Motiv könnte aber auch der ma. Heraldik entnommen sein. Die Graphik *Sphinx Mystagoga* (1966) ist stark von der Kleinplastik eines gudeazeitlichen liegenden Rindes mit Menschenkopf und Hörnerkrone aus Tello beeinflußt [42. 132]. Bereits seit den vierziger J. taucht im Werk von Fuchs der Turm zu Babel in seiner eckigen und runden Variante mehrmalig auf [28. Abb. 42; 72. Abb. 112].

In der zweiten H. des 20. Jh. ist v.a. der Turm zu Babylon Thema der bildenden Kunst, wobei nicht seine histor. Bauform, sondern seine Bed. als Mythos die entscheidende Rolle spielte. 1956 begann Constant die langjährige Arbeit an Maquetten für die Serie *New Babylon* [33. 9–16, Abb. III]. Friedrich Meckseper stellte in den sechziger J. Radierungen mit dem babylonischen Turm her [62. 93, Abb. 80]; Joe Tilson schuf über mehrere J. Werke mit dem Titel *Zikkurat* [42. 128]. Markus Lüpertz malte eine Folge von »dithyrambischen Gemälden«, der er Mitte der siebziger J. eine Serie von Gemälden hinzufügte, die er *Babylon – dithyrambisch* nannte [46. 74–75, Abb. 63–77]. In Bernhard Heisigs Werk tritt der »Turm zu Babel« in der Bruegelschen Fassung immer wieder auf [8. 19, Abb. 43, 50, 59, 63, 66, 75, 89].

1 S. ALBRECHT, Der Turm zu Babel als abendländische Legende, in: Der Turmbau zu Babel, Ausstellungskat. Berlin 1997, 54–69 **2** W. ANDRAE, Der Anu-Adad-Tempel in Assur, WVDOG 10, 1909, Ndr. 1984 **3** Architectural Drawings of the Russian Avant-Garde, Ausstellungskat. New York 1990 **4** Art Deco: Los Angeles: Photographs by Ave Pildas, 1977 **5** J. BALTRUŠAITIS, Art Sumérien, Art Roman, 1934 **6** W. BAUMEISTER, Sumerische Legenden, 1947 **7** P. BAYER, Art Deco Architecture, 1992 **8** Bernhard Heisig. Retrospektive, Ausstellungskat. Berlin 1989 **9** R. BERNHEIMER, Romanische Tierplastik und die Ursprünge ihrer Motive, 1931 **10** F. N. BOHRER, A New Antiquity: The English Reception of Assyria, unveröffentlichte Diss., The Univ. of Chicago, 1989 **11** Ders., Les antiquités assyriennes au XIXᵉ siècle: émulation et inspiration, in: De Khorsabad à Paris, Notes et documents des mus. de France 26, 1994, 248–259 **12** Ders., Assyrian Revival, in: J. Turner (Hrsg.), The Dictionary of Art, Bd. 2, 1996, 642–643 **13** Ders., Inventing Assyria: Exoticism and Reception in Nineteenth-Century England and France, in: Art Bulletin, Juni 1998, Bd. LXXX, Nr. 2, 336–356 **14** P. E. BOTTA, E. FLANDIN, Monument de Ninive, 4 Bde., Paris 1849–1850 **15** Catalogue du Salon de la Rose + Croix, Titelblatt von Alexandre Séon, Paris 1892 **16** R. L. DELEVOY, Journal du Symbolisme, 1977 **17** M. DIEULAFOY, L'Art Antique de la Perse. Achéménides, Parthes, Sassanides, Bd. 4, 1885 **18** J. DUPRÉ, Wolkenkratzer, 1996 **19** Ehemalige Staatliche Mus. Berlin (Hrsg.), Die Berliner Mus., 1953 **20** Europa und der Orient, 800–1900, Ausstellungskat. Berlin 1989 **21** B. FARWELL, Sources for Delacroix's Death of Sardanapalus, in: The Art Bulletin, Bd. 40, 1958, 66–71 **22** W. FEAVER, The Art of John Martin, 1975 **23** P. H. FEIST, Unt. zur Bed. orientalischer Einflüsse für die Kunst des frühen MA, in: Wiss. Zschr. der Martin-Luther-Univ. Halle-Wittenberg, Jahrgang II, 1952/53, Heft 2, 27–79 **24** Ders., Der Tierbezwinger. Gesch. eines Motivs und Probleme der Stilstruktur von der altorientalischen bis zur romanischen Kunst. Unveröffentlichte Diss. der Martin-Luther-Univ., Halle-Wittenberg, 1957 **25** H. FERRISS, The Metropolis of Tomorrow, 1929, Ndr. 1986 **26** E. FLANDIN, P. COSTE, Voyage en Perse pendant les années 1840–1841, 5 Bde., Paris 1851 **27** Frank Lloyd Wright, Disegni 1887–1959, Ausstellungskat. Neapel 1976 **28** E. FUCHS, Architectura Caelestis, Die Bilder des verschollenen Stils, 1966 **29** S. GERMER, Historizität und Autonomie, 1988 **30** M. GRANDI, A. PRACCHI, Guida all'architettura moderna, 1980 **31** M. A. GRUNEWALD, Paul Chenavard (1807–1895), La Palingenesie Sociale ou la Philos. de l'Histoire 1830–1852, in: Bulletin des Mus. et Monuments Lyonnais, Bd. 6, Nr. 1, 1980, 317–344 **32** Gustave Moreau Symboliste, Ausstellungskat. Zürich 1986 **33** H. VAN HAAREN, Constant, 1967 **34** Herodot, Historien I, Übers. Josef Feix, 1963 **35** R. JAEGER (Hrsg.), Otto Kohtz, 1996 **36** E. KIRSCHBAUM (Hrsg.), LCI, Sonderausgabe, Bd. 1, 1994 **37** E. KLENGEL-BRANDT, Der Turm von Babylon, 1992 **38** O. KOHTZ, Gedanken über Architektur, 1909 **39** J. E. KORN, Adler und Doppeladler. Ein Zeichen im Wandel der Gesch., Dissertation der Georg-August-Univ., Göttingen 1962, in: Der Herold, N. F., Bd. 5–6, 1964–1968 **40** I. KRENGEL-STRUDTHOFF, Arch. auf der Bühne – das wiedererstandene Ninive, in: Kleine Schriften der Ges. für Theatergesch., Heft 31, 1981, 3–24 **41** Kunst des 20. Jh. Ein Führer durch die Nationalgalerie Berlin (ohne Jahr)

42 H. KÜNZL, Der Einfluß des A. O. auf die europ. Kunst bes. im 19. und 20. Jh., Diss. an der Univ. zu Köln, 1973 **43** La Tour Eiffel et L'Exposition Universelle 1889, Ausstellungskat. Paris 1989 **44** A. H. LAYARD, Nineveh and Its Remains, London 1849 **45** Ders., The Monuments of Nineveh, London 1849 **46** Markus Lüpertz. Malerei, Plastik, Zeichnungen, Ausstellungskat. Bonn 1993 **47** P.-L. MATHIEU, Gustave Moreau, Monographie et Nouveau Catalogue de L'Œuvre Achevé, 1998 **48** Max Ernst. Die Retrospektive, Ausstellungskat. Berlin und München 1999 **49** J. MILNER, Vladimir Tatlin and the Russian Avantgarde, 1983 **50** E. P. NASH, Manhattan Skyscrapers, 1999 **51** D. NEUMANN, Der Turmbau zu Babel und das Hochhaus im 20. Jh., in: Der Turmbau zu Babel, Ausstellungskat. Berlin 1992, 70–89 **52** F. NEUMEYER, Klassizismus als Problem. Berliner Architektur im 20. Jh., in: W. ARENHÖVEL (Hrsg.), Berlin und die Ant., Ausstellungskat. Berlin 1979, 395–418 **53** W. K. OLTAR-JEVSKY, Contemporary Babylon, 1933 **54** B. PEDDE, Altorientalische Motive in den Illustrationen zum AT von Gustave Doré, in: R. DITTMANN et al. (Hrsg.), Variatio Delectat – Iran und der Westen. GS Peter Calmeyer, A. O. und AT, Bd. 272, 2000, 567–591 **55** Dies., Altorientalische Tiermotive in der ma. Kunst des Orients und Europas (in Vorbereitung) **56** G. PERROT, C. CHIPIEZ, Histoire de l'Art de l'Antiquité, 10 Bde., 1882–1914, Ndr. 1970 **57** V. PLACE, F. THOMAS, Ninive et l'Assyrie Bd. I, 1867, Bd. III, Paris 1887 **58** J. READE, Assyrian Sculpture, British Mus. Publications, 1983 **59** J. M. RUSSELL, From Nineveh to New York, 1997 **60** W. SCHÄCHE, Nationalsozialistische Architektur und Antikenrezeption, in: Berlin und die Ant., Ausstellungskat. Berlin 1979, Aufsatzband, 557–570 **61** H. SCHMID, Der Etemenanki in Babylon, 1995 **62** R. SCHMÜCKING, Meckseper, Werksverzeichnis der Radierungen 1956–1969, 1969 **63** F. SCHULZE, K. HARRINGTON, Chicago's Famous Buildings, 1993 **64** A. SENARCLENS DE GRANCY, Der Turm von Babel. Ambivalenz eines Symbols in der Kunst der Neuzeit, in: G. POCHAT, B. WAGNER (Hrsg.), Utopie, Gesellschaftsnormen, Künstlerträume, Kunsthistor. Jb. Graz, 76, 1996, 186–203 **65** L. A. SHADOWA (Hrsg.), Tatlin, 1987 **66** E. SILBER, The Sculpture of Epstein, 1986 **67** R. A. M. STERN, G. GILMARTIN, T. MELLINS, New York 1930, Architecture and Urbanism between the Two World Wars, 1994 **68** S. TUNICK, Terra-Cotta Skyline, 1997 **69** PH. URSPRUNG, Katastrophen für das Salonpublikum. Die Sensationsbilder von Georges Rochegrosse im ausgehenden 19. Jh., in: Zschr. für Schweizerische Arch. und Kunstgesch., 52, 1995, 63–70 **70** A. M. VOGT, Russ. und Frz. Revolutions-Architektur 1917/1789, 1974 **71** A. WALTHER, August Gaul, Künstlerkompendium, 1973 **72** E. WEIS, Ernst Fuchs, Das graphische Werk, 1967 **73** C. WILLIS, Drawings towards Metropolis, in: H. FERRISS, The Metropolis of Tomorrow, Ndr. 1986, 148–184.

BRIGITTE PEDDE

III. Vorderasien/Literatur
A. Die Rezeption des Alten Orients in der
klassischen Antike B. Die Rezeption im Alten
Testament und in den geheimen
Offenbarungen C. Die Rezeption in der
Überlieferung des Mittelalters, der
Renaissance und des Barock D. Die
Rezeption in der Literatur der Romantik
E. Die Entzifferung der Keilschrift in der
Rezeption der Literatur des 19. und
20. Jahrhunderts F. Die literarische
Rezeption der Keilschrift
G. Die Wiederentdeckung der
altorientalischen Kulturen seit der Mitte
des 19. Jahrhunderts H. Die Rezeption der
Keilschriftliteratur im 20. Jahrhundert
I. Die Rezeption der Gilgamesch-Dichtung im
19. und 20. Jahrhundert J. Die Rezeption der
Hethitologie K. Literarische Kuriosa

A. Die Rezeption des Alten Orients in der
klassischen Antike

Das Interesse am Alten Orient (AO) galt in der Lit. der klass. Ant. primär den Städten Babylon und Ninive, der Geschichte vom Turm zu Babel, den zu den sieben Weltwundern gerechneten Hängenden Gärten der Semiramis, den Stadtmauern von Babylon, den Dämmen und Kanälen sowie natürlich der schillernden Gestalt der berüchtigten Königin selbst [4; 12], den legendären Königen Ninos, Nimrod und Nebukadnezar. Die Faszination galt der Astrologie und den der Magie kundigen Chaldäern sowie den fremdartigen Sitten der Stadt Babylon, die Herodot und Curtius Rufus (Mitte 1. Jh. n. Chr.) beschrieben haben [9. 525]. Ein Beispiel der Rezeption eines lit. Motivs aus dem 2. und 1. Jt. v. Chr. ist die Klage der Natur beim Tode eines Gottes oder Menschen: so beweinen die Berge in einem ugaritischen Epos (etwa 1400 v. Chr.) den schwer erkrankten König Keret und in einer Schilderung des Begräbnisses eines assyrischen Königs ›verfinstert sich das Antlitz der Bäume und Früchte‹ und ›es weinten die Obstgärten‹ [10. 25]. Das Motiv findet sich wieder in den *Metamorphosen* des Ovid, wo Flüsse und Bäume den Tod des Orpheus beweinen (11,44–49) und in Vergils *Bucolica*, wo die Natur um den toten Daphnis klagt [10. 25f.]. Auf altorientalische Traditionen gehen auch so manche magische Vorstellungen zurück, wie z. B. die Beschwörung der Hexe Crane in den *Fasti* des Ovid (6,135–168) [11. 146].

B. Die Rezeption im Alten Testament und in
den geheimen Offenbarungen

Für die Rezeption des AO im europ. MA und der Ren. ist die zumeist negativ besetzte Einstellung des AT zu Babylon von ausschlaggebender Bedeutung: Im Buche des Propheten Jesaia fährt der König von Babel zur Hölle (Kap. 14). Verfluchungen der Stadt finden sich auch in den Sibyllinischen Weissagungen [9. 526f.]. Der Ruf der Stadt als »das Sündenbabel« aber geht auf

die Apokalypse des Johannes zurück: Im 17. Kap. wird der altorientalische Drache bzw. der at. Leviatan zur Allegorie des Imperium Romanum, während die auf dem siebenköpfigen Drachen sitzende Hure von Babylon die Lasterhaftigkeit symbolisiert. Die von den Dämonen heimgesuchte Stadt wird von den himmlischen Heerscharen vernichtet. Und, nachdem die Gläubigen sie fluchtartig verlassen haben, zum Sitz des Teufels [9. 527f.].

C. Die Rezeption in der Überlieferung
des Mittelalters, der Renaissance und
des Barock

Die wachsende Bedeutung des AO im abendländischen Bewußtsein zeigen ma. Weltkarten und Reiseberichte aus dem 14. u. 15. Jh. Wie in der Lit. der klass. Ant. (vgl. die babylonischen Geschichten der *Metamorphosen* des Ovid [9. 523] bleibt Vorderasien lediglich ein künstlicher Schauplatz der Handlung, d. h. ohne wirklichen Bezug zum Orient; so etwa in den von der Ant. bis in das späte MA tradierten Alexanderromanen, in den Kreuzritter-Epen der Ren. oder in der Barockliteratur, wie z. B. in dem monströsen Roman *Die durchleuchtige Syrerinn Aramena* von Herzog Ulrich von Braunschweig-Wolfenbüttel [8. 71]. Im Zentrum der Rezeption aber steht die Stadt Babylon. In der Ren. ist die These des jüd. Historikers Josephus Flavius (37 – ca. 100 n. Chr.), *Jüdische Altertümer* (Buch 1, viertes und siebtes Kap.), von besonderer Bedeutung: Nimrod bzw. Nebrod ließ den Turm zu Babel erbauen, damit die Menschen, auf ihre eigene Stärke vertrauend, sich von Gott abwenden sollten. Dem Gottesverächter Nimrod stellt er Abram als ›den Gerechten‹ gegenüber. Die it. geistliche Lit. des 13. und 14. Jh. greift diesen Gegensatz auf: Babylon ist nun der Antichrist und Jerusalem der Geist der Kirche Petri. Dieser Gegensatz ist das Thema des it. Poems *De Babylonia civitate infernali* von Giacomino da Verona (13. Jh.), dem der Autor das Werk *De Jerusalem celesti* gegenüberstellt. In der 2. H. des 13. Jh. nannte Gioacchino da Fiore (*Liber Concordiae Novi ac Veteris Tesamenti* sowie in der *Expositio in Apocalypsim*) – Verkünder einer messianischen Heilszeit, welchen Dante Aligheri unter die Seligen versetzt – die Staufer die Beherrscher des neuen Babylon, welche die Kirche Petri, also das neue Jerusalem, verfolgten und bedrängten. Den Anlaß gab Friedrich II. von Hohenstaufen, als er sich wegen des Banns durch Papst Gregor IX. gegen Rom wandte. Den it. Geistlichen war Friedrich II. das »Tier« der Apokalypse und sein »Römisches Reich« Babylon, die beide als Werkzeuge des Teufels zum Untergang bestimmt waren. Letztlich geht diese Gegenüberstellung auf das Werk *Vom Gottesstaat* (*De civitate dei*) des Kirchenvaters Augustinus (353–430) zurück, der, wie schon Origines aus Alexandrien (185–254), den Gottesstaat mit Abel und den Staat des Teufels mit Kain verbindet [9. 529f.]. Die Fiktion, daß Babylon der Sitz des Bösen sei, fand Eingang in die altdt. Spielmannsepik des 12. Jh.: In dem in der rheinischen Spielmannsdichtung entstandenen Roman *König Rother* (um 1150) ist Ymelot von Babylonien der Gegner des abendländischen Helden. In der 1. H. des 14. Jh. klagt Francesco Petrarca [16] in seinem 91. Sonett über das als verrucht empfundene Papsttum: ›Dem ruchlosen Babel, aus dem geflohen jedweder Aufstand...‹. Als Martin Luther die Römische Kirche ob ihrer losen Moral anprangerte, verglich auch er sie mit der ›Hure Babylon‹. Im 14. Gesang (Strophe 71) in Ariost's *Orlando furioso* heißt es: ›Und vom verruchten Wahn, den Babel lehrt, wird leicht dein heil'ger Glaube überwunden.‹ Dante Aligheri (*Divina Commedia*, 5) versetzt Semiramis, ›die Kaiserin der vielen Zungen‹, zusammen mit Kleopatra und anderen der Wollust Verdächtigten in das Inferno. In Geoffrey Chaucer's (geb. um 1340) *The Canterbury Tales* heißt es in der Erzählung des Rechtsgelehrten: ›Oh, Sultanin, du Wurzel aller Sünden! Du Mannweib du, zweite Semiramis! Du Schlange in Weibsgestalt, Verräterin! Du Lasterpfuhl, der Tugend und Unschuld verschlingt. Neidischer Satan ...‹. Der derbe, gelegentlich auch seichte, Wortspiele liebende Satiriker Johannes Fischart (2. H. des 16. Jh.) spricht in seinem *Gargantua* (4. Kap.) von der ›hengstbrünstigen Schamiramis‹ [9. 531]. Grimmelshausen macht in seinem Roman *Der seltsame Springinsfeld* die Landstreicherin Courasche zur ›Dame Babylon‹. Neben der Semiramis sind v. a. Nimrod und Ninos stets wiederkehrende Gestalten in der Belletristik, die nach Grimmelshausen (*Der erste Bärenhäuter*, Kap. 1) zu den ›berühmtesten Personen, so seit Erschaffung der Welt gelebt hatten‹, gehörten. Berühmte Personen waren für Johannes Fischart (*Die Chronik von Gargantua*, 32. Kap.) auch die Könige Belsazar, Merodach, Nabuchodonosor (Nebukadnezar) und Sardanapal. Geoffrey Chaucer stellt in *The Canterbury Tales* den Holophernes dazu. Über die von Gott verhängte babylonische Sprachverwirrung schreibt Grimmelshausen (*Der Teutsche Michel*, Caput I *Lob der Sprachkundigen*): ›Denn gleichwie Gott zu Nimrods Zeiten durch Zerteilung der Sprachen die Menschen voneinander trennet', daß sie den vorhabenden gewaltigen Turm zu Babylon nicht auszubauen vermöchten, also hat er nach der Himmelfahrt unseres Erlösers durch Sendung seines Hl. Geists den Aposteln die Gab geben, mit mancherhand Zungen zu reden.‹ Johannes Fischart (*Die Chronik von Gargantua*, 17. Kap.) überlegt in komischen Etymologien, ob der Turmbauer Nimrod auch der Erfinder des Krieges sei [9. 531 f.]. Über Nebukadnezar, Belsazar, die Perser und Meder berichtet Geoffrey Chaucer in den *Canterbury Tales* (*Die Erzählung des Mönchs*). Der Satiriker François Rabelais (1483–1553) läßt in *Pantagruel* Apollo bei den Assyrern weissagen.

D. DIE REZEPTION IN DER LITERATUR DER ROMANTIK

Das aus der ant. Lit., dem AT und der Apokalypse entnommene Bild des AO bleibt bis in die Mitte des 19. Jh. weitgehend erhalten: In dem im Jahre 1851 erschienenen Roman *Moby Dick* von Herman Melville z. B. zieht noch das gesamte vor den arch. Expeditionen bekannte Repertoire des AO vorbei: Aus Ägypten die

Pyramiden, die Hieroglyphen, die Pharaonen, Kleopatra, Krokodile, der Tempel zu Denderah und die ägypt. Steintafeln; aus dem AO die Chaldäer, der Baaldienst, der Turm zu Babel, Dagon, Belisar, Belsazar aus Babylon, Semiramis, Ninive, die assyrischen Steintafeln und schließlich Zarathustra und die Feueranbeter. Für Johann Wolfgang von Goethe (1749–1832) haben die legendären Gestalten des AO einen eher negativen Rang, wie z. B. im *Faust* (2. Teil, 4. Akt), wo Mephistopheles als Sardanapal bezeichnet ist. Seit der Romantik wird die babylonische Gefangenschaft der Juden zur polit. Allegorie für Exil und Fremdherrschaft, so in Lord Byrons *Hebrew Melodies* (1815) und ähnlich in Heinrich Heines *Romanzero* (1851). In Ludwig Tieck's Roman *Vittoria Accorombona* (1840) sind Semiramis ›die Taubentochter‹, ›die Königin von Babylon‹ und die Stadt Babylon Metaphern für die tolle Phantasie (4. Kap.). Als nur ein Beispiel aus der engl. Romantik sei die Beschreibung der Ruinen des mit ägypt. Hieroglyphen und Statuen geschmückten Kybele-Tempels in Konstantinopel von Sir Walter Scott in seinem histor. Roman *Count Robert of Paris* genannt.

E. DIE ENTZIFFERUNG DER KEILSCHRIFT IN DER REZEPTION DER LITERATUR DES 19. UND 20. JAHRHUNDERTS

Die in der Belletristik verschiedentlich rezipierte Geschichte der Entzifferung der Keilschrift sei mit den Worten Johann Gottfried von Herders (1744–1803) eingeleitet: ›Ein steinerner Götzensitz bei Aradus, Todtengrüfte in Felsen, Reste von Wasserleitungen in der Wüste, überbliebene Haufen von gebrannten, zum Theile mit Buchstaben bezeichneten Steinen an Orten, wo einst die größte Pracht der Welt blühte, sind gleichsam das Mindeste, was man erwarten kann; von welchem Mindesten man also auch um so mehr Gebrauch machen sollte. Wo irgend es möglich wäre, sollte kein beschriebener Stein dieser Gegenden (Asien) übergangen, ja nirgends auf der Erde ein unverstandenes Alphabet gering geschätzt werden; es kann mit andern zusammengehalten, es kann einst verstanden werden.‹ Am 4. September 1802 legte Georg Friedrich Grotefend der Göttinger Gelehrten Gesellschaft seine Entzifferung der altpersischen Keilschrift vor. Doch erst 1815 folgte eine ausführliche Darlegung [6]. Der Schlüssel zum Verständnis der altpersischen Keilschrift war durch Trilinguen, also dreisprachige Achämeniden-Inschriften, in altpersisch, babylonisch-assyrisch und elamisch gegeben, die Carsten Niebuhr aus Persepolis im Jahre 1767 mitgebracht und 1788 veröffentlicht hatte. Über die Entzifferung und die ihr entgegengebrachte Skepsis äußert sich Sigmund Freud in seinen Vorlesungen [5. 235]. Aufgrund der Möglichkeit, die Keilschrift lesen zu können, gewann der Hinweis des Herennios Philon Byblos (etwa 100 n. Chr.) an Bedeutung, daß ihm als Quelle seiner *Geschichte der phönikischen Religion* ein gewisser Sanchunjaton gedient habe, der in der zweiten H. des 2. Jt. v. Chr. gelebt haben soll, und der auch bei Eusebius in seiner *Praeparatio Evangelica* Erwähnung findet. So ist verständlich, daß Grotefend Interesse zeigte, als ihm im Jahre 1835 nach der geglückten Entzifferung der altpersischen Keilschrift von dem Studenten Friedrich Wagenfeld aus Bremen Sanchunjaton-Texte zugespielt wurden. »Die sanchuniathonische Streitfrage« [7] begegnet in Wilhelm Raabes Roman *Abu Telfan*. Sie liegt den Romanen *Die verlorene Handschrift* von Gustav Freytag (1864) und *Der Klosterhof* von Otto Müller 1859 zugrunde. Der für abseitige Themen interessierte Arno Schmidt referiert sie akribisch in *Zettels Traum* [8. 74f.]. Als die Assyriologie als Wiss. längst anerkannt war, ruft August Strindberg (1849–1912) in *Neues Blaubuch*, in dt. Übers. 1917 erschienen, am Ende eines wirren Traktats zornig aus: ›Jugend! Lern nicht assyrisch, denn das ist keine Sprache, das ist Häcksel! Sieh nur dieses kleine Zeichen an! Das gleicht dem Finger, der auf dünnes Eis deutet, oder auf das geheime Häuschen, oder auf die Stelle voi ch'entrate... Und das nimmt ein Jüngling in sich auf! Da gibt es keine Zweifel, keinen Widerspruch, keine Sinnlosigkeit, denn der Professor hat es gesagt‹ [17. 518–559; 9. 537f.]. Gemeint ist Friedrich Delitzsch, der im Jahre 1889 die erste assyrische Gramm. vorgelegt hat [8. 84].

F. DIE LITERARISCHE REZEPTION DER KEILSCHRIFT

›Über die pfeilköpfigen Inschriften auf einem von Mr. Layards assyrischen Streitwagen‹ äußert sich ironisch William Makepeace Thackeray in seinem Roman *The Newcomes* [8. 77, 537]. Arno Holz (1863–1929) war von der Keilschrift tief beeindruckt. Er beschreibt sie in seinem Riesenwerk *Phantasus* in der von ihm entwikkelten rhythmischen Lyrik und Überspannung der Sprache [8. 92–94]. Die russ. Lyrikerin Anna Andrejewna Achmatova (eigentlich A. A. Gorenko, 1889–1966), die Muse der Symbolisten, benutzt im Epilog ihrer Lyriksammlung *Requiem 1935–1940* die Analogie: ›Da erfuhr ich wie die Gesichter außer Fassung geraten, wie aus den Liedern hervor die Furcht blickt, wie der Keilschrift harte Ecken das Leiden in die Wangen zeichnet‹ [9. 539].

G. DIE WIEDERENTDECKUNG DER ALTORIENTALISCHEN KULTUREN SEIT DER MITTE DES 19. JAHRHUNDERTS

Das 18., v. a. aber das 19. Jh. ist, bedingt durch den imperialen Kapitalismus Frankreichs, Englands und später auch Deutschlands, die Zeit der Wiederentdeckung der Kulturen des Vorderen Orients. Wie Sir Austin Layard, der Ausgräber von Ninive, oder Paul Émile Botta, der Ausgräber von Khorsabad, so ist auch Robert Koldewey, der Ausgräber von Babylon, in der Belletristik verewigt: Sir Austin Henry Layard und die Ausgrabungen in Ninive haben Heinrich Heine zu dem Gedicht *Romanzero* veranlaßt. Karl May wurde durch Sir Austin Layard zu seiner Romanfigur des Engländers Sir David Lindsay in den beiden Romanen *Durch die Wüste* und *Durchs wilde Kurdistan* angeregt. Paul Émile Botta wird von Gustave Flaubert charakterisiert als ›Botta, eine Ruine, Mann der Ruinen, in der Stadt der Ruinen‹

[13. 19f.]. Robert Koldewey begegnet namentlich in Alfred Döblins Roman *Babylonische Wandrung oder Hochmut kommt vor dem Fall* [9. 514f.]. Die Faszination, die die Statuen und Reliefs aus Ninive, Persepolis und Assur in der Belletristik hervorriefen, zeigt Gustave Flauberts (1821–1880) Illustration (nach einem assyrischen Relief aus Sir Austin Layard *Monuments of Niniveh*) zu seinem in der Zeit von 1854–1874 entstandenen Werk *Tentation de Saint Antoine* (Band I Tafel 25): In der über dem Lebensbaum schwebenden geflügelten Sonnenscheibe sieht Flaubert den Gott der Perser Ormuz, der dem hl. Antonius in seinen Visionen erscheint [8. 76]. Das gleiche Relief beschreibt auch Jakob Wassermann in seinem Roman *Alexander in Babylon* (1904) als ›das Bild Auramazdas im geflügelten Ring‹ [9. 535]. In dem Roman von Flaubert finden sich darüber hinaus zahlreiche Bezüge zum AO, deren Kenntnis Flaubert aus Werken ant. Autoren geschöpft hat [9. 535]. Auf das berühmte Relief des Assurbanipal in der Gartenlaube [8. 83] bezieht der Theaterdichter August von Kotzebue (1761–1819) die Bemerkung in *Der Vielwisser*: ›Ich glaube, er war sogar in Ninive, wo der Prophet Jonas in der Kürbislaube saß‹ (Zweiter Act, 2. Scene).

Villiers del'Isle-Adam (1838–1889) zitiert in seiner Erzählung *Die Eva der Zukunft* Berossos, »die Sonnenuhr von Babylon«, die Chaldäer, Gudea, »die babylonischen Schmiede« und Xisuthros. William Blake stellte auf einer eigenen Illustration zu seinem Gedicht *Jerusalem* (begonnen 1804, vollendet wohl 1818) einen phantastischen Wagen dar, der auf Reliefs aus Persepolis zurückgeht. Wie Gustave Flaubert ist auch Gottfried Keller von den Darstellungen der Gewänder assyrischer Könige auf Reliefs und Statuen beeindruckt [8. 75].

H. DIE REZEPTION DER KEILSCHRIFTLITERATUR IM 20. JAHRHUNDERT

Mit der arch. Entdeckung der altorientalischen Kulturen, der Entzifferung der Keilschrift und der Erforschung der babylonischen Sprache setzt eine Wende in der Rezeptionsgeschichte ein, die ihren Auftakt durch den von dem dt. Assyriologen Friedrich Delitzsch eingeleiteten sog. »Babel-Bibel-Streit« und Panbabylonismus (→ Babylon) erfuhr [12]. Das nun entstandene große Interesse des gebildeten Publikums reflektieren eine ganze Reihe von Romanen und Theaterstücken mit altorientalischem Hintergrund, die in der ersten H. des 20. Jh. entstanden sind.

1. ROMANE UND NOVELLEN

Auf der Suche nach der Erneuerung des Menschen orientiert sich Jakob Wassermann (1873–1934) in dem 1904 erschienenen Roman *Alexander in Babylon* an der Gestalt Alexanders des Großen. Häufig finden sich in diesem Werk fast wörtlich übernommene Partien aus der damals bereits übersetzten babylonischen Lit. [9. 540]. Große Bedeutung hat der AO auch in dem lit. Werk von Paul Scheerbart, dessen Interesse v. a. der babylonischen Architektur und Astralreligion galt [9. 540f.]. Alfred Döblin (1878–1957) publizierte 1934 in Amsterdam seinen absurden Roman *Babylonische*

Wandrung oder Hochmut kommt vor dem Fall. Noch in Berlin hatte Döblin, dem Spruch Salomonis (16,18) – ›Wer zu Grunde gehen soll, der wird zuvor stolz, und Hochmut kommt vor dem Fall‹ – folgend, die komische Geschichte von der Menschwerdung des babylonischen Gottes Marduk mit dem modernen Namen Konrad (zu lesen als Anagramm für Marduk gedacht) entworfen. Über seinen Roman äußert sich Döblin in *Schicksalsreise* [9. 541–543]. Sporadisch findet sich Assyriologisches auch in den früheren Romanen des Dichters [9. 543]. Auch Franz Werfel (1890–1945) bedient sich in seinem 1936 erschienenen polit. Roman *Höret die Stimme* der neu entdeckten altorientalischen Welt. Es ist die Geschichte des Propheten Jeremias und zugleich ein Menetekel, ein Mahnwort gegen die herrschende Gewalt Hitlers [9. 543]. Am bekanntesten ist die Rezeption der Assyriologie, mehr aber noch der Ägyptologie, in Thomas Manns Roman *Joseph und seine Brüder.* Thomas Mann hat sich zu diesem Romanthema mit dem alten und dem modernen Orient intensiv beschäftigt. Er führte auf den wechselvollen Stationen seines Exils eine kleine orientalische Handbibliothek mit sich. Das für ihn wichtigste Werk, das Buch des die panbabylonische Schule vertretenden Altorientalisten Alfred Jeremias *Das Alte Testament im Lichte des Alten Orients* (³1916) gehörte dazu; hierzu hatte er eine umfangreiche Exzerptmappe angelegt [8. 94f.]. Am intensivsten hat sich der Expressionist Hans Henny Jahnn in seinen beiden traumhaft-ekstatischen Romanen *Perrudja*, von der Lichtwark-Stiftung in Hamburg 1929 veröffentlicht, und der Tetralogie *Fluß ohne Ufer* (1935–1947) mit der altorientalischen Lit., ganz besonders aber mit der Gilgamesch-Dichtung, beschäftigt [8. 85–92; 9. 545f.]. Wie Hans Henny Jahnn, so war auch Jakob Wassermann in *Alexander in Babylon* von der Figur des Pazuzu – beiden Dichtern aus B. Meissner's Werk *Babylonien und Assyrien* bekannt – fasziniert [8. 89–91; 9. 545f.]. Arno Schmidt, *Die Gelehrtenrepublik. Kurzroman aus den Roßbreiten,* beschreibt den Skorpionmenschen, den ›assyrerbärtigen Zentaur‹ und die sumerische Königin Schubad.

Natürlich hat sich auch das Genre der Horror-Lit. an altorientalischen Stoffen reichlich bedient. Als nur ein Beispiel sei der Ire Arthur Machen aus dem Ende des 19. Jh. erwähnt, der in *The Novel of the Black Seal* von einem aus schwarzem Stein geschnittenen babylonischen Rollsiegel, dessen dämonische Figurengruppe ein Gelehrter mit gleichartigen Einritzungen auf einem walisischen Kalksteinfelsen identifizieren kann, erzählt [8. 97].

Aus der russ. Lit. sei Lew Nikolajewitch Tolstoi mit seiner Erzählung *Assarhaddon* genannt. In seinem Roman *Auferstehung* findet sich ein Hinweis auf das Rechtsbuch Hammurapis.

Aus dem Bereich der Kriminalromane ist Agatha Christie mit *The Death in Mesopotamia* zu nennen. In *Erinnerungen an glückliche Tage* beschreibt sie die Zeit ihres Aufenthalts mit ihrem Ehemann, dem berühmten Archäologen Sir Max E. L. Mallowan, während dessen Ausgrabungen in Chagar Bazar in Syrien [2; 8. 97].

In der erotischen Lit. ist Babylonien durch die unter dem Titel *Aan Aphrodites Borsten* vereinigten Erzählungen des Holländers Frederik Koning vertreten, die 1970 in Dülmen erschienen sind [8. 87].

In Frankreich hatten sich unter anderen die Assyriologen Edouard Dhorme und Francois Thureau-Dangin um die junge Wiss. verdient gemacht. Wahrscheinlich dieser Thureau-Dagin und nicht Vater oder Onkel des berühmten Assyriologen – beide Mitglieder der Akademie – wird von Marcel Proust in seinem großen Romanwerk *Auf der Suche nach der verlorenen Zeit* erwähnt [8. 84]. Schließlich sei auch der frz. Romancier Joséphin Peladin (1859–1918) genannt, der seinem Namen das Wort »Sar« voranstellt, also Sar Peladin, wobei *sar* das babylonische Zahlwort 3600 mit der Bedeutung »unendlich« ist [8. 84].

Aus der it. Lit. des 19. Jh. ist der zu seiner Zeit viel gelesene, heute nahezu vergessene, Romancier Anton Giulio Barrili mit seinem 1873 erschienenen Roman *Semiramide racconto babilonese* zu nennen. Auch dieser Roman steht im Zeichen der Entzifferung der Keilschrift. So zitiert der Autor die beiden Assyriologen Jules Oppert und Sir Henry Creswicke Rawlinson und gibt in einer Anmerkung den Inhalt einer Keilschrifttafel aus Borsipa in der ins It. übertragenen Übers. von Oppert wieder [8. 78].

Von dem argentinischen Schriftsteller Jorge Luis Borges stammt der Satz, daß die Stadtmauer eine Bibliothek ist, in der die Geschichte der Stadt aufgezeichnet sei. Er verwendet in den Erzählungen seiner *Ficciones* (erschienen 1944), *La loteria en Babilonia* und *La Biblioteca de Babel* das Sujet Babylon: In letzterer hat er das Gilgamesch-Epos und die in hethitischer Sprache überlieferte Erzählung vom Jäger Keschi umgestaltet [9. 548].

2. THEATERSTÜCKE

Kaiser Wilhelm II., der selbst mit wiss. Veröffentlichungen hervorgetreten war, berichtet: ›Da ich erkannte, daß die Assyriologie, die so viele bedeutende Männer, auch Geistliche beider Konfessionen, beschäftigte, von der Allgemeinheit in ihrer Bedeutung noch nicht verstanden und gewürdigt wurde, ließ ich durch meinen Freund und glänzenden Theaterintendanten, den Grafen Hülsen-Haeseler, das Stück »Assurbanipal« in Szene setzen, das nach langer Vorbereitung unter Aufsicht der → Deutschen Orient-Gesellschaft aufgeführt wurde. Zu der Generalprobe wurden Assyriologen aller Länder eingeladen. Man sah in den Logen in bunter Reihe Professoren, protestantische und katholische Geistliche, Juden und Christen beieinandersitzen. Von vielen hörte ich Dank dafür, daß ich durch diese Aufführung einmal gezeigt habe, wie weit die Forschungsarbeit schon gediehen war, und gleichzeitig dem großen Publikum die Bedeutung der Assyriologie näher gebracht hätte‹ [18. 168f.]. Wiederum war es Delitzsch, der diesen seit alters bekannten Opernstoff unter dem Titel »Sardanapal« als histor. Pantomime umgestaltet hat [15. 158f.]. Von Walter Muschg erschien 1926 das Bühnenstück *Babylon – Ein Trauerspiel*, in dem (nach Daniel

4) Nebukadnezar zum Bekenner Jahwes wird. In den Jahren 1938–1939 entstand die Komödie *Konflikt in Assyrien* von Walter Hasenclever. Im Gegensatz zu Walter Muschg und Walter Hasenclever hat sich Friedrich Dürrenmatt für die polit. Satire *Ein Engel kommt nach Babylon* (1954) gründlichst mit der altorientalischen Überlieferung beschäftigt. Babylon steht hier für die moderne Großstadt eines nach Vollkommenheit strebenden Staatswesens, in dem Gott, der Engel, das Mädchen Kurrubi – die personifizierte Gnade – und der Bettler Akki keinen Platz mehr haben; es ist die Stadt, in der Nebukadnezar schließlich den babylonischen Turm – Sinnbild der Knechtschaft und unmenschlichen Architektur – errichtet, um – nach dem alten Motiv – Gott zu bekämpfen [8. 96; 9. 547 f.].

3. Lyrik

Auch die Lyrik hat sich von den glänzenden babylonischen und assyrischen Städten inspirieren lassen. Nur wenige Jahre nach Layard's Publikation seiner Ausgrabungen in Ninive erschien das berühmte, von Victor von Scheffel (1826–1886) stammende, im Jahre 1854 entstandene Trinklied *Jonas* oder *Altassyrisch* [8. 80 f.]. Auf Heinrich Heine's Gedichte *Belsatzar*, *Romanzero* (1851), *Vitzliputzli* und *Hunderttausend Freudenlampen* folgen Peter Huchel, *DER HOLUNDER öffnet die Monde*, ferner Georg Heym, *Ninive*, Richard Schaukel (1874–1942) *Persepolis*, John Masefield (1878–1967) *Cargoes* und andere mehr. Altorientalischer Bilder bedient sich auch Gottfried Benn in seinen Gedichten, wie in der dritten Strophe des Gedichtes *Vor keiner Macht zu sinken* oder in dem Gedicht *Sie die Sterne, die Fänge*.

I. Die Rezeption der Gilgamesch-Dichtung im 19. und 20. Jahrhundert

Während Rainer Maria Rilke und Hermann Hesse der Gilgamesch-Dichtung zwar Bewunderung zollen, ohne aber ihre eigene Dichtung dadurch sichtlich beeinflußt zu haben [8. 85], verarbeitet Hans Henny Jahnn in *Perrudja* den Gilgamesch-Stoff und andere altorientalische Themen. Die beiden Hauptfiguren des Romans, nämlich Perrudja und seinen Freund Hain, verbindet Jahnn, ebenso wie in *Fluß ohne Ufer* das Freundespaar Gustav Anias Horn und Tutein, mit Gilgamesch und Enkidu [8. 85–92; 9. 545 f.]. Józef Wittlin, ein nur wenig bekannter polnischer Schriftsteller, der der von Wyspianski begründeten lit. Bewegung *Das Junge Polen* (Młoda Polska) nahestand, publizierte 1922 seinen Roman *Gilgamesz. Powieść starobabilońska* (»Gilgamesch. Ein altbabylonischer Roman«) [9. 549]. Elias Canetti berichtet in *Erinnerungen der Jahre 1921–1931* über das Gilgamesch-Epos, das er anläßlich einer Lesung des Schauspielers Carl Ebert während einer Sonntags-Matinee in Frankfurt kennengelernt hatte [9. 550 f.]. Gilgamesch und Enkidu sind auch das Thema in Peter Huchels Gedicht *DER HOLUNDER öffnet die Monde* [9. 550 f.].

J. Die Rezeption der Hethitologie

Im Vergleich zu der Entdeckung der mesopotamischen Kulturen war das Echo, das die hethitische Metropole Hattusa in der Belletristik hervorgerufen hat, äußerst gering. Vor der Entdeckung der hethitischen Kultur steht für Herman Melville in seinem Roman *Moby Dick* Hethiter für Naivling. ›Von den Erforschern der Boghazkoitexte oder der Plättchenfrage‹ – wie es in Robert Musils *Mann ohne Eigenschaften* (Kap. 24) heißt, ließ sich Arno Holz (1863–1929) in seinem lyrischen Riesenepos *Phantasus* inspirieren. In einem langen Gedicht reflektiert Ramses II., ob er sich dem Hethiterkönig Muwatalli zur Schlacht stellen soll – es ist die berühmte Schlacht von Qadesch [8. 92–94]. Aus der engl. Lit. ist Bruce Dawe's, *Phantasms of Evening*, des gleichen Themas zu nennen.

Der einzige Hethiterroman ist Klaus Sebastians *Schweig Kamanas*, dessen vierte Auflage 1988 im Prisma-Verlag der DDR erschienen ist. Als Beispiel der Rezeption aus der modernen türkischen Belletristik sei der Roman *Das Lied der tausend Stiere* des Schriftstellers Yaşar Kemal genannt [8. 96 f.].

K. Literarische Curiosa

Neben dieser zumeist ernsthaften Rezeption der Assyriologie steht eine durchaus satirisch-spöttische, wie etwa das im Jahre 1871 erschienene *Kutschke-Lied* von W. Ehrenthal, das zum Erstaunen der Philologen Spottlieder auf Napoleon III. in allen möglichen – alten und modernen – Sprachen, darunter auch in babylonischer und persischer Keilschrift enthält, oder die im Jahre 1888 von Fritz Treugold erschienene humoreske Versdichtung *Sadrach A. Negro. Ein babylonischer Keilschriftlehrer. 120 Inschriften entziffert und umgedichtet*, um nur diese beiden zu nennen. Auch in Witzblättern, wie z.B. im *Schalk, Blätter für Deutschen Humor*, bleibt die Assyriologie nicht vom Spott verschont. So beginnt die Bildergeschichte *Die gelehrte Familie* von Ernst Eckstein vom 26. Januar 1879 mit einem Manne, der in die Lektüre ›Gartenlaube 1859 Herausgeber Ernst Keil‹ vertieft ist. Diese spöttische Haltung zur Assyriologie wird in der heutigen → Comic-Literatur weitergeführt oder gar wiederbelebt [8. 78–81, 97; 9. 551 f.]. Als Curiosum aus der engl. Lit. sei schließlich ein Epigramm auf Königin Victoria aus Frederick Kill Harford's Anthologie *Epigrammatica*, erschienen 1890, erwähnt [8. 78 f.].

→ AWI Alexanderroman; Altpersische Keilschrift; Babylon; Chaldaioi; Epos I. Alter Orient; Gilgamesch-Epos; Keret; Marduk; Nebukadnezar; Nimrod; Ninos; Semiramis

1 E. Canetti, Die Fackel im Ohr. Lebensgeschichte 1921–1931, 1982 (zitiert nach der Ausgabe 1994) 2 N. Cholidis, Faszination des Orients. Einige Gedanken zu Agatha Christies »Mord in Mesopotamien«, in: C. Trümpler (Hrsg.) Agatha Christie u. der Orient. Kriminalistik und Arch., 1999, 334–349 3 W. Dorow, Die assyrische Keilschrift erläutert durch zwei noch nicht bekannt gewordene Jaspis-Cylinder aus Niniveh u. Babylon, Wiesbaden 1820 4 W. Eilers, Semiramis. Entstehung u. Nachhall einer altorientalischen Sage, 1971 5 Sigmund Freud, Studienausgabe Bd. 1, Vorlesungen zur Einführung in die Psychoanalyse (1916–17). Neue Folge der Vorlesungen zur Einführung in die Psychoanalyse (1933), 1969 6 G. F. Grotefend, Über die Erklärung der

Keilschriften, und bes. der Inschr. von Persepolis, in: A. H. L. HEEREN, Ideen über die Politik, den Verkehr und den Handel der vornehmsten Völker der alten Welt. Erster Theil, Asiatische Völker. Zweite Abteilung, Phönicier, Babylonier, Scythen, Göttingen 1824 **7** C. L. GROTEFEND, Die Sanchuniathonische Streitfrage nach ungedruckten Briefen gewürdigt, Hannover 1836 **8** V. HAAS, Die junge Wiss. Assyriologie in der Schönen Lit. des 19. und 20. Jh., in: Xenia 15, 1985, 71–104 **9** Ders, Die lit. Rezeption Babylons von der Ant. bis zur Gegenwart, in: J. RENGER (Hrsg.), Babylon: Focus Mesopotamischer Gesch., Wiege früher Gelehrsamkeit, Mythos in der Moderne, 1999, 523–552 **10** Ders., Natur- u. Landschaftsbeschreibungen im hethitischen Schrifttum. Ein lit. Spaziergang, in: L. MILANO et al. (Hrsg.), Landscapes. Territories, Frontiers and Horizons in the Ancient Near East. Tl. I., 1999, 17–27 **11** H. KRONASSER, Fünf hethitische Rituale, in: Die Sprache 7, 1961, 141–167 **12** R. G. LEHMANN, Der Babel-Bibel-Streit. Ein kulturpolit. Wetterleuchten, in: J. RENGER (Hrsg.), Babylon: Focus Mesopotamischer Geschichte, Wiege früher Gelehrsamkeit, Mythos in der Moderne, 505–521 **13** J. PERROT, Syrien-Palästina I, 1979 **14** G. PETTINATO, Semiramis: Herrin über Assur und Babylon, 1985 **15** J. RENGER, Die Gesch. der Altorientalistik und vorderasiatischen Arch. in Berlin von 1875–1945, in: Kat. Berlin und die Ant., W. ARENHÖVEL, CHR. SCHREIBER (Hrsg.), 1979 **16** R. ROLLINGER, s. v. Babylon, in: Der Neue Pauly Bd. 13, 374–378 **17** A. STRINDBERG, Ein Neues Blaubuch, 1917 **18** KAISER WILHELM II., Ereignisse u. Gestalten aus den J. 1887–1918, 1922.   VOLKERT HAAS

Orientalismus   A. BEGRIFF

B. EDWARD SAIDS »ORIENTALISM«
C. WIRKUNG VON »ORIENTALISM«
D. KRITIK UND WEITERENTWICKLUNG
E. ORIENTALISMUS IN DEN ALTERTUMS-WISSENSCHAFTEN

A. BEGRIFF

Traditionell bezeichnet Orientalismus (O.) die Beschäftigung mit Sprachen, Kulturen oder Religionen des Orients. Dabei kann Orient (Or.) je nach Zusammenhang eine konkrete oder abstrakte Region östl. des aktuellen geogr. Standpunktes oder auch östl. des als Westen (Okzident, Ok.) bezeichneten Gebietes meinen. Üblicherweise werden unter Or. die Länder Asiens bis Japan, im engeren Sinne der Raum von der östl. Mittelmeerküste bis zum Iran verstanden. Der Begriff kann auch die islamisch geprägten Länder Nordafrikas mit einschließen.

O. ist als Begriff im Engl. (Holdsworth) wie im Dt. (Herder) erstmals 1769 belegt. Von der Académie Française wurde O. 1835 als Wort anerkannt. Über die allg. Beschäftigung mit orientalischen Dingen sowie speziell über die Orientmalerei des 19. Jh. hinaus bezeichnet(e) O. im Frz. und Engl. gerade auch die wiss. Beschäftigung mit dem Or., wofür u. a. im Dt. und Niederländischen der Begriff Orientalistik steht. Im Dt. wurde O. v. a. benutzt, um romantische Zugänge zum Or. in der Mode, in Musik-, Bild- und Designmotiven sowie eine Hinwendung zu orientalischen Religionen,

insbes. Hinduismus, zu bezeichnen. Gelehrte orientalischer Sprachen und Kulturen wurden in europ. Sprachen seit dem E. des 17. Jh. vereinzelt, im 19. Jh. üblicherweise als Orientalisten bezeichnet. Traditionell konnte diesen Begriffen eine positive Konnotation im Sinne von Wertschätzung des Gegenstandes der Beschäftigung sowie im besonderen der wiss. Arbeit selbst attestiert werden.

Am Ende des 20. Jh. hat, angestoßen von E. Said, v. a. im anglo-amerikanischen Bereich ein grundlegender Begriffswandel stattgefunden. O. wird h. meist im Sinne von westl.-kolonialen Diskursen verwandt, von falschen, diskriminierenden Vorstellungswelten in Verbindung mit polit. Ungleichheit und Abhängigkeitsverhältnissen.

B. EDWARD SAIDS »ORIENTALISM«

O. erlebte einen Bedeutungswandel durch die 1978 erfolgte Publikation des Buches *Orientalism* von Edward Said, Literaturwissenschaftler an der Columbia University, New York. Said versucht modellhaft den westl., kolonialen Diskurs über andere Kulturen zu beschreiben, wie er sich in akad., lit. und administrativen Texten und Praktiken darstellt. Diskurs kann dabei in Anlehnung an Foucault als ein Netzwerk von Texten, Dokumenten, Praktiken und Disziplinen beschrieben werden, in dem spezifische Objekte und Formen des Wissens produziert werden und der Rahmen möglicher Äußerungen bestimmt wird. Said konzentriert seine Unt. des O. auf die islamisch-arab. Welt im frz. und britischen Diskurs seit dem 18. Jh. und im jüngeren US-amerikanischen Diskurs.

Unter O. versteht Said v. a. drei miteinander verbundene Dinge: 1. die akad. Disziplin der Orientalistik; 2. in mehr genereller Definition, einen Denkstil, der bei Schriftstellern, Philosophen, Ökonomen, Politikern usw. zu finden ist und der auf der ontologischen und epistemologischen Unterscheidung von »dem Or.« und (meistens) »dem Ok.« beruht; und 3. die aus den ersten beiden Bereichen hervorgegangene Art und Weise des Westens, mit dem Or. umzugehen, ihn zu beschreiben und zu beherrschen [27. 2–3]. Said stellt fest, daß der Or. weder geogr., noch ethnisch, noch kulturell einheitlich zu fassen ist und erst im Diskurs des O. konstruiert wird. Dieser konstruierte Or. wird dann in seiner Komplexität auf wenige Punkte reduziert, »essentialisiert«, die als stereotype Beschreibungen bzw. Annahmen dem Diskurs des O. zugrundeliegen und in ihm wiederholt und verstärkt werden. Der Or. des O. ist demnach kein Fakt, sondern ein mythisches Konstrukt von Generationen von Künstlern, Politikern und Orientalisten. Andererseits kann sich innerhalb des westl. Diskurses über den O. niemand den Vorstellungen dieses Konstruktes entziehen [27. 204].

Obwohl O. als Diskurs des Westens Said zufolge auf ant. Wurzeln zurückgeführt werden kann, tritt er im Zusammenhang mit britischem und frz. Imperialismus seit dem späten 18. Jh. durch intensivierte Forsch., intensiveren Kontakt und direkte koloniale Machtausübung in eine neue Phase. Da O. auf ungleichen Machtverhältnissen auf den Ebenen der Politik, der Bildung, der Kultur und der Moral basiert, bestätigt er konstant westl. Überlegenheit, während der Or. in diesem Diskurs eine unzutreffende und abwertende Darstellung erhält [27. 12]. Said versucht zu zeigen, wie der O. somit geopolit. Bewußtsein in der Ästhetik sowie in wiss., ökonomischen, soziologischen, histor. und philol. Texten, die er als Beispiele heranzieht, ausdrückt.

Die spezielle Rolle der Orientalisten besteht für Said darin, daß zum einen erst deren wiss. Interessen, die den Or. zum definierbaren Studienobjekt machen, eine willkürliche Trennung von Or. und Ok. schaffen und erhalten, und zum anderen die Forsch. durch die Sammlung von Wissen hilft bzw. dazu dient, den Or. zu beherrschen. Eine bes. Rolle spielt dabei die Erforsch. orientalischer Geschichte, die vom Westen vereinnahmt und verwendet werde. Wie frühere, so sind auch mod. Orientstudien in westl. Ländern für Said weiterhin Ausdruck des Willens zur Macht und Beherrschung.

O. ist also nach Said ein System des Wissens, ein Filter für westl. Vorstellungen vom Or. und ein Vorrat an Theorie und Praxis für den Umgang mit dem Or. [27. 6]. Entsprechend ist O. in latenten und manifesten O. zu unterteilen. Latenter O. ist die unbewußte, unerschütterliche und unveränderliche Sicherheit, wie und was der Or. ist. Dabei wird der Or. dem Westen als der »Andere« gegenübergestellt. Er wird im Diskurs des O. als statisch, rückständig und despotisch, aber auch lustvoll, verweichlicht und passiv beschrieben. Da er dem Westen unterlegen ist, bedarf dieser schwache, als weiblich beschriebene Or. der westl. Dominanz und Zivilisation. Manifester O. ist der Ausdruck des latenten O. in Worten und (polit.) Taten. Said hat so dem Begriff O. einen neuen, ideologischen Inhalt gegeben.

C. Wirkung von »Orientalism«

Nur wenigen Büchern ist es vergönnt, so viele Kontroversen und weitere Studien in den vielfältigsten Fachrichtungen hervorzurufen oder zu beeinflussen wie Saids Orientalism. Saids Studie wurde die bekannteste Kritik an der Annahme der Trennbarkeit von Fakten und Wertungen sowie der Verbindung von Wiss. und Macht [43; 39] und spielte v.a. in den USA eine wichtige Rolle in der Politisierung akad. Diskurse am E. des 20. Jh.

Ein wesentlicher Aspekt von Orientalism ist die Verknüpfung von Kultur und Politik, die in die polit. ausgerichtete Kolonialismus- und Imperialismusforsch. den Aspekt der Kulturauseinandersetzung einbrachte. Durch Orientalism und Saids The World, the Text, and the Critic (1983) [28] wurde zudem die Nutzung von Lit. als histor. Quelle für polit.-ideologische Zustände intensiviert. Orientalism warf auch allg. die Frage der Identität und Alterität auf und beeinflußte direkt oder indirekt viele Studien über die Begegnung mit dem Anderen, die seit Mitte der 8oer J. erschienen. Es provozierte überdies eine breite Diskussion der Repräsentation des individuellen und phänotypischen Anderen in den Medien

wie Film, Lit. oder Journalismus [37], aber auch in Wiss., die sich mit anderen Kulturen beschäftigen, wie Orientalistik, Indologie, Japanologie oder Ethnologie. Gerade in der Indologie [7; 35] und Ethnologie [10; 19] fand daraufhin eine kritische Hinterfragung der wiss. Praxis statt, die mit der traditionellen Vorstellung vom objektiven, distanzierten Blick des Wissen sammelnden Forschers auf exotische Andersartigkeit brach. Universitätsinstitute wurden teilweise unter Vermeidung des Wortfeldes Or. umbenannt.

Orientalism wurde ein Gründungs- und Referenztext der sog. Theorie (oder Analyse) des kolonialen Diskurses, die sich mit der Produktion von Wissen über Andere und damit verbundene Machtverhältnisse beschäftigt. Zusammen mit Ansätzen des Dekonstruktivismus, der Psychoanalyse und des Feminismus half Orientalism die Idee der Zentralität Europas und das Projekt westl. Modernität mit seinen Vorstellungen von Fortschritt, Geschichte, Geschlechtern und Rassen kritisch zu hinterfragen. Dies führte zu Neuinterpretationen lit. Texte aus Sicht der »Subalternen« (z.B. Shakespeares The Tempest aus der Sicht Calibans [25]), der Unt. von kolonialem Diskurs und Frauenbildern [33; 36] und nicht zuletzt zu Geschichtsschreibungen aus nicht-europ. Perspektiven [1; 43]. Im Zusammenhang mit der Analyse kolonialer Diskurse ist die Anwendung des Begriffes O. inzwischen nicht mehr auf den geogr. Raum eines wie auch immer definierten Or. beschränkt, sondern kann auch in der Beschreibung interner Kolonisation benutzt werden, z.B. im Zusammenhang mit inner-it. Verhältnissen des 19. Jh. [32].

D. Kritik und Weiterentwicklung

Saids Thesen haben nicht nur Forschungsrichtungen angestoßen oder beeinflußt, sondern sind seit ihrem Erscheinen in vielfältiger Weise kritisiert, fortentwickelt oder simplifiziert worden. Die Diskussion beschäftigte sich dabei 1. mit seiner histor. und sachlichen Darstellung, 2. seiner Verwendung der Theorien Foucaults und Gramscis und 3. seinen Thesen zum Wesen von O. selbst.

1. Eine der Thesen Saids behauptet, daß innerhalb des O. jeder Europäer in dem, was er über den Or. sagen konnte, letztlich Rassist, Imperialist und ethnozentrisch war [27. 204]. Dies wirft einerseits die Frage nach der generellen Möglichkeit des Verstehens anderer auf. Andererseits zwingt es Said, alle Äußerungen über den Or. negativ zu werten. Sehr viel Kritik richtete sich daher gegen Saids Auswahl und Umgang mit Quellen, die oft aus dem Kontext gelöst, teils sogar mißverstanden wurden, v.a. aber keinen Raum für positive Wertungen ließen. Nicht zuletzt von Said kritisierte Autoren wie W. Jones oder W. von Goethe wandten sich aber orientalischer Lit. mit Begeisterung und Bewunderung zu und erklärten diese zum Vorbild [9; 12. 9–12; 24]. Das heißt jedoch nicht, daß auch positive Darstellungen, in denen z.B. der Orientale dazu dient, Wagemut und Ungebundenheit zu personifizieren [22], nicht gleichermaßen als falsche Repräsentation im Sinne des O. angesehen werden können.

In bes. Weise wurde Saids Quellenauswahl von Orientalisten kritisiert, steht doch die These der Komplizenschaft zw. akad. Orientforsch. und polit. Macht im Zentrum seiner Darstellung [27. 333; 29. 17]. Selbst Orientalisten, die bereit waren, verbreitete Vorstellungen vom Or. als unzutreffende Repräsentation anzusehen, konnten oft nicht akzeptieren, daß Said die Möglichkeit unpolit. aufrichtigen Forschungsinteresses verneint und daß die eigene Wiss. nicht reales Wissen geschaffen und behandelt haben sollte. Ersteres, wurde argumentiert, zeige sich z.B. in den grundlegenden Forsch. dt., russ. oder niederländischer Orientalisten, denen keine Verbindung zu kolonialen Projekten vorzuwerfen sei, und die daher von Said auch nicht behandelt wurden. Weiter ist einzuwenden, daß die Orientforsch. sich zwar in der Zeit und in Verbindung mit europ. Expansion intensiviert und diversifiziert hat, Gramm. und Lehrbücher des Arab., Persischen und Japanischen etc. aber schon im 16. Jh. in Europa vorlagen. Große Teile der Forscher identifizierten sich zudem stark mit ihrem Forschungsgegenstand und versuchten, Vorurteile aufzubrechen und ein positives Bild orientalischer Kultur zu verbreiten [11. 195]. Bemängelt wurde auch, daß der kausale und konzeptionelle Zusammenhang von Orientalistik und der polit. und ökonomischen Unterwerfung des Or. unklar bleibt [2. 8].

Saids Zweifel, ob die Wissensproduktion der Orientalistik reale Repräsentationen schuf, stellt die etablierten Methoden positivistischer Forschungstrad., z.B. kritische Textedition, Quellenkritik, Etymologie oder das systematische Studium der Sekundärquellen, in Frage. Selbst wenn der koloniale Hintergrund, vor dem die Wiss. blühten, als Bedingung ihres Entstehens oder ihrer Förderung anerkannt wird, stellt sich das Problem, ob damit jede Forsch. Kolonialcharakter erhält. Auch wenn man akzeptiert, daß alle Wissensproduktion, insbes. institutionalisierte, durch die Beziehung zum Staat und seinen polit. Praktiken kontaminiert sein muß, ist fraglich, ob imperialistische Interessen so stark sein können, daß sie die Arbeit von Wissenschaftlern verschiedener Nationen, Institutionen, akad. Felder und kultureller Einfühlsamkeit über Jh. bestimmen konnten und können, wie die über Said hinausgehende Kritik behauptet [16; 31]. Fraglich ist zudem, wie die nach Said von der Orientalistik verantwortete falsche Repräsentation des Or. das notwendige Wissen für koloniale Eroberungen und Verwaltung bereitstellen konnte.

2. Eine weiterführende Kritik stammt von Kulturtheoretikern, die der Existenz eines O. im Sinne Saids grundsätzlich zustimmen, sich aber gegen Saids Lesung von Foucault und Gramsci wenden und die internen Differenzen des kolonialen Diskurses betonen. Besonders L. Lowe [18] argumentiert, daß Saids starres Bild von O. als Diskurs der Idee Foucaults widerspricht, da in dessen Konzept diskursiver Formationen weder diese selbst, noch die Objekte des Wissens über Zeiten oder Orte hinweg identisch oder statisch, sondern stetem Wandel ausgesetzt sind. Eine Idee, die gerade dazu die-

nen sollte, die Vereinfachungen traditioneller histor. Studien mit ihrer Suche nach Ursprüngen, einheitlichen Entwicklungen, Gründen und Effekten zu vermeiden. Ebenso ist Hegemonie im Sinne Gramscis ein Prozeß konstanter Verhandlung.

Entsprechend betont H. Bhabha die immanente Kritik am Dominanten, die die Argumentationsstruktur der Diskurse und aller Teilnehmer beeinflußt und permanent verändert [6]. R. Young trennt O. in zwei Stränge, das Gebiet des Wissens und der Begegnung (Saids »manifester O.«) einerseits und der Phantasien vom »Anderen« andererseits (Saids »latenter O.«), die in unterschiedlicher Weise Diskursveränderungen ausgesetzt sind [44. 140]. Lowe führt aus, daß der Diskurs des O. sich ständig mit anderen Diskursen, z.B. über Nation oder Klasse, kreuzt, und so selbst im Werk einzelner Autoren eine Vielfalt kontextabhängiger orientalistischer Erfahrungen beschrieben werden können [18]. Im O. wurden dabei nach Young nicht zuletzt Zerwürfnisse innerhalb der westl. Kultur, z.B. bestimmte Geschlechter- und Rassentheorien und -konflikte, auf das Gegenbild Or. projeziert, die dem Westen so eine fälschliche Integrität vermittelten [44. 139]. Der Diskurs des O. ist daher nicht monolithisch, sondern entspricht einer unregelmäßigen Matrix aus orientalistischen Situationen über kulturell und histor. verschiedenartige Plätze hinweg. O. ist daher zutiefst heterogen, unbestimmt oder sogar widersprüchlich [18].

3. Die interne Konsistenz des diskursiven Feldes O. ist somit fragwürdig. Said wendet sich dagegen, daß der O. ein auf eine Essenz reduziertes Bild vom Or. zeichnet, in dem Abweichungen, die diesem Bild nicht entsprechen, keine Berücksichtigung finden. Genau dieses Vorgehen kennzeichnet aber nach Meinung auch sympathisierender Kritiker Saids Beschreibung von O., die keinen Raum für abweichende Meinungen läßt und ein statisches Bild vom O. zeichnet. Der Vorwurf lautet daher, Said und mehr noch viele Kritiker des kolonialen Diskurses antworteten auf O. mit gleichfalls verzerrendem »Okzidentalismus« [2; 12.; 18]. Problematisch ist zudem, daß, wenn jede Darstellung eine diskursive Konstruktion ist, Said letztlich keine größere Glaubhaftigkeit für seine Beschreibung von O. beanspruchen kann als der Diskurs des O. in der Beschreibung des Or. [44. 128].

Trotz aller Kritik an der theoretischen Grundlegung wie der Ausführung von Saids Beschreibung von O. sind seine Thesen dennoch h. im Kern weitgehend akzeptiert. Saids Überschreiten von etablierten Fachgrenzen, die Nutzung von Lit. zur histor. Interpretation, das Aufzeigen der Nichtkongruenz von Realität und diskursiver Repräsentation stellten sowohl westl. Vorstellungen »vom Orient« als auch wiss. Objektivität und Autorität nachhaltig in Frage. Es lenkte den Blick auf Vorurteile und Stereotypisierungen in der Beschreibung anderer Kulturen. Bei aller Auseinandersetzung mit und Kritik an Said ist es, zumindest in der englischsprachigen (akad.) Welt, unmöglich geworden, über die Beziehungen des »Westens« (Europa und Nordamerika) zu anderen Teilen der Welt zu sprechen, ohne auf O. Bezug zu nehmen.

E. ORIENTALISMUS IN DEN ALTERTUMSWISSENSCHAFTEN

Im Gegensatz zu anderen Wiss., die sich mit der Repräsentation von histor. oder anthropologisch Anderen beschäftigen, wurde die Debatte um O. in den Altertumswiss. kaum wahrgenommen. Dies muß um so mehr erstaunen, als der Or. seit dem frühen 19. Jh. als der Andere diente, gegen den sich der Westen abgrenzte. Die von Herodot geschilderten Perserkriege dienten, in der Nachfolge Hegels, der die ›welthistor.‹ Bed. des Sieges ›freier Individualität‹ und ›geistiger Kraft‹ der Griechen gegen den orientalischen Despotismus [15. 314f.] betonte, als Gründungsmythos Europas. Die Betonung antithetischer Gesinnungen der Hellenen und der despotisch unterdrückten Massen des Perserreiches, sichtbar in jedem Aspekt der Kultur, von Kunst über Religion zur polit. Organisation, dient seither, unabhängig vom Realitätsgehalt und unter wechselnden zeitpolit. Vorzeichen der Bildung westl. Identität [41; 42; 21. 14]. O. muß daher als Aspekt der Schaffung einer okzidentalen Identität gesehen werden, deren Kern in der bewußten Herausbildung von einer als »klass.« betrachteten Ant. als Anknüpfungspunkt und Ideal liegt [13].

Dementsprechend sind die Behandlung der orientalischen Geschichte wie die Bilder vom Or. in den Altertumswiss. v. a. des 19. und früheren 20. Jh. auf vielfältige Weise durch Orientstereotypen und negative Wertungen gekennzeichnet, die Saids Darstellung des O.-Diskurs entsprechen. Dies reicht von der generellen Subsumierung altorientalischer und ägypt. Geschichte in ein evolutionäres Geschichtsbild, dessen (aktuelle) Erfüllung die westl. Moderne ist, über die Qualifizierung orientalischer Staaten als statisch, bis zur Evokation stereotyper Bilder vom Or., wie das des heimtückischen Orientalen und grausamen Despoten oder angeblicher Haremsintrigen als Erklärung für polit. Wandel. Trotz aller Verflachung der traditionellen Wertungshierarchien in den letzten Jahrzehnten und eines steigenden Bewußtseins für diese Fragen stößt man in den Altertumswiss. nicht zuletzt aufgrund des Einflusses älterer Lit. weiterhin auf grundsätzliche Interpretationsprobleme, die auf der angenommenen Höherwertigkeit westl. gegenüber östl., schriftlichen wie arch. Quellen sowie Kulturen zurückzuführen sind [14].

Die Erforsch. der Geschichte Ägyptens, des Vorderen Orients und Indiens steht in engem Zusammenhang mit der Eröffnung von Zugangsmöglichkeiten zu Originalquellen durch koloniale Politik, die die spärlichen Zeugnisse griech. und röm. Autoren sowie der Bibel zunächst ergänzten, bald aber an Fülle und Informationsgehalt übertrafen. Die fortschreitende Spezialisierung in den Altertumswiss. ließ schon im späten 19. Jh. → Ägyptologie und Assyriologie als Philol. entstehen, an denen sich später die geogr. und zeitliche Definition

der Fachinhalte arch. Disziplinen ausrichtete. Schon im frühen 20. Jh. traten diese Bereiche zunehmend aus dem Gesichtskreis der klass. Altertumswiss. heraus [20; 14]. Dies führte dort zu einer Vernachlässigung nichtwestl. Quellen und begünstigte die Aufrechterhaltung traditioneller Interpretationssysteme und Wertungen.

Ein Effekt dieser Trad. ist die Trennung der Geschichte des (variabel definierten) Or. in die Altorientalische Geschichte und die späten vorislamischen Reiche der Achaimeniden, Seleukiden, Arsakiden und Sasaniden. Letztere wurden dabei als nach-keilschriftliche Kulturen von der altorientalischen Arch. und Philol. weitgehend vernachlässigt, und stattdessen als Peripherie der griech.-röm. Welt am Rande der Alten (westl.) Geschichte mitbehandelt. Dies sorgte gleichzeitig dafür, daß die schon geogr. naheliegende Verbindung altorientalischer mit islamischer Geschichte konzeptionell unterbrochen wurde. Stattdessen wurden Ägypten und der Alte Or. in der Trad. des dt. Idealismus als Vorstufen westl. Zivilisation aufgefaßt, die in Gestalt der ant. Griechen die Fackel der Entwicklung übernahm [17; 3]. So wurden dem vorderen Or. zugeschriebene Entwicklungsschritte wie die Seßhaftwerdung und die Herausbildung komplexer Gesellschaften für die westl. Geschichte vereinnahmt. Zusätzlich wurde v. a. in der ersten H. des 20. Jh. die Rolle von Indoeuropäern für Entwicklungen im Or. betont. Ansonsten wurde der Or. weitgehend als über Jt. hinweg statisch beschrieben. Diese Idee fußt auf den Autoren des dt. Idealismus, v. a. Hegel, Herder und Schlegel. Diese sahen westl. Denken von histor. Bewußtsein geprägt, wobei Geschichte Verstehen erfordert, die Fähigkeit Dinge objektiv zu betrachten, was nur Menschen mit Selbsterkenntnis gegeben ist. Fehlt diese Voraussetzung – wie im despotischen Orient – tritt Geschichtslosigkeit ein. Ohne Geschichte gibt es aber auch keinen Fortschritt, der Or. ist demnach statisch. Der alte Or. konnte so im 19. Jh. ohne Rücksicht auf kulturelle und soziale Vielfalt als Einheit konstruiert werden. Noch h. wird versucht, Lücken in der Überlieferung, z. B. bei Jenseitsvorstellungen, durch Texte zu füllen, die über tausend J. älter oder jünger sind. Dadurch wird ein statischer Or. nicht erforscht, sondern ganz im Sinne erst geschaffen.

Die Idee der Stagnation ist also mit derjenigen von der orientalischen Despotie verbunden, die als Topos des O. weit in die Vergangenheit zurückprojiziert wurde und nicht zuletzt marxistischen Autoren als Hintergrund für die Beschreibung der orientalischen Produktionsweise diente [38].

Erotische Phantasien vom Or. spielten ebenfalls, v. a. im 19. Jh., eine große Rolle in der Interpretation altorientalischer Quellen. So wurde z. B. der große Tempelkomplex in Khorsabad zunächst als Harem des benachbarten Palastes gedeutet. Zudem sind manche Übers. akkadischer Texte auf Vorstellungen von der erotischen Welt des Harems gegründet. Kritische Überprüfung von Wortbedeutungen kann daher ganze Textpassagen aus diesen imaginierten Welten herauslösen [40. 147–150].

Philhellenismus und die Betonung einer okzidentalen Traditionslinie ging mit der Abwertung des Or. einher. Entsprechend weist die Beschreibung der vorgriech. Geschichte des Or. andere Probleme auf als die der nachfolgenden Zeit. Insbesondere das Reich der Achaimeniden wurde entgegen älterer, positiver Wertungen vom frühen 19. Jh. an bis h. zum Inbegriff orientalischer Despotie, seine Herrscher zu Tyrannen, deren Erfolge, Kunst und Palastarchitektur weitgehend auf die am Hof anwesenden Griechen zurückgeführt wurden. Ein bes. Problem in der Forsch. stellt dabei die Zugehörigkeit der Perser zur indoeurop. Sprachfamilie dar. Noch bis in jüngere Zeit wurde daher die Überlegenheit der Griechen nicht zuletzt darauf zurückgeführt, daß sich Sitte, Denken und Fühlen der Perser unter vorderasiatischem Einfluß entscheidend gewandelt hätten [4. 180] – eine Idee, die auf dem Bild des O. vom verweichlichten, dekadenten Or. beruht. Erst die verstärkte Heranziehung orientalischer Quellen läßt nunmehr das Achaimenidenreich als ein vielsprachiges, flexibles System mit vitaler Kunstproduktion verstehen [30; 26.; 8]. Der Konflikt der Achaimeniden mit den Hellenen, der für die Schärfung des Orient-Okzident-Gegensatzes so zentral war, rückt dabei als Grenzkonflikt aus dem Zentrum der Betrachtung.

Nicht nur hier können etablierte Interpretationen als zeitgebundene Vorstellungen vor dem Hintergrund des O. und innereurop. Konflikte erwiesen werden. Reflektiert die Betonung des Freiheitswillens der Griechen gegenüber den Persern bei dt. Althistorikern des 19. Jh. verschiedene Stadien dt. Einigung [42; 13], so bildete die britische Kolonialpolitik den Hintergrund für die Interpretation der Städtegründungspolitik der Seleukiden und Ptolemäer vom Mittelmeer bis Baktrien und in Ägypten. Selbst in neuesten Forsch. sollen die seleukidischen Städtegründungen noch nach Jh. von einem kulturell und ethnisch reinen Griechentum bevölkert gewesen sein [14]. Hier mischen sich allg. Erwägungen des 19. und frühen 20. Jh., die eine Vermischung der Griechen mit Orientalen gedanklich nicht gestatteten, mit dem Vorbild der britischen Kolonialverwaltung in Indien, bei der sich die Briten von der einheimischen Bevölkerung fernhalten sollten. So wie sich Mitte des 19. Jh. das Bild eines statischen und primitiven Hinduismus etabliert hatte, der die britische Herrschaft in Indien als notwendige moralische und zivilisatorische Ordnung zu erfordern schien [5. 75; 35], so wurde in den Altertumswiss. die Eroberung des als degeneriert beschriebenen Achaimenidenreiches durch Alexander, die Errichtung der Seleukidenherrschaft und die angeblich damit einhergehende kulturelle Hellenisierung begrüßt. Die Beurteilung stützte sich auf griech. und röm. Autoren, deren Texte in kolonialer Perspektive interpretiert wurden, und die Publikation arch. Funde mit Bezug zum Westen. So wird bis h. das Seleukidenreich üblicherweise nicht als Teil orientalischer Geschichte behandelt. Keilschriftliche und arch. Quellen lassen hingegen zunehmend deutlich werden, daß sich Wirt-schaft und Verwaltung unter den Seleukiden, die selbst in der rel. und polit. Amtsausübung altorientalische Herrscherpflichten und -darstellungsformen übernahmen, kaum veränderten [23; 34]. Da außerdem Sehgewohnheiten und Interesse die Publikation von möglicherweise griech. beeinflußter Keramik und Kleinkunst favorisierten, andererseits die Unkenntnis orientalischer Vorbilder zu deren Ausblendung führte, stellen sich h. die Fragen nach der Hellenisierung von (materieller) Kultur im Orient und nach der Innovationskraft lokaler Produzenten neu. Die früher betonte Stellung der Griechen, die analog zu europ. Kolonialisten dem Or. Kultur gebracht haben sollen, erscheint nunmehr weitgehend als eurozentrische Interpretation.

Ein ausbalancierter Blick, der arch. und philol. Quellen jeglicher Herkunft gleichberechtigt heranzieht, ist am Beginn des 21. Jh. noch immer die Ausnahme. Generelle Annahmen über kulturelle und polit. Überlegenheit des Westen sind ebenso wie die Interpretationen arch. Materials und traditionelle Übers. griech. und röm. Autoren unter dem Aspekt des O. kritisch zu überprüfen. Insbesondere das vorklass. Griechenland wird zunehmend im Zusammenhang der Kulturen des östl. Mittelmeers betrachtet. Eine Neubeurteilung der Achaimeniden, Ptolemäer, Seleukiden und Arsakiden unter Berücksichtigung von Kontinuitäten ist in der Diskussion. Dies ist eine Anerkenntnis der nicht mehr unumstrittenen Hegemonie der griech.-röm. Welt sowie der Verminderung eurozentrischer Einstellungen, die nicht zuletzt durch die Kritik des O. hervorgerufen wurde.

1 B. ASHCROFT et al. (Hrsg.), The Post-Colonial Studies Reader, 1995 2 S. J. AL-'AZM, Orientalism and Orientalism in Reverse, Khamsin 8, 1981, 5–26 3 Z. BAHRANI, Conjuring Mesopotamia, in: L. MESKELL (Hrsg.), Archaeology under Fire, 1999, 159–174 4 H. BENGTSON, Griech. Gesch. von den Anf. bis in die röm. Kaiserzeit, HdbA III.4, ⁵1977 5 H. BHABHA, The Other Question, in: R. FERGUSON et al. (Hrsg.), Out There: Marginalization and Contemporary Cultures, 1990, 71–87 6 H. BHABHA, The Location of Culture, 1994 7 C. A. BRECKENRIDGE, P. VAN DER VEER (Hrsg.), Orientalism and the Postcolonial Predicament: Perspectives on South Asia, 1993 8 P. BRIANT, Histoire de l'empire Perse: De Cyrus à Alexandre, 1996 9 G. CANNON, Sir William Jones and Literary Orientalism, in: C. C. BARFOOT, TH. D'HAEN, Oriental Prospects: Western Literature and the Lure of the East, 1998, 27–41 10 J. CLIFFORD, G. MARCUS (Hrsg.), Writing Culture 1986 11 G. FLÜGEL, Orientalistik, in: J. S. ERSCH, J. G. GRUBER (Hrsg.), Allg. Encyclopädie der Wiss. und Künste 3. Section, 5. Teil, Leipzig 1834, 194–245 12 W. HALBFASS, Research and Reflection: Responses to my Respondents I: Beyond Orientalism? Reflections on a Current Theme, in: E. FRANCO et al. (Hrsg.), Beyond Orientalism: The Work of Wilhelm Halbfass and its Impact on Indian and Cross-Cultural Stud., 1997, 1–29 13 S. R. HAUSER, Der hellenisierte Or.: Bemerkungen zum Verhältnis von Alter Gesch., Klass. und Vorderasiatischer Arch., in: H. KÜHNE et al. (Hrsg.), Fluchtpunkt Uruk, 1999, 316–341 14 Ders., Greek in subject and style, but a little distorted: Zum

Verhältnis von Or. und Okzident in der Altertumswiss., in: S. ALTEKAMP et al. (Hrsg.), Posthuman. Klass. Arch., 2001 **15** G. W. F. HEGEL, Vorlesungen über die Philos. der Gesch., Gehalten 1822–31, Werke Bd. 12, 1970 **16** A. HUSSAIN et al. (Hrsg.), Orientalism, Islam and Islamists, 1984 **17** M. T. LARSEN, Orientalism and Near Eastern archaeology, in: D. MILLER et al. (Hrsg.), Domination and Resistance, 1989, 229–239 **18** L. LOWE, Critical Terrains: French and British Orientalisms, 1991 **19** G. MARCUS, M. FISCHER, Anthropology as Cultural Critique, ²1999 **20** S. L. MARCHAND, The Rhetoric of Artifacts and the Decline of Classical Humanism: The Case of Josef Strzygowski, History and Theory 33, 1994, 106–130 **21** Dies., A. GRAFTON, Martin Bernal and His Critics, Aion 5, 1997, 1–35 **22** J. M. MACKENZIE, Orientalism: History, Theory and the Arts, 1996 **23** J. OELSNER, Materialien zur babylonischen Ges. und Kultur in hell. Zeit, 1986 **24** D. PORTER, Orientalism and its Problems, in: F. BARKER et al. (Hrsg.), The Politics of Theory, 1983, 179–193 **25** R. F. RETAMAR, Caliban and Other Essays, 1989, 3–55 **26** M. C. ROOT, From the Heart: Powerful Persianisms in the Art of the Western Empire, in: H. SANCISI-WEERDENBURG, A. KUHRT (Hrsg.), Achaemenid History VI, 1991, 1–29 **27** E. W. SAID, Orientalism, 1995 **28** Ders., The World, the Text and the Critic, 1983 **29** Ders., Orientalism Reconsidered, in: F. BARKER et al., Europe and its Others, 1985, 14–27 **30** H. SANCISI-WEERDENBURG et al. (Hrsg.), Achaemenid History Vol. I-VIII, Proceedings of the Achaemenid History Workshops, 1987–1994 **31** Z. SARDAR, Orientalism, 1999 **32** J. SCHNEIDER (Hrsg.), Italy's »Southern« Question: Orientalism in One Country, 1998 **33** J. SHARPE, Allegories of Empire: The Figure of Women in the Colonial Text, 1993 **34** S. SHERWIN-WHITE, A. KUHRT, From Samarkand to Sardis: A New Approach to the Seleucid Empire, 1993 **35** J. G. SINGH, Colonial Narratives/Cultural Dialogues: »Discoveries« of India in the Language of Colonialism, 1996 **36** G. CH. SPIVAK, In Other Worlds: Essays in Cultural Politics, 1987 **37** D. SPURR, The Rhetoric of Empire: Colonial Discourse in Journalism, Travel Writing, and Imperial Administration, 1993 **38** B. S. TURNER, Marx and the End of Orientalism, 1978 **39** Ders., Orientalism, Postmodernism and Globalism, 1994 **40** M. VAN DE MIEROOP, Cuneiform Texts and the Writing of History, 1999 **41** G. WALSER, Hellas und Iran, 1984 **42** J. WIESEHÖFER, »Denn es sind welthistor. Siege...« Nineteenth and Twentieth-Century German Views of the Persian Wars, in: A. C. GUNTER (Hrsg.), The Construction of the Ancient Near East, Culture and History 11, 61–83. **43** P. WILLIAMS, L. CHRISMAN (Hrsg.), Colonial Discourse and Post-Colonial Theory: a Reader 1994 **44** R. YOUNG, White Mythologies: Writing History and the West, 1990.

STEFAN R. HAUSER

Orphik, Orphizismus s. Okkultismus

Orthographie A. ALLGEMEINES
B. GRIECHISCH C. LATEINISCH

A. ALLGEMEINES

Hier werden nur Erscheinungen der Alphabetschriften behandelt. (Exemplarisch für Silbenschriften sei das Mykenische genannt.) Ausgeschlossen bleiben auch Kurzschriftsysteme, während die Standardisierung von Abkürzungen durchaus in den Bereich der O. fällt. Das Wort ὀρθογραφία, »richtiges Schreiben, Rechtschreibung«, ist seit dem 2. Jh. v. Chr. (beim Grammatiker Tryphon) nachgewiesen. Unter O. versteht man seit der Ant. sowohl die normierte Darstellungsform einer Sprache (meist anhand von Einzelwortbeispielen behandelt) wie auch Theorien, deren angestrebtes Ziel darin besteht, das Verhältnis von Laut und Schrift möglichst adäquat zu regeln und sodann didaktisch zu vermitteln. Andererseits führen orthographische Vorschriften gewöhnlich dazu, daß ein vorbildlicher – an der Schrift orientierter – Standard für die Aussprache erhoben wird: die sog. Orthoepie (griech. ὀρθο-ἔπεια, »richtige Ausdrucksweise«). Der durch O. reglementierte Bereich umfaßt auch Lesezeichen (mit Einschluß der Interpunktion), Zahlzeichen und Vorschriften zur Wort- oder Silbentrennung. Zur Durchsetzung einer Norm bedarf es Autoritäten. Wer diese jeweils waren und wie sie sich geltend machten, bleibt weithin im Dunkeln, zumal diesbezügliche Nachrichten aus der Ant. einer Überprüfung nicht standhalten. Z. B. wurden nach Ausweis der Inschr. die Reform des Archonten Eukleides (403/2) und die dem Dichter Accius (geb. 170) zugeschriebenen Regelungen bereits von Vorgängern befolgt. Die Vermutung liegt nahe, daß Texte mit hohem Verbreitungsgrad im öffentlichen Leben, d. h. publizierte Beschlüsse und Gesetze, eher zu einer Standardisierung beitrugen als Dichterwerke. Ausgangspunkt für eine jeweilige O. besteht im Akt der Verschriftung (Schriftübernahme), also in der erstmaligen Regelung hinsichtlich Auswahl und Zuordnung der Schriftzeichen an die zum gegebenen Zeitpunkt in der Sprache vorhandenen Phoneme. Da diese ständigem Wandel unterworfen sind, und die im Unterricht gelernte Schreibung nicht immer der lautlichen Entwicklung folgt, entsteht eine Kluft zw. Aussprache und O. (»histor. O.«). In der mod. Forsch. wird deshalb die O. der klass. Sprachen meist im Zusammenhang mit Fragen des Lautwandels abgehandelt. Neben der Aufgabe der O., Beziehungen zw. Aussprache und Schreibung zu regeln, hilft sie auch beim gramm. und semantischen Verständnis. Gelegentlich werden nämlich Regeln vermittelt bzw. befolgt, die Zweideutigkeiten der phonischen Realisation beseitigen sollen, indem z. B. Assim. bzw. Kontraktionen an Wort- oder Morphemgrenzen rückgängig gemacht werden. Ein Schriftbild wie *adlatus* für /al:a:tus/ gibt dem Wort seine Durchsichtigkeit (Ptz. von *adferre*) zurück.

B. GRIECHISCH

Da die Erkenntnislage für die anderen Dial. ungleich ungünstiger ist, werden Probleme der griech. O. anhand des Att. dargestellt. Nur als Resultat normstiftenden Unterrichts läßt sich die Tatsache erklären, daß komplexe, streng genommen überflüssige Buchstaben wie ψ /ps/ von der Ant. bis h. angewandt wurden. Ein generelles Manko der Verschriftlichung bestand in der Nichtbezeichnung der Länge. Beim Konsonantismus

Abb. 1: Nestor-Becher

trat sehr früh (καλλι-, 7. Jh., sog. Nestorbecher, Abb. 1) Gemination als Bezeichnung dafür ein. Langvokale blieben gewöhnlich unbezeichnet. Nach der offiziellen Übernahme der milesischen Schrift im J. 403/2 werden /eː/ und /oː/ durch η und ω geschrieben. Dies zog allerdings als Konsequenz nach sich, daß das zu jener Zeit noch gesprochene Phonem /h/ aus der Schrift verschwand. Allerdings wurde das Problem fehlender Längenbezeichnungen im Mgriech. gegenstandslos, weil die Quantitätsunterschiede aufgegeben wurden. In Hss. (Pap.) trat für /h/ das Lesezeichen Spiritus asper, z. B. ἁ, ἑ usw., ein (dies wurde in neuzeitlichen Textausgaben und Lex. fortgesetzt), das auch nach dem Verstummen des Lautes geschrieben werden sollte. Im Verein mit der korrekten Wiedergabe der Intonationsunterschiede, bei der auch geschwundene Quantitäten berücksichtigt werden mußten, bürdeten die histor. Züge der griech. O. jahrhundertelang einen hohen Lernaufwand auf. Erst mit der endgültigen Durchsetzung der Volkssprache (Demotike) durch Parlamentsbeschlüsse im J. 1976 wurden die h. funktionslosen Spiritus abgeschafft und die Akzentsetzung vereinheitlicht. Die einsträngige Entwicklung des Griech. mit relativ wenigen, weitgehend regelmäßigen Lautentwicklungen brachte es mit sich, daß die O. der Erbwörter vielfach bei der ant. verharren konnte. Verschiebungen beim Konsonantismus, wie z. B. /tʰ, pʰ, kʰ/ zu entsprechenden Reibelauten ignorierte die O. Die griech. Zeichen θ, φ, χ stehen in mod. Lautschrift für diese Reibelaute, was darauf hinweist, daß bei der Rezeption altgriech. Texte bis in die Neuzeit zwar die altgriech. O. als Norm galt, jedoch in neugriech. Weise gelesen wurde. Streitfragen über den Anspruch auf eine dem Altgriech. angemessene lautliche Realisation scheinen in keinem Land, wo noch griech. Studien betrieben werden, befriedigend beigelegt.

C. LATEINISCH

Der Verschriftung des Lat. liegt ein durch Etrusker modifiziertes griech. Alphabet zugrunde, weshalb auch manche orthographische Regelung des Griech. fortwirkt. Die bei ι und υ fehlende Differenzierung von sonantischer und konsonantischer Geltung wurde auf lat. i und u übertragen. Erst seit der frühen Neuzeit ist die Scheidung in i/j resp. u/v bekannt und hat sich durchgesetzt. Eine Übertragung dieses Usus in lat. Textausgaben, Gramm. und Lex. stellt natürlich einen Anachronismus dar. Im MA schufen Schreiber german. Sprachen aus der Ligatur uu für /u̯/ das w (engl. »double

u«). Ebenso wie im Gr. wurden phonematische Längenunterschiede vernachlässigt. Lesezeichen wie der Apex (á, é = /aː, eː/) wurden zwar gelegentlich verwendet, konnten sich aber nicht durchsetzen. Eingriffe in die O. durch Erfindung neuer Zeichen hatten keinen Erfolg. Die Propagierung neuer Buchstaben durch den röm. Kaiser Claudius und später durch den merowingischen König Chilperich scheiterte. Da anders als das Griech. das Lat. in die lautlich früh und stark divergierenden romanischen Sprachen zerfiel, litt auch die orthographische Einheitlichkeit der weiterhin benutzten lat. Schriftsprache, weil regional verschiedene Lautwandel in der Schreibung durchschlugen. Als Etappen auf einen Weg zu einer restituierten, dem ant. Usus nahekommenden O. können die → Karolingische Renaissance, der → Humanismus und die seit K. Lachmann etablierte mod. Textkritik genannt werden.

→ AWI Abkürzungen; Accius; Aussprache; Chilperich (II); Eukleides (1); Griechisch I., Abschnitt D; Itazismus; Lautlehre; Lesezeichen; Mykenisch; Schrift; Tachygraphie; Tryphon

1 B. BISCHOFF, Paläographie des röm. Alt. und des abendländischen MA, ²1986 2 LEUMANN 3 T. MEISENBURG, Lat. O.?, in: Osnabrücker Beitr. zur Sprachtheorie 47, 1993, 34–59 3 SCHWYZER, GRAMM. 4 STRZELECKI, RE 18, 1456–1484 5 WENDEL, RE 18, 1437–1456.

DIETER STEINBAUER

Osmanisch-islamische Kulturregion s. Türkei

Ostia und Porto A. ENTWICKLUNG DER ORTE SEIT DER ANTIKE B. BESIEDLUNG UND NUTZUNG DES GELÄNDES SEIT DEM 9. JAHRHUNDERT C. ERSTE BESCHREIBUNGEN UND ZEICHNUNGEN D. AUSGRABUNGEN UND DOKUMENTATION IM 18. UND 19. JAHRHUNDERT E. AUSGRABUNGEN UND DOKUMENTATION BIS 1945 F. NACHKRIEGSZEIT G. IDEOLOGISCHER KONTEXT DER AUSGRABUNGEN UND WIRKUNG

A. ENTWICKLUNG DER ORTE SEIT DER ANTIKE

Das Delta des Tiber schob sich seit der Kaiserzeit um z. T. mehr als 3 km ins Meer vor. Die alte Küstenlinie ist durch eine Reihe von Dünen jedoch gut zu erkennen [21]. Der Kanal (*fossa traiana*) zw. den Hafenbecken und dem Fluß (noch im 12. Jh. schiffbar) verlandete allmählich, das trajanische Hafenbecken blieb aber immer sichtbar. Während einer großen Flut im September

1577 durchbrach der Tiber die Flußschlaufe nördl. von O. und trennte damit den ma. Borgo von den Verkehrswegen ab [4. Abb. S. 31–39, 50]. Gleichzeitig wurden Teile der ant. Flußfront von O. fortgeschwemmt. Verschiedene Versuche, den alten Kanal zu den Häfen als »Fossa Papale« (h. Fiumicino) wiederzubeleben, hatten nur vorübergehend Erfolg. Erst unter Alexander VII. wurde 1660 ein Hafen an dessen Mündung eingerichtet.

B. Besiedlung und Nutzung des Geländes seit dem 9. Jahrhundert

In der Spätant. und im frühen MA hatten O. und P. zwar unter verschiedenen Überfällen sehr gelitten, dank der für Roms Versorgung strategisch wichtigen Lage aber weiter als Umschlagplatz für den Fernhandel gedient [17]. Die Bevölkerung wurde im frühen 9. Jh. von Papst Gregor IV. (827–844) nahe dem ant. O. in einer befestigten Siedlung (Gregoriopolis) gesammelt (Lib. Pontif. ed. Duchesne II, p. 81), wohl an der Stelle des heutigen »Borgo«, am Grab der Märtyrerin S. Aurea, dem Bischofssitz von O. [2]. Nach Zerstörungen noch im 9. Jh. wurde unter Martin V. (1417–1431) ein Wehrturm errichtet. Der Ausbau der bescheidenen Siedlung zum h. noch erhaltenen Borgo mit seinem Kastell erfolgte unter Kardinal d'Estouteville (1461–1483 Bischof von O.) und seinem Nachfolger Giuliano della Rovere (dem späteren Julius II.) in den J. 1483–1486. Wie schon das ant. O. diente diese Festung auch als Zoll- und Umschlagplatz für Waren bei der Versorgung Roms, außerdem zur Kontrolle der Salzgewinnung [5; 16]. Nach dem Tiberdurchbruch von 1557 wurden diese Funktionen von einer Reihe von Wachttürmen übernommen, die dem Verlauf der sich ins Meer vorschiebenden Küste folgten. Erst als Folge der Trockenlegung der Sümpfe um O. am Ende des 19. Jh. entwickelte sich der Borgo (h. Ostia Antica) zu einem größeren Ort. Die Ruinenstätte selbst blieb bis auf ein Salzlager (h. Museum) weitgehend unbesiedelt und diente nur als Lieferant für Baumaterial und zum Kalkbrennen. ›Non longe ab (...) Hostiensi civitate (...) in loco, qui vocatur calcaria‹ (»Nicht weit entfernt von der Stadt Ostia, an einem Platz, der Kalkofen genannt wird«) nennt eine Bulle Coelestins III. von 1191 das Gebiet. Inschriften und andere Fragmente aus O. sind im Dom von Pisa und im Baptisterium von Florenz verbaut [22. 160–162]. Seit Pius II. (1458–1464) ist auch immer wieder der Abtransport von Marmor für die Fabbrica di San Pietro und andere Bauten in Rom überliefert [18. 105–106, 111–112].

C. Erste Beschreibungen und Zeichnungen

Die wenigen und zerstreuten Notizen über O. und P. seit dem MA wurden von L. Paschetto zusammengestellt [18]. Eine erste Beschreibung findet sich in den *commentarii* von Pius II. Piccolomini 1460: ›fuisse olim magnam (...) visuntur dirutae porticus, columne iacentes et statuarum fragmenta, extant et veteris templi parietes marmore spoliati (...) pars aquaeductus‹ (»daß O. einst groß war, sieht man an den zerstörten Säulenhallen, den umherliegenden Säulen und Statuenfragmen-

ten. Es gibt auch noch die Wände eines alten Tempels, von denen man den Marmor entfernt hat, und einen Teil der Wasserleitung«) [8. 694; 18. 106–107]. Das Interesse der Ren.-Architekten zogen dagegen die Reste der beiden Häfen von P. an [8. 696; 10; 11; 12]. Die zahlreichen, z. T. voneinander abhängigen Pläne und perspektivischen Rekonstruktionen beruhen auch auf der Beobachtung der Ruinen in P. selbst (u. a. G. di Sangallo, P. Ligorio 1554, A. Labacco 1557/1559, E. Dupérac 1575) (Abb. 1).

D. Ausgrabungen und Dokumentation im 18. und 19. Jahrhundert

›Urbis cadaver, non urbem vidisse‹ (»Der Leichnam einer Stadt, nicht eine Stadt schien es zu sein«) äußert sich G. R. Vulpius nach seinem Besuch 1732 in der ersten ausführlichen, auch mit Abbildungen von Funden versehenen antiquarischen Abh. über O. [24. 184]. Ende des 18. Jh. werden Grabungslizenzen an Gavin Hamilton (1772 und 1774/5), Robert Fagan (1794–1801), Giovanni Volpato (70er J.) und andere vergeben [18. 113–115]. Diese auf Skulpturenfunde ausgerichteten Grabungen konzentrierten sich auf den Bereich der ant. Küstenlinie (Porta Marina, Tor Boacciana), wo man die in ant. Quellen überlieferten Kaiserpaläste vermutete. Die reichen Statuenfunde kamen z. T. in den Kunsthandel, z. T. in die Musei Vaticani [1]. Auch die Grabungen der ersten H. des 19. Jh. zielten ausschließlich auf Museumsfunde, ob sie nun vom Papst selbst oder von Kardinälen initiiert wurden (C. Fea/G. Petrini 1801–1804 [6; 14; 18. 499–524]; Cartoni 1824/1829; Kardinal Pacca/P. Campana 1831/1835) [18. 525–535]. Dabei wurden nun auch Teile des Stadtzentrums durchforscht, und es entstanden erste Pläne des Ruinenfeldes (P. Holl 1804; G. Verani 1804; A. Canina 1829 [4. Abb. 9–13]). Die Grabungen des Principe Alessandro Torlonia in P. 1864–1867 sollten gleichfalls nur Statuen- und Inschriftenfunde erbringen [12. 22; 23]. Stärker top. orientierten sich die Ausgrabungen P. E. Viscontis (1855–1870: Freilegung der Porta Romana, des sog. Palazzo Imperiale am Tiber u. a. m.). 1865 wurde auch ein erstes Mus. in O. im ehemaligen Salzmagazin eingerichtet. Letztlich sporadisch blieben auch im geeinten It. die Unt.: P. Rosa 1870/71; R. Lanciani 1878–1889 (mit Unterbrechungen); L. Borsari/G. Gatti 1897/1899 [18. 537–562].

E. Ausgrabungen und Dokumentation bis 1945

Die Ernennung D. Vaglieris 1907 zum *Direttore degli Scavi* führte zu einer einheitlichen und kontinuierlichen Konzeption, die nach seinem Tod 1913 von G. Calza und dem Architekten I. Gismondi fortgesetzt wurde [4. 34–38]. Die bis dahin halb freigelegten Bauten sollten miteinander verbunden werden, Tiefgrabungen die Geschichte der Stadt klären. Vaglieri legte selbst noch einen Streifen längs des Decumanus Maximus mit meist öffentlichen Bauten frei, erste Sondagen im Bereich der Porta Romana führten zu keinen handfesten Ergebnissen. Erst G. Calza gelang 1914 mit der Entdeckung des

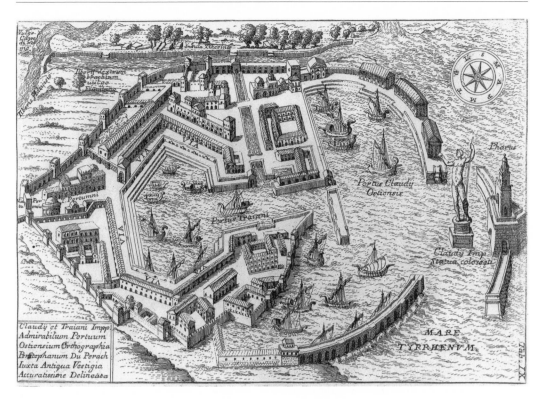

Abb. 1: Dupéracs mehrfach nachgedruckte Rekonstruktion beruht auf einer recht genauen Aufnahme der Ruinen von Portus. Das große Interesse mehrerer Renaissance-Architekten an den Häfen Roms mag mit gleichzeitigen Bauaufgaben (Civitavecchia, Livorno) zusammenhängen (Universitätsbibliothek Augsburg)

alten Castrum aus dem 4. Jh. v. Chr. ein entscheidender Schritt zur Klärung der Vorgeschichte des kaiserzeitlichen O. Die Freilegung großer Wohnkomplexe (»Casa di Diana« u. a.) führte zur Erforsch. der großstädtischen Wohnverhältnisse, die auch auf Rom selbst übertragen werden konnten. Erst diese Grabungen machten aus O. jene Primärquelle röm. Lebens, als die es uns h. vertraut ist [13; 19]. Hand in Hand mit den Ausgrabungen gingen Restaurierung und Wiederaufbau der Bauten (*insulae*, Theater), die, kaum dokumentiert, h. die architekturhistor. Forsch. z. T. sehr erschweren. 1925 wurde auch mit der Freilegung der kaiserzeitlichen Nekropole auf der Isola Sacra begonnen. Mit der Einbindung O. in das kulturelle Programm der für 1942 geplanten Weltausstellung in Rom beschleunigte sich das Ausgrabungstempo [4. 38; 20] (Abb. 2). Die freigelegte Fläche wurde zw. 1938 und 1942 von 16 auf 34 ha mehr als verdoppelt. Dokumentation und wiss. Erschließung mußten hinter den Anforderungen an Geschwindigkeit und v. a. touristischer Aufbereitung (Wiederaufbau der Ruinen; parkähnliche Gestaltung durch Bepflanzung, Erweiterung des Mus., Nutzung des Theaters) zurückstehen. Calza konzentrierte sich nun außerdem ausdrücklich auf die Blütezeit O. im 2. Jh. n. Chr., so daß v. a. die Stadt der Spätant. weitgehend verloren ist [4. 45, 49].

F. NACHKRIEGSZEIT

Nach dem Tod G. Calzas (1946) beschränkten sich die arch. Aktivitäten in O. und P. weitgehend auf die Erforsch. des bis 1942 Freigelegten. Nur durch Straßenbau (Synagoge) und Anlage des internationalen Flughafens von Rom (Hafen des Claudius, Museo delle Navi) wurden neue Grabungen erzwungen. Verschiedene, meist anläßlich von Restaurierungsarbeiten ausgeführte Sondagen wiesen v. a. im Bereich nördl. des Decumanus maximus große Komplexe aus vorhadrianischer Zeit nach [14. 578–593]. In jüngster Zeit haben sich die Forsch. den noch nicht freigelegten Teilen innerhalb der Mauer, dem südl. gelegenen Territorium der Pianabella und dem Gelände nördl. des Tiber zugewandt, so daß auch O. allmählich im Zusammenhang mit seinem Territorium gesehen werden kann. Der Ankauf eines Teils des Geländes von P. führte zur Planung eines → Archäologischen Parks [12].

G. IDEOLOGISCHER KONTEXT DER AUSGRABUNGEN UND WIRKUNG

O. war lange Zeit keine feste Etappe der Bildungsreisenden. Erst die Grabungen Calzas im Zentrum der Stadt vermittelten durch die mehrstöckigen, z. T. wieder aufgerichteten und stark restaurierten großen Speicher- und Wohnkomplexe den lebendigen Eindruck einer ant. Stadt, wie ihn bis dahin nur Pompeji bieten

Abb. 3: Italo Gismondi, Rekonstruktion des Caseggiato
dei Misuratori del Grano (vor 1921). Die perfekten und
phantasievollen Rekonstruktionszeichnungen Gismondis
prägen noch heute die Vorstellung von Ostia.
Sie waren für die Wirkung der Ziegelarchitektur
auf zeitgenössische Bauten entscheidend

Abb. 2: Ausgrabung und Rekonstruktion.
Als Kulturprogramm für die geplante Weltausstellung
vorgesehen, mußte Ostia nicht nur rasch freigelegt,
sondern als touristisches Objekt auch schnell wieder
instandgesetzt werden. Heute sind antikes und
neuzeitliches Mauerwerk oft kaum noch zu unterscheiden
(Soprintendenza Archeologica di Ostia)

konnte, und der als »Spiegel Roms« auch die Verhältnisse der Hauptstadt wiedergab. Calza stellte, unterstützt
von den großartigen Rekonstruktionszeichnungen Gismondis (Abb. 3), die in O. erstmals ausgegrabenen *insulae* (Komplexe mit Mitwohnungen) den pompejanischen, für jeweils eine *familia* konzipierten Atriumhäu-
sern gegenüber, deklarierte sie zum Inbegriff röm. Gei-
steshaltung und zu fernen Vorläufern der Hochhäuser
[3]. Mit seiner Aktualisierung der Ausgrabungsbefunde
griff er unmittelbar in die Diskussion um den mod.
Wohnungsbau in Rom ein. Statt der marmornen Glie-
derarchitektur beeindruckten nun gerade die schmuck-
losen, mit Ziegeln verkleideten Bauten aus *opus caemen-
ticium* auch Architekten der Moderne wie Le Corbusier.
Ziegelverkleidung und zahlreiche Fassadenmotive aus
O. finden sich daher auch in Bauten der 20er J. in Rom,
sogar eine in Teilen wörtliche Kopie der »Casa di Diana«
des Architekten Innocenzo Sabbatini [9]. Als erste *colonia* Roms und als Ausgangspunkt der ant. Kriegs- und
Handelsflotten paßte sich O. in das imperiale Konzept
der für 1942 geplanten Weltausstellung ein. Dort wurde
aber nur in zahlreichen schwarz-weiß Mosaiken auf die
ant. Stadt direkt verwiesen, die Themen und Kolorit der
röm. Bodendekorationen in eine gemäßigt mod. Formensprache übersetzten. Nicht zum Symbol imperialer
Macht, sondern zum Symbol kollektiver Erinnerung
und dem Fluß der Zeit wurde die Ruinenlandschaft O.
für das Künstlerpaar Anne und Patrick Poirier, die

1971/2 ein großes Stadtmodell (11,40 × 5,75 m) aus kleinen Tonziegeln anfertigten (Sammlung Ludwig, Museum Moderner Kunst, Wien) [15] (Abb. 4).

1 I. Bignamini, I marmi Fagan in Vaticano. La vendita del
1804 e altre acquisizioni, in: Bollettino dei Musei Pontifici
13, 1993, 331–394 2 U. Broccoli, O. antica, S. Aurea,
Gregoriopoli, in: Atti del VI congr. nazionale di Archeologia
Cristiana 1986, 79–90 3 G. Calza, Le origini latine
dell'abitazione moderna, in: Architettura e arti decorative 3,
1923, 3–18, 49–63 4 Ders., Scavi di O. I. Topografia
generale, 1953 5 S. Danesi Squarzina, La qualità antiquaria
degli interventi quattrocenteschi in O. tiberina, in: Dies.,
G. Borghini (Hrsg.), Il Borgo di O. da Sisto IV a Giulio II (Il
Quattrocento a Roma e nel Lazio), Kat. Ausstellung O.
1981, 13–51 6 C. Fea, Relazione di un viaggio a O. e alla
Villa di Plinio detta il Laurentino, Roma 1802
7 A. Gallina Zevi, A. Claridge (Hrsg.), Roman O.
revisited, 1996 8 A. van Heck (Hrsg.), Pii II commentarii,
Bd. 2, 1984 9 V. Kockel, Il palazzo per tutti. Die
Entdeckung des ant. Mietshauses und seine Wirkung auf die
Architektur des faschistischen Rom, in: Nürnberger Bl. zur
Arch. 11, 1994/95, 23–36 10 G. Lugli, G. Fillibeck, Il
Porto di Roma Imperiale e l'Agro Portuense, 1935
11 G. Lugli, Una pianta inedita del porto ostiense disegnata
da Pirro Ligorio, in: RPAA 23/4, 1947/1949, 187–207
12 V. Mannucci (Hrsg.), Il parco archeologico naturalistico
del Porto di Traiano, 1992 13 R. Meiggs, Roman O., ²1973
14 A. Nibby, Viaggio antiquario ne'contorni di Roma,
1819, Vol. 2, 281–299, 319–324 15 H. Paflik-Huber, Kunst
und Zeit, 1997, 240–250 16 L. Palermo, Il porto di Roma
nel XIV e XV secolo, 1979, s. v. O. 17 L. Paroli, P. Delogu
(Hrsg.), La storia economica di Roma nell'alto medioevo

Abb. 4: Die Symbolik der Ruinen wurde zum Hauptthema im Werk der Poiriers.
Das »Modell« von Ostia war ihre erste große Arbeit dazu (Museum Moderner Kunst, Wien)

alla luce dei recenti scavi archeologici, 1993 (verschiedene
Beitr.) **18** L. Paschetto, O. colonia romana, storia e
monumenti, 1912 **19** C. Pavolini, La vita quotidiana a O.,
1991 **20** V.S.M. Scrinari, Gli scavi di O. e l'E 42, in:
M. Guidoni et al. (Hrsg.), E 42. Utopia e scenario del
regime. Kat. Ausstellung Rom 1987, 179–188 **21** A.G.
Segre, Considerazioni sul Tevere e sull'Aniene nel
quaternario, in: Archeologia Laziale 7, 2, 1986, 9–17
22 G. Tedeschi Grisanti, Il reimpiego di materiali di età
classica, in: A. Peroni (Hrsg.), Il Duomo di Pisa, 1995
(saggi), 153–164 **23** O. Testaguzza, Portus, 1970 **24** G.R.
Vulpius, Vetus Latium profanum, Bd. VI (1734) 129–227.
                                                VALENTIN KOCKEL

Ottonische Renaissance I. Kunst II. Literatur

I. Kunst
A. Begriff B. Historische und geistige
Grundlagen C. Kunst

A. Begriff
In der Forsch. wurde wiederholt zu Recht registriert,
daß der Terminus O.R. unzulässig, weil irreführend ist
[11. 3 f.], vollzog sich doch in der ottononischen Kultur
›eine Wiederbelebung in jedem möglichen Sinne mit
Ausnahme der einer geplanten Anstrengung zur Wiederbelebung der Antike‹ (9. 53; dt. S. 65). Dennoch

blieb der Begriff in Gebrauch, da man dazu überging,
»Renaissance« im Wortsinn zu nehmen und als O.R.
die Tatsache an sich zu bezeichnen, daß im östl. der drei
ehemaligen fränkischen Teilreiche unter dem sächsisch-
ottonischen Herrscher Otto I. (936–973) und seinen
Nachfolgern die Künste nach längerer Verfallsphase zu
neuer Blüte gelangten. Indem dieser Neubeginn sich an
der karolingischen (→ Karolingische Renaissance), später zudem an der griech.-byz. Kultur orientierte, gelangten Elemente ant. Lit. und Ikonographie in das ottonische Reich; unvermittelt fand Antikenrezeption
dort nur stellenweise statt. Mißverständlich ist der Begriff O.R. auch deshalb, weil die Erneuerung erst ge-
raume Zeit nach dem Beginn der sächsisch-ottonischen
Herrschaft (Heinrich I. ab 919) einsetzte und weit über
deren Ende (Tod Heinrichs II. 1024) hinaus in die Zeit
der ersten salischen Kaiser bis jenseits der Mitte des
11. Jh. nachwirkte. Die Frage nach dem Ende dieser
Epoche und die nach dem Beginn der Romanik bedingen sich gegenseitig (vgl. C.). Die ottonische Kunst
wurde als ein Epochenereignis erstmals von Hans Jantzen zusammengestellt und definiert [6].

B. Historische und geistige Grundlagen
Der Sieg Ottos I. gegen die Ungarn 955 und die Erneuerung des abendländischen Kaisertums 962 in Rom
konsolidierten das ottonische Reich. Zu kulturellen

Zentren wurden namentlich Corvey, Hildesheim, Magdeburg (im Stammland Sachsen), Bamberg, Fulda, Regensburg, Reichenau, St. Gallen (in Franken, Schwaben, Bayern), Echternach, Essen/Werden, Köln, Lüttich, Mainz, Trier (an Rhein, Mosel, Maas). Wie schon Karl d. Gr. luden die ottonischen Herrscher Gelehrte an ihren Hof. Die an sich traditionsverhaftete ottonisch-salische Kirchenpolitik mit ihrem engen Bezugssystem zw. Herrscher und Reichsepiskopat [10] begünstigte die Investitur kunstsinniger Bischöfe (Bernward von Hildesheim, Bruno von Köln, Egbert von Trier, Meinwerk von Paderborn), Äbte (Ramwold von St. Emmeram) und Äbtissinnen (Hitda von Meschede, Uta von Niedermünster). Bildung wurde wesentlich in den Domschulen vermittelt (z. B. Köln, Mainz, Trier). Dort diente, wie im gesamten MA, die Lektüre auch ant. Autoren der lat. Schulung, weitergehende Rezeption war die Ausnahme (Terenz und Boethius bei Hrotsvit von Gandersheim; Boethius-Komm. Adalbolds von Utrecht). Griech. lernte man verstärkt nach 972, dem J. der Hochzeit Ottos II. (961–983) mit der byz. Kaisernichte Theophanu († 991) [4]. Allerdings neigte die Lit. primär zur Reflexion der eigenen Geschichte (Chroniken z. B. Widukinds von Corvey, Thietmars von Merseburg; Viten). Eine klassisch anmutende Kaisernomenklatur (*Imperator Romanorum*) zielte auf das Ideal des Reichs Karls d. Gr. und auf das byz. Kaisertum; die von Otto III. (983–1002) zeitweilig proklamierte *Renovatio imperii Romanorum* intendierte keineswegs eine Neugründung des röm.-ant. Kaiserreichs [5. 1].

C. KUNST

Die ottonisch-frühsalische Kunst ist unverwechselbar, ihre karolingischen, byz. und damit auch ant. Vorlagen wurden einer eigenen Stilform untergeordnet. Man kann hier wie beim spanisch-frz. »Premier art roman« von »Vorromanik« in ihrer letzten Phase sprechen, wobei ein Einschnitt in der Architektur (Speyerer Dom seit ca. 1025/29) früher erkennbar ist als in der Buchmalerei [8] (Niedergang Echternachs nach 1050) oder der Lit. [7] (Neuerungen unter Heinrich III., 1039–1056). Ant. Kunst war nicht zuletzt infolge der Italienzüge der ottonischen Herrscher bekannt, wurde jedoch nur bedingt rezipiert: Die vorwiegend in Sachsen neu gebauten Kirchen bilden den Typus der spätant. Säulenbasilika weiter aus. Das neuartige Würfelkapitell (Hildesheim, St. Michael, 1011/33) ist eine Absage an das ant. korinthische Kapitell. Nach dem Aachener Vorbild Karls d. Gr. ließ Otto I. für seinen Magdeburger Dom (ab 955) spätant. Säulen aus Oberitalien beschaffen. Bernward von Hildesheim (993–1022) [3], der 1001 in Rom war, entwarf seine Bronzesäule (um 1020; Hildesheim, Dom) mit der spiralförmig verlaufenden Vita Christi nur in der äußeren Form nach ant. Muster (Trajanssäule). Reste spätant. inspirierter Skulpturen stehen in St. Pantaleon in Köln (984–991); die stark karolingisch beeinflußte Elfenbeinkunst enthält zuweilen genuin spätant. Bildelemente. Beliebt war die Neuverwendung ant. Spolien bes. in der Goldschmiedekunst,

bekanntestes Beispiel ist die Augustus-Kamee am Lothar-Kreuz im Aachener Domschatz (980/1000; »Kaiserbild im Kreuz«) (→ Herrscher, Abb. 5). Das ottonische en-face-Herrschersiegel (seit 962) geht auf spätant. Kaiserikonographie zurück, ebenso in der Buchmalerei der Typus des frontal thronenden Herrschers (z. B. München, Bayer. Staatsbibl. Clm 4453), dem der *Notitia Dignitatum* entlehnte Personifikationen im Stil des *Aurum coronarium* huldigen. Der Trierer Meister des *Registrum Gregorii* (um 980/1000) besaß das für seine Zeit beste Verständnis ant. Bildmuster (Codex Egberti: Trier, Stadtbibl., Ms. 24, z. T. nach spätant. Vorlage; gemalte »ant. Münzen« u. a. in Paris, Bibl. Nat., Ms. lat. 8851), die er in seinen eigenen, eben ottonischen Stil umformte.

→ AWI Aurum coronarium, Boethius, Notitia Dignitatum, Terenz, Trajanssäule

1 G. ALTHOFF, Otto III., 1996 2 G. ALTHOFF, E. SCHUBERT (Hrsg.), Herrschaftsrepräsentation im ottonischen Sachsen, 1998 3 M. BRANDT, A. EGGEBRECHT (Hrsg.), Bernward von Hildesheim und das Zeitalter der Ottonen, 2 Bde. 1993 4 A. VON EUW, P. SCHREINER (Hrsg.), Kaiserin Theophanu, 2 Bde. 1991 5 K. GÖRICH, Otto III. Romanus Saxonicus et Italicus, 1993 6 H. JANTZEN, Ottonische Kunst, 1947 7 K. LANGOSCH, Mittellat. Dichtung in Deutschland, in: Reallex. der dt. Literaturgesch., Bd. 2, 1965, 335–391, hier 349–360 8 H. MAYR-HARTING, Ottonische Buchmalerei, 1991 9 E. PANOFSKY, Renaissance and Renascences in Western Art, 1960 (dt. 1984) 10 R. SCHIEFFER, Der geschichtliche Ort der ottonisch-salischen Reichskirchenpolitik, 1998 11 P. E. SCHRAMM, Kaiser Rom und Renovatio, 1929 (⁵1992). JOACHIM OTT

II. LITERATUR

A. EINLEITUNG B. NOTKER III.
C. WILLIRAM VON EBERSBERG

A. EINLEITUNG

Entgegen der in ihrer gelehrten Schicht breiten und alle Künste durchdringenden Antikenrezeption in der → Karolingischen Renaissance besteht die der ausgehenden ahd. Zeit, der O. R., in dem einzigen Werk des St. Galler Magisters Notker III. [8] und (in der Zeit der ersten Salier) in der Hohelieddichtung und -exegese des Ebersberger Abtes Williram.

B. NOTKER III.

Notker III. von St. Gallen, schon von den Zeitgenossen »Teutonicus« oder auch, wegen seiner großen Lippe, »Labeo« genannt, geb. etwa 950 in der Gegend von Wil oder Jonschwil (Schweiz), starb am 28./29. Juni 1022 an der Pest [22; 27]. Er war der bedeutendste Lehrer seiner Klosterschule und hat durch seinen bedeutendsten Schüler Ekkehard IV., der auch die Momente seines Todes schildert, eine bewegende Würdigung erfahren [4].

Über sein Werk und die Auffassung, die er selbst von ihm hegte, unterrichtet ein in der Geschichte der dt. Lit. des MA einzigartiger Brief, den Notker wenige J. vor seinem Tod an den Bischof Hugo von Sitten (Sion) im

Wallis geschrieben hat [6. 172 f.; 8. Bd. 7. 347–349]. Dieser wünschte offenbar eine Beschäftigung Notkers mit Texten der *Artes* und bekam von ihm eine Wertung dieser Schulschriften als zwar notwendige, aber nur im Dienst der rel. Schriften stehenden Hilfsmittel entgegengehalten. Im einzelnen nennt hier Notker die von ihm bis dahin verfaßten Schriften, er drückt durch die Aufzählung seinen Stolz aus und reflektiert den Sinn von Übersetzungen. Es ist die Übers. damals eine *res paene inusitata*, die er als Wagnis ansieht, die er allerdings auch noch mit einer Kommentierung des Textes *syllogistice aut figurate aut suasorie* nach Cicero, Aristoteles u. a. verbindet. Auch wenn der Bischof zunächst davor zurückschrecke, als von etwas Ungewohntem, (…) werde er lesen und erkennen, wie schnell man in der Muttersprache verstehe, was man in der Fremdsprache kaum oder nur unvollständig verstehe.

An Werken hatte Notker auf diese Weise bis dahin bearbeitet (die mit Asterisk versehenen Titel sind nicht erhalten): Boethius, *De consolatione philosophiae* und *De sancta trinitate*, die *Disticha Catonis*, die *Bucolica* Vergils, die *Andria* des Terenz, *Die Hochzeit des Merkur und der Philol.* (B. 1 und 2) des Martianus Capella [7], die *Kategorien* und *Periermenias* (*Peri hermeneias*) [9] des Aristoteles und die *Principia arithmeticae*.

Sodann kehrte er zur geistlichen Lit. zurück und übesetzte den ganzen Psalter, den er nach Augustinus kommentierte, und begann die *Moralia* in »Job« nach Gregor d. Gr., die er erst zu einem Drittel fertig hatte, als er den Brief an Bischof Hugo schrieb.

Auch verfaßte er noch eine *Nova Rhetorica*, einen *Novus Computus* und andere lat. *Opuscula*. Nicht erwähnt wird von ihm ein wohl Notker zugeschriebener rein ahd. Traktat *De musica* [12], der damals als jünger galt.

Ekkehard zufolge vollendete Notker an seinem Todestag das *opus mirandum* des »Job«. Offenbar kam bis zu Notkers Tode kein weiteres dt. Werk mehr hinzu. Der Brief an Hugo ist nur in einer aus Trier stammenden Brüsseler Hs. (Bibliothèque Royale Nr. 10615–10729, fol. 58r) überliefert, die in ihr folgenden rein lat. Schriften stammen zwar aus St. Gallen, gehören aber nicht zum Werk Notkers [6. 178 f.].

Durch ihren Inhalt dem Trivium und Quadrivium zugehörig, erweisen sich die Übers. Notkers wegen ihres didaktischen Habitus als Teil des Unterrichts, denn die Form des Ausgangstextes wird so stark aufgelöst, daß weder die Perioden noch die Verse etwa beim Prosimetrum des Boethius erkennbar bleiben. Die Schriften repräsentieren also wohl den zweiten Durchgang, der in dt.-lat. Mischsprache Übers. und Komm. in eins bindet. Unter dem Titel *Notker Latinus* [8. Bd. 2–4A, 8–10A] hat man mit Erfolg versucht, seine Quellenschriften zu rekonstruieren, soweit er sie benutzte. Ob man seine Mischsprache tatsächlich als Kathedersprache verstehen kann, muß offenbleiben.

Mag das Werk auch ›Teutonice propter caritatem discipulorum‹ [4. Glosse 6 zu V. 62] für den Unterricht

entstanden und auf die Gegebenheiten des Ausgangstextes ausgerichtet sein, in der Rezeption erhielt es eine eigene ästhetische Qualität, denn Ekkehard berichtet auch, daß die ein großes Vergnügen an den Psalmen hätten, die dt. lesen könnten, und daß sich die Kaiserin Gisela, ›operum eius avidissima‹, als sie 1027, fünf J. nach Notkers Tod, zusammen mit ihrem Sohn, dem späteren Kaiser Heinrich III., das Galluskloster besuchte, ein Exemplar des Psalters und des »Job« habe mitgeben lassen [4. Glosse 9 zu V. 67].

Notker entwickelt ein differenziertes Schriftsystem, mit Akzenten und einer Regelung der Tenues und Fortes, sowie der Verhärtung der Verschlußlaute nach der lautlichen Umgebung (Notkers Anlautgesetz [16]). Lexikalisch erweitert er die ahd. wiss. Sprache beträchtlich, unter seinen 8000 Wörtern sind zahlreiche Neubildungen.

Die deutliche Nachwirkung der meisten Schriften blieb, soweit die Hss. erkennen lassen, auf die St. Galler Umgebung begrenzt, nur für den Psalter gibt es Bearbeitungen aus St. Blasien und Bayern (Wessobrunn 12. Jh.).

C. WILLIRAM VON EBERSBERG

In die zweite Jh.-Hälfte gehört Williram, 1048–1085 Abt von Ebersberg (Bayern), Verfasser lat. Gedichte, einer *Vita S. Aurelii* und einer lat.-dt. Hohelieddichtung mit Komm. (Expositio in *Cantica Canticorum*) [1; 2.; 15]. Wenn Beziehungen zum Werk Notkers III. existieren haben, so müssen sie ziemlich lose, der Anspruch unterschiedlich gewesen sein.

Williram gehörte als Verwandter bedeutender Bischöfe wie Heribert von Köln (gest. 1021) und Heribert von Eichstätt (gest. 1042) jedenfalls in den Kreis der Autoren um jenen Heinrich III., dessen Mutter Gisela von Notkers d. Dt. Schriften so angetan war, und der ihn auch 1048 zum Abt von Ebersberg ernannte [26. 11–20]. Mit dem Kaiser wurde Willirams ganze Hoffnung auf eine mögliche polit. Karriere zu Grabe getragen (›Spes mea tota ruit‹, Nr. 16, V. 14 [2]). In seiner Frühzeit war er Mönch in Fulda und Scholasticus im Kloster auf dem Bamberger Michelsberg gewesen. Bei Heinrich IV. gelang es ihm nicht mehr Fuß zu fassen. Er starb als guter Verwalter seines Klosters. Sein Hauptwerk, die *Cantica Canticorum*, besteht aus einer Dichtung in lat.-leoninischen Hexametern, die in 149 Abschnitten jeweils (in der linken Spalte) erst den Text des Hohenliedes versifiziert, dann allegorisch kommentiert. Dasselbe geschieht (rechts) in einer dt. Prosa, die das Hohelied dt. übersetzt, dann in einer dt.-lat. Mischsprache kommentiert. Der Inhalt ist jeweils identisch, nach dem Muster des *Opus geminatum* [26. 113–174]. In der Mitte zw. den Spalten steht der Vulgata-Text des Hohenliedes (Abb. 1).

Obwohl Williram im Prolog zu seiner Hohelieddichtung (P 33 f [1]) erwähnt, er habe die verschiedenen Auslegungen der Heiligen Väter vereint, hat er sich doch stark auf Haimo von Auxerre, *Commentarium in Cantica Canticorum* [5] gestützt, der schon vieles gesammelt bot. Die Verse des Hohenlieds sind Braut und

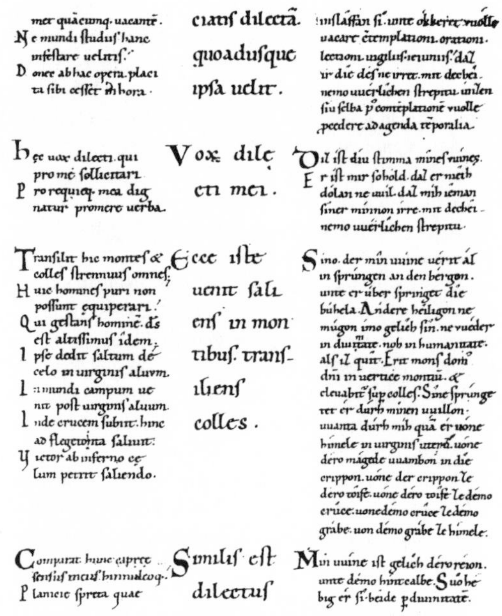

mer quàcumq. uacantē.
Ne mundi studus hanc
infestare uelitis.
Donec ab hac opera placi
ta sibi cesset in hora.

ciatis dilectā
quoadusque
ipsa uelit.

insláffan si. unte ókkerit vuolle
uacare contemplationi. orationi.
lectioni. uigiliis. ieiuniis. daz
ir die dés ne irret. mit decheí.
nemo uuerlichen strepitu. unzen
siu selba post contemplationē vuolle
procedere ad agenda tēporalia.

Hęc uox dilecti. qui
pro mé sollicitari
Pro requieq. mea dig
natur promere uerba.

Vox dilę
cti mei.

Daz ist diu stimma mines uuines.
Er ist mir sohold. daz er mich
dólan ne uuil. daz mih ieman
siner minnon irre. mit decheí.
nemo uuérlichen strepitu.

Transilit hic montes & colles strennuus omnes.
Huic homines puri non possunt equiperari.
Qui gestans hominē. d's est altissimus idem.
Ipse dedit saltum de celo in uirginis aluum.
Inmundi campum ue nit post uirginis aluum.
Inde crucem subiit. hinc ad flegetonta saliuit.
Uictor ab inferno ce lum petiit saliendo.

Ecce iste
uenit sali
ens in mon
tibus. trans
iliens
colles.

Sino. der mîn uuine uérit áz
in sprúngen an den bérgon.
unte er úber springet die
búhela. Andere héiligon ne
múgon imo geliéh sin. ne vuéder
in diuinitate. noh in humanitate.
als iz quit. Erit mons domi
dni in uertice montiū. &
eleuabit sup colles. Sine sprunge
ret er durh minen uuillon.
uuanta durh mih quā er uone
himele in uirginis uterū. uone
déro mágede uuambon in die
crippon. uóne der crippon ze
déro uuíse. uóne déro uuíse ze démo
crúce. uone démo crúce ze démo
gràbe. uon démo gràbe ze himele.

Comparat hunc capree
sensus meus hinnuleoq.
Planicie spreta quae

Similis est
dilectus

Min uuine ist gelich déro reion.
unte démo hintcalbe. Suó he
big er si beide p diuinitate.

Abb. 1: Verlorene Breslauer Handschrift MS. 347 [1, iv]: ›Ut corpus (des Hohenliedes) in medio positum, his (von der lateinischen Dichtung und der deutschen Prosa) utrimque cingatur‹ (Praefatio 30f.; etwa: »...der Bibeltext in der Mitte soll von der lateinischen Dichtung und der deutschen Prosa umgeben sein«)

Bräutigam, d. h. Christus und der Kirche in den Mund gelegt, gelegentlich läßt sich auch die *Vox Synagoge* vernehmen. Man darf hinter diesem »Dialog« den Bildungshorizont der ant. und früh-ma. Dichtung, bes. der Bukolik sehen [26. 59; 9].

Den Anstoß zu Willirams Werk scheint der Niedergang der lit. Studien, v. a. der rel., gegeben zu haben; ihm will er entgegenarbeiten nach dem Vorbild des Lanfranc (von Bec), der sich von der Dialektik zu den *ecclesiastica studia*, eben der Schriftexegese gewendet habe [1 P15–19]. Das muß um die Jh.-Mitte gewesen sein, so daß Willirams *Cantica* um 1060 angesetzt werden können. Im 12. Jh. ist sein Text die Quelle des mhd. »St. Trudperter Hohenliedes« [24].

Die Überlieferung des Hohenliedes ist einzigartig. Von zwei Hss., die wohl zu Willirams Lebenszeit in Ebersberg entstanden sind, zieht sich eine dichte Reihe von fast 50 Textzeugen bis in die erste H. des 16. Jh., wo der Humanist Menrad Molter für den Druck 1528 die dt. Teile ins Lat. übersetzte [20; 21].

QU **1** E. H. Bartelmez, The expositio in cantica canticorum of Williram, Abbot of Ebersberg, 1048–1085 A critical ed., 1967 **2** M. Dittrich, Sechzehn lat. Gedichte Willirams von Eberberg, in: Zschr. f. dt. Alt. 76 (1939), 45–63 **3** A. Dolch, Notker Stud., Teil I und II, Lat.-ahd. und ahd.-lat. Wörterverzeichnis zu Notkers Boethius De Consolatione Philosophiae, Bd. I, 1928 **4** Ekkehart IV., Der Liber Benedictionum, hrsg. v. Johannes Egli, 1909, XLIV, 63–83, 230–234 **5** Haymo (Augustodunensis), Commentarium in Cantica Canticorum, PL 117, 295–358 **6** E. Hellgardt, Notkers d. Dt. Brief an Bischof Hugo von Sitten, in: K. Grubmüller (Hrsg.), Befund und Deutung: Zum Verhältnis von Empirie und Interpretation in Sprach- und Literaturwiss., 1979, 169–192 **7** Martianus Capella, Die Hochzeit der Philol. und des Merkur, Diplomatischer Textabdruck, Konkordanzen und Wortlisten nach dem Codex Sangallensis 872, Notker d. Dt. von St. Gallen, hrsg. v. E. S. Firchow (Einheitstitel: De nuptiis Philologiae et Mercurii), 1990 **7a)** S. Glauch, Die Martianus-Capella-Bearbeitung Notkers des Deutschen, Bd. I Unt., Bd. II. Übers. von Bd. I. und Komm., 2000 **8** Notker d. Dt., Die Werke, begonnen v. E. H. Sehrt, T. Starck, fortgesetzt v. J. C. King, P. W. Tax, Bd. 1–10, 1986–1996 (Bde. mit A = Notker Latinus) **9** Notker Labeo, Categoriae, Boethius' Bearbeitung von Aristoteles' Schrift Kategoriai, Konkordanzen, Wortlisten und Abdruck der Texte nach dem Codices Sangallensis 818 und 825, Notker d. Dt. von St. Gallen, hrsg. v. E. S. Firchow, 1996 **10** Ders., De interpretatione, Boethius' Bearbeitung von Aristoteles' Schrift Peri hermeneias, Konkordanzen, Wortlisten und Abdruck des Textes nach dem Codex Sangallenses 818, Notker d. Dt. von St. Gallen, hrsg. v. E. S. Firchow, 1995 **11** F. Ohly (Hrsg.), Das St. Trudperter Hohelied, eine Lehre der liebenden Gotteserkenntnis, 1998 **12** M. J. van Schaik, Notker Labeo, De musica: Ed., Übers. und Komm., 1995 **13** E. H. Sehrt, Notker-Glossar, Ein ahd.-lat.-nhd. WB zu Notkers d. Dt. Schriften, 1962 **14** Ders., W. K. Legener (Hrsg.), Notker-Wortschatz, 1955 **15** Willíramus, Vita S. Aurelii, Acta Sanctorum, 137–141

LIT **16** W. Braune, Ahd. Gramm., [14]1987 **17** E. S. Coleman, Bibliographie zu Notker III. von St. Gallen, in: F. A. Raven et al. (Hrsg.),.Germanic Stud. in Honor of Edward Henry Sehrt, 1968, 61–76 **18** E. S. Firchow, Bibliographie zu Notker III. von St. Gallen, Teil 2, in: W. C. McDonald (Hrsg.), Spectrum Medii Aevi: Essays in Early German Literature in Honor of George Fenwick Jones, 1983, 91–110 **19** Ders., Notker d. Dt. von St. Gallen (950–1022), ausführliche Bibliographie, 2000 **20** K. Gärtner, Williram von Ebersberg OSB, in: Verfasserlex. Bd. 10, Sp. 1156–1170 **21** Ders., Zu den Hss. mit dem dt. Kommentarteil des Hohenlied-Komm. Willirams von Ebersberg, in: V. Honemann, N. F. Palmer (Hrsg.), Dt. Hss. 1100–1400, 1988, 1–34 **22** W. Haubrichs, Von den Anf. zum hohen MA, Teil 1, Die Anfänge, Versuche volkssprachlicher Schriftlichkeit im frühen MA (Einheitstitel: Gesch. der dt. Lit. von den Anf. bis zum Beginn der Neuzeit, hrsg. v. J. Heinzle), [2]1995, 221–226 **23** M. Landgraf, Das St. Trudperter Hohe Lied, sein theologischer Gedankengehalt und seine geschichtliche Stellung, bes. im Vergleich zu Williram von Ebersberg, 1935 **24** F. Ohly, Zur Gattung des Hohelieds in der Exegese, in: Ders. (Hrsg.), Ausgewählte und neue Schriften zur Literaturgesch. und zur Bedeutungsforsch., 1995, 95–112 **25** W. Sanders, Der Leidener Willeram, Unt. zu Hs., Text und Sprachform, 1974 **26** V. Schupp, Stud. zur Williram von Ebersberg, 1978 **27** S. Sonderegger, Notker III. v. St. Gallen (N. Labeo; N. Teutonicus) OSB, in: Verfasserlex. Bd. 6, Sp. 1212–1236.

VOLKER SCHUPP